제5판 | 법무사 | 법원행시 | 법원사무관승진 | 법원직 공무원 시험대비

이혁준 민법

1차 | 객관식 문제집

1권

이혁준 편저

KB213441

10년간 9회

★ 전 체 ★
수 석

합 격 자 배 출

박문각 법무사

브랜드만족
1위
박문각

먼저 그 동안 본서에 보여 준 여러분들의 깊은 관심과 사랑에 다시 한 번 머리 숙여 감사드린다.

민법 객관식 문제집이 출간된 지 벌써 9년여가 되어 가는데, 그 사이 법무사시험과 법원행정고시 및 법원직 관련시험에서 출제된 문제들을 본서에 반영할 필요가 생겼다. 따라서 이번 개정판에서는 최근 국가고시 중 2024년까지 치러진 법무사시험과 법원행정고시 및 법원직 관련시험에 출제된 문제를 중심으로 반영하되, 본서에 소개된 기존 문제들 중에서 최근 출제경향에 다소 떨어지거나 오래된 문제 및 중복된 문제는 삭제하는 방향으로 개정할 수밖에 없었음을 미리 밝힌다.

이번 민법 객관식 문제집 제5판의 개편 기조는 다음과 같다.

첫째, 내용을 다소 정비하였다. 기존에 불분명하여 오해의 소지가 있는 해설부분과 오기 또는 오탈자가 있는 부분, 기출 당시에는 옳거나 옳지 않은 지문이었으나 출제 후 변경된 판례나 신설된 조문에 따르면 옳지 않거나 옳은 지문이 되는 부분 등을 해설과 복수 정답 처리 등의 방식으로 바로 잡았다. 또한 최근 2025년 3월까지의 개정된 조문을 반영하였다.

둘째, 2024년까지 치러진 법무사시험과 법원행정고시 및 법원직 관련시험에 출제된 문제를 그대로 반영하여, 최근 출제경향을 가늠하고 그에 대처할 수 있도록 하였다.

셋째, 본서의 기존 ① 「기본문제」의 구성과 ② 「확인·보충·심화문제」의 구성은 유지하되, 최근 출제경향에 다소 떨어지거나 오래된 문제 및 중복된 문제는 삭제하여 최대한 그 양이 늘어나는 것을 방지하였다.

언제나 그랬듯이 이번 **민법 객관식 문제집** 제5판을 출간함에 있어서도 많은 분들의 도움이 있었다. 일일이 이름을 들어 감사의 말씀을 드리지는 못하나, 다시 한번 그 분들에게 고마움을 전한다. 그리고 본서가 수험서로서 보다 새로워지고 충실해질 수 있도록 도움을 주신 박문각 朴容 회장님과 출판사 임직원 분들에게 감사의 말씀을 드린다.

마지막으로 이 책을 항상 격려와 관심 그리고 깊은 애정으로 지켜봐 주는 사랑하는 가족들에게 바친다.

본서가 수험생 여러분들의 합격에 보탬이 될 것을 믿어 의심치 않으며, 앞으로도 계속적으로 다듬고 보충하여 더 훌륭한 책이 될 수 있도록 노력할 것임을 약속드리며, 수험생 여러분들의 조속한 합격을 기원한다.

편저자 이혁준

응시자격

제2차 시험일(시험을 수일간 실시하는 경우 최종일)을 기준으로 법무사법 제6조의 결격사유가 없어야 하며, 법무사규칙 제15조의 규정에 의하여 응시자격을 정지당한 자는 응시할 수 없다.

시험방법

가. 제1차 시험 : 객관식 필기시험
나. 제2차 시험 : 주관식 필기시험

시험과목

구분	제1차 시험	제2차 시험
제1과목	헌법(40), 상법(60)	민법(100)
제2과목	민법(80), 가족관계의 등록 등에 관한 법률(20)	형법(50), 형사소송법(50)
제3과목	민사집행법(70), 상업등기법 및 비송사건절차법(30)	민사소송법(70), 민사사건관련서류의 작성(30)
제4과목	부동산등기법(60), 공탁법(40)	부동산등기법(70), 등기신청서류의 작성(30)

※ 괄호 안의 숫자는 각 과목별 배점비율임.

응시원서 접수

1 접수방법 등

가. 「대한민국 법원 시험정보」 인터넷 홈페이지(http://exam.scourt.go.kr)에 접속하여 접수할 수 있음.
나. 구체적인 방법은 접수기간 중에 시험정보 인터넷 홈페이지에서 처리단계별로 안내함.
다. 원서접수 시에는 미리 3.5㎝×4.5㎝ 크기의 모자를 쓰지 않은 상반신 사진(디지털 사진 또는 스캐닝 사진)을 jpg(jpeg) 형식의 파일(해상도 100, 3.5㎝×4.5㎝)로 준비하여야 하고, 응시수수료 10,000원 외에 별도의 처리비용(카드결제, 실시간 계좌이체, 휴대폰결제)이 소요됨.

2 원서접수 시 유의사항

  (1) 응시자는 응시원서에 표기한 제1차 시험의 응시지역(서울, 대전, 대구, 부산, 광주)에서만 응시할 수 있음.

  (2) 응시지역은 주소지에 관계없이 선택할 수 있음.

  (3) 응시원서 접수기간 내에는 기재사항(응시지역 등)을 수정할 수 있으나, 접수기간이 종료한 후에는 기재사항을 변경할 수 없음.

  (4) 응시원서를 접수한 후 취소마감일까지 원서접수를 취소한 경우와 시험 당일 불가피한 사유로 시험에 응시하지 못한 경우로써 「법무사법 및 법무사규칙의 시행에 관한 예규」 제3조 제1항에 해당하는 경우에는 응시수수료를 환불해 줌.

시험의 일부면제

가. 법무사법 제5조의2 제1항에 의한 경력이 있는 자는 제1차 시험을 면제함.

나. 법무사법 제5조의2 제2항에 의한 경력이 있는 자는 제1차 시험의 전과목과 제2차 시험과목 중 제1과목 및 제2과목을 면제함.

다. 제1차 시험에 합격한 자에 대하여는 다음 회의 시험에 한하여 제1차 시험을 면제함.

라. 시험의 일부('가항 내지 다항'에 해당하는 자)를 면제받고자 하는 자는 당해 시험의 응시자격 요건을 갖추어야 하며, 응시원서 접수기간 내에 면제사항을 기재한 응시원서를 반드시 접수하여야 함.

마. '가 및 나'항의 경력산정은 당해 시험의 제2차 시험일(시험을 수일간 실시하는 경우 첫 일자)을 기준으로 함.

바. '가 및 나'항에 의하여 시험의 일부 면제를 받고자 하는 자는 해당 근무경력사항이 포함된 경력증명서를 응시원서 접수기간 내에 법원행정처 인사운영심의담당실로 제출하여야 함.

합격자 결정

법무사규칙 제13조에 의함.

※ 기타사항은 법무사시험 공고문 참조

차례

★ ★

CONTENTS | PREFACE | GUIDE

CONTENTS | PREFACE | GUIDE

01 관습법과 사실인 관습에 관한 다음 설명 중 가장 옳지 않은 것은? (다툼이 있는 경우 판례에 의함)
▶ 2019년 법원주사보

① 관습법이란 사회의 거듭된 관행이 사회의 법적 확신에 의해 법적 규범으로 승인되어 사회생활규범으로서 강행되기에 이른 것으로서 전체 법질서에 부합하는 것이어야 한다.

② 대통령령인 구 가정의례준칙 제13조의 규정과 관습법이 배치될 경우, 관습법의 효력을 인정하는 것은 관습법의 제정법에 대한 열후적, 보충적 성격에 비추어 민법 제1조의 취지에 어긋나므로, 관습법의 효력은 부정된다.

③ 관습법과 달리 사실인 관습은 법령으로서의 효력이 없는 단순한 관행으로서 법률행위 당사자의 의사를 보충함에 그치는 것이다.

④ 판례에 의하여 인정되는 관습법으로는 분묘기지권, 동산 양도담보 등이 있고, 관습법상 인정되는 물권으로는 사도통행권, 온천권 등이 있다.

해설 ① 관습법이란 사회의 거듭된 관행으로 생성한 사회생활규범이 사회의 법적 확신과 인식에 의하여 법적 규범으로 승인·강행되기에 이른 것을 말하고, 그러한 관습법은 법원으로서 법령에 저촉되지 아니하는 한 법칙으로서의 효력이 있는 것이고, 또 사회의 거듭된 관행으로 생성한 어떤 사회생활규범이 법적 규범으로 승인되기에 이르렀다고 하기 위하여는 헌법을 최상위 규범으로 하는 전체 법질서에 반하지 아니하는 것으로서 정당성과 합리성이 있다고 인정될 수 있는 것이어야 하고, 그렇지 아니한 사회생활규범은 비록 그것이 사회의 거듭된 관행으로 생성된 것이라고 할지라도 이를 법적 규범으로 삼아 관습법으로서의 효력을 인정할 수 없다 (대판(전) 2005.7.21, 2002다1178).

② 가족의례준칙 제13조의 규정과 배치되는 관습법의 효력을 인정하는 것은 관습법의 제정법에 대한 열후적, 보충적 성격에 비추어 민법 제1조의 취지에 어긋나는 것이다(대판 1983.6.14, 80다3231).

③ 관습법이란 사회의 거듭된 관행으로 생성한 사회생활규범이 사회의 법적 확신과 인식에 의하여 법적 규범으로 승인·강행되기에 이르는 것을 말하고, 사실인 관습은 사회의 관행에 의하여 발생한 사회생활규범인 점에서 관습법과 같으나 사회의 법적 확신이나 인식에 의하여 법적 규범으로서 승인된 정도에 이르지 않은 것을 말하는 바, 관습법은 바로 법원으로서 법령과 같은 효력을 갖는 관습으로서 법령에 저촉되지 않는 한 법칙으로서의 효력이 있는 것이며, 이에 반하여 사실인 관습은 법령으로서의 효력이 없는 단순한 관행으로서 법률행위의 당사자의 의사를 보충함에 그치는 것이다(대판 1983.6.14, 80다3231).

④ 판례는 [1] 분묘기지권(대판 1995.2.28, 94다37912 등)과 가등기담보법의 적용이 없는 동산 양도담보에 관해서는 관습법상의 물권으로 본다(대판 1994.8.23, 93다44739). 그러나 [2]

관습상 사도통행권은 인정되지 않으며(대판 2002.2.26, 2001다64165), 온천권은 이를 관습법상의 물권이라고 볼 수 없으므로 온천수는 민법 제235조, 제236조 소정의 공용수 또는 생활상 필요한 용수에 해당하지 아니한다고 본다(대판 1970.5.26, 69다1239).

02 신의칙에 관한 설명 중 옳은 것은? (다툼이 있는 경우 판례에 의함) ▸ 2016년 사법시험

① 확정판결에 기한 집행이 권리남용에 해당하여 청구이의의 소에 의하여 집행의 배제를 구할 수 있는 정도의 경우라 하더라도 그러한 판결금 채권을 피보전채권으로 하여 채권자취소권을 행사하는 것은 허용된다.

② 채무자가 소멸시효 완성 후 시효를 원용하지 아니할 것 같은 태도를 보여 권리자로 하여금 이를 신뢰하게 하였다면, 권리자가 그로부터 권리행사를 기대할 수 있는 상당한 기간 내에 자신의 권리를 행사한 경우뿐만 아니라 권리행사를 기대할 수 있는 상당한 기간 내에 권리행사가 없었던 경우에도 채무자의 소멸시효 완성 주장은 허용될 수 없다.

③ 적법한 위임사무처리에 관하여 약정된 보수액이 부당하게 과다하여 신의칙에 반하는 경우, 그러한 약정 전부가 무효이다.

④ 회사가 해고한 근로자에게 지급할 퇴직금 등을 청산하여 변제공탁하고 근로자가 그 공탁을 조건 없이 수락하고 출급청구를 하여 수령한 이후 8개월 가까이 지나 제기한 해고무효확인청구는 금반언의 원칙에 위배되지 않으므로 허용된다.

⑤ 확정판결의 내용이 실체적 권리관계에 배치되는 경우 그 판결에 의하여 집행할 수 있는 것으로 확정된 권리의 성질과 그 내용, 판결의 성립 경위 및 판결 성립 후 집행에 이르기까지의 사정, 그 집행이 당사자에게 미치는 영향 등 제반 사정을 종합하여 볼 때, 그 확정판결에 기한 집행이 현저히 부당하고 상대방으로 하여금 그 집행을 수인하도록 하는 것이 정의에 반함이 명백하여 사회생활상 용인할 수 없다고 인정되는 경우에는 그 집행은 권리남용으로서 허용되지 않는다.

해설 ① 확정판결에 의한 권리라 하더라도 신의에 좇아 성실히 행사되어야 하고 판결에 기한 집행이 권리남용이 되는 경우에는 허용되지 않으므로 집행채무자는 청구이의의 소에 의하여 집행의 배제를 구할 수 있다. 위와 같이 확정판결에 기한 집행이 권리남용에 해당하여 청구이의의 소에 의하여 집행의 배제를 구할 수 있는 정도의 경우라면 그러한 판결금 채권을 피보전채권으로 하여 채권자취소권을 행사하는 것 등도 허용될 수 없다(대판 2014.2.21, 2013다75717).

② 소멸시효를 이유로 한 항변권의 행사도 민법의 대원칙인 신의성실의 원칙과 권리남용금지의 원칙의 지배를 받으므로, 채무자가 소멸시효 완성 후 시효를 원용하지 아니할 것 같은 태도를 보여 권리자로 하여금 이를 신뢰하게 하였고, 그로부터 권리행사를 기대할 수 있는 상당한 기간 내에 채권자가 자신의 권리를 행사하였다면, 채무자가 소멸시효 완성을 주장하는 것은 신의성실 원칙에 반하는 권리남용으로 허용될 수 없으나, 피해자나 그 유족이 상당한 기간 내에 권리를 행사할 경우에, 국가가 피해자 등에 대하여 소멸시효의 완성을 주장하는 것은 신의성실의 원칙에 반하는 권리남용에 해당하여 허용될 수 없다(대판(전합) 2013.5.16, 2012다202819).

정답 01 ④ 02 ⑤

③ 신의성실의 원칙이나 형평의 원칙에 반한다고 볼 만한 특별한 사정이 있는 경우에는 예외적으로 상당하다고 인정되는 범위 내의 보수액만을 청구할 수 있다고 보아야 한다(대판 2002.4.12, 2000다50190).

④ 회사가 해고한 근로자에게 지급할 퇴직금과 갑근세반환금 등을 청산하여 변제공탁하고 근로자가 그 공탁을 조건 없이 수락하고 출급청구를 하여 수령하였다면 그 근로자는 그때에 회사의 해고처분을 유효한 것으로 인정하였다고 볼 수밖에 없으므로 그 후 8개월 가까이 지나 제기한 해고무효확인청구는 금반언의 원칙에 위배되어 위법하다(대판 1989.9.29, 88다카19804).

⑤ 확정판결에 의한 권리라 하더라도 신의에 좇아 성실히 행사되어야 하고 그 판결에 기한 집행이 권리남용이 되는 경우에는 허용되지 않기 때문이다(대판 2014.5.29, 2013다82043).

03 **다음 설명 중 가장 옳지 않은 것은?** (다툼이 있는 경우 판례에 의함) ▸2017년 9급(법원서기보)

① 권리의 행사와 의무의 이행은 신의에 좇아 성실히 하여야 한다.

② 계약의 성립에 기초가 되지 아니한 사정이 그 후 변경되어 일방당사자가 계약 당시 의도한 계약목적을 달성할 수 없게 됨으로써 손해를 입게 된 경우라도 특별한 사정이 없는 한 그 계약내용의 효력을 그대로 유지하는 것이 신의칙에 반한다고 볼 수 없다.

③ 사정변경으로 인한 계약해제는 계약성립 당시 당사자가 예견할 수 없었던 현저한 사정의 변경이 발생하였고 그러한 사정의 변경이 해제권을 취득하는 당사자에게 책임 없는 사유로 생긴 것으로서 계약내용대로의 구속력을 인정한다면 신의칙에 현저히 반하는 결과가 생기는 경우에 계약준수 원칙의 예외로서 인정되는 것이다.

④ 권리자가 자신의 권리를 행사할 수 있는 기회가 충분히 있었음에도 불구하고 상당한 기간이 지나도록 그 권리를 행사하지 아니하여 의무자인 상대방으로 하여금 이제는 권리자가 권리를 더 이상 행사하지 아니할 것이라고 신뢰하게 할 만한 상황이 되었는데 권리자가 새삼스레 그 권리를 행사하는 것은 신의성실의 원칙상 허용되지 아니하므로 출생 이후 30년 이상 친자임을 주장하지 않고 다른 사람의 친자로 입적된 데 대하여 아무런 이의 없이 살아오다가 인지청구권을 행사하는 것은 허용되지 않는다.

해설 ① 제2조 제1항(신의성실) 권리의 행사와 의무의 이행은 신의에 좇아 성실히 하여야 한다.

②, ③ 사정변경을 이유로 한 계약 해제는 계약 성립 당시 당사자가 예견할 수 없었던 현저한 사정의 변경이 발생하였고 그러한 사정의 변경이 해제권을 취득하는 당사자에게 책임 없는 사유로 생긴 것으로서, 계약내용대로의 구속력을 인정한다면 신의칙에 현저히 반하는 결과가 생기는 경우에 계약준수 원칙의 예외로서 인정된다. 그리고 여기서의 변경된 사정이라 함은 계약의 기초가 되었던 객관적인 사정으로서, 일방 당사자의 주관적 또는 개인적인 사정을 의미하는 것은 아니다. 따라서 계약의 성립에 기초가 되지 아니한 사정이 그 후 변경되어 일방 당사자가 계약 당시 의도한 계약 목적을 달성할 수 없게 됨으로써 손해를 입게 되었다 하더라도 특별한 사정이 없는 한 그 계약 내용의 효력을 그대로 유지하는 것이 신의칙에 반한다고 볼 수 없다. 이러한 법리는 계속적 계약관계에서 사정변경을 이유로 계약의 해지를 주장하는 경우에도 마찬가지로 적용된다(대판(전합) 2013.9.26, 2012다13637).

④ 인지청구권은 본인의 일신전속적인 신분관계상의 권리로서 포기할 수도 없으며 포기하였더라도 그 효력이 발생할 수 없는 것이고, 이와 같이 인지청구권의 포기가 허용되지 않는 이상 거기에 실효의 법리가 적용될 여지도 없다(대판 2001.11.27, 2001므1353).

04 신의칙과 그 파생원칙에 관한 다음 설명 중 가장 옳지 않은 것은? (다툼이 있는 경우 판례에 의함)
▶ 2017년 법무사

① 신의성실의 원칙에 반하는 것은 강행규정에 위배되는 것으로서 당사자의 주장이 없더라도 법원이 직권으로 판단할 수 있다.

② 임대차계약에 있어서 차임불증액의 특약이 있더라도 그 약정 후 그 특약을 그대로 유지시키는 것이 신의칙에 반한다고 인정될 정도의 사정변경이 있다고 보여지는 경우에는 형평의 원칙상 임대인에게 차임증액청구를 인정하여야 한다.

③ 공무원의 불법행위로 손해를 입은 피해자의 국가배상청구권의 소멸시효 기간이 지났으나 국가가 소멸시효 완성을 주장하는 것이 신의성실의 원칙에 반하는 권리남용으로 허용될 수 없어 배상책임을 이행한 경우에는, 소멸시효완성 주장이 권리남용에 해당하게 된 원인행위와 관련하여 공무원이 원인이 되는 행위를 적극적으로 주도하였다는 등의 특별한 사정이 없는 한, 국가가 공무원에게 구상권을 행사하는 것은 신의칙상 허용되지 않는다.

④ 계약의 해제로 인한 원상회복청구권에 대하여 해제자가 해제의 원인이 된 채무불이행에 관하여 '원인'의 일부를 제공하였다면 신의칙 또는 공평의 원칙에 기하여 일반적으로 손해배상에 있어서의 과실상계에 준하여 권리의 내용이 제한될 수 있다.

⑤ 위임계약에서 보수액에 관하여 약정한 경우에 수임인은 원칙적으로 약정보수액을 전부 청구할 수 있는 것이 원칙이지만 위임의 경위, 위임업무 처리의 경과와 난이도, 투입한 노력의 정도, 위임인이 업무 처리로 인하여 얻게 되는 구체적 이익, 기타 변론에 나타난 제반 사정을 고려할 때 약정보수액이 부당하게 과다하여 신의성실의 원칙이나 형평의 원칙에 반한다고 볼 만한 특별한 사정이 있는 때에는 예외적으로 상당하다고 인정되는 범위 내의 보수액만을 청구할 수 있다.

해설 ① 신의성실의 원칙에 반하는 것 또는 권리남용은 강행규정에 위배되는 것이므로 당사자의 주장이 없더라도 법원은 직권으로 판단할 수 있다(대판 1995.12.22, 94다42129).

② 임대차계약에 있어서 차임불증액의 특약이 있더라도 그 약정 후 그 특약을 그대로 유지시키는 것이 신의칙에 반한다고 인정될 정도의 사정변경이 있다고 보여지는 경우에는 형평의 원칙상 임대인에게 차임증액청구를 인정하여야 한다(대판 1996.11.12, 96다34061).

③ 공무원의 불법행위로 손해를 입은 피해자의 국가배상청구권의 소멸시효 기간이 지났으나 국가가 소멸시효 완성을 주장하는 것이 신의성실의 원칙에 반하는 권리남용으로 허용될 수 없어 배상책임을 이행한 경우에는, 소멸시효 완성 주장이 권리남용에 해당하게 된 원인행위와 관련하여 공무원이 원인이 되는 행위를 적극적으로 주도하였다는 등의 특별한 사정이 없는 한, 국가가 공무원에게 구상권을 행사하는 것은 신의칙상 허용되지 않는다(대판 2016.6.10, 2015다217843).

④ 계약의 해제로 인한 원상회복청구권에 대하여 해제자가 해제의 원인이 된 채무불이행에 관하여 '원인'의 일부를 제공한 경우에는 신의칙 또는 공평의 원칙에 기하여 일반적으로 손해배상에 있어서의 과실상계에 준하여 권리의 내용이 제한될 수 없다(대판 2014.3.13, 2013다34143).

정답 ▶ 03 ④ 04 ④

⑤ 위임계약에서 보수액에 관하여 약정한 경우에 수임인은 원칙적으로 약정보수액을 전부 청구할 수 있는 것이 원칙이지만, 위임의 경우, 위임업무 처리의 경과와 난이도, 투입한 노력의 정도, 위임인이 업무 처리로 인하여 얻게 되는 구체적 이익, 기타 변론에 나타난 제반 사정을 고려할 때 약정보수액이 부당하게 과다하여 신의성실의 원칙이나 형평의 원칙에 반한다고 볼 만한 특별한 사정이 있는 때에는 예외적으로 상당하다고 인정되는 범위 내의 보수액만을 청구할 수 있다(대판 2016.2.18, 2015다35560).

05 신의성실의 원칙에 관한 다음 설명 중 가장 옳지 않은 것은? (다툼이 있는 경우 판례에 의함)
▸ 2017년 법원행시

① 주택 경매절차에서 1순위 근저당권자보다 우선하는 주택임차인이 권리신고 및 배당요구를 하였으나 1순위 근저당권자에게 작성해 준 무상거주확인서로 인하여 배당을 받지 못하게 된 경우, 주택임차인은 임차보증금반환채무를 인수하지 않을 것을 신뢰하면서 주택을 낙찰받은 매수인에게 주택임대차보호법상 대항력을 주장할 수 없다.

② A가 아들인 B 소유의 부동산을 B의 대리인인 것처럼 행세하면서 C에게 매도하였고, 이후 B가 사망하여 A가 B를 단독상속하게 된 경우, A가 자신의 매매행위가 무권대리행위여서 무효였다는 이유로 C를 상대로 부동산소유권이전등기의 말소를 구하는 것은 금반언의 원칙이나 신의성실의 원칙에 반하여 허용될 수 없다.

③ 강행법규를 위반한 자가 스스로 그 약정의 무효를 주장하는 것은 특별한 사정이 없는 한 신의칙에 위배되는 권리의 행사이다.

④ 신의성실의 원칙에서 파생되는 실효의 원칙은 항소권과 같은 소송법상의 권리에 대하여도 적용될 수 있다.

⑤ 상속인 중 1인이 피상속인의 생존 시에 피상속인에 대하여 상속을 포기하기로 약정하였다고 하더라도, 상속개시 후 민법이 정하는 절차와 방식에 따라 상속포기를 하지 아니한 이상, 상속개시 후에 자신의 상속권을 주장하는 것이 권리남용에 해당하거나 또는 신의칙에 반하는 권리의 행사라고 할 수 없다.

해설 ① 주택 경매절차의 매수인이 권리신고 및 배당요구를 한 주택임차인의 배당순위가 1순위 근저당권자보다 우선한다고 신뢰하여 임차보증금 전액이 매각대금에서 배당되어 임차보증금반환채무를 인수하지 않는다는 전제 아래 매수가격을 정하여 낙찰을 받아 주택에 관한 소유권을 취득하였다면, 설령 주택임차인이 1순위 근저당권자에게 무상거주확인서를 작성해 준 사실이 있어 임차보증금을 배당받지 못하게 되었다고 하더라도, 그러한 사정을 들어 주택의 인도를 구하는 매수인에게 주택임대차보호법상 대항력을 주장하는 것은 신의칙에 위반되어 허용될 수 없다(대판 2017.4.7, 2016다248431).

② 甲이 대리권 없이 乙 소유 부동산을 丙에게 매도하여 부동산소유권이전등기 등에 관한 특별조치법에 의하여 소유권이전등기를 마쳐주었다면 그 매매계약은 무효이고 이에 터 잡은 이전등기 역시 무효가 되나, 甲은 乙의 무권대리인으로서 민법 제135조 제1항의 규정에 의하여 매수인인 丙에게 부동산에 대한 소유권이전등기를 이행할 의무가 있으므로 그러한 지위에 있는 甲이 乙로부터 부동산을 상속받아 그 소유자가 되어 소유권이전등기이행의무를 이

행하는 것이 가능하게 된 시점에서 자신이 소유자라고 하여 자신으로부터 부동산을 전전매수한 丁에게 원래 자신의 매매행위가 무권대리행위여서 무효였다는 이유로 丁 앞으로 경료된 소유권이전등기가 무효의 등기라고 주장하여 그 등기의 말소를 청구하거나 부동산의 점유로 인한 부당이득금의 반환을 구하는 것은 금반언의 원칙이나 신의성실의 원칙에 반하여 허용될 수 없다(대판 1994.9.27, 94다20617).

③ 강행법규를 위반한 자가 스스로 강행법규에 위배된 약정의 무효를 주장하는 것이 신의칙에 위반되는 권리의 행사라는 이유로 그 주장을 배척한다면, 이는 오히려 강행법규에 의하여 배제하려는 결과를 실현시키는 셈이 되어 입법 취지를 완전히 몰각하게 되므로 달리 특별한 사정이 없는 한 위와 같은 주장은 신의칙에 반하는 것이라고 할 수 없고, 한편 신의성실의 원칙에 위배된다는 이유로 권리의 행사를 부정하기 위해서는 상대방에게 신뢰를 공여하였다거나 객관적으로 보아 상대방이 신의를 가짐이 정당한 상태에 있어야 하며, 이러한 상대방의 신의에 반하여 권리를 행사하는 것이 정의관념에 비추어 용인될 수 없는 정도의 상태에 이르러야 한다(대판 2011.3.10, 2007다17482).

④ 실효의 원칙이라 함은 권리자가 장기간에 걸쳐 그 권리를 행사하지 아니함에 따라 그 의무자인 상대방이 더 이상 권리자가 권리를 행사하지 아니할 것으로 신뢰할 만한 정당한 기대를 가지게 된 경우에 새삼스럽게 권리자가 그 권리를 행사하는 것은 법질서 전체를 지배하는 신의성실의 원칙에 위반되어 허용되지 아니한다는 것을 의미하고, 항소권과 같은 소송법상의 권리에 대하여도 이러한 원칙은 적용될 수 있다(대판 1996.7.30, 94다51840).

⑤ 상속인 중의 1인이 피상속인의 생존 시에 피상속인에 대하여 상속을 포기하기로 약정하였다고 하더라도, 상속개시 후 민법이 정하는 절차와 방식에 따라 상속포기를 하지 아니한 이상, 상속개시 후에 자신의 상속권을 주장하는 것은 정당한 권리행사로서 권리남용에 해당하거나 또는 신의칙에 반하는 권리의 행사라고 할 수 없다(대판 1998.7.24, 98다9021).

06 **신의칙 또는 권리남용에 관한 다음 설명 중 가장 옳지 않은 것은?** ▸ 2018년 법원행시

① 상계권의 행사가 법적으로 보호받을 만한 가치가 없는 경우에는 그 상계권의 행사는 권리남용으로서 허용되지 않으며, 이 경우 일반적인 권리남용의 경우에 요구되는 주관적 요건은 필요로 하지 않는다.

② 확정판결에 기한 집행이 현저히 부당하고 상대방에게 그 집행을 수인하도록 하는 것이 정의에 반함이 명백하여 사회생활상 용인할 수 없다고 인정되는 경우에 그 집행은 권리남용으로서 허용되지 않는다.

③ 인지청구권의 행사가 상속재산에 대한 이해관계에서 비롯되었다 하더라도 정당한 신분관계를 확정하기 위해서라면 신의칙에 반하는 것이라 하여 막을 수 없다.

④ 명의수탁자와 제3자 사이의 인낙조서에 의해 명의신탁된 토지의 소유권이 제3자에게 이전되었으나 인낙조서의 성립이 명의수탁자의 불법행위에 기한 것이고 제3자가 불법행위에 적극 가담하였다고 하더라도, 제3자가 토지의 소유자임을 전제로 명의신탁자에게 토지의 점유·사용으로 인한 부당이득반환청구를 하는 것을 두고 권리남용이라고 할 수는 없다.

정답 ▸ **05** ③ **06** ④

⑤ 이미 채무자 소유의 목적물에 저당권이 설정되어 있어서 유치권의 성립에 의하여 저당권자가 그 채권 만족상의 불이익을 입을 것을 잘 알면서도 자기 채권의 우선적 만족을 위하여 취약한 재정적 지위에 있는 채무자와의 사이에 의도적으로 유치권의 성립요건을 충족하는 내용의 거래를 일으키고 그에 기하여 목적물을 점유하게 된 경우, 유치권자가 저당권자에 대하여 유치권을 주장하는 것은 다른 특별한 사정이 없는 한 신의칙에 반하는 권리행사로서 허용되지 아니한다.

해설 ① 일반적으로 당사자 사이에 상계적상이 있는 채권이 병존하고 있는 경우에는 이를 상계할 수 있는 것이 원칙이고, 이러한 상계의 대상이 되는 채권은 상대방과 사이에서 직접 발생한 채권에 한하는 것이 아니라 제3자로부터 양수 등을 원인으로 하여 취득한 채권도 포함한다 할 것인바, 이러한 상계권자의 지위가 법률상 보호를 받는 것은 원래 상계제도가 서로 대립하는 채권, 채무를 간이한 방법에 의하여 결제함으로써 양자의 채권채무관계를 원활하고 공평하게 처리함을 목적으로 하고 있고 상계권을 행사하려고 하는 자에 대하여는 수동채권의 존재가 사실상 자동채권에 대한 담보로서의 기능을 하는 것이어서 그 담보적 기능에 대한 당사자의 합리적 기대가 법적으로 보호받을 만한 가치가 있음에 근거하는 것이므로 당사자가 상계의 대상이 되는 채권이나 채무를 취득하게 된 목적과 경위, 상계권을 행사함에 이른 구체적·개별적 사정에 비추어 그것이 위와 같은 상계 제도의 목적이나 기능을 일탈하고, 법적으로 보호받을 만한 가치가 없는 경우에는 그 상계권의 행사는 신의칙에 반하거나 상계에 관한 권리를 남용하는 것으로서 허용되지 않는다고 함이 상당하고, 상계권 행사를 제한하는 위와 같은 근거에 비추어 볼 때 일반적인 권리 남용의 경우에 요구되는 주관적 요건을 필요로 하는 것은 아니다(대판 2003.4.11, 2002다59481).

② 확정판결의 내용이 실체적 권리관계에 배치되는 경우 그 판결에 의하여 집행할 수 있는 것으로 확정된 권리의 성질과 그 내용, 판결의 성립 경위 및 판결 성립 후 집행에 이르기까지의 사정, 그 집행이 당사자에게 미치는 영향 등 제반 사정을 종합하여 볼 때, 그 확정판결에 기한 집행이 현저히 부당하고 상대방으로 하여금 그 집행을 수인하도록 하는 것이 정의에 반함이 명백하여 사회생활상 용인할 수 없다고 인정되는 경우에는 그 집행은 권리남용으로서 허용되지 않는다(대판 2001.11.13, 99다32899).

③ 인지청구권의 행사가 상속재산에 대한 이해관계에서 비롯되었다 하더라도 정당한 신분관계를 확정하기 위해서라면 신의칙에 반하는 것이라 하여 막을 수 없다(대판 1982.3.9, 81다10).

④ [1] 명의수탁자로부터 그 신탁재산을 취득한 제3자는 그 재산이 신탁재산인지의 여부에 대한 선의·악의를 불문하고 신탁재산에 대한 소유권을 취득하나, 권리의 행사는 신의에 좇아 성실히 하여야 하는바, 제3자가 취득한 신탁재산의 소유권이 확정판결에 의한 것이라 하더라도 그 권리의 행사가 권리남용이 되는 경우에는 이를 허용할 수 없다 할 것이다.
[2] 명의수탁자와 제3자 사이의 인락조서에 의해 명의신탁된 토지의 소유권이 제3자에게 이전되었으나 인락조서의 성립이 명의수탁자의 불법행위에 기한 것이고 제3자가 불법행위에 적극 가담하였다면 제3자가 토지의 소유자임을 전제로 명의신탁자에게 토지의 점유·사용으로 인한 부당이득반환청구를 하는 것은 권리남용에 해당한다(대판 2001.5.8, 2000다43284).

⑤ 채무자가 채무초과의 상태에 이미 빠졌거나 그러한 상태가 임박함으로써 채권자가 원래라면 자기 채권의 충분한 만족을 얻을 가능성이 현저히 낮아진 상태에서 이미 채무자 소유의 목적물에 저당권 기타 담보물권이 설정되어 있어서 유치권의 성립에 의하여 저당권자 등이 그 채권 만족상의 불이익을 입을 것을 잘 알면서 자기 채권의 우선적 만족을 위하여 위와 같이

취약한 재정적 지위에 있는 채무자와의 사이에 의도적으로 유치권의 성립요건을 충족하는 내용의 거래를 일으키고 그에 기하여 목적물을 점유하게 됨으로써 유치권이 성립하였다면, 유치권자가 그 유치권을 저당권자 등에 대하여 주장하는 것은 다른 특별한 사정이 없는 한 신의칙에 반하는 권리행사 또는 권리남용으로서 허용되지 아니한다. 그리고 저당권자 등은 경매절차 기타 채권실행절차에서 위와 같은 유치권을 배제하기 위하여 그 부존재의 확인 등을 소로써 청구할 수 있다고 할 것이다(대판 2011.12.22, 2011다84298).

07 신의칙에 관한 다음 설명 중 가장 옳지 않은 것은? (다툼이 있는 경우 판례에 의함)

▶ 2019년 법원주사보

① 취득시효 완성 후에 그 사실을 모르고 당해 토지에 관해 어떠한 권리도 주장하지 않기로 하였다 하더라도 이에 반하여 시효주장을 하는 것은 특별한 사정이 없는 한 신의칙상 허용되지 않는다.

② 법령에 위반되어 무효임을 알고서도 그 법률행위를 한 자가 강행법규 위반을 이유로 무효를 주장하는 것은 신의칙 또는 금반언의 원칙에 반하므로 허용되지 않는다.

③ 종전 토지소유자가 자신의 권리를 행사하지 않았다 하더라도 이러한 사정은 그 토지 소유권을 적법하게 취득한 새로운 권리자에게 실효의 원칙을 적용함에 있어 고려하여야 할 것은 아니다.

④ 사정변경으로 인한 계약해제에서 말하는 사정이라 함은 계약의 기초가 되었던 객관적 사정으로서, 일방 당사자의 주관적 또는 개인적 사정을 의미하는 것은 아니다.

해설 ① 취득시효완성 사실을 모르고 어떠한 권리주장도 하지 않기로 한 점유자가 후에 취득시효를 주장함은 신의칙에 어긋난다(대판 1998.5.22, 96다24101).

② 특별한 사정이 없는 한, 법령에 위반되어 무효임을 알고서도 그 법률행위를 한 자가 강행법규 위반을 이유로 무효를 주장한다 하여 신의칙 또는 금반언의 원칙에 반하거나 권리남용에 해당한다고 볼 수는 없다(대판 2003.8.22, 2003다19961 등). 강행법규를 위반한 자 스스로가 그 약정의 무효를 주장함이 신의칙에 위반되는 권리의 행사라는 이유로 그 주장을 배척한다면, 이는 오히려 강행법규에 의하여 배제하려는 결과를 실현시키는 셈이 되어 입법취지를 완전히 몰각하게 되기 때문이다.

③ 종전 권리자의 권리 불행사에 따른 실효의 원칙은 그 권리를 취득한 새로운 권리자에게 적용되는 것은 아니다. 판례도 "송전선이 토지 위를 통과하고 있다는 점을 알고서 토지를 취득하였다고 하여 그 취득자가 그 소유 토지에 대한 소유권의 행사가 제한된 상태를 용인하였다고 할 수 없고, 종전 토지소유자가 자신의 권리를 행사하지 않았다는 사정은 그 토지의 소유권을 취득한 새로운 권리자에게 실효의 원칙을 적용함에 있어서 고려할 것은 아니다"라고 하였다(대판 1995.8.25, 94다27069).

④ 이른바 사정변경으로 인한 계약해제는, 계약성립 당시 당사자가 예견할 수 없었던 현저한 사정의 변경이 발생하였고 그러한 사정의 변경이 해제권을 취득하는 당사자에게 책임 없는 사유로 생긴 것으로서, 계약내용대로의 구속력을 인정한다면 신의칙에 현저히 반하는 결과가

정답 07 ②

생기는 경우에 계약준수 원칙의 예외로서 인정되는 것이고, 여기에서 말하는 사정이라 함은 계약의 기초가 되었던 객관적인 사정으로서, 일방당사자의 주관적 또는 개인적인 사정을 의미하는 것은 아니다. 또한, 계약의 성립에 기초가 되지 아니한 사정이 그 후 변경되어 일방당사자가 계약 당시 의도한 계약목적을 달성할 수 없게 됨으로써 손해를 입게 되었다 하더라도 특별한 사정이 없는 한 그 계약내용의 효력을 그대로 유지하는 것이 신의칙에 반한다고 볼 수도 없다(대판 2007.3.29, 2004다31302).

08 신의칙과 그 파생원칙에 관한 다음 설명 중 가장 옳지 않은 것은? (다툼이 있는 경우 판례에 따르고 전원합의체 판결의 경우 다수의견에 의함. 이하 같음) ▶ 2020년 법무사

① 임차권의 양도에 있어서 양도인은 그 임차권의 존속기간, 임대기간 종료 후의 재계약 여부, 임대인의 동의 여부와 이에 관계되는 모든 사정을 양수인에게 알려주어야 할 신의칙상의 의무가 있다.

② 회사의 임원이나 직원의 지위에 있었기 때문에 부득이 회사와 제3자 사이의 계속적 거래에서 발생하는 회사의 채무를 연대보증한 사람이 그 후 회사에서 퇴직하여 임직원의 지위에서 떠난 때에는 연대보증인은 특별한 사정이 없는 한 연대보증계약을 일방적으로 해지할 수 있다.

③ 계속적 계약에서 계약의 체결 시와 이행 시 사이에 간극이 크고, 경제적 상황의 변화로 당사자에게 불이익이 발생했다는 사실만 인정되면 사정변경을 이유로 계약을 해지할 수 있다.

④ 공매절차에서 점유자의 유치권 신고 사실을 알고 부동산을 매수한 자가 그 점유를 침탈하여 유치권을 소멸시키고 나아가 고의적인 점유이전으로 유치권자의 확정판결에 기한 점유회복조차 곤란하게 하였음에도 유치권자가 현재까지 점유회복을 하지 못한 사실을 내세워 유치권자를 상대로 적극적으로 유치권부존재확인을 구하는 것은 명백히 정의 관념에 반하여 사회생활상 도저히 용인될 수 없는 것으로 권리남용에 해당하여 허용되지 않는다.

⑤ 실권 또는 실효의 법리는 법의 일반원리인 신의성실의 원칙에 바탕을 둔 파생원칙인 것이므로 공법관계 가운데 관리관계는 물론이고 권력관계에도 적용되어야 함을 배제할 수는 없다.

해설 ① 임차권의 양도에 있어서 그 임차권의 존속기간, 임대기간 종료 후의 재계약 여부, 임대인의 동의 여부는 그 계약의 중요한 요소를 이루는 것이므로 양도인으로서는 이에 관계되는 모든 사정을 양수인에게 알려주어야 할 신의칙상의 의무가 있는데, 임차권양도계약이 체결될 당시에 임차건물에 대한 임대차기간의 연장이나 임차권 양도에 대한 임대인의 동의 여부가 확실하지 않은 상태에서 몇 차례에 걸쳐 명도요구를 받고 있었던 임차권 양도인이 그 여부를 확인하여 양수인에게 설명하지 아니한 채 임차권을 양도한 행위는 기망행위에 해당한다고 보아, 이를 기망행위가 아니라고 한 원심판결을 파기한 사례이다(대판 1996.6.14, 94다41003).

② 회사의 임원이나 직원의 지위에 있었기 때문에 부득이 회사와 제3자 사이의 계속적 거래에서 발생하는 회사의 채무를 연대보증한 사람이 그 후 회사에서 퇴직하여 임직원의 지위에서 떠난 때에는 연대보증계약의 기초가 된 사정이 현저히 변경되어 그가 계속 연대보증인의 지위를 유지하도록 하는 것이 사회통념상 부당하다고 볼 수 있다. 이러한 경우 연대보증인은 특별한 사정이 없는 한 연대보증계약을 일방적으로 해지할 수 있다고 보아야 한다. 보험자가 보험계약자와 현재 또는 장래에 체결하는 보증보험계약에 관하여 보증기간과 보증한도액을 정하여 보증보험 한도거래 약정을 하면서 보험계약자의 채무불이행 등 보험사고 발생으로 보험금을 지급할 경우, 보험계약자가 보험자에게 부담하게 될 불확정한 구상채무를 보증한 사람도 위와 같은 사정이 있는 경우에는 마찬가지로 해지권을 행사할 수 있다고 보아야 한다(대판 2018.3.27, 2015다12130).

③ 계약 성립의 기초가 된 사정이 현저히 변경되고 당사자가 계약의 성립 당시 이를 예견할 수 없었으며, 그로 인하여 계약을 그대로 유지하는 것이 당사자의 이해에 중대한 불균형을 초래하거나 계약을 체결한 목적을 달성할 수 없는 경우에는 계약준수 원칙의 예외로서 사정변경을 이유로 계약을 해제하거나 해지할 수 있다. 여기에서 말하는 사정이란 당사자들에게 계약 성립의 기초가 된 사정을 가리키고, 당사자들이 계약의 기초로 삼지 않은 사정이나 어느 일방 당사자가 변경에 따른 불이익이나 위험을 떠안기로 한 사정은 포함되지 않는다. 경제상황 등의 변동으로 당사자에게 손해가 생기더라도 합리적인 사람의 입장에서 사정변경을 예견할 수 있었다면 사정변경을 이유로 계약을 해제할 수 없다. 특히 계속적 계약에서는 계약의 체결 시와 이행 시 사이에 간극이 크기 때문에 당사자들이 예상할 수 없었던 사정변경이 발생할 가능성이 높지만, 이러한 경우에도 위 계약을 해지하려면 경제적 상황의 변화로 당사자에게 불이익이 발생했다는 것만으로는 부족하고 위에서 본 요건을 충족하여야 한다(대판 2017.6.8, 2016다249557).

④ 공매절차에서 점유자의 유치권 신고 사실을 알고 부동산을 매수한 자가 그 점유를 침탈하여 유치권을 소멸시키고 나아가 고의적인 점유이전으로 유치권자의 확정판결에 기한 점유회복조차 곤란하게 하였음에도, 유치권자가 현재까지 점유회복을 하지 못한 사실을 내세워 유치권자를 상대로 적극적으로 유치권부존재확인을 구하는 것은, 권리남용에 해당하여 허용되지 않는다고 한 사례 – 유치권자가 현재까지 점유회복을 하지 못한 사실을 내세워 유치권자를 상대로 적극적으로 유치권부존재확인을 구하는 것은, 자신의 불법행위로 초래된 상황을 자기의 이익으로 원용하면서 피해자에 대하여는 불법행위로 인한 권리침해의 결과를 수용할 것을 요구하고, 나아가 법원으로부터는 위와 같은 불법적 권리침해의 결과를 승인받으려는 것으로서, 이는 명백히 정의 관념에 반하여 사회생활상 도저히 용인될 수 없는 것으로 권리남용에 해당하여 허용되지 않는다고 한 사례(대판 2010.4.15, 2009다96953).

⑤ 실권 또는 실효의 법리는 법의 일반원리인 신의성실의 원칙에 바탕을 둔 파생원칙인 것이므로 공법관계 가운데 관리관계는 물론이고 권력관계에도 적용되어야 함을 배제할 수는 없다 하겠으나 그것은 본래 권리행사의 기회가 있음에도 불구하고 권리자가 장기간에 걸쳐 그의 권리를 행사하지 아니하였기 때문에 의무인 상대방은 이미 그의 권리를 행사하지 아니할 것으로 믿을 만한 정당한 사유가 있게 되거나 행사하지 아니할 것으로 추인케 할 경우에 새삼스럽게 그 권리를 행사하는 것이 신의성실의 원칙에 반하는 결과가 될 때 그 권리행사를 허용하지 않는 것을 의미한다(대판 1988.4.27, 87누915).

정답 08 ③

09

신의칙 또는 권리남용에 관한 다음 설명 중 옳지 않은 것을 모두 고른 것은? (다툼이 있는 경우 판례에 따르고 전원합의체 판결의 경우 다수의견에 의함. 이하 같음) ▸ 2022년 9급(법원서기보)

ㄱ. 근저당권자가 담보로 제공된 건물에 대한 담보가치를 조사할 당시 대항력을 갖춘 임차인이 그 임대차 사실을 부인하고 임차보증금에 대한 권리주장을 않겠다는 내용의 확인서를 작성해 준 경우, 그 후 그 건물에 대한 경매절차에서 이를 번복하여 대항력 있는 임대차의 존재를 주장함과 아울러 근저당권자보다 우선적 지위를 가지는 확정일자부 임차인임을 주장하여 그 임차보증금반환채권에 대한 배당요구를 하는 것은 특별한 사정이 없는 한 금반언 및 신의칙에 위반되어 허용될 수 없다.

ㄴ. 확정판결에 따른 집행이 불법행위를 구성하기 위하여는 소송당사자가 상대방의 권리를 해할 의사로 상대방의 소송 관여를 방해하거나 허위의 주장으로 법원을 기망하는 등 부정한 방법으로 실체의 권리관계와 다른 내용의 확정판결을 취득하여 집행을 하는 것과 같은 특별한 사정이 있어야 한다.

ㄷ. 甲이 대리권 없이 乙 소유 부동산을 丙에게 매도하여 소유권이전등기를 마쳐주었는데 이후 甲이 乙로부터 부동산을 상속받은 경우, 소유자가 된 甲은 자신의 매매행위가 무권대리행위여서 무효임을 주장할 수 있다.

ㄹ. 인지청구권은 본인의 일신전속적인 신분관계상의 권리이므로 포기할 수는 없으나, 그 행사가 상속재산에 대한 이해관계에서 비롯되었다면 장기간 행사하지 않은 경우 실효의 법리가 적용되어야 한다.

---

① ㄱ, ㄴ   ② ㄴ, ㄷ
③ ㄷ, ㄹ   ④ ㄱ, ㄹ

해설 ㄱ. 근저당권자가 담보로 제공된 건물에 대한 담보가치를 조사할 당시 대항력을 갖춘 임차인이 그 임대차 사실을 부인하고 임차보증금에 대한 권리주장을 않겠다는 내용의 확인서를 작성해 준 경우, 그 후 그 건물에 대한 경매절차에서 이를 번복하여 대항력 있는 임대차의 존재를 주장함과 아울러 근저당권자보다 우선적 지위를 가지는 확정일자부 임차인임을 주장하여 그 임차보증금반환채권에 대한 배당요구를 하는 것은 특별한 사정이 없는 한 금반언 및 신의칙에 위반되어 허용될 수 없다(대판 1997.6.27, 97다12211).

ㄴ. 판결이 확정되면 기판력에 의하여 대상이 된 청구권의 존재가 확정되고 그 내용에 따라 집행력이 발생하는 것이므로, <u>그에 따른 집행이 불법행위를 구성하기 위하여는 소송당사자가 상대방의 권리를 해할 의사로 상대방의 소송 관여를 방해하거나 허위의 주장으로 법원을 기망하는 등 부정한 방법으로 실체의 권리관계와 다른 내용의 확정판결을 취득하여 집행을 하는 것과 같은 특별한 사정이 있어야 하고</u>, 그와 같은 사정이 없이 확정판결의 내용이 단순히 실체적 권리관계에 배치되어 부당하고 또한 확정판결에 기한 집행 채권자가 이를 알고 있었다는 것만으로는 그 집행행위가 불법행위를 구성한다고 할 수 없다(대판 2001.11.13, 99다32899).

ㄷ. 甲이 대리권 없이 乙 소유 부동산을 丙에게 매도하여 부동산소유권이전등기 등에 관한 특별조치법에 의하여 소유권이전등기를 마쳐주었다면 그 매매계약은 무효이고 이에 터 잡은 이전등기 역시 무효가 되나, 甲은 乙의 무권대리인으로서 민법 제135조 제1항의 규정에 의하여 매수인 丙에게 부동산에 대한 <u>소유권이전등기를 이행할 의무가 있으므로</u> 그러한 지위

에 있는 甲이 乙로부터 부동산을 상속받아 그 소유자가 되어 소유권이전등기이행의무를 이행하는 것이 가능하게 된 시점에서 자신이 소유자라고 하여 원래 자신의 매매행위가 무권대리행위여서 무효였다는 이유로 丙 앞으로 경료된 소유권이전등기가 무효의 등기라고 주장하여 그 등기의 말소를 청구하거나 부동산의 점유로 인한 부당이득금의 반환을 구하는 것은 금반언의 원칙이나 신의성실의 원칙에 반하여 허용될 수 없다(대판 1994.9.27, 94다20617).

ㄹ. 인지청구권의 행사는 실효의 원칙이 적용되지 않는다. 즉 인지청구권은 본인의 일신전속적인 신분관계상의 권리로서 포기할 수도 없으며 포기하였더라도 그 효력이 발생할 수 없는 것이고, 이와 같이 인지청구권의 포기가 허용되지 않는 이상 거기에 실효의 법리가 적용될 여지도 없다(대판 2001.11.27, 2001므1353).

10 신의칙 또는 권리남용에 관한 다음 설명 중 가장 옳지 않은 것은? ▶ 2022년 법원행시

① 특별한 사정이 없는 한 강행법규를 위반한 자가 약정의 무효를 주장하는 것만으로는 신의칙에 반하는 것이 아니다. 이는 무효 주장이 거래관계에 있는 당사자의 신뢰를 배신하고 정의의 관념에 반할 것 같은 예외적인 경우에 해당하지 않는 한, 의사무능력자 법률행위 무효의 경우에도 마찬가지이다.

② 유효하게 성립한 계약상의 책임을 공평의 이념 또는 신의칙과 같은 일반원칙에 의하여 제한하는 것은 사적 자치의 원칙이나 법적 안정성에 대한 중대한 위협이 될 수 있으므로, 채권자가 유효하게 성립한 계약에 따른 급부의 이행을 청구하는 때에 법원이 그 급부의 일부를 감축하는 것은 원칙적으로 허용되지 않는다.

③ 변호사의 소송위임 사무처리 보수에 관하여 변호사와 의뢰인 사이에 약정이 있는 경우 위임사무를 완료한 변호사는 약정 보수액 전부를 청구할 수 있다. 신의칙과 관련하여서는 민법 제2조 제1항에서 "권리의 행사와 의무의 이행은 신의에 좇아 성실히 하여야 한다."라고 규정하고, 제2항에서 "권리는 남용하지 못한다."라고 규정할 뿐 이를 법률행위의 무효사유로 규정하고 있지 않다. 그러므로 민법 제2조의 신의칙 또는 민법에 규정되어 있지 않은 형평의 관념은 당사자 사이에 체결된 계약을 무효로 선언할 수 있는 근거가 될 수 없다. 따라서 신의칙과 형평의 관념 등 일반 원칙에 의해 개별 약정의 효력을 제약하려고 시도해서는 안 되며 신의칙이나 형평의 관념에 근거하여 당사자가 계약으로 정한 변호사보수액이 부당하게 과다하다며 이를 감액할 수는 없다.

④ 어떤 토지가 개설경위를 불문하고 일반 공중의 통행에 공용되는 도로, 즉 공로가 되면 그 부지의 소유권 행사는 제약을 받게 되며, 이는 소유자가 수인하여야만 하는 재산권의 사회적 제약에 해당한다. 따라서 공로 부지의 소유자가 이를 점유·관리하는 지방자치단체를 상대로 공로로 제공된 도로의 철거, 점유 이전 또는 통행금지를 청구하는 것은 법질서상 원칙적으로 허용될 수 없는 '권리남용'이라고 보아야 한다.

정답 ▶ 09 ③ 10 ③

⑤ 소멸시효를 이유로 한 항변권의 행사도 민법의 대원칙인 신의성실의 원칙과 권리남용 금지의 원칙의 지배를 받는 것이어서 채무자가 소멸시효 완성 후 시효를 원용하지 아니할 것 같은 태도를 보여 권리자로 하여금 이를 신뢰하게 하였고, 채권자가 그로부터 권리행사를 기대할 수 있는 상당한 기간 내에 자신의 권리를 행사하였다면, 채무자가 소멸시효완성을 주장하는 것은 신의성실 원칙에 반하는 권리남용으로 허용될 수 없다.

해설 ① 대판 1999.12.7, 99다39999 등, 대판 2006.9.22, 2004다51627
② 유효하게 성립한 계약상의 책임을 공평의 이념 또는 신의칙과 같은 일반원칙에 의하여 제한하는 것은 사적 자치의 원칙이나 법적 안정성에 대한 중대한 위협이 될 수 있으므로, 채권자가 유효하게 성립한 계약에 따른 급부의 이행을 청구하는 때에 법원이 급부의 일부를 감축하는 것은 원칙적으로 허용되지 않는다(대판 2016.12.1, 2016다240543).
③ 변호사의 소송위임 사무처리 보수에 관하여 변호사와 의뢰인 사이에 약정이 있는 경우 위임 사무를 완료한 변호사는 원칙적으로 약정 보수액 전부를 청구할 수 있다. 다만 의뢰인과의 평소 관계, 사건 수임 경위, 사건처리 경과와 난이도, 노력의 정도, 소송물 가액, 의뢰인이 승소로 인하여 얻게 된 구체적 이익, 그 밖에 변론에 나타난 여러 사정을 고려하여, 약정 보수액이 부당하게 과다하여 신의성실의 원칙이나 형평의 관념에 반한다고 볼 만한 특별한 사정이 있는 경우에는 예외적으로 적당하다고 인정되는 범위 내의 보수액만을 청구할 수 있다. 그런데 이러한 보수 청구의 제한은 어디까지나 계약자유의 원칙에 대한 예외를 인정하는 것이므로, 법원은 그에 관한 합리적인 근거를 명확히 밝혀야 한다(대판(전) 2018.5.17, 2016다35833).
④ 어떤 토지가 개설경위를 불문하고 일반 공중의 통행에 공용되는 도로, 즉 공로가 되면 그 부지의 소유권 행사는 제약을 받게 되며, 이는 소유자가 수인하여야만 하는 재산권의 사회적 제약에 해당한다. 따라서 공로 부지의 소유자가 이를 점유·관리하는 지방자치단체를 상대로 공로로 제공된 도로의 철거, 점유 이전 또는 통행금지를 청구하는 것은 법질서상 원칙적으로 허용될 수 없는 '권리남용'이라고 보아야 한다(대판 2021.10.14, 2021다242154).
⑤ 소멸시효를 이유로 한 항변권의 행사도 민법의 대원칙인 신의성실의 원칙과 권리남용금지의 원칙의 지배를 받는 것이어서 채무자가 소멸시효 완성 후 시효를 원용하지 아니할 것 같은 태도를 보여 권리자로 하여금 이를 신뢰하게 하였고, 채권자가 그로부터 권리행사를 기대할 수 있는 상당한 기간 내에 자신의 권리를 행사하였다면, 채무자가 소멸시효 완성을 주장하는 것은 신의성실 원칙에 반하는 권리남용으로 허용될 수 없다(대판(전) 2013.5.16, 2012다202819).

11 신의칙과 권리남용에 관한 다음 설명 중 가장 옳지 않은 것은? (다툼이 있는 경우 판례에 따르고 전원합의체 판결의 경우 다수의견에 의함. 이하 같음) ▶ 2024년 법무사

① 계속적 보증계약에서 보증인은 변제기에 있는 주채무 전액에 대하여 책임을 지는 것이 원칙이고, 다만 보증 당시 주채무의 액수를 보증인이 예상하였거나 예상할 수 있었을 경우에는 그 예상 범위로 보증책임을 제한할 수 있으나, 그 예상 범위를 상회하는 주채무 과다 발생의 원인이 채권자가 주채무자의 자산 상태가 현저히 악화된 사실을 잘 알거나 중대한 과실로 알지 못한 탓으로 이를 알지 못하는 보증인에게 아무런 통보나 의사 타진도 없이 고의로 거래 규모를 확대함에 연유하는 등 신의칙에 반하는 사정이 있는 경우에 한하여 보증인의 책임을 합리적인 범위 내로 제한할 수 있다.

② 위임계약에서 보수액에 관하여 약정한 경우에 수임인은 원칙적으로 약정보수액을 전부 청구할 수 있는 것이 원칙이지만, 위임의 경위, 위임업무 처리의 경과와 난이도, 투입한 노력의 정도, 위임인이 업무 처리로 인하여 얻게 되는 구체적 이익, 기타 변론에 나타난 제반 사정을 고려할 때 약정보수액이 부당하게 과다하여 신의성실의 원칙이나 형평의 원칙에 반한다고 볼 만한 특별한 사정이 있는 때에는 예외적으로 상당하다고 인정되는 범위 내의 보수액만을 청구할 수 있다.

③ 계약 성립의 기초가 된 사정이 현저히 변경되고 당사자가 계약의 성립 당시 이를 예견할 수 없었으며, 그로 인하여 계약을 그대로 유지하는 것이 당사자의 이해에 중대한 불균형을 초래하거나 계약을 체결한 목적을 달성할 수 없는 경우에는 계약준수 원칙의 예외로서 사정변경을 이유로 계약을 해제하거나 해지할 수 있다. 여기에서 말하는 사정이란 당사자들에게 계약 성립의 기초가 된 사정뿐만 아니라, 어느 일방당사자가 변경에 따른 불이익이나 위험을 떠안기로 한 사정도 모두 포함될 수 있다.

④ 점유자가 취득시효완성 후에 그 사실을 모르고 당해 토지에 관하여 어떠한 권리도 주장하지 않기로 하였다 하더라도 이에 반하여 시효주장을 하는 것은 특별한 사정이 없는 한 신의칙상 허용되지 않는다.

⑤ 상속인 중의 1인이 피상속인의 생존 시에 피상속인에 대하여 상속을 포기하기로 약정하였다고 하더라도, 상속개시 후 민법이 정하는 절차와 방식에 따라 상속포기를 하지 아니한 이상, 상속개시 후에 자신의 상속권을 주장하는 것은 정당한 권리행사로서 권리남용에 해당하거나 또는 신의칙에 반하는 권리의 행사라고 할 수 없다.

> **해설** ① 일반적으로 계속적 보증계약에 있어서 보증인의 부담으로 돌아갈 주채무의 액수가 보증인이 보증 당시에 예상하였거나 예상할 수 있었던 범위를 훨씬 상회하고, 그 같은 주채무 과다 발생의 원인이 채권자가 주채무자의 자산상태가 현저히 악화된 사실을 익히 알거나 중대한 과실로 알지 못한 탓으로 이를 알지 못하는 보증인에게 아무런 통보나 의사타진도 없이 고의로 거래규모를 확대함에 비롯되는 등 신의칙에 반하는 사정이 인정되는 경우에 한하여 보증인의 책임을 합리적인 범위 내로 제한할 수 있다(대판 2005.10.27, 2005다35554).

정답 ▶ 11 ③

② 대판 2016.2.18, 2015다35560, 대판(전) 2018.5.17, 2016다35833

③ 계약 성립의 기초가 된 사정이 현저히 변경되고 당사자가 계약의 성립 당시 이를 예견할 수 없었으며, 그로 인하여 계약을 그대로 유지하는 것이 당사자의 이해에 중대한 불균형을 초래하거나 계약을 체결한 목적을 달성할 수 없는 경우에는 계약준수 원칙의 예외로서 사정변경을 이유로 계약을 해제하거나 해지할 수 있다. 여기에서 말하는 사정이란 당사자들에게 계약 성립의 기초가 된 사정을 가리키고, 당사자들이 계약의 기초로 삼지 않은 사정이나 어느 일방당사자가 변경에 따른 불이익이나 위험을 떠안기로 한 사정은 포함되지 않는다. 경제상황 등의 변동으로 당사자에게 손해가 생기더라도 합리적인 사람의 입장에서 사정변경을 예견할 수 있었다면 사정변경을 이유로 계약을 해제할 수 없다. 특히 <u>계속적 계약에서는 계약의 체결 시와 이행 시 사이에 간극이 크기 때문에 당사자들이 예상할 수 없었던 사정변경이 발생할 가능성이 높지만, 이러한 경우에도 위 계약을 해지하려면 경제적 상황의 변화로 당사자에게 불이익이 발생했다는 것만으로는 부족하고 위에서 본 요건을 충족하여야 한다</u>(대판 2017.6.8, 2016다249557).

④ 취득시효완성 사실을 모르고 어떠한 권리주장도 하지 않기로 한 점유자가 후에 취득시효를 주장함은 신의칙에 어긋난다(대판 1998.5.22, 96다24101).

⑤ 상속인 중의 1인이 피상속인의 생존시에 피상속인에 대하여 상속을 포기하기로 약정하였다고 하더라도, 상속개시 후 민법이 정하는 절차와 방식에 따라 상속포기를 하지 아니한 이상, 상속개시 후에 자신의 상속권을 주장하는 것은 정당한 권리행사로서 권리남용에 해당하거나 또는 신의칙에 반하는 권리의 행사라고 할 수 없다(대판 1998.7.24, 98다9021).

심화문제 │ 확인·보충·심화문제

01 신의성실의 원칙에 관한 기술 중 옳은 것(○)과 옳지 않은 것(×)을 바르게 표시한 것은?
(다툼이 있는 경우에는 판례에 의함)

> ㉠ 계약 성립 후 현저한 사정의 변경이 발생하였고, 그러한 사정의 변경이 해제권을 취득하는 당사자에게 책임 없는 사유로 생긴 것으로서, 계약 내용대로의 구속을 인정한다면 신의칙에 현저히 반하는 결과가 생기는 경우에 사정의 변경으로 인한 계약해제가 인정되는데, 여기의 사정에는 상대방에게 알려진 일방당사자의 주관적 사정도 포함된다.
>
> ㉡ 동생 소유의 아파트에 거주하고 있는 채무자 甲이 그 아파트를 담보로 저축은행 乙로부터 대출을 받으면서 乙에게 자신은 임차인이 아니고 위 아파트에 관하여 일체의 권리를 주장하지 않겠다는 확인서를 작성하여 준 경우, 甲이 그 후 대항력을 갖춘 임차인임을 내세워 위 아파트를 경매절차에서 매수한 乙의 인도명령을 다투는 것은 금반언의 원칙에 위배되어 허용되지 않는다.
>
> ㉢ 甲이 자신의 토지에 불법으로 건물을 소유하고 있는 乙을 상대로 건물철거를 청구하는 것이 권리남용에 해당하더라도, 甲은 특별한 사정이 없는 한 乙에 대하여 임료 상당의 부당이득반환을 청구할 수 있다.
>
> ㉣ 회사의 이사로 재직하면서 회사의 확정채무를 보증한 자는 이사직을 사임한 후에 사정변경을 이유로 그 보증계약을 해지할 수 있다.
>
> ㉤ 상속인 중의 1인이 피상속인의 생존 시에 상속을 포기하기로 피상속인과 약정하였으나 상속개시 후에 법정절차에 따라 상속포기를 하지 아니하였다면, 상속개시 후에 자신의 상속권을 주장하는 것은 정당한 권리행사로 볼 수 있다.

① ㉠ (×), ㉡ (×), ㉢ (×), ㉣ (○), ㉤ (○)
② ㉠ (○), ㉡ (×), ㉢ (×), ㉣ (○), ㉤ (○)
③ ㉠ (○), ㉡ (×), ㉢ (×), ㉣ (×), ㉤ (○)
④ ㉠ (×), ㉡ (○), ㉢ (○), ㉣ (×), ㉤ (×)
⑤ ㉠ (×), ㉡ (○), ㉢ (○), ㉣ (×), ㉤ (○)

해설 ㉠ 이른바 사정변경으로 인한 계약해제는 계약성립 당시 당사자가 예견할 수 없었던 현저한 사정의 변경이 발생하였고 그러한 사정의 변경이 해제권을 취득하는 당사자에게 책임 없는 사유로 생긴 것으로서, 계약내용대로의 구속력을 인정한다면 신의칙에 현저히 반하는 결과가 생기는 경우에 계약준수 원칙의 예외로서 인정되는 것이고, 여기에서 말하는 사정이라 함은 계약의 기초가 되었던 객관적인 사정으로서 일방당사자의 주관적 또는 개인적 사정을 의미하는 것은 아니다. 또한, 계약의 성립에 기초가 되지 아니한 사정이 그 후 변경되어 일방당사자가 계약 당시 의도한 계약목적을 달성할 수 없게 됨으로써 손해를 입게 되었다 하더라도

정답 01 ⑤

특별한 사정이 없는 한 그 계약내용의 효력을 그대로 유지하는 것이 신의칙에 반한다고 볼 수도 없다(대판 2007.3.29, 2004다31302).

ⓛ 임대인이 자기소유의 건물을 담보로 은행융자를 받음에 있어 임차인이 임대인으로 하여금 건물의 담보가치를 높게 평가받도록 하기 위하여 은행직원에게 아무런 임료도 지급함이 없이 무상으로 거주하고 있다는 거짓 내용의 확인서를 작성하여 주어, 경매절차가 끝날 때에 이르러 은행(경락인)이 그 임차인에게 건물의 명도를 청구하자 태도를 번복하여 임대차관계에 있음을 주장하여 임차보증금의 반환을 받을 때까지 건물을 명도해 줄 수 없다고 하는 것은 금반언 및 신의칙에 반한다(대판 1987.12.8, 87다카1738).

ⓒ 권리행사가 권리남용으로 인정되면 그 권리행사로서의 법률효과가 발생하지 않는다. 그러나 권리 자체를 박탈시키는 것은 아니다. 따라서 권리 자체가 소멸되지는 않으므로 부당이득의 문제는 발생할 수 있다.

ⓔ 회사의 이사가 채무액과 변제기가 특정되어 있는 회사 채무에 대하여 보증계약을 체결한 경우에는 계속적 보증이나 포괄근보증의 경우와는 달리 이사직 사임이라는 사정변경을 이유로 보증인인 이사가 일방적으로 보증계약을 해지할 수 없다(대판 1999.12.28, 99다25938).

ⓜ 상속인 중의 1인이 피상속인의 생존 시에 피상속인에 대하여 상속을 포기하기로 약정하였다고 하더라도, 상속개시 후 민법이 정하는 절차와 방식에 따라 상속포기를 하지 아니한 이상, 상속개시 후에 자신의 상속권을 주장하는 것은 정당한 권리행사로서 권리남용에 해당하거나 또는 신의칙에 반하는 권리의 행사라고 할 수 없다(대판 1998.7.24, 98다9021).

02 신의성실의 원칙에 관한 설명 중 옳은 것을 모두 고른 것은? (다툼이 있는 경우에는 판례에 의함)

ㄱ. 강행법규에 위반하여 무효인 수익보장약정이 투자신탁회사가 먼저 고객에게 제의하여 체결된 경우, 투자신탁회사 스스로 그 약정의 무효를 주장하는 것은 신의칙에 위반된다.

ㄴ. 아파트 분양자는 아파트단지 인근에 공동묘지가 조성되어 있다거나 쓰레기 매립장이 건설예정인 사실을 분양계약자에게 고지할 신의칙상 의무가 있고, 그 고지를 하지 않은 경우 부작위에 의한 기망행위가 된다.

ㄷ. 사립학교 경영자가 「사립학교법」 규정에 위반한 매도나 담보제공이 무효라는 사실을 알고서 매도나 담보제공을 한 후 스스로 그 무효를 주장하는 것은 원칙적으로 신의성실의 원칙에 위반된다.

ㄹ. 근저당권자가 담보물에 대한 담보가치를 조사할 당시 대항요건을 갖춘 임차인이 그 임대차 사실을 부인하고 임차보증금에 대한 권리주장을 않겠다는 내용의 확인서를 작성해 준 경우, 그 후 건물에 대한 경매절차에서 이를 번복하여 대항력 있는 임대차의 존재를 주장하면서 임차보증금의 배당요구를 하는 것은 금반언 및 신의칙에 위반된다.

ㅁ. 甲은 출생 이후 30년 이상 살아오면서도 乙을 상대로 자신이 乙의 친자임을 주장하지 않았고 丙의 친자로 입적된 데 대하여 아무런 이의를 하지 않았으며, 乙의 친족들도 甲이 더 이상 그러한 주장을 하지 않으리라는 기대 또는 신뢰를 갖고 장기간에 걸쳐 사회생활 및 법률관계를 형성해 왔다면, 乙의 사망 이후 비로소 제기한 甲의 인지청구는 실효의 법리에 따라 허용될 수 없다.

① ㄱ
② ㄴ, ㄷ
③ ㄴ, ㄹ
④ ㄴ, ㄹ, ㅁ
⑤ ㄷ, ㅁ

해설

ㄱ. 신의칙의 한계이다. 즉 강행법규인 증권거래법에 위반하여 무효인 수익보장약정이 투자신탁회사가 먼저 고객에게 제의를 함으로써 체결된 것이라고 하더라도, 이러한 경우에 강행법규를 위반한 투자신탁회사 스스로가 그 약정의 무효를 주장함이 신의칙에 위반되는 권리의 행사라는 이유로 그 주장을 배척한다면, 이는 오히려 강행법규에 의하여 배제하려는 결과를 실현시키는 셈이 되어 입법취지를 완전히 몰각하게 되므로, 달리 특별한 사정이 없는 한 위와 같은 주장이 신의성실의 원칙에 반하는 것이라고 할 수 없다(대판 1999.3.23, 99다4405).

ㄴ. 아파트 분양자는 신의칙상 아파트단지 인근에 공동묘지가 조성되어 있는 사실을 수분양자에게 고지할 신의칙상의 의무를 부담한다(대판 2007.6.1, 2005다5812·5829·5836). 또한 아파트단지 인근에 쓰레기 매립장이 건설예정인 사실은 신의칙상 분양회사가 분양계약자들에게 고지하여야 할 대상이다. 그리고 고지의무 위반은 부작위에 의한 기망행위에 해당한다(대판 2006.10.12, 2004다48515).

ㄷ. 신의칙의 한계이다. 즉 "사립학교 경영자가 매도나 담보제공이 무효라는 사실을 알고서 매도나 담보제공을 하였다고 하더라도 매도나 담보제공을 금한 관련 법 규정의 입법취지에 비추어 강행규정 위배로 인한 무효주장을 신의성실원칙에 반하거나 권리남용이라고 볼 것은 아니다."라고 보는 것이 판례이다(대판 2000.6.9, 99다70860).

ㄹ. 근저당권자가 담보로 제공된 건물에 대한 담보가치를 조사할 당시 대항력을 갖춘 임차인이 그 임대차 사실을 부인하고 임차보증금에 대한 권리주장을 않겠다는 내용의 확인서를 작성해 준 경우, 그 후 그 건물에 대한 경매절차에서 이를 번복하여 대항력 있는 임대차의 존재를 주장함과 아울러 근저당권자보다 우선적 지위를 가지는 확정일자부 임차인임을 주장하여 그 임차보증금반환채권에 대한 배당요구를 하는 것은 특별한 사정이 없는 한 금반언 및 신의칙에 위반되어 허용될 수 없다(대판 1997.6.27, 97다12211).

ㅁ. 인지청구권은 실효의 법리가 적용되지 않는다. 즉 인지청구권은 본인의 일신전속적인 신분관계상의 권리로서 포기할 수도 없으며 포기하였더라도 그 효력이 발생할 수 없는 것이고, 이와 같이 인지청구권의 포기가 허용되지 않는 이상 거기에 실효의 법리가 적용될 여지도 없으므로, 乙의 사망 이후 제기한 甲의 인지청구가 이른바 실효의 법리에 따라 인지청구권이 실효된 후에 행하여진 것으로써 허용될 수 없는 것이라 할 수 없다(대판 2001.11.27, 2001므1353).

정답 02 ③

기본문제 │ 기본문제의 구성

01 절 능력

01 **태아의 권리능력에 관한 설명으로 틀린 것은?** (다툼이 있는 경우 판례에 의함)

① 태아는 상속순위에 관하여 이미 출생한 것으로 보고, 대습상속과 유류분에 있어서도 권리능력이 인정된다.

② 태아는 손해배상의 청구권에 관하여는 이미 출생한 것으로 보므로, 태아가 모체와 같이 사망하여 출생의 기회를 얻지 못하였더라도 태아에게 손해배상청구권은 인정된다.

③ 태아도 손해배상청구권에 관하여는 이미 출생한 것으로 보는바, 부가 교통사고로 상해를 입을 당시 태아가 출생하지 아니하였다고 하더라도 그 뒤에 출생한 이상 부의 부상으로 인하여 입게 될 정신적 고통에 대한 위자료를 청구할 수 있다.

④ 태아는 유증에 관하여는 이미 출생한 것으로 본다.

⑤ 부는 포태 중인 子에 대하여 인지할 수 있지만, 태아는 부에 대하여 인지청구의 소를 제기할 수 없다.

해설 ① 대습상속이나 유류분의 경우 명문의 규정은 없으나, 상속능력과 밀접한 관련성을 지니므로 제1003조 제2항을 유추적용하여 그 권리능력을 인정함이 통설이다.

② 태아가 살아서 출생하면 사건발생 시부터 권리능력이 인정되고, 사산된 때에는 권리능력을 갖지 못한다는 데에는 견해대립의 실익이 없다. 판례도 태아가 모체와 같이 사망하여 출생의 기회를 못 가진 이상 배상청구권을 논할 여지는 없다고 하였다(대판 1976.9.14, 76다1365).

③ 태아도 손해배상청구권에 관하여는 이미 출생한 것으로 보는바, 부가 교통사고로 상해를 입을 당시 태아가 출생하지 아니하였다고 하더라도 그 뒤에 출생한 이상 부의 부상으로 인하여 입게 될 정신적 고통에 대한 위자료를 청구할 수 있다(대판 1962.3.15, 4252민상903은 태아가 피해 당시 정신상 고통에 대한 감수성을 갖추고 있지 않더라도 장래 감수할 것임이 현재 합리적으로 기대할 수 있는 경우에 있어서는 즉시 그 청구를 할 수 있다고 하여 태아의 위자료 청구권을 긍정하고 있다).

④ 제1064조에서는 유증의 경우 제1000조 제3항을 준용함으로써 유증의 경우 태아의 권리능력을 인정한다.

⑤ 태아는 부에 대하여 인지청구의 소를 제기할 수 없다. 즉 생부는 태아를 인지할 수 있음에 반해, 태아의 인지청구권을 인정하는 명문의 규정이 없는 이상 이를 부정하는 것이 통설이다 (제858조 참조).

02 태아의 권리능력에 관한 다음 설명 중 가장 옳지 않은 것은? ▸ 2022년 법원행시

① 태아는 상속순위에 관하여 이미 출생한 것으로 보고, 유증에 관하여도 마찬가지이다.

② 태아도 손해배상청구권에 관하여는 이미 출생한 것으로 보는바, 부(父)가 교통사고로 상해를 입을 당시 태아가 출생하지 않았다 하더라도 그 뒤에 출생한 이상 부(父)의 부상으로 인하여 입게 될 정신적 고통에 대한 위자료를 청구할 수 있다.

③ 태아가 특정한 권리에 있어서 이미 태어난 것으로 본다는 것은 살아서 출생한 때에 출생시기가 문제의 사건의 시기까지 소급하여 그때에 태아가 출생한 것과 같이 법률상 보아 준다고 해석하여야 상당하므로 그가 모체와 같이 사망하여 출생의 기회를 못 가진 이상 모체와 같이 사망한 태아에게 손해배상청구권을 인정할 수 없다.

④ 계약자유의 원칙상 태아를 피보험자로 하는 상해보험계약은 유효하고, 그 보험계약이 정한 바에 따라 보험기간이 개시된 이상 출생 전이라도 태아가 보험계약에서 정한 우연한 사고로 상해를 입었다면 이는 보험기간 중에 발생한 보험사고에 해당한다.

⑤ 태아인 동안에는 권리능력이 없지만 살아서 출생하면 문제된 사건의 시기까지 소급하여 그때에 출생한 것과 같이 법률상 볼 수 있다. 따라서 태아의 모(母)가 태아를 대리하여 부동산을 증여받고, 이후 태아가 살아서 출생하였다면 태아였던 자는 증여를 원인으로 한 소유권이전등기를 청구할 수 있다.

해설 ① 태아는 상속순위에 관하여 이미 출생한 것으로 보며(제1000조 제3항), 이 규정은 유증에 준용된다(제1064조).

② 태아도 손해배상청구권에 관하여는 이미 출생한 것으로 보는바, 부가 교통사고로 상해를 입을 당시 태아가 출생하지 아니하였다고 하더라도 그 뒤에 출생한 이상 부의 부상으로 인하여 입게 될 정신적 고통에 대한 위자료를 청구할 수 있다(대판 1993.4.27. 93다4663).

③ 태아가 특정한 권리에 있어서 이미 태어난 것으로 본다는 것은 살아서 출생한 때에 출생시기가 문제의 사건의 시기까지 소급하여 그때에 태아가 출생한 것과 같이 법률상 보아 준다고 해석하여야 상당하므로 그가 모체와 같이 사망하여 출생의 기회를 못 가진 이상 배상청구권을 논할 여지없다(대판 1976.9.14. 76다1365).

④ 상해보험계약을 체결할 때 약관 또는 보험자와 보험계약자의 개별 약정으로 태아를 상해보험의 피보험자로 할 수 있다. 그 이유는 다음과 같다. 상해보험은 피보험자가 보험기간 중에 급격하고 우연한 외래의 사고로 인하여 신체에 손상을 입는 것을 보험사고로 하는 인보험이므로, 피보험자는 신체를 가진 사람(인)임을 전제로 한다(상법 제737조). 그러나 상법상 상해보험계약 체결에서 태아의 피보험자 적격이 명시적으로 금지되어 있지 않다. 인보험인 상해보험에서 피보험자는 '보험사고의 객체'에 해당하여 그 신체가 보험의 목적이 되는 자로서 보호받아야 할 대상을 의미한다. 헌법상 생명권의 주체가 되는 태아의 형성 중인 신체도 그 자체로 보호해야 할 법익이 존재하고 보호의 필요성도 본질적으로 사람과 다르지 않다는 점에서 보험보호의 대상이 될 수 있다. 이처럼 약관이나 개별 약정으로 출생 전 상태인 태아의 신체에 대한 상해를 보험의 담보범위에 포함하는 것이 보험제도의 목적과 취지에 부합하고 보험계약자나 피보험자에게 불리하지 않으므로 상법 제663조에 반하지 아니하고 민법 제103조

정답 01 ② 02 ⑤

의 공서양속에도 반하지 않는다. 따라서 계약자유의 원칙상 태아를 피보험자로 하는 상해보험계약은 유효하고, 그 보험계약이 정한 바에 따라 보험기간이 개시된 이상 출생 전이라도 태아가 보험계약에서 정한 우연한 사고로 상해를 입었다면 이는 보험기간 중에 발생한 보험사고에 해당한다(대판 2019.3.28, 2016다211224).
⑤ 증여(생전증여)에 관하여 태아는 수증능력이 인정되지 아니하고, 또 태아인 동안에는 법정대리인이 있을 수 없으므로 법정대리인에 의한 수증행위도 할 수 없다(대판 1982.2.9, 81다534). 따라서 태아가 살아서 출생하였더라도 태아였던 자는 증여를 원인으로 한 소유권이전등기를 청구할 수 없다.

03 2012.3.2. 횡단보도를 건너던 甲과 그의 아들 乙은 신호위반을 한 A의 차에 치어 현장에서 사망하였다. 사망 당시 甲에게는 배우자 丙, 태아 丁이 있었으며, 丁은 2012.5.20. 태어났다. 다음 설명으로 옳은 것은? (다툼이 있는 경우에는 판례에 의함)

① 甲과 乙은 동시에 사망한 것으로 간주한다.
② 재산상속에 있어 丁은 2012.3.2. 태어난 것으로 추정한다.
③ 丙은 2012.3.2.부터 태아 丁의 법정대리인이 된다.
④ 丁은 2012.3.2.부터 모든 법률관계에서 권리능력을 취득한다.
⑤ 丁은 A에 대하여 甲의 사망으로 인한 위자료청구권을 가진다.

> **해설** ① 甲과 乙은 동시에 사망한 것으로 간주가 아닌 "추정"한다(제30조 동시사망 추정).
> ② 재산상속에 있어 丁은 2012.3.2. 태어난 것으로 간주한다(제1000조 제3항).
> ③ 현행법하에서는 태아를 위한 법정대리인이 없다. 따라서 태아가 출생한 후에 丙이 법정대리인이 되는 것이다.
> ④ 丁은 2012.3.2.부터 "모든 법률관계"(= 일반적 보호주의)에서 권리능력을 취득하는 것이 아니라 개별적 사안에서 보호된다(= 개별적 보호주의).
> ⑤ 태아는 불법행위와 관련하여 민법 제762조에서 이미 출생한 것으로 본다고 하고 있기 때문에 제750조, 제752조에 의하여 丁은 A에 대하여 甲의 사망으로 인한 위자료청구권을 가진다.

04 권리능력, 의사능력, 행위능력에 관한 설명 중 옳지 않은 것은? (다툼이 있는 경우 판례에 의함)

① 민법은 불법행위로 인한 손해배상(민법 제762조), 재산상속(민법 제1000조 제3항), 유증(민법 제1064조) 등의 경우 태아의 권리능력을 인정하는 개별규정을 두고 있고, 사인증여나 생전증여의 경우에도 위 규정들을 유추하여 태아의 권리능력을 인정할 수 있다.
② 법률행위가 일상적인 의미만을 이해해서는 알기 어려운 특별한 법률적 의미나 효과가 부여되어 있는 경우, 의사능력이 인정되기 위해서는 일상적 의미뿐만 아니라 법률적인 의미나 효과에 대하여도 이해할 수 있을 것을 요한다.
③ 제한능력자인 미성년자도 혼인에 의하여 성년으로 의제되므로 혼인 성립과 동시에 성년자와 같은 능력을 가지나, 성년의제는 법률혼에 한정된다.

④ 미성년자가 월 소득범위 내에서 신용구매계약을 체결한 경우, 스스로 얻고 있던 소득에 대하여는 법정대리인의 묵시적 처분허락이 있었다고 보아야 하므로 제한능력을 이유로 취소할 수 없다.

⑤ 제한능력자가 상대방으로 하여금 능력자임을 믿게 하기 위하여 적극적으로 사기수단을 쓴 것은 속임수에 해당하나, 단순히 능력자라고 칭한 것만으로는 속임수를 쓴 것이라 할 수 없다.

해설 ① 판례는 단독행위인 유증과 달리 사인증여는 계약이므로 그 성질이 달라 사인증여에는 태아의 권리능력을 인정할 수 없다고 한다. 증여(생전증여)에 관하여 태아는 수증능력이 인정되지 아니하고, 또 태아인 동안에는 법정대리인이 있을 수 없으므로 법정대리인에 의한 수증행위도 할 수 없다(대판 1982.2.29, 81다534).

② 의사능력이란 자신의 행위의 의미나 결과를 정상적인 인식력과 예기력을 바탕으로 합리적으로 판단할 수 있는 정신적 능력 내지는 지능을 말하는바, 특히 어떤 법률행위가 그 일상적인 의미만을 이해하여서는 알기 어려운 특별한 법률적인 의미나 효과가 부여되어 있는 경우 의사능력이 인정되기 위하여는 그 행위의 일상적인 의미뿐만 아니라 법률적인 의미나 효과에 대하여도 이해할 수 있을 것을 요한다고 보아야 하고, 의사능력의 유무는 구체적인 법률행위와 관련하여 개별적으로 판단되어야 할 것이다(대판 2006.9.22, 2006다29358).

③ 미성년자란 19세가 되지 아니한 사람을 말한다(제4조). 다만, 미성년자가 혼인을 한 때에는 성년자로 본다(제826조의2). 또한 이후에 혼인이 해소되더라도 성년의제의 효과는 존속한다고 보는 것이 통설이다.

④ 미성년자가 월 소득범위 내에서 신용구매계약을 체결한 사안에서, 스스로 얻고 있던 소득에 대하여는 법정대리인의 묵시적 처분허락이 있었다고 보아 위 신용구매계약은 처분허락을 받은 재산범위 내의 처분행위에 해당한다(대판(전) 2007.11.16, 2005다71659·71666·71673).

⑤ 판례는 민법 제17조에 사술(속임수)의 의미에 대하여 단순히 자기가 능력자라 하는 정도로는 사술(속임수)로 보지 않는다(대판 1971.12.14, 71다2045).

05 **만 18세의 甲이 법정대리인의 동의 없이 단독으로 할 수 있는 행위가 아닌 것은?** (다툼이 있는 경우에는 판례에 의함)

① 甲이 타인의 대리인으로 체결하는 부동산 매매계약

② 모(母)와 공동으로 받는 상속에 대한 甲의 승인

③ 甲이 법정대리인의 동의 없이 체결한 오토바이 매매계약에 대한 취소

④ 부양의무를 이행하지 않는 친권자 乙에 대한 甲의 부양료 청구

⑤ 甲이 자신의 재산에 대하여 행하는 유언

해설 ① 대리인이 대리행위를 하는 데에는 행위능력자임을 요하지 않으므로(제117조), 미성년자인 甲은 타인의 대리인으로서 대리행위를 법정대리인의 동의 없이 단독으로 할 수 있다.

정답 03 ⑤   04 ①   05 ②

② 상속을 승인·포기하는 행위는 단순히 권리만을 얻거나 의무만을 면하는 행위라 할 수 없으므로 미성년자인 甲이 법정대리인의 동의 없이 단독으로 할 수 없다.

③ 제140조【법률행위의 취소권자】 취소할 수 있는 법률행위는 제한능력자, 착오로 인하거나 사기·강박에 의하여 의사표시를 한 자, 그의 대리인 또는 승계인만이 취소할 수 있다.

제한능력자 자신이 취소의 의사표시를 할 수 있다는 점에서 법률행위능력 일반원칙의 예외를 이룬다. 따라서 미성년자인 甲은 법정대리인의 동의 없이 체결한 오토바이 매매계약을 법정대리인의 동의 없이 단독으로 취소할 수 있다.

④ 미성년자라 하더라도 권리만을 얻는 행위는 법정대리인의 동의가 필요 없으며 친권자와 자 사이에 이해상반되는 행위를 함에는 그 자의 특별대리인을 선임하도록 하는 규정이 있는 점에 비추어 볼 때, 청구인(미성년자인 혼인 외의 자)의 피청구인(생부)은 인지를 함으로써 청구인의 친권자가 되어 법정대리인이 된다 하더라도 청구인은 피청구인이 청구인을 부양하고 있지 않은 이상 그 부양료를 피청구인에게 직접 청구할 수 있다 할 것이다(대판 1972.7.11, 72므5). 부양청구권의 행사는 단순히 권리만을 얻는 행위이므로(제5조 제1항 단서), 미성년자인 甲은 법정대리인의 동의 없이 친권자에 대한 부양료 청구를 할 수 있다.

⑤ 제1061조【유언적령】 17세에 달하지 못한 자는 유언을 하지 못한다. → 종전 '만 17세'로 규정된 것을 민법에서의 나이는 '연 나이'가 아닌 '만 나이'로 계산하고 연수(年數)로 표시함을 명확히 규정함으로써 나이와 관련된 불필요한 갈등을 최소화하고 국제적 기준에 부합하는 사회적 관행을 확립하기 위해 '만'이라는 부분 삭제함 [개정 2022.12.27, 시행일 2023.6.28.]
제1062조【제한능력자의 유언】 유언에 관하여는 제5조, 제10조 및 제13조를 적용하지 아니한다.

유언은 유언자의 독립한 의사에 의하여 행하여져야 한다. 따라서 대리는 허용되지 않으며, 유언자가 제한능력자라도 법정대리인의 동의를 필요로 하지 않는다. 따라서 미성년자인 甲은 17세에 달한 이후에는 법정대리인의 동의 없이 유언을 할 수 있다.

06 미성년자의 법정대리인의 권한에 관한 다음 설명 중 옳지 않은 것을 모두 고르면?

㉠ 법정대리인이 미성년자의 재산에 관한 법률행위를 대리하거나 재산관리권을 행사함에 있어서는 선량한 관리자의 주의로서 사무를 처리하여야 한다.
㉡ 성년인 子와 미성년인 子 사이에 이해가 상반하는 경우에도 친권자는 미성년자를 위하여 특별대리인을 선임하여야 한다.
㉢ 법정대리인인 친권자가 子의 유일한 재산을 그 사실을 아는 제3자에게 증여한 행위는 친권의 남용으로서 무효가 될 수 있다.
㉣ 법정대리인이 미성년자에게 허락한 특정영업에 관하여는 그 범위에서 대리권이 소멸한다.
㉤ 법정대리인인 친권자와 미성년인 수인의 子 사이에 상속재산 분할협의를 하는 경우에는 미성년자 각자마다 특별대리인을 선임하여야 한다.

① ㉠, ㉡
② ㉠, ㉢, ㉣
③ ㉢, ㉣, ㉤
④ ㉠, ㉡, ㉤
⑤ ㉣, ㉤

해설 ㉠ 자기의 재산에 관한 행위와 동일한 주의가 필요하다(제922조).

㉡ 민법 제921조 제2항의 경우 이해상반행위의 당사자는 쌍방이 모두 친권에 복종하는 미성년자일 경우이어야 하고, 이때에는 친권자가 미성년자 쌍방을 대리할 수는 없는 것이므로 그 어느 미성년자를 위하여 특별대리인을 선임하여야 한다는 것이지 성년이 되어 친권자의 친권에 복종하지 아니하는 자와 친권에 복종하는 미성년자인 자 사이에 이해상반이 되는 경우가 있다 하여도 친권자는 미성년자를 위한 법정대리인으로서 그 고유의 권리를 행사할 수 있으므로 그러한 친권자의 법률행위는 같은 조항 소정의 이해상반행위에 해당한다 할 수 없다(대판 1989.9.12, 88다카28044).

㉢ 친권자인 母가 미성년자인 子의 법정대리인으로서 子의 유일한 재산을 아무런 대가도 받지 않고 증여하였고 상대방이 그 사실을 알고 있었던 경우, 그 증여행위는 친권의 남용에 의한 것이므로 그 효과는 子에게 미치지 않는다(대판 1997.1.24, 96다43928).

㉣ 미성년자가 법정대리인으로부터 허락을 얻은 특정한 영업에 관하여는 성년자와 동일한 행위능력이 있다(제8조 제1항). 성년자와 동일한 능력을 가진다는 것은, 법정대리인의 동의를 필요로 하지 않을 뿐만 아니라, 법정대리인의 대리권도 이 범위에서 소멸함을 뜻한다(영업 이외의 경우에는 허락 또는 동의를 준 행위를 자기가 대리해서 할 수도 있다).

㉤ 공동상속재산분할협의는 그 행위의 객관적 성질상 상속인 상호 간에 이해의 대립이 생길 우려가 있는 행위라고 할 것이므로 공동상속인인 친권자와 미성년인 수인의 자 사이에 상속재산분할협의를 하게 되는 경우에는 미성년자 각자마다 특별대리인을 선임하여 그 각 특별대리인이 각 미성년자인 자를 대리하여 상속재산분할의 협의를 하여야 한다(대판 1993.4.13, 92다54524).

07 미성년자의 행위능력에 관한 다음 설명 중 가장 옳지 않은 것은? (다툼이 있는 경우 판례에 의함)

① 미성년자가 부동산을 증여받는 결과 증여세가 부과되는 경우라도 권리만을 얻는 행위에 해당하므로 증여받는 데에 법정대리인의 동의가 필요 없다.

② 미성년자가 스스로 그의 채무의 변제만을 하는 경우에는 법정대리인의 동의가 필요 없다.

③ 영업이 허락된 미성년자의 그 영업에 관한 행위, 혼인을 한 미성년자의 행위에 있어서 미성년자는 성년자와 동일한 행위능력을 가진다.

④ 미성년자가 타인의 대리인으로서 하는 대리행위는 행위능력이 제한되지 않으므로 단독으로 유효하게 할 수 있다.

⑤ 미성년자가 법률행위를 부인하는 경우 법정대리인의 동의가 있었다는 입증책임은 상대방에게 있다.

해설 ① 미성년자가 부동산을 증여받는 결과 증여세가 부과되는 경우 또는 미성년자가 저당권이 설정된 부동산을 증여받는 경우는 권리만을 얻는 행위에 해당하므로 법정대리인의 동의가 필요 없다. 권리만을 얻거나 의무만을 면하는 경우에서 의무란 사법상의 의무를 부담하는 것을 의미하기 때문이다.

② 기존의 채권에 대하여 변제를 받는 경우 또는 미성년자가 스스로 그의 채무의 변제만을 하는 경우, 부담부증여를 받는 경우, 유리한 매매계약을 체결하는 경우, 상속을 승인·포기하는 행

위. 경매목적물을 경락하는 행위는 단순히 권리만을 얻거나 의무만을 면하는 행위라 할 수 없으므로, 법정대리인의 동의가 필요하다.

③ 제8조 제1항【영업의 허락】미성년자가 법정대리인으로부터 허락을 얻은 특정한 영업에 관하여는 성년자와 동일한 행위능력이 있다.

또한 제826조의2에서는 미성년자가 혼인을 한 때에는 성년자로 본다고 규정하고 있다.
→ 법정대리인이 미성년자에 대하여 영업의 허락을 하면 법정대리인의 대리권은 그 범위에서 소멸한다.(○)

④ 제117조【대리인의 행위능력】대리인은 행위능력자임을 요하지 아니한다. 따라서 미성년자는 타인의 대리인으로서 하는 대리행위는 단독으로 유효하게 할 수 있다.

⑤ 미성년자의 행위에 대해 동의가 있었다는 사실은 상대방이 입증책임을 진다(대판 1970. 2.24, 69다1568).

08

미성년자의 행위능력에 관한 다음 설명 중 가장 옳지 않은 것은? (다툼이 있는 경우 판례에 의하고, 전원합의체 판결의 경우 다수의견에 의함. 이하 같음) ▶ 2018년 법원행시

① 미성년자가 법률행위를 하려면 원칙적으로 법정대리인의 동의를 얻어야 한다. 미성년자가 동의를 얻지 않고 한 행위는 미성년자 또는 그 법정대리인이 취소할 수 있다.

② 미성년자가 법률행위를 함에 있어서 요구되는 법정대리인의 동의는 언제나 명시적이어야 하는 것은 아니고 묵시적으로도 가능한 것이며, 미성년자의 행위가 위와 같이 법정대리인의 묵시적 동의가 인정되거나 처분허락이 있는 재산의 처분 등에 해당하는 경우라면, 미성년자로서는 더 이상 행위무능력을 이유로 그 법률행위를 취소할 수 없다.

③ 미성년자가 신용카드발행인과 사이에 신용카드 이용계약을 체결하여 신용카드거래를 하다가 신용카드 이용계약을 취소하는 경우, 미성년자는 그 행위로 인하여 받은 이익이 현존하는 한도에서 상환할 책임이 있다.

④ 위 ③의 경우, 미성년자가 신용카드발행인에게 부당이득으로 반환하여야 할 대상은 미성년자가 가맹점과의 매매계약을 통하여 취득한 물품과 제공받은 용역이다.

⑤ 법정대리인의 동의 없이 신용구매계약을 체결한 미성년자가 사후에 법정대리인의 동의 없음을 사유로 들어 이를 취소하는 것이 신의칙에 위배된 것이라고 할 수 없다.

해설 ① 미성년자가 법률행위를 할 때에는 원칙적으로 법정대리인의 동의를 얻어야 하며(제5조 제1항 본문), 이에 위반한 경우 미성년자 자신이나 법정대리인이 그 법률행위를 취소할 수 있다(제140조).

② 대판 2007.11.16, 2005다71659

③ 미성년자가 신용카드발행인과 사이에 신용카드 이용계약을 체결하여 신용카드거래를 하다가 신용카드 이용계약을 취소하는 경우 미성년자는 그 행위로 인하여 받은 이익이 현존하는 한도에서 상환할 책임이 있는바, 신용카드 이용계약이 취소됨에도 불구하고 신용카드회원과 해당 가맹점 사이에 체결된 개별적인 매매계약은 특별한 사정이 없는 한 신용카드 이용계약취소와 무관하게 유효하게 존속한다 할 것이고, 신용카드발행인이 가맹점들에 대하여 그 신용카드사용대금을 지급한 것은 신용카드 이용계약과는 별개로 신용카드발행인과 가맹점 사이에 체결된 가맹점 계약에 따른 것으로서 유효하므로, 신용카드발행인의 가맹점에 대한 신용

카드이용대금의 지급으로써 신용카드회원은 자신의 가맹점에 대한 매매대금 지급채무를 법률상 원인 없이 면제받는 이익을 얻었으며, 이러한 이익은 금전상의 이득으로서 특별한 사정이 없는 한 현존하는 것으로 추정된다(대판 2005.4.15, 2003다60297).

④ 현존하는 것으로 추정되는 법률상 원인 없이 면제받은 가맹점에 대한 매매대금 지급채무를 반환하여야 한다(대판 2005.4.15, 2003다60297 참조).

⑤ 행위무능력자 제도는 사적자치의 원칙이라는 민법의 기본이념, 특히, 자기책임 원칙의 구현을 가능케 하는 도구로서 인정되는 것이고, 거래의 안전을 희생시키더라도 행위무능력자를 보호하고자 함에 근본적인 입법 취지가 있는바, 행위무능력자 제도의 이러한 성격과 입법 취지 등에 비추어 볼 때, 신용카드 가맹점이 미성년자와 신용구매계약을 체결할 당시 향후 그 미성년자가 법정대리인의 동의가 없었음을 들어 스스로 위 계약을 취소하지는 않으리라고 신뢰하였다 하더라도 그 신뢰가 객관적으로 정당한 것이라고 할 수 있을지 의문일 뿐만 아니라, 그 미성년자가 가맹점의 이러한 신뢰에 반하여 취소권을 행사하는 것이 정의관념에 비추어 용인될 수 없는 정도의 상태라고 보기도 어려우며, 미성년자의 법률행위에 법정대리인의 동의를 요하도록 하는 것은 강행규정인데, 위 규정에 반하여 이루어진 신용구매계약을 미성년자 스스로 취소하는 것을 신의칙 위반을 이유로 배척한다면, 이는 오히려 위 규정에 의해 배제하려는 결과를 실현시키는 셈이 되어 미성년자 제도의 입법 취지를 몰각시킬 우려가 있으므로, 법정대리인의 동의 없이 신용구매계약을 체결한 미성년자가 사후에 법정대리인의 동의 없음을 사유로 들어 이를 취소하는 것이 신의칙에 위배된 것이라고 할 수 없다(대판 2007.11.16, 2005다71659 등).

09 제한능력자의 상대방을 보호하기 위한 제도에 관한 설명으로 옳지 않은 것은? (다툼이 있는 경우 판례에 의함)

① 제한능력자의 상대방은 제한능력자가 능력자가 된 후에 그에게 1개월 이상의 기간을 정하여 그 취소할 수 있는 행위의 추인여부의 확답을 촉구할 수 있다. 능력자로 된 사람이 그 기간 내에 확답을 발송하지 아니하면 그 행위를 추인한 것으로 본다.

② 제한능력자의 상대방은 추인이 있을 때까지 철회나 거절의 의사표시를 제한능력자에게도 할 수 있다. 다만 철회권은 거절권과 달리 상대방이 계약 당시에 제한능력자임을 알지 못하여야 한다.

③ 제한능력자의 법정대리인이 추인여부의 확답을 촉구 받고 그 정하여진 기간 내에 확답을 발송하지 아니한 경우에는 그 행위를 추인한 것으로 본다.

④ 제한능력자가 속임수로써 자기를 능력자로 믿게 한 경우에는 그 행위를 취소할 수 없고, 미성년자나 피한정후견인이 속임수로써 법정대리인의 동의가 있는 것으로 믿게 한 경우에도 같다. 다만 피성년후견인은 속임수로써 법정대리인의 동의가 있는 것으로 믿게 하였더라도 취소할 수 있다.

⑤ 위 ④의 속임수는 제한능력자의 상대방 보호라는 관점에서 제한능력자가 상대방으로 하여금 능력자임을 믿게 하기 위하여 적극적으로 사기수단을 쓴 것에 한하지 않고, 단순히 자기가 능력자라고 칭한 경우도 포함한다.

정답 08 ④   09 ⑤

해설 ① 제15조 제1항【제한능력자의 상대방의 확답을 촉구할 권리】제한능력자의 상대방은 제한능력자가 능력자가 된 후에 그에게 1개월 이상의 기간을 정하여 그 취소할 수 있는 행위를 추인할 것인지 여부의 확답을 촉구할 수 있다. 능력자로 된 사람이 그 기간 내에 확답을 발송하지 아니하면 그 행위를 추인한 것으로 본다.

② 제16조【제한능력자의 상대방의 철회권과 거절권】
　① 제한능력자가 맺은 계약은 추인이 있을 때까지 상대방이 그 의사표시를 철회할 수 있다. 다만, 상대방이 계약 당시에 제한능력자임을 알았을 경우에는 그러하지 아니하다.
　② 제한능력자의 단독행위는 추인이 있을 때까지 상대방이 거절할 수 있다.
　③ 제1항의 철회나 제2항의 거절의 의사표시는 제한능력자에게도 할 수 있다.

③ 제15조 제2항【제한능력자의 상대방의 확답을 촉구할 권리】제한능력자가 아직 능력자가 되지 못한 경우에는 그의 법정대리인에게 제1항의 촉구를 할 수 있고, 법정대리인이 그 정하여진 기간 내에 확답을 발송하지 아니한 경우에는 그 행위를 추인한 것으로 본다.

④ 제17조【제한능력자의 속임수】
　① 제한능력자가 속임수로써 자기를 능력자로 믿게 한 경우에는 그 행위를 취소할 수 없다.
　② 미성년자나 피한정후견인이 속임수로써 법정대리인의 동의가 있는 것으로 믿게 한 경우에도 제1항과 같다.

제1항의 경우는 모든 제한능력자가 포함되지만, 제2항의 경우에는 피성년후견인은 제외된다. 피성년후견인의 법률행위는 원칙적으로 취소할 수 있으므로(제10조 제1항), 그가 속임수로써 법정대리인의 동의가 있는 것으로 믿게 한 경우라도 제17조 제2항은 적용되지 않고, 그 행위를 취소할 수 있다.

⑤ 민법 제17조에 이른바 "무능력자가 사술로써 능력자로 믿게 한 때"에 있어서의 사술(속임수)을 쓴 것이라 함은 적극적으로 사기수단을 쓴 것을 말하는 것이고 단순히 자기가 능력자라 사언함은 사술을 쓴 것이라고 할 수 없다(대판 1971.12.14, 71다2045).

10 제한능력자 제도에 관한 다음 설명 중 옳지 않은 것은?

① 가정법원은 질병, 장애, 노령, 그 밖의 사유로 인한 정신적 제약으로 사무를 처리할 능력이 지속적으로 결여된 사람에 대하여 본인, 배우자, 4촌 이내의 친족, 미성년후견인, 검사 또는 지방자치단체의 장 등의 청구에 의하여 성년후견개시의 심판을 한다.

② 가정법원은 질병, 장애, 노령, 그 밖의 사유로 인한 정신적 제약으로 사무를 처리할 능력이 부족한 사람에 대하여 본인, 배우자, 4촌 이내의 친족, 미성년후견인, 검사 또는 지방자치단체의 장 등의 청구에 의하여 한정후견개시의 심판을 한다.

③ 가정법원은 성년후견개시의 심판을 할 때 또는 한정후견개시의 심판을 할 때에는 본인의 의사를 고려하여야 한다.

④ 가정법원은 질병, 장애, 노령, 그 밖의 사유로 인한 정신적 제약으로 일시적 후원 또는 특정한 사무에 관한 후원이 필요한 사람에 대하여 본인, 배우자, 4촌 이내의 친족, 미성년후견인, 미성년후견감독인, 검사 또는 지방자치단체의 장의 청구에 의하여 특정후견의 심판을 한다.

⑤ 특정후견은 본인의 의사에 반하여도 할 수 있고, 특정후견의 심판을 하는 경우에는 특정후견의 기간 또는 사무의 범위를 정하여야 한다.

해설 ① 제9조 제1항【성년후견개시의 심판】가정법원은 질병, 장애, 노령, 그 밖의 사유로 인한 정신적 제약으로 사무를 처리할 능력이 지속적으로 결여된 사람에 대하여 본인, 배우자, 4촌 이내의 친족, 미성년후견인, 미성년후견감독인, 한정후견인, 한정후견감독인, 특정후견인, 특정후견감독인, 검사 또는 지방자치단체의 장의 청구에 의하여 성년후견개시의 심판을 한다.

② 제12조 제1항【한정후견개시의 심판】가정법원은 질병, 장애, 노령, 그 밖의 사유로 인한 정신적 제약으로 사무를 처리할 능력이 부족한 사람에 대하여 본인, 배우자, 4촌 이내의 친족, 미성년후견인, 미성년후견감독인, 성년후견인, 성년후견감독인, 특정후견인, 특정후견감독인, 검사 또는 지방자치단체의 장의 청구에 의하여 한정후견개시의 심판을 한다.

③ 제9조 제2항【성년후견개시의 심판】가정법원은 성년후견개시의 심판을 할 때 본인의 의사를 고려하여야 한다.
제12조 제2항【한정후견개시의 심판】한정후견개시의 경우에 제9조 제2항을 준용한다.

④ 제14조의2 제1항【특정후견의 심판】가정법원은 질병, 장애, 노령, 그 밖의 사유로 인한 정신적 제약으로 일시적 후원 또는 특정한 사무에 관한 후원이 필요한 사람에 대하여 본인, 배우자, 4촌 이내의 친족, 미성년후견인, 미성년후견감독인, 검사 또는 지방자치단체의 장의 청구에 의하여 특정후견의 심판을 한다.

⑤ 제14조의2 제2항【특정후견의 심판】특정후견은 본인의 의사에 반하여 할 수 없다.
제14조의2 제3항【특정후견의 심판】특정후견의 심판을 하는 경우에는 특정후견의 기간 또는 사무의 범위를 정하여야 한다.

11 **제한능력자 제도에 관한 다음 설명 중 옳지 않은 것은?**

① 피성년후견인의 법률행위는 취소할 수 있다. 다만 가정법원은 취소할 수 없는 피성년후견인의 법률행위의 범위를 정할 수 있다.

② 가정법원은 본인, 배우자, 4촌 이내의 친족, 성년후견인, 성년후견감독인, 검사 또는 지방자치단체의 장의 청구에 의하여 취소할 수 없는 피성년후견인의 법률행위의 범위를 변경할 수 있다.

③ 가정법원은 피한정후견인이 한정후견인의 동의를 받아야 하는 행위의 범위를 정할 수 있고, 일정한 자의 청구에 의하여 그 행위의 범위를 변경할 수 있다.

④ 한정후견인의 동의를 필요로 하는 행위에 대하여 한정후견인이 피한정후견인의 이익이 침해될 염려가 있음에도 그 동의를 하지 아니하는 때라도 가정법원은 한정후견인의 동의에 갈음하는 허가를 할 수 없다.

⑤ 일용품의 구입 등 일상생활에 필요하고 그 대가가 과도하지 아니한 법률행위는 피성년후견인이나 피한정후견인이나 취소할 수 없고 단독으로 할 수 있음은 공통된다.

정답 10 ⑤ 11 ④

해설 ①, ②

> 제10조【피성년후견인의 행위와 취소】
> ① 피성년후견인의 법률행위는 취소할 수 있다.
> ② 제1항에도 불구하고 가정법원은 취소할 수 없는 피성년후견인의 법률행위의 범위를 정할 수 있다.
> ③ 가정법원은 본인, 배우자, 4촌 이내의 친족, 성년후견인, 성년후견감독인, 검사 또는 지방자치단체의 장의 청구에 의하여 제2항의 범위를 변경할 수 있다.

③, ④

> 제13조【피한정후견인의 행위와 동의】
> ① 가정법원은 피한정후견인이 한정후견인의 동의를 받아야 하는 행위의 범위를 정할 수 있다.
> ② 가정법원은 본인, 배우자, 4촌 이내의 친족, 한정후견인, 한정후견감독인, 검사 또는 지방자치단체의 장의 청구에 의하여 제1항에 따른 한정후견인의 동의를 받아야만 할 수 있는 행위의 범위를 변경할 수 있다.
> ③ 한정후견인의 동의를 필요로 하는 행위에 대하여 한정후견인이 피한정후견인의 이익이 침해될 염려가 있음에도 그 동의를 하지 아니하는 때에는 가정법원은 피한정후견인의 청구에 의하여 한정후견인의 동의를 갈음하는 허가를 할 수 있다.

⑤

> 제10조 제4항【피성년후견인의 행위와 취소】제1항(피성년후견인의 법률행위는 취소할 수 있다)에도 불구하고 일용품의 구입 등 일상생활에 필요하고 그 대가가 과도하지 아니한 법률행위는 성년후견인이 취소할 수 없다.
> 제13조 제4항【피한정후견인의 행위와 동의】한정후견인의 동의가 필요한 법률행위를 피한정후견인이 한정후견인의 동의 없이 하였을 때에는 그 법률행위를 취소할 수 있다. 다만, 일용품의 구입 등 일상생활에 필요하고 그 대가가 과도하지 아니한 법률행위에 대하여는 그러하지 아니하다.

12 제한능력자 제도에 관한 다음 설명 중 옳지 않은 것은?

① 가정법원의 성년후견개시심판이 있는 경우에는 그 심판을 받은 사람의 성년후견인을 두어야 하는데, 성년후견인은 가정법원이 직권으로 선임한다.

② 가정법원의 한정후견개시의 심판이 있는 경우에는 그 심판을 받은 사람의 한정후견인을 두어야 하는데, 한정후견인은 가정법원이 직권으로 선임한다.

③ 성년후견인이나 한정후견인은 피후견인의 법정대리인이 된다.

④ 성년후견개시의 원인이 소멸된 경우에는 가정법원은 본인, 배우자, 4촌 이내의 친족, 성년후견인, 성년후견감독인, 검사 또는 지방자치단체의 장의 청구에 의하여 성년후견 종료의 심판을 한다.

⑤ 한정후견개시의 원인이 소멸된 경우에는 가정법원은 본인, 배우자, 4촌 이내의 친족, 한정후견인, 한정후견감독인, 검사 또는 지방자치단체의 장의 청구에 의하여 한정후견 종료의 심판을 한다.

해설 ① 제929조【성년후견심판에 의한 후견의 개시】 가정법원의 성년후견개시심판이 있는 경우에는 그 심판을 받은 사람의 성년후견인을 두어야 한다.
제936조 제1항【성년후견인의 선임】 제929조에 따른 성년후견인은 가정법원이 직권으로 선임한다.

② 제959조의2【한정후견의 개시】 가정법원의 한정후견개시의 심판이 있는 경우에는 그 심판을 받은 사람의 한정후견인을 두어야 한다.
제959조의3 제1항【한정후견인의 선임 등】 제959조의2에 따른 한정후견인은 가정법원이 직권으로 선임한다.

③ 제938조 제1항【후견인의 대리권 등】 후견인은 피후견인의 법정대리인이 된다.
제959조의4 제1항【한정후견인의 대리권 등】 가정법원은 한정후견인에게 대리권을 수여하는 심판을 할 수 있다.

한정후견인에 대해서는 성년후견인과는 달리 피후견인의 법정대리인이 된다고 규정하고 있지 않다. 즉 한정후견인에 대해서는 가정법원은 한정후견인에게 대리권을 수여하는 심판을 할 수 있다고 규정함으로써(제959조의4 제1항), 한정후견인을 당연한 법정대리인으로 취급하지 않는다.

④ 제11조【성년후견종료의 심판】 성년후견개시의 원인이 소멸된 경우에는 가정법원은 본인, 배우자, 4촌 이내의 친족, 성년후견인, 성년후견감독인, 검사 또는 지방자치단체의 장의 청구에 의하여 성년후견종료의 심판을 한다.

⑤ 제14조【한정후견종료의 심판】 한정후견개시의 원인이 소멸된 경우에는 가정법원은 본인, 배우자, 4촌 이내의 친족, 한정후견인, 한정후견감독인, 검사 또는 지방자치단체의 장의 청구에 의하여 한정후견종료의 심판을 한다.

13 성년후견 및 한정후견제도에 관한 다음 설명 중 가장 옳지 않은 것은? ▸ 2014년 법무사

① 피성년후견인의 법률행위는 취소할 수 있으나, 가정법원은 취소할 수 없는 피성년후견인의 법률행위의 범위를 정할 수도 있다.
② 지방자치단체의 장은 가정법원에 성년후견개시, 성년후견종료, 한정후견개시 및 한정후견종료의 심판을 모두 청구할 수 있다.
③ 일용품의 구입 등 일상생활에 필요하고 그 대가가 과도하지 아니한 피성년후견인의 법률행위는 성년후견인이 취소할 수 없다.
④ 가정법원은 성년후견개시의 경우와는 달리 한정후견개시의 심판을 할 때에는 본인의 의사를 고려하지 않을 수도 있다.
⑤ 가정법원은 성년후견개시의 원인이 소멸된 경우 본인의 청구에 의하여 성년후견종료의 심판을 할 수도 있다.

정답 12 ③ 13 ④

해설

① 제10조【피성년후견인의 행위와 취소】
① 피성년후견인의 법률행위는 취소할 수 있다.
② 제1항에도 불구하고 가정법원은 취소할 수 없는 피성년후견인의 법률행위의 범위를 정할 수 있다.

② 제9조【성년후견개시의 심판】
① 가정법원은 질병, 장애, 노령, 그 밖의 사유로 인한 정신적 제약으로 사무를 처리할 능력이 지속적으로 결여된 사람에 대하여 본인, 배우자, 4촌 이내의 친족, 미성년후견인, 미성년후견감독인, 한정후견인, 한정후견감독인, 특정후견인, 특정후견감독인, 검사 또는 지방자치단체의 장의 청구에 의하여 성년후견개시의 심판을 한다.
제11조【성년후견종료의 심판】 성년후견개시의 원인이 소멸된 경우에는 가정법원은 본인, 배우자, 4촌 이내의 친족, 성년후견인, 성년후견감독인, 검사 또는 지방자치단체의 장의 청구에 의하여 성년후견종료의 심판을 한다.
제12조【한정후견개시의 심판】
① 가정법원은 질병, 장애, 노령, 그 밖의 사유로 인한 정신적 제약으로 사무를 처리할 능력이 부족한 사람에 대하여 본인, 배우자, 4촌 이내의 친족, 미성년후견인, 미성년후견감독인, 성년후견인, 성년후견감독인, 특정후견인, 특정후견감독인, 검사 또는 지방자치단체의 장의 청구에 의하여 한정후견개시의 심판을 한다.
제14조【한정후견종료의 심판】 한정후견개시의 원인이 소멸된 경우에는 가정법원은 본인, 배우자, 4촌 이내의 친족, 한정후견인, 한정후견감독인, 검사 또는 지방자치단체의 장의 청구에 의하여 한정후견종료의 심판을 한다.

③ 제1항에도 불구하고 일용품의 구입 등 일상생활에 필요하고 그 대가가 과도하지 아니한 법률행위는 성년후견인이 취소할 수 없다(제10조 제4항).

④ 한정후견개시의 경우에도 제9조 제2항을 준용하고 있으므로(제12조 제2항), 가정법원은 한정후견개시의 심판을 할 때에도 성년후견개시의 심판을 할 때와 마찬가지로 본인의 의사를 고려하여야 한다. 가정법원은 성년후견개시의 심판을 할 때 본인의 의사를 고려하여야 한다(제9조 제2항). 한정후견개시의 경우에 제9조 제2항을 준용한다(제12조 제2항).

⑤ 성년후견개시의 원인이 소멸된 경우에는 가정법원은 본인, 배우자, 4촌 이내의 친족, 성년후견인, 성년후견감독인, 검사 또는 지방자치단체의 장의 청구에 의하여 성년후견종료의 심판을 한다(제11조).

14 자연인의 능력에 관한 다음 설명 중 가장 옳지 않은 것은? ▸ 2017년 법무사

① 법정대리인은 원칙적으로 미성년자가 법정대리인의 동의 없이 한 법률행위를 취소할 수 있다.

② 가정법원은 질병, 장애, 노령, 그 밖의 사유로 인한 정신적 제약으로 사무를 처리할 능력이 지속적으로 결여된 사람에 대하여 본인, 배우자, 4촌 이내의 친족, 미성년후견인, 미성년후견감독인, 한정후견인, 한정후견감독인, 특정후견인, 특정후견감독인, 검사 또는 지방자치단체의 장의 청구에 의하여 성년후견개시의 심판을 한다.

③ 가정법원은 한정후견인의 청구에 의하여도 피한정후견인이 한정후견인의 동의를 받아야만 할 수 있는 행위의 범위를 변경할 수 있다.

④ 특정후견은 본인의 의사에 반하여 할 수 없다.

⑤ 가정법원이 피한정후견인 또는 피특정후견인에 대하여 성년후견개시의 심판을 한 때에는 종전의 한정후견 또는 특정후견은 별도의 심판 없이 종료한다.

해설 ① 제5조 【미성년자의 능력】
① 미성년자가 법률행위를 함에는 법정대리인의 동의를 얻어야 한다. 그러나 권리만을 얻거나 의무만을 면하는 행위는 그러하지 아니하다.
② 전항의 규정에 위반한 행위는 취소할 수 있다.

② 제9조 제1항 【성년후견개시의 심판】 가정법원은 질병, 장애, 노령, 그 밖의 사유로 인한 정신적 제약으로 사무를 처리할 능력이 지속적으로 결여된 사람에 대하여 본인, 배우자, 4촌 이내의 친족, 미성년후견인, 미성년후견감독인, 한정후견인, 한정후견감독인, 특정후견인, 특정후견감독인, 검사 또는 지방자치단체의 장의 청구에 의하여 성년후견개시의 심판을 「한다」.

③ 제13조 【피한정후견인의 행위와 동의】
① 가정법원은 피한정후견인이 한정후견인의 동의를 받아야 하는 행위의 범위를 정할 수 있다.
② 가정법원은 본인, 배우자, 4촌 이내의 친족, 한정후견인, 한정후견감독인, 검사 또는 지방자치단체의 장의 청구에 의하여 제1항에 따른 한정후견인의 동의를 받아야만 할 수 있는 행위의 범위를 변경할 수 있다.

④ 제14조의2 【특정후견의 심판】
① 가정법원은 질병, 장애, 노령, 그 밖의 사유로 인한 정신적 제약으로 「일시적 후원 또는 특정한 사무」에 관한 후원이 필요한 사람에 대하여 본인, 배우자, 4촌 이내의 친족, 미성년후견인, 미성년후견감독인, 검사 또는 지방자치단체의 장의 청구에 의하여 특정후견의 심판을 한다.
② 특정후견은 본인의 의사에 반하여 할 수 없다.

⑤ 가정법원이 피한정후견인 또는 피특정후견인에 대하여 성년후견개시의 심판을 한 때에는 종전의 한정후견 또는 특정후견의 종료 심판을 한다(제14조의3). 왜냐하면 능력의 범위가 차이가 있기 때문이다.

정답 14 ⑤

15 미성년자에 관한 다음 설명 중 가장 옳지 않은 것은? (다툼이 있는 경우 판례에 의함)
▸ 2019년 법원사무관 승진

① 미성년자는 법정대리인의 동의 없이 부동산경매절차에서 매수인이 될 수 있다.
② 미성년자가 속임수로 상대방에게 자신이 능력자인 것으로 믿게 한 경우에는 취소권을 행사할 수 없다.
③ 미성년자가 처분이 허락된 재산을 처분한 경우, 제한능력을 이유로 그 법률행위를 취소할 수 없다.
④ 불법행위의 피해자가 미성년자인 경우에는 특별한 사정이 없는 한 그 법정대리인이 손해 및 가해자를 안 때로부터 민법 제766조 제1항의 소멸시효가 진행한다.

해설 ① 미성년자는 법정대리인의 관여 없이 경락인이 될 수 없다(대결 1969.11.19, 69마989).
② 제한능력자가 속임수로써 자기를 능력자로 믿게 한 경우에는 그 행위를 취소할 수 없다(제17조 제1항).
③ 법정대리인이 범위를 정하여 처분을 허락한 재산은 미성년자가 임의로 처분할 수 있다(제6조).
④ 불법행위의 피해자가 미성년자로 행위능력이 제한된 자인 경우에는 다른 특별한 사정이 없는 한 그 법정대리인이 손해 및 가해자를 알아야 민법 제766조 제1항의 소멸시효가 진행한다고 할 것이다(대판 2010.2.11, 2009다79897).

16 다음 설명 중 가장 옳지 않은 것은? (다툼이 있는 경우 판례에 따르고 전원합의체 판결의 경우 다수의견에 의함)
▸ 2019년 법무사

① 무능력자의 책임을 제한하는 민법 제141조 단서는 부당이득에 있어 수익자의 반환범위를 정한 민법 제748조의 특칙으로서 무능력자의 보호를 위해 그 선의・악의를 불문하고 반환범위를 현존 이익에 한정시키려는 데 그 취지가 있으므로, 의사능력의 흠결을 이유로 법률행위가 무효가 되는 경우에도 유추적용되어야 한다.
② 미성년자가 신용카드발행인과 사이에 신용카드 이용계약을 체결하여 신용카드거래를 하다가 신용카드 이용계약을 취소하는 경우 미성년자는 그 행위로 인하여 받은 이익이 현존하는 한도에서 상환할 책임이 있는바, 신용카드 이용계약이 취소됨에도 불구하고 신용카드회원과 해당 가맹점 사이에 체결된 개별적인 매매계약은 특별한 사정이 없는 한 신용카드 이용계약취소와 무관하게 유효하게 존속한다 할 것이고, 신용카드발행인의 가맹점에 대한 신용카드이용 대금의 지급으로써 신용카드회원은 자신의 가맹점에 대한 매매대금 지급채무를 법률상 원인 없이 면제받는 이익을 얻었으며, 이러한 이익은 금전상의 이득으로서 특별한 사정이 없는 한 현존하는 것으로 추정된다.
③ 적모와 미성년자인 수인의 자 사이에 상속재산분할협의를 하게 되는 경우에는 미성년자가 각자마다 특별대리인을 선임하여 그 각 특별대리인이 각 미성년자를 대리하여 상속재산분할의 협의를 하여야 하고, 만약 특별대리인 1인이 수인의 미성년자를 대리하여 상속재산분할협의를 하였다면 이는 민법 제921조에 위반된 것으로서 이러한 대리

행위에 의하여 성립된 상속재산분할협의는 원칙적으로 무효이고, 이는 개별적으로 사후 추인을 한 피대리자 1인에 대해서도 마찬가지이다.

④ 미성년자는 다양한 인격발현의 잠재력을 지니고 있으므로, 그러한 잠재력을 최대한 끌어낼 수 있도록 일정한 요건하에 복수의 미성년후견인이 허용되고 있다.

⑤ 증여는 증여자와 수증자 간의 계약으로서 수증자의 승낙을 요건으로 하는 것이므로 태아에 대한 증여에 있어서도 태아의 수증행위가 필요한 것인바, 민법상 개별적으로 태아의 권리능력이 인정되는 경우에도 그 권리능력은 태아인 동안에는 없고 살아서 출생하면 문제된 사건의 시기까지 소급하여 그때에 출생한 것과 같이 법률상 간주될 뿐이므로, 태아인 동안에는 법정대리인이 있을 수 없고, 따라서 법정대리인에 의한 수증행위도 불가능하다.

해설 ① 무능력자의 책임을 제한하는 민법 제141조 단서는 부당이득에 있어 수익자의 반환범위를 정한 민법 제748조의 특칙으로서 무능력자의 보호를 위해 그 선의·악의를 묻지 아니하고 반환범위를 현존 이익에 한정시키려는 데 그 취지가 있으므로, 의사능력의 흠결을 이유로 법률행위가 무효가 되는 경우에도 유추적용되어야 할 것이다(대판 2009.1.15, 2008다58367).

② 미성년자가 신용카드발행인과 사이에 신용카드 이용계약을 체결하여 신용카드거래를 하다가 신용카드 이용계약을 취소하는 경우 미성년자는 그 행위로 인하여 받은 이익이 현존하는 한도에서 상환할 책임이 있는바, 신용카드 이용계약이 취소됨에도 불구하고 신용카드회원과 해당 가맹점 사이에 체결된 개별적인 매매계약은 특별한 사정이 없는 한 신용카드 이용계약취소와 무관하게 유효하게 존속한다 할 것이고, 신용카드발행인이 가맹점들에 대하여 그 신용카드사용대금을 지급한 것은 신용카드 이용계약과는 별개로 신용카드발행인과 가맹점 사이에 체결된 가맹점 계약에 따른 것으로서 유효하므로, 신용카드발행인의 가맹점에 대한 신용카드이용대금의 지급으로써 신용카드회원은 자신의 가맹점에 대한 매매대금 지급채무를 법률상 원인 없이 면제받는 이익을 얻었으며, 이러한 이익은 금전상의 이득으로서 특별한 사정이 없는 한 현존하는 것으로 추정된다(대판 2005.4.15, 2003다60297).

③ 민법 제921조의 "이해상반행위"란 행위의 객관적 성질상 친권자와 자 사이 또는 친권에 복종하는 수인의 자 사이에 이해의 대립이 생길 우려가 있는 행위를 가리키는 것으로서 친권자의 의도나 그 행위의 결과 실제로 이해의 대립이 생겼는가의 여부는 묻지 아니하는 것이라 할 것인바, 공동상속재산분할협의는 행위의 객관적 성질상 상속인 상호 간에 이해의 대립이 생길 우려가 있는 행위라고 할 것이므로 공동상속인인 친권자와 미성년인 수인의 자 사이에 상속재산분할협의를 하게 되는 경우에는 미성년자 각자마다 특별대리인을 선임하여 각 특별대리인이 각 미성년자인 자를 대리하여 상속재산분할의 협의를 하여야 하고, 만약 친권자가 수인의 미성년자의 법정대리인으로서 상속재산분할협의를 한 것이라면 이는 민법 제921조에 위반된 것으로서 이러한 대리행위에 의하여 성립된 상속재산분할협의는 피대리자 전원에 의한 추인이 없는 한 무효이다(대판 1993.4.13, 92다54524).

④ 성년후견인과 달리 미성년후견인은 1인으로 하는 점이 차이점이다(제930조 제1항).

⑤ 증여(생전증여)에 관하여 태아는 수증능력이 인정되지 아니하고, 또 태아인 동안에는 법정대리인이 있을 수 없으므로 법정대리인에 의한 수증행위도 할 수 없다(대판 1982.2.29, 81다534).

정답 15 ① 16 ④

17 아래의 〈사례〉에 관한 다음 〈설명〉 중 옳지 않은 것을 모두 고른 것은? (다툼이 있는 경우 판례에 의하고, 전원합의체 판결의 경우 다수의견에 의함) ▶ 2020년 9급(법원서기보)

┤ 사례 ├

甲은 2002.2.1.생으로 이 사건 당시 만 18세의 미성년자였다. 甲은 법정대리인 A의 동의 없이 L신용카드회사와 신용카드 이용계약을 체결하여 신용카드를 발급받았다. 甲은 乙이 운영하는 노트북 대리점에서 10만원 상당의 외장하드를 3개월 할부로 구입하면서, 이를 위 신용카드로 결제하였다. 한편 甲은 당시 아르바이트 등을 통해 월 60만원 이상의 소득을 얻고 있었다.

이후 甲은 A의 동의가 없었음을 이유로 L사와의 위 신용카드 이용계약과 乙과의 위 신용구매계약을 각각 취소하였다.

〈설명〉

ㄱ. 甲이 L사와의 신용카드 이용계약의 취소를 구하는 것은 신의칙에 반하므로 인정될 수 없다.

ㄴ. 甲과 乙과의 신용구매계약은 A의 묵시적 처분허락을 받은 재산범위 내의 처분이므로 취소할 수 없다.

ㄷ. 만일 甲과 L사와의 신용카드 이용계약이 취소되었음에도 L사가 乙에게 甲의 신용카드 이용대금을 지급한 경우, L사는 여전히 甲에게 신용카드 이용계약에 따라 신용카드 이용대금을 청구할 수 있다.

ㄹ. 만일 甲과 L사와의 신용카드 이용계약이 취소되었음에도 L사가 乙에게 甲의 신용카드 이용대금을 지급한 경우, L사는 甲에게 부당이득의 반환을 구할 수 있다.

ㅁ. 위 ㄹ.의 경우, 甲이 반환하여야 할 이익은 乙로부터 구입한 재화, 즉 외장하드이다.

① ㄱ, ㄷ, ㅁ   ② ㄴ, ㄹ
③ ㄷ, ㅁ   ④ ㄱ, ㄴ, ㄷ, ㅁ

해설 ㄱ. ㄴ. 미성년자의 법률행위에 법정대리인의 동의를 요하도록 하는 것은 강행규정인데, 위 규정에 반하여 이루어진 계약을 미성년자 스스로 취소하는 것을 신의칙 위반을 이유로 배척한다면, 이는 오히려 위 규정에 의해 배제하려는 결과를 실현시키는 셈이 되어 미성년자 제도의 입법 취지를 몰각시킬 우려가 있으므로, 법정대리인의 동의 없이 계약을 체결한 미성년자가 사후에 법정대리인의 동의 없음을 사유로 들어 이를 취소하는 것이 신의칙에 위배된 것이라고 할 수 없다. (다만) 미성년자가 법률행위를 함에 있어서 요구되는 법정대리인의 동의는 언제나 명시적이어야 하는 것은 아니고 묵시적으로도 가능한 것이며, 미성년자의 행위가 위와 같이 법정대리인의 묵시적 동의가 인정되거나 처분허락이 있는 재산의 처분 등에 해당하는 경우라면, 미성년자로서는 더 이상 행위무능력(현행 제한능력자)을 이유로 그 법률행위를 취소할 수 없다(대판(전) 2007.11.16, 2005다71659). 즉 미성년자가 월 소득범위 내에서 신용구매계약을 체결한 사안에서, 스스로 얻고 있던 소득에 대하여는 법정대리인의 묵시적 처분허락이 있었다고 보아 위 신용구매계약은 처분허락을 받은 재산범위 내의 처분행위에 해당한다고 본 사례이다.

ㄷ. ㄹ. ㅁ. 미성년자가 신용카드발행인과 사이에 신용카드 이용계약을 체결하여 신용카드거래를 하다가 신용카드 이용계약을 취소하는 경우 미성년자는 그 행위로 인하여 받은 이익이 현존하는 한도에서 상환할 책임이 있는바, 신용카드 이용계약이 취소됨에도 불구하고 신용카드회원과 해당 가맹점 사이에 체결된 개별적인 매매계약은 특별한 사정이 없는 한 신용카드 이용계약취소와 무관하게 유효하게 존속한다 할 것이고, 신용카드발행인이 가맹점들에 대하여 그 신용카드사용대금을 지급한 것은 신용카드 이용계약과는 별개로 신용카드발행인과 가맹점 사이에 체결된 가맹점 계약에 따른 것으로서 유효하므로, 신용카드발행인의 가맹점에 대한 신용카드이용대금의 지급으로써 신용카드회원은 자신의 가맹점에 대한 매매대금 지급채무를 법률상 원인 없이 면제받는 이익을 얻었으며, 이러한 이익은 금전상의 이득으로서 특별한 사정이 없는 한 현존하는 것으로 추정된다(대판 2005.4.15, 2003다60297).

즉 신용카드 이용계약이 취소된 경우 소급 무효(제141조)에 따라 신용카드회사는 신용카드 이용계약에 기한 신용카드 이용대금을 청구할 수 없고 부당이득반환청구만 할 수 있다. 이 경우 제141조 단서에 기해 반환해야 하는 현존이익은 가맹점과의 매매계약을 통해 얻은 물품이 아니라, 면제받은 가맹점에 대한 매매대금 지급채무를 반환하여야 한다.

18 다음 설명 중 가장 옳지 않은 것은? (다툼이 있는 경우 판례에 따르고 전원합의체 판결의 경우 다수의견에 의함. 이하 같음) ▶ 2021년 법무사

① 미성년자가 토지매매행위를 부인하고 있는 이상, 미성년자가 그 법정대리인의 동의를 얻었다는 점에 관한 입증책임은 미성년자에게 없고 이를 주장하는 상대방에게 있다.

② 책임능력 있는 미성년자의 불법행위로 인하여 손해가 발생한 경우에 그 발생된 손해가 당해 미성년자의 감독의무자의 의무위반과 상당인과관계가 있을 경우에는 감독의무자는 일반불법행위자로서 손해배상의무가 있다.

③ 미성년자의 법률행위에 법정대리인의 동의를 요하도록 하는 것은 강행규정인데, 위 규정에 반하여 이루어진 신용구매계약을 미성년자 스스로 취소하는 것을 신의칙 위반을 이유로 배척한다면, 이는 오히려 위 규정에 의해 배제하려는 결과를 실현시키는 셈이 되어 미성년자 제도의 입법 취지를 몰각시킬 우려가 있으므로, 법정대리인의 동의 없이 신용구매계약을 체결한 미성년자가 사후에 법정대리인의 동의 없음을 사유로 들어 이를 취소하는 것이 신의칙에 위배된 것이라고 할 수 없다.

④ 미성년자의 친권자인 모가 자기 오빠의 제3자에 대한 채무의 담보로 미성년자 소유의 부동산에 근저당권을 설정하는 행위는, 채무자를 위한 것으로서 미성년자에게는 불이익만을 주는 것이어서 민법 제921조 제1항에 규정된 "법정대리인인 친권자와 그 자 사이에 이해상반되는 행위"에 해당한다.

⑤ 미성년자가 법률행위를 함에 있어서 요구되는 법정대리인의 동의는 언제나 명시적이어야 하는 것은 아니고 묵시적으로도 가능한 것이며, 미성년자의 행위가 위와 같이 법정대리인의 묵시적 동의가 인정되거나 처분허락이 있는 재산의 처분 등에 해당하는 경우라면, 미성년자로서는 더 이상 행위무능력을 이유로 그 법률행위를 취소할 수 없다.

정답 17 ① 18 ④

해설 ① 미성년자의 행위에 대해 법정대리인의 동의가 있었다는 사실에 관하여는 상대방이 입증책임을 진다(대판 1970.2.24, 69다1568).
② 민법 제750조에 대한 특별규정인 민법 제755조 제1항에 의하여 책임능력 없는 미성년자를 감독할 법정의 의무 있는 자가 지는 손해배상책임은 그 미성년자에게 책임이 없음을 전제로 하여 이를 보충하는 책임이고, 그 경우에 감독의무자 자신이 감독의무를 해태하지 아니하였음을 증명하지 아니하는 한 책임을 면할 수 없는 것이나, 반면에 미성년자가 책임능력이 있어 그 스스로 불법행위책임을 지는 경우에도 그 손해가 감독의무자의 의무위반과 상당인과관계가 있으면 감독의무자는 제750조 일반 불법행위자로서 손해배상책임이 있다(대판 1994.2.8, 93다13605).
③ 미성년자의 법률행위에 법정대리인의 동의를 요하도록 하는 것은 강행규정인데, 위 규정에 반하여 이루어진 신용구매계약을 미성년자 스스로 취소하는 것을 신의칙 위반을 이유로 배척한다면, 이는 오히려 위 규정에 의해 배제하려는 결과를 실현시키는 셈이 되어 미성년자 제도의 입법 취지를 몰각시킬 우려가 있으므로, 법정대리인의 동의 없이 신용구매계약을 체결한 미성년자가 사후에 법정대리인의 동의 없음을 사유로 들어 이를 취소하는 것이 신의칙에 위배된 것이라고 할 수 없다(대판(전) 2007.11.16, 2005다71659·71666·71673).
④ 미성년자의 친권자인 모가 자기 오빠의 제3자에 대한 채무의 담보로 미성년자 소유의 부동산에 근저당권을 설정하는 행위가, 채무자를 위한 것으로서 미성년자에게는 불이익만을 주는 것이라고 하더라도, 민법 제921조 제1항에 규정된 '법정대리인인 친권자와 그 자 사이에 이해상반되는 행위'라고 볼 수는 없다(대판 1991.11.26, 91다32466).
⑤ 미성년자가 법률행위를 함에 있어서 요구되는 법정대리인의 동의는 언제나 명시적이어야 하는 것은 아니고 묵시적으로도 가능한 것이며, 미성년자의 행위가 위와 같이 법정대리인의 묵시적 동의가 인정되거나 처분허락이 있는 재산의 처분 등에 해당하는 경우라면, 미성년자로서는 더 이상 행위무능력(현행 제한능력)을 이유로 그 법률행위를 취소할 수 없다(대판(전) 2007.11.16, 2005다71659·71666·71673).

19 **자연인의 능력에 관한 다음 설명 중 가장 옳지 않은 것은?** ▶ 2022년 9급(법원서기보)

① 연령은 출생일을 산입하여 역에 따라 계산하므로, 2001.1.1.에 출생한 자는 2019. 12.31.의 만료로 성년이 된다.
② 피성년후견인은 자신의 신상에 관하여 그의 상태가 허락하는 범위에서 단독으로 결정한다.
③ 제한능력자의 상대방은 제한능력자가 능력자가 된 후에 그에게 1개월 이상의 기간을 정하여 그 취소할 수 있는 행위를 추인할 것인지 여부의 확답을 촉구할 수 있다. 능력자로 된 사람이 그 기간 내에 확답을 발송하지 아니하면 그 행위를 취소한 것으로 본다.
④ 한정후견인의 동의가 필요한 법률행위를 피한정후견인이 한정후견인의 동의 없이 하였을 때에는 그 법률행위를 취소할 수 있다. 다만, 일용품의 구입 등 일상생활에 필요하고 그 대가가 과도하지 아니한 법률행위에 대하여는 그러하지 아니하다.

해설 ① 제158조【연령의 기산점】연령계산에는 출생일을 산입한다. → 2001.1.1.에 출생한 자는 2019.12.31.의 만료로 성년이 된다. 즉 2019.12.31.24시로 미성년이 만료되고 2019.1.1. 0시부터 성년이 된다.
  ※ [참고] – 제158조【나이의 계산과 표시】나이는 출생일을 산입하여 만(滿) 나이로 계산하고, 연수(年數)로 표시한다. 다만, 1세에 이르지 아니한 경우에는 월수(月數)로 표시할 수 있다. [전문개정 2022.12.27, 시행일 2023.6.28.]

② 제947조의2 제1항【피성년후견인의 신상결정 등】피성년후견인은 자신의 신상에 관하여 그의 상태가 허락하는 범위에서 단독으로 결정한다.

③ 제15조 제1항【제한능력자의 상대방의 확답을 촉구할 권리】제한능력자의 상대방은 제한능력자가 능력자가 된 후에 그에게 1개월 이상의 기간을 정하여 그 취소할 수 있는 행위를 추인할 것인지 여부의 확답을 촉구할 수 있다. 능력자로 된 사람이 그 기간 내에 확답을 발송하지 아니하면 그 행위를 추인한 것으로 본다.

④ 제13조 제4항【피한정후견인의 행위와 동의】한정후견인의 동의가 필요한 법률행위를 피한정후견인이 한정후견인의 동의 없이 하였을 때에는 그 법률행위를 취소할 수 있다. 다만, 일용품의 구입 등 일상생활에 필요하고 그 대가가 과도하지 아니한 법률행위에 대하여는 그러하지 아니하다.

20 **제한능력자에 관한 다음 설명 중 가장 옳지 않은 것은?** ▶ 2023년 법원사무관 승진

① 제한능력자의 상대방은 제한능력자가 능력자가 된 후에 그에게 1개월 이상의 기간을 정하여 그 취소할 수 있는 행위를 추인할 것인지 여부의 확답을 촉구할 수 있다.

② 제한능력자가 아직 능력자가 되지 못한 경우에는 그의 법정대리인에게 위 ①의 촉구를 할 수 있고, 법정대리인이 그 정하여진 기간 내에 확답을 발송하지 아니한 경우에는 그 행위를 추인한 것으로 본다.

③ 제한능력자가 맺은 계약은 추인이 있을 때까지 상대방이 그 의사표시를 철회할 수 있으나 상대방이 계약 당시에 제한능력자임을 알았을 경우에는 그러하지 아니하다.

④ 제한능력자의 단독행위는 추인이 있을 때까지 상대방이 거절할 수 있으나, 그의 법정대리인에게 거절의 의사표시를 하여야 하고 제한능력자에게 한 거절의 의사표시는 효력이 없다.

해설 ① 제15조 제1항
  ② 제15조 제2항
  ③ 제16조 제1항
  ④ 제16조 제2항과 제3항 → 제한능력자의 상대방은 추인이 있을 때까지 철회나 거절의 의사표시를 제한능력자에게도 할 수 있다.

정답 ▶ 19 ③ 20 ④

02 절 주소

01 주소에 관한 다음 설명 중 틀린 것은?

① 생활의 근거가 되는 곳을 주소로 한다.
② 주소는 동시에 두 곳 이상 있을 수 있다.
③ 법인의 주소는 그 주된 사무소의 소재지에 있는 것으로 한다.
④ 국내에 주소 없는 자에 대하여는 국내에 있는 거소를 주소로 본다.
⑤ 모든 거래행위에 있어서 가주소를 정한 때에는 이를 주소로 본다.

해설 ①, ②

> 제18조【주소】
> ① 생활의 근거가 되는 곳을 주소로 한다.
> ② 주소는 동시에 두 곳 이상 있을 수 있다.

③ 제36조【법인의 주소】법인의 주소는 그 주된 사무소의 소재지에 있는 것으로 한다.

④ 제20조【거소】국내에 주소 없는 자에 대하여는 국내에 있는 거소를 주소로 본다.

⑤ 제21조【가주소】어느 행위에 있어서 가주소를 정한 때에는 그 행위에 관하여는 이를 주소로 본다. → 가주소는 당사자의 의사에 의하여 설정되며(따라서 제한능력자는 단독으로 가주소를 설정할 수 없다), 특정행위(해당 거래관계)에 관하여만 가주소를 주소로 본다.

03 절 부재와 실종

01 **다음 중 부재와 실종에 관한 설명으로 옳지 않은 것은?** (다툼이 있는 경우 판례에 의함)

① 사망한 것으로 간주된 자가 그 이전에 생사불명의 부재자로서 그 재산관리에 관하여 법원으로부터 재산관리인이 선임되어 있었다면 재산관리인은 그 부재자의 사망을 확인했다고 하더라도 선임결정이 취소되지 아니하는 한 계속하여 권한을 행사할 수 있다. 그러나 선임결정이 취소된 경우에는 그 취소의 효력은 소급하여 생기는 것이므로, 그 간의 부재자재산관리인의 권한행사의 효과는 이미 사망한 그 부재자의 재산상속인에게 미치지 않는다.

② 부재자 재산관리인으로서 권한초과행위의 허가를 받고 그 선임결정이 취소되기 전에 위 권한에 의하여 이루어진 행위는 부재자에 대한 실종선고기간이 만료된 뒤에 이루어졌다고 하더라도 유효하다.

③ 부재자재산관리인에 의한 부재자 소유의 부동산 매매행위에 대한 법원의 허가결정은 그 허가를 받은 재산에 대한 장래의 처분행위뿐만 아니라 기왕의 매매를 추인하는 방법으로도 할 수 있다.

④ 부재자로부터 재산처분권까지 위임받은 재산관리인은 그 재산을 처분함에 있어 법원의 허가를 받을 필요가 없다.

⑤ 부재자재산관리인이 법원의 매각처분허가를 얻었더라도 부재자와 아무 관계없는 남의 채무의 담보를 위하여 부재자 재산에 근저당권을 설정한 때에는 그 권한범위를 일탈한 경우로서 무권대리로 되고 표현대리가 성립하지 않는 한 본인에 대하여 효력이 없다.

해설 ①, ② 법원에 의하여 부재자재산관리인으로 선임된 자는 그 부재자의 사망이 확인된 후라 할지라도 위 선임결정이 취소되지 않는 한 관리인으로서의 권한이 소멸하지 않고(대판 1971.3.23, 71다189 ; 대판 1991.11.25, 91다11810), 부재자 재산관리인으로서 권한초과 행위의 허가를 받고 그 선임결정이 취소되기 전에 위 권한에 의하여 이루어진 행위는 부재자에 대한 실종선고기간이 만료된 뒤에 이루어졌다고 하더라도 유효하다(대판 1981.7.28, 80다2668). 또한 법정절차에 의하여 재산관리인 선임결정이 취소되지 않는 한 선임된 부재자재산관리인의 권한이 당연히는 소멸되지 아니하고 또 위 결정 이후에 취소된 경우에도 그 취소의 효력은 장래에 향하여서만 생기는 것이며 그간의 부재자재산관리인의 적법한 권한행사의 효과는 이미 사망한 그 부재자의 재산상속인에게 미친다 할 것이다(대판 1970.1.27, 69다719).

③ 허가받은 재산에 대한 장래의 처분행위뿐 아니라 기왕의 처분행위를 추인하는 방법으로도 할 수 있다. 따라서 관리인이 허가 없이 부재자 소유 부동산을 매각한 경우라도 사후에 법원의 허가를 얻어 이전등기절차를 경료케 하였다면 추인에 의하여 유효한 처분행위로 된다(대판 1982.9.14, 80다3063 ; 대판 1982.12.14, 80다1872).

④ 부재자 자신이 관리인을 둔 경우 그 재산관리인은 부재자의 수임인으로서 임의대리인이므로, 대리권의 범위는 당사자의 약정에 의하여 정해진다. 따라서 부재자로부터 재산처분권까지 위

정답 01 ①

임받은 재산관리인이 그 재산을 처분함에 있어서 법원의 허가를 받아야 하는 것은 아니다. 판례도 부재자로부터 재산처분권까지 위임받은 재산관리인은 그 재산을 처분함에 있어 법원의 허가를 요하는 것은 아니라고 한다(대판 1973.7.24, 72다2136).

⑤ [1] 법원의 허가가 있었더라도 그 처분은 부재자의 이익을 위한 것에 한정되고, 부재자의 이익을 위한 정당한 관리행위가 아닌 때에는 그 권한범위를 일탈한 것으로서 무권대리로 되고 표현대리가 성립하지 않는 한 본인에 대하여 효력이 없다.

[2] 따라서 관리인이 법원의 매각처분허가를 얻었더라도 부재자와 아무 관계없는 남의 채무의 담보를 위하여 부재자 재산에 근저당권을 설정한 때에는 달리 그 권한이 있다고 믿음에 정당한 이유가 없는 한 상대방은 선의, 무과실이라 볼 수 없고 본인은 책임이 없다(대결 1976.12.21, 75마551 ; 대판 1977.11.8, 77다1159).

02 실종선고에 관한 다음 설명 중 틀린 것은? (다툼이 있는 경우 판례에 의함)

① 부재자의 생사가 5년간 분명하지 아니한 때에는 법원은 이해관계인이나 검사의 청구에 의하여 실종선고를 하여야 한다.

② 부재자의 1순위 상속인이 따로 있는 경우 2순위 내지 3순위 상속인은 특별한 사정이 없는 한 실종선고를 청구할 수 있는 이해관계인에 해당하지 아니한다.

③ 실종선고가 취소되지 않는 한 반증을 들어 실종선고의 효과를 다툴 수 없고, 오직 실종선고를 취소하여야만 사망의 효과를 뒤집을 수 있다.

④ 가족관계등록부에 이미 사망한 것으로 기재되어 있는 자에 대하여도 특단의 사정이 없는 한 실종선고를 할 수 없다.

⑤ 실종기간의 만료 후 그 취소 전에 선의로 한 행위의 효력은 실종선고의 취소에 의해 영향을 받지 아니한다.

해설 ① 제27조 제1항【실종의 선고】부재자의 생사가 5년간 분명하지 아니한 때에는 법원은 이해관계인이나 검사의 청구에 의하여 실종선고를 하여야 한다.

② 실종선고의 청구권자로서 이해관계인이란 부재자의 사망으로 직접적으로 신분상 또는 경제상의 권리를 취득하거나 의무를 면하게 되는 자만을 뜻한다. 따라서 제2순위 내지 제3순위 상속인에 불과한 자는 부재자에 대한 실종선고의 여부에 따라 상속지분에 차이가 생긴다고 하더라도 위 부재자의 사망 간주시기에 다른 간접적인 영향에 불과하고 부재자의 실종선고 자체를 원인으로 한 직접적인 결과는 아니므로 부재자에 대한 실종선고를 청구할 이해관계인이 될 수 없다. 판례도 마찬가지의 입장이다(대결 1992.4.14, 92스4).

③ 사망한 것으로 추정하는 것이 아니라는 점에서 인정사망과 다르고, 사망한 것으로 간주되므로 생존사실 등 기타의 반증을 하여도 실종선고의 효력을 다툴 수 없으며, 오직 실종선고를 취소하여야만 사망의 효과를 뒤집을 수 있다.

판례도 민법 제28조는 "실종선고를 받은 자는 민법 제27조 제1항 소정의 생사불명기간이 만료된 때에 사망한 것으로 본다."고 규정하고 있으므로 실종선고가 취소되지 않는 한 반증을 들어 실종선고의 효과를 다툴 수는 없다고 하였다(대판 1995.2.17, 94다52751).

④ 호적부의 기재사항은 이를 번복할 만한 명백한 반증이 없는 한 진실에 부합하는 것으로 추정되고, 특히 호적부의 사망기재는 쉽게 번복할 수 있게 해서는 안되며, 그 기재내용을 뒤집기

위해서는 사망신고 당시에 첨부된 서류들이 위조 또는 허위조작된 문서임이 증명되거나 신고인이 공정증서원본불실기재죄로 처단되었거나 또는 사망으로 기재된 본인이 현재 생존해 있다는 사실이 증명되고 있을 때, 또는 이에 준하는 사유가 있을 때 등에 한해서 호적상의 사망기재의 추정력을 뒤집을 수 있을 뿐이고, 그러한 정도에 미치지 못한 경우에는 그 추정력을 깰 수 없다 할 것이므로, 호적상 이미 사망한 것으로 기재되어 있는 자는 그 호적상 사망기재의 추정력을 뒤집을 수 있는 자료가 없는 한 그 생사가 불분명한 자라고 볼 수 없어 실종선고를 할 수 없다(대결 1997.11.27, 97스4).

⑤ 제29조 제1항【실종선고의 취소】실종자의 생존한 사실 또는 전조의 규정과 상이한 때에 사망한 사실의 증명이 있으면 법원은 본인, 이해관계인 또는 검사의 청구에 의하여 실종선고를 취소하여야 한다.

그러나 실종선고 후 그 취소 전에 선의로 한 행위의 효력에 영향을 미치지 아니한다.

03 **실종선고에 관한 다음 설명 중 가장 잘못된 것은?** (다툼이 있는 경우 판례에 의함)

① 실종선고의 효과는 실종자를 사망한 것으로 간주하므로 실종선고를 받으면 권리능력을 상실하고, 실종자는 실종선고를 취소하지 않는 한 공법상 선거권이나 피선거권을 가질 수 없다.

② 실종선고를 할 때에는 공시최고가 필요하나, 실종선고취소를 할 때에는 공시최고를 요하지 아니한다.

③ 실종선고를 받은 자는 실종기간이 만료된 때에 사망한 것으로 간주한다.

④ 실종선고의 취소가 있을 때에 실종의 선고를 직접원인으로 하여 재산을 취득한 자가 선의인 경우에는 그 받은 이익이 현존하는 한도에서 반환할 의무가 있다.

⑤ 부재자의 재산관리인이 부재자의 대리인으로서 소를 제기하여 그 소송계속 중에 부재자에 대한 실종선고가 확정되어 그 소 제기 이전에 부재자가 사망한 것으로 간주되는 경우라도 그 소제기 자체가 소급하여 당사자능력이 없는 사망한 자를 상대로 제기한 것이 되는 것은 아니다.

해설 ① 실종선고는 종래의 주소와 거소를 중심으로 한 사법상의 법률관계에 관하여만 사망한 것으로 간주할 뿐 권리능력을 박탈하는 제도는 아니다. 따라서 선거권 등 공법상의 법률관계에는 영향을 미치지 않는다.
→ 실종선고는 실종자의 종래의 주소와 거소를 중심으로 한 사법상의 법률관계만을 종료케 한다.(○)
→ 실종선고를 받은 자가 살아서 돌아온 경우에 그 자가 형성한 새로운 법률관계는 실종선고의 취소가 없더라도 유효하다.(○)

② 실종선고를 할 때에는 공시최고가 반드시 필요하나, 실종선고취소를 할 때에는 공시최고를 요하지 아니한다(가사소송규칙 제53조 참조).

③ 제28조【실종선고의 효과】실종선고를 받은 자는 전조의 기간이 만료한 때에 사망한 것으로 본다.
→ 실종선고를 받은 자는 실종선고 시에 사망한 것으로 본다.(×)
→ 실종선고를 받은 자는 실종기간이 만료한 때에 사망한 것으로 추정한다.(×)

정답 ▶ 02 ⑤ 03 ①

④ 제29조 제2항 【실종선고의 취소】 실종선고의 취소가 있을 때에 실종의 선고를 직접원인으로 하여 재산을 취득한 자가 선의인 경우에는 그 받은 이익이 현존하는 한도에서 반환할 의무가 있고 악의인 경우에는 그 받은 이익에 이자를 붙여서 반환하고 손해가 있으면 이를 배상하여야 한다.

⑤ 부재자의 생사가 분명하지 아니한 경우, 부재자는 법원의 실종선고가 없는 한 사망자로 간주되지 아니하며, 부재자의 재산관리인이 부재자의 대리인으로서 소를 제기하여 그 소송계속 중에 부재자에 대한 실종선고가 확정되어 그 소 제기 이전에 부재자가 사망한 것으로 간주되는 경우에도, 실종선고의 효력이 발생하기 전에는 실종기간이 만료된 실종자라 하여도 소송상 당사자능력을 상실하는 것은 아니므로, 실종선고가 확정된 때에 소송절차가 중단되어 부재자의 상속인 등이 이를 수계할 수 있을 뿐이고, 위 소 제기 자체가 소급하여 당사자능력이 없는 사망한 자가 제기한 것으로 되는 것은 아니다(대판 2008.6.26, 2007다11057).
또한 실종자를 당사자로 한 판결이 확정된 후에 실종선고가 확정되어 그 사망간주의 시점이 소 제기 전으로 소급하는 경우에도 위 판결 자체가 소급하여 당사자능력이 없는 사망한 사람을 상대로 한 판결로서 무효가 된다고는 볼 수 없다(대판 1992.7.14, 92다2455).

04 부재자의 재산관리와 실종선고에 관한 다음 설명 중 가장 옳지 않은 것은? (다툼이 있는 경우 판례에 의함)

① 가정법원에 의하여 선임된 재산관리인은 일종의 법정대리인이며, 법원은 언제든지 개임할 수 있다.

② 실종선고로 인하여 실종기간만료시를 기준으로 하여 상속이 개시된 이상 이후 실종선고가 취소되어야 할 사유가 생겼다고 하더라도 실제로 실종선고가 취소되지 아니하는 한, 임의로 실종기간이 만료하여 사망한 때로 간주되는 시점과는 달리 사망시점을 정하여 이미 개시된 상속을 부정하고 이와 다른 상속관계를 인정할 수는 없다.

③ 피상속인의 사망 후에 실종선고가 이루어져서 피상속인의 사망 이전에 실종기간이 만료된 경우라면, 실종선고된 자는 재산상속인이 될 수 있다.

④ 실종선고의 취소가 있을 때에 실종의 선고를 직접원인으로 하여 재산을 취득한 자가 악의인 경우에는 그 받은 이익에 이자를 붙여서 반환하면 되고, 손해가 있다면 이를 배상하여야 한다.

⑤ 실종선고 후 그 취소 전에 선의로 한 행위의 효력에 영향을 미치지 아니한다는 제29조 제1항 단서는 신분행위에도 적용되고, 이 경우 선의는 쌍방의 선의를 요구하며, 적어도 어느 한쪽이 악의일 때에는 전혼은 부활하나 이혼사유가 있게 되고 후혼은 중혼으로 취소될 수 있다.

해설 ① 가정법원에 의하여 선임된 재산관리인은 일종의 법정대리인이며, 선임된 재산관리인은 언제든지 사임할 수 있고, 법원도 언제든지 개임할 수 있다(대판 1961.1.25, 4293민재항349).
② 실종선고를 받은 자는 실종기간이 만료한 때에 사망한 것으로 간주되는 것이므로, 실종선고로 인하여 실종기간 만료 시를 기준으로 하여 상속이 개시된 이상 설사 이후 실종선고가 취소되어야 할 사유가 생겼다고 하더라도 실제로 실종선고가 취소되지 아니하는 한, 임의로 실종기간이 만료하여 사망한 때로 간주되는 시점과는 달리 사망시점을 정하여 이미 개시된 상속을 부정하고 이와 다른 상속관계를 인정할 수는 없다(대판 1994.9.27, 94다21542).

③ 피상속인의 사망 후에 실종선고가 이루어졌으나 피상속인의 사망 이전에 실종기간이 만료된 경우, 실종선고된 자는 재산상속인이 될 수 없다(대판 1982.9.14, 82다144).

④ 제29조 제2항 【실종선고의 취소】 실종선고의 취소가 있을 때에 실종의 선고를 직접원인으로 하여 재산을 취득한 자가 선의인 경우에는 그 받은 이익이 현존하는 한도에서 반환할 의무가 있고 악의인 경우에는 그 받은 이익에 이자를 붙여서 반환하고 손해가 있으면 이를 배상하여야 한다.

⑤ 통설은 신분행위에도 제29조 제1항 단서가 적용됨을 전제로 쌍방의 선의를 요구한다고 하며, 적어도 어느 한쪽이 악의일 때는 전혼은 부활하나 이혼사유(제840조 제6호)가 있게 되고 후혼은 중혼으로 취소될 수 있다고 본다.

05 X 부동산을 소유한 甲은 재산관리인을 선임하지 않고 장기간 해외출장을 떠났다. 다음 설명 중 옳은 것은? (다툼이 있는 경우에는 판례에 의함)

① 법원은 직권으로 X 부동산의 관리에 필요한 처분을 명하여야 한다.

② 甲의 채권자의 청구에 의하여 법원이 선임한 재산관리인은 甲의 임의대리인이다.

③ 법원이 선임한 재산관리인은 원칙적으로 법원의 허가 없이 X 부동산을 처분할 수 있다.

④ 甲의 재산관리인이 甲을 위해 법원의 허가 없이 X 부동산을 처분하였다면, 그 후 법원의 허가를 얻더라도 그 처분은 효력이 없다.

⑤ 甲이 사망한 경우, 재산관리인이 그 사실을 확인하였더라도 법원에 의하여 재산관리인 선임결정이 취소되지 않는 한, 재산관리인은 계속하여 X 부동산을 관리할 수 있다.

해설 ① 제22조 제1항 【부재자의 재산의 관리】 종래의 주소나 거소를 떠난 자가 재산관리인을 정하지 아니한 때에는 법원은 **이해관계인이나 검사의 청구에 의하여** 재산관리에 관하여 필요한 처분을 명하여야 한다. 본인의 부재중 재산관리인의 권한이 소멸한 때에도 같다.

② 부재자 자신이 재산관리인을 두지 않은 경우에 법원이 선임한 재산관리인은 일종의 법정대리인에 해당한다.

③ 법원이 선임한 재산관리인의 권한은 법원의 명령에 의해 정해지지만, 그 정함이 없는 경우에는 제118조에서 정한 관리행위(보존·이용·개량 행위)만을 할 수 있는 것이 원칙이다. 따라서 그 범위를 넘어 처분행위(**예** 재산의 매각·담보제공 등)의 행위를 한 경우에는 법원의 허가를 받아야 한다.

④ 법원의 허가를 받아 처분행위를 해야 함에도 이를 위반한 경우에는 무권대리행위로서 원칙적으로 무효이다. 다만 기왕의 처분행위에 대한 추인으로서 법원의 허가를 받으면 유효하다. 허가받은 재산에 대한 장래의 처분행위뿐 아니라 기왕의 처분행위를 추인하는 방법으로도 할 수 있다. 따라서 관리인이 허가 없이 부재자 소유 부동산을 매각한 경우라도 사후에 법원의 허가를 얻어 이전등기절차를 경료케 하였다면 추인에 의하여 유효한 처분행위로 된다(대판 1982.9.14, 80다3063 ; 대판 1982.12.14, 80다1872).

⑤ 법원에 의하여 부재자재산관리인으로 선임된 자는 그 부재자의 사망이 확인된 후라 할지라도 위 선임결정이 취소되지 않는 한 관리인으로서의 권한이 소멸하지 않는다(대판 1971. 3.23, 71다189 ; 대판 1991.11.26, 91다11810).

정답 04 ③   05 ⑤

06 甲이 탄 비행기가 2006년 6월 7일 추락하여, 2010년 4월 12일 법원에 甲의 실종선고가 청구되었고, 2011년 2월 13일 실종선고가 내려졌다. 다음 설명 중 옳은 것은? (다툼이 있는 경우에는 판례에 의함)

① 甲은 2011년 2월 13일에 사망한 것으로 본다.

② 甲에게 선순위의 상속인이 있는 경우 특별한 사정이 없는 한 후순위의 상속인은 甲의 실종선고를 청구할 수 없다.

③ 실종선고는 甲의 사법상의 법률관계뿐만 아니라 공법상의 법률관계에도 효과를 미친다.

④ 甲이 살아 돌아온 사실만으로 甲에 대한 실종선고는 그 효력을 상실한다.

⑤ 甲의 실종선고가 취소되면 실종선고를 직접원인으로 하여 재산을 취득한 자가 악의인 경우에는 그 받은 이익이 현존하는 한도에서 반환할 의무가 있다.

해설 ① 항공기의 추락으로 인한 특별실종의 경우이므로 추락 후 1년간 생사가 분명하지 아니한 때에는 실종선고를 하여야 하고(제27조 제2항), 이에 따라 실종선고를 받은 자는 1년의 기간이 만료한 때에 사망한 것으로 보므로(제28조), 甲은 2007년 6월 7일에 사망한 것으로 본다.

② [1] 부재자에 대하여 실종선고를 청구할 수 있는 이해관계인은 그 실종선고로 인하여 일정한 권리를 얻고 의무를 면하는 등의 신분상 또는 재산상의 이해관계를 갖는 자에 한한다고 할 것이다.

[2] 부재자의 종손자로서, 부재자가 사망할 경우 제1순위의 상속인이 따로 있어 제2순위의 상속인에 불과한 청구인은 특별한 사정이 없는 한 위 부재자에 대하여 실종선고를 청구할 수 있는 신분상 또는 경제상의 이해관계를 가진 자라고 할 수 없다고 한 사례(대결 1992.4.14, 92스4)

③ 실종선고는 종래의 주소와 거소를 중심으로 한 사법상의 법률관계에 관하여만 사망한 것으로 간주할 뿐 권리능력을 박탈하는 제도는 아니다. 따라서 선거권 등 공법상의 법률관계에는 영향을 미치지 않는다.

④ 민법 제28조는 "실종선고를 받은 자는 민법 제27조 제1항 소정의 생사불명기간이 만료된 때에 사망한 것으로 본다."고 규정하고 있으므로 실종선고가 취소되지 않는 한 반증을 들어 실종선고의 효과를 다툴 수는 없다(대판 1995.2.17, 94다52751).

실종선고를 받은 자가 생존하여 돌아오더라도 실종선고 자체가 취소되지 않는 한 사망한 것으로 간주하는 효과는 그대로 존속한다.

⑤ 제29조 제2항 【실종선고의 취소】실종선고의 취소가 있을 때에 실종의 선고를 직접원인으로 하여 재산을 취득한 자가 선의인 경우에는 그 받은 이익이 현존하는 한도에서 반환할 의무가 있고 악의인 경우에는 그 받은 이익에 이자를 붙여서 반환하고 손해가 있으면 이를 배상하여야 한다.

07 부재와 실종에 관한 다음 설명 중 가장 옳지 않은 것은? (다툼이 있는 경우 판례에 의함)

▶ 2018년 법무사

① 민법 제27조 제2항은 "전지에 임한 자, 침몰한 선박 중에 있던 자, 추락한 항공기 중에 있던 자, 기타 사망의 원인이 될 위난을 당한 자"의 실종선고에 관해 규정하고 있다. 잠수장비를 착용하고 바다에 들어가서 해산물을 채취하다가 행방불명되었다고 하더라도 특별한 사정이 없는 한 이를 "사망의 원인이 될 위난"이라고 할 수 없다.

② 실종선고가 취소되지 않는 한 반증을 들어 실종선고의 효과를 다툴 수는 없다.

③ 실종선고로 인하여 실종기간 만료 시를 기준으로 하여 상속이 개시된 이상 설사 이후 실종선고가 취소되어야 할 사유가 생겼다고 하더라도 실제로 실종선고가 취소되지 아니하는 한, 임의로 실종기간이 만료하여 사망한 때로 간주되는 시점과는 달리 사망시점을 정하여 이미 개시된 상속을 부정하고 이와 다른 상속관계를 인정할 수는 없다.

④ 실종선고 확정 전에는 실종기간이 만료된 실종자를 상대로 하여 제기된 소도 적법하고, 실종자를 당사자로 하여 선고된 판결도 유효하다. 그러나 실종자를 당사자로 한 판결이 확정된 후에 실종선고가 확정되어 그 사망간주의 시점이 소 제기 전으로 소급하는 경우에는 위 확정판결은 사망한 사람을 상대로 한 판결로서 무효가 된다.

⑤ 사망한 것으로 간주된 자가 그 이전에 생사불명의 부재자로서 그 재산관리에 관하여 법원으로부터 재산관리인이 선임되어 있었다면 재산관리인은 그 부재자의 사망을 확인했다고 하더라도 선임결정이 취소되지 아니하는 한 계속하여 권한을 행사할 수 있다. 그러므로 재산관리인에 대한 선임결정이 취소되기 전에 재산관리인의 처분행위에 기하여 마쳐진 등기는 법원의 처분허가 등 모든 절차를 거쳐 적법하게 마쳐진 것으로 추정된다.

해설 ① [1] 민법 제27조의 문언이나 규정의 체계 및 취지 등에 비추어, 그 제2항에서 정하는 "사망의 원인이 될 위난"이라고 함은 화재·홍수·지진·화산 폭발 등과 같이 일반적·객관적으로 사람의 생명에 명백한 위험을 야기하여 사망의 결과를 발생시킬 가능성이 현저히 높은 외부적 사태 또는 상황을 가리킨다.
[2] 甲이 잠수장비를 착용한 채 바다에 입수하였다가 부상하지 아니한 채 행방불명되었다 하더라도, 이는 "사망의 원인이 될 위난"이라고 할 수 없다는 원심판단이 정당하다고 한 사례이다(대결 2011.1.31, 2010스165).
② 민법 제28조는 "실종선고를 받은 자는 민법 제27조 제1항 소정의 생사불명기간이 만료된 때에 사망한 것으로 본다"고 규정하고 있으므로 실종선고가 취소되지 않는 한 반증을 들어 실종선고의 효과를 다툴 수는 없다(대판 1995.2.17, 94다52751).
③ 실종선고를 받은 자는 실종기간이 만료한 때에 사망한 것으로 간주되는 것이므로, 실종선고로 인하여 실종기간 만료 시를 기준으로 하여 상속이 개시된 이상 설사 이후 실종선고가 취소되어야 할 사유가 생겼다고 하더라도 실제로 실종선고가 취소되지 아니하는 한, 임의로 실종기간이 만료하여 사망한 때로 간주되는 시점과는 달리 사망시점을 정하여 이미 개시된 상속을 부정하고 이와 다른 상속관계를 인정할 수는 없다(대판 1994.9.27, 94다21542).

정답 ▶ 06 ② 07 ④

④ 실종선고의 효력이 발생하기 전에는 실종기간이 만료된 실종자라 하여도 소송상 당사자능력을 상실하는 것은 아니므로 실종선고 확정 전에는 실종기간이 만료된 실종자를 상대로 하여 제기된 소도 적법하고 실종자를 당사자로 하여 선고된 판결도 유효하며 그 판결이 확정되면 기판력도 발생한다고 할 것이고, 이처럼 판결이 유효하게 확정되어 기판력이 발생한 경우에는 그 판결이 해제조건부로 선고되었다는 등의 특별한 사정이 없는 한 그 효력이 유지되어 당사자로서는 그 판결이 재심이나 추완항소 등에 의하여 취소되지 않는 한 그 기판력에 반하는 주장을 할 수 없는 것이 원칙이라 할 것이며, 비록 실종자를 당사자로 한 판결이 확정된 후에 실종선고가 확정되어 그 사망간주의 시점이 소 제기 전으로 소급하는 경우에도 위 판결 자체가 소급하여 당사자능력이 없는 사망한 사람을 상대로 한 판결로서 무효가 된다고는 볼 수 없다(대판 1992.7.14, 92다2455).

⑤ 사망한 것으로 간주된 자가 그 이전에 생사불명의 부재자로서 그 재산관리에 관하여 법원으로부터 재산관리인이 선임되어 있었다면 재산관리인은 그 부재자의 사망을 확인했다고 하더라도 선임결정이 취소되지 아니하는 한 계속하여 권한을 행사할 수 있다 할 것이므로 재산관리인에 대한 선임결정이 취소되기 전에 재산관리인의 처분행위에 기하여 경료된 등기는 법원의 처분허가 등 모든 절차를 거쳐 적법하게 경료된 것으로 추정된다(대판 1991.11.26, 91다11810).

08 **실종선고에 관한 다음 설명 중 가장 옳지 않은 것은?** (다툼이 있는 경우 판례에 따르고 전원합의체 판결의 경우 다수의견에 의함) ▶ 2019년 법무사

① 부재자의 생사가 5년간 분명하지 아니한 때에는 법원은 이해관계인이나 검사의 청구에 의하여 실종선고를 하여야 한다.

② 부재자의 자매로서 제2순위 상속인에 불과한 자는 부재자에 대한 실종선고의 여부에 따라 상속지분에 차이가 생긴다고 하더라도 부재자에 대하여 실종선고를 청구할 이해관계인이 될 수 없다.

③ 잠수장비를 착용한 채 바다에 입수하였다가 부상하지 아니한 채 행방불명되었다 하더라도, 이는 민법 제27조 제2항의 '사망의 원인이 될 위난'이라고 할 수 없다.

④ 실종선고로 인하여 실종기간 만료 시를 기준으로 하여 상속이 개시된 이상 설사 이후 실종선고가 취소되어야 할 사유가 생겼다고 하더라도 실제로 실종선고가 취소되지 아니하는 한, 임의로 실종기간이 만료하여 사망한 때로 간주되는 시점과는 달리 사망 시점을 정하여 이미 개시된 상속을 부정하고 다른 상속관계를 인정할 수는 없다.

⑤ 부재자의 재산관리인이 부재자의 대리인으로서 소를 제기하여 그 소송 계속 중에 부재자에 대한 실종선고가 확정되어 그 소 제기 이전에 부재자가 사망한 것으로 간주되는 경우에는 위 소 제기 자체가 소급하여 당사자능력이 없는 사망한 자가 제기한 것으로 된다.

해설 ① 제27조 제1항

② 실종선고의 청구권자로서 이해관계인이란 부재자의 사망으로 직접적으로 신분상 또는 경제상의 권리를 취득하거나 의무를 면하게 되는 자만을 뜻한다. 따라서 제2순위 내지 제3순위 상속인에 불과한 자는 부재자에 대한 실종선고의 여부에 따라 상속지분에 차이가 생긴다고

하더라도 위 부재자의 사망 간주시기에 다른 간접적인 영향에 불과하고 부재자의 실종선고 자체를 원인으로 한 직접적인 결과는 아니므로 부재자에 대한 실종선고를 청구할 이해관계 인이 될 수 없다(대결 1992.4.14, 92스4, 92스5, 92스6).

③ 민법 제27조의 문언이나 규정의 체계 및 취지 등에 비추어, 그 제2항에서 정하는 "사망의 원인이 될 위난"이라고 함은 화재·홍수·지진·화산 폭발 등과 같이 일반적·객관적으로 사람의 생명에 명백한 위험을 야기하여 사망의 결과를 발생시킬 가능성이 현저히 높은 외부 적 사태 또는 상황을 가리킨다. (따라서) 甲이 잠수장비를 착용한 채 바다에 입수하였다가 부상하지 아니한 채 행방불명되었다 하더라도, 이는 "사망의 원인이 될 위난"이라고 할 수 없다(대결 2011.1.31, 2010스165).

④ 실종선고를 받은 자는 실종기간이 만료한 때에 사망한 것으로 간주되는 것이므로, 실종선고 로 인하여 실종기간 만료 시를 기준으로 하여 상속이 개시된 이상 설사 이후 실종선고가 취 소되어야 할 사유가 생겼다고 하더라도 실제로 실종선고가 취소되지 아니하는 한, 임의로 실 종기간이 만료하여 사망한 때로 간주되는 시점과는 달리 사망시점을 정하여 이미 개시된 상 속을 부정하고 이와 다른 상속관계를 인정할 수는 없다(대판 1994.9.27, 94다21542).

⑤ 부재자의 생사가 분명하지 아니한 경우, 부재자는 법원의 실종선고가 없는 한 사망자로 간주 되지 아니하며, 부재자의 재산관리인이 부재자의 대리인으로서 소를 제기하여 그 소송계속 중에 부재자에 대한 실종선고가 확정되어 그 소 제기 이전에 부재자가 사망한 것으로 간주되 는 경우에도, 실종선고의 효력이 발생하기 전에는 실종기간이 만료된 실종자라 하여도 소송 상 당사자능력을 상실하는 것은 아니므로, 실종선고가 확정된 때에 소송절차가 중단되어 부 재자의 상속인 등이 이를 수계할 수 있을 뿐이고, 위 소 제기 자체가 소급하여 당사자능력이 없는 사망한 자가 제기한 것으로 되는 것은 아니다(대판 2008.6.26, 2007다11057).

09 **부재와 실종에 관한 다음 설명 중 가장 옳지 않은 것은?** ▶ 2022년 법원사무관 승진

① 부재자가 재산관리인을 정하였으나 부재자의 생사가 분명하지 아니하여 가정법원이 재 산관리인을 개임하는 경우 종전 수임인이 재산관리인으로 되었다면 종전 수임인의 재 산관리 처분권한은 종료되지 아니한다.

② 사망한 것으로 간주된 자가 그 이전에 생사불명의 부재자로서 재산관리에 관하여 법원 으로부터 재산관리인이 선임되어 있었다면 재산관리인은 그 부재자의 사망을 확인했다 고 하더라도 재산관리인에 대한 선임결정이 취소되기 전에 재산관리인의 처분행위에 기하여 경료된 등기는 법원의 처분허가 등 모든 절차를 거쳐 적법하게 경료된 것으로 추정된다.

③ 민법 제28조는 "실종선고를 받은 자는 민법 제27조 제1항 소정의 생사불명기간이 만 료된 때에 사망한 것으로 본다"고 규정하고 있으므로 실종선고가 취소되지 않는 한 반 증을 들어 실종선고의 효과를 다툴 수는 없다.

④ 피상속인의 사망 후에 실종선고가 이루어졌으나 실종기간이 피상속인의 사망 이전에 만료된 경우 실종선고된 자가 상속인이 될 수 없는 경우도 생길 수 있다.

정답 ▶ 08 ⑤ 09 ①

해설 ① 부재자 자신이 재산관리인을 둔 경우 그 재산관리인은 부재자의 수임인으로서 임의대리인인데, 부재자의 생사가 분명하지 않게 된 때(제24조)에는 예외적으로 법원이 개입·간섭한다. 이 경우 종전 수임인이 재산관리인으로 되었더라도 종전 수임인의 재산관리 처분권한은 종료된다. 판례도 부재자가 6.25사변 전부터 가사 일체와 재산의 관리 및 처분의 권한을 그 모인 甲에게 위임하였다 가정하더라도 甲이 부재자의 실종 후 법원에 신청하여 동 부재자의 재산관리인으로 선임된 경우에는 부재자의 생사가 분명하지 아니하여 민법 제23조의 규정에 의한 개임이라고 보지 못할 바 아니므로 이때부터 부재자의 위임에 의한 甲의 재산관리 처분권한은 종료되었다고 봄이 상당하고, 따라서 그 후 甲의 부재자 재산처분에 있어서는 민법 제25조에 따른 권한 초과 행위 허가를 받아야 하며 그 허가를 받지 아니하고 한 부재자의 재산매각은 무효라고 하였다(대판 1977.3.22, 76다1437).

② 사망한 것으로 간주된 자가 그 이전에 생사불명의 부재자로서 그 재산관리에 관하여 법원으로부터 재산관리인이 선임되어 있었다면 재산관리인은 그 부재자의 사망을 확인했다고 하더라도 선임결정이 취소되지 아니하는 한 계속하여 권한을 행사할 수 있다 할 것이므로 재산관리인에 대한 선임결정이 취소되기 전에 재산관리인의 처분행위에 기하여 경료된 등기는 법원의 처분허가 등 모든 절차를 거쳐 적법하게 경료된 것으로 추정된다(대판 1991.11.26, 91다11810).

③ 민법 제28조는 "실종선고를 받은 자는 민법 제27조 제1항 소정의 생사불명기간이 만료된 때에 사망한 것으로 본다"고 규정하고 있으므로 실종선고가 취소되지 않는 한 반증을 들어 실종선고의 효과를 다툴 수는 없다(대판 1995.2.17, 94다52751).

④ 피상속인의 사망 후에 실종선고가 이루어졌으나 피상속인의 사망 이전에 실종기간이 만료된 경우, 실종선고된 자는 재산상속인이 될 수 없다(대판 1982.9.14, 82다144).

10 실종선고에 관한 다음 설명 중 가장 옳은 것은? 2023년 법원행시

① 부재자의 생사가 3년간 분명하지 아니한 때에는 법원은 이해관계인이나 검사의 청구에 의하여 실종선고를 하여야 한다.

② 실종선고를 받은 자는 선고를 받고 1년이 경과한 때에 사망한 것으로 본다.

③ 실종선고의 취소사유가 있으면 실종선고의 취소가 있기 전에도 실종선고로 인하여 개시된 상속의 효력을 부인할 수 있다.

④ 실종선고의 취소사유가 증명되어 실종선고가 취소된 경우에도 실종선고 후 그 취소 전에 선의로 한 행위의 효력에는 영향이 없다.

⑤ 부재자가 사망할 경우 제1순위의 상속인뿐만 아니라 후순위의 상속인들도 특별한 사정이 없는 한 이해관계인으로서 실종선고를 청구할 수 있다.

해설 ① 제27조 제1항 【실종의 선고】
부재자의 생사가 5년간 분명하지 아니한 때에는 법원은 이해관계인이나 검사의 청구에 의하여 실종선고를 하여야 한다.

② 제28조 【실종선고의 효과】
실종선고를 받은 자는 전조의 기간이 만료한 때에 사망한 것으로 본다.

③ 실종선고를 받은 자는 실종기간이 만료한 때에 사망한 것으로 간주되는 것이므로, 실종선고로 인하여 실종기간 만료 시를 기준으로 하여 상속이 개시된 이상 설사 이후 실종선고가 취소되어야 할 사유가 생겼다고 하더라도 실제로 실종선고가 취소되지 아니하는 한, 임의로 실종기간이 만료하여 사망한 때로 간주되는 시점과는 달리 사망시점을 정하여 이미 개시된 상속을 부정하고 이와 다른 상속관계를 인정할 수는 없다(대판 1994.9.27, 94다21542).

④ 제29조 제1항【실종선고의 취소】
실종자의 생존한 사실 또는 전조의 규정과 상이한 때에 사망한 사실의 증명이 있으면 법원은 본인, 이해관계인 또는 검사의 청구에 의하여 실종선고를 취소하여야 한다. 그러나 실종선고 후 그 취소 전에 선의로 한 행위의 효력에 영향을 미치지 아니한다.

⑤ 실종선고의 청구권자로서 이해관계인이란 부재자의 사망으로 직접적으로 신분상 또는 경제상의 권리를 취득하거나 의무를 면하게 되는 자만을 뜻한다. 따라서 제2순위 내지 제3순위 상속인에 불과한 자는 부재자에 대한 실종선고의 여부에 따라 상속지분에 차이가 생긴다고 하더라도 위 부재자의 사망 간주시기에 다른 간접적인 영향에 불과하고 부재자의 실종선고 자체를 원인으로 한 직접적인 결과는 아니므로 부재자에 대한 실종선고를 청구할 이해관계인이 될 수 없다(대결 1992.4.14, 92스4).

심화문제 | 확인 · 보충 · 심화문제

01 **미성년자에 관한 설명 중 옳지 않은 것은?** (다툼이 있는 경우 통설 · 판례에 의함)

① 미성년자가 타인에게 부동산을 증여하는 내용의 증여계약을 구두로 체결한 후, 증여의 의사가 서면으로 표시되지 아니하였음을 이유로 위 증여계약을 해제함에 있어서, 법정 대리인의 동의를 요하지 않는다.

② 미성년자 甲이 乙신용카드회사와 사이에 신용카드이용계약을 체결하여 신용카드를 발급받은 후, 乙회사와 가맹점계약을 체결한 丙으로부터 A컴퓨터를 매수하고 대금 100만원을 위 신용카드로 결제하였다. 乙회사가 丙에게 신용카드사용대금을 지급한 후, 甲은 제한능력자임을 이유로 위 신용카드이용계약을 취소하였으나, 丙과의 매매계약은 취소하지 않았다. 이 경우 甲이 乙회사에 부당이득으로 반환하여야 하는 것은 甲의 丙에 대한 매매대금채무를 면한 금전상 이익이 아니라, 甲과 丙 사이의 매매계약으로 취득한 A컴퓨터이다.

③ 미성년자 甲이 법정대리인의 허락을 얻어 컴퓨터판매업을 하던 중 법정대리인이 위 영업의 허락을 취소하였음에도, 甲이 위 영업을 계속하면서 그 정을 모르는 乙에게 컴퓨터를 매도하는 내용의 매매계약을 체결하였다면 甲은 위 매매계약을 취소할 수 없다.

④ 미성년자와 매매계약을 체결한 성년자 甲은 미성년자의 법정대리인인 친권자에 대하여 1개월 이상의 기간을 정하여 그 취소할 수 있는 행위의 추인 여부의 확답을 촉구할 수 있고, 친권자가 그 기간 내에 확답을 발송하지 아니한 때에는 그 행위를 추인한 것으로 본다.

⑤ 18세인 甲이 컴퓨터대리점에 들러 컴퓨터를 매수하면서 대리점 주인에게 자신은 대학 3학년으로 21세라고 하였다 하더라도, 그 다음날 자신이 미성년자라는 이유로 위 매매계약을 취소할 수 있다.

해설 ① 단순히 권리만을 얻거나 의무만을 면하는 행위는 미성년자에게 이익만을 주는 것이므로 미성년자가 독자적으로 행할 수 있다(제5조 제1항 단서). 따라서 의무만을 면하는 증여계약의 해제는 미성년자가 단독으로 할 수 있다.

② 미성년자가 신용카드발행인과 사이에 신용카드 이용계약을 체결하여 신용카드거래를 하다가 신용카드 이용계약을 취소하는 경우 미성년자는 그 행위로 인하여 받은 이익이 현존하는 한도에서 상환할 책임이 있는바, 신용카드 이용계약이 취소됨에도 불구하고 신용카드회원과 해당 가맹점 사이에 체결된 개별적인 매매계약은 특별한 사정이 없는 한 신용카드 이용계약취소와 무관하게 유효하게 존속한다 할 것이고, 신용카드발행인이 가맹점들에 대하여 그 신용카드사용대금을 지급한 것은 신용카드 이용계약과는 별개로 신용카드발행인과 가맹점 사이에 체결된 가맹점 계약에 따른 것으로서 유효하므로, 신용카드발행인의 가맹점에 대한 신용카드이용대금의 지급으로써 신용카드회원은 자신의 가맹점에 대한 매매대금 지급채무를 법률상 원인 없이 면제받는 이익을 얻었으며, 이러한 이익은 금전상의 이득으로서 특별한 사정이 없는 한 현존하는 것으로 추정된다(대판 2005.4.15, 2003다60297 · 60303 · 60310 · 60327).

결국, 반환해야 하는 현존이익은 가맹점과의 매매계약을 통해 얻은 물품이 아니라, 가맹점에 대한 매매대금 지급채무이며, 이는 현존하는 것으로 추정된다.

③ 민법 제8조 제2항 단서. 즉, 영업허락의 취소는 선의의 제3자에게 대항할 수 없다.

④ 민법 제15조 제2항

⑤ 민법 제17조에 이른바 "무능력자가 사술(속임수)로써 능력자로 믿게 한 때"에 있어서의 사술을 쓴 것이라 함은 적극적으로 사기수단을 쓴 것을 말하는 것이고 단순히 자기가 능력자라 사언함은 사술을 쓴 것이라고 할 수 없다(대판 1971.12.14, 71다2045).

결국, 판례에 따르면 단순히 능력자로 사칭하는 것만으로는 사술을 쓴 것으로 볼 수 없으므로, 미성년자의 취소권은 배제되지 않는다.

02 제한능력자의 상대방 보호제도에 관한 설명 중 옳지 않은 것은?

① 취소할 수 있는 행위의 추인 여부의 확답 촉구의 상대방은 촉구를 수령할 능력과 취소나 추인을 할 수 있는 능력이 있어야 한다.

② 미성년자가 속임수로써 법정대리인의 동의가 있는 것으로 믿게 한 경우에는 그 행위를 취소하지 못한다.

③ 제한능력자의 단독행위에 대한 거절은 상대방이 의사표시를 수령할 당시에 선의 또는 악의였는지를 불문하고 인정된다.

④ 상대방은 제한능력자 측에서 추인하기 전까지 그의 의사표시를 철회할 수 있지만, 제한능력자에 대하여는 능력자로 된 경우에만 철회의 의사표시를 할 수 있다.

⑤ 확답 촉구를 받은 자가 유예기간 내에 추인 또는 취소의 확답을 하면 각각 그에 따른 효과가 생기며, 확답 촉구의 효과는 유예기간 내에 확답을 발송하지 않은 경우에 발생한다.

해설 ① 추인 여부의 확답 촉구의 상대방은 촉구를 수령할 능력이 있고(제112조), 또한 취소 또는 추인을 할 수 있는 자에 한한다(제140조, 제143조 참조). 따라서 제한능력자가 아직 능력자가 되지 못한 경우에는 그 법정대리인에게 촉구를 하여야 한다(제15조 제2항). 이에 대하여 철회의 의사표시는 법정대리인에 대하여서 뿐만 아니라, 수령능력이 없는 제한능력자에게도 유효하게 할 수 있다(제16조 제3항).

② 제한능력자가 속임수로써 자기를 능력자로 믿게 하거나 미성년자, 피한정후견인이 속임수로써 법정대리인의 동의 있는 것으로 믿게 한 경우에는 제한능력자 측의 취소권이 배제된다(제17조).

③ 제한능력자의 단독행위에 대한 거절은 단독행위의 상대방이 선의인가 악의인가를 불문하고 인정된다. 이 점은 제한능력자 상대방의 계약철회와 구별된다.

④ 철회는 당해 법률행위를 제한능력자의 상대방이 적극적으로 무효화시키는 것이므로 제한능력자에 대하여도 할 수 있다.

⑤ 확답 촉구의 효과가 발생하는 것은 유예기간 내에 확답이 발송되지 아니한 경우에 한정된다. 즉, 최고의 효과가 발생하는지는 유예기간 내에 확답이 상대방 측에 도달되었는가에 달려 있는 것이 아니라 발송되었는가에 달려 있다(발신주의). 확답의 발송이 있는 경우에는 촉구의 효과는 발생하지 않으며, 당해 확답의 의사표시의 효과가 발생할 뿐이다.

정답 01 ② 02 ④

03 미성년자에 관련된 설명 중 옳지 않은 것을 모두 고른 것은? ▶ 2014년 변호사

> ㄱ. 법정대리인이 재산의 범위를 정하여 미성년자에게 처분을 허락하였다면, 법정대리인은 그 재산의 처분에 관하여 스스로 유효한 대리행위를 할 수 없다.
>
> ㄴ. 법정대리인이 미성년자에게 영업의 종류를 특정하여 영업을 허락하였다면, 법정대리인은 허락한 영업과 관련된 행위를 스스로 대리할 수 없다.
>
> ㄷ. 피후견인의 신상과 재산에 관한 모든 사정을 고려하여, 성년후견인과 마찬가지로 미성년후견인도 여러 명 둘 수 있다.
>
> ㄹ. 후견인과 피후견인 미성년자 사이에 이해상반되는 행위를 하는 경우, 후견감독인이 선임된 때에도 후견인은 특별대리인의 선임을 청구하여야 한다.
>
> ㅁ. 제한능력자가 속임수로써 법정대리인의 동의가 있는 것으로 믿게 하여 법률행위를 한 경우, 그 행위를 취소할 수 없다.

① ㄱ, ㄴ, ㄷ
② ㄱ, ㄷ, ㅁ
③ ㄱ, ㄹ, ㅁ
④ ㄱ, ㄷ, ㄹ, ㅁ
⑤ ㄴ, ㄷ, ㄹ, ㅁ

해설 ㄱ. ㄴ. 제6조와 제8조의 차이점이다. 즉 제8조는 "법정대리인이 미성년자에게 영업의 종류를 특정하여 영업을 허락하였다면, 성년자와 동일한 행위능력이 있다."고 되어 있기 때문에 법정대리인은 허락한 영업과 관련된 행위를 스스로 대리할 수 없는 것이고, 제6조의 경우는 "법정대리인이 재산의 범위를 정하여 미성년자에게 처분을 허락한 재산은 단독으로 할 수 있다."라고 하기 있기 때문에, 법정대리인은 그 재산의 처분에 관하여 스스로 유효한 대리행위를 할 수 없는 것은 아니다.

ㄷ. 성년후견인과 달리 미성년후견인은 일인으로 하는 점이 차이점이다(제930조 제1항).

ㄹ. 후견인과 피후견인 미성년자 사이에 이해상반되는 행위를 하는 경우, 후견감독인이 선임되었다면 특별대리인의 선임을 청구하여야 하는 것은 아니다. 즉 신설된 제940조의6(후견감독인의 직무)에서는 "후견감독인은 후견인의 사무를 감독하며"(제1항), "후견인과 피후견인 사이에 이해가 상반되는 행위에 관하여는 후견감독인이 피후견인을 대리한다."(제3항)고 하고 있기 때문이다.

ㅁ. 제한능력자 중에 피성년후견인의 경우는 속임수로써 법정대리인의 동의가 있는 것으로 믿게 하여 법률행위를 한 경우에도, 그 행위를 취소할 수 있다(제17조 제2항 참조).

04 **미성년자에 관한 설명 중 옳은 것을 모두 고른 것은?** (다툼이 있는 경우 판례에 의함)

> 가. 미성년자가 타인에게 자신의 부동산을 증여하는 내용의 증여계약을 체결한 후, 증여의 의사가 서면으로 표시되지 아니하였음을 이유로 위 증여계약을 해제함에 있어서는, 법정대리인의 동의를 요하지 아니한다.
>
> 나. 법정대리인이 미성년자에게 영업을 허락한 경우 그 범위에서 법정대리인의 대리권은 소멸하지만, 특정 재산에 대하여 범위를 정하여 처분을 허락한 경우에는 그 법정대리인에게 여전히 그 재산에 대한 처분의 대리권이 인정된다.
>
> 다. 18세인 미성년자 甲이 법정대리인인 친권자의 동의 없이 乙과 매매계약을 체결하고 2년 후, 乙은 성년자가 된 甲에 대하여 2개월의 기간을 정하여 추인 여부의 확답을 촉구하였다. 甲이 2개월 이내에 확답을 발하지 않은 경우, 甲은 매매계약을 취소할 수 없다.
>
> 라. 공동상속인인 친권자와 미성년인 수인의 자(子) 사이에서 상속재산의 분할협의를 함에는 미성년인 수인의 자를 공동으로 대리할 특별대리인을 선임하면 족하고, 미성년자 각자를 위한 특별대리인을 각각 선임하여야 하는 것은 아니다.
>
> 마. 친권자인 모(母)가 자기 오빠의 제3자에 대한 채무의 담보로 미성년자인 자(子) 소유의 부동산에 근저당권을 설정하는 행위는 이해상반행위이므로 특별대리인이 선임되어야 한다.

① 가, 나, 다   ② 가, 다, 라
③ 가, 다, 마   ④ 나, 라, 마
⑤ 다, 라, 마

해설 가. 미성년자가 법률행위를 함에는 법정대리인의 동의를 얻어야 하는 것이 원칙이나, 권리만을 얻거나 의무만을 면하는 행위는 동의 없이 단독으로 할 수 있다(제5조 제1항). 따라서 미성년자가 자신의 부동산을 증여하는 내용의 증여계약을 해제하는 것은 의무만을 면하는 행위에 해당하므로, 법정대리인의 동의 없이도 단독으로 가능하다.

나. 제8조 제1항【영업의 허락】미성년자가 법정대리인으로부터 허락을 얻은 특정한 영업에 관하여는 성년자와 동일한 행위능력이 있다.
제6조【처분을 허락한 재산】법정대리인이 범위를 정하여 처분을 허락한 재산은 미성년자가 임의로 처분할 수 있다.

영업이 허락된 미성년자의 그 영업에 관한 행위의 효과로서 미성년자는 성년자와 동일한 행위능력을 가진다. 따라서 이 범위에서 법정대리권이 소멸한다. 그러나 처분을 허락한 재산에 관해서 미성년자는 법정대리인의 동의 없이 단독으로 처분할 수 있을 뿐이고, 법정대리인의 대리권은 소멸하지 않는다.

정답   03 ④   04 ①

다. 제15조 제1항【제한능력자의 상대방의 확답을 촉구할 권리】제한능력자의 상대방은 제한능력자가 능력자가 된 후에 그에게 1개월 이상의 기간을 정하여 그 취소할 수 있는 행위를 추인할 것인지 여부의 확답을 촉구할 수 있다. 능력자로 된 사람이 그 기간 내에 확답을 발송하지 아니하면 그 행위를 추인한 것으로 본다.

따라서 사안의 경우 甲은 계약을 추인한 것으로 되므로, 그 매매계약을 취소할 수 없다.

라. 민법 제921조의 "이해상반행위"란 행위의 객관적 성질상 친권자와 자 사이 또는 친권에 복종하는 수인의 자 사이에 이해의 대립이 생길 우려가 있는 행위를 가리키는 것으로서 친권자의 의도나 그 행위의 결과 실제로 이해의 대립이 생겼는가의 여부는 묻지 아니하는 것이라 할 것인바, 공동상속재산분할협의는 행위의 객관적 성질상 상속인 상호 간에 이해의 대립이 생길 우려가 있는 행위라고 할 것이므로 공동상속인인 친권자와 미성년인 수인의 자 사이에 상속재산분할협의를 하게 되는 경우에는 미성년자 각자마다 특별대리인을 선임하여 각 특별대리인이 각 미성년자인 자를 대리하여 상속재산분할의 협의를 하여야 하고, 만약 친권자가 수인의 미성년자의 법정대리인으로서 상속재산분할협의를 한 것이라면 이는 민법 제921조에 위반된 것으로서 이러한 대리행위에 의하여 성립된 상속재산분할협의는 피대리자 전원에 의한 추인이 없는 한 무효이다(대판 1993.4.13, 92다54524).

마. 친권자인 모가 자기 오빠의 제3자에 대한 채무의 담보로 미성년자 소유의 부동산에 근저당권을 설정하는 행위는 친권자와 그 자 사이에 이해상반되는 행위라고 볼 수 없다(대판 1991.11.26, 91다32466).

05 부재와 실종에 관한 설명 중 옳은 것은? (다툼이 있는 경우 판례에 의함)

① 가족관계등록부에 이미 사망한 것으로 기재되어 있는 자라도 그 기재는 사망의 추정력만이 있을 뿐이므로 실종선고를 할 수 있다.

② 실종선고로 인하여 실종기간 만료 시를 기준으로 하여 상속이 개시된 이후 실종선고의 취소사유가 생긴 경우 이미 개시된 상속을 부정하고 이와 다른 상속관계를 인정할 수 있다.

③ 피대습자가 피상속인의 사망과 동시에 사망한 것으로 추정되는 경우 그 직계비속은 본위상속은 물론 대습상속도 할 수 없다.

④ 부재자의 재산관리인에 의하여 소송절차가 진행되던 중 부재자에 대한 실종선고가 확정되었음에도 이를 간과하고 판결이 선고된 경우 그 판결의 취소를 구할 수 있을 뿐이다.

⑤ 수난, 전란, 화재 기타 사변에 편승하여 타인의 불법행위로 사망한 경우 법원은 현행법상 인정사망, 위난실종선고 또는 보통실종선고제도에 의해서만 사망사실을 인정하여야 한다.

해설 ① 호적부(현행 가족관계등록부)의 기재사항은 이를 번복할 만한 명백한 반증이 없는 한 진실에 부합하는 것으로 추정되고, 특히 호적부의 사망기재는 쉽게 번복할 수 있게 해서는 안되며, 그 기재내용을 뒤집기 위해서는 사망신고 당시에 첨부된 서류들이 위조 또는 허위조작된 문서임이 증명되거나 신고인이 공정증서원본불실기재죄로 처단되었거나 또는 사망으로 기재된 본인이 현재 생존해 있다는 사실이 증명되고 있을 때, 또는 이에 준하는 사유가 있을 때 등에 한해서 호적상의 사망기재의 추정력을 뒤집을 수 있을 뿐이고, 그러한 정도에 미치지 못한 경우에는 그 추정력을 깰 수 없다 할 것이므로, <u>호적상 이미 사망한 것으로 기재되어 있는 자는 그 호적상 사망기재의 추정력을 뒤집을 수 있는 자료가 없는 한 그 생사가 불분명한 자라고 볼 수 없어 실종선고를 할 수 없다</u>(대결 1997.11.27, 97스4).

② 실종선고를 받은 자는 실종기간이 만료한 때에 사망한 것으로 간주되는 것이므로, 실종선고로 인하여 실종기간 만료 시를 기준으로 하여 상속이 개시된 이상 설사 이후 실종선고가 취소되어야 할 사유가 생겼다고 하더라도 실제로 실종선고가 취소되지 아니하는 한, 임의로 실종기간이 만료하여 사망한 때로 간주되는 시점과는 달리 사망시점을 정하여 이미 개시된 상속을 부정하고 이와 다른 상속관계를 인정할 수는 없다(대판 1994.9.27, 94다21542).

③ 상속인이 될 직계비속이나 형제자매(= 피대습자)의 직계비속 또는 배우자(= 대습자)는 피대습자가 상속개시 전에 사망한 경우에는 대습상속을 하고, <u>피대습자가 상속개시 후에 사망한 경우에는 피대습자를 거쳐 피상속인의 재산을 본위상속을 하므로 두 경우 모두 상속을 하는데</u>, 만일 피대습자가 피상속인의 사망, 즉 상속개시와 동시에 사망한 것으로 추정되는 경우에만 그 직계비속 또는 배우자가 <u>본위상속과 대습상속의 어느 쪽도 하지 못하게 된다면 동시사망 추정 이외의 경우에 비하여 현저히 불공평하고 불합리한 것이라 할 것이고</u>, 이는 앞서 본 대습상속제도 및 동시사망 추정규정의 입법 취지에도 반하는 것이므로, <u>민법 제1001조의 '상속인이 될 직계비속이 상속개시 전에 사망한 경우'에는 '상속인이 될 직계비속이 상속개시와 동시에 사망한 것으로 추정되는 경우'도 포함하는 것으로 합목적적으로 해석함이 상당하다</u>(대판 2001.3.9, 99다13157).

④ 부재자의 생사가 분명하지 아니한 경우, 부재자는 법원의 실종선고가 없는 한 사망자로 간주되지 아니하며, 부재자의 재산관리인이 부재자의 대리인으로서 소를 제기하여 그 소송계속 중에 부재자에 대한 실종선고가 확정되어 그 소 제기 이전에 부재자가 사망한 것으로 간주되는 경우에도, 실종선고의 효력이 발생하기 전에는 실종기간이 만료된 실종자라 하여도 소송상 당사자능력을 상실하는 것은 아니므로, 실종선고가 확정된 때에 소송절차가 중단되어 부재자의 상속인 등이 이를 수계할 수 있을 뿐이고, 위 소 제기 자체가 소급하여 당사자능력이 없는 사망한 자가 제기한 것으로 되는 것은 아니다(대판 2008.6.26, 2007다11057). 또한 실종자를 당사자로 한 판결이 확정된 후에 실종선고가 확정되어 그 사망간주의 시점이 소 제기 전으로 소급하는 경우에도 위 판결 자체가 소급하여 당사자능력이 없는 사망한 사람을 상대로 한 판결로서 무효가 된다고는 볼 수 없다(대판 1992.7.14, 92다2455).

⑤ 수난, 전란, 화재 기타 사변에 편승하여 타인의 불법행위로 사망한 경우에 있어서는 확정적인 증거의 포착이 손쉽지 않음을 예상하여 법은 인정사망, 위난실종선고 등의 제도와 그밖에도 보통실종선고제도도 마련해 놓고 있으나 그렇다고 하여 위와 같은 자료나 제도에 의함이 없는 사망사실의 인정을 수소법원이 절대로 할 수 없다는 법리는 없다(대판 1989.1.31, 87다카2954).

정답 05 ④

06 외국에 장기체류하고 있는 甲은 당분간 국내에 돌아올 가능성이 없다. 이에 관한 설명으로 옳지 않은 것은? (다툼이 있는 경우에는 판례에 의함)

① 甲의 법정대리인 乙이 甲의 재산을 관리하는 경우, 부재자의 재산관리에 관한 규정이 적용되지 않는다.

② 甲이 丙에게 자신의 재산을 관리할 것을 부탁한 때에는, 특별한 사정이 없으면 법원은 이해관계인의 청구로 새로운 재산관리인을 정할 수 없다.

③ 법원이 丁을 甲의 재산관리인으로 선임결정하기 전에 이미 甲이 사망하였음이 확인된 때에도 그 결정이 취소되지 않으면 甲의 재산에 대한 丁의 처분행위는 유효하다.

④ 법원이 선임한 재산관리인 丁이 법원의 명령으로 甲의 재산을 보전하기 위하여 필요한 처분을 한 경우, 법원은 甲의 재산으로 그 비용을 지급한다.

⑤ 법원이 선임한 甲의 재산관리인 丁이 甲의 재산에 대한 법원의 매각처분허가를 얻은 때에도 甲의 채무를 담보하기 위하여 甲의 부동산에 저당권을 설정하려면 다시 법원의 허가를 얻어야 한다.

> **해설** ① 甲의 법정대리인 乙이 甲의 재산을 관리하는 경우, 부재자의 재산관리에 관한 규정이 적용되지 않는데, 이는 법정대리인은 당연히 재산관리권한이 있기 때문이다(제916조 참조).
> ② 甲이 丙에게 자신의 재산을 관리할 것을 부탁한 경우에는 특별한 사정이 없으면 법원은 이해관계인의 청구로 새로운 재산관리인을 정할 필요가 없다(제22조 참조).
> ③ 법원에 의하여 일단 부재자의 재산관리인 선임결정이 있었던 이상, 가령 부재자가 그 이전에 사망하였음이 위 결정 후에 확실하여졌다 하더라도 법에 정하여진 절차에 의하여 결정이 취소되지 않는 한, 부재자재산관리인의 권한이 당연히 소멸되지 않는다. 따라서 법원이 丁을 甲의 재산관리인으로 선임결정하기 전에 이미 甲이 사망하였음이 확인된 때에도 그 결정이 취소되지 않으면 甲의 재산에 대한 丁의 처분행위는 유효하다(대판 1970.1.27, 69다719).
> ④ 부재자와 법원이 선임한 재산관리인 사이는 위임에 관한 규정이 준용되기 때문에 법원이 선임한 재산관리인 丁이 법원의 명령으로 甲의 재산을 보전하기 위하여 필요한 처분을 한 경우, 법원은 甲의 재산으로 그 비용을 지급한다(제687조 참조).
> ⑤ 민법 제25조에는 "법원이 선임한 재산관리인이 제118조(보존행위, 이용행위, 관리행위)에 규정한 권한을 넘는 행위를 함에는 법원의 허가를 얻어야 한다."고 규정하고 있다. 즉 처분행위를 하는 경우 법원의 허가를 얻으면 된다(저당권설정과 관련된 판례는 대결 1976.12.21, 75마551 참조). 따라서 법원의 매각처분허가를 받았다면 저당권설정을 위해 다시 법원의 허가를 얻을 필요는 없다. 다만 부재자와 아무 관계없는 남의 채무담보를 위해 부재자 재산에 저당권을 설정한 경우에는 원칙적으로 무효이다.

07 **실종선고에 관한 설명 중 옳지 않은 것은?** (다툼이 있는 경우 판례에 의함) ▶ 2016년 사법시험

① 甲은 2005.1.2. 침몰한 선박에서 행방불명이 되었고, 甲의 배우자는 2006.3.2. 법원에 실종선고를 신청하였다. 공시최고기간이 지나고 법원이 2006.9.1. 실종선고를 한 경우, 甲은 2006.1.2. 24:00부터 사망한 것으로 간주된다(제시된 날짜는 토요일 또는 공휴일이 아닌 것으로 간주함).

② 甲에게 내려진 실종선고에 기인하여 乙이 甲 소유의 아파트를 상속한 후 이 아파트를 丙에게 매도하였는데, 그 후 실종선고가 취소되었다면, 乙과 丙이 선의인 경우에도 乙은 그 이익이 현존하는 한 반환의무가 있다.

③ 실종자의 상속인이 여러 명인 경우에 그중 선순위의 상속인만이 실종선고를 청구할 수 있는 이해관계인이다.

④ 실종자에 대하여 5년간 생사불명을 원인으로 실종선고가 되어 확정되었는데도, 그 후 타인의 청구에 의하여 다시 실종선고가 있는 경우에 앞의 실종선고에 따라 법률관계가 정리되어야 한다.

⑤ 실종선고로 인하여 실종기간 만료 시를 기준으로 상속이 개시된 이후 실종선고의 취소 사유가 발생하였다면, 실종선고 취소의 심판이 없더라도 실종기간이 만료하여 사망한 때로 간주되는 시점과는 다른 사망시점을 기준으로 상속관계가 인정된다.

해설 ① 우리 민법은 실종기간 만료 시 주의를 채택하고 있다(제28조 참조).
② 제29조 제2항의 내용이다. 여기서 실종선고를 직접원인으로 하는 자는 상속인·수유자·생명보험수익자 등이 있다.
③ 본조 소정의 실종선고를 청구할 수 있는 이해관계인이라 함은 법률상뿐만 아니라 경제적, 신분적 이해관계인이어야 할 것이므로 부재자의 제1순위 재산상속인이 있는 경우에 제4순위(후순위)의 재산상속인은 위 부재자에 대한 실종선고를 청구할 이해관계인이 될 수 없다(대판 1980.9.8, 80스27).
④ 실종선고는 간주효가 있기 때문에 동일인에 대하여 2차례의 실종선고가 있는 경우 첫 번째 실종선고를 기준으로 상속관계를 판단한다(대판 1995.12.22, 95다12736).
⑤ 실종선고를 받은 자는 실종기간이 만료한 때에 사망한 것으로 간주되는 것이므로, 실종선고로 인하여 실종기간 만료 시를 기준으로 하여 상속이 개시된 이상 설사 이후 실종선고가 취소되어야 할 사유가 생겼다고 하더라도 실제로 실종선고가 취소되지 아니하는 한, 임의로 실종기간이 만료하여 사망한 때로 간주되는 시점과는 달리 사망시점을 정하여 이미 개시된 상속을 부정하고 이와 다른 상속관계를 인정할 수는 없다(대판 1995.12.22, 95다12736).

기본문제 | 기본문제의 구성

01 다음 중 종중에 관한 설명으로 옳지 않은 것은? (다툼이 있는 경우 판례에 의함)

① 공동선조와 성과 본을 같이 하는 후손은 성별의 구별 없이 성년이 되면 당연히 그 구성원이 되므로, 종중족보에 종중원으로 등재된 성년 여성들에게 소집통지를 하지 않고 개최된 종중임시총회에서의 결의는 무효이다.

② 종중원들이 종중재산의 관리 또는 처분 등을 위하여 종중의 규약에 따른 적법한 소집권자 또는 일반관례에 따른 종중총회의 소집권자인 종중의 연고항존자에게 필요한 종중의 임시총회의 소집을 요구하였으나 그 소집권자가 정당한 이유 없이 이에 응하지 아니하는 경우에는 차석 또는 발기인이 소집권자를 대신하여 그 총회를 소집할 수 있다.

③ 부동산 실권리자명의 등기에 관한 법률 제8조 제1호에 의하면 종중이 보유한 부동산에 관한 물권을 종중 이외의 자의 명의로 등기하는 명의신탁의 경우 조세포탈, 강제집행의 면탈 또는 법령상 제한의 회피를 목적으로 하지 아니하는 경우에는 같은 법 제4조 등의 규정의 적용이 배제되도록 되어 있는바, 위 제8조 제1호에서 말하는 종중은 고유의 의미의 종중만을 가리키고, 종중 유사의 비법인 사단은 포함하지 않는 것으로 봄이 상당하다.

④ 특정지역 내에 거주하는 일부 종중원만을 그 구성원으로 하는 단체도 고유한 의미의 종중이라고 할 수 있다.

⑤ 종중 소유의 재산은 종중원의 총유에 속하는 것이므로 그 관리 및 처분에 관하여 먼저 종중 규약에 정하는 바가 있으면 이에 따라야 하고, 그 점에 관한 종중 규약이 없으면 종중 총회의 결의에 의하여야 하므로 비록 종중 대표자에 의한 종중 재산의 처분이라고 하더라도 그러한 절차를 거치지 아니한 채 한 행위는 무효이다.

해설 ① 판례는 종중의 족보에 종중원으로 등재된 성년 여성들에게 소집통지를 함이 없이 개최된 종중 임시총회에서의 결의는 모두 무효라고 한다(대판 2007.9.6, 2007다34982). 대판(전) 2005.7.21, 2002다1178 이후에는 공동 선조의 자손인 성년 여자도 종중원이므로, 종중 총회 당시 남자 종중원들에게만 소집통지를 하고 여자 종중원들에게 소집통지를 하지 않은 경우 그 종중 총회에서의 결의는 효력이 없다(대판 2010.2.11, 2009다83650).

② 종중원들이 종중 재산의 관리 또는 처분 등을 위하여 종중의 규약에 따른 적법한 소집권자 또는 일반 관례에 따른 종중총회의 소집권자인 종중의 연고항존자에게 필요한 종중의 임시총회의 소집을 요구하였으나 그 소집권자가 정당한 이유 없이 이에 응하지 아니하는 경우에는 차석 또는 발기인이 소집권자를 대신하여 그 총회를 소집할 수 있다(대판 1997.9.26, 97다25279).

③ 부동산 실권리자명의 등기에 관한 법률 제8조 제1호에 의하면 종중이 보유한 부동산에 관한 물권을 종중 이외의 자의 명의로 등기하는 명의신탁의 경우 조세포탈, 강제집행의 면탈 또는 법령상 제한의 회피를 목적으로 하지 아니하는 경우에는 같은 법 제4조 등의 규정의 적용이 배제되도록 되어 있는바, 위 제8조 제1호에서 말하는 종중은 고유의 의미의 종중만을 가리키고, 종중 유사의 비법인 사단은 포함하지 않는 것으로 봄이 상당하다(대판 2007.10.25, 2006다14165).

④ 고유 의미의 종중이란 공동선조의 분묘 수호와 제사 및 종중원 상호 간의 친목 등을 목적으로 하는 자연발생적인 관습상의 종족집단체로서 특별한 조직행위를 필요로 하는 것이 아니고, 공동선조의 후손 중 성년 이상의 남자는 당연히 그 종중원이 되는 것이며 그중 일부 종중원을 임의로 그 종중원에서 배제할 수 없는 것이므로, 종중총회의 결의나 규약에서 일부 종중원의 자격을 임의로 제한하였다면 그 총회의 결의나 규약은 종중의 본질에 반하여 무효이고, 공동선조의 후손 중 특정 지역 거주자나 특정 범위 내의 자들만으로 구성된 종중이란 있을 수 없으므로, 만일 공동선조의 후손 중 특정 지역 거주자나 지파 소속 종중원만으로 조직체를 구성하여 활동하고 있다면 이는 본래의 의미의 종중으로는 볼 수 없고, 종중 유사의 권리능력 없는 사단이 될 수 있을 뿐이다(대판 1996.10.11, 95다34330).

⑤ 종중 소유의 재산은 종중원의 총유에 속하는 것이므로 그 관리 및 처분에 관하여 먼저 종중규약에 정하는 바가 있으면 이에 따라야 하고, 그 점에 관한 종중 규약이 없으면 종중 총회의 결의에 의하여야 하므로 비록 종중 대표자에 의한 종중 재산의 처분이라고 하더라도 그러한 절차를 거치지 아니한 채 한 행위는 무효이다(대판 2000.10.27, 2000다22881).
→ 종중의 대표자는 종중규약에 대표권을 제한하는 다른 규정이 없는 한 종중총회의 결의가 없더라도 종중을 대표하여 종중재산을 처분할 수 있다.(×)

02 **다음 중 종중에 관한 설명으로 옳은 것은?** (다툼이 있는 경우 판례에 의함)

① 종중은 자연발생적인 종족집단체로서 그 성립을 위해 특별한 명칭의 사용이나 서면화된 종중규약의 존재 등의 조직행위를 필요로 하지는 않으나, 최소한 대표자는 선임되어 있어야 성립한다.

② 종중의 규약이나 관행에 의하여 매년 일정한 날에 일정한 장소에서 정기적으로 종중원들이 집합하여 종중의 대소사를 처리하기로 되어 있는 경우에는 별도로 종중회의의 소집절차가 필요하지 않다.

③ 종중이 총유재산과 관련하여 소를 제기하는 경우, 종중총회의 결의를 거쳐 종중이 당사자가 되거나 종중원 전원이 당사자가 되어 필수적 공동소송의 형태로 하는 것이 원칙이나, 종중재산에 대한 보존행위로서 소를 제기하는 경우에는 종중의 대표자가 종중총회의 결의를 거쳐 종중의 대표자 개인명의로 소를 제기할 수 있다.

④ 종중구성원의 자격을 성년 남자만으로 제한하는 종래의 관습법은 이제 더 이상 법적 효력을 가질 수 없게 되었으므로, 공동선조와 성과 본을 같이 하는 후손은 성별의 구별 없이 출생과 동시에 당연히 종중의 구성원이 된다.

정답 01 ④ 02 ②

⑤ 고유 의미의 종중이란 공동선조의 분묘 수호와 제사 및 종중원 상호 간의 친목 등을 목적으로 하는 자연발생적인 관습상의 종족집단체로서 특별한 조직행위를 필요로 하는 것이 아니고, 공동선조의 후손 중 성년 이상의 남자는 당연히 그 종중원이 되는 것이며 그중 일부 종중원을 임의로 그 종중원에서 배제할 수 없는 것이므로, 만일 공동선조의 후손 중 특정 지역 거주자나 지파 소속 종중원만으로 조직체를 구성하여 활동하고 있다면 이는 본래의 의미의 종중으로는 볼 수 없고, 또한 별개의 종중 유사의 권리능력 없는 사단이라고 할 수도 없다.

해설 ① 종중이라 함은 원래 공동선조의 후손 중 성년 이상의 남자를 종원으로 하여 구성되는 종족의 자연발생적 집단으로서 선조의 사망과 동시에 자손에 의하여 성립하는 것이고 성립을 위하여 특별한 조직행위를 필요로 하는 것이 아니며, 다만 목적인 공동선조의 분묘수호, 제사봉행, 종원 상호 간의 친목을 위한 활동을 규율하기 위하여 규약을 정하는 경우가 있고, 또 대외적인 행위를 할 때에는 대표자를 정할 필요가 있는 것에 지나지 아니하며, 반드시 특정한 명칭의 사용 및 서면화된 종중규약이 있어야 하거나 종중의 대표자가 계속하여 선임되어 있는 등 조직을 갖추어야 하는 것도 아니다(대판 1998.7.10, 96다488).

② 종중의 규약이나 관행에 의하여 매년 일정한 날에 일정한 장소에서 정기적으로 종중원들이 집합하여 종중의 대소사를 처리하기로 되어 있는 경우에는 별도로 종중회의의 소집절차가 필요하지 않다(대판 2005.12.8, 2005다36298).

③ 민법 제276조 제1항은 "총유물의 관리 및 처분은 사원총회의 결의에 의한다", 같은 조 제2항은 "각 사원은 정관 기타의 규약에 좇아 총유물을 사용·수익할 수 있다."라고 규정하고 있을 뿐 공유나 합유의 경우처럼 보존행위는 그 구성원 각자가 할 수 있다는 민법 제265조 단서 또는 제272조 단서와 같은 규정을 두고 있지 아니한바, 이는 법인 아닌 사단의 소유형태인 총유가 공유나 합유에 비하여 단체성이 강하고 구성원 개인들의 총유재산에 대한 지분권이 인정되지 아니하는 데에서 나온 당연한 귀결이라고 할 것이므로 총유재산에 관한 소송은 법인 아닌 사단이 그 명의로 사원총회의 결의를 거쳐 하거나 또는 그 구성원 전원이 당사자가 되어 필수적 공동소송의 형태로 할 수 있을 뿐 그 사단의 구성원은 설령 그가 사단의 대표자라거나 사원총회의 결의를 거쳤다 하더라도 그 소송의 당사자가 될 수 없고, 이러한 법리는 총유재산의 보존행위로서 소를 제기하는 경우에도 마찬가지라 할 것이다(대판(전) 2005.9.15, 2004다44971).

④ 종중이란 공동선조의 분묘수호와 제사 및 종원 상호 간의 친목 등을 목적으로 하여 구성되는 자연발생적인 종족집단이므로, 종중의 이러한 목적과 본질에 비추어 볼 때 공동선조와 성과 본을 같이 하는 후손은 성별의 구별 없이 성년이 되면 당연히 그 구성원이 된다고 보는 것이 조리에 합당하다(대판(전) 2005.7.21, 2002다1178).

⑤ 고유 의미의 종중이란 공동선조의 분묘 수호와 제사 및 종중원 상호 간의 친목 등을 목적으로 하는 자연발생적인 관습상의 종족집단체로서 특별한 조직행위를 필요로 하는 것이 아니고, 공동선조의 후손 중 성년 이상의 남자는 당연히 그 종중원이 되는 것이며 그중 일부 종중원을 임의로 그 종중원에서 배제할 수 없는 것이므로, 종중총회의 결의나 규약에서 일부 종중원의 자격을 임의로 제한하였다면 그 총회의 결의나 규약은 종중의 본질에 반하여 무효이고, 공동선조의 후손 중 특정 지역 거주자나 특정 범위 내의 자들만으로 구성된 종중이란 있을 수 없으므로, 만일 공동선조의 후손 중 특정 지역 거주자나 지파 소속 종중원만으로 조직체를 구성하여 활동하고 있다면 이는 본래의 의미의 종중으로는 볼 수 없고, 종중 유사의 권리능력 없는 사단이 될 수 있을 뿐이다(대판 1996.10.11, 95다34330).

03 다음 중 종중에 관한 설명으로 옳지 않은 것은? (다툼이 있는 경우 판례에 의함)

① 종중총회의 결의나 규약에서 일부 종중원의 자격을 박탈하거나 임의로 제한하였다면 그 총회의 결의나 규약은 종중의 본질에 반하여 무효이다.

② 종중이 그 구성원인 종원에 대하여 그 자격을 박탈하는 소위 할종(割宗) 및 10년 이상 종원의 자격에서 인정되는 각종의 회의에의 참석권·발언권·의결권·피선거권·선거권을 정지하는 징계처분은 비록 그 같은 관행이 있다고 하더라도, 이것은 공동선조의 후손으로서 혈연관계를 바탕으로 하여 자연적으로 구성되는 종족단체인 종중의 본질에 반한다.

③ 적법한 소집권자에 의하여 소집되지 않은 총회에서 한 대표자선임결의는 효력이 없다.

④ 종중도 그 자체 명의로 소유권취득 및 등기할 수 있고, 그 대표자가 정해져 있으면 소송법상 당사자능력이 있다.

⑤ 종중총회의 결의방법에 있어 종중규약에 다른 규정이 없는 이상 종원은 서면이나 대리인으로 결의권을 행사할 수 없으므로, 일부 종원이 총회에 직접 출석하지 아니하고 다른 출석 종원에 대한 위임장 제출방식에 의하여 종중의 대표자 선임 등에 관한 결의권을 행사하는 것은 허용되지 않는다.

해설 ① 공동선조의 후손 중 성년 이상의 남자는 당연히 그 종중원이 되는 것이며 그중 일부 종중원을 임의로 그 종중원에서 배제할 수 없는 것이므로, 종중총회의 결의나 규약에서 일부 종중원의 자격을 임의로 제한하였다면 그 총회의 결의나 규약은 종중의 본질에 반하여 무효이다(대판 1996. 10.11, 95다34330). 또한 종원은 자기의사와 무관하게 종중의 구성원이 되고, 종중에서 탈퇴할 수 없고 종중도 종원을 축출할 수 없으므로, 일부 종원에 대하여 그 자격을 박탈하는 규약은 종중의 본질에 반하는 것으로서 무효이다(대판 1983.2.8, 80다1194).

② 종중이 '그 구성원인 종원에 대하여 그 자격을 박탈하는 소위 할종(割宗)' 및 '10년 이상 종원의 자격(각종의 회의에의 참석권·발언권·의결권·피선거권·선거권)을 정지하는 징계처분'은 비록 그 같은 관행이 있다고 하더라도, 이것은 공동선조의 후손으로서 혈연관계를 바탕으로 하여 자연적으로 구성되는 종족단체인 종중의 본질에 반한다. 따라서 그러한 관행이나 징계처분은 위법 무효이므로, 피징계자인 종중원으로서의 신분이나 지위를 박탈하는 효력이 없다(대판 2006.10.26, 2004다47024 ; 대판 1983.2.8, 80다1194).

③ 사단법인의 총회소집에 관한 규정이 준용되며, 이에 위반한 때는 특별한 사정이 없는 한 총회결의가 무효이다. 즉, 적법한 소집권자에 의하여 소집되지 않은 총회에서 한 대표자선임결의는 효력이 없다(대판 1990.11.13, 90다28542).

④ 종중도 그 자체 명의로 소유권취득 및 등기할 수 있고(부동산등기법 제30조), 그 대표자가 정해져 있으면 소송법상 당사자능력이 있다(민소법 제52조).

⑤ 종중총회의 결의방법에 있어 종중규약에 다른 규정이 없는 이상 종원은 서면이나 대리인으로 결의권을 행사할 수 있으므로 일부 종원이 총회에 직접 출석하지 아니하고 다른 출석 종원에 대한 위임장 제출방식에 의하여 종중의 대표자 선임 등에 관한 결의권을 행사하는 것도 허용된다(대판 2000.2.25, 99다20155).

정답 03 ⑤

04 **종중재산에 관한 판례의 태도 중 옳지 않은 것은?**

① 종중재산의 매각대금의 분배는 총유물의 처분에 해당하므로 정관 기타 규약에 달리 정함이 없는 한 종중총회의 결의에 의하여 그 매각대금을 분배할 수 있고, 그 분배 비율, 방법, 내용 역시 결의에 의하여 자율적으로 결정할 수 있다.

② 종중재산의 분배에 관한 종중총회의 결의 내용이 현저하게 불공정하거나 선량한 풍속 기타 사회질서에 반하는 경우 그 결의는 무효이다.

③ 종중토지매각대금의 분배에 관한 종중총회의 결의가 무효인 경우, 종원은 그 결의의 무효확인 등을 소구하여 승소판결을 받은 후 새로운 종중총회에서 공정한 내용으로 다시 결의하도록 함으로써 그 권리를 구제받을 수 있다.

④ 위 경우, 곧바로 종중을 상대로 하여 스스로 공정하다고 주장하는 분배금의 지급을 구할 수도 있다.

⑤ 종중재산을 분배함에 있어 단순히 남녀 성별의 구분에 따라 그 분배 비율, 방법, 내용에 차이를 두는 것은 정당성과 합리성이 없어서 무효이다.

> **해설** 위 문제는 대판 2010.9.9, 2007다42310·42327을 기본으로 하고 있다. 즉 "종중토지매각대금의 분배에 관한 종중총회의 결의가 무효인 경우, 종원은 그 결의의 무효확인 등을 소구하여 승소판결을 받은 후 새로운 종중총회에서 공정한 내용으로 다시 결의하도록 함으로써 그 권리를 구제받을 수 있을 뿐이고 새로운 종중총회의 결의도 거치지 아니한 채 종전 총회결의가 무효라는 사정만으로 곧바로 종중을 상대로 하여 스스로 공정하다고 주장하는 분배금의 지급을 구할 수는 없다."는 것이다. 나머지는 모두 위 판례로서 타당하다.

05 **비법인사단인 교회에 관한 다음 설명 중 잘못된 것은?** (다툼이 있는 경우 판례에 의함)

① 우리 민법은 사단법인에 있어서 구성원의 탈퇴나 해산은 인정하지만 사단법인의 구성원들이 2개의 법인으로 나뉘어 각각 독립한 법인으로 존속하면서 종전 사단법인에게 귀속되었던 재산을 소유하는 방식의 사단법인의 분열은 인정하지 아니한다. 이 법리는 법인 아닌 사단에 대하여도 동일하게 적용된다.

② 일부 교인들이 교회를 탈퇴하여 그 교회 교인으로서의 지위를 상실하게 되면 탈퇴가 개별적인 것이든 집단적인 것이든 이와 더불어 종전 교회의 총유 재산의 관리처분에 관한 의결에 참가할 수 있는 지위나 그 재산에 대한 사용·수익권을 상실하고, 종전 교회는 잔존 교인들을 구성원으로 하여 실체의 동일성을 유지하면서 존속하며 종전 교회의 재산은 그 교회에 소속된 잔존 교인들의 총유로 귀속됨이 원칙이다.

③ 소속 교단에서의 탈퇴 내지 소속 교단의 변경은 사단법인 정관변경에 준하여 의결권을 가진 교인 2/3 이상의 찬성에 의한 결의를 필요로 하고, 그 결의요건을 갖추어 소속 교단을 탈퇴하거나 다른 교단으로 변경한 경우에 종전 교회의 실체는 이와 같이 교단을 탈퇴한 교회로서 존속하고 종전 교회 재산은 위 탈퇴한 교회 소속 교인들의 총유로 귀속된다.

④ 교회가 그 실체를 갖추어 법인 아닌 사단으로 성립한 경우에 교회의 대표자가 교회를 위하여 취득한 권리의무는 교회에 귀속되나, 교회가 아직 실체를 갖추지 못하여 법인 아닌 사단으로 성립하기 전에 설립의 주체인 개인이 취득한 권리의무는 그것이 앞으로 성립할 교회를 위한 것이라 하더라도 바로 법인 아닌 사단인 교회에 귀속될 수는 없고, 또한 설립 중의 회사의 개념과 법적 성격에 비추어, 법인 아닌 사단인 교회가 성립하기 전의 단계에서 설립중의 회사의 법리를 유추적용할 수는 없다.

⑤ 비법인사단인 교회의 대표자는 총유물인 교회 재산의 처분에 관하여 교인총회의 결의를 거치지 아니하고는 이를 대표하여 행할 권한이 없다. 다만 교회의 대표자가 권한 없이 행한 교회 재산의 처분행위에 대하여는 민법 제126조의 표현대리에 관한 규정이 준용될 수 있다.

해설 ①, ②, ③ [1] 우리 민법이 사단법인에 있어서 구성원의 탈퇴나 해산은 인정하지만 사단법인의 구성원들이 2개의 법인으로 나뉘어 각각 독립한 법인으로 존속하면서 종전 사단법인에게 귀속되었던 재산을 소유하는 방식의 사단법인의 분열은 인정하지 아니한다. 그 법리는 법인 아닌 사단에 대하여도 동일하게 적용되며, 법인 아닌 사단의 구성원들의 집단적 탈퇴로써 사단이 2개로 분열되고 분열되기 전 사단의 재산이 분열된 각 사단들의 구성원들에게 각각 총유적으로 귀속되는 결과를 초래하는 형태의 법인 아닌 사단의 분열은 허용되지 않는다. 교회가 법인 아닌 사단으로서 존재하는 이상, 그 법률관계를 둘러싼 분쟁을 소송적인 방법으로 해결함에 있어서는 법인 아닌 사단에 관한 민법의 일반 이론에 따라 교회의 실체를 파악하고 교회의 재산 귀속에 대하여 판단하여야 하고, 이에 따라 법인 아닌 사단의 재산관계와 그 재산에 대한 구성원의 권리 및 구성원 탈퇴, 특히 집단적인 탈퇴의 효과 등에 관한 법리는 교회에 대하여도 동일하게 적용되어야 한다. 따라서 교인들은 교회 재산을 총유의 형태로 소유하면서 사용·수익할 것인데, 일부 교인들이 교회를 탈퇴하여 그 교회 교인으로서의 지위를 상실하게 되면 탈퇴가 개별적인 것이든 집단적인 것이든 이와 더불어 종전 교회의 총유 재산의 관리처분에 관한 의결에 참가할 수 있는 지위나 그 재산에 대한 사용·수익권을 상실하고, 종전 교회는 잔존 교인들을 구성원으로 하여 실체의 동일성을 유지하면서 존속하며 종전 교회의 재산은 그 교회에 소속된 잔존 교인들의 총유로 귀속됨이 원칙이다. 그리고 교단에 소속되어 있던 지교회의 교인들의 일부가 소속 교단을 탈퇴하기로 결의한 다음 종전 교회를 나가 별도의 교회를 설립하여 별도의 대표자를 선정하고 나아가 다른 교단에 가입한 경우, 그 교회는 종전 교회에서 집단적으로 이탈한 교인들에 의하여 새로이 법인 아닌 사단의 요건을 갖추어 설립된 신설 교회라 할 것이어서, 그 교회 소속 교인들은 더 이상 종전 교회의 재산에 대한 권리를 보유할 수 없게 된다.

[2] 특정 교단에 가입한 지교회가 교단이 정한 헌법을 지교회 자신의 자치규범으로 받아들였다고 인정되는 경우에는 소속 교단의 변경은 실질적으로 지교회 자신의 규약에 해당하는 자치규범을 변경하는 결과를 초래하고, 만약 지교회 자신의 규약을 갖춘 경우에는 교단변경으로 인하여 지교회의 명칭이나 목적 등 지교회의 규약에 포함된 사항의 변경까지 수반하기 때문에, 소속 교단에서의 탈퇴 내지 소속 교단의 변경은 사단법인 정관변경에 준하여 의결권을 가진 교인 2/3 이상의 찬성에 의한 결의를 필요로 하고, 그 결의요건을 갖추어 소속 교단을 탈퇴하거나 다른 교단으로 변경한 경우에 종전 교회의 실체는 이와 같이 교단을 탈퇴한

교회로서 존속하고 종전 교회 재산은 위 탈퇴한 교회 소속 교인들의 총유로 귀속된다(대판 (전) 2006.4.20, 2004다37775).

④ 교회가 그 실체를 갖추어 법인 아닌 사단으로 성립한 경우에 교회의 대표자가 교회를 위하여 취득한 권리의무는 교회에 귀속되나, 교회가 아직 실체를 갖추지 못하여 법인 아닌 사단으로 성립하기 전에 설립의 주체인 개인이 취득한 권리의무는 그것이 앞으로 성립할 교회를 위한 것이라 하더라도 바로 법인 아닌 사단인 교회에 귀속될 수는 없고, 또한 설립 중의 회사의 개념과 법적 성격에 비추어, 법인 아닌 사단인 교회가 성립하기 전의 단계에서 설립 중의 회사의 법리를 유추적용할 수는 없다(대판 2008.2.28, 2007다37394 · 37400).

⑤ 비법인사단인 교회의 대표자는 총유물인 교회 재산의 처분에 관하여 교인총회의 결의를 거치지 아니하고는 이를 대표하여 행할 권한이 없다. 그리고 교회의 대표자가 권한 없이 행한 교회 재산의 처분행위에 대하여는 민법 제126조의 표현대리에 관한 규정이 준용되지 아니한다(대판 2009.2.12, 2006다23312).

06 법인에 관한 다음 설명 중 가장 옳지 않은 것은? (다툼이 있는 경우 판례에 의함)

▶ 2016년 법무사

① 법인은 그 주된 사무소의 소재지에서 설립등기를 함으로써 성립하고, 법률의 규정에 좇아 정관으로 정한 목적의 범위 내에서 권리와 의무의 주체가 된다.

② 유언으로 재단법인을 설립하는 경우에도 제3자에 대한 관계에서는 출연재산이 부동산인 경우는 그 법인에의 귀속에는 법인의 설립 외에 등기를 필요로 하는 것이므로, 재단법인이 그와 같은 등기를 마치지 않았다면 유언자의 상속인의 한 사람으로부터 부동산의 지분을 취득하여 이전등기를 마친 선의의 제3자에 대하여 대항할 수 없다.

③ 민법 제47조 제1항에 의하여 생전처분으로 재단법인을 설립하는 때에 준용되는 민법 제555조는 '증여의 의사가 서면으로 표시되지 아니한 경우에는 각 당사자는 이를 해제할 수 있다.'고 함으로써 서면에 의한 증여(출연)의 해제를 제한하고 있으나, 그 해제는 민법 총칙상의 취소와는 요건과 효과가 다르므로 서면에 의한 출연이더라도 민법 총칙규정에 따라 출연자가 착오에 기한 의사표시라는 이유로 출연의 의사표시를 취소할 수 있고, 상대방 없는 단독행위인 재단법인에 대한 출연행위라고 하여 달리 볼 것은 아니다.

④ 이사의 대표권에 대한 제한은 이를 정관에 기재하지 않으면 그 효력이 없다.

⑤ 출연재산은 출연자와 법인과의 관계에 있어서 그 출연행위에 터잡아 법인이 성립되면 그로써 출연재산은 민법 제48조에 의하여 법인성립 시에 법인에게 귀속되어 법인의 재산이 되는 것이 원칙이나, 출연재산이 부동산인 경우 그 출연재산이 법인에 귀속되기 위해서는 제3자에 대한 관계에 있어서뿐만 아니라, 출연자와 법인과의 관계에 있어서도 위 요건(법인의 성립) 외에 등기를 필요로 한다.

해설 ① 제33조【법인설립의 등기】법인은 그 주된 사무소의 소재지에서 설립등기를 함으로써 성립한다. 제34조【법인의 권리능력】법인은 법률의 규정에 좇아 정관으로 정한 목적의 범위 내에서 권리와 의무의 주체가 된다.

②, ⑤ 【대판 1993.9.14. 93다8054】[1] 민법 제48조는 재단법인 성립에 있어서 재산출연자와 법인과의 관계에 있어서의 출연재산의 귀속에 관한 규정이고, 이 규정은 그 기능에 있어서 출연재산의 귀속에 관하여 출연자와 법인과의 관계를 상대적으로 결정함에 있어서의 기준이 되는 것에 불과하여, 출연재산은 출연자와 법인과의 관계에 있어서 그 출연행위에 터잡아 법인이 성립되면 그로써 출연재산은 민법의 위 조항에 의하여 법인성립 시에 법인에게 귀속되어 법인의 재산이 되는 것이고, 출연재산이 부동산인 경우에 있어서도 위 양당사자 간의 관계에 있어서는 위 요건(법인의 성립) 외에 등기를 필요로 하는 것이 아니나, 제3자에 대한 관계에 있어서는 출연행위가 법률행위이므로 출연재산의 법인에의 귀속에는 부동산의 권리에 관해서는 법인성립 외에 등기를 필요로 한다.

[2] 유언으로 재단법인을 설립하는 경우에도 제3자에 대한 관계에서는 출연재산이 부동산인 경우는 그 법인에의 귀속에는 법인의 설립 외에 등기를 필요로 하는 것이므로, 재단법인이 그와 같은 등기를 마치지 아니하였다면 유언자의 상속인의 한 사람으로부터 부동산의 지분을 취득하여 이전등기를 마친 선의의 제3자에 대하여 대항할 수 없다.

③ 민법 제47조 제1항에 의하여 생전처분으로 재단법인을 설립하는 때에 준용되는 민법 제555조는 "증여의 의사가 서면으로 표시되지 아니한 경우에는 각 당사자는 이를 해제할 수 있다"고 함으로써 서면에 의한 증여(출연)의 해제를 제한하고 있으나, 그 해제는 민법 총칙상의 취소와는 요건과 효과가 다르므로 서면에 의한 출연이더라도 민법 총칙규정에 따라 출연자가 착오에 기한 의사표시라는 이유로 출연의 의사표시를 취소할 수 있고, 상대방 없는 단독행위인 재단법인에 대한 출연행위라고 하여 달리 볼 것은 아니다(대판 1999.7.9. 98다9045).

④ 제41조【이사의 대표권에 대한 제한】이사의 대표권에 대한 제한은 이를 정관에 기재하지 아니하면 그 효력이 없다.

07 **법인의 능력에 대한 다음의 설명 중 가장 적절하지 않은 것은?** (다툼이 있는 경우 판례에 의함)

① 법인의 목적범위 외의 행위로 인하여 타인에게 손해를 가한 때에는 그 사항의 의결에 찬성하거나 그 의결을 집행한 사원, 이사 및 기타 대표자가 연대하여 배상하여야 한다.
② 정관에 정한 목적의 범위 내라 함은 목적을 수행하는 데 있어서 직접·간접으로 필요한 행위를 모두 포함한다.
③ 법인의 대표이사가 그 대표권의 범위 내에서 한 행위는 설사 대표이사가 법인의 영리목적과 관계없이 자기 또는 제3자의 이익을 도모할 목적으로 한 행위라고 할지라도 일단 법인의 행위로서 유효하고, 다만 그 행위의 상대방이 대표이사의 진의를 알았거나 알 수 있었을 때에는 법인에 대하여 무효가 된다.
④ 위 ③의 경우와 같이 대표기관이 개인적인 목적으로 권한을 남용하거나 부정한 대표행위를 한 경우라면 법인의 제35조에 의한 책임은 부정된다.
⑤ 법인의 대표자의 행위가 직무에 관한 행위에 해당하지 아니함을 피해자 자신이 알았거나 또는 중대한 과실로 인하여 알지 못한 경우에는 법인에게 손해배상책임을 물을 수 없다.

정답 06 ⑤ 07 ④

해설 ① 제35조 제2항【법인의 불법행위능력】법인의 목적범위 외의 행위로 인하여 타인에게 손해를 가한 때에는 그 사항의 의결에 찬성하거나 그 의결을 집행한 사원, 이사 및 기타 대표자가 연대하여 배상하여야 한다.

② 정관에 정한 목적의 범위 내라 함은 목적을 수행하는 데 있어서 직접·간접으로 필요한 행위를 모두 포함한다(대판 1991.11.22, 91다8821).

③ 이사의 행위가 주관적으로 사리를 꾀할 의도가 있더라도 객관적으로 권한의 범위 내인 경우, 상대방에게 불측의 손해를 주지 않기 위하여 그 행위는 원칙적으로 유효로 된다. 다만 상대방이 이사의 의도에 대하여 악의·유과실의 경우에는 상대방을 보호할 필요가 없다. 그러므로 판례는 민법 제107조 제1항 단서를 유추적용하여 상대방이 이사의 의도에 대하여 악의·유과실의 경우에는 대표행위가 무효로 된다고 본다(대판 2004.3.26, 2003다34045).

④ 법인이 그 대표자의 불법행위로 인하여 손해배상의무를 지는 것은 그 대표자의 직무에 관한 행위로 인하여 손해가 발생한 것임을 요한다 할 것이나, 그 직무에 관한 것이라는 의미는 행위의 외형상 법인의 대표자의 직무행위라고 인정할 수 있는 것이라면 설사 그것이 대표자 개인의 사리를 도모하기 위한 것이었거나 혹은 법령의 규정에 위배된 것이었다 하더라도 위의 직무에 관한 행위에 해당한다고 보아야 한다(대판 2004.2.27, 2003다15280). 즉 대표기관이 개인적인 목적으로 권한을 남용하거나 부정한 대표행위를 한 경우에도 법인은 제35조에 의한 책임이 인정된다.

⑤ 법인의 대표자의 행위가 직무에 관한 행위에 해당하지 아니함을 피해자 자신이 알았거나 또는 중대한 과실로 인하여 알지 못한 경우에는 법인에게 손해배상책임을 물을 수 없다(대판 2004.3.26, 2003다34045).

→ 대표기관의 행위가 직무집행에 관한 것이 아니라는 점에 대하여 상대방이 선의이면 중대한 과실이 있더라도 법인의 불법행위책임이 인정된다.(×)

08 법인의 불법행위능력에 대한 다음의 설명 중 가장 적절하지 않은 것은? (다툼이 있는 경우 판례에 의함)

① 법인은 그 대표자가 그 직무집행에 관하여 타인에게 가한 손해를 배상할 책임이 있고, 이 경우 그 대표자 개인의 배상책임이 소멸하는 것은 아니며, 법인과 대표자 개인의 손해배상책임은 일반적으로 부진정 연대채무관계에 있는 것으로 해석된다.

② 법인에 대한 손해배상책임원인이 대표기관의 고의적인 불법행위라고 하여도, 피해자에게 그 불법행위 내지 손해발생에 과실이 있다면 법원은 과실상계의 법리에 좇아 손해배상의 책임 및 그 금액을 정함에 있어 이를 참작하여야 한다.

③ 행위의 외형상 법인의 대표자의 직무행위라고 인정할 수 있는 것이라면 설사 그것이 대표자 개인의 사리를 도모하기 위한 것이었거나 혹은 법령의 규정에 위배된 것이었다 하더라도 직무행위에 해당한다.

④ 법인은 대표자의 선임과 감독에 과실이 없음을 입증하여도 그 책임을 면할 수 없으나, 불법행위를 한 대표자에게 구상을 할 수 있다.

⑤ 법인의 불법행위로 인정되는 것은 대표기관의 행위에 한하며, 여기서 대표기관이란 감사나 임의대리인도 포함되므로 이들의 불법행위에 대하여 법인은 손해를 배상할 책임이 있다.

해설
① 제35조 제1항【법인의 불법행위능력】법인은 이사 기타 대표자가 그 직무에 관하여 타인에게 가한 손해를 배상할 책임이 있다. 이사 기타 대표자는 이로 인하여 자기의 손해배상책임을 면하지 못한다.

따라서 이사 기타 대표자도 법인과 경합하여 피해자에게 배상책임을 지며, 그 성질은 부진정 연대채무로 해석함이 통설이다.

② 법인은 피해자에게 무과실 손해배상책임을 진다. 법인에 대한 손해배상책임원인이 대표기관의 고의적인 불법행위라고 하여도, 피해자에게 그 불법행위 내지 손해발생에 과실이 있다면 법원은 과실상계의 법리에 좇아 손해배상의 책임 및 그 금액을 정함에 있어 이를 참작하여야 한다(대판 1987.12.8, 86다카1170).

③ 행위의 외형상 법인의 대표자의 직무행위라고 인정할 수 있는 것이라면 설사 그것이 대표자 개인의 사리를 도모하기 위한 것이었거나 혹은 법령의 규정에 위배된 것이었다 하더라도 직무행위에 해당한다(대판 1969.8.26, 68다2320).

④ 법인은 피해자에게 무과실 손해배상책임을 진다. 따라서 법인은 대표자의 선임과 감독에 과실이 없음을 입증하여도 그 책임을 면할 수 없다. 또한 법인이 피해자에게 배상을 하면 법인은 기관개인에 대하여 구상권을 행사할 수 있다.

⑤ 이사 외의 기타 대표자에 임시이사, 특별대리인, 청산인, 직무대행자가 있다. 민법 제35조에서 말하는 '이사 기타 대표자'는 법인의 대표기관을 의미하는 것이고 대표권이 없는 이사는 법인의 기관이기는 하지만 대표기관은 아니기 때문에 그들의 행위로 인하여 법인의 불법행위는 성립하지 않는다(대판 2005.12.23, 2003다30159). 따라서 대표기관이 아닌 자, 예컨대 감사의 행위에 관하여는 법인의 불법행위는 성립될 수 없고, 이사가 제62조에 의하여 특정행위에 관하여 선임한 대리인이나 이사로부터 일정한 대리권이 부여된 지배인의 불법행위에 관하여도 제35조 제1항의 법인의 불법행위는 성립되지 않는다. 다만 민법 제756조 제1항의 사용자책임이 성립될 수 있을 뿐이다(통설).

정답 08 ⑤

09 **법인의 불법행위능력에 관한 다음 설명 중 가장 옳지 않은 것은?** (다툼이 있는 경우 판례에 의함)

▶ 2016년 법무사

① 민법 제35조 제1항은 '법인은 이사 기타 대표자가 그 직무에 관하여 타인에게 가한 손해를 배상할 책임이 있다.'라고 규정하고 있는바, 여기서 '법인의 대표자'에는 그 명칭이나 직위 여하, 또는 대표자로 등기되었는지 여부를 불문하고 당해 법인을 실질적으로 운영하면서 법인을 사실상 대표하여 법인의 사무를 집행하는 사람을 포함한다고 해석함이 타당하다.

② 법인의 목적범위 외의 행위로 인하여 타인에게 손해를 가한 때에는 그 사항의 의결에 찬성하거나 그 의결을 집행한 사원, 이사 및 기타 대표자가 연대하여 배상하여야 한다.

③ 비법인사단의 대표자의 행위가 대표자 개인의 사리를 도모하기 위한 것이었거나 또는 법령의 규정에 위배된 것이었다고 하더라도 외관상, 객관적으로 직무에 관한 행위라고 인정할 수 있다면 민법 제35조 제1항의 직무에 관한 행위에 해당한다고 할 것이나, 그 대표자의 행위가 직무에 관한 행위에 해당하지 아니함을 피해자 자신이 알았거나 또는 과실(중과실, 경과실을 불문한다)로 인하여 알지 못한 경우에는 비법인사단에게 손해배상 책임을 물을 수 없다.

④ 재개발조합의 대표기관의 직무상 불법행위로 조합에게 과다한 채무를 부담하게 함으로써 재개발조합이 손해를 입고 결과적으로 조합원의 경제적 이익이 침해되는 손해와 같은 간접적인 손해는 민법 제35조에서 말하는 손해의 개념에 포함되지 않으므로 이에 대하여는 위 법 조항에 의하여 손해배상을 청구할 수 없다.

⑤ 민법 제35조에서 말하는 '이사 기타 대표자'는 법인의 대표기관을 의미하는 것이고, 대표권이 없는 이사는 법인의 기관이기는 하지만 대표기관은 아니기 때문에 그들의 행위로 인하여 법인의 불법행위가 성립하지 않는다.

해설 ① 민법 제35조 제1항은 "법인은 이사 기타 대표자가 그 직무에 관하여 타인에게 가한 손해를 배상할 책임이 있다."라고 정한다. 여기서 '법인의 대표자'에는 그 명칭이나 직위 여하, 또는 대표자로 등기되었는지 여부를 불문하고 당해 법인을 실질적으로 운영하면서 법인을 사실상 대표하여 법인의 사무를 집행하는 사람을 포함한다고 해석함이 상당하다. 그리고 이러한 법리는 주택조합과 같은 비법인사단에도 마찬가지로 적용된다(대판 2011.4.28, 2008다15438).

② 제35조 제2항【법인의 불법행위능력】법인의 목적범위 외의 행위로 인하여 타인에게 손해를 가한 때에는 그 사항의 의결에 찬성하거나 그 의결을 집행한 사원, 이사 및 기타 대표자가 연대하여 배상하여야 한다.

③ 비법인사단의 대표자가 직무에 관하여 타인에게 손해를 가한 경우 그 사단은 민법 제35조 제1항의 유추적용에 의하여 그 손해를 배상할 책임이 있고, 비법인사단의 대표자의 행위가 대표자 개인의 사리를 도모하기 위한 것이었거나 혹은 법령의 규정에 위배된 것이었다 하더라도 외관상, 객관적으로 직무에 관한 행위라고 인정할 수 있다면 민법 제35조 제1항의 직무에 관한 행위에 해당한다 할 것이나, 한편 그 대표자의 행위가 직무에 관한 행위에 해당하지 아니함을 피해자 자신이 알았거나 또는 중대한 과실로 인하여 알지 못한 경우에는 비법인사단에게 손해배상책임을 물을 수 없다(대판 2008.1.18, 2005다34711). 따라서 경과실로 인한 경우에는 손해배상책임을 물을 수 있다.

PART 01

④ 도시재개발법에 의하여 설립된 재개발조합의 조합원이 조합의 이사 기타 조합장 등 대표기관의 직무상의 불법행위로 인하여 직접 손해를 입은 경우에는 도시재개발법 제21조, 민법 제35조에 의하여 재개발조합에 대하여 그 손해배상을 청구할 수 있으나, 재개발조합의 대표기관의 직무상 불법행위로 조합에게 과다한 채무를 부담하게 함으로써 재개발조합이 손해를 입고 결과적으로 조합원의 경제적 이익이 침해되는 손해와 같은 간접적인 손해는 민법 제35조에서 말하는 손해의 개념에 포함되지 아니하므로 이에 대하여는 위 법 조항에 의하여 손해배상을 청구할 수 없다(대판 1999.7.27, 99다19384).

⑤ 민법 제35조에서 말하는 '이사 기타 대표자'는 법인의 대표기관을 의미하는 것이고, 대표권이 없는 이사는 법인의 기관이기는 하지만 대표기관은 아니기 때문에 그들의 행위로 인하여 법인의 불법행위가 성립하지 않는다(대판 2005.12.23, 2003다30159).

10 법인의 불법행위능력에 관한 다음 설명 중 가장 옳지 않은 것은? (다툼이 있는 경우 판례에 의함)

▶ 2019년 법원주사보

① 법인의 목적범위 외의 행위로 인하여 타인에게 손해를 가한 때에는 그 사항의 의결에 찬성하거나 그 의결을 집행한 사원, 이사 및 기타 대표자가 연대하여 배상하여야 한다.

② 민법 제35조에서 말하는 이사 기타 대표자는 법인의 대표기관을 의미하며, 이사에 의하여 선임된 특정 행위에 대한 대리인, 지배인, 사원총회, 감사 등은 대표기관에 해당하지 않는다.

③ 대표권이 없는 이사의 행위에 의하여도 민법 제35조 제1항의 불법행위가 성립한다.

④ 법인의 대표기관이 직무에 관하여 손해를 가한 경우인 한, 권한을 남용하여 부정한 행위를 한 경우 또는 강행규정을 위반한 경우에도 제35조 제1항에 의한 불법행위책임이 인정된다.

해설

① 제35조 제2항 【법인의 불법행위능력】 법인의 목적범위 외의 행위로 인하여 타인에게 손해를 가한 때에는 그 사항의 의결에 찬성하거나 그 의결을 집행한 사원, 이사 및 기타 대표자가 연대하여 배상하여야 한다.

② 민법 제35조에서 말하는 이사 기타 대표자는 법인의 대표기관을 의미하며, 이사에 의하여 선임된 특정 행위에 대한 대리인, 지배인, 사원총회, 감사 등은 대표기관에 해당하지 않는다. 이사가 제62조에 의하여 특정행위에 관하여 선임한 대리인이나 이사로부터 일정한 대리권이 부여된 지배인의 불법행위에 관하여는 제35조 제1항의 법인의 불법행위는 성립되지 않고, 민법 제756조 제1항의 사용자책임이 성립될 수 있을 뿐이다.

③ 민법 제35조에서 말하는 '이사 기타 대표자'는 법인의 대표기관을 의미하는 것이고 대표권이 없는 이사는 법인의 기관이기는 하지만 대표기관은 아니기 때문에 그들의 행위로 인하여 법인의 불법행위는 성립하지 않는다(대판 2005.12.23, 2003다30159).

④ 대표기관이 개인적인 목적으로 권한을 남용하거나 부정한 대표행위를 한 경우 또는 법령의 규정에 위반한 행위를 한 경우에도 외관상・객관적으로 직무에 관한 행위라고 인정할 수 있는 것이라면 법인은 제35조 제1항에 의한 책임이 인정된다(대판 2003.7.25, 2002다27088 등).

정답 09 ③ 10 ③

11 법인의 기관에 관한 설명 중 가장 옳지 않은 것은? (다툼이 있는 경우 판례에 의함)

▶ 2014년 법무사

① 이사는 정관이나 총회의 결의로 금지되지 않은 이상 타인으로 하여금 포괄적 대리를 하게 할 수 있다.

② 법인 대표권의 제한에 관한 규정이 등기되어 있지 않다면 법인은 그 정관 규정에 대하여 악의인 제3자에 대하여도 대항할 수 없다.

③ 이사는 법인의 사무에 관하여 법인을 각자 대표함이 원칙이다.

④ 사단법인의 이사장 직무대행자가 개인의 입장에서 사단법인을 상대로 소송을 하는 것은 이익상반 사항이다.

⑤ 일부 종중원에 대한 소집통지를 결여한 종중총회 결의는 무효이다.

해설 ① 이사는 정관 또는 총회의 결의로 금지하지 아니한 사항에 한하여 타인으로 하여금 특정한 행위를 대리하게 할 수 있다(제62조).

② 이사의 대표권에 대한 제한은 등기하지 아니하면 제3자에게 대항하지 못한다(제60조). 여기서 등기되지 않은 경우 대항할 수 없는 제3자의 범위가 문제되는데, 판례는 등기하면 선의의 제3자에게 대항할 수 있으나, 등기하지 않으면 악의의 제3자에게도 대항할 수 없다는 입장이다. 법인의 정관에 법인 대표권의 제한에 관한 규정이 있으나 그와 같은 취지가 등기되어 있지 않다면 법인은 그와 같은 정관의 규정에 대하여 선의냐 악의냐에 관계없이 제3자에 대하여 대항할 수 없다(대판 1992.2.14, 91다24564).

③ 이사는 법인의 사무에 관하여 각자 법인을 대표한다. 그러나 정관에 규정한 취지에 위반할 수 없고 특히 사단법인은 총회의 의결에 의하여야 한다(제59조 제1항).

④ 사단법인의 이사장 직무대행자가 개인의 입장에서 사단법인을 상대로 소송을 하는 것은 이익상반행위가 된다.
이사장 등 직무집행정지가처분에 의하여 선임된 사단법인의 이사장 직무대행자는 위 법인에 대하여 이사와 유사한 권리의무와 책임을 부담하므로, 위 법인과의 사이에 이익이 상반하는 사항에 관하여는 민법 제64조가 준용되고, 위 법인의 이사장 직무대행자가 개인의 입장에서 원고가 되어 법인을 상대로 소송을 하는 경우에는 민법 제64조가 규정하는 이익상반 사항에 해당함이 분명하다(대판 2003.5.27, 2002다69211).

⑤ 종중총회는 특별한 사정이 없는 한 족보에 의하여 소집통지 대상이 되는 종중원의 범위를 확정한 후 국내에 거주하여 소재가 분명하여 연락통지가 가능한 모든 종중원에게 개별적으로 소집통지를 함으로써 각자가 회의와 토의와 의결에 참가할 수 있는 기회를 주어야 하고, 일부 종중원에게 소집통지를 결여한 채 개최된 종중총회의 결의는 효력이 없으나, 그 소집통지의 방법은 반드시 직접 서면으로 하여야만 하는 것은 아니고 구두 또는 전화로 하여도 되고 다른 종중원이나 세대주를 통하여 하여도 무방하다(대판 2000.2.25, 99다20155).

12 **법인에 관한 다음 설명 중 틀린 것은?**

① 이사가 수인인 경우에는 정관에 다른 규정이 없으면 법인의 사무집행은 이사의 과반수로써 결정한다.

② 이사는 법인의 사무에 관하여 각자 법인을 대표한다.

③ 이사는 정관 또는 총회의 결의로 금지하지 아니한 사항에 한하여 타인으로 하여금 특정한 행위를 대리하게 할 수 있다.

④ 사단법인의 정관은 원칙적으로 총사원 3분의 2 이상의 동의가 있는 때에 한하여 이를 변경할 수 있다.

⑤ 사단법인의 정관변경은 주무관청의 허가를 얻지 않더라도 그 효력이 있다.

해설 ① 제58조 제2항 【이사의 사무집행】 이사가 수인인 경우에는 정관에 다른 규정이 없으면 법인의 사무집행은 이사의 과반수로써 결정한다.
→ 이사가 수인인 경우에는 정관에 다른 규정이 없으면 이사의 3분의 2 이상의 찬성으로 법인의 사무집행을 결정한다.(×)

② 제59조 제1항 【이사의 대표권】 이사는 법인의 사무에 관하여 각자 법인을 대표한다. 그러나 정관에 규정한 취지에 위반할 수 없고 특히 사단법인은 총회의 의결에 의하여야 한다.

③ 제62조 【이사의 대리인선임】 이사는 정관 또는 총회의 결의로 금지하지 아니한 사항에 한하여 타인으로 하여금 특정한 행위를 대리하게 할 수 있다.

④, ⑤ 제42조 【사단법인의 정관의 변경】
① 사단법인의 정관은 총사원 3분의 2 이상의 동의가 있는 때에 한하여 이를 변경할 수 있다. 그러나 정수에 관하여 정관에 다른 규정이 있는 때에는 그 규정에 의한다.
② 정관의 변경은 주무관청의 허가를 얻지 아니하면 그 효력이 없다.
→ 사단법인의 정관은 총사원 4분의 3 이상의 동의가 있는 때에 한하여 이를 변경할 수 있다.(×)

13 법인에 관한 다음 설명 중 가장 옳은 것은?

① 사단법인은 정관에 다른 규정이 없는 한 총사원 3분의 2 이상의 동의가 없으면 해산을 결의하지 못한다.

② 이사의 대표권에 대한 제한은 이를 정관에 기재하지 않더라도 악의의 제3자에 대해서는 효력이 있다.

③ 유언으로 재단법인을 설립한 때에는 출연재산은 법인이 성립된 때로부터 법인에 귀속한 것으로 본다.

④ 법인과 이사의 이익이 상반하는 사항에 관하여는 이사는 대표권이 없다. 이 경우에는 임시이사를 선임하여야 한다.

⑤ 이사가 그 임무를 해태한 때에는 그 이사는 법인에 대하여 연대하여 손해배상의 책임이 있다.

> **해설**
>
> ① 제78조【사단법인의 해산결의】사단법인은 총사원 4분의 3 이상의 동의가 없으면 해산을 결의하지 못한다. 그러나 정관에 다른 규정이 있는 때에는 그 규정에 의한다.
>
> ② 제41조【이사의 대표권에 대한 제한】이사의 대표권에 대한 제한은 이를 정관에 기재하지 아니하면 그 효력이 없다.
>
> ③ 제48조 제2항【출연재산의 귀속시기】유언으로 재단법인을 설립하는 때에는 출연재산은 유언의 효력이 발생한 때로부터 법인에 귀속한 것으로 본다.
>
> ④ 제64조【특별대리인의 선임】법인과 이사의 이익이 상반하는 사항에 관하여는 이사는 대표권이 없다. 이 경우에는 전조의 규정에 의하여 특별대리인을 선임하여야 한다.
> 제63조【임시이사의 선임】이사가 없거나 결원이 있는 경우에 이로 인하여 손해가 생길 염려가 있는 때에는 법원은 이해관계인이나 검사의 청구에 의하여 임시이사를 선임하여야 한다.
>
> ⑤ 제65조【이사의 임무해태】이사가 그 임무를 해태한 때에는 그 이사는 법인에 대하여 연대하여 손해배상의 책임이 있다.

14 사단법인에 관한 다음 설명 중 가장 옳지 않은 것은? (다툼이 있는 경우 판례에 의함)

① 사단법인의 사원의 지위는 양도할 수 없고 상속할 수도 없다. 다만 정관에 의하여 이를 인정하고 있을 때에는 허용된다.

② 총회에서의 각 사원의 결의권은 평등하며 정관에 이와 다른 규정을 둘 수 없다.

③ 사단법인의 총회에서 사원은 서면이나 대리인으로 결의권을 행사할 수 있고, 그 경우 당해 사원은 출석한 것으로 한다.

④ 사단법인과 어느 사원과의 관계사항을 의결하는 경우에는 그 사원은 결의권이 없다.

⑤ 사단법인의 총회는 소집통지에 의해 통지한 사항에 관하여서만 결의할 수 있으나, 정관으로 이와 달리 정할 수도 있다.

해설 ① 사단법인의 사원의 지위는 양도 또는 상속할 수 없다고 한 민법 제56조의 규정은 강행규정은 아니라고 할 것이므로, 정관에 의하여 이를 인정하고 있을 때에는 양도·상속이 허용된다 (대판 1992.4.14, 91다26850).

②, ③ 제73조【사원의 결의권】
① 각사원의 결의권은 평등으로 한다.
② 사원은 서면이나 대리인으로 결의권을 행사할 수 있다.
③ 전2항의 규정은 정관에 다른 규정이 있는 때에는 적용하지 아니한다.
→ 정관으로 각 사원의 결의권을 불평등하게 정할 수 있다.(○)
제75조【총회의 결의방법】
① 총회의 결의는 본법 또는 정관에 다른 규정이 없으면 사원과반수의 출석과 **출석사원의 결의권의 과반수**로써 한다.
② 제73조 제2항의 경우에는 당해사원은 출석한 것으로 본다.

④ 제74조【사원이 결의권 없는 경우】사단법인과 어느 사원과의 관계사항을 의결하는 경우에는 그 사원은 결의권이 없다.

⑤ 제72조【총회의 결의사항】총회는 전조의 규정에 의하여 통지한 사항에 관하여서만 결의할 수 있다. 그러나 정관에 다른 규정이 있는 때에는 그 규정에 의한다.

15 권리능력 없는 사단에 관한 설명으로 옳지 않은 것은? (다툼이 있는 경우에는 판례에 의함)

① 권리능력 없는 사단도 그 명의로 등기할 수 있다.
② 권리능력 없는 사단의 사원은 총유물에 대한 지분권을 갖지 못한다.
③ 권리능력 없는 사단의 사원의 지위는 달리 정함이 없는 한 양도할 수 없다.
④ 달리 정함이 없는 한 권리능력 없는 사단의 대표자가 총회의 결의 없이 행한 총유물의 처분에 대해서는 권한을 넘은 표현대리에 관한 제126조의 규정이 준용된다.
⑤ 권리능력 없는 사단에 대하여는 사단법인에 관한 민법규정 가운데서 법인격을 전제로 하는 것을 제외하고는 이를 유추적용한다.

해설 ① 부동산등기법 제26조 제1항【법인 아닌 사단 등의 등기신청】종중, 문중, 그 밖에 대표자나 관리인이 있는 법인 아닌 사단이나 재단에 속하는 부동산의 등기에 관하여는 그 사단이나 재단을 등기권리자 또는 등기의무자로 한다.

② 권리능력 없는 사단의 소유관계는 총유이다(제275조 제1항). 총유의 경우에는 공유 또는 합유와 달리 지분이 인정되지 않는다.

③ 사단법인의 사원의 지위는 양도 또는 상속할 수 없다고 규정한 민법 제56조의 규정은 강행규정이라고 할 수 없으므로, 비법인사단에서도 사원의 지위는 규약이나 관행에 의하여 양도 또는 상속될 수 있다(대판 1997.9.26, 95다6205).

④ 비법인사단인 피고 주택조합의 대표자가 조합총회의 결의를 거쳐야 하는 조합원 총유에 속하는 재산의 처분에 관하여는 조합원 총회의 결의를 거치지 아니하고는 이를 대리하여 결정할 권한이 없다 할 것이어서 피고 주택조합의 대표자가 행한 총유물인 이 사건 건물의 처분

행위에 관하여는 민법 제126조의 표현대리에 관한 규정이 준용될 여지가 없다 할 것이다 (대판 2003.7.11, 2001다73626).

⑤ 권리능력 없는 사단은 법인등기를 하지 않았을 뿐 법인의 실질을 갖고 있는 것이므로 사단법인에 관한 민법의 규정 중에서 법인격을 전제로 하는 것을 제외하고는 법인격 없는 사단에 유추적용해야 한다. 따라서 사단의 권리능력, 행위능력, 대표기관의 권한과 그 대표의 형식, 사단의 불법행위능력 등은 사단법인의 규정을 유추적용한다. 그러나 비법인사단의 경우에는 대표자의 대표권 제한에 관하여 등기할 방법이 없어 민법 제60조의 규정을 준용할 수 없다 (대판 2003.7.22, 2002다64780).

16 법인에 관한 설명 중 옳지 않은 것은? (다툼이 있는 경우에는 판례에 의함)

① 재단법인의 기본재산의 변경은 정관의 변경을 초래하기 때문에 주무관청의 허가를 받아야 하는데, 기존의 기본재산을 처분하는 행위는 물론 새로이 기본재산으로 편입하는 행위도 주무관청의 허가가 있어야 유효하다.

② 총유재산의 보존행위로서 소를 제기하는 경우, 법인 아닌 사단의 구성원 중 1인에 불과한 甲은 설령 그가 사단의 대표자이거나 사원총회의 결의를 거쳤더라도 그 소송의 당사자가 될 수 없다.

③ 설립자가 그 소유의 부동산을 출연하여 재단법인을 설립하는 경우, 설립등기가 경료되었더라도 그 부동산에 관하여 재단법인 명의의 등기가 경료되기 전이라면, 설립자의 채권자가 그 부동산에 관하여 신청한 강제집행에 대하여 재단법인은 제3자이의의 소를 제기할 수 없다.

④ 법인 아닌 사단에서 이사의 대표권에 대한 제한이 정관에 기재되어 있는 경우, 그 대표권의 제한은 악의의 제3자에 대해서는 대항할 수 있지만, 선의의 제3자에 대해서는 그에게 과실이 있더라도 대항할 수 없다.

⑤ 사단법인의 정관에 그 정관을 변경할 수 없다는 규정이 있더라도 총사원의 동의로 정관을 변경할 수 있다.

해설 ① 재단법인의 기본재산의 변경은 정관의 변경을 초래하기 때문에 주무관청의 허가를 받아야 하는데, 기존의 기본재산을 처분하는 행위는 물론 새로이 기본재산으로 편입하는 행위도 주무관청의 허가가 있어야 유효하다(대판 1982.9.28, 82다카499).

② 총유재산의 보존행위로서 소를 제기하는 경우, 법인 아닌 사단의 대표자가 법인 아닌 사단을 대표하여 소송을 수행하여야 한다. 즉 당사자는 법인 아닌 사단이 되어야 한다. 따라서 구성원 중 1인에 불과한 甲은 설령 그가 사단의 대표자이거나 사원총회의 결의를 거쳤더라도 그 소송의 당사자가 될 수 없다(대판(전합) 2005.9.15, 2004다44971).

③ 설립자가 그 소유의 부동산을 출연하여 재단법인을 설립하는 경우, 설립등기가 경료되었더라도 그 부동산에 관하여 재단법인 명의의 등기가 경료되기 전이라면, 대내적 관계에서 재단법인소유라고 하더라도 대외적 관계에서는 등기를 하여야 대항할 수 있으므로(대판(전합) 1979.12.11, 78다481), 따라서 설립자의 채권자가 그 부동산에 관하여 신청한 강제집행에 대하여 재단법인은 소유자로서 강제집행하는 자에게 제3자이의의 소를 제기할 수 없게 되는 것이다.

④ "법인 아닌 사단"에서 이사의 대표권에 대한 제한이 정관에 기재되어 있는 경우, 그 대표권 제한의 효력은 있으나 이를 등기를 할 수 없고, 선의의 제3자라 하여도 과실이 있으면 그에게 대항할 수 있다고 보아야 한다. 따라서 과실이 있는 경우에 대항할 수 없다고 한 것이 부당하다(대판 2003.7.22, 2002다64780).

⑤ 사단법인은 재단법인과는 달리 자율적 단체이기 때문에 사단법인의 정관에 그 정관을 변경할 수 없다는 규정이 있더라도 총사원의 동의로 정관을 변경할 수 있다.

17 법인에 관한 설명 중 옳지 않은 것은? (다툼이 있는 경우 판례에 의함) ▶ 2016년 사법시험

① 대표이사가 대표권의 범위 내에서 한 행위라면 회사의 영리목적과 관계없이 자기 또는 제3자의 이익을 도모할 목적으로 그 권한을 남용한 것이라 할지라도 일단 회사의 행위로서 유효하다.

② 총유재산은 공유나 합유의 경우와는 달리 보존행위라도 구성원 각자가 할 수 없음이 원칙이나, 법인 아닌 사단의 대표자는 사원총회의 결의를 거쳤다면 총유재산에 관한 소송의 당사자가 될 수 있다.

③ 재단법인이 정관에 정하여진 변경방법에 따라 정관을 변경하더라도 주무관청의 허가를 얻지 아니하면 그 효력이 없다.

④ 법인이 청산하는 경우 청산종결등기는 창설적 효력이 있는 것이 아니라 대항요건에 불과하다.

⑤ 법인 아닌 사단의 총유물의 관리 및 처분행위에 대해 정관에 달리 정한 바가 없으면 사원총회의 결의를 요하며, 비록 대표자에 의한 총유물의 처분이라도 위와 같은 절차를 거치지 않은 처분행위는 무효이다.

해설 ① 대표권남용이다(대판 1987.10.13, 86다카1522).
② 총유재산에 관한 소송은 법인 아닌 사단이 그 명의로 사원총회의 결의를 거쳐 하거나 또는 그 구성원 전원이 당사자가 되어 필수적 공동소송의 형태로 할 수 있을 뿐 그 사단의 구성원은 설령 그가 사단의 대표자라거나 사원총회의 결의를 거쳤다 하더라도 그 소송의 당사자가 될 수 없고, 이러한 법리는 총유재산의 보존행위로서 소를 제기하는 경우에도 마찬가지라 할 것이다(대판(전합) 2005.09.15, 2004다44971).
③ 재단법인의 기본재산의 처분은 정관변경을 요하는 것이므로 주무관청의 허가가 없으면 그 처분행위는 물권계약으로 무효일 뿐 아니라 채권계약으로서도 무효이다(대판 1974.6.11, 73다1975).
④ 법인의 설립등기 외의 다른 등기는 대항요건이다(제54조 참조).
⑤ 대판 2014.2.13, 2012다112299 등

정답 ▶ 16 ④ 17 ②

민법 객관식 문제집

18 법인에 관한 다음 설명 중 가장 옳지 않은 것은? (다툼이 있는 경우 판례에 의함)

▸ 2018년 9급(법원서기보)

① 법원의 직무집행정지 가처분결정에 의하여 회사를 대표할 권한이 정지된 대표이사가 그 정지기간 중에 체결한 계약은 원칙적으로 무효이나, 그 후 가처분 신청의 취하에 의하여 보전집행이 취소된 경우 집행의 효력은 소급적으로 소멸하므로 대표이사가 앞서 체결한 계약은 유효하게 된다.

② 법인의 정관에 법인대표권의 제한에 관한 규정이 있으나 그와 같은 취지가 등기되어 있지 않다면 법인은 그와 같은 정관의 규정에 대하여 선의냐 악의냐에 관계없이 제3자에 대하여 대항할 수 없다.

③ 민법상 법인의 이사회 결의에 무효사유가 있는 경우에는 이해관계인은 언제든지 또 어떤 방법에 의하든지 그 무효를 주장할 수 있다.

④ 재단법인의 기본재산의 변경은 정관의 변경을 초래하기 때문에 주무관청의 허가를 받아야 하는데, 기존의 기본재산을 처분하는 행위는 물론 새로이 기본재산으로 편입하는 행위도 주무관청의 허가가 있어야 유효하다.

해설 ① 법원의 직무집행정지 가처분결정에 의해 회사를 대표할 권한이 정지된 대표이사가 그 정지기간 중에 체결한 계약은 절대적으로 무효이고, 그 후 가처분신청의 취하에 의하여 보전집행이 취소되었다 하더라도 집행의 효력은 장래를 향하여 소멸할 뿐 소급적으로 소멸하는 것은 아니라 할 것이므로, 가처분신청이 취하되었다 하여 무효인 계약이 유효하게 되지는 않는다 (대판 2008.5.29, 2008다4537).

② 법인의 정관에 법인 대표권의 제한에 관한 규정이 있으나 그와 같은 취지가 등기되어 있지 않다면 법인은 그와 같은 정관의 규정에 대하여 선의냐 악의냐에 관계없이 제3자에 대하여 대항할 수 없다(대판 1992.2.14, 91다24564).

③ 민법상 법인의 이사회의 결의에 하자가 있는 경우에 관하여 법률에 별도의 규정이 없으므로 그 결의에 무효사유가 있는 경우에는 이해관계인은 언제든지 또 어떤 방법에 의하든지 그 무효를 주장할 수 있다고 할 것이지만, 이와 같은 무효주장의 방법으로서 이사회 결의무효확인소송이 제기되어 승소확정판결이 난 경우, 그 판결의 효력은 위 소송의 당사자 사이에서만 발생하는 것이지 대세적 효력이 있다고 볼 수는 없다(대판 2000.1.28, 98다26187).

④ 재단법인의 기본재산의 변경은 정관의 변경을 초래하기 때문에 주무관청의 허가를 받아야 하는데, 기존의 기본재산을 처분하는 행위는 물론 새로이 기본재산으로 편입하는 행위도 주무관청의 허가가 있어야 유효하다(대판 1982.9.28, 82다카499).

19 법인의 이사에 관한 다음 설명 중 가장 옳지 않은 것은? (다툼이 있는 경우 판례에 의함)

▶ 2017년 법원사무관 승진

① 법인과 이사의 법률관계는 신뢰를 기초로 한 위임 유사의 관계이고, 위임계약은 원래 해지의 자유가 인정되어 쌍방 누구나 정당한 이유 없이도 언제든지 해지할 수 있으며, 다만 불리한 시기에 부득이한 사유 없이 해지한 경우에 한하여 상대방에게 그로 인한 손해배상책임을 질 뿐이다.

② 법인의 정관에 법인 대표권의 제한에 관한 규정이 있으나 그와 같은 취지가 등기되어 있지 않은 경우에도 악의의 제3자를 보호할 이유가 없으므로 악의의 제3자에게는 대항할 수 있고, 선의의 제3자에게만 대항할 수 없다.

③ 사임한 이사에게 직무수행권을 인정하는 것은 그 사임한 이사가 아니고서는 법인이 정상적인 활동을 중단할 수밖에 없는 급박한 사정이 있는 경우에 한정되는 것이고, 아직 임기가 만료되지 않거나 사임하지 아니한 다른 이사들로써 정상적인 법인의 활동을 할 수 있는 경우에는 사임한 이사에게 직무를 계속 행사하게 할 필요는 없다.

④ 민법 제64조에서 말하는 법인과 이사의 이익이 상반하는 사항은 법인과 이사가 직접 거래의 상대방이 되는 경우뿐 아니라, 이사의 개인적 이익과 법인의 이익이 충돌하고 이사에게 선량한 관리자로서의 의무 이행을 기대할 수 없는 사항은 모두 포함한다고 할 것이고, 형식상 전혀 별개의 법인 대표를 겸하고 있는 자가 양쪽 법인을 대표하여 계약을 체결하는 경우는 쌍방대리로서 특별한 사정이 없는 이상 이사의 개인적 이익과 법인의 이익이 충돌할 염려가 있는 경우에 해당한다.

해설 ① 법인과 이사의 법률관계는 신뢰를 기초로 한 위임 유사의 관계이고, 위임계약은 원래 해지의 자유가 인정되어 쌍방 누구나 정당한 이유 없이도 언제든지 해지할 수 있으며, 다만 불리한 시기에 부득이한 사유 없이 해지한 경우에 한하여 상대방에게 그로 인한 손해배상책임을 질 뿐이다(대판 2014.1.17, 2013마1801).

② 법인의 정관에 법인 대표권의 제한에 관한 규정이 있으나 그와 같은 취지가 등기되어 있지 않다면 법인은 그와 같은 정관의 규정에 대하여 선의냐 악의냐에 관계없이 제3자에 대하여 대항할 수 없다(대판 1992.2.14, 91다24564).

③ 민법상의 법인에 있어 이사의 전원 또는 일부의 임기가 만료되었거나 사임하였음에도 불구하고 그의 후임 이사의 선임이 없는 경우에는 그 임기만료되거나 사임한 구이사로 하여금 법인의 업무를 수행케 함이 부적당하다고 인정될 만한 특별한 사정이 없는 한 구이사는 신임 이사가 선임될 때까지 그의 종전의 직무를 수행할 수 있지만, 임기가 만료되거나 사임한 이사의 그와 같은 업무수행권은 그 이사가 아니고서는 법인이 정상적인 활동을 중단할 수밖에 없는 급박한 사정이 있는 경우에 한정되는 것이므로, 아직 임기가 만료되지 않거나 사임하지 않은 다른 이사들로서 정상적인 법인의 활동을 할 수 있는 경우에는 구태여 임기가 만료되거나 사임한 이사로 하여금 이사로서의 직무를 계속 행사케 할 필요는 없고, 따라서 그와 같은 경우에는 그 이사는 임기만료나 사임으로 당연히 퇴임한다(대판 1996.12.23, 95다40038).

정답 18 ① 19 ②

④ 민법 제64조에서 말하는 법인과 이사의 이익이 상반하는 사항은 법인과 이사가 직접 거래의 상대방이 되는 경우뿐 아니라, 이사의 개인적 이익과 법인의 이익이 충돌하고 이사에게 선량한 관리자로서의 의무 이행을 기대할 수 없는 사항은 모두 포함한다고 할 것이고, 이 사건과 같이 형식상 전혀 별개의 법인 대표를 겸하고 있는 자가 양쪽 법인을 대표하여 계약을 체결하는 경우는 쌍방대리로서 특별한 사정이 없는 이상 이사의 개인적 이익과 법인의 이익이 충돌할 염려가 있는 경우에 해당한다고 볼 것이다(대판 2013.11.28. 2010다9183).

20 민법상 법인에 관한 다음 설명 중 가장 옳지 않은 것은? (다툼이 있는 경우 판례에 의함)
▶ 2017년 법무사

① 재단법인의 설립을 위하여 서면으로 재산을 출연한 경우에도 출연자는 착오를 이유로 출연의 의사표시를 취소할 수 있다.
② 유언으로 부동산을 출연하여 재단법인을 설립하는 경우, 재단법인이 그 부동산에 관한 소유권이전등기를 마치지 아니하였다면 유언자의 상속인으로부터 부동산을 취득하여 이전등기를 마친 선의의 제3자에게 대항할 수 없다.
③ 甲회사가 乙회사의 채권자에 대하여 乙회사와는 별개의 법인격을 가지는 회사라는 주장을 하는 것이 신의성실의 원칙에 반하거나 법인격을 남용하는 것으로 인정되는 경우에도 乙회사에 대한 판결의 기판력 및 집행력의 범위를 甲회사에까지 확장하는 것은 허용되지 아니한다.
④ 법인의 정관에 법인 대표권의 제한에 관한 규정이 있으나 그와 같은 취지가 등기되어 있지 않다면 법인은 그와 같은 정관의 규정에 대하여 선의냐 악의냐에 관계없이 제3자에 대하여 대항할 수 없다.
⑤ 법인 대표자의 행위가 직무에 관한 행위에 해당하지 아니함을 피해자 자신이 알았거나 과실로 인하여 알지 못한 경우에는 법인에게 손해배상책임을 물을 수 없다.

해설 ① 민법 제47조 제1항에 의하여 생전처분으로 재단법인을 설립하는 때에 준용되는 민법 제555조는 "증여의 의사가 서면으로 표시되지 아니한 경우에는 각 당사자는 이를 해제할 수 있다"고 함으로써 서면에 의한 증여(출연)의 해제를 제한하고 있으나, 그 해제는 민법 총칙상의 취소와는 요건과 효과가 다르므로 서면에 의한 출연이더라도 민법 총칙규정에 따라 출연자가 착오에 기한 의사표시라는 이유로 출연의 의사표시를 취소할 수 있고, 상대방 없는 단독행위인 재단법인에 대한 출연행위라고 하여 달리 볼 것은 아니다(대판 1999.7.9. 98다9045).
② [1] 민법 제48조는 재단법인 성립에 있어서 재산출연자와 법인과의 관계에 있어서의 출연재산의 귀속에 관한 규정이고, 이 규정은 그 기능에 있어서 출연재산의 귀속에 관하여 출연자와 법인과의 관계를 상대적으로 결정함에 있어서의 기준이 되는 것에 불과하여, 출연재산은 출연자와 법인과의 관계에 있어서 그 출연행위에 터잡아 법인이 성립되면 그로써 출연재산은 민법의 위 조항에 의하여 법인성립 시에 법인에게 귀속되어 법인의 재산이 되는 것이고, 출연재산이 부동산인 경우에 있어서도 위 양당사자 간의 관계에 있어서는 위 요건(법인의 성립) 외에 등기를 필요로 하는 것이 아니나, 제3자에 대한 관계에 있어서는 출연행위가 법률행위이므로 출연재산의 법인에의 귀속에는 부동산의 권리에 관해서는 법인성립 외에 등기를 필요로 한다.

[2] 유언으로 재단법인을 설립하는 경우에도 제3자에 대한 관계에서는 출연재산이 부동산인 경우는 그 법인에의 귀속에는 법인의 설립 외에 등기를 필요로 하는 것이므로 재단법인이 그와 같은 등기를 마치지 아니하였다면 유언자의 상속인의 한 사람으로부터 부동산의 지분을 취득하여 이전등기를 마친 선의의 제3자에 대하여 대항할 수 없다(대판 1993.9.14, 93다8054).

③ 甲 회사와 乙 회사가 기업의 형태·내용이 실질적으로 동일하고, 甲 회사는 乙 회사의 채무를 면탈할 목적으로 설립된 것으로서 甲 회사가 乙 회사의 채권자에 대하여 乙 회사와는 별개의 법인격을 가지는 회사라는 주장을 하는 것이 신의성실의 원칙에 반하거나 법인격을 남용하는 것으로 인정되는 경우에도, 권리관계의 공권적인 확정 및 그 신속·확실한 실현을 도모하기 위하여 절차의 명확·안정을 중시하는 소송절차 및 강제집행절차에 있어서는 그 절차의 성격상 乙 회사에 대한 판결의 기판력 및 집행력의 범위를 甲 회사에까지 확장하는 것은 허용되지 않는다(대판 1995.5.12, 93다44531).

④ 제60조 【이사의 대표권에 대한 제한의 대항요건】 이사의 대표권에 대한 제한은 등기하지 아니하면 제3자에게 대항하지 못한다.

법인의 정관에 법인 대표권의 제한에 관한 규정이 있으나 그와 같은 취지가 등기되어 있지 않다면 법인은 그와 같은 정관의 규정에 대하여 선의냐 악의냐에 관계없이 제3자에 대하여 대항할 수 없다(대판 1992.2.14, 91다24564).

⑤ 판례는 법인의 대표자의 행위가 직무에 관한 행위에 해당하지 아니함을 피해자 자신이 알았거나 또는 중대한 과실로 인하여 알지 못한 경우에는 법인에게 손해배상책임을 물을 수 없다고 한다(대판 2008.1.18, 2005다34711 등). 따라서 경과실로 인한 경우에는 손해배상책임을 물을 수 있다.

21 재단법인 등에 관한 다음 설명 중 가장 옳지 않은 것은? (다툼이 있는 경우 판례에 의함)

▸ 2017년 법원행시

① 채무자인 재단법인에 다른 재산이 없어 기본재산을 처분하지 않고는 채무의 변제가 불가능하다고 하더라도, 재단법인으로부터 기본재산을 양수한 자도 아니고 금전채권자들에 불과한 자에게는 강제이행청구권의 실질적인 실현을 위하여 필요하다는 사유만으로 기본재산의 처분을 희망하지도 않는 재단법인을 상대로 주무관청에 대하여 기본재산에 대한 처분허가신청절차를 이행할 것을 청구할 권한이 없다.

② 민법 제47조 제1항에 의하여 생전처분으로 재단법인을 설립하는 때에 준용되는 민법 제555조는 "증여의 의사가 서면으로 표시되지 아니한 경우에는 각 당사자는 이를 해제할 수 있다."고 함으로써 서면에 의한 증여(출연)의 해제를 제한하고 있으나, 그 해제는 민법 총칙상의 취소와는 요건과 효과가 다르므로 서면에 의한 출연이더라도 민법 총칙규정에 따라 출연자가 착오에 기한 의사표시라는 이유로 출연의 의사표시를 취소할 수 있고, 상대방 없는 단독행위인 재단법인에 대한 출연행위라고 하여 달리 볼 것은 아니다.

정답 ▸ 20 ⑤ 21 ④

③ 재단법인의 대표자가 그 법인의 채무를 부담하는 계약을 함에 있어서 이사회의 결의를 거쳐 노회와 설립자의 승인을 얻고 주무관청의 인가를 받도록 정관에 규정되어 있다면 그와 같은 규정은 법인 대표권의 제한에 관한 규정으로서 이러한 제한은 등기하지 아니하면 제3자에게 대항할 수 없다.

④ 학교법인이 감독청의 허가 없이 기본재산인 부동산에 관한 매매계약을 체결하고, 그 부동산에서 운영하던 학교를 당국의 인가를 받아 신축교사로 이전하였다 하더라도, 위 매매계약은 감독청의 허가 없이 체결되어 아직은 효력이 없다 할 것이므로 매수인은 감독청의 허가를 조건으로 그 부동산에 관한 소유권이전등기절차의 이행을 청구할 수 없다.

⑤ 재단법인의 기본재산 처분은 정관변경을 요하는 것이므로 주무관청의 허가를 받아야 하며, 허가가 없으면 그 처분행위는 물권계약으로 무효일 뿐 아니라 채권계약으로서도 무효이다.

해설 ① 재단법인은 일정한 목적을 위하여 바쳐진 재산이라는 실체에 대하여 법인격을 부여한 것이므로 그 출연된 재산 즉 재단법인의 기본재산은 바로 법인의 실체인 동시에 법인의 목적을 수행하기 위한 가장 기본적인 수단으로서 이를 처분한다는 것은 재단법인의 실체가 없어지는 것을 의미하므로 재단법인의 기본재산은 이를 함부로 처분할 수 없는 것이고, 재단법인이 정관의 변경을 초래하는 기본재산의 처분을 위하여 주무관청의 허가를 신청할 것인지 여부는 특별한 사정이 없는 한 재단법인의 의사에 맡겨져 있다고 할 것이므로, 채무자인 재단법인에 다른 재산이 없어 기본재산을 처분하지 않고는 채무의 변제가 불가능하다고 하더라도, 재단법인으로부터 기본재산을 양수한 자도 아니고 금전채권자들에 불과한 자에게는 강제이행청구권의 실질적인 실현을 위하여 필요하다는 사유만으로 기본재산의 처분을 희망하지도 않는 재단법인을 상대로 주무관청에 대하여 기본재산에 대한 처분허가신청절차를 이행할 것을 청구할 권한이 없다(대판 1998.8.21. 98다19202·19219).

② 민법 제47조 제1항에 의하여 생전처분으로 재단법인을 설립하는 때에 준용되는 민법 제555조는 "증여의 의사가 서면으로 표시되지 아니한 경우에는 각 당사자는 이를 해제할 수 있다."고 함으로써 서면에 의한 증여(출연)의 해제를 제한하고 있으나, 그 해제는 민법 총칙상의 취소와는 요건과 효과가 다르므로 서면에 의한 출연이더라도 민법 총칙규정에 따라 출연자가 착오에 기한 의사표시라는 이유로 출연의 의사표시를 취소할 수 있고, 상대방 없는 단독행위인 재단법인에 대한 출연행위라고 하여 달리 볼 것은 아니다(대판 1999.7.9. 98다9045).

③ 재단법인의 대표자가 그 법인의 채무를 부담하는 계약을 함에 있어서 이사회의 결의를 거쳐 노회와 설립자의 승인을 얻고 주무관청의 인가를 받도록 정관에 규정되어 있다면 그와 같은 규정은 법인 대표권의 제한에 관한 규정으로서 이러한 제한은 등기하지 아니하면 제3자에게 대항할 수 없다. (또한) 법인의 정관에 법인 대표권의 제한에 관한 규정이 있으나 그와 같은 취지가 등기되어 있지 않다면 법인은 그와 같은 정관의 규정에 대하여 선의냐 악의냐에 관계없이 제3자에 대하여 대항할 수 없다(대판 1992.2.14. 91다24564).

④ 학교법인이 감독청의 허가 없이 기본재산인 부동산에 관한 매매계약을 체결하는 한편 그 부동산에서 운영하던 학교를 당국의 인가를 받아 신축교사로 이전하고 준공검사까지 마친 경우, 위 매매계약이 감독청의 허가 없이 체결되어 아직은 효력이 없다고 하더라도 위 매매계약에 기한 소유권이전등기절차이행청구권의 기초가 되는 법률관계는 이미 존재한다고 볼 수 있고 장차 감독청의 허가에 따라 그 청구권이 발생할 개연성 또한 충분하므로, 매수인으로서

는 미리 그 청구를 할 필요가 있는 한, 감독청의 허가를 조건으로 그 부동산에 관한 소유권이
전등기절차의 이행을 청구할 수 있다(대판 1998.7.24, 96다27988).
⑤ 재단법인의 기본재산의 처분은 정관변경을 요하는 것이므로 주무관청의 허가가 없으면 그
처분행위는 물권계약으로 무효일 뿐 아니라 채권계약으로서도 무효이다(대판 1974.6.11, 73
다1975).

22 **권리능력 없는 사단에 관한 다음 설명 중 가장 옳지 않은 것은?** (다툼이 있는 경우 판례에 따르
고 전원합의체 판결의 경우 다수의견에 의함) ▸ 2017년 법원행시

① 권리능력 없는 사단이 총유물에 관한 매매계약에 의하여 부담하고 있는 채무의 존재를
인식하고 있다는 뜻을 표시하는 소멸시효 중단사유로서의 승인은 총유물의 관리행위에
해당한다.
② 권리능력 없는 사단의 정관에 특별한 규정이 없는 경우 권리능력 없는 사단의 대표자
가 타인 간의 금전채무를 보증하기 위하여 사원총회 결의를 거칠 필요는 없다.
③ 권리능력 없는 사단이 그 명의로 총유재산에 관한 소송을 제기할 때에는 정관에 다른
정함이 있다는 등의 특별한 사정이 없는 한 사원총회 결의를 거쳐 하거나 또는 그 구성
원 전원이 당사자가 되어 필수적 공동소송의 형태로 할 수 있을 뿐이며, 이는 보존행위
로서 소를 제기하는 경우에도 마찬가지이다.
④ 정관이나 규약에 정함이 없는 이상 사원총회의 결의를 거치지 않은 총유물의 관리 및
처분행위는 무효라고 할 것이나, 총유물의 관리 및 처분행위라 함은 총유물 그 자체에
관한 법률적·사실적 처분행위와 이용, 개량행위를 말하는 것으로서 재건축조합이 재
건축사업의 시행을 위하여 설계용역계약을 체결하는 것은 단순한 채무부담행위에 불과
하여 총유물 그 자체에 대한 관리 및 처분행위라고 볼 수 없다.
⑤ 권리능력 없는 사단의 채권자가 채권자대위권에 기하여 권리능력 없는 사단의 총유재
산에 대한 권리를 대위 행사하는 경우, 사원총회의 결의 등 권리능력 없는 사단의 내부
적 의사결정 절차를 거칠 필요가 없다.

해설 ① 비법인사단이 총유물에 관한 매매계약을 체결하는 행위는 총유물 그 자체의 처분이 따르는
채무부담행위로서 총유물의 처분행위에 해당하나, 그 매매계약에 의하여 부담하고 있는 채무
의 존재를 인식하고 있다는 뜻을 표시하는 데 불과한 소멸시효 중단사유로서의 승인은 총유
물 그 자체의 관리·처분이 따르는 행위가 아니어서 총유물의 관리·처분행위라고 볼 수 없
다(대판 2009.11.26, 2009다64383).
② 민법 제275조, 제276조 제1항에서 말하는 총유물의 관리 및 처분이라 함은 총유물 그 자체
에 관한 이용·개량행위나 법률적·사실적 처분행위를 의미하는 것이므로, 비법인사단이 타
인 간의 금전채무를 보증하는 행위는 총유물 그 자체의 관리·처분이 따르지 아니하는 단순
한 채무부담행위에 불과하여 이를 총유물의 관리·처분행위라고 볼 수는 없다. 따라서 비법
인사단인 재건축조합의 조합장이 채무보증계약을 체결하면서 조합규약에서 정한 조합 임원
회의 결의를 거치지 아니하였다거나 조합원총회 결의를 거치지 않았다고 하더라도 그것만으

정답 **22** ①

로 바로 그 보증계약이 무효라고 할 수는 없다. 다만, 이와 같은 경우에 조합 임원회의의 결의 등을 거치도록 한 조합규약은 조합장의 대표권을 제한하는 규정에 해당하는 것이므로, 거래 상대방이 그와 같은 대표권 제한 및 그 위반 사실을 알았거나 과실로 인하여 이를 알지 못한 때에는 그 거래행위가 무효로 된다고 봄이 상당하며, 이 경우 그 거래 상대방이 대표권 제한 및 그 위반 사실을 알았거나 알지 못한 데에 과실이 있다는 사정은 그 거래의 무효를 주장하는 측이 이를 주장·입증하여야 한다(대판(전합) 2007.4.19, 2004다60072·60089).

③ 민법 제276조 제1항은 "총유물의 관리 및 처분은 사원총회의 결의에 의한다.", 같은 조 제2항은 "각 사원은 정관 기타의 규약에 좇아 총유물을 사용·수익할 수 있다."라고 규정하고 있을 뿐 공유나 합유의 경우처럼 보존행위는 그 구성원 각자가 할 수 있다는 민법 제265조 단서 또는 제272조 단서와 같은 규정을 두고 있지 아니한바, 이는 법인 아닌 사단의 소유형태인 총유가 공유나 합유에 비하여 단체성이 강하고 구성원 개인들의 총유재산에 대한 지분권이 인정되지 아니하는 데에서 나온 당연한 귀결이라고 할 것이므로 총유재산에 관한 소송은 법인 아닌 사단이 그 명의로 사원총회의 결의를 거쳐 하거나 또는 그 구성원 전원이 당사자가 되어 필수적 공동소송의 형태로 할 수 있을 뿐 그 사단의 구성원은 설령 그가 사단의 대표자라거나 사원총회의 결의를 거쳤다 하더라도 그 소송의 당사자가 될 수 없고, 이러한 법리는 총유재산의 보존행위로서 소를 제기하는 경우에도 마찬가지라 할 것이다(대판(전합) 2005.9.15, 2004다44971).

④ 주택건설촉진법에 의하여 설립된 재건축조합은 민법상의 비법인사단에 해당하고, 총유물의 관리 및 처분에 관하여는 정관이나 규약에 정한 바가 있으면 이에 따라야 하고, 그에 관한 정관이나 규약이 없으면 사원 총회의 결의에 의하여 하는 것이므로 정관이나 규약에 정함이 없는 이상 사원총회의 결의를 거치지 않은 총유물의 관리 및 처분행위는 무효라고 할 것이나, 총유물의 관리 및 처분행위라 함은 총유물 그 자체에 관한 법률적·사실적 처분행위와 이용, 개량행위를 말하는 것으로서 재건축조합이 재건축사업의 시행을 위하여 설계용역계약을 체결하는 것은 단순한 채무부담행위에 불과하여 총유물 그 자체에 대한 관리 및 처분행위라고 볼 수 없다(대판 2003.7.22, 2002다64780).

⑤ 비법인사단이 총유재산에 관한 소를 제기할 때에는 정관에 다른 정함이 있는 등의 특별한 사정이 없는 한 사원총회의 결의를 거쳐야 하지만(대판 2011.7.28, 2010다97044 판결 등 참조), 이는 비법인사단의 대표자가 비법인사단 명의로 총유재산에 관한 소를 제기하는 경우에 비법인사단의 의사결정과 특별수권을 위하여 필요한 내부적인 절차이다. 채권자대위권은 채무자가 스스로 자기의 권리를 행사하지 아니하는 때에 채권자가 채무자에 대한 채권을 보전하기 위하여 채무자의 의사와는 상관없이 채무자의 권리를 대위하여 행사할 수 있는 권리로서 그 권리행사에 채무자의 동의를 필요로 하는 것은 아니므로, 비법인사단이 총유재산에 관한 권리를 행사하지 아니하고 있어 비법인사단의 채권자가 채권자대위권에 기하여 비법인사단의 총유재산에 관한 권리를 대위행사하는 경우에는 사원총회의 결의 등 비법인사단의 내부적인 의사결정절차를 거칠 필요가 없다(대판 2014.9.25, 2014다211336).

23 종중에 관한 다음 설명 중 가장 옳지 않은 것은? (다툼이 있는 경우 판례에 의함)

▶ 2017년 법무사

① 소집절차에 하자가 있어 그 효력을 인정할 수 없는 종중총회의 결의는 나중에 적법하게 소집된 종중총회에서 추인이 이루어지더라도 유효로 볼 수 없다.

② 종중총회를 개최함에 있어서 종중원들에 대한 소집통지의 방법은 반드시 직접 서면으로 하여야만 하는 것은 아니고 구두 또는 전화로 하여도 되고 다른 종중원이나 세대주를 통하여 하여도 무방하다.

③ 공동선조의 후손 중 남성만으로 그 구성원을 한정하여 종중 유사단체를 설립하더라도 특별한 사정이 없는 한 양성평등 원칙을 정한 헌법 제11조 및 민법 제103조를 위반하여 무효라고 볼 수 없다.

④ 비법인사단이 총유물에 관한 매매계약을 체결하는 행위는 총유물의 처분행위에 해당하나 그 매매계약에 의하여 부담하고 있는 채무에 대한 소멸시효 중단사유로서의 승인은 총유물의 관리·처분행위로 볼 수 없다.

⑤ 종중의 토지에 관하여 지급된 수용보상금은 종중원의 총유로서 종중의 정관이나 규약에 달리 정함이 없는 한 종중총회의 결의에 의해 처분할 수 있고, 이러한 결의는 비영리사단으로서의 종중의 성격에 위배되는 것도 아니다.

해설 ① 소집절차에 하자가 있어 그 효력을 인정할 수 없는 종중총회의 결의라도 후에 적법하게 소집된 종중총회에서 이를 추인하면 처음부터 유효로 된다(대판 1995.6.16, 94다53563).

② 종중총회는 특별한 사정이 없는 한 족보에 의하여 소집통지 대상이 되는 종중원의 범위를 확정한 후 국내에 거주하여 소재가 분명하여 연락통지가 가능한 모든 종중원에게 개별적으로 소집통지를 함으로써 각자가 회의와 토의와 의결에 참가할 수 있는 기회를 주어야 하고, 일부 종중원에게 소집통지를 결여한 채 개최된 종중총회의 결의는 효력이 없으나, 그 소집통지의 방법은 반드시 직접 서면으로 하여야만 하는 것은 아니고 구두 또는 전화로 하여도 되고 다른 종중원이나 세대주를 통하여 하여도 무방하다(대판 2000.2.25, 99다20155).

③ 종중 유사단체는 비록 그 목적이나 기능이 고유한 의미의 종중과 별다른 차이가 없다 하더라도 공동선조의 후손 중 일부에 의하여 인위적인 조직행위를 거쳐 성립된 경우에는 사적 임의단체라는 점에서 자연발생적인 종족집단인 고유한 의미의 종중과 그 성질을 달리하므로, 그러한 경우에는 사적 자치의 원칙 내지 결사의 자유에 따라 그 구성원의 자격이나 가입조건을 자유롭게 정할 수 있음이 원칙이다. 따라서 그러한 종중 유사단체의 회칙이나 규약에서 공동선조의 후손 중 남성만으로 그 구성원을 한정하고 있다 하더라도 특별한 사정이 없는 한 이는 사적 자치의 원칙 내지 결사의 자유의 보장범위에 포함되고, 위 사정만으로 그 회칙이나 규약이 양성평등 원칙을 정한 헌법 제11조 및 민법 제103조를 위반하여 무효라고 볼 수는 없다(대판 2011.2.24, 2009다17783).

④ 비법인사단이 총유물에 관한 매매계약을 체결하는 행위는 총유물 그 자체의 처분이 따르는 채무부담행위로서 총유물의 처분행위에 해당하나, 그 매매계약에 의하여 부담하고 있는 채무의 존재를 인식하고 있다는 뜻을 표시하는 데 불과한 소멸시효 중단사유로서의 승인은 총유

물 그 자체의 관리·처분이 따르는 행위가 아니어서 총유물의 관리·처분행위라고 볼 수 없다(대판 2009.11.26, 2009다64383).

⑤ 비법인사단인 종중의 토지에 대한 수용보상금은 종원의 총유에 속하고, 그 수용보상금의 분배는 총유물의 처분에 해당하므로, 정관 기타 규약에 달리 정함이 없는 한 종중총회의 결의에 의하여 그 수용보상금을 분배할 수 있고, 그 분배 비율, 방법, 내용 역시 결의에 의하여 자율적으로 결정할 수 있다(대판 2010.9.30, 2007다74775).

24 법인 아닌 사단에 관한 다음 설명 중 가장 옳지 않은 것은? (다툼이 있는 경우 판례에 의함)

▶ 2018년 법무사

① 종중 또는 문중과 같이 특별한 조직행위 없이도 자연적으로 성립하는 예외적인 사단이 아닌 한, 법인 아닌 사단이 성립하려면 사단으로서의 실체를 갖추는 조직행위가 있어야 한다.

② 민법상의 조합과 법인격은 없으나 사단성이 인정되는 비법인사단을 구별함에 있어서는 일반적으로 그 단체성의 강약을 기준으로 판단하여야 한다.

③ 법인 아닌 사단인 종중의 대표자 또는 그 구성원의 일부는 종중의 재산에 대한 보존행위로서 소송을 하는 경우에 종중 총회의 결의를 거칠 필요 없이 단독으로 할 수 있다.

④ 종중재산을 분배함에 있어 단순히 남녀 성별의 구분에 따라 그 분배 비율, 방법, 내용에 차이를 두는 것은 개인의 존엄과 양성의 평등을 기초로 한 가족생활을 보장하고, 남녀평등을 실현할 것을 요구하는 우리의 전체 법질서에 부합하지 아니한 것으로 정당성과 합리성이 없어 무효라고 할 것이다.

⑤ 비법인사단이 타인 간의 금전채무를 보증하는 행위는 총유물 그 자체의 관리·처분이 따르지 아니하는 단순한 채무부담행위에 불과하여 이를 총유물의 관리·처분행위라고 볼 수는 없다.

해설 ①, ② 민법상의 조합과 법인격은 없으나 사단성이 인정되는 비법인사단을 구별함에 있어서는 일반적으로 그 단체성의 강약을 기준으로 판단하여야 하는바, 조합은 2인 이상이 상호 간에 금전 기타 재산 또는 노무를 출자하여 공동사업을 경영할 것을 약정하는 계약관계에 의하여 성립하므로 어느 정도 단체성에서 오는 제약을 받게 되는 것이지만 구성원의 개인성이 강하게 드러나는 인적 결합체인데 비하여 비법인사단은 구성원의 개인성과는 별개로 권리·의무의 주체가 될 수 있는 독자적 존재로서의 단체적 조직을 가지는 특성이 있다 하겠는데, 어떤 단체가 고유의 목적을 가지고 사단적 성격을 가지는 규약을 만들어 이에 근거하여 의사결정기관 및 집행기관인 대표자를 두는 등의 조직을 갖추고 있고, 기관의 의결이나 업무집행방법이 다수결의 원칙에 의하여 행하여지며, 구성원의 가입, 탈퇴 등으로 인한 변경에 관계없이 단체 그 자체가 존속되고, 그 조직에 의하여 대표의 방법, 총회나 이사회 등의 운영, 자본의 구성, 재산의 관리 기타 단체로서의 주요사항이 확정되어 있는 경우에는 비법인사단으로서의 실체를 가진다고 할 것이다(대판 1999.4.23, 99다4504).

③ 민법 제276조 제1항은 "총유물의 관리 및 처분은 사원총회의 결의에 의한다.", 같은 조 제2항은 "각 사원은 정관 기타의 규약에 좇아 총유물을 사용·수익할 수 있다."라고 규정하고

있을 뿐 공유나 합유의 경우처럼 보존행위는 그 구성원 각자가 할 수 있다는 민법 제265조 단서 또는 제272조 단서와 같은 규정을 두고 있지 아니한바, 이는 법인 아닌 사단의 소유형태인 총유가 공유나 합유에 비하여 단체성이 강하고 구성원 개인들의 총유재산에 대한 지분권이 인정되지 아니하는 데에서 나온 당연한 귀결이라고 할 것이므로 총유재산에 관한 소송은 법인 아닌 사단이 그 명의로 사원총회의 결의를 거쳐 하거나 또는 그 구성원 전원이 당사자가 되어 필수적 공동소송의 형태로 할 수 있을 뿐 그 사단의 구성원은 설령 그가 사단의 대표자라거나 사원총회의 결의를 거쳤다 하더라도 그 소송의 당사자가 될 수 없고, 이러한 법리는 총유재산의 보존행위로서 소를 제기하는 경우에도 마찬가지라 할 것이다(대판(전합) 2005.9.15. 2004다44971).

④ 종중재산을 분배함에 있어 단순히 남녀 성별의 구분에 따라 그 분배 비율, 방법, 내용에 차이를 두는 것은 개인의 존엄과 양성의 평등을 기초로 한 가족생활을 보장하고, 가족 내의 실질적인 권리와 의무에 있어서 남녀의 차별을 두지 아니하며, 정치·경제·사회·문화 등 모든 영역에서 여성에 대한 차별을 철폐하고 남녀평등을 실현할 것을 요구하는 우리의 전체 법질서에 부합하지 아니한 것으로 정당성과 합리성이 없어 무효라고 할 것이다(대판 2010.9.30. 2007다74775).

⑤ 민법 제275조, 제276조 제1항에서 말하는 총유물의 관리 및 처분이라 함은 총유물 그 자체에 관한 이용·개량행위나 법률적·사실적 처분행위를 의미하는 것이므로, 비법인사단이 타인 간의 금전채무를 보증하는 행위는 총유물 그 자체의 관리·처분이 따르지 아니하는 단순한 채무부담행위에 불과하여 이를 총유물의 관리·처분행위라고 볼 수는 없다. 따라서 비법인사단인 재건축조합의 조합장이 채무보증계약을 체결하면서 조합규약에서 정한 조합 임원회의 결의를 거치지 아니하였다거나 조합원총회 결의를 거치지 않았다고 하더라도 그것만으로 바로 그 보증계약이 무효라고 할 수는 없다. 다만, 이와 같은 경우에 조합 임원회의의 결의 등을 거치도록 한 조합규약은 조합장의 대표권을 제한하는 규정에 해당하는 것이므로, 거래 상대방이 그와 같은 대표권 제한 및 그 위반 사실을 알았거나 과실로 인하여 이를 알지 못한 때에는 그 거래행위가 무효로 된다고 봄이 상당하며, 이 경우 그 거래 상대방이 대표권 제한 및 그 위반 사실을 알았거나 알지 못한 데에 과실이 있다는 사정은 그 거래의 무효를 주장하는 측이 이를 주장·입증하여야 한다(대판(전합) 2007.4.19. 2004다60072·60089).

25 권리능력 없는 사단과 재단에 관한 다음 설명 중 가장 옳은 것은? (다툼이 있는 경우 판례에 의하고, 전원합의체 판결의 경우 다수의견에 의함) ▶ 2019년 9급(법원서기보)

① 이사가 결원인 경우 임시이사 선임에 관한 민법 제63조는 법인의 조직에 관한 것으로 법인격을 전제로 하는 조항이므로 법인 아닌 사단이나 재단의 경우에는 적용될 수 없다.

② 비법인사단이 타인 간의 금전채무를 보증하는 행위는 총유물 그 자체의 관리・처분이 따르지 아니하는 단순한 채무부담행위에 불과하여 이를 총유물의 관리・처분행위라고 볼 수 없다.

③ 종중 총회의 소집통지는 종중의 규약이나 관례가 없는 한 통지 가능한 모든 종원에게 소집통지를 적당한 방법으로 통지를 함으로써 각자가 회의의 토의와 의결에 참여할 수 있는 기회를 주어야 하고, 일부 종원에게 이러한 소집통지를 결여한 채 개최된 종중 총회의 결의는 그 효력이 없으나, 그 결의가 통지 가능한 종원 중 과반수의 찬성을 얻은 것이라고 한다면 효력이 있다.

④ 비법인사단인 교회의 대표자는 총유물인 교회 재산의 처분에 관하여 교인총회의 결의를 거치지 아니하고는 이를 대표하여 행할 권한이 없으나, 거래 안전을 위해 교회 대표자가 권한 없이 행한 교회 재산의 처분행위에 대하여는 민법 제126조의 표현대리에 관한 규정이 준용된다.

해설 ① 민법 제63조는 법인의 조직과 활동에 관한 것으로서 법인격을 전제로 하는 조항이 아니고, 법인 아닌 사단이나 재단의 경우에도 이사가 없거나 결원이 생길 수 있으며, 통상의 절차에 따른 새로운 이사의 선임이 극히 곤란하고 종전 이사의 긴급처리권도 인정되지 아니하는 경우에는 사단이나 재단 또는 타인에게 손해가 생길 염려가 있을 수 있으므로, 민법 제63조는 법인 아닌 사단이나 재단에도 유추 적용할 수 있다(대판(전) 2009.11.19, 2008마699).

② 민법 제275조, 제276조 제1항에서 말하는 총유물의 관리 및 처분이라 함은 총유물 그 자체에 관한 이용・개량행위나 법률적・사실적 처분행위를 의미하는 것이므로, 비법인사단이 타인 간의 금전채무를 보증하는 행위는 총유물 그 자체의 관리・처분이 따르지 아니하는 단순한 채무부담행위에 불과하여 이를 총유물의 관리・처분행위라고 볼 수는 없다. 따라서 비법인사단인 재건축조합의 조합장이 채무보증계약을 체결하면서 조합규약에서 정한 조합 임원회의 결의를 거치지 아니하였다거나 조합원총회 결의를 거치지 않았다고 하더라도 그것만으로 바로 그 보증계약이 무효라고 할 수는 없다(대판(전합) 2007.4.19, 2004다60072・60089).

③ 종중총회의 소집통지는 종중의 규약이나 관례가 없는 한 통지 가능한 모든 종원에게 소집통지를 함으로써 각자가 회의의 토의와 의결에 참여할 수 있는 기회를 주어야 하고 일부 종원에게 이러한 소집통지를 결여한 채 개최된 종중총회의 결의는 그 효력이 없고, 이는 그 결의가 통지 가능한 종원 중 과반수의 찬성을 얻은 것이라 하여 달리 볼 수 없다(대판 1994.6.14, 93다45015).

④ 비법인사단인 교회의 대표자는 총유물인 교회 재산의 처분에 관하여 교인총회의 결의를 거치지 아니하고는 이를 대표하여 행할 권한이 없다. 그리고 교회의 대표자가 권한 없이 행한 교회 재산의 처분행위에 대하여는 민법 제126조의 표현대리에 관한 규정이 준용되지 아니한다(대판 2009.2.12, 2006다23312).

26 다음 설명 중 가장 옳지 않은 것은? (다툼이 있는 경우 판례에 따르고 전원합의체 판결의 경우 다수 의견에 의함)
▶ 2019년 법무사

① 비법인사단인 주택조합의 대표자가 조합총회의 결의를 거쳐야 하는 조합원 총유에 속하는 재산에 관하여 조합원 총회의 결의를 거치지 아니하고 처분한 경우 처분행위는 원칙적으로 무효이나, 다만 이 경우에도 민법 제126조(권한을 넘은 표현대리)가 준용될 수 있으므로 처분행위의 상대방인 제3자가 대표자에게 그 권한이 있다고 믿을 만한 정당한 이유가 있었음을 입증한 경우에는 주택조합에 대하여 그 처분행위가 유효라고 대항할 수 있다.

② 비법인사단이 타인 간의 금전채무를 보증하는 행위는 총유물 그 자체의 관리·처분이 따르지 아니하는 단순한 채무부담행위에 불과하므로 이를 총유물의 관리·처분행위라고 볼 수는 없다. 따라서 비법인사단인 재건축조합의 조합장이 채무보증계약을 체결하면서 조합규약에서 정한 조합 임원회의의 결의를 거치지 아니하였다거나 조합원총회의 결의를 거치지 않았다 하더라도 바로 그 보증계약이 무효라고 할 수 없다.

③ 법인의 정관에 법인 대표권의 제한에 관한 규정이 있으나 그와 같은 취지가 등기되어 있지 않다면 법인은 그와 같은 정관의 규정에 대하여 선의냐 악의냐에 관계없이 제3자에 대하여 대항할 수 없다.

④ 대표이사가 대표권의 범위 내에서 한 행위는 설사 회사의 영리목적과 관계없이 자기 또는 제3자의 이익을 도모할 목적으로 그 권한을 남용한 것이라 할지라도 일단 회사의 행위로서 유효하고, 다만 그 행위의 상대방이 대표이사의 진의를 알았거나 알 수 있었을 때에는 회사에 대하여 무효가 되는 것이며, 이는 민법상 법인의 대표자가 대표권한을 남용한 경우에도 마찬가지이다.

⑤ 민법상 법인과 그 기관인 이사와의 관계는 위임자와 수임자의 법률관계와 같아서 이사가 사임하면 일단 위임관계는 종료됨이 원칙이나, 후임 이사의 선임 시까지 이사가 존재하지 않는다면 법인으로서는 정상적인 활동을 중단하여야 할 상황에 놓이게 되므로, 사임한 이사라도 임무를 수행함이 부적당하다고 인정할 만한 특별한 사정이 없는 한 후임 이사가 선임될 때까지 이사의 직무를 계속 수행할 수 있다.

해설 ① 비법인사단인 피고 주택조합의 대표자가 조합총회의 결의를 거쳐야 하는 조합원 총유에 속하는 재산의 처분에 관하여는 조합원 총회의 결의를 거치지 아니하고는 이를 대리하여 결정할 권한이 없다 할 것이어서 피고 주택조합의 대표자가 행한 총유물인 이 사건 건물의 처분행위에 관하여는 민법 제126조의 표현대리에 관한 규정이 준용될 여지가 없다 할 것이다(대판 2003.7.11, 2001다73626).

② 민법 제275조, 제276조 제1항에서 말하는 총유물의 관리 및 처분이라 함은 총유물 그 자체에 관한 이용·개량행위나 법률적·사실적 처분행위를 의미하는 것이므로, 비법인사단이 타인 간의 금전채무를 보증하는 행위는 총유물 그 자체의 관리·처분이 따르지 아니하는 단순한 채무부담행위에 불과하여 이를 총유물의 관리·처분행위라고 볼 수는 없다. 따라서 비법인사단인 재건축조합의 조합장이 채무보증계약을 체결하면서 조합규약에서 정한 조합 임원

회의 결의를 거치지 아니하였다거나 조합원총회 결의를 거치지 않았다고 하더라도 그것만으로 바로 그 보증계약이 무효라고 할 수는 없다. 다만, 이와 같은 경우에 조합 임원회의의 결의 등을 거치도록 한 조합규약은 조합장의 대표권을 제한하는 규정에 해당하는 것이므로, 거래 상대방이 그와 같은 대표권 제한 및 그 위반 사실을 알았거나 과실로 인하여 이를 알지 못한 때에는 그 거래행위가 무효로 된다고 봄이 상당하며, 이 경우 그 거래 상대방이 대표권 제한 및 그 위반 사실을 알았거나 알지 못한 데에 과실이 있다는 사정은 그 거래의 무효를 주장하는 측이 이를 주장·입증하여야 한다(대판(전합) 2007.4.19, 2004다60072·60089).

③ 법인의 정관에 법인 대표권의 제한에 관한 규정이 있으나 그와 같은 취지가 등기되어 있지 않다면, 법인은 그와 같은 정관의 규정에 대하여 선의냐 악의냐에 관계없이 제3자에 대하여 대항할 수 없다(대판 1992.5.14, 91다24564).

④ 대표이사가 대표권의 범위 내에서 한 행위는 설사 회사의 영리목적과 관계없이 자기 또는 제3자의 이익을 도모할 목적으로 그 권한을 남용한 것이라 할지라도 일단 회사의 행위로서 유효하고, 다만 그 행위의 상대방이 대표이사의 진의를 알았거나 알 수 있었을 때에는 회사에 대하여 무효가 되는 것이며, 이는 민법상 법인의 대표자가 대표권한을 남용한 경우에도 마찬가지이다(대판 2004.3.26, 2003다34045).

⑤ 민법상 법인과 그 기관인 이사와의 관계는 위임자와 수임자의 법률관계와 같아서 이사가 사임하면 일단 위임관계는 종료됨이 원칙이나, 후임 이사의 선임 시까지 이사가 존재하지 않는다면 법인으로서는 정상적인 활동을 중단하여야 할 상황에 놓이게 되고, 이는 민법 제691조에 규정된 급박한 사정이 있는 때와 같이 볼 수 있으므로, 사임한 이사라도 임무를 수행함이 부적당하다고 인정할 만한 특별한 사정이 없는 한 후임 이사가 선임될 때까지 이사의 직무를 계속 수행할 수 있다(대판 1982.3.9, 81다614, 대판 1996.12.23, 95다40038).

27 종중에 관한 다음 설명 중 가장 옳은 것은? (다툼이 있는 경우 판례에 따르고 전원합의체 판결의 경우 다수의견에 의함) ▶ 2019년 법무사

① 종중의 대표자 또는 그 구성원의 일부는 종중의 재산에 대한 보존행위로서 소송을 하는 경우에 종중 총회의 결의를 거칠 필요 없이 단독으로 할 수 있다.

② 공동선조의 후손 중 특정지역 거주자나 지파 소속 종중원만으로 조직체를 구성하여 활동하고 있다면, 이는 본래의 의미의 종중으로 볼 수 없고, 종중 유사의 권리능력 없는 사단도 될 수 없다.

③ 종중재산을 분배함에 있어 단순히 남녀 성별의 구별에 따라 그 분배 비율, 방법, 내용에 차이를 두는 것은 정당성과 합리성이 없어 무효이다.

④ 소집절차에 하자가 있어 그 효력을 인정할 수 없는 종중총회의 결의는 나중에 적법하게 소집된 종중총회에서 추인이 이루어지더라도 유효로 볼 수 없다.

⑤ 종중원들이 종중 재산의 관리 또는 처분 등을 위하여 종중의 규약에 따른 적법한 소집권자 또는 일반 관례에 따른 종중총회의 소집권자인 종중의 연고항존자에게 필요한 종중의 임시총회 소집을 요구하였음에도 그 소집권자가 정당한 이유 없이 이에 응하지 아니하는 경우에는 반드시 민법 제70조를 준용하여 감사가 총회를 소집하거나 종원이 법원의 허가를 얻어 총회를 소집하여야 한다.

해설 ① 총유재산에 관한 소송은 법인 아닌 사단이 그 명의로 사원총회의 결의를 거쳐 하거나 또는 그 구성원 전원이 당사자가 되어 필수적 공동소송의 형태로 할 수 있을 뿐 그 사단의 구성원은 설령 그가 사단의 대표자라거나 사원총회의 결의를 거쳤다 하더라도 그 소송의 당사자가 될 수 없고, 이러한 법리는 총유재산의 보존행위로서 소를 제기하는 경우에도 마찬가지라 할 것이다(대판(전합) 2005.9.15, 2004다44971). 따라서 총유물의 보존에 있어서는 공유물의 보존에 관한 민법 제265조의 규정이 적용될 수 없고, 특별한 사정이 없는 한 민법 제276조 제1항의 규정에 따라 사원총회의 결의를 거쳐야 하므로, 법인 아닌 사단인 종중이 그 총유재산에 대한 보존행위로서 소송을 하는 경우에도 특별한 사정이 없는 한 종중 총회의 결의를 거쳐야 한다(대판 2010.2.11, 2009다83650).

② 공동선조의 후손 중 특정 지역 거주자나 특정 범위 내의 자들만으로 구성된 종중이란 있을 수 없으므로, 만일 공동선조의 후손 중 특정 지역 거주자나 지파 소속 종중원만으로 조직체를 구성하여 활동하고 있다면 이는 본래의 의미의 종중으로는 볼 수 없고, 종중 유사의 권리능력 없는 사단이 될 수 있을 뿐이다(대판 1996.10.11, 95다34330).

③ 비법인사단인 종중의 토지에 대한 수용보상금은 종원의 총유에 속하고, 그 수용보상금의 분배는 총유물의 처분에 해당하므로, 정관 기타 규약에 달리 정함이 없는 한 종중총회의 결의에 의하여 그 수용보상금을 분배할 수 있고, 그 분배 비율, 방법, 내용 역시 결의에 의하여 자율적으로 결정할 수 있다. 그러나 종중은 자연발생적인 종족집단으로서 공동선조와 성과 본을 같이하는 후손은 남녀의 구별 없이 성년이 되면 당연히 그 구성원(종원)이 되는 것이므로(대법원 2005.7.21. 선고 2002다13850 전원합의체 판결 참조), 종중재산을 분배함에 있어 단순히 남녀 성별의 구분에 따라 그 분배 비율, 방법, 내용에 차이를 두는 것은 개인의 존엄과 양성의 평등을 기초로 한 가족생활을 보장하고, 가족 내의 실질적인 권리와 의무에 있어서 남녀의 차별을 두지 아니하며, 정치·경제·사회·문화 등 모든 영역에서 여성에 대한 차별을 철폐하고 남녀평등을 실현할 것을 요구하는 우리의 전체 법질서에 부합하지 아니한 것으로 정당성과 합리성이 없어 무효라고 할 것이다(대판 2010.9.30, 2007다74775).

④ 소집절차에 하자가 있어 그 효력을 인정할 수 없는 종중총회의 결의라도 후에 적법하게 소집된 종중총회에서 이를 추인하면 처음부터 유효로 된다(대판 1995.6.16, 94다53563).

⑤ 종중원들이 종중 재산의 관리 또는 처분 등을 위하여 종중의 규약에 따른 적법한 소집권자 또는 일반 관례에 따른 종중총회의 소집권자인 종중의 연고항존자에게 필요한 종중의 임시총회의 소집을 요구하였으나 그 소집권자가 정당한 이유 없이 이에 응하지 아니하는 경우에는 차석 또는 발기인이 소집권자를 대신하여 그 총회를 소집할 수 있는 것이고, 반드시 민법 제70조를 준용하여 감사가 총회를 소집하거나 종원이 법원의 허가를 얻어 총회를 소집하여야 하는 것이 아니다(대판 1997.9.26, 97다25279).

정답 27 ③

28

민법상 법인에 관한 다음 설명 중 가장 옳지 않은 것은? ▸ 2020년 법무사

① 과반수의 이사가 민법 제58조 제2항에 근거하여 이사회를 소집하는 경우 법원의 허가를 받을 필요 없이 이사회를 소집할 수 있다.

② 법원의 직무집행정지 가처분결정에 의해 회사를 대표할 권한이 정지된 대표이사가 그 정지기간 중에 체결한 계약은 절대적으로 무효이고, 그 후 가처분신청의 취하에 의하여 보전집행이 취소되었다 하더라도 집행의 효력은 장래를 향하여 소멸할 뿐이다.

③ 민법상 재단법인의 기본재산에 관한 저당권 설정행위는 기본재산의 처분행위에 속하므로, 이에 관하여는 주무관청의 허가를 얻어야 한다.

④ 이사가 수인인 민법상 법인의 정관에 대표권 있는 이사만 이사회를 소집할 수 있고 다른 이사가 요건을 갖추어 이사회 소집을 요구하면 대표권 있는 이사가 이에 응하도록 규정하고 있는데도 대표권 있는 이사가 다른 이사의 정당한 이사회 소집을 거절한 경우 이사는 정관의 이사회 소집권한에 관한 규정 또는 민법에 기초하여 법인의 사무를 집행할 권한에 의하여 이사회를 소집할 수 있다.

⑤ 사단법인의 사원의 지위는 양도 또는 상속할 수 없다고 규정한 민법 제56조는 강행규정은 아니라고 할 것이므로, 정관에 의하여 이를 인정하고 있을 때에는 양도·상속이 허용된다.

> **해설** ① 민법상 법인의 필수기관이 아닌 이사회는 이사가 사무집행권한에 의해 소집하는 것이므로, 과반수에 미치지 못하는 이사는 특별한 사정이 없는 한 민법 제58조 제2항에 반하여 이사회를 소집할 수 없다. 반면 과반수에 미치지 못하는 이사가 정관의 특별한 규정에 근거하여 이사회를 소집하거나 과반수의 이사가 민법 제58조 제2항에 근거하여 이사회를 소집하는 경우에는 법원의 허가를 받을 필요 없이 본래적 사무집행권에 기초하여 이사회를 소집할 수 있다. 법원은 민법상 법인의 이사회 소집을 허가할 법률상 근거가 없고, 다만 이사회 결의의 효력에 관하여 다툼이 발생하면 소집절차의 적법 여부를 판단할 수 있을 뿐이다(대결 2017.12.1, 2017그661).
>
> ② 법원의 직무집행정지 가처분결정에 의해 회사를 대표할 권한이 정지된 대표이사가 그 정지기간 중에 체결한 계약은 절대적으로 무효이고, 그 후 가처분신청의 취하에 의하여 보전집행이 취소되었다 하더라도 집행의 효력은 장래를 향하여 소멸할 뿐 소급적으로 소멸하는 것은 아니라 할 것이므로, 가처분신청이 취하되었다 하여 무효인 계약이 유효하게 되지는 않는다(대판 2008.5.29, 2008다4537).
>
> ③ 민법상 재단법인의 기본재산에 관한 저당권 설정행위는 특별한 사정이 없는 한 정관의 기재사항을 변경하여야 하는 경우에 해당하지 않으므로, 그에 관하여는 주무관청의 허가를 얻을 필요가 없다(대결 2018.7.20, 2017마1565).
>
> ④ 민법 제58조 제1항은 민법상 법인의 사무집행은 이사가 하도록 규정하고 있고, 같은 조 제2항은 이사가 수인인 경우에는 이사의 과반수로써 결정하되 정관에 다른 규정이 있으면 이에 따르도록 규정하고 있다. 그러므로 이사가 수인인 민법상 법인의 정관에 대표권 있는 이사만 이사회를 소집할 수 있다고 규정하고 있다고 하더라도 이는 과반수의 이사가 본래 할 수 있는 이사회 소집에 관한 행위를 대표권 있는 이사로 하여금 하게 한 것에 불과하다. 따라서 정관에 다른 이사가 요건을 갖추어 이사회 소집을 요구하면 대표권 있는 이사가 이에 응하도록 규정하고 있는데도 대표권 있는 이사가 다른 이사의 정당한 이사회 소집을 거절하였다면,

대표권 있는 이사만 이사회를 소집할 수 있는 규정은 적용될 수 없다. 이 경우 이사는 정관의 이사회 소집권한에 관한 규정 또는 민법에 기초하여 법인의 사무를 집행할 권한에 의하여 이사회를 소집할 수 있다(대결 2017.12.1, 2017그661).

⑤ 사단법인의 사원의 지위는 양도 또는 상속할 수 없다고 한 민법 제56조의 규정은 강행규정은 아니라고 할 것이므로, 정관에 의하여 이를 인정하고 있을 때에는 양도·상속이 허용된다(대판 1992.4.14, 91다26850).

29 종중에 관한 다음 설명 중 가장 옳지 않은 것은?

▶ 2020년 법무사

① 총유물인 종중 토지 매각대금의 분배는 정관 기타 규약에 달리 정함이 없는 한 종중총회의 분배결의가 없으면 종원이 종중에 대하여 직접 분배청구를 할 수 없다.

② 종중총회를 개최함에 있어 종중원들에 대한 소집통지의 방법은 반드시 직접 서면으로 하여야만 하는 것은 아니고 구두 또는 전화로 하여도 되고 다른 종중원이나 세대주를 통하여 하여도 무방하다.

③ 종중 유사의 권리능력 없는 사단은 반드시 총회를 열어 성문화된 규약을 만들고 정식의 조직체계를 갖추어야만 비로소 단체로서 성립한다.

④ 고유의 의미의 종중의 경우에 종중이 종중원의 자격을 박탈한다든지 종중원이 종중을 탈퇴할 수 없다.

⑤ 공동선조의 후손들 중 특정지역 거주자나 특정범위 내의 자들만으로 구성된 종중은 있을 수 없다.

해설 ① 총유물인 종중 토지 매각대금의 분배는 정관 기타 규약에 달리 정함이 없는 한 종중총회의 결의에 의하여만 처분할 수 있고 이러한 분배결의가 없으면 종원이 종중에 대하여 직접 분배청구를 할 수 없다. 따라서 종중 토지 매각대금의 분배에 관한 종중총회의 결의가 무효인 경우, 종원은 그 결의의 무효확인 등을 소구하여 승소판결을 받은 후 새로운 종중총회에서 공정한 내용으로 다시 결의하도록 함으로써 그 권리를 구제받을 수 있을 뿐이고 새로운 종중총회의 결의도 거치지 아니한 채 종전 총회결의가 무효라는 사정만으로 곧바로 종중을 상대로 하여 스스로 공정하다고 주장하는 분배금의 지급을 구할 수는 없다(대판 2010.9.9, 2007다42310·42327).

② 종중총회는 특별한 사정이 없는 한 족보에 의하여 소집통지 대상이 되는 종중원의 범위를 확정한 후 국내에 거주하여 소재가 분명하여 연락통지가 가능한 모든 종중원에게 개별적으로 소집통지를 함으로써 각자가 회의와 토의와 의결에 참가할 수 있는 기회를 주어야 하고, 일부 종중원에게 소집통지를 결여한 채 개최된 종중총회의 결의는 효력이 없으나, 그 소집통지의 방법은 반드시 직접 서면으로 하여야만 하는 것은 아니고 구두 또는 전화로 하여도 되고 다른 종중원이나 세대주를 통하여 하여도 무방하다(대판 2000.2.25, 99다20155).

③ 종중 유사의 권리능력 없는 사단은 반드시 총회를 열어 성문화된 규약을 만들고 정식의 조직체계를 갖추어야만 비로소 단체로서 성립하는 것이 아니라, 실질적으로 공동의 목적을 달성하기 위하여 공동의 재산을 형성하고 일을 주도하는 사람을 중심으로 계속적으로 사회적인 활동을 하여 온 경우에는 이미 그 무렵부터 단체로서의 실체가 존재한다고 하여야 한다. 계속

정답 ▶ 28 ③ 29 ③

적으로 공동의 일을 수행하여 오던 일단의 사람들이 어느 시점에 이르러 비로소 창립총회를 열어 조직체로서의 실체를 갖추었다면, 그 실체로서의 조직을 갖추기 이전부터 행한 행위나 또는 그때까지 형성한 재산은, 다른 특별한 사정이 없는 한, 모두 이 사회적 실체로서의 조직에게 귀속되는 것으로 봄이 타당하다(대판 2019.2.14, 2018다264628).

④ 고유의 의미의 종중의 경우에는 종중이 종중원의 자격을 박탈한다든지 종중원이 종중을 탈퇴할 수 없는 것이어서 공동선조의 후손들은 종중을 양분하는 것과 같은 종중분열을 할 수 없는 것이고, 따라서 한 개의 종중이 내분으로 인하여 사실상 2개로 분파된 상태에서 별도의 종중총회가 개최되어 종중대표자로 선임된 자는 그 분파의 대표자일 뿐 종중의 대표자로 볼 수는 없다(대판 1998.2.27, 97도1993).

⑤ 공동선조의 후손들 중 특정지역 거주자나 특정범위 내의 자들만으로 구성된 종중이란 있을 수 없으나, 특정지역 거주자나 특정범위 내의 자들만으로 분묘수호와 제사 및 친목도모를 위한 조직체를 구성하여 활동하고 있어 그 단체로서의 실체를 인정할 수 있는 경우에는 본래 의미의 종중은 아니나 권리능력 없는 사단으로서의 단체성을 인정할 여지가 있다(대판 1991.1.29, 90다카22537).

30 비법인사단에 관한 다음 설명 중 가장 옳은 것은? (다툼이 있는 경우 판례에 의하고, 전원합의체 판결의 경우 다수의견에 의함) ▸ 2019년 법원행시

① 비법인사단인 종교단체의 대표자 또는 구성원의 지위에 관한 확인소송에서 그 단체를 상대로 한 청구뿐만 아니라, 대표자 또는 구성원 개인을 상대로 한 청구도 원칙적으로 확인의 이익이 있다.

② 비법인사단이 총유재산에 관한 소송을 제기함에 있어서 사원총회의 결의를 거치지 아니하였다고 하더라도 소송요건이 흠결된 것으로서 부적법하다고 볼 것은 아니다.

③ 비법인사단의 대표자가 행한 타인에 대한 업무의 포괄적 위임과 그에 따른 포괄적 수임인의 대행행위는 민법 제62조의 규정에 위반된 것이어서 비법인사단에 대하여 그 효력이 미치지 아니한다.

④ 비법인사단은 민법상의 사단법인과 달리 그 구성원들의 집단적 탈퇴로써 2개로 분열되고, 분열되기 전의 비법인사단의 재산이 분열된 비법인사단들의 구성원들에게 각각 총유적으로 귀속되는 형태의 비법인사단의 분열이 허용된다.

⑤ 학교나 노인요양원, 노인요양센터는 일반적으로 대표자 있는 비법인사단에 해당하므로, 원칙적으로 민사소송에서 당사자능력이 인정된다.

해설 ① 법인 아닌 사단인 종교단체의 대표자 또는 구성원의 지위에 관한 확인소송에서 그 대표자 또는 구성원 개인을 상대로 제소하는 경우에는 그 청구를 인용하는 판결이 내려진다 하더라도 그 판결의 효력이 해당 단체에 미친다고 할 수 없기 때문에 대표자 또는 구성원의 지위를 둘러싼 당사자들 사이의 분쟁을 근본적으로 해결하는 가장 유효적절한 방법이 될 수 없으므로, 그 단체를 상대로 하지 않고 대표자 또는 구성원 개인을 상대로 한 청구는 확인의 이익이 없어 부적법하다(대판 2015.2.16, 2011다101155).

② 비법인사단이 총유재산에 관한 소송을 제기할 때에는 정관에 다른 정함이 있다는 등의 특별한 사정이 없는 한 사원총회 결의를 거쳐야 하므로 비법인사단이 이러한 사원총회 결의 없이 그 명의로 제기한 소송은 소송요건이 흠결된 것으로서 부적법하다(대판 2013.4.25, 2012다 118594 등).

③ 비법인사단에 대하여는 사단법인에 관한 민법 규정 가운데 법인격을 전제로 하는 것을 제외하고는 이를 유추적용하여야 하는데, 민법 제62조에 비추어 보면 비법인사단의 대표자는 정관 또는 총회의 결의로 금지하지 아니한 사항에 한하여 타인으로 하여금 특정한 행위를 대리하게 할 수 있을 뿐 비법인사단의 제반 업무처리를 포괄적으로 위임할 수는 없으므로 비법인사단 대표자가 행한 타인에 대한 업무의 포괄적 위임과 그에 따른 포괄적 수임인의 대행행위는 민법 제62조를 위반한 것이어서 비법인사단에 대하여 그 효력이 미치지 않는다(대판 2011.4.28, 2008다15438).

④ 종전 판결은 교회의 분열을 인정하여 그 재산의 귀속을 분열 당시 교인들의 총유로 보았으나, 현재 판결은 법인 아닌 사단의 구성원들의 집단적 탈퇴로써 사단이 2개로 분열되고 분열되기 전 사단의 재산이 분열된 각 사단들의 구성원들에게 각각 총유적으로 귀속되는 결과를 초래하는 형태의 법인 아닌 사단의 분열은 허용되지 않는다(대판(전합) 2006.4.20, 2004다37775).

⑤ 권리능력이 있는 자연인과 법인은 원칙적으로 민사소송의 주체가 될 수 있는 당사자능력이 있으나, 법인이 아닌 사단과 재단은 대표자 또는 관리인이 있는 경우에 한하여 당사자능력이 인정된다. 노인요양원이나 노인요양센터는 일반적으로 노인성질환 등으로 도움을 필요로 하는 노인을 위하여 급식·요양과 그 밖에 일상생활에 필요한 편의를 제공함을 목적으로 하는 시설, 즉 노인의료복지시설을 가리킨다. 이는 법인이 아님이 분명하고 대표자 있는 비법인사단 또는 재단도 아니므로, 원칙적으로 민사소송에서 당사자능력이 인정되지 않는다(대판 2018.8.1, 2018다227865).

31 법인과 비법인 사단에 관한 다음 설명 중 가장 옳은 것은? (다툼이 있는 경우 판례에 의하고, 전원합의체 판결의 경우 다수의견에 의함) ▶ 2020년 9급(법원서기보)

① 대표이사가 대표권의 범위 내에서 한 행위라도 회사의 영리목적과 관계없이 자기 또는 제3자의 이익을 도모할 목적으로 그 권한을 남용한 것이라면 원칙적으로 회사에 대하여 무효이다.

② 민법 제35조 제1항은 "법인은 이사 기타 대표자가 그 직무에 관하여 타인에게 가한 손해를 배상할 책임이 있다"라고 규정하고 있는데, 여기서 '법인의 대표자'란 당해 법인을 실질적으로 운영하면서 법인을 사실상 대표하였는지를 불문하고, 대표자로 등기되어 법인의 사무를 집행하는 사람에 한정된다.

③ 법인 아닌 사단은 사단의 실질은 가지고 있으나 아직 권리능력을 취득하지 못한 것이므로, 법인 아닌 사단의 사원은 집합체로서 재산을 소유할 수 없고, 법인 아닌 사단은 대표자가 있더라도 그 사단의 이름으로 소송의 당사자가 될 수 없다.

정답 | 30 ③ 31 ④

④ 공동선조의 후손 중 일부에 의하여 인위적인 조직행위를 거쳐 성립된 종중 유사단체는 사적 임의단체라는 점에서 자연발생적인 종족집단인 고유한 의미의 종중과 그 성질을 달리하므로, 종중 유사단체의 규약에서 공동선조의 후손 중 남성만으로 그 구성원을 한정하고 있다 하더라도 특별한 사정이 없는 한 그 규약이 양성평등 원칙을 정한 헌법 제11조 및 민법 제103조를 위반하여 무효라고 볼 수는 없다.

해설 ① 대표이사가 대표권의 범위 내에서 한 행위는 설사 대표이사가 회사의 영리 목적과 관계없이 자기 또는 제3자의 이익을 도모할 목적으로 권한을 남용한 것이라도 일응 회사의 행위로서 유효하다. 그러나 행위의 상대방이 그와 같은 정을 알았던 경우에는 그로 인하여 취득한 권리를 회사에 대하여 주장하는 것이 신의칙에 반하므로 회사는 상대방의 악의를 입증하여 행위의 효과를 부인할 수 있다고 하였다(대판 2016.8.24, 2016다222453).

② 민법 제35조 제1항은 "법인은 이사 기타 대표자가 그 직무에 관하여 타인에게 가한 손해를 배상할 책임이 있다."라고 정한다. 여기서 '법인의 대표자'에는 그 명칭이나 직위 여하, 또는 대표자로 등기되었는지 여부를 불문하고 당해 법인을 실질적으로 운영하면서 법인을 사실상 대표하여 법인의 사무를 집행하는 사람을 포함한다고 해석함이 상당하다(대판 2011.4.28, 2008다15438).

③ 법인 아닌 사단의 재산은 총유로서 사원은 집합체로서 재산을 소유할 수 있다(제275조). 또한 법인 아닌 사단도 대표자가 정해져 있으면 소송법상 당사자능력이 있다(민소법 제52조).

④ 종중 유사단체는 비록 그 목적이나 기능이 고유한 의미의 종중과 별다른 차이가 없다 하더라도 공동선조의 후손 중 일부에 의하여 인위적인 조직행위를 거쳐 성립된 경우에는 사적 임의단체라는 점에서 자연발생적인 종족집단인 고유한 의미의 종중과 그 성질을 달리하므로, 그러한 경우에는 사적 자치의 원칙 내지 결사의 자유에 따라 그 구성원의 자격이나 가입조건을 자유롭게 정할 수 있음이 원칙이다. 따라서 그러한 종중 유사단체의 회칙이나 규약에서 공동선조의 후손 중 남성만으로 그 구성원을 한정하고 있다 하더라도 특별한 사정이 없는 한 이는 사적 자치의 원칙 내지 결사의 자유의 보장범위에 포함되고, 위 사정만으로 그 회칙이나 규약이 양성평등 원칙을 정한 헌법 제11조 및 민법 제103조를 위반하여 무효라고 볼 수는 없다(대판 2011.2.24, 2009다17783).

32 비법인사단에 관한 다음 설명 중 가장 옳지 않은 것은? (다툼이 있는 경우 판례에 의함)

▶ 2019년 법원사무관 승진

① 종중에 유사한 비법인사단은 반드시 총회를 열어 성문화된 규약을 만들고 정식의 조직체계를 갖추어야만 비로소 단체로서 성립하는 것이 아니다.

② 비법인사단인 종중의 토지에 대한 수용보상금은 종원의 총유에 속하고, 그 수용보상금의 분배는 총유물의 처분에 해당하므로, 정관 기타 규약에 아무런 정함이 없다면 종중총회의 결의에 의하여는 그 수용보상금을 분배할 수 없다.

③ 비법인사단이 사원총회의 결의 없이 총유재산에 대한 보존행위로서 제기한 소는 특별한 사정이 없는 한 소제기에 관한 특별수권을 결하여 부적법하다.

④ 법인의 대표자로 등기되거나 대표자라는 명칭을 사용하지 않는 자라도 당해 법인을 실질적으로 운영하면서 사실상 법인을 대표하여 법인의 사무를 집행하는 자가 그 직무에 관하여 타인에게 손해를 가한 경우에는 그 법인이 손해배상책임을 부담하는데, 이런 법리는 비법인사단에도 동일하게 적용된다.

해설 ① 종중 유사의 권리능력 없는 사단은 반드시 총회를 열어 성문화된 규약을 만들고 정식의 조직체계를 갖추어야만 비로소 단체로서 성립하는 것이 아니라, 실질적으로 공동의 목적을 달성하기 위하여 공동의 재산을 형성하고 일을 주도하는 사람을 중심으로 계속적으로 사회적인 활동을 하여 온 경우에는 이미 그 무렵부터 단체로서의 실체가 존재한다고 하여야 한다(대판 2019.2.14, 2018다264628).

② 비법인사단인 종중의 토지에 대한 수용보상금은 종원의 총유에 속하고, 그 수용보상금의 분배는 총유물의 처분에 해당하므로, 정관 기타 규약에 달리 정함이 없는 한 종중총회의 결의에 의하여 그 수용보상금을 분배할 수 있고, 그 분배 비율, 방법, 내용 역시 결의에 의하여 자율적으로 결정할 수 있다(대판 2010.9.30, 2007다74775).

③ 총유재산에 관한 소송은 비법인사단이 그 명의로 사원총회의 결의를 거쳐 하거나 또는 그 구성원 전원이 당사자가 되어 필수적 공동소송의 형태로 할 수 있을 뿐이며, 비법인사단이 사원총회의 결의 없이 제기한 소송은 소제기에 관한 특별수권을 결하여 부적법하다(대판 2007.7.26, 2006다64573).

④ 민법 제35조 제1항은 "법인은 이사 기타 대표자가 그 직무에 관하여 타인에게 가한 손해를 배상할 책임이 있다."라고 정한다. 여기서 '법인의 대표자'에는 그 명칭이나 직위 여하, 또는 대표자로 등기되었는지 여부를 불문하고 당해 법인을 실질적으로 운영하면서 법인을 사실상 대표하여 법인의 사무를 집행하는 사람을 포함한다고 해석함이 상당하다. 그리고 이러한 법리는 주택조합과 같은 비법인사단에도 마찬가지로 적용된다(대판 2011.4.28, 2008다15438).

33 법인에 관한 다음 설명 중 가장 옳지 않은 것은?   ▶ 2021년 법무사

① 법인은 법률의 규정에 좇아 정관으로 정한 목적 범위 내에서 권리와 의무의 주체가 되는데, '목적 범위 내'의 행위라 함은 정관에 명시된 목적 자체에 국한되는 것이 아니라, 그 목적을 수행하기 위한 직접 또는 간접으로 필요한 행위를 모두 포함한다. 목적 수행에 필요한지 여부도 행위의 객관적 성질에 따라 추상적으로 판단해야 하므로, 행위자의 주관적·구체적 의사에 따라 판단하면 아니 되고, 문제된 행위가 정관상 목적에 현실적으로 필요한 것인지 여부에 따라 판단하여야 한다.

② 법인은 이사 기타 대표자가 그 직무에 관하여 타인에게 가한 손해를 배상할 책임이 있는데, 법인의 목적 범위 외의 행위로 인하여 타인에게 손해를 가한 때에는 그 사항의 의결에 찬성하거나 그 의결을 집행한 사원, 이사 및 기타 대표자가 연대하여 배상하여야 한다.

③ 민법 제35조 제1항에 의한 법인의 불법행위가 성립하는 경우, 사용자책임을 규정한 민법 제756조 제1항이 적용되지 않는다.

정답 32 ② 33 ①

④ 민법 제35조 제1항의 '대표자'에는 그 명칭이나 직위 여하를 불문하고 당해 법인을 실질적으로 운영하면서 사실상 법인을 대표하여 법인의 사무를 집행하는 사람을 포함한다.

⑤ 법인의 대표자의 행위가 직무에 관한 행위에 해당하지 아니함을 피해자 자신이 알았거나 또는 중대한 과실로 인하여 알지 못한 경우에는 법인에게 손해배상책임을 물을 수 없다고 할 것이고, 여기서 중대한 과실이라 함은 거래의 상대방이 조금만 주의를 기울였더라면 대표자의 행위가 그 직무권한 내에서 적법하게 행하여진 것이 아니라는 사정을 알 수 있었음에도 만연히 이를 직무권한 내의 행위라고 믿음으로써 일반인에게 요구되는 주의의무에 현저히 위반하는 것으로 거의 고의에 가까운 정도의 주의를 결여하고, 공평의 관점에서 상대방을 구태여 보호할 필요가 없다고 봄이 상당하다고 인정되는 상태를 말한다.

해설 ① 정관에 정한 목적의 범위 내라 함은 목적을 수행하는 데 있어서 직접·간접으로 필요한 행위를 모두 포함하고, 목적수행에 필요한지 여부는 행위의 객관적 성질에 따라 판단할 것이고 행위자의 주관적, 구체적 의사에 따라 판단할 것은 아니다(대판 1991.11.22, 91다8821). 따라서 정관에 명시된 목적 자체에는 포함되지 않는 행위라 할지라도 그 목적수행에 필요한 행위는 회사의 목적 범위 내의 행위라 할 것이고 그 목적수행에 필요한 행위인가 여부는 문제된 행위가 정관 기재의 목적에 현실적으로 필요한 것이었던가 여부를 기준으로 판단할 것이 아니라 그 행위의 객관적 성질에 비추어 추상적으로 판단할 것이다(대판 1987.10.13, 86다카1522).

② 제35조【법인의 불법행위능력】
① 법인은 이사 기타 대표자가 그 직무에 관하여 타인에게 가한 손해를 배상할 책임이 있다. 이사 기타 대표자는 이로 인하여 자기의 손해배상책임을 면하지 못한다.
② 법인의 목적범위 외의 행위로 인하여 타인에게 손해를 가한 때에는 그 사항의 의결에 찬성하거나 그 의결을 집행한 사원, 이사 및 기타 대표자가 연대하여 배상하여야 한다.

③ 법인에 있어서 그 대표자가 직무에 관하여 불법행위를 한 경우에는 민법 제35조 제1항에 의하여, 법인의 피용자가 사무집행에 관하여 불법행위를 한 경우에는 민법 제756조 제1항에 의하여 각기 손해배상책임을 부담한다(대판 2009.11.26, 2009다57033).

④ 민법 제35조 제1항은 "법인은 이사 기타 대표자가 그 직무에 관하여 타인에게 가한 손해를 배상할 책임이 있다"라고 정한다. 여기서 '법인의 대표자'에는 그 명칭이나 직위 여하, 또는 대표자로 등기되었는지 여부를 불문하고 당해 법인을 실질적으로 운영하면서 법인을 사실상 대표하여 법인의 사무를 집행하는 사람을 포함한다고 해석함이 상당하다(대판 2011.4.28, 2008다15438).

⑤ 비법인사단의 경우 대표자의 행위가 직무에 관한 행위에 해당하지 아니함을 피해자 자신이 알았거나 또는 중대한 과실로 인하여 알지 못한 경우에는 비법인사단에게 손해배상책임을 물을 수 없다고 할 것이고, 여기서 중대한 과실이라 함은 거래의 상대방이 조금만 주의를 기울였더라면 대표자의 행위가 그 직무권한 내에서 적법하게 행하여진 것이 아니라는 사정을 알 수 있었음에도 만연히 이를 직무권한 내의 행위라고 믿음으로써 일반인에게 요구되는 주의의무에 현저히 위반하는 것으로 거의 고의에 가까운 정도의 주의를 결여하고, 공평의 관점에서 상대방을 구태여 보호할 필요가 없다고 봄이 상당하다고 인정되는 상태를 말한다(대판 2003.7.25, 2002다27088).

34 법인 또는 비법인사단에 관한 다음 설명 중 가장 옳은 것은? ▸ 2021년 법원행시

① 비법인사단이 타인 간의 금전채무를 보증하는 행위는 총유물의 관리·처분행위에 해당한다.
② 외형상 법인의 대표자의 직무행위라고 인정된 것이 대표자 개인의 사리를 도모하기 위한 것이었거나 법령의 규정에 위배된 것이었다면, 이러한 행위는 직무에 관한 행위에 해당하지 않으므로 이에 대하여는 법인이 그 대표자의 불법행위로 인한 손해배상의무를 부담하지 않는다.
③ 적법한 대표자 자격이 없는 비법인 사단의 대표자가 한 소송행위는 후에 대표자 자격을 적법하게 취득한 대표자가 그 소송행위를 추인하더라도 이를 유효하게 할 수는 없다.
④ 불법행위로 인한 손해배상청구권의 단기소멸시효의 기산점과 관련하여, 법인의 대표자가 법인에 대하여 불법행위를 한 경우에는, 법인의 대표자가 그 손해 및 가해자를 아는 것만으로는 부족하고 적어도 법인의 이익을 정당하게 보전할 권한을 가진 다른 대표자, 임원 또는 사원이나 직원 등이 손해배상청구권을 행사할 수 있을 정도로 이를 안 때에 비로소 단기소멸시효가 진행한다고 할 수 있다.
⑤ 비법인사단에 해산사유가 발생하면 곧바로 당사자능력이 소멸하게 되고, 청산사무가 완료될 때까지 청산의 목적범위 내에서 권리·의무의 주체가 된다고 볼 수는 없다.

> **해설** ① 민법 제275조, 제276조 제1항에서 말하는 총유물의 관리 및 처분이라 함은 총유물 그 자체에 관한 이용·개량행위나 법률적·사실적 처분행위를 의미하는 것이므로, 비법인사단이 타인 간의 금전채무를 보증하는 행위는 총유물 그 자체의 관리·처분이 따르지 아니하는 단순한 채무부담행위에 불과하여 이를 총유물의 관리·처분행위라고 볼 수는 없다(대판(전) 2007.4.19, 2004다60072·60089).
> ② 법인이 그 대표자의 불법행위로 인하여 손해배상의무를 지는 것은 그 대표자의 직무에 관한 행위로 인하여 손해가 발생한 것임을 요한다 할 것이나, 그 직무에 관한 것이라는 의미는 행위의 외형상 법인의 대표자의 직무행위라고 인정할 수 있는 것이라면 설사 그것이 대표자 개인의 사리를 도모하기 위한 것이었거나 혹은 법령의 규정에 위배된 것이었다 하더라도 위의 직무에 관한 행위에 해당한다고 보아야 한다(대판 2004.2.27, 2003다15280).
> ③ 적법한 대표자 자격이 없는 비법인 사단의 대표자가 한 소송행위는 후에 대표자 자격을 적법하게 취득한 대표자가 소송행위를 추인하면 행위 시에 소급하여 효력을 가지게 되고, 이러한 추인은 상고심에서도 할 수 있다(대판 2016.7.7, 2013다76871).
> ④ 법인의 경우 불법행위로 인한 손해배상청구권의 단기소멸시효의 기산점인 '손해 및 가해자를 안 날'이라 함은 통상 대표자가 이를 안 날을 뜻하지만, 법인의 대표자가 가해자에 가담하여 법인에 대하여 공동불법행위가 성립하는 경우에는, 단지 그 대표자가 그 손해 및 가해자를 아는 것만으로는 부족하고, 적어도 법인의 이익을 정당하게 보전할 권한을 가진 다른 임원 또는 사원이나 직원 등이 손해배상청구권을 행사할 수 있을 정도로 이를 안 때에 위 단기시효가 진행한다고 해석함이 상당하다(대판 1998.11.10, 98다34126).
> ⑤ 비법인사단에 해산사유가 발생하였다고 하더라도 곧바로 당사자능력이 소멸하는 것이 아니라 청산사무가 완료될 때까지 청산의 목적범위 내에서 권리·의무의 주체가 되고, 이 경우 청산 중의 비법인사단은 해산 전의 비법인사단과 동일한 사단이고 다만 그 목적이 청산 범위 내로 축소된 데 지나지 않는다(대판 2007.11.16, 2006다41297).

> **정답** 34 ④

35 비법인사단에 관한 다음 설명 중 가장 옳지 않은 것은? ▸ 2022년 법무사

① 비법인사단의 경우에는 대표자의 대표권 제한에 관하여 등기할 방법이 없어 민법 제60
조의 규정을 준용할 수 없고, 비법인사단의 대표자가 정관에서 사원총회의 결의를 거
쳐야 하도록 규정한 대외적 거래행위에 관하여 이를 거치지 아니한 경우라도, 이와 같
은 사원총회 결의사항은 비법인사단의 내부적 의사결정에 불과하다 할 것이므로, 그
거래 상대방이 그와 같은 대표권 제한 사실을 알았거나 알 수 있었을 경우가 아니라면
그 거래행위는 유효하다고 봄이 상당하고, 이 경우 거래의 상대방이 대표권 제한 사실
을 알았거나 알 수 있었음은 이를 주장하는 비법인사단 측이 주장 및 증명하여야 한다.

② 임시이사의 선임에 관한 민법 제63조는 법인의 조직과 활동에 관한 것으로서 법인격을
전제로 하는 조항은 아니라 할 것이고, 법인 아닌 사단이나 재단의 경우에도 이사가
없거나 결원이 생길 수 있으며, 통상의 절차에 따른 새로운 이사의 선임이 극히 곤란하
고 종전 이사의 긴급처리권도 인정되지 아니하는 경우에는 사단이나 재단 또는 타인에
게 손해가 생길 염려가 있을 수 있으므로, 민법 제63조는 법인 아닌 사단이나 재단에도
유추 적용할 수 있다.

③ 종중은 공동선조의 분묘수호와 제사 및 후손 상호 간의 친목을 목적으로 하여 형성되
는 자연발생적인 종족단체로서 그 선조의 사망과 동시에 그 자손에 의하여 관습상 당
연히 성립하는 것이므로 공동선조의 후손들 중 특정 지역 거주자나 특정 범위 내의 자
들만으로 구성된 종중이란 있을 수 없고, 종중이 공동선조의 제사봉행을 주목적으로
하는 것과 구관습상의 양자제도의 목적에 비추어 타가에 출계한 자는 친가의 생부를
공동선조로 하여 자연발생적으로 형성되는 종중의 구성원이 될 수 없다.

④ 종중총회는 특별한 사정이 없는 한 족보에 의하여 소집통지 대상이 되는 종중원의 범
위를 확정한 후 국내에 거주하고 소재가 분명하여 통지가 가능한 모든 종중원에게 개
별적으로 소집통지를 함으로써 각자가 회의와 토의 및 의결에 참가할 수 있는 기회를
주어야 하고, 일부 종중원에게 소집통지를 결여한 채 개최된 종중총회의 결의는 효력
이 없으나, 그 소집통지의 방법은 반드시 직접 서면으로 하여야만 하는 것은 아니고
구두 또는 전화로 하여도 되고 다른 종중원이나 세대주를 통하여 하여도 무방하며, 경
우에 따라서는 소집권자가 지파 또는 거주지별 대표자에게 총회소집을 알리는 것만으
로도 적법하게 통지할 수 있다.

⑤ 교회의 교인들은 교회 재산을 총유의 형태로 소유하면서 사용·수익할 것인데, 일부
교인들이 교회를 탈퇴하여 그 교회 교인으로서의 지위를 상실하게 되면 탈퇴가 개별적
인 것이든 집단적인 것이든 이와 더불어 종전 교회의 총유 재산의 관리처분에 관한 의
결에 참가할 수 있는 지위나 그 재산에 대한 사용·수익권을 상실하고, 종전 교회는
잔존 교인들을 구성원으로 하여 실체의 동일성을 유지하면서 존속하며 종전 교회의 재
산은 그 교회에 소속된 잔존 교인들의 총유로 귀속됨이 원칙이다. 그리고 교단에 소속
되어 있던 지교회의 교인들의 일부가 소속 교단을 탈퇴하기로 결의한 다음 종전 교회

를 나가 별도의 교회를 설립하여 별도의 대표자를 선정하고 나아가 다른 교단에 가입한 경우, 그 교회는 종전 교회에서 집단적으로 이탈한 교인들에 의하여 새로이 법인 아닌 사단의 요건을 갖추어 설립된 신설 교회라 할 것이어서, 그 교회 소속 교인들은 더 이상 종전 교회의 재산에 대한 권리를 보유할 수 없게 된다.

해설 ① 대판 2003.7.22, 2002다64780
② 대결(전) 2009.11.19, 2008마699
③ 대판 1999.8.24, 99다14228
④ 종중총회는 특별한 사정이 없는 한 족보에 의하여 소집통지 대상이 되는 종중원의 범위를 확정한 후 국내에 거주하고 소재가 분명하여 통지가 가능한 <u>모든 종중원에게 개별적으로 소집통지</u>를 함으로써 각자가 회의와 토의 및 의결에 참가할 수 있는 기회를 주어야 하고, <u>일부 종중원에게 소집통지를 결여한 채 개최된 종중총회의 결의는 효력이 없으나,</u> 그 소집통지의 방법은 반드시 직접 서면으로 하여야만 하는 것은 아니고 <u>구두 또는 전화로 하여도 되고 다른 종중원이나 세대주를 통하여 하여도 무방하다</u>(대판 2000.2.15, 99다20155). 그러나 종중총회의 소집통지는 이에 관한 종중의 규약이나 관례가 없는 경우, 소집권자가 총회에 참석할 자격이 있는 종원 중 국내에 거주하고, 소재가 분명하여 연락통지가 가능한 종원에게 적당한 방법으로 통지하여야 하고, <u>소집권자가 지파 또는 거주지별 대표자에게 총회소집을 알리는 것만으로는 총회소집이 적법하게 통지되었다고 볼 수 없다</u>(대판 1994.6.14, 93다45244).
⑤ 대판(전) 2006.4.20, 2004다37775

36 법인에 관한 다음 설명 중 가장 옳지 않은 것은? ▶ 2024년 법원사무관 승진

① 민법 제35조에서 말하는 '이사 기타 대표자'는 법인의 대표기관을 의미하는 것이고 대표권이 없는 이사는 법인의 기관이기는 하지만 대표기관은 아니기 때문에 그들의 행위로 인하여 법인의 불법행위가 성립하지 않는다.

② 민법 제35조의 '법인의 대표자'에는 그 명칭이나 직위 여하, 또는 대표자로 등기되었는지 여부를 불문하고 당해 법인을 실질적으로 운영하면서 법인을 사실상 대표하여 법인의 사무를 집행하는 사람을 포함한다고 해석함이 상당하다.

③ 법인이 피해자인 경우 법인의 업무에 관하여 일체의 재판상 또는 재판 외의 행위를 할 권한이 있는 법률상 대리인이 가해자인 피용자의 행위가 사용자의 사무집행행위에 해당하지 않음을 안 때에는 피해자인 법인이 이를 알았다고 보아야 하고, 이러한 법리는 그 법률상 대리인이 본인인 법인에 대한 관계에서 이른바 배임적 대리행위를 하는 경우에도 마찬가지이다.

④ 법인에 대한 손해배상 책임 원인이 대표기관의 고의적인 불법행위인 경우에는 피해자에게 그 불법행위 내지 손해발생에 과실이 있다고 하더라도 과실상계를 할 수 없다.

해설 ① 대판 2005.12.23, 2003다30159

정답 35 ④ 36 ④

② 대판 2011.4.28, 2008다15438

③ 법인이 피해자인 경우 법인의 업무에 관하여 일체의 재판상 또는 재판 외의 행위를 할 권한
이 있는 법률상 대리인이 가해자인 피용자의 행위가 사용자의 사무집행행위에 해당하지 않
음을 안 때에는 피해자인 법인이 이를 알았다고 보아야 하고, 이러한 법리는 그 법률상 대리
인이 본인인 법인에 대한 관계에서 이른바 배임적 대리행위를 하는 경우에도 마찬가지라고
할 것이다(대판 2005.12.23, 2003다30159).

④ 법인에 대한 손해배상책임원인이 대표기관의 고의적인 불법행위라고 하더라도, 피해자에게
그 불법행위 내지 손해발생에 과실이 있다면 법원은 과실상계의 법리에 좇아 손해배상의 책
임 및 그 금액을 정함에 있어 이를 참작하여야 한다(대판 1987.11.24, 86다카1834).

37 비법인사단에 관한 다음 설명 중 가장 옳지 않은 것은? ▸2024년 법원행시

① 민법상의 조합과 법인격은 없으나 사단성이 인정되는 비법인사단을 구별함에 있어서는
일반적으로 그 단체성의 강약을 기준으로 판단하여야 하는바, 민법상 조합의 명칭을
가지고 있는 단체라 하더라도 고유의 목적을 가지고 사단적 성격을 가지는 규약을 만
들어 이에 근거하여 의사결정기관 및 집행기관인 대표자를 두는 등의 조직을 갖추고
있고, 기관의 의결이나 업무집행방법이 다수결의 원칙에 의하여 행해지며, 구성원의
가입, 탈퇴 등으로 인한 변경에 관계없이 단체 그 자체가 존속되고, 그 조직에 의하여
대표의 방법, 총회나 이사회 등의 운영, 자본의 구성, 재산의 관리 기타 단체로서의
주요사항이 확정되어 있는 경우에는 비법인사단으로서의 실체를 가진다.

② 특정 교단에 가입한 지교회가 교단이 정한 헌법을 지교회 자신의 자치규범으로 받아들
였다고 인정되는 경우에는 소속 교단의 변경은 실질적으로 지교회 자신의 규약에 해당
하는 자치규범을 변경하는 결과를 초래하고, 만약 지교회 자신의 규약을 갖춘 경우에
는 교단변경으로 인하여 지교회의 명칭이나 목적 등 지교회의 규약에 포함된 사항의
변경까지 수반하기 때문에, 소속 교단에서의 탈퇴 내지 소속 교단의 변경은 사단법인
정관변경에 준하여 의결권을 가진 교인 2/3 이상의 찬성에 의한 결의를 필요로 하고,
그 결의요건을 갖추어 소속 교단을 탈퇴하거나 다른 교단으로 변경한 경우에 종전 교
회의 실체는 이와 같이 교단을 탈퇴한 교회로서 존속하고 종전 교회 재산은 위 탈퇴한
교회 소속 교인들의 총유로 귀속된다.

③ 불교신도나 승려 등 개인이 토지를 매수하여 그 지상에 사찰건물을 건립한 다음 주지를
두고 그 곳에서 불교의식을 행하는 경우, 위 사찰의 창건주가 특정 종단에 가입하여
그 소속 사찰로 등록을 하고 사찰의 부지와 건물에 관하여 그 사찰 명의로 등기를 마침
으로써 사찰재산을 창건주 개인이 아닌 사찰 자체에 귀속시키는 등의 절차를 거쳤다면
이로써 그 사찰은 법인 아닌 재단 또는 사단으로서 독립된 권리주체가 되었다고 할 것
이나, 이에 이르지 못한 경우에는 창건주의 개인사찰로서 불교목적시설에 불과하다고
할 것이고, 일시적으로 사찰재산의 일부에 관하여 사찰을 명의인으로 한 등기가 마쳐
졌다는 사정만으로 위 사찰이 법인 아닌 재단으로서 단체성을 취득하는 것은 아니다.

④ 구 주택건설촉진법에 의하여 설립된 재건축조합은 민법상의 비법인사단에 해당하고, 재건축조합의 실체가 비법인사단이라면 재건축조합이 주체가 되어 신축 완공한 상가건물은 조합원 전원의 총유에 속하며, 총유물의 관리 및 처분에 관하여 재건축조합의 정관이나 규약에 정한 바가 있으면 이에 따라야 하고, 그에 관한 정관이나 규약이 없으면 조합원 총회의 결의에 의하여야 한다. 그러한 절차를 거치지 아니한 재건축조합의 재산처분행위는 무효이다.

⑤ 비법인사단의 대표자의 행위가 대표자 개인의 사리를 도모하기 위한 것이었거나 혹은 법령의 규정에 위배된 것이더라도 외관상, 객관적으로 직무에 관한 행위라고 인정할 수 있는 것이라면 민법 제35조(법인의 불법행위능력) 제1항의 직무에 관한 행위에 해당한다고 볼 수 없다.

해설 ① 대판 1992.7.10, 92다2431

② 대판(전합) 2006.4.20, 2004다37775

③ 불교신도나 승려 등 개인이 토지를 매수하여 그 지상에 사찰건물을 건립한 다음 주지를 두고 그곳에서 불교의식을 행하는 경우 위 사찰의 창건주가 특정 종단에 가입하여 그 소속 사찰로 등록을 하고 사찰의 부지와 건물에 관하여 그 사찰 명의로 등기를 마침으로써 사찰재산을 창건주 개인이 아닌 사찰 자체에 귀속시키는 등의 절차를 거쳤다면 이로써 그 사찰은 법인 아닌 재단 또는 사단으로서 독립된 권리주체가 되었다고 할 것이나, 이에 이르지 못한 경우에는 창건주의 개인사찰로서 불교목적시설에 불과하다고 할 것이고, 일시적으로 사찰재산의 일부에 관하여 사찰을 명의인으로 한 등기가 마쳐졌다는 사정만으로 위 사찰이 법인 아닌 재단으로서 단체성을 취득하는 것은 아니다(대판 2005.6.24, 2003다54971). → 일시적으로 사찰재산의 일부에 관하여 사찰을 명의인으로 한 등기가 마쳐졌을 뿐 사찰의 창건주가 사찰재산을 사찰 자체에 귀속시키는 등의 절차를 거치지 아니한 경우라면 위 사찰이 법인 아닌 재단으로서 단체성을 취득하는 것은 아니라는 것이다.

④ 주택건설촉진법상의 재건축조합의 재산소유관계 및 그 재산의 처분방법 – 주택건설촉진법에 의하여 설립된 재건축조합은 민법상의 비법인사단에 해당하고, 재건축조합의 실체가 비법인사단이라면 재건축조합이 주체가 되어 신축 완공한 상가건물은 조합원 전원의 총유에 속하며, 총유물의 관리 및 처분에 관하여 재건축조합의 정관이나 규약에 정한 바가 있으면 이에 따라야 하고, 그에 관한 정관이나 규약이 없으면 조합원 총회의 결의에 의하여야 한다. 재건축조합의 대표자가 조합원총회의 결의 없이 한 조합재산의 처분행위는 무효이다(대판 2001.5.29, 2000다10246).

⑤ 비법인사단의 대표자의 행위가 대표자 개인의 사리를 도모하기 위한 것이었거나 혹은 법령의 규정에 위배된 것이었다 하더라도 외관상, 객관적으로 직무에 관한 행위라고 인정할 수 있는 것이라면 민법 제35조 제1항의 직무에 관한 행위에 해당한다(대판 2003.7.25, 2002다27088).

정답 37 ⑤

38 교회의 법률관계에 관한 다음 설명 중 가장 옳지 않은 것은? (다툼이 있는 경우 판례에 의함)

▶ 2019년 법원주사보

① 토지나 건축물을 소유한 교회가 재개발조합의 설립 및 사업시행에 대하여 동의를 하는 경우에 정관 기타 규약이 없으면 교인들 총회의 과반수 결의에 의하여야 한다.

② 하나의 교회가 2개의 교회로 분열된 경우 종전교회의 재산은 분열 당시 교인들의 총유에 속하고, 교인들은 각 교회활동의 목적범위 내에서 총유권의 대상인 교회재산을 사용수익할 수 있다 할 것이므로 교회재산 총유권자의 일부인 잔류교인들로써 이루어진 교회가 다른 총유권자들로써 이루어진 교회에 대하여 교회 건물의 명도를 구할 수 없고, 교회 건물의 등기명의가 한쪽 교회의 명의로 되어 있다고 하더라도 이는 위와 같은 총유재산임을 공시하는 한에서 유효하다.

③ 특정 교단에 가입한 지교회가 소속 교단에서 탈퇴하거나 소속 교단을 변경하기 위해서는 사단법인 정관변경에 준하여 의결권을 가진 교인 2/3 이상의 찬성에 의한 결의를 필요로 한다.

④ 특정 교단에 가입한 지교회가 결의요건을 갖추어 소속 교단을 탈퇴하거나 다른 교단으로 변경한 경우에 종전 교회의 실체는 이와 같이 교단을 탈퇴한 교회로서 존속하고 종전 교회 재산은 위 탈퇴한 교회 소속 교인들의 총유로 귀속된다.

해설 ① 교회는 일반적으로 권리능력 없는 사단이라 할 것이므로, 그 재산의 귀속형태는 총유로 봄이 상당하고, 따라서 교회재산의 관리와 처분은 그 교회의 정관 기타 규약에 의하되 그것이 없는 경우에는 그 소속교회 교인들 총회의 과반수 결의에 의하여야 하므로, 토지나 건축물을 소유한 교회가 재개발조합의 설립 및 사업시행에 대하여 동의를 하는 경우에도 정관 기타 규약이 없으면 교인들 총회의 과반수 결의에 의하여야 한다(대판 2001.6.15, 99두5566).

② 종전 판결은 교회의 분열을 인정하여 그 재산의 귀속을 분열 당시 교인들의 총유로 보았으나, 현재 판결은 법인 아닌 사단의 구성원들의 집단적 탈퇴로써 사단이 2개로 분열되고 분열되기 전 사단의 재산이 분열된 각 사단들의 구성원들에게 각각 총유적으로 귀속되는 결과를 초래하는 형태의 법인 아닌 사단의 분열은 허용되지 않는다(대판(전합) 2006.4.20, 2004다37775).

③,④ 특정 교단에 가입한 지교회가 교단이 정한 헌법을 지교회 자신의 자치규범으로 받아들였다고 인정되는 경우에는 소속 교단의 변경은 실질적으로 지교회 자신의 규약에 해당하는 자치규범을 변경하는 결과를 초래하고, 만약 지교회 자신의 규약을 갖춘 경우에는 교단변경으로 인하여 지교회의 명칭이나 목적 등 지교회의 규약에 포함된 사항의 변경까지 수반하기 때문에, 소속 교단에서의 탈퇴 내지 소속 교단의 변경은 사단법인 정관변경에 준하여 의결권을 가진 교인 2/3 이상의 찬성에 의한 결의를 필요로 하고, 그 결의요건을 갖추어 소속 교단을 탈퇴하거나 다른 교단으로 변경한 경우에 종전 교회의 실체는 이와 같이 교단을 탈퇴한 교회로서 존속하고 종전 교회 재산은 위 탈퇴한 교회 소속 교인들의 총유로 귀속된다(대판(전) 2006.4.20, 2004다37775).

39 다음 설명 중 가장 옳지 않은 것은?

▶ 2023년 법무사

① 교회가 법인 아닌 사단으로서 존재하는 이상 그 법률관계를 둘러싼 분쟁을 소송적인 방법으로 해결함에 있어서는 법인 아닌 사단에 관한 민법의 일반 이론에 따라 교회의 실체를 파악하고 교회의 재산 귀속에 대하여 판단하여야 하고, 그 교인들은 교회 재산을 총유의 형태로 소유하면서 사용·수익하게 된다.

② 비법인사단인 교회의 대표자는 총유물인 교회 재산의 처분에 관하여 교인총회의 결의를 거치지 아니하고는 이를 대표하여 행할 권한이 없으나, 교회의 대표자가 권한 없이 행한 교회 재산의 처분행위에 대하여도 민법 제126조의 표현대리에 관한 규정이 준용될 수 있다.

③ 비법인사단이 타인 간의 금전채무를 보증하는 행위는 총유물 그 자체의 관리·처분이 따르지 아니하는 단순한 채무부담행위에 불과하여 이를 총유물의 관리·처분행위라고 볼 수는 없다.

④ 교회가 그 실체를 갖추어 법인 아닌 사단으로서 성립한 경우에 교회의 대표자가 교회를 위하여 취득한 권리의무는 교회에 귀속된다고 할 것이나, 교회가 아직 실체를 갖추지 못하여 법인 아닌 사단으로서 성립되기 이전에 설립의 주체인 개인이 취득한 권리의무는 그것이 앞으로 성립될 교회를 위한 것이라 하더라도 바로 법인 아닌 사단인 교회에 귀속될 수는 없다.

⑤ 일부 교인들이 교회를 탈퇴하여 그 교회 교인으로서의 지위를 상실하게 되면 탈퇴가 개별적인 것이든 집단적인 것이든 이와 더불어 종전 교회의 총유 재산의 관리처분에 관한 의결에 참가할 수 있는 지위나 그 재산에 대한 사용·수익권을 상실하고, 종전 교회는 잔존 교인들을 구성원으로 하여 실체의 동일성을 유지하면서 존속하며 종전 교회의 재산은 그 교회에 소속된 잔존 교인들의 총유로 귀속됨이 원칙이다.

해설 ① 대판 2007.6.29, 2007마224
② 비법인사단인 교회의 대표자는 총유물인 교회 재산의 처분에 관하여 교인총회의 결의를 거치지 아니하고는 이를 대표하여 행할 권한이 없다. 그리고 교회의 대표자가 권한 없이 행한 교회 재산의 처분행위에 대하여는 민법 제126조의 표현대리에 관한 규정이 준용되지 아니한다(대판 2009.2.12, 2006다23312).
③ 대판(전합) 2007.4.19, 2004다60072
④ 대판 2008.2.28, 2007다37394·37400 → 설립 중 회사의 개념과 법적 성격에 비추어, 법인 아닌 사단인 교회가 성립하기 전의 단계에서 설립 중의 회사의 법리를 유추적용할 수는 없다.
⑤ 대판(전합) 2006.4.20, 2004다37775

40 사찰(寺刹)에 관한 다음 설명 중 가장 옳지 않은 것은? ▶ 2023년 법무사

① 법인격 없는 사단이나 재단으로서 권리의무의 주체가 되는 독립한 사찰은 독자적으로 존속할 수도 있지만 종교적 이념이나 교리 또는 종교적 이해관계를 같이 하는 사람과 단체로 구성된 상위 종단에 소속되어 존속하기도 하는데, 사찰의 종단소속관계는 사법상 계약의 영역으로서 사찰이 특정 종단에 소속하려면 이에 관한 사찰과 특정 종단 사이의 합의가 전제되어야 한다.

② 개인사찰로 관리·운영되어 오던 사찰이 종단 소속 사찰로 등록되어 종단으로부터 주지 임명을 받은 후 관할 관청에 종단 소속으로 사찰등록 및 주지등록을 하고 사찰부지에 관하여 사찰 명의로 소유권이전등기를 경료한 경우, 특별한 사정이 없는 한 그 사찰은 종단 소속 불교단체 내지는 법인 아닌 사단 또는 재단으로서의 실체를 갖춘 독립된 사찰로 보아야 한다.

③ 개인사찰에 있어서 창건주에 의하여 건립되었던 사찰건물이 그와 무관하게 멸실된 후 동일 용도의 사찰건물을 새로 건립하거나 산신각 등 추가적인 사찰건물이 필요하게 되어 이를 건립한 경우, 창건주가 직접 그 건물들을 건립하지 아니하고 창건주에 의하여 임명된 주지가 주도하여 신도들의 시주를 주된 재원으로 하여 이를 건립하였다면, 특별한 사정이 없는 한 위와 같이 추가로 건립된 사찰건물들은 창건주가 아닌 주지와 신도들의 소유로 귀속된다.

④ 사찰이 특정 종단과 종단소속에 관한 합의를 하게 되면 그때부터는 그 종단의 소속 사찰이 되어 종단의 종헌이나 종법을 사찰의 자치법규로 삼아 따라야 하고 사찰의 주지 임면권도 종단에 귀속되는 등 사찰 자체의 지위나 권한에 중대한 변화를 가져오게 되므로 어느 사찰이 특정 종단에 가입하거나 소속 종단을 변경하기 위해서는 사찰 자체의 자율적인 의사결정이 기본적인 전제가 되어야 한다.

⑤ 사찰이 소속 종단의 종헌에 따르지 아니하고 그 신도와 승려가 결합하여 그 소속 종단을 탈종하였다 하더라도 이는 그 신도와 승려 개인이 소속 종단에서 탈퇴하게 되는 데에 그치는 것일 뿐 그로써 이미 독립한 권리·의무의 귀속 주체로 성립한 사찰 자체의 종단 소속이 변경되게 되는 것은 아니고, 사찰이 일단 성립한 이상 사찰 그 자체의 분열도 인정되지 않는다.

해설 ①.④ 대판 2020.12.24, 2015다222920
② 대판 1999.9.3, 98다13600
③ 개인사찰에 있어서 창건주에 의하여 건립되었던 사찰건물이 그와 무관하게 멸실된 후 동일 용도의 사찰건물을 새로 건립하거나 산신각 등 추가적인 사찰건물이 필요하게 되어 이를 건립한 경우 창건주가 직접 그 건물들을 건립하지 아니하고 창건주에 의하여 임명된 주지가 주도하여 신도들의 시주를 주된 재원으로 하여 이를 건립하였다고 할지라도 **특정 신도가 대부분의 자금을 출연하고 건물의 소유권을 보유하되 사찰의 건물로만 제공한다는 등의 특별한 사정이 존재하지 않는 이상** 신도들의 시주와 건물 건립은 모두 그 사찰을 위하여 이루어진 것으로서 위 **추가로 건립된 사찰건물들은 역시 창건주의 소유로 귀속된다**(대판 2005.6.24, 2003다54971).
⑤ 대판 2000.5.12, 99다69983

41 권리의 주체나 객체에 관한 다음 설명 중 가장 옳지 않은 것은? ▶ 2024년 법무사

① 종중이란 공동선조의 분묘수호와 제사 및 종원 상호 간의 친목 등을 목적으로 하여 구성되는 자연발생적인 종족집단이므로, 종중의 이러한 목적과 본질에 비추어 볼 때 공동선조와 성과 본을 같이 하는 후손은 성별의 구별 없이 성년이 되면 당연히 그 구성원이 된다. 민법 제781조 제6항에 따라 자녀의 복리를 위하여 자녀의 성과 본을 변경할 필요가 있어 자녀의 성과 본이 모의 성과 본으로 변경되었을 경우 성년인 그 자녀는 모가 속한 종중의 공동선조와 성과 본을 같이 하는 후손으로서 당연히 종중의 구성원이 된다.

② 사단법인의 사원총회의 결의는 민법 또는 정관에 다른 규정이 없으면 사원 과반수의 출석과 출석사원 결의권의 과반수로써 하는데, 이때 각 사원의 결의권 행사에 관한 의사의 진정성을 담보하기 위하여 결의권을 서면으로 행사하는 것은 금지되나, 대리인을 통해 결의권을 행사하는 것은 허용된다.

③ 의사능력이란 자기 행위의 의미나 결과를 정상적인 인식력과 예기력을 바탕으로 합리적으로 판단할 수 있는 정신적 능력이나 지능을 말한다. 의사능력 유무는 구체적인 법률행위와 관련하여 개별적으로 판단해야 하고, 특히 어떤 법률행위가 일상적인 의미만을 이해해서는 알기 어려운 특별한 법률적 의미나 효과가 부여되어 있는 경우 의사능력이 인정되기 위해서는 그 행위의 일상적인 의미뿐만 아니라 법률적인 의미나 효과에 대해서도 이해할 수 있어야 한다.

④ 법인의 불법행위능력을 규정한 민법 제35조에서 말하는 '이사 기타 대표자'는 법인의 대표기관을 의미하는 것이고 대표권이 없는 이사는 법인의 기관이기는 하지만 대표기관은 아니기 때문에 그들의 행위로 인하여 법인의 불법행위가 성립하지 않는다.

⑤ 구분건물의 전유부분에 대한 소유권보존등기만 경료되고 대지지분에 대한 등기가 경료되기 전에 전유부분만에 대해 내려진 가압류결정의 효력은, 대지사용권의 분리처분이 가능하도록 규약으로 정하였다는 등의 특별한 사정이 없는 한 종물 내지 종된 권리인 그 대지권에까지 미친다.

해설 ① 종중이란 공동선조의 분묘수호와 제사 및 종원 상호 간의 친목 등을 목적으로 하여 구성되는 자연발생적인 종족집단이므로, 종중의 이러한 목적과 본질에 비추어 볼 때 공동선조와 성과 본을 같이 하는 후손은 성별의 구별 없이 성년이 되면 당연히 그 구성원이 된다. 민법 제781조 제6항에 따라 자녀의 복리를 위하여 자녀의 성과 본을 변경할 필요가 있어 자녀의 성과 본이 모의 성과 본으로 변되었을 경우 성년인 그 자녀는 모가 속한 종중의 공동선조와 성과 본을 같이 하는 후손으로서 당연히 종중의 구성원이 된다(대판 2022.5.26. 2017다260940).
② 제73조 참조 → 사원은 대리인을 통해 결의권을 행사할 수 있을 뿐만 아니라 서면으로 결의권을 행사하는 것도 허용된다.
③ 의사능력이란 자신의 행위의 의미나 결과를 정상적인 인식력과 예기력을 바탕으로 합리적으로 판단할 수 있는 정신적 능력 내지는 지능을 말하는바, 특히 어떤 법률행위가 그 일상적인

정답 ▶ 40 ③ 41 ②

민법 객관식 문제집

의미만을 이해하여서는 알기 어려운 특별한 법률적인 의미나 효과가 부여되어 있는 경우 의사능력이 인정되기 위하여는 그 행위의 일상적인 의미뿐만 아니라 법률적인 의미나 효과에 대하여도 이해할 수 있을 것을 요한다고 보아야 하고, 의사능력의 유무는 구체적인 법률행위와 관련하여 개별적으로 판단되어야 할 것이다(대판 2006.9.22, 2006다29358 등).

④ 민법 제35조에서 말하는 '이사 기타 대표자'는 법인의 대표기관을 의미하는 것이고 대표권이 없는 이사는 법인의 기관이기는 하지만 대표기관은 아니기 때문에 그들의 행위로 인하여 법인의 불법행위는 성립하지 않는다(대판 2005.12.23, 2003다30159).

⑤ 대판 2006.10.26, 2006다29020

116 PART 01 민법총칙

심화문제 |확인 · 보충 · 심화문제

01 다음 중 옳지 않은 것은?

① 민법상의 조합과 법인격은 없으나 사단성이 인정되는 비법인사단을 구별함에 있어서는 일반적으로 그 단체성의 강약을 기준으로 판단하여야 한다.

② 비법인사단의 경우에 그 소유형태는 총유이다.

③ 비법인사단에게도 법률에 의하여 당사자능력 및 등기능력이 인정된다.

④ 비법인사단에 대하여는 사단법인에 관한 민법규정이 전부 유추적용된다.

⑤ 총유재산에 관한 소송은 비법인사단이 그 명의로 사원총회의 결의를 거쳐 하거나 또는 그 구성원 전원이 당사자가 되어 필수적 공동소송의 형태로 할 수 있다.

해설 ① 민법상의 조합과 법인격은 없으나 사단성이 인정되는 비법인사단을 구별함에 있어서는 일반적으로 그 단체성의 강약을 기준으로 판단하여야 하는바, 조합은 … 어느 정도 단체성에서 오는 제약을 받게 되는 것이지만 구성원의 개인성이 강하게 드러나는 인적 결합체인데 비하여 비법인사단은 구성원의 개인성과는 별개로 권리의무의 주체가 될 수 있는 독자적 존재로서의 단체적 조직을 가지는 특성이 있다 하겠는데, 민법상 조합의 명칭을 가지고 있는 단체라 하더라도 고유의 목적을 가지고 사단적 성격을 가지는 규약을 만들어 이에 근거하여 의사결정기관 및 집행기관인 대표자를 두는 등의 조직을 갖추고 있고, 기관의 의결이나 업무집행방법이 다수결의 원칙에 의하여 행해지며, 구성원의 가입, 탈퇴 등으로 인한 변경에 관계없이 단체 그 자체가 존속되고, 그 조직에 의하여 대표의 방법, 총회나 이사회 등의 운영, 자본의 구성, 재산의 관리 기타 단체로서의 주요사항이 확정되어 있는 경우에는 비법인사단으로서의 실체를 가진다고 할 것이다(대판 1992.7.10, 92다2431).

② 제275조 제1항【물건의 총유】법인이 아닌 사단의 사원이 집합체로서 물건을 소유할 때에는 총유로 한다.

③ 비법인사단도 그 자체 명의로 소유권취득 및 등기할 수 있고(등기능력 인정 – 부동산등기법 제30조), 그 대표자가 정해져 있으면 소송법상 당사자능력이 있다(민소법 제52조).

④ 권리능력 없는 사단은 법인등기를 하지 않았을 뿐 법인의 실질을 갖고 있는 것이므로 사단법인에 관한 민법의 규정 중에서 법인격을 전제로 하는 것을 제외하고는 법인격 없는 사단에 유추적용해야 한다. 따라서 사단의 권리능력, 행위능력, 대표기관의 권한과 그 대표의 형식, 사단의 불법행위능력 등은 사단법인의 규정을 유추적용한다. 그러나 비법인사단의 경우에는 대표자의 대표권 제한에 관하여 등기할 방법이 없어 민법 제60조의 규정을 준용할 수 없다(대판 2003.7.22, 2002다64780).

⑤ 총유재산에 관한 소송은 법인 아닌 사단이 그 명의로 사원총회의 결의를 거쳐 하거나 또는 그 구성원 전원이 당사자가 되어 필수적 공동소송의 형태로 할 수 있을 뿐이다. 그러므로 그 사단의 구성원은 설령 그가 사단의 대표자라거나 사원총회의 결의를 거쳤다고 하더라도 그 소송의 당사자가 될 수 없다. 이러한 법리는 총유재산의 보존행위로서 소를 제기하는 경우에도 마찬가지이다(대판 2007.7.26, 2006다64573 ; 대판(전) 2005.9.15, 2004다44971).

정답 01 ④

02 **민법상 사단 또는 재단의 정관에 관련된 설명 중 옳지 않은 것은?** (다툼이 있는 경우 판례에 의함)

① 특정지역 내에 거주하는 일부 종중원에 한하여 의결권을 주고 그 밖의 지역에 거주하는 종중원에 대하여는 의결권을 주지 아니하는 방법으로 일부 종중원의 의결권을 박탈할 개연성이 있더라도 그 종중규약은 유효이다.

② 정관으로 정한 목적의 범위 내에서 법인의 권리능력이 인정되는데, 여기서 '목적의 범위 내'는 법률이나 정관에 명시된 목적과 그 목적을 수행하는 데 있어 직접·간접으로 필요한 범위 내로 해석된다.

③ 법인의 정관에 법인 대표권의 제한에 관한 규정이 있으나 그와 같은 취지가 등기되어 있지 않다면, 악의의 제3자에 대하여도 대항할 수 없다.

④ 재단법인의 기본재산의 변경은 정관의 변경을 초래하기 때문에 주무관청의 허가를 받아야 하고, 따라서 기존의 기본재산을 처분하는 행위는 물론 새로이 기본재산으로 편입하는 행위도 주무관청의 허가가 있어야 유효하다.

⑤ 법인은 타인으로부터 상속을 받을 수는 없지만, 특정유증뿐만 아니라 포괄유증도 받을 수 있다.

해설 ① [1] 고유의미의 종중이란 공동선조의 분묘수호와 제사 및 종중원 상호 간의 친목 등을 목적으로 하는 자연발생적인 관습상의 종족집단체로서 특별한 조직행위를 필요로 하는 것이 아니고, 공동선조의 후손 중 성년 이상의 남자는 당연히 그 구성원(종원)이 되는 것이며, 그중 일부 종원을 임의로 그 구성원에서 배제할 수 없고, 고유의미의 종중 외에 공동선조의 후손 중 일정한 범위의 종족집단이 사회적 조직체로서 성립하여 고유의 재산을 소유 관리하면서 독자적인 활동을 하고 있다면 단체로서의 실체를 부인할 수 없다고 할 것이나 이는 고유의미의 종중과는 다른 것이다.
[2] 고유의미의 종중에 관한 규약을 만들면서 일부 구성원의 자격을 임의로 배제할 수 없는 것이며, 특정지역 내에 거주하는 일부 종중원에 한하여 의결권을 주고 그 밖의 지역에 거주하는 종중원의 의결권을 박탈할 개연성이 많은 종중규약은 종중의 본질에 반하여 무효이다(대판 1992.9.22, 92다15048).

② 법인의 권리능력은 법인의 설립근거가 된 법률과 정관상의 목적에 의하여 제한되나 그 목적범위 내의 행위라 함은 법률이나 정관에 명시된 목적 자체에 국한되는 것이 아니라 그 목적을 수행하는 데 있어 직접·간접으로 필요한 행위는 모두 포함되는 것이다(대판 1991.11.22, 91다8821).

③ 법인의 정관에 법인 대표권의 제한에 관한 규정이 있으나 그와 같은 취지가 등기되어 있지 않다면, 법인은 그와 같은 정관의 규정에 대하여 선의냐 악의냐에 관계없이 제3자에 대하여 대항할 수 없다(대판 1992.5.14, 91다24564).

④ 재단법인의 기본재산에 관한 사항은 정관의 기재사항으로서 기본재산의 변경은 정관의 변경을 초래하기 때문에 주무장관의 허가를 받아야 하고, 따라서 기존의 기본재산을 처분하는 행위는 물론 새로이 기본재산으로 편입하는 행위도 주무장관의 허가가 있어야 유효하고, 또 일단 주무장관의 허가를 얻어 기본재산에 편입하여 정관 기재사항의 일부가 된 경우에는 비록 그것이 명의신탁관계에 있었던 것이라 하더라도 이것을 처분(반환)하는 것은 정관의 변경을 초래하는 점에 있어서는 다를 바 없으므로 주무장관의 허가 없이 이를 이전등기할 수는 없다(대판 1991.5.28, 90다8558).

⑤ 일정범위의 혈족과 배우자에게 인정되는 상속권은 법인은 그 성질상 향유할 수 없다. 그러나 법인은 유증의 상대방이 될 수는 있다. 법인이 포괄유증의 상대방이 되는 경우 그 법적 지위는 상속인과 동일하다.

03 甲은 자기 소유의 X 토지를 A 재단법인의 설립을 위해 출연하였고, 주무관청으로부터 설립허가를 얻어 설립등기를 마친 A 법인의 대표이사 乙은 시설을 보수한다는 명목하에 A 법인 명의로 丙으로부터 1억원을 차용하고, 이 돈을 시설보수 대신 자신의 아들 丁의 사업자금으로 사용하였다. 그 후 丁이 사업에 실패하여, 乙은 丙으로부터 차용한 1억원을 변제하지 못하였다. 이에 관한 설명 중 옳지 않은 것은? (다툼이 있는 경우에는 판례에 의함)

① A 법인의 손해배상책임이 乙의 고의의 불법행위에 기하여 발생한 경우, 丙의 과실이 있더라도 손해 산정에 있어 과실상계의 법리를 적용할 수 없다.

② 甲과 A 법인 사이에서 甲이 출연한 X 토지의 소유권은 이전등기 없이도 법인이 성립하는 시점, 즉 설립등기를 마친 때에 A 법인에게 귀속되지만, A 법인이 이로써 제3자에게 대항하기 위해서는 이전등기가 필요하다.

③ A 법인은 乙의 직무에 관한 행위에 대해서만 불법행위책임을 지는데, 직무관련성은 행위의 외형을 기준으로 객관적으로 판단하여야 하므로, 乙이 丙으로부터 1억원을 차용한 것이 자신의 개인적 이익을 도모할 목적으로 한 부당한 대표행위에 해당하더라도 직무에 관한 행위로 본다.

④ 乙의 위 행위가 직무에 해당하지 아니함을 丙이 알고 있었던 경우뿐만 아니라, 중대한 과실로 인하여 알지 못한 경우에도 A 법인에게 손해배상책임을 물을 수 없다.

⑤ 만일 甲이 유언으로 A 법인을 설립하는 경우, 제3자에 대한 관계에서 X 토지가 A 법인에게 귀속되기 위해서는 법인의 설립 외에 소유권이전등기를 필요로 하므로, A 법인이 이전등기를 마치지 않았다면 甲의 상속인으로부터 X 토지를 매수하여 이전등기를 마친 선의의 제3자에게 대항할 수 없다.

해설 ① "법인에 대한 손해배상책임원인이 대표기관의 고의적인 불법행위라고 하더라도, 피해자에게 그 불법행위 내지 손해발생에 과실이 있다면 법원은 과실상계의 법리에 좇아 손해배상의 책임 및 그 금액을 정함에 있어 이를 참작하여야 한다."(대판 1987.11.24. 86다카1834).

② 판례는 제48조 재단법인출연재산의 귀속과 관련하여 대내적 관계와 대외적 관계를 구별한다. 따라서 출연자와 법인과의 관계에 있어서는 그 출연행위에 터 잡아 법인이 성립되면 그로써 출연재산은 민법의 위 조항에 의하여 법인성립 시에 법인에게 귀속되어 법인의 재산이 되는 것이나, 제3자에 대항하기 위하여는 출연재산의 법인에의 귀속에는 부동산의 권리에 관해서는 법인성립 외에 등기를 필요로 한다는 것이다(대판(전합) 1979.12.11. 78다481).

③ 외형이론을 말한다. 법인이 그 대표자의 불법행위로 인하여 손해배상의무를 부담하는 경우, 그 대표자의 직무에 관한 행위로 인하여 손해가 발생한 것임을 요한다 할 것인데, 그 직무에 관한

것이라는 의미는 행위의 외형상 법인의 대표자의 직무행위라고 인정할 수 있는 것이라면 설사 그것이 대표자 개인의 사리를 도모하기 위한 것이었거나 혹은 법령의 규정에 위배된 것이었다 하더라도 위의 직무에 관한 행위에 해당한다고 보아야 한다(대판 2004.2.27, 2003다15280).

④ 외형이론은 피해자를 보호하기 위한 것인데 피해자로 볼 수 없는 것이 피해자가 악의이거나 또는 중대한 과실이 있는 경우이다. 따라서 판례는 법인의 대표자의 행위가 직무에 관한 행위에 해당하지 아니함을 피해자 자신이 알았거나 또는 중대한 과실로 인하여 알지 못한 경우에는 법인에게 손해배상책임을 물을 수 없다고 한다(대판 2008.1.18, 2005다34711 등).

⑤ 유언으로 재단법인을 설립하는 경우에도 제3자에 대한 관계에서는 출연재산이 부동산인 경우는 그 법인에의 귀속에는 법인의 설립 외에 등기를 필요로 하는 것이므로 재단법인이 그와 같은 등기를 마치지 아니하였다면 유언자의 상속인의 한 사람으로부터 부동산의 지분을 취득하여 이전등기를 마친 선의의 제3자에 대하여 대항할 수 없다(대판 1993.9.14, 93다8054).

04 甲법인의 대표자가 乙에게 대표자의 모든 권한을 포괄적으로 위임하여 乙이 실질적으로 법인의 대표자로서 그 법인의 사무를 집행하고 있었다. 그러던 중 乙이 외관상 직무에 관한 행위로 丙에게 손해를 가하였다. 이에 대한 설명 중 옳지 않은 것을 모두 고른 것은? (다툼이 있는 경우 판례에 의함)

> ㄱ. 甲 법인의 대표자가 행한 乙에 대한 업무의 포괄적 위임과 포괄적 수임인 乙의 대행 행위는 원칙적으로 甲 법인에 효력이 미친다.
> ㄴ. 만약 乙이 대표자로 등기되어 있지 않았다면, 丙은 甲 법인을 상대로 민법 제35조에서 정한 법인의 불법행위책임에 따른 손해배상을 청구할 수 없다.
> ㄷ. 乙의 행위가 자신의 이익을 도모하기 위한 것이라면 직무관련성이 부정되므로, 丙은 甲 법인을 상대로 민법 제35조에서 정한 법인의 불법행위책임에 따른 손해배상을 청구할 수 없다.
> ㄹ. 乙의 행위가 실제로 직무에 관한 행위에 해당하지 아니함을 丙이 알았거나 과실로 알지 못한 경우에는 甲 법인을 상대로 민법 제35조에 정한 법인의 불법행위책임에 따른 손해배상을 청구할 수 없다.

① ㄱ, ㄹ   ② ㄷ, ㄹ
③ ㄱ, ㄴ, ㄷ   ④ ㄴ, ㄷ, ㄹ
⑤ ㄱ, ㄴ, ㄷ, ㄹ

해설 ㄱ. 甲 법인의 대표자가 행한 乙에 대한 업무의 포괄적 위임은 제62조에 위반하여 효력이 없고, 따라서 포괄적 수임인 乙의 대행행위도 원칙적으로 甲 법인에 효력이 없다.

ㄴ. 乙은 대표자로서 그 등기여부와 관계없이, 丙은 甲 법인을 상대로 민법 제35조에서 정한 법인의 불법행위책임에 따른 손해배상을 청구할 수 있다.

ㄷ. 乙의 행위가 자신의 이익을 도모하기 위한 것이라도 직무관련성이 인정된다. 따라서 丙은 甲 법인을 상대로 민법 제35조에서 정한 법인의 불법행위책임에 따른 손해배상을 청구할 수 있다.

ㄹ. 丙이 알았거나(악의) 또는 중대한 과실이어야 하고, 과실(경과실)까지 포함하면 잘못이다. 즉 경과실인 丙은 甲 법인을 상대로 민법 제35조에 정한 법인의 불법행위책임에 따른 손해배상을 청구할 수 있고, 대신 과실상계를 당하게 될 것이다.

05 법인 아닌 사단의 법률관계에 관한 설명 중 옳은 것을 모두 고른 것은? (다툼이 있는 경우 판례에 의함)

ㄱ. 법인 아닌 사단은 대표자가 있는 경우에는 그 사단의 이름으로 민사소송의 당사자가 될 수 있다.

ㄴ. 대표자가 있는 법인 아닌 사단에 속하는 부동산의 등기에 관하여는 그 사단을 등기권리자 또는 등기의무자로 한다.

ㄷ. 법인 아닌 사단의 구성원들의 집단적 탈퇴로써 사단이 2개로 분열되고 분열되기 전 사단의 재산이 분열된 각 사단들의 구성원들에게 각각 총유적으로 귀속되는 결과를 초래하는 형태의 법인 아닌 사단의 분열은 허용되지 않는다.

ㄹ. 법인 아닌 사단의 대표자가 그 사단이 타인 간의 금전채무를 보증한다는 내용의 계약을 체결하면서 사원총회의 결의를 거치지 않았다면 특별한 사정이 없는 한 위 계약은 무효가 된다.

① ㄴ, ㄷ
② ㄷ, ㄹ
③ ㄱ, ㄴ, ㄷ
④ ㄱ, ㄴ, ㄹ
⑤ ㄱ, ㄴ, ㄷ, ㄹ

해설 ㄱ. ㄴ. 법인 아닌 사단은 민사소송법상 당사자능력이 있으며, 부동산등기법상 등기능력이 있다.

ㄷ. 종전 판결은 교회의 분열을 인정하여 그 재산의 귀속을 분열 당시 교인들의 총유로 보았으나, 현재판결은 법인 아닌 사단의 구성원들의 집단적 탈퇴로써 사단이 2개로 분열되고 분열되기 전 사단의 재산이 분열된 각 사단들의 구성원들에게 각각 총유적으로 귀속되는 결과를 초래하는 형태의 법인 아닌 사단의 분열은 허용되지 않는다(대판(전합) 2006.4.20, 2004다37775).

ㄹ. 법인 아닌 사단의 대표자가 그 사단이 타인 간의 금전채무를 보증한다는 내용의 계약을 체결하면서 사원총회의 결의를 거치지 않았다면 특별한 사정이 없는 한 위 계약은 무효가 되는 것이 아니라 원칙적으로 유효가 된다(총유재산의 처분행위로 보지 않는다). 다만 그러한 제한을 상대방이 알았거나 알 수 있는 경우에는 무효가 된다(대판(전합) 2007.4.19, 2004다60072).

06 **법인 아닌 사단에 관한 설명 중 옳지 않은 것을 모두 고른 것은?** (다툼이 있는 경우 판례에 의함)

▸ 2015년 사법시험

ㄱ. '이사의 결원으로 인하여 손해가 생길 염려가 있는 때에는 법원은 이해관계인이나 검사의 청구에 의하여 임시이사를 선임하여야 한다.'는 민법 제63조는 법인 아닌 사단에 유추적용될 수 있다.

ㄴ. 종중 정관이나 규약에 종중 재산의 처분에 관한 규정이 없다면, 종중이 총유 토지에 관하여 지급된 수용보상금을 종중원들에게 분배하기로 하는 결의를 하였다 하더라도 그 결의는 비영리 사단으로서의 종중의 성격에 위배되어 무효이다.

ㄷ. 비법인사단이 총유물에 관한 매매계약에 의하여 부담하고 있는 채무의 존재를 인식하고 있다는 뜻을 표시하는 소멸시효 중단사유로서의 승인은 총유물의 관리·처분 행위에 해당한다.

ㄹ. 종중 유사단체는 사적 임의단체라는 점에서 자연발생적 종족집단인 고유한 의미의 종중과 그 성질을 달리하므로, 사적자치의 원칙 내지 결사의 자유에 따라 그 구성원의 자격이나 가입조건을 자유롭게 정할 수 있음이 원칙이나, 공동선조의 후손 중 남성만으로 그 구성원을 한정하는 것은 양성평등 원칙을 정한 헌법 제11조에 위반되므로 허용되지 아니한다.

ㅁ. 종중의 규약이나 관례에 의하여 종중원이 일정한 일시에 일정한 장소에서 정기적으로 회합하여 종중의 대소사를 처리하기로 미리 정해져 있는 경우에는 따로 소집통지나 의결사항을 통지하지 아니하였다고 하여 그 종중총회의 결의를 무효라고 할 수 없다는 법리는 종중 유사단체에도 적용된다.

① ㄱ, ㄴ, ㄷ   ② ㄱ, ㄴ, ㅁ   ③ ㄱ, ㄷ, ㄹ
④ ㄴ, ㄷ, ㄹ   ⑤ ㄴ, ㄹ, ㅁ

해설 ㄱ. '이사의 결원으로 인하여 손해가 생길 염려가 있는 때에는 법원은 이해관계인이나 검사의 청구에 의하여 임시이사를 선임하여야 한다.'는 민법 제63조는 법인 아닌 사단에 유추적용될 수 있다(대판(전합) 2009.11.19, 2008마699).

ㄴ. 종중의 총유재산은 지분이 없기 때문에 사원총회에서 분배결의를 하여야 분배받을 수 있는 것이다. 그리고 토지에 관하여 지급된 수용보상금을 종중원들에게 분배하기로 하는 결의는 총유물 처분행위의 일종으로 무효가 아니다(대판 1994.4.26, 93다32446).

ㄷ. 소멸시효 중단사유로서의 승인은 총유물의 관리·처분행위에 해당하지 않는다. 따라서 비법인사단의 총회의 결의가 필요 없다(대판 2009.11.26, 2009다64383).

ㄹ. 고유한 의미의 종중은 남녀평등의 원칙에 반할 수 없으나, 종중 유사단체는 그 성질을 달리하므로 공동선조의 후손 중 남성만으로 그 구성원을 한정하는 것도 가능하다(대판 2011.2.24, 2009다17783).

ㅁ. 종중의 규약이나 관례에 의하여 종중원이 매년 1회씩 일정한 일시에 일정한 장소에서 정기적으로 회합하여 종중의 대소사를 처리하기로 미리 정해져 있는 경우에는 따로 소집통지나 의결사항을 통지하지 아니하여도 무방하고, 이러한 법리는 종중 유사의 단체에도 그대로 적용된다(대판 2014.2.13, 2012다98843).

정답   **06** ④

기본문제 | 기본문제의 구성

01 **물건에 관한 다음 설명 중 가장 부당한 것은?**

① 유체물이 아니라도 관리할 수 있다면 전기, 열 등의 자연력도 민법상 물건이 된다.

② 토지와 그 정착물은 부동산인데, 토지의 정착물 중 건물을 제외한 것은 토지와는 별개의 독립한 물건이 될 수 없다.

③ 건축 중의 건물이 어느 정도에 이르렀을 때에 독립한 부동산으로 볼 것인가는 사회통념에 따라 판단할 수밖에 없는데, 판례는 최소한의 기둥과 지붕, 주벽이 이루어진 때라고 본다.

④ 물건의 용법에 의하여 수취하는 산출물은 천연과실이고, 물건의 사용대가로 받은 금전 기타의 물건은 법정과실로 한다.

⑤ 건물을 사용함으로써 얻는 이득은 법정과실에 준하여 보아야 하므로 선의로 건물을 점유하고 있던 자는 과실을 취득하고 부당이득반환의무는 발생하지 않는다.

> **해설** ① 제98조【물건의 정의】본법에서 물건이라 함은 유체물 및 전기 기타 관리할 수 있는 자연력을 말한다.
>
> ② 건물 이외에도 명인방법을 갖춘 미분리의 천연과실과 수목의 집단도 독립한 부동산으로 취급되고, 아무런 권원 없이 타인의 토지에서 경작·재배한 경우에는 명인방법을 갖추지 않았다 하더라도 그 농작물의 소유권은 경작자에게 있다는 것이 판례이다(대판 1963.2.21, 62다913).
>
> ③ 건축의 진행단계에서 어느 순간 토지로부터 독립한 건물이 되는가에 대해서는 '사회통념'에 따라 판단할 수밖에 없는데, 판례는 최소한의 기둥과 지붕, 주벽이 이루어진 때라고 본다(대판 1986.11.11, 86누173).
>
> ④ 제101조【천연과실, 법정과실】
> ① 물건의 용법에 의하여 수취하는 산출물은 천연과실이다.
> ② 물건의 사용대가로 받은 금전 기타의 물건은 법정과실로 한다.
>
> ⑤ 건물을 사용함으로써 얻는 이득은 법정과실에 준하여 보아야 하므로 선의로 건물을 점유하고 있던 자는 과실을 취득하고 부당이득반환의무는 발생하지 않는다고 한다. 사용이익도 과실에 준하는 것으로 보는 것이 판례의 태도이다. 따라서 민법 제201조 제1항에 의하여 선의의 점유자에게는 반환의무가 없다(대판 1996.1.26, 95다44290).

정답 01 ②

02 **주물과 종물에 관한 다음 설명 중 가장 옳지 않은 것은?** (다툼이 있는 경우 판례에 의함)

① 구분건물의 전유부분에 대한 소유권보존등기만 경료되고 대지지분에 대한 등기가 경료 되기 전에 전유부분만에 대해 내려진 가압류결정의 효력은 대지사용권의 분리처분이 가능하도록 규약으로 정하였다는 등의 특별한 사정이 없는 한, 종물 내지 종된 권리인 그 대지권에까지 미친다.

② 주물의 소유자나 이용자의 상용에 공여되고 있더라도 주물 그 자체의 효용과 직접 관계가 없는 물건은 종물이 아니다.

③ 호텔세탁실에 시설된 세탁기, 호텔의 각 방실에 시설된 텔레비전, 전화기 등은 호텔건물의 종물이 아니다.

④ 주유소의 유류저장탱크·주유기나 횟집으로 사용할 점포건물에 신축한 수족관은 각각 주유소건물이나 점포건물의 종물이다.

⑤ 민법 제100조는 종물에 관하여 '자기 소유인 다른 물건'이라고 규정하고 있어 종물이 주물 소유자의 소유물인 것을 전제로 하고 있지만, 종물이 타인의 소유라고 하더라도 그 타인의 권리를 해하지 아니하는 범위에서 민법 제100조가 적용된다.

해설 ① 구분건물의 대지사용권은 전유부분과 종속적 일체불가분성이 인정되는 점 등에 비추어 볼 때, 구분건물의 전유부분에 대한 소유권보존등기만 경료되고 대지지분에 대한 등기가 경료되기 전에 전유부분만에 대해 내려진 가압류결정의 효력은, 대지사용권의 분리처분이 가능하도록 규약으로 정하였다는 등의 특별한 사정이 없는 한, 종물 내지 종된 권리인 그 대지권에까지 미친다고 보아야 할 것이다(대판 2006.10.26, 2006다29020).

② 폐수처리시설이 공장저당법에 의하여 근저당권이 설정된 공장 토지와 그에 인접한 공장 토지가 아닌 타인 소유의 토지에 걸쳐서 설치되어 있는 경우, 주물의 소유자나 이용자의 상용에 공여되고 있더라도 주물 그 자체의 효용과 직접 관계가 없는 물건은 종물이 아니다(대판 1997.10.10, 97다3750).

③ 호텔의 각 방실에 시설된 텔레비전, 전화기, 호텔세탁실에 시설된 세탁기, 탈수기, 드라이크리닝기, 호텔주방에 시설된 냉장고 제빙기, 호텔방송실에 시설된 브이티알(비데오), 앰프 등이 포함되어 있는 사실이 인정되는 바 위 사실관계에 의하면 적어도 위에 적시한 물건들에 관한 위 물건들이 위 호텔의 경영자나 이용자의 상용에 공여됨은 별론으로 하고 주물인 같은 제1, 2목록 기재부동산 자체의 경제적 효용에 직접 이바지하지 아니함은 경험칙상 명백하므로 위 부동산에 대한 종물이라고는 할 수 없다(대판 1985.3.26, 84다카269 판결이유 중).

④ 주유소의 주유기는 주유소건물의 종물이다(대판 1995.6.29, 94다6345). 또한 횟집으로 사용할 점포건물에 신축한 수족관은 점포건물의 종물이다(대판 1992.2.12, 92도3234). 단 유류저장탱크는 토지의 부합물이다.

⑤ 민법 제100조는 종물에 관하여 '자기 소유인 다른 물건'이라고 규정하고 있어 종물이 주물 소유자의 소유물인 것을 전제로 하고 있지만, 종물이 타인의 소유라고 하더라도 그 타인의 권리를 해하지 아니하는 범위에서 민법 제100조가 적용된다고 할 것이고, 따라서 주물이 처분된 경우에 종물의 소유자가 동의 또는 추인하거나, 종물이 동산인 경우에 상대방이 선의취득의 요건을 갖추면 종물의 소유권을 취득하게 되는 것이며, 또한 동산의 선의취득을 주장하는 자는 점유취득 시에 무과실이었다는 점을 주장·입증하여야 한다(대판 2002.2.5, 2000다38527).

03 종물 또는 부합물에 관한 다음 설명 중 가장 옳지 않은 것은? (다툼이 있는 경우 판례에 의함)
▶ 2016년 법무사

① 주물의 상용에 이바지한다 함은 주물 그 자체의 경제적 효용을 다하게 하는 것을 말하는 것으로서, 주물의 소유자나 이용자의 사용에 공여되고 있더라도 주물 그 자체의 효용과 직접 관계가 없는 물건은 종물이 아니라고 할 것이다.

② 동일인의 소유에 속하는 전유부분과 대지지분 중 전유부분만에 관하여 설정된 저당권의 효력은 규약이나 공정증서로써 달리 정하는 등의 특별한 사정이 없는 한 종물 내지 종된 권리인 대지지분에까지 미친다.

③ 부동산에 부합된 물건이 사실상 분리복구가 불가능하여 거래상 독립한 권리의 객체성을 상실하고 그 부동산과 일체를 이루는 부동산의 구성 부분이 된 경우라도 타인이 권원에 의하여 이를 부합시켰으면 민법 제256조 단서에 따라 그 물건의 소유권은 부동산의 소유자에게 귀속되지 않는다.

④ 종물은 주물의 처분에 수반된다는 민법 제100조 제2항은 임의규정이므로, 당사자는 주물을 처분할 때에 특약으로 종물을 제외할 수 있고, 종물만을 별도로 처분할 수도 있다고 보아야 한다.

⑤ 종물은 물건의 소유자가 그 물건의 상용에 공하기 위하여 자기 소유인 다른 물건을 이에 부속하게 한 것을 말하므로, 주물과 다른 사람의 소유에 속하는 물건은 종물이 될 수 없다.

해설 ① 주물의 소유자나 이용자의 상용에 공여되고 있더라도 주물 그 자체의 효용과 직접 관계가 없는 물건은 종물이 아니다(대판 1997.10.10. 97다3750).
② 동일인의 소유에 속하는 전유부분과 토지공유지분(이하 '대지지분'이라고 한다) 중 전유부분만에 관하여 설정된 저당권의 효력은 규약이나 공정증서로써 달리 정하는 등의 특별한 사정이 없는 한 종물 내지 종된 권리인 대지지분에까지 미치므로, 전유부분에 관하여 설정된 저당권에 기한 경매절차에서 전유부분을 매수한 매수인은 대지지분에 대한 소유권을 함께 취득하고, 그 경매절차에서 대지에 관한 저당권을 존속시켜 매수인이 인수하게 한다는 특별매각조건이 정하여져 있지 않았던 이상 설사 대지사용권의 성립 이전에 대지에 관하여 설정된 저당권이라고 하더라도 대지지분의 범위에서는 민사집행법 제91조 제2항이 정한 '매각부동산 위의 저당권'에 해당하여 매각으로 소멸하는 것이며, 이러한 대지지분에 대한 소유권의 취득이나 대지에 설정된 저당권의 소멸은 전유부분에 관한 경매절차에서 대지지분에 대한 평가액이 반영되지 않았다거나 대지의 저당권자가 배당받지 못하였다고 하더라도 달리 볼 것은 아니다(대판 2013.11.28. 2012다103325).
③ 부동산에 부합된 물건이 사실상 분리복구가 불가능하여 거래상 독립한 권리의 객체성을 상실하고 그 부동산과 일체를 이루는 부동산의 구성부분이 된 경우에는 타인이 권원에 의하여 이를 부합시킨 경우에도 그 물건의 소유권은 부동산의 소유자에게 귀속된다(대판 1985.12.24. 84다카2428).

정답 02 ④ 03 ③

④ 종물은 주물의 처분에 수반된다는 민법 제100조 제2항은 임의규정이므로, 당사자는 주물을 처분할 때에 특약으로 종물을 제외할 수 있고, 종물만을 별도로 처분할 수도 있다고 보아야 한다(대판 2012.1.26, 2009다76546).

⑤ 종물은 물건의 소유자가 그 물건의 상용에 공하기 위하여 자기 소유인 다른 물건을 이에 부속하게 한 것을 말하므로, 주물과 다른 사람의 소유에 속하는 물건은 종물이 될 수 없다(대판 2008.5.8, 2007다36933·36940).

04 주물과 종물 등에 관한 다음 설명 중 가장 옳지 않은 것은? (다툼이 있는 경우 판례에 의함)

▶ 2018년 법무사

① 경매대상 건물이 인접한 다른 건물과 합동됨으로써 건물로서 독립성을 상실하게 되었다면, 경매대상 건물만을 독립하여 양도하거나 경매의 대상으로 삼을 수는 없다. 이러한 경우 경매대상 건물에 설정되어 있던 저당권은 원칙적으로 소멸한다.

② 종물은 주물의 처분에 수반된다는 민법 제100조 제2항은 임의규정이므로, 당사자는 주물을 처분할 때에 특약으로 종물을 제외할 수 있고 종물만을 별도로 처분할 수도 있다.

③ 주물과 다른 사람의 소유에 속하는 물건은 종물이 될 수 없다.

④ 구분건물의 전유부분에 대한 소유권보존등기만 경료되고 대지지분에 대한 등기가 경료되기 전에 전유부분만에 대해 내려진 가압류결정의 효력은 특별한 사정이 없는 한 종물 내지 종된 권리인 그 대지권에까지 미친다.

⑤ 부동산의 종물은 주물의 처분에 따르고, 저당권은 그 목적 부동산의 종물에 대하여도 그 효력이 미친다. 따라서 저당권 실행으로 개시된 경매절차에서 부동산을 매수한 자와 그 승계인은 종물의 소유권을 취득하고, 그 저당권이 설정된 이후에 종물에 대하여 강제집행을 한 자는 위와 같은 매수인과 그 승계인에게 강제집행의 효력을 주장할 수 없다.

해설 ① 경매대상 건물이 인접한 다른 건물과 합동됨으로 인하여 독립성을 상실하게 되었다면 경매대상 건물만을 독립하여 양도하거나 경매의 대상으로 삼을 수는 없다. 이러한 경우 경매대상 건물에 대한 채권자의 저당권은 위 합동으로 인하여 생겨난 새로운 건물 중에서 위 경매대상 건물이 차지하는 합동 당시의 가액 비율에 상응하는 공유지분 위에 존속하게 되므로 저당권자인 채권자는 경매대상 건물 대신 위 공유지분에 대하여 경매를 신청할 수밖에 없다. 그리고 이러한 법리는 1동의 건물 중 구조상 구분된 여러 개의 부분이 독립한 건물로 사용될 수 있어 그 각 부분이 소유권의 목적이 된 경우로서, 그 구분건물들 사이의 격벽이 제거되는 등의 방법으로 합체하여 각 구분건물이 독립성을 상실하여 일체화되고 이러한 일체화 후의 구획을 전유부분으로 하는 1개의 건물이 되는 경우에도 마찬가지이다(대결 2016.3.15, 2014마343).

② 종물은 주물의 처분에 수반된다는 민법 제100조 제2항은 임의규정이므로, 당사자는 주물을 처분할 때에 특약으로 종물을 제외할 수 있고 종물만을 별도로 처분할 수도 있다(대판 2012.1.26, 2009다76546).

③ 종물은 물건의 소유자가 그 물건의 상용에 공하기 위하여 자기 소유인 다른 물건을 이에 부속하게 한 것을 말하므로(민법 제100조 제1항) 주물과 다른 사람의 소유에 속하는 물건은 종물이 될 수 없다(대판 2008.5.8, 2007다36933·36940).

④ 민법 제100조 제2항의 종물과 주물의 관계에 관한 법리는 물건 상호 간의 관계뿐 아니라 권리 상호 간에도 적용되고, 위 규정에서의 처분은 처분행위에 의한 권리변동뿐 아니라 주물의 권리관계가 압류와 같은 공법상의 처분 등에 의하여 생긴 경우에도 적용되어야 하는 점, 저당권의 효력이 종물에 대하여도 미친다는 민법 제358조 본문 규정은 같은 법 제100조 제2항과 이론적 기초를 같이하는 점, 집합건물의 소유 및 관리에 관한 법률 제20조 제1항, 제2항에 의하면 구분건물의 대지사용권은 전유부분과 종속적 일체불가분성이 인정되는 점 등에 비추어 볼 때, 구분건물의 전유부분에 대한 소유권보존등기만 경료되고 대지지분에 대한 등기가 경료되기 전에 전유부분만에 대해 내려진 가압류결정의 효력은, 대지사용권의 분리처분이 가능하도록 규약으로 정하였다는 등의 특별한 사정이 없는 한, 종물 내지 종된 권리인 그 대지권에까지 미친다(대판 2006.10.26, 2006다29020).

⑤ 부동산의 종물은 주물의 처분에 따르고, 저당권은 그 목적 부동산의 종물에 대하여도 그 효력이 미치기 때문에, 저당권의 실행으로 개시된 경매절차에서 부동산을 경락받은 자와 그 승계인은 종물의 소유권을 취득하고, 그 저당권이 설정된 이후에 종물에 대하여 강제집행을 한 자는 위와 같은 경락인과 그 승계인에게 강제집행의 효력을 주장할 수 없다(대판 1993.8.13, 92다43142).

05 권리의 객체에 관한 다음 설명 중 가장 옳지 않은 것은? (다툼이 있는 경우 판례에 의함)

▶ 2019년 법원주사보

① 부동산으로 취급되는 토지의 정착물에는 건물, 입목에 관한 법률에 의하여 등기된 입목 등이 있으며, 독립된 건물이라고 하기 위해서는 최소한의 기둥과 지붕 그리고 주벽이 이루어져야 한다.

② 민법 제100조는 종물에 관하여 '자기 소유인 다른 물건'이라고 규정하고 있어 종물이 주물 소유자의 소유물인 것을 전제로 하고 있지만, 종물이 타인의 소유라고 하더라도 그 타인의 권리를 해하지 아니하는 범위에서 민법 제100조가 적용된다.

③ '종물은 주물의 처분에 따른다'고 규정한 민법 제100조 제2항은 물건 상호 간의 관계에 관한 것이므로 권리 상호 간의 관계에는 유추적용될 수 없다. 따라서 구분건물의 전유부분에 대한 소유권보존등기만 마치고 대지지분에 대한 등기가 마쳐지기 전에 전유부분만에 대해 내려진 가압류결정의 효력은 종된 권리인 그 대지권에까지 미친다고 할 수 없다.

④ 건물임대차에 있어서의 차임과 같이 '물건의 사용대가로 받는 금전 기타의 물건'이 법정과실이며, 법정과실은 수취할 권리의 존속기간 일수의 비율로 취득한다. 따라서 임대 중인 건물이 매매된 경우에 그 차임은 임대인들, 즉 그 건물의 매도인과 매수인에게 그 소유기간 일수의 비율로 귀속한다.

해설 ① 건물은 토지와는 별개의 부동산이다. 건축의 진행단계에서 어느 순간 토지로부터 독립한 건물이 되는가에 대해서는 '사회통념'에 따라 판단할 수밖에 없고, 판례는 최소한의 기둥과 지붕, 주벽이 이루어진 때라고 본다(대판 1986.11.11, 86누173). 또한 입목이란 토지에 부착된 수목의 집단으로서 그 소유자가 입목에 관한 법률에 따라 소유권보존의 등기를 받은 것을 말하며(입목에 관한 법률 제2조 제1항 1호), 입목의 소유자는 토지와 분리하여 입목을 양도하거나 저당권의 목적으로 할 수 있다(동법 제3조 제2항).

② 민법 제100조는 종물에 관하여 '자기 소유인 다른 물건'이라고 규정하고 있어 종물이 주물 소유자의 소유물인 것을 전제로 하고 있지만, 종물이 타인의 소유라고 하더라도 그 타인의 권리를 해하지 아니하는 범위에서 민법 제100조가 적용된다고 할 것이고, 따라서 주물이 처분된 경우에 종물의 소유자가 동의 또는 추인하거나, 종물이 동산인 경우에 상대방이 선의취득의 요건을 갖추면 종물의 소유권을 취득하게 되는 것이며, 또한 동산의 선의취득을 주장하는 자는 점유취득시에 무과실이었다는 점을 주장·입증하여야 한다(대판 2002.2.5, 2000다38527).

③ 종물이론은 권리 상호 간에 유추적용된다. 따라서 구분건물의 대지사용권은 전유부분과 종속적 일체불가분성이 인정되는 점 등에 비추어 볼 때, 구분건물의 전유부분에 대한 소유권보존등기만 경료되고 대지지분에 대한 등기가 경료되기 전에 전유부분만에 대해 내려진 가압류결정의 효력은, 대지사용권의 분리처분이 가능하도록 규약으로 정하였다는 등의 특별한 사정이 없는 한, 종물 내지 종된 권리인 그 대지권에까지 미친다고 보아야 할 것이다(대판 2006.10.26, 2006다29020).

④ 제101조 제2항과 제102조 제2항 참조. 따라서 임대 중인 건물이 매매된 경우에 그 차임은 임대인들, 즉 그 건물의 매도인과 매수인에게 그 소유기간 일수의 비율로 귀속하고, 차임채권은 별도의 양도절차가 없는 한 당연 이전되지 않는다.

06 다음 설명 중 가장 옳지 않은 것은? ▸ 2021년 법무사

① 부동산에 부합된 물건이 사실상 분리복구가 불가능하여 거래상 독립된 권리의 객체성을 상실하고 그 부동산과 일체를 이루는 부동산의 구성부분이 된 경우에는 타인의 권원에 의하여 이를 부합시킨 경우에도 그 물건의 소유권은 부동산의 소유자에게 귀속된다.

② 토지의 지상에 별개의 부동산인 건축물이 건축된 경우, 토지의 지하에 시공된 시설이 토지에 부합되었는지 아니면 지상 건축물의 기초 등을 구성하여 건축물의 일부분이 되었는지 여부는, 그 시설과 토지 및 건축물 사이의 각 결합 정도나 그 물리적 구조뿐만 아니라 당해 시설의 객관적, 사회경제적인 기능과 용도, 일반 거래관념, 토지의 당초 조성상태, 건축물의 종류와 규모 등 제반 사정을 종합하여 합리적으로 판단하여야 한다.

③ 종물은 물건의 소유자가 그 물건의 상용에 공하기 위하여 자기 소유인 다른 물건을 이에 부속하게 한 것을 말하므로 주물과 다른 사람의 소유에 속하는 물건은 종물이 될 수 없다.

④ 종물은 주물의 처분에 수반된다는 민법 제100조 제2항은 임의규정이므로, 당사자는 주물을 처분할 때에 특약으로 종물을 제외할 수 있고 종물만을 별도로 처분할 수도 있다.

⑤ 부동산에 부합된 물건이 사실상 분리복구가 불가능하여 거래상 독립한 권리의 객체성을 상실하고 그 부동산과 일체를 이루는 부동산의 구성부분이 된 경우에는 타인이 권원에 의하여 이를 부합시켰더라도 그 물건의 소유권은 부동산의 소유자에게 귀속되어 부동산의 소유자는 방해배제청구권에 기하여 부합물의 철거를 청구할 수 없고, 부합물이 위와 같은 요건을 충족하지 못해 그 물건의 소유권이 부동산의 소유자에게 귀속되었다고 볼 수 없는 경우에도 부동산의 소유자는 방해배제청구권에 기하여 부합물의 철거를 청구할 수 없다.

해설 ① 부동산에 부합된 물건이 사실상 분리복구가 불가능하여 거래상 독립한 권리의 객체성을 상실하고 그 부동산과 일체를 이루는 부동산의 구성부분이 된 경우에는 타인이 권원에 의하여 이를 부합시킨 경우에도 그 물건의 소유권은 부동산의 소유자에게 귀속된다(대판 1985.12.24, 84다카2428).

② 부동산에 부합된 물건이 사실상 분리복구가 불가능하여 거래상 독립된 권리의 객체성을 상실하고 그 부동산과 일체를 이루는 부동산의 구성부분이 된 경우에는 타인의 권원에 의하여 이를 부합시킨 경우에도 그 물건의 소유권은 부동산의 소유자에게 귀속되는 것이지만, 토지의 지상에 별개의 부동산인 건축물이 건축된 경우, 토지의 지하에 시공된 시설이 토지에 부합되었는지 아니면 지상 건축물의 기초 등을 구성하여 건축물의 일부분이 되었는지 여부는, 그 시설과 토지 및 건축물 사이의 각 결합 정도나 그 물리적 구조뿐만 아니라 당해 시설의 객관적, 사회경제적인 기능과 용도, 일반 거래관념, 토지의 당초 조성상태, 건축물의 종류와 규모 등 제반 사정을 종합하여 합리적으로 판단하여야 할 것이다(대판 2009.8.20, 2008두8727).

③ 종물은 물건의 소유자가 그 물건의 상용에 공하기 위하여 자기 소유인 다른 물건을 이에 부속하게 한 것을 말하므로(민법 제100조 제1항), 주물과 다른 사람의 소유에 속하는 물건은 종물이 될 수 없다(대판 2008.5.8, 2007다36933·36940).

④ 제100조 제2항은 강행규정이 아닌 임의규정이므로 당사자의 약정에 의하여 종물만의 처분도 가능하다(대판 2012.1.26, 2009다76546).

⑤ ⅰ) 부동산에 부합된 물건이 사실상 분리복구가 불가능하여 거래상 독립한 권리의 객체성을 상실하고 그 부동산과 일체를 이루는 부동산의 구성부분이 된 경우에는 타인이 권원에 의하여 이를 부합시켰더라도 그 물건의 소유권은 부동산의 소유자에게 귀속되어 부동산의 소유자는 방해배제청구권에 기하여 부합물의 철거를 청구할 수 없지만, ⅱ) 부합물이 위와 같은 요건을 충족하지 못해 그 물건의 소유권이 부동산의 소유자에게 귀속되었다고 볼 수 없는 경우에는 부동산의 소유자는 방해배제청구권에 기하여 부합물의 철거를 청구할 수 있다(대판 2020.4.9, 2018다264307). → [사실관계 및 해설] : 피고가 사적인 통행을 위해 종래 밭으로 사용되던 이 사건 도로부지에 가볍게 아스콘(아스팔트 콘크리트)을 씌운 것이어서 토지와 아스콘의 구분이 명확하고, 아스콘 제거에 과다한 비용이 소요되지 아니하므로, 포장은 이 사건 도로부지로부터 사실적·물리적으로 충분히 분리복구가 가능한 상태로 봄이 타당하고, 그 포장은 원고가 이 사건 도로부지를 당초 용도에 따라 밭으로 사용하고자 할 경우에는 불필요하고 오히려 원고의 소유권 행사를 방해하는 것으로서 이 사건 도로부지와 일체를 이루는 토지의 구성부분이 되었다고 볼 수 없으므로, 원고의 철거청구를 인정한 사례이다.

정답 06 ⑤

07 부합물 또는 종물에 관한 다음 설명 중 옳은 것은 모두 몇 개인가? (다툼이 있는 경우 판례에
따르고 전원합의체 판결의 경우 다수의견에 의함. 이하 같음) ▶ 2020년 법원행시

> ㄱ. 부동산에 부합된 물건이 사실상 분리복구가 불가능하여 거래상 독립한 권리의 객체성
> 을 상실하고 그 부동산과 일체를 이루는 부동산의 구성부분이 된 경우에는 타인이 권
> 원에 의하여 이를 부합시켰더라도 그 물건의 소유권은 부동산의 소유자에게 귀속된다.
> ㄴ. 동일인의 소유에 속하는 전유부분과 대지지분 중 전유부분만에 관하여 설정된 저당
> 권에 기한 경매절차에서 전유부분을 매수한 매수인은 대지지분에 대한 소유권을 함
> 께 취득하고, 설령 대지사용권의 성립 이전에 대지에 관하여 설정된 저당권이라고
> 하더라도 대지지분의 범위에서는 매각으로 소멸한다. 그러나 전유부분에 관한 경매
> 절차에서 대지지분에 대한 평가액이 반영되지 않았다거나 대지의 저당권자가 배당받
> 지 못한 경우에는 달리 보아야 한다.
> ㄷ. 구분건물의 전유부분에 대한 소유권보존등기만 경료되고 대지지분에 대한 등기가 경
> 료되기 전에 전유부분만에 대해 내려진 가압류결정의 효력은, 대지사용권의 분리처
> 분이 가능하도록 규약으로 정한 경우에도 그 대지권에까지 미친다.
> ㄹ. 건물의 증축 부분이 기존건물에 부합한 경우 기존건물에 대한 근저당권은 민법 제
> 358조에 의하여 부합된 증축 부분에도 효력이 미치는 것이므로 기존건물에 대한 경
> 매절차에서 경매목적물로 평가되지 아니하였다고 할지라도 경락인은 부합된 증축 부
> 분의 소유권을 취득한다.
> ㅁ. 종물은 주물의 처분에 수반된다는 민법 제100조 제2항은 강행규정이므로, 당사자는
> 주물을 처분할 때에 특약으로 종물을 제외할 수 없고 종물만을 별도로 처분할 수 없다.
> ㅂ. 종물은 주물의 상용에 이바지되어야 하는 관계가 있어야 하므로, 주물의 소유자나
> 이용자의 상용에 공여되고 있으면 족하고 주물 그 자체의 경제적 효용과는 직접 관
> 계가 없는 물건도 종물로 볼 수 있다.

① 1개　　　　　　② 2개　　　　　　③ 3개
④ 4개　　　　　　⑤ 5개

해설 ㄱ. 부동산에 부합된 물건이 사실상 분리복구가 불가능하여 거래상 독립한 권리의 객체성을 상실
하고 그 부동산과 일체를 이루는 부동산의 구성부분이 된 경우에는 타인이 권원에 의하여 이
를 부합시킨 경우에도 그 물건의 소유권은 부동산의 소유자에게 귀속된다(대판 1985.12.24.
84다카2428).
ㄴ. 동일인의 소유에 속하는 전유부분과 토지공유지분(이하 '대지지분'이라고 한다) 중 전유부분
만에 관하여 설정된 저당권의 효력은 규약이나 공정증서로써 달리 정하는 등의 특별한 사정
이 없는 한 종물 내지 종된 권리인 대지지분에까지 미치므로, 전유부분에 관하여 설정된 저
당권에 기한 경매절차에서 전유부분을 매수한 매수인은 대지지분에 대한 소유권을 함께 취
득하고, 그 경매절차에서 대지에 관한 저당권을 존속시켜 매수인이 인수하게 한다는 특별매
각조건이 정하여져 있지 않았던 이상 설사 대지사용권의 성립 이전에 대지에 관하여 설정된
저당권이라고 하더라도 대지지분의 범위에서는 민사집행법 제91조 제2항이 정한 '매각부동

산 위의 저당권'에 해당하여 매각으로 소멸하는 것이며, 이러한 대지지분에 대한 소유권의 취득이나 대지에 설정된 저당권의 소멸은 전유부분에 관한 경매절차에서 대지지분에 대한 평가액이 반영되지 않았다거나 대지의 저당권자가 배당받지 못하였다고 하더라도 달리 볼 것은 아니다(대판 2013.11.28, 2012다103325).

ㄷ. 민법 제100조 제2항의 종물과 주물의 관계에 관한 법리는 물건 상호 간의 관계뿐 아니라 권리 상호 간에도 적용되고, 위 규정에서의 처분은 처분행위에 의한 권리변동뿐 아니라 주물의 권리관계가 압류와 같은 공법상의 처분 등에 의하여 생긴 경우에도 적용되어야 하는 점, 저당권의 효력이 종물에 대하여도 미친다는 민법 제358조 본문 규정은 같은 법 제100조 제2항과 이론적 기초를 같이하는 점, 집합건물의 소유 및 관리에 관한 법률 제20조 제1항, 제2항에 의하면 구분건물의 대지사용권은 전유부분과 종속적 일체불가분성이 인정되는 점 등에 비추어 볼 때, 구분건물의 전유부분에 대한 소유권보존등기만 경료되고 대지지분에 대한 등기가 경료되기 전에 전유부분만에 대해 내려진 가압류결정의 효력은, 대지사용권의 분리처분이 가능하도록 규약으로 정하였다는 등의 특별한 사정이 없는 한, 종물 내지 종된 권리인 그 대지권에까지 미친다(대판 2006.10.26, 2006다29020).

ㄹ. 건물의 증축 부분이 기존건물에 부합하여 기존건물과 분리하여서는 별개의 독립물로서의 효용을 갖지 못하는 이상 기존건물에 대한 근저당권은 민법 제358조에 의하여 부합된 증축부분에도 효력이 미치는 것이므로 기존건물에 대한 경매절차에서 경매목적물로 평가되지 아니하였다고 할지라도 경락인은 부합된 증축 부분의 소유권을 취득한다(대판 2002.10.25, 2000다63110).

ㅁ. 제100조 제2항은 강행규정이 아닌 임의규정이므로 당사자의 약정에 의하여 종물만의 처분도 가능하다(대판 2012.1.26, 2009다76546).

ㅂ. 주물의 소유자나 이용자의 상용에 공여되고 있더라도 주물 그 자체의 효용과 직접 관계가 없는 물건은 종물이 아니다(대판 1997.10.10, 97다3750).

08 "종물은 주물의 처분에 따른다."는 민법 제100조 제2항에 관한 다음 설명 중 가장 옳지 않은 것은?

▶ 2021년 법원행시

① 저당권의 효력은 저당부동산에 부합된 물건과 종물에 미치는 것이므로 건물의 소유를 목적으로 하여 토지를 임차한 사람이 그 토지 위에 소유하는 건물에 저당권을 설정하고 그 저당권이 실행되어 매수인이 경매에 의해 건물의 소유권을 취득한 때에는 특별한 사정이 없는 한 건물의 소유를 목적으로 한 토지의 임차권도 함께 취득한다.

② 횟집으로 사용할 점포 건물에 거의 붙여서 횟감용 생선을 보관하기 위하여 신축한 수족관 건물은 독립한 부동산이지만 점포 건물의 종물에 해당한다.

③ 민법 제100조 제2항의 규정은 주된 권리와 종된 권리 상호 간에 유추적용되므로 원본채권이 양도되면 특별한 사정이 없는 한 변제기에 도달한 이자채권도 함께 양도된다.

④ 민법 제100조 제2항은 임의규정이므로 당사자는 주물을 처분할 때에 특약으로 종물을 제외할 수 있고 종물만을 별도로 처분할 수도 있다.

⑤ 구분건물의 전유부분에 대한 소유권보존등기만 경료되고 대지지분에 대한 등기가 경료되기 전에 전유부분만에 대해 내려진 가압류결정의 효력은, 대지사용권의 분리처분이 가능하도록 규약으로 정하였다는 등의 특별한 사정이 없는 한, 종물 내지 종된 권리인 그 대지권에까지 미친다.

해설 ① 건물의 소유를 목적으로 하여 토지를 임차한 사람이 그 토지 위에 소유하는 건물에 저당권을 설정한 때에는 민법 제358조 본문에 따라서 저당권의 효력이 건물뿐만 아니라 건물의 소유를 목적으로 한 토지의 임차권에도 미친다고 보아야 할 것이므로, 건물에 대한 저당권이 실행되어 경락인이 건물의 소유권을 취득한 때에는 특별한 다른 사정이 없는 한 건물의 소유를 목적으로 한 토지의 임차권도 건물의 소유권과 함께 경락인에게 이전된다(대판 1993.4.13, 92다24950).

② 횟집으로 사용할 점포건물에 신축한 수족관은 점포건물의 종물이다(대판 1993.2.12, 92도3234).

③ 이자채권은 원본채권에 대하여 종속성을 갖고 있으나 이미 변제기에 도달한 이자채권은 원본채권과 분리하여 양도할 수 있고 원본채권과 별도로 변제할 수 있으며 시효로 인하여 소멸되기도 하는 등 어느 정도 독립성을 갖게 되는 것이므로, 원본채권이 양도된 경우 이미 변제기에 도달한 이자채권은 원본채권의 양도 당시 그 이자채권도 양도한다는 의사표시가 없는 한 당연히 양도되지는 않는다(대판 1989.3.28, 88다카12803).

④ 종물은 주물의 처분에 수반된다는 민법 제100조 제2항은 임의규정이므로, 당사자는 주물을 처분할 때에 특약으로 종물을 제외할 수 있고, 종물만을 별도로 처분할 수도 있다고 보아야 한다(대판 2012.1.26, 2009다76546).

⑤ 구분건물의 대지사용권은 전유부분과 종속적 일체불가분성이 인정되는 점 등에 비추어 볼 때, 구분건물의 전유부분에 대한 소유권보존등기만 경료되고 대지지분에 대한 등기가 경료되기 전에 전유부분만에 대해 내려진 가압류결정의 효력은, 대지사용권의 분리처분이 가능하도록 규약으로 정하였다는 등의 특별한 사정이 없는 한, 종물 내지 종된 권리인 그 대지권에까지 미친다고 보아야 할 것이다(대판 2006.10.26, 2006다29020).

정답 **08** ③

심화문제 | 확인·보충·심화문제

01 물건에 관한 설명 중 옳지 않은 것은? (다툼이 있는 경우 판례에 의함) ▸ 2015년 사법시험

① 주물의 소유자나 이용자의 사용에 공여되고 있더라도 주물 그 자체의 효용과 직접 관계가 없는 물건은 종물이 아니다.

② 매수인이 매매대금을 완납하지 않은 경우 매도인도 인도의무를 지체하고 있었다면 별도의 특약이 없는 한 매수인은 매도인에 대하여 매매목적물로부터 발생한 과실의 반환을 청구할 수 없다.

③ 특약이 없는 한 저당권의 효력은 저당권 설정 당시의 저당목적물로부터 압류 전에 발생하는 천연과실에는 미치지 않는다.

④ "종물은 주물의 처분에 따른다."라는 민법 제100조 제2항은 임의규정이다.

⑤ 주물의 점유로 인한 취득시효 완성 효과는 민법 제100조 제2항에 따라 종물에 미친다.

해설 ① 종물은 주물의 상용에 공하여야 한다(제100조).

② 매매계약이 있은 후에도 인도하지 않은 목적물로부터 생긴 과실은 매도인에게 속한다(제587조). 따라서 매수인은 매매계약이 있은 후에도 대금을 지급하지 않은 사람은 이행기 이후에 생긴 과실을 수취할 수 없게 하고 있다(대판 2004.4.23, 2004다8210).

③ 저당권의 효력은 부합물과 종물에 미치나 과실에는 원칙적으로 미치지 않는다. 다만 압류가 있은 후에는 미친다(제359조).

④ 종물은 주물의 처분에 따른다는 민법 제100조 제2항은 임의규정이다.

⑤ 주물의 점유로 인한 취득시효 완성 효과는 점유하는 부분에 대하여 미치기 때문에 저당권(점유 불요)과는 달리 주물은 점유하고 종물은 점유하지 않는 경우에는 종물을 시효취득할 수 없다.

02 권리의 객체에 관한 설명 중 옳지 않은 것을 모두 고른 것은? (다툼이 있는 경우 판례에 의함)
▸ 2015년 변호사

ㄱ. 독립한 물건이라 하더라도 동산이 아닌 경우에는 종물이 될 수 없다.

ㄴ. 종물은 주물의 상용에 공하는 것이면 족하고, 원칙적으로 주물과 종물이 모두 동일한 소유자에게 속하여야 하는 것은 아니다.

ㄷ. 부동산 매수인이 매매계약을 체결하고 매도인으로부터 소유권이전등기를 경료받았다고 하여도, 아직 매매대금을 완납하지 않고 부동산을 인도받지 않은 이상 그 부동산으로부터 발생하는 과실은 매도인에게 귀속된다.

ㄹ. 분묘에 안치되어 있는 피상속인의 유체·유골은 매장·관리·제사·공양의 대상이 될 수 있는 유체물로서 그 제사주재자에게 승계된다.

① ㄱ, ㄴ   ② ㄱ, ㄷ   ③ ㄴ, ㄹ

④ ㄱ, ㄴ, ㄷ   ⑤ ㄱ, ㄴ, ㄹ

정답 ▸ 01 ⑤   02 ①

해설 ㄱ. 독립한 물건이라 하더라도 동산이 아닌 경우에는 종물이 될 수 없는 것이 아니라 부동산도 종물이 될 수 있다(연탄창고와 공중변소 사안).

ㄴ. 종물은 주물의 상용에 공하는 것으로 주물과 종물의 소유자는 동일하여야 한다.

ㄷ. 제587조와 관련된 문제이다. 즉 "부동산매매에 있어 목적부동산을 제3자가 점유하고 있어 인도받지 아니한 매수인이 명도소송제기의 방편으로 미리 소유권이전등기를 경료받았다고 하여도 아직 매매대금을 완급하지 않은 이상 부동산으로부터 발생하는 과실은 매수인이 아니라 매도인에게 귀속되어야 한다."(대판 1992.4.28, 91다32527).

ㄹ. 사람의 유체·유골은 매장·관리·제사·공양의 대상이 될 수 있는 유체물로서, 분묘에 안치되어 있는 선조의 유체·유골은 민법 제1008조의3 소정의 제사용 재산인 분묘와 함께 그 제사주재자에게 승계되고, 피상속인 자신의 유체·유골 역시 위 제사용 재산에 준하여 그 제사주재자에게 승계된다(대판(전합) 2008.11.20, 2007다27670).

03 민법상 주물과 종물에 관한 설명 중 옳지 않은 것은? (다툼이 있는 경우 판례에 의함)

▶ 2016년 사법시험

① 낡은 가재도구 등의 보관장소로 사용하고 있는 방과 연탄창고 및 공동변소는 본채에서 떨어져 축조되어 있더라도 본채의 종물이다.

② 주유기는 계속해서 주유소 건물 자체에 경제적 효용을 다하게 하는 작용을 하고 있으므로 주유소 건물의 상용에 공하기 위하여 부속시킨 종물이다.

③ 종물은 주물의 처분에 수반된다는 민법 제100조 제2항은 임의규정이므로, 당사자는 주물을 처분할 때에 특약으로 종물을 제외할 수 있고, 종물만을 별도로 처분할 수도 있다.

④ 축사 건물 및 그 부지를 임의경매절차에서 매수한 사람이 부지 밖에 설치된 소독시설을 통로로 삼아 축사건물에 출입한 경우, 위 소독시설은 축사출입차량의 소독을 위하여 설치한 것이기 때문에 별개의 토지 위에 존재하는 독립한 건조물이라고 하더라도 축사 자체의 효용에 제공된 종물이다.

⑤ 횟집으로 사용할 점포 건물에 거의 붙여서 횟감용 생선을 보관하기 위하여 신축한 수족관은 위 점포 건물의 종물이다.

해설 ① 대판 1991.5.14, 91다2779

② 대판 1995.6.29, 94다6345

③ 종물은 주물의 처분에 수반된다는 민법 제100조 제2항은 임의규정이므로, 당사자는 주물을 처분할 때에 특약으로 종물을 제외할 수 있고 종물만을 별도로 처분할 수도 있다(대판 2012.1.26, 2009다76546 등).

④ 피해자 소유의 축사 건물 및 그 부지를 임의경매절차에서 매수한 사람이 위 부지 밖에 설치된 피해자 소유 소독시설을 통로로 삼아 위 축사건물에 출입한 사안에서, 위 소독시설은 축사출입차량의 소독을 위하여 설치한 것이기는 하나 별개의 토지 위에 존재하는 독립한 건조물로서 축사 자체의 효용에 제공된 종물이 아니다(대판 2007.12.13, 2007도7247).

⑤ 대판 1993.2.12, 92도3234

정답 03 ④

01 절 총칙

01 법률행위의 해석 등에 관한 다음 설명 중 가장 옳지 않은 것은? ▸ 2020년 법원행시

① 어떤 토지가 지적법에 의하여 1필지의 토지로 지적공부에 등록되면 그 토지는 특별한 사정이 없는 한 그 등록으로써 특정되고 그 소유권의 범위는 현실의 경계와 관계없이 공부상의 경계에 의하여 확정되는 것이고, 지적도상의 경계표시가 분할측량의 잘못 등으로 사실상의 경계와 다르게 표시되었다 하더라도 그 토지에 대한 매매도 특별한 사정이 없는 한 현실의 경계와 관계없이 지적공부상의 경계와 지적에 의하여 소유권의 범위가 확정된 토지를 매매 대상으로 하는 것으로 보아야 한다.

② 매매대금은 매매계약의 중요부분인 목적물의 성질에 대응하는 것으로서, 매매 목적물과 대금은 매매계약 체결 당시에 구체적으로 확정되어야 하는 것이므로 당사자가 매매대금의 액수를 1개월 후의 시가에 의하기로 합의하였다면 매매예약이라고 볼 여지는 있을지언정 매매계약이 성립되었다고 보기는 어렵다.

③ 법률행위의 해석은 당사자가 그 표시행위에 부여한 객관적인 의미를 명백하게 확정하는 것으로서, 어디까지나 당사자의 내심의 의사가 어떤지에 관계없이 그 문언의 내용에 의하여 당사자가 그 표시행위에 부여한 객관적 의미를 합리적으로 해석하여야 하는 것이고, 당사자가 표시한 문언에 의하여 그 객관적인 의미가 명확하게 드러나지 않는 경우에는 그 문언의 형식과 내용, 법률행위의 동기, 거래 관행 등을 종합적으로 고려하여 논리와 경험칙 그리고 사회일반의 상식과 거래의 통념에 따라 합리적으로 해석하여야 한다.

④ 매매계약을 체결함에 있어 쌍방 당사자가 A 토지를 계약의 목적물로 삼았으나 그 토지의 지번을 착오하여 계약서에는 B 토지로 표시하고 B 토지에 관하여 소유권이전등기까지 마친 경우 매매계약은 A 토지에 관하여 성립한 것으로 보아야 하고 B 토지에 관한 등기는 원인무효의 등기로서 말소되어야 한다.

⑤ 당사자들이 공통적으로 의사표시를 명확하게 인식하고 있다면, 그것이 당사자가 표시한 문언과 다르더라도 당사자들의 공통적인 인식에 따라 의사표시를 해석하여야 한다. 그러나 의사표시를 한 사람이 생각한 의미가 상대방이 생각한 의미와 다른 경우에는 의사표시를 수령한 상대방이 합리적인 사람이라면 표시된 내용을 어떻게 이해하였다고 볼 수 있는지를 고려하여 의사표시를 객관적·규범적으로 해석하여야 한다.

정답 ▸ 01 ②

해설 ① 지적도상의 경계표시가 분할측량의 잘못 등으로 사실상의 경계와 다르게 표시되었다 하여도 그 매매당사자가 지적공부에 의하여 소유권의 범위가 확정된 토지를 매매할 의사가 아니고 사실상의 경계대로의 토지를 매매할 의사를 가지고 매매한 사실이 인정되는 등 특별한 사정이 없는 한 사실상의 경계에 관계없이 지적공부에 기재된 지번, 지목, 지적 및 경계에 의하여 소유권의 범위가 확정된 토지를 매매한 것으로 보아야 할 것이다(대판 1993.5.11, 92다48918·48925).

② 매매목적물과 대금은 반드시 그 계약체결 당시에 구체적으로 특정할 필요는 없고 이를 사후에라도 구체적으로 특정할 수 있는 방법과 기준이 정하여져 있으면 족하다(대판 1997.1.24, 96다26176 등). 따라서 매매대금의 액수를 1개월 후의 시가에 의하기로 합의하였더라도 그와 같은 사유만을 들어 매매계약이 아닌 매매예약이라고 속단할 수 없다(대판 1978.6.27, 78다551·552).

③ 법률행위의 해석은 당사자가 그 표시행위에 부여한 객관적인 의미를 명백하게 확정하는 것으로서, 어디까지나 당사자의 내심의 의사가 어떤지에 관계없이 그 문언의 내용에 의하여 당사자가 그 표시행위에 부여한 객관적 의미를 합리적으로 해석하여야 하는 것이고, 당사자가 표시한 문언에 의하여 그 객관적인 의미가 명확하게 드러나지 않는 경우에는 그 문언의 형식과 내용, 그 법률행위가 이루어진 동기 및 경위, 당사자가 그 법률행위에 의하여 달성하려는 목적과 진정한 의사, 거래의 관행 등을 종합적으로 고려하여 사회정의와 형평의 이념에 맞도록 논리와 경험의 법칙, 그리고 사회일반의 상식과 거래의 통념에 따라 합리적으로 해석하여야 한다(대판 2010.7.8, 2010다9597 등).

④ 甲, 乙이 모두 A토지를 계약목적으로 삼았으나 계약서에 B토지를 잘못 표기한 경우에도 쌍방당사자의 의사합치가 있는 이상 A토지에 관하여 매매계약이 성립하며, 만약 B토지에 관해 이전등기가 경료되었다면 이는 원인 없이 경료된 것으로 무효이다(대판 1993.10.26, 93다2629·2636).

⑤ 당사자들이 공통적으로 의사표시를 명확하게 인식하고 있다면, 그것이 당사자가 표시한 문언과 다르더라도 당사자들의 공통적인 인식에 따라 의사표시를 해석하여야 한다. 그러나 의사표시를 한 사람이 생각한 의미가 상대방이 생각한 의미와 다른 경우에는 의사표시를 수령한 상대방이 합리적인 사람이라면 표시된 내용을 어떻게 이해하였다고 볼 수 있는지를 고려하여 의사표시를 객관적·규범적으로 해석하여야 한다(대판 2017.2.15, 2014다19776·19783).

02 법률행위의 해석에 관한 다음 설명 중 가장 옳지 않은 것은? ▶ 2024년 법무사

① 하나의 법률관계를 둘러싸고 각기 다른 내용을 정한 여러 개의 계약서가 순차로 작성되어 있는 경우 당사자가 그러한 계약서에 따른 법률관계나 우열관계를 명확하게 정하고 있다면 그와 같은 내용대로 효력이 발생하지만, 여러 개의 계약서에 따른 법률관계 등이 명확히 정해져 있지 않다면 각각의 계약서에 정해져 있는 내용 중 서로 양립할 수 없는 부분에 관해서는 원칙적으로 나중에 작성된 계약서에서 정한 대로 계약 내용이 변경되었다고 해석하는 것이 합리적이다.

② 계약의 합의해지는 계속적 채권채무관계에서 당사자가 이미 체결한 계약의 효력을 장래에 향하여 소멸시킬 것을 내용으로 하는 새로운 계약으로서, 이를 인정하기 위해서는 계약이 성립하는 경우와 마찬가지로 기존 계약의 효력을 장래에 향하여 소멸시키기로 하는 내용의 청약과 승낙이라는 서로 대립하는 의사표시가 합치될 것을 요건으로 한다. 이와 같은 합의가 성립하기 위해서는 쌍방 당사자의 표시행위에 나타난 의사의 내용이 객관적으로 일치하여야 하지만 계약당사자 일방이 계약해지에 관한 조건을 제시한 경우 그 조건에 관한 합의까지 이루어질 필요는 없다.

③ 계약을 체결하는 행위자가 타인의 이름으로 법률행위를 한 경우에 행위자 또는 명의인 가운데 누구를 계약의 당사자로 볼 것인가에 관하여는, 우선 행위자와 상대방의 의사가 일치한 경우에는 그 일치한 의사대로 행위자 또는 명의인을 계약의 당사자로 확정해야 하고, 행위자와 상대방의 의사가 일치하지 않는 경우에는 그 계약의 성질·내용·목적·체결 경위 등 그 계약 체결 전후의 구체적인 제반 사정을 토대로 상대방이 합리적인 사람이라면 행위자와 명의자 중 누구를 계약 당사자로 이해할 것인가에 의하여 당사자를 결정하여야 한다.

④ 성립이 진정한 것으로 인정되는 처분문서(매매계약서)는 그 내용을 부정할만한 분명하고 수긍할 수 있는 이유가 없는 한 그 내용되는 법률행위의 존재를 인정하여야 한다.

⑤ 계약이 성립하기 위하여는 당사자 사이에 의사의 합치가 있을 것이 요구되는데, 이러한 의사의 합치는 당해 계약의 내용을 이루는 모든 사항에 관하여 있어야 하는 것은 아니고 그 본질적 사항이나 중요사항에 관하여 구체적으로 의사의 합치가 있거나 적어도 장래 구체적으로 특정할 수 있는 기준과 방법 등에 관한 합의가 있으면 된다. 따라서 당사자 사이에 체결된 계약과 이에 따라 장래 체결할 본계약을 구별하고자 하는 의사가 명확하거나 일정한 형식을 갖춘 본계약 체결이 별도로 요구되는 경우 등의 특별한 사정이 없다면, 매매계약이 성립하였다고 보기에 충분한 합의가 있었음에도 법원이 매매계약 성립을 부정하고 별도의 본계약이 체결되어야 하는 매매예약에 불과하다고 단정할 것은 아니다.

해설 ① 하나의 법률관계를 둘러싸고 각기 다른 내용을 정한 여러 개의 계약서가 순차로 작성되어 있는 경우 당사자가 그러한 계약서에 따른 법률관계나 우열관계를 명확하게 정하고 있다면 그와 같은 내용대로 효력이 발생한다. 그러나 여러 개의 계약서에 따른 법률관계 등이 명확히 정해

정답 02 ②

져 있지 않다면 각각의 계약서에 정해져 있는 내용 중 서로 양립할 수 없는 부분에 관해서는 원칙적으로 나중에 작성된 계약서에서 정한 대로 계약 내용이 변경되었다고 해석하는 것이 합리적이다(대판 2020.12.30, 2017다17603).

② 계약의 합의해지는 계속적 채권채무관계에서 당사자가 이미 체결한 계약의 효력을 장래에 향하여 소멸시킬 것을 내용으로 하는 새로운 계약으로서, 이를 인정하기 위해서는 계약이 성립하는 경우와 마찬가지로 기존 계약의 효력을 장래에 향하여 소멸시키기로 하는 내용의 청약과 승낙이라는 서로 대립하는 의사표시가 합치될 것을 요건으로 한다. 계약의 합의해지는 묵시적으로 이루어질 수도 있으나, 계약에 따른 채무의 이행이 시작된 다음에 당사자 쌍방이 계약실현 의사의 결여 또는 포기로 계약을 실현하지 않을 의사가 일치되어야만 한다. 이와 같은 합의가 성립하기 위해서는 쌍방 당사자의 표시행위에 나타난 의사의 내용이 객관적으로 일치하여야 하므로 계약당사자 일방이 계약해지에 관한 조건을 제시한 경우 그 조건에 관한 합의까지 이루어져야 한다(대판 2018.12.27, 2016다274270).

③ 계약을 체결하는 행위자가 타인의 이름으로 법률행위를 한 경우에 행위자 또는 명의인 가운데 누구를 계약의 당사자로 볼 것인가에 관하여는, 우선 행위자와 상대방의 의사가 일치한 경우에는 그 일치한 의사대로 행위자 또는 명의인을 계약의 당사자로 확정해야 하고, 행위자와 상대방의 의사가 일치하지 않는 경우에는 그 계약의 성질·내용·목적·체결 경위 등 그 계약 체결 전후의 구체적인 제반 사정을 토대로 상대방이 합리적인 사람이라면 행위자와 명의자 중 누구를 계약 당사자로 이해할 것인가에 의하여 당사자를 결정하여야 한다. 일방 당사자가 대리인을 통하여 계약을 체결하는 경우에 있어서 계약의 상대방이 대리인을 통하여 본인과 사이에 계약을 체결하려는 데 의사가 일치하였다면 대리인의 대리권 존부 문제와는 무관하게 상대방과 본인이 그 계약의 당사자이다(대판 2003.12.12, 2003다44059).

④ 처분문서는 그 성립의 진정함이 인정되는 이상 법원은 그 기재 내용을 부인할 만한 분명하고도 수긍할 수 있는 반증이 없으면 처분문서에 기재된 문언대로 의사표시의 존재와 내용을 인정하여야 한다(대판 2020.12.30, 2017다17603).

⑤ 청약의 의사표시와 승낙의 의사표시가 내용적으로 일치하는 것을 객관적 합치라고 한다. 다만 의사의 합치는 해당 계약의 내용을 이루는 모든 사항에 관하여 있어야 하는 것은 아니고, 그 본질적 사항이나 중요사항에 관해 구체적인 의사의 합치가 있거나 적어도 장래 구체적으로 특정할 수 있는 기준과 방법 등에 관한 합의가 있어야 한다. 따라서 당사자 사이에 체결된 계약과 이에 따라 장래 체결할 본계약을 구별하고자 하는 의사가 명확하거나 일정한 형식을 갖춘 본계약 체결이 별도로 요구되는 경우 등의 특별한 사정이 없다면, 매매계약이 성립하였다고 보기에 충분한 합의가 있었음에도 법원이 매매계약 성립을 부정하고 별도의 본계약이 체결되어야 하는 매매예약에 불과하다고 단정할 것은 아니다(대판 2022.7.14, 2022다225767·225774). → ※ [보충] : ⅰ) 매매는 당사자 일방이 재산권을 상대방에게 이전할 것을 약정하고 상대방이 대금을 지급할 것을 약정함으로써 효력이 발생하는 것이므로, 매매계약은 매도인이 재산권을 이전하는 것과 매수인이 대가로서 대금을 지급하는 것에 관하여 쌍방 당사자의 합의가 이루어짐으로써 성립하는 것이며, 그 경우 매매목적물과 대금은 반드시 계약 체결 당시에 구체적으로 특정할 필요는 없고 이를 사후에라도 구체적으로 특정할 수 있는 방법과 기준이 정하여져 있으면 충분하다. 이 경우 그 약정된 기준에 따른 대금액 산정에 관하여 당사자 간에 다툼이 있다면 법원이 이를 정할 수밖에 없다. 매매대금 액수를 일정기간 후 시가에 의하여 정하기로 하였다는 사유만을 들어 매매계약이 아닌 매매예약이라고 단정할 것은 아니다. ⅱ) 그 밖에 특별한 사정이 없는 한 이행시기, 이행장소, 담보책임 등에 관한 합의가 없었더라도 매매계약이 성립하는 데에 지장이 없다(대판 2023.9.14, 2023다227500).

03 법령상 금지규정에 위반한 법률행위의 효력에 관한 다음 설명 중 가장 옳지 않은 것은?

▸ 2018년 법원행시

① 중개사무소 개설등록에 관한 구 부동산중개업법 관련 규정들은 공인중개사 자격이 없는 자가 중개사무소 개설등록을 하지 아니한 채 부동산중개업을 하면서 체결한 중개수수료 지급약정의 효력을 제한하는 강행법규이다.

② 공인중개사 자격이 없는 자가 우연한 기회에 단 1회 타인 간의 거래행위를 중개한 경우 등과 같이 '중개를 업으로 한 것이 아니라면 그에 따른 중개수수료 지급약정은 유효하다.

③ 개업공인중개사 등이 중개의뢰인과 직접 거래를 하는 행위를 금지하는 공인중개사법 제33조 제6호는 단속규정이 아니라 강행법규이다.

④ 특별한 사정이 없는 한 강행법규에 위반한 자가 스스로 그 약정의 무효를 주장하는 것은 신의칙에 반하는 것이라고 할 수 없다.

⑤ 법률행위의 일부가 강행법규인 효력규정에 위반되어 무효가 되는 경우 그 부분의 무효가 나머지 부분의 유효・무효에 영향을 미치는가의 여부를 판단함에 있어서는 개별 법령이 일부무효의 효력에 관한 규정을 두고 있는 경우에는 그에 따라야 한다.

해설 ① 공인중개사 자격이 없어 중개사무소 개설등록을 하지 아니한 채 부동산중개업을 한 자에게 형사적 제재를 가하는 것만으로는 부족하고 그가 체결한 중개수수료 지급약정에 의한 경제적 이익이 귀속되는 것을 방지하여야 할 필요가 있고, 따라서 중개사무소 개설등록에 관한 구 부동산중개업법 관련 규정들은 공인중개사 자격이 없는 자가 중개사무소 개설등록을 하지 아니한 채 부동산중개업을 하면서 체결한 중개수수료 지급약정의 효력을 제한하는 이른바 강행법규에 해당한다(대판 2010.12.23, 2008다75119).

② 공인중개사 자격이 없는 자가 우연한 기회에 단 1회 타인 간의 거래행위를 중개한 경우 등과 같이 '중개를 업으로 한' 것이 아니라면 그에 따른 중개수수료 지급약정이 강행법규에 위배되어 무효라고 할 것은 아니고, 다만 중개수수료 약정이 부당하게 과다하여 민법상 신의성실 원칙이나 형평 원칙에 반한다고 볼만한 사정이 있는 경우에는 상당하다고 인정되는 범위 내로 감액된 보수액만을 청구할 수 있다(대판 2012.6.14, 2010다86525).

③ 개업공인중개사 등이 중개의뢰인과 직접 거래를 하는 행위를 금지하는 공인중개사법 제33조 제6호의 규정 취지는 개업공인중개사 등이 거래상 알게 된 정보를 자신의 이익을 꾀하는데 이용하여 중개의뢰인의 이익을 해하는 경우가 있으므로 이를 방지하여 중개의뢰인을 보호하고자 함에 있는바, 위 규정에 위반하여 한 거래행위가 사법상의 효력까지도 부인하지 않으면 안 될 정도로 현저히 반사회성, 반도덕성을 지닌 것이라고 할 수 없을 뿐만 아니라 행위의 사법상의 효력을 부인하여야만 비로소 입법 목적을 달성할 수 있다고 볼 수 없고, 위 규정을 효력규정으로 보아 이에 위반한 거래행위를 일률적으로 무효라고 할 경우 중개의뢰인이 직접 거래임을 알면서도 자신의 이익을 위해 한 거래도 단지 직접 거래라는 이유로 효력이 부인되어 거래의 안전을 해칠 우려가 있으므로, 위 규정은 강행규정이 아니라 단속규정이다(대판 2017.2.3, 2016다259677).

④ 강행법규에 위반한 자가 스스로 그 약정의 무효를 주장하는 것이 신의칙에 위반되는 권리의 행사라는 이유로 그 주장을 배척한다면, 이는 오히려 강행법규에 의하여 배제하려는 결과를 실현시키는 셈이 되어 입법 취지를 완전히 몰각하게 되므로 달리 특별한 사정이 없는 한 위

정답 03 ③

와 같은 주장은 신의칙에 반하는 것이라고 할 수 없고, 한편 신의성실의 원칙에 위배된다는 이유로 그 권리의 행사를 부정하기 위해서는 상대방에게 신의를 공여하였다거나 객관적으로 보아 상대방이 신의를 가짐이 정당한 상태에 있어야 하며, 이러한 상대방의 신의에 반하여 권리를 행사하는 것이 정의관념에 비추어 용인될 수 없는 정도의 상태에 이르러야 한다 (대판 2004.10.28. 2004다5556).

⑤ 민법 제137조는 임의규정으로서 의사자치의 원칙이 지배하는 영역에서 적용된다고 할 것이므로, 법률행위의 일부가 강행법규인 효력규정에 위반되어 무효가 되는 경우 그 부분의 무효가 나머지 부분의 유효·무효에 영향을 미치는가의 여부를 판단함에 있어서는 개별 법령이 일부무효의 효력에 관한 규정을 두고 있는 경우에는 그에 따라야 하고, 그러한 규정이 없다면 원칙적으로 민법 제137조가 적용될 것이나 당해 효력규정 및 그 효력규정을 둔 법의 입법 취지를 고려하여 볼 때 나머지 부분을 무효로 한다면 당해 효력규정 및 그 법의 취지에 명백히 반하는 결과가 초래되는 경우에는 나머지 부분까지 무효가 된다고 할 수는 없다 (대판 2004.6.11. 2003다1601).

04 강행규정에 관한 다음 설명 중 옳은 것은 모두 몇 개인가? ▸ 2023년 법원행시

> ㄱ. 개업공인중개사 등이 중개의뢰인과 직접 거래를 하는 행위를 금지하는 공인중개사법 제33조 제6호는 강행규정이 아니라 단속규정이다.
>
> ㄴ. 변호사가 아닌 소외 1이 원고가 소외 2를 상대로 제소한 소유권이전등기말소 청구사건과 소외 3 등이 원고를 상대로 제소한 소유권이전등기 청구사건에 관하여 원고를 승소시켜 주고 원고로부터 그 대가를 받기로 하는 것을 내용으로 하는 원고와 소외 1 사이의 위 양도약정은 강행법규인 변호사법 규정에 위반되는 반사회적 법률행위로서 무효라 할 것이다.
>
> ㄷ. 甲이 乙과 매매계약체결 당시에 정당한 대가를 지급하고 목적물을 매수하는 계약을 체결하였더라도, 그 후 목적물이 범죄행위로 취득된 것을 알게 되었다면, 특별한 사정이 없더라도 乙에 대하여 당초의 매매계약에 기하여 목적물에 대한 소유권이전등기를 구하는 것은 민법 제103조의 공서양속에 반하는 행위라고 보는 것이 신의칙상 타당하다.
>
> ㄹ. 타인의 소송에서 사실을 증언하는 증인이 그 증언을 조건으로 그 소송의 일방 당사자 등으로부터 통상적으로 용인될 수 있는 일당 및 여비 정도를 넘어서는 대가를 제공받기로 하는 약정은 반사회적 법률행위에 해당하여 무효라고 할 것이지만, 증언거부권이 있는 증인이 그 증언거부권을 포기하고 증언을 하는 경우에는 달리 볼 수 있다.
>
> ㅁ. 농지임대차가 강행규정인 구 농지법에 위반되어 계약의 효력을 인정받을 수 없는 경우, 농지 임대인 甲이 임대차기간 동안 임차인 乙의 권원 없는 점용을 이유로 손해배상을 청구한 데 대하여 임차인 乙은 원칙적으로 불법원인급여의 법리를 이유로 반환을 거부할 수 있다.

① 1개   ② 2개   ③ 3개

④ 4개   ⑤ 5개

해설 ㄱ. 대판 2017.2.3, 2016다259677

ㄴ. 변호사 아닌 甲과 소송당사자인 乙이 甲은 乙이 소송당사자로 된 민사소송사건에 관하여 乙을 승소시켜주고 乙은 소송물의 일부인 임야지분을 그 대가로 甲에게 양도하기로 약정한 경우 위 약정은 강행법규인 변호사법 제78조 제2호에 위반되는 반사회적 법률행위로서 무효이다(대판 1990.5.11, 89다카10514).

ㄷ. 매매계약체결 당시에 정당한 대가를 지급하고 목적물을 매수하는 계약을 체결하였다면, 비록 그 후 목적물이 범죄행위로 취득된 것을 알게 되었다고 하더라도, 계약의 이행을 구하는 것 자체가 선량한 풍속 기타 사회질서에 위반하는 것으로 볼 만한 특별한 사정이 없는 한, 그러한 사유만으로 당초의 매매계약에 기하여 목적물에 대한 소유권이전등기를 구하는 것이 민법 제103조의 공서양속에 반하는 행위라고 단정할 수 없다(대판 2021.11.9, 2001다44987).

ㄹ. 소송사건에서 일방 당사자를 위하여 증인으로 출석하여 증언하였거나 증언할 것을 조건으로 어떤 대가를 받을 것을 약정한 경우, 증인은 법률에 의하여 증언거부권이 인정되지 않은 한 진실을 진술할 의무가 있는 것이므로 그 대가의 내용이 통상적으로 용인될 수 있는 수준(예컨대 증인에게 일당과 여비가 지급되기는 하지만 증인이 법원에 출석함으로써 입게 되는 손해에는 미치지 못하는 경우 그러한 손해를 전보해 주는 정도)을 초과하는 경우에는 그와 같은 약정은 금전적 대가가 결부됨으로써 선량한 풍속 기타 사회질서에 반하는 법률행위가 되어 민법 제103조에 따라 효력이 없다(대판 1999.4.13, 98다52483). 이는 <u>증언거부권이 있는 증인이 그 증언거부권을 포기하고 증언을 하는 경우라고 하여 달리 볼 것이 아니다</u>(대판 2010.7.29, 2009다56283).

ㅁ. 구 농지법이 농지임대를 원칙적으로 금지하는 취지는, 농지는 농민이 경작 목적으로 이용함으로써 농지로 보전될 수 있도록 하고, 또한 외부자본이 투기 등 목적으로 농지를 취득할 유인을 제거하여 지가를 안정시킴으로써 농민이 농지를 취득하는 것을 용이하게 하여 궁극적으로 경자유전의 원칙을 실현하려는 데에 있다. 그리고 그와 같은 입법 취지를 달성하기 위해서는 위반행위에 대하여 형사 처벌을 하는 것과 별도로 농지임대차계약의 효력 자체를 부정하여 계약 내용에 따른 경제적 이익을 실현하지는 못하도록 함이 상당하므로, 농지의 임대를 금지한 구 농지법 제23조의 규정은 <u>강행규정</u>이다. 따라서 구 농지법 제23조가 규정한 예외사유에 해당하지 아니함에도 이를 위반하여 농지를 임대하기로 한 임대차계약은 무효이다. 한편 오늘날의 통상적인 농지임대차는 <u>경자유전의 원칙과 농지의 합리적인 이용 등을 위하여 특별한 규제의 대상이 되어 있기는 하지만</u>, 특별한 사정이 없는 한 계약 내용이나 성격 자체로 <u>반윤리성 · 반도덕성 · 반사회성이 현저하다고 단정할 수는 없고</u>, 임차인이 당해 농지를 사용 · 수익함으로써 얻은 토지사용료 상당의 점용이익에 대하여 임대인이 부당이득반환이나 손해배상을 청구하는 것마저 배척하여 임차인으로 하여금 사실상 무상사용을 하는 반사이익을 누릴 수 있도록 하여야만 구 농지법의 규범 목적이 달성된다고 볼 것은 아니다. 따라서 <u>농지 임대인이 임대차기간 동안 임차인의 권원 없는 점용을 이유로 손해배상을 청구한 데 대하여 임차인이 불법원인급여의 법리를 이유로 반환을 거부할 수는 없다</u>(대판 2017.3.15, 2013다79887).

정답 04 ②

05 법률행위의 해석과 이중매매에 관한 다음 설명 중 가장 옳지 않은 것은? (다툼이 있는 경우 판례에 의함) ▶ 2016년 법무사

① 매매계약서에 계약사항에 대한 이의가 생겼을 때에는 매도인의 해석에 따른다는 조항은 법원의 법률행위 해석권을 구속하는 조항이라고 볼 수 없다.

② 甲이 허무인 乙명의의 자동차운전면허증과 인장을 위조한 후 이를 이용하여 증권회사인 丙 주식회사에 乙명의로 증권위탁계좌를 개설하였다면, 甲과 丙 회사 사이에는 행위자인 甲을 계약당사자로 한 계좌 개설계약이 체결되었다고 보아야 한다.

③ 甲이 A 부동산을 乙에게 매도하고, 아직 미등기 상태에서 계약금 및 중도금만 수령한 뒤 다시 丙에게 매도하고 丙에게 소유권이전등기를 마쳐준 경우, 丙이 甲의 이중매매에 적극 가담하였다면, 乙은 甲을 대위하여 丙을 상대로 소유권이전등기의 말소를 청구할 수 있다.

④ 부동산의 이중매매가 반사회적행위로서 무효가 된다는 법리는 이중으로 임대차계약을 체결한 경우에도 적용될 수 있다.

⑤ 부동산의 이중매매가 반사회적 법률행위에 해당하는 경우에는 이중매매계약은 절대적으로 무효이므로, 당해 부동산을 제2매수인으로부터 다시 취득한 제3자는 설사 제2매수인이 당해 부동산의 소유권을 유효하게 취득한 것으로 믿었더라도 이중매매계약이 유효하다고 주장할 수 없다.

해설 ① 매매계약서에 계약사항에 대한 이의가 생겼을 때에는 매도인의 해석에 따른다는 조항은 법원의 법률행위 해석권을 구속하는 조항이라고 볼 수 없다(대판 1974.9.24. 74다1057).

② 타인의 이름을 임의로 사용하여 계약을 체결한 경우에는 누가 계약의 당사자인가를 먼저 확정하여야 하는데, 행위자 또는 명의자 가운데 누구를 당사자로 할 것인지에 관하여 행위자와 상대방의 의사가 일치한 경우에는 일치하는 의사대로 행위자의 행위 또는 명의자의 행위로서 확정하여야 하지만, 그러한 일치하는 의사를 확정할 수 없을 경우에는 계약의 성질, 내용, 목적, 체결경위 및 계약체결을 전후한 구체적인 제반 사정을 토대로 상대방이 합리적인 인간이라면 행위자와 명의자 중 누구를 계약당사자로 이해할 것인가에 의하여 당사자를 결정하고, 이에 터 잡아 계약의 성립 여부와 효력을 판단하여야 한다. 이는 그 타인이 허무인인 경우에도 마찬가지이다. 甲이 허무인 乙 명의의 자동차운전면허증과 인장을 위조한 후 이를 이용하여 증권회사인 丙 주식회사에 乙 명의의 계좌 개설을 신청하였고, 丙 회사는 위 자동차운전면허증으로 구 금융실명거래 및 비밀보장에 관한 법률(2011.7.14. 법률 제10854호로 개정되기 전의 것) 제3조 제1항, 금융실명거래 및 비밀보장에 관한 법률 시행규칙 제3조 제1호에 따라 실명확인 절차를 진행하여 乙 명의로 증권위탁계좌를 개설한 사안에서, 丙 회사로서는 甲이 乙인 줄 알고 계약을 체결하기에 이르렀다고 할 것이어서 甲과 丙 회사 사이에 행위자인 甲을 위 계좌 개설계약의 당사자로 하기로 하는 의사의 일치가 있었다고 볼 수 없고, 비록 乙에 대한 실명확인 절차가 허무인에 대한 것으로서 적법하지 않다고 하더라도 乙이 허무인임을 알지 못한 丙 회사로서는 명의자인 乙을 계약당사자로 인식하여 계좌 개설계약을 체결한 것이라고 봄이 타당하고 이러한 계약체결 당시 丙 회사의 계약당사자에 대한 인식은 사후에 乙이 허무인임이 확인되었다고 하여 달라지지 않으므로, 丙 회사의 계좌 개설계약의 상대방에 관한 의사가 위와 같은 이상 甲을 계약당사자로 한 계좌 개설계약이 체결되었다고 할 수 없고, 다만 계약당사자인 乙이 허무인인 이상 丙 회사와 乙 사이에서도 유효한 계좌 개설계약이 성립하였다

고 볼 수 없으므로 위 계좌에 입고된 주식은 이해관계인들 사이에서 부당이득반환 등의 법리
에 따라 청산될 수 있을 뿐이라고 한 사례이다(대판 2012.10.11, 2011다12842).

③ 제1양수인 乙을 보호하기 위하여 판례는 乙이 양도인 甲을 대위하여 丙에게 그 명의의 소유
권이전등기의 말소를 청구할 수 있다는 입장이다.

　매도인의 매수인에 대한 배임행위에 가담하여 증여를 받아 이를 원인으로 소유권이전등기를
경료한 수증자에 대하여 매수인은 매도인을 대위하여 위 등기의 말소를 청구할 수는 있으나
직접 청구할 수는 없다는 것은 형식주의 아래서의 등기청구권의 성질에 비추어 당연하다
(대판 1983.4.26, 83다카57).

④ 이중매매를 사회질서에 반하는 법률행위로서 무효라고 하기 위하여는, 제2매수인이 이중매
매 사실을 아는 것만으로는 부족하고, 나아가 매도인의 배임행위(또는 배신행위)를 유인, 교사
하거나 이에 협력하는 등 적극적으로 가담하는 것이 필요하며, 그와 같은 사유가 있는지를
판단할 때에는 이중매매계약에 이른 경위, 약정된 대가 등 계약 내용의 상당성 또는 특수성
및 양도인과 제2매수인의 관계 등을 종합적으로 살펴보아야 한다(대판 1989.11.28, 89다카
14295・14301, 대판 2009.9.10, 2009다23283 등 참조). 그리고 이러한 법리는 이중으로
임대차계약을 체결한 경우에도 그대로 적용될 수 있다(대판 2013.6.27, 2011다5813).

⑤ 부동산의 이중매매가 반사회적 법률행위에 해당하는 경우에는 이중매매계약은 절대적으로
무효이므로, 당해 부동산을 제2매수인으로부터 다시 취득한 제3자는 설사 제2매수인이 당해
부동산의 소유권을 유효하게 취득한 것으로 믿었더라도 이중매매계약이 유효하다고 주장할
수 없다(대판 1996.10.25, 96다29151). 즉 전득자는 보호받지 못한다. 이 경우 전득자은 제
2매수인에게 제570조 소정의 담보책임을 물을 수 있을 뿐이다.

06 **반사회질서의 법률행위에 관한 다음 설명 중 가장 옳지 않은 것은?** (다툼이 있는 경우
판례에 의함)

① 부동산의 매수인이 매도인의 배임행위에 적극 가담하여 그 매매계약이 반사회적 법률
행위에 해당하는 경우 매매계약은 절대적으로 무효이므로, 당해 부동산을 매수인으로
부터 다시 취득한 제3자는 설사 매수인이 당해 부동산의 소유권을 유효하게 취득한 것
으로 믿었다고 하더라도 매매계약이 유효하다고 주장할 수 없다.

② 행정기관에 진정서를 제출하여 상대방을 궁지에 빠뜨린 다음 이를 취하하는 조건으로
거액의 급부를 제공받기로 약정한 경우, 민법 제103조 소정의 반사회질서의 법률행위
에 해당한다.

③ 민법 제103조에 의하여 무효로 되는 반사회질서 행위는 법률행위의 목적인 권리의무의
내용이 선량한 풍속 기타 사회질서에 위반되는 경우뿐만 아니라, 그 내용 자체는 반사
회질서적인 것이 아니라고 하여도 법률적으로 이를 강제하거나 법률행위에 반사회질서
적인 조건 또는 금전적인 대가가 결부됨으로써 반사회질서적 성질을 띠게 되는 경우 및
표시되거나 상대방에게 알려진 법률행위의 동기가 반사회질서적인 경우를 포함한다.

④ 강제집행을 면할 목적으로 부동산에 허위의 근저당권설정등기를 경료하는 행위는 민법 제
103조의 선량한 풍속 기타 사회질서에 위반한 사항을 내용으로 하는 법률행위로 볼 수 없다.

정답　　05 ②　　06 ⑤

⑤ 도박채무의 변제를 위하여 채무자로부터 부동산의 처분을 위임받은 도박 채권자가 그 부동산을 제3자에게 매도한 경우, 그 제3자가 도박 채권자를 통하여 그 부동산을 매수한 행위는 그 제3자가 계약 당시 위와 같은 사정을 알지 못하였더라도 반사회질서의 법률행위로서 무효이다.

> **해설** ① 제103조(반사회적 법률행위), 제104조(폭리행위) 등의 경우는 절대적 무효로서 제3자를 보호하기 위한 조항이 없다. 따라서 "부동산의 매수인이 매도인의 배임행위에 적극 가담하여 그 매매계약이 반사회적 법률행위에 해당하는 경우 매매계약은 절대적으로 무효이므로, 당해 부동산을 매수인으로부터 다시 취득한 제3자는 설사 매수인이 당해 부동산의 소유권을 유효하게 취득한 것으로 믿었다고 하더라도 매매계약이 유효하다고 주장할 수 없다."(대판 2008.3.27, 2007다82875).
> ② 행정기관에 진정서를 제출하여 상대방을 궁지에 빠뜨린 다음 이를 취하하는 조건으로 거액의 급부를 제공받기로 약정한 경우, 민법 제103조 소정의 반사회질서의 법률행위에 해당한다(대판 2000.2.11, 99다56833).
> ③ 동기의 불법을 말한다. 따라서 표시되거나 상대방에게 알려진 법률행위의 동기가 반사회질서적인 경우를 포함한다(대판 1984.12.11, 84다카1402).
> ④ 강제집행을 면할 목적으로 부동산에 허위의 근저당권설정등기를 경료하는 행위는 민법 제103조의 선량한 풍속 기타 사회질서에 위반한 사항을 내용으로 하는 법률행위로 볼 수 없다(대판 2004.5.28, 2003다70041).
> ⑤ 도박채무의 변제를 위하여 채무자로부터 부동산의 처분을 위임받은 도박 채권자가 그 부동산을 제3자에게 매도한 경우, 그 제3자가 도박 채권자를 통하여 그 부동산을 매수한 행위는 그 제3자가 계약 당시 위와 같은 사정을 알지 못한 경우, 반사회질서의 법률행위로서 보지 않아 유효하다는 것이 판례이다(대판 1995.7.14, 94다40147).

07 민법 제103조 소정의 반사회질서 법률행위에 관한 다음 설명 중 가장 옳지 않은 것은?

(다툼이 있는 경우 판례에 따르고 전원합의체 판결의 경우 다수의견에 의함)   ▶ 2019년 법무사

① 상대방에게 알려진 법률행위의 동기가 반사회질서적인 경우도 민법 제103조에 의하여 무효로 되는 반사회질서의 법률행위에 포함된다.

② 행정기관에 진정서를 제출하여 상대방을 궁지에 빠뜨린 다음 이를 취하하는 것을 조건으로 거액의 급부를 제공받기로 한 약정은 민법 제103조의 반사회질서 행위에 해당하여 무효이다.

③ 강제집행을 면할 목적으로 부동산에 허위의 근저당권설정등기를 경료하는 행위는 민법 제103조의 선량한 풍속 기타 사회질서에 위반한 사항을 내용으로 하는 법률행위로 볼 수 없다.

④ 소득세법령의 규정에 의하여 당해 자산의 양도 당시의 기준시가가 아닌 양도자와 양수자 간에 실제로 거래한 가액을 양도가액으로 하는 경우, 양도소득세의 일부를 회피할 목적으로 매매계약서에 실제로 거래한 가액보다 낮은 금액을 매매대금으로 기재하였다면, 그 매매계약은 사회질서에 반하는 법률행위로서 무효가 된다.

⑤ 영리를 목적으로 윤락행위를 하도록 권유·유인·알선 또는 강요하거나 이에 협력하는 것은 선량한 풍속 기타 사회질서에 위반되므로 그러한 행위를 하는 자가 영업상 관계있는 윤락행위를 하는 자에 대하여 가지는 채권은 계약의 형식에 관계없이 무효이다.

해설 ① 민법 제103조에 의하여 무효로 되는 반사회질서행위는 ⅰ) 법률행위의 목적인 권리의무의 내용이 선량한 풍속 기타 사회질서에 위반하는 경우뿐만 아니라, 그 내용 자체는 반사회질서적인 것이 아니라고 하여도 ⅱ) 법률적으로 이를 강제하거나 그 법률행위에 ⅲ) 반사회질서적인 조건 또는 ⅳ) 금전적 대가가 결부됨으로써 반사회질서적 성질을 띠게 되는 경우 및 ⅴ) 표시되거나 상대방에게 알려진 법률행위의 동기가 반사회질서적인 경우를 포함한다(대판 2001.2.9, 99다38613).
② 행정기관에 진정서를 제출하여 상대방을 궁지에 빠뜨린 다음 이를 취하하는 조건으로 거액의 급부를 제공받기로 약정한 경우, 민법 제103조 소정의 반사회질서의 법률행위에 해당한다 (대판 2000.2.11, 99다56833).
③ 강제집행을 면할 목적으로 부동산에 허위의 근저당권설정등기를 경료하는 행위는 민법 제 103조의 선량한 풍속 기타 사회질서에 위반한 사항을 내용으로 하는 법률행위로 볼 수 없다 (대판 2004.5.28, 2003다70041).
④ 양도소득세 회피 및 투기를 목적으로 한 법률행위가 언제나 사회질서에 반하는 법률행위라고 할 수는 없다. 판례도 양도소득세의 일부를 회피할 목적으로 매매계약서에 실제로 거래한 가액보다 낮은 금액을 매매대금으로 기재한 것만으로 그 매매계약이 사회질서에 반하는 법률행위로서 무효로 되지 않는다고 하였다(대판 2007.6.14, 2007다3285).
⑤ 영리를 목적으로 윤락행위를 하도록 권유·유인·알선 또는 강요하거나 이에 협력하는 것은 선량한 풍속 기타 사회질서에 위반되므로 그러한 행위를 하는 자가 영업상 관계 있는 윤락행위를 하는 자에 대하여 가지는 채권은 계약의 형식에 관계없이 무효라고 보아야 한다(대판 2004.9.3, 2004다27488·27495).

08 민법 제103조에 관한 다음 설명 중 옳은 것을 모두 고른 것은? (다툼이 있는 경우 판례에 따르고 전원합의체 판결의 경우 다수의견에 의함. 이하 같음) ▶ 2021년 법원서기보

> 가. 민법 제103조에서 정하는 '반사회질서의 법률행위'는 법률행위의 목적인 권리의무의 내용이 선량한 풍속 기타 사회질서에 위반되는 경우뿐만 아니라, 그 내용 자체는 반사회질서적인 것이 아니라고 하여도 법적으로 이를 강제하거나 법률행위에 사회질서의 근간에 반하는 조건 또는 금전적인 대가가 결부됨으로써 그 법률행위가 반사회질서적 성질을 띠게 되는 경우도 포함한다.
> 나. 표시되거나 상대방에게 알려진 법률행위의 동기가 반사회질서적이라 해도 동기는 법률행위의 내용은 아니므로 그 법률행위가 민법 제103조에서 정하는 '반사회질서의 법률행위'가 되는 것은 아니다.
> 다. 단지 법률행위의 성립과정에 강박이라는 불법적 방법이 사용된 데에 불과한 때에는 강박에 의한 의사표시의 하자나 의사의 흠결을 이유로 무효라고 할 수 있을 뿐 반사회질서의 법률행위로서 무효라고 할 수는 없다.
> 라. 형사사건에 관한 변호사의 성공보수약정은 그 체결 시기를 불문하고 모두 선량한 풍속 기타 사회질서에 위배되어 무효이다.

정답 07 ④   08 ④

마. 소송사건에 증인으로 출석하여 증언하는 것과 연계하여 어떤 급부를 하기로 약정한 경우 그 급부의 내용이 전체적으로 통상 용인될 수 있는 수준을 넘는 것이라면, 그 약정은 민법 제103조가 규정한 반사회질서행위에 해당하여 전부가 무효이다.

① 가, 나, 다.　　　　　　② 가, 라, 마.

③ 나, 라, 마.　　　　　　④ 가, 다, 마.

해설　가, 나. 대판 2001.2.9. 99다38613 – 민법 제103조에 의하여 무효로 되는 반사회질서행위는 표시되거나 상대방에게 알려진 법률행위의 동기가 반사회질서적인 경우를 포함한다.

다. 법률행위 성립과정에서 불법적 방법이 사용된데 불과한 때에 그 불법이 의사표시의 형성에 영향을 미친 경우에는 의사표시의 하자를 이유로 그 효력을 논의할 수 있을지언정 반사회질서의 법률행위로서 무효라고 할 수는 없다(대판 1996.4.26. 94다34432).

라. 형사사건에 관하여 체결된 성공보수약정은 선량한 풍속 기타 사회질서에 위배되는 것으로 평가할 수 있으나 종래 이루어진 보수약정의 경우에는 보수약정이 성공보수라는 명목으로 되어 있다는 이유만으로 민법 제103조에 의하여 무효라고 단정하기는 어렵다. 그러나 대법원이 이 판결을 통하여 형사사건에 관한 성공보수약정이 선량한 풍속 기타 사회질서에 위배되는 것으로 평가할 수 있음을 명확히 밝혔음에도 불구하고 향후에도 성공보수약정이 체결된다면 이는 민법 제103조에 의하여 무효로 보아야 한다(대판(전) 2015.7.23. 2015다200111).

마. 소송사건에서 일방 당사자를 위하여 증인으로 출석하여 증언하였거나 증언할 것을 조건으로 어떤 대가를 받을 것을 약정한 경우, 그 대가의 내용이 통상적으로 용인될 수 있는 수준을 초과하는 경우에는 그와 같은 약정은 금전적 대가가 결부됨으로써 선량한 풍속 기타 사회질서에 반하는 법률행위가 되어 민법 제103조에 따라 효력이 없다(대판 1999.4.13. 98다52483).

09 **반사회질서 행위 내지 강행법규 위반과 관련한 다음 설명 중 가장 옳지 않은 것은?**

▶ 2020년 법원행시

① 양도소득세의 일부를 회피할 목적으로 매매계약서에 실제로 거래한 가액을 매매대금으로 기재하지 아니하고 그보다 낮은 금액을 매매대금으로 기재하였다 하여, 그것만으로 그 매매계약이 사회질서에 반하는 법률행위로서 무효로 된다고 할 수는 없다.

② 공동상속인 甲이 제3자 丙에게 A토지를 매도한 뒤 그 앞으로 소유권이전등기를 마치기 전에 甲과 다른 공동상속인들 사이에 A토지를 공동상속인 乙의 소유로 하는 내용의 상속재산 협의분할이 이루어져 그 앞으로 소유권이전등기를 마친 경우, 乙이 협의분할 이전에 甲이 A토지를 丙에게 매도한 사실을 알면서도 상속재산 협의분할을 하였을 뿐 아니라, 甲의 배임행위를 유인, 교사하거나 이에 협력하는 등 적극적으로 가담한 경우에는 A토지에 대한 협의분할 중 甲의 법정상속분에 관한 부분은 민법 제103조 소정의 반사회질서의 법률행위에 해당한다.

③ 농지의 임대를 금지한 구 농지법 제23조의 규정은 강행규정이다. 따라서 구 농지법 제23조가 규정한 예외사유에 해당하지 아니함에도 이를 위반하여 농지를 임대하기로 한 임대차계약은 무효이다.

④ 변호사가 아닌 자가 법률사무의 취급에 관여하는 것을 금지하는 변호사법 제109조 제1호와 법무사 아닌 자가 법무사의 사무를 업으로 하는 것 등을 금지하는 법무사법 제3조 제1항 및 제74조 제1항 제1호는 모두 강행법규이고, 이를 위반하는 내용을 목적으로 하는 계약은 그 자체가 반사회적 성질을 띠게 되어 사법적 효력도 부정된다.

⑤ 최종 퇴직 시 발생하는 퇴직금청구권을 미리 포기하는 것은 강행법규인 근로기준법, 근로자퇴직급여 보장법에 위반되어 무효이고, 근로자가 퇴직하여 더 이상 근로계약관계에 있지 않은 상황에서 퇴직 시 발생한 퇴직금청구권을 나중에 포기하는 것도 강행법규에 위반된다.

해설 ① 양도소득세 회피 및 투기를 목적으로 한 법률행위가 언제나 사회질서에 반하는 법률행위라고 할 수는 없다. 판례도 양도소득세의 일부를 회피할 목적으로 매매계약서에 실제로 거래한 가액보다 낮은 금액을 매매대금으로 기재한 것만으로 그 매매계약이 사회질서에 반하는 법률행위로서 무효로 되지 않는다고 하였다(대판 2007.6.14, 2007다3285).

② 공동상속인 중 1인이 제3자에게 상속 부동산을 매도한 뒤 그 앞으로 소유권이전등기가 경료되기 전에 그 매도인과 다른 공동상속인들 간에 그 부동산을 매도인 외의 다른 상속인 1인의 소유로 하는 내용의 상속재산 협의분할이 이루어져 그 앞으로 소유권이전등기를 한 경우에, 그 상속재산 협의분할은 상속개시된 때에 소급하여 효력이 발생하고 등기를 경료하지 아니한 제3자는 민법 제1015조 단서 소정의 소급효가 제한되는 제3자에 해당하지 아니하는바, 이 경우 상속재산 협의분할로 부동산을 단독으로 상속한 자가 협의분할 이전에 공동상속인 중 1인이 그 부동산을 제3자에게 매도한 사실을 알면서도 상속재산 협의분할을 하였을 뿐 아니라, 그 매도인의 배임행위(또는 배신행위)를 유인, 교사하거나 이에 협력하는 등 적극적으로 가담한 경우에는 그 상속재산 협의분할 중 그 매도인의 법정상속분에 관한 부분은 민법 제103조 소정의 반사회질서의 법률행위에 해당한다(대판 1996.4.26, 95다54426・54433).

③ 구 농지법은 농지의 소유・이용 및 보전 등에 필요한 사항을 정함으로써 농지를 효율적으로 이용하고 관리하여 농업인의 경영 안정과 농업 생산성 향상을 바탕으로 농업 경쟁력 강화와 국민경제의 균형 있는 발전 및 국토 환경 보전에 이바지하는 것을 목적으로 한다고 하고(제1조), 나아가 농지는 국민에게 식량을 공급하고 국토 환경을 보전하는 데에 필요한 기반이며 농업과 국민경제의 조화로운 발전에 영향을 미치는 한정된 귀중한 자원이므로, 농지에 관한 권리의 행사에는 필요한 제한과 의무가 따르고, 농지는 투기의 대상이 되어서는 아니 된다고 규정하고 있다(제3조 제1항, 제2항). 이러한 구 농지법 규정과 앞에서 본 헌법 규정 등을 종합해 보면, 구 농지법이 농지임대를 원칙적으로 금지하는 취지는, 농지는 농민이 경작 목적으로 이용함으로써 농지로 보전될 수 있도록 하고, 또한 외부자본이 투기 등 목적으로 농지를 취득할 유인을 제거하여 지가를 안정시킴으로써 농민이 농지를 취득하는 것을 용이하게 하여 궁극적으로 경자유전의 원칙을 실현하려는 데에 있다. 그리고 그와 같은 입법 취지를 달성하기 위해서는 위반행위에 대하여 형사 처벌을 하는 것과 별도로 농지임대차계약의 효력 자체를 부정하여 계약 내용에 따른 경제적 이익을 실현하지는 못하도록 함이 상당하므로, 농지의 임대를 금지한 구 농지법 제23조의 규정은 강행규정이다. 따라서 구 농지법 제23조가 규정한 예외사유에 해당하지 아니함에도 이를 위반하여 농지를 임대하기로 한 임대차계약은 무효이다(대판 2017.3.15, 2013다79887・79894).

정답 **09 ⑤**

④ 변호사 아닌 자가 법률사무의 취급에 관여하는 것을 금지함으로써 변호사제도를 유지하고자 하는 변호사법 제109조 제1호의 규정 취지와 법무사 아닌 자가 법무사의 사무를 업으로 하는 것 등을 금지함으로써 법무사제도를 유지하고자 하는 법무사법 제3조 제1항 및 제74조 제1항 제1호의 규정 취지에 비추어 보면, 변호사법 제109조 제1호와 법무사법 제3조 제1항 및 제74조 제1항 제1호는 모두 강행법규이고, 이를 위반하는 내용을 목적으로 하는 계약은 그 자체가 반사회적 성질을 띠게 되어 사법적 효력도 부정된다(대판 2018.8.1. 2016다 242716・242723).

⑤ 최종 퇴직 시 발생하는 퇴직금청구권을 미리 포기하는 것은 강행법규인 근로기준법, 근로자 퇴직급여 보장법에 위반되어 무효이다. 그러나 근로자가 퇴직하여 더 이상 근로계약관계에 있지 않은 상황에서 퇴직 시 발생한 퇴직금청구권을 나중에 포기하는 것은 허용되고, 이러한 약정이 강행법규에 위반된다고 볼 수 없다(대판 2018.7.12. 2018다21821・25502).

10 다음 중 무효인 것은 모두 몇 개인가?

▶ 2022년 법원행시

ㄱ. 관계법령에서 정한 한도를 초과하여 지급하기로 한 부동산 중개수수료 약정 중 법정 한도를 초과하는 부분

ㄴ. 부첩관계의 종료를 해제조건으로 하는 증여계약

ㄷ. 농성기간 중의 행위에 대하여 근로자들에게 민・형사상의 책임이나 신분상 불이익처 분 등 일체의 책임을 묻지 않기로 한 노사 간 합의

ㄹ. 주택매매계약에 있어서 매도인으로 하여금 양도소득세를 부과받지 않게 할 목적으로 소유권이전등기는 3년 후에 넘겨받기로 한 약정

ㅁ. 청원권 행사의 일환으로 이루어진 진정을 이용하여 타인을 궁지에 빠뜨린 다음 이를 취하하는 것을 조건으로 거액의 급부를 제공받기로 한 약정

① 1개   ② 2개   ③ 3개
④ 4개   ⑤ 5개

해설 ㄱ. 부동산 중개수수료 약정 중 소정의 한도를 초과하는 부분에 대한 사법상의 효력을 제한하는 규정은 이른바 강행법규에 해당하고, 따라서 구 부동산중개업법 등 관련 법령에서 정한 한도 를 초과하는 부동산 중개수수료 약정은 그 한도를 초과하는 범위 내에서 무효이다(대판(전) 2007.12.20. 2005다32159, 대판 2021.7.29. 2017다243723).

ㄴ. 부부관계의 종료를 해제조건으로 하는 증여계약의 경우에는 조건만이 무효가 되는 것이 아 니라 법률행위자체가 무효가 된다(대판 1966.6.21. 66다530).

ㄷ. 농성기간 중의 행위에 대하여 근로자들에게 민・형사상의 책임이나 신분상 불이익처분 등 일체의 책임을 묻지 않기로 노사 간에 합의를 한 경우에 그 취지는 위 농성 중의 행위와 일체 성을 가지는 행위 또는 위 농성 중의 행위와 필연적으로 연속되는 행위로서 불가분적 관계에 있는 행위에 대해서도 면책시키기로 한 것이라고 보아야 하고, 위 면책합의가 압력 등에 의 하여 궁지에 몰린 회사가 어쩔 수 없이 응한 것이라고 하여도 그것이 민법 제104조 소정의 요건을 충족하는 경우에 불공정한 법률행위로서 무효라고 봄은 별문제로 하고 민법 제103조 소정의 반사회질서행위라고 보기는 어렵다(대판 1992.7.28. 92다14786).

ㄹ. 주택매매계약에 있어서 매도인으로 하여금 주택의 보유기간이 3년 이상으로 되게 함으로써 양도소득세를 부과받지 않게 할 목적으로 매매를 원인으로 한 소유권이전등기는 3년 후에 넘겨받기로 특약을 하였다고 하더라도, 그와 같은 목적은 위 특약의 연유나 동기에 불과한 것이어서 위 특약 자체가 사회질서나 신의칙에 위반한 것이라고는 볼 수 없다(대판 1991.5.14, 91다6627).

ㅁ. 청원권 행사의 일환으로 이루어진 진정을 이용하여 원고가 피고를 궁지에 빠뜨린 다음 이를 취하하는 것을 조건으로 거액의 급부를 제공받기로 한 약정은 반사회질서적인 조건 또는 금전적 대가가 결부됨으로써 반사회질서적 성질을 띠게 되는 경우에 해당한다고 봄이 상당하다(대판 2000.2.11, 99다56833).

11 불공정한 법률행위에 관한 설명으로 가장 옳지 않은 것은? (다툼이 있는 경우 판례에 의함)

① 불공정한 법률행위가 성립하기 위한 주관적 요건인 궁박·경솔·무경험은 모두 구비되어야 하는 것이 아니라 그중 일부만 갖추어져도 충분하다.

② 피해 당사자가 궁박, 경솔 또는 무경험의 상태에 있었다고 하더라도 그 상대방 당사자에게 그와 같은 피해 당사자 측의 사정을 알면서 이를 이용하려는 의사, 즉 폭리행위의 악의가 없었다면 불공정한 법률행위는 성립하지 않는다.

③ 증여계약과 같이 아무런 대가관계없이 당사자 일방이 상대방에게 일방적인 급부를 하는 법률행위는 민법 제104조 소정의 불공정한 법률행위에 해당될 수 없다.

④ 대리인에 의하여 법률행위가 행해진 경우 궁박은 본인을 표준으로 하여 결정하고, 경솔·무경험은 대리인을 표준으로 하여 결정한다.

⑤ 불공정한 법률행위로서 무효인 경우에는 추인에 의하여 무효인 법률행위가 유효로 될 수 없고, 무효행위의 전환에 관한 민법 제138조의 적용도 있을 수 없다.

해설 ①, ② 민법 제104조에 규정된 불공정한 법률행위는 객관적으로 급부와 반대급부 사이에 현저한 불균형이 존재하고, 주관적으로 그와 같이 균형을 잃은 거래가 피해 당사자의 궁박, 경솔 또는 무경험을 이용하여 이루어진 경우에 성립하는 것으로서, 약자적 지위에 있는 자의 궁박, 경솔 또는 무경험을 이용한 폭리행위를 규제하려는 데에 그 목적이 있고, 불공정한 법률행위가 성립하기 위한 요건인 궁박, 경솔, 무경험은 모두 구비되어야 하는 요건이 아니라 그중 일부만 갖추어져도 충분한데, 여기에서 '궁박'이라 함은 '급박한 곤궁'을 의미하는 것으로서 경제적 원인에 기인할 수도 있고 정신적 또는 심리적 원인에 기인할 수도 있으며, '무경험'이라 함은 일반적인 생활체험의 부족을 의미하는 것으로서 어느 특정영역에 있어서의 경험부족이 아니라 거래일반에 대한 경험부족을 뜻하고, 당사자가 궁박 또는 무경험의 상태에 있었는지 여부는 그의 나이와 직업, 교육 및 사회경험의 정도, 재산 상태 및 그가 처한 상황의 절박성의 정도 등 제반 사정을 종합하여 구체적으로 판단하여야 하며, 한편 피해 당사자가 궁박, 경솔 또는 무경험의 상태에 있었다고 하더라도 그 상대방 당사자에게 그와 같은 피해 당사자 측의 사정을 알면서 이를 이용하려는 의사, 즉 폭리행위의 악의가 없었다거나 또는 객관적으로 급부와 반대급부 사이에 현저한 불균형이 존재하지 아니한다면 불공정 법률행위는 성립하지 않는다(대판 2002.10.22, 2002다38927).

정답 ▶ 10 ③ 11 ⑤

③ 기부행위(증여)와 같이 아무 대가관계 없이 일방적인 급부를 하는 행위는 그 성질상 공정성 여부를 논할 수 있는 법률행위라 할 수 없다(대판 1997.3.11, 96다49650).

④ 대리인에 의하여 법률행위가 행해진 경우 궁박은 본인을 표준으로 하여 결정하고, 경솔·무경험은 대리인을 표준으로 하여 결정한다(대판 2002.10.22, 2002다38927).

⑤ 불공정한 법률행위는 무효이며 선의의 제3자에게도 무효를 주장할 수 있다. 그리고 무효행위의 추인에 의하여 유효로 될 수 없고, 법정추인이 적용될 여지도 없다는 것이 판례의 태도이다(대판 1994.6.24, 94다10900). 다만 무효행위의 전환에 관한 민법 제138조의 적용을 긍정하는 최근 판례가 있다. 즉 매매계약이 약정된 매매대금의 과다로 말미암아 민법 제104조에서 정하는 '불공정한 법률행위'에 해당하여 무효인 경우에도 무효행위의 전환에 관한 민법 제138조가 적용될 수 있다. 따라서 당사자 쌍방이 위와 같은 무효를 알았더라면 대금을 다른 액으로 정하여 매매계약에 합의하였을 것이라고 예외적으로 인정되는 경우에는, 그 대금액을 내용으로 하는 매매계약이 유효하게 성립한다고 본다(대판 2010.7.15, 2009다50308).

12 민법 제104조의 불공정한 법률행위에 관한 설명으로 가장 옳지 않은 것은? (다툼이 있는 경우 판례에 의함)

① 제104조는 제103조의 예시규정이며, 여기서 궁박은 반드시 경제적인 곤궁일 필요는 없고, 그 이외에 심리적, 정신적 곤궁도 포함된다.

② 불공정한 거래가 이루어진 경우 그 법률행위는 궁박·경솔·무경험에 기인한 것으로 추정되므로, 유효를 주장하는 자가 그 부존재를 입증하여야 한다.

③ 경매에 있어서는 불공정한 법률행위에 관한 민법 제104조가 적용될 여지가 없다.

④ 구속된 남편을 석방시키기 위하여 회사에 대한 물품잔대금채권이 얼마인지도 확실히 모르면서 남편을 대리하여 위임장과 포기서를 작성해 준 채권포기행위는 불공정한 법률행위에 해당한다.

⑤ 무효를 주장하려면 그 주장자가 급부와 반대급부 사이에 현저한 불균형이 있음을 입증하여야 한다.

해설 ① 제104조는 제103조의 예시이며, 여기서 궁박은 반드시 경제적인 곤궁일 필요는 없고, 그 이외에 신체적, 심리적, 정신적 곤궁도 포함된다(대판 2002.10.22, 2002다38927). 또한 궁박의 상태가 계속적인 것이든 일시적인 것이든 무방하다(대판 2008.3.14, 2007다11996).

② 법률행위가 현저하게 공정을 잃었다고 하여 그것이 궁박, 경솔, 무경험에 의하여 이루어진 것으로 추정되는 것은 아니다(대판 1969.12.30, 69다1873).

③ 경매의 경우는 불공정한 법률행위가 성립하지 않고 제103조에 의하여 무효가 될 수는 있고, 쟁의행위 끝에 체결된 단체협약이 사용자 측의 경영상태에 비추어 그 내용이 다소 합리성을 결하였다는 사정만으로는 불공정한 법률행위에 해당하지 않는다(대판 2007.12.14, 2007다18584).

④ 구속된 남편을 석방시키기 위하여 회사에 대한 물품잔대금채권이 얼마인지도 확실히 모르면서 남편을 대리하여 위임장과 포기서를 작성해 준 '채권포기행위'는 불공정한 법률행위에 해당한다(대판 1975.5.13, 75다92).

⑤ 무효를 주장하려면 그 주장자가 위의 주관적 요건, 객관적 요건, 급부와 반대급부 사이에 현저한 불공정, 불균형이 있음을 입증하여야 한다(대판 1970.11.24, 70다2056).

13   민법 제103조에 관한 다음 설명 중 가장 옳지 않은 것은? (다툼이 있는 경우 판례에 의함)
▸ 2017년 9급(법원서기보)

① 법률행위의 목적인 권리·의무의 내용이 선량한 풍속 기타 사회질서에 위반되는 경우에는 민법 제103조에 의하여 무효로 된다.

② 법률행위에 금전적 대가가 결부됨으로써 반사회질서적 성질을 띠게 되는 경우에는 민법 제103조에 의하여 무효로 된다.

③ 법률행위의 성립과정에 강박이라는 불법적 방법이 사용된 경우에는 민법 제103조에 의하여 무효로 된다.

④ 상대방에게 알려진 법률행위의 동기가 반사회질서적인 경우에는 민법 제103조에 의하여 무효로 된다.

> **해설** 민법 제103조에 의하여 무효로 되는 반사회질서행위는 법률행위의 목적인 권리의무의 내용이 선량한 풍속 기타 사회질서에 위반되는 경우뿐 아니라, 그 내용 자체는 반사회질서적인 것이 아니라고 하여도 법률적으로 이를 강제하거나 그 법률행위에 반사회질서적인 조건 또는 금전적 대가가 결부됨으로써 반사회질서적 성질을 띠게 되는 경우 및 표시되거나 상대방에게 알려진 법률행위의 동기가 반사회질서적인 경우를 포함하는바, 이상의 각 요건에 해당하지 아니하고 단지 법률행위의 성립 과정에서 강박이라는 불법적 방법이 사용된 데 불과한 때에는 그 강박에 의한 의사표시의 하자나 의사의 흠결을 이유로 그 효력을 논의할 수는 있을지언정 반사회질서의 법률행위로서 무효라고 할 수는 없다(대판 1996.10.11. 95다1460).

14   민법 제104조에 규정된 불공정한 법률행위에 관한 다음 설명 중 가장 옳은 것은? (다툼이 있는 경우 판례에 의함)
▸ 2017년 법원사무관 승진

① 어떠한 법률행위가 불공정한 법률행위에 해당하는지는 계약체결 당시가 아니라 계약당사자 일방에게 손해가 발생한 때를 기준으로 판단하여야 한다.

② 불공정한 법률행위가 성립하기 위한 요건인 궁박, 경솔, 무경험은 모두 구비되어야 하는 요건이다.

③ 피해 당사자가 궁박한 상태에 있었다고 하더라도 그 상대방 당사자에게 폭리행위의 악의가 없었다거나 또는 객관적으로 급부와 반대급부 사이에 현저한 불균형이 존재하지 아니한다면 불공정한 법률행위는 성립하지 않는다.

④ 대리인에 의하여 법률행위가 이루어진 경우, 그 법률행위가 불공정한 법률행위에 해당하는지 여부를 판단함에 있어서 경솔과 무경험은 본인을 기준으로 하여 판단하고, 궁박은 대리인의 입장에서 판단하여야 한다.

> **해설** ① 어떠한 법률행위가 불공정한 법률행위에 해당하는지는 법률행위 시를 기준으로 판단하여야 한다. 따라서 계약체결 당시를 기준으로 전체적인 계약 내용에 따른 권리의무관계를 종합적

으로 고려한 결과 불공정한 것이 아니라면, 사후에 외부적 환경의 급격한 변화에 따라 계약 당사자 일방에게 큰 손실이 발생하고 상대방에게는 그에 상응하는 큰 이익이 발생할 수 있는 구조라고 하여 그 계약이 당연히 불공정한 계약에 해당한다고 말할 수 없다(대판(전합) 2013.9.26, 2011다53683).

②, ③ 민법 제104조에 규정된 불공정한 법률행위는 객관적으로 급부와 반대급부 사이에 현저한 불균형이 존재하고, 주관적으로 그와 같이 균형을 잃은 거래가 피해 당사자의 궁박, 경솔 또는 무경험을 이용하여 이루어진 경우에 성립하는 것으로서, 약자적 지위에 있는 자의 궁박, 경솔 또는 무경험을 이용한 폭리행위를 규제하려는 데에 그 목적이 있고, 불공정한 법률행위가 성립하기 위한 요건인 궁박, 경솔, 무경험은 모두 구비되어야 하는 요건이 아니라 그중 일부만 갖추어져도 충분한데, 여기에서 '궁박'이라 함은 '급박한 곤궁'을 의미하는 것으로서 경제적 원인에 기인할 수도 있고 정신적 또는 심리적 원인에 기인할 수도 있으며, '무경험'이라 함은 일반적인 생활체험의 부족을 의미하는 것으로서 어느 특정영역에 있어서의 경험부족이 아니라 거래일반에 대한 경험부족을 뜻하고, 당사자가 궁박 또는 무경험의 상태에 있었는지 여부는 그의 나이와 직업, 교육 및 사회경험의 정도, 재산 상태 및 그가 처한 상황의 절박성의 정도 등 제반 사정을 종합하여 구체적으로 판단하여야 하며, 한편 피해 당사자가 궁박, 경솔 또는 무경험의 상태에 있었다고 하더라도 그 상대방 당사자에게 그와 같은 피해 당사자 측의 사정을 알면서 이를 이용하려는 의사, 즉 폭리행위의 악의가 없었다거나 또는 객관적으로 급부와 반대급부 사이에 현저한 불균형이 존재하지 아니한다면 불공정 법률행위는 성립하지 않는다(대판 2002.10.22, 2002다38927).

④ 대리인에 의하여 법률행위가 이루어진 경우 그 법률행위가 민법 제104조의 불공정한 법률행위에 해당하는지 여부를 판단함에 있어서 경솔과 무경험은 대리인을 기준으로 하여 판단하고, 궁박은 본인의 입장에서 판단하여야 한다(대판 2002.10.22, 2002다38927).

15 **민법 제104조의 불공정한 법률행위에 관한 다음 설명 중 가장 옳지 않은 것은?** (다툼이 있는 경우 판례에 따르고 전원합의체 판결의 경우 다수의견에 의함) ▸ 2019년 법무사

① 당사자의 궁박, 경솔 또는 무경험으로 인하여 현저하게 공정을 잃은 법률행위는 무효로 한다.

② 피해 당사자가 궁박, 경솔 또는 무경험의 상태에 있었다면, 그 상대방 당사자에게 폭리행위의 악의가 없었다 하더라도 불공정한 법률행위가 성립한다.

③ 증여계약과 같이 아무런 대가관계 없이 당사자 일방이 상대방에게 일방적인 급부를 하는 법률행위에는 민법 제104조가 적용되지 않는다.

④ 단체협약이 노동조합의 쟁의행위 끝에 체결되었고 사용자 측의 경영상태에 비추어 그 내용이 다소 합리성을 결하였다고 하더라도 그러한 사정만으로 이를 궁박한 상태에서 이루어진 불공정한 법률행위에 해당한다고 할 수 없다.

⑤ 대리인에 의하여 법률행위가 이루어진 경우, 그 법률행위가 민법 제104조의 불공정한 법률행위에 해당하는지 여부를 판단함에 있어서 경솔과 무경험은 대리인을 기준으로 하여 판단하고, 궁박은 본인을 기준으로 판단하여야 한다.

해설 ① 제104조

② 피해 당사자가 궁박, 경솔 또는 무경험의 상태에 있었다고 하더라도 그 상대방 당사자에게 그와 같은 피해 당사자 측의 사정을 알면서 이를 이용하려는 의사, 즉 폭리행위의 악의가 없었다거나 또는 객관적으로 급부와 반대급부 사이에 현저한 불균형이 존재하지 아니한다면 불공정 법률행위는 성립하지 않는다(대판 2002.10.22, 2002다38927).

③ 기부행위(증여)와 같이 아무 대가관계 없이 일방적인 급부를 하는 행위는 그 성질상 공정성 여부를 논할 수 있는 법률행위라 할 수 없다(대판 1997.3.11, 96다49650).

④ 쟁의행위 끝에 체결된 단체협약이 사용자 측의 경영상태에 비추어 그 내용이 다소 합리성을 결하였다는 사정만으로는 불공정한 법률행위에 해당하지 않는다(대판 2007.12.14, 2007다18584).

⑤ 대리인에 의하여 법률행위가 이루어진 경우 그 법률행위가 민법 제104조의 불공정한 법률행위에 해당하는지 여부를 판단함에 있어서 경솔과 무경험은 대리인을 기준으로 하여 판단하고, 궁박은 본인의 입장에서 판단하여야 한다(대판 2002.10.22, 2002다38927).

16 다음 설명 중 가장 옳지 않은 것은? ▶ 2020년 법무사

① 관련 법령에서 정한 한도를 초과하는 부동산 중개수수료 약정은 그 한도를 초과하는 범위 내에서 무효이다.

② 증여계약과 같이 아무런 대가관계 없이 당사자 일방이 상대방에게 일방적인 급부를 하는 법률행위는 민법 제104조 소정의 공정성 여부를 논의할 수 있는 성질의 법률행위가 아니지만, 반사회질서적인 조건이 결부됨으로써 반사회질서적 성질을 띠게 될 여지는 있다.

③ 행정기관에 진정서를 제출하여 상대방을 궁지에 빠뜨린 다음 이를 취하하는 조건으로 거액의 급부를 제공받기로 약정한 것은 민법 제103조 소정의 반사회질서의 법률행위에 해당하여 무효이다.

④ 주택매매계약에 있어서 매도인으로 하여금 양도소득세를 면탈케 할 목적으로 소유권이전등기를 3년 후에 넘겨받기로 한 특약은 사회질서에 반하는 것으로서 무효이다.

⑤ 어떠한 법률행위가 불공정한 법률행위에 해당하는지는 법률행위 시를 기준으로 판단하여야 하므로 계약 체결 당시를 기준으로 불공정한 것이 아니라면, 사후에 외부적 환경의 급격한 변화에 따라 계약당사자 일방에게 큰 손실이 발생하고 상대방에게는 그에 상응하는 큰 이익이 발생할 수 있는 구조라고 하여 그 계약이 당연히 불공정한 계약에 해당한다고 할 수 없다.

해설 ① 구 부동산중개업법은 부동산중개업을 건전하게 지도·육성하고 부동산중개 업무를 적절히 규율함으로써 부동산중개업자의 공신력을 높이고 공정한 부동산거래질서를 확립하여 국민의 재산권 보호에 기여함을 입법목적으로 하고 있으므로(제1조), 중개수수료의 한도를 정하는 한편 이를 초과하는 수수료를 받지 못하도록 한 같은 법 및 같은 법 시행규칙 등 관련 법령 또는 그 한도를 초과하여 받기로 한 중개수수료 약정의 효력은 이와 같은 입법목적에 맞추어

해석되어야 한다. 그뿐 아니라, 중개업자가 구 부동산중개업법 등 관련 법령에 정한 한도를 초과하여 수수료를 받는 행위는 물론 위와 같은 금지규정 위반 행위에 의하여 얻은 중개수수료 상당의 이득을 그대로 보유하게 하는 것은 투기적·탈법적 거래를 조장하여 부동산거래 질서의 공정성을 해할 우려가 있고, 또한 구 부동산중개업법 등 관련 법령의 주된 규율대상인 부동산의 거래가격이 높고 부동산중개업소의 활용도 또한 높은 실정에 비추어 부동산 중개수수료는 국민 개개인의 재산적 이해관계 및 국민생활의 편의에 미치는 영향이 매우 커 이에 대한 규제가 강하게 요청된다. 그렇다면, 앞서 본 입법목적을 달성하기 위해서는 고액의 수수료를 수령한 부동산 중개업자에게 행정적 제재나 형사적 처벌을 가하는 것만으로는 부족하고 구 부동산중개업법 등 관련 법령에 정한 한도를 초과한 중개수수료 약정에 의한 경제적 이익이 귀속되는 것을 방지하여야 할 필요가 있으므로, 부동산 중개수수료에 관한 위와 같은 규정들은 <u>중개수수료 약정 중 소정의 한도를 초과하는 부분에 대한 사법상의 효력을 제한하는 이른바 강행법규에 해당하고</u>, 따라서 구 부동산중개업법 등 관련 법령에서 정한 한도를 초과하는 부동산 중개수수료 약정은 그 <u>한도를 초과하는 범위 내에서 무효이다</u>(대판(전) 2007.12.20. 2005다32159).

② ③ 민법 제104조가 규정하는 현저히 공정을 잃은 법률행위라 함은 자기의 급부에 비하여 현저하게 균형을 잃은 반대급부를 하게 하여 부당한 재산적 이익을 얻는 행위를 의미하는 것이므로, 증여계약과 같이 아무런 대가관계 없이 당사자 일방이 상대방에게 일방적인 급부를 하는 법률행위는 그 공정성 여부를 논의할 수 있는 성질의 법률행위가 아니다. (다만) 민법 제103조에 의하여 무효로 되는 반사회질서 행위는 법률행위의 목적인 권리의무의 내용이 선량한 풍속 기타 사회질서에 위반되는 경우뿐만 아니라, 그 내용 자체는 반사회질서적인 것이 아니라고 하여도 법률적으로 이를 강제하거나 법률행위에 반사회질서적인 조건 또는 금전적인 대가가 결부됨으로써 반사회질서적 성질을 띠게 되는 경우 및 표시되거나 상대방에게 알려진 법률행위의 동기가 반사회질서적인 경우를 포함한다. 따라서 행정기관에 진정서를 제출하여 상대방을 궁지에 빠뜨린 다음 이를 취하하는 조건으로 거액의 급부를 제공받기로 약정한 경우라면, 민법 제103조 소정의 반사회질서의 법률행위에 해당한다(대판 2000.2.11. 99다56833).

④ 주택매매계약에 있어서 매도인으로 하여금 주택의 보유기간이 3년 이상으로 되게 함으로써 양도소득세를 부과받지 않게 할 목적으로 매매를 원인으로 한 소유권이전등기는 3년 후에 넘겨받기로 특약을 하였다고 하더라도, 그와 같은 목적은 위 특약의 연유나 동기에 불과한 것이어서 위 특약 자체가 사회질서나 신의칙에 위반한 것이라고는 볼 수 없다(대판 1991.5.14. 91다6627).

⑤ 어떠한 법률행위가 불공정한 법률행위에 해당하는지는 법률행위 시를 기준으로 판단하여야 한다. 따라서 계약 체결 당시를 기준으로 전체적인 계약 내용에 따른 권리의무관계를 종합적으로 고려한 결과 불공정한 것이 아니라면, 사후에 외부적 환경의 급격한 변화에 따라 계약당사자 일방에게 큰 손실이 발생하고 상대방에게는 그에 상응하는 큰 이익이 발생할 수 있는 구조라고 하여 그 계약이 당연히 불공정한 계약에 해당한다고 말할 수 없다(대판(전) 2013.9.26. 2011다 53683·53690).

17 **반사회질서 내지 불공정한 법률행위에 관한 다음 설명 중 가장 옳지 않은 것은?**

▶ 2024년 법무사

① 대물변제예약이 불공정한 법률행위가 되는 요건의 하나인 대차의 목적물가격과 대물변제의 목적물가격에 있어서의 불균형이 있느냐 여부를 결정할 시점은 대물변제예약 시가 아니라 대물변제의 효력이 발생할 변제기 당시를 표준으로 하여야 할 것임이 원칙이므로, 채권액수도 역시 변제기까지의 원리액을 기준으로 하여야 할 것이다.

② 도박채무의 변제를 위하여 채무자로부터 부동산의 처분을 위임받은 채권자가 그 부동산을 제3자에게 매도한 경우, 도박채무 부담행위 및 그 변제약정이 민법 제103조의 선량한 풍속 기타 사회질서에 위반되어 무효이므로, 그 무효는 변제약정의 이행행위에 해당하는 위 부동산을 제3자에게 처분한 대금으로 도박채무의 변제에 충당한 부분뿐만 아니라 위 변제약정의 이행행위에 직접 해당하지 아니하는 부동산 처분에 관한 대리권을 도박 채권자에게 수여한 행위 부분까지 무효이다.

③ 소송사건에서 일방 당사자를 위하여 증인으로 출석하여 증언하였거나 증언할 것을 조건으로 어떤 대가를 받을 것을 약정한 경우, 증인은 법률에 의하여 증언거부권이 인정되지 않은 한 진실을 진술할 의무가 있는 것이므로 그 대가의 내용이 통상적으로 용인될 수 있는 수준(예컨대 증인에게 일당과 여비가 지급되기는 하지만 증인이 법원에 출석함으로써 입게 되는 손해에는 미치지 못하는 경우 그러한 손해를 전보해 주는 정도)을 초과하는 경우에는 그와 같은 약정은 금전적 대가가 결부됨으로써 선량한 풍속 기타 사회질서에 반하는 법률행위가 되어 민법 제103조에 따라 효력이 없다.

④ 금전 소비대차계약과 함께 이자의 약정을 하는 경우, 양쪽 당사자 사이의 경제력의 차이로 인하여 그 이율이 당시의 경제적·사회적 여건에 비추어 사회통념상 허용되는 한도를 초과하여 현저하게 고율로 정하여졌다면, 그와 같이 허용할 수 있는 한도를 초과하는 부분의 이자 약정은 대주가 그의 우월한 지위를 이용하여 부당한 이득을 얻고 차주에게는 과도한 반대급부 또는 기타의 부당한 부담을 지우는 것이므로 선량한 풍속 기타 사회질서에 위반한 사항을 내용으로 하는 법률행위로서 무효이다.

⑤ 제3자가 피상속인으로부터 토지를 전전매수하였다는 사실을 알면서도 그 정을 모르는 상속인을 기망하여 결과적으로 그로 하여금 토지를 이중매도하게 하였다면, 그 매수인의 적극적인 기망행위에 의하여 이루어진 상속인과 사이의 토지에 관한 양도계약은 반사회적 법률행위로서 무효이다.

정답 ▶ **17 ②**

해설 ① 대물변제예약이 불공정한 법률행위가 되는 요건의 하나인 대차의 목적물가격과 대물변제의 목적물가격에 있어서의 불균형이 있느냐 여부를 결정할 시점은 대물변제의 효력이 발생할 변제기 당시를 표준으로 하여야 할 것임이 원칙이므로 채권액수도 역시 변제기까지의 원리액을 기준으로 하여야 할 것이다(대판 1965.6.15, 65다610).

② 도박채무의 변제를 위하여 채무자로부터 부동산의 처분을 위임받은 채권자가 그 부동산을 제3자에게 매도한 경우, 도박채무 부담행위 및 그 변제약정이 민법 제103조의 선량한 풍속 기타 사회질서에 위반되어 무효라 하더라도, 그 무효는 변제약정의 이행행위에 해당하는 위 부동산을 제3자에게 처분한 대금으로 도박채무의 변제에 충당한 부분에 한정되고, 위 변제약정의 이행행위에 직접 해당하지 아니하는 부동산 처분에 관한 대리권을 도박 채권자에게 수여한 행위 부분까지 무효라고 볼 수는 없으므로, 위와 같은 사정을 알지 못하는 거래 상대방인 제3자가 도박 채무자부터 그 대리인인 도박 채권자를 통하여 위 부동산을 매수한 행위까지 무효가 된다고 할 수는 없다(대판 1995.7.14, 94다40147).

③ 소송사건에서 일방 당사자를 위하여 증인으로 출석하여 증언하였거나 증언할 것을 조건으로 어떤 대가를 받을 것을 약정한 경우, 증인은 법률에 의하여 증언거부권이 인정되지 않은 한 진실을 진술할 의무가 있는 것이므로 그 대가의 내용이 통상적으로 용인될 수 있는 수준(예컨대 증인에게 일당과 여비가 지급되기는 하지만 증인이 법원에 출석함으로써 입게 되는 손해에는 미치지 못하는 경우 그러한 손해를 전보해 주는 정도)을 초과하는 경우에는 그와 같은 약정은 금전적 대가가 결부됨으로써 선량한 풍속 기타 사회질서에 반하는 법률행위가 되어 민법 제103조에 따라 효력이 없다(대판 1999.4.13, 98다52483). 이는 증언거부권이 있는 증인이 그 증언거부권을 포기하고 증언을 하는 경우라고 하여 달리 볼 것이 아니다(대판 2010.7.29, 2009다56283).

④ 대판(전합) 2007.2.15, 2004다50426 → ※ [보충] : 선량한 풍속 기타 사회질서에 위반하여 무효인 부분의 이자 약정을 원인으로 차주가 대주에게 임의로 이자를 지급하는 것은 통상 불법의 원인으로 인한 재산 급여라고 볼 수 있을 것이나, 불법원인급여에 있어서도 그 불법원인이 수익자에게만 있는 경우이거나 수익자의 불법성이 급여자의 그것보다 현저히 커서 급여자의 반환청구를 허용하지 않는 것이 오히려 공평과 신의칙에 반하게 되는 경우에는 급여자의 반환청구가 허용되므로, 대주가 사회통념상 허용되는 한도를 초과하는 이율의 이자를 약정하여 지급받은 것은 그의 우월한 지위를 이용하여 부당한 이득을 얻고 차주에게는 과도한 반대급부 또는 기타의 부당한 부담을 지우는 것으로서 그 불법의 원인이 수익자인 대주에게만 있거나 또는 적어도 대주의 불법성이 차주의 불법성에 비하여 현저히 크다고 할 것이어서 차주는 그 이자의 반환을 청구할 수 있다.

⑤ 제3자가 피상속인으로부터 토지를 전전매수하였다는 사실을 알면서도 그 정을 모르는 상속인을 기망하여 결과적으로 그로 하여금 토지를 이중매도하게 하였다면, 그 매수인의 적극적인 기망행위에 의하여 이루어진 상속인과 사이의 토지에 관한 양도계약은 반사회적 법률행위로서 무효이다(대판 1994.11.18, 94다37349).

02 절 의사표시

01 다음 설명 중 가장 옳지 않은 것은?
▶ 2021년 법무사

① 계약체결의 요건을 규정하고 있는 강행법규에 위반한 계약은 무효이므로 그 경우에 계약상대방이 선의·무과실이더라도 민법 제107조의 비진의표시의 법리 또는 표현대리 법리가 적용될 여지는 없다.

② 법률상 또는 사실상의 장애로 자기 명의로 대출받을 수 없는 자를 위하여 대출금채무자로서의 명의를 빌려준 자에게 그와 같은 채무부담의 의사가 없는 것이라고는 할 수 없을 것이어서 그러한 의사표시를 비진의표시에 해당한다고 볼 수 없다.

③ 비진의 의사표시에 있어서의 진의란 특정한 내용의 의사표시를 하고자 하는 표의자의 생각을 말하는 것이지 표의자가 진정으로 마음속에서 바라는 사항을 뜻하는 것은 아니라고 할 것이므로, 비록 재산을 강제로 뺏긴다는 것이 표의자의 본심으로 잠재되어 있었다 하여도 표의자가 강박에 의하여서나마 증여를 하기로 하고 그에 따른 증여의 의사표시를 한 이상 증여의 내심의 효과의사가 결여된 것이라고 할 수는 없다.

④ 어떠한 의사표시가 비진의 의사표시로서 무효라고 주장하는 경우에 그 입증책임은 그 주장자에게 있다.

⑤ 진의 아닌 의사표시인지의 여부는 효과의사에 대응하는 내심의 의사가 있는지 여부에 따라 결정되는 것인 바, 근로자가 사용자의 지시에 좇아 일괄하여 사직서를 작성 제출할 당시 그 사직서에 기하여 의원면직 처리될지 모른다는 점을 인식하였다면 내심에 사직의 의사가 있는 것으로 보아야 한다.

해설 ① 계약체결의 요건을 규정하고 있는 강행법규에 위반한 계약은 무효이므로 그 경우에 계약상대방이 선의·무과실이라 하더라도 민법 제107조의 비진의표시의 법리 또는 표현대리 법리가 적용될 여지는 없다(대판 1983.12.27, 83다548, 대판 1996.8.23, 94다38199 등).

② 명의대여에 있어서는 경제적인 효과는 타인에게 귀속시키되, 법률상의 효과는 대여자 자신에게 귀속시키려는 진의가 있는 것이므로 비진의표시가 아니다. 법률상 또는 사실상의 장애로 자기 명의로 대출받을 수 없는 자를 위하여 대출금채무자로서의 명의를 빌려준 자에게 그와 같은 채무부담의 의사가 없는 것이라고는 할 수 없으므로 그 의사표시를 비진의표시에 해당한다고 볼 수 없다. 따라서 명의대여자는 표시행위에 나타난 대로 대출금채무를 부담한다 (대판 1996.9.10, 96다18182).

③ 비진의 의사표시에 있어서의 진의란 특정한 내용의 의사표시를 하고자 하는 표의자의 생각을 말하는 것이지 표의자가 진정으로 마음속에서 바라는 사항을 뜻하는 것은 아니라고 할 것이므로, 비록 재산을 강제로 뺏긴다는 것이 표의자의 본심으로 잠재되어 있었다 하여도 <u>표의자가 강박에 의하여서나마 증여를 하기로 하고 그에 따른 증여의 의사표시를 한 이상 증여의 내심의 효과의사가 결여된 것이라고 할 수는 없다</u>(대판 2002.12.27, 2000다47361).

정답 ▶ 01 ⑤

④ 비진의라는 사실 및 그에 대한 지·부지나 과실의 유무는 행위 시를 표준으로 하여 결정하고, 이는 무효를 주장하는 자가 입증해야 한다(대판 1992.5.22, 92다2295).

⑤ 진의 아닌 의사표시인지의 여부는 효과의사에 대응하는 내심의 의사가 있는지 여부에 따라 결정되는 것인바, 근로자가 사용자의 지시에 좇아 일괄하여 사직서를 작성 제출할 당시 그 사직서에 기하여 의원면직 처리될지 모른다는 점을 인식하였다고 하더라도 이것만으로 그의 내심에 사직의 의사가 있는 것이라고 할 수 없다(대판 1991.7.12, 90다11554, 대판 1992.5.26, 92다3670).

02 민법 제107조의 비진의 의사표시에 관한 설명으로 틀린 것은? (다툼이 있는 경우 판례에 의함)

① 사직서를 제출한 근로자가 사직을 진정으로 마음속에서 바라지는 아니하면서도 그것이 최선이라고 판단하여 그 사직서를 제출하였다면, 이는 내심의 효과의사가 결여된 비진의 의사표시에 해당한다.

② 근로자가 회사의 경영방침에 따라 사직원을 제출하고 회사가 이를 받아들여 퇴직처리를 하였다가 즉시 재입사하는 형식을 취함으로써 근로자가 그 퇴직 전후에 걸쳐 실질적인 근로관계의 단절이 없이 계속 근무한 경우라면, 그 사직원 제출은 비진의 의사표시에 해당하고, 퇴직의 효과는 생기지 아니한다.

③ 재산을 강제로 빼앗긴다는 것이 표의자의 본심으로 잠재되어 있었다 하더라도 표의자가 강제에 의해서나마 증여하기로 하였다면, 증여의 내심의 효과의사가 결여된 비진의 의사표시라고 할 수 없다.

④ 비진의 의사표시에 해당하면 원칙적으로 표시된 대로의 효력이 생기고, 다만 상대방이 표의자의 진의 아님을 알았거나 이를 알 수 있었을 경우에는 무효로 한다.

⑤ 법률상 또는 사실상의 장애로 자기 명의로 대출받을 수 없는 자를 위하여 대출금채무자로서의 명의를 빌려준 자에게 그와 같은 채무부담의 의사가 없는 것이라고는 할 수 없으므로 그 의사표시를 비진의 의사표시에 해당한다고 볼 수 없다.

해설 ① 비진의 의사표시에 있어서의 진의란 특정한 내용의 의사표시를 하고자 하는 표의자의 생각을 말하는 것이지 표의자가 진정으로 마음속에서 바라는 사항을 뜻하는 것은 아니므로, 표의자가 의사표시의 내용을 진정으로 마음속에서 바라지는 아니하였다고 하더라도 당시의 상황에서는 그것을 최선이라고 판단하여 그 의사표시를 하였을 경우에는 이를 내심의 효과의사가 결여된 비진의 의사표시라고 할 수 없다(대판 1996.12.20, 95누16059 ; 대판 2000.4.25, 99다34475).

② 상대방의 지시, 강요, 방침에 의한 사표제출은 제107조 제1항 단서 또는 제108조 제1항에 의하여 무효이다. 근로자가 회사의 경영방침에 따라 사직원을 제출하고 회사가 이를 받아들여 퇴직처리를 하였다가 즉시 재입사하는 형식을 취함으로써 근로자가 그 퇴직 전후에 걸쳐 실질적인 근로관계의 단절이 없이 계속 근무한 경우 제107조 제1항 단서가 적용된다(대판 1988.5.10, 87다카2578).

③ 비록 재산을 강제로 빼앗긴다는 것이 표의자의 본심으로 잠재되어 있었다 하더라도 표의자가 강제에 의해서나마 증여하기로 하였으므로 진의가 없다고 할 수 없다(대판 1993.7.16, 92다41528·41535).

④ 제107조 제1항 【진의 아닌 의사표시】 의사표시는 표의자가 진의 아님을 알고 한 것이라도 그 효력이 있다. 그러나 상대방이 표의자의 진의 아님을 알았거나 이를 알 수 있었을 경우에는 무효로 한다.

⑤ 명의대여에 있어서는 경제적인 효과는 타인에게 귀속시키되, 법률상의 효과는 대여자 자신에게 귀속시키려는 진의가 있는 것이므로 비진의표시가 아니다. 법률상 또는 사실상의 장애로 자기 명의로 대출받을 수 없는 자를 위하여 대출금채무자로서의 명의를 빌려준 자에게 그와 같은 채무부담의 의사가 없는 것이라고는 할 수 없으므로 그 의사표시를 비진의표시에 해당한다고 볼 수 없다. 따라서 명의대여자는 표시행위에 나타난 대로 대출금채무를 부담한다 (대판 1996.9.10, 96다18182).

03 근로계약관계와 비진의표시에 관한 다음 설명 중 가장 옳지 않은 것은? (다툼이 있는 경우 판례에 의함) ▸ 2019년 법원주사보

① 희망퇴직제 실시에 따라 근로자가 회사에 대하여 사직서를 제출하고 회사가 이를 수리하여 면직한 것은 근로기준법상의 해고가 아니다.

② 근로자들이 의원면직의 형식을 빌렸을 뿐 실제로는 사용자의 지시에 따라 진의 아닌 사직의 의사표시를 하였고 사용자가 이러한 사정을 알면서 위 사직의 의사표시를 수리하였다면 위 사직의 의사표시는 민법 제107조에 해당하여 무효이다.

③ 사용자가 사직의 의사 없는 근로자로 하여금 어쩔 수 없이 사직서를 작성·제출하게 한 후 이를 수리하는 이른바 의원면직의 형식을 취하여 근로계약관계를 종료시키는 경우에는 실질적으로 사용자의 일방적인 의사에 의하여 근로계약관계를 종료시키는 것이어서 해고에 해당한다.

④ 영업양도 시 근로자가 사직서를 제출하고 퇴직금을 지급받은 후 영업양수인과 새로이 근로계약을 체결하였다면 계속근로관계는 단절된 것으로 보아야 한다.

해설 ①,③ 사용자가 근로자로부터 사직서를 제출 받고 이를 수리하는 의원면직의 형식을 취하여 근로계약관계를 종료시킨 경우, 사직의 의사 없는 근로자로 하여금 어쩔 수 없이 사직서를 작성, 제출케 하였다면 실질적으로 사용자의 일방적인 의사에 의하여 근로계약관계를 종료시키는 것이어서 해고에 해당한다고 할 것이나, 그렇지 않은 경우에는 사용자가 사직서 제출에 따른 사직의 의사표시를 수락함으로써 사용자와 근로자의 근로계약관계는 합의해지에 의하여 종료되는 것이므로 사용자의 의원면직처분을 해고라고 볼 수 없다. 따라서 희망퇴직제 실시에 따라 근로자가 회사에 대하여 사직서를 제출하고 회사가 이를 수리하여 면직한 것이 근로기준법상의 해고가 아니다(대판 2003.4.11, 2002다60528).

② 근로자들이 의원면직의 형식을 빌렸을 뿐 실제로는 사용자의 지시에 따라 진의 아닌 사직의 의사표시를 하였고 사용자가 이러한 사정을 알면서 위 사직의 의사표시를 수리하였다면 위 사직의 의사표시는 민법 제107조에 해당하여 무효라 할 것이고 사용자가 사직의 의사 없는 근로자로 하여금 어쩔 수 없이 사직서를 작성 제출케 하여 그중 일부만을 선별수리하여 이들

정답 ▸ 02 ① 03 ④

을 의원면직처리한 것은 정당한 이유나 정당한 절차를 거치지 아니한 해고조치로서 근로기준
법 제27조 등의 강행법규에 위배되어 당연무효이다. (그러나) 근로자들이 면직된 후 바로 퇴
직금을 청구하여 수령하였으며 그로부터 9년이 지난 후 1980년 해직공무원의 보상등에 관한
특별조치법 소정의 보상금까지 수령하였다면 면직일로부터 10년이 다 되어 사용자로서도 위
면직처분이 유효한 것으로 믿고 이를 전제로 그 사이에 새로운 인사체제를 구축하여 조직을
관리·경영하여 오고 있는 마당에 새삼스럽게 면직처분무효확인의 소를 제기함은 신의성실
의 원칙에 반하거나 실효의 원칙에 따라 그 권리의 행사가 허용되지 않는다(대판 1992.5.26,
92다3670).

④ 영업양도의 경우에는 특단의 사정이 없는 한 근로자들의 근로관계 역시 양수인에 의하여 계
속적으로 승계되는 것으로, 영업양도 시 퇴직금을 수령하였다는 사실만으로 전 회사와의 근
로관계가 종료되고 인수한 회사와 새로운 근로관계가 시작되었다고 볼 것은 아니고 다만, 근
로자가 자의에 의하여 사직서를 제출하고 퇴직금을 지급받았다면 계속근로의 단절에 동의한
것으로 볼 여지가 있지만, 이와 달리 회사의 경영방침에 따른 일방적 결정으로 퇴직 및 재입
사의 형식을 거친 것이라면 퇴직금을 지급받았더라도 계속근로관계는 단절되지 않는 것이다
(대판 2001.11.13, 2000다18608).

04 **통정허위표시와 관련한 다음의 설명 중 가장 옳지 않은 것은?** (다툼이 있는 경우 판례에 의함)

① 가장행위인 매매가 무효이더라도 은닉행위인 증여는 유효하다. 또한 허위표시 자체가
불법은 아니기 때문에 불법원인급여를 규정한 제746조는 적용되지 않는다.

② 통정허위표시에 해당하여 무효인 법률행위라도 무효인 법률행위에 따른 법률효과를 침
해하는 것처럼 보이는 위법행위나 채무불이행이 있다면, 법률효과의 침해에 따른 손해
배상을 청구할 수 있다.

③ 특별한 사정없이 동거하는 부부간에 있어 남편이 처에게 토지를 매도하고 그 소유권이전
등기까지 경료한다 함은 이례에 속하는 일로서 가장매매라고 추정하는 것이 타당하다.

④ 상대방과 통정한 허위의 의사표시는 무효이고 누구든지 그 무효를 주장할 수 있는 것
이 원칙이나, 허위표시의 당사자 및 포괄승계인 이외의 자로서 허위표시에 의하여 외
형상 형성된 법률관계를 토대로 실질적으로 새로운 법률상 이해관계를 맺은 선의의
제3자에 대하여는 허위표시의 당사자뿐만 아니라 그 누구도 허위표시의 무효를 대항
하지 못하고, 따라서 선의의 제3자에 대한 관계에 있어서는 허위표시도 그 표시된 대로
효력이 있다.

⑤ 乙이 甲으로부터 부동산에 관한 담보권설정의 대리권만 수여받고도 그 부동산에 관하
여 자기 앞으로 소유권이전등기를 하고 이어서 丙에게 그 소유권이전등기를 경료한 경
우, 丙은 乙을 甲의 대리인으로 믿고서 위 등기의 원인행위를 한 것도 아니고, 甲도
乙 명의의 소유권이전등기가 경료된 데 대하여 이를 통정·용인하였거나 이를 알면서
방치하였다고 볼 수 없다면 이에 민법 제126조나 제108조 제2항을 유추할 수는 없다.

해설 ① 가장행위인 매매가 무효이더라도 은닉행위인 증여는 유효하다(대판 1993.8.28, 93다12930). 또한 허위표시 자체가 불법은 아니기 때문에 불법원인급여를 규정한 제746조는 적용되지 않는다(대판 2004.5.28, 2003다70041).

② 통정한 허위의 의사표시는 허위표시의 당사자와 포괄승계인 이외의 자로서 그 허위표시에 의하여 외형상 형성된 법률관계를 토대로 실질적으로 새로운 법률상 이해관계를 맺은 선의의 제3자를 제외한 누구에 대하여서나 무효이고, 또한 누구든지 그 무효를 주장할 수 있다. (한편) 무효인 법률행위는 그 법률행위가 성립한 당초부터 당연히 효력이 발생하지 않는 것이므로, 무효인 법률행위에 따른 법률효과를 침해하는 것처럼 보이는 위법행위나 채무불이행이 있다고 하여도 법률효과의 침해에 따른 손해는 없는 것이므로 그 손해배상을 청구할 수는 없다(대판 2003.3.28, 2002다72125).

③ 특별한 사정없이 동거하는 부부간에 있어 남편이 처에게 토지를 매도하고 그 소유권이전등기까지 경료한다 함은 이례에 속하는 일로서 가장매매라고 추정하는 것이 타당하다(대판 1978.4.25, 78다226).

④ 상대방과 통정한 허위의 의사표시는 무효이고 누구든지 그 무효를 주장할 수 있는 것이 원칙이나, 허위표시의 당사자 및 포괄승계인 이외의 자로서 허위표시에 의하여 외형상 형성된 법률관계를 토대로 실질적으로 새로운 법률상 이해관계를 맺은 선의의 제3자에 대하여는 허위표시의 당사자뿐만 아니라 그 누구도 허위표시의 무효를 대항하지 못하고, 따라서 선의의 제3자에 대한 관계에 있어서는 허위표시도 그 표시된 대로 효력이 있다(대판 1996.4.26, 94다12074).

⑤ 乙이 甲으로부터 부동산에 관한 담보권설정의 대리권만 수여받고도 그 부동산에 관하여 자기 앞으로 소유권이전등기를 하고 이어서 丙에게 그 소유권이전등기를 경료한 경우, 丙은 乙을 甲의 대리인으로 믿고서 위 등기의 원인행위를 한 것도 아니고, 甲도 乙 명의의 소유권이전등기가 경료된 데 대하여 이를 통정·용인하였거나 이를 알면서 방치하였다고 볼 수 없다면 이에 민법 제126조나 제108조 제2항을 유추할 수는 없다(대판 1991.12.27, 91다3208).

05 **통정허위표시에 관한 다음 설명 중 가장 옳지 않은 것은?** (다툼이 있는 경우 판례에 의함)

▸ 2016년 법무사

① 상대방과 통정한 허위의 의사표시는 무효이고 누구든지 그 무효를 주장할 수 있는 것이 원칙이나, 허위표시의 당사자 및 포괄승계인 이외의 자로서 허위표시에 의하여 외형상 형성된 법률관계를 토대로 실질적으로 새로운 법률상 이해관계를 맺은 선의의 제3자에 대하여는 허위표시의 당사자뿐만 아니라 그 누구도 허위표시의 무효를 대항하지 못한다 할 것이고, 따라서 위와 같은 선의의 제3자에 대한 관계에 있어서는 허위표시도 그 표시된 대로 효력이 있다.

② 임대차보증금반환채권이 양도된 후 그 양수인의 채권자가 임대차보증금반환채권에 대하여 채권압류 및 추심명령을 받았는데 그 임대차보증금반환채권 양도계약이 허위표시로서 무효인 경우, 그 채권자는 그로 인해 외형상 형성된 법률관계를 기초로 실질적으로 새로운 법률상 이해관계를 맺은 제3자에 해당하지 않는다.

③ 통정허위표시의 무효는 선의의 제3자에게 대항하지 못하는데, 여기의 제3자는 선의이면 족하고 무과실은 요건이 아니다.

④ 파산채무자가 상대방과 통정한 허위의 의사표시를 통하여 가장채권을 보유하고 있다가 파산이 선고된 경우 그 가장채권도 일단 파산재단에 속하게 되고, 파산선고에 따라 파산채무자와는 독립한 지위에서 파산채권자 전체의 공동의 이익을 위하여 직무를 행하게 된 파산관재인은 그 허위표시에 따라 외형상 형성된 법률관계를 토대로 실질적으로 새로운 법률상 이해관계를 가지게 된 민법 제108조 제2항의 제3자에 해당한다.

⑤ 채무자의 법률행위가 통정허위표시인 경우에도 채권자취소권의 대상으로 된다.

해설 ① 상대방과 통정한 허위의 의사표시는 무효이고 누구든지 그 무효를 주장할 수 있는 것이 원칙이나, 허위표시의 당사자 및 포괄승계인 이외의 자로서 허위표시에 의하여 외형상 형성된 법률관계를 토대로 실질적으로 새로운 법률상 이해관계를 맺은 선의의 제3자에 대하여는 허위표시의 당사자뿐만 아니라 그 누구도 허위표시의 무효를 대항하지 못한다 할 것이고, 따라서 위와 같은 선의의 제3자에 대한 관계에 있어서는 허위표시도 그 표시된 대로 효력이 있다 (대판 1996.4.26. 94다12074).

② 임대차보증금반환채권이 양도된 후 양수인의 채권자가 임대차보증금반환채권에 대하여 채권압류 및 추심명령을 받았는데 임대차보증금반환채권 양도계약이 허위표시로서 무효인 경우 채권자는 그로 인해 외형상 형성된 법률관계를 기초로 실질적으로 새로운 법률상 이해관계를 맺은 제3자에 해당한다(대판 2014.4.10. 2013다59753).

③ 제108조 제2항에서 '선의'라 함은 통정허위표시가 있다는 사실을 모르는 것을 말한다. <u>선의이면 족하고 무과실은 요건이 아니다</u>(대판 2004.5.28. 2003다70041).

④ 파산자가 파산선고시에 가진 모든 재산은 파산재단을 구성하고, 그 파산재단을 관리 및 처분할 권리는 파산관재인에게 속하므로, 파산관재인은 파산자의 포괄승계인과 같은 지위를 가지게 되지만, 파산이 선고되면 파산채권자는 파산절차에 의하지 아니하고는 파산채권을 행사할 수 없고, 파산관재인이 파산채권자 전체의 공동의 이익을 위하여 선량한 관리자의 주의로써 그 직무를 행하므로, 파산관재인은 파산선고에 따라 파산자와 독립하여 그 재산에 관하여 이해관계를 가지게 된 제3자로서의 지위도 가지게 되며, 따라서 파산자가 상대방과 통정한 허위의 의사표시를 통하여 가장채권을 보유하고 있다가 파산이 선고된 경우 그 가장채권도 일단 파산재단에 속하게 되고, 파산선고에 따라 파산자와는 독립한 지위에서 파산채권자 전체의 공동의 이익을 위하여 직무를 행하게 된 파산관재인은 그 허위표시에 따라 외형상 형성된 법률관계를 토대로 실질적으로 새로운 법률상 이해관계를 가지게 된 민법 제108조 제2항의 제3자에 해당한다(대판 2003.6.24. 2002다48214).

⑤ 채무자의 법률행위가 통정허위표시인 경우에도 채권자취소권의 대상이 되고, 한편 채권자취소권의 대상으로 된 채무자의 법률행위라도 통정허위표시의 요건을 갖춘 경우에는 무효라고 할 것이다(대판 1998.2.27. 97다50985).

06 통정허위표시에 관한 설명 중 옳은 것은? (다툼이 있는 경우 판례에 의함) ▶ 2016년 사법시험

① 甲이 소유한 X 부동산에 甲과 乙이 통정하여 허위의 표시로서 乙 명의의 가등기를 한 이후 甲이 丙에게 X 부동산을 양도하고 소유권이전등기를 마쳐주었으나 乙이 가등기에 기한 본등기를 마치고 다시 선의의 丁에게 부동산을 양도하여 丁명의의 소유권이전등기를 마쳤다 하더라도, 丙은 丁에게 乙명의의 가등기 및 본등기가 통정허위표시에 기초하여 무효임을 주장할 수 있다.

② 부동산 실권리자명의 등기에 관한 법률시행 이후에 甲종중이 X 토지를 매수하여 조세포탈 등의 목적 없이 종중원 乙에게 명의신탁하면서, 乙이 X 토지를 임의로 처분할 것을 염려하여 乙과 합의로 등기원인을 매매예약으로 하는 X 토지에 관한 甲 명의의 소유권이전등기청구권 보전을 위한 가등기를 마쳤다. 이 경우 실제 甲과 乙이 X 토지에 관하여 매매예약을 체결한 바 없다면 甲과 乙의 합의는 통정허위표시로서 무효이다.

③ 甲은 실제로는 전세권설정계약을 체결하지 아니하였으면서도 임대차계약에 기한 임차보증금반환채권을 담보할 목적으로 임대인 乙과 통정하여 甲 명의의 전세권설정등기를 마쳤다. 만약 丙이 이에 대하여 전세권부채권가압류 등기를 마쳤다면, 위 전세권 설정계약이 통정허위표시에 해당하여 무효라 하더라도 丙이 선의인 이상 甲은 위 통정허위표시의 무효를 丙에게 주장할 수 없다.

④ 甲은 乙과 통정하여 甲의 丙에 대한 임차보증금반환채권을 乙에게 허위로 양도하였는데, 乙의 채권자 丁이 위 임차보증금반환채권에 대하여 채권압류 및 추심명령을 받은 경우, 丁은 가장양수인 乙의 일반채권자에 불과하여 민법 제108조 제2항의 제3자에 해당하지 않는다.

⑤ 민법 제108조 제2항에서 말하는 제3자는 허위표시의 당사자와 그의 포괄승계인 이외의 자 가운데 허위표시행위를 기초로 하여 새로운 이해관계를 맺은 자를 가리키는 것으로 제3자는 자신이 선의임을 주장·입증해야 한다.

해설 ① 丙은 丁에게 乙명의의 가등기 및 본등기가 통정허위표시에 기초하여 무효임을 주장할 수 없다(대판 1996.4.26, 94다12074).

② 명의신탁약정이 무효인 경우, 이에 터잡아 가등기를 한 경우에는 무효이나 그렇지 않고 특례가 허용되어 유효가 되는 경우, 그 가등기는 유효하다(대판 1997.9.30, 95다39526).

③ 실제로는 전세권설정계약이 없으면서도 임대차계약에 기한 임차보증금 반환채권을 담보할 목적으로 임차인과 임대인 사이의 합의에 따라 임차인 명의로 전세권설정등기를 경료한 후 그 전세권에 대하여 근저당권이 설정된 경우, 설령 위 전세권설정계약만 놓고 보아 그것이 통정허위표시에 해당하여 무효라 하더라도 이로써 위 전세권설정계약에 의하여 형성된 법률관계를 토대로 별개의 법률원인에 의하여 새로운 법률상 이해관계를 갖게 된 근저당권자에 대하여는 그와 같은 사정을 알고 있었던 경우에만 그 무효를 주장할 수 있다(대판 2008.3.13, 2006다29372).

정답 **06 ③**

④ 임대차보증금반환채권이 양도된 후 양수인의 채권자가 임대차보증금반환채권에 대하여 채권 압류 및 추심명령을 받았는데 임대차보증금반환채권 양도계약이 허위표시로서 무효인 경우 채권자는 그로 인해 외형상 형성된 법률관계를 기초로 실질적으로 새로운 법률상 이해관계 를 맺은 제3자에 해당한다(대판 2014.4.10, 2013다59753).
⑤ 허위의 매매에 의한 매수인으로부터 부동산상의 권리를 취득한 제3자는 특별한 사정이 없는 한 선의로 추정할 것이므로 허위표시를 한 부동산양도인이 제3자에 대하여 소유권을 주장하 려면 그 제3자의 악의임을 입증하여야 한다(대판 1970.9.29, 70다466).

07 甲은 채권자 丙으로부터의 강제집행을 면하기 위하여 乙과 짜고 자신의 유일한 재산인 X 토지를 乙 명의로 매매를 원인으로 하는 소유권이전등기를 해 주었다. 다음 설명 중 옳지 않은 것은? (다툼이 있는 경우에는 판례에 의함)

① 甲·乙 간의 매매계약은 허위표시로서 당사자 간에는 언제나 무효이다.
② 丙은 乙을 상대로 매매계약의 취소와 함께 이전등기의 말소를 구하는 소송을 제기할 수 있다.
③ 乙로부터 X 토지를 상속받은 자는 매매계약이 허위표시임을 몰랐던 경우에도 그 소유 권을 취득할 수 없다.
④ 乙로부터 X 토지에 대한 저당권을 설정받은 자가 저당권설정 당시에 매매계약이 허위 표시임을 과실로 알지 못했다면 그 저당권자는 선의의 제3자로서 보호받을 수 없다.
⑤ 乙로부터 X 토지를 매수하여 소유권이전청구권 보전을 위한 가등기를 마친 자에 대하 여 甲이 甲·乙 간의 매매계약이 허위표시임을 이유로 X 토지의 소유권을 주장하려면, 甲은 가등기권리자의 악의를 증명하여야 한다.

해설 ① 허위표시는 당사자 사이에서는 언제나 무효이다(제108조 제1항).
② 허위표시를 한 채무자의 채권자는 채권자취소권을 행사할 수 있다. 즉 허위표시로서 무효인 법률행위도 채권자취소권의 대상이 된다(통설 및 판례).
③ 통정허위표시의 무효를 대항할 수 없는 제3자란 허위표시의 당사자 및 포괄승계인 이외의 자로서 허위표시에 의하여 외형상 형성된 법률관계를 토대로 새로운 법률원인으로써 이해관 계를 갖게 된 자를 말한다(판례). 따라서 매수인의 상속인은 포괄승계인이므로 제108조 제2 항의 제3자에 해당하지 않는다.
④ 가장매매의 매수인으로부터 저당권을 설정받은 자는 제108조 제2항의 제3자에 해당한다. 따 라서 저당권자가 저당권 설정 당시에 매매계약이 허위표시임을 알지 못하였다면 과실이 있 더라도 선의의 제3자로서 보호받을 수 있다. 제108조 제2항의 제3자는 선의이면 족하고 무 과실은 요건이 아니기 때문이다(판례).
⑤ 제3자는 특별한 사정이 없는 한 선의로 추정할 것이므로, 제3자가 악의라는 사실에 관한 주 장·증명책임은 그 허위표시의 무효를 주장하는 자에게 있다(대판 1970.9.29, 70다466).

08 허위표시에 관한 다음 설명 중 가장 옳지 않은 것은? (다툼이 있는 경우 판례에 의함)

▶ 2018년 9급(법원서기보)

① 甲이 자신의 丙에 대한 채권을 乙에게 가장양도하였는데, 丙의 변제 이전에 甲의 채권자인 丁이 위 채권에 대해 전부명령을 받았다면 丙이 선의라도 丁에게 변제를 거절할 수 없다.

② 甲이 乙과 통정하여 한 가장매매는 선의의 제3자인 丙에게 대항하지 못하는데, 이때 甲, 乙뿐만 아니라 그 누구도 선의의 丙에 대해서는 허위표시의 무효를 대항하지 못한다.

③ 甲은 丙으로부터 부동산을 매수하기 위하여 乙로부터 돈을 빌리고 그 담보를 위하여 위 부동산에 乙명의의 소유권이전등기청구권가등기를 해 주기로 약정하였는데, 채권자들의 강제집행을 피할 목적으로 丁과 통모하여 매수인을 丁으로 하여 丁명의로 소유권이전등기를 경료한 후 乙명의의 가등기를 하였다면 위 가등기는 乙이 악의라면 무효이다.

④ 甲의 기망행위에 의하여 乙은 통정허위표시에 의한 甲의 丙에 대한 주채무가 있는 것으로 믿고서 보증계약을 체결하였고 그에 따라 乙이 보증채무자로서 그 채무까지 이행한 경우, 선의의 乙은 甲에 대하여 구상권을 취득한다.

해설 ① 민법 제108조 제2항에서 말하는 제3자는 허위표시의 당사자와 그의 포괄승계인 이외의 자 모두를 가리키는 것이 아니고 그 가운데서 허위표시행위를 기초로 하여 새로운 이해관계를 맺은 자를 한정해서 가리키는 것으로 새겨야 할 것이므로 이 사건 퇴직금 채무자인 피고는 원채권자인 소외(甲)이 소외(乙)에게 퇴직금채권을 양도했다고 하더라도 그 퇴직금을 양수인에게 지급하지 않고 있는 동안에 위 양도계약이 허위표시란 것이 밝혀진 이상 위 허위표시의 선의의 제3자임을 내세워 진정한 퇴직금전부채권자인 원고에게 그 지급을 거절할 수 없다 (대판 1983.1.18, 82다594).

② 상대방과 통정한 허위의 의사표시는 무효이고 누구든지 그 무효를 주장할 수 있는 것이 원칙이나, 허위표시의 당사자와 포괄승계인 이외의 자로서 허위표시에 의하여 외형상 형성된 법률관계를 토대로 실질적으로 새로운 법률상 이해관계를 맺은 선의의 제3자에 대하여는 허위표시의 당사자뿐만 아니라 그 누구도 허위표시의 무효를 대항하지 못한다(대판 2000.7.6, 99다51258).

③ 피고(乙)가 이 사건에 관하여 가등기를 경료하게 된 경위가 위에서 확정한 사실관계와 같다면, 형식상(등기부상)은 가장양수인인 소외 丁과의 매매예약을 원인으로 피고 명의의 가등기가 경료된 것이라 하더라도 이는 丁과 피고 사이에 실질적인 새로운 법률상의 원인에 의하여 이루어진 것은 아니어서 피고는 위 통정 허위표시에 있어서의 제3자라고 볼 수는 없으며, 부동산의 매수자(실질적 소유자)인 甲과의 당초의 판시와 같이 매매대금 차용에 따른 담보제공약정에 따라 그 이행으로서 이루어진 것이므로 피고가 소외 丁 명의의 소유권이전등기가 진실에 합치되지 않음을 알았건 몰랐건 간에 같은 피고 명의의 본건 가등기는 실체관계에 부합된다 할 것이니, 甲으로서는 그 채무를 이행하지 않고서는 본건 가등기의 말소를 구할 수는 없다 할 것인즉 甲의 채권자로서 그를 대위하는 원고로서도 피고 명의의 본건 가등기가 甲과 丁 간의 통정 허위표시에 터 잡아 이루어진 것이라는 이유만으로는 그 말소를 구할 수는 없다 할 것이다(대판 1982.5.25, 80다1403).

정답 07 ④ 08 ③

④ 보증인이 주채무자의 기망행위에 의하여 주채무가 있는 것으로 믿고 주채무자와 보증계약을 체결한 다음 그에 따라 보증채무자로서 그 채무까지 이행한 경우, 그 보증인은 주채무자에 대한 구상권 취득에 관하여 법률상의 이해관계를 가지게 되었고 그 구상권 취득에는 보증의 부종성으로 인하여 주채무가 유효하게 존재할 것을 필요로 한다는 이유로 결국 그 보증인은 주채무자의 채권자에 대한 채무 부담행위라는 허위표시에 기초하여 구상권 취득에 관한 법률상 이해관계를 가지게 되었다고 보아 민법 제108조 제2항 소정의 '제3자'에 해당한다 (대판 2000.7.6, 99다51258).

09 민법 제108조에 규정된 통정한 허위의 의사표시에 관한 다음 설명 중 가장 옳지 않은 것은?
(다툼이 있는 경우 판례에 의함) ▸ 2017년 법원사무관 승진

① 가장소비대차의 대주가 파산선고를 받은 경우 그 파산관재인은 통정허위표시의 제3자에 해당한다.

② 채무자의 법률행위가 통정허위표시인 경우에도 채권자취소권의 대상이 되고, 채권자취소권의 대상으로 된 채무자의 법률행위라도 통정허위표시의 요건을 갖춘 경우에는 무효이다.

③ 임대차보증금반환채권이 양도된 후 양수인의 채권자가 위 채권에 대하여 채권압류 및 추심명령을 받았는데 위 채권의 양도계약이 허위표시로서 무효인 경우 허위표시를 알지 못한 채권자는 민법 제108조 제2항의 제3자에 해당한다.

④ 통정한 허위표시에 의한 근저당권설정계약이 유효하다고 믿고 그 피담보채권에 대하여 가압류한 자는 위와 같이 믿은 데에 과실이 없어야만 민법 제108조 제2항의 선의의 제3자에 해당할 수 있다.

해설 ① 파산관재인이 민법 제108조 제2항의 경우 등에 있어 제3자에 해당하는 것은 파산관재인은 파산채권자 전체의 공동의 이익을 위하여 선량한 관리자의 주의로써 그 직무를 행하여야 하는 지위에 있기 때문이므로, 그 선의·악의도 파산관재인 개인의 선의·악의를 기준으로 할 수는 없고 총파산채권자를 기준으로 하여 파산채권자 모두가 악의로 되지 않는 한 파산관재인은 선의의 제3자라고 할 수밖에 없다(대판 2006.11.10, 2004다10299).

② 채무자의 법률행위가 통정허위표시인 경우에도 채권자취소권의 대상이 되고, 한편 채권자취소권의 대상으로 된 채무자의 법률행위라도 통정허위표시의 요건을 갖춘 경우에는 무효라고 할 것이다(대판 1998.2.27, 97다50985).

③ 임대차보증금반환채권이 양도된 후 양수인의 채권자가 임대차보증금반환채권에 대하여 채권압류 및 추심명령을 받았는데 임대차보증금반환채권 양도계약이 허위표시로서 무효인 경우 채권자는 그로 인해 외형상 형성된 법률관계를 기초로 실질적으로 새로운 법률상 이해관계를 맺은 제3자에 해당한다(대판 2014.4.10, 2013다59753).

④ 통정한 허위표시에 의하여 외형상 형성된 법률관계로 생긴 채권을 가압류한 경우, 그 가압류권자는 허위표시에 기초하여 새로운 법률상 이해관계를 가지게 되므로 민법 제108조 제2항의 제3자에 해당한다고 봄이 상당하고, 또한 민법 제108조 제2항의 제3자는 선의이면 족하고 무과실은 요건이 아니다(대판 2004.5.28, 2003다70041).

10 의사표시와 법률행위의 효력에 관한 다음 설명 중 가장 옳지 않은 것은? (다툼이 있는 경우 판례에 의함) ▸ 2017년 법원행시

① 신용협동조합과 대출약정을 체결하고 그 대출금을 담보하기 위하여 자기 소유 부동산에 근저당권을 설정하였는데, 조합의 이사장이 근저당권설정자에게 '대출금의 실제 채무자는 근저당권설정자가 아니고 이사장과 조합이 대출금을 책임지겠다'는 확인서를 작성하여 주고 대출금을 인출하여 조합의 부실채권 상환에 사용하고 대출금의 이자도 납입한 경우, 대출약정은 통정허위표시로서 무효이고, 그 담보 목적의 근저당권설정등기도 무효이다.

② 금융기관의 직원이 사적인 용도로 사용할 목적으로 예금 명목으로 돈을 교부받은 경우, 예금주가 그러한 사정을 알았다고 하더라도 민법 제107조 제1항 단서를 적용할 수는 없으므로 금융기관은 그러한 예금에 대하여 예금계약에 기한 반환책임을 진다.

③ 근로자가 명예퇴직을 신청하면서 진정으로 마음속에서 명예퇴직을 바란 것은 아니지만 당시 상황에서 명예퇴직을 하는 것이 최선이라고 판단하여 명예퇴직을 신청한 것은 진의 아닌 의사표시라고 할 수 없다.

④ 임대차보증금반환채권이 양도된 후 양수인의 채권자가 임대차보증금반환채권에 대하여 채권압류 및 추심명령을 받았는데 임대차보증금반환채권 양도계약이 허위표시로서 무효인 경우 채권자는 그로 인해 외형상 형성된 법률관계를 기초로 실질적으로 새로운 법률상 이해관계를 맺은 제3자에 해당한다.

⑤ 파산관재인은 통정허위표시에 있어 민법 제108조 제2항의 제3자에 해당하는데, 파산관재인이 개인적으로 파산자의 계약이 통정허위표시로서 무효임을 알았다고 하더라도 파산채권자 모두가 악의로 되지 않는 한 파산관재인은 악의의 제3자라고 할 수 없다.

해설 ① 조합으로부터 대출받기로 하면서 자신의 부동산에 근저당권을 설정한 자가 조합의 이사장으로부터 대출금의 실제 채무자는 근저당권설정자가 아니라는 등의 각서 및 이사장과 조합이 대출금에 대하여 연대하여 책임지겠다는 확인서를 작성받았으며 조합의 이사장이 대출금을 인출하여 조합의 부실채권 상환에 사용하고 이자도 납입한 사안에서, 근저당권설정자는 명목상의 대출명의자에 불과하고 실제로는 조합이 근저당권설정자에 대하여 대출로 인한 책임을 묻지 않기로 하는 의사의 합치가 있었다고 봄이 상당하므로, 대출약정은 통정허위표시에 해당하여 무효이고 따라서 그 담보목적으로 경료된 근저당권설정등기 역시 무효이다 (대판 2006.4.28, 2005다76265).

② 진의 아닌 의사표시가 대리인에 의하여 이루어지고 그 대리인의 진의가 본인의 이익이나 의사에 반하여 자기 또는 제3자의 이익을 위한 배임적인 것임을 그 상대방이 알았거나 알 수 있었을 경우에는 민법 제107조 제1항 단서의 유추해석상 그 대리인의 행위에 대하여 본인은 책임을 지지 아니하므로, 금융기관의 임·직원이 예금 명목으로 돈을 교부받을 때의 진의가 예금주와 예금계약을 맺으려는 것이 아니라 그 돈을 사적인 용도로 사용하거나 비정상적인 방법으로 운용하는 데 있었던 경우에 예금주가 그 임·직원의 예금에 관한 비진의 내지 배임적 의사를 알았거나 알 수 있었다면 금융기관은 그러한 예금에 대하여 예금계약에 기한 반환책임을 지지 아니한다(대판 2007.4.12, 2004다51542).

정답 ▸ **09** ④ **10** ②

③ 진의 아닌 의사표시에 있어서의 '진의'란 특정한 내용의 의사표시를 하고자 하는 표의자의 생각을 말하는 것이지 표의자가 진정으로 마음속에서 바라는 사항을 뜻하는 것은 아니므로 표의자가 의사표시의 내용을 진정으로 마음속에서 바라지는 아니하였다고 하더라도 당시의 상황에서는 그것이 최선이라고 판단하여 그 의사표시를 하였을 경우에는 이를 내심의 효과 의사가 결여된 진의 아닌 의사표시라고 할 수 없다(대판 2003.4.25, 2002다11458).

④ 임대차보증금반환채권이 양도된 후 양수인의 채권자가 임대차보증금반환채권에 대하여 채권 압류 및 추심명령을 받았는데 임대차보증금반환채권 양도계약이 허위표시로서 무효인 경우 채권자는 그로 인해 외형상 형성된 법률관계를 기초로 실질적으로 새로운 법률상 이해관계를 맺은 제3자에 해당한다(대판 2014.4.10, 2013다59753).

⑤ 파산관재인이 민법 제108조 제2항의 경우 등에 있어 제3자에 해당하는 것은 파산관재인은 파산채권자 전체의 공동의 이익을 위하여 선량한 관리자의 주의로써 그 직무를 행하여야 하는 지위에 있기 때문이므로, 그 선의·악의도 파산관재인 개인의 선의·악의를 기준으로 할 수는 없고 총파산채권자를 기준으로 하여 파산채권자 모두가 악의로 되지 않는 한 파산관재인은 선의의 제3자라고 할 수밖에 없다(대판 2006.11.10, 2004다10299).

11 통정허위표시에 관한 다음 설명 중 가장 옳지 않은 것은? (다툼이 있는 경우 판례에 의함)

▸ 2018년 법무사

① 甲이 乙의 임차보증금반환채권을 담보하기 위하여 통정허위표시로 乙에게 전세권설정 등기를 마친 후 丙이 이러한 사정을 알면서도 乙에 대한 채권을 담보하기 위하여 위 전세권에 대하여 전세권근저당권설정등기를 마쳤는데, 그 후 丁이 丙의 전세권근저당 권부 채권을 가압류하였다가 이를 본압류로 이전하는 압류명령을 받은 경우, 丁이 통 정허위표시에 관하여 선의라면 비록 丙이 악의라 하더라도 허위표시자는 그에 대하여 전세권이 통정허위표시에 의한 것이라는 이유로 대항할 수 없다.

② 통정허위표시에 해당하여 무효인 계약에 기해 발생한 채권을 가압류한 자도 민법 제 108조 제2항의 '제3자'에 해당한다.

③ 상법 제644조에 의하면, 보험계약 당시에 보험사고가 발생할 수 없는 것인 때에는 보 험계약의 당사자 쌍방과 피보험자가 이를 알지 못한 경우가 아닌 한 그 보험계약은 무 효이다. 따라서 보증보험계약의 주계약이 통정허위표시로서 무효인 때에는 보험사고가 발생할 수 없는 경우에 해당하므로 그 보증보험계약은 무효이나, 보증보험계약의 보험 자는 주계약이 통정허위표시인 사정을 알지 못한 제3자에 대해서는 보증보험계약의 무 효를 주장할 수 없다.

④ 민법 제108조 제2항에 규정된 '제3자'는 특별한 사정이 없는 한 선의로 추정된다.

⑤ 어음 발행행위에도 통정허위표시에 관한 민법 제108조가 적용될 수 있다.

해설 ① [1] 실제로는 전세권설정계약을 체결하지 아니하였으면서도 임대차계약에 기한 임차보증금 반환채권을 담보할 목적 또는 금융기관으로부터 자금을 융통할 목적으로 임차인과 임대인 사이의 합의에 따라 임차인 명의로 전세권설정등기를 경료한 경우에, 위 전세권설정계약이 통정허위표시에 해당하여 무효라 하더라도 위 전세권설정계약에 의하여 형성된 법률관계에 기초하여 새로이 법률상 이해관계를 가지게 된 제3자에 대하여는 그 제3자가 그와 같은 사정을 알고 있었던 경우에만 그 무효를 주장할 수 있다. 그리고 여기에서 선의의 제3자가 보호될 수 있는 법률상 이해관계는 위 전세권설정계약의 당사자를 상대로 하여 직접 법률상 이해관계를 가지는 경우 외에도 그 법률상 이해관계를 바탕으로 하여 다시 위 전세권설정계약에 의하여 형성된 법률관계와 새로이 법률상 이해관계를 가지게 되는 경우도 포함된다. [2] 甲이 乙의 임차보증금반환채권을 담보하기 위하여 통정허위표시로 乙에게 전세권설정등기를 마친 후 丙이 이러한 사정을 알면서도 乙에 대한 채권을 담보하기 위하여 위 전세권에 대하여 전세권근저당권설정등기를 마쳤는데, 그 후 丁이 丙의 전세권근저당권부 채권을 가압류하였다가 이를 본압류로 이전하는 압류명령을 받은 사안에서, 丙의 전세권근저당권부 채권은 통정허위표시에 의하여 외형상 형성된 전세권을 목적물로 하는 전세권근저당권의 피담보채권이고, 丁은 이러한 丙의 전세권근저당권부 채권을 가압류하고 압류명령을 얻음으로써 그 채권에 관한 담보권인 전세권근저당권의 목적물에 해당하는 전세권에 대하여 새로이 법률상 이해관계를 가지게 되었으므로, 丁이 통정허위표시에 관하여 선의라면 비록 丙이 악의라 하더라도 허위표시자는 그에 대하여 전세권이 통정허위표시에 의한 것이라는 이유로 대항할 수 없음에도, 이와 달리 본 원심판결에 법리오해의 위법이 있다고 한 사례이다 (대판 2013.2.15, 2012다49292).

② 통정한 허위표시에 의하여 외형상 형성된 법률관계로 생긴 채권을 가압류한 경우, 그 가압류권자는 허위표시에 기초하여 새로운 법률상 이해관계를 가지게 되므로 민법 제108조 제2항의 제3자에 해당한다고 봄이 상당하고, 또한 민법 제108조 제2항의 제3자는 선의이면 족하고 무과실은 요건이 아니다(대판 2004.5.28, 2003다70041).

③ 상법 제644조에 의하면, 보험계약 당시에 보험사고가 발생할 수 없는 것인 때에는 보험계약의 당사자 쌍방과 피보험자 이를 알지 못한 경우가 아닌 한 그 보험계약은 무효이다. 보증보험계약은 보험계약으로서의 본질을 가지고 있으므로, 적어도 계약이 유효하게 성립하기 위해서는 계약 당시에 보험사고의 발생 여부가 확정되어 있지 않아야 한다는 우연성과 선의성의 요건을 갖추어야 한다. 만약 보증보험계약의 주계약이 통정허위표시로서 무효인 때에는 보험사고가 발생할 수 없는 경우에 해당하므로 그 보증보험계약은 무효이다. 이때 보증보험계약이 무효인 이유는 보험계약으로서의 고유한 요건을 갖추지 못하였기 때문이므로, 보증보험계약의 보험자는 주계약이 통정허위표시인 사정을 알지 못한 제3자에 대하여도 보증보험계약의 무효를 주장할 수 있다(대판 2015.3.26, 2014다203229). → ※ [보충] : 상법 제644조 - 보험사고는 불확정한 것이어야 한다는 보험의 본질에 따른 강행규정에 해당

④ 민법 제108조 제1항에서 상대방과 통정한 허위의 의사표시를 무효로 규정하고, 제2항에서 그 의사표시의 무효는 선의의 제3자에게 대항하지 못한다고 규정하고 있는데, 여기에서 제3자는 특별한 사정이 없는 한 선의로 추정할 것이므로, 제3자가 악의라는 사실에 관한 주장·입증책임은 그 허위표시의 무효를 주장하는 자에게 있다(대판 2006.3.10, 2002다1321).

⑤ 발행인과 수취인이 통모하여 진정한 어음채무 부담이나 어음채권 취득에 관한 의사 없이 단지 발행인의 채권자에게서 채권 추심이나 강제집행을 받는 것을 회피하기 위하여 형식적으로만 약속어음의 발행을 가장한 경우 이러한 어음발행행위는 통정허위표시로서 무효이다. 이 경우에도 어음발행행위 등 어떠한 의사표시가 통정허위표시로서 무효라고 주장하는 자에게 그 사유에 해당하는 사실을 증명할 책임이 있다(대판 2017.8.18, 2014다87595).

정답 ▶ 11 ③

12 허위표시에 관한 다음 설명 중 가장 옳지 않은 것은? (다툼이 있는 경우 판례에 의하고, 전원합의체 판결의 경우 다수의견에 의함) ▶ 2019년 법원행시

① 실제로는 전세권설정계약을 체결하지 않았으면서 임차인의 임차보증금반환채권을 담보하기 위해 임대인과 임차인이 합의 아래 임차인 명의로 전세권설정등기를 마쳤는데, 甲이 이러한 사정을 알면서 임차인에 대한 채권을 담보하기 위하여 위 전세권에 대하여 전세권근저당권설정등기를 마쳤고, 乙이 甲의 전세권근저당권부 채권을 가압류하였다가 이를 본압류로 이전하는 압류명령을 받은 경우, 乙이 임대인과 임차인 사이의 통정허위표시에 관하여 선의라면 비록 甲이 악의라 하더라도 임대인과 임차인은 전세권이 통정허위표시에 의한 것이라는 이유로 대항할 수 없다.

② 甲이 乙로부터 돈을 차용하고 그 담보로 甲의 부동산에 가등기를 하기로 약정하였는데 채권자들의 강제집행을 우려하여 丙에게 가장양도하고 乙 앞으로 가등기를 해준 경우, 위 가등기는 실질적인 새로운 법률상 원인에 의하여 이루어진 것이 아니므로, 乙은 甲과 丙 사이의 통정허위표시에 의한 가장양도에 있어 제3자에 해당하지 않는다.

③ 동일인에 대한 대출액 한도를 제한한 법령이나 금융기관 내부규정의 적용을 회피하기 위하여 실질적인 주채무자가 실제 대출받고자 하는 채무액에 대하여 제3자를 형식상 주채무자로 내세우고, 금융기관도 이를 양해하여 제3자에 대하여는 채무자로서 책임을 지우지 않을 의도로 제3자 명의로 대출관계서류를 작성받은 경우, 제3자는 형식상 명의대여자에 불과하므로 제3자 명의로 되어 있는 대출약정은 통정허위표시에 해당하는 무효의 법률행위이다.

④ 허위의 근저당권에 대하여 배당이 이루어진 경우, 통정한 허위의 의사표시는 당사자 사이에서는 물론 제3자에 대하여도 무효이고 다만, 선의의 제3자에 대하여는 이를 대항하지 못한다고 할 것이나, 다른 배당채권자는 채권자취소의 소로써 통정허위표시를 취소하지 않는 이상 그 무효를 주장하여 그에 기한 채권의 존부, 범위, 순위에 관한 배당이의의 소를 제기할 수는 없다.

⑤ 무효인 통정허위표시더라도 선의의 제3자에게 이를 대항하지 못하는데, 여기에서 제3자는 특별한 사정이 없는 한 선의로 추정할 것이므로, 제3자가 악의라는 사실에 관한 주장·증명책임은 그 허위표시의 무효를 주장하는 자에게 있고, 제3자의 선의여부를 판단함에 있어 이에 관한 과실 유무를 따질 것은 아니다.

해설 ① 실제로는 전세권설정계약을 체결하지 아니하였으면서도 임대차계약에 기한 임차보증금반환채권을 담보할 목적 또는 금융기관으로부터 자금을 융통할 목적으로 임차인과 임대인 사이의 합의에 따라 임차인 명의로 전세권설정등기를 경료한 경우에, 위 전세권설정계약이 통정허위표시에 해당하여 무효라 하더라도 위 전세권설정계약에 의하여 형성된 법률관계에 기초하여 새로이 법률상 이해관계를 가지게 된 제3자에 대하여는 그 제3자가 그와 같은 사정을 알고 있었던 경우에만 그 무효를 주장할 수 있다. 그리고 여기에서 선의의 제3자가 보호될 수 있는 법률상 이해관계는 위 전세권설정계약의 당사자를 상대로 하여 직접 법률상 이해관계를 가지는 경우 외에도 그 법률상 이해관계를 바탕으로 하여 다시 위 전세권설정계약에

의하여 형성된 법률관계와 새로이 법률상 이해관계를 가지게 되는 경우도 포함된다.

甲이 乙의 임차보증금반환채권을 담보하기 위하여 통정허위표시로 乙에게 전세권설정등기를 마친 후 丙이 이러한 사정을 알면서도 乙에 대한 채권을 담보하기 위하여 위 전세권에 대하여 전세권근저당권설정등기를 마쳤는데, 그 후 丁이 丙의 전세권근저당권부 채권을 가압류하였다가 이를 본압류로 이전하는 압류명령을 받은 사안에서, 丙의 전세권근저당권부 채권은 통정허위표시에 의하여 외형상 형성된 전세권을 목적물로 하는 전세권근저당권의 피담보채권이고, 丁은 이러한 丙의 전세권근저당권부 채권을 가압류하고 압류명령을 얻음으로써 그 채권에 관한 담보권인 전세권근저당권의 목적물에 해당하는 전세권에 대하여 새로이 법률상 이해관계를 가지게 되었으므로, 丁이 통정허위표시에 관하여 선의라면 비록 丙이 악의라 하더라도 허위표시자는 그에 대하여 전세권이 통정허위표시에 의한 것이라는 이유로 대항할 수 없음에도, 이와 달리 본 원심판결에 법리오해의 위법이 있다고 한 사례이다(대판 2013.2.15, 2012다49292).

② 형식상 가장양수인으로부터 가등기를 경료받은 것으로 되어 있으나 실질적인 새로운 법률원인에 의한 것이 아니므로 통정허위표시에서의 제3자로 볼 수 없다(대판 1982.5.25, 80다1403).

③ 제3자를 형식상의 주채무자로 내세우는 대출약정은 금융기관의 양해가 있다면 통정허위표시로 된다. 실질적인 주채무자가 실제 대출받고자 하는 채무액에 대하여 제3자를 형식상의 주채무자로 내세우고, 상호신용금고도 이를 양해하여 제3자에 대하여는 채무자로서의 책임을 지우지 않을 의도하에 제3자 명의로 대출관계서류를 작성받은 경우에는, 제3자는 형식상의 명의만을 빌려준 자에 불과하고 그 대출계약의 실질적인 당사자는 상호신용금고와 실질적 주채무자이므로, 제3자 명의로 되어 있는 대출약정은 상호신용금고의 양해하에 그에 따른 채무부담 의사 없이 형식적으로 이루어진 것에 불과하여 통정허위표시에 해당하는 무효의 법률행위이다(대판 2001.2.23, 2000다65864).

④ 허위의 근저당권에 대하여 배당이 이루어진 경우, 통정한 허위의 의사표시는 당사자 사이에서는 물론 제3자에 대하여도 무효이고, 다만 선의의 제3자에 대하여만 이를 대항하지 못한다고 할 것이므로, 배당채권자는 채권자취소의 소로써 통정허위표시를 취소하지 않았다 하더라도 그 무효를 주장하여 그에 기한 채권의 존부, 범위, 순위에 관한 배당이의의 소를 제기할 수 있다(대판 2001.5.8, 2000다9611).

⑤ 민법 제108조 제1항에서 상대방과 통정한 허위의 의사표시를 무효로 규정하고, 제2항에서 그 의사표시의 무효는 선의의 제3자에게 대항하지 못한다고 규정하고 있는데, 여기에서 제3자는 특별한 사정이 없는 한 선의로 추정할 것이므로, 제3자가 악의라는 사실에 관한 주장·입증책임은 그 허위표시의 무효를 주장하는 자에게 있다. 그리고 민법 제108조 제2항에 규정된 통정허위표시에 있어서의 제3자는 그 선의 여부가 문제이지 이에 관한 과실 유무를 따질 것이 아니다(대판 2006.3.10, 2002다1321).

13 다음 설명 중 가장 옳지 않은 것은?

▶ 2021년 법무사

① 실제로는 전세권설정계약이 없으면서도 임대차계약에 기한 임차보증금반환채권을 담보할 목적 또는 금융기관으로부터 자금을 융통할 목적으로 임차인과 임대인 사이의 합의에 따라 임차인 명의로 전세권설정등기를 경료한 후 그 전세권에 대하여 근저당권이 설정된 경우, 가사 위 전세권설정계약만 놓고 보아 그것이 통정허위표시에 해당하여 무효라 하더라도 이로써 위 전세권설정계약에 의하여 형성된 법률관계를 토대로 별개의 법률원인에 의하여 새로운 법률상 이해관계를 갖게 된 근저당권자에 대하여는 그와 같은 사정을 알고 있었던 경우에만 그 무효를 주장할 수 있다.

② 대출절차상의 편의를 위하여 명의만을 대여한 것으로 인정되어 채무자로 볼 수 없는 경우라 하더라도, 실질적 주채무자에 대한 보증의 의사가 있는 것으로 볼 수 있다.

③ 통정한 허위표시에 의하여 외형상 형성된 법률관계로 생긴 채권을 가압류한 경우, 그 가압류권자는 허위표시에 기초하여 새로운 법률상 이해관계를 가지게 되므로 민법 제108조 제2항의 제3자에 해당한다고 봄이 상당하고, 또한 민법 제108조 제2항의 제3자는 선의이면 족하고 무과실은 요건이 아니다.

④ 불법원인급여를 규정한 민법 제746조 소정의 "불법의 원인"이라 함은 재산을 급여한 원인이 선량한 풍속 기타 사회질서에 위반하는 경우를 가리키는 것으로서, 강제집행을 면할 목적으로 부동산의 소유자명의를 신탁하는 것이 위와 같은 불법원인급여에 해당한다고 볼 수는 없다.

⑤ 민법 제108조 제1항에서 상대방과 통정한 허위의 의사표시를 무효로 규정하고, 제2항에서 그 의사표시의 무효는 선의의 제3자에게 대항하지 못한다고 규정하고 있는데, 여기에서 제3자는 특별한 사정이 없는 한 선의로 추정할 것이므로, 제3자가 악의라는 사실에 관한 주장·입증책임은 그 허위표시의 무효를 주장하는 자에게 있다.

해설 ① 실제로는 전세권설정계약이 없으면서도 임대차계약에 기한 임차보증금반환채권을 담보할 목적 또는 금융기관으로부터 자금을 융통할 목적으로 임차인과 임대인 사이의 합의에 따라 임차인 명의로 전세권설정등기를 경료한 후 그 전세권에 대하여 근저당권이 설정된 경우, 가사 위 전세권설정계약만 놓고 보아 그것이 통정허위표시에 해당하여 무효라 하더라도 이로써 위 전세권설정계약에 의하여 형성된 법률관계를 토대로 별개의 법률원인에 의하여 새로운 법률상 이해관계를 갖게 된 근저당권자에 대하여는 그와 같은 사정을 알고 있었던 경우에만 그 무효를 주장할 수 있다(대판 2008.3.13. 2006다58912).

② 대출절차상의 편의를 위하여 명의만을 대여한 것으로 인정되어 채무자로 볼 수 없는 경우(주 - 명의대여자가 채무를 부담하지 않는 것으로 금융기관과 양해가 된 경우), 그 형식상 주채무자(명의대여자)가 실질적인 주채무자(명의차용자)를 위하여 보증인이 될 의사가 있었다는 등의 특별한 사정이 없는 한 그 형식상의 주채무자에게 실질적 주채무자에 대한 보증의 의사가 있는 것으로 볼 수는 없다(대판 2005.5.12. 2004다68366).

③ 통정한 허위표시에 의하여 외형상 형성된 법률관계로 생긴 채권을 가압류한 경우, 그 가압류권자는 허위표시에 기초하여 새로운 법률상 이해관계를 가지게 되므로 민법 제108조 제2항의 제3자에 해당한다고 봄이 상당하고, 또한 민법 제108조 제2항의 제3자는 선의이면 족하고 무과실은 요건이 아니다(대판 2007.11.29. 2007다53013).

④ 불법원인급여를 규정한 민법 제746조 소정의 '불법의 원인'이라 함은 재산을 급여한 원인이 선량한 풍속 기타 사회질서에 위반하는 경우를 가리키는 것으로서, 강제집행을 면할 목적으로 부동산의 소유자명의를 신탁하는 것이 위와 같은 불법원인급여에 해당한다고 볼 수는 없다(대판 1994.4.15, 93다61307).

⑤ 제3자는 특별한 사정이 없는 한 선의로 추정할 것이므로, 제3자가 악의라는 사실에 관한 주장·증명책임은 그 허위표시의 무효를 주장하는 자에게 있다(대판 1970.9.29, 70다466).

14 의사와 표시의 불일치로 인한 무효(비진의표시, 통정허위표시)에 관한 다음 설명 중 가장 옳지 않은 것은? ▶ 2022년 법원행시

① 통정한 허위표시에 의하여 외형상 형성된 법률관계로 생긴 채권을 가압류한 경우, 그 가압류권자는 허위표시에 기초하여 새로운 법률상 이해관계를 가지게 되므로 민법 제108조 제2항의 제3자에 해당한다고 봄이 상당하고, 또한 민법 제108조 제2항의 제3자는 선의이면 족하고 무과실은 요건이 아니다.

② 비진의의사표시에 있어서의 진의란 특정한 내용의 의사표시를 하고자 하는 표의자의 생각을 말하는 것이지 표의자가 진정으로 마음속에서 바라는 사항을 뜻하는 것은 아니라고 할 것이므로, 비록 재산을 강제로 뺏긴다는 것이 표의자의 본심으로 잠재되어 있었다 하여도 표의자가 강박에 의하여서나마 증여를 하기로 하고 그에 따른 증여의 의사표시를 한 이상 증여의 내심의 효과의사가 결여된 것이라고 할 수는 없다.

③ 임대차보증금반환채권이 양도된 후 양수인 甲의 채권자 A가 임대차보증금반환채권에 대하여 채권압류 및 추심명령을 받았는데 임대차보증금반환채권 양도계약이 허위표시로서 무효인 경우, 가장양수인인 甲의 일반채권자로서 위 임대차보증금반환채권에 대한 추심권을 취득한 자에 불과한 A는 민법 제108조 제2항의 제3자에 해당하지 않는다.

④ 보증인이 주채무자의 기망행위에 의하여 주채무가 있는 것으로 믿고 주채무자와 보증계약을 체결한 다음 그에 따라 보증채무자로서 그 채무까지 이행한 경우, 그 보증인은 주채무자에 대한 구상권 취득에 관하여 법률상의 이해관계를 가지게 되었고 그 구상권 취득에는 보증의 부종성으로 인하여 주채무가 유효하게 존재할 것을 필요로 한다는 이유로 결국 그 보증인은 주채무자의 채권자에 대한 채무 부담행위라는 허위표시에 기초하여 구상권 취득에 관한 법률상 이해관계를 가지게 되었다고 보아 민법 제108조 제2항 소정의 '제3자'에 해당한다.

⑤ 발행인과 수취인이 통모하여 진정한 어음채무 부담이나 어음채권 취득에 관한 의사 없이 단지 발행인의 채권자에게서 채권 추심이나 강제집행을 받는 것을 회피하기 위하여 형식적으로만 약속어음의 발행을 가장한 경우 이러한 어음발행행위는 통정허위표시로서 무효이다.

정답 13 ② 14 ③

해설 ① 대판 2004.5.28, 2003다70041
② 대판 2002.12.27, 2000다47361
③ 임대차보증금반환채권이 양도된 후 양수인의 채권자가 임대차보증금반환채권에 대하여 채권압류 및 추심명령을 받았는데 임대차보증금반환채권 양도계약이 허위표시로서 무효인 경우의 채권자는 제3자에 해당한다(대판 2014.4.10, 2013다59753).
④ 대판 2000.7.6, 99다51258
⑤ 대판 2017.8.18, 2014다87595

15 의사표시의 착오에 관한 다음 설명 중 가장 옳지 않은 것은? (다툼이 있는 경우 판례에 의함)

▸ 2017년 9급(법원서기보)

① 동기의 착오가 법률행위의 내용의 중요부분의 착오에 해당함을 이유로 표의자가 법률행위를 취소하는 경우 당사자들 사이에 그 동기를 의사표시의 내용으로 삼기로 하는 합의까지 이루어질 필요는 없다.
② 착오로 인하여 표의자가 경제적인 불이익을 입은 것이 아니라고 하더라도 법률행위 내용의 중요부분의 착오가 될 수 있다.
③ 표의자가 행위를 할 당시에 장래에 있을 어떤 사항의 발생이 미필적임을 알아 그 발생을 예기한 데 지나지 않는 경우는 표의자의 심리상태에 인식과 대조에 불일치가 있다고 할 수 없어 착오로 다룰 수 없다.
④ 착오에 의한 의사표시에서 취소할 수 없는 표의자의 '중대한 과실'이라 함은 표의자의 직업, 행위의 종류, 목적 등에 비추어 보통 요구되는 주의를 현저히 결여하는 것을 의미한다.

해설 ① 동기의 착오가 법률행위의 내용의 중요 부분의 착오에 해당함을 이유로 표의자가 법률행위를 취소하려면 그 동기를 해당 의사표시의 내용으로 삼을 것을 상대방에게 표시하고 의사표시의 해석상 법률행위의 내용으로 되어 있다고 인정되면 충분하고 당사자들 사이에 별도로 그 동기를 의사표시의 내용으로 삼기로 하는 합의까지 이루어질 필요는 없지만, 그 법률행위의 내용의 착오는 보통 일반인이 표의자의 입장에 섰더라면 그와 같은 의사표시를 하지 아니하였으리라고 여겨질 정도로 그 착오가 중요한 부분에 관한 것이어야 한다(대판 1998.2.10, 97다44737).
② 착오가 법률행위 내용의 중요 부분에 있다고 하기 위하여는 표의자에 의하여 추구된 목적을 고려하여 합리적으로 판단하여 볼 때 표시와 의사의 불일치가 객관적으로 현저하여야 하고, 만일 그 착오로 인하여 표의자가 무슨 경제적인 불이익을 입은 것이 아니라면 이를 법률행위 내용의 중요 부분의 착오라고 할 수 없다(대판 2006.12.7, 2006다41457).
③ 민법 제109조에서 규정한 바와 같이 의사표시에 착오가 있다고 하려면 법률행위를 할 당시에 실제로 없는 사실을 있는 사실로 잘못 깨닫거나 아니면 실제로 있는 사실을 없는 것으로 잘못 생각하듯이 표의자의 인식과 그 대조사실이 어긋나는 경우라야 하므로, 표의자가 행위를 할 당시 장래에 있을 어떤 사항의 발생이 미필적임을 알아 그 발생을 예기한 데 지나지 않는 경우는 표의자의 심리상태에 인식과 대조의 불일치가 있다고 할 수 없어 이를 착오로 다룰 수는 없다(대판 2011.6.9, 2010다99798 등).

④ 법률행위 내용의 중요 부분에 착오가 있는 때에는 그 의사표시를 취소할 수 있으나 그 착오가 표의자의 중대한 과실로 인한 때에는 취소하지 못하는 것인바, 여기서 '중대한 과실'이라 함은 표의자의 직업, 행위의 종류, 목적 등에 비추어 보통 요구되는 주의를 현저히 결여한 것을 의미한다(대판 2003.4.11, 2002다70884).

16 의사표시의 착오에 관한 다음 설명 중 가장 옳지 않은 것은? (다툼이 있는 경우 판례에 의함)

▶ 2017년 법원사무관 승진

① 민법 제109조 제1항 단서는 의사표시의 착오가 표의자의 중대한 과실로 인한 때에는 그 의사표시를 취소하지 못한다고 규정하고 있으므로 상대방이 표의자의 착오를 알고 이를 이용한 경우에도 착오가 표의자의 중대한 과실로 인한 것이라면 표의자는 의사표시를 취소할 수 없다.

② 계약의 내용이 피고의 지분등기와 본건 건물 및 그 부지를 현 상태대로 매매한 것인 경우, 위 부지의 피고지분이 다소 부족하다 하더라도 그러한 근소한 차이만으로써는 매매계약의 중요부분에 착오가 있었다고 보기 어렵다.

③ 부동산 매매에 있어서 시가에 관한 착오는 부동산을 매매하려는 의사를 결정함에 있어 동기의 착오에 불과할 뿐 법률행위의 중요부분에 관한 착오라고 할 수 없다.

④ 계약당사자 쌍방이 계약의 전제나 기초가 되는 사항에 관하여 같은 내용으로 착오가 있고 이로 인하여 그에 관한 구체적 약정을 하지 아니하였다면, 당사자가 그러한 착오가 없을 때에 약정하였을 것으로 보이는 내용으로 당사자의 의사를 보충하여 계약을 해석할 수 있는바, 여기서 보충되는 당사자의 의사는 당사자의 실제 의사 또는 주관적 의사가 아니라 계약의 목적, 거래관행, 적용법규, 신의칙 등에 비추어 객관적으로 추인되는 정당한 이익조정 의사를 말한다.

> **해설** ① 민법 제109조 제1항 단서는 의사표시의 착오가 표의자의 중대한 과실로 인한 때에는 그 의사표시를 취소하지 못한다고 규정하고 있는데, 위 단서 규정은 표의자의 상대방의 이익을 보호하기 위한 것이므로, 상대방이 표의자의 착오를 알고 이를 이용한 경우에는 착오가 표의자의 중대한 과실로 인한 것이라고 하더라도 표의자는 의사표시를 취소할 수 있다(대판 2014.11.27, 2013다49794).
> ② 계약의 내용이 피고의 지분등기와 본건 건물 및 그 부지를 현상태대로 매매한 것인 경우 위 부지(4평)에 관하여 0.211평(계산상 0.201평)에 해당하는 피고의 지분이 부족하다 하더라도 그러한 근소한 차이만으로써는 매매계약의 중요부분에 착오가 있었다거나 기망행위가 있었다고는 보기 어렵다(대판 1984.4.10, 83다카1328,1329).
> ③ 부동산 매매에 있어서 시가에 관한 착오는 부동산을 매매하려는 의사를 결정함에 있어 동기의 착오에 불과할 뿐 법률행위의 중요부분에 관한 착오라고 할 수 없다(대판 1992.10.23, 92다29337).

정답 15 ② 16 ①

④ 계약당사자 쌍방이 계약의 전제나 기초가 되는 사항에 관하여 같은 내용으로 착오를 하고 이로 인하여 그에 관한 구체적 약정을 하지 아니하였다면, 당사자가 그러한 착오가 없을 때에 약정하였을 것으로 보이는 내용으로 당사자의 의사를 보충하여 계약을 해석할 수도 있으나, 여기서 보충되는 당사자의 의사란 당사자의 실제 의사 내지 주관적 의사가 아니라 계약의 목적, 거래관행, 적용법규, 신의칙 등에 비추어 객관적으로 추인되는 정당한 이익조정 의사를 말한다고 할 것이다(대판 2014.4.24, 2013다218620).

17 다음 중 법률행위 내용의 중요부분의 착오와 중과실의 유무에 대한 설명으로 타당하지 않은 것은? (다툼이 있는 경우 판례에 의함)

① 주채무자의 차용금반환채무를 보증할 의사로 공정증서에 연대보증인으로 서명 · 날인하였으나 그 공정증서가 주채무자의 기존의 구상금채무 등에 관한 준소비대차계약의 공정증서이었던 경우, 위와 같은 착오는 연대보증계약의 중요 부분의 착오가 아니다.

② 재건축조합이 건축사자격이 없이 건축연구소를 개설한 건축학교수에게 건축사자격이 있다고 믿고 그와 재건축을 위한 설계용역계약을 체결한 경우, 재건축조합 측의 착오는 중요부분의 착오에 해당한다.

③ 매도인의 대리인이 매도인이 납부하여야 할 양도소득세 등의 세액이 매수인이 부담하기로 한 금액뿐이므로 매도인의 부담은 없을 것이라고 착오한 경우, 그와 같은 착오를 일으키게 된 계기를 제공한 원인이 매수인 측에 있을 뿐만 아니라 매수인도 매도인이 납부하여야 할 세액에 관하여 매도인과 동일한 착오에 빠져 있었다면, 매도인의 위와 같은 착오는 매매계약의 내용의 중요부분에 관한 것에 해당한다.

④ 공장경영자가 공장설립 목적으로 토지를 매수하면서 토지상에 공장건축이 가능한지 여부를 관청에 문의하지 않은 경우라도 표의자의 중과실이 인정된다고 할 수 없다.

⑤ 토지의 답 1,389평을 전부 경작할 수 있는 농지인 줄 알고 매수하여 그 소유권이전등기를 마쳤으나 타인이 경작하는 부분은 인도되지 않고 있을 뿐 아니라 측량결과 약 600평이 하천을 이루고 있다면, 이와 같은 토지의 현황경계에 관한 착오는 매매계약의 중요부분에 대한 착오라 할 것이다.

해설 ① 주채무자의 차용금반환채무를 보증할 의사로 공정증서에 연대보증인으로 서명·날인하였으나 그 공정증서가 주채무자의 기존의 구상금채무 등에 관한 준소비대차계약의 공정증서이었던 경우, 소비대차계약과 준소비대차계약의 법률효과는 동일하므로 위와 같은 착오는 연대보증계약의 중요 부분의 착오가 아니다(대판 2006.12.7, 2006다41457).
즉, 착오로 인하여 표의자가 무슨 경제적인 불이익을 입은 것이 아니라고 한다면 법률행위 내용의 중요부분의 착오라고 할 수 없다는 것이다.
② 재건축조합이 건축사자격이 없이 건축연구소를 개설한 건축학교수에게 건축사자격이 없다는 것을 알았더라면 재건축조합만이 아니라 객관적으로 볼 때 일반인으로서도 이와 같은 설계용역계약을 체결하지 않았을 것으로 보이므로, 재건축조합 측의 착오는 중요 부분의 착오에 해당하고, 설계용역계약체결을 전후하여 건축사자격이 없다는 것을 묵비한 채 자신이 미국에

서 공부한 건축학교수이고 '건축연구소'로 사업자등록까지 마치고 건축설계업을 하며 상당한 실적까지 올린 사람이라고 소개한 경우, 일반인의 입장에서는 그에게 당연히 건축사 자격이 있는 것으로 믿을 수밖에 없었을 것이므로, 재건축조합측이 그를 무자격자로 의심하여 건축 사자격증의 제시를 요구한다거나 건축사단체에 자격 유무를 조회하여 이를 확인하여야 할 주의의무가 있다고 볼 수는 없다고 보아 재건축조합의 착오가 중대한 과실로 인한 것이 아니 라고 한다(대판 2003.4.11, 2002다70884).

③ 매도인의 대리인이, 매도인이 납부하여야 할 양도소득세 등의 세액이 매수인이 부담하기로 한 금액뿐이므로 매도인의 부담은 없을 것이라는 착오를 일으키지 않았더라면 매수인과 매 매계약을 체결하지 않았거나 아니면 적어도 동일한 내용으로 계약을 체결하지는 않았을 것 임이 명백하고, 나아가 매도인이 그와 같이 착오를 일으키게 된 계기를 제공한 원인이 매수 인 측에 있을 뿐만 아니라 매수인도 매도인이 납부하여야 할 세액에 관하여 매도인과 동일한 착오에 빠져 있었다면, 매도인의 위와 같은 착오는 매매계약의 내용의 중요부분에 관한 것에 해당한다(대판 1994.6.10, 93다24810).

④ 공장경영자가 공장설립 목적으로 토지를 매수하면서 토지상에 공장건축이 가능한지 여부를 관청에 문의하지 않은 경우 표의자의 중과실이 인정된다(대판 1993.6.29, 92다38881).

⑤ 토지의 답 1,389평을 전부 경작할 수 있는 농지인 줄 알고 매수하여 그 소유권이전등기를 마쳤으나 타인이 경작하는 부분은 인도되지 않고 있을 뿐 아니라 측량결과 약 600평이 하천 을 이루고 있어 사전에 이를 알았다면 매매의 목적을 달할 수 없음이 명백하여 매매계약을 체결하지 않았을 것이므로, 위 토지의 현황경계에 관한 착오는 매매계약의 중요부분에 대한 착오라 할 것이다(대판 1968.3.26, 67다2160).

18 **착오로 인한 의사표시에 관한 다음의 설명 중 옳지 않은 것은?** (다툼이 있는 경우 판례에 의함)

① 취소한 법률행위는 처음부터 무효인 것으로 본다.

② 상대방에 의하여 동기의 착오가 유발된 경우에는 그 의사표시를 취소할 수 있다.

③ 동기의 착오를 이유로 법률행위를 취소하기 위해서는 그 동기를 법률행위의 내용으로 삼기로 하는 합의까지 이루어질 필요는 없고, 그 착오가 중요한 부분에 관한 것이어야 할 필요도 없다.

④ 신원보증서류에 서명날인한다는 착각에 빠진 상태로 연대보증의 서면에 서명날인한 경 우, 비록 위와 같은 착오가 제3자의 기망행위에 의하여 일어난 것이라 하더라도 민법 제110조 제2항의 규정을 적용할 것이 아니라, 착오에 의한 의사표시에 관한 법리만을 적용하여 취소권 행사의 가부를 가려야 한다.

⑤ 위 ④의 경우 신원보증서류에 서명날인하는 것으로 잘못 알고 이행보증보험약정서를 읽어보지 않은 채 서명날인한 것일 뿐 연대보증약정을 한 사실이 없다는 주장은 위 연 대보증약정을 취소한다는 취지로 볼 수 있다.

해설 ① 제141조 본문 【취소의 효과】 취소된 법률행위는 처음부터 무효인 것으로 본다. 다만, 제한 능력자는 그 행위로 인하여 받은 이익이 현존하는 한도에서 상환할 책임이 있다.

② 귀속해제된 토지인데도 귀속재산인줄로 잘못 알고 국가에 증여를 한 경우 이러한 착오는 일종의 동기의 착오라 할 것이나, 그 동기를 제공한 것이 관계 공무원이었고 그러한 동기의 제공이 없었더라면 위 토지를 선뜻 국가에게 증여하지는 않았을 것이라면, 그 동기는 증여행위의 중요부분을 이룬다고 할 것이므로 뒤늦게 그 착오를 알아차리고 증여계약을 취소했다면 그 취소는 적법하다(대판 1978.7.11, 78다719).

③ 동기의 착오가 법률행위의 내용의 중요부분의 착오에 해당함을 이유로 표의자가 법률행위를 취소하려면 그 동기를 당해 의사표시의 내용으로 삼을 것을 상대방에게 표시하고 의사표시의 해석상 법률행위의 내용으로 되어 있다고 인정되면 충분하고 당사자들 사이에 별도로 그 동기를 의사표시의 내용으로 삼기로 하는 합의까지 이루어질 필요는 없지만, 그 법률행위의 내용의 착오는 보통 일반인이 표의자의 입장에 섰더라면 그와 같은 의사표시를 하지 아니하였으리라고 여겨질 정도로 그 착오가 중요한 부분에 관한 것이어야 한다(대판 2000.5.12, 2000다12259).

④, ⑤ [1] 사기에 의한 의사표시란 타인의 기망행위로 말미암아 착오에 빠지게 된 결과 어떠한 의사표시를 하게 되는 경우이므로 거기에는 의사와 표시의 불일치가 있을 수 없고, 단지 의사의 형성과정 즉 의사표시의 동기에 착오가 있는 것에 불과하며, 이 점에서 고유한 의미의 착오에 의한 의사표시와 구분되는데, 신원보증서류에 서명날인한다는 착각에 빠진 상태로 연대보증의 서면에 서명날인한 경우, 결국 위와 같은 행위는 강학상 기명날인의 착오(또는 서명의 착오), 즉 어떤 사람이 자신의 의사와 다른 법률효과를 발생시키는 내용의 서면에, 그것을 읽지 않거나 올바르게 이해하지 못한 채 기명날인을 하는 이른바 표시상의 착오에 해당하므로, 비록 위와 같은 착오가 제3자의 기망행위에 의하여 일어난 것이라 하더라도 그에 관하여는 사기에 의한 의사표시에 관한 법리, 특히 상대방이 그러한 제3자의 기망행위 사실을 알았거나 알 수 있었을 경우가 아닌 한 의사표시자가 취소권을 행사할 수 없다는 민법 제110조 제2항의 규정을 적용할 것이 아니라, 착오에 의한 의사표시에 관한 법리만을 적용하여 취소권 행사의 가부를 가려야 한다.

[2] 취소의 의사표시란 반드시 명시적이어야 하는 것은 아니고, 취소자가 그 착오를 이유로 자신의 법률행위의 효력을 처음부터 배제하려고 한다는 의사가 드러나면 족한 것이며, 취소원인의 진술 없이도 취소의 의사표시는 유효한 것이므로, 신원보증서류에 서명날인하는 것으로 잘못 알고 이행보증보험약정서를 읽어보지 않은 채 서명날인한 것일 뿐 연대보증약정을 한 사실이 없다는 주장은 위 연대보증약정을 착오를 이유로 취소한다는 취지로 볼 수 있다(대판 2005.5.27, 2004다43824).

19 착오에 의한 의사표시에 관한 다음 설명 중 가장 옳지 않은 것은? (다툼이 있는 경우 판례에 의함)

▶ 2017년 법원행시

① 매매계약 당시 장차 도시계획이 변경되어 공동주택, 호텔 등의 신축에 대한 인·허가를 받을 수 있을 것이라고 생각하였으나 그 후 생각대로 되지 않은 경우, 이는 법률행위 당시를 기준으로 장래의 미필적 사실의 발생에 대한 기대나 예상이 빗나간 것에 불과할 뿐 착오라고 할 수는 없다.

② 주채무자의 차용금반환채무를 보증할 의사로 공정증서에 연대보증인으로 서명·날인하였으나 그 공정증서가 주채무자의 기존의 구상금채무 등에 관한 준소비대차계약의 공정증서였던 경우, 연대보증인은 주채무자가 채권자에게 부담하는 차용금반환채무를 연대보증할 의사가 있었다하더라도, 그 피담보채무를 달리하므로 연대보증계약의 중요부분의 착오가 있는 때에 해당한다.

③ 동기의 착오가 법률행위의 내용의 중요부분의 착오에 해당함을 이유로 표의자가 법률행위를 취소하려면 그 동기를 당해 의사표시의 내용으로 삼을 것을 상대방에게 표시하고 의사표시의 해석상 법률행위의 내용으로 되어 있다고 인정되어야 한다.

④ 원고 소송대리인으로부터 소송대리인 사임신고서 제출을 지시받은 사무원은 원고 소송대리인의 표시기관에 해당되어 그의 착오는 원고 소송대리인의 착오라고 보아야 하므로, 사무원의 착오로 원고 소송대리인의 의사에 반하여 소를 취하하였다고 하여도 이를 무효라고 볼 수는 없다.

⑤ 토지매매에 있어서 시가에 관한 착오는 토지를 매수하려는 의사를 결정함에 있어 그 동기의 착오에 불과할 뿐 법률행위의 중요부분에 관한 착오라 할 수 없다.

해설 ① 매매계약 당시 장차 도시계획이 변경되어 공동주택, 호텔 등의 신축에 대한 인·허가를 받을 수 있을 것이라고 생각하였으나 그 후 생각대로 되지 않은 경우, 이는 법률행위 당시를 기준으로 장래의 미필적 사실의 발생에 대한 기대나 예상이 빗나간 것에 불과할 뿐 착오라고 할 수는 없다(대판 2007.8.23, 2006다15755).

② 착오가 법률행위 내용의 중요 부분에 있다고 하기 위하여는 표의자에 의하여 추구된 목적을 고려하여 합리적으로 판단하여 볼 때 표시와 의사의 불일치가 객관적으로 현저하여야 하고, 만일 그 착오로 인하여 표의자가 무슨 경제적인 불이익을 입은 것이 아니라면 이를 법률행위 내용의 중요 부분의 착오라고 할 수 없다. (따라서) 주채무자의 차용금반환채무를 보증할 의사로 공정증서에 연대보증인으로 서명·날인하였으나 그 공정증서가 주채무자의 기존의 구상금채무 등에 관한 준소비대차계약의 공정증서이었던 경우, 소비대차계약과 준소비대차계약의 법률효과는 동일하므로 공정증서가 연대보증인의 의사와 다른 법률효과를 발생시키는 내용의 서면이라고 할 수 없어 표시와 의사의 불일치가 객관적으로 현저한 경우에 해당하지 않을 뿐만 아니라, 연대보증인은 주채무자가 채권자에게 부담하는 차용금반환채무를 연대보증할 의사가 있었던 이상 착오로 인하여 경제적인 불이익을 입었거나 장차 불이익을 당할 염려도 없으므로 위와 같은 착오는 연대보증계약의 중요 부분의 착오가 아니다(대판 2006.12.7, 2006다41457).

정답 19 ②

③ 동기의 착오가 법률행위의 내용의 중요 부분의 착오에 해당함을 이유로 표의자가 법률행위를 취소하려면 그 동기를 당해 의사표시의 내용으로 삼을 것을 상대방에게 표시하고 의사표시의 해석상 법률행위의 내용으로 되어 있다고 인정되면 충분하고 당사자들 사이에 별도로 그 동기를 의사표시의 내용으로 삼기로 하는 합의까지 이루어질 필요는 없지만, 그 법률행위의 내용의 착오는 보통 일반인이 표의자의 입장에 섰더라면 그와 같은 의사표시를 하지 아니하였으리라고 여겨질 정도로 그 착오가 중요한 부분에 관한 것이어야 한다(대판 1997.9.30, 97다26210).

④ 소의 취하는 원고가 제기한 소를 철회하여 소송계속을 소멸시키는 원고의 법원에 대한 소송행위이고 소송행위는 일반 사법상의 행위와는 달리 내심의 의사보다 그 표시를 기준으로 하여 효력 유무를 판정할 수밖에 없는 것인바, 원고 소송대리인으로부터 소송대리인 사임신고서 제출을 지시받은 사무원은 원고 소송대리인의 표시기관에 해당되어 그의 착오는 원고 소송대리인의 착오라고 보아야 하므로, 사무원의 착오로 원고 소송대리인의 의사에 반하여 소를 취하하였다고 하여도 이를 무효라고 볼 수는 없다(대판 1997.10.24, 95다11740).

⑤ 의사표시의 착오가 법률행위의 내용의 중요부분에 착오가 있는 이른바 요소의 착오이냐의 여부는 그 각 행위에 관하여 주관적, 객관적 표준에 쫓아 구체적 사정에 따라 가려져야 할 것이고 추상적, 일률적으로 이를 가릴 수는 없다고 할 것인바, 토지매매에 있어서 시가에 관한 착오는 토지를 매수하려는 의사를 결정함에 있어 그 동기의 착오에 불과할 뿐 법률행위의 중요부분에 관한 착오라 할 수 없다(대판 1985.4.23, 84다카890).

20 **착오로 인한 의사표시에 관한 다음 설명 중 가장 옳지 않은 것은?** (다툼이 있는 경우 판례에 따르고 전원합의체 판결의 경우 다수의견에 의함) ▶ 2019년 법무사

① 착오를 이유로 의사표시를 취소하는 자는 법률행위의 내용에 착오가 있었다는 사실과 함께 착오가 의사표시에 결정적인 영향을 미쳤다는 점, 즉 만일 그 착오가 없었더라면 의사표시를 하지 않았을 것이라는 점을 증명하여야 한다.

② 매매계약 당시 장차 도시계획이 변경되어 공동주택, 호텔 등의 신축에 대한 인·허가를 받을 수 있을 것으로 생각하였으나 그 후 생각대로 되지 않은 경우, 이는 법률행위 당시를 기준으로 장래의 미필적 사실의 발생에 대한 기대나 예상이 빗나간 것에 불과할 뿐 착오라고 할 수 없다.

③ 매도인이 매수인의 중도금 지급채무 불이행을 이유로 매매계약을 적법하게 해제하였다면, 매수인으로서는 착오를 이유로 한 취소권을 행사하여 매매계약 전체를 무효로 돌릴 수 없다.

④ 고려청자로 알고 매수한 도자기가 진품이 아닌 것으로 밝혀진 경우, 개인 소장자인 매수인이 그 출처의 조회나 전문적 감정인의 감정 없이 매수한 점만으로는 중과실이 인정되지 않으므로 착오를 이유로 매매계약을 취소할 수 있다.

⑤ 주채무자의 차용금반환채무를 보증할 의사로 공정증서에 연대보증인으로 서명날인하였으나 그 공정증서가 주채무자의 기존의 구상금채무 등에 관한 준소비대차계약의 공정증서였다 하더라도, 연대보증인의 위와 같은 착오는 연대보증계약의 중요 부분의 착오가 아니다.

해설 ① 착오를 이유로 의사표시를 취소하는 자는 법률행위의 내용에 착오가 있었다는 사실과 함께 그 착오가 의사표시에 결정적인 영향을 미쳤다는 점, 즉 만약 그 착오가 없었더라면 의사표시를 하지 않았을 것이라는 점을 증명하여야 한다(대판 2008.1.17, 2007다74188).

② 매매계약 당시 장차 도시계획이 변경되어 공동주택, 호텔 등의 신축에 대한 인·허가를 받을 수 있을 것이라고 생각하였으나 그 후 생각대로 되지 않은 경우, 이는 법률행위 당시를 기준으로 장래의 미필적 사실의 발생에 대한 기대나 예상이 빗나간 것에 불과할 뿐 착오라고 할 수는 없다(대판 2007.8.23, 2006다15755).

③ 매도인이 매수인의 중도금 지급채무 불이행을 이유로 매매계약을 적법하게 해제한 후라도 매수인으로서는 상대방이 한 계약해제의 효과로서 발생하는 손해배상책임을 지거나 매매계약에 따른 계약금의 반환을 받을 수 없는 불이익을 면하기 위하여 착오를 이유로 한 취소권을 행사하여 매매계약 전체를 무효로 돌리게 할 수 있다(대판 1996.12.6, 95다24982).

④ 고려청자로 알고 매수한 도자기가 진품이 아닌 것으로 밝혀진 경우, 매수인이 도자기를 매수하면서 자신의 골동품 식별 능력과 매매를 소개한 자를 과신한 나머지 고려청자 진품이라고 믿고 소장자를 만나 그 출처를 물어 보지 아니하고 전문적 감정인의 감정을 거치지 아니한 채 그 도자기를 고가로 매수하고 만일 고려청자가 아닐 경우를 대비하여 필요한 조치를 강구하지 아니한 잘못이 있다고 하더라도, 그와 같은 사정만으로는 매수인이 매매계약 체결시 요구되는 통상의 주의의무를 현저하게 결여하였다고 보기는 어렵다는 이유로 착오를 이유로 매매계약을 취소할 수 있다(대판 1997.8.22, 96다26657).

⑤ 주채무자의 차용금반환채무를 보증할 의사로 공정증서에 연대보증인으로 서명·날인하였으나 그 공정증서가 주채무자의 기존의 구상금채무 등에 관한 준소비대차계약의 공정증서이었던 경우, 소비대차계약과 준소비대차계약의 법률효과는 동일하므로 공정증서가 연대보증인의 의사와 다른 법률효과를 발생시키는 내용의 서면이라고 할 수 없어 표시와 의사의 불일치가 객관적으로 현저한 경우에 해당하지 않을 뿐만 아니라, 연대보증인은 주채무자가 채권자에게 부담하는 차용금반환채무를 연대보증할 의사가 있었던 이상 착오로 인하여 경제적인 불이익을 입었거나 장차 불이익을 당할 염려도 없으므로 위와 같은 착오는 연대보증계약의 중요 부분의 착오가 아니다(대판 2006.12.7, 2006다41457). 즉, 착오로 인하여 표의자가 무슨 경제적인 불이익을 입은 것이 아니라고 한다면 법률행위 내용의 중요부분의 착오라고 할 수 없다는 것이다.

21 착오에 의한 의사표시에 관한 다음 설명 중 가장 옳지 않은 것은? ▶ 2020년 법무사

① 동기의 착오가 법률행위의 내용의 중요부분의 착오에 해당함을 이유로 표의자가 법률행위를 취소하려면 그 동기를 당해 의사표시의 내용으로 삼을 것을 상대방에게 표시하고 의사표시의 해석상 법률행위의 내용으로 되어 있다고 인정되면 충분하고 당사자들 사이에 별도로 그 동기를 의사표시의 내용으로 삼기로 하는 합의까지 이루어질 필요는 없지만, 그 법률행위의 내용의 착오는 보통 일반인이 표의자의 입장에 섰더라면 그와 같은 의사표시를 하지 아니하였으리라고 여겨질 정도로 그 착오가 중요한 부분에 관한 것이어야 한다.

② 민법 제109조 제1항 단서는 의사표시의 착오가 표의자의 중대한 과실로 인한 때에는 그 의사표시를 취소하지 못한다고 규정하고 있으므로 상대방이 표의자의 착오를 알고 이를 이용한 경우에도 착오가 표의자의 중대한 과실로 인한 것이라면 표의자는 의사표시를 취소할 수 없다.

③ 원고 소송대리인으로부터 소송대리인 사임신고서 제출을 지시받은 사무원은 원고 소송대리인의 표시기관에 해당되어 그의 착오는 원고 소송대리인의 착오라고 보아야 하므로, 사무원의 착오로 원고 소송대리인의 의사에 반하여 소를 취하하였다고 하여도 이를 무효라고 볼 수는 없다.

④ 부동산 매매에 있어서 시가에 관한 착오는 부동산을 매매하려는 의사를 결정함에 있어 동기의 착오에 불과할 뿐 법률행위의 중요부분에 관한 착오라고 할 수 없다.

⑤ 민법상 화해계약에 있어서 당사자는 착오를 이유로 취소하지 못하고 다만 화해 당사자의 자격 또는 화해의 목적인 분쟁 이외의 사항에 착오가 있는 때에 한하여 취소할 수 있는바, 여기서 화해의 목적인 분쟁 이외의 사항이라 함은 분쟁의 대상이 아니라 분쟁의 전제 또는 기초가 된 사항으로서, 쌍방 당사자가 예정한 것이어서 상호 양보의 내용으로 되지 않고 다툼이 없는 사실로 양해된 사항을 말한다.

해설 ① 동기의 착오가 법률행위의 내용의 중요부분의 착오에 해당함을 이유로 표의자가 법률행위를 취소하려면 그 동기를 당해 의사표시의 내용으로 삼을 것을 상대방에게 표시하고 의사표시의 해석상 법률행위의 내용으로 되어 있다고 인정되면 충분하고 당사자들 사이에 별도로 그 동기를 의사표시의 내용으로 삼기로 하는 합의까지 이루어질 필요는 없지만, 그 법률행위의 내용의 착오는 보통 일반인이 표의자의 입장에 섰더라면 그와 같은 의사표시를 하지 아니하였으리라고 여겨질 정도로 그 착오가 중요한 부분에 관한 것이어야 한다(대판 2000.5.12, 2000다12259).

② 민법 제109조 제1항 단서는 의사표시의 착오가 표의자의 중대한 과실로 인한 때에는 그 의사표시를 취소하지 못한다고 규정하고 있는데, 위 단서 규정은 표의자의 상대방의 이익을 보호하기 위한 것이므로, 상대방이 표의자의 착오를 알고 이를 이용한 경우에는 착오가 표의자의 중대한 과실로 인한 것이라고 하더라도 표의자는 의사표시를 취소할 수 있다(대판 2014.11.27, 2013다49794).

③ 소의 취하는 원고가 제기한 소를 철회하여 소송계속을 소멸시키는 원고의 법원에 대한 소송행위이고 소송행위는 일반 사법상의 행위와는 달리 내심의 의사보다 그 표시를 기준으로 하여 효력 유무를 판정할 수밖에 없는 것인바, 원고 소송대리인으로부터 소송대리인 사임신고

서 제출을 지시받은 사무원은 원고 소송대리인의 표시기관에 해당되어 그의 착오는 원고 소송대리인의 착오라고 보아야 하므로, 사무원의 착오로 원고 소송대리인의 의사에 반하여 소를 취하하였다고 하여도 이를 무효라고 볼 수는 없다(대판 1997.10.24, 95다11740).

④ 부동산의 매매에있어 시가에 관한 착오는 그 동기의 착오에 불과할 뿐 법률행위의 중요부분에 관한 착오라고는 할 수 없다(대판 1991.2.12, 90다17927).

⑤ 민법상 화해계약에 있어서는 당사자는 착오를 이유로 취소하지 못하고 다만 화해당사자의 자격 또는 화해의 목적인 분쟁 이외의 사항에 착오가 있는 때에 한하여 취소할 수 있는바(민법 제733조), 위에서 "화해의 목적인 분쟁 이외의 사항"이라 함은 분쟁의 대상이 아니라 분쟁의 전제 또는 기초가 된 사항으로서 쌍방당사자가 예정한 것이어서 상호 양보의 내용으로 되지 않고 다툼이 없는 사실로 양해된 사항을 말한다(대판 1992.7.14, 91다47208).

22 **착오로 인한 의사표시에 관한 다음 설명 중 가장 옳은 것은?** ▶ 2021년 법원서기보

① 동기의 착오를 이유로 법률행위를 취소하려면 당사자들 사이에 별도로 그 동기를 의사표시의 내용으로 삼기로 하는 합의까지 이루어져야 한다.

② 화해계약의 의사표시에 착오가 있더라도 이것이 당사자의 자격이나 화해계약의 대상인 분쟁 이외의 사항에 관한 것이 아니고 분쟁의 대상인 법률관계 자체에 관한 것일 때에는 이를 취소할 수 없다.

③ 매도인의 하자담보책임이 성립하는 경우에는 매매계약 내용의 중요 부분에 착오가 있는 경우에도 매수인이 착오를 이유로 매매계약을 취소할 수 없다.

④ 소취하합의의 의사표시는 법률행위의 내용의 중요부분에 착오가 있음을 이유로 취소할 수 없다.

해설 ① 동기의 착오가 법률행위의 내용의 중요부분의 착오에 해당함을 이유로 표의자가 법률행위를 취소하려면 그 동기를 당해 의사표시의 내용으로 삼을 것을 상대방에게 표시하고 의사표시의 해석상 법률행위의 내용으로 되어 있다고 인정되면 충분하고 당사자들 사이에 별도로 그 동기를 의사표시의 내용으로 삼기로 하는 합의까지 이루어질 필요는 없다(대판 2000.5.12, 2000다12259).

② 민법상 화해계약에 있어서는 당사자는 착오를 이유로 취소하지 못하고 다만 화해당사자의 자격 또는 화해의 목적인 분쟁 이외의 사항에 착오가 있는 때에 한하여 취소할 수 있는바(민법 제733조), 위에서 "화해의 목적인 분쟁 이외의 사항"이라 함은 분쟁의 대상이 아니라 분쟁의 전제 또는 기초가 된 사항으로서 쌍방당사자가 예정한 것이어서 상호 양보의 내용으로 되지 않고 다툼이 없는 사실로 양해된 사항을 말한다(대판 1992.7.14, 91다47208).

③ 착오로 인한 취소 제도와 매도인의 하자담보책임 제도는 취지가 서로 다르고, 요건과 효과도 구별된다. 따라서 매매계약 내용의 중요 부분에 착오가 있는 경우 매수인은 매도인의 하자담보책임이 성립하는지와 상관없이 착오를 이유로 매매계약을 취소할 수 있다(대판 2018.9.13, 2015다78703).

④ 소취하합의의 의사표시 역시 민법 제109조에 따라 법률행위의 내용의 중요 부분에 착오가 있는 때에는 취소할 수 있다(대판 2020.10.15, 2020다227523 · 227530).

정답 ▷ 21 ② 22 ②

23 의사표시에 관한 다음 설명 중 가장 옳지 않은 것은?
▶ 2022년 법무사

① 착오로 인한 취소 제도와 매도인의 하자담보책임 제도는 취지가 서로 다르고, 요건과 효과도 구별되므로, 매매계약 내용의 중요 부분에 착오가 있는 경우 매수인은 매도인의 하자담보책임이 성립하는지와 상관없이 착오를 이유로 매매계약을 취소할 수 있다.

② 소취하합의의 의사표시는 법률행위의 내용의 중요 부분에 착오가 있더라도 민법 제109조에 따라 취소할 수는 없다.

③ 장래에 발생할 막연한 사정을 예측하거나 기대하고 법률행위를 한 경우 그러한 예측이나 기대와 다른 사정이 발생하였다고 하더라도 그로 인한 위험은 원칙적으로 법률행위를 한 사람이 스스로 감수하여야 하고 상대방에게 전가해서는 안 되므로 착오를 이유로 취소를 구할 수 없다.

④ 하나의 법률행위의 일부분에만 취소사유가 있다고 하더라도 그 법률행위가 가분적이거나 그 목적물의 일부가 특정될 수 있다면, 그 나머지 부분이라도 이를 유지하려는 당사자의 가정적 의사가 인정되는 경우 그 일부만의 취소도 가능하다고 할 것이고, 그 일부의 취소는 법률행위의 일부에 관하여 효력이 생긴다.

⑤ 학교법인이 사립학교법상의 제한규정 때문에 그 학교의 교직원들인 소외인들의 명의를 빌려서 피고로부터 금원을 차용한 경우에 피고 역시 그러한 사정을 알고 있었다고 하더라도 위 소외인들의 의사는 위 금전의 대차에 관하여 그들이 주채무자로서 채무를 부담하겠다는 뜻이라고 해석함이 상당하므로 이를 진의 아닌 의사표시라고 볼 수 없다.

해설 ① 민법 제109조 제1항에 의하면 법률행위 내용의 중요 부분에 착오가 있는 경우 착오에 중대한 과실이 없는 표의자는 법률행위를 취소할 수 있고, 민법 제580조 제1항, 제575조 제1항에 의하면 매매의 목적물에 하자가 있는 경우 하자가 있는 사실을 과실 없이 알지 못한 매수인은 매도인에 대하여 하자담보책임을 물어 계약을 해제하거나 손해배상을 청구할 수 있다. <u>착오로 인한 취소 제도와 매도인의 하자담보책임 제도는 취지가 서로 다르고, 요건과 효과도 구별된다. 따라서 매매계약 내용의 중요 부분에 착오가 있는 경우 매수인은 매도인의 하자담보책임이 성립하는지와 상관없이 착오를 이유로 매매계약을 취소할 수 있다</u>(대판 2018.9.13. 2015다78703).

② <u>소취하 합의의 의사표시 역시 민법 제109조에 따라 법률행위의 내용의 중요 부분에 착오가 있는 때에는 취소할 수 있다</u>(대판 2020.10.15. 2020다227523·227530).

③ 민법 제109조에 따라 의사표시에 착오가 있다고 하려면 법률행위를 할 당시에 실제로 없는 사실을 있는 사실로 잘못 깨닫거나 아니면 실제로 있는 사실을 없는 것으로 잘못 생각하듯이 의사표시자의 인식과 그러한 사실이 어긋나는 경우라야 한다. 의사표시자가 행위를 할 당시 장래에 있을 어떤 사항의 발생을 예측한 데 지나지 않는 경우는 의사표시자의 심리상태에 인식과 대조사실의 불일치가 있다고 할 수 없어 이를 착오로 다룰 수 없다. <u>장래에 발생할 막연한 사정을 예측하거나 기대하고 법률행위를 한 경우 그러한 예측이나 기대와 다른 사정이 발생하였다고 하더라도 그로 인한 위험은 원칙적으로 법률행위를 한 사람이 스스로 감수하여야 하고 상대방에게 전가해서는 안 되므로 착오를 이유로 취소를 구할 수 없다</u>(대판 2020.5.14. 2016다12175).

④ 대판 1998.2.10. 97다44737

⑤ 대판 1980.7.8. 80다639

24 사기에 의한 의사표시에 관한 설명 중 가장 옳지 않은 것은? (다툼이 있는 경우 판례에 의함)

① 아파트 분양자는 인근에 대규모의 공동묘지가 조성되어 있다면, 분양시 그러한 사실을 알려야 할 신의칙상 의무를 부담하고, 이를 고지하지 않을 경우 부작위에 의한 기망행위가 성립한다.

② 제3자에 의한 사기행위로 계약을 체결한 경우, 그 계약을 취소하지 않고도 제3자에 대하여 불법행위로 인한 손해배상청구를 할 수 있다.

③ 매도인이 매수인의 기망행위를 이유로 계약을 취소한 경우에 그 기망행위가 불법행위에 해당한다면 매도인은 부당이득반환과 불법행위로 인한 손해배상을 중첩적으로는 청구할 수 없다.

④ 부동산의 양도계약이 사기에 의한 의사표시에 해당하는 경우에 있어서는 공시방법인 소유권이전등기를 마친 기망행위자와 사이에 새로운 법률원인을 맺어 이해관계를 갖게 된 자만이 민법 제110조 제3항 소정의 제3자에 해당한다.

⑤ 매매계약이 취소된 경우에 당사자 쌍방의 원상회복의무는 동시이행의 관계에 있다.

해설 ① 우리 사회의 통념상으로는 공동묘지가 주거환경과 친한 시설이 아니어서 분양계약의 체결 여부 및 가격에 상당한 영향을 미치는 요인일 뿐만 아니라 대규모 공동묘지를 가까이에서 조망할 수 있는 곳에 아파트단지가 들어선다는 것은 통상 예상하기 어렵다는 점 등을 감안할 때 아파트 분양자는 아파트단지 인근에 공동묘지가 조성되어 있는 사실을 수분양자에게 고지할 신의칙상의 의무를 부담한다고 한 사례(판결이유 중 : 원심이 고지의무의 존재를 부정함으로써 부작위에 의한 기망행위에 해당하지 아니한다고 판단한 데에는, 채증법칙 위반, 심리미진 내지는 고지의무의 위반으로 인한 기망행위에 관한 법리오해 등의 위법이 있다고 할 것이다)(대판 2007.6.1, 2005다5812·5829·5836).

② 제3자의 사기행위로 인하여 피해자가 주택건설사와 사이에 주택에 관한 분양계약을 체결하였다고 하더라도 제3자의 사기행위 자체가 불법행위를 구성하는 이상, 제3자로서는 그 불법행위로 인하여 피해자가 입은 손해를 배상할 책임을 부담하는 것이므로, 피해자가 제3자를 상대로 손해배상청구를 하기 위하여 반드시 그 분양계약을 취소할 필요는 없다 (대판 1998.3.10, 97다55829).

③ 법률행위가 사기에 의한 것으로서 취소되는 경우에 그 법률행위가 동시에 불법행위를 구성하는 때에는 취소의 효과로 생기는 부당이득반환청구권과 불법행위로 인한 손해배상청구권은 경합하여 병존하는 것이므로, 채권자는 어느 것이라도 선택하여 행사할 수 있지만 중첩적으로 행사할 수는 없다(대판 1993.4.27, 92다56087).

④ 부동산의 양도계약이 사기에 의한 의사표시에 해당하는 경우에 있어서는 공시방법인 소유권이전등기를 마친 기망행위자와 사이에 새로운 법률원인을 맺어 이해관계를 갖게 된 자만이 민법 제110조 제3항 소정의 제3자에 해당한다고 할 수 없다(대판 1997.12.26, 96다44860).

⑤ 매매계약이 취소된 경우에 당사자 쌍방의 원상회복의무는 동시이행의 관계에 있다(대판 2001.7.10, 2001다3764).

정답 ▶ 23 ② 24 ④

25 사기·강박에 의한 의사표시에 관한 다음 설명 중 가장 옳지 않은 것은? (다툼이 있는 경우 판례에 의함)

① 제3자의 기망행위에 의하여 의사표시를 한 자는 상대방이 그 사실을 알았거나 알 수 있었을 경우에 그 의사표시를 취소할 수 있는 바, '상대방의 피용자'는 그가 그 의사표시에 관한 상대방의 대리인 등 상대방과 동일시할 수 있는 지위에 있더라도 위 규정에서 말하는 '제3자'에 해당한다.

② 강박에 의한 법률행위가 취소되는 것에 그치지 않고 무효로 되기 위하여는, 의사표시자로 하여금 의사결정을 스스로 할 수 있는 여지를 완전히 박탈한 상태에서 의사표시가 이루어져 단지 법률행위의 외형만이 만들어진 것에 불과한 정도이어야 한다.

③ 법률행위 취소의 원인이 될 강박이 있다고 하기 위하여는, 표의자로 하여금 외포심을 생기게 하고 이로 인하여 법률행위 의사를 결정하게 할 고의로써 불법으로 해악을 통고한 경우라야 한다.

④ 사기·강박에 의한 의사표시의 취소는 선의의 제3자에게 대항하지 못한다고 할 때, 여기서의 '제3자'에는 취소의 의사표시 전에 이해관계를 맺은 자 및 취소의 의사표시 후 말소등기 전에 이해관계를 맺은 제3자도 포함된다.

⑤ 사기에 의한 취소권을 행사한 경우, 취소의 효과로 생기는 부당이득반환청구권과 불법행위로 인한 손해배상청구권은 경합하여 병존하는 것이므로 채권자는 어느 것이라도 선택하여 행사할 수 있지만 중첩적으로 행사할 수는 없다.

해설 ① 의사표시의 상대방이 아닌 자로서 기망행위를 하였으나 민법 제110조 제2항에서 정한 제3자에 해당되지 아니한다고 볼 수 있는 자란 그 의사표시에 관한 상대방의 대리인 등 상대방과 동일시할 수 있는 자만을 의미하고, 단순히 상대방의 피용자이거나 상대방이 사용자책임을 져야 할 관계에 있는 피용자에 지나지 않는 자는 상대방과 동일시할 수는 없어 이 규정에서 말하는 제3자에 해당한다(대판 1998.1.23, 96다41496).

② 강박에 의한 의사표시라고 하려면 상대방이 불법으로 어떤 해악을 고지함으로 말미암아 공포를 느끼고 의사표시를 한 것이어야 한다. 강박에 의한 법률행위가 하자 있는 의사표시로서 취소되는 것에 그치지 않고 나아가 <u>무효로 되기 위하여는, 강박의 정도가 단순한 불법적 해악의 고지로 상대방으로 하여금 공포를 느끼도록 하는 정도가 아니고, 의사표시자로 하여금 의사결정을 스스로 할 수 있는 여지를 완전히 박탈한 상태에서 의사표시가 이루어져 단지 법률행위의 외형만이 만들어진 것에 불과한 정도이어야 한다.</u> (따라서) 제반 사정을 고려하여 의무부담의 의사표시가 강박으로 인하여 의사결정을 스스로 할 수 있는 여지를 완전히 박탈당한 상태에서 이루어진 것으로 보기 어렵다면 강박에 의한 의사표시로서 취소할 수 있을 뿐이다(대판 2003.5.13, 2002다73708·73715).

③ 강박에 의하여 표의자의 취소권이 발생하기 위해서는 강박행위가 강박자의 고의에 의한 것이어야 한다. 강박자의 고의란 해악의 고지를 통하여 상대방이 표의자로 하여금 공포심을 생기게 하고(제1단계 고의), 이로 인하여 표의자로 하여금 의사표시를 하게 할 고의(제2단계 고의)가 있어야 한다는 것이 통설과 판례의 태도이다.
법률행위취소의 원인이 될 강박이 있다고 하기 위하여서는 당해 의사표시를 받을 상대방이 표의자로 하여금 외포심을 생하게 하고 이로 인하여 법률행위 의사를 결정하게 할 고의로서 불법으로 장래의 해악을 통고한 경우라야 한다(대판 1975.3.25, 73다1048).

④ 선의의 제3자에게 대항하지 못한다고 할 때, 보호되는 제3자의 범위에 대해서 판례는 '제3자'에는 취소의 의사표시 전에 이해관계를 맺은 자 및 취소의 의사표시 후 말소등기 전에 이해관계를 맺은 제3자도 포함된다는 입장이다(무제한설 – 대판 1975.12.23, 75다533).

⑤ 사기에 의한 취소권을 행사한 경우, 취소의 효과로 생기는 부당이득반환청구권과 불법행위로 인한 손해배상청구권은 경합하여 병존하는 것이므로 채권자는 어느 것이라도 선택하여 행사할 수 있지만 중첩적으로 행사할 수는 없다(대판 1993.4.27, 92다56087).

26 의사표시의 하자에 관한 설명 중 가장 옳은 것은? (다툼이 있는 경우에는 판례에 의함)

① 채무자의 법률행위가 통정허위표시인 경우에는 그 법률행위는 무효이므로, 채권자취소권의 대상으로 될 수 없다.

② 의사표시는 표의자가 진의가 아님을 알고 한 것이라도 언제나 그 효력이 있다.

③ 강박에 의한 법률행위는 의사표시자로 하여금 의사결정을 스스로 할 수 있는 여지를 완전히 박탈한 상태에서 의사표시가 이루어진 경우라 하더라도 취소하지 않는 한 효력이 있다.

④ 상대방 있는 의사표시에 관하여 제3자가 사기나 강박을 한 경우에는 상대방이 그 사실을 알았거나 알 수 있었을 경우에 한하여 그 의사표시를 취소할 수 있으나, 상대방의 대리인의 사기나 강박은 여기서 말하는 제3자의 사기·강박에 해당하지 아니한다.

⑤ 표의자가 의사표시의 내용을 진정으로 마음속에서 바라지 아니하였다면 당시의 상황에서는 그것이 최선이라고 판단하여 그 의사표시를 하였더라도 내심의 효과의사가 결여된 진의 아닌 의사표시라고 할 수 있다.

해설 ① 채무자의 법률행위가 통정허위표시인 경우에도 채권자취소권의 대상이 되고, 한편 채권자취소권의 대상으로 된 채무자의 법률행위라도 통정허위표시의 요건을 갖춘 경우에는 무효라고 할 것이다(대판 1998.2.27, 97다50985).

② 원칙적으로 유효하나, 그 비진의표시에 대하여 상대방이 알거나 알 수 있는 경우에는 무효이다(민법 제107조 제1항 참조).

③ 강박에 의한 법률행위가 하자 있는 의사표시로서 취소되는 것에 그치지 않고 나아가 무효로되기 위하여는, 강박의 정도가 단순한 불법적 해악의 고지로 상대방으로 하여금 공포를 느끼도록 하는 정도가 아니고, 의사표시자로 하여금 의사결정을 스스로 할 수 있는 여지를 완전히 박탈한 상태에서 의사표시가 이루어져 단지 법률행위의 외형만이 만들어진 것에 불과한 정도이어야 한다(대판 2003.5.13, 2002다73708).

④ 상대방 있는 의사표시에 관하여 제3자가 사기나 강박을 한 경우에는 상대방이 그 사실을 알았거나 알 수 있었을 경우에 한하여 그 의사표시를 취소할 수 있으나(제110조 제2항), 다만 상대방의 대리인 등 상대방과 동일시할 수 있는 자의 사기나 강박은 제3자의 사기·강박에 해당하지 아니한다(대판 1999.2.23, 98다60828).

⑤ 진의 아닌 의사표시에 있어서의 '진의'란 특정한 내용의 의사표시를 하고자 하는 표의자의 생각을 말하는 것이지 표의자가 진정으로 마음속에서 바라는 사항을 뜻하는 것은 아니므로 표의자가 의사표시의 내용을 진정으로 마음속에서 바라지는 아니하였다고 하더라도 당시의 상황에서는 그것이 최선이라고 판단하여 그 의사표시를 하였을 경우에는 이를 내심의 효과 의사가 결여된 진의 아닌 의사표시라고 할 수 없다(대판 2003.4.25, 2002다11458).

27 의사표시의 취소에 관한 설명 중 옳은 것을 모두 고른 것은? (다툼이 있는 경우 판례에 의함)
▶ 2016년 변호사

ㄱ. 甲이 제3자의 기망행위에 의하여 신원보증서류에 서명날인한다는 착각에 빠진 상태로 연대보증의 서면에 서명날인하였다면, 甲은 연대보증계약의 상대방이 위 기망행위를 알았거나 알 수 있었을 경우에만 연대보증계약을 취소할 수 있다.

ㄴ. 원고가 피고를 상대로 매매계약의 이행을 청구하는 소송에서 피고가 착오를 이유로 매매계약의 취소를 주장하는 경우, 피고는 착오가 자신의 중대한 과실에 의한 것이 아니라는 점에 대한 증명책임을 진다.

ㄷ. 상대방이 표의자의 착오를 알고 이를 이용한 경우에는 착오가 표의자의 중대한 과실로 인한 것이라고 하더라도 표의자는 의사표시를 취소할 수 있다.

ㄹ. 경과실로 인해 착오에 빠진 표의자가 착오를 이유로 자신의 의사표시를 취소하였더라도 이로 인해 상대방에 대하여 불법행위로 인한 손해배상책임을 지지 않는다.

① ㄱ, ㄴ   ② ㄱ, ㄹ   ③ ㄷ, ㄹ
④ ㄱ, ㄴ, ㄷ   ⑤ ㄴ, ㄷ, ㄹ

해설 ㄱ. 甲이 제3자의 기망행위에 의하여 신원보증서류에 서명날인한다는 착각에 빠진 상태로 연대보증의 서면에 서명날인하였다면, 甲은 연대보증계약의 상대방이 위 기망행위를 알았거나 알 수 있었을 경우에만 연대보증계약을 취소할 수 있는 제110조 제2항 법리를 적용하지 않고 제109조 착오법리를 적용한다(대판 2005.5.27, 2004다43824).

ㄴ. 원고가 피고를 상대로 매매계약의 이행을 청구하는 소송에서 피고가 착오를 이유로 매매계약의 취소를 주장하는 경우, 착오취소를 주장하는 피고는 착오가 법률행위 중요부분에 착오가 있다는 사실을 증명하여야 하고, 자신의 중대한 과실에 의한 것이 아니라는 점에 대한 증명책임을 부담하지 않는다. 중대한 과실은 착오취소의 상대방(이 경우는 원고)이 부담한다(대판 2008.1.17, 2007다74188).

ㄷ. 민법의 착오취소규정은 표의자가 중대한 과실이 있으면 취소할 수 없으나, 상대방이 표의자의 착오를 알고 이를 이용한 경우에는 착오가 표의자의 중대한 과실로 인한 것이라고 하더라도 표의자는 의사표시를 취소할 수 있다(대판 2014.11.27, 2013다49794).

ㄹ. 전문건설공제조합사건이다. 즉 경과실로 인해 착오에 빠진 표의자가 착오를 이유로 자신의 의사표시를 취소하였더라도 이로 인해 상대방에 대하여 제750조 불법행위로 인한 손해배상책임을 지지 않는데, 그 이유는 그 취소한 행위가 위법하지 않기 때문이다(대판 1997.8.22, 97다13023).

28 법률행위와 의사표시에 관한 다음 설명 중 가장 옳지 않은 것은? (다툼이 있는 경우 판례에 의하고, 전원합의체 판결의 경우 다수의견에 의함) ▶ 2019년 법원행시

① 단지 법률행위의 성립과정에 강박이라는 불법적 방법이 사용된 데에 불과한 경우, 강박에 의한 의사표시의 하자나 의사의 흠결을 이유로 효력을 논의할 수는 있어도, 그 자체로 민법 제103조에 의하여 반사회질서의 법률행위로서 무효라고 할 수는 없다.

② 일반적인 매매거래에서는, 특별한 사정이 없는 한 매수인이 목적물의 시가를 묵비하여 매도인에게 고지하지 아니하거나 혹은 시가보다 낮은 가액을 시가라고 고지하였다 하더라도, 상대방의 의사결정에 불법적인 간섭을 하였다고 볼 수 없다.

③ 동일한 사항에 관하여 내용을 달리하는 문서가 중복하여 작성된 경우에는 마지막에 작성된 문서에 작성자의 최종적인 의사가 담겨 있다고 해석하는 것이 일반적이라고 할 수 있지만, 마지막에 작성된 문서에 의한 법률행위가 최종적으로 완성되지 아니하는 등의 사유로 종전에 작성된 문서에 의한 법률행위가 철회되었다고 보기 어려운 사정이 있는 경우에는 그와 같이 해석할 수 없다.

④ 신원보증서류에 서명날인한다는 착각에 빠진 상태로 연대보증의 서면에 서명날인한 경우, 위와 같은 행위는 표시상의 착오에 해당하므로, 비록 위와 같은 착오가 제3자의 기망행위에 의하여 일어난 것이라 하더라도 그에 관하여는 사기에 의한 의사표시에 관한 법리, 특히 상대방이 그러한 제3자의 기망행위 사실을 알았거나 알 수 있었을 경우가 아닌 한 의사표시자가 취소권을 행사할 수 없다는 민법 제110조 제2항의 규정을 적용할 것이 아니라, 착오에 의한 의사표시에 관한 법리만을 적용하여 취소권 행사의 가부를 가려야 한다.

⑤ 강박에 의하여 甲에게 부동산을 증여한 乙이 그 취소권을 행사하지 않은 채 그 부동산을 丙에게 이중양도하고 취소권의 제척기간이 도과한 후 그 이중양도계약에 기하여 丙에게 부동산에 관한 소유권이전등기를 경료하여 준 경우, 甲에 대한 증여계약상의 소유권이전등기의무는 이행불능이 되어 증여계약에 대한 채무불이행이 성립하더라도, 乙의 위와 같은 이중양도행위는 甲의 강박에 기인한 것이므로 위법하다고 할 수 없다.

해설 ① 법률행위 성립과정에서 불법적 방법이 사용된데 불과한 때에 그 불법이 의사표시의 형성에 영향을 미친 경우에는 의사표시의 하자를 이유로 그 효력을 논의할 수 있을지언정 반사회질서의 법률행위로서 무효라고 할 수는 없다(대판 1996.4.26, 94다34432).

② 일반적으로 매매거래에서 매수인은 목적물을 염가로 구입할 것을 희망하고 매도인은 목적물을 고가로 처분하기를 희망하는 이해상반의 지위에 있으며, 각자가 자신의 지식과 경험을 이용하여 최대한으로 자신의 이익을 도모할 것으로 예상되기 때문에, 당사자 일방이 알고 있는 정보를 상대방에게 사실대로 고지하여야 할 신의칙상 의무가 인정된다고 볼만한 특별한 사정이 없는 한, 매수인이 목적물의 시가를 묵비하여 매도인에게 고지하지 아니하거나 혹은 시가보다 낮은 가액을 시가라고 고지하였다 하더라도, 상대방의 의사결정에 불법적인 간섭을 하였다고 볼 수 없으므로 불법행위가 성립한다고 볼 수 없다(대판 2014.4.10, 2012다54997).

정답 ▶ 27 ③ 28 ⑤

③ 동일한 사항에 관하여 내용을 달리하는 문서가 중복하여 작성된 경우에는 마지막에 작성된 문서에 작성자의 최종적인 의사가 담겨 있다고 해석하는 것이 일반적이라고 할 수 있지만, 마지막에 작성된 문서에 의한 법률행위가 최종적으로 완성되지 아니하는 등의 사유로 종전에 작성된 문서에 의한 법률행위가 철회되었다고 보기 어려운 사정이 있는 경우에는 그와 같이 해석할 수 없다(대판 2013.1.16, 2011다102776).

④ 사기에 의한 의사표시란 타인의 기망행위로 말미암아 착오에 빠지게 된 결과 어떠한 의사표시를 하게 되는 경우이므로 거기에는 의사와 표시의 불일치가 있을 수 없고, 단지 의사의 형성과정 즉 의사표시의 동기에 착오가 있는 것에 불과하며, 이 점에서 고유한 의미의 착오에 의한 의사표시와 구분되는데, 신원보증서류에 서명날인한다는 착각에 빠진 상태로 연대보증의 서면에 서명날인한 경우, 결국 위와 같은 행위는 강학상 기명날인의 착오(또는 서명의 착오), 즉 어떤 사람이 자신의 의사와 다른 법률효과를 발생시키는 내용의 서면에, 그것을 읽지 않거나 올바르게 이해하지 못한 채 기명날인을 하는 이른바 표시상의 착오에 해당하므로, 비록 위와 같은 착오가 제3자의 기망행위에 의하여 일어난 것이라 하더라도 그에 관하여는 사기에 의한 의사표시에 관한 법리, 특히 상대방이 그러한 제3자의 기망행위 사실을 알았거나 알 수 있었을 경우가 아닌 한 의사표시자가 취소권을 행사할 수 없다는 민법 제110조 제2항의 규정을 적용할 것이 아니라, 착오에 의한 의사표시에 관한 법리만을 적용하여 취소권 행사의 가부를 가려야 한다(대판 2005.5.27, 2004다43824).

⑤ 채무불이행에 있어서 확정된 채무의 내용에 좇은 이행이 행하여지지 아니하였다면 그 자체가 바로 위법한 것으로 평가되는 것이고, 다만 그 이행하지 아니한 것이 위법성을 조각할 만한 행위에 해당하게 되는 특별한 사정이 있는 때에는 채무불이행이 성립하지 않는 경우도 있을 수 있다. 강박에 의하여 甲에게 부동산에 관한 증여의 의사표시를 한 乙이 그 취소권을 행사하지 않은 채 그 부동산을 제3자 丙에게 이중양도하고 취소권의 제척기간마저 도과하여 버린 후 그 이중양도계약에 기하여 제3자 丙에게 부동산에 관한 소유권이전등기를 경료하여 줌으로써 甲에 대한 증여계약상의 소유권이전등기의무를 이행불능케 한 경우, 乙의 甲에 대한 증여계약 자체에 대한 채무불이행이 성립하고, 乙의 위와 같은 이중양도행위가 사회상규에 위배되지 않는 정당행위 등에 해당하여 위법성이 조각된다고 볼 수 없다고 한 사례이다(대판 2002.12.27, 2000다47361).

29 다음은 의사표시에 관한 민법규정이다. 빈칸에 들어갈 말을 가장 옳게 나열한 것은? (다툼이 있는 경우 판례에 의하고, 전원합의체 판결의 경우 다수의견에 의함) ▸ 2020년 9급(법원서기보)

ㄱ. 의사표시는 표의자가 진의 아님을 알고 한 것이라도 그 효력이 있다. 그러나 상대방이 표의자의 진의 아님을 알았거나 이를 알 수 있었을 경우에는 (㉠).

ㄴ. 의사표시는 법률행위의 내용의 중요부분에 착오가 있는 때에는 (㉡). 그러나 그 착오가 표의자의 중대한 과실로 인한 때에는 그러하지 아니하다.

ㄷ. 상대방과 통정한 허위의 의사표시는 (㉢).

ㄹ. 상대방 있는 의사표시에 관하여 제3자가 사기나 강박을 행한 경우에는 상대방이 그 사실을 알았거나 알 수 있었을 경우에 한하여 그 의사표시를 (㉣).

ㅁ. 취소권은 (㉤)로부터 3년 내에, 법률행위를 한 날로부터 10년 내에 행사하여야 한다.

	㉠	㉡	㉢	㉣	㉤
①	무효로 한다	취소할 수 있다	무효로 한다	무효로 한다	취소원인을 안 날
②	무효로 한다	취소할 수 있다	무효로 한다	취소할 수 있다	추인할 수 있는 날
③	무효로 한다	취소할 수 있다	무효로 한다	취소할 수 있다	취소원인을 안 날
④	취소할 수 있다	취소할 수 있다	취소할 수 있다	무효로 한다	추인할 수 있는 날

해설 ㄱ 제107조 제1항【진의 아닌 의사표시】의사표시는 표의자가 진의 아님을 알고 한 것이라도 그 효력이 있다. 그러나 상대방이 표의자의 진의 아님을 알았거나 이를 알 수 있었을 경우에는 무효로 한다.

ㄴ 제109조 제1항【착오로 인한 의사표시】의사표시는 법률행위의 내용의 중요부분에 착오가 있는 때에는 취소할 수 있다. 그러나 그 착오가 표의자의 중대한 과실로 인한 때에는 취소하지 못한다.

ㄷ 제108조 제1항【통정한 허위의 의사표시】상대방과 통정한 허위의 의사표시는 무효로 한다.

ㄹ 제110조 제2항【사기, 강박에 의한 의사표시】상대방 있는 의사표시에 관하여 제3자가 사기나 강박을 행한 경우에는 상대방이 그 사실을 알았거나 알 수 있었을 경우에 한하여 그 의사표시를 취소할 수 있다.

ㅁ 제146조【취소권의 소멸】취소권은 추인할 수 있는 날로부터 3년 내에, 법률행위를 한 날로부터 10년 내에 행사하여야 한다.

정답 29 ②

30 의사표시의 효력발생에 관한 다음 설명 중 가장 옳지 않은 것은? (다툼이 있는 경우 판례에 의함)
▶ 2019년 법원주사보

① 상대방 없는 의사표시인 유언은 의사표시가 성립할 때 그 효력이 발생한다.

② 의사표시자가 그 통지를 발송한 후 사망하거나 제한능력자가 되어도 의사표시의 효력에 영향을 미치지 아니한다.

③ 내용증명우편이나 등기우편과는 달리, 보통우편의 방법으로 발송되었다는 사실만으로는 그 우편물이 상당기간 내에 도달하였다고 추정할 수 없고 송달의 효력을 주장하는 측에서 증거에 의하여 도달사실을 증명하여야 한다.

④ 아파트 경비원이 집배원으로부터 우편물을 수령한 후 이를 우편함에 넣어 둔 사실만으로 수취인이 그 우편물을 수취하였다고 추단할 수 없다.

> **해설** ① 상대방 없는 의사표시는 원칙적으로 표시행위가 완료된 때, 즉 의사표시가 성립할 때 그 효력이 발생한다. 다만 유언의 경우에는 제1065조의 방식을 준수하고, 유언자가 사망한 때에 효력이 발생한다(제1073조).
> ② 의사표시자가 그 통지를 발송한 후 사망하거나 제한능력자가 되어도 의사표시의 효력에 영향을 미치지 아니한다(제111조 제2항).
> ③ 내용증명우편이나 등기우편과는 달리, 보통우편의 방법으로 발송되었다는 사실만으로는 그 우편물이 상당기간 내에 도달하였다고 추정할 수 없고, 송달의 효력을 주장하는 측에서 증거에 의하여 도달사실을 입증하여야 한다(대판 2002.7.26, 2000다25002).
> ④ 아파트 경비원이 집배원으로부터 우편물을 수령한 후 이를 우편함에 넣어 둔 사실만으로 수취인이 그 우편물을 수취하였다고 추단할 수 없다(대판 2006.3.24, 2005다66411).

31 하자 있는 의사표시에 관한 다음 설명 중 가장 옳지 않은 것은? (다툼이 있는 경우 판례에 의함)
▶ 2020년 법원사무관 승진

① 민법 제108조 제1항에서 상대방과 통정한 허위의 의사표시를 무효로 규정하고, 제2항에서 그 의사표시의 무효는 선의의 제3자에게 대항하지 못한다고 규정하고 있다. 여기에서 제3자는 특별한 사정이 없는 한 선의로 추정된다. 따라서 제3자가 악의라는 사실에 관한 주장·입증책임은 그 허위표시의 무효를 주장하는 자에게 있다.

② 강학상 기명날인의 착오(또는 서명의 착오), 즉 어떤 사람이 자신의 의사와 다른 법률효과를 발생시키는 내용의 서면에, 그것을 읽지 않거나 올바르게 이해하지 못한 채 기명날인을 하는 이른바 표시상의 착오는 착오에 의한 의사표시에 관한 법리를 적용하여 취소권 행사의 가부를 가려야 한다.

③ 실제로는 전세권설정계약을 체결하지 아니하였으면서도 임대차계약에 기한 임차보증금반환채권을 담보할 목적 또는 금융기관으로부터 자금을 융통할 목적으로 임차인과 임대인 사이의 합의에 따라 임차인 명의로 전세권설정등기를 경료한 경우, 위 전세권설정계약이 통정허위표시에 해당하여 무효라 하더라도 위 전세권설정계약에 의하여 형성

된 법률관계에 기초하여 새로이 법률상 이해관계를 가지게 된 제3자에 대하여는 그 제3자가 그와 같은 사정을 알고 있었던 경우에만 그 무효를 주장할 수 있다.

④ 진의 아닌 의사표시에 있어서의 진의란 표의자가 진정으로 마음속에서 바라는 사항을 뜻한다. 따라서 표의자가 의사표시의 내용을 진정으로 마음속에서 바라지는 아니하였지만 당시의 상황에서는 그것이 최선이라고 판단하여 한 의사표시도 진의 아닌 의사표시에 해당한다.

해설 ① 민법 제108조 제1항에서 상대방과 통정한 허위의 의사표시를 무효로 규정하고, 제2항에서 그 의사표시의 무효는 선의의 제3자에게 대항하지 못한다고 규정하고 있는데, 여기에서 제3자는 특별한 사정이 없는 한 선의로 추정할 것이므로, 제3자가 악의라는 사실에 관한 주장·입증책임은 그 허위표시의 무효를 주장하는 자에게 있다(대판 2006.3.10, 2002다1321).

② 사기에 의한 의사표시란 타인의 기망행위로 말미암아 착오에 빠지게 된 결과 어떠한 의사표시를 하게 되는 경우이므로 거기에는 의사와 표시의 불일치가 있을 수 없고, 단지 의사의 형성과정 즉 의사표시의 동기에 착오가 있는 것에 불과하며, 이 점에서 고유한 의미의 착오에 의한 의사표시와 구분되는데, 신원보증서류에 서명날인한다는 착각에 빠진 상태로 연대보증의 서면에 서명날인한 경우, 결국 위와 같은 행위는 강학상 기명날인의 착오(또는 서명의 착오), 즉 어떤 사람이 자신의 의사와 다른 법률효과를 발생시키는 내용의 서면에, 그것을 읽지 않거나 올바르게 이해하지 못한 채 기명날인을 하는 이른바 표시상의 착오에 해당하므로, 비록 위와 같은 착오가 제3자의 기망행위에 의하여 일어난 것이라 하더라도 그에 관하여는 사기에 의한 의사표시에 관한 법리, 특히 상대방이 그러한 제3자의 기망행위 사실을 알았거나 알 수 있었을 경우가 아닌 한 의사표시자가 취소권을 행사할 수 없다는 민법 제110조 제2항의 규정을 적용할 것이 아니라, 착오에 의한 의사표시에 관한 법리만을 적용하여 취소권 행사의 가부를 가려야 한다(대판 2005.5.27, 2004다43824).

③ 실제로는 전세권설정계약을 체결하지 아니하였으면서도 임대차계약에 기한 임차보증금반환채권을 담보할 목적 또는 금융기관으로부터 자금을 융통할 목적으로 임차인과 임대인 사이의 합의에 따라 임차인 명의로 전세권설정등기를 경료한 경우에, 위 전세권설정계약이 통정허위표시에 해당하여 무효라 하더라도 위 전세권설정계약에 의하여 형성된 법률관계에 기초하여 새로이 법률상 이해관계를 가지게 된 제3자에 대하여는 그 제3자가 그와 같은 사정을 알고 있었던 경우에만 그 무효를 주장할 수 있다. 그리고 여기에서 선의의 제3자가 보호될 수 있는 법률상 이해관계는 위 전세권설정계약의 당사자를 상대로 하여 직접 법률상 이해관계를 가지는 경우 외에도 그 법률상 이해관계를 바탕으로 하여 다시 위 전세권설정계약에 의하여 형성된 법률관계와 새로이 법률상 이해관계를 가지게 되는 경우도 포함된다(대판 2013.2.15, 2012다49292).

④ 진의 아닌 의사표시에 있어서의 '진의'란 특정한 내용의 의사표시를 하고자 하는 표의자의 생각을 말하는 것이지 표의자가 진정으로 마음속에서 바라는 사항을 뜻하는 것은 아니므로 표의자가 의사표시의 내용을 진정으로 마음속에서 바라지는 아니하였다고 하더라도 당시의 상황에서는 그것이 최선이라고 판단하여 그 의사표시를 하였을 경우에는 이를 내심의 효과의사가 결여된 진의 아닌 의사표시라고 할 수 없다(대판 2003.4.25, 2002다11458).

정답 30 ① 31 ④

32 다음 설명 중 옳지 않은 것은 모두 몇 개인가? ▸ 2021년 법원행시

가. 상대방 있는 의사표시에 관하여 제3자가 사기나 강박을 한 경우에는 상대방이 그 사실을 알았거나 알 수 있었을 경우에 한하여 그 의사표시를 취소할 수 있으나, 상대방의 대리인 등 상대방과 동일시할 수 있는 자의 사기나 강박은 제3자의 사기·강박에 해당하지 아니한다.

나. 동기의 착오가 법률행위의 내용 중 중요부분의 착오에 해당함을 이유로 표의자가 법률행위를 취소하려면 당사자들 사이에 별도로 그 동기를 의사표시의 내용으로 삼기로 하는 합의가 이루어져야 하는 것 외에, 그 법률행위의 내용의 착오가 보통 일반인이 표의자의 처지에 있었더라면 그와 같은 의사표시를 하지 아니하였으리라고 여겨질 정도로 중요한 부분에 관한 것이어야 한다.

다. 상품의 선전 광고에 있어서 거래의 중요한 사항에 관하여 구체적 사실을 신의성실의 의무에 비추어 비난받을 정도의 방법으로 허위로 고지한 경우에는 기망행위에 해당한다고 할 것이나, 그 선전 광고에 다소의 과장 허위가 수반되는 것은 그것이 일반 상거래의 관행과 신의칙에 비추어 시인될 수 있는 것이라면 기망행위라고 할 수 없다.

라. 강박에 의한 법률행위가 하자 있는 의사표시로서 취소되는 것에 그치지 않고 나아가 무효로 되기 위해서는, 의사표시자로 하여금 의사결정을 스스로 할 수 있는 여지를 완전히 박탈한 상태에서 의사표시가 이루어져 단지 법률행위의 외형만이 만들어진 것에 불과한 정도에 이를 것을 요하는 것은 아니다.

마. 강박에 의한 의사표시라고 하려면 상대방이 불법으로 어떤 해악을 고지함으로 말미암아 공포를 느끼고 의사표시를 한 것이어야 하는바, 여기서 어떤 해악을 고지하는 강박행위가 위법하다고 하기 위하여는 강박행위 당시의 거래관념과 제반 사정에 비추어 해악의 고지로써 추구하는 이익이 정당하지 아니하거나 강박의 수단으로 상대방에게 고지하는 해악의 내용이 법질서에 위배된 경우 또는 어떤 해악의 고지가 거래관념상 그 해악의 고지로써 추구하는 이익의 달성을 위한 수단으로 부적당한 경우 등에 해당하여야 한다.

① 없음   ② 1개   ③ 2개
④ 3개   ⑤ 4개

해설 가. 상대방 있는 의사표시에 관하여 제3자가 사기나 강박을 한 경우에는 상대방이 그 사실을 알았거나 알 수 있었을 경우에 한하여 그 의사표시를 취소할 수 있으나(제110조 제2항), 다만 상대방의 대리인 등 상대방과 동일시할 수 있는 자의 사기나 강박은 제3자의 사기·강박에 해당하지 아니한다(대판 1999.2.23. 98다60828·60835).

나. 동기의 착오가 법률행위의 내용의 중요부분의 착오에 해당함을 이유로 표의자가 법률행위를 취소하려면 그 동기를 당해 의사표시의 내용으로 삼을 것을 상대방에게 표시하고 의사표시의 해석상 법률행위의 내용으로 되어 있다고 인정되면 충분하고 당사자들 사이에 별도로 그 동기를 의사표시의 내용으로 삼기로 하는 합의까지 이루어질 필요는 없지만, 그 법률행위의 내용의 착오가 보통 일반인이 표의자의 입장에 있었더라면 그와 같은 의사표시를 하지 아니하였으리라고 여겨질 정도로 중요한 부분에 관한 것이어야 한다(대판 2000.5.12. 2000다12259).

다. 상품의 선전 광고에 있어서 거래의 중요한 사항에 관하여 구체적 사실을 신의성실의 의무에 비추어 비난받을 정도의 방법으로 허위로 고지한 경우에는 기망행위에 해당한다고 할 것이나, 그 선전 광고에 다소의 과장 허위가 수반되는 것은 그것이 일반 상거래의 관행과 신의칙에 비추어 시인될 수 있는 한 기망성이 결여된다(대판 2001.5.29, 99다55601·55618).

라. 강박에 의한 법률행위가 하자 있는 의사표시로서 취소되는 것에 그치지 않고 나아가 무효로 되기 위하여는, 강박의 정도가 단순한 불법적 해악의 고지로 상대방으로 하여금 공포를 느끼도록 하는 정도가 아니고, 의사표시자로 하여금 의사결정을 스스로 할 수 있는 여지를 완전히 박탈한 상태에서 의사표시가 이루어져 단지 법률행위의 외형만이 만들어진 것에 불과한 정도이어야 한다(대판 2003.5.13, 2002다73708·73715).

마. 강박에 의한 의사표시라고 하려면 상대방이 불법으로 어떤 해악을 고지함으로 말미암아 공포를 느끼고 의사표시를 한 것이어야 하는바, 여기서 어떤 해악을 고지하는 강박행위가 위법하다고 하기 위하여는 강박행위 당시의 거래관념과 제반 사정에 비추어 해악의 고지로써 추구하는 이익이 정당하지 아니하거나 강박의 수단으로 상대방에게 고지하는 해악의 내용이 법질서에 위배된 경우 또는 어떤 해악의 고지가 거래관념상 그 해악의 고지로써 추구하는 이익의 달성을 위한 수단으로 부적당한 경우 등에 해당하여야 한다(대판 2010.2.11, 2009다72643).

33 의사표시에 관한 다음 설명 중 가장 옳지 않은 것은? ▶ 2024년 법원행시

① 통정한 허위표시에 의하여 외형상 형성된 법률관계로 생긴 채권을 가압류한 경우, 그 가압류권자는 허위표시에 기초하여 새로운 법률상 이해관계를 가지게 되므로 민법 제108조 제2항의 제3자에 해당한다.

② 동기의 착오가 법률행위의 내용의 중요부분의 착오에 해당함을 이유로 표의자가 법률행위를 취소하려면 그 동기를 의사표시의 내용으로 삼을 것을 상대방에게 표시하고 의사표시의 해석상 법률행위의 내용으로 되어 있다고 인정되며, 당사자들 사이에 별도로 그 동기를 의사표시의 내용으로 삼기로 하는 합의까지 이루어졌어야 한다.

③ 채무자의 법률행위가 통정허위표시인 경우에도 채권자취소권의 대상이 되고, 채권자취소권의 대상이 된 법률행위라도 통정허위표시의 요건을 갖춘 경우에는 무효이다.

④ 진의 아닌 의사표시라도 표시된 대로 효력이 발생함이 원칙이나 상대방이 진의 아님을 알았거나 알 수 있었다면 그 의사표시는 무효이고, 그 무효는 선의의 제3자에게 대항하지 못한다.

⑤ 계약당사자 쌍방이 계약의 전제나 기초가 되는 사항에 관하여 같은 내용으로 착오가 있고 이로 인하여 그에 관한 구체적 약정을 하지 아니하였다면, 당사자가 그러한 착오가 없을 때에 약정하였을 것으로 보이는 내용으로 당사자의 의사를 보충하여 계약을 해석할 수 있다.

정답 32 ③ 33 ②

해설 ① 대판 2004.5.28, 2003다70041

② 동기의 착오가 법률행위의 내용 중 중요부분의 착오에 해당함을 이유로 표의자가 법률행위를 취소하려면 그 동기를 당해 의사표시의 내용으로 삼을 것을 상대방에게 표시하고 의사표시의 해석상 법률행위의 내용으로 되어 있다고 인정되면 충분하고 당사자들 사이에 별도로 그 동기를 의사표시의 내용으로 삼기로 하는 합의까지 이루어질 필요는 없지만, 그 법률행위의 내용의 착오는 보통 일반인이 표의자의 처지에 있었더라면 그와 같은 의사표시를 하지 아니하였으리라고 여겨질 정도로 중요한 부분에 관한 것이어야 한다(대판 2019.4.23, 2015다28968).

③ 대판 1998.2.27, 97다50985

④ 민법 제107조 제1항·제2항

⑤ 계약당사자 쌍방이 계약의 전제나 기초가 되는 사항에 관하여 같은 내용으로 착오가 있고 이로 인하여 그에 관한 구체적 약정을 하지 아니하였다면, 당사자가 그러한 착오가 없을 때에 약정하였을 것으로 보이는 내용으로 당사자의 의사를 보충하여 계약을 해석할 수 있다. 여기서 보충되는 당사자의 의사는 당사자의 실제 의사 또는 주관적 의사가 아니라 계약의 목적, 거래관행, 적용법규, 신의칙 등에 비추어 객관적으로 추인되는 정당한 이익조정 의사를 말한다(대판 2023.8.18, 2019다200126).

34 의사표시에 관한 다음 설명 중 가장 옳지 않은 것은? ▸ 2023년 법원사무관 승진

① 상대방이 있는 의사표시에 관하여 제3자가 사기 또는 강박을 한 경우 표의자는 상대방이 그 사실을 알았거나 알 수 있었을 경우에 한하여 그 의사표시를 취소할 수 있다.

② 통정한 허위표시에 의하여 외형상 형성된 법률관계로 생긴 채권을 가압류한 경우, 그 가압류권자는 허위표시에 기초하여 새로운 법률상 이해관계를 가지게 되므로 민법 제108조 제2항의 제3자에 해당한다고 봄이 상당하다.

③ 진의 아닌 의사표시도 표시된 대로 효력을 발생함이 원칙이나, 상대방이 진의 아님을 알았거나 알 수 있었을 때에는 그 의사표시를 무효로 하며, 그 무효는 선의의 제3자에게 대항하지 못한다.

④ 채무자의 법률행위가 통정허위표시인 경우에는 채권자취소권의 대상이 된다고 볼 수 없다.

해설 ① 제110조 제2항

② 통정한 허위표시에 의하여 외형상 형성된 법률관계로 생긴 채권을 가압류한 경우, 그 가압류권자는 허위표시에 기초하여 새로운 법률상 이해관계를 가지게 되므로 민법 제108조 제2항의 제3자에 해당한다고 봄이 상당하고, 또한 민법 제108조 제2항의 제3자는 선의이면 족하고 무과실은 요건이 아니다(대판 2007.11.29, 2007다53013).

③ 제107조 제1항과 제2항

④ 채무자의 법률행위가 통정허위표시인 경우에도 채권자취소권의 대상이 되고, 한편 채권자취소권의 대상으로 된 채무자의 법률행위라도 통정허위표시의 요건을 갖춘 경우에는 무효라고 할 것이다(대판 1998.2.27, 97다50985).

35 민법상 의사와 표시의 불일치에 관한 다음 설명 중 옳은 것(O)과 옳지 않은 것(X)을 올바르게 조합한 것은?
▶ 2023년 법원행시

> ㄱ. 착오로 인한 취소 제도와 매도인의 하자담보책임 제도는 취지가 서로 다르고, 요건과 효과도 구별되므로, 매매계약 내용의 중요 부분에 착오가 있는 경우 매수인은 매도인의 하자담보책임이 성립하는지와 상관없이 착오를 이유로 매매계약을 취소할 수 있다.
>
> ㄴ. 실제로는 전세권설정계약이 없으면서도 금융기관으로부터 자금을 융통할 목적으로 임차인 甲과 임대인 乙 사이의 합의에 따라 甲 명의로 전세권설정등기를 경료한 후 그 전세권에 대하여 근저당권이 설정된 경우, 당해 전세권설정계약은 통정허위표시에 해당하여 무효이므로, 위 전세권근저당권자에 대하여도 그와 같은 사정을 알고 있었는지와 상관없이 무효를 주장할 수 있다.
>
> ㄷ. 통정허위표시에 의하여 경료된 근저당권에 대하여 배당이 이루어진 경우, 먼저 채권자취소의 소로써 취소된 이후라야만 그 무효를 주장하여 그에 기한 채권의 존부, 범위, 순위에 관한 배당이의의 소를 제기할 수 있다고 할 것이다.
>
> ㄹ. 민법 제108조 제2항에서 상대방과 통정한 허위의 의사표시의 무효는 선의의 제3자에게 대항하지 못한다고 규정하고 있는데, 여기에서 제3자는 특별한 사정이 없는 한 선의로 추정할 것이므로, 제3자가 악의라는 사실에 관한 주장·입증책임은 그 허위표시의 무효를 주장하는 자에게 있다.
>
> ㅁ. 계약당사자 쌍방이 계약의 전제나 기초가 되는 사항에 관하여 같은 내용으로 착오가 있고 이로 인하여 그에 관한 구체적 약정을 하지 아니하였다면, 당사자가 그러한 착오가 없을 때에 약정하였을 것으로 보이는 내용으로 당사자의 의사를 보충하여 계약을 해석할 수 있는바, 여기서 보충되는 당사자의 의사는 당사자의 실제 의사를 말한다.

① ㄱ(O), ㄴ(×), ㄷ(O), ㄹ(O), ㅁ(×)
② ㄱ(O), ㄴ(O), ㄷ(O), ㄹ(O), ㅁ(×)
③ ㄱ(O), ㄴ(×), ㄷ(×), ㄹ(O), ㅁ(×)
④ ㄱ(×), ㄴ(O), ㄷ(×), ㄹ(×), ㅁ(O)
⑤ ㄱ(×), ㄴ(×), ㄷ(O), ㄹ(×), ㅁ(O)

해설 ㄱ. 대판 2018.9.13, 2015다78703
ㄴ. 실제로는 전세권설정계약이 없으면서도 임대차계약에 기한 임차보증금반환채권을 담보할 목적 또는 금융기관으로부터 자금을 융통할 목적으로 임차인과 임대인 사이의 합의에 따라 임차인 명의로 전세권설정등기를 경료한 후 그 전세권에 대하여 근저당권이 설정된 경우, 가사 위 전세권설정계약만 놓고 보아 그것이 통정허위표시에 해당하여 무효라 하더라도 이로써 위 전세권설정계약에 의하여 형성된 법률관계를 토대로 별개의 법률원인에 의하여 새로운 법률상 이해관계를 갖게 된 근저당권자에 대하여는 그와 같은 사정을 알고 있었던 경우에만 그 무효를 주장할 수 있다(대판 2008.3.13, 2006다58912).

정답 ▶ 34 ④ 35 ③

ㄷ. 허위의 근저당권에 대하여 배당이 이루어진 경우, 통정한 허위의 의사표시는 당사자 사이에서는 물론 제3자에 대하여도 무효이고, 다만 선의의 제3자에 대하여만 이를 대항하지 못한다고 할 것이므로, **배당채권자는 채권자취소의 소로써 통정허위표시를 취소하지 않았다 하더라도 그 무효를 주장하여** 그에 기한 채권의 존부, 범위, 순위에 관한 **배당이의의 소를 제기할 수 있다**(대판 2001.5.8, 2000다9611).

ㄹ. 민법 제108조 제1항에서 상대방과 통정한 허위의 의사표시를 무효로 규정하고, 제2항에서 그 의사표시의 무효는 선의의 제3자에게 대항하지 못한다고 규정하고 있는데, 여기에서 제3자는 특별한 사정이 없는 한 **선의로 추정할 것이므로, 제3자가 악의라는 사실에 관한 주장·입증책임은 그 허위표시의 무효를 주장하는 자에게 있다**(대판 2006.3.10, 2002다1321).

ㅁ. 계약당사자 쌍방이 계약의 전제나 기초가 되는 사항에 관하여 같은 내용으로 착오를 하고 이로 인하여 그에 관한 구체적 약정을 하지 아니하였다면, 당사자가 그러한 착오가 없을 때에 약정하였을 것으로 보이는 내용으로 **당사자의 의사를 보충하여 계약을 해석할 수도 있으나,** 여기서 **보충되는 당사자의 의사란** 당사자의 실제 의사 내지 주관적 의사가 아니라 계약의 목적, 거래관행, 적용법규, 신의칙 등에 비추어 **객관적으로 추인되는 정당한 이익조정 의사를 말한다**고 할 것이다(대판 2014.4.24, 2013다218620).

36 착오로 인한 의사표시에 관한 다음 설명 중 가장 옳지 않은 것은? ▶ 2023년 법무사

① 동기의 착오가 법률행위의 내용의 중요 부분의 착오에 해당함을 이유로 표의자가 법률행위를 취소하려면 그 동기를 당해 의사표시의 내용으로 삼을 것을 상대방에게 표시하고 의사표시의 해석상 법률행위의 내용으로 되어 있다고 인정되면 충분하고 당사자들 사이에 별도로 그 동기를 의사표시의 내용으로 삼기로 하는 합의까지 이루어질 필요는 없다.

② 법률행위 내용의 중요 부분에 착오가 있는 때에는 그 의사표시를 취소할 수 있으나 그 착오가 표의자의 중대한 과실로 인한 때에는 취소하지 못한다. 여기서 '중대한 과실'이라 함은 표의자의 직업, 행위의 종류, 목적 등에 비추어 보통 요구되는 주의를 현저히 결여하는 것을 의미한다.

③ 상대방이 표의자의 착오를 알고 이를 이용한 경우에는 착오가 표의자의 중대한 과실로 인한 것이라고 하더라도 표의자는 의사표시를 취소할 수 있다.

④ 주채무자의 차용금반환채무를 보증할 의사로 공정증서에 연대보증인으로 서명·날인하였으나 그 공정증서가 주채무자의 기존의 구상금채무 등에 관한 준소비대차계약의 공정증서이었던 경우, 위와 같은 착오는 연대보증계약의 중요 부분의 착오에 해당한다.

⑤ 민사소송법상의 소송행위에는 특별한 규정이나 특별한 사정이 없는 한 민법상의 법률행위에 관한 규정이 적용될 수 없는 것이므로, 착오로 항소이유서를 제출하였다고 하여 의사표시의 하자를 이유로 그와 같은 소송행위의 취소를 주장할 수는 없다.

해설 ① 대판 2000.5.12, 2000다12259 등
②,③ 대판 2023.4.27, 2017다227264

④ 주채무자의 차용금반환채무를 보증할 의사로 공정증서에 연대보증인으로 서명·날인하였으나 그 공정증서가 주채무자의 기존의 구상금채무 등에 관한 준소비대차계약의 공정증서이었던 경우, <u>소비대차계약과 준소비대차계약의 법률효과는 동일하므로</u> 위와 같은 착오는 <u>연대보증계약의 중요 부분의 착오가 아니다</u>(대판 2006.12.7, 2006다41457). → 착오로 인하여 표의자가 <u>경제적인 불이익을 입지 않았다면</u> 특별한 사정이 없는 한 이를 법률행위 내용의 <u>중요 부분의 착오라고 할 수 없다</u>.

⑤ 대판 1964.9.15, 64다92

37 착오에 관한 다음 설명 중 가장 옳지 않은 것은? ▶ 2024년 법원사무관 승진

① 계약당사자 쌍방이 계약의 전제나 기초가 되는 사항에 관하여 같은 내용으로 착오가 있고 이로 인하여 그에 관한 구체적 약정을 하지 아니하였다면, 당사자가 그러한 착오가 없을 때에 약정하였을 것으로 보이는 내용으로 당사자의 의사를 보충하여 계약을 해석할 수 있다.

② 착오를 이유로 의사표시를 취소하는 자는 법률행위의 내용에 착오가 있었다는 사실을 증명하여야 하나, 만일 착오가 없었더라면 의사표시를 하지 않았을 것이라는 점까지 증명하여야 하는 것은 아니다.

③ 착오가 표의자의 중대한 과실로 인한 때에는 취소하지 못한다고 할 것인데, 여기서 '중대한 과실'이라 함은 표의자의 직업, 행위의 종류, 목적 등에 비추어 보통 요구되는 주의를 현저히 결여하는 것을 의미한다.

④ 동기의 착오가 법률행위의 내용의 중요부분의 착오에 해당함을 이유로 표의자가 법률행위를 취소하려면 그 동기를 당해 의사표시의 내용으로 삼을 것을 상대방에게 표시하고 의사표시의 해석상 법률행위의 내용으로 되어 있다고 인정되면 충분하고 당사자들 사이에 별도로 그 동기를 의사표시의 내용으로 삼기로 하는 합의까지 이루어질 필요는 없다.

해설 ① 대판 2014.4.24, 2013다218620; 대판 2023.8.18, 2019다200126
② 착오를 이유로 의사표시를 취소하는 자는 법률행위의 내용에 착오가 있었다는 사실과 함께 그 착오가 의사표시에 결정적인 영향을 미쳤다는 점, 즉 만약 그 착오가 없었더라면 의사표시를 하지 않았을 것이라는 점을 증명하여야 한다(대판 2008.1.17, 2007다74188).
③ 대판 2003.4.11, 2002다70884
④ 대판 2019.4.23, 2015다28968

38 권리의 변동에 관한 다음 설명 중 옳지 않은 것을 모두 고른 것은? ▸2024년 법원행시

ㄱ. 은행과 근저당권설정자와의 사이에 근저당권설정계약을 체결할 때 작성된 근저당권 설정계약서에 은행의 여신거래로부터 생기는 모든 채무를 담보하기로 하는 이른바 포괄근저당권을 설정한다는 문언이 기재된 경우에, 계약서가 부동문자로 인쇄된 약관의 형태를 취하고 있다면 이는 처분문서라고 보기 어려우므로, 그 진정성립이 인정되더라도 그 문언대로 의사표시의 존재와 내용을 인정하기는 어렵다.

ㄴ. 매수인이 부동산을 매수하면서 잔금지급 전에 그 부동산을 은행 등에 담보로 넣어 대출을 받아 잔금을 마련하기로 계획을 세우고 매도인들에게 그와 같은 자금마련 계획을 알려 잔금지급 전에 매수인이 대출을 받을 수 있도록 협조하여 주기로 약속하였다면, 매수인이 대출을 받아 잔금을 지급하려 하였던 잔금지급 방법이나 계획이 매매계약의 내용의 중요한 부분으로 되었다고 보아야 한다.

ㄷ. 甲은 채무자란이 백지로 된 근저당권설정계약서를 받고 그 채무자가 乙인 것으로 알고 근저당권설정자로 서명날인을 하였는데 그 후 채무자가 丙으로 된 근저당권설정등기가 경료된 사안에서, 판례는 甲의 채무자의 동일성에 관한 착오는 법률행위 내용의 중요부분에 관한 착오에 해당한다고 보았다.

ㄹ. 민법 제569조는 타인의 권리의 매매를 유효로 규정하고 있으므로, 매수인이 매도인의 기망에 의하여 타인의 물건을 매도인의 것으로 잘못 알고 매수한다는 의사표시를 한 것이고 만일 타인의 물건인줄 알았더라면 매수하지 아니하였을 사정이 있는 경우라 하더라도 매수인은 민법 제110조에 의하여 매수의 의사표시를 취소할 수는 없다.

ㅁ. 상대방이 있는 의사표시는 상대방에게 도달한 때에 그 효력이 생기지만, 격지자간의 계약은 승낙의 통지를 발송한 때에 성립하고, 청약자의 의사표시나 관습에 의하여 승낙의 통지가 필요하지 아니한 경우에는 계약은 승낙의 의사표시로 인정되는 사실이 있는 때에 성립한다.

① ㄱ, ㄴ, ㄷ   ② ㄱ, ㄴ, ㄹ   ③ ㄴ, ㄷ, ㄹ
④ ㄴ, ㄷ, ㅁ   ⑤ ㄷ, ㄹ, ㅁ

해설 ㄱ. 은행과 근저당권설정자와의 사이에 근저당권설정계약을 체결할 때 작성된 근저당권설정계약서에 은행의 여신거래로부터 생기는 모든 채무를 담보하기로 하는 이른바 포괄근저당권을 설정한다는 문언이 기재된 경우에, 계약서가 부동문자로 인쇄된 약관의 형태를 취하고 있다 하더라도 이는 처분문서라고 할 것이므로, 그 진정성립이 인정되는 때에는, 은행의 담보취득행위가 은행대차관계에 있어서 이례에 속하고 관례를 벗어나는 것이라고 보여지거나 피담보채무를 제한하는 개별 약정이 있었다는 등의 특별한 사정이 없는 한, 그 문언대로 의사표시의 존재와 내용을 인정하여야 한다(대판 2003.4.11. 2001다12430).

ㄴ. 매수인이 부동산을 매수하면서 잔금지급 전에 그 부동산을 은행 등에 담보로 넣어 대출을 받아 잔금을 마련하기로 계획을 세우고 매도인들에게 그와 같은 자금마련 계획을 알려 잔금지급 전에 매수인이 대출을 받을 수 있도록 협조하여 주기로 약속하였다는 사실만으로, 바로 매수인이 계획하였던 대출이 제대로 이루어질 수 없는 경우에는 그 부동산을 매수하지 아니

하였을 것이라는 사정을 매도인들에게 표시하였다거나 매수인들이 이러한 사정을 알고 있었다고 단정할 수는 없다 할 것이어서, 매수인이 대출을 받아 잔금을 지급하려 하였던 잔금지급 방법이나 계획이 매매계약의 내용의 중요한 부분으로 되었다고 할 수는 없다(대판 1996.3.26, 93다55487).

ㄷ. 대판 1995.12.22, 95다37087

ㄹ. 민법 제569조가 타인의 권리의 매매를 유효로 규정한 것은 선의의 매수인의 신뢰 이익을 보호하기 위한 것이므로, 매수인이 매도인의 기망에 의하여 타인의 물건을 매도인의 것으로 알고 매수한다는 의사표시를 한 것은 만일 타인의 물건인줄 알았더라면 매수하지 아니하였을 사정이 있는 경우에는 매수인은 민법 제110조에 의하여 매수의 의사표시를 취소할 수 있다(대판 1973.10.23, 73다268).

ㅁ. 민법 제111조, 제531조, 제532조

39 의사표시의 효력발생시기에 관한 설명 중 가장 옳지 않은 것은? (다툼이 있는 경우 판례에 의함)

① 상대방 있는 의사표시는 그 통지가 상대방에 도달한 때에 그 효력이 생긴다.

② 의사표시자가 그 통지를 발송한 후 사망하거나 제한능력자가 되었다면 그 의사표시의 효력은 소멸한다.

③ 의사표시의 상대방이 의사표시를 받은 때에 제한능력자인 경우에는 의사표시자는 그 의사표시로써 상대방에게 대항할 수 없다. 그러나 상대방의 법정대리인이 의사표시가 도달한 사실을 안 후에는 그러하지 아니한다.

④ 미성년자나 피한정후견인이 일정한 경우 행위능력을 가지는 때에는 수령능력도 가지게 된다.

⑤ 제한능력자 또는 무권대리인의 상대방의 최고에 대한 본인의 추인 여부의 확답에 대해서 우리 민법은 발신주의를 취하고 있다.

해설 ①, ② 제111조 【의사표시의 효력발생시기】
① 상대방이 있는 의사표시는 상대방에게 도달한 때에 그 효력이 생긴다.
② 의사표시자가 그 통지를 발송한 후 사망하거나 제한능력자가 되어도 의사표시의 효력에 영향을 미치지 아니한다.

③ 제112조 【제한능력자에 대한 의사표시의 효력】 의사표시의 상대방이 의사표시를 받은 때에 제한능력자인 경우에는 의사표시자는 그 의사표시로써 대항할 수 없다. 다만, 그 상대방의 법정대리인이 의사표시가 도달한 사실을 안 후에는 그러하지 아니하다.

④ 미성년자나 피한정후견인이 일정한 경우 행위능력을 가지는 때에는 수령능력도 가지게 된다 (제5조 제1항 단서, 제6조, 제8조, 제10조).

정답 38 ② 39 ②

⑤ 민법상 발신주의 취하고 있는 例

민법상 발신주의	• 제한능력자 또는 무권대리인의 상대방의 최고에 대한 확답(제15조, 제131조), • 채무인수의 승낙여부 최고에 대한 채권자 확답(제455조 제2항), • 격지자간 계약성립시기에 있어 청약에 대한 승낙(제531조), • 사원총회의 소집통지(제71조) 등 **주의** 단, 채권양도의 통지나 승낙, 제3자를 위한 계약에 있어 제3자의 승낙여부 최고에 대한 확답(제540조)은 발신주의가 적용되는 경우가 아니다.

40 다음 설명 중 가장 옳지 않은 것은?

▶ 2021년 법무사

① 채권양도의 통지와 같은 준법률행위의 도달은 의사표시와 마찬가지로 사회관념상 채무자가 통지의 내용을 알 수 있는 객관적 상태에 놓여졌을 때를 지칭하고, 그 통지를 채무자가 현실적으로 수령하였거나 그 통지의 내용을 알았을 것까지는 필요하지 않다.

② 대리인이 본인을 위한 것임을 표시하지 아니한 때에는 그 의사표시는 본인에 대하여 효력이 생기지 않고, 원칙적으로 대리인 자기를 위한 것으로 보지도 않는다.

③ 의사표시의 상대방이 의사표시를 받은 때에 제한능력자인 경우에는 의사표시자는 그 의사표시로써 대항할 수 없다. 다만, 그 상대방의 법정대리인이 의사표시가 도달한 사실을 안 후에는 그러하지 아니하다.

④ 의사표시자가 그 통지를 발송한 후 사망하거나 제한능력자가 되어도 의사표시의 효력에 영향을 미치지 아니한다.

⑤ 표의자가 과실 없이 상대방을 알지 못하거나 상대방의 소재를 알지 못하는 경우에는 의사표시는 민사소송법 공시송달의 규정에 의하여 송달할 수 있다.

해설 ① 채권양도의 통지와 같은 준법률행위의 도달은 의사표시와 마찬가지로 사회관념상 채무자가 통지의 내용을 알 수 있는 객관적 상태에 놓여졌을 때를 지칭하고, 그 통지를 채무자가 현실적으로 수령하였거나 그 통지의 내용을 알았을 것까지는 필요하지 않다(대판 1983.8.23. 82다카439). 즉 채권양도의 통지는 민법 제111조 도달주의를 유추적용하고, 송달장소에 관한 민사소송법규정의 엄격한 내용을 유추적용하지 않는다. 따라서 채권양도의 통지는 민사소송법상의 송달에 관한 규정에서 송달장소로 정하는 채무자의 주소·거소·영업소 또는 사무소 등에 해당하지 아니하는 장소에서라도 채무자가 사회통념상 그 통지의 내용을 알 수 있는 객관적 상태에 놓여졌다고 인정됨으로써 족하다.

② 제115조【본인을 위한 것임을 표시하지 아니한 행위】대리인이 본인을 위한 것임을 표시하지 아니한 때에는 그 의사표시는 자기를 위한 것으로 본다. 그러나 상대방이 대리인으로서 한 것임을 알았거나 알 수 있었을 때에는 전조 제1항의 규정을 준용한다.

③ 제112조

④ 제111조 제2항

⑤ 제113조

정답 40 ②

03 절 대리

01 대리에 관한 다음 설명 중 가장 타당하지 않은 것은? (다툼이 있는 경우 판례에 의함)

① 대리권은 본인의 사망, 대리인의 사망·성년후견의 개시 또는 파산의 사유로 소멸한다.

② 대리인이 본인을 위한 것임을 표시하지 아니한 때에는, 비록 상대방이 대리인으로서 한 것임을 알았거나 알 수 있었을 때에도 그 의사표시는 대리인 자신을 위한 것으로 본다.

③ 부동산 입찰절차에서 동일한 물건에 관하여 1인이 2인 이상의 대리인이 된 경우, 그 대리인이 한 입찰행위는 무효이다.

④ 대리인이 그 권한 내에서 본인을 위한 것임을 표시한 의사표시는 직접 본인에게 대하여 효력이 생긴다.

⑤ 의사표시의 효력이 의사의 흠결, 사기, 강박 또는 어느 사정을 알았거나 과실로 알지 못한 것으로 인하여 영향을 받은 경우에 그 사실의 유무는 대리인을 표준으로 하여 결정한다.

해설

① 제127조 【대리권의 소멸사유】 대리권은 다음 각 호의 어느 하나에 해당하는 사유가 있으면 소멸된다.
1. 본인의 사망
2. 대리인의 사망, 성년후견의 개시 또는 파산

② 제115조 【본인을 위한 것임을 표시하지 아니한 행위】 대리인이 본인을 위한 것임을 표시하지 아니한 때에는 그 의사표시는 자기를 위한 것으로 본다. 그러나 상대방이 대리인으로서 한 것임을 알았거나 알 수 있었을 때에는 전조 제1항의 규정을 준용한다.

③ 부동산 입찰절차에서 동일한 물건에 관하여 1인이 2인 이상의 대리인이 된 경우, 그 대리인이 한 입찰행위는 무효이다(대결 2004.2.13, 2003마44).

④ 제114조 제1항 【대리행위의 효력】 대리인이 그 권한 내에서 본인을 위한 것임을 표시한 의사표시는 직접 본인에게 대하여 효력이 생긴다.

⑤ 제116조 제1항 【대리행위의 하자】 의사표시의 효력이 의사의 흠결, 사기, 강박 또는 어느 사정을 알았거나 과실로 알지 못한 것으로 인하여 영향을 받은 경우에 그 사실의 유무는 대리인을 표준으로 하여 결정한다.

정답 01 ②

02 다음 설명 중 가장 옳지 않은 것은? ▸ 2021년 법무사

① 미성년자의 법정대리인인 친권자의 법률행위에 있어서 법정대리인인 친권자의 대리행위가 객관적으로 볼 때 미성년자 본인에게는 경제적인 손실만을 초래하는 반면, 친권자나 제3자에게는 경제적인 이익을 가져오는 행위이고, 그 행위의 상대방이 이러한 사실을 알았거나 알 수 있었을 때에는, 민법 제107조 제1항 단서의 규정을 유추적용하여 그 행위의 효과는 자(子)에게는 미치지 않는다고 해석함이 상당하다.

② 외형상 형성된 법률관계를 기초로 하여 새로운 법률상 이해관계를 맺은 선의의 제3자에 대하여는 민법 제107조 제2항의 규정을 유추적용하여 누구도 그와 같은 사정을 들어 대항할 수 없으며, 제3자가 악의라는 사실에 관한 주장·증명책임은 그 무효를 주장하는 자에게 있다.

③ 대리권이 법률행위에 의하여 부여된 경우에는 대리인은 본인의 승낙이 있거나 부득이한 사유가 있는 때가 아니어도 필요에 따라 복대리인을 선임할 수 있다.

④ 의사표시의 효력이 의사의 흠결, 사기, 강박 또는 어느 사정을 알았거나 과실로 알지 못한 것으로 인하여 영향을 받을 경우에 그 사실의 유무는 대리인을 표준하여 결정한다.

⑤ 일반적으로 매매계약에서 매도인으로 나온 사람이 소유권자로부터 매매에 관한 권한을 위임받은 내용의 위임장을 제시하고 매매계약을 체결하였다면 특단의 사정이 없는 한 그는 소유권자를 대리하여 매매행위를 한 것으로 보아야 할 것이고, 매매계약서의 매도인란에 대리관계의 표시가 없이 그 자신의 이름을 기재하였다고 하여도 이것만으로 그 자신이 매도인으로서 타인물의 매매를 한 것이라고 볼 수는 없는 것이다.

해설 ①, ② 법정대리인인 친권자의 대리행위가 객관적으로 볼 때 미성년자 본인에게는 경제적인 손실만을 초래하는 반면, 친권자나 제3자에게는 경제적인 이익을 가져오는 행위이고 행위의 상대방이 이러한 사실을 알았거나 알 수 있었을 때에는 민법 제107조 제1항 단서의 규정을 유추적용하여 행위의 효과가 자에게는 미치지 않는다고 해석함이 타당하나, 그에 따라 외형상 형성된 법률관계를 기초로 하여 새로운 법률상 이해관계를 맺은 선의의 제3자에 대하여는 같은 조 제2항의 규정을 유추적용하여 누구도 그와 같은 사정을 들어 대항할 수 없으며, 제3자가 악의라는 사실에 관한 주장·증명책임은 무효를 주장하는 자에게 있다(대판 2018.4.26. 2016다3201).

③ 제120조 【임의대리인의 복임권】 대리권이 법률행위에 의하여 부여된 경우에는 대리인은 본인의 승낙이 있거나 부득이한 사유가 있는 때가 아니면 복대리인을 선임하지 못한다.

④ 제116조 제1항

⑤ 매매위임장을 제시하고 매매계약을 체결하는 자는 특단의 사정이 없는 한 소유자를 대리하여 매매행위하는 것이라고 보아야 하고, 매매계약서에 대리관계의 표시 없이 그 자신의 이름을 기재하였다고 해서 그것만으로 그 자신이 매도인으로서 타인물을 매매한 것이라고 볼 수는 없다(대판 1982.5.25. 81다1349·81다카1209).

03 대리에 관한 다음 설명 중 가장 옳지 않은 것은? (다툼이 있는 경우 판례에 의함)

① 임의대리인은 본인의 승낙이 있는 경우에 한하여 복대리인을 선임할 수 있다.

② 법정대리인은 언제나 복대리인을 선임할 수 있다.

③ 복대리인은 대리인이 대리권의 범위 내에서 대리인 자신의 이름으로 선임한 본인의 대리인으로서, 본인이나 제3자에 대하여 대리인과 동일한 권리의무가 있다.

④ 임의대리인이 본인의 지명에 의하여 복대리인을 선임한 경우에는 그 부적임 또는 불성실함을 알고 본인에게 대한 통지나 그 해임을 태만한 때가 아니면 책임이 없다. 그러나 법정대리인이 복대리인을 선임한 경우 모든 책임을 지고, 다만 부득이한 사유로 인한 때에는 임의대리인과 마찬가지로 선임·감독의 책임을 진다.

⑤ 법정대리인의 복대리인은 임의대리인이다. 따라서 복대리인이 다시 복대리인을 선임할 경우에는 임의대리인과 동일한 조건 하에 복임권을 가진다.

해설 ① 제120조【임의대리인의 복임권】대리권이 법률행위에 의하여 부여된 경우에는 대리인은 본인의 승낙이 있거나 부득이한 사유가 있는 때가 아니면 복대리인을 선임하지 못한다.

② 제122조【법정대리인의 복임권과 그 책임】법정대리인은 그 책임으로 복대리인을 선임할 수 있다. 그러나 부득이한 사유로 인한 때에는 전조 제1항에 정한 책임만이 있다.

③ 복대리인은 대리인이 대리권의 범위 내에서 대리인 자신의 이름으로 선임한 본인의 대리인이다. 따라서 복대리인은 그 권한 내에서 본인을 대리하고, 본인이나 제3자에 대하여 대리인과 동일한 권리의무가 있다(제123조).

④ 제121조 제2항【임의대리인의 복대리인선임의 책임】대리인이 본인의 지명에 의하여 복대리인을 선임한 경우에는 그 부적임 또는 불성실함을 알고 본인에게 대한 통지나 그 해임을 태만한 때가 아니면 책임이 없다.
제122조【법정대리인의 복임권과 그 책임】법정대리인은 그 책임으로 복대리인을 선임할 수 있다. 그러나 부득이한 사유로 인한 때에는 전조 제1항에 정한 책임만이 있다.

즉 법정대리인은 모든 책임을 진다(제122조 본문). 다만 부득이한 사유로 복대리인을 선임한 경우에는 그 책임이 경감된다.

⑤ 법정대리인은 언제나 복대리인을 선임할 수 있는데, 그 대리권이 법률행위에 의해 부여된 경우이므로 복대리인은 언제나 임의대리인이다. 따라서 복대리인은 다시 복대리인을 선임할 수 있는데(통설), 다만 이 경우 복대리인은 임의대리인과 동일한 조건하에 복임권을 가진다.

04 **대리에 관한 설명 중 가장 옳지 않은 것은?** (다툼이 있는 경우 판례에 의함) ▸ 2014년 법무사

① 대리인이 본인을 위한 것임을 표시하지 아니하였어도 상대방이 대리인으로 한 것임을 알았을 때에는 본인에게 대하여 효력이 생긴다.

② 본인은 임의대리인이 무능력임을 이유로 대리행위를 취소할 수 없다.

③ 민법 제126조 소정의 권한을 넘는 표현대리 규정은 법정대리에도 적용된다.

④ 법정대리인은 복대리인을 선임한 경우 본인에 대하여 그 선임 감독의 잘못에 관하여 책임을 진다.

⑤ 무권대리인은 상대방에게 계약을 이행하거나 손해를 배상할 책임이 있는데, 그 선택은 계약 상대방에게 있다.

해설 ① 대리인이 본인을 위한 것임을 표시하지 아니한 때에는 그 의사표시는 자기를 위한 것으로 본다. 그러나 상대방이 대리인으로서 한 것임을 알았거나 알 수 있었을 때에는 전조 제1항의 규정을 준용한다(제115조).
대리인이 그 권한 내에서 본인을 위한 것임을 표시한 의사표시는 직접 본인에게 대하여 효력이 생긴다(제114조 제1항).
대리인이 본인을 대리하여 행위를 함에 있어서는 민법 제114조 제1항의 규정에 따라 본인과 대리인을 표시하여야 하는 것이므로, 대리관계의 현명을 하지 아니한 채 행위를 하더라도 본인에게 효력이 없는 것이지만, 대리에 있어 본인을 위한 것임을 표시하는 이른바 현명은 반드시 명시적으로만 할 필요는 없고 묵시적으로도 할 수 있는 것이고, 나아가 현명을 하지 아니한 경우라도 여러 사정에 비추어 대리인으로서 행위한 것임을 상대방이 알았거나 알 수 있었을 때에는 민법 제115조 단서의 규정에 의하여 본인에게 효력이 미치는 것이다(대판 2008.5.15, 2007다14759).

② 대리인은 행위능력자임을 요하지 아니한다(제117조). 따라서 본인은 임의대리인이 무능력임을 이유로 대리행위를 취소할 수 없다.

③ 민법 제126조 소정의 권한을 넘는 표현대리 규정은 거래의 안전을 도모하여 거래상대방의 이익을 보호하려는 데에 그 취지가 있으므로 법정대리라고 하여 임의대리와는 달리 그 적용이 없다고 할 수 없고, 따라서 한정치산자(현행법상 피한정후견인)의 후견인이 친족회(현행법상 후견감독인)의 동의를 얻지 않고 피후견인의 부동산을 처분하는 행위를 한 경우에도 상대방이 친족회(현행법상 후견감독인)의 동의가 있다고 믿은 데에 정당한 사유가 있는 때에는 본인인 한정치산자(현행법상 피한정후견인)에게 그 효력이 미친다(대판 1997.6.27, 97다3828).

④ 법정대리인은 언제든지 복대리인을 선임할 수 있고, 법정대리인은 선임, 감독에 있어서의 과실의 유무를 묻지 않고서 모든 책임을 진다(제122조 본문). 다만 부득이한 사유로 복대리인을 선임한 경우에는 그 책임이 경감된다.

> 제122조 【법정대리인의 복임권과 그 책임】 법정대리인은 그 책임으로 복대리인을 선임할 수 있다. 그러나 부득이한 사유로 인한 때에는 전조 제1항에 정한 책임만이 있다.
> 제121조 【임의대리인의 복대리인선임의 책임】
> ① 전조의 규정에 의하여 대리인이 복대리인을 선임한 때에는 본인에게 대하여 그 선임감독에 관한 책임이 있다.

⑤ 다른 자의 대리인으로서 계약을 맺은 자가 그 대리권을 증명하지 못하고 또 본인의 추인을 받지 못한 경우에는 그는 상대방의 선택에 따라 계약을 이행할 책임 또는 손해를 배상할 책임이 있다(제135조 제1항).

05 **甲의 임의대리인 乙은 자신의 이름으로 甲의 대리인 丙을 선임하였다. 다음 설명 중 옳은 것은?** (다툼이 있는 경우에는 판례에 의함)

① 乙은 언제나 甲의 대리인을 선임할 수 있는 권한을 가진다.

② 丙이 甲의 지명에 의해 선임된 경우에는 乙은 丙이 부적임자임을 알고 甲에게 통지하지 않았더라도 선임감독의 책임을 지지 않는다.

③ 甲과 丙 사이에는 아무런 권리·의무관계가 없다.

④ 丙의 대리행위가 권한을 넘은 표현대리에 해당하면 甲은 그 상대방에 대하여 본인으로서 책임을 져야 한다.

⑤ 丙이 甲의 지명에 의해 선임된 경우에는 乙의 대리권이 소멸하여도 丙의 대리권은 소멸하지 않는다.

해설

① 제120조【임의대리인의 복임권】대리권이 법률행위에 의하여 부여된 경우에는 대리인은 본인의 승낙이 있거나 부득이한 사유가 있는 때가 아니면 복대리인을 선임하지 못한다.

② 제121조 제2항【임의대리인의 복대리인선임의 책임】대리인이 본인의 지명에 의하여 복대리인을 선임한 경우에는 그 부적임 또는 불성실함을 알고 본인에게 대한 통지나 그 해임을 태만한 때가 아니면 책임이 없다.

③ 제123조 제2항【복대리인의 권한】복대리인은 본인이나 제3자에 대하여 대리인과 동일한 권리의무가 있다.

제123조 제2항에 의해 본인과 대리인 사이의 내부적 법률관계가 본인과 복대리인 사이의 내부적 법률관계로 의제된다. 따라서 대리인이 본인에 대해 수임인으로서의 내부관계에 있을 때에는 복대리인도 본인에 대하여 수임인으로서의 권리·의무, 즉 보수청구권(제686조), 비용상환청구권(제688조), 선관주의의무(제681조), 수령한 금전 등의 인도의무(제684조) 등을 갖는다.

④ 대리인이 임의로 선임한 복대리인의 권한도 제126조의 기본대리권의 적격성을 갖는다. 즉 대리인이 임의로 복대리인을 선임하여 그 자가 대리행위를 한 경우에도 상대방이 복대리인을 대리권을 가진 대리인으로 믿었고 또한 그렇게 믿는 데에 정당한 이유가 있을 경우에는 제126조의 표현대리가 성립한다(대판 1998.3.27. 97다48982).

⑤ 복대리권은 ⅰ) 대리권 일반의 소멸원인(본인의 사망, 복대리인의 사망, 성년후견의 개시, 파산)에 의하여 소멸하고, ⅱ) 대리인, 복대리인 사이의 원인된 법률관계의 소멸, 수권행위의 철회에 의하여 소멸한다. 또한 ⅲ) 대리인의 대리권의 존재 및 그 범위에 의존하므로 대리권이 소멸하면 복대리권도 소멸한다.

06 대리에 관한 다음 설명 중 가장 옳지 않은 것은? (다툼이 있는 경우 판례에 의함)

① 대리인은 본인의 허락이 없으면 본인을 위하여 자기와 법률행위를 하거나 동일한 법률행위에 관하여 당사자 雙方을 대리하지 못한다. 그러나 대물변제나 기한미도래채무의 변제와 같은 채무의 이행은 할 수 있다.

② 위 ①에 위반하는 행위는 절대적 무효가 아니라 무권대리행위에 해당한다.

③ 대리인은 본인을 위한 것임을 표시해야 하는데, 여기서 '본인을 위한 것'임을 표시해야 함은 대리의사를 표시해야 한다는 것을 의미하며, 본인에게 효과를 귀속시키려는 의사를 뜻하지, 본인의 이익을 위하여라는 뜻은 아니다.

④ 계약을 체결하는 행위자가 타인의 이름으로 법률행위를 한 경우에 행위자 또는 명의인 가운데 누구를 계약의 당사자로 볼 것인가에 관하여는, 우선 행위자와 상대방의 의사가 일치한 경우에는 그 일치한 의사대로 행위자 또는 명의인을 계약의 당사자로 확정하여야 할 것이고, 행위자와 상대방의 의사가 일치하지 않는 경우에는 그 계약의 성질·내용·목적·체결 경위 등 그 계약 체결 전후의 구체적인 제반 사정을 토대로 상대방이 합리적인 사람이라면 행위자와 명의자 중 누구를 계약당사자로 이해할 것인가에 의하여 당사자를 결정하여야 한다.

⑤ 본인을 위한 것임을 표시하지 않은 경우 대리 또는 표현대리의 법리가 적용될 수 없다.

해설 ① 제124조【자기계약, 쌍방대리】대리인은 본인의 허락이 없으면 본인을 위하여 자기와 법률행위를 하거나 동일한 법률행위에 관하여 당사자 쌍방을 대리하지 못한다. 그러나 채무의 이행은 할 수 있다.

그러나 경개, 대물변제, 다툼이 있는 채무의 이행, 선택채무의 이행, 기한미도래채무의 변제는 불가능하다.

② 자기계약·쌍방대리의 금지규정(제124조)에 위반하는 행위는 절대적 무효가 아니라, 무권대리가 된다. 따라서 본인이 사후에 추인하여 완전한 대리행위로 할 수 있다.

③ 대리인은 본인을 위한 것임을 표시해야 법률효과가 본인에게 귀속된다. 여기서 '본인을 위한 것'임을 표시해야 함은 대리적 효과의사를 표시해야 한다는 것을 의미하며, 본인에게 효과를 귀속시키려는 의사를 뜻하는 것이지, 본인의 이익을 위하여라는 뜻은 아니다.

④ 대법원은 계약을 체결하는 행위자가 타인의 이름으로 법률행위를 한 경우에 행위자 또는 명의인 가운데 누구를 계약의 당사자로 볼 것인가에 관하여는, ⅰ) 우선 행위자와 상대방의 의사가 일치한 경우에는 그 일치한 의사대로 행위자 또는 명의인을 계약의 당사자로 확정하여야 할 것이고, ⅱ) 행위자와 상대방의 의사가 일치하지 않는 경우에는 그 계약의 성질·내용·목적·체결 경위 등 그 계약 체결 전후의 구체적인 제반 사정을 토대로 상대방이 합리적인 사람이라면 행위자와 명의자 중 누구를 계약당사자로 이해할 것인가에 의하여 당사자를 결정하여야 한다고 본다(대판 2003.9.5, 2001다32120).

⑤ 본인을 위한 것임을 표시하지 않은 경우 대리 또는 표현대리의 법리가 적용될 수 없다(대판 2001.1.19, 99다67598). 따라서 임대차계약에서 임차인 甲이 마치 乙인 것처럼 행세하여 乙의 이름으로 계약을 체결한 경우는 대리를 적용하지 않는다(대판 1974.6.11, 74다165).

07 다음 설명 중 가장 옳지 않은 것은? ▸2015년 법무사

① 대리인이 그 권한 내에서 본인을 위한 것임을 표시한 의사표시는 직접 본인에 대하여 효력이 생기나 대리인에게 대한 제3자의 의사표시는 이와 다르다.

② 의사표시의 효력이 의사의 흠결, 사기, 강박 또는 어느 사정을 알았거나 과실로 알지 못한 것으로 인하여 영향을 받을 경우에 그 사실의 유무는 대리인을 표준하여 결정한다.

③ 권한을 정하지 아니한 대리인은 보존행위 및 대리의 목적인 물건이나 권리의 성질을 변하지 아니하는 범위 내에서 그 이용 또는 개량하는 행위만을 할 수 있다.

④ 대리인은 행위능력자임을 요하지 아니하고, 대리인이 수인인 때에는 원칙적으로 각자가 본인을 대리한다.

⑤ 법정대리인은 그 책임으로 복대리인을 선임할 수 있으나 부득이한 사유로 인한 때에는 본인에게 대하여 그 선임감독에 관한 책임만이 있다.

해설 ① 대리인이 그 권한 내에서 본인을 위한 것임을 표시한 의사표시는 직접 본인에 대하여 효력이 생기고, 또한 대리인에게 대한 제3자의 의사표시도 마찬가지이다(제114조).

② 의사표시의 효력이 의사의 흠결, 사기, 강박 또는 어느 사정을 알았거나 과실로 알지 못한 것으로 인하여 영향을 받을 경우에 그 사실의 유무는 대리인을 표준하여 결정한다(제116조).

③ 권한을 정하지 아니한 대리인은 보존행위 및 대리의 목적인 물건이나 권리의 성질을 변하지 아니하는 범위 내에서 그 이용 또는 개량하는 행위만을 할 수 있다(제118조).

④ 대리인은 행위능력자임을 요하지 아니하고, 대리인이 수인인 때에는 원칙적으로 각자가 본인을 대리한다(제119조).

⑤ 법정대리인은 그 책임으로 복대리인을 선임할 수 있으나 부득이한 사유로 인한 때에는 본인에게 대하여 그 선임감독에 관한 책임만이 있다(제122조).

08 대리에 관한 다음 설명 중 가장 옳지 않은 것은? (다툼이 있는 경우 판례에 의함) ▸2016년 법무사

① 소멸시효 완성의 이익 포기의 의사표시는 채무자에게 불리한 행위로서 시효이익을 받을 당사자인 채무자에 의하여 행하여져야 하고, 그 대리인에 의하여 행하여질 수 없다.

② 대리인이 본인을 위한 것임을 표시하지 아니한 때에는 그 의사표시는 자기를 위한 것으로 본다. 그러나 상대방이 대리인으로서 한 것임을 알 수 있었을 때에는 본인에게 대하여 효력이 생긴다.

③ 대리인에 의하여 법률행위가 이루어진 경우 그 법률행위가 민법 제104조의 불공정한 법률행위에 해당하는지 여부를 판단함에 있어서 경솔과 무경험은 대리인을 기준으로 하여 판단하고, 궁박은 본인의 입장에서 판단하여야 한다.

④ 대리권이 법률행위에 의하여 부여된 경우에는 대리인은 본인의 승낙이 있거나 부득이한 사유있는 때가 아니면 복대리인을 선임하지 못한다.

⑤ 매매계약의 체결과 이행에 관하여 포괄적으로 대리권을 수여받은 대리인은 특별한 다른 사정이 없는 한 상대방에 대하여 약정된 매매대금 지급기일을 연기하여 줄 권한도 가진다.

해설 ① 소멸시효 중단사유로서의 채무승인은 시효이익을 받는 당사자인 채무자가 소멸시효의 완성으로 채권을 상실하게 될 자 또는 그 대리인에 대하여 상대방의 권리 또는 자신의 채무가 있음을 알고 있다는 뜻을 표시함으로써 성립한다. 또한 시효완성의 이익 포기의 의사표시를 할 수 있는 자는 시효완성의 이익을 받을 당사자 또는 그 대리인에 한정되고, 그 밖의 제3자가 시효완성의 이익 포기의 의사표시를 하였다 하더라도 이는 시효완성의 이익을 받을 자에 대한 관계에서 아무 효력이 없다(대판 2014.1.23. 2013다64793).

② 대리인이 본인을 위한 것임을 표시하지 아니한 때에는 그 의사표시는 자기를 위한 것으로 본다. 그러나 상대방이 대리인으로서 한 것임을 알았거나 알 수 있었을 때에는 직접 본인에게 대하여 효력이 생긴다(제115조).

③ 대리인에 의하여 법률행위가 행해진 경우 궁박은 본인을 표준으로 하여 결정하고, 경솔·무경험은 대리인을 표준으로 하여 결정한다(대판 2002.10.22. 2002다38927).

④ 제120조【임의대리인의 복임권】대리권이 법률행위에 의하여 부여된 경우에는 대리인은 본인의 승낙이 있거나 부득이한 사유가 있는 때가 아니면 복대리인을 선임하지 못한다.

⑤ 부동산의 소유자로부터 매매계약을 체결할 대리권을 수여받은 대리인은 특별한 다른 사정이 없는 한 그 매매계약에서 약정한 바에 따라 중도금이나 잔금을 수령할 수도 있다고 보아야 하고, 매매계약의 체결과 이행에 관하여 포괄적으로 대리권을 수여받은 대리인은 특별한 다른 사정이 없는 한 상대방에 대하여 약정된 매매대금지급기일을 연기하여 줄 권한도 가진다고 보아야 할 것이다(대판 1992.4.14. 91다43107).

09 다음 사례에 관한 설명 중 가장 옳지 않은 것은? (다툼이 있는 경우 판례에 의함)

▶ 2019년 법원주사보

① 甲의 소송사건을 수임한 변호사 乙이 다른 변호사 丙에게 특정 기일의 법정출석 내지 소송수행 등을 맡기는 것은 복대리로서 유효하고, 丙의 복대리행위의 효과는 본인인 甲에게 미친다.

② 甲이 乙을 통하여 부동산을 매수함에 있어 매수인 명의 및 소유권이전등기 명의를 乙 명의로 하기로 하였다면, 이와 같은 매수인 및 등기 명의의 신탁관계는 甲과 乙 사이의 내부적인 관계에 불과한 것이므로 특별한 사정이 없는 한 대외적으로는 乙을 매매 당사자로 보아야 한다.

③ 甲으로부터 부동산 매각의 대리권을 수여받은 乙이 甲의 허락없이 스스로 그 부동산의 매수인이 되는 것은 자기계약으로서 금지된다.

④ 甲이 임대차계약을 체결함에 있어서 임차인 명의를 乙로 하였으나 甲이 乙인 것 같이 행세하여 계약을 체결함으로써 계약 상대방인 임대인 丙이 甲을 乙인 줄 알고 계약을 맺게 되었다면, 위 임대차계약의 효력은 乙에게 미친다.

해설 ① 복대리인이란 대리인이 그의 권한 내의 행위를 행하게 하기 위하여 대리인 자신의 이름으로 선임한 본인의 대리인을 말한다. 복대리인은 본인의 대리인이므로 직접 본인의 이름으로 대리행위를 하며(제123조 제1항), 그 효과는 본인에게 귀속된다.

② 어떤 사람이 타인을 통하여 부동산을 매수함에 있어 매수인 명의 및 소유권이전등기 명의를 그 타인 명의로 하기로 하였다면 이와 같은 매수인 및 등기 명의의 신탁관계는 그들 사이의 내부적인 관계에 불과한 것이므로 특별한 사정이 없는 한 대외적으로는 그 타인을 매매 당사자로 보아야 한다(대판 2003.9.5, 2001다32120). 따라서 甲이 乙을 통하여 부동산을 매수함에 있어 매수인 명의 및 소유권이전등기 명의를 乙 명의로 하기로 하였다면, 이와 같은 매수인 및 등기 명의의 신탁관계는 甲과 乙 사이의 내부적인 관계에 불과한 것이므로 특별한 사정이 없는 한 대외적으로는 乙을 매매 당사자로 보아야 한다.

③ 제124조 참조. 자기계약이란 대리인이 한편으로는 대리인의 자격으로 본인을 대리하고 다른 한편으로는 스스로 당사자의 지위에서 계약을 체결하는 경우를 말한다(예 甲으로부터 부동산 매각의 대리권을 수여받은 乙이 스스로 그 부동산의 매수인이 되는 경우). 이 경우 대리인은 본인의 허락이 없으면 본인을 위하여 자기와 법률행위를 하지 못한다.

④ 타인명의 사용의 법률행위에서 당사자결정의 문제이다. 본인을 위한 것임을 표시하지 않은 경우라면 대리 또는 표현대리의 법리가 적용될 수 없다(대판 2001.1.19, 99다67598). 따라서 임대차계약에서 임차인 甲이 마치 乙인 것처럼 행세하여 乙의 이름으로 계약을 체결한 경우에는 대리법리를 적용하지 않으므로, 乙에게 임대차계약의 효력은 미치지 않고, 甲에게 미친다(대판 1974.6.11, 74다165).

10 **대리에 관한 설명 중 옳지 않은 것은?** (각 지문은 독립적이고, 다툼이 있는 경우 판례에 의함)

▶ 2015년 변호사

① 甲이 乙의 대리인 丙과 매매계약을 체결한 후 丙의 기망행위를 이유로 매매계약을 취소하고자 할 경우, 甲은 乙이 丙의 기망행위를 알았거나 알 수 있었는지의 여부를 불문하고 매매계약을 취소할 수 있다.

② 甲이 乙의 무권대리인 丙과 매매계약을 체결한 경우, 乙은 丙의 무권대리행위를 추인할 수 있고, 乙의 추인이 있을 경우 위 매매계약은 계약체결 당시로 소급하여 효력이 발생한다.

③ 甲의 대리인 乙은 甲의 지시에 따라 丙과 통모하여 甲 소유의 부동산에 관하여 丙과 가장매매계약을 체결하고 丙 명의로 소유권이전등기를 경료하여 주었는데, 그 후 丙이 위 부동산을 丁에게 매도하고 丁 명의로 소유권이전등기를 경료하여준 경우, 丁이 위 가장매매에 대하여 선의라면 유효하게 위 부동산의 소유권을 취득한다.

④ 甲에 의해 대리인으로 선임된 乙이 甲의 승낙 없이 丙을 복대리인으로 선임하더라도, 丙이 甲의 대리인으로 법률행위를 하면 원칙적으로 그 효과는 甲에게 귀속된다.

⑤ 부동산 소유자 甲으로부터 매매계약 체결에 관한 대리권을 수여받은 대리인 乙은 특별한 사정이 없는 한 계약상대방인 丙으로부터 중도금이나 잔금을 수령할 수 있다.

해설 ① 대리인의 사기문제이다(제116조). 대리인의 사기는 마치 본인의 사기처럼 다루기 때문에 甲은 본인 乙이 대리인 丙의 기망행위를 알았거나 알 수 있었는지의 여부를 불문하고 제110조 1항에 따라 매매계약을 취소할 수 있다.

② 무권대리추인은 소급효가 있다. 따라서 본인 乙이 무권대리행위를 추인하는 경우 위 매매계약은 계약체결 당시로 소급하여 효력이 발생한다(제133조).

정답 ▶ 09 ④ 10 ④

③ 대리인 乙이 본인의 지시에 의한 경우, 본인 甲명의로 부동산 매매계약을 체결하면서 상대방 丙과 통모하여 허위표시를 한 경우에는 본인 甲의 선의여부를 불문하고 의사표시는 허위표시로서 무효이고(제116조 1항, 제108조 1항), 그 후 丙이 丁에게 위 부동산을 양도하였다면 선의의 丁은 제108조 2항에 의해 유효하게 위 부동산의 소유권을 취득한다.

④ 甲에 의해 대리인으로 선임된 임의대리인 乙이 甲의 승낙 없이 丙를 복대리인으로 선임하면 丙은 甲의 무권대리인이 된다. 따라서 丙이 甲의 대리인으로 법률행위를 하면 원칙적으로 그 효과는 甲에게 귀속되지 않는다. 다만 표현대리가 성립하는 경우는 별개이다(제120조 임의대리인의 복임권, 제130조).

⑤ 임의대리권의 범위와 관련된 수권행위의 해석문제이다. 즉 판례는 매매계약체결의 대리권을 수여받은 대리인은 중도금과 잔금을 수령할 권한을 가진다고 한다(대판 1994.2.8, 93다39379).

11 대리에 관한 다음 설명 중 가장 옳지 않은 것은? (다툼이 있는 경우 판례에 의함)

▶ 2015년 법무사

① 매수인이 매도인을 대리하여 매매대금을 수령할 권한을 가진 자에게 잔대금의 수령을 최고하고 그 자를 공탁물수령자로 지정하여 한 변제공탁은 매도인에 대한 잔대금 지급의 효력이 있다.

② 무권대리행위가 범죄가 되는 경우에 대하여 그 사실을 알고도 장기간 형사고소를 하지 아니하였다 하더라도 그 사실만으로 묵시적인 추인이 있었다고 할 수는 없다.

③ 민법 제126조 소정의 권한을 넘는 표현대리 규정은 거래의 안전을 도모하여 거래상 대방의 이익을 보호하려는 데에 그 취지가 있으므로 법정대리의 경우에는 그 적용이 없다.

④ 대리행위의 표시를 하지 아니하고 단지 본인의 성명을 모용하여 자기가 마치 본인인 것처럼 기망하여 본인 명의로 직접 법률행위를 한 경우에는 특별한 사정이 없는 한 민법 제126조의 표현대리는 성립될 수 없다.

⑤ 무권리자가 타인의 권리를 자기의 이름으로 또는 자기의 권리로 처분한 경우, 권리자는 후일 이를 추인함으로써 그 처분행위를 인정할 수 있고, 이 경우 추인은 명시적으로 뿐만 아니라 묵시적인 방법으로도 가능하며 그 의사표시는 무권대리인이나 그 상대방 어느 쪽에 하여도 무방하다.

해설 ① 피공탁자의 적격성 문제이다. 매수인이 매도인을 대리하여 매매대금을 수령할 권한을 가진 자에게 잔대금의 수령을 최고하고 그 자를 공탁물수령자로 지정하여 한 변제공탁은 매도인에 대한 잔대금 지급의 효력이 있다(대판 2012.3.15, 2011다77849).

② 무권대리행위가 범죄가 되는 경우에 대하여 그 사실을 알고도 장기간 형사고소를 하지 아니하였다 하더라도 그 사실만으로 묵시적인 추인이 있었다고 할 수는 없다(대판 1998.2.10, 97다31113).

③ 민법 제126조 소정의 권한을 넘는 표현대리 규정은 거래의 안전을 도모하여 거래상대방의 이익을 보호하려는 데에 그 취지가 있으므로 임의대리, 법정대리의 경우, 그 적용이 있다(대판 1997.6.27, 97다3828).

④ 대리권 없는 무권대리인이 대리행위의 표시를 하지 아니하고 단지 본인의 성명을 모용하여 자기가 마치 본인인 것처럼 기망하여 본인 명의로 직접 법률행위를 한 경우에는 특별한 사정이 없는 한 민법 제126조의 표현대리는 성립될 수 없다(대판 2002.6.28, 2001다49814).

⑤ 무권리자 처분행위에 대한 권리자의 추인의 법률관계의 문제이다. 판례에 따르면 무권리자가 타인의 권리를 자기의 이름으로 또는 자기의 권리로 처분한 경우, 권리자는 후일 이를 추인함으로써 그 처분행위를 인정할 수 있고, 이 경우 추인은 명시적으로 뿐만 아니라 묵시적인 방법으로도 가능하며 그 의사표시는 무권대리인이나 그 상대방 어느 쪽에 하여도 무방하다(대판 2001.11.9, 2001다44291).

12 표현대리에 관한 다음 설명 중 틀린 것은? (다툼이 있는 경우 판례에 의함)

① 공정증서가 채무명의로서 집행력을 가질 수 있도록 하는 집행인낙의 의사표시에 대하여는 민법상의 표현대리규정이 적용 또는 유추적용될 수 없다.

② 대리행위의 표시를 하지 아니하고 사술을 써서 단지 본인의 성명을 모용하여 자기가 마치 본인인 것처럼 기망하여 본인 명의로 직접 법률행위를 한 경우에는 특별한 사정이 없는 한 민법 제126조 소정의 표현대리는 성립될 수 없다.

③ 대리인이 대리권 소멸 후 복대리인을 선임하여 복대리인으로 하여금 상대방과 사이에 대리행위를 하도록 한 경우에도, 상대방이 대리권 소멸사실을 알지 못하여 복대리인에게 적법한 대리권이 있는 것으로 믿었고 그와 같이 믿은 데 과실이 없다면 민법 제129조에 의한 표현대리가 성립할 수 있다.

④ 민법 제126조 소정의 권한을 넘은 표현대리의 규정은 거래의 안전을 도모하여 거래상대방의 이익을 보호하려는 데에 그 취지가 있으므로 법정대리의 경우에는 그 적용이 없다.

⑤ 표현대리행위가 성립하는 경우에는 상대방에게 과실이 있는 경우에도 과실상계의 법리를 유추적용하여 본인의 책임을 감경할 수 없다.

해설 ① 이행지체가 있으면 즉시 강제집행을 하여도 이의가 없다는 강제집행 수락의사표시는 소송행위라 할 것이고, 이러한 소송행위에는 민법상의 표현대리규정이 적용 또는 유추적용될 수는 없다(대판 1983.2.8, 81다카621).

② 대법원은 사술을 써서 대리행위의 표시를 하지 아니하고 단지 본인의 성명을 모용하여 자기가 마치 본인인 것처럼 기망하여 본인 명의로 직접 법률행위를 한 경우에는 특별한 사정이 없는 한 민법 제126조 소정의 표현대리는 성립될 수 없다고 한다(대판 2002.6.28, 2001다49814).

③ 대리인이 대리권 소멸 후 복대리인을 선임하여 복대리인으로 하여금 상대방과 사이에 대리행위를 하도록 한 경우에도, 상대방이 대리권 소멸사실을 알지 못하여 복대리인에게 적법한 대리권이 있는 것으로 믿었고 그와 같이 믿은 데 과실이 없다면 제129조에 의한 표현대리가 성립할 수 있다(대판 1998.5.29, 97다55317).

④ 민법 제126조 소정의 권한을 넘는 표현대리 규정은 거래의 안전을 도모하여 거래상대방의 이익을 보호하려는 데에 그 취지가 있으므로 법정대리라고 하여 임의대리와는 달리 그 적용

정답 ▶ 11 ③ 12 ④

이 없다고 할 수 없고, 따라서 한정치산자(현행 피한정후견인)의 후견인이 친족회(현행 후견감독인)의 동의를 얻지 않고 피후견인의 부동산을 처분하는 행위를 한 경우에도 상대방이 친족회(현행 후견감독인)의 동의가 있다고 믿은 데에 정당한 사유가 있는 때에는 본인인 한정치산자(현행 피한정후견인)에게 그 효력이 미친다(대판 1997.6.27, 97다3828).

⑤ 표현대리행위가 성립하는 경우에 그 본인은 표현대리행위에 의하여 전적인 책임을 져야 하고, 상대방에게 과실이 있다고 하더라도 과실상계의 법리를 유추적용하여 본인의 책임을 경감할 수 없다(대판 1996.7.12, 95다49554).

13 표현대리에 관한 다음 설명 중 가장 옳지 않은 것은? (다툼이 있는 경우 판례에 의함)

▶ 2015년 법원행시

① 대리인이 대리권 소멸 후 직접 상대방과 사이에 대리행위를 하는 경우는 물론, 대리인이 대리권 소멸 후 복대리인을 선임하여 복대리인으로 하여금 상대방과 사이에 대리행위를 하도록 한 경우에도, 상대방이 대리권 소멸 사실을 알지 못하여 복대리인에게 적법한 대리권이 있는 것으로 믿었고, 그와 같이 믿은 데 과실이 없다면 민법 제129조에 의한 표현대리가 성립할 수 있다.

② 대리권소멸 후의 표현대리에 관한 민법 제129조는 법정대리인의 대리권 소멸에 관하여서도 그 적용이 있다.

③ 비법인사단인 교회의 대표자는 총유물인 교회 재산의 처분에 관하여 교인총회의 결의를 거치지 아니하고는 이를 대표하여 행할 권한이 없으나 교회의 대표자가 권한 없이 행한 교회 재산의 처분행위에 대하여는 민법 제126조의 표현대리에 관한 규정이 준용된다.

④ 민법 제126조의 표현대리는 대리인이 본인을 위한다는 의사를 명시 혹은 묵시적으로 표시하거나 대리의사를 가지고 권한 외의 행위를 하는 경우에 성립하고, 사술을 써서 위와 같은 대리행위의 표시를 하지 아니하고 단지 본인의 성명을 모용하여 자기가 마치 본인인 것처럼 기망하여 본인명의로 직접 법률행위를 한 경우에는 특별한 사정이 없는한 위 법조 소정의 표현대리는 성립될 수 없는 것이다.

⑤ 과거에 가졌던 대리권이 소멸되어 민법 제129조에 의하여 표현대리로 인정되는 경우에 그 표현대리의 권한을 넘는 대리행위가 있을 때에는 민법 제126조에 의한 표현대리가 성립할 수 있다.

해설 ① 대리인이 대리권 소멸 후 직접 상대방과 사이에 대리행위를 하는 경우는 물론, 대리인이 대리권 소멸 후 복대리인을 선임하여 복대리인으로 하여금 상대방과 사이에 대리행위를 하도록 한 경우에도, 상대방이 대리권 소멸 사실을 알지 못하여 복대리인에게 적법한 대리권이 있는 것으로 믿었고, 그와 같이 믿은 데 과실이 없다면 민법 제129조에 의한 표현대리가 성립할 수 있다(대판 1998.3.27, 97다48982).

② 제125조 대리권수여표시에 의한 표현대리만이 임의대리에 적용되고, 나머지 표현대리는 임의대리, 법정대리 모두에 적용된다. 따라서 대리권소멸 후의 표현대리에 관한 민법 제129조는 법정대리인의 대리권 소멸에 관하여서도 그 적용이 있다(대판 1975.1.28, 74다1199).

③ 비법인사단인 교회의 대표자는 총유물인 교회 재산의 처분에 관하여 교인총회의 결의를 거치지 아니하고는 이를 대표하여 행할 권한이 없고 교회의 대표자가 권한 없이 행한 교회 재

산의 처분행위에 대하여는 민법 제126조의 표현대리에 관한 규정을 준용하지 않는다(대판 2009.2.12, 2006다23312).
④ 민법 제126조의 표현대리는 대리인이 본인을 위한다는 의사를 명시 혹은 묵시적으로 표시하거나 대리의사를 가지고 권한 외의 행위를 하는 경우에 성립하고, 사술을 써서 위와 같은 대리행위의 표시를 하지 아니하고 단지 본인의 성명을 모용하여 자기가 마치 본인인 것처럼 기망하여 본인명의로 직접 법률행위를 한 경우에는 특별한 사정이 없는 한 위 법조 소정의 표현대리는 성립될 수 없는 것이다(대판 1988.2.9, 87다카273).
⑤ 과거에 가졌던 대리권이 소멸되어 민법 제129조에 의하여 표현대리로 인정되는 경우에 그 표현대리의 권한을 넘는 대리행위가 있을 때에는 민법 제126조에 의한 표현대리가 성립할 수 있다(대판 1979.3.27, 79다234).

14 대리에 관한 다음 설명 중 가장 옳지 않은 것은? (다툼이 있는 경우 판례에 의함)

① 다른 사람이 권한 없이 직접 본인 명의로 기명날인을 하여 어음행위를 한 경우에도 제3자가 그 타인에게 그와 같은 어음행위를 할 수 있는 권한이 있다고 믿을 만한 사유가 있고 본인에게 책임을 질만한 사유가 있는 경우에는 거래안전을 위하여 표현대리에 있어서와 같이 본인에게 책임이 있다고 해석하여여 한다.
② 부동산의 소유자로부터 매매계약을 체결할 대리권을 수여받은 대리인은 특별한 사정이 없는 한 그 매매계약에서 약정한 바에 따라 중도금이나 잔금을 수령할 권한도 있다.
③ 특별한 다른 사정이 없는 한, 본인을 대리하여 금전소비대차 내지 그를 위한 담보권설정계약을 체결할 권한을 수여받은 대리인에게는 본래의 계약관계를 해제할 대리권까지 있다고 할 것이다.
④ 甲이 대리권 없이 父인 乙소유 토지를 丙에게 매도하여 丙명의의 소유권이전등기를 마쳐주었는데 그 후 乙이 사망하여 甲이 단독으로 乙을 상속한 경우, 甲이 위 매매행위가 무권대리행위여서 무효라는 이유로 丙명의의 위 소유권이전등기의 말소를 청구하는 것은 금반언의 원칙상 허용될 수 없다.
⑤ 임의대리인은 본인의 승낙이 있거나 부득이한 사유가 있지 아니하면 복대리인을 선임할 수 없는 것인바, 아파트 분양업무는 그 성질상 분양 위임을 받은 수임인의 능력에 따라 그 분양사업의 성공 여부가 결정되는 사무로서, 본인의 명시적인 승낙 없이는 복대리인의 선임이 허용되지 아니하는 경우로 보아야 한다.

> **해설** ① 어음행위의 위조에 관하여도 민법 제126조에서 규정하는 표현대리가 인정되려면 그 상대방에게 위조자가 어음행위를 할 권한이 있다고 믿은 데에 정당한 사유가 있어야만 하는 것이고, 이러한 정당한 사유는 어음행위 당시에 존재한 여러 사정을 객관적으로 관찰하여 보통인이면 유효한 행위가 있은 것으로 믿는 것이 당연하다고 보여지면 이를 긍정할 수 있다(대판 1999.1.29, 98다27470).

정답 ▷ 13 ③ 14 ③

② 부동산의 소유자로부터 매매계약을 체결할 대리권을 수여받은 대리인은 특별한 사정이 없는 한 그 매매계약에서 약정한 바에 따라 중도금이나 잔금을 수령할 권한도 있다고 보아야 한다(대판 1994.2.8, 93다39379).

③ 일반적으로 법률행위에 의하여 수여된 대리권은 원인된 법률관계의 종료에 의하여 소멸하는 것이므로 특별한 다른 사정이 없는 한, 본인을 대리하여 금전소비대차 내지 그를 위한 담보권설정계약을 체결할 권한을 수여받은 대리인에게 본래의 계약관계를 해제할 대리권까지 있다고 볼 수 없다(대판 1993.1.15, 92다39365 ; 대판 2008.1.31, 2007다74713).

④ 甲이 대리권 없이 乙 소유 부동산을 丙에게 매도하여 부동산소유권이전등기 등에 관한 특별조치법에 의하여 소유권이전등기를 마쳐주었다면 그 매매계약은 무효이고 이에 터잡은 이전등기 역시 무효가 되나, 甲은 乙의 무권대리인으로서 민법 제135조 제1항의 규정에 의하여 매수인인 丙에게 부동산에 대한 소유권이전등기를 이행할 의무가 있으므로 그러한 지위에 있는 甲이 乙로부터 부동산을 상속받아 그 소유자가 되어 소유권이전등기이행의무를 이행하는 것이 가능하게 된 시점에서 자신이 소유자라고 하여 자신으로부터 부동산을 전전매수한 丁에게 원래 자신의 매매행위가 무권대리행위여서 무효였다는 이유로 丁 앞으로 경료된 소유권이전등기가 무효의 등기라고 주장하여 그 등기의 말소를 청구하거나 부동산의 점유로 인한 부당이득금의 반환을 구하는 것은 금반언의 원칙이나 신의성실의 원칙에 반하여 허용될 수 없다(대판 1994.9.27, 94다20617).

⑤ 임의대리인은 본인의 승낙이 있거나 부득이한 사유가 있지 아니하면 복대리인을 선임할 수 없는 것인바, 아파트 분양업무는 그 성질상 분양 위임을 받은 수임인의 능력에 따라 그 분양사업의 성공 여부가 결정되는 사무로서, 본인의 명시적 승낙 없이는 복대리인의 선임이 허용되지 아니하는 경우로 보아야 한다(대판 1999.9.3, 97다56099).

15 **무권대리에 관한 다음 설명 중 옳은 것은?** (다툼이 있는 경우 판례에 의함)

① 무권대리행위의 추인은 상대방의 동의나 승낙을 요하지 않는 단독행위이므로, 의사표시의 일부에 대한 추인도 상대방의 동의나 승낙 여부와 관계없이 유효하다.

② 무권대리행위의 상대방이 상당한 기간을 정하여 본인에게 그 추인여부의 확답을 최고하였음에도 본인이 그 기간 내에 확답을 발하지 아니한 때에는 추인한 것으로 본다.

③ 무권대리행위의 상대방이 계약 당시 무권대리임을 안 경우에는 본인에 대한 추인 여부의 확답을 최고할 수 없으나, 철회할 수는 있다.

④ 무권대리행위의 추인의 의사표시는 무권대리인이나 그 상대방에 어느 쪽에 하여도 무방하다. 다만 무권대리인에게 한 추인의 의사표시는 상대방이 알 때까지는 상대방에게 대항할 수 없다.

⑤ 무권대리행위의 추인은 명시 또는 묵시의 방법으로 할 수 있고, 추인은 다른 의사표시가 없는 때에는 추인한 때에 새로운 법률행위를 한 것으로 본다.

해설 ① 무권대리행위의 추인은 의사표시의 전부에 대하여 행하여져야 하고, 그 일부에 대하여 추인을 하거나 그 내용을 변경하여 추인을 하였을 경우에는 상대방의 동의를 얻지 못하는 한 무효이다(대판 1982.1.26, 81다카549).

② 제131조【상대방의 최고권】대리권 없는 자가 타인의 대리인으로 계약을 한 경우에 상대방은 상당한 기간을 정하여 본인에게 그 추인여부의 확답을 최고할 수 있다. **본인이 그 기간 내에 확답을 발하지 아니한 때에는 추인을 거절한 것으로 본다.**

③ 제134조【상대방의 철회권】대리권 없는 자가 한 계약은 본인의 추인이 있을 때까지 상대방은 본인이나 그 대리인에 대하여 이를 철회할 수 있다. 그러나 계약 당시에 상대방이 대리권 없음을 안 때에는 그러하지 아니하다.

반면에 무권대리행위의 상대방의 최고권은 철회권과 달리 상대방의 선·악의를 묻지 않는다.

④ 제132조【추인, 거절의 상대방】추인 또는 거절의 의사표시는 상대방에 대하여 하지 아니하면 그 상대방에 대항하지 못한다. 그러나 상대방이 그 사실을 안 때에는 그러하지 아니하다.

무권대리인 또는 계약의 상대방에 하여야 한다. 그러나 무권대리인에게 한 추인의 의사표시는 상대방이 알 때까지는 상대방에게 대항할 수 없다(제132조). 민법 제132조는 <u>본인이 무권대리인에게 무권대리행위를 추인한 경우에 상대방이 이를 알지 못하는 동안에는 본인은 상대방에게 추인의 효과를 주장하지 못한다는 취지이므로 상대방은 그때까지 민법 제134조에 의한 철회를 할 수 있고, 또 무권대리인에게 추인이 있었음을 주장할 수도 있다</u>(대판 1981.4.14, 80다2314).

⑤ <u>무권대리행위나 무효행위의 추인은 무권대리행위 등이 있음을 알고 그 행위의 효과를 자기에게 귀속시키도록 하는 단독행위</u>로서 그 의사표시의 방법에 관하여 일정한 방식이 요구되는 것이 아니므로 <u>명시적이든 묵시적이든 묻지 않는다</u> 할 것이지만, 묵시적 추인을 인정하기 위해서는 본인이 그 행위로 처하게 된 법적 지위를 충분히 이해하고 그럼에도 진의에 기하여 그 행위의 결과가 자기에게 귀속된다는 것을 승인한 것으로 볼 만한 사정이 있어야 할 것이므로 이를 판단함에 있어서는 관계되는 여러 사정을 종합적으로 검토하여 신중하게 하여야 한다고 한다(대판 2009.9.24, 2009다37831).

제133조【추인의 효력】추인은 다른 의사표시가 없는 때에는 <u>계약 시에 소급</u>하여 그 효력이 생긴다. 그러나 제3자의 권리를 해하지 못한다.

16 **무권대리에 관한 다음 설명 중 가장 옳지 않은 것은?** (다툼이 있는 경우 판례에 의함)

① 무권대리행위의 추인은 무권대리행위가 있음을 알고 그 행위의 효과를 자기에게 귀속시키도록 하는 단독행위이다.

② 무권대리행위가 범죄가 되는 경우에 그 사실을 알고도 장기간 형사고소를 하지 아니하였다는 사실만으로도 무권대리행위에 대한 묵시적 추인을 인정할 수 있다.

③ 매매계약을 체결한 무권대리인으로부터 매매대금의 전부 또는 일부를 본인이 수령한 경우 무권대리행위의 추인을 인정할 수 있고, 무권대리인이 차용한 금원의 변제기일에 채권자가 본인에게 그 변제를 독촉하자 본인이 그 유예를 요청한 경우에도 무권대리행위의 추인을 인정할 수 있다.

④ 무권대리인이 그 대리권을 증명하지 못하고 또 본인의 추인을 얻지 못한 때에는 상대 방의 선택에 좇아 계약의 이행 또는 손해배상의 책임이 있다.

⑤ 그러나 상대방이 대리권 없음을 알았거나 알 수 있었을 때 또는 대리인으로 계약한 자 가 제한능력자일 때에는 상대방에 대해 책임을 부담하지 않는다.

해설 ① 무권대리행위나 무효행위의 추인은 무권대리행위 등이 있음을 알고 그 행위의 효과를 자 기에게 귀속시키도록 하는 단독행위로서 그 의사표시의 방법에 관하여 일정한 방식이 요 구되는 것이 아니므로 명시적이든 묵시적이든 묻지 않는다 할 것이다(대판 2009.9.24, 2009다37831).

② 무권대리행위는 그 효력이 불확정 상태에 있다가 본인의 추인 유무에 따라 본인에 대한 효력 발생 여부가 결정되는 것으로서, 추인은 무권대리행위가 있음을 알고 그 행위의 효과를 자기 에게 귀속시키도록 하는 단독행위이고, 추인은 처분행위이므로 단순히 침묵한 것만으로는 묵 시적 추인이 되지 않고 일정한 행위가 있어야 한다. 대법원은 무권대리행위가 범죄가 되는 경우에 그 사실을 알고도 장기간 형사고소를 하지 아니하였다는 사실만으로 무권대리행위에 대한 묵시적 추인을 인정할 수 없다고 한다(대판 1998.2.10, 97다31113).

③ 판례는 ⅰ) 매매계약을 체결한 무권대리인으로부터 매매대금의 전부 또는 일부를 본인이 수 령한 경우(대판 1963.4.11, 63다64), ⅱ) 무권대리인이 차용한 금원의 변제기일에 채권자가 본인에게 그 변제를 독촉하자 본인이 그 유예를 요청한 경우(대판 1973.1.30, 72다2309) 무권대리행위에 대한 묵시적 추인을 인정하였다.

④, ⑤

> **제135조【상대방에 대한 무권대리인의 책임】**
> ① 다른 자의 대리인으로서 계약을 맺은 자가 그 대리권을 증명하지 못하고 또 본인의 추인을 받지 못한 경우에는 그는 상대방의 선택에 따라 계약을 이행할 책임 또는 손 해를 배상할 책임이 있다.
> ② 대리인으로서 계약을 맺은 자에게 대리권이 없다는 사실을 상대방이 알았거나 알 수 있었을 때 또는 대리인으로서 계약을 맺은 사람이 제한능력자일 때에는 제1항을 적 용하지 아니한다.

17 대리권 없는 乙이 甲의 대리인이라 칭하며 甲 소유의 X 토지를 丙에게 매도하였다. 다음 설명 중 옳은 것은? (다툼이 있는 경우에는 판례에 의함)

① 甲은 乙을 상대로 추인권을 행사할 수 있다.

② 甲의 추인이 있기 전에 甲과 丁이 X 토지에 대하여 매매계약을 체결하고 丁이 소유권 이전을 위한 가등기를 해 두었더라도, 甲이 무권대리인의 매매계약을 추인하면 그로 인한 소급효는 丁에게도 미친다.

③ 乙이 단독으로 甲을 상속한 경우, 乙은 丙과 체결한 매매계약에 대하여 추인거절권을 행사할 수 있다.

④ 甲의 추인이 있기 전이라면, 丙이 매매계약 체결 당시 乙에게 대리권 없음을 알았던 경우라도 丙은 매매계약을 철회할 수 있다.

⑤ 甲이 추인을 거절한 경우, 丙은 乙을 상대로 계약의 이행과 함께 손해배상을 청구할 수 있다.

해설 ① 무권대리행위의 추인에 특별한 방식이 요구되는 것이 아니므로 명시적인 방법만 아니라 묵시적인 방법으로도 할 수 있고, 그 추인은 무권대리인, 무권대리행위의 직접의 상대방 및 그 무권대리행위로 인한 권리 또는 법률 관계의 승계인에 대하여도 할 수 있다(대판 1981.4.14, 80다2314).

② 제133조【추인의 효력】추인은 다른 의사표시가 없는 때에는 **계약시에 소급하여 그 효력이 생긴다. 그러나 제3자의 권리를 해하지 못한다.**

③ 무권대리인이 본인을 상속한 경우 무권대리인의 지위와 본인의 지위는 분리하여 병존한다. 그러나 신의칙상 추인을 거절할 수 없다(대판 1994.9.27, 94다20617).

④ 제134조【상대방의 철회권】대리권 없는 자가 한 계약은 본인의 추인이 있을 때까지 상대방은 본인이나 그 대리인에 대하여 이를 철회할 수 있다. 그러나 계약 당시에 상대방이 대리권 없음을 안 때에는 그러하지 아니하다.

⑤ 제135조 제1항【상대방에 대한 무권대리인의 책임】다른 자의 대리인으로서 계약을 맺은 자가 그 대리권을 증명하지 못하고 또 본인의 추인을 받지 못한 경우에는 그는 상대방의 선택에 따라 **계약을 이행할 책임 또는 손해를 배상할 책임**이 있다.

18 무권대리인에 관한 다음 설명 중 가장 옳은 것은? (다툼이 있는 경우 판례에 의함)

▶ 2015년 법원행시

① 甲은 A를 사칭하는 X로부터 대리권을 수여받아 乙에게 A 소유 토지에 관하여 근저당권설정등기를 마쳐주었다. 그런데 실제 A가 나타나 乙을 상대로 근저당권설정등기가 무효라는 이유로 말소청구소송을 제기하여 승소판결을 받음으로써 乙이 손해를 입게 되었다. 어차피 X가 甲의 개입 없이 직접 A를 사칭하여 乙과 근저당권설정계약을 체결하였어도 乙은 피해를 볼 수밖에 없었을 것이므로, 甲에게 별도의 과실이 없다면 乙은 甲을 상대로 민법 제135조 제1항에 의한 무권대리인의 책임을 묻지 못한다.

② 무권대리행위의 추인은 무권대리행위의 직접적인 상대방에게 하여야 하고 무권대리인에게는 할 수 없다.

③ 타인의 대리인으로 계약을 한 자가 그 대리권을 증명하지 못하고 또 본인의 추인을 얻지 못한 때에 상대방이 가지는 무권대리인에 대한 계약이행 또는 손해배상청구권의 소멸시효는 무권대리인이 대리권을 증명하지 못하거나 본인의 추인을 얻지 못한 때이지 그 상대방이 안 때로부터 진행하는 것이 아니다.

④ 甲은 乙에게 저당권 설정을 위한 대리권을 수여하였는데, 乙은 자신의 명의로 소유권이전등기를 한 후에 丙에게 저당권을 설정해 준 경우, 표현대리가 성립할 수 있다.

⑤ 甲으로부터 아파트에 관한 임대 등 일체의 관리권한을 위임받은 乙이 자신을 甲으로 가장하여 그 아파트를 丙에게 임대한 후, 다시 甲으로 가장하여 丙에게 그 아파트를 매도하기로 약정한 경우 권한을 넘는 표현대리가 유추적용될 수 없다.

정답 17 ① 18 ③

해설 ① 무권대리인은 무과실 책임을 부담한다(대판 2014.2.27, 2013다21308). 따라서 甲은 A를 사칭하는 X로부터 대리권을 수여받아 乙에게 A 소유 토지에 관하여 근저당권설정등기를 마쳐주었다. 그런데 실제 A가 나타나 乙을 상대로 근저당권설정등기가 무효라는 이유로 말소청구소송을 제기하여 승소판결을 받음으로써 乙이 손해를 입게 되었다. X가 甲의 개입 없이 직접 A를 사칭하여 乙과 근저당권설정계약을 체결하였어도 乙은 피해를 볼 수밖에 없었을 것이나, 甲에게 별도의 과실이 있든 없든 乙은 甲을 상대로 민법 제135조 제1항에 의한 무권대리인의 책임을 물을 수 있다는 것이 판례이다.

② 무권대리행위의 추인은 무권대리행위의 직접적인 상대방 또는 승계인 또는 무권대리인에게도 할 수 있다(대판 2009.11.12, 2009다46828).

③ 타인의 대리인으로 계약을 한 자가 그 대리권을 증명하지 못하고 또 본인의 추인을 얻지 못한 때에 상대방이 가지는 무권대리인에 대한 계약이행 또는 손해배상청구권의 소멸시효는 무권대리인이 대리권을 증명하지 못하거나 본인의 추인을 얻지 못한 때이지 그 상대방이 안 때로부터 진행하는 것이 아니다(대판 1965.8.24, 64다1156).

④ 甲은 乙에게 저당권 설정을 위한 대리권을 수여하였는데, 乙은 자신의 명의로 소유권이전등기를 한 후에 丙에게 저당권을 설정해 준 경우, 乙의 행위는 대리행위가 아니기 때문에 제126조의 표현대리가 성립할 수 없다(대판 1991.12.27, 91다3208).

⑤ 甲으로부터 아파트에 관한 임대 등 일체의 관리권한을 위임받은 乙이 자신을 甲으로 가장하여 그 아파트를 丙에게 임대한 후, 다시 甲으로 가장하여 丙에게 그 아파트를 매도하기로 약정한 경우 권한을 넘는 표현대리가 유추적용될 수 있다(대판 1993.2.23, 92다52436).

19 甲이 본인 乙을 무권대리한 경우에 관한 설명 중 옳지 않은 것은? (각 지문은 독립적이며, 다툼이 있는 경우 판례에 의함)   ▸ 2016년 사법시험

① 상대방 있는 단독행위에서 그 행위 당시에 상대방 丙이 대리인이라 칭하는 甲의 대리권 없는 행위에 동의하거나 그 대리권을 다투지 아니한 때에 한하여 계약의 무권대리에 관한 규정을 준용한다.

② 甲이 乙의 자전거에 대한 소유권을 포기한 것은 乙의 추인 여부에 상관없이 언제나 무효이다.

③ 甲이 대리권 없이 乙 소유 부동산을, 甲이 乙의 대리인이라고 과실 없이 믿은 丙에게 매도하고 丙은 丁에게 매도하여 그 소유권이전등기가 되었는데, 그 후 乙의 사망으로 甲이 乙을 상속한 경우, 甲은 자신의 매매행위가 무권대리임을 주장하여 丁 명의의 등기말소를 청구할 수 있다.

④ 甲이 매매계약을 해제한 후 그 대리권을 다투지 아니하는 계약상대방으로부터 반환받은 금원으로 매수한 대지의 등기서류를 乙이 교부받아 자기 남편명의로 위 대지에 관한 소유권이전등기를 마친 경우에는, 甲이 한 매매계약의 해제를 乙이 추인한 것으로 본다.

⑤ 상대방 丙이 甲에 대해 본인을 위한 것임을 표시하여 계약을 해제한 때에는 그것이 甲의 동의를 얻어 한 때에만 계약의 무권대리에 관한 규정이 준용된다.

해설 ①, ⑤ 제136조 참조

② 소유권포기와 같은 상대방 없는 행위에 대한 무권대리는 추인여부를 불문하고 언제나 무효이다.

③ 무권대리인 자신의 매매행위가 무권대리행위여서 무효였다는 이유로 정 앞으로 경료된 소유권이전등기가 무효의 등기라고 주장하여 그 등기의 말소를 청구하거나 부동산의 점유로 인한 부당이득금의 반환을 구하는 것은 금반언의 원칙이나 신의성실의 원칙에 반하여 허용될 수 없다(대판 1994.9.27, 94다20617).

④ 무권대리행위나 무효행위의 추인은 무권대리행위 등이 있음을 알고 그 행위의 효과를 자기에게 귀속시키도록 하는 단독행위로서 그 의사표시의 방법에 관하여 일정한 방식이 요구되는 것이 아니므로 명시적이든 묵시적이든 묻지 않는다(대판 2009.9.24, 2009다37831).

20 **표현대리 또는 무권대리에 관한 다음 설명 중 가장 옳지 않은 것은?** (다툼이 있는 경우 판례에 의함)
▶ 2016년 법무사

① 표현대리행위가 성립하는 경우에 그 본인은 표현대리행위에 의하여 전적인 책임을 져야 하고, 상대방에게 과실이 있다고 하더라도 과실상계의 법리를 유추적용하여 본인의 책임을 경감할 수 없다.

② 민법 제125조가 규정하는 대리권 수여의 표시에 의한 표현대리는 본인과 대리행위를 한 자 사이의 기본적인 법률관계의 성질이나 그 효력의 유무와는 관계없이 어떤 자가 본인을 대리하여 제3자와 법률행위를 함에 있어 본인이 그 자에게 대리권을 수여하였다는 표시를 제3자에게 한 경우에 성립하는 것이다.

③ 다른 자의 대리인으로서 계약을 맺은 자가 그 대리권을 증명하지 못하고 또 본인의 추인을 받지 못한 경우에는 그는 상대방의 선택에 따라 계약을 이행할 책임 또는 손해를 배상할 책임이 있으나, 대리인으로서 계약을 맺은 자에게 대리권이 없다는 사실을 상대방이 알았거나 알 수 있었을 때 또는 대리인으로서 계약을 맺은 사람이 제한능력자일 때에는 그러하지 아니하다.

④ 민법 제135조 제1항에 따른 무권대리인의 상대방에 대한 책임은 무권대리행위가 제3자의 기망이나 문서위조 등 위법행위로 야기된 경우에 그 책임은 부정된다.

⑤ 종중으로부터 임야의 매각과 관련한 권한을 부여받은 甲이 임야의 일부를 실질적으로 자기가 매수하여 그 처분권한이 있다고 하면서 乙로부터 금원을 차용하고 그 담보를 위하여 위 임야에 대하여 양도담보계약을 체결하였으며 乙도 그와 같이 알고 있었던 이상, 이는 종중을 위한 대리행위가 아니어서 그 효력이 종중에게 미치지 아니하고, 민법 제126조의 표현대리의 법리가 적용될 수도 없다.

해설 ① 표현대리행위가 성립하는 경우에 그 본인은 표현대리행위에 의하여 전적인 책임을 져야 하고, 상대방에게 과실이 있다고 하더라도 과실상계의 법리를 유추적용하여 본인의 책임을 경감할 수 없다(대판 1996.7.12, 95다49554).

정답 ▶ 19 ③ 20 ④

② 민법 제125조가 규정하는 대리권 수여의 표시에 의한 표현대리는 본인과 대리행위를 한 자 사이의 기본적인 법률관계의 성질이나 그 효력의 유무와는 직접적인 관계가 없이 어떤 자가 본인을 대리하여 제3자와 법률행위를 함에 있어 본인이 그 자에게 대리권을 수여하였다는 표시를 제3자에게 한 경우에는 성립될 수가 있고, 또 본인에 의한 대리권 수여의 표시는 반드시 대리권 또는 대리인이라는 말을 사용하여야 하는 것이 아니라 사회통념상 대리권을 추단할 수 있는 직함이나 명칭 등의 사용을 승낙 또는 묵인한 경우에도 대리권 수여의 표시가 있은 것으로 볼 수 있다(대판 1998.6.12, 97다53762).

③ 제135조【상대방에 대한 무권대리인의 책임】
① 다른 자의 대리인으로서 계약을 맺은 자가 그 대리권을 증명하지 못하고 또 본인의 추인을 받지 못한 경우에는 그는 상대방의 선택에 따라 계약을 이행할 책임 또는 손해를 배상할 책임이 있다.
② 대리인으로서 계약을 맺은 자에게 대리권이 없다는 사실을 상대방이 알았거나 알 수 있었을 때 또는 대리인으로서 계약을 맺은 사람이 제한능력자일 때에는 제1항을 적용하지 아니한다.

④ 무권대리인의 상대방에 대한 책임은 무과실책임으로서 대리권의 흠결에 관하여 대리인에게 과실 등의 귀책사유가 있어야만 인정되는 것이 아니고, 무권대리행위가 제3자의 기망이나 문서위조 등 위법행위로 야기되었다고 하더라도 책임은 부정되지 아니한다(대판 2014.2.27, 2013다213038).

⑤ 본인을 위한 것임을 표시하지 않은 경우 대리 또는 표현대리의 법리가 적용될 수 없다(대판 2001.1.19, 99다67598).

21 법률행위의 대리에 관한 다음 설명 중 가장 옳은 것은? (다툼이 있는 경우 판례에 의함)

▶ 2017년 9급(법원서기보)

① 甲이 대리권 없이 乙의 대리인으로서 丙과 매매계약을 체결한 경우 甲의 대리행위가 대리권 소멸 후의 표현대리로 인정되는 경우라면 권한을 넘은 표현대리는 성립할 수 없다.
② 甲이 乙의 무권대리인 丙과 매매계약을 체결한 경우 乙은 丙의 무권대리행위를 추인할 수 있고, 乙의 추인이 있을 경우 위 매매계약은 장래에 향하여 효력이 발생한다.
③ 乙 소유의 X토지에 관하여 매매계약을 체결할 대리권을 수여받은 甲이 매수인 丙으로부터 잔금을 수령하였다면 甲이 잔금을 乙에게 전달하지 않았더라도 丙의 잔금지급채무는 소멸한다.
④ 乙의 부동산을 매도할 대리권을 수여받은 甲이 마치 자신이 乙인 것처럼 행세하여 乙의 부동산을 丙에게 매도하였다면 丙은 乙에게 소유권이전등기를 청구할 수 없다.

해설 ① 민법 제126조에서 말하는 권한을 넘은 표현대리는 현재에 대리권을 가진 자가 그 권한을 넘은 경우에 성립하는 것이지, 현재에 아무런 대리권도 가지지 아니한 자가 본인을 위하여 한 어떤 대리행위가 과거에 이미 가졌던 대리권을 넘은 경우에까지 성립하는 것은 아니라고 할 것이고, 한편 과거에 가졌던 대리권이 소멸되어 민법 제129조에 의하여 표현대리로 인정되는 경우에 그 표현대리의 권한을 넘는 대리행위가 있을 때에는 민법 제126조에 의한 표현대리가 성립할 수 있다(대판 2008.1.31, 2007다74713).

② 제130조【무권대리】 대리권 없는 자가 타인의 대리인으로 한 계약은 본인이 이를 추인하지 아니하면 본인에 대하여 효력이 없다.
제133조【추인의 효력】 추인은 다른 의사표시가 없는 때에는 계약시에 소급하여 그 효력이 생긴다. 그러나 제3자의 권리를 해하지 못한다.

③ 임의대리에 있어서 대리권의 범위는 수권행위(대리권수여행위)에 의하여 정하여지는 것이므로 어느 행위가 대리권의 범위 내의 행위인지의 여부는 개별적인 수권행위의 내용이나 그 해석에 의하여 판단할 것이나, 일반적으로 말하면 수권행위의 통상의 내용으로서의 임의대리권은 그 권한에 부수하여 필요한 한도에서 상대방의 의사표시를 수령하는 이른바 수령대리권을 포함하는 것으로 보아야 한다. (따라서) 부동산의 소유자로부터 매매계약을 체결할 대리권을 수여받은 대리인은 특별한 사정이 없는 한 그 매매계약에서 약정한 바에 따라 중도금이나 잔금을 수령할 권한도 있다고 보아야 한다(대판 1994.2.8, 93다39379).

④ 타인명의 사용의 법률행위에서 당사자확정의 법률관계이다. 위 사안은 대리의사가 있고, 대리인이 본인명의로 법률행위를 한 경우에라도 대리권이 있고, 그 대리권 범위 내에서 법률행위를 한 경우에는 유권대리로서 그 효력은 본인에게 미친다(대판 1987.6.23, 86다카1411). 나아가 지문의 경우에는 제126조를 유추적용하여 본인에게 법률행위의 효력이 미친다고 볼 수 있다.

22 대리에 관한 다음 설명 중 가장 옳은 것은? (다툼이 있는 경우 판례에 의함)

▶ 2018년 9급(법원서기보)

① 민법 제135조 제1항은 "타인의 대리인으로 계약을 한 자가 그 대리권을 증명하지 못하고 또 본인의 추인을 얻지 못한 때에는 상대방의 선택에 좇아 계약의 이행 또는 손해배상의 책임이 있다."라고 규정하고 있는데, 위 규정에 따른 무권대리인의 상대방에 대한 책임은 무과실책임이다.

② 무권리자가 타인의 권리를 처분한 경우에는 특별한 사정이 없는 한 권리가 이전되지 않고, 무권리자의 처분이 계약으로 이루어진 경우에 권리자가 이를 추인하더라도 그 계약의 효과가 계약을 체결했을 때에 소급하여 권리자에게 귀속되는 것은 아니다.

③ 대리권 없는 자가 한 계약은 본인의 추인이 있을 때까지 상대방은 본인이나 그 대리인에 대하여 이를 철회할 수 있고, 이는 계약 당시에 상대방이 대리권 없음을 안 때에도 마찬가지이다.

④ 대리인은 보존행위 및 대리의 목적인 물건이나 권리의 성질을 변하지 아니하는 범위에서 이를 이용하거나 개량하는 행위만을 할 수 있다.

> 해설 ① 무권대리인의 상대방에 대한 책임은 무과실책임으로서 대리권의 흠결에 관하여 대리인에게 과실 등의 귀책사유가 있어야만 인정되는 것이 아니고, 무권대리행위가 제3자의 기망이나 문서위조 등 위법행위로 야기되었다고 하더라도 책임은 부정되지 아니한다(대판 2014.2.27, 2013다213038).

정답 ▶ 21 ③ 22 ①

② [1] 법률행위에 따라 권리가 이전되려면 권리자 또는 처분권한이 있는 자의 처분행위가 있어야 한다. 무권리자가 타인의 권리를 처분한 경우에는 특별한 사정이 없는 한 권리가 이전되지 않는다. 그러나 이러한 경우에 권리자가 무권리자의 처분을 추인하는 것도 자신의 법률관계를 스스로의 의사에 따라 형성할 수 있다는 사적 자치의 원칙에 따라 허용된다. 이러한 추인은 무권리자의 처분이 있음을 알고 해야 하고, 명시적으로 또는 묵시적으로 할 수 있으며, 그 의사표시는 무권리자나 그 상대방 어느 쪽에 해도 무방하다.
[2] 권리자가 무권리자의 처분을 추인하면 무권대리에 대해 본인이 추인을 한 경우와 당사자들 사이의 이익상황이 유사하므로, 무권대리의 추인에 관한 제130조, 제133조 등을 무권리자의 추인에 유추 적용할 수 있다. 따라서 무권리자의 처분이 계약으로 이루어진 경우에 권리자가 이를 추인하면 원칙적으로 그 계약의 효과가 계약을 체결했을 때에 소급하여 권리자에게 귀속된다고 보아야 한다(대판 2017.6.8, 2017다3499).

③ 제134조【상대방의 철회권】대리권없는 자가 한 계약은 본인의 추인이 있을 때까지 상대방은 본인이나 그 대리인에 대하여 이를 철회할 수 있다. 그러나 계약당시에 상대방이 대리권 없음을 안 때에는 그러하지 아니하다.

④ 권한을 정하지 아니한 대리인의 경우로서 수권행위의 해석상 대리권의 범위가 불분명한 경우에 보존행위 및 대리의 목적인 물건이나 권리의 성질을 변하지 아니하는 범위에서 이를 이용하거나 개량하는 행위만을 할 수 있는 것이다(제118조). 즉 처분행위에 관한 대리권을 수여받은 대리인이라면 보존행위 및 관리행위에 대해서만 대리할 수 있는 것은 아니다.

23 대리에 관한 다음 설명 중 가장 옳은 것은? (다툼이 있는 경우 판례에 의하고, 전원합의체 판결의 경우 다수의견에 의함)
▶ 2019년 9급(법원서기보)

① 대리에서 법률행위를 하는 자는 대리인이나 그 법률효과는 본인에게 귀속되는 이상, 의사표시의 효력이 의사의 흠결, 사기, 강박 또는 어느 사정을 알았거나 과실로 알지 못한 것으로 인하여 영향을 받을 경우에 그 사실의 유무는 본인을 기준으로 한다.

② 대리행위가 법률행위인 경우에는 그 대리인은 행위능력자이어야 한다.

③ 표현대리가 성립하여 본인이 이행책임을 부담하는 경우에 상대방에게 과실이 있다면 과실상계의 법리를 적용할 수 있다.

④ 민법 제132조는 무권대리행위의 상대방만을 추인의 상대방으로 규정하지만, 무권대리인에 대한 추인도 가능하다.

해설 ① 대리인을 기준으로 한다(제116조 제1항). 다만 그에 따른 법률효과(무효 또는 취소)는 본인에게 귀속된다(제114조).

② 대리인은 행위능력자임을 요하지 아니한다(제117조).

③ 표현대리행위가 성립하는 경우에 그 본인은 표현대리행위에 의하여 전적인 책임을 져야 하고, 상대방에게 과실이 있다고 하더라도 과실상계의 법리를 유추적용하여 본인의 책임을 경감할 수 없다(대판 1996.7.12, 95다49554).

④ 무권대리행위의 추인은 무권대리행위의 직접적인 상대방 또는 승계인 또는 무권대리인에게도 할 수 있다(대판 2009.11.12, 2009다46828).

24 대리에 관한 다음 설명 중 가장 옳은 것은? (다툼이 있는 경우 판례에 의함)

▶ 2017년 법원사무관 승진

① 계약이 적법한 대리인에 의하여 체결된 경우라 하더라도 대리인은 다른 특별한 사정이 없는 한 본인을 위하여 계약상 급부를 변제로서 수령할 권한을 가진다고 볼 수 없다. 따라서 대리인이 계약상 급부를 수령한 경우에 계약상 채무의 불이행을 이유로 계약이 상대방 당사자에 의하여 유효하게 해제되었다면, 해제로 인한 원상회복의무는 계약의 당사자인 본인이 아니라 대리인이 부담한다.

② 임의대리인은 행위능력자임을 요한다.

③ 임의대리인은 본인과 사이에 신뢰관계가 있는 자로서 본인의 승낙이 없고, 부득이한 사유가 없다 하더라도 복대리인을 선임할 수 있다.

④ 민법 제135조 제1항은 '타인의 대리인으로 계약을 한 자가 그 대리권을 증명하지 못하고 또 본인의 추인을 얻지 못한 때에는 상대방의 선택에 좇아 계약의 이행 또는 손해배상의 책임이 있다.'고 규정하고 있다. 위 규정에 따른 무권대리인의 상대방에 대한 책임은 무과실책임으로서 대리권의 흠결에 관하여 대리인에게 과실 등의 귀책사유가 있어야만 인정되는 것이 아니고, 무권대리행위가 제3자의 기망이나 문서위조 등 위법행위로 야기되었다고 하더라도 책임은 부정되지 아니한다.

해설 ① 계약이 적법한 대리인에 의하여 체결된 경우에 대리인은 다른 특별한 사정이 없는 한 본인을 위하여 계약상 급부를 변제로서 수령할 권한도 가진다. 그리고 대리인이 그 권한에 기하여 계약상 급부를 수령한 경우에, 그 법률효과는 계약 자체에서와 마찬가지로 직접 본인에게 귀속되고 대리인에게 돌아가지 아니한다. 따라서 계약상 채무의 불이행을 이유로 계약이 상대방 당사자에 의하여 유효하게 해제되었다면, 해제로 인한 원상회복의무는 대리인이 아니라 계약의 당사자인 본인이 부담한다. 이는 본인이 대리인으로부터 그 수령한 급부를 현실적으로 인도받지 못하였다거나 해제의 원인이 된 계약상 채무의 불이행에 관하여 대리인에게 책임 있는 사유가 있다고 하여도 다른 특별한 사정이 없는 한 마찬가지라고 할 것이다 (대판 2011.8.18, 2011다30871).

② 제117조【대리인의 행위능력】대리인은 행위능력자임을 요하지 아니한다.

③ 제120조【임의대리인의 복임권】대리권이 법률행위에 의하여 부여된 경우에는 대리인은 본인의 승낙이 있거나 부득이한 사유 있는 때가 아니면 복대리인을 선임하지 못한다.

④ 민법 제135조 제1항은 "타인의 대리인으로 계약을 한 자가 그 대리권을 증명하지 못하고 또 본인의 추인을 얻지 못한 때에는 상대방의 선택에 좇아 계약의 이행 또는 손해배상의 책임이 있다."고 규정하고 있다. 위 규정에 따른 무권대리인의 상대방에 대한 책임은 무과실책임으로서 대리권의 흠결에 관하여 대리인에게 과실 등의 귀책사유가 있어야만 인정되는 것이 아니고, 무권대리행위가 제3자의 기망이나 문서위조 등 위법행위로 야기되었다고 하더라도 책임은 부정되지 아니한다(대판 2014.2.27, 2013다213038).

정답 23 ④   24 ④

25 법률행위의 대리에 관한 다음 설명 중 가장 옳지 않은 것은? (다툼이 있는 경우 판례에 의함)

▸ 2017년 법무사

① 부동산입찰절차에서 동일한 물건에 관하여 1인이 이해관계를 달리하는 2인 이상의 대리인이 된 경우, 그 대리인이 한 입찰행위는 원칙적으로 무효이다.

② 무권대리행위의 추인은 무권대리인, 무권대리행위의 직접 상대방 및 그 무권대리행위로 인한 권리 또는 법률관계의 승계인에 대하여도 할 수 있다.

③ 부부간의 일상가사대리권은 그 동거생활을 유지하기 위하여 각각 필요한 범위 내의 법률행위에 국한되어야 할 것이고, 아내가 남편 소유의 부동산을 매각하는 것과 같은 처분행위는 일상가사의 대리권에는 속하지 아니한다.

④ 민법 제135조 제1항에 따른 무권대리인의 책임은 무과실책임으로서 대리권의 흠결에 관하여 대리인에게 과실 등의 귀책사유가 있어야만 인정되는 것이 아니고, 무권대리행위가 제3자의 기망이나 문서위조 등 위법행위로 야기되었다고 하더라도 책임이 부정되지 않는다.

⑤ 甲이 그 소유 부동산을 乙에게 매도하였는데, 丙의 대리인 丁이 그 사실을 알면서도 甲의 배임행위에 적극 가담하여 이중으로 매수한 경우, 丙이 자신이 선의임을 증명하지 않는 한 甲과 丙의 매매계약은 원칙적으로 사회질서에 반하여 무효이다.

해설 ① 부동산 입찰절차에서 동일한 물건에 관하여 1인이 2인 이상의 대리인이 된 경우, 그 대리인이 한 입찰행위는 무효이다(대결 2004.2.13, 2003마44).

② 무권대리행위의 추인에 특별한 방식이 요구되는 것이 아니므로 명시적인 방법만 아니라 묵시적인 방법으로도 할 수 있고, 그 추인은 <u>무권대리인, 무권대리행위의 직접의 상대방 및 그 무권대리행위로 인한 권리 또는 법률 관계의 승계인</u>에 대하여도 할 수 있다(대판 1981.4.14, 80다2314).

③ 부부간의 일상가사대리권은 그 동거생활을 유지하기 위하여 각각 필요한 범위내의 법률행위에 국한되어야 할 것이고 아내가 남편 소유의 부동산을 매각하는 것과 같은 처분행위는 일상가사의 대리권에는 속하지 아니한다(대판 1966.7.19, 66다863).

④ 무권대리인의 상대방에 대한 책임은 무과실책임으로서 대리권의 흠결에 관하여 대리인에게 과실 등의 귀책사유가 있어야만 인정되는 것이 아니고, 무권대리행위가 제3자의 기망이나 문서위조 등 위법행위로 야기되었다고 하더라도 책임은 부정되지 아니한다(대판 2014.2.27, 2013다213038).

⑤ 대리인이 본인을 대리하여 매매계약을 체결함에 있어서 매매 대상 토지에 관한 저간의 사정을 잘 알고 그 배임행위에 가담하였다면, <u>대리행위의 하자 유무는 대리인을 표준으로 판단하여야 하므로, 설사 본인이 미리 그러한 사정을 몰랐거나 반사회성을 야기한 것이 아니라고 할지라도 그로 인하여 매매계약은 제103조 반사회적 법률행위로 무효이다</u>(대판 1998.2.27, 97다45532).

26 대리에 관한 다음 설명 중 가장 옳지 않은 것은? (다툼이 있는 경우 판례에 의함)

▸ 2018년 법무사

① 부동산의 소유자로부터 매매계약을 체결할 대리권을 수여받은 대리인은 특별한 사정이 없는 한 그 매매계약에서 약정한 바에 따라 중도금이나 잔금을 수령할 권한도 있다.

② 어떠한 계약의 체결에 관한 대리권을 수여받은 대리인은 자신이 대리하여 체결하였던 계약의 해제 등 일체의 처분권과 상대방의 의사를 수령할 권한도 있다.

③ 대리권을 수여하는 수권행위는 묵시적인 의사표시에 의하여 할 수도 있으며, 어떤 사람이 대리인의 외양을 가지고 행위하는 것을 본인이 알면서도 이의를 하지 아니하고 방임하는 등 사실상의 용태에 의하여 대리권의 수여가 추단될 수도 있다.

④ 사술을 써서 대리행위의 표시를 하지 아니하고 단지 본인의 성명을 모용하여 자기가 마치 본인인 것처럼 기망하여 본인 명의로 직접 법률행위를 한 경우에는 특별한 사정이 없는 한 민법 제126조의 표현대리는 성립될 수 없다.

⑤ 무권대리행위의 추인은 묵시적인 방법으로도 할 수 있으며, 본인이 무권대리행위로 처하게 된 법적 지위를 충분히 이해하고 진의에 기하여 무권대리행위의 결과가 자기에게 귀속된다는 것을 승인한 것으로 볼 만한 사정이 있다면 무권대리행위를 묵시적으로 추인한 것으로 볼 수 있다.

해설 ① 부동산의 소유자로부터 매매계약을 체결할 대리권을 수여받은 대리인은 특별한 다른 사정이 없는 한 그 매매계약에서 약정한 바에 따라 중도금이나 잔금을 수령할 수도 있다고 보아야 하고, 매매계약의 체결과 이행에 관하여 포괄적으로 대리권을 수여받은 대리인은 특별한 다른 사정이 없는 한 상대방에 대하여 약정된 매매대금지급기일을 연기하여 줄 권한도 가진다고 보아야 할 것이다(대판 1992.4.14, 91다43107).

② 법률행위에 의하여 수여된 대리권은 원인된 법률관계의 종료에 의하여 소멸하는 것이므로 특별한 사정이 없는 한, 매수명의자를 대리하여 매매계약을 체결하였다 하여 곧바로 대리인이 매수인을 대리하여 매매계약의 해제 등 일체의 처분권과 상대방의 의사를 수령할 권한까지 가지고 있다고 볼 수는 없다(대판 1997.3.25, 96다51271).

③ 대리권을 수여하는 수권행위는 불요식의 행위로서 명시적인 의사표시에 의함이 없이 묵시적인 의사표시에 의하여 할 수도 있으며, 어떤 사람이 대리인의 외양을 가지고 행위하는 것을 본인이 알면서도 이의를 하지 아니하고 방임하는 등 사실상의 용태에 의하여 대리권의 수여가 추단되는 경우도 있다(대판 2016.5.26, 2016다203315).

④ 민법 제126조의 표현대리는 대리인이 본인을 위한다는 의사를 명시 혹은 묵시적으로 표시하거나 대리의사를 가지고 권한 외의 행위를 하는 경우에 성립하고, 사술을 써서 위와 같은 대리행위의 표시를 하지 아니하고 단지 본인의 성명을 모용하여 자기가 마치 본인인 것처럼 기망하여 본인 명의로 직접 법률행위를 한 경우에는 특별한 사정이 없는 한 위 법조 소정의 표현대리는 성립될 수 없다(대판 2002.6.28, 2001다49814).

정답 25 ⑤ 26 ②

⑤ 무권대리행위나 무효행위의 추인은 무권대리행위 등이 있음을 알고 그 행위의 효과를 자기에게 귀속시키도록 하는 단독행위로서 그 의사표시의 방법에 관하여 일정한 방식이 요구되는 것이 아니므로 명시적이든 묵시적이든 묻지 않는다 할 것이지만, 묵시적 추인을 인정하기 위해서는 본인이 그 행위로 처하게 된 법적 지위를 충분히 이해하고 그럼에도 진의에 기하여 그 행위의 결과가 자기에게 귀속된다는 것을 승인한 것으로 볼 만한 사정이 있어야 할 것이므로 이를 판단함에 있어서는 관계되는 여러 사정을 종합적으로 검토하여 신중하게 하여야 할 것이다(대판 2009.9.24, 2009다37831).

27 임의대리권에 관한 다음 설명 중 가장 옳지 않은 것은? ▶ 2021년 법원서기보

① 수권행위의 통상의 내용으로서의 임의대리권은 그 권한에 부수하여 필요한 한도에서 상대방의 의사표시를 수령하는 이른바 수령대리권을 포함한다.

② 매매계약의 체결과 이행에 관하여 포괄적으로 대리권을 수여받은 대리인이라도 특별한 다른 사정이 없는 한 상대방에 대하여 약정된 매매대금지급기일을 연기하여 줄 권한은 없다.

③ 부동산의 소유자로부터 매매계약을 체결할 대리권을 수여받은 대리인은 특별한 사정이 없는 한 그 매매계약에서 약정한 바에 따라 중도금이나 잔금을 수령할 권한이 있다.

④ 예금계약의 체결을 위임받은 자가 가지는 대리권에 당연히 그 예금을 담보로 하여 대출을 받거나 이를 처분할 수 있는 대리권이 포함되어 있는 것은 아니다.

해설 ①, ③ 수권행위의 통상의 내용으로서의 임의대리권은 그 권한에 부수하여 필요한 한도에서 상대방의 의사표시를 수령하는 이른바 수령대리권을 포함하는 것으로 보아야 한다. (따라서) 부동산의 소유자로부터 매매계약을 체결할 대리권을 수여받은 대리인은 특별한 사정이 없는 한 그 매매계약에서 약정한 바에 따라 중도금이나 잔금을 수령할 권한도 있다고 보아야 한다 (대판 1994.2.8, 93다39379).

② 부동산의 소유자로부터 매매계약을 체결할 대리권을 수여받은 대리인은 특별한 다른 사정이 없는 한 그 매매계약에서 약정한 바에 따라 중도금이나 잔금을 수령할 수도 있다고 보아야 하고, 매매계약의 체결과 이행에 관하여 포괄적으로 대리권을 수여받은 대리인은 특별한 다른 사정이 없는 한 상대방에 대하여 약정된 매매대금지급기일을 연기하여 줄 권한도 가진다고 보아야 할 것이다(대판 1992.4.14, 91다43107).

④ 예금계약의 체결을 위임받은 자가 가지는 대리권에 당연히 그 예금을 담보로 대출을 받거나 이를 처분할 수 있는 대리권이 포함되어 있는 것은 아니다(대판 2002.6.14, 2000다38992).

28 대리에 관한 다음 설명 중 가장 옳은 것은? (다툼이 있는 경우 판례에 의함) ▸2018년 법무사

① 무권대리행위 추인은 명시적인 방법만이 아니라 묵시적인 방법으로도 할 수 있고, 무권대리행위의 직접의 상대방은 물론 무권대리행위로 인한 권리 또는 법률관계의 승계인에 대하여도 할 수 있지만, 무권대리인에 대하여 한 무권대리행위 추인은 아무런 효력이 없다.

② 무권리자가 타인의 권리를 처분한 경우에는 특별한 사정이 없는 한 권리가 이전되지 않고, 무권리자의 처분이 계약으로 이루어진 경우에 권리자가 이를 추인하더라도 그 계약의 효과가 계약을 체결했을 때에 소급하여 권리자에게 귀속되는 것은 아니다.

③ 비법인사단인 교회의 대표자는 총유물인 교회 재산 처분에 관하여 교인총회 결의를 거치지 아니하고는 이를 대표하여 행할 권한이 없다. 하지만 그 상대방이 교인총회 결의를 거쳤다고 믿었고 그와 같이 믿은 데에 정당한 사유가 있는 때에는 민법 제126조의 표현대리 규정에 따라 본인인 교회에 처분행위의 효력이 미친다.

④ 민법 제126조의 권한을 넘는 표현대리 규정은 법정대리에도 적용되므로, 한정치산자의 후견인이 친족회의 동의를 얻지 않고 피후견인의 부동산을 처분하는 행위를 한 경우에도 상대방이 친족회의 동의가 있다고 믿은 데에 정당한 사유가 있는 때에는 본인인 한정치산자에게 그 효력이 미친다.

⑤ 표현대리가 성립하는 경우라도, 과실상계의 법리를 유추적용하여 본인의 책임을 경감할 수 있다.

해설 ① 무권대리행위의 추인에 특별한 방식이 요구되는 것이 아니므로 명시적인 방법만 아니라 묵시적인 방법으로도 할 수 있고, 그 추인은 무권대리인, 무권대리행위의 직접의 상대방 및 그 무권대리행위로 인한 권리 또는 법률 관계의 승계인에 대하여도 할 수 있다(대판 1981.4.14, 80다2314).

② [1] 법률행위에 따라 권리가 이전되려면 권리자 또는 처분권한이 있는 자의 처분행위가 있어야 한다. 무권리자가 타인의 권리를 처분한 경우에는 특별한 사정이 없는 한 권리가 이전되지 않는다. 그러나 이러한 경우에 권리자가 무권리자의 처분을 추인하는 것도 자신의 법률관계를 스스로의 의사에 따라 형성할 수 있다는 사적 자치의 원칙에 따라 허용된다. 이러한 추인은 무권리자의 처분이 있음을 알고 해야 하고, 명시적으로 또는 묵시적으로 할 수 있으며, 그 의사표시는 무권리자나 그 상대방 어느 쪽에 해도 무방하다.
[2] 권리자가 무권리자의 처분을 추인하면 무권대리에 대해 본인이 추인을 한 경우와 당사자들 사이의 이익상황이 유사하므로, 무권대리의 추인에 관한 민법 제130조, 제133조 등을 무권리자의 추인에 유추 적용할 수 있다. 따라서 무권리자의 처분이 계약으로 이루어진 경우에 권리자가 이를 추인하면 원칙적으로 계약의 효과가 계약을 체결했을 때에 소급하여 권리자에게 귀속된다고 보아야 한다(대판 2017.6.8, 2017다3499).

③ 비법인사단인 교회의 대표자는 총유물인 교회 재산의 처분에 관하여 교인총회의 결의를 거치지 아니하고는 이를 대표하여 행할 권한이 없다. 그리고 교회의 대표자가 권한 없이 행한 교회 재산의 처분행위에 대하여는 민법 제126조의 표현대리에 관한 규정이 준용되지 아니한다(대판 2009.2.12, 2006다23312).

정답 ▶ 27 ② 28 ④

④ 민법 제126조 소정의 권한을 넘는 표현대리 규정은 거래의 안전을 도모하여 거래상대방의 이익을 보호하려는 데에 그 취지가 있으므로 법정대리라고 하여 임의대리와는 달리 그 적용이 없다고 할 수 없고, 따라서 한정치산자의 후견인이 친족회의 동의를 얻지 않고 피후견인의 부동산을 처분하는 행위를 한 경우에도 상대방이 친족회의 동의가 있다고 믿은 데에 정당한 사유가 있는 때에는 본인인 한정치산자에게 그 효력이 미친다(대판 1997.6.27, 97다3828).

⑤ 표현대리행위가 성립하는 경우에 그 본인은 표현대리행위에 의하여 전적인 책임을 져야 하고, 상대방에게 과실이 있다고 하더라도 과실상계의 법리를 유추적용하여 본인의 책임을 경감할 수 없다(대판 1996.7.12, 95다49554).

29 무권대리와 표현대리에 관한 다음 설명 중 가장 옳지 않은 것은? (다툼이 있는 경우 판례에 의함)
▶ 2017년 법원행시

① 일방 당사자가 대리인을 통하여 계약을 체결하는 경우에 있어서 계약의 상대방이 대리인을 통하여 본인과 사이에 계약을 체결하려는 데 의사가 일치하였다면 대리인의 대리권 존부 문제와는 무관하게 상대방과 본인이 그 계약의 당사자이다.

② 대리인이 사자 내지 임의로 선임한 복대리인을 통하여 권한 외의 법률행위를 한 경우, 상대방이 그 행위자를 대리권을 가진 대리인으로 믿었고 또한 그렇게 믿는 데에 정당한 이유가 있는 때에는, 복대리인 선임권이 없는 대리인에 의하여 선임된 복대리인의 권한도 기본대리권이 될 수 있을 뿐만 아니라, 그 행위자가 사자라고 하더라도 대리행위의 주체가 되는 대리인이 별도로 있고 그들에게 본인으로부터 기본대리권이 수여된 이상, 권한을 넘은 표현대리에 있어서 기본대리권의 흠결 문제는 생기지 않는다.

③ 권한을 넘은 표현대리는 대리인이 본인을 위한다는 의사를 명시 혹은 묵시적으로 표시하거나 대리의사를 가지고 권한 외의 행위를 하는 경우에 성립하고, 사술을 써서 위와 같은 대리행위의 표시를 하지 아니하고 단지 본인의 성명을 모용하여 자기가 마치 본인인 것처럼 기망하여 본인 명의로 직접 법률행위를 한 경우에는 특별한 사정이 없는 한 권한을 넘은 표현대리는 성립될 수 없다.

④ 원고와 피고 사이의 매매계약을 소외인이 자의로 해제한 후 반환받은 금원으로 매수한 대지의 등기관계서류를 원고가 위 소외인으로부터 교부받아 자기 남편명의로 위 대지에 관한 소유권이전등기를 경료한 경우에는, 원고가 소외인이 한 매매계약의 해제행위를 추인한 것으로 볼 것이다.

⑤ 표현대리는 무권대리행위의 효과를 본인에게 미치게 하는 제도로서, 표현대리가 성립하면 무권대리의 성질이 유권대리로 전환되므로, 유권대리에 관한 주장 속에는 표현대리의 주장이 포함되어 있다.

해설 ① 일방 당사자가 대리인을 통하여 계약을 체결하는 경우에 있어서 계약의 상대방이 대리인을 통하여 본인과 사이에 계약을 체결하려는 데 의사가 일치하였다면 대리인의 대리권 존부 문제와는 무관하게 상대방과 본인이 그 계약의 당사자이다(대판 2003.12.12, 2003다44059).

② 대리인이 사자 내지 임의로 선임한 복대리인을 통하여 권한 외의 법률행위를 한 경우, 상대방이 그 행위자를 대리권을 가진 대리인으로 믿었고 또한 그렇게 믿는 데에 정당한 이유가 있는 때에는, 복대리인 선임권이 없는 대리인에 의하여 선임된 복대리인의 권한도 기본대리권이 될 수 있을 뿐만 아니라, 그 행위자가 사자라고 하더라도 대리행위의 주체가 되는 대리인이 별도로 있고 그들에게 본인으로부터 기본대리권이 수여된 이상, 민법 제126조를 적용함에 있어서 기본대리권의 흠결 문제는 생기지 않는다(대판 1998.3.27, 97다48982).

③ 민법 제126조의 표현대리는 대리인이 본인을 위한다는 의사를 명시 혹은 묵시적으로 표시하거나 대리의사를 가지고 권한 외의 행위를 하는 경우에 성립하고, 사술을 써서 위와 같은 대리행위의 표시를 하지 아니하고 단지 본인의 성명을 모용하여 자기가 마치 본인인 것처럼 기망하여 본인명의로 직접 법률행위를 한 경우에는 특별한 사정이 없는 한 위 제126조 소정의 표현대리는 성립될 수 없다(대판 1988.2.9, 87다카273).

④ 원고와 피고사이의 매매계약을 소외인이 자의로 해제한 후 반환받은 금원으로 매수한 대지의 등기관계서류를 원고가 위 소외인으로부터 교부받아 이를 자기 남편명의로 위 대지에 관한 소유권이전등기를 경료한 경우에는, 원고가 소외인이 한 매매계약의 해제행위를 추인한 것으로 볼 것이다(대판 1979.12.28, 79다1824).

⑤ 유권대리에 있어서는 본인이 대리인에게 수여한 대리권의 효력에 의하여 법률효과가 발생하는 반면 표현대리에 있어서는 대리권이 없음에도 불구하고 법률이 특히 거래상대방 보호와 거래안전유지를 위하여 본래 무효인 무권대리행위의 효과를 본인에게 미치게 한 것으로서 표현대리가 성립된다고 하여 무권대리의 성질이 유권대리로 전환되는 것은 아니므로, 양자의 구성요건 해당사실 즉 주요사실은 다르다고 볼 수밖에 없으니 유권대리에 관한 주장 속에 무권대리에 속하는 표현대리의 주장이 포함되어 있다고 볼 수 없다(대판(전합) 1983.12.13, 83다카1489).

30 **대리 또는 표현대리에 관한 다음 설명 중 가장 옳지 않은 것은?** ▶ 2018년 법원행시

① 민법 제125조가 규정하는 대리권 수여의 표시에 의한 표현대리는 본인과 대리행위를 한 자 사이의 기본적인 법률관계의 성질이나 그 효력의 유무와는 관계가 없이 어떤 자가 본인을 대리하여 제3자와 법률행위를 함에 있어 본인이 그 자에게 대리권을 수여하였다는 표시를 제3자에게 한 경우에 성립하는 것이고, 이때 서류를 교부하는 방법으로 민법 제125조 소정의 대리권 수여의 표시가 있었다고 하기 위하여는 본인을 대리한다고 하는 자가 제출하거나 소지하고 있는 서류의 내용과 그러한 서류가 작성되어 교부된 경위나 형태 및 대리행위라고 주장하는 행위의 종류와 성질 등을 종합하여 판단하여야 할 것이다.

② 무권대리 행위의 추인은 무권대리 행위가 있음을 알고 행위의 효과를 자기에게 귀속시키도록 하는 단독행위로서 의사표시의 방법에 관하여 일정한 방식이 요구되는 것이 아니므로 묵시적인 방법으로도 할 수 있지만, 묵시적 추인을 인정하기 위해서는 본인이 그 행위로 처하게 된 법적 지위를 충분히 이해하고 그럼에도 진의에 기하여 행위의 결과가 자기에게 귀속된다는 것을 승인한 것으로 볼 만한 사정이 있어야 한다.

정답 ▶ 29 ⑤ 30 ④

③ 법정대리인인 친권자의 대리행위가 객관적으로 볼 때 미성년자 본인에게는 경제적인 손실만을 초래하는 반면, 친권자나 제3자에게는 경제적인 이익을 가져오는 행위이고 그 행위의 상대방이 이러한 사실을 알았거나 알 수 있었을 때에는 민법 제107조 제1항 단서의 규정을 유추적용하여 행위의 효과가 자에게는 미치지 않는다고 해석함이 타당하나, 그에 따라 외형상 형성된 법률관계를 기초로 하여 새로운 법률상 이해관계를 맺은 선의의 제3자에 대하여는 같은 조 제2항의 규정을 유추적용하여 누구도 그와 같은 사정을 들어 대항할 수 없다.

④ 민법 제126조 소정의 권한을 넘는 표현대리 규정은 거래의 안전을 도모하여 거래상대방의 이익을 보호하려는 데에 있으므로 법정대리라고 하여 임의대리와는 달리 그 적용이 없다고 할 수 없다. 다만 구 민법상 한정치산자의 후견인이 친족회의 동의를 얻지 않고 피후견인의 부동산을 처분하는 행위를 한 경우에 상대방이 친족회의 동의가 있다고 믿은 데에 정당한 사유가 있다는 것만으로는 본인인 한정치산자에게 그 효력이 미친다고 볼 수 없다.

⑤ 비법인사단인 교회의 대표자는 총유물인 교회 재산의 처분에 관하여 교인총회의 결의를 거치지 않고는 이를 대표하여 행할 권한이 없다. 그리고 교회의 대표자가 권한 없이 행한 교회 재산의 처분행위에 대하여는 민법 제126조의 표현대리에 관한 규정이 준용되지 않는다.

해설 ① 민법 제125조가 규정하는 대리권 수여의 표시에 의한 표현대리는 본인과 대리행위를 한 자 사이의 기본적인 법률관계의 성질이나 그 효력의 유무와는 관계가 없이 어떤 자가 본인을 대리하여 제3자와 법률행위를 함에 있어 본인이 그 자에게 대리권을 수여하였다는 표시를 제3자에게 한 경우에 성립하는 것이고, 이때 서류를 교부하는 방법으로 민법 제125조 소정의 대리권 수여의 표시가 있었다고 하기 위하여는 본인을 대리한다고 하는 자가 제출하거나 소지하고 있는 서류의 내용과 그러한 서류가 작성되어 교부된 경위나 형태 및 대리행위라고 주장하는 행위의 종류와 성질 등을 종합하여 판단하여야 할 것이다(대판 2001.8.21, 2001다31264).

② 무권대리행위나 무효행위의 추인은 무권대리행위 등이 있음을 알고 그 행위의 효과를 자기에게 귀속시키도록 하는 단독행위로서 그 의사표시의 방법에 관하여 일정한 방식이 요구되는 것이 아니므로 명시적이든 묵시적이든 묻지 않는다 할 것이지만, 묵시적 추인을 인정하기 위해서는 본인이 그 행위로 처하게 된 법적 지위를 충분히 이해하고 그럼에도 진의에 기하여 그 행위의 결과가 자기에게 귀속된다는 것을 승인한 것으로 볼 만한 사정이 있어야 할 것이므로 이를 판단함에 있어서는 관계되는 여러 사정을 종합적으로 검토하여 신중하게 하여야 한다(대판 2009.9.24, 2009다37831).

③ 법정대리인인 친권자의 대리행위가 객관적으로 볼 때 미성년자 본인에게는 경제적인 손실만을 초래하는 반면, 친권자나 제3자에게는 경제적인 이익을 가져오는 행위이고 행위의 상대방이 이러한 사실을 알았거나 알 수 있었을 때에는 민법 제107조 제1항 단서의 규정을 유추적용하여 행위의 효과가 자(子)에게는 미치지 않는다고 해석함이 타당하나, 그에 따라 외형상 형성된 법률관계를 기초로 하여 새로운 법률상 이해관계를 맺은 선의의 제3자에 대하여는 같은 조 제2항의 규정을 유추적용하여 누구도 그와 같은 사정을 들어 대항할 수 없으며, 제3자가 악의라는 사실에 관한 주장·증명책임은 무효를 주장하는 자에게 있다(대판 2018.4.26, 2016다3201).

④ 민법 제126조 소정의 권한을 넘는 표현대리 규정은 거래의 안전을 도모하여 거래상대방의 이익을 보호하려는 데에 그 취지가 있으므로 법정대리라고 하여 임의대리와는 달리 그 적용이 없다고 할 수 없고, 따라서 한정치산자의 후견인이 친족회의 동의를 얻지 않고 피후견인의 부동산을 처분하는 행위를 한 경우에도 상대방이 친족회의 동의가 있다고 믿은 데에 정당한 사유가 있는 때에는 본인인 한정치산자에게 그 효력이 미친다(대판 1997.6.27, 97다3828).

⑤ 비법인사단인 교회의 대표자는 총유물인 교회 재산의 처분에 관하여 교인총회의 결의를 거치지 아니하고는 이를 대표하여 행할 권한이 없다. 그리고 교회의 대표자가 권한 없이 행한 교회 재산의 처분행위에 대하여는 민법 제126조의 표현대리에 관한 규정이 준용되지 아니한다(대판 2009.2.12, 2006다23312).

31 무권대리에 관한 다음 설명 중 가장 옳은 것은? (다툼이 있는 경우 판례에 따르고 전원합의체 판결의 경우 다수의견에 의함) ▶ 2019년 법무사

① 타인의 대리인으로 계약을 한 자가 그 대리권을 증명하지 못하고 또 본인의 추인을 얻지 못한 때에 상대방이 가지는 무권대리인에 대한 계약이행 또는 손해배상청구권의 소멸시효는, 무권대리인이 대리권을 증명하지 못하거나 본인의 추인을 얻지 못함을 그 상대방이 안 때부터 진행한다.

② 甲이 대리권 없이 乙소유 X부동산을 丙에게 매도하여 소유권이전등기를 마쳐준 이후, 甲이 乙로부터 X부동산을 상속받아 그 소유자가 되어 자신의 매매행위가 무권대리행위여서 무효였다는 이유로 丙 앞으로 마쳐진 소유권이전등기의 말소를 구하더라도, 이를 두고 신의칙에 반한다고 할 수 없다.

③ 甲이 乙명의의 주식에 관하여 처분권한 없이 A은행과 담보설정계약을 체결한 이후 甲의 사망으로 인하여 乙이 甲을 상속한 경우, 乙이 위 담보설정계약에 따른 의무의 이행을 거절하더라도, 특별한 사정이 없는 한 신의칙에 반한다고 할 수 없다.

④ 민법 제132조는 무권대리행위 추인의 상대방으로 무권대리행위의 상대방만을 규정하고 있으므로, 무권대리행위의 추인은 반드시 무권대리행위의 직접의 상대방에게 하여야 하고, 무권대리인에게 한 경우에는 그 상대방에게 대항하지 못한다.

⑤ 甲이 대리권 없이 乙소유 X부동산에 관하여 丙과 근저당권설정계약을 체결하였고, 乙로부터 추인을 얻지도 못하였다고 하더라도, 甲이 자신의 대리권 흠결에 대하여 아무런 귀책사유가 없다면 甲은 丙에 대하여 민법 제135조 제1항이 정한 무권대리인의 책임을 지지 않는다.

해설 ① 무권대리인의 계약이행과 손해배상책임 중 상대방 선택권의 소멸시효기산점 문제이다. 이에 대해 판례는 선택권을 행사할 수 있는 때, 즉 대리권의 증명 또는 본인의 추인을 얻지 못한 때로 본다(대판 1965.8.24, 64다1156 참조).

② 甲이 대리권 없이 乙 소유 부동산을 丙에게 매도하여 부동산소유권이전등기등에관한특별조치법에 의하여 소유권이전등기를 마쳐주었다면 그 매매계약은 무효이고 이에 터 잡은 이전

등기 역시 무효가 되나, 甲은 乙의 무권대리인으로서 민법 제135조 제1항의 규정에 의하여 매수인 丙에게 부동산에 대한 소유권이전등기를 이행할 의무가 있으므로 그러한 지위에 있는 甲이 乙로부터 부동산을 상속받아 그 소유자가 되어 소유권이전등기이행의무를 이행하는 것이 가능하게 된 시점에서 자신이 소유자라고 하여 원래 자신의 매매행위가 무권대리행위여서 무효였다는 이유로 丙 앞으로 경료된 소유권이전등기가 무효의 등기라고 주장하여 그 등기의 말소를 청구하거나 부동산의 점유로 인한 부당이득금의 반환을 구하는 것은 금반언의 원칙이나 신의성실의 원칙에 반하여 허용될 수 없다(대판 1994.9.27, 94다20617).

③ 위 지문 ②는 무권대리인이 본인의 지위를 상속한 경우이고, 이와 달리 지문 ③은 본인이 처분 권한 없는 자의 지위를 상속한 경우로서 양자는 달리 취급해야 한다(필자 주 – 본인이 무권대리인의 지위를 상속한 경우에도 마찬가지로 달리 취급해야 한다고 본다). 판례도 "甲이 乙 등 명의의 주식에 관하여 처분권한 없이 은행과 담보설정계약을 체결하였다 하더라도 이는 일종의 타인의 권리의 처분행위로서 유효하다 할 것이므로 甲은 乙 등으로부터 그 주식을 취득하여 이를 은행에게 인도하여야 할 의무를 부담한다 할 것인데, 甲의 사망으로 인하여 乙 등이 甲을 상속한 경우 乙 등은 원래 그 주식의 주주로서 타인의 권리에 대한 담보설정계약을 체결한 은행에 대하여 그 이행에 관한 아무런 의무가 없고 이행을 거절할 수 있는 자유가 있었던 것이므로, 乙 등은 신의칙에 반하는 것으로 인정할 특별한 사정이 없는 한 원칙적으로는 위 계약에 따른 의무의 이행을 거절할 수 있다."고 하였다(대판 1994.8.26, 93다20191).

④ 민법 제132조의 추인은 무권대리인뿐만 아니라 무권대리행위의 상대방에 대하여도 할 수 있다(대판 2009.11.12, 2009다46828). 다만 민법 제132조는 본인이 무권대리인에게 무권대리행위를 추인한 경우에 상대방이 이를 알지 못하는 동안에는 본인은 상대방에게 추인의 효과를 주장하지 못한다는 취지이므로 상대방은 그때까지 민법 제134조에 의한 철회를 할 수 있고, 또 무권대리인에게 추인이 있었음을 주장할 수도 있다(대판 1981.4.14, 80다2314).

⑤ 민법 제135조 제1항은 "타인의 대리인으로 계약을 한 자가 그 대리권을 증명하지 못하고 또 본인의 추인을 얻지 못한 때에는 상대방의 선택에 좇아 계약의 이행 또는 손해배상의 책임이 있다."고 규정하고 있다. 위 규정에 따른 무권대리인의 상대방에 대한 책임은 무과실책임으로서 대리권의 흠결에 관하여 대리인에게 과실 등의 귀책사유가 있어야만 인정되는 것이 아니고, 무권대리행위가 제3자의 기망이나 문서위조 등 위법행위로 야기되었다고 하더라도 책임은 부정되지 아니한다(대판 2014.2.27, 2013다213038).

32 대리권에 관한 다음 설명 중 가장 옳지 않은 것은? ▶ 2021년 법원행시

① 대리인이 본인을 대리하여 부동산을 이중으로 매수함에 있어서 이중매매라는 사정을 잘 알고 그 배임행위에 적극적으로 가담하였다고 하더라도 본인이 아무런 과실 없이 그러한 사정을 몰랐다면 그 이중매매행위를 반사회적 법률행위로서 무효라고 볼 수 없다.

② 계약이 적법한 대리인에 의해 체결되었다면 특별한 사정이 없는 한 대리인은 본인을 위하여 계약상 급부를 변제로서 수령할 권한을 가지며, 그 법률효과는 직접 본인에게 귀속된다.

③ 계약을 대리하여 체결하였던 대리인이 체결된 계약을 해제할 수 있는 권한과 상대방의 의사를 수령할 권한까지 가지고 있다고 볼 수는 없다.

④ 甲이 乙 소유의 부동산에 관하여 乙의 위임이나 동의 없이 무단으로 乙을 대리하여 丙과 매매계약을 체결하고 등기를 넘겨준 사안에서, 乙이 丙 명의의 소유권이전등기가 원인무효임을 이유로 丙을 상대로 그 말소를 청구할 경우에 甲에게 대리권이 없었다는 사실에 대한 증명책임은 乙에게 있다.

⑤ 대리권한 없이 타인의 부동산을 매도한 자가 그 부동산을 상속한 후 소유자의 지위에서 자신의 대리행위가 무권대리로 무효임을 주장하여 등기말소를 구하는 것은 신의칙에 반하여 허용될 수 없다.

해설 ① 대리인이 본인을 대리하여 매매계약을 체결함에 있어서 매매 대상 토지에 관한 저간의 사정을 잘 알고 그 배임행위에 가담하였다면, 대리행위의 하자 유무는 대리인을 표준으로 판단하여야 하므로, 설사 본인이 미리 그러한 사정을 몰랐거나 반사회성을 야기한 것이 아니라고 할지라도 그로 인하여 매매계약은 제103조 반사회적 법률행위로 무효이다(대판 1998.2.27, 97다45532).

② 계약이 적법한 대리인에 의하여 체결된 경우에 대리인은 다른 특별한 사정이 없는 한 본인을 위하여 계약상 급부를 변제로서 수령할 권한도 가진다. 그리고 대리인이 그 권한에 기하여 계약상 급부를 수령한 경우에, 그 법률효과는 계약 자체에서와 마찬가지로 직접 본인에게 귀속되고 대리인에게 돌아가지 아니한다. 따라서 계약상 채무의 불이행을 이유로 계약이 상대방 당사자에 의하여 유효하게 해제되었다면, 해제로 인한 원상회복의무는 대리인이 아니라 계약의 당사자인 본인이 부담한다. 이는 본인이 대리인으로부터 그 수령한 급부를 현실적으로 인도받지 못하였다거나 해제의 원인이 된 계약상 채무의 불이행에 관하여 대리인에게 책임 있는 사유가 있다고 하여도 다른 특별한 사정이 없는 한 마찬가지라고 할 것이다(대판 2011.8.18, 2011다30871).

③ 어떠한 계약의 체결에 관한 대리권을 수여받은 대리인이 수권된 법률행위를 하게 되면 그것으로 대리권의 원인된 법률관계는 원칙적으로 목적을 달성하여 종료하는 것이고, 법률행위에 의하여 수여된 대리권은 그 원인된 법률관계의 종료에 의하여 소멸하는 것이므로(민법 제128조), 그 계약을 대리하여 체결하였던 대리인이 체결된 계약의 해제 등 일체의 처분권과 상대방의 의사를 수령할 권한까지 가지고 있다고 볼 수는 없다(대판 2008.6.12, 2008다11276).

④ 전등기명의인의 직접적인 처분행위에 의한 것이 아니라 제3자가 그 처분행위에 개입된 경우 현등기명의인이 그 제3자가 전등기명의인의 대리인이라고 주장하더라도 현등기명의인의 등기가 적법히 이루어진 것으로 추정되므로 그 등기가 원인무효임을 이유로 말소를 청구하는 전등기명의인으로서는 그 반대사실 즉, 그 제3자에게 전등기명의인을 대리할 권한이 없었다든지, 또는 그 제3자가 전등기명의인의 등기서류를 위조하였다는 등의 무효사실에 대한 입증책임을 진다(대판 1993.10.12, 93다18914). 따라서 지문의 경우 甲에게 대리권이 없다는 사실에 대한 증명책임은 전등기명의인인 말소등기청구의 원고 乙에게 있다.

⑤ 대판 1994.9.27, 94다20617

33

표현대리에 관한 다음 설명 중 옳지 않은 것을 모두 고른 것은? (다툼이 있는 경우 판례에 의하고, 전원합의체 판결의 경우 다수의견에 의함) ▶ 2019년 법원행시

> ㄱ. 민법 제126조의 권한을 넘은 표현대리는 현재에 대리권을 가진 자가 그 권한을 넘은 경우에 성립하는 것이고, 과거에 가졌던 대리권을 넘는 경우에는 민법 제126조는 적용되지 않는다.
>
> ㄴ. 민법 제129조의 대리권 소멸 후의 표현대리가 인정되는 경우에, 그 표현대리의 권한을 넘는 대리행위가 있을 때에도 기본대리권은 과거에 가졌던 대리권이므로, 민법 제126조의 권한을 넘은 표현대리는 성립될 수 없다.
>
> ㄷ. 민법 제125조의 대리권 수여의 표시에 의한 표현대리는 어떤 자가 본인을 대리하여 제3자와 법률행위를 함에 있어 본인이 그 자에게 대리권을 수여하였다는 표시를 제3자에게 한 경우에는 성립될 수가 있으나, 대리권을 추단할 수 있는 직함이나 명칭의 사용을 승낙한 것만으로는 대리권 수여의 표시가 있은 것으로 볼 수 없다.
>
> ㄹ. 사술을 써서 대리행위의 표시를 하지 아니하고 단지 본인의 성명을 모용하여 자기가 마치 본인인 것처럼 기망하여 본인 명의로 직접 법률행위를 한 경우에는 특별한 사정이 없는 한 민법 제126조의 표현대리는 성립될 수 없다.
>
> ㅁ. 민법 제126조의 표현대리에 있어서 정당한 이유의 유무는 사실심의 변론종결시, 즉 정당한 이유의 유무를 판단할 때까지 존재하는 일체의 사정을 고려하여 판단하여야 한다.
>
> ㅂ. 아내가 남편 소유 부동산을 타인에게 양도한 경우에 민법 제126조의 표현대리가 되려면 그 아내에게 가사대리권이 있었다는 것뿐만 아니라 상대방이 남편이 그 아내에게 그 행위에 관한 대리권을 주었다고 믿었음을 정당화할 만한 객관적인 사정이 있었어야 한다.
>
> ㅅ. 부동산 매도를 위임받은 대리인이 자신의 채무 지급에 갈음하여 그 부동산에 관하여 대물변제계약을 체결하고, 그 계약 체결 이후에 본인으로부터 소유권이전등기에 필요한 서류와 인감도장을 교부받았다면, 상대방이 대리인에게 위 부동산을 대물변제로 제공할 대리권이 있다고 믿은 데에 민법 제126조의 표현대리에 있어서 정당한 이유가 있다고 볼 수 있다.

① ㄱ, ㄷ, ㅁ, ㅅ ② ㄴ, ㄹ, ㅂ
③ ㄴ, ㄷ, ㅁ, ㅅ ④ ㄴ, ㄷ, ㅁ
⑤ ㄷ, ㅁ

해설 ㄱ. ㄴ. 민법 제126조에서 말하는 권한을 넘은 표현대리는 현재에 대리권을 가진 자가 그 권한을 넘은 경우에 성립하는 것이지, 현재에 아무런 대리권도 가지지 아니한 자가 본인을 위하여 한 어떤 대리행위가 과거에 이미 가졌던 대리권을 넘은 경우에까지 성립하는 것은 아니라고 할 것이고, 한편 과거에 가졌던 대리권이 소멸되어 민법 제129조에 의하여 표현대리로 인정되는 경우에 그 표현대리의 권한을 넘는 대리행위가 있을 때에는 민법 제126조에 의한 표현대리가 성립할 수 있다(대판 2008.1.31. 2007다74713).

ㄷ. 민법 제125조가 규정하는 대리권 수여의 표시에 의한 표현대리는 본인과 대리행위를 한 자 사이의 기본적인 법률관계의 성질이나 그 효력의 유무와는 직접적인 관계가 없이 어떤 자가 본인을 대리하여 제3자와 법률행위를 함에 있어 본인이 그 자에게 대리권을 수여하였다는 표시를 제3자에게 한 경우에는 성립될 수가 있고, 또 본인에 의한 대리권 수여의 표시는 반드시 대리권 또는 대리인이라는 말을 사용하여야 하는 것이 아니라 사회통념상 대리권을 추단할 수 있는 직함이나 명칭 등의 사용을 승낙 또는 묵인한 경우에도 대리권 수여의 표시가 있은 것으로 볼 수 있다(대판 1998.6.12. 97다53762).

ㄹ. 민법 제126조의 표현대리는 대리인이 본인을 위한다는 의사를 명시 혹은 묵시적으로 표시하거나 대리의사를 가지고 권한 외의 행위를 하는 경우에 성립하고, 사술을 써서 위와 같은 대리행위의 표시를 하지 아니하고 단지 본인의 성명을 모용하여 자기가 마치 본인인 것처럼 기망하여 본인 명의로 직접 법률행위를 한 경우에는 특별한 사정이 없는 한 위 법조 소정의 표현대리는 성립될 수 없다(대판 2002.6.28. 2001다49814).

ㅁ. ㅅ. 민법 제126조에서 말하는 권한을 넘은 표현대리의 효과를 주장하려면 자칭 대리인이 본인을 위한다는 의사를 명시 또는 묵시적으로 표시하거나 대리의사를 가지고 권한 외의 행위를 하는 경우에 상대방이 자칭 대리인에게 대리권이 있다고 믿고 그와 같이 믿는 데 정당한 이유가 있을 것을 요건으로 하는 것인바, 여기서 정당한 이유의 존부는 자칭 대리인의 대리행위가 행하여질 때에 존재하는 모든 사정을 객관적으로 관찰하여 판단하여야 한다(대판 2009.11.12. 2009다46828). → 부동산 매도를 위임받은 대리인이 자신의 채무 지급에 갈음하여 그 부동산에 관하여 대물변제계약을 체결한 사안에서, 그 계약 체결 이후에 비로소 본인으로부터 소유권이전등기에 필요한 서류와 인감도장을 교부받았다면 상대방이 대리인에게 위 부동산을 대물변제로 제공할 대리권이 있다고 믿은 데에 정당한 이유가 있다고 할 수 없다고 한 사례이다.

ㅂ. 일반 사회 통념상 남편이 아내에게 자기 소유의 부동산을 타인에게 근저당권의 설정 또는 소유권 이전등기에 관한 등기절차를 이행케 하거나 그 각 등기의 원인되는 법률행위를 함에 필요한 대리권을 수여하는 것은 이례에 속하는 것이므로 아내가 특별한 수권 없이 남편소유 부동산에 관하여 위와 같은 행위를 하였을 경우에 그것이 민법 제126조 소정의 표현대리가 되려면 그 아내에게 가사대리권이 있었다는 것뿐 아니라 상대방이 남편이 그 아내에게 그 행위에 관한 대리의 권한을 주었다고 믿었음을 정당화할 만한 객관적인 사정이 있어야 하는 것이다(대판 1970.3.10. 69다2218).

34 민법 제126조의 표현대리에 관한 다음 설명 중 가장 옳지 않은 것은? (다툼이 있는 경우 판례에 의함)

▸ 2019년 법원사무관 승진

① 민법 제126조의 권한을 넘은 표현대리가 성립하려면, 대리인이라 칭하는 자에게 기본대리권이 있어야 하고 상대방에게 그 권한이 있다고 믿을 만한 정당한 이유가 있어야 한다.

② 민법 제126조의 표현대리는 대리인이 본인을 위한다는 의사를 명시 혹은 묵시적으로 표시하거나 대리의사를 가지고 권한 외의 행위를 하는 경우에 성립한다.

③ 사술을 써서 대리행위의 표시를 하지 아니하고 단지 본인의 성명을 모용하여 자기가 마치 본인인 것처럼 기망하여 본인 명의로 직접 법률행위를 한 경우에도 원칙적으로 민법 제126조의 표현대리가 성립할 수 있다.

④ 민법 제126조의 표현대리의 정당한 이유의 존부는 자칭 대리인의 대리행위가 행하여질 때에 존재하는 모든 사정을 객관적으로 관찰하여 판단하여야 한다.

> **해설** ① 제126조 참조. 민법 제126조의 권한을 넘은 표현대리가 성립하려면, 대리인이라 칭하는 자에게 기본대리권이 있어야 하고 상대방에게 그 권한이 있다고 믿을 만한 정당한 이유가 있어야 한다(대판 2007.8.23, 2007다23425 등).
>
> ②,③ 민법 제126조의 표현대리는 대리인이 본인을 위한다는 의사를 명시 혹은 묵시적으로 표시하거나 대리의사를 가지고 권한 외의 행위를 하는 경우에 성립하고, 사술을 써서 위와 같은 대리행위의 표시를 하지 아니하고 단지 본인의 성명을 모용하여 자기가 마치 본인인 것처럼 기망하여 본인 명의로 직접 법률행위를 한 경우에는 특별한 사정이 없는 한 위 법조 소정의 표현대리는 성립될 수 없다(대판 2002.6.28, 2001다49814).
>
> ④ 민법 제126조에서 말하는 권한을 넘은 표현대리의 효과를 주장하려면 자칭 대리인이 본인을 위한다는 의사를 명시 또는 묵시적으로 표시하거나 대리의사를 가지고 권한 외의 행위를 하는 경우에 상대방이 자칭 대리인에게 대리권이 있다고 믿고 그와 같이 믿는 데 정당한 이유가 있을 것을 요건으로 하는 것인바, 여기서 정당한 이유의 존부는 자칭 대리인의 대리행위가 행하여질 때에 존재하는 모든 사정을 객관적으로 관찰하여 판단하여야 한다(대판 2012.7.26, 2012다27001).

35 표현대리와 무권대리에 관한 다음 설명 중 가장 옳지 않은 것은? (다툼이 있는 경우 판례에 의함)

▶ 2020년 법원사무관 승진

① 민법 제125조가 규정하는 대리권 수여의 표시에 의한 표현대리는 본인과 대리행위를 한 자 사이의 기본적인 법률관계의 성질이나 그 효력의 유무와는 직접적인 관계가 없이 어떤 자가 본인을 대리하여 제3자와 법률행위를 함에 있어 본인이 그 자에게 대리권을 수여하였다는 표시를 제3자에게 한 경우에는 성립될 수가 있다.

② 민법 제125조의 표현대리에 해당하기 위하여는 상대방은 선의·무과실이어야 하고 상대방에게 과실이 있다면 위 표현대리를 주장할 수 없다.

③ 종중의 대표자라고 하더라도 종중총회의 결의를 거쳐야 하는 종중재산의 처분에 관하여는 종중총회의 결의를 거치지 아니하고 이를 대리하여 결정할 권한이 없는 것이고 종중의 대표자가 행한 종중재산의 처분행위에 관하여는 민법 제126조의 표현대리에 관한 규정이 준용될 여지가 없다.

④ 매수인으로부터 매매계약 체결 대리권을 위임받은 제3자는 원칙적으로 당연히 매수인을 대리하여 매매계약의 해제 등 일체의 처분권과 상대방의 의사를 수령할 권한까지 가지고 있다고 보아야 한다.

해설 ① 민법 제125조가 규정하는 대리권 수여의 표시에 의한 표현대리는 본인과 대리행위를 한 자 사이의 기본적인 법률관계의 성질이나 그 효력의 유무와는 관계없이 어떤 자가 본인을 대리하여 제3자와 법률행위를 함에 있어 본인이 그 자에게 대리권을 수여하였다는 표시를 제3자에게 한 경우에 성립한다(대판 2007.8.23, 2007다23425).

② 제125조【대리권수여의 표시에 의한 표현대리】제3자에 대하여 타인에게 대리권을 수여함을 표시한 자는 그 대리권의 범위 내에서 행한 그 타인과 그 제3자간의 법률행위에 대하여 책임이 있다. 그러나 제3자가 대리권 없음을 알았거나 알 수 있었을 때에는 그러하지 아니하다.

③ 비법인사단인 피고 주택조합의 대표자가 조합총회의 결의를 거쳐야 하는 조합원 총유에 속하는 재산의 처분에 관하여는 조합원 총회의 결의를 거치지 아니하고는 이를 대리하여 결정할 권한이 없다 할 것이어서 피고 <u>주택조합의 대표자가 행한 총유물인 이 사건 건물의 처분행위에 관하여는 민법 제126조의 표현대리에 관한 규정이 준용될 여지가 없다</u>(대판 2001.5.29, 2000다10246 ; 대판 2003.7.11, 2001다73626).

④ 법률행위에 의하여 수여된 대리권은 원인된 법률관계의 종료에 의하여 소멸하는 것이므로 특별한 사정이 없는 한, 매수명의자를 대리하여 매매계약을 체결하였다 하여 곧바로 대리인이 매수인을 대리하여 매매계약의 해제 등 일체의 처분권과 상대방의 의사를 수령할 권한까지 가지고 있다고 볼 수는 없다(대판 1997.3.25, 96다51271).

정답 34 ③ 35 ④

36 무권리자에 의한 처분행위 또는 무권대리에 관한 다음 설명 중 가장 옳지 않은 것은? (다툼이 있는 경우 판례에 의하고, 전원합의체 판결의 경우 다수의견에 의함) ▶ 2019년 법원행시

① 무권리자가 타인의 권리를 자기의 이름으로 또는 자기의 권리로 처분한 경우에, 권리자는 이를 추인함으로써 그 처분행위를 인정할 수 있고, 이 경우 추인은 명시적으로뿐만 아니라 묵시적인 방법으로도 가능하며 그 의사표시는 무권리자나 그 상대방 어느쪽에 하여도 무방하다.

② 권리자가 무권리자의 처분을 추인한 경우 무권대리에 대해 본인이 추인을 한 경우와 유사하므로, 무권대리 추인의 소급효에 관한 민법 제133조를 유추 적용하여 계약으로 이루어진 무권리자의 처분을 권리자가 추인하면 원칙적으로 그 계약의 효과가 계약을 체결했을 때에 소급하여 권리자에게 귀속된다.

③ 甲이 乙의 도장을 도용하여 변호사에게 丙에 대한 소송행위를 위임하여 소송을 진행한 결과 1심에서 원고(乙)가 승소하였고, 이에 피고(丙)가 항소하여 항소심이 계속되던 중 甲이 소를 취하하였으나 乙은 위와 같은 일련의 소송행위 중에서 소취하행위만을 제외하고 나머지 소송행위 전부를 추인한 경우, 무권대리인이 행한 소송행위의 추인은 소송행위 전체를 대상으로 하여야 하므로, 소취하행위만을 다른 소송행위에서 분리하여 일부만 추인하는 乙의 위와 같은 추인행위는 허용되지 않는다.

④ 채권자가 채무자 소유의 부동산에 대하여 강제경매신청을 하여 자녀들 명의로 이를 낙찰 받았다면 그 소유자는 자녀들이므로, 채권자가 그 후 채무자와 사이에 채권액의 일부를 지급받고 자녀들 명의의 소유권이전등기를 말소하여 주기로 합의한 후 채권자의 사망으로 인하여 자녀들이 상속지분에 따라 채권자의 의무를 상속하게 되었다고 하더라도, 부동산 소유자인 자녀들은 신의칙에 반하는 것으로 인정할 만한 특별한 사정이 없는 한 원칙적으로 위 합의에 따른 의무의 이행을 거절할 수 있다.

⑤ 무권대리인이 그 대리권이 있음을 증명하지 못하거나 본인의 추인을 얻지 못하였을 때에는 무권대리인의 과실유무를 묻지 않고 상대방의 선택에 따라 계약의 이행 또는 손해를 배상할 책임을 지지만, 상대방이 대리권이 없음을 알았거나 알 수 있었던 경우까지 상대방을 보호할 필요는 없는데, 이 경우 상대방의 악의나 과실에 대한 증명책임은 무권대리인이 부담한다.

해설 ① 무권리자가 타인의 권리를 자기의 이름으로 또는 자기의 권리로 처분한 경우에, 권리자는 후일 이를 추인함으로써 그 처분행위를 인정할 수 있고, 특별한 사정이 없는 한 이로써 권리자 본인에게 위 처분행위의 효력이 발생함은 사적 자치의 원칙에 비추어 당연하고, 이 경우 추인은 명시적으로뿐만 아니라 묵시적인 방법으로도 가능하며 그 의사표시는 무권리자나 그 상대방 어느 쪽에 하여도 무방하다(대판 2001.11.9, 2001다44291).

② 권리자가 무권리자의 처분을 추인하면 무권대리에 대해 본인이 추인을 한 경우와 당사자들 사이의 이익상황이 유사하므로, 무권대리의 추인에 관한 제130조, 제133조 등을 무권리자의 추인에 유추 적용할 수 있다. 따라서 무권리자의 처분이 계약으로 이루어진 경우에 권리자가 이를 추인하면 원칙적으로 그 계약의 효과가 계약을 체결했을 때에 소급하여 권리자에게 귀속된다고 보아야 한다(대판 2017.6.8, 2017다3499).

③ 무권대리인이 행한 소송행위의 추인은 소송행위의 전체를 일괄하여 하여야 하는 것이나 무권대리인이 변호사에게 위임하여 소를 제기하여서 승소하고 상대방의 항소로 소송이 2심에 계속 중 그 소를 취하한 일련의 소송행위 중 소취하 행위만을 제외하고 나머지 소송행위를 추인함은 소송의 혼란을 일으킬 우려없고 소송경제상으로도 적절하여 그 추인은 유효하다(대판 1973.7.24, 69다60).

④ 채권자가 채무자 소유의 부동산에 대하여 강제경매신청을 하여 자녀들 명의로 이를 경락받았다면 그 소유자는 경락인인 자녀들이라 할 것이므로, 채권자가 그 후 채무자와 사이에 채권액의 일부를 지급받고 자녀들 명의의 소유권이전등기를 말소하여 주기로 합의하였다 하더라도 이는 일종의 타인의 권리의 처분행위에 해당하여 비록 양자 사이에서 위 합의는 유효하고 채권자는 자녀들로부터 위 부동산을 취득하여 채무자에게 그 소유권이전등기를 마쳐주어야 할 의무를 부담하지만 자녀들은 원래 부동산의 소유자로서 타인의 권리에 대한 계약을 체결한 채무자에 대하여 그 이행에 관한 아무런 의무가 없고 이행을 거절할 수 있는 자유가 있었던 것이므로, 채권자의 사망으로 인하여 자녀들이 상속지분에 따라 채권자의 의무를 상속하게 되었다고 하더라도 그들은 신의칙에 반하는 것으로 인정할 만한 특별한 사정이 없는 한 원칙적으로 위 합의에 따른 의무의 이행을 거절할 수 있다(대판 2001.9.25, 99다19698).

⑤ 민법 제135조 제2항은 '대리인으로서 계약을 맺은 자에게 대리권이 없다는 사실을 상대방이 알았거나 알 수 있었을 때에는 제1항을 적용하지 아니한다.'고 정하고 있다. 이는 무권대리인의 무과실책임에 관한 원칙 규정인 제1항에 대한 예외 규정이므로 상대방이 대리권이 없음을 알았다는 사실 또는 알 수 있었는데도 알지 못하였다는 사실에 관한 주장·증명책임은 무권대리인에게 있다(대판 2018.6.28, 2018다210775).

37

甲은 乙의 대리인임을 표시하면서 丙에게 乙소유의 X토지를 대금 1억원에 매도하는 계약 (이하 '이 사건 계약'이라 한다)을 체결하면서 대금지급기일과 소유권이전등기의 이행기일을 2019.6.30.로 정하였다. 이에 관한 법률관계 중 옳은 것은 모두 몇 개인가? (각 지문은 독립적임) ▶ 2020년 법원행시

> ㄱ. 丙은 이행기일에 乙로부터 이 사건 계약 체결에 관한 대리권을 수여받은 甲에게 대금 1억원을 지급하였으나 甲이 위 1억원을 乙에게 전달하지 않았다. 乙은 특별한사정이 없는 한 대금이 지급되지 않았음을 이유로 丙의 소유권이전등기청구에 대해 그 이행을 거절할 수 있다.
>
> ㄴ. 乙로부터 이 사건 계약 체결에 관한 대리권을 수여받은 甲은 丙의 대금지급의무 불이행을 이유로 乙의 해제권을 대리하여 행사할 수 없으나, 乙의 소유권이전등기의무 불이행을 이유로 한 丙의 해제 의사표시를 수령할 권한은 갖는다.
>
> ㄷ. 乙이 이 사건 계약에 따른 이행기일에 丙에게 소유권이전등기를 마쳐준 다음 丙에 대한 매매대금채권을 丁에게 양도하였다. 乙로부터 채권양도 통지권한을 위임받은 丁이 채권양도통지를 하면서 대리관계를 현명하지 않고 丁 명의로 된 채권양도통지서를 발송하면 이는 효력이 없으나, 채권양도 통지를 둘러싼 여러 사정에 비추어 丁이 대리인으로서 통지한 것임을 丙이 알았거나 알 수 있었을 때에는 유효하다.
>
> ㄹ. 乙이 甲의 대리권 없음을 이유로 丙을 상대로 위 매매계약을 원인으로 마쳐진 소유권이전등기의 말소를 구하는 소를 제기하는 경우, 丙은 甲의 대리권 존재를 증명하여야 한다.
>
> ㅁ. 甲이 이 사건 계약체결에 관한 대리권을 수여받지 않았고, 丙이 이를 이유로 이 사건 계약에 대한 유효한 철회의 의사표시를 하면 이 사건 계약은 확정적으로 무효가 되어 그 후 乙은 甲의 무권대리행위를 추인할 수 없다.
>
> ㅂ. 무권대리인 甲에 의해 이 사건 계약이 체결되었으나 甲이 乙의 추인을 받지 못하자 丙이 계약이행을 선택하였고, 이 사건 계약에는 乙의 채무불이행에 대비한 손해배상액이 예정되어 있다. 이 경우 甲이 계약에서 정한 채무를 이행하지 않으면 丙에게 채무불이행에 따른 손해를 배상할 책임을 부담하나, 특별한 사정이 없는 한 이 사건 계약에서 정한 손해배상액의 예정에 따라 정해질 것은 아니다.

① 1개　　　　　② 2개　　　　　③ 3개
④ 4개　　　　　⑤ 5개

해설　ㄱ. 매매계약체결의 권한을 갖는 대리인은 상대방으로부터 대금수령을 권한을 갖기 때문에(대판 1994.2.8, 93다39379), 甲이 아직 위 1억원을 乙에게 전달하지 않았다고 하더라도 특별한 사정이 없는 한 乙은 대금이 지급되지 않았음을 이유로 이행을 거절할 수 없는 것이다.

ㄴ. 어떠한 계약의 체결에 관한 대리권을 수여받은 대리인이 수권된 법률행위를 하게 되면 그것으로 대리권의 원인된 법률관계는 원칙적으로 목적을 달성하여 종료하는 것이고, 법률행위

에 의하여 수여된 대리권은 그 원인된 법률관계의 종료에 의하여 소멸하는 것이므로(민법 제 128조), 그 계약을 대리하여 체결하였던 대리인이 체결된 계약의 해제 등 일체의 처분권과 상대방의 의사를 수령할 권한까지 가지고 있다고 볼 수는 없다(대판 2008.6.12, 2008다 11276). 따라서 계약 체결에 관한 대리권을 수여받은 甲은 丙의 대금지급의무 불이행을 이유로 乙의 해제권을 대리하여 행사할 수 없고, 乙의 소유권이전등기의무 불이행을 이유로 한 丙의 해제 의사표시를 수령할 권한도 없다.

ㄷ. 채권양도의 통지는 양수인이 양도인을 대위하여 할 수는 없으나(대판 2011.2.24, 2010다 96911), 대리하여 통지할 수는 있다. 이 경우 양수인은 현명의 방식에 따라야 하고, 현명이 없다 하더라도 양수인이 대리인으로서 통지한 것임을 상대방이 알았거나 알 수 있었을 때에 는 민법 제115조 단서의 규정에 의해 양도통지는 유효하다(대판 2004.2.13, 2003다43490).

ㄹ. 전등기명의인의 직접적인 처분행위에 의한 것이 아니라 제3자가 그 처분행위에 개입된 경우 현등기명의인이 그 제3자가 전등기명의인의 대리인이라고 주장하더라도 현소유명의인의 등 기가 적법히 이루어진 것으로 추정된다 할 것이므로 위 등기가 원인무효임을 이유로 그 말소 를 청구하는 전소유명의인으로서는 그 반대사실 즉, 그 제3자에게 전소유명의인을 대리할 권한이 없었다든지, 또는 제3자가 전소유명의인의 등기서류를 위조하였다는 등의 무효사실 에 대한 입증책임을 진다(대판 1992.4.24, 91다26379·26386). 따라서 乙이 甲의 대리권 없음을 이유로 丙을 상대로 위 매매계약을 원인으로 마쳐진 소유권이전등기의 말소를 구하 는 소를 제기하는 경우, 乙이 甲에게 대리권이 부존재한다는 점을 증명하여야 한다.

ㅁ. 민법 제134조의 철회란 무권대리행위의 상대방이 무권대리인과 체결한 계약을 확정적으로 무효화시키는 행위로서, 철회가 있으면 본인의 추인권은 소멸한다.

ㅂ. [1] 다른 자의 대리인으로서 계약을 맺은 자가 그 대리권을 증명하지 못하고 또 본인의 추인 을 받지 못한 경우에는 그는 상대방의 선택에 따라 계약을 이행할 책임 또는 손해를 배상할 책임이 있다(민법 제135조 제1항). 이때 상대방이 계약의 이행을 선택한 경우 무권대리인은 계약이 본인에게 효력이 발생하였더라면 본인이 상대방에게 부담하였을 것과 같은 내용의 채무를 이행할 책임이 있다. 무권대리인은 마치 자신이 계약의 당사자가 된 것처럼 계약에서 정한 채무를 이행할 책임을 지는 것이다.

[2] 무권대리인이 계약에서 정한 채무를 이행하지 않으면 상대방에게 채무불이행에 따른 손 해를 배상할 책임을 진다. 위 계약에서 채무불이행에 대비하여 손해배상액의 예정에 관한 조항을 둔 때에는 특별한 사정이 없는 한 무권대리인은 조항에서 정한 바에 따라 산정한 손 해액을 지급하여야 한다. 이 경우에도 손해배상액의 예정에 관한 민법 제398조가 적용됨은 물론이다(대판 2018.6.28, 2018다210775).

38 표현대리에 관한 다음 설명 중 옳은 것을 모두 고른 것은?

▶ 2020년 법원행시

> ㄱ. 대리권한 없는 자가 대리문구를 어음 상에 기재하지 않고 직접 본인 명의로 기명날인을 하여 어음행위를 했다면 이는 어음행위의 무권대리가 아니라 어음의 위조행위에 해당하는 것이므로 민법상의 표현대리 규정을 유추적용하여 본인에게 그 책임을 물을 수 없다.
>
> ㄴ. 처가 甲과 공모하여 남편의 주민등록증에 甲의 사진을 붙인 다음 남편인 것처럼 가장시켜 은행에서 대출을 받은 경우 은행은 남편에게 민법 제126조 표현대리책임을 유추적용하여 대출금의 반환을 청구할 수 있다.
>
> ㄷ. 민법 제125조가 규정하는 대리권 수여의 표시에 의한 표현대리에서 본인에 의한 대리권 수여의 표시는 반드시 대리권 또는 대리인이라는 말을 사용하여야 하는 것이 아니라 사회통념상 대리권을 추단할 수 있는 직함이나 명칭 등의 사용을 승낙 또는 묵인한 경우에도 대리권 수여의 표시가 있은 것으로 볼 수가 있다.
>
> ㄹ. 표현대리행위가 성립하는 경우에 그 본인은 표현대리행위에 의하여 전적인 책임을 져야 하고, 상대방에게 과실이 있다고 하더라도 과실상계의 법리를 유추적용하여 본인의 책임을 경감할 수 없다.
>
> ㅁ. 대리인이 복대리인 선임권이 없이 복대리인을 선임하여 그 자를 통하여 권한 외의 법률행위를 한 경우에는 상대방이 그 행위자를 정당한 대리권을 가진 대리인으로 믿었고 또한 그렇게 믿은 데에 정당한 이유가 있더라도 표현대리가 성립할 수 없다.

① ㄱ   ② ㄱ, ㄷ   ③ ㄷ, ㄹ

④ ㄷ, ㄹ, ㅁ   ⑤ ㄱ, ㄴ, ㅁ

해설 ㄱ. 다른 사람이 본인을 위하여 한다는 대리문구를 어음 상에 기재하지 않고 직접 본인 명의로 기명날인을 하여 어음행위를 하는 이른바 기관 방식 또는 서명대리 방식의 어음행위가 권한 없는 자에 의하여 행하여졌다면 이는 어음행위의 무권대리가 아니라 어음의 위조에 해당하는 것이기는 하나, 그 경우에도 제3자가 어음행위를 실제로 한 자에게 그와 같은 어음행위를 할 수 있는 권한이 있다고 믿을 만한 사유가 있고, 본인에게 책임을 질 만한 사유가 있는 때에는 대리방식에 의한 어음행위의 경우와 마찬가지로 민법상의 표현대리 규정을 유추적용하여 본인에게 그 책임을 물을 수 있다(대판 2000.3.23, 99다50385).

ㄴ. 민법 제126조의 표현대리는 대리인이 본인을 위한다는 의사를 명시 혹은 묵시적으로 표시하거나 대리의사를 가지고 권한 외의 행위를 하는 경우에 성립하고, 사술을 써서 위와 같은 대리행위의 표시를 하지 아니하고 단지 본인의 성명을 모용하여 자기가 마치 본인인 것처럼 기망하여 본인 명의로 직접 법률행위를 한 경우에는 특별한 사정이 없는 한 위 법조 소정의 표현대리는 성립될 수 없다. 다만 <u>특별한 사정이 있는 경우</u>에 한하여 <u>민법 제126조 소정의 표현대리의 법리를 유추적용할 수 있다</u>고 할 것인데, 여기서 특별한 사정이란 <u>본인을 모용한 사람에게 본인을 대리할 기본대리권이 있었고, 상대방으로서는 위 모용자가 본인 자신으로서 본인의 권한을 행사하는 것으로 믿은 데 정당한 사유가 있었던 사정</u>을 의미한다고 할 것이다(대판 2002.6.28, 2001다49814).

ㄷ. 민법 제125조가 규정하는 대리권 수여의 표시에 의한 표현대리는 본인과 대리행위를 한 자 사이의 기본적인 법률관계의 성질이나 그 효력의 유무와는 직접적인 관계가 없이 어떤 자가 본인을 대리하여 제3자와 법률행위를 함에 있어 본인이 그 자에게 대리권을 수여하였다는 표시를 제3자에게 한 경우에는 성립될 수가 있고, 또 본인에 의한 대리권 수여의 표시는 반드시 대리권 또는 대리인이라는 말을 사용하여야 하는 것이 아니라 사회통념상 대리권을 추단할 수 있는 직함이나 명칭 등의 사용을 승낙 또는 묵인한 경우에도 대리권 수여의 표시가 있은 것으로 볼 수 있다(대판 1998.6.12, 97다53762).

ㄹ. 표현대리행위가 성립하는 경우에 그 본인은 표현대리행위에 의하여 전적인 책임을 져야 하고, 상대방에게 과실이 있다고 하더라도 과실상계의 법리를 유추적용하여 본인의 책임을 경감할 수 없다(대판 1996.7.12, 95다49554).

ㅁ. 대리인이 임의로 복대리인을 선임하여 그 자가 대리행위를 한 경우에도 상대방이 복대리인을 대리권을 가진 대리인으로 믿었고 또한 그렇게 믿는 데에 정당한 이유가 있을 경우에는 제126조의 표현대리가 성립한다(대판 1998.3.27, 97다48982).

39 표현대리에 관한 다음 설명 중 가장 옳지 않은 것은? ▸2022년 법원사무관 승진

① 유권대리에 관한 주장 속에 표현대리의 주장이 포함되어 있다고 볼 수 없다.

② 처가 제3자를 남편으로 가장시켜 관련 서류를 위조하여 남편 소유의 부동산을 담보로 대출받은 경우 남편을 본인으로 하는 대리행위가 있었다고 할 수 없으므로 남편을 본인으로 하는 민법 제126조의 표현대리책임은 성립하지 않는다.

③ 처가 특별한 수권 없이 남편을 대리하여 일상가사에 속하지 않는 법률행위를 한 경우 그것이 민법 제126조의 표현대리가 되려면 처에게 일상가사대리권이 있었고 상대방이 처가 남편으로부터 그 법률행위에 관한 대리권을 받았다고 믿었음을 정당화할 만한 객관적인 사정이 있어야 한다.

④ 인감증명서는 일반적으로 재산의 처분에 있어 당사자의 신원 또는 그 의사를 확인하기 위하여 사용되므로 인감증명서의 교부만으로 특정 재산의 처분에 관한 대리권을 부여한 것으로 해석될 수 있다.

해설 ① 유권대리에 있어서는 본인이 대리인에게 수여한 대리권의 효력에 의하여 법률효과가 발생하는 반면 표현대리에 있어서는 대리권이 없음에도 불구하고 법률이 특히 거래상대방 보호와 거래안전유지를 위하여 본래 무효인 무권대리행위의 효과를 본인에게 미치게 한 것으로서 표현대리가 성립된다고 하여 무권대리의 성질이 유권대리로 전환되는 것은 아니므로, 양자의 구성요건 해당사실 즉 주요사실은 다르다고 볼 수밖에 없으니 유권대리에 관한 주장 속에 무권대리에 속하는 표현대리의 주장이 포함되어 있다고 볼 수 없다(대판(전) 1983.12.13, 83다카1489).

② 민법 제126조의 표현대리는 대리인이 본인을 위한다는 의사를 명시 혹은 묵시적으로 표시하거나 대리의사를 가지고 권한 외의 행위를 하는 경우에 성립하고, 사술을 써서 위와 같은 대리행위의 표시를 하지 아니하고 단지 본인의 성명을 모용하여 자기가 마치 본인인 것처럼

기망하여 본인 명의로 직접 법률행위를 한 경우에는 특별한 사정이 없는 한 위 법조 소정의 표현대리는 성립될 수 없다. (따라서) 처가 제3자를 남편으로 가장시켜 관련 서류를 위조하여 남편 소유의 부동산을 담보로 금원을 대출받은 경우, 남편에게 민법 제126조 소정의 표현대리책임은 성립하지 않는다(대판 2002.6.28, 2001다49814).

③ 타인의 채무에 대한 보증행위는 그 성질상 아무런 반대급부 없이 오직 일방적으로 불이익만을 입는 것인 점에 비추어 볼 때, 남편이 처에게 타인의 채무를 보증함에 필요한 대리권을 수여한 다는 것은 사회통념상 이례에 속하므로, 처가 특별한 수권 없이 남편을 대리하여 위와 같은 행위를 하였을 경우에 그것이 민법 제126조 소정의 표현대리가 되려면 처에게 일상가사대리 권이 있었다는 것만이 아니라 상대방이 처에게 남편이 그 행위에 관한 대리의 권한을 주었다 고 믿었음을 정당화할 만한 객관적인 사정이 있어야 한다(대판 1998.7.10, 98다18988).

④ 인감증명서는 인장사용에 부수해서 그 확인방법으로 사용되며 인장사용과 분리해서 그것만 으로는 어떤 증명방법으로 사용되는 것이 아니므로 인감증명서만의 교부는 일반적으로 어떤 대리권을 부여하기 위한 행위라고 볼 수 없다(대판 1978.10.10, 78다75).

40 대리권에 관한 다음 설명 중 가장 옳지 않은 것은? ▶ 2022년 9급(법원서기보)

① 표현대리행위가 성립하는 경우 본인이 그 표현대리에 기한 책임을 부담하게 되고, 다만 상대방에게 과실이 있는 경우 과실상계의 법리를 유추적용하여 책임을 감경할 수 있다.

② 부부 일방이 특별한 수권 없이 배우자를 대리하여 타인의 채무에 대한 보증행위를 하 였을 경우, 민법 제126조 소정의 표현대리가 성립하려면 일상가사대리권이 있었다는 것만이 아니라 상대방이 그 배우자가 그 행위에 관한 대리의 권한을 주었다고 믿었음을 정당화할 만한 객관적인 사정이 있어야 한다.

③ 무권대리인의 상대방이 대리권이 없음을 알았다는 사실 또는 알 수 있었는데도 알지 못하였다는 사실에 관한 주장·증명책임은 무권대리인에게 있다.

④ 표현대리가 성립된다고 하여 무권대리의 성질이 유권대리로 전환되는 것은 아니므로, 유권대리에 관한 주장 속에 무권대리에 속하는 표현대리의 주장이 포함되어 있다고 볼 수 없다.

해설 ① 표현대리행위가 성립하는 경우에 그 본인은 표현대리행위에 의하여 전적인 책임을 져야 하 고, 상대방에게 과실이 있다고 하더라도 과실상계의 법리를 유추적용하여 본인의 책임을 경 감할 수 없다(대판 1996.7.12, 95다49554).

② 타인의 채무에 대한 보증행위는 그 성질상 아무런 반대급부 없이 오직 일방적으로 불이익만을 입는 것인 점에 비추어 볼 때, 남편이 처에게 타인의 채무를 보증함에 필요한 대리권을 수여한 다는 것은 사회통념상 이례에 속하므로, 처가 특별한 수권 없이 남편을 대리하여 위와 같은 행위를 하였을 경우에 그것이 민법 제126조 소정의 표현대리가 되려면 처에게 일상가사대리 권이 있었다는 것만이 아니라 상대방이 처에게 남편이 그 행위에 관한 대리의 권한을 주었다 고 믿었음을 정당화할 만한 객관적인 사정이 있어야 한다(대판 1998.7.10, 98다18988).

③ 민법 제135조 제2항은 '대리인으로서 계약을 맺은 자에게 대리권이 없다는 사실을 상대방이 알았거나 알 수 있었을 때에는 제1항을 적용하지 아니한다.'고 정하고 있다. 이는 무권대리인

의 무과실책임에 관한 원칙 규정인 제1항에 대한 예외 규정이므로 상대방이 대리권이 없음을 알았다는 사실 또는 알 수 있었는데도 알지 못하였다는 사실에 관한 주장·증명책임은 무권대리인에게 있다(대판 2018.6.28, 2018다210775).

④ 유권대리에 있어서는 본인이 대리인에게 수여한 대리권의 효력에 의하여 법률효과가 발생하는 반면 표현대리에 있어서는 대리권이 없음에도 불구하고 법률이 특히 거래상대방 보호와 거래안전유지를 위하여 본래 무효인 무권대리행위의 효과를 본인에게 미치게 한 것으로서 표현대리가 성립된다고 하여 무권대리의 성질이 유권대리로 전환되는 것은 아니므로, 양자의 구성요건 해당사실 즉 주요사실은 다르다고 볼 수밖에 없으니 유권대리에 관한 주장 속에 무권대리에 속하는 표현대리의 주장이 포함되어 있다고 볼 수 없다(대판(전) 1983.12.13, 83다카1489).

41 대리에 관한 다음 설명 중 가장 옳지 않은 것은? ▶ 2022년 법무사

① 매매계약의 체결과 이행에 관하여 포괄적으로 대리권을 수여받은 대리인은 특별한 다른 사정이 없는 한 상대방에 대하여 약정된 매매대금지급기일을 연기하여 줄 권한도 가진다고 보아야 할 것이다.

② 대리권 없는 자가 타인의 대리인으로 계약을 한 경우에 상대방은 상당한 기간을 정하여 본인에게 그 추인 여부의 확답을 최고할 수 있고, 본인이 그 기간 내에 확답을 발하지 않은 때에는 추인을 거절한 것으로 본다.

③ 민법 제134조에서 정한 상대방의 철회권은, 무권대리행위가 본인의 추인에 따라 효력이 좌우되어 상대방이 불안정한 지위에 놓이게 됨을 고려하여 대리권이 없었음을 알지 못한 상대방을 보호하기 위하여 상대방에게 부여된 권리로서, 상대방이 유효한 철회를 하면 무권대리행위는 확정적으로 무효가 되어 그 후에는 본인이 무권대리행위를 추인할 수 없다.

④ 대리인이 대리권 소멸 후 복대리인을 선임하여 복대리인으로 하여금 상대방과 사이에 대리행위를 하도록 한 경우에도, 상대방이 대리권 소멸 사실을 알지 못하여 복대리인에게 적법한 대리권이 있는 것으로 믿었고 그와 같이 믿은 데 과실이 없다면 민법 제129조에 의한 표현대리가 성립할 수 있다.

⑤ 증권회사의 직원이 아니면서도 사실상 투자상담사의 역할을 하는 자가 고객의 유치, 투자상담 및 권유, 위탁매매약정실적의 제고 등의 업무를 위임받아 증권회사를 대리하여 예탁금을 수령하거나 위탁매매계약을 체결한 경우 권한초과의 표현대리가 성립한다.

해설 ① 대판 1992.4.14, 91다43107
② 제131조
③ 민법 제134조에서 정한 상대방의 철회권은, 무권대리행위가 본인의 추인에 따라 효력이 좌우되어 상대방이 불안정한 지위에 놓이게 됨을 고려하여 대리권이 없었음을 알지 못한 상대방을 보호하기 위하여 상대방에게 부여된 권리로서, 상대방이 유효한 철회를 하면 무권대리행위는 확정적으로 무효가 되어 그 후에는 본인이 무권대리행위를 추인할 수 없다. 한편 상대방

이 대리인에게 대리권이 없음을 알았다는 점에 대한 주장·입증책임은 철회의 효과를 다투는 본인에게 있다(대판 2017.6.29, 2017다213838).
④ 대판 1998.5.29, 97다55317
⑤ 민법 제126조의 표현대리가 성립하기 위하여는 무권대리인에게 법률행위에 관한 기본대리권이 있어야 하는바, 증권회사로부터 위임받은 고객의 유치, 투자상담 및 권유, 위탁매매약정실적의 제고 등의 업무는 사실행위에 불과하므로 이를 기본대리권으로 하여서는 권한초과의 표현대리가 성립할 수 없다(대판 1992.5.26, 91다32190).

42 다음 설명 중 옳지 않은 것은 모두 몇 개인가?

▶ 2022년 법원행시

ㄱ. 법률행위에 따라 권리가 이전되려면 권리자 또는 처분권한이 있는 자의 처분행위가 있어야 하므로, 무권리자가 타인의 권리를 처분한 경우에는 특별한 사정이 없는 한 권리가 이전되지 않는다.

ㄴ. 권리자가 무권리자의 처분을 추인하는 것도 자신의 법률관계를 스스로의 의사에 따라 형성할 수 있다는 사적자치의 원칙에 따라 허용된다.

ㄷ. 무권리자의 처분에 대한 권리자의 추인은 무권리자의 처분이 있음을 알고 해야 하고, 명시적으로 또는 묵시적으로 할 수 있으나, 그 의사표시는 무권리자에 대하여 하는 것만으로는 부족하고 반드시 처분 상대방에 대하여 이루어져야 한다.

ㄹ. 권리자가 무권리자의 처분을 추인하면 무권대리에 대해 본인이 추인을 한 경우와 당사자들 사이의 이익상황이 유사하므로, 무권대리의 추인에 관한 민법 제130조, 제133조 등을 무권리자의 추인에 유추 적용할 수 있다.

ㅁ. 무권리자의 처분이 계약으로 이루어진 경우에 권리자가 이를 추인하면 원칙적으로 그 계약의 효과는 추인시점부터 장래를 향하여 권리자에게 귀속된다.

ㅂ. 소유자가 제3자에게 그가 소유하는 물건을 제3자의 소유물로 처분할 수 있는 권한을 유효하게 수여하는 이른바 처분수권의 경우에도 제3자의 처분이 실제로 유효하게 행하여지지 아니하고 있는 동안에는 소유자는 처분수권이 제3자에게 행하여졌다는 것만으로 그가 원래 가지는 처분권능에 제한을 받지 않으므로, 소유자는 처분권한을 수여받은 제3자와의 관계에서 처분수권의 원인이 된 채권적 계약관계 등에 기하여 채권적인 책임을 져야 하는 것을 별론으로 하고, 자신의 소유물을 여전히 유효하게 처분할 수 있고, 또한 소유권에 기하여 소유물에 대한 방해 등을 배제할 수 있는 민법 제213조, 제214조의 물권적 청구권을 가진다.

① 없음   ② 1개   ③ 2개
④ 3개   ⑤ 4개

해설 ㄱ. ㄴ. ㄷ. ㄹ. ㅁ. 법률행위에 따라 권리가 이전되려면 권리자 또는 처분권한이 있는 자의 처분행위가 있어야 한다. 무권리자가 타인의 권리를 처분한 경우에는 특별한 사정이 없는 한 권리가 이전되지 않는다. 그러나 이러한 경우에 권리자가 무권리자의 처분을 추인하는 것도 자신의 법률관계를 스스로의 의사에 따라 형성할 수 있다는 사적 자치의 원칙에 따라 허용된

다. 이러한 추인은 무권리자의 처분이 있음을 알고 해야 하고, 명시적으로 또는 묵시적으로 할 수 있으며, 그 의사표시는 무권리자나 그 상대방 어느 쪽에 해도 무방하다. 또한 권리자가 무권리자의 처분을 추인하면 무권대리에 대해 본인이 추인을 한 경우와 당사자들 사이의 이익상황이 유사하므로, 무권대리의 추인에 관한 제130조, 제133조 등을 무권리자의 추인에 유추 적용할 수 있다. 따라서 무권리자의 처분이 계약으로 이루어진 경우에 권리자가 이를 추인하면 원칙적으로 그 계약의 효과가 계약을 체결했을 때에 소급하여 권리자에게 귀속된다(대판 2017.6.8, 2017다3499).

ㅂ. 소유자는 제3자에게 그 물건을 제3자의 소유물로 처분할 수 있는 권한을 유효하게 수여할 수 있다고 할 것인데, 그와 같은 이른바 '처분수권'의 경우에도 그 수권에 기하여 행하여진 제3자의 처분행위(부동산의 경우에 처분행위가 유효하게 성립하려면 단지 양도 기타의 처분을 한다는 의사표시만으로는 부족하고, 처분의 상대방 앞으로 그 권리 취득에 관한 등기가 있어야 한다. 민법 제186조 참조)가 대세적으로 효력을 가지게 되고 그로 말미암아 소유자가 소유권을 상실하거나 제한받게 될 수는 있다고 하더라도, 그러한 제3자의 처분이 실제로 유효하게 행하여지지 아니하고 있는 동안에는 소유자는 처분수권이 제3자에게 행하여졌다는 것만으로 그가 원래 가지는 처분권능에 제한을 받지 아니한다. 따라서 그는 처분권한을 수여받은 제3자와의 관계에서 처분수권의 원인이 된 채권적 계약관계 등에 기하여 채권적인 책임을 져야 하는 것을 별론으로 하고, 자신의 소유물을 여전히 유효하게 처분할 수 있고, 또한 소유권에 기하여 소유물에 대한 방해 등을 배제할 수 있는 민법 제213조, 제214조의 물권적 청구권을 가진다(대판 2014.3.13, 2009다105215).

43 대리에 관한 다음 설명 중 가장 옳지 않은 것은? ▸ 2023년 법원사무관 승진

① 채권의 양수인이 양도인으로부터 채권양도통지 권한을 위임받아 대리인으로서 그 통지를 함에 있어서 그 통지가 본인인 채권의 양도인을 위한 것임을 표시하지 아니한 경우라도 채권양도통지를 둘러싼 여러 사정에 비추어 양수인이 대리인으로서 통지한 것임을 상대방이 알았거나 알 수 있었을 때에는 민법 제115조 단서의 규정에 의하여 유효하게 된다.

② 대리권 없는 자가 한 계약은 본인의 추인이 있을 때까지 상대방은 본인이나 그 대리인에 대하여 이를 철회할 수 있으나 계약 당시에 상대방이 대리권 없음을 안 때에는 그러하지 아니한바, 상대방은 철회의 유효를 주장하기 위하여 계약 당시 대리인에게 대리권이 없음을 알지 못하였다는 점에 대한 주장·입증책임을 부담한다.

③ 진의 아닌 의사표시가 대리인에 의하여 이루어지고 그 대리인의 진의가 본인의 이익이나 의사에 반하여 자기 또는 제3자의 이익을 위한 배임적인 것임을 그 상대방이 알았거나 알 수 있었을 경우에도 민법 제107조 제1항 단서의 유추해석상 그 대리인의 행위에 대하여 본인은 아무런 책임을 지지 않는다고 보아야 한다.

④ 대리인이 한 법률행위가 사해행위인지를 판단함에 있어 수익자 또는 전득자의 사해행위에 대한 악의의 유무는 대리인을 기준으로 판단하여야 한다.

해설 ① 채권양도의 통지는 양수인이 양도인을 대위하여 할 수는 없으나(대판 2011.2.24, 2010다 96911), 대리하여 통지할 수는 있다. 이 경우 양수인은 현명의 방식에 따라야 하고, 현명이 없다 하더라도 양수인이 대리인으로서 통지한 것임을 상대방이 알았거나 알 수 있었을 때에는 민법 제115조 단서의 규정에 의해 양도통지는 유효하다(대판 2004.2.13, 2003다43490). 다만 이는 채권의 양수인이 양도인으로부터 채권양도통지 권한을 위임받아 그에 대한 대리권을 가지고 있음을 전제로 한다(대판 2008.2.14, 2007다77569).

② 민법 제134조는 "대리권 없는 자가 한 계약은 본인의 추인이 있을 때까지 상대방은 본인이나 그 대리인에 대하여 이를 철회할 수 있다. 그러나 계약 당시에 상대방이 대리권 없음을 안 때에는 그러하지 아니하다."고 규정하고 있다. 민법 제134조에서 정한 상대방의 철회권은, 무권대리행위가 본인의 추인에 따라 효력이 좌우되어 상대방이 불안정한 지위에 놓이게 됨을 고려하여 대리권이 없었음을 알지 못한 상대방을 보호하기 위하여 상대방에게 부여된 권리로서, 상대방이 유효한 철회를 하면 무권대리행위는 확정적으로 무효가 되어 그 후에는 본인이 무권대리행위를 추인할 수 없다. 한편 상대방이 대리인에게 대리권이 없음을 알았다는 점에 대한 주장·입증책임은 철회의 효과를 다투는 본인에게 있다(대판 2017.6.29, 2017다 213838).

③ 진의 아닌 의사표시가 대리인에 의하여 이루어지고 그 대리인의 진의가 본인의 이익이나 의사에 반하여 자기 또는 제3자의 이익을 위한 배임적인 것임을 그 상대방이 알았거나 알 수 있었을 경우에는 민법 제107조 제1항 단서의 유추해석상 그 대리인의 행위는 본인의 대리행위로 성립할 수 없다 하겠으므로 본인은 대리인의 행위에 대하여 아무런 책임이 없다. 이때 그 상대방이 대리인의 표시의사가 진의 아님을 알았거나 알 수 있었는가의 여부는 표의자인 대리인과 상대방 사이에 있었던 의사표시의 형성과정과 그 내용 및 그로 인하여 나타나는 효과 등을 객관적인 사정에 따라 합리적으로 판단하여야 한다(대판 1987.7.7, 86다카1004).

④ 대리인이 한 법률행위가 사해행위인지를 판단함에 있어 수익자 또는 전득자의 사해행위에 대한 악의의 유무는 대리인을 기준으로 한다(대판 2006.9.8, 2006다22661).

44 임의대리권에 관한 다음 설명 중 가장 옳지 않은 것은? ▸2023년 법무사

① 매매계약의 체결과 이행에 관하여 포괄적으로 대리권을 수여받은 대리인이라도 특별한 다른 사정이 없는 한 상대방에 대하여 약정된 매매대금지급기일을 연기하여 줄 권한은 없다.

② 수권행위의 통상의 내용으로서의 임의대리권은 그 권한에 부수하여 필요한 한도에서 상대방의 의사표시를 수령하는 이른바 수령대리권을 포함한다.

③ 부동산의 소유자로부터 매매계약을 체결할 대리권을 수여받은 대리인은 특별한 사정이 없는 한 그 매매계약에서 약정한 바에 따라 중도금이나 잔금을 수령할 권한이 있다.

④ 예금계약의 체결을 위임받은 자가 가지는 대리권에 당연히 그 예금을 담보로 하여 대출을 받거나 이를 처분할 수 있는 대리권이 포함되어 있는 것은 아니다.

⑤ 소송상 화해나 청구의 포기에 관한 특별수권이 되어 있다면 특별한 사정이 없는 한 그러한 소송행위에 대한 수권만이 아니라 그러한 소송행위의 전제가 되는 당해 소송물인 권리의 처분이나 포기에 대한 권한도 수여되어 있다고 봄이 상당하다.

해설 ①.③ 부동산의 소유자로부터 **매매계약을 체결할 대리권을 수여받은 대리인은** 특별한 다른 사정이 없는 한 그 매매계약에서 약정한 바에 따라 **중도금이나 잔금을 수령할 수도 있다고 보아야** 하고, 매매계약의 체결과 이행에 관하여 **포괄적으로 대리권을 수여받은 대리인은** 특별한 다른 사정이 없는 한 **상대방에 대하여 약정된 매매대금지급기일을 연기하여 줄 권한도 가진다**고 보아야 할 것이다(대판 1992.4.14, 91다43107).
② 대판 1994.2.8, 93다39379
④ 대판 1995.8.22, 94다59042
⑤ 대결 2000.1.31, 99마6205

45 **표현대리에 관한 다음 설명 중 가장 옳지 않은 것은?** ▶ 2024년 법원사무관 승진

① 계약체결의 요건을 규정하고 있는 강행법규에 위반한 계약은 계약상대방이 선의·무과실이라 하더라도 표현대리 법리가 적용될 여지는 없다.

② 다른 사람이 본인을 위하여 한다는 대리문구를 어음상에 기재하지 않고 직접 본인 명의로 기명날인을 한 어음행위가 권한 없는 자에 의하여 행하여졌다면, 제3자가 어음행위를 실제로 한 자에게 그와 같은 어음행위를 할 수 있는 권한이 있다고 믿을 만한 사유가 있고, 본인에게 책임을 질 만한 사유가 있는 때에는 대리방식에 의한 어음행위의 경우와 마찬가지로 민법상의 표현대리 규정을 유추적용하여 본인에게 그 책임을 물을 수 있다.

③ 대리인이 사자 내지 임의로 선임한 복대리인을 통하여 권한 외의 법률행위를 한 경우, 상대방이 그 행위자를 대리권을 가진 대리인으로 믿었고 또한 그렇게 믿는 데에 정당한 이유가 있는 때에는, 복대리인 선임권이 없는 대리인에 의하여 선임된 복대리인의 권한도 기본대리권이 될 수 있을 뿐만 아니라, 그 행위자가 사자라고 하더라도 대리행위의 주체가 되는 대리인이 별도로 있고 그들에게 본인으로부터 기본대리권이 수여된 이상, 민법 제126조를 적용함에 있어서 기본대리권의 흠결 문제는 생기지 않는다.

④ 공정증서가 채무명의로서 집행력을 가질 수 있도록 하는 집행인낙 표시에는 민법상의 표현대리 규정이 적용 또는 준용된다.

해설 ① 계약체결의 요건을 규정하고 있는 **강행법규에 위반한 계약은 무효**이므로 그 경우에 **계약상대방이 선의·무과실이라 하더라도 민법 제107조의 비진의표시의 법리 또는 표현대리 법리가 적용될 여지는 없다**(대판 1983.12.27, 83다548, 대판 1996.8.23, 94다38199 등).
② 다른 사람이 본인을 위하여 한다는 대리문구를 어음 상에 기재하지 않고 직접 본인 명의로 기명날인을 하여 어음행위를 하는 이른바 기관 방식 또는 서명대리 방식의 어음행위가 권한 없는 자에 의하여 행하여졌다면 이는 어음행위의 무권대리가 아니라 어음의 위조에 해당하는 것이기는 하나, 그 경우에도 제3자가 어음행위를 실제로 한 자에게 그와 같은 어음행위를 할 수 있는 권한이 있다고 믿을 만한 사유가 있고, 본인에게 책임을 질 만한 사유가 있는 때에는 대리방식에 의한 어음행위의 경우와 마찬가지로 민법상의 표현대리 규정을 유추적용하여 본인에게 그 책임을 물을 수 있다(대판 2000.3.23, 99다50385).

정답 44 ① 45 ④

③ 대리인이 사자 내지 임의로 선임한 복대리인을 통하여 권한 외의 법률행위를 한 경우, 상대방이 그 행위자를 대리권을 가진 대리인으로 믿었고 또한 그렇게 믿는 데에 정당한 이유가 있는 때에는, 복대리인 선임권이 없는 대리인에 의하여 선임된 복대리인의 권한도 기본대리권이 될 수 있을 뿐만 아니라, 그 행위자가 사자라고 하더라도 대리행위의 주체가 되는 대리인이 별도로 있고 그들에게 본인으로부터 기본대리권이 수여된 이상, 민법 제126조를 적용함에 있어서 기본대리권의 흠결 문제는 생기지 않는다(대판 1998.3.27, 97다48982).

④ 이행지체가 있으면 즉시 강제집행을 하여도 이의가 없다는 강제집행 수락의사표시는 소송행위라 할 것이고, 이러한 <u>소송행위에는 민법상의 표현대리규정이 적용 또는 유추적용될 수는 없다</u>(대판 1983.2.8, 81다카621).

46 권한을 넘은 표현대리(민법 제126조)에 관한 다음 설명 중 가장 옳지 않은 것은?

▸ 2024년 법원행시

① 권한을 넘은 표현대리에 있어서 무권대리인에게 그 권한이 있다고 믿을 만한 정당한 이유가 있는가의 여부는 대리행위(매매계약) 당시부터 매매계약 성립 이후의 사정까지 고려하여야 하므로, 무권대리인이 매매계약 후 그 이행단계에서 비로소 본인의 인감증명과 위임장을 상대방에게 교부한 사정만으로도 상대방이 무권대리인에게 그 권한이 있다고 믿을 만한 정당한 이유가 있었다고 볼 수 있다.

② 민법 제126조의 표현대리는 대리인이 본인을 위한다는 의사를 명시 혹은 묵시적으로 표시하거나 대리의사를 가지고 권한 외의 행위를 하는 경우에 성립하고, 사술을 써서 위와 같은 대리행위의 표시를 하지 아니하고 단지 본인의 성명을 모용하여 자기가 마치 본인인 것처럼 기망하여 본인 명의로 직접 법률행위를 한 경우에는 특별한 사정이 없는 한 위 법조 소정의 표현대리는 성립될 수 없다.

③ 본인으로부터 아파트에 관한 임대 등 일체의 관리권한을 위임받아 본인으로 가장하여 아파트를 임대한 바 있는 대리인이 다시 자신을 본인으로 가장하여 임차인에게 아파트를 매도하는 법률행위를 한 경우에는 권한을 넘은 표현대리의 법리를 유추적용하여 본인에 대하여 그 행위의 효력이 미친다고 볼 수 있다.

④ 권한을 넘은 표현대리에 관한 민법 제126조의 규정에서 제3자라 함은 당해 표현대리행위의 직접 상대방이 된 자만을 지칭하는 것이고, 이는 위 규정을 배서와 같은 어음행위에 적용 또는 유추적용할 경우에 있어서도 마찬가지로 보아야 할 것이며, 약속어음의 배서행위의 직접 상대방은 그 배서에 의하여 어음을 양도받은 피배서인만을 가리키고 그 피배서인으로부터 다시 어음을 취득한 자는 민법 제126조 소정의 제3자에는 해당하지 아니한다.

⑤ 법률행위에 의하여 수여된 대리권은 그 원인된 법률관계의 종료에 의하여 소멸하는 것이므로 특별한 다른 사정이 없는 한 부동산을 매수할 권한을 수여받은 대리인에게 그 부동산을 처분할 대리권이 있다고 볼 수는 없다.

해설 ① 민법 제126조의 표현대리에 있어서 무권대리인에게 그 권한이 있다고 믿을 만한 정당한 이유가 있는가의 여부는 대리행위인 매매계약 당시를 기준으로 결정하여야 하고 매매계약 성립 이후의 사정은 고려할 것이 아니므로, 무권대리인이 매매계약 후 그 이행단계에서야 비로소 본인의 인감증명과 위임장을 상대방에게 교부한 사정만으로는 상대방이 무권대리인에게 그 권한이 있다고 믿을 만한 정당한 이유가 있었다고 단정할 수 없다(대판 2018.7.24, 2017다2472).

② 대판 2002.6.28, 2001다49814
③ 대판 1993.2.23, 92다52436
④ 대판 1994.5.27, 93다21521
⑤ 대판 1991.2.12, 90다7364

47 대리에 관한 다음 설명 중 옳은 것을 모두 고른 것은? ▸2024년 법무사

ㄱ. 대리권 남용 행위에 따라 외형상 형성된 법률관계를 기초로 하여 새로운 법률상 이해관계를 맺은 선의의 제3자에 대해서는 민법 제107조 제2항을 유추적용하여 누구도 그러한 사정을 들어 대항할 수 없는데, 제3자가 악의라는 사실에 관한 증명책임은 그 무효를 주장하는 자에게 있다.

ㄴ. 대부중개업자가 전주를 위하여 금전소비대차계약과 그 담보를 위한 담보권설정계약을 체결할 대리권을 수여받은 것으로 인정되는 경우에는 특별한 사정이 없는 한 금전소비대차계약과 그 담보를 위한 담보권설정계약이 체결된 후에 이를 해제할 권한까지 당연히 가지고 있다고 볼 수 있다.

ㄷ. 특정한 법률행위를 위임한 경우에 대리인이 본인의 지시에 좇아 그 행위를 한 때에는 본인은 자기가 안 사정 또는 과실로 인하여 알지 못한 사정에 관하여 대리인의 부지를 주장하지 못한다.

ㄹ. 부부의 일방이 의식불명의 상태에 있어 사회통념상 대리관계를 인정할 필요가 있다는 사정이 인정된다면 그 배우자로서는 당연히 채무의 부담행위를 포함한 모든 법률행위에 관하여 대리권을 갖는다고 보아야 한다.

ㅁ. 대리권 소멸 후의 표현대리에 관한 민법 제129조는 법정대리인의 대리권이 소멸된 경우에도 적용된다고 할 것이다.

① ㄱ, ㄴ, ㅁ   ② ㄱ, ㄷ, ㄹ   ③ ㄱ, ㄷ, ㅁ
④ ㄴ, ㄷ, ㅁ   ⑤ ㄴ, ㄹ, ㅁ

해설 ㄱ. 법정대리인인 친권자의 대리행위가 객관적으로 볼 때 미성년자 본인에게는 경제적인 손실만을 초래하는 반면, 친권자나 제3자에게는 경제적인 이익을 가져오는 행위이고 행위의 상대방이 이러한 사실을 알았거나 알 수 있었을 때에는 민법 제107조 제1항 단서의 규정을 유추적용하여 행위의 효과가 자에게는 미치지 않는다고 해석함이 타당하나, 그에 따라 외형상 형성된 법률관계를 기초로 하여 새로운 법률상 이해관계를 맺은 선의의 제3자에 대하여는 같은 조 제2항의 규정을 유추적용하여 누구도 그와 같은 사정을 들어 대항할 수 없으며, 제3자가 악의라는 사실에 관한 주장·증명책임은 무효를 주장하는 자에게 있다(대판 2018.4.26, 2016다3201).

ㄴ. 어떠한 계약의 체결에 관한 대리권을 수여받은 대리인이 수권된 법률행위를 하게 되면 그것으로 대리권의 원인된 법률관계는 원칙적으로 목적을 달성하여 종료하는 것이고, 법률행위에 의하여 수여된 대리권은 그 원인된 법률관계의 종료에 의하여 소멸하는 것이므로(민법 제128조), 그 계약을 대리하여 체결하였던 대리인이 체결된 계약의 해제 등 일체의 처분권과 상대방의 의사를 수령할 권한까지 가지고 있다고 볼 수는 없다(대판 2008.6.12, 2008다11276).

ㄷ. 제116조

ㄹ. 대리가 적법하게 성립하기 위하여는 대리행위를 한 자, 즉 대리인이 본인을 대리할 권한을 가지고 그 대리권의 범위 내에서 법률행위를 하였음을 요하며, <u>부부의 경우에도 일상의 가사가 아닌 법률행위를 배우자를 대리하여 행함에 있어서는 별도로 대리권을 수여하는 수권행위가 필요</u>한 것이지, <u>부부의 일방이 의식불명의 상태에 있어 사회통념상 대리관계를 인정할 필요가 있다는 사정만으로 그 배우자가 당연히 채무의 부담행위를 포함한 모든 법률행위에 관하여 대리권을 갖는다고 볼 것은 아니다</u>(대판 2000.12.8, 99다37856).

ㅁ. 대리권소멸 후의 표현대리에 관한 민법 제129조는 법정대리인의 대리권 소멸에 관하여서도 그 적용이 있다(대판 1975.1.28, 74다1199).

04 절 무효와 취소

01 **민법상 무효 및 취소에 관한 설명 중 옳지 않은 것은?** (다툼이 있는 경우 판례에 의함)

① 임의대리에 있어서 대리인의 행위에 취소원인이 있는 경우, 임의대리인이 취소를 하려면 원칙적으로 본인으로부터 취소에 관한 대리권이 따로 주어져 있어야 한다.

② 취소할 수 있는 법률행위로부터 생긴 채권에 관하여, 취소의 원인이 소멸한 후에 취소권자가 이의를 유보하지 않고, 상대방에게 이행하거나 상대방의 이행을 받은 경우는 추인한 것으로 본다.

③ 민법 제146조 전단에서 취소권의 제척기간의 기산점으로 삼고 있는 '추인할 수 있는 날'이란 취소의 원인이 소멸되어 취소권행사에 관한 장애가 없어져서 취소권자가 취소의 대상인 법률행위를 추인할 수도 있고 취소할 수도 있는 상태가 된 때로 보아야 한다.

④ 하나의 법률행위의 일부분에만 취소사유가 있다고 하더라도 그 법률행위가 가분적이거나 그 목적물의 일부가 특정될 수 있다면, 그 나머지 부분이라도 이를 유지하려는 당사자의 가정적 의사가 인정되는 경우 그 일부만의 취소도 가능하다.

⑤ 동일인 대출한도 제한을 회피하기 위하여 실질적인 주채무자가 제3자를 형식상의 주채무자로 내세우고 금융기관도 이를 양해하여 제3자 명의로 대출관계서류를 작성하였다 하더라도, 위 대출약정을 통정허위표시에 해당하여 무효라고 할 수 없다.

해설 ① 대리란 행위의 주체와 효과귀속의 주체가 분리되는 현상을 말한다. 따라서 취소권의 발생요건의 충족여부는 대리인을 기준으로 판단하나(민법 제116조), 그로 인한 효과는 본인에게 귀속한다. 따라서 법률행위를 할 권한을 수여받은 대리인은 그 법률행위를 취소할 권한을 당연히 가지는 것은 아니며, 이에 대한 수권이 있어야 한다. 판례도 같은 취지에서 계약을 체결할 권한을 수여받은 대리인에게 계약관계를 해제할 대리권까지 있다고 볼 수 없다고 판단하였다(대판 1993.1.15, 92다39365).

② 제145조 【법정추인】 취소할 수 있는 법률행위에 관하여 전조의 규정에 의하여 추인할 수 있는 후에 다음 각 호의 사유가 있으면 추인한 것으로 본다. 그러나 이의를 보류한 때에는 그러하지 아니하다.
1. 전부나 일부의 이행 → 상대방의 이행수령을 포함한다.
2. 이행의 청구 → 취소권자가 상대방으로부터 청구받은 경우는 포함하지 않는다.
3. 경개
4. 담보의 제공 → 물적 담보나 인적 담보를 불문한다.
5. 취소할 수 있는 행위로 취득한 권리의 전부나 일부의 양도
6. 강제집행

③ 민법 제146조 전단은 "취소권은 추인할 수 있는 날로부터 3년 내에 행사하여야 한다."고 규정하는 한편, 민법 제144조 제1항에서는 "추인은 취소의 원인이 소멸된 후에 하여야만 효력이 있다."고 규정하고 있는바, 위 각 규정의 취지와 추인은 취소권의 포기를 내용으로 하는 의사표시인 점에 비추어 보면, 민법 제146조 전단에서 취소권의 제척기간의 기산점으로 삼고 있는 추인할 수 있는 날이란 취소의 원인이 소멸되어 취소권행사에 관한 장애가 없어져서

취소권자가 취소의 대상인 법률행위를 추인할 수도 있고 취소할 수도 있는 상태가 된 때를 가리킨다고 보아야 한다(대판 1998.11.27. 98다7421).

④ 일부취소의 허용여부에 관하여는 명문의 규정은 없으나, 일부취소를 허용하는 것이 통설과 판례이다. 일부취소의 허용요건으로서는 일체로서의 법률행위가 가분적이고, 일부에 취소사유가 존재하여야 하고, 나머지 부분을 유지하려는 가정적 의사가 있어야 한다.

하나의 법률행위의 일부분에만 취소사유가 있다고 하더라도 그 법률행위가 가분적이거나 그 목적물의 일부가 특정될 수 있다면, 그 나머지 부분이라도 이를 유지하려는 당사자의 가정적 의사가 인정되는 경우 그 일부만의 취소도 가능하다 할 것이고, 그 일부의 취소는 법률행위의 일부에 관하여 효력이 생긴다(대판 1998.2.10. 97다44737).

⑤ 제3자를 형식상의 주채무자로 내세우는 대출약정은 금융기관의 양해가 있다면 통정허위표시로 된다.

실질적인 주채무자가 실제 대출받고자 하는 채무액에 대하여 제3자를 형식상의 주채무자로 내세우고, 상호신용금고도 이를 양해하여 제3자에 대하여는 채무자로서의 책임을 지우지 않을 의도하에 제3자 명의로 대출관계서류를 작성받은 경우에는, 제3자는 형식상의 명의만을 빌려준 자에 불과하고 그 대출계약의 실질적인 당사자는 상호신용금고와 실질적 주채무자이므로, 제3자 명의로 되어 있는 대출약정은 상호신용금고의 양해하에 그에 따른 채무부담 의사 없이 형식적으로 이루어진 것에 불과하여 통정허위표시에 해당하는 무효의 법률행위이다(대판 2001.2.23. 2000다65864).

02 **토지거래허가지역 내의 토지에 관하여 토지거래 허가를 받기 전에 체결한 매매계약은 유동적 무효라고 보는 것이 판례의 입장이다. 다음 설명 중 판례의 입장과 다른 것은?**

① 허가를 받기 전까지는 물권적 효력은 물론 채권적 효력도 발생하지 아니하여 소유권 등 권리의 이전에 관한 계약의 효력이 발생하지 않는다는 점에서는 확정적 무효의 경우와 동일하다. 따라서 유동적 무효인 상태에 있어서는 계약 내용에 따른 채무불이행을 이유로 계약을 해제할 수 없다.

② 양 당사자는 매매계약을 효력 있는 것으로 완성하여야 할 협력 의무를 부담하지만 이러한 협력의무의 이행을 소구할 수는 없다.

③ 매매계약이 확정적으로 무효가 되지 아니하는 한 계약체결시 지급된 계약금에 대하여 이를 부당이득으로 반환청구할 수 없다.

④ 관할관청의 불허가처분이 있거나 당사자 쌍방이 허가신청을 하지 않기로 의사표시를 명백히 한 경우에는 확정적 무효로 된다.

⑤ 甲은 토지거래허가를 받아야 하는 토지를 그 허가를 받기 전에 乙에게 매도하는 계약을 체결하고, 乙이 丙에게 위 토지를 전매한 후 甲·乙·丙 세 사람이 중간생략등기의 합의를 하고 甲과 丙이 매매당사자인 것으로 토지거래허가를 받아서 이에 의하여 甲으로부터 丙 앞으로 직접 소유권이전등기를 경료하였어도, 丙은 소유권을 취득하지 못한다.

해설 ① 허가를 받을 것을 전제로 한 거래계약은 허가받기 전의 상태에서는 거래계약의 채권적 효력도 전혀 발생하지 않으므로 권리의 이전 또는 설정에 관한 어떠한 내용의 이행청구도 할 수 없고, 그러한 거래계약의 당사자로서는 허가받기 전의 상태에서 상대방의 거래계약상 채무불이행을 이유로 거래계약을 해제하거나 그로 인한 손해배상을 청구할 수 없다(대판 1997.7.25, 97다4357).

② 양 당사자는 관청의 허가를 신청하는 데 협력해야 할 의무가 있다. 따라서 이러한 의무에 위배하여 허가신청절차에 협력하지 않는 당사자에 대하여 상대방은 협력의무의 이행을 소송으로써 구할 이익이 있다(대판 1991.12.24, 90다12243).

③ 유동적 무효상태의 매매계약을 체결하고 매수인이 이에 기하여 임의로 지급한 계약금은 그 계약이 유동적 무효상태로 있는 한 이를 부당이득으로 반환을 구할 수는 없고 유동적 무효상태가 확정적으로 무효로 되었을 때 비로소 부당이득으로 그 반환을 구할 수 있다(대판 1993.7.27, 91다33766).

④ 국토이용관리법상의 거래허가를 받지 않은 유동적 무효상태의 계약은 관할 도지사에 의한 불허가처분이 있을 때뿐만이 아니라, 당사자 쌍방이 허가신청을 하지 아니하기로 의사표시를 명백히 한 경우에도 유동적 무효상태의 계약은 확정적으로 무효로 된다고 보아야 할 것이다(대판 1993.7.27, 91다33766).

⑤ 중간생략등기의 합의란 부동산이 전전 매도된 경우 각각의 매매계약이 유효하게 성립함을 전제로 그 이행의 편의상 최초의 매도인으로부터 최종의 매수인 앞으로 소유권이전등기를 경료하기로 한다는 당사자 사이의 합의에 불과할 뿐, 최초의 매도인과 최종의 매수인 사이에 매매계약이 체결되었다는 것을 의미하는 것은 아니므로 최초 매도인과 최종 매수인 사이에 매매계약이 체결되었다고 볼 수 없고, 설사 최종 매수인이 자신과 최초 매도인을 매매당사자로 하는 토지거래허가를 받아 자신 앞으로 소유권이전등기를 경료하였더라도 그러한 최종 매수인 명의의 소유권이전등기는 적법한 토지거래허가 없이 경료된 등기로서 무효이다(대판 1997.11.11, 97다33218).

03 국토의 계획 및 이용에 관한 법률상 토지거래허가 대상인 토지거래에 관한 설명 중 옳은 것은? (다툼이 있는 경우에는 판례에 의함)

① 토지거래허가를 받지 않은 매매계약에서 계약금만을 받은 매도인은 당사자 일방이 이행에 착수하기 전이라도 계약금의 배액을 상환하고 계약을 해제할 수 없다.

② 토지거래허가를 받지 않은 매매계약상의 매수인이 매도인에 대해 토지거래허가 신청절차에 협력할 의무의 이행을 청구하는 경우, 매도인은 매매대금지급 의무이행의 제공이 있을 때까지 그 협력의무의 이행을 거절할 수 있다.

③ 토지거래허가를 받지 않은 매매계약상의 매수인의 지위에 관하여 매도인과 매수인 및 제3자 사이에 제3자가 매수인의 지위를 이전받는다는 취지의 합의를 한 경우, 매도인과 매수인 사이의 매매계약에 대한 관할 관청의 허가가 없는 이상 제3자가 매도인에 대하여 직접 토지거래허가 신청절차 협력의무의 이행을 청구할 수 없다.

④ 토지거래허가 전의 매매계약의 매수인이 매도인에 대한 토지거래허가 신청절차 협력청구권을 피보전권리로 하여 매매목적 토지의 처분을 금하는 가처분을 신청할 수 없다.

⑤ 토지거래 허가구역 내의 토지와 그 지상 건물을 일괄하여 매매한 경우, 매수인은 특별한 사정이 없는 한 토지에 대한 매매허가가 있기 전에 건물만의 소유권이전등기를 청구할 수 있다.

해설 ① 유동적 무효상태에서도 약정해제(=계약금에 의한 해제)가 가능하다. 따라서 "토지거래허가를 받지 않은 매매계약에서 계약금만을 받은 매도인은 당사자 일방이 이행에 착수하기 전이라도 계약금의 배액을 상환하고 계약을 해제할 수 있다."는 것이 판례이다(대판 1997.6.27, 97다9369).

② 협력절차요구는 부수적 의무이기 때문에 동시이행항변권을 행사할 수 없다. 따라서 "토지거래허가를 받지 않은 매매계약상의 매수인이 매도인에 대해 토지거래허가 신청절차에 협력할 의무의 이행을 청구하는 경우, 매도인은 매매대금지급 의무이행의 제공이 있을 때까지 그 협력의무의 이행을 거절할 수 없다."고 봄이 판례이다(대판 1996.10.25, 96다23825).

③ 국토계획법상 토지거래허가제도가 토지의 투기적 거래를 방지하여 정상적 거래를 장려하려는데 그 입법취지가 있음에 비추어 볼 때, 토지거래허가를 받지 않은 매매계약상의 매수인의 지위에 관하여 매도인과 매수인 및 제3자 사이에 제3자가 매수인의 지위를 이전받는다는 취지의 합의를 한 경우, 매도인과 매수인 사이의 매매계약에 대한 관할 관청의 허가가 없는 이상 제3자가 매도인에 대하여 직접 토지거래허가 신청절차 협력의무의 이행을 청구할 수 없다. 즉 중간생략등기의 중대한 제한으로 볼 수 있다(대판 1996.7.26, 96다7762).

④ 토지거래허가 신청절차 협력청구권을 피보전권리로 하여 처분금지가처분신청이 가능하다. 유동적 무효상태에서 협력요구가 아닌 토지 소유권이전등기청구권을 피보전권리로 하여 청구할 수 없는 것과 비교된다(대판 1996.10.25, 96다23825).

⑤ 일부무효는 전부무효를 원칙으로 한다. 따라서 "토지거래 허가구역 내의 토지와 그 지상 건물을 일괄하여 매매한 경우, 매수인은 특별한 사정이 없는 한 토지에 대한 매매허가가 있기 전에 건물만의 소유권이전등기를 청구할 수 없다." 따라서 후에 토지거래허가가 구비되지 못한 경우, 건물만의 소유권이전에 응하지 않아도 매도인은 매수인에게 채무불이행책임을 부담하지 않는다(대판 1992.10.13, 92다16836).

04 법률행위의 유동적 무효에 관한 다음 설명 중 가장 옳지 않은 것은? ▸ 2022년 법무사

① 토지거래계약 허가구역 내의 토지에 관하여 관할관청의 허가를 받을 것을 전제로 한 매매계약에 기한 소유권이전등기청구권 또는 토지거래계약에 관한 허가를 받을 것을 조건으로 한 소유권이전등기청구권을 피보전권리로 한 부동산처분금지가처분신청은 허용되지 않는다.

② 매매 당사자 일방이 계약 당시 상대방에게 계약금을 교부한 경우 당사자 사이에 다른 약정이 없는 한 당사자 일방이 계약 이행에 착수할 때까지 계약금 교부자는 이를 포기하고 계약을 해제할 수 있고, 그 상대방은 계약금의 배액을 상환하고 계약을 해제할 수 있음이 계약 일반의 법리인 이상, 특별한 사정이 없는 한 토지거래계약허가를 받지 않아 유동적 무효 상태인 매매계약에 있어서도 당사자 사이의 매매계약은 매도인이 계약금의 배액을 상환하고 계약을 해제함으로써 적법하게 해제된다.

③ 토지거래계약허가를 받지 않아 유동적 무효의 상태에 있는 계약을 체결한 당사자는 쌍방이 그 계약이 효력이 있는 것으로 완성될 수 있도록 서로 협력할 의무가 있다고 할 것이므로, 이러한 매매계약을 체결할 당시 당사자 사이에 그 일방이 토지거래계약허가를 받기 위한 협력 자체를 이행하지 아니하거나 허가신청에 이르기 전에 매매계약을 철회하는 경우 상대방에게 일정한 손해액을 배상하기로 하는 약정을 유효하게 할 수 있다.

④ 매도인의 토지거래계약허가 신청절차에 협력할 의무와 토지거래계약허가를 받으면 매매계약 내용에 따라 매수인이 이행하여야 할 매매대금 지급의무나 이에 부수하여 매수인이 부담하기로 특약한 양도소득세 상당 금원의 지급의무는 상호 이행상의 견련성이 있으므로 동시이행관계에 있다.

⑤ 유동적 무효의 상태에 있는 거래계약의 당사자는 상대방이 그 거래계약의 효력이 완성되도록 협력할 의무를 이행하지 아니하였음을 들어 일방적으로 유동적 무효의 상태에 있는 거래계약 자체를 해제할 수 없다.

해설 ① 부동산 거래신고 등에 관한 법률상의 토지거래계약 허가구역 내의 토지에 관하여 관할관청의 허가를 받을 것을 전제로 한 매매계약은 법률상 미완성의 법률행위로서 허가받기 전의 상태에서는 아무런 효력이 없어, 그 매수인이 매도인을 상대로 하여 권리의 이전 또는 설정에 관한 어떠한 이행청구도 할 수 없고, 이행청구를 허용하지 않는 취지에 비추어 볼 때 그 매매계약에 기한 소유권이전등기청구권 또는 토지거래계약에 관한 허가를 받을 것을 조건으로 한 소유권이전등기청구권을 피보전권리로 한 부동산처분금지가처분신청 또한 허용되지 않는다 (대결 2010.8.26, 2010마818).

② 민법 제565조 제1항에 따라 매매 당사자 일방이 계약 당시 상대방에게 계약금을 교부한 경우 당사자 사이에 다른 약정이 없는 한 당사자 일방이 계약 이행에 착수할 때까지 계약금 교부자는 이를 포기하고 계약을 해제할 수 있고, 그 상대방은 계약금의 배액을 상환하고 계약을 해제할 수 있음이 계약 일반의 법리인 이상, 특별한 사정이 없는 한 국토이용관리법(현행 부동산 거래신고 등에 관한 법률)상의 토지거래허가를 받지 않아 유동적 무효 상태인 매매계약에 있어서도 당사자 사이의 매매계약은 매도인이 계약금의 배액을 상환하고 계약을 해제함으로써 적법하게 해제된다(대판 1997.6.27, 97다9369).

③ 국토이용관리법(현행 부동산 거래신고 등에 관한 법률)상 토지거래허가 구역 내의 토지에 대하여 관할 관청의 허가를 받기 전 유동적 무효 상태에 있는 계약을 체결한 당사자는 쌍방이 그 계약이 효력이 있는 것으로 완성될 수 있도록 서로 협력할 의무가 있는 것이므로, 이러한 매매계약을 체결할 당시 당사자 사이에 당사자 일방이 토지거래허가를 받기 위한 협력 자체를 이행하지 아니하거나 허가신청에 이르기 전에 매매계약을 철회하는 경우 상대방에게 일정한 손해액을 배상하기로 하는 약정을 유효하게 할 수 있다(대판 1997.2.28, 96다49933).

④ 국토이용관리법(현행 부동산 거래신고 등에 관한 법률)상의 토지거래규제구역 내의 토지에 관하여 관할 관청의 토지거래허가 없이 매매계약이 체결됨에 따라 그 매수인이 그 계약을 효력이 있는 것으로 완성시키기 위하여 매도인에 대하여 그 매매계약에 관한 토지거래허가 신청절차에 협력할 의무의 이행을 청구하는 경우, 매도인의 토지거래계약허가 신청절차에 협력할 의무와 토지거래허가를 받으면 매매계약 내용에 따라 매수인이 이행하여야 할 매매대금 지급의무나 이에 부수하여 매수인이 부담하기로 특약한 양도소득세 상당 금원의 지급의무 사이에는 상호 이행상의 견련성이 있다고 할 수 없으므로, 매도인으로서는 그러한 의무이행의 제공이 있을 때까지 그 협력의무의 이행을 거절할 수 있는 것은 아니다(대판 1996.10.25, 96다23825).

⑤ 협력의무의 불이행을 이유로 일방적으로 유동적 무효의 상태에 있는 거래계약 자체를 해제할 수는 없다(대판(전) 1999.6.17, 98다40459).

05 허가구역 내의 토지거래계약에 관한 다음 설명 중 가장 옳지 않은 것은? (다툼이 있는 경우 판례에 의함) ▶ 2019년 법원주사보

① 국토의 계획 및 이용에 관한 법률에서 정한 허가구역 내의 토지거래에 있어, 허가를 받지 않고 체결된 매매계약의 효력에 관해 판례는 유동적 무효의 법리를 채택하고 있다. 따라서 허가를 받기 이전 상태에서는 각 당사자는 소유권이전등기청구 또는 대금지급청구 등 이행청구를 할 수 없다.

② 계약당사자는 공동으로 관할관청의 허가를 신청할 의무가 있고, 이에 위배하여 협력하지 않는 당사자에 대해 상대방은 협력의무 이행을 소송으로써 구할 이익이 있다.

③ 매수인은 이러한 협력의무 이행청구권을 피보전권리로 하여 목적토지의 처분을 금지하는 가처분을 구할 수는 있지만, 협력의무 이행청구권을 피보전권리로 하여 매도인을 대위하여 제3자 명의의 소유권이전등기의 말소등기절차이행을 구할 수는 없다.

④ 허가 받기 전의 토지거래계약이 처음부터 허가를 배제 또는 잠탈하는 내용의 계약일 경우에는 확정적 무효이다.

해설 ① 토지거래허가구역 내의 허가받지 아니한 토지매매의 효력에 관하여 판례는 이를 유동적 무효라고 한다. 유동적 무효상태의 매매계약은 물권적 효력이 없음은 물론이고, 채권적 효력도 인정되지 않는다. 따라서 허가를 받을 것을 전제로 한 거래계약은 허가받기 전의 상태에서는 거래계약의 채권적 효력도 전혀 발생하지 않으므로 권리의 이전 또는 설정에 관한 어떠한 내용의 이행청구도 할 수 없고, 그러한 거래계약의 당사자로서는 허가받기 전의 상태에서 상대방의 거래계약상 채무불이행을 이유로 거래계약을 해제하거나 그로 인한 손해배상을 청구할 수 없다(대판 1997.7.25, 97다4357).

② 양 당사자는 관청의 허가를 신청하는데 협력해야 할 의무가 있다. 따라서 이러한 의무에 위배하여 허가신청절차에 협력하지 않는 당사자에 대하여 상대방은 협력의무의 이행을 소송으로써 구할 이익이 있다(대판 1991.12.24, 90다12243).

③ 허가를 받을 것을 전제로 하여 체결된 매매계약의 매수인은 비록 그 매매계약이 허가를 받을 때까지는 법률상 미완성의 법률행위로서 소유권의 이전에 관한 계약의 효력이 전혀 발생하지 아니한다고 할지라도 위와 같은 토지거래허가신청절차청구권을 피보전권리로 하여 매매목적물의 처분을 금하는 가처분을 구할 수 있고, 매도인이 그 매매계약을 다투는 경우 그 보전의 필요성도 있다고 보아야 할 것이며, 이러한 가처분이 집행된 후에 진행된 강제경매절차에서 당해 토지를 낙찰받은 제3자는 특별한 사정이 없는 한 이로써 가처분채권자인 매수인의 권리보전에 대항할 수 없다(대판 1998.12.22, 98다44376). 또한 국토이용관리법(현행 부동산 거래신고 등에 관한 법률)상의 토지거래규제구역 내의 토지에 관하여 관할관청의 허가 없이 체결된 매매계약이라고 하더라도, 거래 당사자 사이에는 그 계약이 효력 있는 것으로 완성될 수 있도록 서로 협력할 의무가 있어, 그 매매계약의 쌍방 당사자는 공동으로 관할관청의 허가를 신청할 의무가 있고, 이러한 의무에 위배하여 허가신청에 협력하지 않는 당사자에 대하여 상대방은 협력의무의 이행을 청구할 수 있는 것이므로, 매수인과 매도인 사이의 토지거래규제구역 내에 있는 토지에 대한 매매계약이 관할관청의 허가 없이 체결된 것이라고 하더라도, 매수인은 매도인에 대한 토지거래허가신청절차의 협력의무의 이행청구권을 보전하기 위하여 매도인을 대위하여 제3자 명의의 소유권이전등기의 말소등기절차이행을 구할 수 있는 것이다(대판 1994.12.27, 94다4806).

④ 국토이용관리법(현행 부동산 거래신고 등에 관한 법률)에 의하여 허가를 받아야 하는 토지거래계약이 처음부터 허가를 배제하거나 잠탈하는 내용의 계약인 경우에는 허가여부를 기다릴 것도 없이 확정적으로 무효로서 유효화될 여지가 없다(대판 1996.6.28, 96다3982 등).

06 **무효에 관한 다음 설명 중 가장 옳지 않은 것은?** (다툼이 있는 경우 판례에 의함)

▸ 2016년 법무사

① 선량한 풍속 기타 사회질서는 부단히 변천하는 가치관념으로서 어느 법률행위가 이에 위반되어 민법 제103조에 의하여 무효인지 여부는 그 법률행위가 이루어진 때를 기준으로 판단하여야 하고, 또한 그 법률행위가 유효로 인정될 경우의 부작용, 거래자유의 보장 및 규제의 필요성, 사회적 비난의 정도, 당사자 사이의 이익균형 등 제반 사정을 종합적으로 고려하여 사회통념에 따라 합리적으로 판단하여야 한다.

② 무효인 법률행위가 다른 법률행위의 요건을 구비하고 당사자가 그 무효를 알았더라면 다른 법률행위를 하는 것을 의욕하였으리라고 인정될 때에는 다른 법률행위로서 효력을 가진다.

③ 법률행위의 일부분이 무효인 때에는 그 전부를 무효로 하지만, 그 무효 부분이 없더라도 법률행위를 하였을 것이라고 인정될 때에는 나머지 부분은 무효가 되지 아니한다.

④ 불공정한 법률행위로서 무효인 경우에도 피해자가 그 무효임을 알고 추인한 경우에는 유효한 법률행위가 된다.

⑤ 위약벌의 약정은 채무의 이행을 확보하기 위하여 정해지는 것이나, 그 의무의 강제에 의하여 얻어지는 채권자의 이익에 비하여 약정된 벌이 과도하게 무거울 때에는 그 일부 또는 전부가 공서양속에 반하여 무효로 된다. 그런데 당사자가 약정한 위약벌의 액수가 과다하다는 이유로 법원이 계약의 구체적 내용에 개입하여 그 약정의 전부 또는 일부를 무효로 하는 것은, 사적 자치의 원칙에 대한 중대한 제약이 될 수 있고, 스스로가 한 약정을 이행하지 않겠다며 계약의 구속력으로부터 이탈하고자 하는 당사자를 보호하는 결과가 될 수 있으므로, 가급적 자제하여야 한다.

해설 ① 형사사건에 관하여 체결된 성공보수약정이 가져오는 여러 가지 사회적 폐단과 부작용 등을 고려하면, 구속영장청구 기각, 보석 석방, 집행유예나 무죄 판결 등과 같이 의뢰인에게 유리한 결과를 얻어내기 위한 변호사의 변론활동이나 직무수행 그 자체는 정당하다 하더라도, 형사사건에서의 성공보수약정은 수사·재판의 결과를 금전적인 대가와 결부시킴으로써, 기본적 인권의 옹호와 사회정의 실현을 사명으로 하는 변호사 직무의 공공성을 저해하고, 의뢰인과 일반 국민의 사법제도에 대한 신뢰를 현저히 떨어뜨릴 위험이 있으므로, 선량한 풍속 기타 사회질서에 위배되는 것으로 평가할 수 있다(대판 2015.7.23, 2015다200111).

② 제138조 【무효행위의 전환】 무효인 법률행위가 다른 법률행위의 요건을 구비하고 당사자가 그 무효를 알았더라면 다른 법률행위를 하는 것을 의욕하였으리라고 인정될 때에는 다른 법률행위로서 효력을 가진다.

정답 05 ③ 06 ④

③ 제137조【법률행위의 일부무효】법률행위의 일부분이 무효인 때에는 그 전부를 무효로 한다. 그러나 그 무효부분이 없더라도 법률행위를 하였을 것이라고 인정될 때에는 나머지 부분은 무효가 되지 아니한다.

④ 불공정한 법률행위로서 무효인 경우에는 추인에 의하여 무효인 법률행위가 유효로 될 수 없다(대판 1994.6.24, 94다10900).

⑤ 위약벌의 약정은 손해배상의 예정과는 그 내용이 다르므로 손해배상의 예정에 관한 민법 제398조 제2항을 유추적용하여 그 액을 감액할 수는 없으며, 다만 그 의무의 강제에 의하여 얻어지는 채권자의 이익에 비하여 약정된 벌이 과도하게 무거울 때에는 그 일부 또는 전부가 공서양속에 반하여 무효로 되는 것에 불과하다. 그런데 당사자가 약정한 위약벌의 액수가 과다하다는 이유로 법원이 계약의 구체적 내용에 개입하여 약정의 전부 또는 일부를 무효로 하는 것은, 사적 자치의 원칙에 대한 중대한 제약이 될 수 있고, 스스로가 한 약정을 이행하지 않겠다며 계약의 구속력에서 이탈하고자 하는 당사자를 보호하는 결과가 될 수 있으므로 가급적 자제하여야 한다. 이러한 견지에서, 위약벌 약정이 공서양속에 반하는지를 판단할 때에는, 당사자 일방이 독점적 지위 내지 우월한 지위를 이용하여 체결한 것인지 등 당사자의 지위, 계약의 체결 경위와 내용, 위약벌 약정을 하게 된 동기와 경위, 계약 위반 과정 등을 고려하는 등 신중을 기하여야 하고, 단순히 위약벌 액수가 많다는 이유만으로 섣불리 무효라고 판단할 일은 아니다(대판 2015.12.10, 2014다14511).

07 법률행위의 무효, 취소에 관한 다음 설명 중 가장 옳은 것은? (다툼이 있는 경우 판례에 의함)
▶ 2018년 9급(법원서기보)

① 법률행위 일부분이 무효이더라도, 그 나머지 부분은 무효가 되지 않는 것이 원칙이다.
② 무효인 법률행위가 다른 법률행위의 요건을 구비하면 다른 법률행위로서 효력을 가진다.
③ 미성년자가 한 법률행위가 적법하게 취소된 경우 그 법률행위는 처음부터 무효인 것으로 보므로, 미성년자는 그 행위로 받은 이익 전부를 상환할 책임이 있다.
④ 민법 제104조에서 정하는 '불공정한 법률행위'에 해당하여 무효인 경우에도 무효행위 전환에 관한 민법 제138조가 적용될 수 있다.

해설 ① 제137조【법률행위의 일부무효】법률행위의 일부분이 무효인 때에는 그 전부를 무효로 한다. 그러나 그 무효부분이 없더라도 법률행위를 하였을 것이라고 인정될 때에는 나머지 부분은 무효가 되지 아니한다.

② 제138조【무효행위의 전환】무효인 법률행위가 다른 법률행위의 요건을 구비하고 당사자가 그 무효를 알았더라면 다른 법률행위를 하는 것을 의욕하였으리라고 인정될 때에는 다른 법률행위로서 효력을 가진다.

③ 제141조【취소의 효과】취소된 법률행위는 처음부터 무효인 것으로 본다. 다만, 제한능력자는 그 행위로 인하여 받은 이익이 현존하는 한도에서 상환할 책임이 있다.

④ 매매계약이 약정된 매매대금의 과다로 말미암아 민법 제104조에서 정하는 '불공정한 법률행위'에 해당하여 무효인 경우에도 무효행위의 전환에 관한 민법 제138조가 적용될 수 있다. 따라서 당사자 쌍방이 위와 같은 무효를 알았더라면 대금을 다른 액으로 정하여 매매계약에 합의하였을 것이라고 예외적으로 인정되는 경우에는, 그 대금액을 내용으로 하는 매매계약이 유효하게 성립한다(대판 2010.7.15, 2009다50308).

08 법률행위의 취소에 관한 다음 설명 중 가장 옳지 않은 것은? (다툼이 있는 경우 판례에 의함)

▶ 2017년 법원사무관 승진

① 하나의 법률행위의 일부분에만 취소사유가 있다고 하더라도 그 법률행위가 가분적이거나 그 목적물의 일부가 특정될 수 있다면, 그 나머지 부분이라도 이를 유지하려는 당사자의 가정적 의사가 인정되는 경우 그 일부만의 취소도 가능하다.

② 취소된 법률행위는 처음부터 무효인 것으로 본다. 다만, 제한능력자는 그 행위로 인하여 받은 이익이 현존하는 한도에서 상환할 책임이 있다.

③ 매도인이 매수인의 채무불이행을 이유로 매매계약을 적법하게 해제한 이후에는 취소의 대상이 되는 매매계약이 없으므로 매수인으로서는 착오를 이유로 한 취소권을 행사하여 위 매매계약 전체를 무효로 돌리게 할 수 없다.

④ 추인은 취소권을 가지는 자가 취소원인이 종료한 후에 취소할 수 있는 행위임을 알고서 추인의 의사표시를 하거나 법정추인사유에 해당하는 행위를 행할 때에만 법률행위의 효력을 유효로 확정시키는 효력이 발생한다.

해설 ① 하나의 법률행위의 일부분에만 취소사유가 있다고 하더라도 그 법률행위가 가분적이거나 그 목적물의 일부가 특정될 수 있다면, 그 나머지 부분이라도 이를 유지하려는 당사자의 가정적 의사가 인정되는 경우 그 일부만의 취소도 가능하다고 할 것이고, 그 일부의 취소는 법률행위의 일부에 관하여 효력이 생긴다(대판 2002.9.10, 2002다21509).

② 제141조【취소의 효과】취소된 법률행위는 처음부터 무효인 것으로 본다. 다만, 제한능력자는 그 행위로 인하여 받은 이익이 현존하는 한도에서 상환할 책임이 있다.

③ 매도인이 매수인의 중도금 지급채무 불이행을 이유로 매매계약을 적법하게 해제한 후라도 매수인으로서는 상대방이 한 계약해제의 효과로서 발생하는 손해배상책임을 지거나 매매계약에 따른 계약금의 반환을 받을 수 없는 불이익을 면하기 위하여 착오를 이유로 한 취소권을 행사하여 매매계약 전체를 무효로 돌리게 할 수 있다(대판 1996.12.6, 95다24982).

④ 추인은 취소권을 가지는 자가 취소원인이 종료한 후에 취소할 수 있는 행위임을 알고서 추인의 의사표시를 하거나 법정추인사유에 해당하는 행위를 행할 때에만 법률행위의 효력을 유효로 확정시키는 효력이 발생한다(대판 1997.5.30, 97다2986).

09 법률행위의 무효에 관한 다음 설명 중 가장 옳지 않은 것은? (다툼이 있는 경우 판례에 의함)

▶ 2017년 법무사

① 불공정한 법률행위로서 무효인 경우에는 추인에 의하여 그 무효인 법률행위가 유효로 될 수 없고, 무효행위의 전환에 관한 민법 제138조가 적용될 수도 없다.

② 매매계약이 민법 제104조에서 정하는 '불공정한 법률행위'에 해당하여 무효라고 한다면, 그 계약으로 인하여 불이익을 입는 당사자로 하여금 위와 같은 불공정성을 소송 등 사법적 구제수단을 통하여 주장하지 못하도록 하는 부제소합의 역시 다른 특별한 사정이 없는 한 무효라고 할 것이다.

정답 ▶ 07 ④ 08 ③ 09 ①

③ 복수의 당사자 사이에 어떠한 합의를 한 경우 그 합의는 전체로서 일체성을 가지는 것이므로, 그 중 한 당사자의 의사표시가 무효인 것으로 판명된 경우 나머지 당사자 사이의 합의가 유효한지의 여부는 민법 제137조에 정한 바에 따라 당사자가 그 무효 부분이 없더라도 법률행위를 하였을 것이라고 인정되는지의 여부에 의하여 판정되어야 한다.

④ 무효인 법률행위는 추인하여도 그 효력이 생기지 아니한다. 그러나 당사자가 그 무효임을 알고 추인한 때에는 새로운 법률행위로 본다.

⑤ 무효인 법률행위는 그 법률행위가 성립한 당초부터 당연히 효력이 발생하지 않는 것이므로, 무효인 법률행위에 따른 법률효과를 침해하는 것처럼 보이는 위법행위나 채무불이행이 있다고 하여도 법률효과의 침해에 따른 손해는 없는 것이므로 그 손해배상을 청구할 수는 없다고 보아야 한다.

해설 ①, ② 매매계약이 약정된 매매대금의 과다로 말미암아 민법 제104조에서 정하는 '불공정한 법률행위'에 해당하여 무효인 경우에도 무효행위의 전환에 관한 민법 제138조가 적용될 수 있다. 따라서 당사자 쌍방이 위와 같은 무효를 알았더라면 대금을 다른 액으로 정하여 매매계약에 합의하였을 것이라고 예외적으로 인정되는 경우에는, 그 대금액을 내용으로 하는 매매계약이 유효하게 성립한다(대판 2010.7.15, 2009다50308). 또한 매매계약과 같은 쌍무계약이 급부와 반대급부와의 불균형으로 말미암아 민법 제104조에서 정하는 '불공정한 법률행위'에 해당하여 무효라고 한다면, 그 계약으로 인하여 불이익을 입는 당사자로 하여금 위와 같은 불공정성을 소송 등 사법적 구제수단을 통하여 주장하지 못하도록 하는 부제소합의 역시 다른 특별한 사정이 없는 한 무효이다(대판 2010.7.15, 2009다50308).

③ 복수의 당사자 사이에 어떠한 합의(중간생략등기의 합의)를 한 경우 그 합의는 전체로서 일체성을 가지는 것이므로, 그 중 한 당사자의 의사표시가 무효인 것으로 판명된 경우 나머지 당사자 사이의 합의가 유효한지의 여부는 민법 제137조에 정한 바에 따라 당사자가 그 무효 부분이 없더라도 법률행위를 하였을 것이라고 인정되는지의 여부에 의하여 판정되어야 하고, 그 당사자의 의사는 실재하는 의사가 아니라 법률행위의 일부분이 무효임을 법률행위 당시에 알았다면 당사자 쌍방이 이에 대비하여 의욕하였을 가정적 의사를 말하는 것이다(대판 1996.2.27, 95다38875).

④ 제139조【무효행위의 추인】무효인 법률행위는 추인하여도 그 효력이 생기지 아니한다. 그러나 당사자가 그 무효임을 알고 추인한 때에는 새로운 법률행위로 본다.

⑤ 통정한 허위의 의사표시는 허위표시의 당사자와 포괄승계인 이외의 자로서 그 허위표시에 의하여 외형상 형성된 법률관계를 토대로 실질적으로 새로운 법률상 이해관계를 맺은 선의의 제3자를 제외한 누구에 대하여서나 무효이고, 또한 누구든지 그 무효를 주장할 수 있다. (한편) 무효인 법률행위는 그 법률행위가 성립한 당초부터 당연히 효력이 발생하지 않는 것이므로, 무효인 법률행위에 따른 법률효과를 침해하는 것처럼 보이는 위법행위나 채무불이행이 있다고 하여도 법률효과의 침해에 따른 손해는 없는 것이므로 그 손해배상을 청구할 수는 없다(대판 2003.3.28, 2002다72125).

10 법률행위의 무효 및 취소에 관한 다음 설명 중 가장 옳지 않은 것은? (다툼이 있는 경우 판례에 의함)
▸ 2017년 법원행시

① 타인의 사망을 보험사고로 하는 보험계약의 경우, 보험계약 성립 당시 피보험자의 서면동의가 없다면 그 보험계약은 확정적으로 무효가 되고, 피보험자가 이미 무효가 된 보험계약을 추인하였다고 하더라도 그 보험계약이 유효로 될 수 없다.

② 매매계약이 약정된 매매대금의 과다로 말미암아 민법 제104조에서 정하는 '불공정한 법률행위'에 해당하여 무효인 경우에는 무효행위의 전환에 관한 민법 제138조가 적용될 수 없다.

③ 토지거래허가를 받지 아니하여 유동적 무효상태에 있는 계약이라고 하더라도 일단 거래허가신청을 하여 불허되었다면 특별한 사정이 없는 한 불허가된 때로부터 그 거래계약은 확정적으로 무효로 되었다고 할 것이지만, 그 불허가의 취지가 미비된 요건의 보정을 명하는 데에 있고 그러한 흠결된 요건을 보정하는 것이 객관적으로 불가능하지도 아니한 경우라면 그 불허가로 인하여 거래계약이 확정적으로 무효가 되는 것은 아니다.

④ 강박에 의한 의사표시에 대한 취소권은 형성권의 일종으로서 그 행사기간을 제척기간으로 보아야 하고, 취소권자가 취소의 의사표시를 담은 반소장 부본을 원고에게 송달함으로써 취소권을 재판상 행사하는 경우에는 반소장 부본이 원고에게 도달한 때에 비로소 취소권 행사의 효력이 발생하므로, 취소의 의사표시가 담긴 반소장 부본이 제척기간 내에 송달되어야만 취소권자가 제척기간 내에 적법하게 취소권을 행사하였다고 할 것이다.

⑤ 채권자와 연대보증인 사이의 연대보증계약이 주채무자의 기망에 의하여 체결되어 적법하게 취소되었으나, 그 보증책임이 금전채무로서 채무의 성격상 가분적이고 연대보증인에게 보증한도를 일정 금액으로 하는 보증의사가 있다면, 연대보증인의 연대보증계약의 취소는 그 일정 금액을 초과하는 범위 내에서만 효력이 생긴다.

해설 ① 상법 제731조 제1항에 의하면 타인의 생명보험에서 피보험자가 서면으로 동의의 의사표시를 하여야 하는 시점은 '보험계약 체결 시까지'이고, 이는 강행규정으로서 이에 위반한 보험계약은 무효이므로, 타인의 생명보험계약 성립 당시 피보험자의 서면동의가 없다면 그 보험계약은 확정적으로 무효가 되고, 피보험자가 이미 무효가 된 보험계약을 추인하였다고 하더라도 그 보험계약이 유효로 될 수는 없다(대판 2006.9.22. 2004다56677).

② 매매계약이 약정된 매매대금의 과다로 말미암아 민법 제104조에서 정하는 '불공정한 법률행위'에 해당하여 무효인 경우에도 무효행위의 전환에 관한 민법 제138조가 적용될 수 있다. 따라서 당사자 쌍방이 위와 같은 무효를 알았더라면 대금을 다른 액으로 정하여 매매계약에 합의하였을 것이라고 예외적으로 인정되는 경우에는, 그 대금액을 내용으로 하는 매매계약이 유효하게 성립한다. 이때 당사자의 의사는 매매계약이 무효임을 계약 당시에 알았다면 의욕하였을 가정적 효과의사로서, 당사자 본인이 계약 체결 시와 같은 구체적 사정 아래 있다고 상정하는 경우에 거래관행을 고려하여 신의성실의 원칙에 비추어 결단하였을 바를 의미한다(대판 2010.7.15. 2009다50308).

정답 ▸ 10 ②

③ 토지거래허가를 받지 아니하여 유동적 무효상태에 있는 계약이라고 하더라도 일단 거래허가 신청을 하여 불허되었다면 특별한 사정이 없는 한 불허가된 때로부터 그 거래계약은 확정적으로 무효로 되었다고 할 것이지만, 그 불허가의 취지가 미비된 요건의 보정을 명하는 데에 있고 그러한 흠결된 요건을 보정하는 것이 객관적으로 불가능하지도 아니한 경우라면 그 불허가로 인하여 거래계약이 확정적으로 무효가 되는 것은 아니다(대판 1998.12.22, 98다44376).

④ 강박에 의한 의사표시에 대한 취소권은 형성권의 일종으로서 그 행사기간을 제척기간으로 보아야 하고, 위 취소권은 재판상이든 재판외든 그 기간 내에 행사하면 되는 것으로서, 취소권자가 취소의 의사표시를 담은 반소장 부본을 원고에게 송달함으로써 취소권을 재판상 행사하는 경우에는 반소장 부본이 원고에게 도달한 때에 비로소 취소권 행사의 효력이 발생하여 취소권자와 원고 사이에 취소의 효력이 생기므로, 취소의 의사표시가 담긴 반소장 부본이 제척기간 내에 송달되어야만 취소권자가 제척기간 내에 적법하게 취소권을 행사였다고 할 것이다(대판 2008.9.11, 2008다27301·27318).

⑤ 하나의 법률행위의 일부분에만 취소사유가 있다고 하더라도 그 법률행위가 가분적이거나 그 목적물의 일부가 특정될 수 있다면, 그 나머지 부분이라도 이를 유지하려는 당사자의 가정적 의사가 인정되는 경우 그 일부만의 취소도 가능하다고 할 것이고, 그 일부의 취소는 법률행위의 일부에 관하여 효력이 생긴다. 따라서 채권자와 연대보증인 사이의 연대보증계약이 주채무자의 기망에 의하여 체결되어 적법하게 취소되었으나, 그 보증책임이 금전채무로서 채무의 성격상 가분적이고 연대보증인에게 보증한도를 일정 금액으로 하는 보증의사가 있었다면, 연대보증인의 연대보증계약의 취소는 그 일정 금액을 초과하는 범위 내에서만 효력이 생긴다(대판 2002.9.10, 2002다21509).

11 일부무효 및 무효행위의 전환에 관한 다음 설명 중 가장 옳지 않은 것은? (다툼이 있는 경우 판례에 의함) ▶ 2018년 법무사

① 사용자가 근로자의 임금 지급에 갈음하여 사용자가 제3자에 대하여 가지는 채권을 근로자에게 양도하기로 하는 약정은 그 전부가 무효임이 원칙이나, 당사자 쌍방이 위와 같은 무효를 알았더라면 임금의 지급에 갈음하는 것이 아니라 그 지급을 위하여 채권을 양도하는 것을 의욕하였으리라고 인정될 때에는 무효행위 전환의 법리에 따라 그 채권양도 약정은 임금의 지급을 위하여 한 것으로서 효력을 가질 수 있다.

② 매매계약이 약정된 매매대금의 과다로 말미암아 민법 제104조에서 정하는 '불공정한 법률행위'에 해당하여 무효인 경우에도 무효행위의 전환에 관한 민법 제138조가 적용될 수 있다.

③ 甲과 乙보험회사가 피보험자를 만 7세인 甲의 아들 丙으로 하고 보험수익자를 甲으로 하여, 丙이 재해로 사망하였을 때는 사망보험금을 지급하고 재해로 장해를 입었을 때는 소득상실보조금 등을 지급하는 내용의 보험계약을 체결하였는데, 丙이 교통사고로 보험약관에서 정한 후유장해 진단을 받은 사안에서, 甲이 보험계약을 체결한 목적 등에 비추어 甲과 乙회사는 보험계약 중 재해로 인한 사망을 보험금 지급사유로 하는 부분이 상법 제732조에 의하여 무효라는 사실을 알았더라도 나머지 보험금 지급사유 부분에 관한 보험계약을 체결하였을 것으로 볼 수 있으면, 그 부분에 관한 보험계약은 여전히 유효하다.

④ 복수의 당사자 사이에 어떠한 합의를 한 경우 그 합의는 전체로서 일체성을 가지는 것이므로, 그 중 한 당사자의 의사표시가 무효인 것으로 판명된 경우 나머지 당사자 사이의 합의가 유효한지의 여부도 민법 제137조에 정한 바에 따라 당사자가 그 무효 부분이 없더라도 법률행위를 하였을 것이라고 인정되는지의 여부에 의하여 판정되어야 한다.

⑤ 민법 제137조는 임의규정으로서 의사자치의 원칙이 지배하는 영역에서 적용된다고 할 것이므로, 법률행위의 일부가 강행법규인 효력규정에 위반되어 무효가 되는 경우에는 언제나 적용되지 않는다.

해설 ① 임금은 법령 또는 단체협약에 특별한 규정이 있는 경우를 제외하고는 통화로 직접 근로자에게 전액을 지급하여야 한다(근로기준법 제43조 제1항). 따라서 사용자가 근로자의 임금 지급에 갈음하여 사용자가 제3자에 대하여 가지는 채권을 근로자에게 양도하기로 하는 약정은 전부 무효임이 원칙이다. 다만 당사자 쌍방이 위와 같은 무효를 알았더라면 임금의 지급에 갈음하는 것이 아니라 지급을 위하여 채권을 양도하는 것을 의욕하였으리라고 인정될 때에는 무효행위 전환의 법리(민법 제138조)에 따라 그 채권양도 약정은 '임금의 지급을 위하여 한 것'으로서 효력을 가질 수 있다(대판 2012.3.29, 2011다101308).

② 매매계약이 약정된 매매대금의 과다로 말미암아 민법 제104조에서 정하는 '불공정한 법률행위'에 해당하여 무효인 경우에도 무효행위의 전환에 관한 민법 제138조가 적용될 수 있다. 따라서 당사자 쌍방이 위와 같은 무효를 알았더라면 대금을 다른 액으로 정하여 매매계약에 합의하였을 것이라고 예외적으로 인정되는 경우에는, 그 대금액을 내용으로 하는 매매계약이 유효하게 성립한다(대판 2010.7.15, 2009다50308).

③ 甲과 乙 보험회사가 피보험자를 만 7세인 甲의 아들 丙으로 하고 보험수익자를 甲으로 하여, 丙이 재해로 사망하였을 때는 사망보험금을 지급하고 재해로 장해를 입었을 때는 소득상실보조금 등을 지급하는 내용의 보험계약을 체결하였는데, 丙이 교통사고로 보험약관에서 정한 후유장해진단을 받은 사안에서, 甲이 보험계약을 체결한 목적 등에 비추어 甲과 乙 회사는 보험계약 중 재해로 인한 사망을 보험금 지급사유로 하는 부분이 상법 제732조에 의하여 무효라는 사실을 알았더라도 나머지 보험금 지급사유 부분에 관한 보험계약을 체결하였을 것으로 봄이 타당하다는 이유로, 위 보험계약이 그 부분에 관하여는 여전히 유효하다고 본 사례이다(대판 2013.4.26, 2011다9068).

④ 복수의 당사자 사이에 어떠한 합의를 한 경우 그 합의는 전체로서 일체성을 가지는 것이므로, 그 중 한 당사자의 의사표시가 무효인 것으로 판명된 경우 나머지 당사자 사이의 합의가 유효한지의 여부는 민법 제137조에 정한 바에 따라 당사자가 그 무효 부분이 없더라도 법률행위를 하였을 것이라고 인정되는지의 여부에 의하여 판정되어야 하고, 그 당사자의 의사는 실재하는 의사가 아니라 법률행위의 일부분이 무효임을 법률행위 당시에 알았다면 당사자 쌍방이 이에 대비하여 의욕하였을 가정적 의사를 말하는 것이지만, 한편 그와 같은 경우에 있어서 나머지 당사자들이 처음부터 한 당사자의 의사표시가 무효가 되더라도 자신들은 약정내용대로 이행하기로 하였다면 무효가 되는 부분을 제외한 나머지 부분만을 유효로 하겠다는 것이 당사자의 의사라고 보아야 할 것이므로, 그 당사자들 사이에서는 가정적 의사가 무엇인지 가릴 것 없이 무효 부분을 제외한 나머지 부분은 그대로 유효하다고 할 것이다(대판 2010.3.25, 2009다41465).

정답 11 ⑤

⑤ 민법 제137조는 임의규정으로서 법률행위 자치의 원칙이 지배하는 영역에서 그 적용이 있다. 그리하여 법률행위의 일부가 강행법규인 효력규정에 위반되어 무효가 되는 경우 그 부분의 무효가 나머지 부분의 유효·무효에 영향을 미치는가의 여부를 판단함에 있어서는, 개별 법령이 일부 무효의 효력에 관한 규정을 두고 있는 경우에는 그에 따르고, 그러한 규정이 없다면 민법 제137조 본문에서 정한 바에 따라서 원칙적으로 법률행위의 전부가 무효가 된다. 그러나 같은 조 단서는 당사자가 위와 같은 무효를 알았더라면 그 무효의 부분이 없더라도 법률행위를 하였을 것이라고 인정되는 경우에는, 그 무효 부분을 제외한 나머지 부분이 여전히 효력을 가진다고 정한다. 이때 당사자의 의사는 법률행위의 일부가 무효임을 법률행위 당시에 알았다면 의욕하였을 가정적 효과의사를 가리키는 것으로서, 당해 효력규정을 둔 입법 취지 등을 고려할 때 법률행위 전부가 무효로 된다면 그 입법 취지에 반하는 결과가 되는 등의 경우에는 여기서 당사자의 가정적 의사는 다른 특별한 사정이 없는 한 무효의 부분이 없더라도 그 법률행위를 하였을 것으로 인정되어야 한다(대판 2013.4.26, 2011다9068).

12 **취소에 관한 다음 설명 중 가장 옳지 않은 것은?** (다툼이 있는 경우 판례에 의함) ▶ 2018년 법무사

① 근로계약은 근로자가 사용자에게 근로를 제공하고 사용자는 이에 대하여 임금을 지급하는 것을 목적으로 체결된 계약으로서 계약 체결에 관한 당사자들의 의사표시에 무효 또는 취소의 사유가 있으면, 상대방은 이를 이유로 근로계약의 무효 또는 취소를 주장하여 그에 따른 법률효과의 발생을 부정하거나 소멸시킬 수 있고, 민법 제141조가 적용되어 취소된 근로계약은 처음부터 무효인 것으로 된다.

② 법률행위가 사기에 의한 것으로서 취소되는 경우에 그 법률행위가 동시에 불법행위를 구성하는 때에는 취소의 효과로 생기는 부당이득반환청구권과 불법행위로 인한 손해배상청구권은 경합하여 병존하는 것이므로, 채권자는 어느 것이라도 선택하여 행사할 수 있지만 중첩적으로 행사할 수는 없다.

③ 취소권은 추인할 수 있는 날로부터 3년 내에 법률행위를 한 날로부터 10년 내에 행사하여야 한다.

④ 취소한 법률행위는 처음부터 무효인 것으로 간주되므로 취소할 수 있는 법률행위가 일단 취소된 이상 그 후에는 취소할 수 있는 법률행위의 추인이 아니라 무효인 법률행위의 추인의 요건과 효력으로서 추인할 수 있다.

⑤ 법률행위의 취소는 상대방에 대한 의사표시로 하여야 하나 그 취소의 의사표시는 특별히 재판상 행하여짐이 요구되는 경우 이외에는 특정한 방식이 요구되는 것이 아니다.

해설 ① 근로계약은 근로자가 사용자에게 근로를 제공하고 사용자는 이에 대하여 임금을 지급하는 것을 목적으로 체결된 계약으로서(근로기준법 제2조 제1항 제4호) 기본적으로 그 법적 성질이 사법상 계약이므로 계약 체결에 관한 당사자들의 의사표시에 무효 또는 취소의 사유가 있으면 상대방은 이를 이유로 근로계약의 무효 또는 취소를 주장하여 그에 따른 법률효과의 발생을 부정하거나 소멸시킬 수 있다. 다만 그와 같이 근로계약의 무효 또는 취소를 주장할 수 있다 하더라도 근로계약에 따라 그동안 행하여진 근로자의 노무 제공의 효과를 소급하여 부정하는 것은 타당하지 않으므로 이미 제공된 근로자의 노무를 기초로 형성된 취소 이전의

법률관계까지 효력을 잃는다고 보아서는 아니 되고, 취소의 의사표시 이후 장래에 관하여만 근로계약의 효력이 소멸된다고 보아야 한다(대판 2017.12.22, 2013다25194·25200).

② 법률행위가 사기에 의한 것으로서 취소되는 경우에 그 법률행위가 동시에 불법행위를 구성하는 때에는 취소의 효과로 생기는 부당이득반환청구권과 불법행위로 인한 손해배상청구권은 경합하여 병존하는 것이므로, 채권자는 어느 것이라도 선택하여 행사할 수 있지만 중첩적으로 행사할 수는 없다(대판 1993.4.27, 92다56087).

③ 제146조【취소권의 소멸】취소권은 추인할 수 있는 날로부터 3년 내에 법률행위를 한 날로부터 10년 내에 행사하여야 한다.

④ 취소한 법률행위는 처음부터 무효인 것으로 간주되므로 취소할 수 있는 법률행위가 일단 취소된 이상 그 후에는 취소할 수 있는 법률행위의 추인에 의하여 이미 취소되어 무효인 것으로 간주된 당초의 의사표시를 다시 확정적으로 유효하게 할 수는 없고, 다만 무효인 법률행위의 추인의 요건과 효력으로서 추인할 수는 있으나, 무효행위의 추인은 그 무효 원인이 소멸한 후에 하여야 그 효력이 있다(대판 1997.12.12, 95다38240).

⑤ 법률행위의 취소는 상대방에 대한 의사표시로 하여야 하나 그 취소의 의사표시는 특별히 재판상 행하여짐이 요구되는 경우 이외에는 특정한 방식이 요구되는 것이 아니고, 취소의 의사가 상대방에 의하여 인식될 수 있다면 어떠한 방법에 의하더라도 무방하다고 할 것이고, 법률행위의 취소를 당연한 전제로 한 소송상의 이행청구나 이를 전제로 한 이행거절 가운데는 취소의 의사표시가 포함되어 있다고 볼 수 있다(대판 1993.9.14, 93다13162).

13 취소에 관한 다음 설명 중 가장 옳지 않은 것은? (다툼이 있는 경우 판례에 의하고, 전원합의체 판결의 경우 다수의견에 의함) ▶ 2019년 9급(법원서기보)

① 당사자의 합의로 착오로 인한 의사표시 취소에 관한 민법 제109조 제1항의 적용을 배제할 수 있다.

② 민법 제109조 제1항 단서에 따르면 의사표시의 착오가 표의자의 중대한 과실로 인한 때에는 그 의사표시를 취소하지 못하고, 이는 상대방이 표의자의 착오를 알고 이를 이용한 경우에도 마찬가지이다.

③ 신용카드 가맹점이 미성년자와 신용구매계약을 체결할 당시 향후 그 미성년자가 법정대리인의 동의가 없었음을 들어 스스로 위 계약을 취소하지는 않으리라고 신뢰하였다 하더라도, 특별한 사정이 없는 한 법정대리인의 동의 없이 신용구매계약을 체결한 미성년자가 사후에 법정대리인의 동의 없음을 사유로 들어 이를 취소하는 것이 신의칙에 위배된 것이라고 할 수 없다.

④ 근로계약도 기본적으로 사법상 계약이므로 계약 체결에 관한 당사자들의 의사표시에 취소 사유가 있으면 그 상대방은 이를 이유로 근로계약을 취소할 수 있으나, 그 경우에도 취소의 의사표시 이후 장래에 관하여만 근로계약의 효력이 소멸된다.

정답 ▶ 12 ① 13 ②

해설 ① 의사표시는 법률행위의 내용의 중요 부분에 착오가 있는 때에는 취소할 수 있고, 의사표시의 동기에 착오가 있는 경우에는 당사자 사이에 그 동기를 의사표시의 내용으로 삼았을 때에 한하여 의사표시의 내용의 착오가 되어 취소할 수 있는 것이다. 그리고 당사자의 합의로 착오로 인한 의사표시 취소에 관한 민법 제109조 제1항의 적용을 배제할 수 있다(대판 2016.4.15, 2013다97694).

② 민법 제109조 제1항 단서는 의사표시의 착오가 표의자의 중대한 과실로 인한 때에는 그 의사표시를 취소하지 못한다고 규정하고 있는데, 위 단서 규정은 표의자의 상대방의 이익을 보호하기 위한 것이므로, 상대방이 표의자의 착오를 알고 이를 이용한 경우에는 착오가 표의자의 중대한 과실로 인한 것이라고 하더라도 표의자는 의사표시를 취소할 수 있다(대판 2014.11.27, 2013다49794).

③ 미성년자의 법률행위에 법정대리인의 동의를 요하도록 하는 것은 강행규정인데, 위 규정에 반하여 이루어진 신용구매계약을 미성년자 스스로 취소하는 것을 신의칙 위반을 이유로 배척한다면, 이는 오히려 위 규정에 의해 배제하려는 결과를 실현시키는 셈이 되어 미성년자 제도의 입법 취지를 몰각시킬 우려가 있으므로, 법정대리인의 동의 없이 신용구매계약을 체결한 미성년자가 사후에 법정대리인의 동의 없음을 사유로 들어 이를 취소하는 것이 신의칙에 위배된 것이라고 할 수 없다(대판 2007.11.16, 2005다71659).

④ 근로계약은 근로자가 사용자에게 근로를 제공하고 사용자는 이에 대하여 임금을 지급하는 것을 목적으로 체결된 계약으로서(근로기준법 제2조 제1항 제4호) 기본적으로 그 법적 성질이 사법상 계약이므로 계약 체결에 관한 당사자들의 의사표시에 무효 또는 취소의 사유가 있으면 상대방은 이를 이유로 근로계약의 무효 또는 취소를 주장하여 그에 따른 법률효과의 발생을 부정하거나 소멸시킬 수 있다. 다만 그와 같이 근로계약의 무효 또는 취소를 주장할 수 있다 하더라도 근로계약에 따라 그동안 행하여진 근로자의 노무 제공의 효과를 소급하여 부정하는 것은 타당하지 않으므로 이미 제공된 근로자의 노무를 기초로 형성된 취소 이전의 법률관계까지 효력을 잃는다고 보아서는 아니 되고, 취소의 의사표시 이후 장래에 관하여만 근로계약의 효력이 소멸된다고 보아야 한다(대판 2017.12.22, 2013다25194·25200).

14 법률행위의 무효에 관한 다음 설명 중 가장 옳지 않은 것은? (다툼이 있는 경우 판례에 따르고 전원합의체 판결의 경우 다수의견에 의함) ▶ 2019년 법무사

① 무효인 법률행위가 다른 법률행위의 요건을 구비하고 당사자가 그 무효를 알았더라면 다른 법률행위를 하는 것을 의욕하였으리라고 인정될 때에는 다른 법률행위로서 효력을 가진다.

② 당사자가 이전의 법률행위가 존재함을 알고 그 유효함을 전제로 하여 이에 터 잡은 후속행위를 하였다고 해서 그것만으로 이전의 법률행위를 묵시적으로 추인하였다고 단정할 수 없다.

③ 유동적 무효의 상태에 있는 거래계약의 당사자라도 상대방이 그 거래계약의 효력이 완성되도록 협력할 의무를 이행하지 아니하였음을 들어 일방적으로 유동적 무효의 상태에 있는 거래계약 자체를 해제할 수는 없다.

④ 상속재산 전부를 공동상속인 중 1인에게 상속시킬 방편으로 나머지 상속인들이 법원에 한 상속포기신고가 그 법정기간 경과 후에 한 것으로서 재산상속 포기로서의 효력이 생기지 아니하더라도, 그에 따라 위 공동상속인들 사이에는 위 1인이 고유의 법정상속분을 초과하여 상속재산 전부를 취득하고 위 잔여 상속인들은 이를 전혀 취득하지 않기로 하는 내용의 상속재산에 관한 협의분할이 이루어진 것으로 볼 수 있다.

⑤ 재건축사업부지에 포함된 토지에 대하여 재건축조합과 토지의 소유자가 체결한 매매계약이 매매대금의 과다로 말미암아 불공정한 법률행위에 해당한다면, 해당 매매계약은 전부 무효가 되는 것이고, 적정한 매매대금으로 감액된 내용으로 유효하다고 볼 여지는 없다.

해설 ① 제138조【무효행위의 전환】무효인 법률행위가 다른 법률행위의 요건을 구비하고 당사자가 그 무효를 알았더라면 다른 법률행위를 하는 것을 의욕하였으리라고 인정될 때에는 다른 법률행위로서 효력을 가진다.

② 무효인 법률행위를 추인에 의하여 새로운 법률행위로 보기 위하여서는 당사자가 이전의 법률행위가 '무효임을 알고' 그 행위에 대하여 추인하여야 한다. 한편 추인은 묵시적으로도 가능하나, 묵시적 추인을 인정하기 위해서는 본인이 그 행위로 처하게 된 법적 지위를 충분히 이해하고 그럼에도 진의에 기하여 그 행위의 결과가 자기에게 귀속된다는 것을 승인한 것으로 볼만한 사정이 있어야 할 것이므로 이를 판단함에 있어서는 관계되는 여러 사정을 종합적으로 검토하여 신중하게 하여야 한다. 위와 같은 법리를 고려하면, 당사자가 이전의 법률행위가 존재함을 알고 그 유효함을 전제로 하여 이에 터 잡은 후속행위를 하였다고 해서 그것만으로 이전의 법률행위를 묵시적으로 추인하였다고 단정할 수는 없고, 묵시적 추인을 인정하기 위해서는 이전의 법률행위가 무효임을 알거나 적어도 무효임을 의심하면서도 그 행위의 효과를 자기에게 귀속시키도록 하는 의사로 후속행위를 하였음이 인정되어야 할 것이다(대판 2014.3.27, 2012다106607).

③ 유동적 무효의 상태에 있는 거래계약의 당사자는 상대방이 그 거래계약의 효력이 완성되도록 협력할 의무를 이행하지 아니하였음을 이유로 일방적으로 유동적 무효의 상태에 있는 거래계약 자체를 해제할 수는 없다(대판(전합) 1999.6.17, 98다40459).

④ 상속재산을 공동상속인 1인에게 상속시킬 방편으로 나머지 상속인들이 한 상속포기 신고가 민법 제1019조 제1항 소정의 기간을 경과한 후에 신고된 것이어서 상속포기로서의 효력이 없다고 하더라도, 공동상속인들 사이에서는 1인이 고유의 상속분을 초과하여 상속재산 전부를 취득하고 나머지 상속인들은 이를 전혀 취득하지 않기로 하는 내용의 상속재산에 관한 협의분할이 이루어진 것으로 보아야 한다(대판 1996.3.26, 95다45545).

⑤ 매매계약이 약정된 매매대금의 과다로 말미암아 민법 제104조에서 정하는 '불공정한 법률행위'에 해당하여 무효인 경우에도 무효행위의 전환에 관한 민법 제138조가 적용될 수 있다. 따라서 당사자 쌍방이 위와 같은 무효를 알았더라면 대금을 다른 액으로 정하여 매매계약에 합의하였을 것이라고 예외적으로 인정되는 경우에는, 그 대금액을 내용으로 하는 매매계약이 유효하게 성립한다(대판 2010.7.15, 2009다50308).

정답 ▶ **14** ⑤

15 법률행위의 무효에 관한 다음 설명 중 가장 옳지 않은 것은? (다툼이 있는 경우 판례에 의함)

▸ 2020년 법원사무관 승진

① 무효인 법률행위는 당사자가 무효임을 알고 추인할 경우 새로운 법률행위를 한 것으로 간주할 뿐이고 소급효가 없다.

② 무효인 법률행위에 따른 법률효과를 침해하는 것처럼 보이는 위법행위나 채무불이행이 있다고 하여도 법률효과의 침해에 따른 손해배상을 청구할 수는 없다.

③ 매매계약이 약정된 매매대금의 과다로 말미암아 민법 제104조에서 정하는 불공정한 법률행위에 해당하여 무효인 경우에도 무효행위의 전환에 관한 민법 제138조가 적용될 수 있다.

④ 유동적 무효인 계약이 확정적으로 무효가 된 경우, 그에 관하여 귀책사유가 있는 당사자는 계약의 무효를 주장할 수 없다.

해설 ① 무효인 법률행위는 당사자가 무효임을 알고 추인할 경우 새로운 법률행위를 한 것으로 간주할 뿐이고 소급효가 없는 것이므로 무효인 가등기를 유효한 등기로 전용키로 한 약정은 그때부터 유효하고 이로써 위 가등기가 소급하여 유효한 등기로 전환될 수 없다(대판 1992.5.12, 91다26546).

② <u>무효인 법률행위는 그 법률행위가 성립한 당초부터 당연히 효력이 발생하지 않는 것이므로, 무효인 법률행위에 따른 법률효과를 침해하는 것처럼 보이는 위법행위나 채무불이행이 있다고 하여도 법률효과의 침해에 따른 손해는 없는 것이므로 그 손해배상을 청구할 수는 없다</u>(대판 2003.3.28, 2002다72125).

③ 매매계약이 약정된 매매대금의 과다로 말미암아 민법 제104조에서 정하는 '불공정한 법률행위'에 해당하여 무효인 경우에도 무효행위의 전환에 관한 민법 제138조가 적용될 수 있다. 따라서 당사자 쌍방이 위와 같은 무효를 알았더라면 대금을 다른 액으로 정하여 매매계약에 합의하였을 것이라고 예외적으로 인정되는 경우에는, 그 대금액을 내용으로 하는 매매계약이 유효하게 성립한다(대판 2010.7.15, 2009다50308).

④ 국토이용관리법상 토지거래허가를 받지 않아 거래계약이 유동적 무효의 상태에 있는 경우, 유동적 무효 상태의 계약은 관할 관청의 불허가처분이 있을 때뿐만 아니라 당사자 쌍방이 허가신청협력의무의 이행거절 의사를 명백히 표시한 경우에는 허가 전 거래계약관계, 즉 계약의 유동적 무효 상태가 더 이상 지속된다고 볼 수 없으므로, 계약관계는 확정적으로 무효가 된다고 할 것이고, 그와 같은 법리는 거래계약상 일방의 채무가 이행불능임이 명백하고 나아가 상대방이 거래계약의 존속을 더 이상 바라지 않고 있는 경우에도 마찬가지라고 보아야 하며, 거래계약이 확정적으로 무효가 된 경우에는 거래계약이 확정적으로 무효로 됨에 있어서 귀책사유가 있는 자라고 하더라도 그 계약의 무효를 주장할 수 있다(대판 1997.7.25, 97다4357).

16 법률행위의 무효와 취소에 관한 다음 설명 중 가장 옳지 않은 것은? ▶ 2020년 법무사

① 매매계약이 약정된 매매대금의 과다로 말미암아 민법 제104조에서 정하는 '불공정한 법률행위'에 해당하여 무효인 경우에도 무효행위의 전환에 관한 민법 제138조가 적용될 수 있다.

② 강박에 의한 의사표시에 대한 취소권은 형성권의 일종으로서 그 행사기간을 제척기간으로 보아야 하고, 취소권자가 취소의 의사표시를 담은 소장 부본을 피고에게 송달함으로써 취소권을 재판상 행사하는 경우에는 소장 부본이 피고에게 도달한 때에 비로소 취소권 행사의 효력이 발생하므로, 취소의 의사표시가 담긴 소장 부본이 제척기간 내에 송달되어야만 취소권자가 제척기간 내에 적법하게 취소권을 행사하였다고 할 것이다.

③ 채권자와 연대보증인 사이의 연대보증계약이 주채무자의 기망에 의하여 체결되어 적법하게 취소되었으나, 그 보증책임이 금전채무로서 채무의 성격상 가분적이고 연대보증인에게 보증한도를 일정 금액으로 하는 보증의사가 있는 경우 연대보증인의 연대보증계약의 취소는 그 일정 금액을 초과하는 범위 내에서만 효력이 생긴다.

④ 파산자가 상대방과 통정한 허위의 의사표시를 통하여 가장채권을 보유하고 있다가 파산이 선고된 경우 총파산채권자를 기준으로 하여 파산채권자 모두가 악의로 되지 않는 한 파산관재인은 선의의 제3자라고 할 수밖에 없다.

⑤ 조건부 법률행위에 있어 조건의 내용 자체가 불법적인 것이어서 무효일 경우 또는 조건을 붙이는 것이 허용되지 아니하는 법률행위에 조건을 붙인 경우 그 조건만을 분리하여 무효로 할 수 있다.

해설 ① 매매계약이 약정된 매매대금의 과다로 말미암아 민법 제104조에서 정하는 '불공정한 법률행위'에 해당하여 무효인 경우에도 무효행위의 전환에 관한 민법 제138조가 적용될 수 있다. 따라서 당사자 쌍방이 위와 같은 무효를 알았더라면 대금을 다른 액으로 정하여 매매계약에 합의하였을 것이라고 예외적으로 인정되는 경우에는, 그 대금액을 내용으로 하는 매매계약이 유효하게 성립한다. 이때 당사자의 의사는 매매계약이 무효임을 계약 당시에 알았다면 의욕하였을 가정적 효과의사로서, 당사자 본인이 계약 체결 시와 같은 구체적 사정 아래 있다고 상정하는 경우에 거래관행을 고려하여 신의성실의 원칙에 비추어 결단하였을 바를 의미한다 (대판 2010.7.15, 2009다50308).

② 강박에 의한 의사표시에 대한 취소권은 형성권의 일종으로서 그 행사기간을 제척기간으로 보아야 하고, 위 취소권은 재판상이든 재판외든 그 기간 내에 행사하면 되는 것으로서, 취소권자가 취소의 의사표시를 담은 반소장 부본을 원고에게 송달함으로써 취소권을 재판상 행사하는 경우에는 반소장 부본이 원고에게 도달한 때에 비로소 취소권 행사의 효력이 발생하여 취소권자와 원고 사이에 취소의 효력이 생기므로, 취소의 의사표시가 담긴 반소장 부본이 제척기간 내에 송달되어야만 취소권자가 제척기간 내에 적법하게 취소권을 행사였다고 할 것이다(대판 2008.9.11, 2008다27301,27318).

③ 채권자와 연대보증인 사이의 연대보증계약이 주채무자의 기망에 의하여 체결되어 적법하게 취소되었으나, 그 보증책임이 금전채무로서 채무의 성격상 가분적이고 연대보증인에게 보증

한도를 일정 금액으로 하는 보증의사가 있었으므로, 연대보증인의 연대보증계약의 취소는 그 일정 금액을 초과하는 범위 내에서 효력이 생긴다(대판 2002.9.10, 2002다21509).

④ 파산자가 상대방과 통정한 허위의 의사표시를 통하여 가장채권을 보유하고 있다가 파산이 선고된 경우 그 가장채권도 일단 파산재단에 속하게 되고, 파산선고에 따라 파산자와는 독립한 지위에서 파산채권자 전체의 공동의 이익을 위하여 직무를 행하게 된 파산관재인은 그 허위표시에 따라 외형상 형성된 법률관계를 토대로 실질적으로 새로운 법률상 이해관계를 가지게 된 민법 제108조 제2항의 제3자에 해당하고, 그 선의·악의도 파산관재인 개인의 선의·악의를 기준으로 할 수는 없고, 총파산채권자를 기준으로 하여 파산채권자 모두가 악의로 되지 않는 한 파산관재인은 선의의 제3자라고 할 수밖에 없다. 그리고 이와 같이 파산관재인이 제3자로서의 지위도 가지는 점 등에 비추어, 특별한 사정이 없는 한 파산관재인은 사기에 의한 의사표시에 따라 외형상 형성된 법률관계를 토대로 실질적으로 새로운 법률상 이해관계를 가지게 된 민법 제110조 제3항의 제3자에 해당하고, 파산채권자 모두가 악의로 되지 않는 한 파산관재인은 선의의 제3자라고 할 수밖에 없다(대판 2010.4.29, 2009다96083).

⑤ 조건부 법률행위에 있어 조건의 내용 자체가 불법적인 것이어서 무효일 경우 또는 조건을 붙이는 것이 허용되지 아니하는 법률행위에 조건을 붙인 경우 그 조건만을 분리하여 무효로 할 수는 없고 그 법률행위 전부가 무효로 된다(대결 2005.11.8, 2005마541).

17 무효와 취소에 관한 다음 설명 중 가장 옳지 않은 것은? (다툼이 있는 경우 판례에 의하고, 전원합의체 판결의 경우 다수의견에 의함) ▶ 2019년 법원행시

① 무효행위를 추인한 때에는 달리 소급효를 인정하는 법률규정이 없는 한 새로운 법률행위를 한 것으로 보아야 한다.

② 민법 제109조 제1항 단서는 의사표시의 착오가 표의자의 중대한 과실로 인한 때에는 그 의사표시를 취소하지 못한다고 규정하고 있는데, 상대방이 표의자의 착오를 알고 이를 이용한 경우에는 그 착오가 표의자의 중대한 과실로 인한 것이라고 하더라도 표의자는 그 의사표시를 취소할 수 있다.

③ 법률행위의 일부가 강행법규인 효력규정에 위반되어 무효가 되는 경우 그 부분의 무효가 나머지 부분의 유효·무효에 영향을 미치는가의 여부를 판단함에 있어서는 개별 법령이 일부무효의 효력에 관한 규정을 두고 있는 경우에는 그에 따라야 하고, 그러한 규정이 없다면 원칙적으로 민법 제137조가 적용될 것이나 당해 효력규정 및 그 효력규정을 둔 법의 입법 취지를 고려하여 볼 때 나머지 부분을 무효로 한다면 당해 효력규정 및 그 법의 취지에 명백히 반하는 결과가 초래 되는 경우에는 나머지 부분까지 무효가 된다고 할 수 없다.

④ 매매계약 내용의 중요 부분에 착오가 있는 경우 매수인은 매도인의 하자담보책임이 성립하는지와 상관없이 착오를 이유로 매매계약을 취소할 수 있다.

⑤ 당사자의 합의로 착오로 인한 의사표시 취소에 관한 민법 제109조 제1항의 적용을 배제하는 것은 허용되지 않는다.

해설 ① 무효행위를 추인한 때에는 달리 소급효를 인정하는 법률규정이 없는 한 새로운 법률행위를 한 것으로 보아야 할 것이고, 이는 무효인 결의를 사후에 적법하게 추인하는 경우에도 마찬가지라 할 것이다(대판 1995.4.11, 94다53419).

② 민법 제109조 제1항 단서는 의사표시의 착오가 표의자의 중대한 과실로 인한 때에는 그 의사표시를 취소하지 못한다고 규정하고 있는데, 위 단서 규정은 표의자의 상대방의 이익을 보호하기 위한 것이므로, 상대방이 표의자의 착오를 알고 이를 이용한 경우에는 착오가 표의자의 중대한 과실로 인한 것이라고 하더라도 표의자는 의사표시를 취소할 수 있다(대판 2014.11.27, 2013다49794).

③ 민법 제137조는 임의규정으로서 의사자치의 원칙이 지배하는 영역에서 적용된다고 할 것이므로, 법률행위의 일부가 강행법규인 효력규정에 위반되어 무효가 되는 경우 그 부분의 무효가 나머지 부분의 유효·무효에 영향을 미치는가의 여부를 판단함에 있어서는 개별 법령이 일부무효의 효력에 관한 규정을 두고 있는 경우에는 그에 따라야 하고, 그러한 규정이 없다면 원칙적으로 민법 제137조가 적용될 것이나 당해 효력규정 및 그 효력규정을 둔 법의 입법 취지를 고려하여 볼 때 나머지 부분을 무효로 한다면 당해 효력규정 및 그 법의 취지에 명백히 반하는 결과가 초래되는 경우에는 나머지 부분까지 무효가 된다고 할 수는 없다(대판 2004.6.11, 2003다1601).

④ 민법 제109조 제1항에 의하면 법률행위 내용의 중요 부분에 착오가 있는 경우 착오에 중대한 과실이 없는 표의자는 법률행위를 취소할 수 있고, 민법 제580조 제1항, 제575조 제1항에 의하면 매매의 목적물에 하자가 있는 경우 하자가 있는 사실을 과실 없이 알지 못한 매수인은 매도인에 대하여 하자담보책임을 물어 계약을 해제하거나 손해배상을 청구할 수 있다. 착오로 인한 취소 제도와 매도인의 하자담보책임 제도는 취지가 서로 다르고, 요건과 효과도 구별된다. 따라서 매매계약 내용의 중요 부분에 착오가 있는 경우 매수인은 매도인의 하자담보책임이 성립하는지와 상관없이 착오를 이유로 매매계약을 취소할 수 있다(대판 2018.9.13, 2015다78703).

⑤ 의사표시는 법률행위의 내용의 중요 부분에 착오가 있는 때에는 취소할 수 있고, 의사표시의 동기에 착오가 있는 경우에는 당사자 사이에 그 동기를 의사표시의 내용으로 삼았을 때에 한하여 의사표시의 내용의 착오가 되어 취소할 수 있는 것이다. 그리고 당사자의 합의로 착오로 인한 의사표시 취소에 관한 민법 제109조 제1항의 적용을 배제할 수 있다(대판 2016.4.15, 2013다97694).

정답 ▶ 17 ⑤

18 다음 설명 중 가장 옳지 않은 것은? ▶ 2021년 법무사

① 통정한 허위의 의사표시는 허위표시의 당사자와 포괄승계인 이외의 자로서 그 허위표시에 의하여 외형상 형성된 법률관계를 토대로 실질적으로 새로운 법률상 이해관계를 맺은 선의의 제3자를 제외한 누구에 대하여서나 무효이고, 또한 누구든지 그 무효를 주장할 수 있다. 그러나 비록 무효인 법률행위가 그 법률행위가 성립한 당초부터 당연히 효력이 발생하지 않는 것이라 하더라도, 무효인 법률행위에 따른 법률효과를 침해하는 것처럼 보이는 위법행위나 채무불이행이 있다면 그 손해가 없다고 할 수 없으므로 손해배상을 청구할 수 있다.

② 매매계약이 약정된 매매대금의 과다로 말미암아 민법 제104조에서 정하는 '불공정한 법률행위'에 해당하여 무효인 경우에도 무효행위의 전환에 관한 민법 제138조가 적용될 수 있다. 따라서 당사자 쌍방이 위와 같은 무효를 알았더라면 대금을 다른 액으로 정하여 매매계약에 합의하였을 것이라고 예외적으로 인정되는 경우에는, 그 대금액을 내용으로 하는 매매계약이 유효하게 성립한다고 할 것이다.

③ 무권리자가 타인의 권리를 자기의 이름으로 또는 자기의 권리로 처분한 경우에, 권리자는 후일 이를 추인함으로써 그 처분행위를 인정할 수 있고, 특별한 사정이 없는 한 이로써 권리자 본인에게 위 처분행위의 효력이 발생함은 사적 자치의 원칙에 비추어 당연하고, 이 경우 추인은 명시적으로뿐만 아니라 묵시적인 방법으로도 가능하며 그 의사표시는 무권대리인이나 그 상대방 어느 쪽에 하여도 무방하다.

④ 취소의 의사표시란 반드시 명시적이어야 하는 것은 아니고, 취소자가 그 착오를 이유로 자신의 법률행위의 효력을 처음부터 배제하려고 한다는 의사가 드러나면 족한 것이며, 취소원인의 진술 없이도 취소의 의사표시는 유효한 것이다.

⑤ 당사자가 이전의 법률행위가 존재함을 알고 그 유효함을 전제로 하여 이에 터 잡은 후속행위를 하였다고 해서 그것만으로 이전의 법률행위를 묵시적으로 추인하였다고 단정할 수는 없고, 묵시적 추인을 인정하기 위해서는 이전의 법률행위가 무효임을 알거나 적어도 무효임을 의심하면서도 그 행위의 효과를 자기에게 귀속시키도록 하는 의사로 후속행위를 하였음이 인정되어야 할 것이다.

해설 ① 통정한 허위의 의사표시는 허위표시의 당사자와 포괄승계인 이외의 자로서 그 허위표시에 의하여 외형상 형성된 법률관계를 토대로 실질적으로 새로운 법률상 이해관계를 맺은 선의의 제3자를 제외한 누구에 대하여서나 무효이고, 또한 누구든지 그 무효를 주장할 수 있다. 무효인 법률행위는 그 법률행위가 성립한 당초부터 당연히 효력이 발생하지 않는 것이므로, 무효인 법률행위에 따른 법률효과를 침해하는 것처럼 보이는 위법행위나 채무불이행이 있다고 하여도 법률효과의 침해에 따른 손해는 없는 것이므로 그 손해배상을 청구할 수는 없다 (대판 2003.3.28. 2002다72125).

② 매매계약이 약정된 매매대금의 과다로 말미암아 민법 제104조에서 정하는 '불공정한 법률행위'에 해당하여 무효인 경우에도 무효행위의 전환에 관한 민법 제138조가 적용될 수 있다. 따라서 당사자 쌍방이 위와 같은 무효를 알았더라면 대금을 다른 액으로 정하여 매매계약에

합의하였을 것이라고 예외적으로 인정되는 경우에는, 그 대금액을 내용으로 하는 매매계약이 유효하게 성립한다(대판 2010.7.15, 2009다50308).

③ 무권리자가 타인의 권리를 자기의 이름으로 또는 자기의 권리로 처분한 경우에, 권리자는 후일 이를 추인함으로써 그 처분행위를 인정할 수 있고, 특별한 사정이 없는 한 이로써 권리자 본인에게 위 처분행위의 효력이 발생함은 사적 자치의 원칙에 비추어 당연하고, 이 경우 추인은 명시적으로뿐만 아니라 묵시적인 방법으로도 가능하며 그 의사표시는 무권리자나 그 상대방 어느 쪽에 하여도 무방하다(대판 2001.11.9, 2001다44291).

④ 취소의 의사표시란 반드시 명시적이어야 하는 것은 아니고, 취소자가 그 착오를 이유로 자신의 법률행위의 효력을 처음부터 배제하려고 한다는 의사가 드러나면 족한 것이며, 취소원인의 진술 없이도 취소의 의사표시는 유효한 것이므로, 신원보증서류에 서명날인하는 것으로 잘못 알고 이행보증보험약정서를 읽어보지 않은 채 서명날인한 것일 뿐 연대보증약정을 한 사실이 없다는 주장은 위 연대보증약정을 착오를 이유로 취소한다는 취지로 볼 수 있다(대판 2005.5.27, 2004다43824).

⑤ 당사자가 이전의 법률행위가 존재함을 알고 그 유효함을 전제로 하여 이에 터 잡은 후속행위를 하였다고 해서 그것만으로 이전의 법률행위를 묵시적으로 추인하였다고 단정할 수는 없고, 묵시적 추인을 인정하기 위해서는 이전의 법률행위가 무효임을 알거나 적어도 무효임을 의심하면서도 그 행위의 효과를 자기에게 귀속시키도록 하는 의사로 후속행위를 하였음이 인정되어야 할 것이다(대판 2014.3.27, 2012다106607).

19 법률행위의 무효 및 무효행위의 전환에 관한 다음 설명 중 가장 옳지 않은 것은?

▶ 2020년 법원행시

① 상속재산을 공동상속인 1인에게 상속시킬 방편으로 나머지상속인들이 한 상속포기 신고가 민법 제1019조 제1항의 기간을 경과한 후에 신고된 경우 상속포기로서의 효력이 없고, 공동상속인 1인이 고유의 상속분을 초과하여 상속재산 전부를 취득하고 나머지 상속인들은 이를 전혀 취득하지 않기로 하는 내용의 상속재산에 관한 협의분할이 이루어진 것으로 볼 수도 없다.

② 사용자가 근로자의 임금 지급에 갈음하여 사용자가 제3자에 대하여 가지는 채권을 근로자에게 양도하기로 하는 약정은 전부 무효임이 원칙이다. 다만 당사자 쌍방이 위와 같은 무효를 알았더라면 임금의 지급에 갈음하는 것이 아니라 지급을 위하여 채권을 양도하는 것을 의욕하였으리라고 인정될 때에는 그 채권양도 약정은 '임금의 지급을 위하여 한 것'으로서 효력을 가질 수 있다.

③ 복수의 당사자 사이에 어떠한 합의를 한 경우 그 합의는 전체로서 일체성을 가지는 것이므로, 그 중 한 당사자의 의사표시가 무효인 것으로 판명된 경우 나머지 당사자 사이의 합의가 유효한지의 여부는 민법 제137조에 정한 바에 따라 당사자가 그 무효 부분이 없더라도 법률행위를 하였을 것이라고 인정되는지의 여부에 의하여 판정되어야 한다.

정답 ▶ 18 ① 19 ①

④ 무효인 입양과 같은 무효인 신분행위는 추인에 의하여 소급적으로 유효하게 되나, 당사자 간에 무효인 신고행위에 상응하는 신분관계가 실질적으로 형성되어 있지 아니한 경우에는 무효인 신분행위에 대한 추인의 의사표시만으로 그 무효행위의 효력을 인정할 수 없다.

⑤ 위약벌의 약정은 채무의 이행을 확보하기 위하여 정하는 것으로서 손해배상의 예정과 다르므로 손해배상의 예정에 관한 민법 제398조 제2항을 유추 적용하여 그 액을 감액할 수 없고, 다만 의무의 강제로 얻는 채권자의 이익에 비하여 약정된 벌이 과도하게 무거울 때에는 일부 또는 전부가 공서양속에 반하여 무효로 된다.

해설 ① 상속재산을 공동상속인 1인에게 상속시킬 방편으로 나머지 상속인들이 한 상속포기 신고가 민법 제1019조 제1항 소정의 기간을 경과한 후에 신고된 것이어서 상속포기로서의 효력이 없다고 하더라도, 공동상속인들 사이에서는 1인이 고유의 상속분을 초과하여 상속재산 전부를 취득하고 나머지 상속인들은 이를 전혀 취득하지 않기로 하는 내용의 상속재산에 관한 협의분할이 이루어진 것으로 보아야 한다(대판 1996.3.26. 95다45545·45552·45569).

② 임금은 법령 또는 단체협약에 특별한 규정이 있는 경우를 제외하고는 통화로 직접 근로자에게 전액을 지급하여야 한다(근로기준법 제43조 제1항). 따라서 사용자가 근로자의 임금 지급에 갈음하여 사용자가 제3자에 대하여 가지는 채권을 근로자에게 양도하기로 하는 약정은 전부 무효임이 원칙이다. 다만 당사자 쌍방이 위와 같은 무효를 알았더라면 임금의 지급에 갈음하는 것이 아니라 지급을 위하여 채권을 양도하는 것을 의욕하였으리라고 인정될 때에는 무효행위 전환의 법리(민법 제138조)에 따라 그 채권양도 약정은 '임금의 지급을 위하여 한 것'으로서 효력을 가질 수 있다(대판 2012.3.29. 2011다101308).

③ 복수의 당사자 사이에 어떠한 합의(중간생략등기의 합의)를 한 경우 그 합의는 전체로서 일체성을 가지는 것이므로, 그 중 한 당사자의 의사표시가 무효인 것으로 판명된 경우 나머지 당사자 사이의 합의가 유효한지의 여부는 민법 제137조에 정한 바에 따라 당사자가 그 무효부분이 없더라도 법률행위를 하였을 것이라고 인정되는지의 여부에 의하여 판정되어야 하고, 그 당사자의 의사는 실재하는 의사가 아니라 법률행위의 일부분이 무효임을 법률행위 당시에 알았다면 당사자 쌍방이 이에 대비하여 의욕하였을 가정적 의사를 말하는 것이다(대판 1996.2.27. 95다38875).

④ 혼인, 입양 등의 신분행위에 관하여 민법 제139조 본문을 적용하지 않고 추인에 의하여 소급적 효력을 인정하는 것은 무효인 신분행위 후 그 내용에 맞는 신분관계가 실질적으로 형성되어 쌍방 당사자가 이의 없이 그 신분관계를 계속하여 왔다면, 그 신고가 부적법하다는 이유로 이미 형성되어 있는 신분관계의 효력을 부인하는 것은 당사자의 의사에 반하고 그 이익을 해칠 뿐 아니라 그 실질적 신분관계의 외형과 호적의 기재를 믿은 제3자의 이익도 침해할 우려가 있기 때문에 추인에 의하여 소급적으로 신분행위의 효력을 인정함으로써 신분관계의 형성이라는 신분관계의 본질적 요소를 보호하는 것이 타당하다는 데에 그 근거가 있다고 할 것이므로 당사자 간에 무효인 신고행위에 상응하는 신분관계가 실질적으로 형성되어 있지도 아니하고 또 앞으로도 그럴 가망이 없는 경우에는 무효의 신분행위에 대한 추인의 의사표시만으로 그 무효행위의 효력을 인정할 수 없다(대판 1991.12.27. 91므30).

⑤ 위약벌의 약정은 채무의 이행을 확보하기 위하여 정하는 것으로서 손해배상의 예정과 다르므로 손해배상의 예정에 관한 민법 제398조 제2항을 유추 적용하여 그 액을 감액할 수 없고, 다만 의무의 강제로 얻는 채권자의 이익에 비난하여 약정된 벌이 과도하게 무거울 때에는 일부 또는 전부가 공서양속에 반하여 무효로 된다(대판 2016.1.28. 2015다239324).

20 법률행위의 취소에 관한 다음 설명 중 가장 옳지 않은 것은? ▸ 2022년 법원사무관 승진

① 권리금계약이 임차권양도계약과 결합하여 전체가 경제적·사실적으로 일체로 행하여 진 것으로서, 어느 하나의 존재 없이는 당사자가 다른 하나를 의욕하지 않았을 것으로 보이는 경우에는 권리금계약 부분만을 따로 떼어 취소할 수 없다.

② 민법 제146조에 규정된 취소권의 존속기간은 제척기간이라고 보아야 할 것이고, 그 제 척기간 내에 소를 제기하는 방법으로 권리를 재판상 행사하여야만 한다.

③ 매도인이 매수인의 중도금 지급채무 불이행을 이유로 매매계약을 적법하게 해제한 후 라도 매수인으로서는 상대방이 한 계약해제의 효과로서 발생하는 손해배상책임을 지거 나 매매계약에 따른 계약금의 반환을 받을 수 없는 불이익을 면하기 위하여 착오를 이 유로 한 취소권을 행사하여 위 매매계약 전체를 무효로 돌리게 할 수 있다.

④ 근로계약의 취소를 주장할 수 있다 하더라도 근로계약에 따라 그동안 행하여진 근로자 의 노무 제공의 효과를 소급하여 부정하는 것은 타당하지 않으므로 이미 제공된 근로자 의 노무를 기초로 형성된 취소 이전의 법률관계까지 효력을 잃는다고 보아서는 아니 되고, 취소의 의사표시 이후 장래에 관하여만 근로계약의 효력이 소멸된다고 보아야 한다.

해설 ① 임차권양도계약에 수반되어 체결되는 권리금계약은 임차권양도계약과는 별개의 계약이지만 위 두 계약의 체결 경위와 계약 내용 등에 비추어 볼 때, 권리금계약은 임차권양도계약과 결 합하여 전체가 경제적·사실적으로 일체로 행하여진 것으로서, 어느 하나의 존재 없이는 당 사자가 다른 하나를 의욕하지 않았을 것으로 보이므로 권리금계약 부분만을 따로 떼어 취소 할 수 없다(대판 2013.5.9, 2012다115120).

② 민법 제146조에 규정된 취소권의 존속기간은 제척기간이라고 보아야 할 것이지만, 그 제척기 간 내에 소를 제기하는 방법으로 권리를 재판상 행사하여야만 되는 것은 아니고, 재판 외에서 의사표시를 하는 방법으로도 권리를 행사할 수 있다(대판 1993.7.27, 92다52795).

③ 매도인이 매수인의 중도금 지급채무 불이행을 이유로 매매계약을 적법하게 해제한 후라도 매 수인으로서는 상대방이 한 계약해제의 효과로서 발생하는 손해배상책임을 지거나 매매계약에 따른 계약금의 반환을 받을 수 없는 불이익을 면하기 위하여 착오를 이유로 한 취소권을 행사 하여 매매계약 전체를 무효로 돌리게 할 수 있다(대판 1996.12.6, 95다24982·24999).

④ 근로계약은 근로자가 사용자에게 근로를 제공하고 사용자는 이에 대하여 임금을 지급하는 것을 목적으로 체결된 계약으로서(근로기준법 제2조 제1항 제4호) 기본적으로 그 법적 성질이 사법상 계약이므로 계약 체결에 관한 당사자들의 의사표시에 무효 또는 취소의 사유가 있으 면 상대방은 이를 이유로 근로계약의 무효 또는 취소를 주장하여 그에 따른 법률효과의 발생 을 부정하거나 소멸시킬 수 있다. 다만 그와 같이 근로계약의 무효 또는 취소를 주장할 수 있다 하더라도 근로계약에 따라 그동안 행하여진 근로자의 노무 제공의 효과를 소급하여 부 정하는 것은 타당하지 않으므로 이미 제공된 근로자의 노무를 기초로 형성된 취소 이전의 법률관계까지 효력을 잃는다고 보아서는 아니 되고, 취소의 의사표시 이후 장래에 관하여만 근로계약의 효력이 소멸된다고 보아야 한다(대판 2017.12.22, 2013다25194, 25200).

정답 **20** ②

21 **법률행위 취소에 관한 다음 설명 중 옳지 않은 것을 모두 고른 것은?** ▸ 2024년 법무사

> ㄱ. 민법 제109조 제1항 단서는 의사표시의 착오가 표의자의 중대한 과실로 인한 때에
> 는 그 의사표시를 취소하지 못한다고 규정하고 있는데, 위 단서 규정은 표의자의 상
> 대방의 이익을 보호하기 위한 것이므로, 상대방이 표의자의 착오를 알고 이를 이용
> 한 경우에도 착오가 표의자의 중대한 과실로 인한 것이라면 표의자는 의사표시를 취
> 소할 수 없다.
> ㄴ. 동기의 착오가 법률행위의 내용의 중요부분의 착오에 해당함을 이유로 표의자가 법
> 률행위를 취소하려면 그 동기를 당해 의사표시의 내용으로 삼을 것을 상대방에게 표
> 시하고 의사표시의 해석상 법률행위의 내용으로 되어 있다고 인정되면 충분하고 당
> 사자들 사이에 별도로 그 동기를 의사표시의 내용으로 삼기로 하는 합의까지 이루어
> 질 필요는 없지만, 그 법률행위의 내용의 착오는 보통 일반인이 표의자의 입장에 섰
> 더라면 그와 같은 의사표시를 하지 아니하였으리라고 여겨질 정도로 그 착오가 중요
> 한 부분에 관한 것이어야 한다.
> ㄷ. 제한능력자의 법률행위는 취소할 수 있고, 취소된 법률행위는 처음부터 무효인 것으
> 로 보므로 제한능력자가 취소된 법률행위로 수령한 급부는 상대방에게 부당이득으
> 로 전부 반환되어야 한다.
> ㄹ. 임대차 계약에서 임차목적물이 임대인의 소유라는 사실은 중요한 필요조건이므로
> 목적물이 반드시 임대인의 소유일 것을 특히 계약의 내용으로 삼지 않은 경우라도
> 타인소유의 부동산을 임대한 것이라면 임대차계약을 해지할 사유뿐 아니라 착오를
> 이유로 임차인이 임대차계약을 취소할 수도 있다.
> ㅁ. 상품의 선전, 광고에 있어 다소의 과장이나 허위가 수반되는 것은 그것이 일반 상거
> 래의 관행과 신의칙에 비추어 시인될 수 있는 한 기망성이 결여된다고 하겠으나, 거
> 래에 있어서 중요한 사항에 관하여 구체적 사실을 신의성실의 의무에 비추어 비난받
> 을 정도의 방법으로 허위로 고지한 경우에는 기망행위에 해당한다.

① ㄱ, ㄴ   ② ㄱ, ㄷ
③ ㄱ, ㄷ, ㄹ   ④ ㄴ, ㄷ, ㄹ
⑤ ㄴ, ㄹ, ㅁ

해설 ㄱ. 민법 제109조 제1항 단서는 의사표시의 착오가 표의자의 중대한 과실로 인한 때에는 그 의
사표시를 취소하지 못한다고 규정하고 있는데, 위 단서 규정은 표의자의 상대방의 이익을 보
호하기 위한 것이므로, 상대방이 표의자의 착오를 알고 이를 이용한 경우에는 착오가 표의자
의 중대한 과실로 인한 것이라고 하더라도 표의자는 의사표시를 취소할 수 있다(대판
2014.11.27, 2013다49794).

ㄴ. 동기의 착오가 법률행위의 내용의 중요부분의 착오에 해당함을 이유로 표의자가 법률행위를 취소하려면 그 동기를 당해 의사표시의 내용으로 삼을 것을 상대방에게 표시하고 의사표시의 해석상 법률행위의 내용으로 되어 있다고 인정되면 충분하고 당사자들 사이에 별도로 그 동기를 의사표시의 내용으로 삼기로 하는 합의까지 이루어질 필요는 없지만, 그 법률행위의 내용의 착오가 보통 일반인이 표의자의 입장에 있었더라면 그와 같은 의사표시를 하지 아니하였으리라고 여겨질 정도로 중요한 부분에 관한 것이어야 한다(대판 2000.5.12, 2000다12259).

ㄷ. 제141조 참조 → 제한능력자는 이익이 현존하는 한도에서 상환할 책임을 부담할 뿐이다.

ㄹ. 타인소유의 부동산을 임대한 것이 임대차계약을 해지할 사유는 될 수 없고 목적물이 반드시 임대인의 소유일 것을 특히 계약의 내용으로 삼은 경우라야 착오를 이유로 임차인이 임대차계약을 취소할 수 있다(대판 1975.1.28, 74다2069).

ㅁ. 대판 2001.5.29, 99다55601, 대판 2023.7.27, 2022다293395

05 절 조건과 기한

01 **조건에 관한 다음 설명 중 가장 옳지 않은 것은?** (다툼이 있는 경우 판례에 의함)

① 조건이 법률행위의 당시에 이미 성취할 수 없는 것인 경우에 그 조건이 정지조건이면 그 법률행위는 무효이고, 해제조건이면 조건 없는 법률행위가 된다.

② 조건부권리가 침해된 경우 조건부권리자는 조건의 성취를 전제로 손해배상청구를 하거나, 조건성취를 주장하는 등 선택권을 행사할 수 있다.

③ 조건의 성취로 인하여 불이익을 받을 당사자가 신의성실에 반하여 조건의 성취를 방해한 경우, 조건이 성취된 것으로 의제되는 시점은 이러한 신의성실에 반하는 행위가 있었던 시점이다.

④ 위 ③에서 신의성실에 반하여 조건의 성취를 방해한 경우에는 고의에 의한 경우만이 아니라 과실에 의한 경우도 포함된다.

⑤ 부부관계의 종료를 해제조건으로 하는 증여계약은 그 조건만이 무효인 것이 아니라, 증여계약 자체가 무효이다.

해설 ① 제151조 제3항 【불법조건, 기성조건】 조건이 법률행위의 당시에 이미 성취할 수 없는 것인 경우에는 그 조건이 해제조건이면 조건 없는 법률행위로 하고 정지조건이면 그 법률행위는 무효로 한다.

② 조건부권리가 침해된 경우 조건부권리자는 제148조에 기하여 조건의 성취를 전제로 손해배상청구를 하거나, 제150조의 요건을 갖춘 경우 조건성취의제를 주장하는 등 선택권을 행사할 수 있다.

③. ④ [1] 상대방이 하도급받은 부분에 대한 공사를 완공하여 준공필증을 제출하는 것을 정지조건으로 하여 공사대금채무를 부담하거나 위 채무를 보증한 사람은 위 조건의 성취로 인하여 불이익을 받을 당사자의 지위에 있다고 할 것이므로, 이들이 위 공사에 필요한 시설을 해주지 않았을 뿐만 아니라 공사장에의 출입을 통제함으로써 위 상대방으로 하여금 나머지 공사를 수행할 수 없게 하였다면, 그것이 고의에 의한 경우만이 아니라 과실에 의한 경우에도 신의성실에 반하여 조건의 성취를 방해한 때에 해당한다고 할 것이므로, 그 상대방은 민법 제150조 제1항의 규정에 의하여 위 공사대금채무자 및 보증인에 대하여 그 조건이 성취된 것으로 주장할 수 있다.

[2] 조건의 성취로 인하여 불이익을 받을 당사자가 신의성실에 반하여 조건의 성취를 방해한 경우, 조건이 성취된 것으로 의제되는 시점은 이러한 신의성실에 반하는 행위가 없었더라면 조건이 성취되었으리라고 추산되는 시점이다(대판 1998.12.22. 98다42356).

⑤ 부첩관계인 부부생활의 종료를 해제조건으로 하는 증여계약은 그 조건만이 무효인 것이 아니라 증여계약 자체가 무효이다(대판 1966.6.21. 66다530).

02 조건 또는 기한에 관한 설명 중 옳지 않은 것은? (다툼이 있는 경우 판례에 의함)

▶ 2015년 변호사

① 법률행위 효력의 발생 또는 소멸을 장래의 불확실한 사실의 성부에 의존케 하는 조건을 법률행위에 붙이고자 하는 의사가 있다 하더라도 이를 외부에 표시하지 않으면 법률행위의 동기에 불과한 것이다.

② 조건의 성취로 불이익을 받을 당사자가 신의성실에 반하여 조건의 성취를 방해할 경우 상대방은 조건이 성취된 것으로 주장할 수 있고, 이 경우 조건이 성취된 것으로 의제되는 시점은 방해행위가 없었더라면 조건이 성취되었을 것으로 추산되는 시점이다.

③ 이행기가 도래하지 않았거나 조건이 성취되지 않은 청구권에 관하여 채무자가 미리 채무의 존재를 다투기 때문에 이행기가 도래하거나 조건이 성취되었을 때에 임의이행을 기대할 수 없는 경우, 채권자는 장래이행의 소를 제기할 수 있다.

④ 법률행위에 조건이 붙어 있는지 여부에 대한 증명책임은 그 조건의 존재를 주장하는 자에게 있다.

⑤ 기한은 채무자의 이익을 위한 것으로 의제되므로 당사자 사이에 기한 이익의 상실에 관한 특약을 하여도 효력이 없다.

해설 ① 조건은 법률행위의 부관으로서 당해 법률행위를 구성하는 의사표시의 일체적인 내용을 이루는 것이므로, 조건을 법률행위에 붙이고자 하는 의사가 있다 하더라도 이를 외부에 표시하지 않으면 법률행위의 동기에 불과한 것이다(대판 2003.5.13, 2003다10797).

② 조건의 성취로 인하여 불이익을 받을 당사자가 신의성실에 반하여 조건의 성취를 방해한 경우, 조건이 성취된 것으로 의제되는 시점은 이러한 신의성실에 반하는 행위가 없었더라면 조건이 성취되었으리라고 추산되는 시점이다(대판 1998.12.22, 98다42356).

③ 장래이행을 청구하는 소는 미리 청구할 필요가 있는 경우에 한하여 제기할 수 있는바(민소법 제251조), 여기서 미리 청구할 필요가 있는 경우라 함은 이행기가 도래하지 않았거나 조건 미성취의 청구권에 있어서는 채무자가 미리부터 채무의 존재를 다투기 때문에 이행기가 도래되거나 조건이 성취되었을 때에 임의의 이행을 기대할 수 없는 경우를 말한다(대판 2004.9.3, 2002다37405).

④ 교회와 목사님간의 부동산증여사건이다. 법률행위가 조건의 성취시 그 효력이 발생하는 정지조건부 법률행위에 해당한다는 사실은, 즉 조건의 존재사실은 그 법률행위로 인한 법률효과의 발생을 저지하는 사유로서, 그 법률효과의 발생을 다투는 자에게 그 입증책임이 있다(대판 2006.11.24, 2006다35766).

⑤ 기한은 채무자의 이익을 위한 것으로 "의제"되는 것이 아닌 "추정"되는 것이고(제153조), 당사자 사이에 기한 이익의 상실(형성권적이나 정지조건부적)에 관한 특약은 가능하다(대판 2010.8.26, 2008다42416 등).

정답 ▶ 01 ③ 02 ⑤

03 조건과 기한에 관한 다음 설명 중 가장 옳지 않은 것은? ▸ 2017년 9급(법원서기보)

① 조건의 성취가 미정한 권리의무는 일반규정에 의하여 처분, 상속, 보존 또는 담보로 할 수 있다.
② 불능조건이 정지조건이면 그 법률행위는 무효이다.
③ 기한은 채무자의 이익을 위한 것으로 추정한다.
④ 조건과 기한은 당사자의 특약으로 소급효를 인정할 수 있다.

> **해설** ① 제149조 【조건부권리의 처분 등】 조건의 성취가 미정한 권리의무는 일반규정에 의하여 처분, 상속, 보존 또는 담보로 할 수 있다.
>
> ② 제151조 제3항 【불법조건, 기성조건】 조건이 법률행위의 당시에 이미 성취할 수 없는 것인 경우에는 그 조건이 해제조건이면 조건 없는 법률행위로 하고 정지조건이면 그 법률행위는 무효로 한다.
>
> ③ 제153조 제1항 【기한의 이익과 그 포기】 기한은 채무자의 이익을 위한 것으로 추정한다.
>
> ④ 조건은 당사자가 조건성취의 효력을 그 성취 전에 소급하게 할 의사를 표시한 때에는 그 의사에 의한다(제147조 제3항). 그러나 기한의 경우에는 기한이 도래한 때로부터 그 효력이 인정되고 당사자 사이의 소급효에 관한 특약은 허용되지 않는다(제152조).

04 조건에 관한 다음 설명 중 가장 옳지 않은 것은? (다툼이 있는 경우 판례에 의함)

▸ 2017년 법원행시

① 수표나 어음의 배서에는 조건을 붙여서는 안 되고, 배서에 붙인 조건은 무효이므로 그 배서행위는 무효인 배서행위가 된다.
② 일반적으로 가족법상 행위는 조건에 친하지 않은 법률행위라고 할 수 있으나, 유언에는 조건을 붙일 수 있다.
③ 당사자 사이에 정지조건부 법률행위가 이루어진 경우, 그 법률행위는 당해 조건이 성취되어야만 유효하고 당해 조건이 성취되지 아니하면 그 법률행위는 무효로 확정된다.
④ 조건부 법률행위에 있어 조건의 내용 자체가 불법적인 것이어서 무효일 경우 또는 조건을 붙이는 것이 허용되지 아니하는 법률행위에 조건을 붙인 경우 그 조건만을 분리하여 무효로 할 수는 없고 그 법률행위 전부가 무효로 된다.
⑤ 교회의 담임 목사가 자진사임을 조건으로 부동산을 증여받기로 하였다면, 그 담임 목사는 교회를 상대로 부동산의 소유권이전등기청구를 함에 있어 자신의 자진사임 의사를 증명할 책임을 부담한다.

> **해설** ① 배서에는 조건을 붙여서는 아니 된다. 배서에 붙인 조건은 적지 아니한 것으로 본다(어음법 제12조 제1항). 따라서 배서에 조건을 붙인 경우 이는 조건을 붙이지 아니한 경우와 동일하므로 배서행위는 유효하다.
>
> ② 가족법상 행위는 보통 조건에 친하지 않으나, 유언에는 조건을 붙일 수 있다고 봄이 일반적이다.

③ 당사자 사이에 어떠한 조건부 법률행위가 이루어진 경우, 그 법률행위는 당해 조건이 성취되어야만 유효하고 당해 조건이 성취되지 아니하면(註 – 정지조건의 불성취로 확정되면) 그 법률행위 역시 무효로 확정되는 것이다(대판 2006.12.7, 2004도3319).

④ 제151조 제1항 참조. 판례도 조건부 법률행위에 있어 조건의 내용 자체가 불법적인 것이어서 무효일 경우 또는 조건을 붙이는 것이 허용되지 아니하는 법률행위에 조건을 붙인 경우 그 조건만을 분리하여 무효로 할 수는 없고 그 법률행위 전부가 무효로 된다고 하였다(대결 2005.11.8, 2005마541).

⑤ 원고가 피고 교회의 담임 목사직을 자진은퇴하겠다는 의사를 표명한데 대하여 피고 교회에서 은퇴위로금으로 이건 부동산을 증여하기로 한 것이라면 이 증여는 원고의 자진사임을 조건으로 한 증여라고 보아야 할 것이므로 원고가 위 증여계약을 원인으로 피고에게 소유권이전등기를 구하려면 적어도 그 후 자진사임함으로써 그 조건이 성취되었음을 입증할 책임이 있다(대판 1984.9.25, 84다카967).

---

05 법률행위의 부관에 관한 다음 설명 중 가장 옳지 않은 것은? (다툼이 있는 경우 판례에 따르고 전원합의체 판결의 경우 다수의견에 의함) ▶ 2019년 법무사

① 부관이 붙은 법률행위에서, 부관에 표시된 사실이 발생하지 않으면 채무를 이행하지 않아도 된다고 보는 것이 상당한 경우에는 조건으로 보아야 하고, 표시된 사실이 발생한 때에는 물론이고 발생하지 않는 것으로 확정된 때에도 그 채무를 이행하여야 한다고 보는 것이 상당한 경우에는 불확정기한으로 보아야 한다.

② 조건을 붙이고자 하는 의사는 법률행위의 내용으로 외부에 표시되어야 하고, 조건을 붙이고자 하는 의사의 표시는 그 방법에 관하여 일정한 방식이 요구되지 않으므로 묵시적 의사표시나 묵시적 약정으로도 할 수 있다.

③ 제작물공급계약의 당사자들이 보수의 지급시기에 관하여 "수급인이 공급한 목적물을 도급인이 검사하여 합격하면, 도급인은 수급인에게 그 보수를 지급한다"는 내용의 약정은 도급인의 수급인에 대한 보수지급의무와 동시이행관계에 있는 수급인의 목적물 인도의무를 확인한 것에 불과하며, 법률행위의 부관인 조건에 해당하지 아니한다.

④ 유언에 정지조건이 있는 경우에 그 조건이 유언자의 사망 후에 성취한 때에는 그 조건이 성취한 때로부터 유언의 효력이 생긴다.

⑤ 甲에게 정지조건부 금전채무를 부담하고 있던 乙이 정지조건이 성취되기 전에 자신의 채권자 丙에게 그의 유일한 재산인 아파트에 관하여 근저당권설정계약을 체결하고 근저당권설정등기를 마쳐준 경우, 위 근저당권설정계약은 甲의 乙에 대한 채권의 정지조건이 성취되기 전에 이루어진 것이므로 甲에 대한 관계에서 사해행위가 될 수 없다.

해설 ① 부관이 붙은 법률행위에 있어서 부관에 표시된 사실이 발생하지 아니하면 채무를 이행하지 아니하여도 된다고 보는 것이 상당한 경우에는 조건으로 보아야 하고, 표시된 사실이 발생한 때에는 물론이고 반대로 발생하지 아니하는 것이 확정된 때에도 그 채무를 이행하여야 한다고 보는 것이 상당한 경우에는 표시된 사실의 발생 여부가 확정되는 것을 불확정기한으로 정한 것으로 보아야 한다(대판 2003.8.19, 2003다24215).

② 조건은 법률행위 효력의 발생 또는 소멸을 장래 불확실한 사실의 발생 여부에 따라 좌우되게 하는 법률행위의 부관이고, 법률행위에서 효과의사와 일체적인 내용을 이루는 의사표시 그 자체이다. 조건을 붙이고자 하는 의사는 법률행위의 내용으로 외부에 표시되어야 하고, 조건을 붙이고자 하는 의사가 있는지는 의사표시에 관한 법리에 따라 판단하여야 한다. 조건을 붙이고자 하는 의사의 표시는 그 방법에 관하여 일정한 방식이 요구되지 않으므로 묵시적 의사표시나 묵시적 약정으로도 할 수 있다. 이를 인정하려면, 법률행위가 이루어진 동기와 경위, 법률행위에 의하여 달성하려는 목적, 거래의 관행 등을 종합적으로 고려하여 법률행위 효력의 발생 또는 소멸을 장래의 불확실한 사실의 발생 여부에 따라 좌우되게 하려는 의사가 인정되어야 한다(대판 2018.6.28, 2016다221368).

③ 제작물공급계약의 당사자들이 보수의 지급시기에 관하여 "수급인이 공급한 목적물을 도급인이 검사하여 합격하면, 도급인은 수급인에게 그 보수를 지급한다"는 내용으로 한 약정은 도급인의 수급인에 대한 보수지급의무와 동시이행관계에 있는 수급인의 목적물 인도의무를 확인한 것에 불과하므로, 법률행위의 효력 발생을 장래의 불확실한 사실의 성부에 의존하게 하는 법률행위의 부관인 조건에 해당하지 아니할 뿐만 아니라, 조건에 해당한다 하더라도 검사에의 합격 여부는 도급인의 일방적인 의사에만 의존하지 않고 그 목적물이 계약내용대로 제작된 것인지 여부에 따라 객관적으로 결정되므로 순수수의 조건에 해당하지 않는다(대판 2006.10.13, 2004다21862).

④ 제1073조 제2항

⑤ 채권자취소권 행사는 채무 이행을 구하는 것이 아니라 총채권자를 위하여 이행기에 채무 이행을 위태롭게 하는 채무자의 자력 감소를 방지하는 데 목적이 있는 점과 민법이 제148조, 제149조에서 조건부권리의 보호에 관한 규정을 두고 있는 점을 종합해 볼 때, 취소채권자의 채권이 정지조건부채권이라 하더라도 장래에 정지조건이 성취되기 어려울 것으로 보이는 등 특별한 사정이 없는 한, 이를 피보전채권으로 하여 채권자취소권을 행사할 수 있다(대판 2011.12.8, 2011다55542 → 공사도급계약의 수급인인 甲 주식회사가 공사가 완공되지 못하고 중도에 계약이 해제될 경우 乙에게 일정액의 돈을 지급하여야 하는 정지조건부채무를 부담하고 있는데, 정지조건 성취 전 자신의 유일한 재산인 토지와 건물에 관하여 근저당권설정계약을 체결한 후 丙에게 근저당권설정등기를 마쳐준 사안에서, 사해행위 당시에 정지조건이 성취되지 않았다고 하더라도 정지조건부채권을 피보전권리로 하여 채권자취소권을 행사할 수 있으므로, 위 근저당권설정계약은 채권자인 乙에게 사해행위가 된다고 본 사례).

06 조건과 기한에 관한 다음 설명 중 가장 옳지 않은 것은? (다툼이 있는 경우 판례에 의함)

▶ 2019년 법원사무관 승진

① 조건의 성취로 인하여 불이익을 받을 당사자의 지위에 있는 사람이 신의성실의 원칙에 반하여 조건의 성취를 방해한 경우라도 그것이 과실에 의한 때에는 그 상대방은 조건이 성취된 것으로 주장할 수 없다.

② 법률행위에 붙은 부관이 조건인지 기한인지가 명확하지 않은 경우 법률행위의 해석을 통해서 이를 결정해야 하는데, 부관에 표시된 사실이 발생한 때에는 물론이고 반대로 발생하지 않는 것이 확정된 때에도 채무를 이행하여야 한다고 보는 것이 합리적인 경우에는 표시된 사실의 발생 여부가 확정되는 것을 불확정기한으로 정한 것으로 보아야 한다.

③ 이미 부담하고 있는 채무의 변제에 관하여 일정한 사실이 부관으로 붙여진 경우에는 특별한 사정이 없는 한 그 부관의 법적 성질은 불확정기한이다.

④ 기한을 정하지 않은 채무에 정지조건이 있는 경우, 정지조건이 객관적으로 성취되고 그 후에 채권자가 이행을 청구하면 바로 지체책임이 발생한다.

해설 ① 고의에 의한 경우만이 아니라 과실에 의한 경우에도 신의성실에 반하여 조건의 성취를 방해한 때에 해당한다고 할 것이므로, 그 상대방은 민법 제150조 제1항의 규정에 의하여 위 공사대금채무자 및 보증인에 대하여 그 조건이 성취된 것으로 주장할 수 있다(대판 1998.12.22, 98다42356).

②,③ 부관이 붙은 법률행위에 있어서 부관에 표시된 사실이 발생하지 아니하면 채무를 이행하지 아니하여도 된다고 보는 것이 상당한 경우에는 조건으로 보아야 하고, 표시된 사실이 발생한 때에는 물론이고 반대로 발생하지 아니하는 것이 확정된 때에도 그 채무를 이행하여야 한다고 보는 것이 상당한 경우에는 표시된 사실의 발생 여부가 확정되는 것을 불확정기한으로 정한 것으로 보아야 한다. 따라서 이미 부담하고 있는 채무의 변제에 관하여 일정한 사실이 부관으로 붙여진 경우에는 특별한 사정이 없는 한 그것은 변제기를 유예한 것으로서 그 사실이 발생한 때 또는 발생하지 아니하는 것으로 확정된 때에 기한이 도래한다(대판 2003.8.19, 2003다24215).

④ 기한을 정하지 않은 채무에 정지조건이 있는 경우, 정지조건이 객관적으로 성취되고 그 후에 채권자가 이행을 청구하면 바로 지체책임이 발생한다. 조건과 기한은 하나의 법률행위에 독립적으로 작용하는 부관이므로, 조건의 성취는 기한이 없는 채무에서 이행기의 도래와는 별개의 문제이기 때문이다. 그리고 청구금액이 확정되지 아니하였다는 이유만으로 채무자가 지체책임을 면할 수는 없다. 청구권은 이미 발생하였고 가액이 아직 확정되지 아니한 것일 뿐이므로, 지연손해금 발생의 전제가 되는 원본 채권이 부존재한다고 말할 수는 없기 때문이다. 불법행위로 인한 손해배상채무의 경우 불법행위가 발생한 시점에는 손해배상액을 확정할 수 없는 경우가 대부분이지만, 그 발생 시점부터 지체책임이 성립하는 점에 비추어도 그러하다(대판 2018.7.20, 2015다207044).

정답 ▶ **06** ①

07 **법률행위의 부관으로서 조건에 관한 다음의 설명 중 가장 옳지 않은 것은?**

▶ 2021년 법원서기보

① 법률행위 효력의 발생 또는 소멸을 장래의 불확실한 사실의 성부에 의존케 하는 조건을 법률행위에 붙이고자 하는 의사가 있다 하더라도 이를 외부에 표시하지 않으면 이는 법률행위의 동기에 불과한 것이다.

② 정지조건부 법률행위에 있어서 조건이 성취되었다는 사실은 이에 의하여 권리를 취득하고자 하는 측에서 증명하여야 한다.

③ 정지조건부 법률행위는 조건을 성취한 때로부터 그 효력이 생기고, 해제조건부 법률행위는 조건을 성취한 때로부터 그 효력을 잃는다.

④ 甲과 乙이 빌라 분양을 甲이 대행하고 수수료를 받기로 하는 내용의 분양전속계약을 체결하면서, 특약사항으로 "분양계약기간 완료 후 미분양 물건은 甲이 모두 인수하는 조건으로 한다."라고 정한 경우 위 특약사항은 미분양 물건 세대를 인수하지 아니할 경우 분양전속계약은 효력이 없다는 법률행위의 부관으로서 조건을 정한 것이다.

해설 ① 조건은 법률행위의 효력의 발생 또는 소멸을 장래의 불확실한 사실의 성부에 의존케 하는 법률행위의 부관으로서 당해 법률행위를 구성하는 의사표시의 일체적인 내용을 이루는 것이므로, 의사표시의 일반원칙에 따라 조건을 붙이고자 하는 의사, 즉 조건의사와 그 표시가 필요하며, 조건의사가 있더라도 그것이 외부에 표시되지 않으면 법률행위의 동기에 불과할 뿐이고 그것만으로는 법률행위의 부관으로서의 조건이 되는 것은 아니다(대판 2003.5.13. 2003다10797).

② 정지조건부 법률행위에 있어서 조건이 성취되었다는 사실은 이에 의하여 권리를 취득하고자 하는 측에서 그 입증책임이 있다 할 것이므로, 정지조건부 채권양도에 있어서 정지조건이 성취되었다는 사실은 채권양도의 효력을 주장하는 자에게 그 입증책임이 있다(대판 1983.4.12. 81다카692).

③ 제147조 제1항과 제2항

④ 甲이 분양을 전속적으로 하되 분양계약기간 만료 후 미분양 물건이 있는 경우 甲이 미분양 세대를 인수할 의무를 부담한다는 계약의 내용을 정한 것에 불과하고, 이와 달리 계약의 효력발생이 좌우되게 하려는 법률행위의 부관으로서 조건을 정한 것이라고 보기 어렵다(대판 2020.7.9. 2020다202821).

08 다음 설명 중 가장 옳지 않은 것은? ▶ 2021년 법무사

① 법률행위의 해석에 있어 당사자가 표시한 문언에 의하여 객관적인 의미가 명확하게 드러나지 않는 경우에는 문언의 형식과 내용, 법률행위가 이루어진 동기 및 경위, 당사자가 법률행위에 의하여 달성하려는 목적과 진정한 의사, 거래의 관행 등을 종합적으로 고려하여 사회정의와 형평의 이념에 맞도록 논리와 경험의 법칙, 그리고 사회일반의 상식과 거래의 통념에 따라 합리적으로 해석하여야 한다.

② 조건은 법률행위 효력의 발생 또는 소멸을 장래 불확실한 사실의 발생 여부에 따라 좌우되게 하는 법률행위의 부관이고, 법률행위에서 효과의사와 일체적인 내용을 이루는 의사표시 그 자체이다.

③ 조건을 붙이고자 하는 의사는 법률행위의 내용으로 외부에 표시될 필요가 없고, 조건을 붙이고자 하는 의사가 있는지는 의사표시에 관한 법리에 따라 판단하여야 한다.

④ 조건을 붙이고자 하는 의사가 외부에 표시되었다고 인정하려면, 그 법률행위가 이루어진 동기와 경위, 그 법률행위에 의하여 달성하려는 목적, 거래의 관행 등을 종합적으로 고려하여 그 법률행위 효력의 발생 또는 소멸을 장래의 불확실한 사실의 발생 여부에 따라 좌우되게 하려는 의사가 인정되어야 한다.

⑤ 법률행위에 붙은 부관이 조건인지 기한인지가 명확하지 않은 경우 법률행위의 해석을 통해서 이를 결정해야 한다. 부관에 표시된 사실이 발생하지 않으면 채무를 이행하지 않아도 된다고 보는 것이 합리적인 경우에는 조건으로 보아야 한다. 그러나 부관에 표시된 사실이 발생한 때에는 물론이고 반대로 발생하지 않는 것이 확정된 때에도 그 채무를 이행하여야 한다고 보는 것이 합리적인 경우에는 표시된 사실의 발생 여부가 확정되는 것을 불확정기한으로 정한 것으로 보아야 한다.

해설 ① 법률행위의 해석은 당사자가 표시행위에 부여한 객관적인 의미를 명백하게 확정하는 것으로서, 당사자가 표시한 문언에 의하여 객관적인 의미가 명확하게 드러나지 아니하는 경우에는 문언 내용과 법률행위가 이루어지게 된 동기 및 경위, 당사자가 법률행위에 의하여 달성하려고 하는 목적과 진정한 의사, 거래관행 등을 종합적으로 고찰하여 사회정의와 형평의 이념에 맞도록 논리와 경험의 법칙 그리고 사회일반의 상식과 거래의 통념에 따라 합리적으로 해석하여야 한다(대판 2013.7.11, 2011다101483).

②, ③, ④ 조건은 법률행위 효력의 발생 또는 소멸을 장래 불확실한 사실의 발생 여부에 따라 좌우되게 하는 법률행위의 부관이고, 법률행위에서 효과의사와 일체적인 내용을 이루는 의사표시 그 자체이다. 조건을 붙이고자 하는 의사는 법률행위의 내용으로 외부에 표시되어야 하고, 조건을 붙이고자 하는 의사가 있는지는 의사표시에 관한 법리에 따라 판단하여야 한다. 조건을 붙이고자 하는 의사의 표시는 그 방법에 관하여 일정한 방식이 요구되지 않으므로 묵시적 의사표시나 묵시적 약정으로도 할 수 있다. 이를 인정하려면, 법률행위가 이루어진 동기와 경위, 법률행위에 의하여 달성하려는 목적, 거래의 관행 등을 종합적으로 고려하여 법률행위 효력의 발생 또는 소멸을 장래의 불확실한 사실의 발생 여부에 따라 좌우되게 하려는 의사가 인정되어야 한다(대판 2018.6.28, 2016다221368; 대판 2020.7.9, 2020다202821).

정답 07 ④ 08 ③

⑤ 법률행위에 붙은 부관이 조건인지 기한인지가 명확하지 않은 경우 법률행위의 해석을 통해서 이를 결정해야 한다. 부관에 표시된 사실이 발생하지 않으면 채무를 이행하지 않아도 된다고 보는 것이 합리적인 경우에는 조건으로 보아야 한다. 그러나 부관에 표시된 사실이 발생한 때에는 물론이고 반대로 발생하지 않는 것이 확정된 때에도 채무를 이행하여야 한다고 보는 것이 합리적인 경우에는 표시된 사실의 발생 여부가 확정되는 것을 불확정기한으로 정한 것으로 보아야 한다(대판 2018.6.28, 2018다201702).

09 조건과 기한에 관한 다음 설명 중 옳은 것을 모두 고른 것은? ▸ 2023년 법원행시

ㄱ. 법률행위에 붙은 부관이 조건인지 기한인지가 명확하지 않은 경우 법률행위의 해석을 통해서 이를 결정해야 하는데, 부관에 표시된 사실이 발생한 때에는 물론이고 반대로 발생하지 않는 것이 확정된 때에도 채무를 이행하여야 한다고 보는 것이 합리적인 경우에는 표시된 사실의 발생 여부가 확정되는 것을 조건으로 정한 것으로 보아야 한다.

ㄴ. 기한을 정하지 않은 채무에 정지조건이 있는 경우, 정지조건이 객관적으로 성취되고 그 후에 채권자가 이행을 청구하면 바로 지체책임이 발생한다.

ㄷ. 일반적으로 기한이익 상실의 특약이 채권자를 위하여 둔 것인 점에 비추어 명백히 형성권적 기한이익 상실의 특약이라고 볼 만한 특별한 사정이 없는 이상 정지조건부 기한이익 상실의 특약으로 추정하는 것이 타당하다.

ㄹ. 형성권적 기한이익 상실 특약이 있는 할부채무에 있어서는 1회의 불이행이 있더라도 각 할부금에 대해 그 각 변제기의 도래 시마다 그때부터 순차로 소멸시효가 진행하고 채권자가 특히 잔존 채무 전액의 변제를 구하는 취지의 의사를 표시한 경우에 한하여 전액에 대하여 그때부터 소멸시효가 진행한다.

ㅁ. 지연손해금은 금전채무의 이행지체에 따른 손해배상으로서 기한이 없는 채무에 해당하므로, 판결에 의하여 확정된 지연손해금에 대하여 채권자가 이행청구를 하면 채무자는 그에 대한 지체책임을 부담하게 된다.

① ㄱ, ㄴ, ㄷ   ② ㄱ, ㄷ, ㄹ   ③ ㄴ, ㄷ, ㅁ
④ ㄴ, ㄹ, ㅁ   ⑤ ㄷ, ㄹ, ㅁ

해설 ㄱ. 법률행위에 붙은 부관이 조건인지 기한인지가 명확하지 않은 경우 법률행위의 해석을 통해서 이를 결정해야 한다. 부관에 표시된 사실이 발생하지 않으면 채무를 이행하지 않아도 된다고 보는 것이 합리적인 경우에는 조건으로 보아야 한다. 그러나 부관에 표시된 사실이 발생한 때에는 물론이고 반대로 발생하지 않는 것이 확정된 때에도 채무를 이행하여야 한다고 보는 것이 합리적인 경우에는 표시된 사실의 발생 여부가 확정되는 것을 불확정기한으로 정한 것으로 보아야 한다(대판 2018.6.28, 2018다201702).

ㄴ. 기한을 정하지 않은 채무에 정지조건이 있는 경우, 정지조건이 객관적으로 성취되고 그 후에 채권자가 이행을 청구하면 바로 지체책임이 발생한다. 조건과 기한은 하나의 법률행위에 독립적으로 작용하는 부관이므로, 조건의 성취는 기한이 없는 채무에서 이행기의 도래와는 별개

의 문제이기 때문이다. 그리고 청구금액이 확정되지 아니하였다는 이유만으로 채무자가 지체책임을 면할 수는 없다. 청구권은 이미 발생하였고 가액이 아직 확정되지 아니한 것일 뿐이므로, 지연손해금 발생의 전제가 되는 원본 채권이 부존재한다고 말할 수는 없기 때문이다. 불법행위로 인한 손해배상채무의 경우 불법행위가 발생한 시점에는 손해배상액을 확정할 수 없는 경우가 대부분이지만, 그 발생 시점부터 지체책임이 성립하는 점에 비추어도 그러하다(대판 2018.7.20. 2015다207044).

ㄷ. 정지조건부 기한이익 상실의 특약과 형성권적 기한이익 상실의 특약 중, 특별한 사정이 없으면 **형성권적 기한이익 상실의 특약**으로 추정한다(대판 2010.8.26. 2008다42416).

ㄹ. 형성권적 기한이익 상실의 특약이 있는 할부채무에 있어서는 1회의 불이행이 있더라도 **각 할부금에 대해 그 각 변제기의 도래 시마다 그때부터 순차로 소멸시효가 진행**하고 채권자가 특히 **잔존 채무 전액의 변제를 구하는 취지의 의사를 표시한 경우에 한하여 전액에 대하여 그 때부터 소멸시효가 진행한다**(대판 1997.8.29. 97다12990).

ㅁ. **지연손해금**은 금전채무의 이행지체에 따른 손해배상으로서 **기한이 없는 채무**에 해당하므로, 확정된 지연손해금에 대하여 채권자가 이행청구를 하면 채무자는 그에 대한 지체책임을 부담하게 된다. 판결에 의해 권리의 실체적인 내용이 바뀌는 것은 아니므로, **이행판결이 확정된 지연손해금의 경우**에도 채권자의 **이행청구에 의해 지체책임이 생긴다**(대판 2022.3.11. 2021다232331).

10 다음 설명 중 가장 옳지 않은 것은?   ▶ 2023년 법무사

① 부관이 붙은 법률행위에 있어서 부관에 표시된 사실이 발생하지 아니하면 채무를 이행하지 아니하여도 된다고 보는 것이 상당한 경우에는 정지조건으로 보아야 하고, 표시된 사실이 발생한 때에는 물론이고 반대로 발생하지 아니 하는 것이 확정된 때에도 그 채무를 이행하여야 한다고 보는 것이 상당한 경우에는 표시된 사실의 발생 여부가 확정되는 것을 불확정기한으로 정한 것으로 보아야 한다.

② 부부가 협의이혼을 전제로 재산분할의 약정을 한 경우, 특별한 사정이 없는 한 그 후 협의상 이혼이 이루어지지 아니하고 혼인관계가 존속하게 되거나 재판상 이혼이 이루어진 경우에는 그 재산분할 약정은 조건의 불성취로 인하여 효력이 발생하지 않는다.

③ 조건의 성취로 인하여 불이익을 받을 당사자가 신의성실에 반하여 조건의 성취를 방해한 경우, 조건이 성취된 것으로 의제되는 시점은 이러한 신의성실에 반하는 행위가 있었던 시점이다.

④ 조건부 법률행위에 있어 조건의 내용 자체가 불법적인 것이어서 무효일 경우 또는 조건을 붙이는 것이 허용되지 아니하는 법률행위에 조건을 붙인 경우 그 조건만을 분리하여 무효로 할 수는 없고 그 법률행위 전부가 무효로 된다고 보아야 한다.

⑤ 이미 부담하고 있는 채무의 변제에 관하여 일정한 사실이 부관으로 붙여진 경우에는 특별한 사정이 없는 한 그것은 변제기를 유예한 것으로서 그 사실이 발생한 때 또는 발생하지 아니하는 것으로 확정된 때에 기한이 도래한다.

정답   09 ④   10 ③

해설 ① 대판 2003.8.19, 2003다24215; 대판 2020.12.24, 2019다293098; 대판 2023.6.29, 2023
다221830
② 대판 2003.8.19, 2001다14061
③ 조건의 성취로 인하여 불이익을 받을 당사자가 신의성실에 반하여 조건의 성취를 방해한 경우, 조건이 성취된 것으로 의제되는 시점은 이러한 신의성실에 반하는 행위가 없었더라면 조건이 성취되었으리라고 추산되는 시점이다(대판 1998.12.22, 98다42356).
④ 대결 2005.11.8, 2005마541
⑤ 대판 2020.12.24, 2019다293098

11 조건, 기한 및 기간에 관한 다음 설명 중 가장 옳은 것은? ▶2024년 법무사

① 기한은 채권자의 이익을 위한 것으로 추정한다.
② 조건이 법률행위의 당시 이미 성취한 것인 경우에는 그 조건이 정지조건이면 조건 없는 법률행위로 하고 해제조건이면 그 법률행위는 무효로 한다.
③ 조건이 선량한 풍속 기타 사회질서에 위반한 것인 때에는 그 조건만 무효가 될 뿐 법률행위는 무효로 되지 않는다.
④ 연령계산에서 출생일은 산입하지 아니한다.
⑤ 제척기간에도 소멸시효 중단의 규정이 준용된다.

해설 ① 제153조 → 기한은 채무자의 이익을 위한 것으로 추정
② 제151조
③ 조건부 법률행위에 있어 조건의 내용 자체가 불법적인 것이어서 무효일 경우 또는 조건을 붙이는 것이 허용되지 아니하는 법률행위에 조건을 붙인 경우 그 조건만을 분리하여 무효로 할 수는 없고 그 법률행위 전부가 무효로 된다(대결 2005.11.8, 2005마541).
④ 제158조
⑤ 제척기간에 있어서는 소멸시효와 같이 기간의 중단이 있을 수 없다(대판 2003.1.10, 2000다26425).

정답 11 ②

심화문제 | 확인 · 보충 · 심화문제

01   甲과 乙은 甲 소유의 X 토지를 乙이 매수하기로 합의하여 乙은 매수대금을 모두 지급하고 X 토지를 인도받아 그 점유를 시작하였으나, 계약서에 매매목적물을 甲 소유 Y 토지로 잘못 기재하는 바람에 Y 토지에 관하여 乙 앞으로 소유권이전등기가 마쳐졌다. 이에 관한 설명 중 옳은 것은? (다툼이 있는 경우에는 판례에 의함)   ▶ 2014년 사법시험

① 계약서에 Y 토지가 기재된 이상, 乙은 甲에게 X 토지에 관한 소유권이전등기를 청구하지 못한다.

② 만약 乙이 잔대금을 미지급한 상태에서 X 토지를 甲으로부터 미리 인도받아 점유·사용하던 중 잔대금 지급기일이 지난 경우라면, 甲은 乙에 대해 X 토지의 점유·사용으로 인한 차임 상당의 부당이득 반환을 청구할 수 있다.

③ 乙은 현재 X·Y 어느 토지에 관하여도 소유권을 취득하지 못하였다.

④ 甲과 乙 사이에 합의가 성립하지 않았으므로 어느 토지에 관하여도 유효한 계약은 성립하지 않았다.

⑤ Y 토지에 관한 매매계약은 甲, 乙 사이 합의의 결여로 무효이지만, 이로써 Y 토지에 관한 乙의 소유권 취득은 영향을 받지 않으며, 甲은 乙에 대해 부당이득의 반환으로 Y 토지에 관한 소유권이전등기의 말소를 청구할 수 있을 뿐이다.

해설 ① 법률행위의 해석 중 자연적 해석으로 이해함이 판례이다. 즉 "부동산의 매매계약에 있어 쌍방당사자가 모두 특정의 甲 토지를 계약의 목적물로 삼았으나 그 목적물의 지번 등에 관하여 착오를 일으켜 계약을 체결함에 있어서는 계약서상 그 목적물을 甲 토지와는 별개인 乙 토지로 표시하였다 하여도 甲 토지에 관하여 이를 매매의 목적물로 한다는 쌍방당사자의 의사합치가 있는 이상 위 매매계약은 甲 토지에 관하여 성립한 것으로 보아야 할 것이고 乙 토지에 관하여 매매계약이 체결된 것으로 보아서는 안 될 것"이라고 판시하였다. 따라서 계약서에 Y 토지가 기재되었다고 하더라도 乙은 甲에게 X 토지에 관한 소유권이전등기를 청구할 수 있다(대판 1993.10.26, 93다2629).

② 계약이 유효하기 때문에 부당이득반환을 청구하는 것이 아니라, 계약상 채무불이행 즉 대금 미지급에 따른 지연배상을 하여야 하는 것이다. 따라서 판례는 "민법 제587조에 의하면, 매매계약 있은 후에도 인도하지 아니한 목적물로부터 생긴 과실은 매도인에게 속하고, 매수인은 목적물의 인도를 받은 날로부터 대금의 이자를 지급하여야 한다고 규정하고 있는바, 이는 매매당사자 사이의 형평을 꾀하기 위하여 매매목적물이 인도되지 아니하더라도 매수인이 대금을 완제한 때에는 그 시점 이후의 과실은 매수인에게 귀속되지만, 매매목적물이 인도되지 아니하고 또한 매수인이 대금을 완제하지 아니한 때에는 매도인의 이행지체가 있더라도 과실은 매도인에게 귀속되는 것이므로 매수인은 인도의무의 지체로 인한 손해배상금의 지급을 구할 수 없다."고 한다(대판 2004.4.23, 2004다8210).

③ 법률행위로 인한 부동산 물권변동은 등기를 요하므로 乙은 현재 X·Y 어느 토지에 관하여도 소유권을 취득하지 못하였다(제186조).

정답 ▶   01 ③

④ 위에서 고찰한 바, 甲과 乙 사이에 합의가 성립하지 않은 것이 아니라 X 토지에 관하여는 성립되었다.

⑤ Y 토지에 관하여는 매매자체가 성립되지 않았으므로 등기가 되었다고 하더라도 무효이다.

02 다음 사례에 관한 설명 중 옳은 것은? (다툼이 있는 경우 판례에 의함)

┤ 사례 ├

甲은 乙로부터 토지를 매수하면서, 양도소득세 회피 및 투기의 목적으로 자신 앞으로 소유권이전등기를 경료하지 아니하였다. 또한 이를 丙에게 훨씬 높은 금액에 미등기인 채로 전매하면서 만일 세무서가 이를 적발하여 甲에게 양도소득세 등이 부과될 경우 이를 丙이 부담하도록 요구하였다. 丙은 그 토지를 매수해야만 하는 궁박한 상태에 있었기 때문에 매매대금이 현저히 높은 액수임에도 불구하고 이를 수락하였다.

① 乙은, 甲과의 매매계약이 양도소득세 회피 및 투기를 목적으로 한 것이어서 사회질서에 반하는 법률행위이므로 그 무효를 甲에게 주장할 수 있다.

② 丙은, 甲과의 전매계약이 원래 매도인이 부담하여야 할 양도소득세를 매수인인 자신에게 부담하도록 한 것이어서 불법조건에 해당하여 사회질서에 반하는 법률행위이므로 그 무효를 甲에게 주장할 수 있다.

③ 丙이 甲과 전매계약을 체결하면서 궁박한 상태였다고 하더라도 경솔, 무경험은 아니었다면 이를 민법 제104조의 불공정 법률행위라고 할 수 없다.

④ 丙이 甲과 전매계약을 체결하면서 경제적 원인에 기인하는 것이 아니라 정신적·심리적 원인에 기인하는 궁박한 상태에 있었던 경우에는 이를 민법 제104조의 불공정 법률행위라고 할 수 없다.

⑤ 위 전매계약 당시 丙에게 위와 같은 불리한 사정이 있다는 점을 甲이 알고 있었다고 하더라도 甲이 이를 이용하려는 의사가 없었다면 丙은 위 전매계약이 민법 제104조의 불공정 법률행위임을 주장할 수 없다.

해설 ① 양도소득세 회피 및 투기를 목적으로 한 법률행위가 언제나 사회질서에 반하는 법률행위라고 할 수는 없다. 판례도 같은 취지에서 "양도소득세의 회피 및 투기의 목적으로 자신 앞으로 소유권이전등기를 하지 아니하고 미등기인 채로 매매계약을 체결하였다 하여 그것만으로 그 매매계약이 사회질서에 반하는 법률행위로서 무효로 된다고 할 수 없다."고 판시하고 있다 (대판 1993.5.25, 93다296).

② 매매계약에서 매도인에게 부과될 공과금을 매수인이 책임진다는 취지의 특약을 하였다 하더라도 이는 공과금이 부과되는 경우 그 부담을 누가 할 것인가에 관한 약정으로서 그 자체가 불법조건이라고 할 수 없고 이것만 가지고 사회질서에 반한다고 단정하기도 어렵다(대판 1993.5.25, 93다296).

③ 제104조의 궁박, 경솔, 무경험은 어느 하나만을 충족하더라도 무방하다.

④ 제104조의 궁박이란 급박한 곤궁을 말하며, 이는 경제적 원인으로 인한 곤궁은 물론이고, 정신적, 심리적 원인으로 인한 곤궁을 포함하는 개념이다.

⑤ 제104조의 불공정한 법률행위가 성립하기 위하여는 폭리행위의 악의가 있어야 한다는 것이 판례의 태도이다.

03 甲이 그 소유의 건물을 乙에게 매도한 후 다시 丙에게 이중으로 매도한 경우의 법률관계에 관하여 다음 중 옳지 않은 것은?

① 丙에게 소유권이전등기를 경료함으로써 乙에 대한 소유권이전의무는 이행불능으로 되는데, 이미 乙과 매매계약을 체결한 사실을 丙이 알았다고 하는 사실만에 의하여 丙의 소유권취득은 방해받지 않는다.

② 위 ①의 경우에 乙은 丙에게 소유권이전등기가 경료된 당시의 시가 상당액의 손해배상을 甲에게 청구할 수 있다.

③ 甲의 배임행위에 丙이 적극 가담함으로써 丙에게 소유권이전등기가 경료된 경우에, 甲과 丙 사이의 매매계약은 사회질서에 반하여 무효이다.

④ 위 ③의 경우에 甲은 丙을 상대로 부당이득의 반환을 구할 수 없지만, 丙 명의의 등기는 무효의 등기이므로 판례의 입장에 따르면 甲은 물권적 청구로서 丙 명의 등기의 말소를 구할 수 있다.

⑤ 乙이 甲을 대위하여 丙 명의의 등기의 말소를 구하는 것은 허용된다.

해설 ①, ③ 제2매수인이 매도인의 배임행위에 적극 가담하여 이루어진 매매계약은 사회질서에 반하는 법률행위로서 무효이다(대판 1980.6.10, 80다569). 이중매매에 있어서 제2매수인이 적극 가담하였다고 보려면 적어도 그 매매를 알고도 매도를 요청하여 매매계약에 이른 정도에 이르러야 한다(대판 1994.3.11, 93다55289). 이중매매는 위와 같은 경우에만 무효가 되고, 이중 매수인이 매도인이 배임행위를 하는 것을 단순히 안다는 사실만으로는 무효가 되지 않는다.

② 민법상 불능의 개념은 자연적·물리적 불능이 아니고, 사회생활에 있어서의 경험법칙 또는 거래상의 관념에 비추어 볼 때의 불능, 즉 사회통념상 불능을 말한다. 따라서 이중으로 제3자와 매매계약을 체결하였다는 사실만 가지고는 매매계약이 법률상 이행불능이라고 할 수 없으나, 제3자가 유효하게 이전등기를 경료받은 경우에는 제1매매계약은 이행불능이 된다고 할 것이다(대판 1996.7.26, 96다14616 참고).

매도인의 매매목적물에 관한 소유권이전등기 의무가 이행불능이 됨으로 말미암아 매수인이 입는 손해액은 원칙적으로 그 이행불능이 될 당시의 목적물의 시가 상당액이고, 그 이후 목적물의 가격이 등귀하였다 하여도 그로 인한 손해는 특별한 사정으로 인한 것이어서 매도인이 이행불능 당시 그와 같은 특수한 사정을 알았거나 알 수 있었을 때에 한하여 그 등귀한 가격에 의한 손해배상을 청구할 수 있다 함은 대법원의 확립된 판례이다(대판 1996.6.14, 94다61359·61366).

④, ⑤ 민법 제746조는 단지 부당이득제도만을 제한하는 것이 아니라 동법 제103조와 함께 사법의 기본이념으로서, 결국 사회적 타당성이 없는 행위를 한 사람은 스스로 불법한 행위를 주장하여 복구를 그 형식 여하에 불구하고 소구할 수 없다는 이상을 표현한 것이므로, 급여를 한 사람은 그 원인행위가 법률상 무효라 하여 상대방에게 부당이득반환청구를 할 수 없음은 물론 급여한 물건의 소유권은 여전히 자기에게 있다고 하여 소유권에 기한 반환청구도 할 수 없고, 따라서 급여한 물건의 소유권은 급여를 받은 상대방에게 귀속된다(대판(전) 1979.11.13, 79다483).

정답 **02** ⑤ **03** ④

부동산에 관한 등기청구권이 반사회적 법률행위로 인하여 침해당하였다면 제1양수인으로서는 제2양수인에 대하여 채무자를 대위하여 위 등기의 말소등기절차 이행을 청구할 수는 있으나, 직접 말소등기를 청구할 수 없다(대판 1983.4.26. 87다카57).

04 甲은 자기 소유의 부동산을 乙에게 매도하고 계약금과 중도금을 수령하였다. 그 뒤 甲은 그 부동산 소재지 주변이 개발될 것이라는 정보를 미리 입수한 丙이 매매대금으로 그 부동산 시세의 두 배를 제시하자 丙에게 매도하고 이전등기를 해주었다. 다음 설명 중 옳지 않은 것은? (다툼이 있는 경우에는 판례에 의함)

① 甲의 乙에 대한 소유권이전의무는 특별한 사정이 없는 한 이행불능이 된다.
② 乙은 甲을 상대로 전보배상을 청구할 수 있다.
③ 乙은 이행의 최고 없이도 甲과의 매매계약을 해제할 수 있다.
④ 甲은 乙에게 계약금의 배액을 상환하고 매매계약을 해제할 수 있다.
⑤ 丙이 甲의 배임행위에 적극 가담한 경우, 甲과 丙 사이의 매매계약은 반사회적 법률행위로서 무효이다.

해설 ① 甲의 乙에 대한 소유권이전의무는 특별한 사정이 없는 한 이행불능이 되는데 그 이유는 丙에게 등기가 완료되었기 때문이다(대판 1989.11.28. 89다카14295 등).
② 乙은 甲을 상대로 전보배상을 청구할 수 있다(제390조).
③ 乙은 이행의 최고 없이도 甲과의 매매계약을 해제할 수 있다(제546조).
④ 甲은 乙에게 계약금의 배액을 상환하고 매매계약을 해제할 수 없는데, 중도금이 지급되어(이행의 착수), 제565조 해약금(약정해제)에 의한 해제가 인정되지 않는다.
⑤ 丙이 甲의 배임행위에 적극 가담한 경우, 甲과 丙 사이의 매매계약은 반사회적 법률행위로서 무효이다(대판 2008.3.27. 2007다82875 등).

05 甲은 乙에게 甲 소유의 X 토지를 매도하고 중도금까지 지급받은 상태에서 소유권이전등기를 경료하여 주지 않고 있었는데, 이러한 사실을 알고 있던 丙은 甲에게 위 토지를 자신에게 매도하라고 유인하는 등 甲의 배임행위를 적극적으로 교사하였고, 甲도 이에 응하여 丙과 매매계약을 체결하고 丙 명의로 소유권이전등기를 경료하여 주었다. 이 경우 乙에게 인정되는 권리를 모두 고른 것은? (다툼이 있는 경우 판례에 의함) ▸ 2015년 변호사

ㄱ. 丙에 대한 부당이득반환청구권
ㄴ. 丙에 대한 소유권이전등기청구권
ㄷ. 丙에 대한 손해배상청구권
ㄹ. 甲을 대위하여 행사하는 丙에 대한 소유권이전등기말소 청구권
ㅁ. 甲과 丙 사이의 매매계약에 대한 채권자취소권

① ㄱ, ㄷ   ② ㄷ, ㄹ   ③ ㄹ, ㅁ
④ ㄴ, ㄹ, ㅁ   ⑤ ㄷ, ㄹ, ㅁ

해설 ㄱ. 乙은 甲에게 계약상 이행책임을 물을 수 있기 때문에, 乙의 丙을 상대로 한 부당이득반환청구권은 인정되지 않는다.

ㄴ. 甲·乙간에 매매계약이 있는 것이므로, 乙은 丙에게 소유권이전등기청구를 할 수 없다.

ㄷ. 乙은 丙에게 직접 손해배상을 청구할 수 있다(대판 2007.5.11, 2004다11162).

ㄹ. 乙은 丙에게 특정채권을 위한 채권자취소권을 행사할 수 없고, 甲을 대위하여 丙에 대한 소유권이전등기말소 청구권을 행사할 수 있다(대판 1980.5.27, 80다565).

ㅁ. '특정채권 자체'의 보전을 위한 경우에는 채권자취소권을 행사할 수 없다(대판 1999.4.27, 98다56690).

06 **통정허위표시에 관한 기술 중 옳은 것을 모두 고른 것은?** (다툼이 있는 경우에는 판례에 의함)

> ㄱ. 종중이 탈법 목적 없이 그 보유 부동산을 타인에게 명의신탁하면서 명의수탁자가 이를 임의로 처분할 것에 대비하여 종중 명의로 소유권이전등기청구권 보전을 위한 가등기를 경료한 경우, 그와 같은 가등기를 하기로 하는 합의는 통정허위표시로서 무효이다.
>
> ㄴ. 채무자의 법률행위가 가장행위라도 채권자취소권의 대상이 되고, 채권자취소권의 대상으로 된 채무자의 법률행위라도 통정허위표시의 요건을 갖춘 경우에는 무효이다.
>
> ㄷ. 보증인이 주채무자의 기망행위에 의하여 주채무가 있는 것으로 믿고 주채무자와 보증계약을 체결한 후 그에 따라 보증채무자로서 그 채무까지 이행한 경우, 그 보증인은 주채무자의 채권자에 대한 채무부담행위라는 허위표시에 기초하여 구상권 취득에 관한 법률상 이해관계를 가지게 되었으므로 민법 제108조 제2항 소정의 제3자에 해당한다.
>
> ㄹ. 파산자가 파산선고 전에 허위의 가장채권을 보유한 경우, 파산관재인이 민법 제108조 제2항 소정의 제3자에 해당하는데, 파산관재인의 선·악의는 파산관재인 개인의 선·악의를 기준으로 판단한다.

① ㄱ, ㄴ, ㄷ   ② ㄴ, ㄷ, ㄹ   ③ ㄱ, ㄷ, ㄹ
④ ㄱ, ㄴ, ㄹ   ⑤ ㄴ, ㄷ

해설 ㄱ. 甲이 乙과의 합의하에 제3자로부터 토지를 乙의 이름으로 매수하여 매매대금을 완납하고 乙의 명의로 소유권이전등기를 경료한 다음, 乙에 대한 다른 채권자들이 그 토지에 대하여 압류, 가압류, 가처분을 하거나 乙이 甲의 승낙 없이 토지를 임의로 처분해 버릴 경우의 위험에 대비하기 위하여 甲 명의로 소유권이전등기청구권 보전을 위한 가등기를 경료하였다면, 甲은 乙에게 그 토지를 명의신탁한 것이라고 보여지고, 또한 그 가등기는 장래에 그 명의신탁 관계가 해소되었을 때 가등기에 기한 본등기를 경료함으로써 장차 가등기 경료 이후에 토지에 관하여 발생할지도 모르는 등기상의 부담에서 벗어나 甲이 완전한 소유권을 취득하기 위한 법적 장치로서 甲과 乙 사이의 별도의 약정에 의하여 경료된 것이라고 할 것이므로 위 가등기를 경료하기로 하는 甲과 乙 사이의 약정이 통정허위표시로서 무효라고 할 수는 없고, 나아가 甲과 乙 사이에 실제로 매매예약의 사실이 없었다고 하여 그 가등기가 무효가 되는 것도 아니다(대판 1995.12.26, 95다29888).

ㄴ. 채무자의 법률행위가 통정허위표시인 경우에도 채권자취소권의 대상이 되고, 한편 채권자취소 권의 대상으로 된 채무자의 법률행위라도 통정허위표시의 요건을 갖춘 경우에는 무효라고 할 것이다(대판 1998.2.27, 97다50985).

ㄷ. 판례는 "보증인이 주채무자의 기망행위에 의하여 주채무가 있는 것으로 믿고 주채무자와 보 증계약을 체결한 다음 그에 따라 보증채무자로서 그 채무까지 이행한 경우, 그 보증인은 주 채무자에 대한 구상권 취득에 관하여 법률상의 이해관계를 가지게 되었고 그 구상권 취득에 는 보증의 부종성으로 인하여 주채무가 유효하게 존재할 것을 필요로 한다는 이유로 결국 그 보증인은 주채무자의 채권자에 대한 채무부담행위라는 허위표시에 기초하여 구상권 취득 에 관한 법률상 이해관계를 가지게 되었다고 봄이 상당하므로 민법 제108조 제2항 소정의 '제3자'에 해당한다."고 하여 이를 긍정하였다(대판 2000.7.6, 99다51258).

ㄹ. 파산자가 상대방과 통정한 허위의 의사표시를 통하여 가장채권을 보유하고 있다가 파산이 선고된 경우 그 가장채권도 일단 파산재단에 속하게 되고, 파산선고에 따라 파산자와는 독립한 지위에서 파산채권자 전체의 공동의 이익을 위하여 직무를 행하게 된 파산관재인은 그 허위표시에 따라 외형상 형성된 법률관계를 토대로 실질적으로 새로운 법률상 이해관계를 가지게 된 민법 제 108조 제2항의 제3자에 해당하고, 그 선의·악의도 파산관재인 개인의 선의·악의를 기준으 로 할 수는 없고, 총파산채권자를 기준으로 하여 파산채권자 모두가 악의로 되지 않는 한 파산관재인은 선의의 제3자라고 할 수밖에 없다(대판 2006.11.10, 2004다10299).

07 **민법상 허위표시에 관한 다음 설명 중 가장 틀린 것은?** (다툼이 있는 경우에는 판례에 의함)

① 실제로는 전세권설정계약이 없으면서도 임대차계약에 기한 임차보증금반환채권을 담 보할 목적 또는 금융기관으로부터 자금을 융통할 목적으로 임차인과 임대인 사이의 합 의에 따라 임차인 명의로 전세권설정등기를 경료한 후 그 전세권에 대하여 근저당권이 설정된 경우, 설령 위 전세권설정계약만 놓고 보아 그것이 통정허위표시에 해당하여 무효라 하더라도 이로써 위 전세권설정계약에 의하여 형성된 법률관계를 토대로 별개 의 법률원인에 의하여 새로운 법률상 이해관계를 갖게 된 근저당권자에 대하여는 그와 같은 사정을 알고 있었던 경우에만 그 무효를 주장할 수 있다.

② 동일인에 대한 대출액 한도를 제한한 법령이나 금융기관 내부규정의 적용을 회피하기 위하여 실질적인 주채무자가 실제 대출받고자 하는 채무액에 대하여 제3자를 형식상의 주채무자로 내세우고, 금융기관도 이를 양해하여 제3자에 대하여는 채무자로서의 책임 을 지우지 않을 의도하에 제3자 명의로 대출관계 서류를 작성받은 경우에 제3자는 형 식상의 명의만을 빌려준 자에 불과하고 그 대출계약의 실질적인 당사자는 금융기관과 실질적 주채무자이므로 제3자 명의로 되어 있는 대출약정은 그 금융기관의 양해하에 그에 따른 채무부담의 의사 없이 형식적으로 이루어진 것에 불과하여 통정허위표시에 해당하는 무효의 법률행위이다.

③ 민법 제108조 제2항에 규정된 통정허위표시에 있어서의 제3자에 해당하기 위하여는 그 선의 여부만 따지면 되고, 이에 관한 과실 유무를 따질 것이 아니다.

④ 대리인에 의하여 법률행위가 이루어진 경우 그 법률행위가 민법 제104조의 불공정한 법률행위에 해당하는지 여부를 판단함에 있어서는 대리인을 기준으로 하여야 한다.

⑤ 통정한 허위의 의사표시는 허위표시의 당사자와 포괄승계인 이외의 자로서 그 허위표시에 의하여 외형상 형성된 법률관계를 토대로 실질적으로 새로운 법률상 이해관계를 맺은 제3자를 제외한 누구에 대하여서나 무효이고, 또한 누구든지 그 무효를 주장할 수 있다.

해설 ① 대판 1998.9.4, 98다20981
② 대판 2008.6.12, 2008다7772·7789
③ 민법 제108조 제2항
④ 대리인에 의하여 법률행위가 이루어진 경우 그 법률행위가 민법 제104조의 불공정한 법률행위에 해당하는지 여부를 판단함에 있어서 경솔과 무경험은 대리인을 기준으로 하여 판단하고, 궁박은 본인의 입장에서 판단하여야 한다(대판 2002.10.22, 2002다38927).
⑤ 대판 2003.3.28, 2002다72125

08 채무초과 상태에 있는 乙은 채권자 甲에 의한 강제집행을 면하기 위하여 丙과 짜고 자기 소유인 부동산을 丙에게 가장매매한 후 소유권이전등기를 마쳐 주었다. 다음 설명 중 옳지 않은 것은? (다툼이 있는 경우에는 판례에 의함)

① 乙과 丙 사이의 매매계약은 무효이다.
② 丙 앞으로 소유권이전등기가 경료된 후 5년이 지났다면, 甲은 채권자취소의 소를 제기할 수 없다.
③ 乙이 丙에 대하여 소유권이전등기의 무효를 주장하는 것은 신의칙에 반하지 않는다.
④ 甲은 乙이 丙에 대하여 가지는 위 부동산의 이전등기말소청구권을 대위행사할 수 없다.
⑤ 丙이 위 부동산을 다시 선의의 丁에게 매도하고 丁 앞으로 소유권이전등기를 경료해 주었다면, 甲은 통정허위표시를 이유로 丁 명의의 이전등기 말소를 청구할 수 없다.

해설 ① 乙과 丙 사이의 매매계약은 무효이다(제108조).
② 丙 앞으로 소유권이전등기가 경료된 후 5년이 지났다면, 甲은 채권자취소의 소를 제기할 수 없다(제406조).
③ 乙이 소유자로써 丙에 대하여 소유권이전등기의 무효를 주장하는 것은 신의칙에 반하지 않으며 또한 불법원인급여로 보지 않는다(대판 1994.4.15, 93다61307).
④ 甲은 乙이 丙에 대하여 가지는 위 부동산의 이전등기말소청구권을 대위행사할 수 없는 것이 아니라 무효를 주장하면서 대위행사할 수 있다(제404조 참조; 대판 1998.2.27, 97다50985 등).
⑤ 丙이 위 부동산을 다시 선의의 제3자인 丁에게 매도하고 丁 앞으로 소유권이전등기를 경료해 주었다면, 甲은 통정허위표시를 이유로 선의의 제3자 丁 명의의 이전등기 말소를 청구할 수 없다(제108조 제2항).

정답 07 ④ 08 ④

09 통정허위표시에 관한 민법 제108조 제2항의 '제3자'에 해당하지 않는 자를 모두 고른 것은?
(다툼이 있는 경우에는 판례에 의함) ▶ 2014년 변호사

> ㄱ. 甲과 乙사이의 허위의 의사표시에 기한 채무를 보증하고 그에 따라 보증채무자로서 그 채무를 이행한 경우, 보증인 丙
>
> ㄴ. 근로자 甲이 乙회사에 대한 퇴직금채권을 丙에게 가장양도 하였으나, 乙회사가 아직 퇴직금을 가장양수인 丙에게 지급하지 않고 있던 중, 위 퇴직금채권이 법원의 전부명령에 의하여 丁에게 이전된 경우, 퇴직금채무자 乙회사
>
> ㄷ. 甲 금융기관과 乙 사이의 통정한 허위표시에 따라 甲이 乙에 대하여 취득한 외형상의 채권을 한국자산관리공사 丙이 인수한 경우, 채권양수인 丙
>
> ㄹ. 甲이 상대방 乙과 통정한 허위의 의사표시를 통하여 가장채권을 보유하고 있다가 파산선고를 받은 경우, 파산관재인 丙
>
> ㅁ. 甲이 자신의 소유인 X 토지에 관하여 채권자 乙에게 담보가등기를 경료하기로 약정한 상태에서 그 토지를 丙에게 가장양도하고 소유권이전등기를 마친 다음 丙에게 지시하여 乙에게 가등기를 경료케 하여 준 경우, 채권자 乙

① ㄱ, ㄴ ② ㄱ, ㅁ ③ ㄴ, ㄷ
④ ㄴ, ㅁ ⑤ ㄷ, ㄹ

해설 ㄱ. 보증인은 제3자로 봄이 판례이다. 따라서 甲과 乙사이의 허위의 의사표시에 기한 채무를 보증하고 그에 따라 보증채무자로서 그 채무를 이행한 경우, 보증인 丙은 제3자에 포함된다 (대판 2000.7.6, 99다51258).

ㄴ. 위 사안의 채권의 가장양도에 있어서 채무자는 제3자로 보지 않는다(대판 1983.1.18, 82다594). 〈통정허위표시인 채권양도계약이 체결된 경우 채무자가 민법 제108조 제2항 소정의 제3자에 해당되는지 여부(소극)〉 : 민법 제108조 제2항에서 말하는 제3자는 허위표시의 당사자와 그의 포괄승계인 이외의 자 모두를 가리키는 것이 아니고 그 가운데서 허위표시행위를 기초로 하여 새로운 이해관계를 맺은 자를 한정해서 가리키는 것으로 새겨야 할 것이므로 이 사건 퇴직금 채무자인 피고는 원채권자인 소외(甲)이 소외(乙)에게 퇴직금채권을 양도했다고 하더라도 그 퇴직금을 양수인에게 지급하지 않고 있는 동안에 위 양도계약이 허위표시란 것이 밝혀진 이상 위 허위표시의 선의의 제3자임을 내세워 진정한 퇴직금전부채권자인 원고에게 그 지급을 거절할 수 없다(대판 1983.1.18, 82다594).

ㄷ. 채권양수인은 제3자이다. 대법원은 통정허위표시에 의하여 금융기관과의 사이에 대출명의인이 된 자는 제108조 2항에 의해 그 금융기관으로부터 그 채권을 양수한 한국자산관리공사에 대하여 대출계약의 무효를 주장할 수 없다고 한다. 따라서 甲 금융기관과 乙 사이의 통정한 허위표시에 따라 甲이 乙에 대하여 취득한 외형상의 채권을 한국자산관리공사 丙이 인수한 경우, 채권양수인 丙은 제3자에 포함된다(대판 2004.1.15, 2002다31537).

ㄹ. 파산관재인은 전형적으로 제3자에 포함시킴이 판례이다. 따라서 甲이 상대방 乙과 통정한 허위의 의사표시를 통하여 가장채권을 보유하고 있다가 파산선고를 받은 경우, 파산관재인 丙은 제3자이다(대판 2006.11.20, 2004다10299).

ㅁ. 형식상 가장양수인으로부터 가등기를 경료받은 것으로 되어 있으나 실질적인 새로운 법률원인에 의한 것이 아니므로 통정허위표시에서의 제3자로 볼 수 없다(대판 1982.5.25, 80다1403).

10 **착오에 관한 설명 중 옳지 않은 것은?** (다툼이 있는 경우 판례에 의함) ▶ 2016년 사법시험

① 표의자가 행위를 할 당시 장래에 있을 어떤 사항의 발생이 미필적임을 알아 그 발생을 예기한 데 지나지 않는 경우에는 표의자의 심리상태에 인식과 그 대조사실의 불일치가 있다고 할 수 없어 이를 착오로 다룰 수 없다.

② 상대방이 표의자의 착오를 알고 이를 이용한 경우라도 착오가 표의자의 중대한 과실로 인한 것이라면 표의자는 그 의사표시를 취소할 수 없다.

③ 착오가 법률행위 내용의 중요 부분에 있다고 하기 위하여는 표의자에 의하여 추구된 목적을 고려하여 합리적으로 판단하여 볼 때 표시와 의사의 불일치가 객관적으로 현저하여야 하고, 보통 일반인이 표의자의 입장에 섰더라면 경제적인 불이익을 입게 되는 결과 등을 가져오게 됨으로써 그와 같은 의사표시를 하지 아니하였으리라고 여겨져야 한다.

④ 동기의 착오가 법률행위 내용의 중요 부분의 착오에 해당함을 이유로 표의자가 법률행위를 취소하려면 그 동기를 당해 의사표시의 내용으로 삼을 것을 상대방에게 표시하고 의사표시의 해석상 법률행위의 내용으로 되어 있다고 인정되면 충분하고 당사자들 사이에 별도로 그 동기를 의사표시의 내용으로 삼기로 하는 합의까지 이루어질 필요는 없다.

⑤ 경과실로 착오에 빠져 계약을 체결한 자가 민법 제109조에 따른 취소권을 행사하여 그 계약이 적법하게 취소된 경우, 그로 인해 손해를 입은 계약상대방은 계약의 일방인 위 취소자를 상대로 불법행위에 기한 손해배상청구를 할 수 없다.

해설 ① 민법 제109조에의 착오가 있다고 하려면 법률행위를 할 당시에 실제로 없는 사실을 있는 사실로 잘못 깨닫거나 아니면 실제로 있는 사실을 없는 것으로 잘못 생각하듯이 표의자의 인식과 그 대조사실이 어긋나는 경우라야 하므로, 표의자가 행위를 할 당시 장래에 있을 어떤 사항의 발생이 미필적임을 알아차린 경우에는 착오가 아니다(대판 2011.6.9, 2010다99798).

② 민법 제109조 제1항 단서는 의사표시의 착오가 표의자의 중대한 과실로 인한 때에는 그 의사표시를 취소하지 못한다고 규정하고 있는데, 위 단서 규정은 표의자의 상대방의 이익을 보호하기 위한 것이므로, 상대방이 표의자의 착오를 알고 이를 이용한 경우에는 착오가 표의자의 중대한 과실로 인한 것이라고 하더라도 표의자는 의사표시를 취소할 수 있다(대판 2014.11.27, 2013다49794).

③ 착오가 법률행위 내용의 중요 부분에 있다고 하기 위하여는 표의자에 의하여 추구된 목적을 고려하여 합리적으로 판단하여 볼 때 표시와 의사의 불일치가 객관적으로 현저하여야 하고, 만일 그 착오로 인하여 표의자가 무슨 경제적인 불이익을 입은 것이 아니라면 이를 법률행위 내용의 중요 부분의 착오라고 할 수 없다(대판 1999.2.23, 2006다41457).

④ 대판 2000.5.12, 2000다12259 등.

⑤ 불법행위로 인한 손해배상책임이 성립하기 위하여는 가해자의 고의 또는 과실 이외에 행위의 위법성이 요구되는데 민법 제109조에서 중과실이 없는 착오자의 착오를 이유로 한 의사표시의 취소를 허용하고 있는 이상, 피고가 과실로 인하여 착오에 빠져 계약보증서를 발급한 것이나 그 착오를 이유로 보증계약을 취소한 것이 위법하다고 할 수는 없기 때문이다(전문건설공제조합사건 ; 대판 1997.8.22, 97다13023).

정답 ▶ **09** ④ **10** ②

11 착오로 인한 의사표시에 관한 설명 중 가장 옳지 않은 것은? (다툼이 있는 경우 판례에 의함)

▶ 2014년 법무사

① 착오를 이유로 의사표시를 취소하는 자는 법률행위의 내용에 착오가 있었다는 사실과 함께 그 착오가 의사표시에 결정적인 영향을 미쳤다는 점, 즉 만약 그 착오가 없었더라면 의사표시를 하지 않았을 것이라는 점을 증명하여야 한다.

② 매도인의 대리인이, 매도인이 납부하여야 할 양도소득세 등의 세액이 매수인이 부담하기로 한 금액뿐이므로 매도인의 부담은 없을 것이라는 착오를 일으키지 않았더라면 매수인과 매매계약을 체결하지 않았거나 아니면 적어도 동일한 내용으로 계약을 체결하지는 않았을 것임이 명백하고, 나아가 매도인이 그와 같이 착오를 일으키게 된 계기를 제공한 원인이 매수인측에 있을 뿐만 아니라 매수인도 매도인이 납부하여야 할 세액에 관하여 매도인과 동일한 착오에 빠져 있었다면, 매도인의 위와 같은 착오는 매매계약의 내용의 중요부분에 관한 것에 해당한다.

③ 하나의 법률행위의 일부분에만 취소사유가 있다고 하더라도 그 법률행위가 가분적이거나 그 목적물의 일부가 특정될 수 있다면, 그 나머지 부분이라도 이를 유지하려는 당사자의 가정적 의사가 인정되는 경우 그 일부만의 취소도 가능하다 할 것이고, 그 일부의 취소는 법률행위의 일부에 관하여 효력이 생긴다.

④ 동기의 착오가 법률행위의 내용의 중요 부분의 착오에 해당함을 이유로 표의자가 법률행위를 취소하려면 그 동기를 당해 의사표시의 내용으로 삼을 것을 상대방에게 표시하고 의사표시의 해석상 법률행위의 내용으로 되어 있다고 인정되면 충분하고 당사자들 사이에 별도로 그 동기를 의사표시의 내용으로 삼기로 하는 합의까지 이루어질 필요는 없지만, 그 법률행위의 내용의 착오는 보통 일반인이 표의자의 입장에 섰더라면 그와 같은 의사표시를 하지 아니하였으리라고 여겨질 정도로 그 착오가 중요한 부분에 관한 것이어야 한다.

⑤ 매도인이 매수인의 중도금 지급채무 불이행을 이유로 매매계약을 적법하게 해제한 후에는 매수인으로서는 상대방이 한 계약해제의 효과로서 발생하는 손해배상책임을 지거나 매매계약에 따른 계약금의 반환을 받을 수 없는 불이익을 면하기 위하여 착오를 이유로 한 취소권을 행사할 수 없다.

해설 ① 착오를 이유로 의사표시를 취소하는 자는 법률행위의 내용에 착오가 있었다는 사실과 함께 그 착오가 의사표시에 결정적인 영향을 미쳤다는 점, 즉 만약 그 착오가 없었더라면 의사표시를 하지 않았을 것이라는 점을 증명하여야 한다(대판 2008.1.17, 2007다74188).

→ 착오를 이유로 의사표시를 취소하는 자는 법률행위의 내용에 착오가 있었다는 사실과 함께 그 착오가 중요부분에 관한 착오라는 것을 증명하여야 한다. 반면 상대방은 중대한 과실이 있다는 것에 대한 입증책임을 부담한다.

② 매도인의 대리인이, 매도인이 납부하여야 할 양도소득세 등의 세액이 매수인이 부담하기로 한 금액뿐이므로 매도인의 부담은 없을 것이라는 착오를 일으키지 않았더라면 매수인과 매매계약을 체결하지 않았거나 아니면 적어도 동일한 내용으로 계약을 체결하지는 않았을 것임이 명백하고, 나아가 매도인이 그와 같이 착오를 일으키게 된 계기를 제공한 원인이 매수인 측에 있을 뿐만 아니라 매수인도 매도인이 납부하여야 할 세액에 관하여 매도인과 동일한

착오에 빠져 있었다면, 매도인의 위와 같은 착오는 매매계약의 내용의 중요부분에 관한 것에 해당한다(대판 1994.6.10, 93다24810).

③ 하나의 법률행위의 일부에만 취소사유가 있는 경우 그 법률행위가 가분적이거나 그 목적물의 일부가 특정될 수 있다면, 그 나머지 부분이라도 이를 유지하려는 당사자의 가정적 의사가 인정되는 경우 그 일부만의 취소도 가능하다 할 것이고, 그 일부의 취소는 법률행위의 일부에 관하여 효력이 생긴다(대판 1998.2.10, 97다44737).

④ 동기의 착오가 법률행위의 내용의 중요부분의 착오에 해당함을 이유로 표의자가 법률행위를 취소하려면 그 동기를 당해 의사표시의 내용으로 삼을 것을 상대방에게 표시하고 의사표시의 해석상 법률행위의 내용으로 되어 있다고 인정되면 충분하고 당사자들 사이에 별도로 그 동기를 의사표시의 내용으로 삼기로 하는 합의까지 이루어질 필요는 없지만, 그 법률행위의 내용의 착오는 보통 일반인이 표의자의 입장에 섰더라면 그와 같은 의사표시를 하지 아니하였으리라고 여겨질 정도로 그 착오가 중요한 부분에 관한 것이어야 한다(대판 2000.5.12, 2000다12259).

⑤ 매도인이 매수인의 중도금 지급채무 불이행을 이유로 매매계약을 적법하게 해제한 후라도 매수인으로서는 상대방이 한 계약해제의 효과로서 발생하는 손해배상책임을 지거나 매매계약에 따른 계약금의 반환을 받을 수 없는 불이익을 면하기 위하여 착오를 이유로 한 취소권을 행사하여 매매계약 전체를 무효로 돌리게 할 수 있다(대판 1996.12.6, 95다24982·24999).

12 착오에 의한 의사표시에 관한 다음 설명 중 가장 옳지 않은 것은? (다툼이 있는 경우 판례에 의하고, 각 지문은 상호 독립적임) ▸ 2014년 법무사

① 甲은 乙로부터 고려청자로 알고 도자기를 매수하였는데, 그 도자기가 진품이 아닌 것으로 밝혀진 경우, 개인소장인인 매수인 甲이 그 출처의 조회나 전문적 감정인의 감정 없이 매수한 점만으로는 중과실이 인정되지 않으므로 착오를 이유로 계약을 취소할 수 있다.

② 甲신용보증기관이 보증대상 기업인 乙의 실제 경영주 A가 신용불량자라는 사실을 모르고 신용불량자가 아닌 신청명의인 B를 경영주로 오인하여 이를 전제로 기업의 신용도 등을 조사한 후 보증계약을 체결한 경우, 법률행위의 중요부분에 착오가 있는 경우에 해당한다.

③ 상린관계에 있는 토지소유자 甲과 乙이 토지 경계에 관한 다툼을 하던 중, 乙의 경계선을 침범하였다는 강력한 주장에 의하여 甲이 착오로 그간의 경계 침범에 대한 보상금 지급을 약정한 경우, 위 경계선의 착오는 동기의 착오이나 그 착오가 乙로부터 연유한 것으로서 甲의 위 금원 지급의 의사표시는 그 내용의 중요부분에 착오가 있는 것이 되어 취소할 수 있다.

④ 甲이 채무자란이 백지로 된 근저당권설정계약서를 제시받고 그 채무자가 乙인 것으로 알고 근저당권설정자로 서명날인을 하였는데 그 후 채무자가 丙으로 되어 근저당권설정등기가 경료된 경우, 甲은 그 소유의 부동산에 관하여 근저당권설정계약상의 채무자를 丙이 아닌 乙로 오인한 나머지 근저당설정의 의사표시를 한 것이고, 이와 같은 착오는 법률행위 내용의 중요부분에 관한 착오에 해당한다.

⑤ 금융기관 甲은 신용보증기금 乙의 신용보증서를 담보로 금융채권자금을 대출해 주었는데, 甲은 대출자금이 모두 상환되지 않았음에도 착오로 乙에게 신용보증담보설정의 해지를 통지한 경우, 그 해지의 의사표시는 민법 제109조 제1항 단서 소정의 중대한 과실에 해당하지 아니한다.

해설 ① 고려청자로 알고 매수한 도자기가 진품이 아닌 것으로 밝혀진 경우, 매수인이 도자기를 매수하면서 자신의 골동품 식별 능력과 매매를 소개한 자를 과신한 나머지 고려청자 진품이라고 믿고 소장자를 만나 그 출처를 물어 보지 아니하고 전문적 감정인의 감정을 거치지 아니한 채 그 도자기를 고가로 매수하고 만일 고려청자가 아닐 경우를 대비하여 필요한 조치를 강구하지 아니한 잘못이 있다고 하더라도, 그와 같은 사정만으로는 매수인이 매매계약 체결 시 요구되는 통상의 주의의무를 현저하게 결여하였다고 보기는 어렵다는 이유로 착오를 이유로 매매계약을 취소할 수 있다(대판 1997.8.22, 96다26657).

② 신용보증기관이 보증대상 기업의 실제 경영주가 신용불량자라는 사실을 모르고 신용불량자가 아닌 신청명의인을 경영주로 오인하여 이를 전제로 기업의 신용도 등을 조사한 후 보증계약을 체결한 경우, 법률행위의 중요부분에 착오가 있는 것이다(대판 2007.8.23, 2006다52815).

③ 경계선을 침범하였다는 상대방의 강력한 주장에 의하여 착오로 그간의 경계 침범에 대한 보상금 내지 위로금 명목으로 금원을 지급한 경우, 진정한 경계선에 관한 착오는 위의 금원 지급약정을 하게 된 동기의 착오이지만 그와 같은 동기의 착오는 상대방의 강력한 주장에 의하여 생긴 것으로서 표의자가 그 동기를 의사표시의 내용으로 표시하였다고 보아야 하고, 또한 표의자로서는 그와 같은 착오가 없었더라면 그 의사표시를 하지 아니하였으리라고 생각될 정도로 중요한 것이고 보통 일반인도 표의자의 처지에 섰더라면 그러한 의사표시를 하지 아니하였으리라고 생각될 정도로 중요한 것이라고 볼 수 있으므로, 위 금원 지급 의사표시는 그 내용의 중요 부분에 착오가 있는 것이 되어 이를 취소할 수 있다(대판 1997.8.26, 97다6063).

④ 근저당권설정계약상 채무자의 동일성에 관한 착오는 법률행위 내용의 중요부분에 관한 착오에 해당한다(대판 1995.12.22, 95다37087).

⑤ 신용보증기금의 신용보증서를 담보로 금융채권자금을 대출해 준 금융기관이 위 대출자금이 모두 상환되지 않았음에도 착오로 신용보증기금에게 신용보증서 담보설정 해지를 통지한 경우, 그 해지의 의사표시는 민법 제109조 제1항 단서 소정의 중대한 과실에 기한 것이다(대판 2000.5.12, 99다64995).

13 의사표시에 관한 다음 설명 중 가장 옳지 않은 것은? (다툼이 있는 경우 판례에 의함)

▶ 2016년 법무사

① 매수인이 매도인의 기망에 의하여 타인의 물건을 매도인의 것으로 잘못 알고 매수한다는 의사표시를 하고 만일 타인의 물건인줄 알았더라면 매수하지 아니하였을 사정이 있는 경우에는 매수인은 사기에 의한 것임을 이유로 매수의 의사표시를 취소할 수 있다.

② 상대방 있는 의사표시에 관하여 제3자가 사기나 강박을 행한 경우에는 상대방이 그 사실을 알았거나 알 수 있었을 경우에 한하여 그 의사표시를 취소할 수 있다.

③ 어떤 법률행위가 사기에 의한 것으로서 취소되는 경우에 그 법률행위가 동시에 불법행위를 구성하는 때에는 취소의 효과로 생기는 부당이득반환청구권과 불법행위로 인한 손해배상청구권은 경합하여 병존하는 것이므로, 채권자는 어느 것이라도 선택하여 행사할 수 있지만 중첩적으로는 행사할 수 없다.

④ 법률행위의 내용의 중요 부분에 착오가 있는 때에는 의사표시를 취소할 수 있는바, 착오가 법률행위 내용의 중요 부분에 있다고 하기 위하여는 표의자에 의하여 추구된 목적을 고려하여 합리적으로 판단하여 볼 때 표시와 의사의 불일치가 객관적으로 현저하여야 하고, 만일 그 착오로 인하여 표의자가 무슨 경제적인 불이익을 입은 것이 아니라고 한다면 이를 법률행위 내용의 중요 부분의 착오라고 할 수 없다.

⑤ 상대방이 있는 의사표시는 상대방에게 도달한 때에 그 효력이 생기므로, 의사표시자가 그 통지를 발송한 후 사망하는 경우 그 의사표시는 효력이 발생하지 않는다.

해설 ① 매도인의 기망에 의하여 하자있는 물건을 매수한 경우, 사기취소와 담보책임 양자의 경합을 긍정하는 것이 통설·판례이다. 다만 담보책임은 계약의 유효를 전제로 하므로 사기를 이유로 취소한 후에는 담보책임을 별도로 물을 수 없을 것이다.

민법 제569조가 타인의 권리의 매매를 유효로 규정한 것은 선의의 매수인의 신뢰 이익을 보호하기 위한 것이므로, 매수인이 매도인의 기망에 의하여 타인의 물건을 매도인의 것으로 알고 매수한다는 의사표시를 한 것은 만일 타인의 물건인줄 알았더라면 매수하지 아니하였을 사정이 있는 경우에는 매수인은 민법 제110조에 의하여 매수의 의사표시를 취소할 수 있다고 해석해야 할 것이다(대판 1973.10.23, 73다268).

② 상대방 있는 의사표시에 관하여 제3자가 사기나 강박을 행한 경우에는 상대방이 그 사실을 알았거나 알 수 있었을 경우에 한하여 그 의사표시를 취소할 수 있다(제110조 제2항).

③ 법률행위가 사기에 의한 것으로서 취소되는 경우에 그 법률행위가 동시에 불법행위를 구성하는 때에는 취소의 효과로 생기는 부당이득반환청구권과 불법행위로 인한 손해배상청구권은 경합하여 병존하는 것이므로, 채권자는 어느 것이라도 선택하여 행사할 수 있지만 중첩적으로 행사할 수는 없다(대판 1993.4.27, 92다56087).

④ 법률행위의 내용의 중요 부분에 착오가 있는 때에는 의사표시를 취소할 수 있는바, 착오가 법률행위 내용의 중요 부분에 있다고 하기 위하여는 표의자에 의하여 추구된 목적을 고려하여 합리적으로 판단하여 볼 때 표시와 의사의 불일치가 객관적으로 현저하여야 하고, 만일 그 착오로 인하여 표의자가 무슨 경제적인 불이익을 입은 것이 아니라고 한다면 이를 법률행위 내용의 중요 부분의 착오라고 할 수 없다(대판 1999.2.23, 98다47924).

⑤ 제111조【의사표시의 효력발생시기】
① 상대방이 있는 의사표시는 상대방에게 도달한 때에 그 효력이 생긴다.
② 의사표시자가 그 통지를 발송한 후 사망하거나 제한능력자가 되어도 의사표시의 효력에 영향을 미치지 아니한다.

정답 13 ⑤

14 甲은 乙로부터 乙 소유인 X 토지를 매도할 수 있는 대리권을 수여받은 후 丙에게 X 토지를 대금 1억원에 매도하기로 하는 계약(이하 '이 사건 계약'이라고 한다)을 체결하면서 대금지급기일과 소유권이전등기의 이행기일을 2015.3.5.로 정하였다. 이에 관한 법률관계 중 옳은 것(○)과 옳지 않은 것(×)을 올바르게 조합한 것은? (각 지문은 독립적이고, 다툼이 있는 경우 판례에 의함) ▸ 2016년 변호사

> ㄱ. 甲이 乙을 대리할 의사를 가졌으나 乙을 위한 것임을 표시하지는 않고 이 사건 계약을 체결하였다면, 丙이 "甲이 乙의 대리인으로서 본인 乙을 위해 이 사건 계약을 체결하는 것이다."라는 사실을 알 수 있었을 경우에도 乙은 매도인으로서의 의무를 부담하지 않는다.
> ㄴ. 甲이 본인 乙을 위한 것임을 표시하여 이 사건 계약을 체결하였고, 2015.3.7. 丙으로부터 대금 1억원을 수령하였다. 그후 丙은 乙을 상대로 X 토지에 관한 소유권이전등기를 청구하였다. 만일 甲이 아직 위 1억원을 乙에게 전달하지 않았다면 특별한 사정이 없는 한 乙은 대금이 지급되지 않았음을 이유로 이행을 거절할 수 있다.
> ㄷ. 甲이 乙로부터 대리권을 수여받았음을 이용하여 매매대금을 乙에게 전달하지 않고 자신의 유흥비로 소비할 의도를 가지고 본인 乙을 위한 것임을 표시하여 이 사건 계약을 체결하였고, 2015.3.7. 丙으로부터 대금 1억원을 수령하여 유흥비로 사용하였다면, 丙이 이 사건 계약 체결 당시 위와 같은 甲의 의도를 알 수 있었다 하더라도 乙은 丙에 대하여 X 토지에 관한 소유권이전등기 의무를 부담한다.

① ㄱ (○), ㄴ (○), ㄷ (○) ② ㄱ (○), ㄴ (×), ㄷ (○)
③ ㄱ (○), ㄴ (×), ㄷ (×) ④ ㄱ (×), ㄴ (○), ㄷ (×)
⑤ ㄱ (×), ㄴ (×), ㄷ (×)

해설 ㄱ. 민법 제115조의 현명주의와 관련된다. 즉 대리인 甲이 본인 乙을 대리할 의사를 가졌으나 乙을 위한 것임을 표시하지는 않고 이 사건 계약을 체결하였다면, 상대방 丙이 "甲이 乙의 대리인으로서 본인 乙을 위해 이 사건 계약을 체결하는 것이다."라는 사실을 (알았거나) 또는 알 수 있었을 경우에 乙은 매도인으로서의 의무를 부담한다(제115조).

　　ㄴ. 매매계약체결의 권한을 갖는 대리인은 상대방으로부터 대금수령을 권한을 갖기 때문에 (대판 1994.2.8. 93다39379), 甲이 아직 위 1억원을 乙에게 전달하지 않았다고 하더라도 특별한 사정이 없는 한 乙은 대금이 지급되지 않았음을 이유로 이행을 거절할 수 없는 것이다.

　　ㄷ. 대리권남용이다. 이러한 경우 제107조 법리(비진의표시)를 유추적용하기 때문에 상대방이 대리권남용을 알았거나 알 수 있을 경우에는 무효가 된다. 따라서 상대방 丙이 이 사건 계약 체결 당시 위와 같은 甲의 의도를 알았거나 또는 알 수 있었다면, 乙은 丙에 대하여 X 토지에 관한 소유권이전등기 의무를 부담한다고 볼 수 없다(명성그룹사건 : 대판 1987.11.10. 86다카371 등).

15 **권한을 넘은 표현대리에 관한 판례의 입장과 다른 것은?** (다툼이 있는 경우 판례에 의함)

① 처가 남편으로부터의 특별수권 없이 남편 소유의 부동산을 처분한 경우, 그것이 제126 조의 표현대리가 되려면 처에게 일상가사대리권이 있었다는 것만이 아니라 상대방이 처에게 남편이 그 행위에 관한 대리의 권한을 주었다고 믿었음을 정당화할 만한 객관 적 사정이 있어야 한다.

② 사술을 써서 대리행위의 표시를 하지 아니하고 단지 본인의 성명을 모용하여 자기가 마치 본인인 것처럼 기망함으로써 본인 명의로 직접 법률행위를 한 경우에는 특별한 사정이 없는 한 제126조의 표현대리가 성립할 수 없다.

③ 권한을 넘은 표현대리에 있어서 정당한 이유의 유무는 대리행위 당시를 기준으로 하여 판정하여야 하고 대리행위 성립 후의 사정은 고려할 것이 아니다.

④ 주택건설촉진법에 의하여 설립된 주택조합의 대표자가 조합원 총회의 결의를 거치지 아니하고, 조합원의 총유에 속하는 건물을 처분한 행위에 관하여는 민법 제126조의 표 현대리에 관한 규정이 준용되지 않는다.

⑤ 표현대리행위와 기본대리권은 동종 내지는 유사한 것이어야 하므로, 기본대리권이 등 기신청행위임에도 표현대리인이 대물변제를 한 경우와 같이 전혀 별개의 행위를 한 경 우에는 제126조의 표현대리가 성립할 수 없다.

해설 ① 일반 사회 통념상 남편이 아내에게 자기 소유의 부동산을 타인에게 근저당권의 설정 또는 소유권 이전등기에 관한 등기절차를 이행케 하거나 그 각 등기의 원인되는 법률행위를 함에 필요한 대리권을 수여하는 것은 이례에 속하는 것이므로 아내가 특별한 수권 없이 남편소유 부동산에 관하여 위와 같은 행위를 하였을 경우에 그것이 민법 제126조 소정의 표현대리가 되려면 그 아내에게 가사대리권이 있었다는 것뿐 아니라 상대방이 남편이 그 아내에게 그 행위에 관한 대리의 권한을 주었다고 믿었음을 정당화할 만한 객관적인 사정이 있어야 하는 것이다(대판 1970.3.10. 69다2218).

② 민법 제126조의 표현대리는 대리인이 본인을 위한다는 의사를 명시 혹은 묵시적으로 표시하거나 대리의사를 가지고 권한 외의 행위를 하는 경우에 성립하고, 사술을 써서 대리행위의 표시를 하지 아니하고 단지 본인의 성명을 모용하여 자기가 마치 본인인 것처럼 기망하여 본인 명의로 직접 법률행위를 한 경우에는 특별한 사정이 없는 한 위 법조 소정의 표현대리는 성립할 수 없다. 그러나 본인으로부터 아파트에 관한 임대 등 일체의 관리권한을 위임받아 본인으로 가장하여 아파트를 임 대한 바 있는 대리인이 다시 자신을 본인으로 가장하여 임차인에게 아파트를 매도하는 법률행위를 한 경우에는 권한을 넘은 표현대리의 법리를 유추적용하여 본인에 대하여 그 행위의 효력이 미친다 고 볼 수 있다(대판 1993.2.23. 92다52436).

③ 표현대리의 효과를 주장하려면 상대방이 자칭 대리인에게 대리권이 있다고 믿고 그와 같이 믿는데 정당한 이유가 있을 것을 요건으로 하는 것인바 여기의 정당한 이유의 존부는 자칭 대리인의 대리행위가 행하여 질 때에 존재하는 제반사정을 객관적으로 관찰하여 판단하여야 하는 것이지 당해 법률행위가 이루어지고 난 훨씬 뒤의 사정을 고려하여 그 존부를 결정해야 하는 것은 아니다(대판 1987.7.7. 86다카2475).

④ 비법인사단인 피고 주택조합의 대표자가 조합총회의 결의를 거쳐야 하는 조합원 총유에 속하는 재산의 처분에 관하여는 조합원 총회의 결의를 거치지 아니하고는 이를 대리하여 결정할 권한이 없다 할 것이어서 피고 주택조합의 대표자가 행한 총유물인 이 사건 건물의 처분행위에 관하여는 민법 제126조의 표현대리에 관한 규정이 준용될 여지가 없다(대판 2003.7.11, 2001다73626).

⑤ 기본대리권이 등기신청행위라 할지라도 표현대리인이 그 권한을 유월하여 대물변제라는 사법행위를 한 경우에는 표현대리의 법리가 적용된다(대판 1978.3.28, 78다282·283).

16

甲이 乙의 대리인으로서 丙과 매매계약을 체결하였는데, 甲에게는 매매에 관한 대리권이 없었다. 이 경우의 법률관계에 관한 설명 중 옳지 않은 것은? (다툼이 있는 경우에는 판례에 의함)

▶ 2012년 변호사

① 甲의 대리행위가 권한을 넘은 표현대리에 해당하는지 여부를 판단함에 있어서 정당한 이유의 존부는 甲의 대리행위 시를 기준으로 판단하여야 한다.

② 甲이 乙의 배우자인 경우에는 일상가사대리권을 기본대리권으로 하는 권한을 넘은 표현대리가 성립할 수 있다.

③ 丙이 乙을 상대로 제기한 위 매매계약의 이행청구 소송에서 丙이 甲의 행위가 유권대리에 해당한다고 주장한 경우, 그 주장 속에는 甲의 행위가 표현대리에 해당한다는 주장이 포함되어 있는 것으로 볼 수 없다.

④ 만약 甲이 乙의 복대리인인 경우, 甲의 대리행위는 권한을 넘은 표현대리에 해당할 수 없다.

⑤ 甲의 대리행위가 대리권 소멸 후의 표현대리로 인정되는 경우에도 권한을 넘은 표현대리가 성립할 수 있다.

해설 ① 제126조의 정당한 이유의 유무는 대리행위 시를 기준으로 하는 것이 판례의 태도이다(대판 1987.7.7, 86다카2475).

② 대판 2009.4.23, 2008다95861 등 ; 다만 처가 특별한 수권없이 남편을 대리하여 위와 같은 행위를 하였을 경우에 그것이 민법 제126조 소정의 표현대리가 되려면 처에게 일상가사대리권이 있었다는 것만이 아니라 상대방이 처에게 남편이 그 행위에 관한 대리의 권한을 주었다고 믿었음을 정당화할 만한 객관적인 사정이 있어야 한다는 것이다.

③ 유권대리에 관한 주장 속에 무권대리에 속하는 표현대리의 주장이 포함되어 있다고 볼 수 없다(대판(전합) 1983.12.13, 83다카1489).

④ 복대리에도 표현대리 법리가 준용된다. 즉 상대방이 그 행위자를 대리권을 가진 대리인으로 믿었고 또한 그렇게 믿는 데에 정당한 이유가 있는 때에는, 복대리인 선임권이 없는 대리인에 의하여 선임된 복대리인의 권한도 기본대리권이 될 수 있으며 이를 기화로 제126조의 표현대리가 성립될 수 있다(대판 1998.3.27, 97다48982).

⑤ 제129조와 제126조의 경합을 인정한다는 것이 판례의 입장이다(대판 2008.1.31, 2007다74713).

17 甲의 대리인 丙은 乙과 甲 소유의 X 토지에 관한 매매계약을 체결하였다. 이에 관한 설명 중 옳지 않은 것은? (다툼이 있는 경우 판례에 의함) ▸ 2015년 사법시험

① X 토지에 관한 매매계약 체결의 대리권을 甲으로부터 수여받은 丙은 특별한 사정이 없는 한 乙의 채무불이행을 이유로 한 계약해제의 대리권을 갖지 않는다.

② 丙이 매매대금을 횡령할 의도를 가지고 甲을 대리하여 乙과 X 토지에 관한 매매계약을 체결한 경우, 乙이 이러한 사실을 알고 계약을 체결하였다면 甲은 丙의 대리행위로 인한 매매계약을 이행할 책임이 없다.

③ 丙이 甲의 인장을 위조하여 권한을 넘어서는 무권대리행위를 한 경우, 그 인장의 위조나 행사가 범죄행위를 구성한다고 하더라도 丙에게 대리권한이 있다고 믿을 만한 정당한 이유를 가진 乙은 甲에 대하여 민법 제126조의 표현대리책임을 물을 수 있다.

④ 丙이 甲의 인장 등을 무단 이용하여 각종 서류를 발급 받아 乙과의 매매계약을 대리하는 경우, 丙의 무권대리행위를 알지 못한 乙은 甲이 이를 추인하지 않는 한 甲과의 계약을 철회하여 丙을 상대로 민법 제135조에 따른 무권대리인의 책임을 물을 수 있다.

⑤ 만약 甲으로부터 X 토지의 관리에 관한 대리권만을 수여받은 丙이 마치 甲인 것처럼 행세하여 乙에게 X 토지를 매도한 경우, 丙을 甲이라고 믿는 데 정당한 이유를 가진 乙은 甲에게 X 토지의 소유권이전등기를 청구할 수 있다.

해설 ① 임의대리에서 매매계약 체결 대리권의 범위 안에는 그 계약을 해제할 권한은 없으며, 그러한 의사표시를 수령할 권한도 없다(대판 1987.4.28, 85다카971).

② 위 사안은 대리권남용인바, 대리권남용의 경우에는 제107조의 법리를 유추적용한다. 따라서 상대방(乙)이 대리인 丙의 매매대금을 횡령할 의도를 알았거나 알 수 있는 경우에는 대리행위는 무효가 된다(명성그룹사건, 대판 2007.4.12, 2004다51542 등).

③ 대리인이 본인의 인장을 위조하여 권한을 넘은 무권대리행위를 한 경우, 그것이 유죄선고를 받은 사실이 있다고 하여도 표현대리법리가 적용되지 않는 것은 아니다(대판 1967.8.29, 67다1125).

④ 선의 상대방이 무권대행위를 철회하여 무권대리행위가 확정적 무효가 된 경우에는 철회를 한 그 무권대리인의 상대방은 무권대리인에게 제135조에 따른 책임을 물 수 없는 것이다(대판 1981.4.14, 80다2314 참조).

⑤ 대리인이 본인명의를 모용한 경우이다. 즉 대리인이 본인명의로 월권대리행위를 한 경우, 상대방이 그 무권대리인을 본인으로 믿음에 정당한 이유가 있으면 표현대리를 유추하여 본인에게 책임이 발생한다(대판 1993.2.23, 92다52436).

18 무효행위와 무권대리의 추인에 관한 설명 중 옳지 않은 것을 모두 고른 것은? (다툼이 있는
경우에는 판례에 의함)   ▶ 2014년 변호사

> ㄱ. 무권대리행위의 추인의 의사표시를 무권대리인에게 한 경우, 상대방은 추인이 있었
>   음을 알지 못하였다고 하더라도 철회할 수 없다.
> ㄴ. 타인의 생명보험에서 보험계약 체결 시 피보험자가 서면으로 동의의 의사표시를 하
>   지 아니하였다면 그 보험계약은 무효이지만, 피보험자가 그 보험계약을 추인한 경우
>   에는 그때부터 유효하게 된다.
> ㄷ. 종중을 대표할 권한 없는 자가 종중을 대표하여 한 소송행위는 효력이 없으나 나중
>   에 종중이 총회의결에 따라 위 소송행위를 추인하면 그 행위시로 소급하여 유효하게
>   되며, 이 경우 무권대리행위에 대한 추인의 경우에 있어 배타적 권리를 취득한 제3
>   자에 대하여 그 추인의 소급효를 제한하고 있는 민법 제133조 단서의 규정은 적용될
>   여지가 없다.
> ㄹ. 무권대리행위의 추인은 무권대리인 또는 무권대리행위의 직접 상대방에게는 할 수 있
>   지만, 그 무권대리행위로 인한 권리 또는 법률관계의 승계인에 대하여는 할 수 없다.
> ㅁ. 취득시효 완성 당시 부동산 소유자 甲이 그 완성 사실을 알면서 그 부동산을 제3자
>   乙에게 처분하였으나 乙 역시 이러한 사정을 알면서 위 처분행위에 적극 가담한 경
>   우 乙 명의로 경료된 등기는 甲이 그 처분행위를 추인하여도 무효이다.

① ㄱ, ㄴ, ㄹ   ② ㄱ, ㄷ, ㅁ   ③ ㄱ, ㄹ, ㅁ
④ ㄴ, ㄷ, ㄹ   ⑤ ㄴ, ㄷ, ㅁ

해설 ㄱ. 무권대리행위의 추인의 의사표시를 무권대리인에게 한 경우, 상대방은 추인이 있었음을 알지
       못하였다면(선의) 철회할 수 있다(제134조).
      ㄴ. 타인의 생명보험에서 보험계약 체결 시 피보험자가 서면으로 동의의 의사표시를 하지 아니하였다
       면 그 보험계약은 강행규정에 반하여 무효이고, 이러한 강행법규위반의 법률행위는 피보험자가 그
       보험계약을 추인한 경우에도 유효가 될 수 없다(대판 2010.2.11, 2009다74007).
      ㄷ. 종중을 대표할 권한 없는 자가 종중을 대표하여 한 소송행위는 효력이 없으나 나중에 종중이
       총회의결에 따라 위 소송행위를 추인하면 그 행위시로 소급하여 유효하게 되며, 이 경우 무
       권대리행위에 대한 추인의 경우에 있어 배타적 권리를 취득한 제3자에 대하여 그 추인의 소
       급효를 제한하고 있는 민법 제133조 단서의 규정은 소송행위-소송당사자간의 상대효-에는
       적용될 여지가 없다(대판 1991.11.8, 91다25383).
      ㄹ. 무권대리행위의 추인은 무권대리인 또는 무권대리행위의 직접 상대방 또는 법률관계의 승계
       인에 대하여도 할 수 있다(대판 2009.11.12, 2009다46828 등).
      ㅁ. 부동산 소유자가 취득시효가 완성된 사실을 알고 그 부동산을 제3자에게 처분하여 소유권이
       전등기를 넘겨줌으로써 취득시효 완성을 원인으로 한 소유권이전등기의무가 이행불능에 빠
       지게 되어 시효취득을 주장하는 자가 손해를 입었다면 불법행위를 구성한다고 할 것이고,
       부동산을 취득한 제3자가 부동산 소유자의 이와 같은 불법행위에 적극 가담하였다면 이는
       사회질서에 반하는 행위로서 무효라고 할 것이다. 이러한 반사회적 법률행위는 추인에 의하
       여 유효로 할 수 없다(대판 2002.3.15, 2001다77352). 따라서 취득시효 완성 당시 부동산

소유자 甲이 그 완성 사실을 알면서 그 부동산을 제3자 乙에게 처분하였으나 乙 역시 이러한 사정을 알면서 위 처분행위에 적극 가담한 경우 乙 명의로 경료된 등기는 甲이 그 처분행위를 추인하여도 무효이다.

19 최고에 관한 민법의 규정 중 가장 옳지 않은 것은? ▶ 2014년 법무사

① 제3자가 채무자와 채무인수 계약을 체결한 경우 제3자는 상당한 기간을 정하여 승낙여부의 확답을 채권자에게 최고할 수 있고, 채권자가 그 기간 내에 확답을 발송하지 아니한 때에는 거절한 것으로 본다.

② 제3자를 위한 계약을 한 경우 채무자는 상당한 기간을 정하여 계약의 이익의 향수 여부의 확답을 제3자에게 최고할 수 있고, 제3자가 그 기간 내에 확답을 발송하지 아니한 때에는 거절한 것으로 본다.

③ 해제권의 행사의 기간을 정하지 아니한 때에는 상대방은 상당한 기간을 정하여 해제권 행사여부의 확답을 해제권자에게 최고할 수 있고, 그 기간 내에 해제의 통지를 받지 못한 때에는 해제권은 소멸한다.

④ 무권대리에 있어서 상대방은 상당한 기간을 정하여 본인에게 무권대리 추인여부의 확답을 최고할 수 있고, 본인이 그 기간 내에 확답을 발하지 아니한 때에는 추인을 거절한 것으로 본다.

⑤ 매매의 일방예약에서 예약자는 상당한 기간을 정하여 매매완결여부의 확답을 상대방에게 최고할 수 있고, 예약자가 그 기간 내에 확답을 받지 못한 때에는 예약은 효력을 잃는다.

해설 ① 제455조【승낙여부의 최고】
① 전조(채무자와의 계약에 의한 채무인수)의 경우에 제3자나 채무자는 상당한 기간을 정하여 승낙여부의 확답을 채권자에게 최고할 수 있다.
② 채권자가 그 기간 내에 확답을 발송하지 아니한 때에는 거절한 것으로 본다.

② 제540조【채무자의 제3자에 대한 최고권】전조(제3자를 위한 계약)의 경우에 채무자는 상당한 기간을 정하여 계약의 이익의 향수여부의 확답을 제3자에게 최고할 수 있다. 채무자가 그 기간 내에 확답을 받지 못한 때에는 제3자가 계약의 이익을 받을 것을 거절한 것으로 본다.

③ 제552조【해제권행사여부의 최고권】
① 해제권의 행사의 기간을 정하지 아니한 때에는 상대방은 상당한 기간을 정하여 해제권행사여부의 확답을 해제권자에게 최고할 수 있다.
② 전항의 기간 내에 해제의 통지를 받지 못한 때에는 해제권은 소멸한다.

④ 제131조【상대방의 최고권】대리권 없는 자가 타인의 대리인으로 계약을 한 경우에 상대방은 상당한 기간을 정하여 본인에게 그 추인여부의 확답을 최고할 수 있다. 본인이 그 기간내에 확답을 발하지 아니한 때에는 추인을 거절한 것으로 본다.

정답 18 ① 19 ②

⑤ 제564조【매매의 일방예약】

① 매매의 일방예약은 상대방이 매매를 완결할 의사를 표시하는 때에 매매의 효력이 생긴다.

② 전항의 의사표시의 기간을 정하지 아니한 때에는 예약자는 상당한 기간을 정하여 매매완결여부의 확답을 상대방에게 최고할 수 있다.

③ 예약자가 전항의 기간 내에 확답을 받지 못한 때에는 예약은 그 효력을 잃는다.

20

甲과 乙은 2010.1.7. 「국토의 계획 및 이용에 관한 법률」상 토지거래허가구역 내에 있는 甲의 X 토지를 乙에게 매도하는 매매계약을 체결하면서 "甲과 乙은 2010.2.7.까지 토지거래허가를 받는다. 乙은 甲에게 계약 당일 계약금을, 2010.3.7. 중도금을, 2010.5.7. 잔금을 지급한다. 甲은 乙로부터 잔금을 지급받음과 동시에 乙 앞으로 X 토지에 관한 소유권이전등기를 마친다."라는 내용의 약정을 하였다. 이 약정에 따라 乙은 계약 당일 甲에게 계약금을 지급하였다. 다음 설명 중 옳지 않은 것은? (각 지문은 독립적이며, 다툼이 있는 경우 판례에 의함) ▶ 2016년 변호사

① 甲과 乙이 토지거래허가를 신청하여 관할관청으로부터 토지거래허가를 받은 후에도 甲은 乙이 중도금지급채무의 이행에 착수하기 전에 乙로부터 지급받은 계약금의 배액을 乙에게 지급하고 매매계약을 해제할 수 있다.

② 甲과 乙이 2010.2.7.까지 토지거래허가를 받지 못하였다고 하더라도, 약정된 기간 내에 토지거래허가를 받지 못할 경우 계약해제 등의 절차 없이 곧바로 당해 매매계약을 무효로 하기로 약정하였다는 등의 특별한 사정이 없는 한, 매매계약이 확정적으로 무효가 되는 것은 아니다.

③ 매매계약이 乙의 사기에 의해 체결된 경우라도, 甲은 토지거래허가를 신청하기 전 단계에서는 乙의 사기를 이유로 매매계약의 취소를 주장하여 매매계약을 확정적으로 무효화시킬 수 없다.

④ 甲은 토지거래허가를 받기 전에는 乙이 중도금을 2010.3.7.이 도과할 때까지 지급하지 않았다 하더라도 이를 이유로 매매계약을 해제할 수 없다.

⑤ 甲과 乙은 상대방에 대하여 공동으로 관할관청의 허가를 신청할 의무를 부담한다. 만일 甲이 이러한 의무에 위배하여 허가신청절차에 협력하지 않으면 乙은 甲에 대하여 협력의무의 이행을 소송으로써 구할 이익이 있다.

해설 ①, ④ 유동적 무효인 경우에도 약정해제(제565조)는 가능하나, 채무불이행을 이유로 하는 법정해제는 불가능하다. 따라서 甲과 乙이 토지거래허가를 신청하여 관할관청으로부터 토지거래허가를 받은 후에도 甲은 乙이 중도금지급채무의 이행에 착수하기 전에 乙로부터 지급받은 계약금의 배액을 乙에게 지급하고 매매계약을 (약정)해제는 할 수 있다(대판 2009.4.23, 2008다62427). 그러나 甲은 토지거래허가를 받기 전에는 乙이 중도금을 2010.3.7.이 도과할 때까지 지급하지 않았다 하더라도 이를 이유로 매매계약을 (법정)해제는 할 수 없다(대판 2006.1.27, 2005다52047).

② 유동적 무효 상태에 있는 토지거래허가구역 내 토지에 관한 매매계약에서 계약의 쌍방 당사자는 공동허가신청절차에 협력할 의무가 있고, 이러한 의무에 위배하여 허가신청절차에 협력

하지 않는 당사자에 대하여 상대방은 협력의무의 이행을 소구할 수도 있다. 그러므로 매매계약 체결 당시 일정한 기간 안에 토지거래허가를 받기로 약정하였다고 하더라도, 그 약정된 기간 내에 토지거래허가를 받지 못할 경우 계약해제 등의 절차 없이 곧바로 매매계약을 무효로 하기로 약정한 취지라는 등의 특별한 사정이 없는 한, 이를 쌍무계약에서 이행기를 정한 것과 달리 볼 것이 아니므로 위 약정기간이 경과하였다는 사정만으로 곧바로 매매계약이 확정적으로 무효가 된다고 할 수 없다(대판 2009.4.23, 2008다50615).

③ 유동적 무효의 상태에 있다고 하더라도 착오나 사기 취소 등이 가능하다. 따라서 매매계약이 乙의 사기에 의해 체결된 경우라도, 甲은 토지거래허가를 신청하기 전 단계에서는 乙의 사기를 이유로 매매계약의 취소를 주장하여 매매계약을 확정적으로 무효화시킬 수 있다(대판 1997.7.25, 97다4357).

⑤ 유동적 무효상태에 있어도 당사자 간 협력의무는 있다. 따라서 甲과 乙은 상대방에 대하여 공동으로 관할관청의 허가를 신청할 의무를 부담한다. 만일 甲이 이러한 의무에 위배하여 허가신청절차에 협력하지 않으면 乙은 甲에 대하여 협력의무의 이행을 소송으로써 구할 이익이 있다(대판 1998.12.22, 98다44376).

21 법률행위의 무효와 취소에 관한 설명 중 옳은 것을 모두 고른 것은? (다툼이 있는 경우에는 판례에 의함)

> ㄱ. 불공정한 법률행위는 피해자가 그 무효임을 알고 추인한 때에는 그 때로부터 유효한 법률행위가 된다.
> ㄴ. 착오를 이유로 의사표시가 취소된 경우, 그로 인해 상대방에게 손해가 발생한 때에도 표의자는 불법행위로 인한 손해배상책임을 지지 않는다.
> ㄷ. 매매계약이 적법하게 해제된 경우에도 그 계약의 취소가 가능하다.
> ㄹ. 취소할 수 있는 법률행위를 적법하게 추인한 후에는 다시 취소할 수 없고, 적법하게 취소한 후에는 무효인 법률행위로서도 다시 추인할 수 없다.
> ㅁ. 법률행위의 취소는 취소의 원인이 소멸한 후에 하지 않으면 효력이 없다.

① ㄱ, ㄴ   ② ㄴ, ㄷ   ③ ㄷ, ㄹ
④ ㄹ, ㅁ   ⑤ ㄴ, ㄷ, ㅁ

해설 ㄱ. 강행법규 위반이나 반사회질서(제103조) 또는 불공정한 법률행위(제104조)처럼 여전히 무효의 원인이 남아 있는 경우에는 추인하더라도 유효하게 되지 않는다(대판 1994.6.24, 94다10900).

ㄴ. 판례는 "전문건설공제조합이 계약보증서를 발급하면서 조합원이 수급할 공사의 실제 도급금액을 확인하지 아니한 과실이 있다고 하더라도, 민법 제109조에서 중과실이 없는 착오자의 착오를 이유로 한 의사표시의 취소를 허용하고 있는 이상, 과실로 인하여 착오에 빠져 계약보증서를 발급한 것이나 그 착오를 이유로 보증계약을 취소한 것이 위법하다고 할 수는 없다."고 함으로써 과실 있는 착오자의 불법행위로 인한 손해배상책임을 부정한 바 있다(대판 1997.8.22, 97다13023).

ㄷ. 매도인이 매수인의 중도금 지급채무불이행을 이유로 매매계약을 적법하게 해제한 후라도, 매수인으로서는 상대방이 한 계약해제의 효과로서 발생하는 손해배상책임을 지거나 매매계약에 따른 계약금의 반환을 받을 수 없는 불이익을 면하기 위하여 착오를 이유로 한 취소권을 행사하여 위 매매계약 전체를 무효로 돌리게 할 수 있다(대판 1991.8.27, 97다11308).

ㄹ. 취소한 법률행위는 처음부터 무효인 것으로 간주되므로 취소할 수 있는 법률행위가 일단 취소된 이상 그 후에는 취소할 수 있는 법률행위의 추인에 의하여 이미 취소되어 무효인 것으로 간주된 당초의 의사표시를 다시 확정적으로 유효하게 할 수는 없고, 다만 무효인 법률행위의 추인의 요건과 효력으로서 추인할 수는 있다(대판 1997.12.12, 95다38240).

ㅁ. 법률행위의 취소는 제한능력자, 착오, 사기·강박상태에 있다고 하여도 적법하게 행사할 수 있다. 이에 반해 취소할 수 있는 법률행위의 추인의 경우에는 취소원인이 소멸하여야 가능하다는 점과 주의를 요한다.

22 무효와 취소에 관한 설명 중 가장 옳지 않은 것은? (다툼이 있는 경우 판례에 의함)

▶ 2014년 법무사

① 대리권 없는 자가 타인의 대리인으로 한 계약은 본인에 대하여 효력이 없으나, 본인이 추인을 한 때에는 다른 의사표시가 없으면 계약 시에 소급하여 효력이 생긴다.

② 선택채권에 있어서 채권의 목적으로 선택할 수개의 행위 중에 처음부터 불능한 것이나 또는 후에 이행불능하게 된 것이 있는 경우 일부무효의 법리에 따른다.

③ 법률행위가 제한능력자임을 이유로 취소되면 제한능력자는 받은 이익이 현존하는 한도에서 상환할 책임이 있는데, 이는 의사능력의 흠결을 이유로 법률행위가 무효가 되는 경우에도 유추 적용된다.

④ 민법은 무효행위의 추인과 취소할 수 있는 법률행위의 추인에 대하여 별도로 명문으로 규정하고 있다.

⑤ 취소권은 추인할 수 있는 날로부터 3년 내에, 법률행위를 한 날로부터 10년 내에 행사하여야 하고, 이는 제척기간이다.

해설 ① 무권대리행위는 추인이 있으면 계약 시에 소급하여 그 효력이 생긴다. 즉 대리행위는 처음부터 유권대리에서와 마찬가지의 효력이 생긴다(제133조 본문).
추인은 다른 의사표시가 없는 때에는 계약 시에 소급하여 그 효력이 생긴다. 그러나 제3자의 권리를 해하지 못한다(제133조).

② 채권의 목적으로 선택할 수개의 행위 중에 처음부터 불능한 것이나 또는 후에 이행불능하게 된 것이 있으면 채권의 목적은 잔존한 것에 존재한다(제385조 제1항).

③ 판례는 민법 제141조 단서(현존이익의 반환범위)는 민법 제748조의 특칙으로서 제한능력자의 보호를 위해 그 선의·악의를 묻지 아니하고 반환범위를 현존 이익에 한정시키려는 데 그 취지가 있으므로, 의사능력의 흠결을 이유로 법률행위가 무효가 되는 경우에도 유추적용되어야 할 것이라고 하였다(대판 2009.1.15, 2008다58367).

④ 민법은 무효행위의 추인에 대하여는 제139조에서, 취소할 수 있는 법률행위의 추인에 대하여는 제144조, 제145조에서 명문으로 규정하고 있다.

> 제139조【무효행위의 추인】 무효인 법률행위는 추인하여도 그 효력이 생기지 아니한다. 그
> 러나 당사자가 그 무효임을 알고 추인한 때에는 새로운 법률행위로 본다.
> 제144조【추인의 요건】
> ① 추인은 취소의 원인이 소멸된 후에 하여야만 효력이 있다.
> ② 제1항은 법정대리인 또는 후견인이 추인하는 경우에는 적용하지 아니한다.
> 제145조【법정추인】 취소할 수 있는 법률행위에 관하여 전조의 규정에 의하여 추인할 수
> 있는 후에 다음 각호의 사유가 있으면 추인한 것으로 본다. 그러나 이의를 보류한 때에는 그
> 러하지 아니하다.
> 1. 전부나 일부의 이행 2. 이행의 청구 3. 경개 4. 담보의 제공 5. 취소할 수 있는
> 행위로 취득한 권리의 전부나 일부의 양도 6. 강제집행

⑤ 취소권은 추인할 수 있는 날로부터 3년 내에, 법률행위를 한 날로부터 10년 내에 행사하여야
한다(제146조).
판례는 미성년자 또는 친족회(현행 후견감독인)가 민법 제950조 제2항에 따라 제1항의 규정
에 위반한 법률행위를 취소할 수 있는 권리는 형성권으로서 민법 제146조에 규정된 취소권
의 존속기간은 제척기간이라고 보아야 할 것이지만, 그 제척기간 내에 소를 제기하는 방법으로
로 권리를 재판상 행사하여야만 되는 것은 아니고, 재판 외에서 의사표시를 하는 방법으로도
권리를 행사할 수 있다고 본다(대판 1993.7.27, 92다52795).

23 다음 중 소급효가 인정되지 않는 경우는? (다툼이 있는 경우 판례에 의함)

① 무권리자의 처분행위를 권리자가 추인한 경우
② 무권대리행위를 본인이 추인한 경우
③ 무효행위를 추인한 경우
④ 취소할 수 있는 행위를 추인한 경우
⑤ 무효인 입양행위를 추인한 경우

해설 ① 무권리자가 타인의 권리를 자기의 이름으로 또는 자기의 권리로 처분한 경우에, 권리자는 후
일 이를 추인함으로써 그 처분행위를 인정할 수 있고, 특별한 사정이 없는 한 이로써 권리자
본인에게 위 처분행위의 효력이 발생함은 사적 자치의 원칙에 비추어 당연하고, 이 경우 추
인은 명시적으로뿐만 아니라 묵시적인 방법으로도 가능하며 그 의사표시는 무권리자나 그
상대방 어느 쪽에 하여도 무방하다(대판 2001.11.9, 2001다44291).
타인의 권리를 자기의 이름으로 또는 자기의 권리로 처분한 후에 본인이 그 처분을 인정하였
다면 특별한 사정이 없는 한 무권대리에 있어서 본인의 추인의 경우와 같이 그 처분은 본인
에 대하여 효력을 발생한다(대판 1981.1.13, 79다2151).

② 제133조【추인의 효력】 추인은 다른 의사표시가 없는 때에는 계약 시에 소급하여 그 효력이
생긴다. 그러나 제3자의 권리를 해하지 못한다.

③ 제139조【무효행위의 추인】무효인 법률행위는 추인하여도 그 효력이 생기지 아니한다. 그러나 당사자가 그 무효임을 알고 추인한 때에는 새로운 법률행위로 본다.
→ 무효인 법률행위는 당사자가 무효임을 알고 추인한 때에는 행위 시로 소급하여 효력이 발생한다.(×)

④ 제143조 제1항【추인의 방법, 효과】취소할 수 있는 법률행위는 제140조에 규정한 자가 추인할 수 있고 추인 후에는 취소하지 못한다.

따라서 추인이 있으면 취소할 수 있는 행위는 더 이상 취소할 수 없고, 유동적 유효인 상태가 확정적으로 유효하게 된다.

⑤ 신분행위의 추인 – 소급효가 인정되고 생활사실의 존재가 요구되므로 제139조가 적용되지 않는다.
친생자 출생신고 당시에 입양의 실질적 요건을 갖추지 못하여 입양신고로서의 효력이 생기지 아니하였더라도 그 후에 입양의 실질적 요건을 갖추게 된 경우에는, 무효인 친생자 출생신고는 소급적으로 입양신고로서의 효력을 갖게 된다(대판 2004.11.11, 2004므1484).

24 조건과 기한에 관한 다음 설명 중 가장 옳지 않은 것은? (다툼이 있는 경우 판례에 의하고, 각 지문은 상호 독립적임) ▶ 2016년 법무사

① 혼인이나 입양과 같은 신분행위에는 조건이나 기한을 붙일 수 없으나, 유언에는 조건을 붙일 수 있다.

② 원고 甲과 피고 乙은 금전지급청구 소송 중 '원고는 피고로부터 합의금 1억원을 지급받은 후 본 소를 취하한다.'는 조건부 소취하 합의를 하였으나, 그 후 乙이 위 약정을 불이행하고 있다면, 甲으로서는 그 소송을 계속 유지할 법률상의 이익이 있다.

③ 甲이 자신의 A 토지를 乙에게 매도하면서 '乙은 A 토지 중 공장부지 및 그 진입도로부지에 편입되지 아니할 부분토지를 매도인 甲에게 원가로 반환한다.'는 약정을 한 경우, 위 약정은 공장부지 및 진입도로로 사용되지 아니하기로 확정된 때에는 그 부분토지에 관한 매매는 해제되어 원상태로 돌아간다는 일종의 해제조건부 매매라고 봄이 상당하고, 그 환원에 당사자의 의사표시를 필요로 하는 조건부환매계약이라고 볼 수 없다.

④ 甲은 2015.3.6. 자신 소유 A 건물을 乙에게 매도하면서, '매매계약의 효력은 丙이 사망하면 발생하고, 그때 바로 매매대금을 지급함과 동시에 소유권이전등기를 해주기로 한다.'는 약정을 한 경우, 丙이 2016.3.6. 사망하였다면 매매계약은 매매계약체결시점인 2015.3.6.에 소급하여 효력이 발생한다.

⑤ 어떠한 법률행위가 조건의 성취 시 법률행위의 효력이 발생하는 소위 정지조건부 법률행위에 해당한다는 사실은 그 법률행위로 인한 법률효과의 발생을 저지하는 사유로서 그 법률효과의 발생을 다투려는 자에게 주장입증책임이 있다.

해설 ① 신분행위에는 원칙적으로 조건이나 기한을 붙일 수 없으나, 유언에는 조건을 붙일 수 있다 (제1073조 제2항).

② 당사자 사이에 그 소를 취하하기로 하는 합의가 이루어졌다면 특별한 사정이 없는 한 소송을 계속 유지할 법률상의 이익이 없어 그 소는 각하되어야 하는 것이지만(대판 1982.3.9. 81다1312 등 참조), 조건부 소취하의 합의를 한 경우에는 조건의 성취사실이 인정되지 않는 한 그 소송을 계속 유지할 법률상의 이익을 부정할 수 없다(대판 2013.7.12. 2013다19571).

③ 토지를 매매하면서 그 토지 중 공장부지 및 그 진입도로부지에 편입되지 아니할 부분토지를 매도인에게 원가로 반환한다는 약정은, 공장부지 및 진입도로로 사용되지 아니하기로 확정된 때에는 그 부분토지에 관한 매매는 해제되어 원상태로 돌아간다는 일종의 해제조건부 매매 라고 봄이 상당하고, 조건부환매계약이라고 볼 수 없다(대판 1981.6.9. 80다3195).

④ 丙의 사망은 장래 발생이 확실한 사실이므로 조건이 될 수는 없다. 丙이 사망하면 채무를 이행하겠다는 계약은 도래의 시기가 확정되어 있지 않은 불확정기한부 계약에 해당한다. 기 한은 성질상 소급효가 없으며, 당사자들의 특약에 의해서도 소급시킬 수 없다(제152조). 따라 서 설문은 기한 도래시인 丙이 2016.3.6. 사망한 때 매매계약의 효력이 발생한다.

⑤ 어떠한 법률행위가 조건의 성취 시 법률행위의 효력이 발생하는 소위 정지조건부 법률행위 에 해당한다는 사실은 그 법률행위로 인한 법률효과의 발생을 저지하는 사유로서 그 법률효 과의 발생을 다투려는 자에게 주장입증책임이 있다(대판 1993.9.28. 93다20832).

정답 ▶ 24 ④

01 기간에 관한 다음 설명 중 옳은 것을 모두 고르면?

> ⊙ 사단법인의 사원총회 소집을 1주일 전에 통지하여야 하는 경우에 총회일이 11월 19일이라고 하면, 늦어도 11월 11일 오후 12시까지는 사원에게 소집통지를 발신하여야 한다.
>
> ⓒ 기간의 말일이 토요일 또는 공휴일에 해당한 때에는 기간은 그 익일로 만료한다.
>
> ⓒ 1월 30일 오후 3시로부터 3개월의 말일은 4월 30일이다.
>
> ⓔ 기간에 관한 민법상의 규정은 원칙적으로 사법관계에 적용되고, 공법관계 등에는 적용되지 아니한다.
>
> ⑩ 기간을 年으로 정한 때에는 초일을 산입하지 않으므로 연령계산에서도 출생일은 산입하지 않는다.

① ⊙, ⓒ, ⓔ   ② ⊙, ⓒ, ⑩

③ ⓒ, ⓔ   ④ ⊙, ⓒ

⑤ ⊙, ⓒ, ⓒ

해설 ⊙ 초일불산입원칙에 의하여 19일은 제외되고, 18일부터 7일전 만료되는 날은 12일이므로 11일 오후 12시(24시)까지 발신해야 한다.

> ⓒ 제161조【공휴일과 기간의 만료점】기간의 말일이 토요일 또는 공휴일에 해당한 때에는 기간은 그 익일로 만료한다.

ⓒ 기산일에 해당하는 날의 전날로 만료한다. 따라서 기산일은 1월 31일이고, 기간의 말일은 그때부터 3개월이 지난 기산일에 해당하는 날의 전날인 30일이다.

ⓔ 기간에 관한 민법상의 규정은 원칙적으로 사법관계에 적용되고, 공법관계 등 모든 법률관계에 공통적으로 적용된다.

> ⑩ 제158조【나이의 계산과 표시】나이는 출생일을 산입하여 만(滿) 나이로 계산하고, 연수(年數)로 표시한다. 다만, 1세에 이르지 아니한 경우에는 월수(月數)로 표시할 수 있다. [전문개정 2022.12.27, 시행일 2023.6.28.]

02 다음은 기간에 관한 A교수와 학생들(甲, 乙, 丙, 丁)의 수업내용이다. 옳은 답변을 한 학생을 모두 고른 것은? (다툼이 있는 경우 판례에 의하고, 전원합의체 판결의 경우 다수의견에 의함)
▶ 2019년 9급(법원서기보)

A : 민사재판에서 판결에 대한 항소는 그 판결서가 송달된 날부터 2주 이내에 하여야 한다(민사소송법 제396조 제1항).

甲: 따라서 판결서가 2019.1.1. 오후 2시에 송달되었다면, 항소기간은 2019.1.2.부터 기산하여야 합니다.

乙: 그리고 항소기간의 말일인 2019.1.15.이 임시 공휴일이어서 그 다음날인 2019.1.16.에 피고가 항소장을 법원에 접수시켰다면 이는 기간 내에 제기된 적법한 것입니다.

A : 사람은 19세로 성년에 이르게 된다(민법 제4조).

丙 : 따라서 2000.2.2. 오후 2시에 태어난 사람은 2019.2.2. 오후 2시 현재 미성년자입니다.

A : 사단법인의 사원총회의 소집은 1주간 전에 그 회의의 목적사항을 기재한 통지를 발송하여야 한다(민법 제71조).

丁: 따라서 총회예정일이 2019.3.15. 오전 10시라면, 늦어도 2019.3.8. 오전 0시까지는 사원들에게 소집통지를 발송하여야 합니다.

---

① 甲, 乙

② 乙, 丙, 丁

③ 甲, 乙, 丁

④ 甲, 乙, 丙, 丁

해설 甲: 기간을 일, 주, 월 또는 년으로 정한 때에는 기간의 초일은 산입하지 아니한다(제157조 본문). 따라서 판결서가 2019.1.1. 오후 2시에 송달되었다면, 항소기간은 2019.1.2.부터 기산하여야 한다.

乙: 기간의 말일이 토요일 또는 공휴일에 해당한 때에는 기간은 그 익일로 만료한다(제161조). 따라서 항소기간의 말일인 2019.1.15.이 임시 공휴일이어서 그 다음날인 2019.1.16.에 피고가 항소장을 법원에 접수시켰다면 이는 기간 내에 제기된 적법한 것이 된다.

丙: 나이는 출생일을 산입한다(제158조). 따라서 2000.2.2. 오후 2시에 태어난 사람은 2019.2.1. 24시로 미성년이 만료되고, 2019.2.2. 0시부터 성년이 되므로, 2019.2.2. 오후 2시 현재에는 성년자이다.

丁: 민법 제71조에 사원총회는 1주일 전에 통지를 발송하도록 규정되어 있는데, 총회일이 3월 15일이라면 3월 14일을 기산점으로 하여(제157조 본문, 초일불산입의 원칙), 3월 8일 오전 0시가 만료점이 되므로(제159조) 늦어도 3월 7일 오후 24시(3월 8일 오전 0시) 전까지는 총회소집통지를 발송하여야 한다.

정답 ▶ 01 ⑤ 02 ③

03 기간에 관한 다음 설명 중 옳은 것을 모두 고른 것은?

▶ 2023년 법원행시

> ㄱ. 민법상 수급인의 하자담보책임에 관한 기간은 제척기간으로서 재판상 또는 재판외의 권리행사기간이며 재판상 청구를 위한 출소기간이다.
>
> ㄴ. 친생부인의 소는 부(夫) 또는 처(妻)가 다른 일방 또는 자(子)를 상대로 하여 그 사유가 있음을 안 날부터 1년 내에 이를 제기하여야 하고, 이 경우에 상대방이 될 자가 모두 사망한 때에는 그 사망을 안 날부터 1년 내에 검사를 상대로 하여 친생부인의 소를 제기할 수 있다.
>
> ㄷ. 재판상 파양청구권은 양부모가 양자를 학대 또는 유기한 경우 그 사유가 있음을 안 날부터 6개월, 그 사유가 있었던 날부터 3년이 지나면 파양을 청구할 수 없다.
>
> ㄹ. 자가 부 또는 모를 상대로 하여 인지청구의 소를 제기함에 있어서는 특별한 제척기간이 없으나, 부 또는 모가 사망하여 검사를 상대로 하여 인지청구의 소를 제기할 때에는 그 사망을 안 날로부터 2년 내에 하여야 한다.
>
> ㅁ. 집합건물인 아파트의 입주자대표회의가 스스로 하자담보추급에 의한 손해배상청구권을 가짐을 전제로 하여 직접 아파트의 분양자를 상대로 손해배상청구소송을 제기하였다가, 소송 계속 중에 정당한 권리자인 구분소유자들에게서 손해배상채권을 양도받고 분양자에게 통지가 마쳐진 후 그에 따라 소를 변경한 경우, 위 손해배상청구권은 입주자대표회의의 채권양도통지 시점에 행사된 것으로 보아야 한다.

① ㄱ, ㄷ   ② ㄴ, ㄷ   ③ ㄴ, ㄹ
④ ㄷ, ㄹ   ⑤ ㄹ, ㅁ

해설
ㄱ. 민법상 **수급인의 하자담보책임에 관한 기간은 제척기간으로서 재판상 또는 재판외의 권리행사기간**이며 재판상 청구를 위한 **출소기간이 아니다**(대판 2004.1.27, 2001다24891).

ㄴ. 제847조 제1항과 제2항 → 2년 내에 제기

ㄷ. 제905조 제1호와 제907조

ㄹ. 제863조, 제864조

ㅁ. 집합건물인 아파트의 입주자대표회의가 스스로 하자담보추급에 의한 손해배상청구권을 가짐을 전제로 하여 직접 아파트의 분양자를 상대로 손해배상청구소송을 제기하였다가, 소송 계속 중에 정당한 권리자인 구분소유자들에게서 손해배상채권을 양도받고 분양자에게 통지가 마쳐진 후 그에 따라 소를 변경한 경우, 그 채권양도통지에 채권양도의 사실을 알리는 것 외에 그 이행을 청구하는 뜻이 별도로 덧붙여지거나 그 밖에 구분소유자들이 재판 외에서 그 권리를 행사하였다는 등의 특별한 사정이 없는 한, **위 손해배상청구권은 입주자대표회의가 위와 같이 소를 변경한 시점에 비로소 행사된 것으로 보아야 할 것이다**(대판 2008.12.11, 2008다12439, 대판 2012.3.22, 2010다28840). → 채권양도의 통지는 이행청구와는 법적 성질을 달리하는 것이므로 그 <u>채권양도통지에 이행청구를 하는 뜻이 덧붙여져 있다는 등의 특별한 사정이 없는 한 채권양도통지 시점에 제척기간이 준수된 것으로 볼 수 없다는 취지이다.</u>

정답   03 ④

> **기본문제** | 기본문제의 구성

01 **제척기간에 관한 다음 설명 중 가장 옳지 않은 것은?** (다툼이 있는 경우 판례에 의함)

① 민법 제555조에서 규정하고 있는 서면에 의하지 아니한 증여에 있어서 증여계약의 해제는 민법 제543조 이하에서 규정한 본래 의미의 해제와는 달리 형성권의 제척기간의 적용을 받지 않는 특수한 철회로서, 10년이 경과한 후에 이루어졌다 하더라도 원칙적으로 적법하다.

② 민법상 수급인의 하자담보책임에 관한 기간은 제척기간이 아니라 재판상 청구를 위한 출소기간이다.

③ 매매예약의 완결권은 일종의 형성권으로서 당사자 사이에 그 행사기간을 약정한 때에는 그 기간 내에, 그러한 약정이 없는 때에는 그 예약이 성립한 때로부터 10년 내에 이를 행사하여야 하고, 그 기간을 지난 때에는 예약 완결권은 제척기간의 경과로 인하여 소멸한다.

④ 민법 제146조는 취소권은 추인할 수 있는 날로부터 3년 내에 행사하여야 한다고 규정하고 있는데, 이때의 3년이라는 기간은 일반 소멸시효기간이 아니라 제척기간으로서 제척기간이 도과하였는지 여부는 당사자의 주장에 관계없이 법원이 당연히 조사하여 고려하여야 할 사항이다.

⑤ 제척기간은 그 기간의 경과 자체만으로 곧 권리 소멸의 효과를 가져오게 하는 것이므로 그 기간 진행의 기산점은 특별한 사정이 없는 한 원칙적으로 권리가 발생한 때이다.

> **해설** ① 민법 제555조에서 말하는 증여계약의 해제는 민법 제543조 이하에서 규정한 본래 의미의 해제와는 달리 형성권의 제척기간의 적용을 받지 않는 특수한 철회로서, 10년이 경과한 후에 이루어졌다 하더라도 원칙적으로 적법하다(대판 2009.9.24, 2009다37831).
> ② 민법상 수급인의 하자담보책임에 관한 기간은 제척기간으로서 재판상 또는 재판외의 권리행사기간이며 재판상 청구를 위한 출소기간이 아니다(대판 2004.1.27, 2001다24891).
> ③ 매매의 일방예약에서 예약자의 상대방이 매매예약 완결의 의사표시를 하여 매매의 효력을 생기게 하는 권리, 즉 매매예약의 완결권은 일종의 형성권으로서 당사자 사이에 그 행사기간을 약정한 때에는 그 기간 내에, 그러한 약정이 없는 때에는 그 예약이 성립한 때로부터 10년 내에 이를 행사하여야 하고, 그 기간을 지난 때에는 예약완결권은 제척기간의 경과로 인하여 소멸한다(대판 2003.1.10, 2000다26425).
> ④ 민법 제146조에 규정된 취소권의 존속기간은 제척기간이라고 보아야 할 것이지만, 그 제척기간 내에 소를 제기하는 방법으로 권리를 재판상 행사하여야만 되는 것은 아니고, 재판 외

> **정답** ▶ **01** ②

에서 의사표시를 하는 방법으로도 권리를 행사할 수 있다(대판 1993.7.27, 92다52795). 이 경우 제척기간의 도과 여부는 당사자의 주장과 관계없이 법원이 직권으로 조사하여 고려하여야 한다(대판 1996.9.20, 96다25371).

⑤ 제척기간은 권리자로 하여금 당해 권리를 신속하게 행사하도록 함으로써 법률관계를 조속히 확정시키려는 데 그 제도의 취지가 있는 것으로서, 소멸시효가 일정한 기간의 경과와 권리의 불행사라는 사정에 의하여 권리 소멸의 효과를 가져오는 것과는 달리, 그 기간의 경과 자체만으로 곧 권리 소멸의 효과를 가져오게 하는 것이므로, 그 기간 진행의 기산점은 특별한 사정이 없는 한 원칙적으로 권리가 발생한 때이고, 당사자 사이에 매매예약 완결권을 행사할 수 있는 시기를 특별히 약정한 경우에도 그 제척기간은 당초 권리의 발생일로부터 10년간의 기간이 경과되면 만료되는 것이지 그 기간을 넘어서 그 약정에 따라 권리를 행사할 수 있는 때로부터 10년이 되는 날까지로 연장된다고 볼 수 없다(대판 1995.11.10, 94다22682).

02 소멸시효와 제척기간에 관한 다음 설명 중 가장 옳지 않은 것은? (다툼이 있는 경우 판례에 의함)
▶ 2015년 법무사

① 소멸시효는 소멸시효의 이익을 받는 자가 그 이익을 받겠다는 뜻을 항변하지 않는 이상 법원이 그 의사에 반하여 재판할 수 없으나, 제척기간은 당사자의 주장이 없더라도 법원이 그 도과 여부를 직권으로 조사·고려하여야 한다.

② 제척기간은 그 성질상 중단이 없다.

③ 조세채권상 국세의 징수를 목적으로 하는 권리는 추상적으로 성립된 조세채권을 구체적으로 확정하는 국가의 기능인 부과권과 그 이행을 강제적으로 추구하는 권능인 징수권을 모두 포함하고 있으며, 양자 다 같이 소멸시효의 대상이 된다.

④ 소유권이전등기를 해 주기 위하여 매도인이 매수인과 함께 법무사 사무실을 방문하였다면 소유권이전등기청구권의 소멸시효 중단사유로서의 승인이 있었다고 볼 수 있다.

⑤ 부동산경매절차에서 집행력 있는 집행권원의 정본을 가진 채권자가 하는 배당요구는 민법 제174조의 최고에 준하는 것으로서 소멸시효를 중단하는 효력이 있다.

해설 ① 소멸시효는 변론주의, 제척기간은 직권주의를 취한다.

② 제척기간은 소멸시효와는 달리 그 성질상 중단이 없다.

③ 조세채권의 소멸시효를 규정하고 있는 국세기본법 제27조 제1항 소정의 국세의 징수를 목적으로 하는 권리라 함은 궁극적으로 국세징수의 실현만족을 얻는 일련의 권리를 말하는 것이므로, 여기에는 추상적으로 성립된 조세채권을 구체적으로 확정하는 국가의 기능인 부과권과 그 이행을 강제적으로 추구하는 권능인 징수권을 모두 포함하고 있다 할 것이므로 다른 특별한 규정이 없는 한 위 양자가 다같이 소멸시효의 대상이 된다. 따라서 조세부과권은 소멸시효의 대상이 되지 아니한다는 판결은 폐기한다(대판(전합) 1984.12.26, 84누572).

④ 채무승인은 관념의 통지로 채무자가 권리의 법적 성질까지 알아야 하는 것은 아니다. 따라서 소유권이전등기를 해 주기 위하여 매도인이 매수인과 함께 법무사 사무실을 방문하였다면 소유권이전등기청구권의 소멸시효 중단사유로서의 승인이 있었다고 볼 수 있다(대판 2009.11.26, 2009다64383).

⑤ 부동산경매절차에서 집행력 있는 집행권원의 정본을 가진 채권자가 하는 배당요구는 민법 제168조 제2호의 압류에 준하는 것으로서 배당요구에 관련된 채권에 관하여 소멸시효를 중단하는 효력이 있다(대판 2010.9.9. 2010다28031).

03 아래의 <u>이것</u>에 관한 다음 설명 중 가장 옳지 않은 것은? (다툼이 있는 경우 판례에 의하고, 전원합의체 판결의 경우 다수의견에 의함) ▸ 2019년 9급(법원서기보)

> ㄱ. <u>이것</u>은 일정한 사실상태가 일정기간 계속된 경우, 진정한 권리관계와 일치하는지 여부를 묻지 않고 그 사실상태를 존중하여 일정한 법률효과를 발생시키는 제도 중의 하나이다.
>
> ㄴ. <u>이것</u>은 권리불행사라는 사실상태가 일정기간 계속된 경우에 권리소멸의 효과를 발생시킨다는 점에서, 권리행사라는 외관이 일정기간 계속된 경우에 권리취득의 효과를 발생시키는 (Ⓐ)와/과 구별된다.
>
> ㄷ. <u>이것</u>은 일정한 기간의 경과와 권리의 불행사라는 사정에 의하여 권리소멸의 효과를 발생시킨다는 점에서, 기간의 경과 자체만으로 곧바로 권리소멸의 효과를 발생시키는 (Ⓑ)와/과 구별된다.

① 이것이 완성되면 그 기간이 경과한 때부터 장래에 향하여 권리가 소멸하여 법률관계가 확정된다.

② 이것은 권리자의 청구나 압류 등 또는 채무자의 승인이 있으면 중단되고, 그때까지 경과된 기간은 산입되지 않는다.

③ 이것은 법률행위에 의하여 배제, 연장 또는 가중할 수 없다.

④ 채권 및 소유권 이외의 재산권은 20년간 행사하지 아니하면 이것이 완성된다.

해설 문제에서 "이것"은 소멸시효를 말한다. 소멸시효는 위 Ⓐ의 취득시효와 구별되고, 위 Ⓑ의 제척기간과 구별된다.

① 소멸시효가 완성되면 그 기산일에 소급하여 효력이 생긴다(제167조). 그러나 제척기간에 의한 권리소멸은 장래에 향하여 효력이 생긴다.

② 소멸시효는 권리자의 청구나 압류 등 또는 채무자의 승인이 있으면 중단되고(제168조), 중단까지에 경과한 시효기간은 이를 산입하지 아니하고 중단사유가 종료한 때로부터 새로이 진행한다(제178조). 그러나 제척기간은 중단제도가 없다.

③ 소멸시효는 법률행위에 의하여 이를 배제, 연장 또는 가중할 수 없으나 이를 단축 또는 경감할 수 있다(제184조 제2항). 그러나 제척기간은 단축·경감도 할 수 없다.

④ 채권 및 소유권 이외의 재산권은 20년간 행사하지 아니하면 소멸시효가 완성한다(제162조 제2항).

정답 ▸ 02 ⑤ 03 ①

04

소멸시효와 제척기간에 관한 다음 설명 중 가장 옳지 않은 것은? (다툼이 있는 경우 판례에 의함)

▶ 2020년 법원사무관 승진

① 소멸시효는 권리자의 청구, 압류·가압류·가처분, 승인이 있는 경우 중단되나, 제척기간에는 중단이 있을 수 없다.

② 소멸시효의 완성은 당사자의 항변사항이므로, 법원은 당사자가 소멸시효의 주장을 하여야 이를 고려할 수 있으나, 제척기간의 도과 여부는 직권조사사항이므로, 법원은 이에 대한 당사자의 주장이 없더라도 법원이 당연히 직권으로 조사·고려하여야 한다.

③ 매도인이나 수급인의 담보책임을 기초로 한 손해배상채권의 제척기간이 지난 경우에는 비록 제척기간이 지나기 전 상대방의 채권과 상계할 수 있었던 경우라 할지라도, 위 손해배상채권을 자동채권으로 해서 상대방의 채권과 상계할 수 없다.

④ 소멸시효는 법률행위에 의하여 단축 또는 경감할 수 있으나, 제척기간은 단축 또는 감경할 수 없다.

해설 ① 소멸시효는 제168조에 기한 중단이 있으나, 제척기간에는 중단이 있을 수 없다(대판 2003.1.10, 2000다26425 등 참고).

② 민법상 당사자의 원용이 없어도 시효완성의 사실로서 채무는 당연히 소멸하고, 다만 소멸시효의 이익을 받는 자가 소멸시효 이익을 받겠다는 뜻을 항변하지 않는 이상 그 의사에 반하여 재판할 수 없을 뿐이다(대판 1979.2.13, 78다2157). 즉 소멸시효의 완성은 당사자의 항변사항으로서 법원은 당사자가 소멸시효의 주장을 하여야 이를 고려할 수 있다. 반면에 제척기간의 도과 여부는 직권조사사항이므로, 법원은 이에 대한 당사자의 주장이 없더라도 법원이 당연히 직권으로 조사·고려하여야 한다(대판 1996.9.20, 96다25371).

③ 민법 제495조는 "소멸시효가 완성된 채권이 그 완성 전에 상계할 수 있었던 것이면 그 채권자는 상계할 수 있다."라고 정하고 있다. 이는 당사자 쌍방의 채권이 상계적상에 있었던 경우에 당사자들은 채권·채무관계가 이미 정산되어 소멸하였거나 추후에 정산될 것이라고 생각하는 것이 일반적이라는 점을 고려하여 당사자들의 신뢰를 보호하기 위한 것이다. 매도인이나 수급인의 담보책임을 기초로 한 매수인이나 도급인의 손해배상채권의 제척기간이 지난 경우에도 민법 제495조를 유추적용해서 매수인이나 도급인이 상대방의 채권과 상계할 수 있는지 문제 되는데, 매도인의 담보책임을 기초로 한 매수인의 손해배상채권 또는 수급인의 담보책임을 기초로 한 도급인의 손해배상채권이 각각 상대방의 채권과 상계적상에 있는 경우에 당사자들은 채권·채무관계가 이미 정산되었거나 정산될 것으로 기대하는 것이 일반적이므로, 그 신뢰를 보호할 필요가 있다. 이러한 손해배상채권의 제척기간이 지난 경우에도 그 기간이 지나기 전에 상대방에 대한 채권·채무관계의 정산 소멸에 대한 신뢰를 보호할 필요성이 있다는 점은 소멸시효가 완성된 채권의 경우와 아무런 차이가 없다. 따라서 매도인이나 수급인의 담보책임을 기초로 한 손해배상채권의 제척기간이 지난 경우에도 제척기간이 지나기 전 상대방의 채권과 상계할 수 있었던 경우에는 매수인이나 도급인은 민법 제495조를 유추적용해서 위 손해배상채권을 자동채권으로 해서 상대방의 채권과 상계할 수 있다고 봄이 타당하다(대판 2019.3.14, 2018다255648).

④ 소멸시효는 법률행위에 의하여 이를 배제, 연장 또는 가중할 수 없으나 이를 단축 또는 경감할 수 있다(제184조 제2항). 그러나 제척기간은 단축·경감도 할 수 없다.

05 제척기간에 관한 다음 설명 중 옳은 것(○)과 옳지 않은 것(×)을 올바르게 표시한 것은?
(다툼이 있는 경우 판례에 의하고, 전원합의체 판결의 경우 다수의견에 의함) ▶ 2019년 법원행시

ㄱ. 아파트 입주자대표회의가 스스로 하자담보추급에 의한 손해배상청구권을 가짐을 전제로 직접 아파트 분양자를 상대로 손해배상청구소송을 제기하였다가, 소송 계속 중에 정당한 권리자인 구분소유자들로부터 손해배상청구권을 양도받고 분양자에게 양도통지가 이루어진 후 그에 따라 양수금으로 소를 변경한 경우, 특별한 사정이 없는 한 위 손해배상청구권은 분양자에게 채권양도의 통지가 이루어진 시점에 제척기간 준수에 필요한 권리의 행사가 있었던 것으로 보아야 한다.

ㄴ. 민법 제670조에서 규정하는 수급인의 하자담보책임에 관한 기간은 제척기간으로서 재판 외에서 권리를 행사하는 것으로 족한 기간이 아니라, 반드시 그 기간 내에 소를 제기하여야 하는 출소기간이다.

ㄷ. 민법 제204조 제3항의 점유침탈자에 대한 청구권은 그 점유를 침탈 당한 날로부터 1년 내에 행사하여야 하는 것으로 규정되어 있는데, 위의 제척기간은 재판 외에서 권리를 행사하는 것으로 족한 기간이 아니라 반드시 그 기간 내에 소를 제기하여야 하는 출소기간이다.

ㄹ. 보험계약의 해지권은 형성권이고, 위 해지권의 행사기간은 제척기간이며, 해지의 의사표시가 담긴 소장이 제척기간 내에 법원에 접수되었다면 비록 그 소장 부본이 제척기간 후에 피고에게 송달되었다고 하더라도, 해지권자가 제척기간 내에 적법하게 해지권을 행사하였다고 볼 것이다.

ㅁ. 매도인에 대한 하자담보에 기한 손해배상청구권에 대하여는 민법 제582조에서 정한 6월의 제척기간이 적용되고, 이는 법률관계의 조속한 안정을 도모하고자 하는 데에 취지가 있으므로, 하자담보에 기한 매수인의 손해배상청구권에는 민법 제162조 제1항에서 정한 10년의 채권 소멸시효기간의 적용은 배제된다.

ㅂ. 매매예약의 완결권은 형성권으로서 당사자 사이에 그 행사기간을 약정한 때에는 그 기간 내에, 그러한 약정이 없는 때에는 그 예약이 성립한 때로부터 10년 내에 이를 행사하여야 하고, 그 기간 진행의 기산점은 특별한 사정이 없는 한 원칙적으로 권리가 발생한 때이며, 당사자 사이에 매매예약 완결권을 행사할 수 있는 시기를 특별히 약정한 경우에도 그 제척기간은 당초 권리의 발생일로부터 10년의 기간이 경과하면 만료된다.

① ㄱ(×), ㄴ(×), ㄷ(○), ㄹ(×), ㅁ(○), ㅂ(○)
② ㄱ(×), ㄴ(×), ㄷ(○), ㄹ(○), ㅁ(×), ㅂ(○)
③ ㄱ(×), ㄴ(×), ㄷ(○), ㄹ(×), ㅁ(×), ㅂ(○)
④ ㄱ(○), ㄴ(×), ㄷ(○), ㄹ(×), ㅁ(×), ㅂ(○)
⑤ ㄱ(○), ㄴ(○), ㄷ(×), ㄹ(○), ㅁ(○), ㅂ(×)

정답 ▶ 04 ③ 05 ③

해설 ㄱ. 채권양도의 통지는 그 양도인이 채권이 양도되었다는 사실을 채무자에게 알리는 것에 그치는 행위이므로, 그것만으로 제척기간의 준수에 필요한 권리의 재판 외 행사에 해당한다고 할수 없다. 따라서 집합건물인 아파트의 입주자대표회의가 스스로 하자담보추급에 의한 손해배상청구권을 가짐을 전제로 하여 직접 아파트의 분양자를 상대로 손해배상청구 소송을 제기하였다가, 그 소송계속 중에 정당한 권리자인 구분소유자들로부터 그 손해배상채권을 양도받고 분양자에게 그 통지가 마쳐진 후 그에 따라 소를 변경한 경우에는, 그 채권양도통지에 채권양도의 사실을 알리는 것 외에 그 이행을 청구하는 뜻이 별도로 덧붙여지거나 그 밖에 구분소유자들이 재판 외에서 그 권리를 행사하였다는 등의 특별한 사정이 없는 한, 위 손해배상청구권은 입주자대표회의가 위와 같이 소를 변경한 시점에 비로소 행사된 것으로 보아야 할 것이다(대판(전) 2012.3.22, 2010다28840).

ㄴ. 민법상 수급인의 하자담보책임에 관한 기간은 제척기간으로서 재판상 또는 재판외의 권리행사기간이며 재판상 청구를 위한 출소기간이 아니다(대판 2004.1.27, 2001다24891).

ㄷ. 점유보호청구권(제204조 제3항, 제205조 제2항)에 대해서는 출소기간으로 본다. 즉 이 경우 재판외에서 권리행사하는 것으로 족한 기간이 아니라 반드시 그 기간 내에 소를 제기하여야 하는 이른바 출소기간으로 해석함이 상당하다고 한다(대판 2002.4.26, 2001다8097).

ㄹ. 보험계약의 해지권은 형성권이고, 해지권 행사기간은 제척기간이며, 해지권은 재판상이든 재판외이든 그 기간 내에 행사하면 되는 것이나 해지의 의사표시는 민법의 일반원칙에 따라 보험계약자 또는 그의 대리인에 대한 일방적 의사표시에 의하며, 그 의사표시의 효력은 상대방에게 도달한 때에 발생하므로 해지권자가 해지의 의사표시를 담은 소장 부본을 피고에게 송달함으로써 해지권을 재판상 행사하는 경우에는 그 소장 부본이 피고에게 도달할 때에 비로소 해지권 행사의 효력이 발생한다 할 것이어서, 해지의 의사표시가 담긴 소장 부본이 제척기간 내에 피고에게 송달되어야만 해지권자가 제척기간 내에 적법하게 해지권을 행사하였다고 할 것이고, 그 소장이 제척기간 내에 법원에 접수되었다고 하여 달리 볼 것은 아니다(대판 2000.1.28, 99다50712, 대판 2017.3.22, 2016다47614).

ㅁ. 매도인에 대한 하자담보에 기한 손해배상청구권에 대하여는 민법 제582조의 제척기간이 적용되고, 이는 법률관계의 조속한 안정을 도모하고자 하는 데에 취지가 있다. 그런데 하자담보에 기한 매수인의 손해배상청구권은 권리의 내용·성질 및 취지에 비추어 민법 제162조 제1항의 채권 소멸시효의 규정이 적용되고, 민법 제582조의 제척기간 규정으로 인하여 소멸시효 규정의 적용이 배제된다고 볼 수 없으며, 이때 다른 특별한 사정이 없는 한 무엇보다도 매수인이 매매 목적물을 인도받은 때부터 소멸시효가 진행한다고 해석함이 타당하다(대판 2011.10.13, 2011다10266).

ㅂ. 매매의 일방예약에서 예약자의 상대방이 매매예약 완결의 의사표시를 하여 매매의 효력을 생기게 하는 권리, 즉 매매예약의 완결권은 일종의 형성권으로서 당사자 사이에 그 행사기간을 약정한 때에는 그 기간 내에, 그러한 약정이 없는 때에는 그 예약이 성립한 때로부터 10년 내에 이를 행사하여야 하고, 그 기간을 지난 때에는 예약완결권은 제척기간의 경과로 인하여 소멸한다(대판 2003.1.10, 2000다26425). 또한 당사자 사이에 매매예약 완결권을 행사할 수 있는 시기를 특별히 약정한 경우에도 그 제척기간은 당초 권리의 발생일로부터 10년간의 기간이 경과되면 만료되는 것이지 그 기간을 넘어서 그 약정에 따라 권리를 행사할수 있는 때로부터 10년이 되는 날까지로 연장된다고 볼 수 없다(대판 1995.11.10, 94다22682).

06 제척기간에 관한 다음 설명 중 가장 옳지 않은 것은? ▶ 2022년 9급(법원서기보)

① 매도인이나 수급인의 담보책임을 기초로 한 손해배상채권의 제척기간이 지난 경우에도 제척기간이 지나기 전 상대방의 채권과 상계할 수 있었던 경우에는 매수인이나 도급인은 위 손해배상채권을 자동채권으로 하여 상대방의 채권과 상계할 수 있다.

② 당사자 사이에 매매예약 완결권을 행사할 수 있는 시기를 특별히 약정하였다면, 그 제척기간은 위 약정에 따라 권리를 행사할 수 있는 때로부터 10년간의 기간이 되는 날까지로 연장된다.

③ 제척기간을 도과하였는지 여부는 법원의 직권조사사항이므로 당사자의 주장이 없더라도 법원이 이를 직권으로 조사하여 판단하여야 하고, 당사자는 제척기간의 도과 사실을 사실심 변론종결 시까지 주장하지 않았다 하더라도 상고심에서 이를 새로이 주장, 증명할 수 있다.

④ 채무자가 유일한 재산인 그 소유의 부동산에 관한 매매예약에 따른 예약완결권이 제척기간 경과가 임박하여 소멸할 예정인 상태에서 제척기간을 연장하기 위하여 새로 매매예약을 하는 행위는 채권자취소권의 대상인 사해행위가 될 수 있다.

해설 ① 매도인의 담보책임을 기초로 한 매수인의 손해배상채권 또는 수급인의 담보책임을 기초로 한 도급인의 손해배상채권이 각각 상대방의 채권과 상계적상에 있는 경우에 당사자들은 채권·채무관계가 이미 정산되었거나 정산될 것으로 기대하는 것이 일반적이므로, 그 신뢰를 보호할 필요가 있다. 이러한 손해배상채권의 제척기간이 지난 경우에도 그 기간이 지나기 전에 상대방에 대한 채권·채무관계의 정산 소멸에 대한 신뢰를 보호할 필요성이 있다는 점은 소멸시효가 완성된 채권의 경우와 아무런 차이가 없다. 따라서 매도인이나 수급인의 담보책임을 기초로 한 손해배상채권의 제척기간이 지난 경우에도 제척기간이 지나기 전 상대방의 채권과 상계할 수 있었던 경우에는 매수인이나 도급인은 민법 제495조를 유추적용해서 위 손해배상채권을 자동채권으로 해서 상대방의 채권과 상계할 수 있다고 봄이 타당하다(대판 2019.3.14, 2018다255648).

② 제척기간은 권리자로 하여금 당해 권리를 신속하게 행사하도록 함으로써 법률관계를 조속히 확정시키려는 데 그 제도의 취지가 있는 것으로서, 소멸시효가 일정한 기간의 경과와 권리의 불행사라는 사정에 의하여 권리 소멸의 효과를 가져오는 것과는 달리, 그 기간의 경과 자체만으로 곧 권리 소멸의 효과를 가져오게 하는 것이므로, 그 기간 진행의 기산점은 특별한 사정이 없는 한 원칙적으로 권리가 발생한 때이고, 당사자 사이에 매매예약 완결권을 행사할 수 있는 시기를 특별히 약정한 경우에도 그 제척기간은 당초 권리의 발생일로부터 10년간의 기간이 경과되면 만료되는 것이지 그 기간을 넘어서 그 약정에 따라 권리를 행사할 수 있는 때로부터 10년이 되는 날까지로 연장된다고 볼 수 없다(대판 1995.11.10, 94다22682·22699).

③ 제척기간을 도과하였는지는 법원의 직권조사사항이므로 당사자의 주장이 없더라도 법원이 이를 직권으로 조사하여 판단하여야 한다. 또한 당사자가 제척기간의 도과 여부를 사실심 변론종결 시까지 주장하지 아니하였다 하더라도 상고심에서 이를 새로이 주장·증명할 수 있다(대판 2019.6.13, 2019다205947).

정답 **06** ②

④ 채무자가 유일한 재산인 그 소유의 부동산에 관한 매매예약에 따른 예약 완결권이 제척기간 경과가 임박하여 소멸할 예정인 상태에서 제척기간을 연장하기 위하여 새로 매매예약을 하는 행위는 채무자가 부담하지 않아도 될 채무를 새롭게 부담하게 되는 결과가 되므로 채권자취소권의 대상인 사해행위가 될 수 있다(대판 2018.11.29, 2017다247190).

---

07 **제척기간에 관한 다음 설명 중 가장 옳지 않은 것은?**　　　　▶ 2023년 법무사

① 제척기간에 있어서는 소멸시효와 같이 기간의 중단이 있을 수 없다.

② 제척기간이 도과하였는지 여부는 직권조사사항으로서 이에 대한 당사자의 주장이 없더라도 법원이 당연히 직권으로 조사하여 재판에 고려하여야 한다.

③ 소멸시효가 일정한 기간의 경과와 권리의 불행사라는 사정에 의하여 권리소멸의 효과를 가져오는 것과는 달리 제척기간은 그 기간의 경과 자체만으로 곧 권리소멸의 효과를 가져온다.

④ 제척기간 진행의 기산점은 특별한 사정이 없는 한 원칙적으로 권리가 발생한 때이나, 당사자 사이에 매매예약 완결권을 행사할 수 있는 시기를 특별히 약정한 경우에는 그 제척기간은 그 약정에 따라 권리를 행사할 수 있는 때로부터 10년이 되는 날까지이다.

⑤ 채권양도의 통지는 양도인이 채권이 양도되었다는 사실을 채무자에게 알리는 것에 그치는 행위이므로, 그것만으로 제척기간의 준수에 필요한 권리의 재판 외 행사에 해당한다고 할 수 없다.

해설 ① 대판 2003.1.10, 2000다26425

② 대판 2021.1.14, 2018다273981

③,④ 제척기간은 권리자로 하여금 당해 권리를 신속하게 행사하도록 함으로써 법률관계를 조속히 확정시키려는 데 그 제도의 취지가 있는 것으로서, 소멸시효가 일정한 기간의 경과와 권리의 불행사라는 사정에 의하여 권리 소멸의 효과를 가져오는 것과는 달리 그 기간의 경과 자체만으로 곧 권리 소멸의 효과를 가져오게 하는 것이므로 그 기간 진행의 기산점은 특별한 사정이 없는 한 원칙적으로 권리가 발생한 때이고, 당사자 사이에 매매예약 완결권을 행사할 수 있는 시기를 특별히 약정한 경우에도 그 **제척기간은 당초 권리의 발생일로부터 10년간의 기간이 경과되면 만료되는 것이지** 그 기간을 넘어서 그 **약정에 따라 권리를 행사할 수 있는 때로부터 10년이 되는 날까지로 연장된다고 볼 수 없다**(대판 1995.11.10, 94다22682·22699).

⑤ 대판(전합) 2012.3.22, 2010다28840

08 제척기간에 관한 다음 설명 중 가장 옳지 않은 것은? ▶ 2024년 법원행시

① 매매예약 완결권은 일종의 형성권으로서 당사자 사이에 그 행사기간을 약정한 때에는 그 기간 내에, 그러한 약정이 없는 때에는 예약이 성립한 때로부터 10년 내에 이를 행사하여야 하고, 그 기간을 지난 때에는 상대방이 예약 목적물인 부동산을 인도받은 경우라도 예약완결권은 제척기간의 경과로 인하여 소멸한다.

② 채권자취소권의 제척기간 기산점인 '채권자가 취소원인을 안 날'은 채무자가 채권자를 해함을 알면서 사해행위를 하였다는 사실을 알게 된 날을 말한다. 이때 채권자가 사해행위의 객관적 사실을 알았다면 취소원인을 알았다고 추정되고, 제척기간을 도과하지 않았다는 점에 관한 증명책임은 사해행위취소소송을 제기한 원고에게 있다.

③ 사해행위가 있은 후 채권자가 취소원인을 알면서 피보전채권을 양도하고 양수인이 그 채권을 보전하기 위하여 채권자취소권을 행사하는 경우에는, 채권의 양도인이 취소원인을 안 날을 기준으로 제척기간 도과 여부를 판단하여야 한다.

④ 상행위인 투자계약에서 투자자가 약정에 따라 투자를 실행하여 주식을 취득한 후 투자대상회사 등의 의무불이행이 있는 때에 투자자에게 다른 주주 등을 상대로 한 주식매수청구권을 부여한 경우, 그 약정에 기한 주식매수청구권은 상사소멸시효에 관한 상법 제64조를 유추적용하여 5년의 제척기간이 지나면 소멸한다.

⑤ 제척기간의 도과 여부는 직권조사사항이므로 법원은 당사자의 주장이 없더라도 직권으로 제척기간을 조사, 고려하여야 하나, 소멸시효의 경우 당사자가 소멸시효의 주장을 하여야만 법원이 이를 고려할 수 있다.

해설 ① 매매의 일방예약에서 예약자의 상대방이 매매예약 완결의 의사표시를 하여 매매의 효력을 생기게 하는 권리 즉, 매매예약 완결권은 일종의 형성권으로서 당사자 사이에 그 행사기간을 약정한 때에는 그 기간 내에, 그러한 약정이 없는 때에는 그 예약이 성립한 때로부터 10년 내에 이를 행사하여야 하고, 그 기간을 지난 때에는 상대방이 예약 목적물인 부동산을 인도받은 경우라도 예약완결권은 제척기간의 경과로 인하여 소멸한다(대판 1997.7.25, 96다47494).

② 채권자취소권의 행사에서 그 제척기간의 기산점인 '**채권자가 취소원인을 안 날**'은 **채권자가 채권자취소권의 요건을 안 날**, 즉 **채무자가 채권자를 해함을 알면서 사해행위를 하였다는 사실을 알게 된 날**을 말한다. 이때 채권자가 **취소원인을 알았다고 하기 위해서는 단순히 채무자가 재산의 처분행위를 하였다는 사실을 아는 것만으로는 부족하며, 구체적인 사해행위의 존재를 알고 나아가 채무자에게 사해의 의사가 있었다는 사실까지 알 것을 요한다. 사해행위의 객관적 사실을 알았다고 하여 취소원인을 알았다고 추정할 수는 없고, 그 제척기간의 도과에 관한 증명책임은 사해행위취소소송의 상대방에게 있다**(대판 2018.4.10, 2016다272311).

③ 사해행위가 있은 후 채권자가 취소원인을 알면서 피보전채권을 양도하고 양수인이 그 채권을 보전하기 위하여 채권자취소권을 행사하는 경우에는, 채권의 **양도인이 취소원인을 안 날을 기준으로 제척기간 도과 여부를 판단하여야 한다**(대판 2018.4.10, 2016다272311).

④ 상행위인 투자 관련 계약에서 투자자가 약정에 따라 투자를 실행하여 주식을 취득한 후 투자대상회사 등의 의무불이행이 있는 때에 투자자에게 다른 주주 등을 상대로 한 주식매수청구권을 부여하는 경우가 있다. 특히 주주 간 계약에서 정하는 의무는 의무자가 불이행하더라도 강제집행이 곤란하거나 그로 인한 손해액을 주장·증명하기 어려울 수 있는데, 이때 주식매수청구권 약정이 있으면 투자자는 주식매수청구권을 행사하여 상대방으로부터 미리 약정된 매매대금을 지급받음으로써 상대방의 의무불이행에 대해 용이하게 권리를 행사하여 투자원금을 회수하거나 수익을 실현할 수 있게 된다. 이러한 주식매수청구권은 상행위인 투자 관련 계약을 체결한 당사자가 달성하고자 하는 목적과 밀접한 관련이 있고, 그 행사로 성립하는 매매계약 또한 상행위에 해당하므로, 이때 주식매수청구권은 상사소멸시효에 관한 상법 제64조를 유추적용하여 5년의 제척기간이 지나면 소멸한다고 보아야 한다(대판 2022.7.14, 2019다271661).

⑤ 제척기간이 도과하였는지 여부는 당사자의 주장에 관계없이 법원이 당연히 조사하여 고려하여야 할 사항이다(대판 1996.9.20, 96다25371). 반면 민사소송절차에서 변론주의 원칙은 권리의 발생·변경·소멸이라는 법률효과 판단의 요건이 되는 주요사실에 관한 주장·증명에 적용된다. 따라서 권리를 소멸시키는 소멸시효 항변은 변론주의 원칙에 따라 당사자의 주장이 있어야만 법원의 판단대상이 된다. 그러나 이 경우 어떤 시효기간이 적용되는지에 관한 주장은 권리의 소멸이라는 법률효과를 발생시키는 요건을 구성하는 사실에 관한 주장이 아니라 단순히 법률의 해석이나 적용에 관한 의견을 표명한 것이다. 이러한 주장에는 변론주의가 적용되지 않으므로 법원이 당사자의 주장에 구속되지 않고 직권으로 판단할 수 있다. 당사자가 민법에 따른 소멸시효기간을 주장한 경우에도 법원은 직권으로 상법에 따른 소멸시효기간을 적용할 수 있다(대판 2017.3.22, 2016다258124).

09 **소유권이전등기청구권에 관한 다음 설명 중 옳지 않은 것은?** (다툼이 있는 경우 판례에 의함)

① 부동산매수인의 소유권이전등기청구권은 채권적 청구권이다.

② 부동산매수인의 소유권이전등기청구권은 원칙적으로 10년간 행사하지 않으면 소멸시효가 완성한다.

③ 부동산매수인이 부동산을 인도받아 스스로 계속 점유하는 경우에는 그 소유권이전등기청구권의 소멸시효는 진행하지 않는다.

④ 토지에 대한 취득시효 완성으로 인한 소유권이전등기청구권은 그 토지에 대한 점유가 계속되는 한 시효로 소멸하지 아니하고, 그 후 점유를 상실하였다고 하더라도 이를 시효이익의 포기로 볼 수 있는 경우가 아닌 한 이미 취득한 소유권이전등기청구권은 바로 소멸되는 것은 아니나, 취득시효가 완성된 점유자가 점유를 상실한 경우 취득시효 완성으로 인한 소유권이전등기청구권의 소멸시효는 이와 별개의 문제로서, 그 점유자가 점유를 상실한 때로부터 10년간 등기청구권을 행사하지 아니하면 소멸시효가 완성한다.

⑤ 부동산의 소유자명의를 신탁한 자는 특별한 사정이 없는 한 언제든지 명의신탁을 해지하고 소유권에 기하여 신탁해지를 원인으로 한 소유권이전등기절차의 이행을 청구할 수 있는 것이므로, 이와 같은 등기청구권은 소멸시효의 대상이 된다.

해설 ①, ②, ③ 부동산매수인의 소유권이전등기청구권은 채권적 청구권으로서 10년의 소멸시효에 걸린다. 그러나 매수인이 토지를 인도받아 스스로 계속 사용, 수익(점유)하고 있는 경우에는 소멸시효제도의 취지에 비추어 볼 때 권리위에 잠자는 자로 볼 수 없어 소멸시효로 권리가 소멸하지 않는다(대판(전) 1976.11.6, 76다148).

④ 토지에 대한 취득시효 완성으로 인한 소유권이전등기청구권은 그 토지에 대한 점유가 계속되는 한 시효로 소멸하지 아니하고, 그 후 점유를 상실하였다고 하더라도 이를 시효이익의 포기로 볼 수 있는 경우가 아닌 한 이미 취득한 소유권이전등기청구권은 바로 소멸되는 것은 아니나, 취득시효가 완성된 점유자가 점유를 상실한 경우 취득시효 완성으로 인한 소유권이전등기청구권의 소멸시효는 이와 별개의 문제로서 그 점유자가 점유를 상실한 때로부터 10년간 등기청구권을 행사하지 아니하면 소멸시효가 완성한다(대판 1996.3.8, 95다34866·34873).

⑤ 판례는 명의신탁해지로 인한 소유권이전등기청구권이나 말소등기청구권은 소유권에 기한 물권적 청구권이므로 소멸시효대상이 아니라고 한다(대판 1991.11.26, 91다34387 등).

10 소멸시효에 관한 다음 설명 중 가장 옳은 것은? (다툼이 있는 경우 판례에 의함)

▶ 2016년 법무사

① 소멸시효는 법률행위에 의하여 이를 배제, 연장 또는 가중할 수 없고, 이를 단축 또는 경감할 수도 없다.

② 하나의 금전채권의 원금 중 일부가 변제된 후 나머지 원금에 대하여 소멸시효가 완성된 경우, 소멸시효 완성의 효력은 소멸시효가 완성된 원금 부분으로부터 그 완성 전에 발생한 이자 또는 지연손해금 뿐만 아니라 변제로 소멸한 원금 부분으로부터 그 변제 전에 발생한 이자 또는 지연손해금에도 미친다.

③ 소멸시효 중단사유에 해당하는 민법 제170조 제1항 소정의 '재판상의 청구'라 함은 종국판결을 받기 위한 '소의 제기'에 한정되기 때문에 지급명령의 신청은 이에 포함되지 아니한다.

④ 일정한 채권의 소멸시효기간에 관하여 이를 특별히 1년의 단기로 정하는 민법 제164조는 그 각 호에서 개별적으로 정하여진 채권의 채권자가 그 채권의 발생원인이 된 계약에 기하여 상대방에 대하여 부담하는 반대채무에 대하여는 적용되지 않는다. 따라서 그 채권의 상대방이 그 계약에 기하여 가지는 반대채권은 원칙으로 돌아가, 다른 특별한 사정이 없는 한 민법 제162조 제1항에서 정하는 10년의 일반소멸시효기간의 적용을 받는다.

⑤ 부동산에 관한 경매절차에서 매각대금이 납부되고 매각을 원인으로 가압류등기가 말소되었다고 하더라도, 가압류등기 말소 후의 배당절차에서 가압류채권자의 채권에 대한 배당이 이루어지고 배당액이 공탁되었다면 가압류채권자가 그 공탁금에 대하여 채권자로서 권리행사를 계속하고 있다고 볼 수 있으므로 가압류에 의한 시효중단의 효력은 계속된다.

해설 ① 소멸시효는 법률행위에 의하여 이를 배제, 연장 또는 가중할 수 없으나 이를 단축 또는 경감할 수 있다(제184조 제2항).

② 이자 또는 지연손해금은 주된 채권인 원본의 존재를 전제로 그에 대응하여 일정한 비율로 발생하는 종된 권리인데, 하나의 금전채권의 원금 중 일부가 변제된 후 나머지 원금에 대하여 소멸시효가 완성된 경우, 가분채권인 금전채권의 성질상 변제로 소멸한 원금 부분과 소멸시효 완성으로 소멸한 원금 부분을 구분하는 것이 가능하고, 이 경우 원금에 종속된 권리인 이자 또는 지연손해금 역시 변제로 소멸한 원금 부분에서 발생한 것과 시효완성으로 소멸된 원금 부분에서 발생한 것으로 구분하는 것이 가능하므로, 소멸시효 완성의 효력은 소멸시효가 완성된 원금 부분으로부터 그 완성 전에 발생한 이자 또는 지연손해금에는 미치나, 변제로 소멸한 원금 부분으로부터 그 변제 전에 발생한 이자 또는 지연손해금에는 미치지 않는다(대판 2008.3.14, 2006다2940).

③ 민법 제170조 제1항에 규정하고 있는 '재판상의 청구'란 종국판결을 받기 위한 '소의 제기'에 한정되지 않고, 권리자가 이행의 소를 대신하여 재판기관의 공권적인 법률판단을 구하는 지급명령 신청도 포함된다고 보는 것이 타당하다. 그리고 민법 제170조의 재판상 청구에 지급명령 신청이 포함되는 것으로 보는 이상 특별한 사정이 없는 한, 지급명령 신청이 각하된 경우라도 6개월 이내 다시 소를 제기한 경우라면 민법 제170조 제2항에 의하여 시효는 당초 지급명령 신청이 있었던 때에 중단되었다고 보아야 한다(대판 2011.11.10, 2011다54686).

④ 일정한 채권의 소멸시효기간에 관하여 이를 특별히 1년의 단기로 정하는 민법 제164조는 그 각 호에서 개별적으로 정하여진 채권의 채권자가 그 채권의 발생원인이 된 계약에 기하여 상대방에 대하여 부담하는 반대채무에 대하여는 적용되지 않는다. 따라서 그 채권의 상대방이 그 계약에 기하여 가지는 반대채권은 원칙으로 돌아가, 다른 특별한 사정이 없는 한 민법 제162조 제1항에서 정하는 10년의 일반소멸시효기간의 적용을 받는다(대판 2013.11.14, 2013다65178).

⑤ 가압류에 의한 시효중단은 경매절차에서 부동산이 매각되어 가압류등기가 말소되기 전에 배당절차가 진행되어 가압류채권자에 대한 배당표가 확정되는 등의 특별한 사정이 없는 한, 채권자가 가압류집행에 의하여 권리행사를 계속하고 있다고 볼 수 있는 가압류등기가 말소된 때 그 중단사유가 종료되어, 그때부터 새로 소멸시효가 진행한다고 봄이 타당하다(매각대금 납부 후의 배당절차에서 가압류채권자의 채권에 대하여 배당이 이루어지고 배당액이 공탁되었다고 하여 가압류채권자가 그 공탁금에 대하여 채권자로서 권리행사를 계속하고 있다고 볼 수는 없으므로 그로 인하여 가압류에 의한 시효중단의 효력이 계속된다고 할 수 없다)(대판 2013.11.14, 2013다18622).

11 소멸시효에 관한 다음 설명 중 가장 옳지 않은 것은? (다툼이 있는 경우 판례에 의함)

① 민법 제163조 제2호 소정의 '의사의 치료에 관한 채권'에 있어서는 특약이 없는 한 그 개개의 진료가 종료될 때마다 각각의 당해 진료에 필요한 비용의 이행기가 도래하여 그에 대한 시효가 진행된다.

② 금전채무의 이행지체로 인하여 발생하는 지연손해금은 민법 제163조 제1호 소정의 3년의 단기소멸시효의 대상이다.

③ 소멸시효의 중단사유로서의 승인은 소멸시효의 진행이 개시된 이후에만 가능하고 그 이전에 승인을 하더라도 시효가 중단되지 않는다.

④ 채무불이행으로 인한 손해배상청구권의 소멸시효는 채무불이행 시로부터 진행하므로, 매매로 인한 부동산소유권이전채무가 이행불능됨으로써 매수인이 매도인에 대하여 갖게 되는 손해배상채권은 소유권이전채무가 이행불능된 때부터 진행한다.

⑤ 소멸시효가 진행하지 않는 '권리를 행사할 수 없는 때'라 함은 그 권리행사에 법률상의 장애사유, 예컨대 기한의 미도래나 조건불성취 등이 있는 경우를 말한다.

해설 ① 민법 제163조 제2호 소정의 '의사의 치료에 관한 채권'에 있어서는, 특약이 없는 한 그 개개의 진료가 종료될 때마다 각각의 당해 진료에 필요한 비용의 이행기가 도래하여 그에 대한 소멸시효가 진행된다고 해석함이 상당하고, 장기간 입원 치료를 받는 경우라 하더라도 다른 특약이 없는 한 입원 치료 중에 환자에 대하여 치료비를 청구함에 아무런 장애가 없으므로 퇴원시부터 소멸시효가 진행된다고 볼 수는 없다(대판 2001.11.9, 2001다52568).
→ 환자가 장기간 입원치료를 받는 경우 다른 특약이 없는 한 의사의 치료비채권은 퇴원시부터 소멸시효가 진행한다.(×)

② 판례는 지연손해금은 민법 제163조 제1호 소정의 1년 이내의 기간으로 정한 이자에 해당되지 않으며 본래의 원본채권과 동일성을 유지한다고 한다(대판 1991.5.14, 91다7156).

③ 소멸시효의 중단사유로서의 승인은 시효이익을 받을 당사자인 채무자가 그 권리의 존재를 인식하고 있다는 뜻을 표시함으로써 성립하는 것이므로 이는 소멸시효의 진행이 개시된 이후에만 가능하고 그 이전에 승인을 하더라도 시효가 중단되지는 않는다고 할 것이고, 또한 현존하지 아니하는 장래의 채권을 미리 승인하는 것은 채무자가 그 권리의 존재를 인식하고서 한 것이라고 볼 수 없어 허용되지 않는다고 할 것이다(대판 2001.11.9, 2001다52568).

④ 채무불이행으로 인한 손해배상청구권의 소멸시효는 채무불이행시로부터 진행한다(대판 2005.1.14, 2002다57119). 매매로 인한 부동산소유권이전채무가 이행불능됨으로써 매수인이 매도인에 대하여 갖게 되는 손해배상채권은 그 부동산소유권의 이전채무가 이행불능 된 때에 발생하는 것이고 그 계약체결일에 생기는 것은 아니므로 위 손해배상채권의 소멸시효는 계약체결일 아닌 소유권이전채무가 이행불능된 때부터 진행한다(대판 1990.11.9, 90다카22513).

⑤ "권리를 행사할 수 없는 때"라 함은 그 권리행사에 법률상의 장애사유, 예를 들면 기한의 미도래나 조건불성취 등이 있는 경우를 말하는 것이므로 사실상 그 권리의 존재나 권리행사의 가능성을 알지 못하였거나 알지 못함에 있어서의 과실유무 등은 시효진행에 영향을 미치지 아니한다(대판(전) 1984.12.26, 84누572).
→ 법률지식의 부족, 권리존재의 부지 또는 채무자의 부재 등 사실상 장애로 권리를 행사하지 못하였다 하여도 시효가 진행한다(대판 1982.1.19, 80다2626).

정답 11 ②

12 **소멸시효에 관한 다음 설명 중 가장 옳지 않은 것은?** (다툼이 있는 경우 판례에 의함)

① 어떤 권리의 소멸시효기간이 얼마나 되는지에 관한 주장은 단순한 법률상의 주장에 불과하므로 변론주의의 적용대상이 되지 않고 법원이 직권으로 판단할 수 있다.

② 사해행위취소소송의 상대방이 된 사해행위의 수익자는, 사해행위가 취소되면 사해행위에 의하여 얻은 이익을 상실하고 사해행위취소권을 행사하는 채권자의 채권이 소멸하면 그와 같은 이익의 상실을 면하는 지위에 있으므로, 그 채권의 소멸에 의하여 직접 이익을 받는 자에 해당하는 것으로 보아야 한다.

③ 채권자대위권 행사의 효과는 채무자에게 귀속되는 것이므로 채권자대위소송의 제기로 인한 소멸시효 중단의 효과 역시 채무자에게 생긴다.

④ 채권자가 동일한 목적을 달성하기 위하여 복수의 채권을 갖고 있는 경우 그 중 어느 하나의 청구를 하면 원칙적으로 그 다른 채권에 대해서도 소멸시효 중단의 효력이 발생한다.

⑤ 채무자에 대한 일반 채권자는 자기의 채권을 보전하기 위하여 필요한 한도 내에서 채무자를 대위하여 소멸시효 주장을 할 수 있을 뿐, 채권자의 지위에서 독자적으로 소멸시효의 주장을 할 수 없다.

해설 ① 어떤 권리의 소멸시효기간이 얼마나 되는지에 관한 주장은 단순한 법률상의 주장에 불과하므로 변론주의의 적용대상이 되지 않고 법원이 직권으로 판단할 수 있다 할 것이므로, 국가배상책임에 관한 소송에서 국가가 민법상 10년의 소멸시효 완성을 주장하였음에도 법원이 구 예산회계법에 의한 5년의 소멸시효를 적용한 것이 변론주의를 위반한 것은 아니다(대판 2008.3.27, 2006다70929 · 70936).

② 사해행위취소소송의 상대방이 된 사해행위의 수익자도 사해행위가 취소되면 사해행위에 의하여 얻은 이익을 상실하고 사해행위취소권을 행사하는 채권자의 채권이 소멸하면 그와 같은 이익의 상실을 면하는 지위에 있으므로, 그 채권의 소멸에 의하여 직접 이익을 받는 자에 해당한다(대판 2007.11.29, 2007다54849).

③ 채권자대위권 행사의 효과는 채무자에게 귀속되는 것이므로 채권자대위소송의 제기로 인한 소멸시효 중단의 효과 역시 채무자에게 생긴다(대판 2011.10.13, 2010다80930).

④ 채권자가 동일한 목적을 달성하기 위하여 복수의 채권을 갖고 있는 경우, 채권자로서는 그 선택에 따라 권리를 행사할 수 있되, 그 중 어느 하나의 청구를 한 것만으로는 다른 채권 그 자체를 행사한 것으로 볼 수는 없으므로, 특별한 사정이 없는 한 그 다른 채권에 대한 소멸시효 중단의 효력은 없다(대판 2011.2.10, 2010다81285).

⑤ 채무자에 대한 일반채권자는 자기의 채권을 보전하기 위하여 필요한 한도 내에서 채무자를 대위하여 채무자에 대한 다른 채권자의 채권의 소멸시효를 주장할 수 있을 뿐, 채권자의 지위에서 독자적으로 다른 채권자의 채권의 소멸시효를 주장할 수 없다(대판 2012.5.10, 2011다109500).

13 소멸시효에 관한 설명으로 옳지 않은 것은? (다툼이 있는 경우에는 판례에 의함)

① 채권은 10년, 소유권 이외의 재산권은 20년 동안 행사하지 않으면 소멸시효가 완성됨이 원칙이다.

② 음식점의 음식료에 대한 채권이 판결에 의하여 확정된 경우, 그 소멸시효기간은 1년이다.

③ 원본채권이 시효로 소멸하면, 변제기가 도래하지 아니한 이자채권도 소멸한다.

④ 부작위를 목적으로 하는 채권은 위반행위를 한 때로부터 소멸시효가 진행한다.

⑤ 소멸시효의 이익은 시효기간의 완성 전에는 포기할 수 없다.

> **해설** ① 제162조【채권, 재산권의 소멸시효】
> ① 채권은 10년간 행사하지 아니하면 소멸시효가 완성한다.
> ② 채권 및 소유권 이외의 재산권은 20년간 행사하지 아니하면 소멸시효가 완성한다.
>
> ② 제165조 제1항【판결등에 의하여 확정된 채권의 소멸시효】 판결에 의하여 확정된 채권은 단기의 소멸시효에 해당한 것이라도 그 소멸시효는 10년으로 한다.
>
> 음식점의 음식료에 대한 채권은 1년의 단기소멸시효에 해당하나(제164조 1호), 그 채권이 판결에 의하여 확정된 경우에는 10년으로 소멸시효기간이 연장된다.
>
> ③ 제183조【종속된 권리에 대한 소멸시효의 효력】 주된 권리의 소멸시효가 완성한 때에는 종속된 권리에 그 효력이 미친다.
>
> 따라서 원본채권이 시효로 소멸하면 이자채권도 역시 시효로 소멸한다.
>
> ④ 제166조【소멸시효의 기산점】
> ① 소멸시효는 권리를 행사할 수 있는 때로부터 진행한다.
> ② 부작위를 목적으로 하는 채권의 소멸시효는 위반행위를 한 때로부터 진행한다.
>
> ⑤ 제184조 제1항【시효의 이익의 포기 기타】 소멸시효의 이익은 미리 포기하지 못한다.

14 소멸시효에 관한 다음 설명 중 가장 옳지 않은 것은? (다툼이 있는 경우 판례에 의함)

▸ 2015년 법무사

① 보증채무에 대한 소멸시효가 중단되는 등의 사유로 완성되지 아니하였다고 하더라도 주채무에 대한 소멸시효가 완성된 경우에는 시효완성 사실로써 주채무가 당연히 소멸되므로 보증채무의 부종성에 따라 보증채무 역시 당연히 소멸된다.

② 부동산에 관하여 인도, 등기 등의 어느 한 쪽에 대하여서라도 권리를 행사하는 자는 전체적으로 보아 그 부동산에 관하여 권리 위에 잠자는 자라고 할 수 없으므로, 매수인이 목적 부동산을 인도받아 계속 점유하는 경우에는 그 부동산에 관한 소유권이전등기 청구권의 소멸시효가 진행하지 않는다.

> **정답** 12 ④ 13 ② 14 ③

③ 보증채무는 주채무와는 별개의 독립한 채무이므로 보증채무와 주채무의 소멸시효기간은 채무의 성질에 따라 각각 별개로 정해진다. 그리고 주채무자에 대한 확정판결에 의하여 민법 제163조 각 호의 단기소멸시효에 해당하는 주채무의 소멸시효기간이 10년으로 연장된 상태에서 주채무를 보증한 경우에도, 특별한 사정이 없는 한 보증채무에 대하여는 민법 제163조 각 호의 단기소멸시효가 적용된다.

④ 원금채무에 관하여는 소멸시효가 완성되지 아니하였으나 이자채무에 관하여는 소멸시효가 완성된 상태에서 채무자가 채무를 일부 변제한 때에는 액수에 관하여 다툼이 없는 한 원금채무에 관하여 묵시적으로 승인하는 한편 이자채무에 관하여 시효완성의 사실을 알고 그 이익을 포기한 것으로 추정된다.

⑤ 채권담보의 목적으로 매매예약의 형식을 빌어 소유권이전청구권 보전을 위한 가등기가 경료된 부동산을 양수하여 소유권이전등기를 마친 제3자는 당해 가등기담보권의 피담보채권의 소멸에 의하여 직접 이익을 받는 자이므로 그 피담보채권에 관한 소멸시효를 원용할 수 있다.

해설 ① 보증채무에 대한 소멸시효가 중단되는 등의 사유로 완성되지 아니하였다고 하더라도 주채무에 대한 소멸시효가 완성된 경우에는 시효완성 사실로써 주채무가 당연히 소멸되므로 보증채무의 부종성에 따라 보증채무 역시 당연히 소멸된다(대판 2002.5.14. 2000다62476).

② 부동산에 관하여 인도, 등기 등의 어느 한 쪽에 대하여서라도 권리를 행사하는 자는 전체적으로 보아 그 부동산에 관하여 권리 위에 잠자는 자라고 할 수 없으므로, 매수인이 목적 부동산을 인도받아 계속 점유하는 경우에는 그 부동산에 관한소유권이전등기청구권의 소멸시효가 진행하지 않는다(대판(전합) 1999.3.18. 98다32175).

③ 보증채무는 주채무와는 별개의 독립한 채무이므로 보증채무와 주채무의 소멸시효기간은 채무의 성질에 따라 각각 별개로 정해진다. 그리고 주채무자에 대한 확정판결에 의하여 민법 제163조 각 호의 단기소멸시효에 해당하는 주채무의 소멸시효기간이 10년으로 연장된 상태에서 주채무를 보증한 경우, 특별한 사정이 없는 한 보증채무에 대하여는 민법 제163조 각 호의 단기소멸시효가 적용될 여지가 없고, 성질에 따라 보증인에 대한 채권이 민사채권인 경우에는 10년, 상사채권인 경우에는 5년의 소멸시효기간이 적용된다(대판 2014.6.12. 2011다76105).

④ 원금채무에 관하여는 소멸시효가 완성되지 아니하였으나 이자채무에 관하여는 소멸시효가 완성된 상태에서 채무자가 채무를 일부 변제한 때에는 액수에 관하여 다툼이 없는 한 원금채무에 관하여 묵시적으로 승인하는 한편 이자채무에 관하여 시효완성의 사실을 알고 그 이익을 포기한 것으로 추정된다(대판 2013.5.23. 2013다12464).

⑤ 채권담보의 목적으로 매매예약의 형식을 빌어 소유권이전청구권 보전을 위한 가등기가 경료된 부동산을 양수하여 소유권이전등기를 마친 제3자는 당해 가등기담보권의 피담보채권의 소멸에 의하여 직접 이익을 받는 자이므로 그 피담보채권에 관한 소멸시효를 원용할 수 있다(대판 1995.7.11. 95다12446).

15 소멸시효에 관한 설명 중 옳지 않은 것은? (다툼이 있는 경우에는 판례에 의함) ▸ 2013년 변호사

① 채무불이행으로 인한 손해배상청구권의 소멸시효기간은 채무불이행 시부터 진행하는데, 그 시효기간은 본래의 채권에 적용될 기간에 의한다.

② 실제의 소멸시효 기산일과 당사자가 주장하는 기산일이 다른 경우, 법원은 당사자가 주장하는 기산일을 기준으로 삼아야 한다.

③ 시효중단의 효력있는 승인에는 상대방의 권리에 관한 처분의 능력이나 권한 있음을 요하지 아니한다.

④ 유치권이 성립한 부동산의 매수인은 피담보채무의 소멸시효가 완성되면 독자적으로 소멸시효를 원용할 수 있으므로, 유치권의 피담보채권의 소멸시효기간이 확정판결에 의하여 연장되었더라도 종전의 단기소멸시효기간을 원용할 수 있다.

⑤ 다른 채권자가 신청한 부동산경매절차에서 채무자 소유 부동산이 매각되고 그 대금이 이미 소멸시효가 완성된 채무를 피담보채무로 하는 근저당권을 가진 채권자에게 배당되어 채무변제에 충당될 때까지 채무자가 아무런 이의를 제기하지 아니하였다면, 경매절차 진행을 채무자가 알지 못하였다는 등 다른 특별한 사정이 없는 한 채무자는 채권에 대한 소멸시효 이익을 포기한 것으로 볼 수 있다.

> **해설** ① 채무불이행으로 인한 손해배상청구권의 소멸시효기간은 채무불이행 시부터 진행하는데, 그 시효기간은 본래의 채권에 적용될 기간에 의한다(대판 2005.1.14, 2002다57119).
> ② 변론주의를 말한다(대판 2006.9.22, 2006다22852 등).
> ③ 시효중단의 효력 있는 승인에는 상대방의 권리에 관한 처분의 능력이나 권한 있음을 요하지 아니한다. 다만 관리권한은 있어야 한다(제177조).
> ④ 유치권의 피담보채권의 소멸시효기간이 확정판결에 의하여 연장되었더라도 종전의 단기소멸시효기간을 원용할 수 없다. 따라서 유치권의 피담보채권의 소멸시효기간이 10년으로 연장된 경우 매수인은 그 채권의 소멸시효기간이 연장된 효과를 부정하고 종전의 단기소멸시효기간을 원용할 수 없다(대판 2009.9.24, 2009다39530).
> ⑤ 묵시적 시효이익의 포기이다(대판 2002.2.26, 2000다25484 등).

정답 ▶ 15 ④

16 소멸시효에 관한 설명 중 가장 옳지 않은 것은? (다툼이 있는 경우 판례에 의함) ▶ 2014년 법무사

① 보증채무에 대한 소멸시효가 중단되었다고 하더라도 이로써 주채무에 대한 소멸시효가 중단되는 것은 아니고, 주채무가 소멸시효 완성으로 소멸된 경우에는 보증채무도 그 채무 자체의 시효중단에 불구하고 부종성에 따라 당연히 소멸된다.

② 소멸시효는 그 기산일에 소급하여 효력이 생기는데, 소멸시효가 완성된 채권이 그 완성전에 상계할 수 있었던 경우라도 그 채권자는 상계할 수 없다.

③ 소멸시효 중단사유로서의 채무승인은 시효이익을 받는 당사자인 채무자가 소멸시효의 완성으로 채권을 상실하게 될 자에 대하여 상대방의 권리 또는 자신의 채무가 있음을 알고 있다는 뜻을 표시함으로써 성립하는 이른바 관념의 통지로 여기에 어떠한 효과의사가 필요하지 않다.

④ 시효완성 후 시효이익의 포기가 인정되려면 시효이익을 받는 채무자가 시효의 완성으로 인한 법적인 이익을 받지 않겠다는 효과의사가 필요하기 때문에 시효완성 후 소멸시효 중단사유에 해당하는 채무의 승인이 있었다 하더라도 그것만으로는 곧바로 소멸시효 이익의 포기라는 의사표시가 있었다고 단정할 수 없다.

⑤ 시효이익 포기의 의사표시가 존재하는지의 판단은 표시된 행위 내지 의사표시의 내용과 동기 및 경위, 당사자가 의사표시 등에 의하여 달성하려고 하는 목적과 진정한 의도 등을 종합적으로 고찰하여 사회정의와 형평의 이념에 맞도록 논리와 경험의 법칙, 그리고 사회일반의 상식에 따라 객관적이고 합리적으로 이루어져야 한다.

> **해설** ① 보증채무에 대한 소멸시효가 중단되었다고 하더라도 이로써 주채무에 대한 소멸시효가 중단되는 것은 아니고, 주채무가 소멸시효 완성으로 소멸된 경우에는 보증채무도 그 채무 자체의 시효중단에 불구하고 부종성에 따라 당연히 소멸된다(대판 2002.5.14, 2000다62476).
> ② 소멸시효는 그 기산일에 소급하여 효력이 생긴다(제167조). 소멸시효가 완성된 채권이 그 완성전에 상계할 수 있었던 것이면 그 채권자는 상계할 수 있다(제495조).
> ③ 소멸시효 중단사유로서의 채무승인은 시효이익을 받는 당사자인 채무자가 소멸시효의 완성으로 채권을 상실하게 될 자에 대하여 상대방의 권리 또는 자신의 채무가 있음을 알고 있다는 뜻을 표시함으로써 성립하는 이른바 관념의 통지로 여기에 어떠한 효과의사가 필요하지 않다(대판 2013.2.28, 2011다21556).
> ④ 시효완성 후 시효이익의 포기가 인정되려면 시효이익을 받는 채무자가 시효의 완성으로 인한 법적인 이익을 받지 않겠다는 효과의사가 필요하기 때문에 시효완성 후 소멸시효 중단사유에 해당하는 채무의 승인이 있었다 하더라도 그것만으로는 곧바로 소멸시효 이익의 포기라는 의사표시가 있었다고 단정할 수 없다(대판 2013.2.28, 2011다21556).
> ⑤ 시효이익의 포기란 시효완성으로 인한 법적 이익을 받지 않겠다고 하는 효과의사를 필요로 하는 의사표시로서 상대방의 동의를 요하지 않는 상대방 있는 단독행위이고, 처분행위에 해당한다. 시효이익 포기의 의사표시가 존재하는지의 판단은 표시된 행위 내지 의사표시의 내용과 동기 및 경위, 당사자가 의사표시 등에 의하여 달성하려고 하는 목적과 진정한 의도 등을 종합적으로 고찰하여 사회정의와 형평의 이념에 맞도록 논리와 경험의 법칙, 그리고 사회일반의 상식에 따라 객관적이고 합리적으로 이루어져야 한다(대판 2013.2.28, 2011다21556).

17 소멸시효에 관한 다음 설명 중 가장 옳지 않은 것은? (다툼이 있는 경우 판례에 의함)

▶ 2018년 9급(법원서기보)

① 공유물분할청구권은 공유관계가 존속하는 한 독립하여 시효소멸하지 않는다.

② 양육자가 비양육자에 대하여 과거 양육비의 지급을 구할 권리는 그 양육비를 지출한 때로부터 소멸시효가 진행된다.

③ 본래의 소멸시효 기산일과 당사자가 주장하는 기산일이 서로 다르다면 변론주의의 원칙상 법원은 당사자가 주장하는 기산일을 기준으로 소멸시효를 계산하여야 한다.

④ 채권자와 채무자는 합의에 의하여 소멸시효 기간을 단축 또는 경감할 수 있다.

해설 ① 공유물분할청구권은 공유관계에서 수반되는 형성권이므로 공유관계가 존속하는 한 그 분할청구권만이 독립하여 시효소멸될 수 없다(대판 1981.3.24, 80다1888,1889).

② 양육자가 상대방에 대하여 자녀 양육비의 지급을 구할 권리는 당초에는 기본적으로 친족관계를 바탕으로 하여 인정되는 하나의 추상적인 법적 지위이었던 것이 당사자 사이의 협의 또는 당해 양육비의 내용 등을 재량적·형성적으로 정하는 가정법원의 심판에 의하여 구체적인 청구권으로 전환됨으로써 비로소 보다 뚜렷하게 독립한 재산적 권리로서의 성질을 가지게 된다. 이와 같이 당사자의 협의 또는 가정법원의 심판에 의하여 구체적인 지급청구권으로서 성립하기 전에는 과거의 양육비에 관한 권리는 양육자가 그 권리를 행사할 수 있는 재산권에 해당한다고 할 수 없고, 따라서 이에 대하여는 소멸시효가 진행할 여지가 없다고 보아야 한다(대결 2011.7.29, 2008스67).

③ 소멸시효의 기산일은 채무의 소멸이라고 하는 법률효과 발생의 요건에 해당하는 소멸시효기간 계산의 시발점으로서 소멸시효 항변의 법률요건을 구성하는 구체적인 사실에 해당하므로 이는 변론주의의 적용 대상이고, 따라서 본래의 소멸시효 기산일과 당사자가 주장하는 기산일이 서로 다른 경우에는 변론주의의 원칙상 법원은 당사자가 주장하는 기산일을 기준으로 소멸시효를 계산하여야 하는데, 이는 당사자가 본래의 기산일보다 뒤의 날짜를 기산일로 하여 주장하는 경우는 물론이고 특별한 사정이 없는 한 그 반대의 경우에 있어서도 마찬가지이다(대판 1995.8.25, 94다35886).

④ 제184조 제2항【시효의 이익의 포기 기타】소멸시효는 법률행위에 의하여 이를 배제, 연장 또는 가중할 수 없으나 이를 단축 또는 경감할 수 있다.

18 소멸시효의 중단에 관한 다음 설명 중 가장 옳지 않은 것은? (다툼이 있는 경우 판례에 의함)

▶ 2018년 9급(법원서기보)

① 채무자 겸 저당권설정자가 피담보채무의 부존재 또는 소멸을 이유로 하여 제기한 저당권설정등기 말소청구소송에서 채권자 겸 저당권자가 청구기각의 판결을 구하면서 피담보채권의 존재를 주장하는 경우에는 피담보채권에 관하여 소멸시효 중단의 효력이 생긴다.

② 채권자의 신청에 의한 경매개시결정에 따라 연대채무자 중 1인 소유의 부동산이 압류된 경우, 압류에 의한 시효중단의 효력은 다른 연대채무자에게도 미친다.

③ 채권자가 확정판결에 기한 채권의 실현을 위하여 채무자의 제3채무자에 대한 채권에 관하여 압류 및 추심명령을 받아 그 결정이 제3채무자에게 송달이 되었다면 거기에 소멸시효 중단사유인 최고로서의 효력을 인정하여야 한다.

④ 직접점유자를 상대로 점유이전금지가처분을 한 사실을 간접점유자에게 통지한 바가 없는 경우 그 가처분은 간접점유자에 대하여 시효중단의 효력을 가지지 않는다.

해설 ① 민법 제168조 제1호, 제170조 제1항에서 시효중단사유의 하나로 규정하고 있는 재판상의 청구라 함은, 통상적으로는 권리자가 원고로서 시효를 주장하는 자를 피고로 하여 소송물인 권리를 소의 형식으로 주장하는 경우를 가리키지만, 이와 반대로 시효를 주장하는 자(채무자)가 원고가 되어 소를 제기한 데 대하여 피고로서 응소하여 그 소송에서 적극적으로 권리를 주장하고 그것이 받아들여진 경우도 마찬가지로 이에 포함되는 것으로 해석함이 타당하다 (대판 1993.12.21, 92다47861).

② 채권자의 신청에 의한 경매개시결정에 따라 연대채무자 1인의 소유 부동산이 압류된 경우, 이로써 위 채무자에 대한 채권의 소멸시효는 중단되지만, 압류에 의한 시효중단의 효력은 다른 연대채무자에게 미치지 아니하므로, 경매개시결정에 의한 시효중단의 효력을 다른 연대채무자에 대하여 주장할 수 없다(대판 2001.8.21, 2001다22840).

③ 소멸시효 중단사유의 하나로서 민법 제174조가 규정하고 있는 최고는 채무자에 대하여 채무이행을 구한다는 채권자의 의사통지(준법률행위)로서, 이에는 특별한 형식이 요구되지 아니할 뿐 아니라 행위 당시 당사자가 시효중단의 효과를 발생시킨다는 점을 알거나 의욕하지 않았다 하더라도 이로써 권리 행사의 주장을 하는 취지임이 명백하다면 최고에 해당하는 것으로 보아야 할 것이므로, 채권자가 확정판결에 기한 채권의 실현을 위하여 채무자의 제3채무자에 대한 채권에 관하여 압류 및 추심명령을 받아 그 결정이 제3채무자에게 송달이 되었다면 거기에 소멸시효 중단사유인 최고로서의 효력을 인정하여야 한다(대판 2003.5.13, 2003다16238).

④ 민법 제176조에 의하면 가처분은 시효의 이익을 받은 자에 대하여 하지 아니한 때에는 이를 그에게 통지한 후가 아니면 시효중단의 효력이 없다고 되어 있어 직접점유자를 상대로 점유이전금지가처분을 한 뜻을 간접점유자에게 통지한 바가 없다면 가처분은 간접점유자에 대하여 시효중단의 효력을 발생할 수 없다(대판 1992.10.27, 91다41064).

19 소멸시효에 관한 다음 설명 중 가장 옳지 않은 것은? (다툼이 있는 경우 판례에 의함)

▸ 2017년 법원사무관 승진

① 채권자대위권 행사의 효과는 채무자에게 귀속되는 것이므로 채권자대위소송의 제기로 인한 소멸시효 중단의 효과 역시 채무자에게 생긴다.

② 채무자가 소멸시효 완성 후에 채권자에 대하여 채무를 승인함으로써 그 시효의 이익을 포기한 경우에는 그때부터 새로이 소멸시효가 진행한다.

③ 원금채무에 관하여는 소멸시효가 완성되지 아니하였으나 이자채무에 관하여는 소멸시효가 완성된 상태에서 채무자가 채무를 일부 변제한 때에는 액수에 관하여 다툼이 없는 한 원금채무에 관하여 묵시적으로 승인하는 한편 이자채무에 관하여 시효완성의 사실을 알고 그 이익을 포기한 것으로 추정되며, 채무자의 변제가 채무 전체를 소멸시키지 못하고 당사자가 변제에 충당할 채무를 지정하지 아니한 때에는 민법 제479조, 제477조에 따른 법정변제충당의 순서에 따라 충당되어야 한다.

④ 주채무가 시효로 소멸한 때에는 보증인도 그 시효소멸을 원용할 수 있고, 주채무자가 시효의 이익을 포기하는 경우에는 부종성에 따라 보증인에게도 그 포기의 효력이 미친다.

해설 ① 채권자대위권 행사의 효과는 채무자에게 귀속되는 것이므로 채권자대위소송의 제기로 인한 소멸시효 중단의 효과 역시 채무자에게 생긴다(대판 2011.10.13, 2010다80930).

② 채무자가 소멸시효 완성 후에 채권자에 대하여 채무를 승인함으로써 그 시효의 이익을 포기한 경우에는 그때부터 새로이 소멸시효가 진행한다(대판 2009.7.9, 2009다14340).

③ 원금채무에 관하여는 소멸시효가 완성되지 아니하였으나 이자채무에 관하여는 소멸시효가 완성된 상태에서 채무자가 채무를 일부 변제한 때에는 액수에 관하여 다툼이 없는 한 원금채무에 관하여 묵시적으로 승인하는 한편 이자채무에 관하여 시효완성의 사실을 알고 그 이익을 포기한 것으로 추정되며, 채무자의 변제가 채무 전체를 소멸시키지 못하고 당사자가 변제에 충당할 채무를 지정하지 아니한 때에는 민법 제479조, 제477조에 따른 법정변제충당의 순서에 따라 충당되어야 한다(대판 2013.5.23, 2013다12464).

④ 주채무가 시효로 소멸한 때에는 보증인도 그 시효소멸을 원용할 수 있으며, 주채무자가 시효의 이익을 포기하더라도 보증인에게는 그 효력이 없다(대판 1991.1.29, 89다카1114).

정답 ▸ 18 ② 19 ④

20 소멸시효의 기산점에 관한 다음 설명 중 가장 옳지 않은 것은? (다툼이 있는 경우 판례에 의함)

▸ 2017년 법원행시

① 기한을 정하지 않은 권리의 경우, 소멸시효의 기산점은 권리가 발생한 때이다.

② 소유권이전등기의무의 이행불능으로 인한 전보배상청구권의 소멸시효는 이전등기의무가 이행불능 상태인 때부터 진행되므로, 그 부동산에 대하여 제3자의 처분금지가처분등기가 기입되고 이후 그 제3자 명의로 소유권이전등기까지 마쳐진 경우, 처분금지가처분등기가 기입된 때부터 이행불능으로 인한 전보배상청구권의 소멸시효가 진행한다.

③ 부동산에 대한 매매대금채권은 그 채권에 동시이행의 항변권이 붙어 있다 하더라도, 매매대금의 지급기일 이후에는 소멸시효가 진행한다.

④ 소멸시효에서 '권리를 행사할 수 없는 때'는 권리행사에 법률상의 장애사유가 있는 경우를 말하고, 사실상 권리의 존부나 권리행사의 가능성을 알지 못하였거나 알지 못함에 과실이 없다는 사유는 법률상 장애사유에 해당하지 않는다.

⑤ 기한이 있는 채권의 소멸시효는 이행기가 도래한 때부터 진행하지만, 이행기가 도래한 후 채권자와 채무자가 기한을 유예하기로 합의한 경우에는 이행기가 변경되어 소멸시효는 변경된 이행기가 도래한 때부터 다시 진행한다.

해설 ① 기한의 정함이 없는 채권은 일반적으로 채권자가 그 채권이 발생한 때부터 언제든지 권리행사가 가능하므로, 그 채권 성립시, 즉 권리발생 시부터 소멸시효가 진행한다(통설·판례).

② 소유권이전등기의무의 이행불능으로 인한 전보배상청구권의 소멸시효는 이전등기의무가 이행불능 상태에 돌아간 때로부터 진행된다고 할 것이고, 매매의 목적이 된 부동산에 관하여 제3자의 처분금지가처분의 등기가 기입되었다 할지라도, 이는 단지 그에 저촉되는 범위 내에서 가처분채권자에게 대항할 수 없는 효과가 있다는 것일 뿐 그것에 의하여 곧바로 부동산 위에 어떤 지배관계가 생겨서 채무자가 그 부동산을 임의로 타에 처분하는 행위 자체를 금지하는 것은 아니라 하겠으므로, 그 가처분등기로 인하여 바로 계약이 이행불능으로 되는 것은 아니고, 제3자 앞으로 소유권이전등기가 경료되는 등 사회거래의 통념에 비추어 계약의 이행이 극히 곤란한 사정이 발생하는 때에 비로소 이행불능으로 된다(대판 2002.12.27, 2000다47361).

③ 부동산에 대한 매매대금 채권이 소유권이전등기청구권과 동시이행의 관계에 있다고 할지라도 매도인은 매매대금의 지급기일 이후 언제라도 그 대금의 지급을 청구할 수 있는 것이며, 다만 매수인은 매도인으로부터 그 이전등기에 관한 이행의 제공을 받기까지 그 지급을 거절할 수 있는 데 지나지 아니하므로 매매대금 청구권은 그 지급기일 이후 시효의 진행에 걸린다(대판 1991.3.22, 90다9797).

④ 소멸시효는 객관적으로 권리가 발생하여 그 권리를 행사할 수 있는 때로부터 진행하고 그 권리를 행사할 수 없는 동안만은 진행하지 않는바, '권리를 행사할 수 없는' 경우라 함은 그 권리행사에 법률상의 장애사유, 예컨대 기간의 미도래나 조건불성취 등이 있는 경우를 말하는 것이고, 사실상 권리의 존재나 권리행사가능성을 알지 못하였고 알지 못함에 과실이 없다고 하여도 이러한 사유는 법률상 장애사유에 해당하지 않는다(대판(전합) 1992.3.31, 91다32053).

⑤ 민법 제166조는 "소멸시효는 권리를 행사할 수 있는 때로부터 진행한다."라고 규정하고 있으므로, 기한이 있는 채권의 소멸시효는 이행기가 도래한 때부터 진행하지만, 이행기가 도래한

후 채권자와 채무자가 기한을 유예하기로 합의한 경우에는 유예된 때로 이행기가 변경되어 소멸시효는 변경된 이행기가 도래한 때부터 다시 진행한다(대판 2017.4.13, 2016다274904).

21 소멸시효에 관한 다음 설명 중 가장 옳지 않은 것은? (다툼이 있는 경우 판례에 의함)

▶ 2017년 법원행시

① 공사도급계약에서 소멸시효의 기산점이 되는 보수청구권의 지급시기는 특약이나 관습이 없으면 공사를 마친 때이다.

② 가압류에 의한 시효중단 효력의 발생시기는 가압류를 신청한 때에 소급한다.

③ 이행인수인이 채권자에 대하여 채무자의 채무를 승인하면 시효중단 사유가 되는 채무승인의 효력이 발생한다.

④ 기존 채권의 존재를 전제로 이를 포함하는 새로운 약정을 하고 그에 따른 권리를 재판상 청구의 방법으로 행사한 경우, 새로운 약정이 무효로 되는 등의 사정으로 그에 근거한 권리행사가 저지됨에 따라 다시 기존 채권을 행사하게 되었다면, 기존 채권의 소멸시효는 새로운 약정에 의한 권리를 행사한 때에 중단되었다.

⑤ 회생절차 내에서 이루어진 변제기 유예 합의도 채무에 대한 승인이 전제된 것이므로 채무승인의 효력이 있다.

해설 ① 공사도급계약에서 소멸시효의 기산점이 되는 보수청구권의 지급시기는, 당사자 사이에 특약이 있으면 그에 따르고, 특약이 없으면 관습에 의하며(민법 제665조 제2항, 제656조 제2항), 특약이나 관습이 없으면 공사를 마친 때로 보아야 한다(대판 2017.4.7, 2016다35451).

② 민법 제168조 제2호에서 가압류를 시효중단사유로 정하고 있지만, 가압류로 인한 시효중단의 효력이 언제 발생하는지에 관해서는 명시적으로 규정되어 있지 않다. 민사소송법 제265조에 의하면, 시효중단사유 중 하나인 '재판상의 청구'(민법 제168조 제1호, 제170조)는 소를 제기한 때 시효중단의 효력이 발생한다. 이는 소장 송달 등으로 채무자가 소 제기 사실을 알기 전에 시효중단의 효력을 인정한 것이다. 가압류에 관해서도 위 민사소송법 규정을 유추적용하여 '재판상의 청구'와 유사하게 가압류를 신청한 때 시효중단의 효력이 생긴다고 보아야 한다. 즉 가압류채권자의 권리행사는 가압류를 신청한 때에 시작되므로, 이 점에서도 가압류에 의한 시효중단의 효력은 가압류신청을 한 때에 소급한다는 것이 판례의 입장이다(대판 2017.4.7, 2016다35451).

③ 이행인수는 채무자와 인수인 사이의 계약에 따라 인수인이 채권자에 대한 채무를 변제하기로 약정하는 것을 말한다. 이 경우 인수인은 채무자의 채무를 변제하는 등으로 면책시킬 의무를 부담하지만 채권자에 대한 관계에서 직접 이행의무를 부담하게 되는 것은 아니다. 한편 소멸시효 중단사유인 채무의 승인은 시효이익을 받을 당사자나 대리인만 할 수 있으므로 이행인수인이 채권자에 대하여 채무자의 채무를 승인하더라도 다른 특별한 사정이 없는 한 시효중단 사유가 되는 채무승인의 효력은 발생하지 않는다(대판 2016.10.27, 2015다239744).

④ 소멸시효의 중단과 관련하여 소멸 대상인 권리 자체의 이행청구나 확인청구를 하는 경우 뿐 아니라 권리가 발생한 기본적 법률관계에 관한 청구를 하는 경우 또는 그 권리를 기초로 하거나 그것을 포함하여 형성된 후속 법률관계에 관한 청구를 하는 경우에도 그로써 권리 실행의 의사를 표명한 것으로 볼 수 있을 때에는 시효중단 사유인 재판상의 청구에 포함된다. 따라서 기존 채권의 존재를 전제로 이를 포함하는 새로운 약정을 하고 그에 따른 권리를 재판상 청구의 방법으로 행사한 경우에는 기존 채권을 실현하고자 하는 뜻까지 포함하여 객관적으로 표명한 것이므로, 새로운 약정이 무효로 되는 등의 사정으로 그에 근거한 권리행사가 저지됨에 따라 다시 기존 채권을 행사하게 되었다면, 기존 채권의 소멸시효는 새로운 약정에 의한 권리를 행사한 때에 중단되었다고 보아야 한다(대판 2016.10.27, 2016다25140).

⑤ 회생절차 내에서 이루어진 변제기 유예 합의도 채무에 대한 승인이 전제된 것이므로 채무 승인의 효력이 있다(대판 2016.8.29, 2016다208303).

22 소멸시효에 관한 다음 설명 중 가장 옳지 않은 것은? (다툼이 있는 경우 판례에 의함)

▶ 2017년 법무사

① 지급명령은 채권자가 법정기간 내에 가집행신청을 하지 아니함으로 인하여 그 효력을 잃은 때에는 시효중단의 효력이 없다.

② 하나의 금전채권의 원금 중 일부가 변제된 후 나머지 원금에 대하여 소멸시효가 완성된 경우, 소멸시효 완성의 효력은 소멸시효가 완성된 원금 부분으로부터 그 완성 전에 발생한 이자 또는 지연손해금에는 미치나 변제로 소멸한 원금 부분으로부터 그 변제 전에 발생한 이자 또는 지연손해금에는 미치지 않는다.

③ 임대차 존속 중 차임채권의 소멸시효가 완성된 경우, 특별한 사정이 없는 한 임대인이 소멸시효가 완성된 차임채권을 자동채권으로 삼아 임대차보증금 반환채무와 상계할 수는 없으나 민법 제495조의 유추적용에 의하여 연체차임을 임대차보증금에서 공제할 수는 있다.

④ 도급받은 공사의 공사대금채권은 민법 제163조 제3호에 따라 3년의 단기소멸시효가 적용된다. 나아가 민법 제666조에 따라 수급인이 공사대금채권을 담보하기 위하여 도급인에 대해 갖는 저당권설정청구권은 공사에 부수되는 채권으로서 그 소멸시효기간 역시 3년이다.

⑤ 채권자와 주채무자 사이의 확정판결에 의하여 주채무가 확정되어 그 소멸시효기간이 10년으로 연장되면, 그 보증채무 역시 당연히 단기소멸시효의 적용이 배제되어 10년의 소멸시효기간이 적용된다.

해설 ① 제172조 【지급명령과 시효중단】 지급명령은 채권자가 법정기간 내에 가집행신청을 하지 아니함으로 인하여 그 효력을 잃은 때에는 시효중단의 효력이 없다.

② 이자 또는 지연손해금은 주된 채권인 원본의 존재를 전제로 그에 대응하여 일정한 비율로 발생하는 종된 권리인데, 하나의 금전채권의 원금 중 일부가 변제된 후 나머지 원금에 대하여 소멸시효가 완성된 경우, 가분채권인 금전채권의 성질상 변제로 소멸한 원금 부분과 소멸

시효 완성으로 소멸한 원금 부분을 구분하는 것이 가능하고, 이 경우 원금에 종속된 권리인 이자 또는 지연손해금 역시 변제로 소멸한 원금 부분에서 발생한 것과 시효완성으로 소멸된 원금 부분에서 발생한 것으로 구분하는 것이 가능하므로, 소멸시효 완성의 효력은 소멸시효가 완성된 원금 부분으로부터 그 완성 전에 발생한 이자 또는 지연손해금에는 미치나, 변제로 소멸한 원금 부분으로부터 그 변제 전에 발생한 이자 또는 지연손해금에는 미치지 않는다 (대판 2008.3.14, 2006다2940).

③ [1] 임대차보증금은 차임의 미지급, 목적물의 멸실이나 훼손 등 임대차 관계에서 발생할 수 있는 임차인의 모든 채무를 담보하게 하고자 하는 것이므로, 차임의 지급이 연체되면 장차 임대차 관계가 종료되었을 때 임대차보증금으로 충당될 것으로 생각하는 것이 당사자의 일반적인 의사라고 할 수 있다. 이는 차임채권의 변제기가 따로 정해져 있어 임대차 존속 중 소멸시효가 진행되고 있는데도 임대인이 임대차보증금에서 연체차임을 충당하여 공제하겠다는 의사표시를 하지 않고 있었던 경우에도 마찬가지라고 할 것이다. 더욱이 임대차보증금의 액수가 차임에 비해 많은 큰 금액인 경우가 많은 우리 사회의 실정에 비추어 보면, 차임지급채무가 상당기간 연체되고 있음에도, 임대인이 임대차계약을 해지하지 아니하고 임차인도 연체차임에 대한 담보가 충분하다는 것에 의지하여 임대차관계를 지속하는 경우에는, 임대인과 임차인 모두 차임채권이 소멸시효와 상관없이 임대차보증금에 의하여 담보되는 것으로 신뢰하고, 나아가 장차 임대차보증금에서 충당 공제되는 것을 용인하겠다는 묵시적 의사를 가지고 있는 것이 일반적이라고 할 수 있다.

[2] 한편 민법 제495조는 '소멸시효가 완성된 채권이 그 완성 전에 상계할 수 있었던 것이면 그 채권자는 상계할 수 있다'고 규정하고 있다. 이는 당사자 쌍방의 채권이 상계적상에 있었던 경우에 당사자들은 그 채권·채무관계가 이미 정산되어 소멸하였다고 생각하는 것이 일반적이라는 점을 고려하여 당사자들의 신뢰를 보호하기 위한 것이다. 다만 이는 '자동채권의 소멸시효 완성 전에 양 채권이 상계적상에 이르렀을 것'을 요건으로 하는 것인데, 임대인의 임대차보증금 반환채무는 임대차계약이 종료된 때에 비로소 이행기에 도달하므로(대판 2002. 12.10, 2002다52657 판결 등 참조), 임대차 존속 중 차임채권의 소멸시효가 완성된 경우에는 그 소멸시효 완성 전에 임대인이 임대차보증금 반환채무에 관한 기한의 이익을 실제로 포기하였다는 등의 특별한 사정이 없는 한 양 채권이 상계할 수 있는 상태에 있었다고 할 수 없으므로 그 이후에 임대인이 이미 소멸시효가 완성된 차임채권을 자동채권으로 삼아 임대차보증금 반환채무와 상계하는 것은 민법 제495조에 의하더라도 인정될 수 없다고 보아야 할 것이다. 그러나 임대차 존속 중 차임이 연체되고 있음에도 임대차보증금에서 연체차임을 충당하지 않고 있었던 임대인의 신뢰와 차임연체 상태에서 임대차관계를 지속해 온 임차인의 묵시적 의사를 감안하면 그 연체차임은 「민법 제495조의 유추적용」에 의하여 임대차보증금에서 공제할 수는 있다고 봄이 타당하다(대판 2016.11.25, 2016다211309).

④ 부동산에 관한 공사도급의 경우에 수급인의 노력과 출재로 완성된 목적물의 소유권은 원칙적으로 수급인에게 귀속되지만 도급인과 수급인 사이의 특약에 의하여 달리 정하거나 기타 특별한 사정이 있으면 도급인이 원시취득하게 되므로, 민법 제666조는 그러한 경우에 수급인에게 목적물에 대한 저당권설정청구권을 부여함으로써 수급인이 목적물로부터 공사대금을 사실상 우선적으로 변제받을 수 있도록 하고 있다. 이에 비추어, 건물신축공사에 관한 도급계약에서 수급인이 자기의 노력과 출재로 건물을 완성하여 그 소유권이 수급인에게 귀속된 경우에는 수급인으로부터 건물신축공사 중 일부를 도급받은 하수급인도 수급인에 대하여 민법 제666조에 따른 저당권설정청구권(이하 '저당권설정청구권'이라고 한다)을 가진다고 할 것

정답 22 ⑤

이다. 한편 도급받은 공사의 공사대금채권은 민법 제163조 제3호에 따라 3년의 단기소멸시효가 적용되고, 그 공사에 부수되는 채권도 마찬가지라고 할 것인데, 저당권설정청구권은 공사대금채권을 담보하기 위하여 저당권설정등기절차의 이행을 구하는 채권적 청구권으로서 공사에 부수되는 채권에 해당하므로 그 소멸시효기간 역시 3년이라고 보아야 한다 (대판 2016.10.27, 2014다211978).

⑤ 민법 제165조가 판결에 의하여 확정된 채권, 판결과 동일한 효력이 있는 것에 의하여 확정된 채권은 단기의 소멸시효에 해당한 것이라도 그 소멸시효는 10년으로 한다고 규정하는 것은 당해 판결 등의 당사자 사이에 한하여 발생하는 효력에 관한 것이고, 채권자와 주채무자 사이의 판결 등에 의해 채권이 확정되어 그 소멸시효가 10년으로 되었다 할지라도, 위 당사자 이외의 채권자와 연대보증인 사이에 있어서는 위 확정판결 등은 그 시효기간에 대하여는 아무런 영향도 없고, 채권자의 연대보증인의 연대보증채권의 소멸시효기간은 여전히 종전의 소멸시효기간에 따른다(대판 1986.11.25, 86다카1569).

23 소멸시효에 관한 다음 설명 중 가장 옳지 않은 것은? (다툼이 있는 경우 판례에 의함)

▶ 2018년 법무사

① 시효완성 후 소멸시효 중단사유에 해당하는 채무의 승인이 있었다 하더라도 그것만으로는 곧바로 소멸시효 이익의 포기라는 의사표시가 있었다고 단정할 수 없다.

② 시효중단 사유 중 하나인 가압류가 이루어진 경우, 소멸시효 중단의 효력은 가압류신청을 한 때로 소급한다.

③ 채무자가 계약상 채무를 이행하지 않았다고 하더라도 채권자는 여전히 해당 계약에서 정한 채권을 보유하고 있다. 그러므로 특별한 사정이 없는 한 채무자가 그 채무를 이행하지 않고 있다고 하여 채무자가 법률상 원인 없이 이득을 얻었다고 할 수는 없다. 이는 그 채권이 시효로 소멸하였다 하더라도 마찬가지이다.

④ 민법 제176조는 '압류, 가압류 및 가처분은 시효의 이익을 받은 자에 대하여 하지 아니한 때에는 이를 그에게 통지한 후가 아니면 시효중단의 효력이 없다'고 규정하고 있다. 하지만 채권자의 신청에 따라 연대보증채무자 겸 물상보증인 A 소유 담보부동산에 대한 임의경매개시결정이 내려져 그 결정이 A에게 송달되고 압류의 효력이 생겼다면, 채권자는 그 압류 사실을 주채무자에게 통지하지 않더라도 주채무의 시효 중단을 주장할 수 있다.

⑤ 원금채무에 관하여는 소멸시효가 완성되지 아니하였으나 이자채무에 관하여는 소멸시효가 완성된 상태에서 채무자가 채무를 일부 변제한 때에는 그 액수에 관하여 다툼이 없는 한 그 원금채무에 관하여 묵시적으로 승인하는 한편 그 이자채무에 관하여 시효완성의 사실을 알고 그 이익을 포기한 것으로 추정된다.

> **해설** ① 소멸시효 중단사유로서의 채무승인은 시효이익을 받는 당사자인 채무자가 소멸시효의 완성으로 채권을 상실하게 될 자에 대하여 상대방의 권리 또는 자신의 채무가 있음을 알고 있다는 뜻을 표시함으로써 성립하는 이른바 관념의 통지로 여기에 어떠한 효과의사가 필요하지 않다. 이에 반하여 시효완성 후 시효이익의 포기가 인정되려면 시효이익을 받는 채무자가 시효의 완성으로 인한 법적인 이익을 받지 않겠다는 효과의사가 필요하기 때문에 시효완성 후

소멸시효 중단사유에 해당하는 채무의 승인이 있었다 하더라도 그것만으로는 곧바로 소멸시효 이익의 포기라는 의사표시가 있었다고 단정할 수 없다(대판 2017.7.11, 2014다32458).

② 민법 제168조 제2호에서 가압류를 시효중단사유로 정하고 있지만, 가압류로 인한 시효중단의 효력이 언제 발생하는지에 관해서는 명시적으로 규정되어 있지 않다. 민사소송법 제265조에 의하면, 시효중단사유 중 하나인 '재판상의 청구'(민법 제168조 제1호, 제170조)는 소를 제기한 때 시효중단의 효력이 발생한다. 이는 소장 송달 등으로 채무자가 소 제기 사실을 알기 전에 시효중단의 효력을 인정한 것이다. 가압류에 관해서도 위 민사소송법 규정을 유추적용하여 '재판상의 청구'와 유사하게 가압류를 신청한 때 시효중단의 효력이 생긴다고 보아야 한다. '가압류'는 법원의 가압류명령을 얻기 위한 재판절차와 가압류명령의 집행절차를 포함하는데, 가압류도 재판상의 청구와 마찬가지로 법원에 신청을 함으로써 이루어지고(민사집행법 제279조), 가압류명령에 따른 집행이나 가압류명령의 송달을 통해서 채무자에게 고지가 이루어지기 때문이다. 가압류를 시효중단사유로 규정한 이유는 가압류에 의하여 채권자가 권리를 행사하였다고 할 수 있기 때문이다. 가압류채권자의 권리행사는 가압류를 신청한 때에 시작되므로, 이 점에서도 가압류에 의한 시효중단의 효력은 가압류신청을 한 때에 소급한다(대판 2017.4.7, 2016다35451).

③ 어떠한 계약상의 채무를 채무자가 이행하지 않았다고 하더라도 채권자는 여전히 해당 계약에서 정한 채권을 보유하고 있으므로, 특별한 사정이 없는 한 채무자가 채무를 이행하지 않고 있다고 하여 채무자가 법률상 원인 없이 이득을 얻었다고 할 수는 없고, 설령 채권이 시효로 소멸하게 되었다 하더라도 달리 볼 수 없다(대판 2018.2.28, 2016다45779).

④ 제176조

⑤ 원금채무에 관하여는 소멸시효가 완성되지 아니하였으나 이자채무에 관하여는 소멸시효가 완성된 상태에서 채무자가 채무를 일부 변제한 때에는 액수에 관하여 다툼이 없는 한 원금채무에 관하여 묵시적으로 승인하는 한편 이자채무에 관하여 시효완성의 사실을 알고 그 이익을 포기한 것으로 추정된다(대판 2013.5.23, 2013다12464).

24 소멸시효에 관한 다음 설명 중 옳지 않은 것을 모두 고른 것은? ▸ 2018년 법원행시

ㄱ. 과세처분의 취소를 구하였으나 재판과정에서 그 과세처분이 무효로 밝혀진 경우, 무효선언으로서의 취소판결이 확정된 때로부터 과오납한 조세에 대한 부당이득반환청구권의 소멸시효가 진행한다.

ㄴ. 피해자가 스스로 자동차를 운전하다가 사망한 사고에 관해 보험회사가 보험금청구권자에게 그 사고는 면책대상이어서 보험금을 지급할 수 없다는 내용의 잘못된 통보를 하였다면, 그와 같은 사유는 보험금청구권을 행사할 수 없는 법률상의 장애사유라고 보아야 한다.

ㄷ. 민법 제163조 제2호 소정의 '의사의 치료에 관한 채권'에 있어서는, 특약이 없는 한 그 개개의 진료가 종료될 때마다 각각의 당해 진료에 필요한 비용의 이행기가 도래하여 그에 대한 소멸시효가 진행된다.

ㄹ. 주식회사인 부동산 매수인이 의료법인인 매도인과의 부동산매매계약의 이행으로서 그 매매대금을 매도인에게 지급하였으나, 매도인 법인을 대표하여 위 매매계약을 체결한 대표자의 선임에 관한 이사회결의가 부존재하는 것으로 확정됨에 따라 위 매매계약이 무효로 되었음을 이유로 매도인에게 이미 지급하였던 매매대금 상당액의 반환을 구하는 부당이득반환청구의 경우, 위 부당이득반환청구권은 상법 제64조가 적용되어 5년간 행사하지 아니하면 소멸시효가 완성한다.

ㅁ. 민법 제165조가 판결에 의하여 확정된 채권은 단기의 소멸시효에 해당한 것이라도 그 소멸시효는 10년으로 한다고 규정하는 것은 당해 판결의 당사자 사이에 한하여 발생하는 효력에 관한 것이므로, 유치권이 성립된 부동산의 매수인은 유치권의 피담보채권의 소멸시효기간이 확정판결에 의하여 10년으로 연장된 경우 그 채권의 소멸시효기간이 연장된 효과를 부정하고 종전의 단기소멸시효기간을 원용할 수 있다.

ㅂ. 권리자인 피고가 응소하여 권리를 주장하였으나 그 소가 취하되어 본안에서 그 권리주장에 관한 판단 없이 소송이 종료된 경우, 민법 제170조 제2항을 유추적용하여 그때부터 6월 이내에 재판상의 청구를 하면 응소시에 소급하여 시효중단의 효력이 있다.

① ㄱ, ㅁ, ㅂ   ② ㄱ, ㄴ, ㄹ, ㅁ
③ ㄴ, ㄷ, ㄹ   ④ ㄹ, ㅁ, ㅂ
⑤ ㄱ, ㄴ, ㄹ, ㅁ, ㅂ

해설 ㄱ. 과세처분의 취소를 구하였으나 재판과정에서 그 과세처분이 무효로 밝혀졌다고 하여도 그 과세처분은 처음부터 무효이고 무효선언으로서의 취소판결이 확정됨으로써 비로소 무효로 되는 것은 아니므로 오납 시부터 그 반환청구권의 소멸시효가 진행한다(대판(전합) 1992.3.31. 91다32053).

ㄴ. 피해자가 스스로 자동차를 운전하다가 사망한 사고에 관해 보험회사가 보험금청구권자에게 그 사고는 면책 대상이어서 보험금을 지급할 수 없다는 내용의 잘못된 통보를 하였다고 하더라도 그와 같은 사유는 보험금청구권을 행사하는 데 있어서 법률상의 장애사유가 될 수 없고, 또 이로 인하여 보험금청구권자가 보험사고가 발생하였다는 것을 알 수 없게 되었다고 볼 수도 없으므로 보험회사의 보험계약상의 보험금 지급채무는 사고 발생 시로부터 2년의 기간이 경과함으로써 시효소멸한다(대판 1997.11.11. 97다36521).

ㄷ. 민법 제163조 제2호 소정의 '의사의 치료에 관한 채권'에 있어서는, 특약이 없는 한 그 개개의 진료가 종료될 때마다 각각의 당해 진료에 필요한 비용의 이행기가 도래하여 그에 대한 소멸시효가 진행된다고 해석함이 상당하고, 장기간 입원 치료를 받는 경우라 하더라도 다른 특약이 없는 한 입원 치료 중에 환자에 대하여 치료비를 청구함에 아무런 장애가 없으므로 퇴원 시부터 소멸시효가 진행된다고 볼 수는 없다(대판 2001.11.9. 2001다52568).

ㄹ. 주식회사인 부동산 매수인이 의료법인인 매도인과의 부동산매매계약의 이행으로서 그 매매대금을 매도인에게 지급하였으나, 매도인 법인을 대표하여 위 매매계약을 체결한 대표자의 선임에 관한 이사회결의가 부존재하는 것으로 확정됨에 따라 위 매매계약이 무효로 되었음을 이유로 민법의 규정에 따라 매도인에게 이미 지급하였던 매매대금 상당액의 반환을 구하는 부당이득반환청구의 경우, 거기에 상거래 관계와 같은 정도로 신속하게 해결할 필요성이

있다고 볼 만한 합리적인 근거도 없으므로 위 부당이득반환청구권에는 상법 제64조가 적용되지 아니하고, 그 소멸시효기간은 민법 제162조 제1항에 따라 10년이다(대판 2003.4.8, 2002다64957・64964).

ㅁ. 유치권이 성립된 부동산의 매수인은 피담보채권의 소멸시효가 완성되면 시효로 인하여 채무가 소멸되는 결과 직접적인 이익을 받는 자에 해당하므로 소멸시효의 완성을 원용할 수 있는 지위에 있다고 할 것이나, 매수인은 유치권자에게 채무자의 채무와는 별개의 독립된 채무를 부담하는 것이 아니라 단지 채무자의 채무를 변제할 책임을 부담하는 점 등에 비추어 보면, 유치권의 피담보채권의 소멸시효기간이 확정판결 등에 의하여 10년으로 연장된 경우 매수인은 그 채권의 소멸시효기간이 연장된 효과를 부정하고 종전의 단기소멸시효기간을 원용할 수는 없다(대판 2009.9.24, 2009다39530).

ㅂ. 민법 제168조 제1호, 제170조 제1항에서 시효중단사유의 하나로 규정하고 있는 재판상의 청구라 함은, 통상적으로는 권리자가 원고로서 시효를 주장하는 자를 피고로 하여 소송물인 권리를 소의 형식으로 주장하는 경우를 가리키지만, 이와 반대로 시효를 주장하는 자가 원고가 되어 소를 제기한 데 대하여 피고로서 응소하여 그 소송에서 적극적으로 권리를 주장하고 그것이 받아들여진 경우도 이에 포함되고, 위와 같은 응소행위로 인한 시효중단의 효력은 피고가 현실적으로 권리를 행사하여 응소한 때에 발생한다. 한편, 권리자인 피고가 응소하여 권리를 주장하였으나 그 소가 각하되거나 취하되는 등의 사유로 본안에서 그 권리주장에 관한 판단 없이 소송이 종료된 경우에도 민법 제170조 제2항을 유추적용하여 그때부터 6월 이내에 재판상의 청구 등 다른 시효중단조치를 취하면 응소시에 소급하여 시효중단의 효력이 있는 것으로 봄이 상당하다(대판 2010.8.26, 2008다42416・42423).

25 소멸시효에 관한 다음 설명 중 가장 옳지 않은 것은? (다툼이 있는 경우 판례에 의하고, 전원합의체 판결의 경우 다수의견에 의함) ▶ 2019년 9급(법원서기보)

① 금전채무의 이행지체로 인한 지연손해금은 민법 제163조의 3년의 단기소멸시효에 걸리지 아니하나, 도급받은 공사의 부수되는 채권은 3년의 단기소멸시효의 대상이 된다.

② 시효중단은 원칙적으로 당사자 및 그 승계인 사이에서만 효력이 있고, 특정승계이건 포괄승계이건 불문하며, 중단사유 발생 전의 승계인도 포함한다.

③ 채무자에 대한 일반 채권자는 자기의 채권을 보전하기 위하여 필요한 한도 내에서 채무자를 대위하여 소멸시효 주장을 할 수 있을 뿐 채권자의 지위에서 독자적으로 소멸시효의 주장을 할 수 없다.

④ 소멸시효이익 포기의 효과는 상대적이어서 포기자 외의 자에게 영향을 미치지 않으므로, 주채무자가 시효이익을 포기하더라도 보증인이나 물상보증인에게는 포기의 효과가 미치지 아니한다.

정답 **25 ②**

해설 ① 금전채무의 이행지체로 인하여 발생하는 지연손해금은 그 성질이 손해배상금이므로 제163조 1호 소정의 3년간의 단기소멸시효에 걸리는 채권이 아니다(대판 1998.11.10, 98다42141). 또한 도급을 받은 자의 공사에 관한 채권에서 '채권'은 도급받은 공사의 공사대금채권뿐만 아니라 그 공사에 부수되는 채권도 포함한다(대판 2002.11.8, 2002다28685).
② 민법 제169조는 시효중단의 효력이 당사자 및 그 승계인 간에 미친다고 규정하고 있다. 여기서 당사자라 함은 중단행위에 관여한 당사자를 가리키고 시효의 대상인 권리 또는 청구권의 당사자는 아니며, 승계인이라 함은 시효중단에 관여한 당사자로부터 중단의 효과를 받는 권리 또는 의무를 그 중단 효과 발생 이후에 승계한 자를 뜻하고 포괄승계인은 물론 특정승계인도 이에 포함된다(대판 1997.4.25, 96다46484 등).
③ 채무자에 대한 일반채권자는 자기의 채권을 보전하기 위하여 필요한 한도 내에서 채무자를 대위하여 채무자에 대한 다른 채권자의 채권의 소멸시효를 주장할 수 있을 뿐, 채권자의 지위에서 독자적으로 다른 채권자의 채권의 소멸시효를 주장할 수 없다(대판 2012.5.10, 2011다109500).
④ 시효이익의 포기는 다른 사람에게는 영향을 미치지 않는다(상대적 효력). 따라서 시효이익을 받을 자가 여러 사람이 있는 경우에 그 중 1인이 포기하더라도 그 효과는 다른 사람에게 미치지 않는다. 예컨대 주채무자가 시효이익을 포기하더라도 보증인이나 물상보증인에게는 그 효과가 미치지 않는다. 즉 주채무자의 항변포기는 보증인에게 효력이 없고(제433조 제2항), 주채무가 시효로 소멸한 때에는 보증인도 그 시효소멸을 원용할 수 있으며, 주채무자가 시효의 이익을 포기하더라도 보증인에게는 그 효력이 없다(대판 1991.1.29, 89다카1114).

26 소멸시효에 관한 다음 설명 중 가장 옳지 않은 것은? ▸ 2020년 법무사

① 시효중단을 위한 후소로서 이행소송 외에 전소 판결로 확정된 채권의 시효를 중단시키기 위한 조치, 즉 '재판상의 청구'가 있다는 점에 대하여만 확인을 구하는 형태의 '새로운 방식의 확인소송'이 허용되고, 채권자는 두 가지 형태의 소송 중 자신의 상황과 필요에 보다 적합한 것을 선택하여 제기할 수 있다.
② 소유권이전등기의무의 이행불능으로 인한 전보배상청구권의 소멸시효는 이전등기의무가 이행불능 상태인 때부터 진행되므로, 그 부동산에 대하여 제3자의 처분금지가처분등기가 기입되고 이후 그 제3자 명의로 소유권이전등기까지 마쳐진 경우, 처분금지가처분등기가 기입된 때부터 이행불능으로 인한 전보배상청구권의 소멸시효가 진행한다.
③ 기한이 있는 채권의 소멸시효는 이행기가 도래한 때부터 진행하지만, 이행기가 도래한 후 채권자와 채무자가 기한을 유예하기로 합의한 경우에는 유예된 때로 이행기가 변경되어 소멸시효는 변경된 이행기가 도래한 때부터 다시 진행한다.
④ 민법 제163조 제2호 소정의 의사의 치료에 관한 채권에 있어서는, 특약이 없는 한 그 개개의 진료가 종료될 때마다 각각의 당해 진료에 필요한 비용의 이행기가 도래하여 그에 대한 소멸시효가 진행된다고 해석함이 상당하고, 장기간 입원 치료를 받는 경우라 하더라도 다른 특약이 없는 한 입원 치료 중에 환자에 대하여 치료비를 청구함에 아무런 장애가 없으므로 퇴원 시부터 소멸시효가 진행된다고 볼 수는 없다.

⑤ 권리자인 피고가 응소하여 권리를 주장하였으나 그 소가 취하되어 본안에서 그 권리주
장에 관한 판단 없이 소송이 종료된 경우 민법 제170조 제2항을 유추적용하여 그때부
터 6월 이내에 재판상의 청구를 하면 응소 시에 소급하여 시효중단의 효력이 있다.

해설 ① [다수의견] 종래 대법원은 시효중단사유로서 재판상의 청구에 관하여 반드시 권리 자체의 이
행청구나 확인청구로 제한하지 않을 뿐만 아니라, 권리자가 재판상 그 권리를 주장하여 권리
위에 잠자는 것이 아님을 표명한 것으로 볼 수 있는 때에는 널리 시효중단사유로서 재판상의
청구에 해당하는 것으로 해석하여 왔다. 이와 같은 법리는 이미 승소 확정판결을 받은 채권자
가 그 판결상 채권의 시효중단을 위해 후소를 제기하는 경우에도 동일하게 적용되므로, 채권
자가 전소로 이행청구를 하여 승소 확정판결을 받은 후 그 채권의 시효중단을 위한 후소를
제기하는 경우, 후소의 형태로서 항상 전소와 동일한 이행청구만이 시효중단사유인 '재판상의
청구'에 해당한다고 볼 수는 없다. 시효중단을 위한 이행소송은 다양한 문제를 야기한다. 그와
같은 문제들의 근본적인 원인은 시효중단을 위한 후소의 형태로 전소와 소송물이 동일한 이행
소송이 제기되면서 채권자가 실제로 의도하지도 않은 청구권의 존부에 관한 실체 심리를 진행
하는 데에 있다. 채무자는 그와 같은 후소에서 전소 판결에 대한 청구이의사유를 조기에 제출
하도록 강요되고 법원은 불필요한 심리를 해야 한다. 채무자는 이중집행의 위험에 노출되고,
실질적인 채권의 관리·보전비용을 추가로 부담하게 되며 그 금액도 매우 많은 편이다. 채권
자 또한 자신이 제기한 후소의 적법성이 10년의 경과가 임박하였는지 여부라는 불명확한 기
준에 의해 좌우되는 불안정한 지위에 놓이게 된다. 위와 같은 종래 실무의 문제점을 해결하기
위해서, 시효중단을 위한 후소로서 이행소송 외에 전소 판결로 확정된 채권의 시효를 중단시
키기 위한 조치, 즉 '재판상의 청구'가 있다는 점에 대하여만 확인을 구하는 형태의 '새로운 방
식의 확인소송'이 허용되고, 채권자는 두 가지 형태의 소송 중 자신의 상황과 필요에 보다 적합
한 것을 선택하여 제기할 수 있다고 보아야 한다(대판(전) 2018.10.18. 2015다232316).

② 소유권이전등기의무의 이행불능으로 인한 전보배상청구권의 소멸시효는 이전등기의무가 이행
불능 상태에 돌아간 때로부터 진행된다고 할 것이고, 매매의 목적이 된 부동산에 관하여 제3자
의 처분금지가처분의 등기가 기입되었다 할지라도, 이는 단지 그에 저촉되는 범위 내에서 가처
분채권자에게 대항할 수 없는 효과가 있다는 것일 뿐 그것에 의하여 곧바로 부동산 위에 어떤
지배관계가 생겨서 채무자가 그 부동산을 임의로 타에 처분하는 행위 자체를 금지하는 것은
아니라 하겠으므로, 그 가처분등기로 인하여 바로 계약이 이행불능으로 되는 것은 아니고, 제3
자 앞으로 소유권이전등기가 경료되는 등 사회거래의 통념에 비추어 계약의 이행이 극히 곤란
한 사정이 발생하는 때에 비로소 이행불능으로 된다(대판 2002.12.27. 2000다47361).

③ 민법 제166조는 "소멸시효는 권리를 행사할 수 있는 때로부터 진행한다."라고 규정하고 있으
므로, 기한이 있는 채권의 소멸시효는 이행기가 도래한 때부터 진행하지만, 이행기가 도래한
후 채권자와 채무자가 기한을 유예하기로 합의한 경우에는 유예된 때로 이행기가 변경되어
소멸시효는 변경된 이행기가 도래한 때부터 다시 진행한다. 이와 같은 기한 유예의 합의는
명시적으로뿐만 아니라 묵시적으로도 가능한데, 계약상의 채권관계에서 어떠한 경우에 기한
유예의 묵시적 합의가 있다고 볼 것인지는 계약의 체결경위와 내용 및 이행경과, 기한 유예가
채무자의 이익이나 추정적 의사에 반하는지 여부 등 제반 사정을 종합적으로 고려해서 판단
하여야 한다(대판 2017.4.13. 2016다274904).

정답 26 ②

④ 민법 제163조 제2호 소정의 '의사의 치료에 관한 채권'에 있어서는, 특약이 없는 한 그 개개의 진료가 종료될 때마다 각각의 당해 진료에 필요한 비용의 이행기가 도래하여 그에 대한 소멸시효가 진행된다고 해석함이 상당하고, 장기간 입원 치료를 받는 경우라 하더라도 다른 특약이 없는 한 입원 치료 중에 환자에 대하여 치료비를 청구함에 아무런 장애가 없으므로 퇴원시부터 소멸시효가 진행된다고 볼 수는 없다(대판 2001.11.9, 2001다52568).

⑤ 민법 제168조 제1호, 제170조 제1항에서 시효중단사유의 하나로 규정하고 있는 재판상의 청구란, 통상적으로는 권리자가 원고로서 시효를 주장하는 자를 피고로 하여 소송물인 권리를 소의 형식으로 주장하는 경우를 가리키나, 이와 반대로 시효를 주장하는 자가 원고가 되어 소를 제기한 데 대하여 피고로서 응소하여 소송에서 적극적으로 권리를 주장하고 그것이 받아들여진 경우도 이에 포함되고, 위와 같은 응소행위로 인한 시효중단의 효력은 피고가 현실적으로 권리를 행사하여 응소한 때에 발생하지만, 권리자인 피고가 응소하여 권리를 주장하였으나 소가 각하되거나 취하되는 등의 사유로 본안에서 권리주장에 관한 판단 없이 소송이 종료된 경우에는 민법 제170조 제2항을 유추적용하여 그때부터 6월 이내에 재판상의 청구 등 다른 시효중단조치를 취한 경우에 한하여 응소 시에 소급하여 시효중단의 효력이 있다고 보아야 한다(대판 2012.1.12, 2011다78606).

27 소멸시효의 중단에 관한 다음 설명 중 가장 옳은 것은? ▸ 2020년 법무사

① 공유자의 한 사람이 공유물의 보존행위로서 소를 제기한 경우에 그로 인한 시효중단의 효력은 재판상의 청구를 한 그 공유자에 한하여 발생한다.

② 형사고소는 시효중단사유로서의 재판상 청구라고 볼 수 없으나, 정식 기소가 이루어지면 고소를 한 때로 소급하여 시효가 중단된 것으로 본다.

③ 검사 작성의 피의자신문조서의 진술기재 가운데 채무의 일부를 승인하는 의사가 표시되어 있다면 소멸시효 중단 사유로서 승인의 의사표시가 있는 것으로는 볼 수 있다.

④ 채권자가 피고로서 응소하여 권리를 주장하였으나 소가 각하되어 본안에서 피고의 주장에 관한 판단 없이 소송이 종료되고, 그로부터 6월 내에 채권자가 원고로서 소를 제기한 경우 소 제기 시에 채권의 소멸시효는 중단된다.

⑤ 변론주의 원칙상 채권자인 피고가 응소행위를 하였다고 하여 바로 시효중단의 효과가 발생하는 것은 아니고 시효중단의 주장을 하여야 그 효력이 생기는 것이며, 시효중단의 주장은 반드시 응소시에 할 필요는 없고 사실심 변론종결 전에만 하면 족하나, 시효중단의 주장을 한 시점이 소멸시효기간이 만료된 후라면 이미 소멸시효가 완성된 것이어서 시효중단의 효력이 생길 여지가 없다.

해설 ① 공유자의 한 사람이 공유물의 보존행위로서 제소한 경우라도, 동 제소로 인한 시효중단의 효력은 재판상의 청구를 한 그 공유자에 한하여 발생하고, 다른 공유자에게는 미치지 아니한다(대판 1979.6.26, 79다639).

② 형사소송은 피고인에 대한 국가형벌권의 행사를 그 목적으로 하는 것이므로, 피해자가 형사소송에서 소송촉진등에 관한 특례법에서 정한 배상명령을 신청한 경우를 제외하고는 단지

피해자가 가해자를 상대로 고소하거나 그 고소에 기하여 형사재판이 개시되어도 이를 가지고 소멸시효의 중단사유인 재판상의 청구로 볼 수는 없다(대판 1999.3.12, 98다18124).

③ 검사 작성의 피의자신문조서 중 피의자가 채무를 승인하는 의사가 표시된 진술기재 부분만으로 소멸시효의 중단사유로서 승인의 의사표시가 있는 것으로 볼 수 있는지 여부(소극) – 소멸시효 중단사유로서 승인은 시효이익을 받을 당사자인 채무자가 소멸시효의 완성으로 권리를 상실하게 될 자 또는 그 대리인에 대하여 그 권리가 존재함을 인식하고 있다는 뜻을 표시함으로써 성립하는 것인바, 검사 작성의 피의자신문조서는 검사가 피의자를 신문하여 그 진술을 기재한 조서로서 그 작성형식은 원칙적으로 검사의 신문에 대하여 피의자가 응답하는 형태를 취하여 피의자의 진술은 어디까지나 검사를 상대로 이루어지는 것이어서 그 진술기재 가운데 채무의 일부를 승인하는 의사가 표시되어 있다고 하더라도, 그 기재 부분만으로 곧바로 소멸시효 중단사유로서 승인의 의사표시가 있은 것으로는 볼 수 없다(대판 1999.3.12, 98다18124).

④,⑤ 민법 제168조 제1호, 제170조 제1항에서 시효중단사유의 하나로 규정하고 있는 재판상의 청구라 함은, 통상적으로는 권리자가 원고로서 시효를 주장하는 자를 피고로 하여 소송물인 권리를 소의 형식으로 주장하는 경우를 가리키지만, 이와 반대로 시효를 주장하는 자가 원고가 되어 소를 제기한 데 대하여 피고로서 응소하여 그 소송에서 적극적으로 권리를 주장하고 그것이 받아들여진 경우도 이에 포함되고, 위와 같은 응소행위로 인한 시효중단의 효력은 피고가 현실적으로 권리를 행사하여 응소한 때에 발생한다. 이러한 응소행위에 대하여 소멸시효중단의 효력을 인정하는 것은 그것이 권리 위에 잠자는 것이 아님을 표명한 것에 다름 아닐 뿐만 아니라 계속된 사실상태와 상용할 수 없는 다른 사정이 발생한 때로 보아야 한다는 것에 기인한 것이므로, 채무자가 반드시 소멸시효완성을 원인으로 한 소송을 제기한 경우이거나 당해 소송이 아닌 전 소송 또는 다른 소송에서 그와 같은 권리주장을 한 경우이어야 할 필요는 없고, 나아가 변론주의 원칙상 피고가 응소행위를 하였다고 하여 바로 시효중단의 효과가 발생하는 것은 아니고 시효중단의 주장을 하여야 그 효력이 생기는 것이지만, 시효중단의 주장은 반드시 응소 시에 할 필요는 없고 소멸시효기간이 만료된 후라도 사실심 변론종결 전에는 언제든지 할 수 있다(대판 2010.8.26, 2008다42416,42423).

28 소멸시효에 관한 다음 설명 중 가장 옳지 않은 것은? (다툼이 있는 경우 판례에 의하고, 전원합의체 판결의 경우 다수의견에 의함) ▶ 2020년 9급(법원서기보)

① 정지조건부 권리의 경우 조건이 성취된 때부터 시효가 기산된다.

② 동시이행의 항변권이 붙어 있는 채권의 경우에 이행기가 도래하고 반대급부의 이행제공을 한 이후에 소멸시효가 진행한다.

③ 매수인이 매매목적물인 부동산을 인도받아 점유하고 있는 이상 매수인의 소유권이전등기청구권은 소멸시효가 진행하지 않는다.

④ 권리자가 사실상 권리의 존부나 권리행사의 가능성을 알지 못하였고 그 알지 못함에 과실이 없는 경우라도 소멸시효가 진행하지 않는 법률상 장애사유에 해당한다고 할 수 없다.

정답 27 ① 28 ②

해설 ①, ④ 소멸시효는 권리를 행사할 수 있는 때로부터 진행한다(제166조 제1항). '권리를 행사할 수 있는 때'라 함은 그 권리행사에 법률상의 장애사유, 예를 들면 기한의 미도래나 조건불성취 등이 없는 경우를 말하고, 사실상 장애는 여기에 포함되지 않으므로 법률상 장애사유가 없는 한, 사실상 그 권리의 존재나 권리행사의 가능성을 알지 못하였거나 알지 못함에 있어서의 과실유무 등은 시효진행에 영향을 미치지 아니한다(대판(전) 1984.12.26, 84누572). 따라서 정지조건부 권리의 경우 조건이 성취된 때부터 시효가 기산된다.

② 부동산에 대한 매매대금 채권이 소유권이전등기청구권과 동시이행의 관계에 있다고 할지라도 매도인은 매매대금의 지급기일 이후 언제라도 그 대금의 지급을 청구할 수 있는 것이며, 다만 매수인은 매도인으로부터 그 이전등기에 관한 이행의 제공을 받기까지 그 지급을 거절할 수 있는 데 지나지 아니하므로 매매대금 청구권은 그 지급기일 이후 시효의 진행에 걸린다(대판 1991.3.22, 90다9797).

③ 매수인이 토지를 인도받아 사용, 수익(점유)하고 있는 경우에는 소멸시효제도의 취지에 비추어 볼 때 권리위에 잠자는 자로 볼 수 없어 소멸시효로 권리가 소멸하지 않는다(대판(전) 1976.11.6, 76다148 등). 즉 소유권이전등기청구권은 채권적 청구권이므로 10년의 소멸시효에 걸리지만, 매수인이 매매목적물인 부동산을 인도받아 점유하고 있는 이상 매매대금의 지급 여부와는 관계없이 그 소멸시효가 진행되지 아니한다(대판 1991.3.22, 90다9797).

29 소멸시효에 관한 다음 설명 중 가장 옳은 것은? (다툼이 있는 경우 판례에 의하고, 전원합의체 판결의 경우 다수의견에 의함) ▶ 2020년 9급(법원서기보)

① 부진정연대채무에서 채무자 1인에 대한 재판상 청구 또는 채무자 1인이 행한 채무의 승인 등 소멸시효의 중단사유나 시효이익의 포기는 다른 채무자에게도 효력을 미친다.

② 시효를 주장하는 자가 제기한 소에서 채권자가 피고로서 응소하여 적극적으로 권리를 주장하였으나 그 소가 각하되거나 취하되는 등의 사유로 본안에서 그 권리주장에 관한 판단 없이 소송이 종료된 경우에는 그때부터 6월 이내에 재판상의 청구 등 다른 시효중단조치를 취한 경우에 한하여 응소시에 소급하여 시효중단의 효력이 있는 것으로 본다.

③ 채권자가 확정판결에 기한 채권의 실현을 위하여 채무자에 대하여 민사집행법 소정의 재산명시신청을 하고 그 결정이 채무자에게 송달되었다면 거기에 소멸시효의 중단사유인 '최고'로서의 효력만이 인정된다. 따라서 그로부터 6월 내에 다시 소를 제기하거나 압류 또는 가압류, 가처분을 하는 등 민법 제174조에 규정된 절차를 속행하지 아니하는 한 소멸시효 중단의 효과는 상실된다. 반면 채권자가 신청한 지급명령 사건이 채무자의 이의신청으로 소송으로 이행되는 경우에는 소송으로 이행된 때로부터 시효중단의 효과가 발생한다.

④ 주채무에 대한 소멸시효가 완성된 경우에는 보증채무의 소멸시효가 중단되었더라도 보증채무 역시 소멸된다. 그러나 보증채무가 소멸된 상태에서 보증인이 보증채무를 이행하거나 승인하는 경우에는 보증인의 행위에 의하여 주채무에 대한 소멸시효 이익의 포기 효과가 발생되어 보증인으로서는 주채무의 시효소멸을 이유로 보증채무의 소멸을 주장할 수 없다.

해설 ① 부진정연대채무에서 채무자 1인에 대한 재판상 청구 또는 채무자 1인이 행한 채무의 승인 등 소멸시효의 중단사유나 시효이익의 포기는 다른 채무자에게 효력을 미치지 않는다(대판 2017.9.12, 2017다865).

② 민법 제168조 제1호, 제170조 제1항에서 시효중단사유의 하나로 규정하고 있는 재판상의 청구라 함은, 통상적으로는 권리자가 원고로서 시효를 주장하는 자를 피고로 하여 소송물인 권리를 소의 형식으로 주장하는 경우를 가리키지만, 이와 반대로 시효를 주장하는 자가 원고가 되어 소를 제기한 데 대하여 피고로서 응소하여 그 소송에서 적극적으로 권리를 주장하고 그것이 받아들여진 경우도 이에 포함되고, 위와 같은 응소행위로 인한 시효중단의 효력은 피고가 현실적으로 권리를 행사하여 응소한 때에 발생한다. 한편, 권리자인 피고가 응소하여 권리를 주장하였으나 그 소가 각하되거나 취하되는 등의 사유로 본안에서 그 권리주장에 관한 판단 없이 소송이 종료된 경우에도 민법 제170조 제2항을 유추적용하여 그때부터 6월 이내에 재판상의 청구 등 다른 시효중단조치를 취하면 응소시에 소급하여 시효중단의 효력이 있는 것으로 봄이 상당하다(대판 2010.8.26, 2008다42416·42423).

③ 채권자가 확정판결에 기한 채권의 실현을 위하여 채무자에 대하여 민사집행법상 재산명시신청을 하고 그 결정이 채무자에게 송달되었다면 거기에 소멸시효 중단사유인 '최고'로서의 효력만이 인정되므로, 재산명시결정에 의한 소멸시효 중단의 효력은, 그로부터 6월 내에 다시 소를 제기하거나 압류 또는 가압류, 가처분을 하는 등 민법 제174조에 규정된 절차를 속행하지 아니하는 한 상실된다(대판 2012.1.12, 2011다78606). 반면 민사소송법 제472조 제2항은 "채무자가 지급명령에 대하여 적법한 이의신청을 한 경우에는 지급명령을 신청한 때에 이의신청된 청구목적의 값에 관하여 소가 제기된 것으로 본다."라고 규정하고 있는바, 지급명령 사건이 채무자의 이의신청으로 소송으로 이행되는 경우에 지급명령에 의한 시효중단의 효과는 소송으로 이행된 때가 아니라 지급명령을 신청한 때에 발생한다(대판 2015.2.12, 2014다228440).

④ 보증채무에 대한 소멸시효가 중단되는 등의 사유로 완성되지 아니하였다고 하더라도 주채무에 대한 소멸시효가 완성된 경우에는 시효완성 사실로써 주채무가 당연히 소멸되므로 보증채무의 부종성에 따라 보증채무 역시 당연히 소멸된다. 그리고 주채무에 대한 소멸시효가 완성되어 보증채무가 소멸된 상태에서 보증인이 보증채무를 이행하거나 승인하였다고 하더라도, 주채무자가 아닌 보증인의 행위에 의하여 주채무에 대한 소멸시효 이익의 포기 효과가 발생된다고 할 수 없으며, 주채무의 시효소멸에도 불구하고 보증채무를 이행하겠다는 의사를 표시한 경우 등과 같이 부종성을 부정하여야 할 다른 특별한 사정이 없는 한 보증인은 여전히 주채무의 시효소멸을 이유로 보증채무의 소멸을 주장할 수 있다고 보아야 한다(대판 2012.7.12, 2010다51192).

정답 29 ②

30

소멸시효의 중단에 관한 다음 설명 중 가장 옳지 않은 것은? (다툼이 있는 경우 판례에 의하고, 전원합의체 판결의 경우 다수의견에 의함)　　　　　▶ 2020년 9급(법원서기보)

① 부동산경매절차에서 집행력 있는 채무명의 정본을 가진 채권자가 하는 배당요구는 압류에 준하는 소멸시효중단의 효력이 있다.

② 채권자가 채무자를 대위하여 채무자의 제3채무자에 대한 채권을 재판상 청구하였다면 그로 인한 채권의 시효중단의 효과는 채무자에게 생긴다.

③ 채권자가 동일한 목적을 달성하기 위하여 복수의 채권을 갖고 있는 경우에는 그 중 어느 하나의 청구를 하면 다른 채권에 대하여도 소멸시효 중단의 효력이 있다.

④ 보험계약자의 보험금 채권에 대한 압류가 행하여지더라도 채무자나 제3채무자는 기본적 계약관계인 보험계약 자체를 해지할 수 있고, 보험계약이 해지되면 그 계약에 의하여 발생한 보험금 채권은 소멸하게 되므로 이를 대상으로 한 압류명령은 실효하게 되는데, 이 경우 위 압류에 의한 시효중단사유는 종료한 것으로 보아야 하고, 그때부터 시효가 새로이 진행한다.

해설 ① 부동산경매절차에서 집행력 있는 집행권원의 정본을 가진 채권자가 하는 배당요구는 민법 제168조 제2호의 압류에 준하는 것으로서 배당요구에 관련된 채권에 관하여 소멸시효를 중단하는 효력이 있다(대판 2010.9.9. 2010다28031).

② 채권자대위권 행사의 효과는 채무자에게 귀속되는 것이므로 채권자대위소송의 제기로 인한 소멸시효 중단의 효과 역시 채무자에게 생긴다(대판 2011.10.13. 2010다80930).

③ 채권자가 동일한 목적을 달성하기 위하여 복수의 채권을 갖고 있는 경우, 채권자로서는 그 선택에 따라 권리를 행사할 수 있되, 그 중 어느 하나의 청구를 한 것만으로는 다른 채권 그 자체를 행사한 것으로 볼 수는 없으므로, 특별한 사정이 없는 한 그 다른 채권에 대한 소멸시효 중단의 효력은 없다(대판 2011.2.10. 2010다81285).

④ 보험계약자의 보험금 채권에 대한 압류가 행하여지더라도 채무자나 제3채무자는 기본적 계약관계인 보험계약 자체를 해지할 수 있고, 보험계약이 해지되면 계약에 의하여 발생한 보험금 채권은 소멸하게 되므로 이를 대상으로 한 압류명령은 실효된다. 피압류채권이 기본계약관계의 해지·실효 등으로 인하여 소멸함으로써 압류의 대상이 존재하지 않게 되어 압류 자체가 실효된 경우에도 시효중단사유가 종료한 것으로 보아야 하고, 그때부터 시효가 새로이 진행한다(대판 2017.4.28. 2016다239840).

31 소멸시효의 중단에 관한 다음 설명 중 가장 옳지 않은 것은? (다툼이 있는 경우 판례에 의함)

▸ 2019년 법원주사보

① 승소 확정판결을 받은 당사자가 그 상대방을 상대로 다시 승소 확정판결의 전소와 동일한 청구의 소를 제기하는 경우 그 후소는 권리보호의 이익이 없어 부적법하므로, 확정판결에 의한 채권의 소멸시효기간인 10년의 경과가 임박한 경우에는 그 시효중단을 위한 재소(再訴)는 예외적으로도 그 소의 이익을 인정할 수 없다.

② 시효중단을 위한 후소로서 전소 판결로 확정된 채권의 시효를 중단시키기 위한 조치, 즉 '재판상의 청구'가 있다는 점에 대하여만 확인을 구하는 형태의 '새로운 방식의 확인소송'은 허용된다.

③ 시효를 주장하는 자가 원고가 되어 소를 제기한 데 대하여 피고로서 응소하여 그 소송에서 적극적으로 권리를 주장하고 그것이 받아들여진 경우도 시효중단사유의 하나인 '재판상 청구'에 포함된다.

④ 지급명령 사건이 채무자의 이의신청으로 소송으로 이행되는 경우에 지급명령에 의한 시효중단의 효과는 소송으로 이행된 때가 아니라 지급명령을 신청한 때에 발생한다.

해설 ① 확정된 승소판결에는 기판력이 있으므로, 승소 확정판결을 받은 당사자가 그 상대방을 상대로 다시 승소 확정판결의 전소와 동일한 청구의 소를 제기하는 경우 그 후소는 권리보호의 이익이 없어 부적법하다. 하지만 예외적으로 확정판결에 의한 채권의 소멸시효기간인 10년의 경과가 임박한 경우에는 그 시효중단을 위한 소는 소의 이익이 있다(대판(전) 2018.7.19, 2018다22008).

② 종래 대법원은 시효중단사유로서 재판상의 청구에 관하여 반드시 권리 자체의 이행청구나 확인청구로 제한하지 않을 뿐만 아니라, 권리자가 재판상 그 권리를 주장하여 권리 위에 잠자는 것이 아님을 표명한 것으로 볼 수 있는 때에는 널리 시효중단사유로서 재판상의 청구에 해당하는 것으로 해석하여 왔다. 이와 같은 법리는 이미 승소 확정판결을 받은 채권자가 그 판결상 채권의 시효중단을 위해 후소를 제기하는 경우에도 동일하게 적용되므로, 채권자가 전소로 이행청구를 하여 승소 확정판결을 받은 후 그 채권의 시효중단을 위한 후소를 제기하는 경우, 후소의 형태로서 항상 전소와 동일한 이행청구만이 시효중단사유인 '재판상의 청구'에 해당한다고 볼 수는 없다. (중략) 시효중단을 위한 후소로서 이행소송 외에 전소 판결로 확정된 채권의 시효를 중단시키기 위한 조치, 즉 '재판상의 청구가 있다'는 점에 대하여만 확인을 구하는 형태의 '새로운 방식의 확인소송'이 허용되고, 채권자는 두 가지 형태의 소송 중 자신의 상황과 필요에 보다 적합한 것을 선택하여 제기할 수 있다고 보아야 한다(대판(전) 2018.10.18, 2015다232316).

③ 민법 제168조 제1호, 제170조 제1항에서 시효중단사유의 하나로 규정하고 있는 재판상의 청구라 함은, 통상적으로는 권리자가 원고로서 시효를 주장하는 자를 피고로 하여 소송물인 권리를 소의 형식으로 주장하는 경우를 가리키지만, 이와 반대로 시효를 주장하는 자가 원고가 되어 소를 제기한 데 대하여 피고로서 응소하여 그 소송에서 적극적으로 권리를 주장하고 그것이 받아들여진 경우도 마찬가지로 이에 포함되는 것으로 해석함이 타당하다(대판 1993.12.21, 92다47861).

정답 　30 ③　 31 ①

④ 민사소송법 제472조 제2항은 "채무자가 지급명령에 대하여 적법한 이의신청을 한 경우에는 지급명령을 신청한 때에 이의신청된 청구목적의 값에 관하여 소가 제기된 것으로 본다."라고 규정하고 있는바, 지급명령 사건이 채무자의 이의신청으로 소송으로 이행되는 경우에 지급명령에 의한 시효중단의 효과는 소송으로 이행된 때가 아니라 지급명령을 신청한 때에 발생한다(대판 2015.2.12, 2014다228440).

32 시효중단에 관한 다음 설명 중 가장 옳지 않은 것은? (다툼이 있는 경우 판례에 의함)

▶ 2019년 법원사무관 승진

① 시효중단사유의 주장·증명책임은 시효완성을 다투는 당사자가 진다.
② 취득시효의 중단사유가 되는 재판상 청구에는 시효취득의 대상인 목적물의 인도 내지는 소유권존부 확인이나 소유권에 관한 등기청구소송은 포함되나 소유권침해의 경우에 그 소유권을 기초로 하는 방해배제 및 손해배상 혹은 부당이득반환청구소송은 포함되지 않는다.
③ 시효중단사유의 하나로 규정하고 있는 재판상의 청구에는 시효를 주장하는 자가 원고가 되어 소를 제기한 데 대하여 피고로서 응소하여 그 소송에서 적극적으로 권리를 주장하고 그것이 받아들여진 경우도 포함된다.
④ 재판상의 청구가 시효중단의 사유가 되려면 그 청구가 채권자 또는 그 채권을 행사할 권능을 가진 자에 의하여 이루어져야 한다.

해설 ① 시효중단사유의 주장·입증책임은 시효완성을 다투는 당사자가 지며, 그 주장책임의 정도는 취득시효가 중단되었다는 명시적인 주장을 필요로 하는 것이 아니라 중단사유에 속하는 사실만 주장하면 주장책임을 다한 것으로 보아야 한다(대판 1997.4.25, 96다46484).
② 소유권의 시효취득에 준용되는 시효중단사유인 민법 제168조, 제170조에 규정된 재판상의 청구라 함은 시효취득의 대상인 목적물의 인도 내지는 소유권존부확인이나 소유권에 관한 등기청구소송은 말할 것도 없고, 소유권침해의 경우에 그 소유권을 기초로 하여 하는 방해배제 및 손해배상 혹은 부당이득반환청구소송도 이에 포함된다(대판 1997.3.14, 96다55211).
③ 민법 제168조 제1호, 제170조 제1항에서 시효중단사유의 하나로 규정하고 있는 재판상의 청구라 함은, 통상적으로는 권리자가 원고로서 시효를 주장하는 자를 피고로 하여 소송물인 권리를 소의 형식으로 주장하는 경우를 가리키지만, 이와 반대로 시효를 주장하는 자가 원고가 되어 소를 제기한 데 대하여 피고로서 응소하여 그 소송에서 적극적으로 권리를 주장하고 그것이 받아들여진 경우도 마찬가지로 이에 포함되는 것으로 해석함이 타당하다(대판 1993.12.21, 92다47861 등).
④ 재판상의 청구가 시효중단의 사유가 되려면 그 청구가 채권자 또는 그 채권을 행사할 권능을 가진 자에 의하여 이루어져야 한다(대판 1963.11.28, 63다654 등 참조). 그리고 채권자가 동일한 목적을 달성하기 위하여 복수의 채권을 가지고 있는 경우 채권자로서는 그 선택에 따라 권리를 행사할 수 있으나, 그중 어느 하나의 청구를 한 것만으로는 다른 채권 그 자체를 행사한 것으로 볼 수는 없으므로 특별한 사정이 없는 한 다른 채권에 대한 소멸시효 중단의 효력은 없다(대판 2014.6.26, 2013다45716).

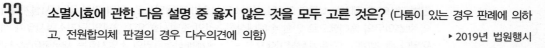

33 소멸시효에 관한 다음 설명 중 옳지 않은 것을 모두 고른 것은? (다툼이 있는 경우 판례에 의하고, 전원합의체 판결의 경우 다수의견에 의함) ▸ 2019년 법원행시

> ㄱ. 당선자와 일정한 계약을 체결할 의무를 지는 우수현상광고의 광고자가 그 의무를 위반하여 계약의 종국적인 체결에 이르지 못함으로써 상대방이 채무불이행을 원인으로 손해배상을 청구하는 경우, 그 손해배상청구권의 소멸시효기간은 계약이 체결되었다면 취득하게 될 이행청구권에 적용되는 소멸시효기간에 따르고, 그 소멸시효는 채무불이행 시부터 진행한다.
>
> ㄴ. 보험사고가 발생한 것인지의 여부가 객관적으로 분명하지 아니하여 보험금청구권자가 과실 없이 보험사고의 발생을 알 수 없었던 특별한 사정이 있는 경우에는 보험사고의 발생을 알았거나 알 수 있었을 때부터 보험금청구권의 소멸시효가 진행한다.
>
> ㄷ. 현존하지 아니하는 장래의 채권을 미리 승인하는 것도 채무자가 그 권리의 존재를 인식하고 있다는 뜻을 표시한 것이므로, 소멸시효의 중단사유로서의 승인으로 허용된다.
>
> ㄹ. 부동산 실권리자명의 등기에 관한 법률 시행 전에 이루어진 명의신탁 부동산에 관하여 유예기간 내에 실명화조치를 취하지 않아 명의신탁자가 명의수탁자에 대하여 부당이득반환으로 그 부동산에 관한 소유권이전등기청구권을 행사하는 경우, 그 등기청구권은 명의신탁자가 명의신탁 부동산을 계속 점유·사용하여 왔더라도 소멸시효가 진행한다.
>
> ㅁ. 채권자가 채무자를 상대로 공동불법행위자에 대한 구상금 청구의 소를 제기하였다면, 이로써 채권자의 사무관리로 인한 비용상환청구권의 소멸시효도 중단된다.
>
> ㅂ. 甲과 乙이 丙에 대해 부진정연대채무를 부담하고 있는 경우, 丙의 甲에 대한 이행의 청구는 乙의 채무에 대해 시효중단의 효력이 발생하지 않는다.

① ㄱ, ㄴ, ㄹ   ② ㄴ, ㄹ   ③ ㄷ, ㄹ, ㅁ

④ ㄷ, ㅁ   ⑤ ㄷ, ㅁ, ㅂ

해설 ㄱ. 우수현상광고의 광고자로서 당선자에게 일정한 계약을 체결할 의무가 있는 자가 그 의무를 위반함으로써 계약의 종국적인 체결에 이르지 않게 되어 상대방이 그러한 계약체결의무의 채무불이행을 원인으로 하는 손해배상을 청구한 경우, 그 손해배상청구권은 계약이 체결되었을 경우에 취득하게 될 계약상의 이행청구권과 실질적이고 경제적으로 밀접한 관계가 형성되어 있기 때문에, 그 손해배상청구권의 소멸시효기간은 계약이 체결되었을 때 취득하게 될 이행청구권에 적용되는 소멸시효기간에 따른다. 따라서 우수현상광고의 당선자인 원고가 광고주인 피고에 대하여 가지고 있는 본래의 채권인 '기본 및 실시설계권'이란 당선자인 피고에 대하여 우수작으로 판정된 계획설계에 기초하여 기본 및 실시설계계약의 체결을 청구할 수 있는 권리라고 할 것이고, 이러한 청구권에 기하여 계약이 체결되었을 경우에 취득하게 될 계약상의 이행청구권은 "설계에 종사하는 자의 공사에 관한 채권"으로서 이에 관하여는

　　　民法 제163조 제3호 소정의 3년의 단기소멸시효가 적용되므로, 위의 기본 및 실시설계계약의 체결의무의 불이행으로 인한 손해배상청구권의 소멸시효 역시 3년의 단기소멸시효가 적용된다 할 것이다. 또한 채무불이행으로 인한 손해배상청구권의 소멸시효는 채무불이행시로부터 진행한다 할 것이다(대판 2005.1.14, 2002다57119).

ㄴ. 보험금청구권의 소멸시효는 원칙적으로 보험사고가 발생한 때로부터 진행한다고 해석하여야 한다. 다만 보험금청구권자가 권리의 발생 여부를 객관적으로 알기 어려운 상황에 있고 과실 없이 이를 알지 못한 경우에는 보험금청구권자가 보험사고의 발생을 알았거나 알 수 있었던 때로부터 보험금액청구권의 소멸시효가 진행한다(대판 2005.12.23, 2005다59383·59390).

ㄷ. 소멸시효의 중단사유로서의 승인은 시효이익을 받을 당사자인 채무자가 그 권리의 존재를 인식하고 있다는 뜻을 표시함으로써 성립하는 것이므로 이는 소멸시효의 진행이 개시된 이후에만 가능하고 그 이전에 승인을 하더라도 시효가 중단되지는 않는다고 할 것이고, 또한 현존하지 아니하는 장래의 채권을 미리 승인하는 것은 채무자가 그 권리의 존재를 인식하고서 한 것이라고 볼 수 없어 허용되지 않는다고 할 것이다(대판 2001.11.9, 2001다52568).

ㄹ. 명의신탁계약 및 그에 기한 등기를 무효로 하고 그 위반행위에 대하여 형사처벌까지 규정한 부동산 실권리자명의 등기에 관한 법률의 시행에 따라 그 권리를 상실하게 된 위 법률 시행 이전의 명의신탁자가 그 대신에 부당이득의 법리에 따라 법률상 취득하게 된 명의신탁 부동산에 대한 부당이득반환청구권의 경우, 무효로 된 명의신탁 약정에 기하여 처음부터 명의신탁자가 그 부동산의 점유 및 사용 등 권리를 행사하고 있다 하여 위 부당이득반환청구권 자체의 실질적 행사가 있다고 볼 수 없을 뿐만 아니라, 명의신탁자가 그 부동산을 점유·사용하여 온 경우에는 명의신탁자의 명의수탁자에 대한 부당이득반환청구권에 기한 등기청구권의 소멸시효가 진행되지 않는다고 보아야 한다면, 이는 명의신탁자가 부동산 실권리자명의 등기에 관한 법률의 유예기간 및 시효기간 경과 후 여전히 실명전환을 하지 않아 위 법률을 위반한 경우임에도 그 권리를 보호하여 주는 결과로 되어 부동산 거래의 실정 및 부동산 실권리자명의 등기에 관한 법률 등 관련 법률의 취지에도 맞지 않는다(대판 2009.7.9, 2009다23313).

ㅁ. 채권자가 동일한 목적을 달성하기 위하여 복수의 채권을 갖고 있는 경우, 채권자로서는 그 선택에 따라 권리를 행사할 수 있되, 그 중 어느 하나의 청구를 한 것만으로는 다른 채권 그 자체를 행사한 것으로 볼 수는 없으므로, 특별한 사정이 없는 한 그 다른 채권에 대한 소멸시효 중단의 효력은 없는 것이고, 채권자가 채무자를 상대로 공동불법행위자에 대한 구상금 청구의 소를 제기하였다고 하여 이로써 채권자의 사무관리로 인한 비용상환청구권의 소멸시효가 중단될 수는 없다(대판 2001.3.23, 2001다6145).

ㅂ. 제416조 진정연대채무는 이행청구에 절대적 효력이 인정되나, 부진정연대채무에 있어 채무자 1인에 대한 이행의 청구는 다른 채무자에 대하여 그 효력이 미치지 않는다(대판 1997.9.12, 95다42027).

34 소멸시효에 관한 다음 설명 중 옳은 것을 모두 고른 것은? (다툼이 있는 경우 판례에 의하고, 전원합의체 판결의 경우 다수의견에 의함) ▸ 2019년 법원행시

> ㄱ. 임차권등기명령에 따른 임차권등기에는 민법 제168조 제2호에서 정하는 소멸시효 중단사유인 압류 또는 가압류, 가처분에 준하는 효력이 있다.
>
> ㄴ. 민법 제247조 제2항은 '소멸시효의 중단에 관한 규정은 점유로 인한 부동산소유권의 시효취득기간에 준용한다.'고 규정하고, 민법 제168조 제2호는 소멸시효 중단사유로 '압류 또는 가압류, 가처분'을 규정하고 있으므로, 취득시효기간의 완성 전에 부동산에 압류 또는 가압류 조치가 이루어졌다면 이는 취득시효의 중단사유가 될 수 있다.
>
> ㄷ. 어떠한 계약상의 채무를 채무자가 이행하지 않았다고 하더라도 채권자는 여전히 해당 계약에서 정한 채권을 보유하고 있으므로, 특별한 사정이 없는 한 채무자가 그 채무를 이행하지 않고 있다고 하여 채무자가 법률상 원인 없이 이득을 얻었다고 할 수는 없고, 설령 그 채권이 시효로 소멸하게 되었다 하더라도 달리 볼 수 없다.
>
> ㄹ. 채무불이행으로 인한 손해배상채권은 본래의 채권이 확장된 것이거나 본래의 채권의 내용이 변경된 것이므로 본래의 채권이 시효로 소멸한 때에는 손해배상채권도 함께 소멸한다.
>
> ㅁ. 법원은 당사자가 주장하는 기산일과 다른 날짜를 소멸시효의 기산일로 삼을 수 있다.

① ㄱ, ㄷ   ② ㄱ, ㄹ   ③ ㄴ, ㄹ
④ ㄷ, ㄹ   ⑤ ㄷ, ㅁ

해설 ㄱ. 주택임대차보호법 제3조의3에서 정한 임차권등기명령에 따른 임차권등기는 특정 목적물에 대한 구체적 집행행위나 보전처분의 실행을 내용으로 하는 압류 또는 가압류, 가처분과 달리 어디까지나 주택임차인이 주택임대차보호법에 따른 대항력이나 우선변제권을 취득하거나 이미 취득한 대항력이나 우선변제권을 유지하도록 해 주는 담보적 기능을 주목적으로 한다. 비록 주택임대차보호법이 임차권등기명령의 신청에 대한 재판절차와 임차권등기명령의 집행 등에 관하여 민사집행법상 가압류에 관한 절차규정을 일부 준용하고 있지만 이는 일방 당사자의 신청에 따라 법원이 심리·결정한 다음 그 등기를 촉탁하는 일련의 절차가 서로 비슷한 데서 비롯된 것일 뿐 이를 이유로 임차권등기명령에 따른 임차권등기가 본래의 담보적 기능을 넘어서 채무자의 일반재산에 대한 강제집행을 보전하기 위한 처분의 성질을 가진다고 볼 수는 없다. 그렇다면 임차권등기명령에 따른 임차권등기에는 민법 제168조 제2호에서 정하는 소멸시효 중단사유인 압류 또는 가압류, 가처분에 준하는 효력이 있다고 볼 수 없다 (대판 2019.5.16, 2017다226629).

ㄴ. 민법 제247조 제2항은 '소멸시효의 중단에 관한 규정은 점유로 인한 부동산소유권의 시효취득기간에 준용한다.'고 규정하고, 민법 제168조 제2호는 소멸시효 중단사유로 '압류 또는 가압류, 가처분'을 규정하고 있다. 점유로 인한 부동산소유권의 시효취득에 있어 취득시효의 중단사유는 종래의 점유상태의 계속을 파괴하는 것으로 인정될 수 있는 사유이어야 하는데,

민법 제168조 제2호에서 정하는 '압류 또는 가압류'는 금전채권의 강제집행을 위한 수단이거나 그 보전수단에 불과하여 취득시효기간의 완성 전에 부동산에 압류 또는 가압류 조치가 이루어졌다고 하더라도 이로써 종래의 점유상태의 계속이 파괴되었다고는 할 수 없으므로 이는 취득시효의 중단사유가 될 수 없다(대판 2019.4.3, 2018다296878).

ㄷ. ㄹ. ① 채무불이행으로 인한 손해배상채권은 본래의 채권이 확장된 것이거나 본래의 채권의 내용이 변경된 것이므로 본래의 채권과 동일성을 가진다. 따라서 본래의 채권이 시효로 소멸한 때에는 손해배상채권도 함께 소멸한다. 한편 ② 어떠한 계약상의 채무를 채무자가 이행하지 않았다고 하더라도 채권자는 여전히 해당 계약에서 정한 채권을 보유하고 있으므로, 특별한 사정이 없는 한 채무자가 채무를 이행하지 않고 있다고 하여 채무자가 법률상 원인 없이 이득을 얻었다고 할 수는 없고, 설령 채권이 시효로 소멸하게 되었다 하더라도 달리 볼 수 없다(대판 2018.2.28, 2016다45779).

ㅁ. 소멸시효의 기산일은 소멸시효항변의 법률요건을 구성하는 구체적인 사실에 해당하여 변론주의 적용대상인 까닭에 법원으로서는 당사자가 주장하는 기산일과 다른 날짜를 기준으로 소멸시효를 계산할 수 없다(대판 2006.9.22, 2006다22852 등).

35 소멸시효에 관한 다음 설명 중 가장 옳은 것은? ▶ 2021년 법원서기보

① 주택임대차보호법에 따른 임대차에서 그 기간이 끝난 후 임차인이 보증금을 반환받기 위해 목적물을 점유하고 있는 경우 보증금반환채권에 대한 소멸시효는 진행하지 않는다고 보아야 한다.

② 채권담보의 목적으로 이루어지는 부동산 양도담보의 경우에 있어서 피담보채무가 변제된 이후에 양도담보권설정자가 행사하는 등기청구권은 소멸시효의 대상이 된다.

③ 건물에 관한 소유권이전등기청구권에 있어서 그 목적물인 건물이 완공되지 아니하여 이를 행사할 수 없었다는 사유는 사실상의 장애사유에 불과하므로 소멸시효의 진행을 방해하지 않는다.

④ 금전채무의 이행지체로 인하여 발생하는 지연손해금은 민법 제163조 제1호가 규정한 '1년 이내의 기간으로 정한 채권'에 해당하므로 3년간의 단기소멸시효의 대상이 된다.

해설 ① 주택임대차보호법에 따른 임대차에서 그 기간이 끝난 후 임차인이 보증금을 반환받기 위해 목적물을 점유하고 있는 경우 보증금반환채권에 대한 소멸시효는 진행하지 않는다고 보아야 한다(대판 2020.7.9, 2016다244224·244231).

② 채권담보의 목적으로 이루어지는 부동산 양도담보의 경우에 있어서 피담보채무가 변제된 이후에 양도담보권설정자가 행사하는 등기청구권은 양도담보권설정자의 실질적 소유권에 기한 물권적 청구권이므로 따로 시효소멸되지 아니한다(대판 1979.2.13, 78다2412).

③ 건물에 관한 소유권이전등기청구권에서 그 건물이 완공되지 않아서 이를 행사할 수 없었다는 사유는 법률상의 장애사유에 해당하므로, 건물이 완공되지 않았다면 소멸시효의 진행을 방해하게 되고 그에 관한 소멸시효는 건물 완공 시부터 진행한다(대판 2007.8.23, 2007다28024·28031).

④ 금전채무의 이행지체로 인하여 발생하는 지연손해금은 그 성질이 손해배상금이지 이자가 아니며, 민법 제163조 제1호가 규정한 '1년 이내의 기간으로 정한 채권'도 아니므로 3년간의 단기소멸시효의 대상이 되지 아니한다(대판 1998.11.10, 98다42141).

36 다음 설명 중 가장 옳지 않은 것은?

▶ 2021년 법무사

① 소멸시효 중단사유로서의 채무승인은 시효의 이익을 받는 이가 상대방의 권리 등의 존재를 인정하는 일방적 행위로서, 그 권리의 원인·내용이나 범위 등에 관한 구체적 사항을 확인하여야 하는 것은 아니고, 그에 있어서 채무자가 권리 등의 법적 성질까지 알고 있거나 권리 등의 발생원인을 특정하여야 할 필요는 없다고 할 것이다.

② 타인의 채무를 담보하기 위하여 자기의 물건에 담보권을 설정한 물상보증인은 채권자에 대하여 물적 유한책임을 지고 있어 그 피담보채권의 소멸에 의하여 직접 이익을 받는 관계에 있으므로 소멸시효의 완성을 주장할 수 있다. 또한 물상보증인이 그 피담보채무의 부존재 또는 소멸을 이유로 제기한 저당권설정등기 말소등기절차이행청구소송에서 채권자 겸 저당권자가 청구기각의 판결을 구하고 피담보채권의 존재를 주장하였다면 민법 제168조 제1호 소정의 소멸시효 중단사유인 '청구'에 해당한다.

③ 형사소송은 피고인에 대한 국가형벌권의 행사를 그 목적으로 하는 것이므로, 피해자가 형사소송에서 소송촉진 등에 관한 특례법에서 정한 배상명령을 신청한 경우를 제외하고는 단지 피해자가 가해자를 상대로 고소하거나 그 고소에 기하여 형사재판이 개시되어도 이를 가지고 소멸시효의 중단사유인 재판상의 청구로 볼 수는 없다. 또한 검사 작성의 피의자신문조서에서 피의자의 진술은 어디까지나 검사를 상대로 이루어지는 것이어서 그 진술기재 가운데 채무의 일부를 승인하는 의사가 표시되어 있다고 하더라도, 그 기재 부분만으로 곧바로 소멸시효 중단사유로서 승인의 의사표시가 있는 것으로 볼 수도 없다.

④ 이행인수는 채무자와 인수인 사이의 계약에 따라 인수인이 채권자에 대한 채무를 변제하기로 약정하는 것을 말한다. 이 경우 인수인은 채무자의 채무를 변제하는 등으로 면책시킬 의무를 부담하지만 채권자에 대한 관계에서 직접 이행의무를 부담하게 되는 것은 아니다. 한편 소멸시효 중단사유인 채무의 승인은 시효이익을 받을 당사자나 대리인만 할 수 있으므로 이행인수인이 채권자에 대하여 채무자의 채무를 승인하더라도 다른 특별한 사정이 없는 한 시효중단 사유가 되는 채무승인의 효력은 발생하지 않는다.

⑤ 소멸시효의 중단사유로서의 승인은 소멸시효의 진행이 개시된 이후에만 가능하고 그 이전에 승인을 하더라도 시효가 중단되지는 않는다고 할 것이고, 또한 현존하지 아니하는 장래의 채권을 미리 승인하는 것은 채무자가 그 권리의 존재를 인식하고서 한 것이라고 볼 수 없어 허용되지 않는다고 할 것이다.

해설 ① 소멸시효중단사유로서의 채무승인은 시효의 이익을 받는 이가 상대방의 권리 등의 존재를 인정하는 일방적 행위로서, 그 권리의 원인·내용이나 범위 등에 관한 구체적 사항을 확인하여야 하는 것은 아니고, 그에 있어서 채무자가 권리 등의 법적 성질까지 알고 있거나 권리 등의 발생원인을 특정하여야 할 필요는 없다고 할 것이다(대판 2012.10.25, 2012다45566; 대판 2019.4.25, 2015두39897).

정답 ▶ 35 ① 36 ②

② 타인의 채무를 담보하기 위하여 자기의 물건에 담보권을 설정한 물상보증인은 채권자에 대하여 물적 유한책임을 지고 있어 그 피담보채권의 소멸에 의하여 직접 이익을 받는 관계에 있으므로 소멸시효의 완성을 주장할 수 있는 것이지만, 채권자에 대하여는 아무런 채무도 부담하고 있지 아니하므로, 물상보증인이 그 피담보채무의 부존재 또는 소멸을 이유로 제기한 저당권설정등기 말소등기절차이행청구소송에서 채권자 겸 저당권자가 청구기각의 판결을 구하고 피담보채권의 존재를 주장하였다고 하더라도 이로써 직접 채무자에 대하여 재판상 청구를 한 것으로 볼 수는 없는 것이므로 피담보채권의 소멸시효에 관하여 규정한 민법 제168조 제1호 소정의 '청구'에 해당하지 아니한다(대판 2004.1.16, 2003다30890).

③ 형사소송은 피고인에 대한 국가형벌권의 행사를 그 목적으로 하는 것이므로, 피해자가 형사소송에서 소송촉진 등에 관한 특례법에서 정한 배상명령을 신청한 경우를 제외하고는 단지 피해자가 가해자를 상대로 고소하거나 그 고소에 기하여 형사재판이 개시되어도 이를 가지고 소멸시효의 중단사유인 재판상의 청구로 볼 수는 없다. 또한 소멸시효 중단사유로서 승인은 시효이익을 받을 당사자인 채무자가 소멸시효의 완성으로 권리를 상실하게 될 자 또는 그 대리인에 대하여 그 권리가 존재함을 인식하고 있다는 뜻을 표시함으로써 성립하는 것인바, 검사 작성의 피의자신문조서는 검사가 피의자를 신문하여 그 진술을 기재한 조서로서 그 작성형식은 원칙적으로 검사의 신문에 대하여 피의자가 응답하는 형태를 취하여 피의자의 진술은 어디까지나 검사를 상대로 이루어지는 것이어서 그 진술기재 가운데 채무의 일부를 승인하는 의사가 표시되어 있다고 하더라도, 그 기재 부분만으로 곧바로 소멸시효 중단사유로서 승인의 의사표시가 있은 것으로는 볼 수 없다(대판 1999.3.12, 98다18124).

④ 이행인수는 채무자와 인수인 사이의 계약에 따라 인수인이 채권자에 대한 채무를 변제하기로 약정하는 것을 말한다. 이 경우 인수인은 채무자의 채무를 변제하는 등으로 면책시킬 의무를 부담하지만 채권자에 대한 관계에서 직접 이행의무를 부담하게 되는 것은 아니다. 한편 소멸시효 중단사유인 채무의 승인은 시효이익을 받을 당사자나 대리인만 할 수 있으므로 이행인수인이 채권자에 대하여 채무자의 채무를 승인하더라도 다른 특별한 사정이 없는 한 시효중단 사유가 되는 채무승인의 효력은 발생하지 않는다(대판 2016.10.27, 2015다239744).

⑤ 소멸시효의 중단사유로서의 승인은 시효이익을 받을 당사자인 채무자가 그 권리의 존재를 인식하고 있다는 뜻을 표시함으로써 성립하는 것이므로 이는 소멸시효의 진행이 개시된 이후에만 가능하고 그 이전에 승인을 하더라도 시효가 중단되지는 않는다고 할 것이고, 또한 현존하지 아니하는 장래의 채권을 미리 승인하는 것은 채무자가 그 권리의 존재를 인식하고서 한 것이라고 볼 수 없어 허용되지 않는다고 할 것이다(대판 2001.11.9, 2001다52568).

37 소멸시효에 관한 다음 설명 중 가장 옳지 않은 것은? ▶ 2020년 법원행시

① 소멸시효 중단사유로서의 채무승인은 시효이익을 받는 당사자인 채무자가 소멸시효의 완성으로 채권을 상실하게 될 자에 대하여 상대방의 권리 또는 자신의 채무가 있음을 알고 있다는 뜻을 표시함으로써 성립하는 이른바 관념의 통지로 여기에 어떠한 효과의 사가 필요하지 않다.

② 부진정연대채무에서 채무자 1인에 대한 재판상 청구 또는 채무자 1인이 행한 채무의 승인 등 소멸시효의 중단사유나 시효이익의 포기는 다른 채무자에게도 효력이 미친다.

③ 채무자가 소멸시효 완성 후 채무를 일부 변제한 때에는 그 액수에 관하여 다툼이 없는 한 그 채무 전체를 묵시적으로 승인한 것으로 보아야 하고, 이 경우 시효완성의 사실을 알고 그 이익을 포기한 것으로 추정된다.

④ 소멸시효가 완성된 경우 채무자에 대한 일반채권자는 채권자의 지위에서 독자적으로 소멸시효의 주장을 할 수는 없지만 자기의 채권을 보전하기 위하여 필요한 한도 내에서 채무자를 대위하여 소멸시효 주장을 할 수 있다.

⑤ 시효완성 후 시효이익의 포기가 인정되려면 시효이익을 받는 채무자가 시효의 완성으로 인한 법적인 이익을 받지 않겠다는 효과의사가 필요하기 때문에 시효완성 후 소멸시효중단사유에 해당하는 채무의 승인이 있었다 하더라도 그것만으로는 곧바로 소멸시효 이익의 포기라는 의사표시가 있었다고 단정할 수 없다.

해설 ① 소멸시효 중단사유로서의 채무승인은 시효이익을 받는 당사자인 채무자가 소멸시효의 완성으로 채권을 상실하게 될 자에 대하여 상대방의 권리 또는 자신의 채무가 있음을 알고 있다는 뜻을 표시함으로써 성립하는 이른바 관념의 통지로 여기에 어떠한 효과의사가 필요하지 않다(대판 2013.2.28, 2011다21556).

② 부진정연대채무에서 채무자 1인에 대한 재판상 청구 또는 채무자 1인이 행한 채무의 승인 등 소멸시효의 중단사유나 시효이익의 포기는 다른 채무자에게 효력을 미치지 않는다(대판 2017.9.12, 2017다865).

③ 원금채무에 관하여는 소멸시효가 완성되지 아니하였으나 이자채무에 관하여는 소멸시효가 완성된 상태에서 채무자가 채무를 일부 변제한 때에는 액수에 관하여 다툼이 없는 한 원금채무에 관하여 묵시적으로 승인하는 한편 이자채무에 관하여 시효완성의 사실을 알고 그 이익을 포기한 것으로 추정되며, 채무자의 변제가 채무 전체를 소멸시키지 못하고 당사자가 변제에 충당할 채무를 지정하지 아니한 때에는 민법 제479조, 제477조에 따른 법정변제충당의 순서에 따라 충당되어야 한다(대판 2013.5.23, 2013다12464).

④ 채무자에 대한 일반채권자는 자기의 채권을 보전하기 위하여 필요한 한도 내에서 채무자를 대위하여 채무자에 대한 다른 채권자의 채권의 소멸시효를 주장할 수 있을 뿐, 채권자의 지위에서 독자적으로 다른 채권자의 채권의 소멸시효를 주장할 수 없다(대판 2012.5.10, 2011다109500).

⑤ 시효완성 후 시효이익의 포기가 인정되려면 시효이익을 받는 채무자가 시효의 완성으로 인한 법적인 이익을 받지 않겠다는 효과의사가 필요하기 때문에 시효완성 후 소멸시효 중단사유에 해당하는 채무의 승인이 있었다 하더라도 그것만으로는 곧바로 소멸시효 이익의 포기라는 의사표시가 있었다고 단정할 수 없다(대판 2013.2.28, 2011다21556).

정답 ▶ 37 ②

38 소멸시효 중단에 관한 다음 설명 중 가장 옳지 않은 것은? ▶ 2021년 법원행시

① 채권양도의 대항요건을 갖추지 못한 채권의 양수인이 채무자를 상대로 재판상 청구를 한 경우에도 소멸시효는 중단된다.

② 민법 제168조에서 시효중단사유의 하나로 규정하고 있는 '재판상 청구'에는 이행의 소를 제기하는 경우는 물론, 시효를 주장하는 자가 원고가 되어 소를 제기한 데 대하여 피고로서 응소하여 그 소송에서 적극적으로 권리를 주장하고 그것이 받아들여진 경우도 포함되고, 이 경우 시효중단의 효력은 피고가 현실적으로 권리를 행사하여 응소한 때, 즉 답변서를 제출한 때 발생한다.

③ 금전채권자가 채무자의 재산을 가압류한 경우에는 소멸시효가 중단되고 가압류를 취하하면 취하서를 제출한 시점부터 중단된 시효기간이 다시 진행하게 된다.

④ 최고를 여러 번 거듭하다가 재판상 청구 등을 한 경우에 있어서의 시효중단의 효력은 항상 최초의 최고 시에 발생하는 것이 아니라 재판상 청구 등을 한 시점을 기준으로 하여 이로부터 소급하여 6월 이내에 한 최고 시에 발생한다.

⑤ 채권자가 물상보증인에 대하여 임의경매를 신청하여 경매법원이 경매개시결정을 하고 경매절차의 이해관계인으로서의 채무자에게 그 결정이 송달되거나 경매기일이 통지된 경우에는 소멸시효의 진행이 중단된다.

해설 ① 채무자를 상대로 재판상의 청구를 한 채권의 양수인을 '권리 위에 잠자는 자'라고 할 수 없는 점 등에 비추어 보면, 비록 대항요건을 갖추지 못하여 채무자에게 대항하지 못한다고 하더라도 채권의 양수인이 채무자를 상대로 재판상의 청구를 하였다면 이는 소멸시효 중단사유인 재판상의 청구에 해당한다고 보아야 한다(대판 2005.11.10, 2005다41818).

② 민법 제168조 제1호, 제170조 제1항에서 시효중단사유의 하나로 규정하고 있는 재판상의 청구라 함은, 통상적으로는 권리자가 원고로서 시효를 주장하는 자를 피고로 하여 소송물인 권리를 소의 형식으로 주장하는 경우를 가리키지만, 이와 반대로 시효를 주장하는 자가 원고가 되어 소를 제기한 데 대하여 피고로서 응소하여 그 소송에서 적극적으로 권리를 주장하고 그것이 받아들여진 경우도 이에 포함되고, 위와 같은 응소행위로 인한 시효중단의 효력은 피고가 현실적으로 권리를 행사하여 응소한 때에 발생한다(대판 2010.8.26, 2008다42416·42423).

③ 민법 제175조에 "압류, 가압류 및 가처분은 권리자의 청구에 의하여 또는 법률의 규정에 따르지 아니함으로 인하여 취소된 때에는 시효중단의 효력이 없다"라고 규정하고 있다. 여기서 '권리자의 청구에 의하여 취소된 때'라고 함은 권리자가 압류, 가압류 및 가처분의 신청을 취하한 경우를 말하고, '시효중단의 효력이 없다'라고 함은 소멸시효 중단의 효력이 소급적으로 상실된다는 것을 말한다(대판 2014.11.13, 2010다63591).

④ 최고를 여러 번 거듭하다가 재판상청구 등을 한 경우에 시효중단의 효력은 항상 최초의 최고 시에 발생하는 것이 아니라 재판상청구 등을 한 시점을 기준으로 하여 이로부터 소급하여 6월 이내에 한 최고 시에 발생한다(대판 1983.7.12, 83다카437).

⑤ 채권자가 물상보증인에 대하여 그 피담보채권의 실행으로서 임의경매를 신청한 경우 바로 채무자에 대해서 시효중단되지 않는다. 이 경우 경매법원이 경매개시결정을 하고 경매절차의 이해관계인으로서의 채무자에게 그 결정이 송달되거나 또는 경매기일이 통지된 경우에는 시효의 이익을 받는 채무자는 민법 제176조에 의하여 당해 피담보채권의 소멸시효 중단의 효과를 받는다(대판 1997.8.29, 97다12990).

39 소멸시효에 관한 다음 설명 중 가장 옳지 않은 것은? ▸ 2022년 법원사무관 승진

① 소유권이전등기의무의 이행불능으로 인한 전보배상청구권의 소멸시효는 이전등기의무
가 이행불능 상태에 돌아간 때로부터 진행되는 것이 아니라, 본래의 채권을 행사할 수
있는 때로부터 진행한다.

② 소멸시효는 권리를 행사할 수 있는 때로부터 진행하며 여기서 권리를 행사할 수 있는
때라 함은 권리행사에 법률상의 장애가 없는 때를 말하므로 정지조건부권리의 경우에는
조건 미성취의 동안은 권리를 행사할 수 없는 것이어서 소멸시효가 진행되지 않는다.

③ 주택임대차보호법에 따른 임대차에서 그 기간이 끝난 후 임차인이 보증금을 반환받기
위해 목적물을 점유하고 있는 경우 보증금반환채권에 대한 소멸시효는 진행하지 않는
다고 보아야 한다.

④ 보조참가도 시효중단사유인 재판상 청구에 해당할 수 있다.

해설 ① 소유권이전등기의무의 이행불능으로 인한 전보배상청구권의 소멸시효는 이전등기의무가 이
행불능 상태에 돌아간 때로부터 진행된다(대판 2002.12.27, 2000다47361).

② 소멸시효는 권리를 행사할 수 있는 때로부터 진행하며 여기서 권리를 행사할 수 있는 때라
함은 권리행사에 법률상의 장애가 없는 때를 말하므로 정지조건부권리의 경우에는 조건 미성
취의 동안은 권리를 행사할 수 없는 것이어서 소멸시효가 진행되지 않는다(대판 1992.12.22,
92다28822).

③ 주택임대차보호법에 따른 임대차에서 그 기간이 끝난 후 임차인이 보증금을 반환받기 위해
목적물을 점유하고 있는 경우 보증금반환채권에 대한 소멸시효는 진행하지 않는다고 보아야
한다(대판 2020.7.9, 2016다244224·244231).

④ 시효제도의 존재 이유는 영속된 사실상태를 존중하고 권리 위에 잠자는 자를 보호하지 않는
다는 데 있고 특히 소멸시효는 후자의 의미가 강하므로, 권리자가 재판상 그 권리를 주장하
여 권리 위에 잠자는 것이 아님을 표명한 때에는 시효중단사유인 재판상 청구에 해당한다.
→ 甲이 자신의 차량을 운전하던 중 乙 주식회사 소유의 차량을 충돌하여 상해를 입었는데,
甲 차량의 보험자인 丙 주식회사가 甲에게 보험금을 지급한 후 乙 회사를 상대로 구상금청구
의 소(구상금청구의 소는 실질적으로 甲이 乙에 대해 가지는 손해배상청구권을 이전받아 대
위행사하는 성격을 띠고 있다)를 제기하였고 甲이 丙 회사 측 보조참가인으로 참가하여 乙
회사의 과실 존부 등에 관하여 적극적으로 다툰 사안에서, 甲의 손해배상청구권의 소멸시효
는 위 보조참가로 중단되었다고 본 사례이다.

40 소멸시효에 관한 다음 설명 중 가장 옳지 않은 것은? ▶ 2022년 9급(법원서기보)

① 소멸시효는 법률행위에 의하여 이를 단축 또는 경감할 수 없으나 이를 배제, 연장 또는 가중할 수 있다.

② 채무자가 시효이익을 포기한 것으로 볼 수 있다고 하더라도 그 시효이익의 포기는 상대적 효과가 있음에 지나지 아니하므로 채무자 이외의 이해관계자는 여전히 독자적으로 소멸시효를 원용할 수 있다.

③ 판결에 의하여 확정된 채권은 단기의 소멸시효에 해당한 것이라도 그 소멸시효는 10년으로 한다. 다만 판결확정 당시 변제기가 도래하지 아니한 채권은 그러하지 아니하다.

④ 채무자가 소멸시효 완성 후에 채권자에 대하여 채무를 승인함으로써 그 시효의 이익을 포기한 경우에는 그때부터 새로이 소멸시효가 진행한다.

해설 ① 제184조 제2항【시효의 이익의 포기 기타】소멸시효는 법률행위에 의하여 이를 배제, 연장 또는 가중할 수 없으나 이를 단축 또는 경감할 수 있다.

② 채무자가 이미 그 담보가등기에 기한 본등기를 경료하여 시효이익을 포기한 것으로 볼 수 있다고 하더라도 그 시효이익의 포기는 상대적 효과가 있음에 지나지 아니하므로 채무자 이외의 이해관계자에 해당하는 담보 부동산의 양수인으로서는 여전히 독자적으로 소멸시효를 원용할 수 있다(대판 1995.7.11, 95다12446).

③ 제165조【판결 등에 의하여 확정된 채권의 소멸시효】
① 판결에 의하여 확정된 채권은 단기의 소멸시효에 해당한 것이라도 그 소멸시효는 10년으로 한다.
② 파산절차에 의하여 확정된 채권 및 재판상의 화해, 조정 기타 판결과 동일한 효력이 있는 것에 의하여 확정된 채권도 전항과 같다.
③ 전2항의 규정은 판결확정 당시에 변제기가 도래하지 아니한 채권에 적용하지 아니한다.

④ 채무자가 소멸시효 완성 후에 채권자에 대하여 채무를 승인함으로써 그 시효의 이익을 포기한 경우에는 그때부터 새로이 소멸시효가 진행한다(대판 2009.7.9, 2009다14340).

41 **소멸시효에 관한 다음 설명 중 가장 옳지 않은 것은?** ▶ 2022년 법원행시

① 소멸시효 이익의 포기는 상대적 효과가 있을 뿐이어서 다른 사람에게는 영향을 미치지 아니함이 원칙이나, 소멸시효 이익의 포기 당시에는 그 권리의 소멸에 의하여 직접 이익을 받을 수 있는 이해관계를 맺은 적이 없다가 나중에 시효이익을 이미 포기한 자와의 법률관계를 통하여 비로소 시효이익을 원용할 이해관계를 형성한 자는 이미 이루어진 시효이익 포기의 효력을 부정할 수 없다.

② 소멸시효가 완성된 채무를 피담보채무로 하는 근저당권이 실행되어 채무자 소유의 부동산이 경락되고 그 대금이 배당되어 채무의 일부 변제에 충당될 때까지 채무자가 아무런 이의를 제기하지 아니하였다면, 경매절차의 진행을 채무자가 알지 못하였다는 등 다른 특별한 사정이 없는 한, 채무자는 시효완성의 사실을 알고 그 채무를 묵시적으로 승인하여 시효의 이익을 포기한 것으로 볼 수 있고, 이는 채무자의 다른 일반채권자가 배당절차에서 이의를 제기하고 채무자를 대위하여 소멸시효 완성의 주장을 원용한 경우라도 마찬가지이다.

③ 소멸시효가 완성된 경우 이를 주장할 수 있는 사람은 시효로 채무가 소멸되는 결과 직접적인 이익을 받는 사람에 한정되는데, 후순위 담보권자는 선순위 담보권의 피담보채권이 소멸하면 담보권의 순위가 상승하고 이에 따라 피담보채권에 대한 배당액이 증가할 수 있지만 이러한 배당액 증가에 대한 기대는 담보권의 순위 상승에 따른 반사적 이익에 지나지 않으므로, 후순위 담보권자는 선순위 담보권의 피담보채권 소멸로 직접 이익을 받는 자에 해당하지 않아 선순위 담보권의 피담보채권에 관한 소멸시효가 완성되었다고 주장할 수 없다.

④ 채권자에게 권리의 행사를 기대할 수 없는 객관적인 사실상의 장애사유가 있었던 경우 그러한 장애가 해소된 때에는 그로부터 상당한 기간 내에 권리를 행사하여야만 채무자의 소멸시효의 항변을 저지할 수 있다.

⑤ 원인채권의 지급을 확보하기 위하여 어음이 수수된 당사자 사이에서 채권자가 어음채권을 피보전권리로 하여 채무자의 재산을 가압류한 경우 그 원인채권의 소멸시효를 중단시키는 효력이 인정되지만, 가압류 결정 이전에 이미 피보전권리인 어음채권의 시효가 완성되어 소멸된 경우에는 그 가압류 결정에 의하여 그 원인채권의 소멸시효를 중단시키는 효력이 인정되지 않는다.

해설 ① 소멸시효 이익의 포기는 상대적 효과가 있을 뿐이어서 다른 사람에게는 영향을 미치지 아니함이 원칙이나, 소멸시효 이익의 포기 당시에는 권리의 소멸에 의하여 직접 이익을 받을 수 있는 이해관계를 맺은 적이 없다가 나중에 시효이익을 이미 포기한 자와의 법률관계를 통하여 비로소 시효이익을 원용할 이해관계를 형성한 자는 이미 이루어진 시효이익 포기의 효력을 부정할 수 없다. 왜냐하면, 시효이익의 포기에 대하여 상대적인 효과만을 부여하는 이유는 포기 당시에 시효이익을 원용할 다수의 이해관계인이 존재하는 경우 그들의 의사와는 무관하게 채무자 등 어느 일방의 포기 의사만으로 시효이익을 원용할 권리를 박탈당하게 되는

부당한 결과의 발생을 막으려는 데 있는 것이지, 시효이익을 이미 포기한 자와의 법률관계를 통하여 비로소 시효이익을 원용할 이해관계를 형성한 자에게 이미 이루어진 시효이익 포기의 효력을 부정할 수 있게 하여 시효완성을 둘러싼 법률관계를 사후에 불안정하게 만들자는 데 있는 것은 아니기 때문이다(대판 2015.6.11, 2015다200227).

② 소멸시효가 완성된 채무를 피담보채무로 하는 근저당권이 실행되어 채무자 소유의 부동산이 경락되고 대금이 배당되어 채무의 일부 변제에 충당될 때까지 채무자가 아무런 이의를 제기하지 아니하였다면, 경매절차의 진행을 채무자가 알지 못하였다는 등 다른 특별한 사정이 없는 한, 채무자는 시효완성의 사실을 알고 채무를 묵시적으로 승인하여 시효의 이익을 포기한 것으로 볼 수 있기는 하다. 그러나 소멸시효가 완성된 경우 채무자에 대한 일반채권자는 채권자의 지위에서 독자적으로 소멸시효의 주장을 할 수는 없지만 자기의 채권을 보전하기 위하여 필요한 한도 내에서 채무자를 대위하여 소멸시효 주장을 할 수 있으므로 채무자가 배당절차에서 이의를 제기하지 아니하였다고 하더라도 채무자의 다른 채권자가 이의를 제기하고 채무자를 대위하여 소멸시효 완성의 주장을 원용하였다면, 시효의 이익을 묵시적으로 포기한 것으로 볼 수 없다(대판 2017.7.11, 2014다32458).

③ 소멸시효가 완성된 경우 이를 주장할 수 있는 사람은 시효로 채무가 소멸되는 결과 직접적인 이익을 받는 사람에 한정된다. 후순위 담보권자는 선순위 담보권의 피담보채권이 소멸하면 담보권의 순위가 상승하고 이에 따라 피담보채권에 대한 배당액이 증가할 수 있지만, 이러한 배당액 증가에 대한 기대는 담보권의 순위 상승에 따른 반사적 이익에 지나지 않는다. 후순위 담보권자는 선순위 담보권의 피담보채권 소멸로 직접 이익을 받는 자에 해당하지 않아 선순위 담보권의 피담보채권에 관한 소멸시효가 완성되었다고 주장할 수 없다고 보아야 한다(대판 2021.2.5, 2016다232597).

④ 대판 2014.1.16, 2013다205341

⑤ 대판 2010.5.13, 2010다6345

42 소멸시효의 중단에 관한 다음 설명 중 가장 옳지 않은 것은? ▸ 2022년 법무사

① 건물에 관한 소유권이전등기청구권에 있어서 그 목적물인 건물이 완공되지 아니하여 이를 행사할 수 없었다는 사유는 사실상의 장애사유에 불과하다.

② 체납처분에 의한 채권압류로 인하여 채권자의 채무자에 대한 채권의 시효가 중단된 경우에 압류에 의한 체납처분 절차가 채권추심 등으로 종료된 때뿐만 아니라, 피압류채권이 기본계약관계의 해지·실효 또는 소멸시효 완성 등으로 인하여 소멸함으로써 압류의 대상이 존재하지 않게 되어 압류 자체가 실효된 경우에도 체납처분 절차는 더 이상 진행될 수 없으므로 시효중단사유가 종료한 것으로 보아야 하고, 그때부터 시효가 새로이 진행한다.

③ 소멸시효 중단사유로서의 채무승인은 시효이익을 받는 당사자인 채무자가 소멸시효의 완성으로 채권을 상실하게 될 자에 대하여 상대방의 권리 또는 자신의 채무가 있음을 알고 있다는 뜻을 표시함으로써 성립하는 이른바 관념의 통지로 여기에 어떠한 효과의사가 필요하지 않지만, 이에 반하여 시효완성 후 시효이익의 포기가 인정되려면 시효이익을 받는 채무자가 시효의 완성으로 인한 법적인 이익을 받지 않겠다는 효과의사가 필요하다.

④ 소멸시효의 기간만료 전 6개월 내에 제한능력자에게 법정대리인이 없는 경우에는 그가 능력자가 되거나 법정대리인이 취임한 때부터 6개월 내에는 시효가 완성되지 아니한다.

⑤ 진료계약을 체결하면서 "입원료 기타 제 요금이 체납될 시는 병원의 법적 조치에 대하여 아무런 이의를 하지 않겠다."고 약정하였다 하더라도, 이로써 그 당시 아직 발생하지도 않은 치료비 채무의 존재를 미리 승인하였다고 볼 수는 없다.

해설 ① 건물에 관한 소유권이전등기청구권에서 그 건물이 완공되지 않아서 이를 행사할 수 없었다는 사유는 법률상의 장애사유에 해당하므로(건물이 완공되지 않았다면 소멸시효의 진행을 방해하게 되므로), 그에 관한 소멸시효는 건물 완공 시부터 진행한다고 보아야 한다(대판 2007.8.23. 2007다28024・28031).

② 체납처분에 의한 채권압류로 인하여 채권자의 채무자에 대한 채권의 시효가 중단된 경우에 압류에 의한 체납처분 절차가 채권추심 등으로 종료된 때뿐만 아니라, 피압류채권이 기본계약 관계의 해지・실효 또는 소멸시효 완성 등으로 인하여 소멸함으로써 압류의 대상이 존재하지 않게 되어 압류 자체가 실효된 경우에도 체납처분 절차는 더 이상 진행될 수 없으므로 시효중단사유가 종료한 것으로 보아야 하고, 그때부터 시효가 새로이 진행한다(대판 2017.4.28. 2016다239840).

③ 대판 2013.2.28. 2011다21556. 따라서 시효완성 후 소멸시효 중단사유에 해당하는 채무의 승인이 있었다 하더라도 그것만으로는 곧바로 소멸시효 이익의 포기라는 의사표시가 있었다고 단정할 수 없다.

④ 제179조【제한능력자의 시효정지】소멸시효의 기간만료 전 6개월 내에 제한능력자에게 법정대리인이 없는 경우에는 그가 능력자가 되거나 법정대리인이 취임한 때부터 6개월 내에는 시효가 완성되지 아니한다.

⑤ 진료계약을 체결하면서 "입원료 기타 제요금이 체납될 시는 병원의 법적 조치에 대하여 아무런 이의를 하지 않겠다."고 약정하였다 하더라도, 이로써 그 당시 아직 발생하지도 않은 치료비 채무의 존재를 미리 승인하였다고 볼 수는 없다(대판 2001.11.9. 2001다52568). → 소멸시효 중단사유로서의 승인은 소멸시효의 진행이 개시된 이후에만 가능하고 그 이전에 승인을 하더라도 시효가 중단되지는 않는다고 할 것이고, 또한 현존하지 아니하는 장래의 채권을 미리 승인하는 것은 채무자가 그 권리의 존재를 인식하고서 한 것이라고 볼 수 없어 허용되지 않기 때문이다.

정답 42 ①

43 소멸시효기간의 기산일에 관한 다음 설명 중 가장 옳지 않은 것은? ▶ 2024년 법원행시

① 원고가 피고들의 강박행위에 의하여 피고들에게 금원을 교부하였다는 이유로 그 의사표시를 취소하고 피고들에 대하여 불법행위로 인한 손해배상을 구하는 사건에서 원고가 강박상태에서 벗어난 날을 소멸시효기간의 기산일로 봄이 상당하다.

② 집합건물의 하자보수에 갈음한 손해배상청구권의 소멸시효기간은 각 하자가 발생한 시점부터 별도로 진행한다.

③ 본래의 소멸시효 기산일과 당사자가 주장하는 기산일이 서로 다른 경우에는 법원은 직권으로 조사하여 본래의 소멸시효 기산일을 기준으로 소멸시효를 계산하여야 한다.

④ 일반적으로 위법한 건축행위에 의하여 건물 등이 준공되거나 외부골조공사가 완료되면 그 건축행위에 따른 일영(日影)의 증가는 더 이상 발생하지 않게 되고 해당 토지의 소유자는 그 시점에 이러한 일조방해행위로 인하여 현재 또는 장래에 발생 가능한 재산상 손해나 정신적 손해 등을 예견할 수 있다고 할 것이므로, 이러한 손해배상청구권에 관한 민법 제766조 제1항 소정의 소멸시효는 원칙적으로 그때부터 진행한다. 다만, 위와 같은 일조방해로 인하여 건물 등의 소유자 내지 실질적 처분권자가 피해자에 대하여 건물 등의 전부 또는 일부에 대한 철거의무를 부담하는 경우가 있다면, 이러한 철거의무를 계속적으로 이행하지 않는 부작위는 새로운 불법행위가 되고 그 손해는 날마다 새로운 불법행위에 기하여 발생하는 것이므로 피해자가 그 각 손해를 안 때로부터 각별로 소멸시효가 진행한다.

⑤ 헌법재판소가 2018.8.30. 선고한 '민법 제166조 제1항, 제766조 제2항 중 진실·화해를 위한 과거사정리 기본법 제2조 제1항 제3호(민간인 집단 희생사건), 제4호(중대한 인권침해사건·조작의혹사건)에 적용되는 부분은 헌법에 위반된다.'는 위헌결정의 효력은 위 제3호, 제4호 사건에서 공무원의 위법한 직무집행으로 입은 손해에 대한 배상을 구하는 소송이 위헌결정 당시까지 법원에 계속되어 있는 경우에도 미치고, 이때 위 손해배상청구권에 대하여는 민법 제166조 제1항, 제766조 제2항이나 국가재정법 제96조 제2항에 따른 '객관적 기산점을 기준으로 하는 소멸시효'가 적용되지 아니한다.

해설 ① 강박에 의한 불법행위를 원인으로 한 손해배상채권과 소멸시효의 기산점 – 원심은 이 사건 불법행위로 인한 손해배상청구권은 불법행위일로부터 3년의 소멸시효기간이 진행한다고 판시하였으나, 이 사건 원고가 강박상태에서 벗어난 무렵에 피고들의 손해배상청구소송을 제기할 수 있었다 할 것이므로 원고가 강박상태에서 벗어난 날을 소멸시효기간의 기산일로 봄이 상당하다(대판 1990.11.13. 90다카17153). → 원고가 강박상태에서 벗어난 무렵에는 피고들의 위와 같은 강박행위가 위법한 것임을 알고 이를 이유로 손해배상청구소송을 제기할 수 있었다는 것이다.

② 집합건물의 하자보수에 갈음한 손해배상청구권의 소멸시효기간은 각 하자가 발생한 시점부터 별도로 진행한다(대판 2009.2.26. 2007다83908).

③ 소멸시효의 기산일은 채권의 소멸이라고 하는 법률효과 발생의 요건에 해당하는 소멸시효기간 계산의 시발점으로서 시효소멸 항변의 법률요건을 구성하는 구체적인 사실에 해당하므로 이는 변론주의의 적용대상이라 할 것이고, 따라서 본래의 소멸시효 기산일과 당사자가 주장

하는 기산일이 서로 다른 경우에는 변론주의의 원칙상 법원은 당사자가 주장하는 기산일을 기준으로 소멸시효를 계산하여야 하는데, 이는 당사자가 본래의 기산일보다 뒤의 날짜를 기산일로 하여 주장하는 경우는 물론이고, 특별한 사정이 없는 한 그 반대의 경우에 있어서도 마찬가지라고 보아야 할 것이다(대판 2009.12.24, 2009다60244).

④ 토지의 소유자 등이 종전부터 향유하던 <u>일조이익이 객관적인 생활이익으로서 가치가 있다고 인정되면 법적인 보호의 대상이 될 수 있는데,</u> 그 인근에서 건물이나 구조물 등이 신축됨으로 인하여 햇빛이 차단되어 생기는 그늘, 즉 일영(日影)이 증가함으로써 해당 토지에서 종래 향유하던 일조량이 감소하는 <u>일조방해가 발생한 경우,</u> 그 일조방해의 정도, 피해이익의 법적 성질, 가해 건물의 용도, 지역성, 토지이용의 선후관계, 가해 방지 및 피해 회피의 가능성, 공법적 규제의 위반 여부, 교섭 경과 등 <u>모든 사정을 종합적으로 고려하여</u> <u>사회통념상 일반적으로 해당 토지 소유자의 수인한도를 넘게 되면 그 건축행위는 정당한 권리행사의 범위를 벗어나 사법상 위법한 가해행위로 평가된다.</u> **일반적으로 위법한 건축행위에 의하여 건물 등이 준공되거나 외부골조공사가 완료되면** 그 건축행위에 따른 일영의 증가는 더 이상 발생하지 않게 되고 해당 토지의 소유자는 그 시점에 이러한 일조방해행위로 인하여 현재 또는 장래에 발생 가능한 재산상 손해나 정신적 손해 등을 예견할 수 있다고 할 것이므로, 이러한 **손해배상청구권에 관한 민법 제766조 제1항 소정의 소멸시효는 원칙적으로 그때부터 진행한다.** 다만, <u>위와 같은 일조방해로 인하여 건물 등의 소유자 내지 실질적 처분권자가 피해자에 대하여 건물 등의 전부 또는 일부에 대한 철거의무를 부담하는 경우가 있다면, 이러한 **철거의무를 계속적으로 이행하지 않는 부작위는 새로운 불법행위가 되고 그 손해는 날마다 새로운 불법행위에 기하여 발생하는 것이므로 피해자가 그 각 손해를 안 때로부터 각별로 소멸시효가 진행한다**(대판(전합) 2008.4.17, 2006다35865).

⑤ 헌법재판소는 2018.8.30. 민법 제166조 제1항, 제766조 제2항 중 '진실·화해를 위한 과거사정리 기본법'(이하 '과거사정리법'이라고 한다) 제2조 제1항 제3호의 '민간인 집단 희생사건', 같은 항 제4호의 '중대한 인권침해사건·조작의혹사건'에 적용되는 부분은 헌법에 위반된다는 결정을 선고하였다. 위 위헌결정의 효력은 과거사정리법 제2조 제1항 제3호의 '민간인 집단 희생사건'이나 같은 항 제4호의 '중대한 인권침해사건·조작의혹사건'에서 공무원의 위법한 직무집행으로 입은 손해에 대한 배상을 청구하는 소송이 위헌결정 당시까지 법원에 계속되어 있는 경우에도 미친다. 이때 그 손해배상청구권에 대해서는 민법 제166조 제1항, 제766조 제2항에 따른 '객관적 기산점을 기준으로 하는 소멸시효'는 적용되지 않고, 국가에 대한 금전 급부를 목적으로 하는 권리의 소멸시효기간을 5년으로 정한 국가재정법 제96조 제2항[구 예산회계법(1989.3.31. 법률 제4102호로 전부 개정되기 전의 것) 제71조 제2항] 역시 이러한 객관적 기산점을 전제로 하는 경우에는 적용되지 않는다(대판 2022.9.29, 2018다224408).

44 소멸시효에 관한 다음 설명 중 가장 옳지 않은 것은? ▶ 2023년 법원사무관 승진

① 소멸시효 항변은 변론주의의 원칙에 따라 당사자의 주장이 있어야만 법원의 판단대상이 되지만, 어떤 권리의 소멸시효기간이 얼마나 되는지에 관한 주장은 권리의 소멸이라는 법률효과를 발생시키는 요건을 구성하는 사실에 관한 주장이 아니라 단순히 법률의 해석이나 적용에 관한 의견을 표명한 것이므로, 변론주의가 적용되지 않기에 법원은 당사자의 주장에 구속되지 않고 직권으로 판단할 수 있다.

② 리조트 증축공사를 담당한 피고가 공사기간 중 리조트의 객실 및 식당의 사용료를 원고에게 매월 말 지급하기로 약정한 경우, 그 사용료 채권은 민법 제163조 제1호에서 정한 '사용료 기타 1년 이내의 기간으로 정한 금전의 지급을 목적으로 한 채권'에 해당하여 3년의 단기소멸시효가 적용된다.

③ 파산절차에 의하여 확정된 채권은 단기의 소멸시효에 해당한 것이라도 그 소멸시효는 10년으로 한다.

④ 주택임대차보호법상 임차권등기명령에 따른 임차권등기는 특정 목적물에 대한 구체적 집행행위나 보전처분의 실행을 내용으로 하는 압류 또는 가압류, 가처분과 달리 대항력이나 우선변제권의 취득·유지를 위한 담보적 기능을 주목적으로 하는 것이어서 압류 또는 가압류, 가처분에 준하는 효력이 없으므로, 소멸시효 중단사유에 해당하지 아니한다.

해설 ① 소멸시효의 완성과 기산일 등은 변론주의 적용대상이나, 어떤 권리의 소멸시효기간이 얼마나 되는지에 관한 주장은 단순한 법률상의 주장에 불과하므로 변론주의의 적용대상이 되지 않고 법원이 직권으로 판단할 수 있다는 것이 판례이다(대판 2008.3.27, 2006다70929).
② 숙박료와 음식료로 구성되어 있는 위 **리조트 사용료 채권**은 민법 제164조 제1호에 정한 '**숙박료 및 음식료 채권**'으로서 **소멸시효기간은 1년이고**, 이와 달리 민법 제163조 제1호의 '사용료 기타 1년 이내의 기간으로 정한 금전의 지급을 목적으로 한 채권'으로서 소멸시효기간이 3년이라고 볼 수 없다(대판 2020.2.13, 2019다271012).
③ 제165조 제1항과 제2항
④ 주택임대차보호법 제3조의3에서 정한 임차권등기명령에 따른 **임차권등기는** 특정 목적물에 대한 구체적 집행행위나 보전처분의 실행을 내용으로 하는 압류 또는 가압류, 가처분과 달리 어디까지나 주택임차인이 주택임대차보호법에 따른 대항력이나 우선변제권을 취득하거나 이미 취득한 대항력이나 우선변제권을 유지하도록 해 주는 **담보적 기능을 주목적으로** 한다. 비록 주택임대차보호법이 임차권등기명령의 신청에 대한 재판절차와 임차권등기명령의 집행 등에 관하여 민사집행법상 가압류에 관한 절차규정을 일부 준용하고 있지만 이는 일방 당사자의 신청에 따라 법원이 심리·결정한 다음 그 등기를 촉탁하는 일련의 절차가 서로 비슷한 데서 비롯된 것일 뿐 이를 이유로 임차권등기명령에 따른 임차권등기가 본래의 담보적 기능을 넘어서 채무자의 일반재산에 대한 강제집행을 보전하기 위한 처분의 성질을 가진다고 볼 수는 없다. 그렇다면 임차권등기명령에 따른 **임차권등기에는 민법 제168조 제2호에서 정하는 소멸시효 중단사유인 압류 또는 가압류, 가처분에 준하는 효력이 있다고 볼 수 없다**(대판 2019.5.16, 2017다226629).

45 다음 중 3년의 단기소멸시효가 적용되는 채권이 아닌 것은 모두 몇 개인가??

▶ 2023년 법원행시

> ㄱ. 금전소비대차계약에 따라 1년 이내의 정기로 지급하기로 한 이자채권
> ㄴ. 세무사의 직무에 관한 용역비채권
> ㄷ. 의사의 치료비 채권
> ㄹ. 변호사의 직무에 관한 보수채권
> ㅁ. 공사를 도급받아 수행한 건설업자의 공사대금채권

① 없음
② 1개
③ 2개
④ 3개
⑤ 4개

해설 ㄱ. 제163조 제1호
　　 ㄴ. 민법 제163조 제5호에서 정하고 있는 '변호사, 변리사, 공증인, 공인회계사 및 법무사의 직무에 관한 채권'에만 3년의 단기 소멸시효가 적용되고, 세무사와 같이 그들의 직무와 유사한 직무를 수행하는 **다른 자격사의 직무에 관한 채권에 대하여는 민법 제163조 제5호가 유추적용된다고 볼 수 없다.** 따라서 세무사를 상법 제4조 또는 제5조 제1항이 규정하는 상인이라고 볼 수 없고, 세무사의 직무에 관한 채권이 상사채권에 해당한다고 볼 수 없으므로, 세무사의 직무에 관한 채권에 대하여는 민법 제162조 제1항에 따라 10년의 소멸시효가 적용된다(대판 2022.8.25, 2021다311111).
　　 ㄷ. 제163조 제2호
　　 ㄹ. 제163조 제5호
　　 ㅁ. 제163조 제3호

46 소멸시효에 관한 다음 설명 중 가장 옳은 것은? ▸ 2023년 법원행시

① 임대차 종료 후 임차인 甲이 보증금을 반환받기 위해 목적물을 점유하되 임대인 乙에 대하여 직접적인 이행청구를 하지 않았다면 보증금반환채권에 대한 권리를 행사하는 것으로 볼 수 없으므로, 권리의 불행사라는 상태가 계속되고 있다고 보아야 한다.

② 실제로 발생하지 않은 보험사고의 발생을 가장하여 청구·수령된 보험금 상당 부당이득반환청구권은 상법 제64조가 유추적용되어 같은 조항이 정한 5년의 상사 소멸시효 기간에 걸린다.

③ 소송에서 법원이 판결로 소송비용의 부담을 정하는 재판을 하면서 그 액수를 정하지 않았더라도 소송비용부담의 재판이 확정됨으로써 소송비용상환의무의 존재가 확정되고 그 의무의 이행기가 도래한다.

④ 민법 제495조는 "소멸시효가 완성된 채권이 그 완성 전에 상계할 수 있었던 것이면 그 채권자는 상계할 수 있다."라고 규정하고 있다. 따라서 임대차 존속 중 임대인의 구상금채권의 소멸시효가 완성된 이후에 임대인이 이미 소멸시효가 완성된 구상금채권을 자동채권으로 삼아 임차인의 유익비상환채권과 상계하는 것은 민법 제495조에 의해 인정될 수 있다.

⑤ 주택임대차보호법은 임차권등기명령의 신청에 대한 재판절차와 임차권등기명령의 집행 등에 관하여 민사집행법상 가압류에 관한 절차규정을 일부 준용하고 있으므로, 임차권등기명령에 따른 임차권등기에도 민법 제168조 제2호에서 정하는 소멸시효 중단 사유인 압류 또는 가압류, 가처분에 준하는 효력이 있다고 볼 수 있다.

해설 ① 주택임대차보호법에 따른 임대차에서 그 기간이 끝난 후 임차인이 보증금을 반환받기 위해 목적물을 점유하고 있는 경우 보증금반환채권에 대한 소멸시효는 진행하지 않는다고 보아야 한다. 즉 임대차가 종료함에 따라 발생한 임차인의 목적물반환의무와 임대인의 보증금반환의무는 동시이행관계에 있다. 임차인이 임대차 종료 후 동시이행항변권을 근거로 임차목적물을 계속 점유하는 것은 임대인에 대한 보증금반환채권에 기초한 권능을 행사한 것으로서 보증금을 반환받으려는 계속적인 권리행사의 모습이 분명하게 표시되었다고 볼 수 있다. 따라서 임대차 종료 후 임차인이 보증금을 반환받기 위해 목적물을 점유하는 경우 보증금반환채권에 대한 권리를 행사하는 것으로 보아야 하고, 임차인이 임대인에 대하여 직접적인 이행청구를 하지 않았다고 해서 권리의 불행사라는 상태가 계속되고 있다고 볼 수 없다. 다만 이러한 소멸시효 진행의 예외는 어디까지나 임차인이 임대차 종료 후 목적물을 적법하게 점유하는 기간으로 한정되고, 임차인이 목적물을 점유하지 않거나 동시이행항변권을 상실하여 정당한 점유권원을 갖지 않는 경우에 대해서까지 인정되는 것은 아니다(대판 2020.7.9, 2016다244224).

② 보험계약자가 다수의 계약을 통하여 보험금을 부정 취득할 목적으로 보험계약을 체결하여 그것이 민법 제103조에 따라 선량한 풍속 기타 사회질서에 반하여 무효인 경우 보험자의 보험금에 대한 부당이득반환청구권은 상법 제64조를 유추적용하여 5년의 상사 소멸시효기간이 적용된다고 봄이 타당하다(대판(전합) 2021.7.22, 2019다277812). 그러나 이와 달리 부당이득반환청구권의 내용이 급부 자체의 반환을 구하는 것이 아니거나, 위와 같은 신속한 해결 필요성이 인정되지 않는 경우라면 특별한 사정이 없는 한 상법 제64조는 적용되지 않고 10년의 민사소멸시효기간이 적용된다(대판 2021.6.24, 2020다208621; 대판 2021.8.19, 2018다258074).

③ 민법 제165조는 제1항에서 "판결에 의하여 확정된 채권은 단기의 소멸시효에 해당한 것이라도 그 소멸시효는 10년으로 한다."라고 정하면서 제3항에서 '판결 확정 당시에 변제기가 도래하지 않은 채권에 대해서는 민법 제165조 제1항이 적용되지 않는다.'고 정하고 있다. 소송에서 법원이 판결로 소송비용의 부담을 정하는 재판을 하면서 그 액수를 정하지 않은 경우 소송비용부담의 재판이 확정됨으로써 소송비용상환의무의 존재가 확정되지만, 당사자의 신청에 따라 별도로 민사소송법 제110조에서 정한 소송비용액확정결정으로 구체적인 소송비용 액수가 정해지기 전까지는 그 의무의 이행기가 도래한다고 볼 수 없고 이행기의 정함이 없는 상태로 유지된다. 위와 같이 발생한 소송비용상환청구권은 소송비용부담의 재판에 해당하는 판결 확정 시 발생하여 그때부터 소멸시효가 진행하지만, 민법 제165조 제3항에 따라 민법 제165조 제1항에서 정한 10년의 소멸시효는 적용되지 않는다. 따라서 국가의 소송비용상환청구권은 금전의 급부를 목적으로 하는 국가의 권리로서 국가재정법 제96조 제1항에 따라 5년 동안 행사하지 않으면 소멸시효가 완성된다고 보아야 한다(대결 2021.7.29, 2019마6152).

④ 민법 제626조 제2항은 임차인이 유익비를 지출한 경우에는 임대인은 임대차 종료 시에 그 가액의 증가가 현존한 때에 한하여 임차인의 지출한 금액이나 그 증가액을 상환하여야 한다고 규정하고 있으므로, 임차인의 유익비상환채권은 임대차계약이 종료한 때에 비로소 발생한다고 보아야 한다. 따라서 임대차 존속 중 임대인의 구상금채권의 소멸시효가 완성된 경우에는 위 구상금채권과 임차인의 유익비상환채권이 상계할 수 있는 상태에 있었다고 할 수 없으므로, 그 이후에 임대인이 이미 소멸시효가 완성된 구상금채권을 자동채권으로 삼아 임차인의 유익비상환채권과 상계하는 것은 민법 제495조에 의하더라도 인정될 수 없다(대판 2021.2.10, 2017다258787).

⑤ 대판 2019.5.16, 2017다226629

47 **소멸시효에 관한 다음 설명 중 가장 옳지 않은 것은?** ▶ 2023년 법무사

① 부진정연대채무에서 채무자 1인에 대한 재판상 청구 또는 채무자 1인이 행한 채무의 승인 등 소멸시효의 중단사유나 시효이익의 포기는 다른 채무자에게 효력을 미치지 않는다.

② 후순위 담보권자는 선순위 담보권의 피담보채권이 소멸하면 담보권의 순위가 상승하고 이에 따라 피담보채권에 대한 배당액이 증가할 수 있으므로, 선순위 담보권의 피담보채권에 관한 소멸시효가 완성되었다고 주장할 수 있다.

③ 보증채무에 대한 소멸시효가 중단되는 등의 사유로 완성되지 아니하였다고 하더라도 주채무에 대한 소멸시효가 완성된 경우에는 시효완성 사실로써 주채무가 당연히 소멸되므로 보증채무의 부종성에 따라 보증채무 역시 당연히 소멸된다.

④ 특별한 사정이 없는 한 임치물 반환청구권의 소멸시효는 임치계약이 성립하여 임치물이 수치인에게 인도된 때부터 진행하는 것이지, 임치인이 임치계약을 해지한 때부터 진행한다고 볼 수 없다.

⑤ 주택임대차보호법에 따른 임대차에서 임차인이 임대차 종료 후 동시이행항변권을 근거로 임차목적물을 계속 점유하고 있는 경우에는 보증금반환채권에 대한 소멸시효가 진행하지 않는다.

정답   46 ②   47 ②

해설 ① 대판 2017.9.12. 2017다865
② 소멸시효가 완성된 경우 이를 주장할 수 있는 사람은 시효로 채무가 소멸되는 결과 직접적인 이익을 받는 사람에 한정된다. 후순위 담보권자는 선순위 담보권의 피담보채권이 소멸하면 담보권의 순위가 상승하고 이에 따라 피담보채권에 대한 배당액이 증가할 수 있지만, 이러한 **배당액 증가에 대한 기대는 담보권의 순위 상승에 따른 반사적 이익에 지나지 않는다. 후순위 담보권자는 선순위 담보권의 피담보채권 소멸로 직접 이익을 받는 자에 해당하지 않아 선순위 담보권의 피담보채권에 관한 소멸시효가 완성되었다고 주장할 수 없다**고 보아야 한다(대판 2021.2.5. 2016다232597).
③ 대판 2002.5.14. 2000다62476
④ 대판 2022.8.19. 2020다220140 → 임치계약 해지에 따른 임치물 반환청구는 임치계약 성립 시부터 당연히 예정된 것이고, 임치계약에서 임치인은 언제든지 계약을 해지하고 임치물의 반환을 구할 수 있는 것이기 때문이다.
⑤ 대판 2020.7.9. 2016다244224

48 다음 설명 중 시효중단의 효력이 없는 경우가 아닌 것은? ▸2024년 법원행시

① 재판상의 청구를 하여 소가 각하, 기각 또는 취하된 경우
② 최고를 하고 6월 내에 재판상의 청구, 파산절차참가, 화해를 위한 소환, 임의출석, 압류 또는 가압류, 가처분을 하지 아니한 경우
③ 압류, 가압류 및 가처분이 권리자의 청구에 의하여 또는 법률의 규정에 따르지 아니함으로 인하여 취소된 경우
④ 압류, 가압류 및 가처분이 시효의 이익을 받을 자 이외의 자에게 행하여지고 이를 시효의 이익을 받은 자에게 통지한 경우
⑤ 채권자가 파산절차참가를 취소하거나 그 청구가 각하된 경우

해설 ① 민법 제170조 제1항
② 민법 제174조
③ 민법 제175조
④ 압류, 가압류 및 가처분을 시효의 이익을 받은 자에게 통지한 후에는 시효중단의 효력이 있다(민법 제176조).
⑤ 민법 제171조

49 소멸시효에 관한 다음 설명 중 가장 옳지 않은 것은? ▶ 2024년 법원사무관 승진

① 부진정연대채무에서 채무자 1인에 대한 재판상 청구 또는 채무자 1인이 행한 채무의 승인 등 소멸시효의 중단사유는 다른 채무자에게 효력을 미치지 않는다.

② 보증채무에 대한 소멸시효가 중단되는 등의 사유로 완성되지 아니하였다고 하더라도 주채무에 대한 소멸시효가 완성된 경우에는 시효완성 사실로써 주채무가 당연히 소멸되므로 보증채무의 부종성에 따라 보증채무 역시 당연히 소멸된다.

③ 원금채무에 관하여는 소멸시효가 완성되지 아니하였으나 이자채무에 관하여는 소멸시효가 완성된 상태에서 채무자가 채무를 일부 변제한 때에는 액수에 관하여 다툼이 없는 한 원금채무에 관하여는 묵시적으로 승인한 것으로 볼 수 있으나, 이자채무에 관하여는 시효완성의 사실을 알고 그 이익을 포기한 것으로 추정되지 않는다.

④ 다른 채권자가 신청한 부동산경매절차에서 채무자 소유 부동산이 매각되고 그 대금이 이미 소멸시효가 완성된 채무를 피담보채무로 하는 근저당권을 가진 채권자에게 배당되어 채무 변제에 충당될 때까지 채무자가 아무런 이의를 제기하지 아니하였다면, 경매절차 진행을 채무자가 알지 못하였다는 등 다른 특별한 사정이 없는 한 채무자는 채권에 대한 소멸시효 이익을 포기한 것으로 볼 수 있다.

해설 ① 대판 2017.9.12, 2017다865
② 대판 2012.7.12, 2010다51192
③ 원금채무에 관하여는 소멸시효가 완성되지 아니하였으나 이자채무에 관하여는 소멸시효가 완성된 상태에서 채무자가 채무를 일부 변제한 때에는 액수에 관하여 다툼이 없는 한 원금채무에 관하여 묵시적으로 승인하는 한편 이자채무에 관하여 시효완성의 사실을 알고 그 이익을 포기한 것으로 추정된다(대판 2013.5.23, 2013다12464).
④ 소멸시효가 완성된 채무를 피담보채무로 하는 근저당권이 실행되어 채무자 소유의 부동산이 경락되고 대금이 배당되어 채무의 일부 변제에 충당될 때까지 채무자가 아무런 이의를 제기하지 아니하였다면, 경매절차의 진행을 채무자가 알지 못하였다는 등 다른 특별한 사정이 없는 한, 채무자는 시효완성의 사실을 알고 채무를 묵시적으로 승인하여 시효의 이익을 포기한 것으로 볼 수 있기는 하다. 그러나 소멸시효가 완성된 경우 채무자에 대한 일반채권자는 채권자의 지위에서 독자적으로 소멸시효의 주장을 할 수는 없지만 자기의 채권을 보전하기 위하여 필요한 한도 내에서 채무자를 대위하여 소멸시효 주장을 할 수 있으므로 채무자가 배당절차에서 이의를 제기하지 아니하였다고 하더라도 채무자의 다른 채권자가 이의를 제기하고 채무자를 대위하여 소멸시효 완성의 주장을 원용하였다면, 시효의 이익을 묵시적으로 포기한 것으로 볼 수 없다(대판 2017.7.11, 2014다32458).

정답 48 ④ 49 ③

50 소멸시효에 관한 다음 설명 중 옳지 않은 것을 모두 고른 것은? ▸ 2024년 법무사

ㄱ. 연예인의 임금 채권은 1년간 행사하지 아니하면 소멸시효가 완성한다.

ㄴ. 채권자가 영업양도가 이루어진 뒤 영업양도인을 상대로 소를 제기하여 확정판결을 받아 영업양도인에 대한 관계에서 소멸시효가 중단되거나 소멸시효 기간이 연장되었다면 그와 같은 소멸시효 중단이나 소멸시효 연장의 효과는 상호를 속용하는 영업양수인에게도 미친다.

ㄷ. 부동산경매절차에서 채무자에게 교부할 잉여금이 공탁된 경우, 채무자의 공탁금지급청구권은 공탁일부터 소멸시효가 진행하고, 부동산경매절차에서 채무자에 대한 송달이 공시송달의 방법으로 이루어짐으로써 채무자가 경매진행 사실 및 잉여금의 존재에 관하여 사실상 알지 못하였다고 하더라도 소멸시효기간이 진행한다.

ㄹ. 채무불이행에 따른 해제의 의사표시 당시에 이미 채무불이행의 대상이 되는 본래 채권이 시효가 완성되어 소멸하였다고 하더라도, 특별한 사정이 없는 한 채권자는 채무불이행 시점이 본래 채권의 시효 완성 전이라면 그 채무불이행을 이유로 한 해제권 및 이에 기한 원상회복청구권을 행사할 수 있다.

ㅁ. 채무자가 제3채무자를 상대로 금전채권의 이행을 구하는 소를 제기한 후 채권자가 위 금전채권에 대하여 압류 및 추심명령을 받아 제3채무자를 상대로 추심의 소를 제기한 경우, 채무자가 권리주체의 지위에서 한 시효중단의 효력은 추심채권자에게도 미친다.

① ㄱ, ㄴ   ② ㄱ, ㄷ   ③ ㄱ, ㄹ
④ ㄴ, ㄹ   ⑤ ㄴ, ㅁ

해설 ㄱ. 제164조 제3호 참조

ㄴ. 영업양도인의 영업으로 인한 채무와 상호를 속용하는 영업양수인의 상법 제42조 제1항에 따른 채무는 같은 경제적 목적을 가진 채무로서 서로 중첩되는 부분에 관하여는 일방의 채무가 변제 등으로 소멸하면 다른 일방의 채무도 소멸하는 이른바 부진정연대의 관계에 있다. 따라서 ① 채권자가 영업양도인을 상대로 소를 제기하여 확정판결을 받아 소멸시효가 중단되거나 소멸시효 기간이 연장된 뒤 영업양도가 이루어졌다면 그와 같은 소멸시효 중단이나 소멸시효 연장의 효과는 상호를 속용하는 영업양수인에게 미치지만, ② 채권자가 '영업양도가 이루어진 뒤' 영업양도인을 상대로 소를 제기하여 확정판결을 받았다면 영업양도인에 대한 관계에서 소멸시효가 중단되거나 소멸시효 기간이 연장된다고 하더라도 그와 같은 소멸시효 중단이나 소멸시효 연장의 효과는 상호를 속용하는 영업양수인에게 미치지 않는다(대판 2023.12.7, 2020다225138).

ㄷ. 공탁물이 금전인 경우 그 원금 또는 이자의 수령, 회수에 대한 권리는 그 권리를 행사할 수 있는 때부터 10년간 행사하지 아니하면 시효로 소멸하는데(공탁법 제9조 제3항), 경매절차에서 채무자에게 교부할 잉여금을 공탁한 경우에는 권리를 행사할 수 있는 공탁일부터 소멸시효기간이 진행한다. 소멸시효는 객관적으로 권리가 발생하고 그 권리를 행사할 수 있는 때부터 진행하고, 그 권리를 행사할 수 없는 동안에는 진행하지 아니한다. 여기서 '권리를 행사할 수 없다.'란 그 권리행사에 법률상의 장애사유, 예컨대 기간의 미도래나 조건불성취 등이 있

는 경우를 말하는 것이고, 사실상 그 권리의 존부나 권리행사의 가능성을 알지 못하였거나 알지 못함에 과실이 없다고 하여도 이러한 사유는 법률상 장애사유에 해당한다고 할 수 없다. 따라서 부동산경매절차에서 채무자에 대한 송달이 공시송달의 방법으로 이루어짐으로써 채무자가 경매진행 사실 및 잉여금의 존재에 관하여 사실상 알지 못하였다고 하더라도 소멸시효기간이 진행한다(대결 2024.4.30, 2023그887).

ㄹ. ① 이행불능 또는 이행지체를 이유로 한 법정해제권은 채무자의 채무불이행에 대한 구제수단으로 인정되는 권리이다. 따라서 채무자가 이행해야 할 본래 채무가 **이행불능이라는 이유로 계약을 해제하려면** 그 이행불능의 대상이 되는 **채무자의 본래 채무가 유효하게 존속하고 있어야 한다.** ② 민법 제167조는 "소멸시효는 그 기산일에 소급하여 효력이 생긴다."라고 정한다. 본래 채권이 시효로 인하여 소멸하였다면 그 채권은 그 기산일에 소급하여 더는 존재하지 않는 것이 되어 채권자는 그 권리의 이행을 구할 수 없는 것이고, 이와 같이 **본래 채권이 유효하게 존속하지 않는 이상 본래 채무의 불이행을 이유로 계약을 해제할 수 없다고 보아야 한다.** 결국 채무불이행에 따른 해제의 의사표시 당시에 이미 채무불이행의 대상이 되는 **본래 채권이 시효가 완성되어 소멸하였다면,** 채무자가 소멸시효의 완성을 주장하는 것이 신의성실의 원칙에 반하여 허용될 수 없다는 등의 특별한 사정이 없는 한, **채권자는 채무불이행 시점이 본래 채권의 시효 완성 전인지 후인지를 불문하고 그 채무불이행을 이유로 한 해제권 및 이에 기한 원상회복청구권을 행사할 수 없다**(대판 2022.9.29, 2019다204593).

ㅁ. ① 채무자의 제3채무자에 대한 금전채권에 대하여 압류 및 추심명령이 있더라도, 이는 추심채권자에게 피압류채권을 추심할 권능만을 부여하는 것이고, 이로 인하여 채무자가 제3채무자에게 가지는 채권이 추심채권자에게 이전되거나 귀속되는 것은 아니다. 따라서 채무자가 제3채무자를 상대로 금전채권의 이행을 구하는 소를 제기한 후 채권자가 위 금전채권에 대하여 압류 및 추심명령을 받아 제3채무자를 상대로 추심의 소를 제기한 경우, 채무자가 권리주체의 지위에서 한 시효중단의 효력은 집행법원의 수권에 따라 피압류채권에 대한 추심권능을 부여받아 일종의 추심기관으로서 그 채권을 추심하는 추심채권자에게도 미친다. ② 재판상의 청구는 소송의 각하, 기각 또는 취하의 경우에는 시효중단의 효력이 없지만, 그 경우 6개월 내에 재판상의 청구, 파산절차참가, 압류 또는 가압류, 가처분을 한 때에는 시효는 최초의 재판상 청구로 인하여 중단된 것으로 본다(민법 제170조). 그러므로 채무자가 제3채무자를 상대로 제기한 금전채권의 이행소송이 압류 및 추심명령으로 인한 당사자적격의 상실로 각하되더라도, 위 이행소송의 계속 중에 피압류채권에 대하여 채무자에 갈음하여 당사자적격을 취득한 추심채권자가 위 각하판결이 확정된 날로부터 6개월 내에 제3채무자를 상대로 추심의 소를 제기하였다면, 채무자가 제기한 재판상 청구로 인하여 발생한 시효중단의 효력은 추심채권자의 추심소송에서도 그대로 유지된다고 보는 것이 타당하다(대판 2019.7.25, 2019다212945).

정답 **50 ④**

심화문제 | **확인 · 보충 · 심화문제**

01 **소멸시효에 관한 설명 중 옳지 않은 것은?** (다툼이 있는 경우에는 판례에 의함)

① 채권자가 보증채무자를 상대로 보증채무의 이행을 구하는 소송을 제기하여 보증채무 자체에 대한 소멸시효가 중단되어 그 소멸시효가 완성되지 않았다 하더라도, 주채무가 소멸시효 완성으로 소멸하였다면 보증채무도 당연히 소멸된다.

② 채권자가 채무자의 제3채무자에 대한 채권에 관하여 압류 및 추심명령을 받아 그 결정이 제3채무자에게 송달되었다면, 이는 채무자의 제3채무자에 대한 채권에 관한 소멸시효 중단사유인 '최고'에 해당한다.

③ 물상보증인이 피담보채권의 부존재 또는 소멸을 이유로 저당권설정등기의 말소를 구하는 소송을 제기하자, 채권자 겸 저당권자가 응소하여 청구기각의 판결을 구하면서 피담보채권의 존재를 주장하였다면, 이는 피담보채권에 관한 소멸시효 중단사유인 민법 제168조 제1호 소정의 '청구'에 해당한다.

④ 甲이 乙로부터 금원을 차용하면서 그 담보를 위하여 乙에게 A 토지에 관한 소유권이전청구권 보전을 위한 가등기를 경료하여 준 후, 甲이 丙에게 A 토지를 매도하여 그 소유권이전등기를 경료하여 주었는데, 그 후 위 가등기로 담보된 위 채권이 시효소멸하였다면, 丙은 甲을 대위하지 않고서도 乙에 대하여 위 채권의 시효소멸을 주장할 수 있다.

⑤ 부동산의 매수인이 매매목적물인 부동산을 인도받아 사용 · 수익하다가 제3자에게 그 부동산을 처분하고 그 점유를 승계하여 준 경우, 매수인의 매도인에 대한 위 부동산에 관한 소유권이전등기청구권의 소멸시효는 진행되지 않는다.

> **해설** ① 보증채무에 대한 소멸시효가 중단되었다고 하더라도 이로써 주채무에 대한 소멸시효가 중단되는 것은 아니고, 주채무가 소멸시효 완성으로 소멸된 경우에는 보증채무도 그 채무 자체의 시효중단에 불구하고 부종성에 따라 당연히 소멸된다(대판 2002.5.14, 2000다62476).
> ② 소멸시효 중단사유의 하나로서 민법 제174조가 규정하고 있는 최고는 채무자에 대하여 채무 이행을 구한다는 채권자의 의사통지(준법률행위)로서, 이에는 특별한 형식이 요구되지 아니할 뿐 아니라 행위 당시 당사자가 시효중단의 효과를 발생시킨다는 점을 알거나 의욕하지 않았다 하더라도 이로써 권리 행사의 주장을 하는 취지임이 명백하다면 최고에 해당하는 것으로 보아야 할 것이므로, 채권자가 확정판결에 기한 채권의 실현을 위하여 채무자의 제3채무자에 대한 채권에 관하여 압류 및 추심명령을 받아 그 결정이 제3채무자에게 송달이 되었다면 거기에 소멸시효 중단사유인 최고로서의 효력을 인정하여야 한다(대판 2003.5.13, 2003다16238).
> ③ 타인의 채무를 담보하기 위하여 자기의 물건에 담보권을 설정한 물상보증인은 채권자에 대하여 물적 유한책임을 지고 있어 그 피담보채권의 소멸에 의하여 직접 이익을 받는 관계에 있으므로 소멸시효의 완성을 주장할 수 있는 것이지만, 채권자에 대하여는 아무런 채무도 부담하고 있지 아니하므로, 물상보증인이 그 피담보채무의 부존재 또는 소멸을 이유로 제기한 저당권설정등기 말소등기절차이행청구소송에서 채권자 겸 저당권자가 청구기각의 판결을 구하고 피담보채권의 존재를 주장하였다고 하더라도 이로써 직접 채무자에 대하여 재판상 청

구를 한 것으로 볼 수는 없는 것이므로 피담보채권의 소멸시효에 관하여 규정한 민법 제168조 제1호 소정의 '청구'에 해당하지 아니한다(대판 2004.1.16, 2003다30890).

④ 소멸시효를 원용할 수 있는 사람은 권리의 소멸에 의하여 직접 이익을 받는 사람에 한정되는 바, 채권담보의 목적으로 매매예약의 형식을 빌어 소유권이전청구권 보전을 위한 가등기가 경료된 부동산을 양수하여 소유권이전등기를 마친 제3자는 당해 가등기담보권의 피담보채권의 소멸에 의하여 직접 이익을 받는 자이므로, 그 가등기담보권에 의하여 담보된 채권의 채무자가 아니더라도 그 피담보채권에 관한 소멸시효를 원용할 수 있고, 이와 같은 직접수익자의 소멸시효 원용권은 채무자의 소멸시효 원용권에 기초한 것이 아닌 독자적인 것으로서 채무자를 대위하여서만 시효이익을 원용할 수 있는 것은 아니며, 가사 채무자가 이미 그 가등기에 기한 본등기를 경료하여 시효이익을 포기한 것으로 볼 수 있다고 하더라도 그 시효이익의 포기는 상대적 효과가 있음에 지나지 아니하므로 채무자 이외의 이해관계자에 해당하는 담보부동산의 양수인으로서는 여전히 독자적으로 소멸시효를 원용할 수 있다(대판 1995.7.11, 95다12446).

소멸시효가 완성되었을 경우, 시효완성을 주장할 수 있는 자(시효원용권자)는 시효완성에 의하여 직접 이익을 받을 자(직접수익자)에 한정된다는 것이 판례이다. 시효완성에 의하여 간접적으로 이익을 받을 자는 직접수익자를 대위하여 시효완성을 원용할 수 있을 뿐이다. 시효완성에 의한 직접 수익자에 해당하는 자로는 채무자, 가등기담보목적물의 제3취득자, 물상보증인 등이 이에 해당한다. 사안에서 丙은 가등기담보권이 설정된 부동산을 취득한 제3취득자로서 독자적인 시효원용권자에 해당한다.

⑤ 부동산의 매수인이 그 부동산을 인도받은 이상 이를 사용·수익하다가 그 부동산에 대한 보다 적극적인 권리 행사의 일환으로 다른 사람에게 그 부동산을 처분하고 그 점유를 승계하여 준 경우에도 그 이전등기청구권의 행사 여부에 관하여 그가 그 부동산을 스스로 계속 사용·수익만 하고 있는 경우와 특별히 다를 바 없으므로 위 두 어느 경우에나 이전등기청구권의 소멸시효는 진행되지 않는다고 보아야 한다(대판(전) 1999.3.18, 98다32175).

정답 ▶ 01 ③

02 시효의 중단사유에 관한 설명 중 옳지 않은 것을 모두 고른 것은? (다툼이 있는 경우 판례에 의함)

▶ 2015년 사법시험

> ㄱ. 甲이 乙을 상대로 불법행위에 따른 손해배상금의 지급을 구하는 지급명령을 신청하였다가 각하되자 그로부터 6개월 내에 손해배상청구의 소를 제기한 경우 시효는 소를 제기한 날에 중단된다.
>
> ㄴ. 甲은 乙에게 금원을 빌려주면서 그 대여금의 담보를 위하여 丙 소유의 부동산에 저당권을 설정받기로 丙과 합의한 경우, 甲이 丙에게 저당권 설정의 이행을 청구하는 것은 甲의 乙에 대한 대여금채권의 소멸시효를 중단시킨다.
>
> ㄷ. 乙이 甲의 丙에 대한 채무를 보증한 경우, 丙이 보증인 乙의 재산을 압류한 조치는 甲에 대한 통지가 없는 한 丙의 甲에 대한 주채무의 소멸시효 진행에 영향을 주지 않는다.
>
> ㄹ. 점유자 乙이 소유자 甲을 상대로 소유권이전등기 청구소송을 제기하면서 그 청구원인으로 '취득시효'가 아닌 '매매'를 주장함에 대하여 甲이 이에 응소하여 소유권을 주장하지 않은 채 乙 주장의 매매 사실만을 부인하면서 청구기각의 판결을 구하는 경우, 甲의 응소행위는 乙의 점유취득시효를 중단시키는 재판상 청구에 해당하지 않는다.
>
> ㅁ. 공유자 甲, 乙, 丙 중 甲이 공유물의 보존행위로서 단독으로 무단 점유인 丁을 상대로 공유물인도의 소를 제기한 경우, 이로 인하여 丁의 취득시효가 중단되는 효과는 다른 공유자 乙, 丙에게도 미친다.

① ㄱ, ㄷ   ② ㄱ, ㅁ   ③ ㄱ, ㄴ, ㄹ
④ ㄱ, ㄴ, ㅁ   ⑤ ㄴ, ㄷ, ㅁ

해설 ㄱ. 지급명령의 신청도 재판상 청구와 동일하다. 따라서 지급명령의 신청이 각하되고 6개월 내에 정식의 소를 제기한 경우에는 그 소제기시가 아니고 "지급명령신청 시에 소급"해서 시효가 중단된다(대판 2011.11.10, 2011다54686).

ㄴ. 채권자가 채무자에게 청구하는 경우와 채권자가 물상보증인(채무는 없고 책임부담)에게 청구하는 경우를 구별하여야한다. 채권자의 채무자에 대한 근저당권설정등기청구의 소 제기는 그 피담보채권이 될 채권에 대한 소멸시효 중단사유로 된다(대판 2004.2.13, 2002다7213). 하지만 채권자 甲이 물상담보 제공을 약속한 丙에게 저당권 설정의 이행을 청구하는 것이 甲의 채무자 乙에 대한 대여금채권의 소멸시효를 중단시킬 수는 없다(대판 2004.1.16, 2003다30890 참조).

ㄷ. 민법 제176조는 재판상 청구가 아닌 "압류, 가압류 및 가처분은 시효의 이익을 받을 자에 대하여 하지 아니한 때에는 이를 그에게 통지한 후가 아니면 시효중단의 효력이 없다."고 하고 있다. 따라서 보증인에 대한 압류는 제176조에 따른 압류통지가 없는 한 주채무 자체의 소멸시효를 중단시킬 수 없다(대판 1990.1.12, 89다카4946 참조).

ㄹ. 오래전에 목적물을 샀다는 주장(매매주장)에는 취득시효의 주장이 포함되어 있다고 볼 수 없다. 따라서 응소가 중단사유가 되기 위해서는 권리자가 응소하여 시효자체를 주장해야 한다. 단순히 원고의 주장을 부인만 해서는 아니 된다(대판 2012.1.12, 2011다78606 등). 따라서 "권리자가 시효를 주장하는 자로부터 제소당하여 직접 응소행위로서 상대방의 청구를 적극적으로 다투면서 자신의 권리를 주장하여 그것이 받아들여진 경우에는 민법 제247조 제2항

에 의하여 취득시효기간에 준용되는 민법 제168조 제1호, 제170조 제1항에서 시효중단사유의 하나로 규정하고 있는 재판상의 청구에 포함되는 것으로 해석함이 상당하다 할 것이나, 점유자가 소유자를 상대로 소유권이전등기 청구소송을 제기하면서 그 청구원인으로 '취득시효 완성'이 아닌 '매매'를 주장함에 대하여, 소유자가 이에 응소하여 원고 청구기각의 판결을 구하면서 원고의 주장 사실을 부인하는 경우에는, 이는 원고 주장의 매매 사실을 부인하여 원고에게 그 매매로 인한 소유권이전등기청구권이 없음을 주장함에 불과한 것이고 소유자가 자신의 소유권을 적극적으로 주장한 것이라 볼 수 없으므로 시효중단사유의 하나인 재판상의 청구에 해당한다고 할 수 없다."(대판 1997.12.12, 97다30288).

ㅁ. 소멸시효의 중단은 취득시효에도 준용된다(제247조 제2항). 따라서 소멸시효중단의 상대효(제169조)도 준용되는바, 공유자 중의 1인에게만 공유물의 보존행위로 인도청구의 소를 제기한 경우에 그로 인한 취득시효 중단은 그 공유자에게만 발생하고 다른 자에게는 미치지 않는다(대판 1979.6.26, 79다639).

03 성형외과 의사 甲은 乙에게 성형수술을 해 주는 대가로 1,000만원을 받기로 하고 성형수술을 성공적으로 완료하였으나, 乙이 약속한 날짜에 의료비를 지급하지 않자 甲은 乙을 상대로 1,000만원의 지급을 청구하는 소를 제기하였다. 다음 설명 중 옳지 않은 것은? (다툼이 있는 경우에는 판례에 의함)

① 甲의 고소로 乙이 검찰청에서 작성한 피의자신문조서에 채무의 일부를 승인하는 의사를 표시한 경우에는 소멸시효가 중단된다.

② 乙에 대한 甲의 의료비채권은 甲의 청구가 인용된 재판이 확정된 때로부터 10년의 소멸시효에 걸린다.

③ 甲의 의료비채권은 소를 제기한 때부터 시효중단의 효력이 생긴다.

④ 甲이 乙에게 소제기 5개월 전에 채무 전액의 이행을 최고하였다면 시효중단의 효력은 최고시에 발생한다.

⑤ 甲이 의료비채권을 보전하기 위하여 소제기 1개월 전에 乙소유의 가옥을 가압류하였다면, 시효중단의 효력은 가압류의 집행보전의 효력이 존속하는 동안 계속된다.

해설 ① 검사작성의 피의자신문조서는 검사가 피의자를 신문하여 그 진술을 기재한 조서로서 그 작성형식은 원칙적으로 검사의 신문에 대하여 피의자가 응답하는 형태를 취하여 피의자의 진술은 어디까지나 검사를 상대로 이루어지는 것이어서 그 진술기재 가운데 채무의 일부를 승인하는 의사가 표시되어 있다고 하더라도, 그 기재부분만으로 곧바로 소멸시효중단사유로서 승인의 의사표시가 있은 것으로는 볼 수 없다(대판 1999.3.12, 98다18124).

② 의사의 치료에 관한 채권은 3년간 행사하지 아니하면 소멸시효가 완성한다(제163조 제2호). 그런데 민법 제165조가 판결에 의하여 확정된 채권, 판결과 동일한 효력이 있는 것에 의하여 확정된 채권은 단기의 소멸시효에 해당한 것이라도 그 소멸시효는 10년으로 한다.

③ 시효중단의 효력은 소를 제기한 때부터 발생한다(민사소송법 제265조).

④ 최고를 여러 번 거듭하다가 재판상 청구 등을 한 경우에 있어서의 시효중단의 효력은 항상 최초의 최고시에 발생하는 것이 아니라 재판상 청구 등을 한 시점을 기준으로 하여 이로부터 소급하여 6월 이내에 한 최고시에 발생한다(대판 1987.12.22, 87다카2337). 따라서 소제기 5개월 전에 채무 전액의 이행을 최고하였다면 시효중단의 효력은 6월 안의 최고시에 발생한다.

⑤ 민법 제168조에서 가압류를 시효중단사유로 정하고 있는 것은 가압류에 의하여 채권자가 권리를 행사하였다고 할 수 있기 때문인데, 가압류에 의한 집행보전의 효력이 존속하는 동안은 가압류채권자에 의한 권리행사가 계속되고 있다고 보아야 할 것이므로, 가압류에 의한 시효중단의 효력은 가압류의 집행보전의 효력이 존속하는 동안은 계속된다고 하여야 할 것이다(대판 2006.7.27, 2006다32781).

04 가구상 甲이 乙에게 고가의 가구를 외상으로 판매한 후 乙을 상대로 외상대금의 지급을 청구하는 소를 제기하였다. 다음 설명 중 옳지 않은 것은? (각 지문은 독립적이고, 다툼이 있는 경우에는 판례에 의함) ▶ 2012년 변호사

① 외상대금채권의 소멸시효가 완성되었더라도, 법원은 乙의 원용이 없는 한 직권으로 외상대금채권의 소멸시효가 완성 되었다고 인정할 수 없다.

② 위 소송에서 乙이 외상대금채권의 변제기를 2006.4.2.이라고 주장한 경우, 변제기가 2005.4.2.인 사실이 인정되더라도, 법원은 2005.4.2.을 소멸시효의 기산일로 삼아 소멸시효 완성 여부를 판단할 수 없다.

③ 위 소송에서 乙이 외상대금채권의 변제기를 2006.4.2.이라고 주장한 경우, 증거조사 결과 변제기가 2007.4.2.인 사실이 인정된다면, 법원은 2007.4.2.을 소멸시효의 기산일로 삼아 소멸시효 완성 여부를 판단할 수 있다.

④ 외상대금채권의 변제기가 2005.4.2.인데, 甲이 2008.3.27. 乙에게 외상대금을 지급하라고 최고하였으나, 2008.4.14. 乙로부터 그 이행의무의 존부에 관하여 조사할 것이 있으니 기다려달라는 답변을 받고 다시 2008.4.20. 乙로부터 그 이행을 거절한다는 통지를 받은 후 2008.10.15. 위 소를 제기하였다면, 위 최고시에 외상대금채권의 소멸시효는 중단된다.

⑤ 위 소송에서 甲과 乙이 외상대금채권의 소멸시효기간을 상법이 정한 5년이라고 주장하였더라도, 법원은 그 소멸시효기간을 민법이 정한 3년으로 판단할 수 있다.

해설 ① 소멸시효는 제척기간과는 달리 변론주의 적용대상으로 당사자의 주장이 필요하다(대판 1979.2.13, 78다2157).

②, ③ 소멸시효의 기산일은 소멸시효항변의 법률요건을 구성하는 구체적인 사실에 해당하여 변론주의 적용대상인 까닭에 법원으로서는 당사자가 주장하는 기산일과 다른 날짜를 기준으로 소멸시효를 계산할 수 없다(대판 2006.9.22, 2006다22852 등).

④ 최고는 도달주의원칙상 도달하면 효력이 생기기 때문에, 도달 후 6월 내에 재판상의 청구 등을 하지 아니하면 시효중단의 효력이 없으나(제174조), 채무이행을 최고받은 채무자가 그

이행의무의 존부 등에 대하여 조사해 볼 필요가 있다는 이유로 채권자에 대해 그 이행의 유예를 구한 경우에는, 채권자가 그 회답을 받을 때까지는 최고의 효력이 계속된다고 보아야 하고, 따라서 제174조 소정의 6개월의 기간은 채권자가 채무자로부터 회답을 받은 때로부터 기산된다(대판 1995.5.12, 94다24336). 따라서 2008.3.27.의 최고를 기준으로 하면 6개월이 경과하였으나 2008.4.20. 회신을 기준으로 하면 6개월 내에 2008.10.15. 위 소를 제기하였다면, 위 최고시에 외상대금채권의 소멸시효는 중단된다.

⑤ 소멸시효의 완성과 기산일 등은 변론주의 적용대상이나, 어떤 권리의 소멸시효기간이 얼마나 되는지에 관한 주장은 단순한 법률상의 주장에 불과하므로 변론주의의 적용대상이 되지 않고 법원이 직권으로 판단할 수 있다는 것이 판례이다(대판 2008.3.27, 2006다70929, 70936). 따라서 위 사안의 경우처럼 당사자가 상사채권 5년시효를 주장하더라도 법원은 직권으로 민법 제163조 6호의 "상인이 판매한 상품의 대가"라고 하여, 3년을 인정할 수 있는 것이다.

05 소멸시효에 관한 설명 중 옳지 않은 것은? (다툼이 있는 경우 판례에 의함) ▸2015년 변호사

① 부동산 매수인이 매도인으로부터 부동산을 인도받아 사용·수익하다가 이를 타인에게 처분하고 그 점유를 승계하여 준 경우에도 위 부동산 매수인의 매도인에 대한 소유권이전등기 청구권에 관한 소멸시효는 진행되지 않는다.

② 채권양도의 대항요건이 구비되지 않은 상태에서 양수인이 채무자를 상대로 재판상 청구를 한 경우, 소멸시효는 중단된다.

③ 수급인인 건설회사의 도급인에 대한 공사대금채권은 상거래에 관한 것으로 5년의 단기 소멸시효에 걸린다.

④ 사해행위취소소송에서 수익자는 취소채권자의 피보전채권에 대하여 시효소멸을 주장할 수 있다.

⑤ 확정기한부 채권은 반대채권과 동시이행관계에 있는 경우에도 그 기한이 도래한 때부터 소멸시효가 진행된다.

해설 ① 부동산의 매수인이 그 부동산을 인도받은 이상 이를 사용·수익하다가 그 부동산에 대한 보다 적극적인 권리행사의 일환으로 다른 사람에게 그 부동산을 처분하고 그 점유를 승계하여 준 경우에도 그 이전등기청구권의 행사 여부에 관하여 그가 그 부동산을 스스로 계속 사용·수익만 하고 있는 경우와 특별히 다를 바 없으므로 위 두 어느 경우에나 이전등기청구권의 소멸시효는 진행되지 않는다고 보아야 한다(대판(전합) 1999.3.18, 98다32175).

② 채권양도에 의하여 채권은 그 동일성을 잃지 않고 양도인으로부터 양수인에게 이전되며, 이러한 법리는 채권양도의 대항요건을 갖추지 못하였다고 하더라도 마찬가지인 점 등에서 비록 대항요건을 갖추지 못하여 채무자에게 대항하지 못한다고 하더라도 채권양수인이 채무자를 상대로 재판상의 청구를 하였다면 이는 소멸시효 중단사유인 재판상의 청구에 해당한다(대판 2005.11.10, 2005다41818).

③ 수급인인 건설회사의 도급인에 대한 공사대금채권은 상거래에 관한 것으로 5년의 시효가 아닌 더 단기인 민법 제163조 3호의 3년의 시효에 해당한다.

④ 소멸시효완성을 직접 주장할 수 있는 자의 범위에 속하는 자를 묻고 있다. 채무자, 물상보증인, 제3취득자, 채권자취소권의 수익자 등이 이에 속한다. 판례도 사해행위의 수익자는 그 채권의 소멸에 의해 직접 이익을 받는 자에 해당한다고 한다(대판 2007.11.29, 2007다54849).

⑤ 확정기한부 채권은 반대채권과 동시이행관계에 있는 경우에도 그 기한이 도래한 때부터 소멸시효가 진행된다. 이행지체책임의 개시와 혼동하지 말아야 한다. 지체책임은 이행제공하면서 청구하였는데, 상대방이 이행을 하지 못하는 경우에 발생한다(대판 1991.3.22, 90다9797 참조).

06 소멸시효에 관한 설명 중 옳은 것은? (각 지문은 독립적이며, 다툼이 있는 경우 판례에 의함)

▶ 2016년 변호사

① 甲 소유의 X 토지에 丙의 乙에 대한 대여금채무를 피담보채무로 하는 근저당권설정등기가 마쳐진 후 甲은 근저당권자인 乙을 상대로 위 대여금채무가 변제로 인하여 소멸하였음을 이유로 하는 근저당권설정등기 말소청구의 소를 제기하였다. 이 소송에서 乙이 적극적으로 응소하여 위 대여금채무가 변제되지 않았다고 다툰 결과 甲의 청구를 기각하는 판결이 선고되었다면 乙의 응소는 위 대여금채무의 소멸시효 중단을 위한 재판상 청구에 해당한다.

② 甲과 乙은 2005.7.1. "甲은 그 소유의 X 토지를 乙에게 매도하되, 2005.7.8. 甲이 乙 앞으로 X 토지의 소유권이전등기를 마침과 동시에 乙은 甲에게 매매대금을 지급한다."라는 내용의 계약을 체결하였다. 2015.12.28. 현재 甲과 乙이 서로 위 계약의 이행을 위한 아무런 조치를 취하지 않은 상태라면 甲의 乙에 대한 매매대금지급 청구권의 소멸시효는 완성되지 않았다.

③ 甲은 그 소유의 X 토지를 乙에게 매도 및 인도하였고, 乙은 X 토지를 사용·수익하다가 2005.7.8. 丙에게 X 토지를 매도 및 인도하였으며, 그 이후 丙이 계속하여 X 토지를 사용·수익하였다면, 2015.12.28. 현재 乙의 甲에 대한 X 토지의 소유권이전등기 청구권의 소멸시효는 완성되었다.

④ 甲은 丙의 乙에 대한 대여금채무를 연대보증하였다. 乙은 丙에 대한 대여금채권을 보전하기 위하여 丙 소유의 X 토지에 대한 가압류신청을 하였고 이에 따른 가압류결정과 가압류기입등기가 이루어졌으나, 乙은 이러한 사정을 연대보증인인 甲에게 알리지 않았다. 이 경우 가압류에 의한 시효중단의 효력은 甲에게 미친다.

⑤ 甲은 乙로부터 금원을 차용하면서 차용금채무를 담보하기 위하여 甲 소유의 X 토지에 관하여 乙 앞으로 담보가등기를 설정하였고, 그 후 丙이 甲으로부터 X 토지의 소유권을 취득하였다. 이 경우 丙은 甲의 乙에 대한 위 차용금채무의 소멸시효를 원용할 수 없다.

해설 ① 채권자와 물상보증인간의 응소는 시효중단사유가 되지 못한다(대판 2004.1.16, 2003다 30890). 따라서 乙이 적극적으로 응소하여 위 대여금채무가 변제되지 않았다고 다툰 결과 甲의 청구를 기각하는 판결이 선고더라도 乙의 응소는 위 대여금채무의 소멸시효 중단을 위한 재판상 청구에 해당하지 않는다.

② 동시이행과 소멸시효완성의 문제이다. 채권채무가 동시이행관계에 있다고 하더라도 그 시점부터 권리행사는 가능하기 때문에 "2005.7.8. 甲이 乙 앞으로 X 토지의 소유권이전등기를 마침과 동시에 乙은 甲에게 매매대금을 지급한다."라는 내용의 계약이 있다면, 그때부터 시효가 진행하고, 따라서 甲의 乙에 대한 매매대금지급 청구권의 소멸시효는 10년 후 완성된다(대판 1991.3.22, 90다9797).

③ 부동산의 매수인이 그 부동산을 인도받은 이상 이를 사용·수익하다가 그 부동산에 대한 보다 적극적인 권리 행사의 일환으로 다른 사람에게 그 부동산을 처분하고 그 점유를 승계하여 준 경우에도 그 이전등기청구권의 행사 여부에 관하여 그가 그 부동산을 스스로 계속 사용·수익만 하고 있는 경우와 특별히 다를 바 없으므로 위 두 어느 경우에나 이전등기청구권의 소멸시효는 진행되지 않는다고 보아야 한다(대판(전합) 1999.3.18, 98다32175). 따라서 2015.12.28. 현재 乙의 甲에 대한 X 토지의 소유권이전등기 청구권의 소멸시효는 완성되지 않았다.

④ 주채무자에 대한 소멸시효의 중단은 보증인에게 미친다(제440조). 따라서 채권자乙이 채무자 丙에 대한 대여금채권을 보전하기 위하여 丙 소유의 X 토지에 대한 가압류신청을 하였고 이에 따른 가압류결정과 가압류기입등기가 이루어졌으나, 乙은 이러한 사정을 연대보증인인 甲에게 알리지 않았다고 하더라도 이 경우 가압류에 의한 시효중단의 효력은 甲에게 당연히 미친다(대판 2011.11.10, 2011다62090).

⑤ 소멸시효를 주장할 수 있는 자의 인적범위이다. 즉 위 제3자(丙)는 당해 가등기담보권의 피담보채권의 소멸에 의하여 직접 이익을 받는 자이므로, 그 가등기담보권에 의하여 담보된 채권의 채무자가 아니더라도 그 피담보채권에 관한 소멸시효를 원용할 수 있다(대판 1995.7.11, 95다12446). 따라서 丙은 甲의 乙에 대한 위 차용금채무의 소멸시효를 원용할 수 있다.

정답 ▶ 06 ④

채권총론

> **기본문제** | 기본문제의 구성

01 채권의 목적에 관한 다음 설명 중 가장 옳지 않은 것은?　　　　▶ 2014년 법무사
① 금전으로 가액을 산정할 수 없는 것이라도 채권의 목적으로 할 수 있다.
② 특정물의 인도가 채권의 목적인 때에는 채무자는 그 물건을 인도하기까지 자기 물건과 동일한 주의로 보존하여야 한다.
③ 채권의 목적을 종류로만 지정한 경우에 법률행위의 성질이나 당사자의 의사에 의하여 품질을 정할 수 없는 때에는 채무자는 중등품질의 물건으로 이행하여야 한다.
④ 채권액이 다른 나라 통화로 지정된 때에는 채무자는 지급할 때에 있어서의 이행지의 환금시가에 의하여 우리나라 통화로 변제할 수 있다.
⑤ 채권의 목적이 수개의 행위 중에서 선택에 좇아 확정될 경우에 다른 법률의 규정이나 당사자의 약정이 없으면 선택권은 채무자에게 있다.

해설 ① 금전으로 가액을 산정할 수 없는 것이라도 채권의 목적으로 할 수 있다(제373조).
② 특정물의 인도가 채권의 목적인 때에는 채무자는 그 물건을 인도하기까지 선량한 관리자의 주의로 보존하여야 한다(제374조).
③ 채권의 목적을 종류로만 지정한 경우에 법률행위의 성질이나 당사자의 의사에 의하여 품질을 정할 수 없는 때에는 채무자는 중등품질의 물건으로 이행하여야 한다(제375조 제1항).
④ 채권액이 다른 나라 통화로 지정된 때에는 채무자는 지급할 때에 있어서의 이행지의 환금시가에 의하여 우리나라 통화로 변제할 수 있다(제378조).
⑤ 채권의 목적이 수개의 행위 중에서 선택에 좇아 확정될 경우에 다른 법률의 규정이나 당사자의 약정이 없으면 선택권은 채무자에게 있다(제380조).

02 다음은 종류채권의 특정에 관한 설명이다. 잘못된 것은?
① 종류채권은 목적물의 특정으로 그 동일성을 해함이 없이 특정물채권으로 변한다. 따라서 급부의 위험이 채권자에게 이전하므로 특정된 물건이 그 후 어떤 사정으로 멸실한 경우에는 채무자는 다른 종류물 중에서 다시 이행하여야 할 의무를 지지는 않으며 그 인도의무를 면한다.
② 지참채무에서는 채무자가 채권자의 주소지에서 채무내용에 좇은 현실의 이행제공을 한 때에 특정된다.
③ 다만 지참채무의 경우에도 채권자가 미리 수령을 거절한 경우에는 목적물을 분리하고 구두의 제공을 하면 특정이 생긴다.

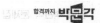

④ 추심채무에서는 구두의 제공, 즉 채무자가 목적물을 분리하여 놓고 변제의 준비를 완료하였음을 통지하고 그 수령을 최고할 때에 특정된다.

⑤ 송부채무의 경우에는 제3의 장소가 채무의 본래의 변제의 장소이더라도 목적물을 분리하여 목적지로 발송한때 특정된다.

해설 ① 종류채권의 경우 특정 전에는 목적물에 대한 조달의무가 있으므로, 이행불능(단, 제한종류채권은 제외)이나 위험부담의 문제는 생기지 않는다. 그러나 특정 후에는 종류채권의 목적물이 특정되면 그때부터 특정물채권으로 전환하므로, 급부의 위험은 채무자로부터 채권자에게 이전된다. 즉, 채무자의 귀책사유 없이 불가항력으로 그 목적물이 멸실되면 다른 종류의 물건이 있더라도 채무자는 채무를 면한다(=조달의무의 소멸).

②, ③ 지참채무란 채무자가 목적물을 채권자의 주소에 가지고 가서 이행하여야 할 채무이며 민법은 특정물채무 이외의 채무는 지참채무를 원칙으로 하고 있다(제467조). 지참채무에서는 채무자가 채권자의 주소지에서 채무내용에 좇은 현실의 이행제공을 한 때, 즉 목적물이 채권자의 주소에 도달하고 채권자가 언제든지 수령할 수 있는 상태에 놓여진 때에 특정이 있게 된다. 그러나 채권자가 미리 수령을 거절한 경우에는 목적물을 분리하고 구두의 제공을 하면 특정이 생긴다(제460조 단서).

④ 추심채무란 채권자가 채무자의 주소에 와서 목적물을 추심하여 변제를 받아야하는 채무이다. 추심채무에서는 채무이행에 채권자의 추심행위를 필요로 하므로 이는 구두의 제공, 즉 채무자가 목적물을 분리하여 놓고 변제의 준비를 완료하였음을 통지하고 그 수령을 최고할 때(=구두제공)에 특정된다(제460조 단서).

⑤ 송부채무란 채권자 또는 채무자의 주소지 이외의 제3의 장소에 목적물을 송부하여야 할 채무이다. 통설에 따르면 (ㄱ) 제3의 장소가 본래의 이행장소이면 지참채무의 경우처럼 제3지에 도달하여 현실의 제공이 된 때에 특정되지만(제467조 제2항 본문), (ㄴ) 제3의 장소가 채무본래의 이행장소가 아니고 채권자의 요청에 의해 채무자의 호의로 이행장소가 된 경우에는 제3의 장소로 발송 시에 특정된다.

03 선택채권에 관한 다음 설명 중 틀린 것은?

① 선택에 의하여 선택채권은 반드시 특정물채권이 되는 것은 아니다.

② 선택권행사의 기간이 없는 경우에 채권의 기한이 도래한 후 상대방이 상당한 기간을 정하여 그 선택을 최고하여도 선택권자가 그 기간 내에 선택하지 아니하면 선택권은 상대방에게 있다.

③ 제3자가 선택하지 아니한 경우에는 선택권은 당연히 채무자에게 이전되지만, 선택할 제3자가 선택할 수 없는 경우에는 선택권이 채무자에게 이전하기 위해서 최고가 필요하다.

④ 선택채권에서 선택의 효력은 그 채권이 발생한 때에 소급한다.

⑤ 채권의 목적으로 선택할 수개의 행위 중에 처음부터 불능한 것이나 또는 후에 이행불능하게 된 것이 있으면 채권의 목적은 잔존한 것에 존재한다.

정답 01 ② 02 ⑤ 03 ③

해설 ① 선택채권은 선택에 의해 단순채권으로 변한다. 즉, 선택권을 행사하면 선택된 급부의 목적물은 특정물채권·종류채권·금전채권 등으로 전환된다. 따라서 선택에 의해 종류채권으로 변하면 다시 종류채권의 특정이 필요하다.

② 제381조【선택권의 이전】
① 선택권행사의 기간이 있는 경우에 선택권자가 그 기간 내에 선택권을 행사하지 아니하는 때에는 상대방은 상당한 기간을 정하여 그 선택을 최고할 수 있고 선택권자가 그 기간 내에 선택하지 아니하면 선택권은 상대방에게 있다.
② 선택권행사의 기간이 없는 경우에 채권의 기한이 도래한 후 상대방이 상당한 기간을 정하여 그 선택을 최고하여도 선택권자가 그 기간 내에 선택하지 아니할 때에도 전항과 같다.

③ 제384조【제3자의 선택권의 이전】
① 선택할 제3자가 선택할 수 없는 경우에는 선택권은 채무자에게 있다.
② 제3자가 선택하지 아니하는 경우에는 채권자나 채무자는 상당한 기간을 정하여 그 선택을 최고할 수 있고 제3자가 그 기간 내에 선택하지 아니하면 선택권은 채무자에게 있다.

④ 제386조【선택의 소급효】 선택의 효력은 그 채권이 발생한 때에 소급한다. 그러나 제3자의 권리를 해하지 못한다.

⑤ 제385조 제1항【불능으로 인한 선택채권의 특정】 채권의 목적으로 선택할 수개의 행위 중에 처음부터 불능한 것이나 또는 후에 이행불능하게 된 것이 있으면 채권의 목적은 잔존한 것에 존재한다.

04 甲은 공장 부지로 사용하기 위해 乙 소유의 X 토지(총 면적 3,000㎡) 중 1,000㎡의 소유권을 乙로부터 양도받기로 하는 계약을 체결하면서 양도할 토지의 위치는 정하지 않았다. 위 사례에 관한 다음 설명 중 옳은 것을 모두 고른 것은? (다툼이 있는 경우 판례에 따르고 전원합의체 판결의 경우 다수의견에 의함. 이하 같음) ▶ 2020년 법원행시

가. 乙은 위 계약에 따라 甲에게 X 토지의 1/3 지분에 관한 지분소유권을 이전해 줄 의무가 있다.
나. 위 계약에서 甲이 乙에 대하여 가지는 채권은 민법 제380조의 선택채권에 해당한다.
다. 위 계약에 따라 이전할 토지의 위치를 누가 정할 것인지에 관해 다른 약정이 없었다면 乙이 이전할 토지의 위치를 선택할 수 있다.
라. 선택권행사의 기간이 없는 경우 채권의 기한이 도래한 후 상대방이 상당한 기간을 정하여 그 선택을 최고하여도 선택권자가 그 기간 내에 선택하지 아니한 때에 선택권은 상대방에게 이전한다.

① 가 ② 가, 나, 라 ③ 나, 라
④ 나, 다, 라 ⑤ 가, 나, 다, 라

해설 가. 나. 토지소유자가 1필 또는 수필의 토지 중 일정 면적의 소유권을 상대방에게 양도하기로 하는 계약을 체결한 경우, 상대방이 토지소유자에 대하여 구체적으로 어떠한 내용의 권리를 가지는지는 원칙적으로 당해 계약의 해석문제로 귀착되는 것이지만, 위치와 형상이 중요시 되는 토지의 특성 등을 감안하여 볼 때 특별한 사정이 없는 한 위치가 특정된 일정 면적의 토지 소유권을 양도받을 수 있는 권리를 가지는 것으로 보아야 하고, 따라서 위와 같은 계약 에서 양도받을 토지 위치가 확정되지 아니하였다면 상대방이 토지소유자에게 가지는 채권은 민법 제380조에서 정한 선택채권에 해당하는 것으로 보아야 한다(대판 2011.6.30. 2010다 16090). 따라서 선택권의 귀속과 그 행사 여부에 따라 그 위치가 확정된 토지의 소유권이전 등기를 명할 수 있음은 별론으로 하고 위치선정에 관한 합의가 되지 아니하였다는 사정만을 들어 공유관계 설정에 관한 합의를 의제함으로써 지분소유권이전등기를 명할 수는 없다.

다. 제380조 【선택채권】 채권의 목적이 수개의 행위 중에서 선택에 좇아 확정될 경우에 다른 법 률의 규정이나 당사자의 약정이 없으면 선택권은 채무자에게 있다.

라. 제381조 【선택권의 이전】
① 선택권행사의 기간이 있는 경우에 선택권자가 그 기간 내에 선택권을 행사하지 아니하는 때에는 상대방은 상당한 기간을 정하여 그 선택을 최고할 수 있고 선택권자가 그 기간 내에 선택하지 아니하면 선택권은 상대방에게 있다.
② 선택권행사의 기간이 없는 경우에 채권의 기한이 도래한 후 상대방이 상당한 기간을 정하 여 그 선택을 최고하여도 선택권자가 그 기간 내에 선택하지 아니할 때에도 전항과 같다.

05 **금전채권에 관한 다음 설명 중 옳지 않은 것은?** (다툼이 있는 경우 판례에 의함)

① 금전채무의 채무자는 이행지체에 대하여 과실 없음을 입증하더라도 책임을 면할 수 없다.

② 채권자는 손해발생에 대한 증명이 없어도 손해배상을 청구할 수 있으므로, 손해배상의 청구 시에 지연이자 상당의 손해가 발생하였다는 취지의 주장은 필요 없다.

③ 민법 제397조 제1항의 단서에 따르면 법령의 제한에 위반하지 아니한 약정이율이 있 으면 그 이율에 의하여야 하는데, 이 단서규정은 약정이율이 법정이율 이상인 경우에만 적용되고, 약정이율이 법정이율보다 낮은 경우에는 법정이율에 의하여 지연손해금을 정할 것이다.

④ 금전채권의 경우에는 이행불능의 상태가 발생하지 않는다.

⑤ 금전채무의 이행지체로 인하여 발생하는 지연손해금은 그 성질이 이자가 아니므로 3년 의 단기소멸시효에 걸리는 것은 아니다.

해설 ① 제397조 【금전채무불이행에 대한 특칙】
① 금전채무불이행의 손해배상액은 법정이율에 의한다. 그러나 법령의 제한에 위반하지 아 니한 약정이율이 있으면 그 이율에 의한다.
② 전항의 손해배상에 관하여는 채권자는 손해의 증명을 요하지 아니하고 채무자는 과실 없 음을 항변하지 못한다.

정답 ▶ 04 ④ 05 ②

② 금전채무 불이행에 관한 특칙을 규정한 민법 제397조는 그 이행지체가 있으면 지연이자 부분만큼의 손해가 있는 것으로 의제하려는 데에 그 취지가 있는 것이므로, 지연이자를 청구하는 채권자는 그 만큼의 손해가 있었다는 것을 증명할 필요가 없는 것이나, 그렇다고 하더라도 채권자가 금전채무의 불이행을 원인으로 손해배상을 구할 때에 지연이자 상당의 손해가 발생하였다는 취지의 주장은 하여야 하는 것이지 주장조차 하지 아니하여 그 손해를 청구하고 있다고 볼 수 없는 경우까지 지연이자 부분만큼의 손해를 인용해 줄 수는 없는 것이다 (대판 2000.2.11. 99다49644).

③ 민법 제397조 제1항은 본문에서 금전채무불이행의 손해배상액을 법정이율에 의할 것을 규정하고 그 단서에서 "그러나 법령의 제한에 위반하지 아니한 약정이율이 있으면 그 이율에 의한다."고 정한다. 이 단서규정은 약정이율이 법정이율 이상인 경우에만 적용되고, 약정이율이 법정이율보다 낮은 경우에는 그 본문으로 돌아가 법정이율에 의하여 지연손해금을 정할 것이다. 우선 금전채무에 관하여 아예 이자약정이 없어서 이자청구를 전혀 할 수 없는 경우에도 채무자의 이행지체로 인한 지연손해금은 법정이율에 의하여 청구할 수 있으므로, 이자를 조금이라도 청구할 수 있었던 경우에는 더욱이나 법정이율에 의한 지연손해금을 청구할 수 있다고 하여야 한다(대판 2009.12.24. 2009다85342).

④ 금전채권의 경우에는 이행불능은 있을 수 없고, 이행지체만이 생길 뿐이다.

⑤ 판례는 금전채무의 이행지체로 인하여 발생하는 지연손해금은 그 성질이 손해배상금이므로 제163조 1호 소정의 3년간의 단기소멸시효에 걸리는 채권이 아니라고 한다(대판 1998.11.10. 98다42141).

06 **다음 설명 중 옳지 않은 것은?** (다툼이 있는 경우 판례에 의함) ▸ 2016년 변호사

① 외화채권을 채무자가 우리나라 통화로 변제할 경우, 이행기가 아니라 현실로 이행하는 때의 외국환시세에 의하여 환산한 우리나라 통화로 변제하여야 한다.

② 채권자가 외화채권을 대용급부의 권리를 행사하여 우리나라 통화로 환산하여 청구하는 경우에는 청구당시를 기준으로 하고, 변론종결 당시의 외국환시세를 기준으로 채권액을 다시 환산할 필요는 없다.

③ 집행법원이 경매절차에서 외화채권자에 대하여 배당을 할 때에는 특별한 사정이 없는 한 배당기일 당시의 외국환시세를 우리나라 통화로 환산하는 기준으로 삼아야 한다.

④ 우리나라 통화를 외화채권에 변제충당할 때 특별한 사정이 없는 한 현실로 변제충당할 당시의 외국환시세에 의하여 환산하여야 한다.

⑤ 채무불이행으로 인한 손해배상을 규정하고 있는 민법 제394조는 다른 의사표시가 없는 한 손해는 금전으로 배상하여야 한다고 규정하고 있는데, 위 법조 소정의 금전이라 함은 우리나라의 통화를 가리키는 것이어서 채무불이행으로 인한 손해배상을 구하는 채권은 당사자가 외국통화로 지급하기로 약정하였다는 등의 특별한 사정이 없는 한 채권액이 외국통화로 지정된 외화채권이라고 할 수 없다.

해설 ① 외화채권을 채무자가 우리나라 통화로 변제할 경우, 이행기가 아니라 현실로 이행하는 때의 외국환시세에 의하여 환산한 우리나라 통화로 변제하여야 한다(대판(전합) 1991.3.12. 90다2147).

② 채권자가 위와 같은 외화채권을 대용급부의 권리를 행사하여 우리나라 통화로 환산하여 청구하는 경우에도, 법원은 원고가 청구취지로 구하는 금액 범위 내에서는, 채무자가 현실로 이행할 때에 가장 가까운 사실심 변론종결 당시를 우리나라 통화로 환산하는 기준시로 삼아 그 당시의 외국환시세를 기초로 채권액을 다시 환산한 금액에 대하여 이행을 명하여야 한다(대판 2012.10.25, 2009다77754).

③ 집행법원이 경매절차에서 외화채권자에 대하여 배당을 할 때에는 특별한 사정이 없는 한 배당기일 당시의 외국환시세를 우리나라 통화로 환산하는 기준으로 삼아야 한다(대판 2011.4.14, 2010다103642).

④ 채권액이 외국통화로 정해진 금전채권인 외화채권을 채무자가 우리나라 통화로 변제하는 경우에 그 환산시기는 이행기가 아니라 현실로 이행하는 때, 즉 현실이행시의 외국환시세에 의하여 환산한 우리나라 통화로 변제하여야 하고, 우리나라 통화를 외화채권에 변제충당할 때도 특별한 사정이 없는 한 현실로 변제충당할 당시의 외국환시세에 의하여 환산하여야 한다(대판 2000.6.9, 99다56512).

⑤ 대판 2007.8.23, 2007다26455

---

07 채권의 목적에 관한 다음 설명 중 가장 옳지 않은 것은? (다툼이 있는 경우 판례에 의함)

▸ 2017년 법원행시

① 채권액이 외국통화로 정해진 금전채권인 외화채권을 채무자가 우리나라 통화로 변제하는 경우에 그 환산시기는 이행기가 아니라 현실로 이행하는 때, 즉 현실이행 시의 외국환시세에 의하여 환산한 우리나라 통화로 변제하여야 하고, 이와 같은 법리는 외화채권자가 경매절차를 통하여 변제를 받는 경우에도 동일하게 적용되어야 할 것이다.

② 제한종류채권에서 급부목적물의 특정은 원칙적으로 채무자가 이행에 필요한 행위를 완료하거나 채권자의 동의를 얻어 이행할 물건을 지정한 때에는 그 물건이 채권의 목적물이 되지만, 당사자 사이에 지정권의 부여 및 지정의 방법에 관한 합의가 없고, 채무자가 이행에 필요한 행위를 하지 아니하거나 지정권자로 된 채무자가 이행할 물건을 지정하지 아니하는 경우에는 채권의 기한이 도래한 후 채권자가 상당한 기간을 정하여 지정권이 있는 채무자에게 그 지정을 최고하여도 채무자가 이행할 물건을 지정하지 않으면 지정권이 채권자에게 이전한다.

③ 부동산 매매계약이 해제된 경우 매도인의 매매대금 반환의무와 매수인의 소유권이전등기 말소등기절차 이행의무가 동시이행의 관계에 있는지 여부와는 관계없이 매도인이 반환하여야 할 매매대금에 대하여는 그 받은 날로부터 민법이 정한 법정이율인 연 5푼의 비율에 의한 법정이자를 부가하여 지급하여야 한다.

④ 채권액이 외국통화로 지정된 금전채권인 외화채권을 채권자가 대용급부의 권리를 행사하여 우리나라 통화로 환산하여 청구하는 경우 법원이 채무자에게 그 이행을 명함에 있어서는 채무자가 현실로 이행할 때에 가장 가까운 사실심 변론종결 당시의 외국환시세를 우리나라 통화로 환산하는 기준 시로 삼아야 하고, 그와 같은 제1심 이행판결에 대하여 채무자만이 불복·항소한 경우, 항소심은 속심이므로 채무자가 항소이유로 삼거나 심리 과정에서 내세운 주장이 이유 없다고 하더라도 법원으로서는 항소심 변론종결 당시의 외국환시세를 기준으로 채권액을 다시 환산해 본 후 불이익변경금지 원칙에 반하지 않는 한 채무자의 항소를 일부 인용하여야 한다.

⑤ 수임인이 위임사무를 처리함에 있어 받은 물건으로 위임인에게 인도한 목적물은 그것이 대체물이라면, 수임인과 위임인 사이에 있어서도 종류물과 같은 법적 효과에 따라 반환하여야 한다.

해설 ① 채권액이 외국통화로 정해진 금전채권인 외화채권을 채무자가 우리나라 통화로 변제하는 경우에 그 환산시기는 이행기가 아니라 현실로 이행하는 때, 즉 현실이행 시의 외국환시세에 의하여 환산한 우리나라 통화로 변제하여야 하고, 이와 같은 법리는 외화채권자가 경매절차를 통하여 변제를 받는 경우에도 동일하게 적용되어야 할 것이므로, 집행법원이 경매절차에서 외화채권자에 대하여 배당을 할 때에는 특별한 사정이 없는 한 배당기일 당시의 외국환시세를 우리나라 통화로 환산하는 기준으로 삼아야 한다(대판 2011.4.14, 2010다103642).

② 제한종류채권에서 급부목적물의 특정은, 원칙적으로 종류채권의 급부목적물의 특정에 관한 민법 제375조 제2항이 적용되므로, 채무자가 이행에 필요한 행위를 완료하거나 채권자의 동의를 얻어 이행할 물건을 지정한 때에는 그 물건이 채권의 목적물이 되지만, 당사자 사이에 지정권의 부여 및 지정의 방법에 관한 합의가 없고, 채무자가 이행에 필요한 행위를 하지 아니하거나 지정권자로 된 채무자가 이행할 물건을 지정하지 아니하는 경우에는, 선택채권의 선택권 이전에 관한 민법 제381조를 준용하여, 채권의 기한이 도래한 후 채권자가 상당한 기간을 정하여 지정권이 있는 채무자에게 그 지정을 최고하여도 채무자가 이행할 물건을 지정하지 않으면 지정권이 채권자에게 이전한다(대판 2009.1.30, 2006다37465).

③ 법정해제권 행사의 경우 당사자 일방이 그 수령한 금전을 반환함에 있어 그 받은 때로부터 법정이자를 부가함을 요하는 것은 민법 제548조 제2항이 규정하는 바로서, 이는 원상회복의 범위에 속하는 것이며 일종의 부당이득반환의 성질을 가지는 것이고 반환의무의 이행지체로 인한 것이 아니므로, 부동산 매매계약이 해제된 경우 매도인의 매매대금 반환의무와 매수인의 소유권이전등기말소등기 절차이행의무가 동시이행의 관계에 있는지 여부와는 관계없이 매도인이 반환하여야 할 매매대금에 대하여는 그 받은 날로부터 민법 소정의 법정이율인 연 5푼의 비율에 의한 법정이자를 부가하여 지급하여야 하고, 이와 같은 법리는 약정된 해제권을 행사하는 경우라 하여 달라지는 것은 아니다(대판 2000.6.9, 2000다9123).

④ 채권액이 외국통화로 지정된 금전채권인 외화채권을 채권자가 대용급부의 권리를 행사하여 우리나라 통화로 환산하여 청구하는 경우 법원이 채무자에게 그 이행을 명함에 있어서는 채무자가 현실로 이행할 때에 가장 가까운 사실심 변론종결 당시의 외국환시세를 우리나라 통화로 환산하는 기준 시로 삼아야 하고, 그와 같은 제1심 이행판결에 대하여 채무자만이 불복·항소한 경우, 항소심은 속심이므로 채무자가 항소이유로 삼거나 심리 과정에서 내세운 주장이 이유 없다고 하더라도 법원으로서는 항소심 변론종결 당시의 외국환시세를 기준으로

채권액을 다시 환산해 본 후 불이익변경금지 원칙에 반하지 않는 한 채무자의 항소를 일부 인용하여야 한다(대판 2007.4.12, 2006다72765).

⑤ 수임인이 위임사무를 처리함에 있어 받은 물건으로 위임인에게 인도한 목적물은 그것이 대체물이더라도 당사자간에 있어서는 특정된 물건과 같은 것으로 보아야 한다(대판 1962.12.16, 67다1525).

08 채권에 관한 다음 설명 중 가장 옳지 않은 것은? (다툼이 있는 경우 판례에 의함)

▶ 2018년 법무사

① 채권의 목적을 종류로만 지정한 경우에 채무자가 이행에 필요한 행위를 완료하거나 채권자의 동의를 얻어 이행할 물건을 지정한 때에는 그때로부터 그 물건을 채권의 목적물로 한다.

② 제한종류채권에서 당사자 사이에 지정권 부여 및 지정방법에 관한 합의가 없고 채무자가 이행에 필요한 행위를 하지 아니하거나 지정권자로 된 채무자가 이행할 물건을 지정하지 아니하는 경우에는, 선택채권의 선택권 이전에 관한 민법 제381조를 준용하여, 채권의 기한이 도래한 후 채권자가 상당한 기간을 정하여 지정권이 있는 채무자에게 그 지정을 최고하여도 채무자가 이행할 물건을 지정하지 않으면 지정권이 채권자에게 이전한다.

③ 금전채무의 지연손해금채무 이행을 지체한다고 하여, 채무자가 지연손해금채무 그 자체에 대한 지연손해금을 지급할 의무를 부담하는 것은 아니다.

④ 채권액이 외국통화로 지정된 금전채권인 외화채권을 채무자가 우리나라 통화로 변제할 경우, 그 환산 기준 시는 원칙적으로 이행기가 아니라 현실로 이행하는 때이다.

⑤ 채권의 목적이 수개의 행위 중에서 선택에 좇아 확정될 경우에 다른 법률의 규정이나 당사자의 약정이 없으면 선택권은 채무자에게 있다.

해설 ① 제375조【종류채권】
① 채권의 목적을 종류로만 지정한 경우에 법률행위의 성질이나 당사자의 의사에 의하여 품질을 정할 수 없는 때에는 채무자는 중등품질의 물건으로 이행하여야 한다.
② 전항의 경우에 채무자가 이행에 필요한 행위를 완료하거나 채권자의 동의를 얻어 이행할 물건을 지정한 때에는 그때로부터 그 물건을 채권의 목적물로 한다.

② 제한종류채권에서 급부목적물의 특정은, 원칙적으로 종류채권의 급부목적물의 특정에 관한 민법 제375조 제2항이 적용되므로, 채무자가 이행에 필요한 행위를 완료하거나 채권자의 동의를 얻어 이행할 물건을 지정한 때에는 그 물건이 채권의 목적물이 되지만, 당사자 사이에 지정권의 부여 및 지정의 방법에 관한 합의가 없고, 채무자가 이행에 필요한 행위를 하지 아니하거나 지정권자로 된 채무자가 이행할 물건을 지정하지 아니하는 경우에는, 선택채권의 선택권 이전에 관한 민법 제381조를 준용하여, 채권의 기한이 도래한 후 채권자가 상당한 기간을 정하여 지정권이 있는 채무자에게 그 지정을 최고하여도 채무자가 이행할 물건을 지정하지 않으면 지정권이 채권자에게 이전한다(대판 2009.1.30, 2006다37465).

정답 08 ③

Chapter 01 채권의 목적 **399**

③ 금전채무의 지연손해금채무는 금전채무의 이행지체로 인한 손해배상채무로서 이행기의 정함이 없는 채무에 해당하므로, 채무자는 확정된 지연손해금채무에 대하여 채권자로부터 이행청구를 받은 때로부터 지체책임을 부담하게 된다(대판 2004.7.9. 2004다11582).

④ 채권액이 외국통화로 지정된 금전채권인 외화채권을 채무자가 우리나라 통화로 변제함에 있어서는 민법 제378조가 그 환산시기에 관하여 외화채권에 관한 같은 법 제376조, 제377조 제2항의 "변제기"라는 표현과는 다르게 "지급할 때"라고 규정한 취지에서 새겨 볼 때 그 환산시기는 이행기가 아니라 현실로 이행하는 때 즉 현실이행시의 외국환시세에 의하여 환산한 우리나라 통화로 변제하여야 한다고 풀이함이 상당하므로 채권자가 위와 같은 외화채권을 대용급부의 권리를 행사하여 우리나라 통화로 환산하여 청구하는 경우에도 법원이 채무자에게 그 이행을 명함에 있어서는 채무자가 현실로 이행할 때에 가장 가까운 사실심 변론종결 당시의 외국환 시세를 우리나라 통화로 환산하는 기준 시로 삼아야 한다(대판(전) 1991.3.12. 90다2147).

⑤ 제380조

09 채권의 목적에 관한 다음 설명 중 가장 옳지 않은 것은? (다툼이 있는 경우 판례에 의함)

▸ 2019년 법원주사보

① 특정물의 인도가 채권의 목적인 때에는 채무자는 그 물건을 인도하기까지 선량한 관리자의 주의로 보존하여야 한다.

② 선관주의의무는 이행기가 지났는지 여부를 불문하고 채무가 성립한 때부터 물건을 인도하기까지 부담한다.

③ 채권의 목적이 수개의 행위 중에서 선택에 좇아 확정될 경우에 다른 법률의 규정이나 당사자의 약정이 없으면 선택권은 채권자에게 있다.

④ 채권성립 후에 선택권 없는 당사자의 과실로 이행불능이 된 급부가 있으면, 채권의 목적은 잔존한 급부로 특정되지 않는다.

해설

① 제374조【특정물인도채무자의 선관의무】특정물의 인도가 채권의 목적인 때에는 채무자는 그 물건을 인도하기까지 선량한 관리자의 주의로 보존하여야 한다.

② 선관주의의무는 이행기의 도과여부에 관계없이 목적물을 실제로 인도할 때까지 부담한다.

③ 제380조【선택채권】채권의 목적이 수개의 행위 중에서 선택에 좇아 확정될 경우에 다른 법률의 규정이나 당사자의 약정이 없으면 선택권은 채무자에게 있다.

④ 제385조【불능으로 인한 선택채권의 특정】
① 채권의 목적으로 선택할 수개의 행위 중에 처음부터 불능한 것이나 또는 후에 이행불능하게 된 것이 있으면 채권의 목적은 잔존한 것에 존재한다.
② 선택권 없는 당사자의 과실로 인하여 이행불능이 된 때에는 전항의 규정을 적용하지 아니한다.

10 금전채무 불이행에 관한 다음 설명 중 가장 옳지 않은 것은? (다툼이 있는 경우 판례에 따르고 전원합의체 판결의 경우 다수의견에 의함) ▶ 2019년 법무사

① 甲이 乙에게 갖고 있는 금전채권에 관하여 甲의 채권자인 丙에 의하여 가압류되었을 때에는, 乙은 甲에 대하여 이행기에 채무를 이행하지 않더라도 가압류의 지급금지효에 의하여 지체책임을 부담하지 않는다.

② 금전채무의 지연손해금채무는 금전채무의 이행지체로 인한 손해배상채무로서 이행기의 정함이 없는 채무에 해당하므로, 채무자는 확정된 지연손해금채무에 대하여 채권자로부터 이행청구를 받은 때로부터 지체책임을 부담하게 된다.

③ 금전채무 불이행의 손해배상에 관하여는 채권자는 손해의 증명을 요하지 아니하고 채무자는 과실 없음을 항변하지 못한다.

④ 금전채무 불이행의 손해배상액의 약정이율이 법정이율보다 낮은 경우, 법정이율에 의하여 지연손해금을 정해야 한다.

⑤ 금전채무에 관하여 이행지체에 대비한 지연손해금 비율을 따로 약정한 경우에 이는 손해배상액의 예정으로서 감액의 대상이 된다.

해설 ① 채권의 가압류는 제3채무자에 대하여 채무자에게 지급하는 것을 금지하는 데 그칠 뿐 채무 그 자체를 면하게 하는 것이 아니고, 가압류가 있다 하여도 그 채권의 이행기가 도래한 때에는 제3채무자는 그 지체책임을 면할 수 없다고 보아야 할 것이다(대판 1994.12.13, 93다951).

② 금전채무의 지연손해금채무는 금전채무의 이행지체로 인한 손해배상채무로서 이행기의 정함이 없는 채무에 해당하므로, 채무자는 확정된 지연손해금채무에 대하여 채권자로부터 이행청구를 받은 때로부터 지체책임을 부담하게 된다(대판 2004.7.9, 2004다11582).

③ 제397조 【금전채무불이행에 대한 특칙】
① 금전채무불이행의 손해배상액은 법정이율에 의한다. 그러나 법령의 제한에 위반하지 아니한 약정이율이 있으면 그 이율에 의한다.
② 전항의 손해배상에 관하여는 채권자는 손해의 증명을 요하지 아니하고 채무자는 과실없음을 항변하지 못한다.

④ 민법 제397조 제1항은 본문에서 금전채무불이행의 손해배상액을 법정이율에 의할 것을 규정하고 그 단서에서 "그러나 법령의 제한에 위반하지 아니한 약정이율이 있으면 그 이율에 의한다."고 정한다. 이 단서규정은 약정이율이 법정이율 이상인 경우에만 적용되고, 약정이율이 법정이율보다 낮은 경우에는 그 본문으로 돌아가 법정이율에 의하여 지연손해금을 정할 것이다. 우선 금전채무에 관하여 아예 이자약정이 없어서 이자청구를 전혀 할 수 없는 경우에도 채무자의 이행지체로 인한 지연손해금은 법정이율에 의하여 청구할 수 있으므로, 이자를 조금이라도 청구할 수 있었던 경우에는 더욱이나 법정이율에 의한 지연손해금을 청구할 수 있다고 하여야 한다(대판 2009.12.24, 2009다85342).

⑤ 금전채무에 관하여 이행지체에 대비한 지연손해금 비율을 따로 약정한 경우에 이는 일종의 손해배상액의 예정으로서 민법 제398조에 의한 감액의 대상이 된다(대판 2000.7.28, 99다38637).

11 甲은 乙에게 2017.1.1. 1억원을 변제기를 2017.12.31.로 정하여 대여하였다. 이자율을 ㉮ 월 1%로 정한 경우와 ㉯ 연 3%로 정한 경우로 나누어 각각의 경우에 2018.12.31. 현재 위 소비대차계약에 기한 甲의 乙에 대한 채권액 총액을 아래의 보기에서 올바르게 고른 것은? (甲, 乙은 모두 상인이 아니고, 채권액 총액은 원금, 이자, 지연손해금을 말하며, 이자에 대한 지연손해금은 고려하지 않음)　▸ 2020년 법원행시

> ┤ 보기 ├
>
> ㉮ 월 1%로 정한 경우　　　　　　　㉯ 연 3%로 정한 경우
>
> 　ㄱ. 1억 1,200만원　　　　　　　　ㄹ. 1억 600만원
>
> 　ㄴ. 1억 1,700만원　　　　　　　　ㅁ. 1억 800만원
>
> 　ㄷ. 1억 2,400만원

① ㄱ, ㄹ　　　　　　② ㄴ, ㄹ　　　　　　③ ㄴ, ㅁ
④ ㄷ, ㄹ　　　　　　⑤ ㄷ, ㅁ

해설 ※ ① 이자 있는 채권의 이율은 다른 법률의 규정이나 당사자의 약정이 없으면 연 5푼으로 한다 (제379조). ② 민법 제397조 제1항은 본문에서 금전채무불이행의 손해배상액을 법정이율에 의할 것을 규정하고 그 단서에서 "그러나 법령의 제한에 위반하지 아니한 약정이율이 있으면 그 이율에 의한다."고 정한다. 이 단서규정은 약정이율이 법정이율 이상인 경우에만 적용되고, 약정이율이 법정이율보다 낮은 경우에는 그 본문으로 돌아가 법정이율에 의하여 지연손해금을 정할 것이다. 우선 금전채무에 관하여 아예 이자약정이 없어서 이자청구를 전혀 할 수 없는 경우에도 채무자의 이행지체로 인한 지연손해금은 법정이율에 의하여 청구할 수 있으므로, 이자를 조금이라도 청구할 수 있었던 경우에는 더욱이나 법정이율에 의한 지연손해금을 청구할 수 있다고 하여야 한다(대판 2009.12.24, 2009다85342).

㉮ 월 1%로 정한 경우 – 원금 1억원에 1년분의 약정이자는 약정이율인 연 12%가 적용되므로 1천 200만원이 된다. 또한 1년분의 지연손해금은 민법이 정한 연 5%의 법정이율보다 높은 약정이율인 연 12%에 의하므로 1천 200만원이 된다. 결국 채권액 총액은 1억 2,400만원이 된다.

㉯ 연 3%로 정한 경우 – 원금 1억원에 1년분의 약정이자는 약정이율인 연 3%가 적용되므로 300만원이 된다. 또한 1년분의 지연손해금은 약정이율인 연 3%보다 높은 민사법정이율인 연 5%에 의하므로 500만원이 된다. 결국 채권액 총액은 1억 800만원이 된다.

12 **이자채권에 관한 다음 설명 중 가장 옳지 않은 것은?** (다툼이 있는 경우 판례에 의하고, 전원합의 체 판결의 경우 다수의견에 의함) ▶ 2020년 9급(법원서기보)

① 원본채권이 양도된 경우 이미 변제기에 도달한 이자채권은 원본채권의 양도당시 그 이 자채권도 양도한다는 의사표시가 없는 한, 당연히 양도되지는 않는다.

② 1년 이내의 기간으로 정한 이자채권의 소멸시효기간은 3년이다. 이는 지급의 정기가 1년 이내인 채권을 의미하고, 변제기가 1년 이내의 채권을 말하는 것이 아니므로, 이 자채권이라고 하더라도 1년 이내의 정기에 지급하기로 한 것이 아니라면 3년의 단기소 멸시효에 걸리는 것이 아니다.

③ 지료나 임료는 금전 기타 대체물의 사용대가가 아니므로 이자가 아니다. 또한 금전채 무 불이행에 대한 손해배상금을 지연이자라고도 하는데, 그 법적 성질은 이자가 아니 라 손해배상금이다.

④ 하나의 금전채권의 원금 중 일부가 변제된 후 나머지 원금에 대하여 소멸시효가 완성 된 경우, 소멸시효 완성의 효력은 소멸시효가 완성된 원금 부분으로부터 그 완성 전에 발생한 이자 또는 지연손해금뿐만 아니라, 변제로 소멸한 원금 부분으로부터 그 변제 전에 발생한 이자 또는 지연손해금에도 미친다고 보아야 한다.

해설 ① 원본채권이 양도된 경우 이미 변제기에 도달한 이자채권은 원본채권의 양도당시 그 이자채권 도 양도한다는 의사표시가 없는 한 당연히 양도되지는 않는다(대판 1989.3.28, 88다카 12803). 즉 이미 변제기에 도달한 지분적 이자채권은 원본채권과 분리하여 양도할 수 있다.

② 민법 제163조 제1호 소정의 '1년 이내의 기간으로 정한 금전 또는 물건의 지급을 목적으로 하는 채권'이란 1년 이내의 정기에 지급되는 채권을 의미하는 것이지, 변제기가 1년 이내의 채권을 말하는 것이 아니므로, 이자채권이라고 하더라도 1년 이내의 정기에 지급하기로 한 것이 아닌 이상 위 규정 소정의 3년의 단기소멸시효에 걸리는 것이 아니다(대판 1996.9.20, 96다25302).

③ 이자란 "원본인 금전 기타 대체물을 소비의 방법으로 사용하는 대가로서 사용기간에 비례하여 지급되는 금전 기타의 대체물"을 말한다. 따라서 부대체물인 토지·건물의 사용대가인 지료·차 임은 이자가 아니다. 또한 금전채무의 이행지체로 인하여 발생하는 지연손해금은 그 성질이 손해배상금이지 이자가 아니며, 민법 제163조 제1호가 규정한 '1년 이내의 기간으로 정한 채 권'도 아니므로 3년간의 단기소멸시효의 대상이 되지 아니한다(대판 1998.10.11, 98다42141).

④ 이자 또는 지연손해금은 주된 채권인 원본의 존재를 전제로 그에 대응하여 일정한 비율로 발생하는 종된 권리인데, 하나의 금전채권의 원금 중 일부가 변제된 후 나머지 원금에 대하 여 소멸시효가 완성된 경우, 가분채권인 금전채권의 성질상 변제로 소멸한 원금 부분과 소멸 시효 완성으로 소멸한 원금 부분을 구분하는 것이 가능하고, 이 경우 원금에 종속된 권리인 이자 또는 지연손해금 역시 변제로 소멸한 원금 부분에서 발생한 것과 시효완성으로 소멸된 원금 부분에서 발생한 것으로 구분하는 것이 가능하므로, 소멸시효 완성의 효력은 소멸시효 가 완성된 원금 부분으로부터 그 완성 전에 발생한 이자 또는 지연손해금에는 미치나, 변제 로 소멸한 원금 부분으로부터 그 변제 전에 발생한 이자 또는 지연손해금에는 미치지 않는다 (대판 2008.3.14, 2006다2940).

정답 11 ⑤ 12 ④

13 채권의 목적에 관한 다음 설명 중 가장 옳지 <u>않은</u> 것은? (다툼이 있는 경우 판례에 따르고 전원
합의체 판결의 경우 다수의견에 의함. 이하 같음)   ▸ 2024년 법무사

① 특정물의 인도가 채권의 목적인 때에는 채무자는 그 물건을 인도하기까지 선량한 관리
   자의 주의로 보존하여야 하므로, 보수 없이 임치를 받은 자의 경우에도 선량한 관리자
   의 주의로 임치물을 보관해야 한다.

② 원본채권의 소멸시효가 지분적 이자채권의 소멸시효에 앞서 완성되면 지분적 이자채권
   은 그 자체의 소멸시효가 완성되지 않더라도 소멸한다.

③ 채권액이 외국통화로 지정된 금전채권인 외화채권을 채무자가 우리나라 통화로 변제함
   에 있어서 현실이행시의 외국환시세에 의하여 환산한 우리나라 통화로 변제하여야 하
   므로, 채권자가 위와 같은 외화채권을 대용급부의 권리를 행사하여 우리나라 통화로
   환산하여 청구하는 경우에도 법원이 채무자에게 그 이행을 명함에 있어서는 채무자가
   현실로 이행할 때에 가장 가까운 사실심 변론종결 당시의 외국환 시세를 우리나라 통
   화로 환산하는 기준 시로 삼아야 한다.

④ 금전채무의 지연손해금채무는 금전채무의 이행지체로 인한 손해배상채무로서 이행기
   의 정함이 없는 채무에 해당하므로, 채무자는 확정된 지연손해금채무에 대하여 채권자
   로부터 이행청구를 받은 때로부터 지체책임을 부담하게 된다.

⑤ 금전으로 가액을 산정할 수 없는 것이라도 채권의 목적으로 할 수 있다.

해설 ① 제374조 → 특정물의 인도가 채권의 목적인 때에는 채무자는 그 물건을 인도하기까지 선량
   한 관리자의 주의로 보존하여야 한다. / 반면 제695조 → <u>보수 없이 임치를 받은 자는 임치
   물을 자기재산과 동일한 주의로 보관하여야 한다.</u>

② 원본채권이 양도된 경우 이미 변제기에 도달한 이자채권은 원본채권의 양도 당시 그 이자채
   권도 양도한다는 의사표시가 없는 한 당연히 양도되지는 않는다(대판 1989.3.28, 88다카
   12803). 즉 이미 변제기에 도달한 지분적 이자채권은 원본채권과 분리하여 양도할 수 있다.
   나아가 원본채권과 별도로 변제할 수 있고, 원본채권이 변제 등으로 소멸하더라도 이자채권
   은 소멸하지 않고 존속한다. 다만, <u>원본채권이 소멸시효 완성으로 소멸하는 경우에는 소멸시
   효의 소급효로 인해 함께 소멸한다</u>(제167조, 제183조).

③ 대판(전합) 1991.3.12, 90다2147

④ 대판 2004.7.9, 2004다11582

⑤ 제373조 참조

14 다음 설명 중 옳은 것(○)과 옳지 않은 것(×)을 올바르게 조합한 것은? ▸ 2023년 법원행시

> ㄱ. 채권액이 외국통화로 지정된 금전채권인 외화채권을 채권자가 대용급부의 권리를 행사하여 우리나라 통화로 환산하여 청구하는 경우 법원이 채무자에게 이행을 명할 때는 채무의 이행기 당시의 외국환시세를 우리나라 통화로 환산하는 기준 시로 삼아야 한다.
>
> ㄴ. 원본채권이 양도된 경우 이미 변제기에 도달한 이자채권은 원본채권의 양도 당시 그 이자채권도 양도한다는 의사표시가 없는 한 당연히 양도되지는 않는다.
>
> ㄷ. 이행보조자는 채무자의 의사 관여 아래 채무이행행위에 속하는 활동을 하는 사람이면 족하고 반드시 채무자의 지시 또는 감독을 받는 관계에 있어야 하는 것은 아니므로, 그가 채무자에 대하여 종속적 또는 독립적인 지위에 있는가는 문제되지 않는다.
>
> ㄹ. 회원 가입 시에 일정한 금액을 예탁하였다가 탈퇴의 경우 예탁금을 반환받을 수 있는 이른바 예탁금제 골프회원권에 있어서, 골프장 운영에 관한 회칙에 따라 탈퇴의 경우 회원도 회원증을 반납할 의무를 부담하는 때에는 골프장 시설업자의 회원에 대한 예탁금 반환의무와 회원의 회원증 반납의무 사이에 동시이행관계가 인정되지만, 골프장 시설업자의 예탁금 반환의무에 관하여는 탈퇴 의사표시와 반환청구를 받은 때부터 이행지체의 책임을 진다.
>
> ㅁ. 불법행위로 영업용 물건이 일부 손괴된 경우, 수리를 위하여 필요한 합리적인 기간 동안의 휴업손해는 그에 대한 증명이 가능한 한 통상의 손해로서 그 교환가치와는 별도로 배상하여야 한다.

① ㄱ(×), ㄴ(○), ㄷ(○), ㄹ(○), ㅁ(○)
② ㄱ(×), ㄴ(○), ㄷ(○), ㄹ(○), ㅁ(×)
③ ㄱ(○), ㄴ(×), ㄷ(×), ㄹ(○), ㅁ(×)
④ ㄱ(○), ㄴ(○), ㄷ(×), ㄹ(×), ㅁ(○)
⑤ ㄱ(×), ㄴ(×), ㄷ(○), ㄹ(×), ㅁ(○)

해설 ㄱ. 채권액이 외국통화로 지정된 금전채권인 외화채권을 채권자가 대용급부의 권리를 행사하여 우리나라 통화로 환산하여 청구하는 경우 법원이 채무자에게 이행을 명할 때는 그 환산시기는 이행기가 아니라 **채무자가 현실로 이행할 때에 가장 가까운 사실심 변론종결 당시의 외국환시세**를 우리나라 통화로 환산하는 기준 시로 삼아야 한다(대판(전합) 1991.3.12, 90다2147, 대판 2019.6.13, 2018다258562).

ㄴ. 대판 1989.3.28, 88다카12803 → 이미 변제기에 도달한 지분적 이자채권은 원본채권과 분리하여 양도할 수 있다.

ㄷ. 대판 2007.12.27, 2005다73914, 대판 2020.6.11, 2020다201156

ㄹ. 회원 가입 시에 일정한 금액을 예탁하였다가 탈퇴의 경우 예탁금을 반환받을 수 있는 이른바 예탁금제 골프회원권에 있어서, 골프장 운영에 관한 회칙에 따라 탈퇴의 경우 회원도 회원증을 반납할 의무를 부담하는 때에는 이중지급의 위험을 방지하기 위하여 공평의 관념과 신의칙상 골프장 시설업자의 회원에 대한 예탁금 반환의무와 회원의 회원증 반납의무 사이에 동시이행관계가 인정된다. 그러나 이는 민법 제536조에 정하는 쌍무계약상의 채권채무관계나 그와 유사한 대가관계가 있어서 그러는 것이 아니므로 골프장 시설업자의 예탁금 반환의무에 관하여는 탈퇴 의사표시와 반환청구를 받은 때부터 이행지체의 책임을 진다(대판 2015.1.29, 2013다100750).

ㅁ. 대판(전합) 2004.3.18, 2001다82507

심화문제 │ 확인 · 보충 · 심화문제

01 채권의 목적에 관한 설명 중 옳은 것을 모두 고른 것은? (다툼이 있는 경우 판례에 의함)

▶ 2015년 사법시험

> ㄱ. 동산의 소유권유보부 매매에서 목적물이 매수인에게 인도되었더라도 매도인은 대금이 모두 지급될 때까지 매수인뿐만 아니라 제3자에 대하여도 유보된 목적물의 소유권을 주장할 수 있다는 법리는 그 매매계약의 목적물이 종류물인 경우에는 적용되지 않는다.
>
> ㄴ. 임대차계약이 종료된 후 보증금을 반환받지 못한 임차인은 임대인에게 동시이행의 항변권을 행사하면서 목적물의 반환을 거절할 수 있으나, 그 경우에도 임대인이 수령지체에 빠진 것이 아니라면 임차인은 목적물을 반환할 때까지 선량한 관리자의 주의로 이를 보존할 의무가 있다.
>
> ㄷ. 수임인이 위임사무를 처리함에 있어 받은 물건으로서 위임인에게 인도할 목적물은 그것이 대체물이더라도 당사자 간에는 특정된 물건과 같은 것으로 보아야 한다.
>
> ㄹ. 특정물의 매매에서 별도의 특약이 없는 경우, 그 목적물이 매수인에게 인도되지 아니하였으면 매수인이 대금 지급을 지체하여도 매도인은 매수인에게 매매대금의 이자 상당액을 손해배상으로 청구할 수 없다.
>
> ㅁ. 제한종류채권에서 당사자 사이에 급부 목적물에 관한 지정권의 부여 및 지정의 방법에 관한 합의가 없고, 채무자가 이행에 필요한 행위를 하지 아니하거나 이행할 물건을 지정하지 아니하는 경우에는, 채권의 기한 도래와 동시에 지정권이 채권자에게 이전된다.

① ㄱ, ㅁ   ② ㄴ, ㄷ   ③ ㄱ, ㄴ, ㄷ

④ ㄴ, ㄷ, ㄹ   ⑤ ㄴ, ㄷ, ㄹ, ㅁ

해설 ㄱ. 종류물인 동산의 경우에도 특정물과 마찬가지로 소유권유보부매매의 법리가 적용된다(대판 1999.9.7, 99다30534).

ㄴ. 특정물 채무자는 인도 시까지 선관주의의무를 부담하는 것이 원칙이다. 다만, 선관주의의무는 수정이 되는데, 수령지체와 이행지체의 경우가 아닌 불가항력이나 동시이행의 항변권이 있는 경우에는 선관주의의무가 지속된다(대판 1991.10.25, 91다2260).

ㄷ. 수임인의 위임인에 대한 위임사무처리로 취득한 물건의 반환의무는 그 물건이 대체물이라고 하여도 특정물을 반환하여야 한다(대판 1962.12.16, 67다1525).

ㄹ. 비록 매수인이 매매대금의 지급을 지체하고 있어도 매도인이 목적물을 점유하고 인도하고 있지 않다면, 그 과실을 매도인이 취득하므로 매도인은 매수인에게 매매대금의 이자 상당액을 손해배상으로 청구할 수 없는 것이다(대판 2004.4.23, 2004다8210).

ㅁ. 판례는 제한 종류채권의 경우에도 선택채권에서 선택권 이전에 대한 제381조를 유추적용하고 있다(대판 2009.1.30, 2006마930). 따라서 채무자가 종류채권의 특정에 관한 아무런 조치를 취하지 아니할 경우에 선택권이 이전되기 위하여는 상당한 기간을 정하여 그 선택을 최고하여야 한다(제381조 참조).

정답 01 ④

> **기본문제** │ 기본문제의 구성

01 **채무의 이행기 등에 관한 다음 설명 중 가장 옳지 않은 것은?** (다툼이 있는 경우 판례에 의함)
▶ 2018년 법무사

① 부당이득반환의무는 이행기한의 정함이 없는 채무이므로 특별한 사정이 없는 한 그 채무자는 이행청구를 받은 때에 비로소 지체책임을 진다.

② 임대인이 민법 제628조에 의하여 장래에 대한 차임의 증액을 청구하였을 때에 당사자 사이에 협의가 성립되지 아니하여 법원이 결정해 주는 차임과 관련하여, 특별한 사정이 없는 한 증액된 차임에 대하여는 법원의 차임증액결정시를 이행기로 보아야 한다.

③ 채권자가 기존 채무 지급을 위하여 그 채무의 이행기가 도래하기 전에 미리 그 채무의 변제기보다 후의 일자가 만기로 된 어음의 교부를 받은 때에는 묵시적으로 기존채무의 지급을 유예하는 의사가 있었다고 볼 경우가 있을 수 있다. 이때 기존 채무의 변제기는 어음에 기재된 만기일로 변경된다고 볼 것이나, 특별한 사정이 없는 한 채무자가 기존 채무의 이행기에 채무를 변제하지 아니하여 채무불이행 상태에 빠진 다음에 기존 채무의 지급을 위하여 어음이 발행된 경우까지 그와 동일하게 볼 수는 없다.

④ 이행기의 정함이 없는 채권을 양수한 채권양수인이 채무자를 상대로 그 이행을 구하는 소를 제기하고 소송 계속 중에 비로소 채무자에 대한 채권양도통지가 이루어진 경우에는, 특별한 사정이 없는 한 채무자는 채권양도통지가 도달된 다음 날부터 이행지체의 책임을 진다.

⑤ 채무가 특정된 확정채무에 대하여 보증한 보증인으로서는 자신의 동의 없이 피보증채무의 이행기를 연장해 주었는지에 상관없이 보증채무를 부담하는 것이 원칙이다.

> **해설** ① 부당이득반환의무는 이행기한의 정함이 없는 채무이므로 그 채무자는 이행청구를 받은 때에 비로소 지체책임을 진다(대판 2010.1.28, 2009다24187·24194).
> ② 임대차계약을 할 때에 임대인이 임대 후 일정 기간이 경과할 때마다 물가상승 등 경제사정의 변경을 이유로 임차인과의 협의에 의하여 차임을 조정할 수 있도록 약정하였다면, 그 취지는 임대인에게 일정 기간이 지날 때마다 물가상승 등을 고려하여 상호 합의에 의하여 차임을 증액할 수 있는 권리를 부여하되 차임 인상요인이 생겼는데도 임차인이 인상을 거부하여 협의가 성립하지 않는 경우에는 법원이 물가상승 등 여러 요인을 고려하여 정한 적정한 액수의 차임에 따르기로 한 것으로 보아야 한다. 한편 임대인이 민법 제628조에 의하여 장래에 대한 차임의 증액을 청구하였을 때에 당사자 사이에 협의가 성립되지 아니하여 법원이 결정해 주는 차임은 증액청구의 의사표시를 한 때에 소급하여 그 효력이 생기는 것이므로, 특별한 사정이 없는 한 증액된 차임에 대하여는 법원 결정 시가 아니라 증액청구의 의사표시가 상대방에게 도달한 때를 이행기로 보아야 한다(대판 2018.3.15, 2015다239508·239515).

③ 채권자가 기존 채무의 지급을 위하여 그 채무의 이행기가 도래하기 전에 미리 그 채무의 변제기보다 후의 일자가 만기로 된 어음의 교부를 받은 때에는 묵시적으로 기존 채무의 지급을 유예하는 의사가 있었다고 볼 경우가 있을 수 있고 이때 기존 채무의 변제기는 어음에 기재된 만기일로 변경된다고 볼 것이나, 특별한 사정이 없는 한 채무자가 기존 채무의 이행기에 채무를 변제하지 아니하여 채무불이행 상태에 빠진 다음에 기존 채무의 지급을 위하여 어음이 발행된 경우까지 그와 동일하게 볼 수는 없다(대판 2000.7.28, 2000다16367).

④ 채무에 이행기의 정함이 없는 경우에는 채무자가 이행의 청구를 받은 다음 날부터 이행지체의 책임을 지는 것이나, 한편 지명채권이 양도된 경우 채무자에 대한 대항요건이 갖추어질 때까지 채권양수인은 채무자에게 대항할 수 없으므로, 이행기의 정함이 없는 채권을 양수한 채권양수인이 채무자를 상대로 그 이행을 구하는 소를 제기하고 소송 계속 중 채무자에 대한 채권양도통지가 이루어진 경우에는 특별한 사정이 없는 한 채무자는 채권양도통지가 도달된 다음 날부터 이행지체의 책임을 진다(대판 2014.4.10, 2012다29557).

⑤ 채무가 특정되어 있는 확정채무에 대하여 연대보증한 이상, 연대보증인으로서는 자신의 동의 없이 피보증채무의 이행기를 연장해 주었느냐의 여부에 상관없이 그 연대보증 채무를 부담한다(대판 1995.10.13, 94다4882).

02 이행기 또는 이행지체에 관한 다음 설명 중 가장 옳지 않은 것은? (다툼이 있는 경우 판례에 의함)
▶ 2016년 법무사

① 이행기의 정함이 없는 지명채권을 양수한 채권양수인이 채무자를 상대로 그 이행을 구하는 소를 제기하고 그 소송 계속 중 채무자에 대한 채권양도통지가 이루어진 경우에는 특별한 사정이 없는 한 채무자는 그 채권양도통지가 도달된 다음 날부터 이행지체의 책임을 진다.

② 반환시기의 약정이 없는 소비대차의 경우 대주가 상당한 기간을 정하여 반환을 최고한 후 그 기간을 경과하여야 지체책임이 발생한다.

③ 지시채권이나 무기명채권의 채무자는 증서에 변제기한이 있는 경우에도 그 기한이 도래한 후에 소지인이 증서를 제시하여 이행을 청구한 때로부터 지체책임이 있다.

④ 제3채무자가 압류채권자에게 압류된 채권액 상당에 관하여 지체책임을 지는 것은 집행법원으로부터 추심명령을 송달받은 때부터가 아니라, 추심명령이 발령된 후 압류채권자로부터 추심금 청구를 받은 다음날부터라고 할 것이다.

⑤ 채권의 가압류는 제3채무자에 대하여 채무자에게 지급하는 것을 금지시키므로, 가압류가 있는 경우 그 채권의 이행기가 도래하더라도 제3채무자는 지체책임을 지지 않는다.

해설 ① 채무에 이행기의 정함이 없는 경우에는 채무자가 이행의 청구를 받은 다음 날부터 이행지체의 책임을 지는 것이나, 한편 지명채권이 양도된 경우 채무자에 대한 대항요건이 갖추어질 때까지 채권양수인은 채무자에게 대항할 수 없으므로, 이행기의 정함이 없는 채권을 양수한 채권양수인이 채무자를 상대로 그 이행을 구하는 소를 제기하고 소송 계속 중 채무자에 대한

정답   01 ②   02 ⑤

　　채권양도통지가 이루어진 경우에는 특별한 사정이 없는 한 채무자는 채권양도통지가 도달된 다음 날부터 이행지체의 책임을 진다(대판 2014.4.10, 2012다29557).

② 반환시기의 약정이 없는 때에는 대주는 상당한 기간을 정하여 반환을 최고하여야 하므로(제603조 제2항) 최고 후 상당한 기간이 경과한 후 지체책임을 진다(대판 1963.5.9, 63다131).

③ 제517조 【증서의 제시와 이행지체】 증서에 변제기한이 있는 경우에도 그 기한이 도래한 후에 소지인이 증서를 제시하여 이행을 청구한 때로부터 채무자는 지체책임이 있다.
제524조 【준용규정】 제514조 내지 제522조의 규정은 무기명채권에 준용한다.

④ 추심명령은 압류채권자에게 채무자의 제3채무자에 대한 채권을 추심할 권능을 수여함에 그치고, 제3채무자로 하여금 압류채권자에게 압류된 채권액 상당을 지급할 것을 명하거나 그 지급 기한을 정하는 것이 아니므로, 제3채무자가 압류채권자에게 압류된 채권액 상당에 관하여 지체책임을 지는 것은 집행법원으로부터 추심명령을 송달받은 때부터가 아니라 추심명령이 발령된 후 압류채권자로부터 추심금 청구를 받은 다음날부터라고 하여야 한다(대판 2012.10.25, 2010다47117).

⑤ 채권의 가압류는 제3채무자에 대하여 채무자에게 지급하는 것을 금지하는 데 그칠 뿐 채무 그 자체를 면하게 하는 것이 아니고, 가압류가 있다 하여도 그 채권의 이행기가 도래한 때에는 제3채무자는 그 지체책임을 면할 수 없다고 보아야 할 것이다(대판 1994.12.13, 93다951).

03 **이행지체에 관한 다음 설명 중 가장 옳은 것은?** (다툼이 있는 경우 판례에 의함)

▸ 2015년 법원행시

① 매도인이 매수인으로부터 중도금을 지급받아 원매도인에게 매매잔대금을 지급하지 아니하고서는 토지의 소유권이전등기서류를 갖추어 매수인에게 제공하기 어려운 특별한 사정이 있었고, 매수인도 그러한 사정을 알고 매매계약을 체결하였던 경우, 매수인의 중도금 지급의무는 당초 계약상의 잔금지급기일을 도과하였다고 하여도 매도인의 소유권이전등기서류의 제공과 동시이행의 관계에 있다고 할 수 없다.

② 토지거래허가를 전제로 하는 매매계약의 경우 허가가 있기 전이라도 매도인이 소유권이전등기 소요서류의 이행제공을 하였다면 매수인은 계약내용에 따른 대금지급의무를 부담하므로 매수인이 그 의무를 이행하지 아니한 때에는 매도인은 계약을 해제할 수 있다.

③ 불법행위로 인한 손해배상의무는 기한의 정함이 없는 채무로서 채무자는 피해자의 이행청구를 받은 때로부터 지체책임이 있다.

④ 금전채무의 이행지체로 인하여 발생하는 지연이자는 단기소멸시효에 관한 민법 제163조 제1호가 규정한 '1년 이내의 기간으로 정한 채권'에 해당하여 3년의 단기소멸시효의 대상이 된다.

⑤ 이행지체에 빠져 원본과 지연이자를 지급할 의무가 있는 금전채무자가 원본과 지연이자를 합한 전액에 부족한 이행제공을 하면서 이를 원본에 대한 변제로 지정하였다면 그 지정은 변제충당의 법리에 따라서 채권자에 대해 효력이 있으므로 채권자는 그 수령을 거절할 수 없다.

해설 ① 매도인이 매수인으로부터 중도금을 지급받아 원매도인에게 매매잔대금을 지급하지 아니하고서는 토지의 소유권이전등기서류를 갖추어 매수인에게 제공하기 어려운 특별한 사정이 있었고, 매수인도 그러한 사정을 알고 매매계약을 체결하였던 경우, 매도인의 소유권이전등기절차 서류의 제공의무는 매수인의 중도금 지급이 선행되었을 때에 매수인의 잔대금의 지급과 동시에 이를 이행하기로 약정한 것이라고 할 것이므로, 매수인의 중도금 지급의무는 당초 계약상의 잔금지급기일을 도과하였다고 하여도 매도인의 소유권이전등기서류의 제공과 동시이행의 관계에 있다고 할 수 없다(대판 1997.4.11, 96다31109).

② 토지거래허가를 전제로 하는 매매계약의 경우 허가가 있기 전에는 유동적 무효이기 때문에 매도인이 소유권이전등기 소요서류의 이행제공을 하였다고 하더라도 매수인은 계약내용에 따른 대금지급의무를 부담하지 않기 때문에 매수인이 그 의무를 이행하지 아니한 때에도 매도인은 계약을 해제할 수 없다(대판 2006.1.27, 2005다52047).

③ 불법행위로 인한 손해배상의무는 기한의 정함이 없는 채무가 아니고, 따라서 채무자는 피해자의 이행청구를 받은 때로부터 지체책임이 있는 것이 아니고, 불법행위 시부터 지체책임을 진다(대판 2012.3.29, 2011다38325).

④ 금전채무의 이행지체로 인하여 발생하는 지연이자는 단기소멸시효에 관한 민법 제163조 제1호가 규정한 '1년 이내의 기간으로 정한 채권'에 해당하는 것이 아니기 때문에 3년의 단기소멸시효의 대상이 되는 것은 아니다(대판 1987.10.28, 87다카1409).

⑤ 변제의 충당에서 지정충당은 비용, 이자, 원본순서에 따라야 한다. 따라서 위와 같은 제공은 채무내용에 좇은 제공이 아니기 때문에 채권자는 당연히 수령을 거절할 수 있다. 즉 그 지정은 민법 제479조 제1항에 반하여 채권자에 대하여 효력이 없으므로, 채권자는 그 수령을 거절할 수 있다(대판 2005.8.19, 2003다22042).

04 이행지체에 관한 다음 설명 중 가장 옳지 않은 것은? (다툼이 있는 경우 판례에 의함)

① 확정기한이 있는 채권은 가압류되더라도 그 기한이 도래한 날로부터 이행지체의 책임을 진다.

② 이행지체에 대하여 이행보조자에게 과실이 있는 경우에 채무자는 자신에게 고의 또는 과실이 없더라도 이행지체의 책임을 면하지 못한다.

③ 동시이행항변권을 가지고 있는 채무자는 그 항변권을 행사하지 않더라도 그 항변권이 존재한다는 것만으로 지체책임을 부담하지 않는다.

④ 불법행위로 인한 손해배상채무는 성질상 기한의 정함이 없는 채무이므로 채권자의 이행의 최고를 받은 때로부터 지체책임이 있다.

⑤ 채무의 이행이 지체된 경우에 그 귀책사유에 관한 입증책임은 채무자에게 있으므로 채무자는 이행을 지체한 이상 그 이행지체가 자기에게 귀책할 수 없는 사유로 말미암은 것임을 입증할 책임이 있다.

정답 03 ① 04 ④

해설 ① 채권의 가압류는 제3채무자에 대하여 채무자에게 지급하는 것을 금지하는 데 그칠 뿐 채무 그 자체를 면하게 하는 것이 아니고, 가압류가 있다 하여도 그 채권의 이행기가 도래한 때에는 제3채무자는 그 지체책임을 면할 수 없다고 보아야 할 것이다(대판 1994.12.13, 93다951).

② 제391조 【이행보조자의 고의, 과실】 채무자의 법정대리인이 채무자를 위하여 이행하거나 채무자가 타인을 사용하여 이행하는 경우에는 법정대리인 또는 피용자의 고의나 과실은 채무자의 고의나 과실로 본다.

③ 쌍무계약에서 쌍방의 채무가 동시이행관계에 있는 경우 일방의 채무의 이행기가 도래하더라도 상대방 채무의 이행제공이 있을 때까지는 그 채무를 이행하지 않아도 이행지체의 책임을 지지 않는 것이고, 이와 같은 효과는 이행지체의 책임이 없다고 주장하는 자가 반드시 동시이행의 항변권을 행사하여야만 발생하는 것은 아니다(대판 1998.3.13, 97다54604).

④ 불법행위에 의한 손해배상채무는 그 채무의 성립과 동시에 지체책임을 진다. 즉, 최고 없이 불법행위시부터 지체책임을 진다(대판 1975.5.27, 74다1393).
→ 불법행위로 인한 손해배상채무는 손해발생과 동시에 이행기가 도래하는 것이다.(○)
→ 불법행위로 인한 손해배상채무는 기한의 정함이 없는 채무로서 피해자의 이행청구를 받은 때부터 이행지체책임이 있다.(×)

⑤ 채무불이행의 객관적 사실에 대해서는 채권자가 입증책임을 부담하지만, 그 귀책사유에 관한 입증책임은 채무자에게 있다(대판 1984.11.27, 80다177).

05 이행지체에 관한 다음 설명 중 가장 옳지 않은 것은? (다툼이 있는 경우 판례에 의함)
▶ 2017년 9급(법원서기보)

① 이혼으로 인한 재산분할청구권은 재산분할로서 금전의 지급을 명하는 판결이나 심판이 확정된 다음 날부터 이행지체책임을 진다.
② 이행기의 정함이 없는 채권을 양수한 채권양수인이 채무자를 상대로 그 이행을 구하는 소송 계속 중 채무자에 대한 채권양도통지가 이루어진 경우에는 채무자는 채권양도통지가 도달된 다음 날부터 이행지체의 책임을 진다.
③ 불확정기한이 있는 채권은 채무자가 기한도래를 안 때부터 소멸시효가 진행하나 이에 대한 이행지체책임은 기한이 도래한 때부터 발생한다.
④ 당사자가 불확정한 사실이 발생한 때를 이행기한으로 정한 경우에는 그 사실이 발생한 때는 물론 그 사실의 발생이 불가능하게 된 때에도 이행기한은 도래한 것으로 보아야 한다.

해설 ① 이혼으로 인한 재산분할청구권은 이혼을 한 당사자의 일방이 다른 일방에 대하여 재산분할을 청구할 수 있는 권리로서 이혼이 성립한 때에 그 법적 효과로서 비로소 발생하는 것일 뿐만 아니라, 협의 또는 심판에 의하여 그 구체적 내용이 형성되기까지는 그 범위 및 내용이 불명확·불확정하기 때문에 구체적으로 권리가 발생하였다고 할 수 없으므로, 당사자가 이혼이 성립하기 전에 이혼소송과 병합하여 재산분할의 청구를 하고 법원이 이혼과 동시에 재산분할로서 금전의 지급을 명하는 판결을 하는 경우 그 금전지급채무에 관하여는 그 판결이 확정된 다음날부터 이행지체책임을 지게 된다(대판 2001.9.25, 2001므725,732).

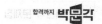

② 채무에 이행기의 정함이 없는 경우에는 채무자가 이행의 청구를 받은 다음 날부터 이행지체의 책임을 지는 것이나, 한편 지명채권이 양도된 경우 채무자에 대한 대항요건이 갖추어질 때까지 채권양수인은 채무자에게 대항할 수 없으므로, 이행기의 정함이 없는 채권을 양수한 채권양수인이 채무자를 상대로 그 이행을 구하는 소를 제기하고 소송 계속 중 채무자에 대한 채권양도통지가 이루어진 경우에는 특별한 사정이 없는 한 채무자는 채권양도통지가 도달된 다음 날부터 이행지체의 책임을 진다(대판 2014.4.10, 2012다29557).

③ 불확정기한부 채권의 경우 소멸시효의 기산점은 기한이 객관적으로 도래한 때이며, 이행지체는 채무자가 기한의 도래를 안 때로부터 개시된다(제387조 제1항).

④ 당사자가 불확정한 사실이 발생한 때를 이행기한으로 정한 경우에 있어서 그 사실이 발생한 때는 물론 그 사실의 발생이 불가능하게 된 때에도 이행기한은 도래한 것으로 보아야한다(대판 1989.6.27, 88다카10579).

06 이행지체에 관한 다음의 설명 중 가장 옳지 않은 것은? (다툼이 있는 경우 판례에 의함)

▶ 2017년 법무사

① 확정기한이 있는 금전채권에 관하여 가압류가 있다 하여도 그 채권의 이행기가 도래한 때에는 제3채무자는 그 지체책임을 면할 수 없다.

② 불법행위로 인한 손해배상채무에 대하여는 별도의 이행최고가 없더라도 채무성립과 동시에 지연손해금이 발생하는 것이 원칙이다.

③ 쌍무계약의 당사자 일방이 먼저 일시적으로 현실의 제공을 하고 상대방을 수령지체에 빠지게 하였더라도, 그 이행 제공이 계속되지 않는 한 동시이행항변권은 부활하게 되므로 그 이후로는 상대방의 의무가 이행지체 상태에 빠진 것으로 볼 수 없고, 따라서 이행지체를 전제로 하는 손해배상청구도 할 수 없다.

④ 매수인이 선이행하여야 할 중도금지급을 하지 아니한 채 잔대금지급일을 경과한 경우, 매수인의 중도금 및 잔대금지급채무와 매도인의 소유권이전등기의무는 특별한 사정이 없는 한 서로 동시이행관계에 있게 되나, 매수인의 중도금 지급 다음날부터 잔대금 지급일까지의 지연손해금채권은 여전히 이행지체 상태로 유지된다.

⑤ 매수인이 매도인으로부터 물품을 공급받은 다음 그들 사이의 물품대금 지급방법에 관한 약정에 따라 그 대금의 지급을 위하여 매도인에게 지급기일이 물품 공급일자 이후로 된 약속어음을 발행·교부한 경우 물품대금 지급채무의 이행기는 그 약속어음의 지급기일이 되고, 이는 그 약속어음이 그 지급기일 이전에 지급거절된 경우도 마찬가지이다.

해설 ① 채권의 가압류는 제3채무자에 대하여 채무자에게 지급하는 것을 금지하는 데 그칠 뿐 채무 그 자체를 면하게 하는 것이 아니고, 가압류가 있다 하여도 그 채권의 이행기가 도래한 때에는 제3채무자는 그 지체책임을 면할 수 없다고 보아야 할 것이다(대판 1994.12.13, 93다951).

② 불법행위로 인한 손해배상채무에 대하여는 별도의 이행 최고가 없더라도 채무성립과 동시에 지연손해금이 발생하는 것이 원칙이다(대판 2012.3.29, 2011다38325).

③ 쌍무계약의 당사자 일방이 먼저 한 번 현실의 제공을 하고, 상대방을 수령지체에 빠지게 하였다고 하더라도 그 이행의 제공이 계속되지 않는 경우는 과거에 이행의 제공이 있었다는 사실만으로 상대방이 가지는 동시이행의 항변권이 소멸하는 것은 아니므로, 일시적으로 당사자 일방의 의무의 이행 제공이 있었으나 곧 그 이행의 제공이 중지되어 더 이상 그 제공이 계속되지 아니하는 기간 동안에는 상대방의 의무가 이행지체 상태에 빠졌다고 할 수는 없다고 할 것이고, 따라서 그 이행의 제공이 중지된 이후에 상대방의 의무가 이행지체되었음을 전제로 하는 손해배상청구도 할 수 없는 것이다(대판 1995.3.14, 94다26646).

④ 매수인이 선이행의무 있는 중도금을 지급하지 않았다 하더라도 계약이 해제되지 않은 상태에서 잔대금 지급일이 도래하여 그 때까지 중도금과 잔대금이 지급되지 아니하고 잔대금과 동시이행관계에 있는 매도인의 소유권이전등기 소요서류가 제공된 바 없이 그 기일이 도과하였다면, 다른 특별한 사정이 없는 한, 매수인의 중도금 및 잔대금의 지급과 매도인의 소유권이전등기 소요서류의 제공은 동시이행관계에 있다 할 것이어서 그 때부터는 매수인은 중도금을 지급하지 아니한 데 대한 이행지체의 책임을 지지 아니한다(대판 2002.3.29, 2000다577).

⑤ 판례는 매수인이 매도인으로부터 물품을 공급받은 다음 그들 사이의 물품대금 지급방법에 관한 약정에 따라 그 대금의 지급을 위하여 매도인에게 지급기일이 물품 공급일자 이후로 된 약속어음을 발행·교부한 경우 물품대금 지급채무의 이행기는 그 약속어음의 지급기일이기 때문에 그 약속어음이 발행인의 지급정지의 사유로 그 지급기일 이전에 지급거절될 때라도 그때 위 물품대금 지급채무의 이행기가 도달한다고 볼 수 없다는 입장이다(대판 2014.6.26, 2011다101599). 즉 약속어음이 발행인의 지급정지의 사유로 그 지급기일 이전에 지급거절되었더라도 물품대금 지급채무가 그 지급거절된 때에 이행기에 도달하는 것은 아니다(대판 2000.9.5, 2000다26333).

07 지연손해금에 관한 다음 설명 중 옳지 않은 것은? (다툼이 있는 경우 판례에 의함)

① 금전채무의 지연손해금채무는 금전채무의 이행지체로 인한 손해배상채무로서 이행기의 정함이 없는 채무에 해당하므로, 채무자는 확정된 지연손해금채무에 대하여 채권자로부터 이행청구를 받은 때로부터 지체책임을 부담한다.

② 금전채무에 관하여 이행지체에 대비한 지연손해금 비율을 따로 약정한 경우에 이는 일종의 손해배상액의 예정으로서 민법 제398조에 의한 감액의 대상이 된다.

③ 금전채무의 이행지체로 인하여 발생하는 지연손해금은 민법 제163조 제1호가 규정한 '1년 이내의 기간으로 정한 채권'이 아니므로 3년간의 단기소멸시효의 대상이 되지 아니한다.

④ 이미 발생한 이자에 대해서는 채무자가 이행을 지체하더라도 지연손해금을 청구할 수 없다.

⑤ 불법행위로 인한 손해배상채무는 손해발생과 동시에 이행기가 도래하므로 지연손해금의 기산일은 불법행위일이 된다.

해설 ① 금전채무의 지연손해금채무는 금전채무의 이행지체로 인한 손해배상채무로서 이행기의 정함이 없는 채무에 해당하므로, 채무자는 확정된 지연손해금채무에 대하여 채권자로부터 이행청구를 받은 때로부터 지체책임을 부담하게 된다(대판 2004.7.9, 2004다11582).

③ 대판 1979.11.13, 79다1453

④ 이미 발생한 이자에 대해서는 채무자가 이행을 지체하면 지연손해금을 청구할 수 있다(대판 1996.9.20, 96다25302).

⑤ 대판 1975.5.25, 74다1393

08 **이행지체에 관한 다음 설명 중 가장 옳지 않은 것은?** (다툼이 있는 경우 판례에 따르고 전원합의체 판결의 경우 다수의견에 의함. 이하 같음) ▸2020년 법무사

① 유류분반환청구권의 행사로 인하여 생기는 원물반환의무 또는 가액반환의무는 이행기한의 정함이 없는 채무이므로, 반환의무자는 그 의무에 대한 이행청구를 받은 때에 비로소 지체책임을 진다.

② 추심명령은 압류채권자에게 채무자의 제3채무자에 대한 채권을 추심할 권능을 수여함에 그치고, 제3채무자로 하여금 압류채권자에게 압류된 채권액 상당을 지급할 것을 명하거나 그 지급 기한을 정하는 것이 아니므로, 제3채무자가 압류채권자에게 압류된 채권액 상당에 관하여 지체책임을 지는 것은 집행법원으로부터 추심명령을 송달받은 때부터가 아니라 추심명령이 발령된 후 압류채권자로부터 추심금 청구를 받은 다음날부터라고 하여야 한다.

③ 부당이득반환의무는 이행기한의 정함이 없는 채무이므로 그 채무자는 이행청구를 받은 때에 비로소 지체책임을 진다.

④ 금전채무의 이행지체로 인하여 발생하는 지연손해금은 그 성질이 손해배상금이지 이자가 아니며, 민법 제163조 제1호가 규정한 1년 이내의 기간으로 정한 채권도 아니므로 3년간의 단기소멸시효의 대상이 되지 아니한다.

⑤ 이행지체에 빠져 원본과 지연이자를 지급할 의무가 있는 금전채무자가 원본과 지연이자를 합한 전액에 부족한 이행제공을 하면서 이를 원본에 대한 변제로 지정하였다면 그 지정은 변제충당의 법리에 따라서 채권자에 대한 효력이 있으므로 채권자는 그 수령을 거절할 수 없다.

해설 ① 유류분반환청구권의 행사로 인하여 생기는 원물반환의무 또는 가액반환의무는 이행기한의 정함이 없는 채무이므로, 반환의무자는 그 의무에 대한 이행청구를 받은 때에 비로소 지체책임을 진다(대판 2013.3.14, 2010다42624,42631).

② 추심명령은 압류채권자에게 채무자의 제3채무자에 대한 채권을 추심할 권능을 수여함에 그치고, 제3채무자로 하여금 압류채권자에게 압류된 채권액 상당을 지급할 것을 명하거나 그 지급 기한을 정하는 것이 아니므로, 제3채무자가 압류채권자에게 압류된 채권액 상당에 관하여 지체책임을 지는 것은 집행법원으로부터 추심명령을 송달받은 때부터가 아니라 추심명령이 발령된 후 압류채권자로부터 추심금 청구를 받은 다음날부터라고 하여야 한다(대판 2012.10.25, 2010다47117).

③ 부당이득반환의무는 이행기한의 정함이 없는 채무이므로 그 채무자는 이행청구를 받은 때에 비로소 지체책임을 진다(대판 2010.1.28, 2009다24187,24194).

정답 ▸ 07 ④ 08 ⑤

④ 금전채무의 이행지체로 인하여 발생하는 지연손해금은 그 성질이 손해배상금이지 이자가 아니며, 민법 제163조 제1호가 규정한 '1년 이내의 기간으로 정한 채권'도 아니므로 3년간의 단기소멸시효의 대상이 되지 아니한다(대판 1998.11.10, 98다42141).

⑤ 채무자가 이행지체에 빠진 이상, 채무자의 이행제공이 이행지체를 종료시키려면 완전한 이행을 제공하여야 하므로, 채무자가 원본뿐 아니라 지연이자도 지급할 의무가 있는 때에는 원본과 지연이자를 합한 전액에 대하여 이행의 제공을 하여야 할 것이고, 그에 미치지 못하는 이행제공을 하면서 이를 원본에 대한 변제로 지정하였더라도, 그 지정은 민법 제479조 제1항에 반하여 채권자에 대하여 효력이 없으므로, 채권자는 그 수령을 거절할 수 있다(대판 2005.8.19, 2003다22042).

09 **다음 설명 중 가장 옳지 않은 것은?** (다툼이 있는 경우 판례에 의하고, 전원합의체 판결의 경우 다수의견에 의함) ▶ 2020년 9급(법원서기보)

① 이미 부담하고 있는 채무의 변제에 관하여 일정한 사실이 부관으로 붙여진 경우 특별한 사정이 없는 한 그것은 불확정기한으로 보아야 한다.

② 당사자가 불확정한 사실이 발생한 때를 이행기한으로 정한 경우에는 그 사실이 발생한 때는 물론 그 사실이 불가능하게 된 때에도 이행기한은 도래한 것으로 보아야 한다.

③ 채무의 이행에 관하여 기한이 정하여져 있지 않은 경우에 채무자는 이행청구를 받은 때로부터 지체책임을 지지만, 불법행위로 인한 손해배상채무는 성립과 동시에 지체에 빠지며 최고가 필요 없다.

④ 당사자가 이혼 성립 후 법원에 재산분할을 청구한 경우 재산분할금에 대하여 이혼성립일 다음날부터 지체책임이 발생한다.

해설 ① 부관이 붙은 법률행위에 있어서 부관에 표시된 사실이 발생하지 아니하면 채무를 이행하지 아니하여도 된다고 보는 것이 상당한 경우에는 조건으로 보아야 하고, 표시된 사실이 발생한 때에는 물론이고 반대로 발생하지 아니하는 것이 확정된 때에도 그 채무를 이행하여야 한다고 보는 것이 상당한 경우에는 표시된 사실의 발생 여부가 확정되는 것을 불확정기한으로 정한 것으로 보아야 한다. 따라서 이미 부담하고 있는 채무의 변제에 관하여 일정한 사실이 부관으로 붙여진 경우에는 특별한 사정이 없는 한 그것은 변제기를 유예한 것으로서 그 사실이 발생한 때 또는 발생하지 아니하는 것으로 확정된 때에 기한이 도래한다(대판 2003.8.19, 2003다24215).

② 당사자가 불확정한 사실이 발생한 때를 이행기한으로 정한 경우에 있어서 그 사실이 발생한 때는 물론 그 사실의 발생이 불가능하게 된 때에도 이행기한은 도래한 것으로 보아야한다(대판 1989.6.27, 88다카10579).

③ 채무이행의 기한이 없는 경우에는 채무자는 이행청구를 받은 때로부터 지체책임이 있다(제387조 제2항). 그러나 불법행위로 인한 손해배상채무에 대하여는 별도의 이행 최고가 없더라도 채무성립과 동시에 지연손해금이 발생하는 것이 원칙이다(대판 2012.3.29, 2011다38325).

④ 이혼으로 인한 재산분할청구권은 이혼이 성립한 때에 법적 효과로서 발생하는 것이지만 협의 또는 심판에 의하여 구체적 내용이 형성되기까지는 범위 및 내용이 불명확하기 때문에 구체적으로 권리가 발생하였다고 할 수 없다. 따라서 당사자가 이혼 성립 후에 재산분할 등을 청구하고 법원이 재산분할로서 금전의 지급을 명하는 판결이나 심판을 하는 경우에도, 이는 장래의

이행을 청구하는 것으로서 분할의무자는 금전지급의무에 관하여 판결이나 심판이 확정된 다음 날부터 이행지체책임을 지고, 그 지연손해금의 이율에 관하여는 소송촉진 등에 관한 특례법 제3조 제1항 본문이 정한 이율도 적용되지 아니한다(대판 2014.9.4, 2012므1656).

10 이행지체에 관한 다음 설명 중 가장 옳지 않은 것은? (다툼이 있는 경우 판례에 따르고 전원합의체 판결의 경우 다수의견에 의함. 이하 같음)   ▶ 2021년 법원서기보

① 정지조건부 기한이익 상실의 특약을 한 경우에는 특별한 사정이 없는 한 그 특약에서 정한 기한이익 상실사유가 발생하였더라도 채권자의 이행청구가 없으면 채무자는 지체책임을 지지 않는다.

② 매수인이 잔대금 지급기일까지 그 대금을 지급하지 못하면 그 계약이 자동적으로 해제된다는 취지의 약정이 있더라도, 특별한 사정이 없는 한 매도인이 자신의 채무에 대한 이행의 제공을 하여 매수인으로 하여금 이행지체에 빠지게 하였을 때 비로소 자동적으로 계약이 해제된다.

③ 타인의 토지를 점유함으로 인한 부당이득반환채무는 이행의 기한이 없는 채무로서 이행청구를 받은 때로부터 지체책임이 있다.

④ 금전채무의 지연손해금채무는 금전채무의 이행지체로 인한 손해배상채무로서 이행기의 정함이 없는 채무에 해당하므로, 채무자는 확정된 지연손해금채무에 대하여 채권자로부터 이행청구를 받은 때로부터 지체책임을 부담하게 된다.

해설 ① 채권자의 별도의 의사표시가 없더라도 바로 이행기가 도래한 것과 같은 효과를 발생케 하는 이른바 정지조건부 기한이익 상실의 특약을 하였을 경우에는, 그 특약에 정한 기한의 이익 상실사유가 발생함과 동시에 기한의 이익을 상실케 하는 채권자의 의사표시가 없더라도 이행기 도래의 효과가 발생하고, 채무자는 특별한 사정이 없는 한 그 때부터 이행지체의 상태에 놓이게 된다(대판 1999.7.9, 99다15184).

② 부동산 매매계약에 있어서 매수인이 잔대금 지급기일까지 그 대금을 지급하지 못하면 그 계약이 자동적으로 해제된다는 취지의 약정이 있더라도 특별한 사정이 없는 한 매수인의 잔대금 지급의무와 매도인의 소유권이전등기의무는 동시이행의 관계에 있으므로, 매도인이 잔대금 지급기일에 소유권이전등기에 필요한 서류를 준비하여 매수인에게 알리는 등 이행의 제공을 하여 매수인으로 하여금 이행지체에 빠지게 하였을 때에 비로소 자동적으로 매매계약이 해제된다고 보아야 하고, 매수인이 그 약정 기한을 도과하였더라도 이행지체에 빠진 것이 아니라면 대금 미지급으로 계약이 자동해제된 것으로 볼 수 없다(대판 1998.6.12, 98다505).

③ 타인의 토지를 점유함으로 인한 부당이득반환채무는 이행의 기한이 없는 채무로서 이행청구를 받은 때로부터 지체책임이 있다(대결 2008.2.1, 2007카기65, 2007다8914).

④ 금전채무의 지연손해금채무는 금전채무의 이행지체로 인한 손해배상채무로서 이행기의 정함이 없는 채무에 해당하므로, 채무자는 확정된 지연손해금채무에 대하여는 채권자로부터 이행청구를 받은 때로부터 지체책임을 부담하게 된다(대판 2004.7.9, 2004다11582).

정답   09 ④   10 ①

11 이행지체에 관한 다음 설명 중 옳은 것(○)과 옳지 않은 것(×)을 올바르게 표시한 것은?

▶ 2020년 법원행시

ㄱ. 정지조건부 기한이익 상실의 특약이 있는 경우, 특별한 사정이 없는 한 그 특약에서 정한 기한이익 상실사유가 발생하였더라도 채권자의 이행청구가 없으면 채무자는 이행지체의 상태에 놓이지 않는다.

ㄴ. 채권의 가압류는 제3채무자에 대하여 채무자에게 지급하는 것을 금지하는데 그칠 뿐 채무 그 자체를 면하게 하는 것이 아니고, 가압류가 있다 하여도 그 채권의 이행기가 도래한 때에는 제3채무자는 그 지체책임을 면할 수 없다.

ㄷ. 이행기의 정함이 없는 채권을 양수한 채권양수인이 채무자를 상대로 그 이행을 구하는 소를 제기하고 소송계속 중 채무자에 대한 채권양도통지가 이루어진 경우, 특별한 사정이 없는 한 채무자는 채권양도통지 다음 날부터가 아닌 소장 부본을 송달받은 다음 날부터 이행지체의 책임을 진다.

ㄹ. 쌍무계약의 당사자 일방이 먼저 한 번 현실의 제공을 하고, 상대방을 수령지체에 빠지게 하였다고 하더라도 곧 그 이행의 제공이 중지되어 더 이상 그 제공이 계속되지 아니하는 기간 동안에는 상대방의 의무가 이행지체 상태에 빠졌다고 할 수는 없고, 그 이행의 제공이 중지된 이후에 상대방의 의무가 이행지체 되었음을 전제로 하는 손해배상청구도 할 수 없다.

ㅁ. 매수인이 매도인으로부터 물품을 공급받은 다음 물품대금 지급방법에 관한 약정에 따라 대금의 지급을 위하여 매도인에게 지급기일이 물품공급일자 이후로 된 약속어음을 발행·교부한 경우, 물품대금 지급채무의 이행기는 특별한 사정이 없는 한 약속어음의 지급기일이다. 또한 위 약속어음이 발행인에게 발생한 지급정지사유로 지급기일이 도래하기 전에 지급거절되었더라도 지급거절된 때에 그 이행기가 도래하는 것은 아니다.

ㅂ. 추심명령은 압류채권자에게 채무자의 제3채무자에 대한 채권을 추심할 권능을 수여함에 그치고, 제3채무자로 하여금 압류채권자에게 압류된 채권액 상당을 지급할 것을 명하거나 그 지급 기한을 정하는 것이 아니므로, 제3채무자가 압류채권자에게 압류된 채권액 상당에 관하여 지체책임을 지는 것은 집행법원으로부터 추심명령을 송달받은 때부터이고 추심명령이 발령된 후 압류채권자로부터 추심금 청구를 받은 다음 날부터가 아니다.

① ㄱ(○), ㄴ(×), ㄷ(×), ㄹ(○), ㅁ(○), ㅂ(×)
② ㄱ(×), ㄴ(○), ㄷ(×), ㄹ(○), ㅁ(×), ㅂ(○)
③ ㄱ(×), ㄴ(○), ㄷ(×), ㄹ(○), ㅁ(○), ㅂ(×)
④ ㄱ(×), ㄴ(○), ㄷ(○), ㄹ(○), ㅁ(○), ㅂ(×)
⑤ ㄱ(×), ㄴ(×), ㄷ(×), ㄹ(×), ㅁ(○), ㅂ(○)

해설 ㄱ. 채권자의 별도의 의사표시가 없더라도 바로 이행기가 도래한 것과 같은 효과를 발생케 하는 이른바 정지조건부 기한이익 상실의 특약을 하였을 경우에는, 그 특약에 정한 기한의 이익

상실사유가 발생함과 동시에 기한의 이익을 상실케 하는 채권자의 의사표시가 없더라도 이
행기 도래의 효과가 발생하고, 채무자는 특별한 사정이 없는 한 그때부터 이행지체의 상태에
놓이게 된다(대판 1999.7.9, 99다15184).

ㄴ. 채권의 가압류는 제3채무자에 대하여 채무자에게 지급하는 것을 금지하는 데 그칠 뿐 채무
그 자체를 면하게 하는 것이 아니고, 가압류가 있다 하여도 그 채권의 이행기가 도래한 때에
는 제3채무자는 그 지체책임을 면할 수 없다고 보아야 할 것이다(대판(전) 1994.12.13, 93다
951).

ㄷ. 채무에 이행기의 정함이 없는 경우에는 채무자가 이행의 청구를 받은 다음 날부터 이행지체
의 책임을 지는 것이나, 한편 지명채권이 양도된 경우 채무자에 대한 대항요건이 갖추어질
때까지 채권양수인은 채무자에게 대항할 수 없으므로, 이행기의 정함이 없는 채권을 양수한
채권양수인이 채무자를 상대로 그 이행을 구하는 소를 제기하고 소송 계속 중 채무자에 대한
채권양도통지가 이루어진 경우에는 특별한 사정이 없는 한 채무자는 채권양도통지가 도달된
다음 날부터 이행지체의 책임을 진다(대판 2014.4.10, 2012다29557).

ㄹ. 쌍무계약의 당사자 일방이 먼저 한 번 현실의 제공을 하고 상대방을 수령지체에 빠지게 하였다
고 하더라도 그 이행의 제공이 계속되지 않는 경우는 과거에 이행의 제공이 있었다는 사실만으
로 상대방이 가지는 동시이행의 항변권이 소멸하는 것은 아니므로, 일시적으로 당사자 일방의
의무의 이행제공이 있었으나 곧 그 이행의 제공이 중지되어 더 이상 그 제공이 계속되지 아니
하는 기간 동안에는 상대방의 의무가 이행지체상태에 빠졌다고 할 수는 없다고 할 것이고, 따
라서 그 이행의 제공이 중지된 이후에 상대방의 의무가 이행지체 되었음을 전제로 하는 손해배
상청구도 할 수 없는 것이다(대판 1999.7.9, 98다13754·13761 ; 대판 1995.3.14, 94다
26646 등).

ㅁ. 판례는 매수인이 매도인으로부터 물품을 공급받은 다음 그들 사이의 물품대금 지급방법에
관한 약정에 따라 그 대금의 지급을 위하여 매도인에게 지급기일이 물품 공급일자 이후로
된 약속어음을 발행·교부한 경우 물품대금 지급채무의 이행기는 그 약속어음의 지급기일이
기 때문에 그 약속어음이 발행인의 지급정지의 사유로 그 지급기일 이전에 지급거절된 때라
도 그때 위 물품대금 지급채무의 이행기가 도달한다고 볼 수 없다는 입장이다(대판
2014.6.26, 2011다101599). 즉 약속어음이 발행인의 지급정지의 사유로 그 지급기일 이전
에 지급거절되었더라도 물품대금 지급채무가 그 지급거절된 때에 이행기에 도달하는 것은
아니다(대판 2000.9.5, 2000다26333).

ㅂ. 추심명령은 압류채권자에게 채무자의 제3채무자에 대한 채권을 추심할 권능을 수여함에 그
치고, 제3채무자로 하여금 압류채권자에게 압류된 채권액 상당을 지급할 것을 명하거나 그
지급 기한을 정하는 것이 아니므로, 제3채무자가 압류채권자에게 압류된 채권액 상당에 관
하여 지체책임을 지는 것은 집행법원으로부터 추심명령을 송달받은 때부터가 아니라 추심명
령이 발령된 후 압류채권자로부터 추심금 청구를 받은 다음날부터라고 하여야 한다(대판
2012.10.25, 2010다47117).

12 금전채무의 이행지체에 관한 다음 설명 중 가장 옳은 것은?　▶ 2021년 법무사

① 이행기를 정하지 않은 채권의 양수인이 2021.1.3. 채무자에게 이행을 청구한 후에 2021.1.13. 채권양도사실의 통지가 채무자에게 도달하였다면 채무자는 2021.1.14.부터 이행지체의 책임을 진다.

② 불법행위로 인한 손해배상채무는 기한의 정함이 없는 채무이므로 가해자는 피해자의 이행청구를 받은 때로부터 이행지체의 책임을 진다.

③ 甲이 乙에게 변제기를 정하지 않고 1억원을 대여한 후 2021.5.15. 대여금의 반환을 청구하였다면 乙은 2021.5.16.부터 이행지체의 책임을 진다.

④ 부당이득반환채무의 경우 부당이득한 날부터 지체책임을 부담한다.

⑤ 甲이 乙에게 공사대금채무의 지급을 확보하기 위한 수단으로 약속어음을 발행한 경우 공사대금채무의 변제기가 도래하더라도 乙이 위 약속어음을 반환하지 않는 이상 지체책임을 부담하지 않는다.

해설 ① 채무에 이행기의 정함이 없는 경우에는 채무자가 이행의 청구를 받은 다음 날부터 이행지체의 책임을 지는 것이나, 한편 지명채권이 양도된 경우 채무자에 대한 대항요건이 갖추어질 때까지 채권양수인은 채무자에게 대항할 수 없으므로, 이행기의 정함이 없는 채권을 양수한 채권양수인이 채무자를 상대로 그 이행을 구하는 소를 제기하고 소송 계속 중 채무자에 대한 채권양도통지가 이루어진 경우에는 특별한 사정이 없는 한 채무자는 채권양도통지가 도달된 다음 날부터 이행지체의 책임을 진다(대판 2014.4.10, 2012다29557).
따라서 지문의 경우 2021.1.13. 채권양도사실의 통지가 채무자에게 도달하였으므로, 그 다음 날인 2021.1.14.부터 이행지체의 책임을 진다.

② 불법행위로 인한 손해배상채무는 그 채무의 성립과 동시에 지체책임을 지므로, 채권자의 청구 없이 불법행위 시부터 지체책임을 진다(대판 1975.5.27, 74다1393).

③ 소비대차에서 반환시기의 약정이 없는 경우 대주는 상당한 기간을 정하여 반환을 최고하여야 하므로(제603조 제2항 본문), 그 기간이 경과한 후에 지체책임을 진다. 만약 상당한 기간을 정하지 않고 최고한 경우에도 최고한 때로부터 상당한 기간이 경과하여야 이행지체책임이 발생한다.

④ 부당이득반환채무는 이행의 기한이 없는 채무로서 이행청구를 받은 때로부터 지체책임이 있다(대결 2008.2.1, 2007카기65, 2007다8914).

⑤ 기존채무와 어음, 수표채무가 병존하는 경우 원인채무의 이행과 어음, 수표의 반환이 동시이행의 관계에 있다 하더라도 채권자가 어음, 수표의 반환을 제공을 하지 아니하면 채무자에게 적법한 이행의 최고를 할 수 없다고 할 수는 없고, 채무자는 원인채무의 이행기를 도과하면 원칙적으로 이행지체의 책임을 지고, 채권자로부터 어음, 수표의 반환을 받지 아니하였다 하더라도 이 어음, 수표를 반환하지 않음을 이유로 위와 같은 항변권을 행사하여 그 지급을 거절하고 있는 것이 아닌 한 이행지체의 책임을 면할 수 없다(대판 1993.11.9, 93다11203·11210).

13
채무의 이행지체에 관한 다음 설명 중 옳은 것(○)과 옳지 않은 것(×)을 가장 올바르게 조합한 것은?
▶ 2024년 법원행시

> ㄱ. 상가건물 임대차보호법상 임대인이 임차인의 권리금 회수기회를 방해함으로 인한 손해배상책임은 상가건물 임대차보호법이 그 요건, 배상범위 및 소멸시효를 특별히 규정한 법정책임이고, 그 손해배상채무는 임대차가 종료한 날에 이행기가 도래하여 그다음 날부터 지체책임이 발생하는 것으로 보아야 한다.
>
> ㄴ. 부대체적 작위채무에 관한 판결절차의 변론종결 당시에 보아 집행권원이 성립하더라도 채무자가 부대체적 작위채무를 임의로 이행할 가능성이 없음이 명백하고, 판결절차에서 채무자에게 간접강제결정의 당부에 관하여 충분히 변론할 기회가 부여되었으며, 민사집행법 제261조에 의하여 명할 적정한 배상액을 산정할 수 있는 경우에는 판결절차에서도 채무불이행에 대한 간접강제를 할 수 있다.
>
> ㄷ. 우리 민법은 이행불능의 효과로서 채권자의 전보배상청구권과 계약해제권 외에 별도로 대상청구권을 규정하고 있지 않으나 해석상 대상청구권을 부정할 이유가 없다고 할 것이므로, 쌍무계약의 당사자 쌍방의 급부가 모두 이행불능이 된 경우에도 특별한 사정이 없는 한 당사자 일방은 상대방에 대하여 대상청구권을 행사할 수 있다고 봄이 상당하다.
>
> ㄹ. 도급계약에 따라 완성된 목적물에 하자가 있는 경우, 수급인의 하자담보책임과 채무불이행책임은 별개의 권원에 의하여 경합적으로 인정되므로, 도급인은 하자보수비용을 민법 제667조 제2항에 따라 하자담보책임으로 인한 손해배상으로 청구할 수도 있고, 민법 제390조에 따라 채무불이행으로 인한 손해배상으로 청구할 수도 있다.
>
> ㅁ. 민법 제398조 제2항에 의한 손해배상 예정액의 감액은 국가가 당사자 사이의 실질적 불평등을 제거하고 공정성을 보장하기 위하여 계약의 체결 또는 그 내용에 간섭하는 사적 자치의 원칙에 대한 제한의 한 가지 형태이다. 기록상 실제의 손해액 또는 예상 손해액을 알 수 있는 경우에는 이를 그 예정액과 대비하여 볼 필요가 있고, 예정액 자체가 크다든가 계약 체결 시부터 계약 해제 시까지의 시간적 간격이 짧다든가 하는 사유만으로도 손해배상예정액을 부당히 과다하다고 하여 감액하기에 충분하다.

① ㄱ(○), ㄴ(×), ㄷ(○), ㄹ(×), ㅁ(○)
② ㄱ(×), ㄴ(○), ㄷ(×), ㄹ(○), ㅁ(×)
③ ㄱ(○), ㄴ(○), ㄷ(×), ㄹ(○), ㅁ(×)
④ ㄱ(○), ㄴ(×), ㄷ(○), ㄹ(×), ㅁ(×)
⑤ ㄱ(×), ㄴ(×), ㄷ(○), ㄹ(×), ㅁ(○)

해설 ㄱ. (○) 상가건물 임대차보호법(이하 '상가임대차법'이라고 한다)이 보호하고자 하는 권리금의 회수기회란 임대차 종료 당시를 기준으로 하여 임차인이 임대차 목적물인 상가건물에서 영업을 통해 창출한 유·무형의 재산적 가치를 신규임차인으로부터 회수할 수 있는 기회를 의미한다. 이러한 권리금 회수기회를 방해한 임대인이 부담하게 되는 손해배상액은 임대차 종료 당시의 권리금을 넘지 않도록 규정되어 있는 점, 임대인에게 손해배상을 청구할 권리의 소멸시효 기산일 또한 임대차가 종료한 날인 점 등 상가임대차법 규정의 입법 취지, 보호법익, 내용이나 체계를 종합하면, **임대인의 권리금 회수기회 방해로 인한 손해배상책임은 상가임대차법이 그 요건, 배상범위 및 소멸시효를 특별히 규정한 법정책임이고, 그 손해배상채무는 임대차가 종료한 날에 이행기가 도래하여 그다음 날부터 지체책임이 발생하는 것으로 보아야 한다**(대판 2023.2.2. 2022다260586).

ㄴ. [다수의견] 부작위채무에 관하여 판결절차의 변론종결 당시에 보아 부작위채무를 명하는 집행권원이 성립하더라도 채무자가 이를 단기간 내에 위반할 개연성이 있고, 또한 판결절차에서 민사집행법 제261조에 의하여 명할 적정한 배상액을 산정할 수 있는 경우에는 판결절차에서도 채무불이행에 대한 간접강제를 할 수 있다. 또한 부대체적 작위채무에 관하여서도 판결절차의 변론종결 당시에 보아 집행권원이 성립하더라도 채무자가 부대체적 작위채무를 임의로 이행할 가능성이 없음이 명백하고, 판결절차에서 채무자에게 간접강제결정의 당부에 관하여 충분히 변론할 기회가 부여되었으며, 민사집행법 제261조에 의하여 명할 적정한 배상액을 산정할 수 있는 경우에는 판결절차에서도 채무불이행에 대한 간접강제를 할 수 있다. 그 이유는 다음과 같다. ① 본안판결에서 동시에 민사집행법 제261조 제1항의 간접강제에 관한 판결을 할 수 있는지 여부에 관하여 이를 명시적으로 금지하는 법 규정은 없다. 입법자는 채권에 대한 강제이행의 원칙과 집행권원에 기초한 강제집행의 원칙을 규정하였을 뿐 판결절차에서는 어떠한 경우에도 간접강제를 명할 수 없도록 법률을 제정하였다고 볼 수 없다. ② 판결절차에서 간접강제를 명할 수 있도록 한 이유는 부작위채무와 부대체적 작위채무(이하 '부작위채무 등'이라 한다)를 이행하지 않는 경우에 집행의 실효성을 확보하고 집행공백을 막으려는 데 있다. ③ 판결절차에서 간접강제를 명하더라도 채무자에게 크게 불리하다고 볼 수 없다. 판결절차에서도 채권자인 원고가 간접강제를 청구해야만 법원이 간접강제를 명할 수 있으므로, 변론 과정에서 채무자인 피고가 간접강제에 관하여 충분히 의견을 진술할 수 있기 때문이다. ④ 판례가 제시하는 요건에 따라 판결절차에서 간접강제를 명하는 것은 분쟁의 종국적인 해결에도 이바지한다(대판(전합) 2021.7.22. 2020다248124).

ㄷ. 쌍무계약의 당사자 일방이 상대방의 급부가 이행불능이 된 사정의 결과로 상대방이 취득한 대상에 대하여 급부청구권을 행사할 수 있다고 하더라도, 그 당사자 일방이 대상청구권을 행사하려면 상대방에 대하여 반대급부를 이행할 의무가 있는바, 이 경우 당사자 일방의 반대급부도 그 전부가 이행불능이 되거나 그 일부가 이행불능이 되고 나머지 잔부의 이행만으로는 상대방의 계약목적을 달성할 수 없는 등 상대방에게 아무런 이익이 되지 않는다고 인정되는 때에는, 상대방이 당사자 일방의 대상청구를 거부하는 것이 신의칙에 반한다고 볼 만한 특별한 사정이 없는 한, 당사자 일방은 상대방에 대하여 대상청구권을 행사할 수 없다(대판 1996.6.25. 95다6601).

ㄹ. 도급계약에 따라 완성된 목적물에 하자가 있는 경우, 수급인의 하자담보책임과 채무불이행책임은 별개의 권원에 의하여 경합적으로 인정된다. 목적물의 하자를 보수하기 위한 비용은 수급인의 하자담보책임과 채무불이행책임에서 말하는 손해에 해당한다. 따라서 도급인은 하자보수비용을 민법 제667조 제2항에 따라 하자담보책임으로 인한 손해배상으로 청구할 수도 있고, 민법 제390조에 따라 채무불이행으로 인한 손해배상으로 청구할 수도 있다. 하자보수를 갈음하는 손해배상에 관해서는 민법 제667조 제2항에 따른 하자담보책임만이 성립하고 민법 제390조에 따른 채무불이행책임이 성립하지 않는다고 볼 이유가 없다(대판 2020.6.11. 2020다201156).

ㅁ. 민법 제398조 제2항에 의한 손해배상 예정액의 감액은 국가가 당사자 사이의 실질적 불평등을 제거하고 공정성을 보장하기 위하여 계약의 체결 또는 그 내용에 간섭하는 사적 자치의 원칙에 대한 제한의 한 가지 형태이다. 여기에서 '부당히 과다한 경우'는 손해가 없다거나 손해액이 예정액보다 적다는 것만으로는 부족하고, 계약자의 경제적 지위, 계약의 목적, 손해배상액 예정의 경위 및 거래관행 기타 제반 사정을 고려하여 그와 같은 예정액의 지급이 경제적 약자의 지위에 있는 채무자에게 부당한 압박을 가하여 공정성을 잃는 결과를 초래한다고 인정되는 경우를 뜻한다. 기록상 실제의 손해액 또는 예상 손해액을 알 수 있는 경우에는 이를 그 예정액과 대비하여 볼 필요가 있고, 단지 예정액 자체가 크다든가 계약 체결 시부터 계약 해제 시까지의 시간적 간격이 짧다든가 하는 사유만으로는 손해배상 예정액을 부당히 과다하다고 하여 감액하기에 부족하다. 손해배상액 예정이 없더라도 채무자가 당연히 지급의무를 부담하여 채권자가 받을 수 있던 금액보다 적은 금액으로 감액하는 것은 손해배상액 예정에 관한 약정 자체를 전면 부인하는 것과 같은 결과가 되기 때문에 감액의 한계를 벗어나는 것이다(대판 2023.8.18, 2022다227619).

14 이행불능에 관한 다음 설명 중 가장 옳지 않은 것은? (다툼이 있는 경우 판례에 의함)

▶ 2019년 법원사무관 승진

① 쌍무계약에서 계약 체결 후에 당사자 쌍방의 귀책사유 없이 채무의 이행이 불가능하게 된 경우, 쌍방 급부가 없었던 경우에는 계약관계는 소멸하고, 이미 이행한 급부는 부당이득의 법리에 따라 급부자가 반환청구할 수 있다.

② 계약 당시에 이미 채무의 이행이 불가능했다면 특별한 사정이 없는 한 채권자가 그 이행을 구하는 것은 허용되지 않고, 이미 이행한 급부는 법률상 원인 없는 급부가 되어 부당이득의 법리에 따라 반환청구할 수 있으며, 나아가 민법 제535조에서 정한 계약체결상의 과실책임을 추궁할 수도 있다.

③ 계약 체결 후에 채무자의 귀책사유로 인하여 채무의 이행이 불가능하게 된 경우에는 채권자가 그 이행을 청구하지 못하고 채무불이행을 이유로 손해배상을 청구하거나 계약을 해제할 수 있다.

④ 채무를 이행하는 행위가 법률로 금지되어 그 행위의 실현이 불가능한 경우는 채무의 이행이 불가능한 경우에 해당하지 않는다.

해설 ① 민법 제537조는 채무자위험부담주의를 채택하고 있는 바, 쌍무계약에서 당사자 쌍방의 귀책사유 없이 채무가 이행불능된 경우 채무자는 급부의무를 면함과 더불어 반대급부도 청구하지 못하므로, 쌍방 급부가 없었던 경우에는 계약관계는 소멸하고 이미 이행한 급부는 법률상 원인 없는 급부가 되어 부당이득의 법리에 따라 반환청구할 수 있다(대판 2009.5.28, 2008다98655·98662).
② 계약 당시에 이미 채무의 이행이 불가능했다면 특별한 사정이 없는 한 채권자가 이행을 구하는 것은 허용되지 않고, 이미 이행한 급부는 법률상 원인 없는 급부가 되어 부당이득의 법리

정답 ▶ 14 ④

에 따라 반환청구할 수 있으며, 나아가 민법 제535조에서 정한 계약체결상의 과실책임을 추궁하는 등으로 권리를 구제받을 수 있다(대판 2017.10.12, 2016다9643).

③, ④ 계약 체결 후에 채무자의 귀책사유로 인하여 채무의 이행이 불가능하게 된 경우에는 채권자가 그 이행을 청구하지 못하고 채무불이행을 이유로 손해배상을 청구하거나 계약을 해제할 수 있다. 채무의 이행이 불가능하다는 것은 절대적·물리적으로 불가능한 경우만이 아니라 사회생활상 경험칙이나 거래상의 관념에 비추어 볼 때 채권자가 채무자의 이행의 실현을 기대할 수 없는 경우도 포함한다. 이는 채무를 이행하는 행위가 법률로 금지되어 그 행위의 실현이 법률상 불가능한 경우에도 마찬가지이다(대판 2017.8.29, 2016다212524).

15 이행불능에 관한 다음 설명 중 가장 옳지 않은 것은? (다툼이 있는 경우 판례에 의함)

▶ 2018년 법무사

① 채무의 이행이 불능이라는 것은 단순히 절대적·물리적으로 불능인 경우가 아니라 사회생활에 있어서의 경험법칙 또는 거래상의 관념에 비추어 볼 때 채권자가 채무자의 이행의 실현을 기대할 수 없는 경우를 말한다.

② 매매목적물에 관하여 이중으로 제3자와 매매계약을 체결하였다는 사실만 가지고는 매매계약이 법률상 이행불능이라고 할 수 없으나, 부동산을 이중매도하고 매도인이 그중 1인에게 먼저 소유권명의를 이전하여 준 경우에는 특별한 사정이 없는 한 다른 1인에 대한 소유권이전등기의무는 이행불능상태가 된다.

③ 채무자가 채무의 발생원인 내지 존재에 관한 법률적인 판단을 통하여 자신의 채무가 없다고 믿고 채무의 이행을 거부한 채 소송을 통하여 이를 다투었다면, 채무자의 그러한 법률적 판단이 잘못된 것이라도 특별한 사정이 없는 한 채무불이행에 관하여 채무자에게 고의나 과실이 있다고는 할 수 없다.

④ 매도인의 매매목적물에 관한 소유권이전등기 의무가 이행불능이 됨으로 말미암아 매수인이 입는 손해액은 원칙적으로 그 이행불능이 될 당시의 목적물의 시가상당액이다.

⑤ 매도인이 매매목적물의 원소유자에 대하여 갖는 소유권이전등기청구권에 대하여 가압류 또는 처분금지가처분 집행이 되어 있다고 하여 그 자체로 매매에 기한 소유권이전등기의무가 이행불능이라 할 수는 없다.

해설 ① 채무의 이행불능이란 단순히 절대적·물리적으로 불능인 경우가 아니라, 사회생활의 경험법칙 또는 거래상의 관념에 비추어 채권자가 채무자의 이행 실현을 기대할 수 없는 경우를 말한다. 이와 같이 사회통념상 이행불능이라고 보기 위해서는 이행의 실현을 기대할 수 없는 객관적 사정이 충분히 인정되어야 하고, 특히 계약은 어디까지나 내용대로 지켜져야 하는 것이 원칙이므로, 채권자가 굳이 채무의 본래 내용대로의 이행을 구하고 있는 경우에는 쉽사리 채무의 이행이 불능으로 되었다고 보아서는 아니 된다(대판 2016.5.12, 2016다200729).

② 매매목적물에 관하여 이중으로 제3자와 매매계약을 체결하였다는 사실만 가지고는 매매계약이 법률상 이행불능이라고 할 수 없고, 채무의 이행이 불능이라는 것은 단순히 절대적, 물리적으로 불능인 경우가 아니라 사회생활에 있어서의 경험법칙 또는 거래상의 관념에 비추어 볼 때 채권자가 채무자의 이행의 실현을 기대할 수 없는 경우를 말한다(대판 1996.7.26, 96다14616).

부동산을 이중매도하고 매도인이 그 중 1인에게 먼저 소유권명의를 이전하여 준 경우에는 특별한 사정이 없는 한 다른 1인에 대한 소유권이전등기의무는 이행불능상태에 있다 할 것이다(대판 1965.7.27, 65다947).

③ 채무불이행으로 인한 손해배상청구에 있어서 확정된 채무의 내용에 좇은 이행을 하지 아니하였다면 그 자체가 바로 위법한 것으로 평가되는 것이고, 다만 채무불이행에 채무자의 고의나 과실이 없는 때에는 채무자는 손해배상책임을 부담하지 않는다(민법 제390조 참조). 한편 채무자가 자신에게 채무가 없다고 믿었고 그렇게 믿은 데 정당한 사유가 있는 경우에는 채무불이행에 고의나 과실이 없는 때에 해당한다고 할 수 있다. 그러나 채무자가 채무의 발생원인 내지 존재에 관한 법률적인 판단을 통하여 자신의 채무가 없다고 믿고 채무의 이행을 거부한 채 소송을 통하여 이를 다투었다고 하더라도, 채무자의 그러한 법률적 판단이 잘못된 것이라면 특별한 사정이 없는 한 채무불이행에 관하여 채무자에게 고의나 과실이 없다고는 할 수 없다(대판 2013.12.26, 2011다85352).

④ 부동산매매에 있어 매도인이 매매목적물을 2중으로 양도하여 제3자에게 소유권이전등기를 하여 줌으로써 매수인에 대한 소유권이전등기의무가 이행불능된 경우 그 손해배상의 액은 특별한 사정이 없는 한 제3자에게 소유권이전등기를 넘겨준 날 현재의 시가상당액이라고 할 것이나, 매매계약 시에 미리 손해배상의 예정에 관한 특약을 하였다면 매수인은 매도인에 대하여 예정된 손해배상액만을 청구할 수 있다(대판 1994.1.11, 93다17638).

⑤ 매도인의 소유권이전등기청구권이 가압류되어 있거나 처분금지가처분이 있는 경우에는 그 가압류 또는 가처분의 해제를 조건으로 하여서만 소유권이전등기절차의 이행을 명받을 수 있는 것이어서, 매도인은 그 가압류 또는 가처분을 해제하지 아니하고서는 매도인 명의의 소유권이전등기를 마칠 수 없고, 따라서 매수인 명의의 소유권이전등기도 경료하여 줄 수 없다고 할 것이므로, 매도인이 그 가압류 또는 가처분 집행을 모두 해제할 수 없는 무자력의 상태에 있다고 인정되는 경우에는 매수인이 매도인의 소유권이전등기의무가 이행불능임을 이유로 매매계약을 해제할 수 있다(대판 2006.6.16, 2005다39211).

16 이행불능에 관한 다음 설명 중 가장 옳지 않은 것은? ▸ 2018년 법원행시

① 피고가 원고를 강박하여 그에 따른 하자 있는 의사표시에 의하여 부동산에 관한 소유권이전등기를 마친 다음 타인에게 매도하여 소유권이전등기까지 마친 경우, 그 소유권 이전등기는 소송 기타 방법에 따라 말소 환원 여부가 결정될 특별한 사정이 있으므로 피고의 원고에 대한 소유권 이전등기의 말소등기의무는 아직 이행불능이 되었다고 할 수 없다.

② 본래의 공사비채권이 시효소멸되었다면 그 채권이 이행불능이 되었음을 이유로 하는 손해배상청구권 역시 허용될 수 없다.

③ 소유권이전등기의무의 목적 부동산이 수용되어 그 소유권 이전등기의무가 이행불능이 된 경우, 등기청구권자는 등기의무자에게 대상청구권의 행사로써 등기의무자가 지급받은 수용보상금의 반환을 구하거나 또는 등기의무자가 취득한 수용보상금청구권의 양도를 구할 수 있다.

정답 15 ③ 16 ④

④ 소유자가 자신의 소유권에 기하여 실체관계에 부합하지 아니하는 등기의 명의인을 상대로 그 등기말소를 청구하는 경우, 그 권리는 물권적 청구권으로서의 방해배제청구권의 성질을 가지므로 소유자가 그 후에 소유권을 상실하여 등기말소를 청구할 수 없게 되었다면, 소유자는 등기말소 의무자에 대하여 그 권리의 이행불능을 이유로 한 민법 제390조상의 손해배상청구권을 가진다.

⑤ 매도인의 소유권이전등기청구권이 가압류되어 있거나 처분금지가처분이 있는 경우, 매도인이 그 가압류 또는 가처분 집행을 모두 해제할 수 없는 무자력의 상태에 있다면 매수인은 매도인의 소유권이전등기의무가 이행불능임을 이유로 매매계약을 해제할 수 있다.

해설 ① 부동산소유권이전등기 말소등기의무가 이행불능이 됨으로 말미암아 그 권리자가 입는 손해액은 원칙적으로 그 이행불능이 될 당시의 목적물의 시가 상당액이고, 피고(乙)가 원고(甲)를 강박하여 그에 따른 하자 있는 의사표시에 의하여 부동산에 관한 소유권이전등기를 마친 다음 타인(丙)에게 매도하여 소유권이전등기까지 마친 경우, 그 소유권이전등기는 소송 기타 방법에 따라 말소 환원 여부가 결정될 특별한 사정이 있으므로 ① 피고(乙)의 원고(甲)에 대한 소유권이전등기의 말소등기의무는 아직 이행불능이 되었다고 할 수 없으나, ② 원고(甲)가 그 부동산의 전득자(丙)들을 상대로 제기한 소유권이전등기 말소등기청구소송에서 패소로 확정되면 그 때에 피고(乙)의 소유권이전등기 말소등기의무가 이행불능상태에 이른다고 할 것이다(대판 2009.1.15. 2007다51703).

② 본래의 공사비채권이 시효소멸되었다면 그 채권이 이행불능이 되었음을 이유로 하는 손해배상청구권 역시 허용될 수 없다(대판 1987.6.23. 86다카2549).

③ 소유권이전등기의무의 목적 부동산이 수용되어 그 소유권이전등기의무가 이행불능이 된 경우, 등기청구권자는 등기의무자에게 대상청구권의 행사로써 등기의무자가 지급받은 수용보상금의 반환을 구하거나 또는 등기의무자가 취득한 수용보상금청구권의 양도를 구할 수 있을 뿐 그 수용보상금청구권 자체가 등기청구권자에게 귀속되는 것은 아니다(대판 1996.10.29. 95다56910).

④ 소유자가 자신의 소유권에 기하여 실체관계에 부합하지 아니하는 등기의 명의인을 상대로 그 등기말소나 진정명의회복 등을 청구하는 경우에, 그 권리는 물권적 청구권으로서의 방해배제청구권(민법 제214조)의 성질을 가진다. 그러므로 소유자가 그 후에 소유권을 상실함으로써 이제 등기말소 등을 청구할 수 없게 되었다면, 이를 위와 같은 청구권의 실현이 객관적으로 불능이 되었다고 파악하여 등기말소 등 의무자에 대하여 그 권리의 이행불능을 이유로 민법 제390조상의 손해배상청구권을 가진다고 말할 수 없다. 위 법규정에서 정하는 채무불이행을 이유로 하는 손해배상청구권은 계약 또는 법률에 기하여 이미 성립하여 있는 채권관계에서 본래의 채권이 동일성을 유지하면서 그 내용이 확장되거나 변경된 것으로서 발생한다. 그러나 위와 같은 등기말소청구권 등의 물권적 청구권은 그 권리자인 소유자가 소유권을 상실하면 이제 그 발생의 기반이 아예 없게 되어 더 이상 그 존재 자체가 인정되지 아니하는 것이다(대판(전합) 2012.5.17. 2010다28604).

⑤ 매도인의 원소유자에 대하여 가지는 소유권이전등기청구권이 가압류되어 있거나 처분금지가처분이 있는 경우에는 그 가압류 또는 가처분의 해제를 조건으로 하여서만 소유권이전등기절차의 이행을 명받을 수 있는 것이어서, 매도인은 그 가압류 또는 가처분을 해제하지 아니하고서는 매도인 명의의 소유권이전등기를 마칠 수 없고, 따라서 매수인 명의의 소유권이전등기도 경료하여 줄 수 없다고 할 것이므로, 매도인이 그 가압류 또는 가처분 집행을 모두 해제할 수 없는 무자력의 상태에 있다고 인정되는 경우에는 매수인이 매도인이 소유권이전등기의무가 이행불능임을 이유로 매매계약을 해제할 수 있다(대판 2006.6.16. 2005다39211).

17 대상청구권에 관한 다음 설명 중 옳지 않은 것은 모두 몇 개인가? (다툼이 있는 경우 판례에 의하고, 전원합의체 판결의 경우 다수의견에 의함) ▶ 2019년 법원행시

> ㄱ. 토지거래허가구역 내의 토지에 관한 매매계약으로서 아직 관할 관청의 허가를 받지 못하여 유동적 무효 상태에 있는 매매계약이 매매 목적물인 토지의 수용으로 인하여 확정적으로 무효가 된 경우, 특별한 사정이 없는 한 수용보상금에 대한 대상청구권 은 발생하지 아니한다.
>
> ㄴ. 甲 소유의 X토지에 대해 乙명의로 원인무효의 소유권이전등기가 마쳐지고, 乙은 X 토지를 丙에게 매도하여 丙 명의로 소유권이전등기가 되었는데, 丙이 등기부취득시 효에 의하여 X토지의 소유권을 취득하게 됨으로써 乙이 부담하는 소유권이전등기 말소등기절차의무가 이행불능이 된 경우, 甲은 乙을 상대로 乙이 丙으로부터 받은 X토지의 매매대금에 대해 대상청구권을 행사할 수 있다.
>
> ㄷ. 취득시효가 완성된 토지가 수용됨으로써 토지소유자의 소유권이전등기 의무가 이행 불능이 된 경우, 토지의 시효취득자는 대상청구권의 행사로서 토지소유자에 대하여 그가 취득한 토지수용 보상금의 양도를 청구할 수 있으며, 이를 위해서는 토지소유 자를 상대로 토지수용 보상금의 수령권자가 자신이라는 확인을 구해야 한다.
>
> ㄹ. 대상청구권은 특별한 사정이 없는 한 매매 목적물의 수용 또는 국유화로 인하여 매 도인의 소유권이전등기의무가 이행불능 되었을 때 매수인이 그 권리를 행사할 수 있 으므로 그 때부터 그 소멸시효가 진행하는 것이 원칙이나, 법규의 미비 등으로 그 보상금의 지급을 구할 수 있는 방법이나 절차가 없다가 상당한 기간이 지난 뒤에야 보상금청구의 방법과 절차가 마련된 경우라면, 보상금을 청구할 수 있는 방법이 마 련된 시점부터 대상청구권에 대한 소멸시효가 진행한다.
>
> ㅁ. 채무자가 수령하게 되는 보상금이나 그 청구권에 대하여 채권자가 대상청구권을 가지 는 경우, 채권자는 채무자에 대하여 그가 지급받은 보상금의 반환을 청구하거나 채무 자로부터 보상청구권을 양도받아 보상금을 지급받아야 하며, 보상청구권 자체가 채 권자에게 귀속되는 것은 아니므로 채권자가 직접 자신의 명의로 대상청구의 대상이 되는 보상금을 지급받았다면 이는 채무자에 대한 관계에서 부당이득이 성립한다.
>
> ㅂ. 매매의 목적물이 화재로 소실됨으로써 채무자인 매도인의 매매목적물에 대한 인도의 무가 이행불능이 되고, 이로 인해 매도인이 화재보험금을 지급받게 된 경우, 채권자 인 매수인은 매도인이 지급받게 되는 화재보험금 전부에 대하여 대상청구권을 행사 할 수 있으며, 다만 인도의무의 이행불능 당시 매수인이 지급하기로 약정한 매매대 금 상당액의 한도 내로 그 범위가 제한될 뿐이다.

① 1개 ② 2개 ③ 3개
④ 4개 ⑤ 5개

정답 ▶ 17 ④

해설 ㄱ. 매매의 목적물인 부동산이 수용 등으로 인하여 그 소유권이전등기의무가 이행불능이 된 경우 등기청구권자는 등기의무자에 대하여 대상청구권의 행사로서 등기의무자가 취득한 수용보상금 청구권의 양도를 구하거나 등기의무자가 지급받은 수용보상금의 반환을 구할 수 있지만, 이러한 대상청구권은 그 전제가 되는 매매계약이 유효하게 성립·존속하던 중에 매매계약상 등기의무자의 주된 의무인 소유권이전등기의무의 이행불능에 따라 등기권리자에게 주어지는 권리라 할 것이므로, 토지거래허가구역 내의 토지에 관한 매매계약으로서 아직 관할관청의 허가를 받지 못한 관계로 미완성의 법률행위에 불과하여 소유권이전에 관한 물권적 효력은 물론 채권적 효력도 발생하지 아니하는 유동적 무효상태의 매매계약이 매매의 목적물인 부동산의 수용으로 인하여 객관적으로 허가가 날 수 없음이 분명해져 확정적으로 무효가 된 경우에는 특별한 사정이 없는 한 발생하지 아니한다(대판 2008.10.23, 2008다54877).

ㄴ. 판례는 소유자가 그 후에 소유권을 상실함으로써 이제 등기말소 등을 청구할 수 없게 되었다면, 이를 위와 같은 청구권의 실현이 객관적으로 불능이 되었다고 파악하여 등기말소 등 의무자에 대하여 그 권리의 이행불능을 이유로 민법 제390조상의 손해배상청구권을 가진다고 말할 수 없고, 등기말소청구권 등의 물권적 청구권은 그 권리자인 소유자가 소유권을 상실하면 이제 그 발생의 기반이 아예 없게 되어 더 이상 그 존재 자체가 인정되지 아니하는 것이다. 따라서 애초 피고의 등기말소의무의 이행불능으로 인한 채무불이행책임을 논할 여지는 없다고 하였다(대판(전) 2012.5.17, 2010다28604). 이러한 판례의 태도에 비추어 보면 이행불능으로 인한 채무불이행책임으로 해석상 인정되는 대상청구권도 논할 여지는 없다고 할 것이다.

ㄷ. 취득시효가 완성된 토지가 수용됨으로써 취득시효 완성을 원인으로 하는 소유권이전등기 의무가 이행불능이 된 경우에는 그 소유권이전등기 청구권자가 대상청구권의 행사로서 그 토지의 소유자가 토지의 대가로서 지급받은 수용보상금의 반환을 청구할 수 있다고 하더라도, 시효취득자가 직접 토지의 소유자를 상대로 공탁된 토지수용보상금의 수령권자가 자신이라는 확인을 구할 수는 없다(대판 1995.7.28, 95다2074).

ㄹ. 대상청구권은 특별한 사정이 없는 한 매매 목적물의 수용 또는 국유화로 인하여 매도인의 소유권이전등기의무가 이행불능 되었을 때 매수인이 그 권리를 행사할 수 있다고 보아야 할 것이고 따라서 그 때부터 소멸시효가 진행하는 것이 원칙이라 할 것이나, 국유화가 된 사유의 특수성과 법규의 미비 등으로 그 보상금의 지급을 구할 수 있는 방법이나 절차가 없다가 상당한 기간이 지난 뒤에야 보상금청구의 방법과 절차가 마련된 경우라면, 대상청구권자로서는 그 보상금청구의 방법이 마련되기 전에는 대상청구권을 행사하는 것이 불가능하였던 것이고, 따라서 이러한 경우에는 보상금을 청구할 수 있는 방법이 마련된 시점부터 대상청구권에 대한 소멸시효가 진행하는 것으로 봄이 상당하다(대판 2002.2.8, 99다23901).

ㅁ. 채무자가 수령하게 되는 보상금이나 그 청구권에 대하여 채권자가 대상청구권을 가지는 경우에도 채권자는 채무자에 대하여 그가 지급받은 보상금의 반환을 청구하거나 채무자로부터 보상청구권을 양도받아 보상금을 지급받아야 할 것이나, 어떤 사유로 채권자가 직접 자신의 명의로 대상청구의 대상이 되는 보상금을 지급받았다고 하더라도 이로써 채무자에 대한 관계에서 바로 부당이득이 되는 것은 아니라고 보아야 할 것이다(대판 2002.2.8, 99다23901).

ㅂ. 매매의 목적물이 화재로 인하여 소실됨으로써 매도인이 지급받게 되는 화재보험금, 화재공제금에 대하여 매수인의 대상청구권이 인정되는 이상, 매수인은 특별한 사정이 없는 한 그 목적물에 대하여 지급되는 화재보험금, 화재공제금 전부에 대하여 대상청구권을 행사할 수 있는 것이고, 인도의무의 이행불능 당시 매수인이 지급하였거나 지급하기로 약정한 매매대금 상당액의 한도 내로 그 범위가 제한된다고 할 수 없다(대판 2016.10.27, 2013다7769).

18 다음 설명 중 가장 옳지 않은 것은? ▶ 2021년 법무사

① 乙이 甲을 강박하여 그에 따른 하자 있는 의사표시에 의하여 부동산에 관한 소유권이 전등기를 마친 다음 타인에게 매도하여 소유권이전등기까지 마친 경우, 그 소유권이전 등기는 소송 기타 방법에 따라 말소 환원 여부가 결정될 특별한 사정이 있으므로 乙의 甲에 대한 소유권이전등기의 말소등기의무는 아직 이행불능이 되었다고 할 수 없으나, 甲이 그 부동산의 전득자들을 상대로 제기한 소유권이전등기 말소등기청구소송에서 패 소로 확정되면 그 때에 乙의 소유권이전등기 말소등기의무가 이행불능상태에 이른다고 할 것이다.

② 계약당사자 일방이 자신이 부담하는 계약상 채무를 이행하는 데 장애가 될 수 있는 사유 를 계약을 체결할 당시에 알았거나 예견할 수 있었음에도 이를 상대방에게 고지하지 아 니한 경우에는, 비록 그 사유로 말미암아 후에 채무불이행이 되는 것 자체에 대하여는 그에게 어떠한 잘못이 없다고 하더라도, 상대방이 그 장애사유를 인식하고 이에 관한 위험을 인수하여 계약을 체결하였다거나 채무불이행이 상대방의 책임 있는 사유로 인한 것으로 평가되어야 하는 등의 특별한 사정이 없는 한, 그 채무가 불이행된 것에 대하여 귀책사유가 없다고 할 수 없다. 그것이 계약의 원만한 실현과 관련하여 각각의 당사자가 부담하여야 할 위험을 적절하게 분배한다는 계약법의 기본적 요구에 부합한다.

③ 채무의 이행이 불능이라는 것은 단순히 절대적·물리적으로 불능인 경우가 아니라 사 회생활에 있어서의 경험법칙 또는 거래상의 관념에 비추어 볼 때 채권자가 채무자의 이행의 실현을 기대할 수 없는 경우를 말하는 것인 바, 매매목적물에 대하여 가압류 또는 처분금지가처분 집행이 되어 있다고 하여 매매에 따른 소유권이전등기가 불가능 한 것은 아니며, 이러한 법리는 가압류 또는 가처분집행의 대상이 매매목적물 자체가 아니라 매도인이 매매목적물의 원소유자에 대하여 가지는 소유권이전등기청구권 또는 분양권인 경우에도 마찬가지이다.

④ 계약의 이행불능 여부는 사회통념에 의하여 이를 판정하여야 할 것인 바, 임대차계약 상의 임대인의 의무는 목적물을 사용수익케 할 의무로서, 목적물에 대한 소유권 있음 을 성립요건으로 하고 있지 아니하여 임대인이 소유권을 상실하였다는 이유만으로 그 의무가 불능하게 된 것이라고 단정할 수 없다.

⑤ 부동산소유권이전등기 의무자가 그 부동산에 관하여 채무담보를 위하여 제3자 앞으로 소유권이전등기를 마친 것이라면, 그 의무자가 채무를 변제할 자력이 없다는 사정이 있다고 하더라도 그 소유권이전등기의무가 이행불능이 되었다고 볼 수 없다.

정답 ▶ 18 ⑤

해설 ① 부동산소유권이전등기 말소등기의무가 이행불능이 됨으로 말미암아 그 권리자가 입는 손해액은 원칙적으로 그 이행불능이 될 당시의 목적물의 시가 상당액이고, 피고(乙)가 원고(甲)를 강박하여 그에 따른 하자 있는 의사표시에 의하여 부동산에 관한 소유권이전등기를 마친 다음 타인(丙)에게 매도하여 소유권이전등기까지 마친 경우, 그 소유권이전등기는 소송 기타 방법에 따라 말소 환원 여부가 결정될 특별한 사정이 있으므로 ⅰ) 피고(乙)의 원고(甲)에 대한 소유권이전등기의 말소등기의무는 아직 이행불능이 되었다고 할 수 없으나, ⅱ) 원고(甲)가 그 부동산의 전득자(丙)들을 상대로 제기한 소유권이전등기 말소등기청구소송에서 패소로 확정되면 그때에 피고(乙)의 소유권이전등기 말소등기의무가 이행불능상태에 이른다고 할 것이다(대판 2009.1.15, 2007다51703).

② 계약당사자 일방이 자신이 부담하는 계약상 채무를 이행하는 데 장애가 될 수 있는 사유를 계약을 체결할 당시에 알았거나 예견할 수 있었음에도 이를 상대방에게 고지하지 아니한 경우에는, 비록 그 사유로 말미암아 후에 채무불이행이 되는 것 자체에 대하여는 그에게 어떠한 잘못이 없다고 하더라도, 상대방이 그 장애사유를 인식하고 이에 관한 위험을 인수하여 계약을 체결하였다거나 채무불이행이 상대방의 책임 있는 사유로 인한 것으로 평가되어야 하는 등의 특별한 사정이 없는 한, 그 채무가 불이행된 것에 대하여 귀책사유가 없다고 할 수 없다. 그것이 계약의 원만한 실현과 관련하여 각각의 당사자가 부담하여야 할 위험을 적절하게 분배한다는 계약법의 기본적 요구에 부합한다(대판 2011.8.25, 2011다43778).

③ 채무의 이행이 불능이라는 것은 단순히 절대적·물리적으로 불능인 경우가 아니라 사회생활에 있어서의 경험법칙 또는 거래상의 관념에 비추어 볼 때 채권자가 채무자의 이행의 실현을 기대할 수 없는 경우를 말하는 것인바, 매매목적물에 대하여 가압류 또는 처분금지가처분 집행이 되어 있다고 하여 매매에 따른 소유권이전등기가 불가능한 것은 아니며, 이러한 법리는 가압류 또는 가처분집행의 대상이 매매목적물 자체가 아니라 매도인이 매매목적물의 원소유자에 대하여 가지는 소유권이전등기청구권 또는 분양권인 경우에도 마찬가지이다(대판 2006.6.16, 2005다39211).

→ 매도인의 원소유자에 대하여 가지는 소유권이전등기청구권이 가압류되어 있거나 처분금지가처분이 있는 경우에는 그 가압류 또는 가처분의 해제를 조건으로 하여서만 소유권이전등기절차의 이행을 명받을 수 있는 것이어서, 매도인은 그 가압류 또는 가처분을 해제하지 아니하고서는 매도인 명의의 소유권이전등기를 마칠 수 없고, 따라서 매수인 명의의 소유권이전등기도 경료하여 줄 수 없다고 할 것이므로, 매도인이 그 가압류 또는 가처분 집행을 모두 해제할 수 없는 무자력의 상태에 있다고 인정되는 경우에는 매수인이 매도인이 소유권이전등기의무가 이행불능임을 이유로 매매계약을 해제할 수 있다고 본 사례이다.

④ 계약의 이행불능 여부는 사회통념에 의하여 이를 판정하여야 할 것인바, 임대차계약상의 임대인의 의무는 목적물을 사용수익케 할 의무로서, 목적물에 대한 소유권 있음을 성립요건으로 하고 있지 아니하여 임대인이 소유권을 상실하였다는 이유만으로 그 의무가 불능하게 된 것이라고 단정할 수 없다(대판 1994.5.10, 93다37977).

⑤ 부동산소유권이전등기 의무자가 그 부동산에 관하여 제3자 앞으로 비록 채무담보를 위하여 소유권이전등기를 경료하였다고 할지라도 그 의무자가 채무를 변제할 자력이 없는 경우에는 특단의 사정이 없는 한 그 소유권이전등기의무는 이행불능이 된다(대판 1991.7.26, 91다8104).

19 이행불능에 관한 다음 설명 중 가장 옳지 않은 것은? ▸ 2022년 법원사무관 승진

① 법령에 따라 토지분할에 행정관청의 분할허가를 받아야 하는 토지 중 일부를 특정하여 매매계약이 체결되었으나, 그 부분의 면적이 법령상 분할허가가 제한되는 토지분할 제한면적에 해당하여 분할이 불가능하다면, 매도인이 그 부분을 분할하여 소유권이전등기절차를 이행할 수 없으므로, 특별한 사정이 없는 한 매도인의 소유권이전등기의무는 이행이 불가능하다고 보아야 한다.

② 소유권이전등기의무자가 그 부동산상에 제3자 명의로 가등기를 마쳐 주었다 하여도 그 가등기만으로는 소유권이전등기의무가 이행불능이 된다고 할 수 없다.

③ 甲과 乙 사이의 토지교환계약 후 甲 소유의 교환목적토지에 관하여 丙 명의로 소유권이전등기가 경료되었다고 하더라도 甲과 丙 사이에 명의신탁관계가 성립된 것으로서 甲이 丙으로부터 그 소유권을 회복하여 乙에게 소유권이전등기절차를 이행할 수 있는 특별한 사정이 있다면 그 교환목적 토지의 소유권이전등기절차이행은 아직 이행불능이 확정되었다고 볼 수 없다.

④ 매매의 목적이 된 부동산에 관하여 제3자의 처분금지가처분의 등기가 기입되었다면 바로 계약이 이행불능으로 되었다고 볼 것이다.

해설 ① 법령에 따라 토지분할에 행정관청의 분할허가를 받아야 하는 토지 중 일부를 특정하여 매매계약이 체결되었으나, 그 부분의 면적이 법령상 분할허가가 제한되는 토지분할 제한면적에 해당하여 분할이 불가능하다면, 매도인이 그 부분을 분할하여 소유권이전등기절차를 이행할 수 없으므로, 특별한 사정이 없는 한 매도인의 소유권이전등기의무는 이행이 불가능하다고 보아야 한다(대판 2017.10.12, 2016다9643).

② 부동산소유권이전등기 의무자가 그 부동산상에 제3자에게 가등기를 경료한 경우 가등기는 본등기의 순위보전의 효력을 가지는 것에 불과하고 또한 그 소유권이전등기 의무자의 처분권한이 상실되지도 아니하므로 그 가등기만으로는 소유권이전등기의무가 이행불능이 된다고 할 수 없다(대판 1991.7.26, 91다8104).

③ 토지의 일부를 매매하였는데 그 전부에 관하여 매수인 앞으로 이전등기가 경료되었다면 특별한 사정이 없는 한 매매하지 아니한 부분에 대하여는 당사자간에 명의신탁관계가 성립된 것으로 보아야 한다. 甲과 乙 사이의 토지교환계약 후 甲 소유의 교환목적토지에 관하여 丙 명의로 소유권이전등기가 경료되었다고 하더라도 甲과 丙 사이에 명의신탁관계가 성립된 것으로서 甲이 丙으로부터 그 소유권을 회복하여 乙에게 소유권이전등기절차를 이행할 수 있는 특별한 사정이 있다면 그 교환목적토지의 소유권이전등기절차이행은 아직 이행불능이 확정되었다고 볼 수 없다(대판 1989.9.12, 88다카33176).

④ 매매의 목적이 된 부동산에 관하여 제3자의 처분금지가처분의 등기가 기입되었다 할지라도, 이는 단지 그에 저촉되는 범위 내에서 가처분채권자에게 대항할 수 없는 효과가 있다는 것일 뿐 그것에 의하여 곧바로 부동산 위에 어떤 지배관계가 생겨서 채무자가 그 부동산을 임의로 타에 처분하는 행위 자체를 금지하는 것은 아니라 하겠으므로, 그 가처분등기로 인하여 바로 계약이 이행불능으로 되는 것은 아니고, 제3자 앞으로 소유권이전등기가 경료되는 등 사회거

정답 ▸ **19** ④

래의 통념에 비추어 계약의 이행이 극히 곤란한 사정이 발생하는 때에 비로소 이행불능으로 된다(대판 2002.12.27, 2000다47361).

20 다음 설명 중 가장 옳지 않은 것은? ▶ 2021년 법원행시

① 동산의 매매에서 그 대금을 모두 지급할 때까지는 목적물의 소유권을 매도인이 그대로 보유하기로 하면서 목적물을 미리 매수인에게 인도하는 이른바 소유권유보약정이 있는 경우 그 대금이 모두 지급되지 아니하고 있는 동안에는 매수인이 목적물을 인도받았어도 목적물의 소유권은 위 약정대로 여전히 매도인이 이를 가지고, 대금이 모두 지급됨으로써 그 정지조건이 완성되어 별도의 의사표시 없이 바로 목적물의 소유권이 매수인에게 이전된다. 그리고 이는 매수인이 매매대금의 상당 부분을 지급하였다고 하여도 다를 바 없다.

② 계약의 이행불능 여부는 사회통념에 의하여 이를 판정하여야 할 것인바, 임대차계약상의 임대인의 의무는 목적물을 사용수익케 할 의무로서, 목적물에 대한 소유권 있음을 성립요건으로 하고 있지 아니하여 임대인이 소유권을 상실하였다는 이유만으로 그 의무가 불능하게 된 것이라고 단정할 수 없다.

③ 이혼으로 인한 재산분할청구권은 이혼이 성립한 때에 법적 효과로서 발생하는 것이지만 협의 또는 심판에 의하여 구체적 내용이 형성되기까지는 범위 및 내용이 불명확하기 때문에 구체적으로 권리가 발생하였다고 할 수 없다. 따라서 당사자가 이혼 성립 후에 재산분할 등을 청구하고 법원이 재산분할로서 금전의 지급을 명하는 판결이나 심판을 하는 경우에도, 이는 장래의 이행을 청구하는 것으로서 분할의무자는 금전지급의무에 관하여 판결이나 심판이 확정된 다음 날부터 이행지체책임을 진다.

④ 쌍무계약의 당사자 일방이 상대방의 급부가 이행불능이 된 사정의 결과로 상대방이 취득한 대상에 대하여 급부청구권을 행사할 수 있다고 하더라도, 그 당사자 일방이 대상청구권을 행사하려면 상대방에 대하여 반대급부를 이행할 의무가 있는바, 이 경우 당사자 일방의 반대급부도 그 전부가 이행불능이 되거나 그 일부가 이행불능이 되고 나머지 잔부의 이행만으로는 상대방의 계약목적을 달성할 수 없는 등 상대방에게 아무런 이익이 되지 않는다고 인정되는 때에는, 상대방이 당사자 일방의 대상청구를 거부하는 것이 신의칙에 반한다고 볼 만한 특별한 사정이 없는 한, 당사자 일방은 상대방에 대하여 대상청구권을 행사할 수 없다.

⑤ 민법 제249조의 동산 선의취득제도는 동산을 점유하는 자의 권리외관을 중시하여 이를 신뢰한 자의 소유권 취득을 인정하고 진정한 소유자의 추급을 방지함으로써 거래의 안전을 확보하기 위하여 법이 마련한 제도이므로, 선의취득자로서는 이와 같은 선의취득 효과를 거부하고 종전 소유자에게 동산을 반환받아 갈 것을 요구할 수 있다.

해설 ① 동산의 매매에서 그 대금을 모두 지급할 때까지는 목적물의 소유권을 매도인이 그대로 보유하기로 하면서 목적물을 미리 매수인에게 인도하는 이른바 소유권유보약정이 있는 경우에, 다른 특별한 사정이 없는 한 매수인 앞으로의 소유권 이전에 관한 당사자 사이의 물권적 합의는 대금이 모두 지급되는 것을 정지조건으로 하여 행하여진다고 해석된다. 따라서 그 대금이 모두 지급되지 아니하고 있는 동안에는 비록 매수인이 목적물을 인도받았어도 목적물의 소유권은 위 약정대로 여전히 매도인이 이를 가지고, 대금이 모두 지급됨으로써 그 정지조건이 완성되어 별도의 의사표시 없이 바로 목적물의 소유권이 매수인에게 이전된다. 그리고 이는 매수인이 매매대금의 상당 부분을 지급하였다고 하여도 다를 바 없다. 그러므로 대금이 모두 지급되지 아니한 상태에서 매수인이 목적물을 다른 사람에게 양도하더라도, 양수인이 선의취득의 요건을 갖추거나 소유자인 소유권유보매도인이 후에 처분을 추인하는 등의 특별한 사정이 없는 한 그 양도는 목적물의 소유자가 아닌 사람이 행한 것으로서 효력이 없어서, 그 양도로써 목적물의 소유권이 매수인에게 이전되지 아니한다(대판 2010.2.11, 2009다93671).

② 계약의 이행불능 여부는 사회통념에 의하여 이를 판정하여야 할 것인바, 임대차계약상의 임대인의 의무는 목적물을 사용수익케 할 의무로서, 목적물에 대한 소유권 있음을 성립요건으로 하고 있지 아니하여 임대인이 소유권을 상실하였다는 이유만으로 그 의무가 불능하게 된 것이라고 단정할 수 없다(대판 1994.5.10, 93다37977).

③ 이혼으로 인한 재산분할청구권은 이혼이 성립한 때에 법적 효과로서 발생하는 것이지만 협의 또는 심판에 의하여 구체적 내용이 형성되기까지는 범위 및 내용이 불명확하기 때문에 구체적으로 권리가 발생하였다고 할 수 없다. 따라서 당사자가 이혼 성립 후에 재산분할 등을 청구하고 법원이 재산분할로서 금전의 지급을 명하는 판결이나 심판을 하는 경우에도, 이는 장래의 이행을 청구하는 것으로서 분할의무자는 금전지급의무에 관하여 판결이나 심판이 확정된 다음 날부터 이행지체책임을 진다(대판 2014.9.4, 2012므1656).

④ 쌍무계약의 당사자 일방이 상대방의 급부가 이행불능이 된 사정의 결과로 상대방이 취득한 대상에 대하여 급부청구권을 행사할 수 있다고 하더라도, 그 당사자 일방이 대상청구권을 행사하려면 상대방에 대하여 반대급부를 이행할 의무가 있는바, 이 경우 당사자 일방의 반대급부도 그 전부가 이행불능이 되거나 그 일부가 이행불능이 되고 나머지 잔부의 이행만으로는 상대방의 계약목적을 달성할 수 없는 등 상대방에게 아무런 이익이 되지 않는다고 인정되는 때에는, 상대방이 당사자 일방의 대상청구를 거부하는 것이 신의칙에 반한다고 볼 만한 특별한 사정이 없는 한, 당사자 일방은 상대방에 대하여 대상청구권을 행사할 수 없다(대판 1996.6.25, 95다6601).

⑤ 민법 제249조의 동산 선의취득제도는 동산을 점유하는 자의 권리외관을 중시하여 이를 신뢰한 자의 소유권 취득을 인정하고 진정한 소유자의 추급을 방지함으로써 거래의 안전을 확보하기 위하여 법이 마련한 제도이므로, 위 법조 소정의 요건이 구비되어 동산을 선의취득한 자는 권리를 취득하는 반면 종전 소유자는 소유권을 상실하게 되는 법률효과가 법률의 규정에 의하여 발생되므로, 선의취득자가 임의로 이와 같은 선의취득 효과를 거부하고 종전 소유자에게 동산을 반환받아 갈 것을 요구할 수 없다(대판 1998.6.12, 98다6800).

정답 　20 ⑤

21 채무불이행에 관한 다음 설명 중 가장 옳지 않은 것은? ▸ 2022년 법무사

① 이행보조자의 행위가 채무자에 의하여 그에게 맡겨진 이행업무와 객관적, 외형적으로 관련을 가지는 경우에는 채무자는 그 행위에 대하여 책임을 져야 하고, 채무의 이행에 관련된 행위이면 가사 이행보조자의 행위가 채권자에 대한 불법행위가 된다고 하더라도 채무자가 면책될 수는 없다.

② 매매나 증여의 대상인 권리가 타인에게 귀속되어 있다는 이유만으로는 채무자의 계약에 따른 이행이 불능이라고 할 수 없고, 매매목적물에 관하여 이중으로 제3자와 매매계약을 체결하였다는 사실만으로 매매계약이 이행불능으로 되었다고 할 수 없다.

③ 소유권이전등기의무의 목적 부동산이 수용되어 그 소유권이전등기의무가 이행불능이 된 경우, 등기청구권자는 대상청구권의 행사로써 등기의무자가 지급받은 수용보상금의 반환을 구하거나 또는 등기의무자가 취득한 수용보상금청구권의 양도를 구할 수 있을 뿐 그 수용보상금청구권 자체가 등기청구권자에게 귀속되는 것은 아니다.

④ 채무불이행에 따른 손해배상청구권의 소멸시효의 기산점은 채무불이행이 생긴 때로부터 진행하고, 소멸시효 기간은 불법행위에 관한 민법 제766조가 준용된다.

⑤ 일반적으로 계약상 채무불이행으로 인하여 재산적 손해가 발생한 경우, 그로 인하여 계약 당사자가 받은 정신적인 고통은 재산적 손해에 대한 배상이 이루어짐으로써 회복된다고 보아야 할 것이므로, 재산적 손해의 배상만으로는 회복될 수 없는 정신적 고통을 입었다는 특별한 사정이 있고, 상대방이 이와 같은 사정을 알았거나 알 수 있었을 경우에 한하여 정신적 고통에 대한 위자료를 인정할 수 있다.

> **해설** ① 민법 제391조의 이행보조자로서의 피용자라 함은 일반적으로 채무자의 의사관여 아래 그 채무의 이행행위에 속하는 활동을 하는 사람이면 족하고, 반드시 채무자의 지시 또는 감독을 받는 관계에 있어야 하는 것은 아니므로 채무자에 대하여 종속적인가 또는 독립적인 지위에 있는가는 문제되지 않는다. 다만, 이행보조자의 행위가 채무자에 의하여 그에게 맡겨진 이행업무와 객관적, 외형적으로 관련을 가지는 경우에는 채무자는 그 행위에 대하여 책임을 져야 하고, 채무의 이행에 관련된 행위이면 가사 이행보조자의 행위가 채권자에 대한 불법행위가 된다고 하더라도 채무자가 면책될 수는 없다(대판 2008.2.15, 2005다69458).
>
> ② 민법이 타인의 권리의 매매를 인정하고 있는 것처럼 타인의 권리의 증여도 가능하며, 이 경우 채무자는 그 권리를 취득하여 채권자에게 이전하여야 하고, 이 같은 사정은 계약 당시부터 예정되어 있는 것이므로, 매매나 증여의 대상인 권리가 타인에게 귀속되어 있다는 이유만으로 채무자의 계약에 따른 이행이 불능이라고 할 수는 없다(대판 2016.5.12, 2016다200729). 또한 이중매매(또는 이중양도)의 경우 매도인이 제2매수인과 매매계약을 체결하였다는 사실만으로 또는 제2매수인으로부터 중도금을 지급받은 것만으로 이행불능이라고 할 수는 없고, 제2매수인 앞으로 소유권이전등기를 해 준 시점에 비로소 다른 매수인에 대해 이행불능이 발생한다(대판 1973.12.26, 73다1516 ; 대판 1996.7.26, 96다14161 등).
>
> ③ 소유권이전등기의무의 목적 부동산이 수용되어 그 소유권이전등기의무가 이행불능이 된 경우, 등기청구권자는 등기의무자에게 대상청구권의 행사로써 등기의무자가 지급받은 수용보상금의 반환을 구하거나 또는 등기의무자가 취득한 수용보상금청구권의 양도를 구할 수 있을 뿐 그 수용보상금청구권 자체가 등기청구권자에게 귀속되는 것은 아니다(대판 1996.10.29, 95다56910).

④ 채무불이행으로 인한 손해배상청구권의 소멸시효는 채무불이행 시로부터 진행하고, 손해배상채권은 본래채권과 동일성이 유지되므로 소멸시효기간도 본래채권과 동일하다(대판 1998.11.10, 98다42141; 대판 2005.1.14, 2002다57119 등). 즉 불법행위에 관한 민법 제766조가 준용되지 않는다.
⑤ 대판 2004.11.12, 2002다53865

22 채무불이행에 관한 다음 설명 중 가장 옳지 않은 것은? (다툼이 있는 경우 판례에 의함)
▶ 2017년 법원사무관 승진

① 계약의 해제에 따른 손해배상을 청구하는 경우에 채권자는 계약이 이행되리라고 믿고 지출한 비용 중 계약의 체결과 이행을 위하여 통상적으로 지출되는 비용은 통상의 손해로서 배상을 청구할 수 있지만 지출비용 상당의 배상은 이행이익의 범위를 초과할 수 없다.
② 이행기의 정함이 없는 채권을 양수한 채권양수인이 채무자를 상대로 그 이행을 구하는 소를 제기한 경우에는 소송 계속 중 채무자에 대한 채권양도통지가 이루어졌다고 하더라도, 특별한 사정이 없는 한 채무자는 소장부본 송달 다음날부터 이행지체의 책임을 진다.
③ 채무자가 채무의 발생원인 내지 존재에 관한 법률적인 판단을 통하여 자신의 채무가 없다고 믿고 채무의 이행을 거부한 채 소송을 통하여 이를 다투었다고 하더라도, 채무자의 그러한 법률적 판단이 잘못된 것이라면 특별한 사정이 없는 한 채무불이행에 관하여 채무자에게 고의나 과실이 없다고는 할 수 없다.
④ 채무의 이행불능이란 사회생활의 경험법칙 또는 거래상의 관념에 비추어 채권자가 채무자의 이행 실현을 기대할 수 없는 경우를 말하므로, 매매나 증여의 대상인 권리가 타인에게 귀속되어 있다는 이유만으로 채무자의 계약에 따른 이행이 불능이라고 할 수는 없다.

해설 ① 계약의 해지 또는 해제에 따른 손해배상을 청구하는 경우에 채권자는 계약이 이행되리라고 믿고 지출한 비용의 배상을 청구할 수 있다. 이때 지출비용 중 계약의 체결과 이행을 위하여 통상적으로 지출되는 비용은 통상의 손해로서 상대방이 알았거나 알 수 있었는지와 상관없이 배상을 청구할 수 있으며, 이를 초과하여 지출한 비용은 특별한 사정으로 인한 손해로서 상대방이 이를 알았거나 알 수 있었던 경우에 한하여 배상을 청구할 수 있다(민법 제393조). 다만 지출비용 상당의 배상은 과잉배상금지의 원칙에 비추어 이행이익의 범위를 초과할 수 없다(대판 2016.4.15, 2015다59115).
② 채무에 이행기의 정함이 없는 경우에는 채무자가 이행의 청구를 받은 다음 날부터 이행지체의 책임을 지는 것이나, 한편 지명채권이 양도된 경우 채무자에 대한 대항요건이 갖추어질 때까지 채권양수인은 채무자에게 대항할 수 없으므로, 이행기의 정함이 없는 채권을 양수한 채권양수인이 채무자를 상대로 그 이행을 구하는 소를 제기하고 소송 계속 중 채무자에 대한 채권양도통지가 이루어진 경우에는 특별한 사정이 없는 한 채무자는 채권양도통지가 도달된 다음 날부터 이행지체의 책임을 진다(대판 2014.4.10, 2012다29557).

정답 21 ④ 22 ②

③ 채무불이행으로 인한 손해배상청구에 있어서 확정된 채무의 내용에 좇은 이행을 하지 아니하였다면 그 자체가 바로 위법한 것으로 평가되는 것이고, 다만 채무불이행에 채무자의 고의나 과실이 없는 때에는 채무자는 손해배상책임을 부담하지 않는다(민법 제390조 참조). 한편 채무자가 자신에게 채무가 없다고 믿었고 그렇게 믿은 데 정당한 사유가 있는 경우에는 채무불이행에 고의나 과실이 없는 때에 해당한다고 할 수 있다. 그러나 채무자가 채무의 발생원인 내지 존재에 관한 법률적인 판단을 통하여 자신의 채무가 없다고 믿고 채무의 이행을 거부한 채 소송을 통하여 이를 다투었다고 하더라도, 채무자의 그러한 법률적 판단이 잘못된 것이라면 특별한 사정이 없는 한 채무불이행에 관하여 채무자에게 고의나 과실이 없다고는 할 수 없다(대판 2013.12.26, 2011다85352).

④ 채무의 이행불능이란 단순히 절대적·물리적으로 불능인 경우가 아니라, 사회생활의 경험법칙 또는 거래상의 관념에 비추어 채권자가 채무자의 이행 실현을 기대할 수 없는 경우를 말한다. 이와 같이 사회통념상 이행불능이라고 보기 위해서는 이행의 실현을 기대할 수 없는 객관적 사정이 충분히 인정되어야 하고, 특히 계약은 어디까지나 내용대로 지켜져야 하는 것이 원칙이므로, 채권자가 굳이 채무의 본래 내용대로의 이행을 구하고 있는 경우에는 쉽사리 채무의 이행이 불능으로 되었다고 보아서는 아니 된다. 민법이 타인의 권리의 매매를 인정하고 있는 것처럼 타인의 권리의 증여도 가능하며, 이 경우 채무자는 권리를 취득하여 채권자에게 이전하여야 하고, 이 같은 사정은 계약 당시부터 예정되어 있으므로, 매매나 증여의 대상인 권리가 타인에게 귀속되어 있다는 이유만으로 채무자의 계약에 따른 이행이 불능이라고 할 수는 없다. 이러한 경우 채무 이행이 확정적으로 불능으로 되었는지는 계약의 체결에 이르게 된 경위와 경과, 채무자와 권리를 보유하고 있는 제3자와의 관계, 채무자가 권리를 취득하는 것이 불가능하다고 단정할 수 있는지 여부, 채무의 이행을 가로막는 법령상 제한의 유무, 채권자가 채무의 이행이 불투명한 상황에서 계약에서 벗어나고자 하는지 아니면 채무의 본래 내용대로의 이행을 구하고 있는지 여부 등의 여러 사정을 종합적으로 고려하여 신중히 판단하여야 한다(대판 2016.5.12, 2016다200729).

23 채무불이행에 관하여 다음 중 가장 옳은 것은? (다툼이 있는 경우 판례에 의함) ▶ 2013년 법원행시

① 소비대차계약에 기한 금전채무에 있어서도 이행불능은 발생할 수 있음이 원칙이다.

② 임대인의 동의를 얻어 임차물을 전대한 경우라도, 임대인과 전차인 사이에는 직접 권리·의무관계가 생기지 않고, 임대인과 임차인 사이의 임대차관계에 아무런 영향이 없다.

③ 불법행위로 물건이 훼손되어 수리가 불가능한 경우에 피해자가 잔존물을 처분하여 그 가격에 상당하는 금액을 회수하였다면 이는 손익상계의 대상이 되는 이익에 해당한다.

④ 수급인이 도급인에게 잔금을 지급하고 주문품을 인도받으라고 최고하였으나 도급인이 수령을 지체하고 있던 중 쌍방의 귀책사유 없이 주문품이 도난당했다면 수급인이 도급인에게 도급계약에 기한 잔금지급은 청구할 수 있다.

⑤ 부동산매매계약의 매도인이 채무불이행을 한 경우, 매도인이 매매계약 당시 알았거나 알 수 있었던 손해에 한하여 특별손해로서 배상책임을 부담한다.

해설 ① 통화제도가 있는 한 금전채무는 언제나 가능하므로 불능이 문제되지 않는다.

② 전차인은 임대인을 상대로 권리는 행사할 수 없으나, 의무는 부담한다(제630조).

③ 불법행위로 인하여 물건이 훼손된 경우, 배상을 청구할 수 있는 손해액은 특별한 다른 사정이 없는 한, 수리가 가능한 때에는 그 수리비를, 수리가 불가능한 때에는 그 교환가치(시가)의

감소액을 기준으로 산정하여야 할 것인바, 피해자가 훼손된 물건을 처분하여 잔존물의 가격에 상당하는 금액을 회수하였다고 하더라도 그 물건의 불법행위 당시의 시가에 상당하는 금액에서 그 잔존물의 가격에 상당하는 금액을 공제한 금액만큼의 손해를 입게 되었다고 볼 것이지, 그 물건의 불법행위 당시의 시가에 상당하는 금액만큼의 손해를 입게 된 것이고 다만 불법행위로 인하여 잔존물의 가격에 상당하는 금액만큼의 이익을 얻게 되었다고 볼 것은 아니다(대판 1991.8.27, 91다17894).

④ 도급은 쌍무계약이므로 그 위험부담문제가 적용된다(민법 제537조와 제538조). 따라서 도급인에게 귀책사유가 있거나 도급인의 수령지체 중에 불능이 된 때에는 그 위험은 도급인이 부담하는 것이 되어 수급인은 보수청구권을 잃지 않는다(제538조 제1항).

⑤ 토지 매도인의 소유권이전등기의무가 채무불이행 중 이행불능상태에 이른 경우, 매도인이 매수인에게 배상하여야 할 통상의 손해배상액은 그 토지의 채무불이행 당시의 교환가격이다(대판 1992.8.14, 92다2028). 따라서 통상손해는 알든 모르든 청구할 수 있고(제393조 제1항), 특별사정에 의한 손해(그 후 앙등한 가격)는 예견가능한 경우에 청구할 수 있다(제393조 제2항). 이러한 특별사정에 의한 손해는 매매계약 체결당시가 아닌 이행기를 기준으로 한다.

24 채무불이행에 관한 다음 설명 중 가장 옳지 않은 것은? ▸ 2020년 법무사

① 민법이 타인의 권리의 매매를 인정하고 있는 것처럼 타인의 권리의 증여도 가능하며, 이 경우 채무자는 권리를 취득하여 채권자에게 이전하여야 하고, 이 같은 사정은 계약 당시부터 예정되어 있으므로, 매매나 증여의 대상인 권리가 타인에게 귀속되어 있다는 이유만으로 채무자의 계약에 따른 이행이 불능이라고 할 수는 없다.

② 매수인에게 부동산의 소유권이전등기를 해줄 의무를 지는 매도인이 그 부동산에 관하여 다른 사람에게 이전등기를 마쳐 준 때에는 매도인이 그 부동산의 소유권에 관한 등기를 회복하여 매수인에게 이전등기해 줄 수 있는 특별한 사정이 없어야 비로소 매수인에 대한 소유권이전등기의무가 이행불능의 상태에 이르렀다고 할 수 있다.

③ 금전채무의 지연손해금채무는 금전채무의 이행지체로 인한 손해배상채무로서 이행기의 정함이 없는 채무에 해당하므로, 채무자는 확정된 지연손해금채무에 대하여 채권자로부터 이행청구를 받은 때부터 지체책임을 부담하게 된다.

④ 쌍무계약에 있어서 계약당사자의 일방은 상대방이 채무를 이행하지 아니할 의사를 명백히 표시한 경우에는 최고나 자기 채무의 이행제공 없이 그 계약을 적법하게 해제할 수 있고, 이후 그 이행거절의 의사표시가 적법하게 철회되었다고 하더라도, 상대방이 채무불이행을 이유로 계약을 해제하기 위하여 자기 채무의 이행을 제공하고 상당한 기간을 정하여 이행을 최고하여야 한다고 볼 수 없다.

⑤ 소송비용액확정결정에 따른 소송비용액상환의무는 소송비용액확정결정이 확정됨으로써 비로소 이행기가 도래하고, 채무자가 그 이행기가 도래하였음을 안 때로부터 지체책임을 진다.

정답 ▸ 23 ④ 24 ④

해설 ① 민법이 타인의 권리의 매매를 인정하고 있는 것처럼 타인의 권리의 증여도 가능하며, 이 경우 채무자는 권리를 취득하여 채권자에게 이전하여야 하고, 이 같은 사정은 계약 당시부터 예정되어 있으므로, 매매나 증여의 대상인 권리가 타인에게 귀속되어 있다는 이유만으로 채무자의 계약에 따른 이행이 불능이라고 할 수는 없다(대판 2016.5.12, 2016다200729).

② 매수인에게 부동산의 소유권이전등기를 해줄 의무를 지는 매도인이 그 부동산에 관하여 다른 사람에게 이전등기를 마쳐 준 때에는 매도인이 그 부동산의 소유권에 관한 등기를 회복하여 매수인에게 이전등기해 줄 수 있는 특별한 사정이 없어야 비로소 매수인에 대한 소유권이전등기의무가 이행불능의 상태에 이르렀다고 할 수 있다(대판 2010.4.29, 2009다99129).

③ 금전채무의 지연손해금채무는 금전채무의 이행지체로 인한 손해배상채무로서 이행기의 정함이 없는 채무에 해당하므로, 채무자는 확정된 지연손해금채무에 대하여 채권자로부터 이행청구를 받은 때로부터 지체책임을 부담하게 된다(대판 2004.7.9, 2004다11582).

④ 쌍무계약에 있어서 계약당사자의 일방은 상대방이 채무를 이행하지 아니할 의사를 명백히 표시한 경우에는 최고나 자기 채무의 이행제공 없이 그 계약을 적법하게 해제할 수 있으나, 그 이행거절의 의사표시가 적법하게 철회된 경우 상대방으로서는 자기 채무의 이행을 제공하고 상당한 기간을 정하여 이행을 최고한 후가 아니면 채무불이행을 이유로 계약을 해제할 수 없다(대판 2003.2.26, 2000다40995).

⑤ 소송비용액확정결정에 따른 소송비용액상환의무는 소송비용액확정결정이 확정됨으로써 비로소 이행기가 도래하고, 채무자가 그 이행기가 도래하였음을 안 때로부터 지체책임을 진다고 할 것이다(대판 2008.7.10, 2008다10051).

25 채무불이행으로 인한 손해배상청구에 관한 다음 설명 중 가장 옳지 않은 것은?

▶ 2020년 법무사

① 형사보상금지급청구권은 국가에 대한 일반 금전채권과 유사하므로, 민법의 이행지체 규정, 그중에서도 민법 제397조의 금전채무불이행에 대한 특칙이 그대로 적용된다고 보아야 한다. 형사보상금지급청구권은 형사보상법이나 보상 결정에서 이행의 기한을 정하지 않고 있으므로, 국가는 미지급 형사보상금에 대하여 지급 청구일 다음 날부터 민사법정이율로 계산한 지연손해금을 가산하여 지급하여야 한다고 봄이 타당하다.

② 채무자는 이행지체 중에 생긴 손해를 배상하여야 한다. 그러나 채무자가 이행기에 이행하여도 손해를 면할 수 없는 경우 또는 채무자에게 과실이 없는 경우에는 그러하지 아니하다.

③ 보증채무는 주채무와는 별개의 채무이기 때문에 보증채무 자체의 이행지체로 인한 지연손해금은 보증한도액과는 별도인바, 이 경우 보증채무의 연체이율에 관하여 특별한 약정이 있으면 그에 따르고 특별한 약정이 없으면 그 거래행위의 성질에 따라 상법 또는 민법에서 정한 법정이율에 따르는 것이지, 주채무에 관하여 약정된 연체이율이 당연히 여기에 적용되는 것은 아니다.

④ 계약당사자 일방이 자신이 부담하는 계약상 채무를 이행하는 데 장애가 될 수 있는 사유를 계약을 체결할 당시에 알았거나 예견할 수 있었음에도 이를 상대방에게 고지하지 아니한 경우에는, 비록 그 사유로 말미암아 후에 채무불이행이 되는 것 자체에 대하여는 그에게 어떠한 잘못이 없다고 하더라도, 상대방이 그 장애사유를 인식하고 이에 관한 위험을 인수하여 계약을 체결하였다거나 채무불이행이 상대방의 책임 있는 사유로 인한 것으로 평가되어야 하는 등의 특별한 사정이 없는 한, 그 채무가 불이행된 것에 대하여 귀책사유가 없다고 할 수 없다.

⑤ 채권의 가압류가 있다 하여도 그 채권의 이행기가 도래한 때에는 제3채무자는 그 지체책임을 면할 수 없다.

해설 ① 헌법 제28조, 형사보상 및 명예회복에 관한 법률(이하 '형사보상법'이라고 한다) 제2조 제1항, 제7조, 제17조 제1항, 제21조 제1항, 제2항에 비추어 볼 때 형사보상 청구인은 형사보상법에서 정한 절차에 따라 무죄판결을 선고한 법원으로부터 보상결정을 받아 그 법원에 대응하는 검찰청에 보상금 지급청구서를 제출하면서 보상금의 지급을 청구할 수 있다. 이러한 경우 국가가 청구인에 대한 보상금의 지급을 지체한다면, 금전채무를 불이행한 것으로 보아 국가는 청구인에게 미지급 보상금에 대한 지급 청구일 다음 날부터 민법 제397조에 따라 지연손해금을 가산하여 지급하여야 한다. 구체적 이유는 다음과 같다. (중략) 형사보상금지급청구권은 국가에 대한 일반 금전채권과 유사하므로, 민법의 이행지체 규정, 그중에서도 민법 제397조의 금전채무불이행에 대한 특칙이 그대로 적용된다고 보아야 한다. 또한 형사보상금지급청구권은 형사보상법이나 보상결정에서 이행의 기한을 정하지 않고 있으므로, 국가는 미지급 형사보상금에 대하여 지급 청구일 다음 날부터 민사법정이율로 계산한 지연손해금을 가산하여 지급하여야 한다고 봄이 타당하다. 국가가 확정된 보상결정에 따라 청구인에게 형사보상금을 지급할 의무를 지는데도 이를 지체한 경우 국가로서는 형사보상금에 관한 예산이 부족함을 들어 지체를 정당화할 수 없다. 이는 금전채무자가 자력이 부족하다고 하면서 금전채무의 이행지체를 정당화할 수 없는 것과 마찬가지 이치이다(대판 2017.5.30, 2015다223411).

② 채무자는 자기에게 과실이 없는 경우에도 그 이행지체 중에 생긴 손해를 배상하여야 한다. 그러나 채무자가 이행기에 이행하여도 손해를 면할 수 없는 경우에는 그러하지 아니하다(민법 제392조).

③ 보증채무는 주채무와는 별개의 채무이기 때문에 보증채무 자체의 이행지체로 인한 지연손해금은 보증한도액과는 별도로 부담하고, 이 경우 보증채무의 연체이율에 관하여 특별한 약정이 있으면 그에 따르고, 특별한 약정이 없는 경우라면 그 거래행위의 성질에 따라 상법 또는 민법에서 정한 법정이율에 따라야 할 것이고, 주채무에 관하여 약정된 연체이율이 당연히 여기에 적용되는 것은 아니다(대판 2003.6.13, 2001다29803).

④ 계약당사자 일방이 자신이 부담하는 계약상 채무를 이행하는 데 장애가 될 수 있는 사유를 계약을 체결할 당시에 알았거나 예견할 수 있었음에도 이를 상대방에게 고지하지 아니한 경우에는, 비록 그 사유로 말미암아 후에 채무불이행이 되는 것 자체에 대하여는 그에게 어떠한 잘못이 없다고 하더라도, 상대방이 그 장애사유를 인식하고 이에 관한 위험을 인수하여 계약을 체결하였다거나 채무불이행이 상대방의 책임 있는 사유로 인한 것으로 평가되어야 하는 등의 특별한 사정이 없는 한, 그 채무가 불이행된 것에 대하여 귀책사유가 없다고 할 수 없다.

정답 25 ②

그것이 계약의 원만한 실현과 관련하여 각각의 당사자가 부담하여야 할 위험을 적절하게 분배한다는 계약법의 기본적 요구에 부합한다(대판 2011.8.25, 2011다43778).

⑤ 채권의 가압류는 제3채무자에 대하여 채무자에게 지급하는 것을 금지하는 데 그칠 뿐 채무 그 자체를 면하게 하는 것이 아니고, 가압류가 있다 하여도 그 채권의 이행기가 도래한 때에는 제3채무자는 그 지체책임을 면할 수 없다고 보아야 할 것이다(대판 1994.12.13, 93다951).

26 채무불이행에 관한 다음 설명 중 가장 옳지 않은 것은? (다툼이 있는 경우 판례에 의함)

▶ 2020년 법원사무관 승진

① 이행지체를 이유로 하는 계약의 해제에서 그 전제요건인 이행의 최고는 반드시 일정기간을 명시하여 최고하여야 하는 것은 아니고, 최고한 때로부터 상당한 기간이 경과하면 해제권이 발생한다.

② 이행지체에 의한 전보배상에 있어서의 손해액 산정은 본래의 의무이행을 최고하였던 상당한 기간이 경과한 당시의 시가를 표준으로 하고, 이행불능으로 인한 전보배상액은 이행불능 당시의 시가 상당액을 표준으로 해야 한다.

③ 이른바 '이행거절'로 인한 계약해제의 경우, 계약 당시나 계약 후의 여러 사정을 종합하여 묵시적인 이행거절의사를 인정하기 위하여는 그 거절의사가 반드시 정황상 분명하게 인정되어야 하는 것은 아니다.

④ 매수인에게 부동산의 소유권이전등기를 해 줄 의무를 지는 매도인이 그 부동산에 관하여 다른 사람에게 이전등기를 해 준 때에는 매도인이 그 부동산의 소유권에 관한 등기를 회복하여 매수인에게 이전등기해 줄 수 있는 특별한 사정이 없는 한 매수인에 대한 매도인의 소유권이전등기의무가 이행불능으로 되었다고 볼 수 있다. 이때 위 특별한 사정에 대한 입증책임은 매도인이 부담한다.

해설 ① 채무의 이행지체를 이유로 하는 계약해제에 있어서 그 전제요건인 이행최고는 반드시 미리 일정한 기간을 명시하여 최고하여야 하는 것은 아니고, 최고한 때로부터 상당한 기간이 경과하면 해제권이 발생한다고 볼 것이다(대판 1990.3.27, 89다카14110).

② 이행지체의 경우 전보배상에 대하여 ⅰ) 판례의 주류는 '최고 후 상당기간이 경과한 당시의 시가'를 표준으로 한다고 하여 책임원인발생시설을 취하나(대판 1967.6.13, 66다1842), 사실심 변론종결시설을 취한 경우(대판 1969.5.13, 68다1726)도 있다. 반면 ⅱ) 매도인의 매매목적물에 관한 소유권이전등기 의무가 이행불능이 됨으로 말미암아 매수인이 입는 손해액은 원칙적으로 그 이행불능이 될 당시의 목적물의 시가 상당액이고, 그 이후 목적물의 가격이 등귀하였다 하여도 그로 인한 손해는 특별한 사정으로 인한 것이어서 매도인이 이행불능 당시 그와 같은 특수한 사정을 알았거나 알 수 있었을 때에 한하여 그 등귀한 가격에 의한 손해배상을 청구할 수 있다 함은 대법원의 확립된 판례이다(대판 1996.6.14, 94다61359).

③ 채무불이행에 의한 계약해제에서 미리 이행하지 아니할 의사를 표시한 경우로서 이른바 '이행거절'로 인한 계약해제의 경우에는 상대방의 최고 및 동시이행관계에 있는 자기 채무의 이행제공을 요하지 아니하여 이행지체 시의 계약해제와 비교할 때 계약해제의 요건이 완화되어 있는바, 명시적으로 이행거절의사를 표명하는 경우 외에 계약 당시나 계약 후의 여러 사정을

종합하여 묵시적 이행거절의사를 인정하기 위하여는 그 거절의사가 정황상 분명하게 인정되어야 한다(대판 2011.2.10, 2010다77385).

④ 부동산매매에 있어서 매도인이 목적물을 타인에게 이미 매도하여 그 타인에게 소유권이전등기를 하여줄 의무가 있음에도 불구하고 제3자에게 다시 양도하여 소유권이전등기를 경유한 때에는 특별한 사정이 없는 한 매도인이 그 타인에게 부담하고 있는 소유권이전등기의무는 이행불능의 상태에 있다고 봄이 상당하다(대판 1983.3.22, 80다1416). 따라서 매수인은 매도인이 제3자에게 소유권이전등기를 마쳐준 사실을 증명하여 손해배상청구를 하면 되고, 이 경우 손해배상책임을 면하려는 매도인이 소유권에 관한 등기를 회복하여 매수인에게 이전등기해 줄 수 있는 특별한 사정에 대해 증명책임을 부담한다.

27 채무불이행에 관한 다음 설명 중 가장 옳은 것은? ▶ 2024년 법무사

① 금전채무의 이행지체로 인하여 발생하는 지연이자는 단기소멸시효에 관한 민법 제163조 제1호가 규정한 '1년 이내의 기간으로 정한 채권'에 해당하여 3년의 단기소멸시효의 대상이 된다.

② 매도인이 매수인으로부터 중도금을 지급받아 원매도인에게 매매잔대금을 지급하지 아니하고서는 토지의 소유권이전등기서류를 갖추어 매수인에게 제공하기 어려운 특별한 사정이 있었고, 매수인도 그러한 사정을 알고 매매계약을 체결하였던 경우라도 매수인의 중도금 지급의무는 당초 계약상의 잔금지급기일을 도과하였다면 매도인의 소유권이전등기서류의 제공과 동시이행의 관계에 있게 된다.

③ 이행기의 정함이 없는 채권을 양수한 채권양수인이 채무자를 상대로 그 이행을 구하는 소를 제기하고 소송 계속 중 채무자에 대한 채권양도통지가 이루어진 경우 특별한 사정이 없는 한 채무자는 소장 부본을 송달받은 다음 날부터 이행지체의 책임을 진다.

④ 소유자가 자신의 소유권에 기하여 실체관계에 부합하지 아니하는 등기의 명의인을 상대로 그 등기말소를 청구하는 경우 그 권리는 물권적 청구권으로서의 방해배제청구권의 성질을 가지므로 소유자가 그 후에 소유권을 상실함으로써 등기말소를 청구할 수 없게 되었다면, 소유자는 등기말소 의무자에 대하여 그 권리의 이행불능을 이유로 한 민법 제390조상의 손해배상청구권을 가진다.

⑤ 채무불이행으로 인한 손해배상청구소송에서 재산적 손해의 발생사실이 인정되나 구체적인 손해의 액수를 증명하는 것이 사안의 성질상 곤란한 경우, 법원은 증거조사의 결과와 변론 전체의 취지에 의하여 밝혀진 당사자들 사이의 관계, 채무불이행과 그로 인한 재산적 손해가 발생하게 된 경위, 손해의 성격, 손해가 발생한 이후의 제반 정황 등의 관련된 모든 간접사실들을 종합하여 적당하다고 인정되는 금액을 손해의 액수로 정할 수 있다.

정답 26 ③ 27 ⑤

해설 ① 금전채무의 이행지체로 인하여 발생하는 지연이자는 단기소멸시효에 관한 민법 제163조 제1호가 규정한 '1년 이내의 기간으로 정한 채권'에 해당하는 것이 아니기 때문에 3년의 단기소멸시효의 대상이 되는 것은 아니다(대판 1987.10.28, 87다카1409).

② 매도인이 매수인으로부터 중도금을 지급받아 원매도인에게 매매잔대금을 지급하지 아니하고서는 토지의 소유권이전등기서류를 갖추어 매수인에게 제공하기 어려운 특별한 사정이 있었고, 매수인도 그러한 사정을 알고 매매계약을 체결하였던 경우, 매도인의 소유권이전등기절차 서류의 제공의무는 매수인의 중도금 지급이 선행되었을 때에 매수인의 잔대금의 지급과 동시에 이를 이행하기로 약정한 것이라고 할 것이므로, 매수인의 중도금 지급의무는 당초 계약상의 잔금지급기일을 도과하였다고 하여도 매도인의 소유권이전등기서류의 제공과 동시이행의 관계에 있다고 할 수 없다(대판 1997.4.11, 96다31109).

③ 채무에 이행기의 정함이 없는 경우에는 채무자가 이행의 청구를 받은 다음 날부터 이행지체의 책임을 지는 것이나, 한편 지명채권이 양도된 경우 채무자에 대한 대항요건이 갖추어질 때까지 채권양수인은 채무자에게 대항할 수 없으므로, 이행기의 정함이 없는 채권을 양수한 채권양수인이 채무자를 상대로 그 이행을 구하는 소를 제기하고 소송 계속 중 채무자에 대한 채권양도통지가 이루어진 경우에는 특별한 사정이 없는 한 채무자는 채권양도통지가 도달된 다음 날부터 이행지체의 책임을 진다(대판 2014.4.10, 2012다29557).

④ 소유자가 자신의 소유권에 기하여 실체관계에 부합하지 아니하는 등기의 명의인을 상대로 그 등기말소나 진정명의회복 등을 청구하는 경우에, 그 권리는 물권적 청구권으로서의 방해배제청구권(민법 제214조)의 성질을 가진다. 그러므로 소유자가 그 후에 소유권을 상실함으로써 이제 등기말소 등을 청구할 수 없게 되었다면, 이를 위와 같은 청구권의 실현이 객관적으로 불능이 되었다고 파악하여 등기말소 등 의무자에 대하여 그 권리의 이행불능을 이유로 민법 제390조상의 손해배상청구권을 가진다고 말할 수 없다. 위 법규정에서 정하는 채무불이행을 이유로 하는 손해배상청구권은 계약 또는 법률에 기하여 이미 성립하여 있는 채권관계에서 본래의 채권이 동일성을 유지하면서 그 내용이 확장되거나 변경된 것으로서 발생한다. 그러나 위와 같은 등기말소청구권 등의 물권적 청구권은 그 권리자인 소유자가 소유권을 상실하면 이제 그 발생의 기반이 아예 없게 되어 더 이상 그 존재 자체가 인정되지 아니하는 것이다(대판(전합) 2012.5.17, 2010다28604).

⑤ 채무불이행이나 불법행위로 인한 손해배상청구소송에서 재산적 손해의 발생사실이 인정되나 구체적인 손해의 액수를 증명하는 것이 사안의 성질상 곤란한 경우, 법원은 증거조사의 결과와 변론 전체의 취지에 의하여 밝혀진 당사자들 사이의 관계, 채무불이행이나 불법행위와 그로 인한 재산적 손해가 발생하게 된 경위, 손해의 성격, 손해가 발생한 이후의 제반 정황 등 관련된 모든 간접사실들을 종합하여 적당하다고 인정되는 금액을 손해의 액수로 정할 수 있다(대판 2020.3.26, 2018다301336).

28 채권자지체에 관한 다음 설명 중 가장 옳지 않은 것은? ▸ 2024년 법원사무관 승진

① 채무의 내용인 급부가 실현되기 위하여 채권자의 수령 그 밖의 협력행위가 필요한 경우에, 채무자가 채무의 내용에 따른 이행제공을 하였는데도 채권자가 수령 그 밖의 협력을 할 수 없거나 하지 않아 급부가 실현되지 않는 상태에 놓이면 채권자지체가 성립하고, 채권자지체의 성립에 채권자의 귀책사유는 요구되지 않는다.

② 동시이행관계에 있는 채무를 부담하는 쌍방 당사자 중 일방이 먼저 현실의 제공을 하고 상대방을 수령지체에 빠지게 하였다면 그 이행의 제공이 계속되지 아니하더라도 상대방이 가지는 동시이행의 항변권은 소멸한다.

③ 수치인이 적법하게 임치계약을 해지하고 임치인에게 임치물의 회수를 최고하였음에도 불구하고 임치인의 수령지체로 반환하지 못하고 있는 사이에 임치물이 멸실 또는 훼손된 경우에는 수치인에게 고의 또는 중대한 과실이 없는 한 채무불이행으로 인한 손해배상책임이 없다.

④ 민법 제400조 소정의 채권자지체가 성립하기 위해서는 민법 제460조 소정의 채무자의 변제 제공이 있어야 하고, 변제 제공은 원칙적으로 현실 제공으로 하여야 하며 다만 채권자가 미리 변제받기를 거절하거나 채무의 이행에 채권자의 행위를 요하는 경우에는 구두의 제공으로 하더라도 무방하고, 채권자가 변제를 받지 아니할 의사가 확고한 경우에는 구두의 제공을 한다는 것조차 무의미하므로 그러한 경우에는 구두의 제공조차 필요 없다고 할 것이지만, 그러한 구두의 제공조차 필요 없는 경우라고 하더라도, 이는 그로써 채무자가 채무불이행책임을 면한다는 것에 불과하고, 민법 제538조 제1항 제2문 소정의 '채권자의 수령지체 중에 당사자 쌍방의 책임 없는 사유로 이행할 수 없게 된 때'에 해당하기 위해서는 현실 제공이나 구두 제공이 필요하다.

해설

① 민법 제400조는 채권자지체에 관하여 "채권자가 이행을 받을 수 없거나 받지 아니한 때에는 이행의 제공이 있는 때로부터 지체책임이 있다."라고 정하고 있다. 채무의 내용인 급부가 실현되기 위하여 **채권자의 수령 그 밖의 협력행위가 필요한 경우에**, 채무자가 채무의 내용에 따른 이행제공을 하였는데도 **채권자가 수령 그 밖의 협력을 할 수 없거나 하지 않아 급부가 실현되지 않는 상태에 놓이면 채권자지체가 성립한다. 채권자지체의 성립에 채권자의 귀책사유는 요구되지 않는다**(대판 2021.10.28, 2019다293036).

② 쌍무계약의 당사자 일방이 먼저 한번 현실의 제공을 하고 상대방을 수령지체에 빠지게 하였다 하더라도 그 이행의 제공이 계속되지 않는 경우는 과거에 이행의 제공이 있었다는 사실만으로 상대방이 가지는 동시이행의 항변권이 소멸하는 것은 아니므로, 일시적으로 당사자 일방의 의무의 이행제공이 있었으나 곧 그 이행의 제공이 중지되어 **더 이상 그 제공이 계속되지 아니하는 기간 동안에는 상대방의 의무가 이행지체 상태에 빠졌다고 할 수는 없다**고 할 것이고, 따라서 그 이행의 제공이 중지된 이후에 상대방의 의무가 이행지체되었음을 전제로 하는 손해배상청구도 할 수 없다(대판 1999.7.9, 98다13754·13761).

정답 28 ②

③ 제401조 참조 → 수치인이 적법하게 임치계약을 해지하고 임치인에게 임치물의 회수를 최고 하였음에도 불구하고 임치인의 수령지체로 반환하지 못하고 있는 사이에 임치물이 멸실 또 는 훼손된 경우에는 수치인에게 고의 또는 중대한 과실이 없는 한 채무불이행으로 인한 손해 배상책임이 없다(대판 1983.11.8, 83다카1476).
④ 대판 2004.3.12, 2001다79013

29 통상손해와 특별손해에 관한 다음 설명 중 가장 옳지 않은 것은? (다툼이 있는 경우 판례에 의하고, 전원합의체 판결의 경우 다수의견에 의함) ▶2019년 법원행시

① 여행자가 해외 여행계약에 따라 여행하는 도중 여행업자의 고의 또는 과실로 상해를 입은 경우 계약상 여행업자의 여행자에 대한 국내로의 귀환운송의무가 예정되어 있고, 현지에서 당초 예정한 여행기간 내에 치료를 완료하기 어렵거나, 계속적, 전문적 치료 가 요구되어 사회통념상 여행자가 국내로 귀환할 필요성이 있었다고 인정된다면, 이로 인하여 발생하는 귀환운송비 등 추가적인 비용은 여행업자의 고의 또는 과실로 인하여 발생한 통상손해의 범위에 포함될 수 있다.

② 금융기관의 임직원이 동일인에 대한 대출한도를 초과하는 등 여신업무에 관한 규정을 위반하여 자금을 대출하면서 충분한 담보를 확보하지 아니하는 등 그 임무를 게을리하 여 금융기관이 대출금을 회수하지 못하는 손해를 입은 경우 금융기관이 입은 통상손해 는 위 임직원이 위와 같은 규정을 준수하여 적정한 담보를 취득하였더라면 회수할 수 있었을 미회수 대출원리금이고, 특별한 사정이 없는 한 이에 대한 약정이율에 의한 대 출금의 이자와 약정연체이율에 의한 지연이자는 특별손해에 해당한다.

③ 불법행위로 인하여 사망한 급여소득자의 일실수익은 원칙적으로 사망 당시를 기준으로 하여 산정하여야 하지만 장차 그 임금수익이 증가될 것을 상당한 정도로 확실하게 예 측할 수 있는 객관적인 자료가 있을 때에는 장차 증가될 임금수익도 일실수익을 산정 함에 있어서 고려되어야 하고, 이와 같이 증가될 임금수익을 기준으로 산정된 일실수 익 상당의 손해는 통상손해에 해당한다.

④ 계약 당시 손해배상액을 예정한 경우에는 다른 특약이 없는 한 채무불이행으로 인하여 입은 통상손해는 물론 특별손해까지도 예정액에 포함되고, 채권자의 손해가 예정액을 초과한다 하더라도 초과 부분을 따로 청구할 수 없다.

⑤ 부당한 가압류의 집행으로 그 가압류 목적물의 처분이 지연되어 소유자가 손해를 입은 경우, 가압류 집행 당시 부동산의 소유자가 그 부동산을 사용·수익하였다면 그 부동 산의 처분이 지체되었다고 하더라도 그로 인한 손해는 그 부동산을 계속 사용·수익함 으로 인한 이익과 상쇄되어 결과적으로 부동산의 처분이 지체됨에 따른 손해가 없다고 할 수 있고, 만일 그 부동산의 처분 지연으로 인한 손해가 그 부동산을 계속 사용·수 익하는 이익을 초과한다면 이는 특별손해라고 할 수 있다.

해설 ① 여행자가 해외 여행계약에 따라 여행하는 도중 여행업자의 고의 또는 과실로 상해를 입은 경우 계약상 여행업자의 여행자에 대한 국내로의 귀환운송의무가 예정되어 있고, 여행자가 입은 상해의 내용과 정도, 치료행위의 필요성과 치료기간은 물론 해외의 의료 기술수준이나 의료제도, 치료과정에서 발생할 수 있는 언어적 장애 및 의료비용의 문제 등에 비추어 현지에서 당초 예정한 여행기간 내에 치료를 완료하기 어렵거나, 계속적, 전문적 치료가 요구되어 사회통념상 여행자가 국내로 귀환할 필요성이 있었다고 인정된다면, 이로 인하여 발생하는 귀환운송비 등 추가적인 비용은 여행업자의 고의 또는 과실로 인하여 발생한 통상손해의 범위에 포함되고, 이 손해가 특별한 사정으로 인한 손해라고 하더라도 예견가능성이 있었다고 보아야 한다(대판 2019.4.3. 2018다286550).

② 금융기관 임직원이 동일인 신용대출한도를 초과하여 대출할 경우 담보를 취득하도록 정하고 있는 여신업무에 관한 규정을 위반하여 아무런 담보를 취득하지 않은 채 신용대출한도를 초과하여 대출한 경우, 이러한 금융기관 임직원의 채무불이행으로 인하여 금융기관이 입은 통상손해는 임직원이 규정을 준수하여 적정한 담보를 취득하고 대출하였더라면 회수할 수 있었을 미회수 대출원리금이고, 특별한 사정이 없는 한 이러한 통상손해의 범위에는 약정이율에 의한 대출금 이자와 약정연체이율에 의한 지연이자가 포함된다(대판 2012.4.12. 2010다75945).

③ 불법행위로 인하여 사망한 급여소득자의 일실수익은 원칙적으로 사망 당시를 기준으로 하여 산정할 것이지만, 장차 그 임금수익이 증가될 것이 상당한 정도로 확실하게 예측할 수 있는 객관적인 자료가 있을 때에는 장차 증가될 임금수익도 일실수익을 산정함에 있어서 고려되어야 할 것이고, 이와 같이 증가될 임금수익을 기준으로 산정된 일실이익 상당의 손해는 통상손해에 해당한다(대판 1996.2.23. 95다29383).

④ 당사자 사이의 채무불이행에 관하여 손해배상액을 예정한 경우에 채권자는 통상의 손해뿐만 아니라 특별한 사정으로 인한 손해에 관하여도 예정된 배상액만을 청구할 수 있고 특약이 없는 한 예정액을 초과한 배상액을 청구할 수는 없다(대판 1988.9.27. 86다카2375).

⑤ 부당한 가압류의 집행으로 그 가압류 목적물의 처분이 지연되어 소유자가 손해를 입었다면 가압류 신청인은 그 손해를 배상할 책임이 있다고 할 것이나, 가압류 집행 당시 부동산의 소유자가 그 부동산을 사용·수익하는 경우에는 그 부동산의 처분이 지체되었다고 하더라도 그로 인한 손해는 그 부동산을 계속 사용·수익함으로 인한 이익과 상쇄되어 결과적으로 부동산의 처분이 지체됨에 따른 손해가 없다고 할 수 있을 것이고, 만일 그 부동산의 처분 지연으로 인한 손해가 그 부동산을 계속 사용·수익하는 이익을 초과한다면 이는 특별손해라고 할 수 있을 것이다(대판 2009.7.23. 2008다79524).

30 채무불이행과 손해배상에 관한 다음 설명 중 가장 옳지 않은 것은? ▶ 2021년 법원행시

① 의사가 선량한 관리자의 주의의무를 다하지 아니한 탓으로 오히려 환자의 신체기능이 회복불가능하게 손상되었고, 또 손상 이후에는 후유증세의 치유 또는 더 이상의 악화를 방지하는 정도의 치료만이 계속되어 온 것뿐이라면 병원 측으로서는 환자에 대하여 수술비와 치료비의 지급을 청구할 수 없다.

② 매매의 목적물이 화재로 소실됨으로써 매도인이 지급받게 되는 화재보험금, 화재공제금에 대하여 매수인의 대상청구권이 인정되는 이상, 매수인은 특별한 사정이 없는 한 목적물에 대하여 지급되는 화재보험금, 화재공제금 전부에 대하여 대상청구권을 행사할 수 있고, 인도의무의 이행불능 당시 매수인이 지급하였거나 지급하기로 약정한 매매대금 상당액의 한도 내로 범위가 제한된다고 할 수 없다.

③ 설계용역계약상의 채무불이행으로 인한 손해배상채무와 공사도급계약상의 채무불이행으로 인한 손해배상채무는 서로 별개의 원인으로 발생한 독립된 채무이나 동일한 경제적 목적을 가진 채무로서 서로 중첩되는 부분에 관하여는 일방의 채무가 변제 등으로 소멸하면 타방의 채무도 소멸하는 이른바 부진정연대의 관계에 있다.

④ 부동산 매도인이 매매목적물인 부동산에 관하여 근저당권을 설정하였다면 그와 같은 근저당권 설정 사실만으로 곧바로 매수인에게 그 피담보채무액 상당의 손해가 발생한다고 볼 수 있다.

⑤ 매매목적물이 인도되지 아니하고 또한 매수인이 대금을 완제하지 아니한 때에는 매도인의 이행지체가 있더라도 매수인은 인도의무의 지체로 인한 손해배상금의 지급을 구할 수 없다.

해설 ① 의사가 선량한 관리자의 주의의무를 다하지 아니한 탓으로 오히려 환자의 신체기능이 회복불가능하게 손상되었고, 또 손상 이후에는 후유증세의 치유 또는 더 이상의 악화를 방지하는 정도의 치료만이 계속되어 온 것뿐이라면 의사의 치료행위는 진료채무의 본지에 따른 것이 되지 못하거나 손해전보의 일환으로 행하여진 것에 불과하여 병원 측으로서는 환자에 대하여 수술비와 치료비의 지급을 청구할 수 없다. 그리고 이는 손해의 발생이나 확대에 피해자 측의 귀책사유가 없는데도 공평의 원칙상 피해자의 체질적 소인이나 질병과 수술 등 치료의 위험도 등을 고려하여 의사의 손해배상책임을 제한하는 경우에도 마찬가지이다(대판 2015.11.27, 2011다28939).

② 매매의 목적물이 화재로 인하여 소실됨으로써 매도인이 지급받게 되는 화재보험금, 화재공제금에 대하여 매수인의 대상청구권이 인정되는 이상, 매수인은 특별한 사정이 없는 한 그 목적물에 대하여 지급되는 화재보험금, 화재공제금 전부에 대하여 대상청구권을 행사할 수 있는 것이고, 인도의무의 이행불능 당시 매수인이 지급하였거나 지급하기로 약정한 매매대금 상당액의 한도 내로 그 범위가 제한된다고 할 수 없다(대판 2016.10.27, 2013다7769).

③ 설계용역계약상의 채무불이행으로 인한 손해배상채무와 공사도급계약상의 채무불이행으로 인한 손해배상채무는 서로 별개의 원인으로 발생한 독립된 채무이나 동일한 경제적 목적을 가진 채무로서 서로 중첩되는 부분에 관하여는 일방의 채무가 변제 등으로 소멸하면 타방의 채무도 소멸하는 이른바 부진정연대의 관계에 있다(대판 2015.2.26, 2012다89320).

④ 채무불이행으로 인한 손해배상청구권은 현실적으로 손해가 발생한 때에 성립하는 것이고, 이때 현실적으로 손해가 발생하였는지 여부는 사회통념에 비추어 객관적이고 합리적으로 판단

하여야 한다. 한편, 부동산 매도인이 매매목적물인 부동산에 관하여 근저당권을 설정하였다고 하더라도, 매도인으로서는 근저당권을 소멸시킨 다음 매수인에게 부동산 소유권을 이전할 수 있고, 경우에 따라서는 매수인이 계약 해제나 이행불능 등으로 인하여 위 부동산의 소유권을 취득하지 못할 수도 있다. 따라서 위와 같은 근저당권 설정 사실만으로 곧바로 매수인에게 그 피담보채무액 상당의 손해가 발생한다고 볼 수는 없고, 거기에서 더 나아가 사회통념상 매수인이 매수한 부동산에 관한 소유권 또는 소유권이전등기청구권의 보전 등을 위하여 근저당권의 피담보채무를 변제하지 않을 수 없게 되었다는 등의 사정이 있어야 위와 같은 손해가 현실적으로 발생하였다고 볼 수 있다(대판 2017.6.19, 2017다215070).

⑤ 매매목적물이 인도되지 아니하고 또한 매수인이 대금을 완제하지 아니한 때에는 매도인의 이행지체가 있더라도 과실은 매도인에게 귀속되는 것이므로 매수인은 인도의무의 지체로 인한 손해배상금의 지급을 구할 수 없다(대판 2004.4.23, 2004다8210).

31 과실상계에 관한 다음 설명 중 가장 옳지 않은 것은? (다툼이 있는 경우 판례에 의함)

▶ 2018년 법무사

① 과실에 의한 불법행위자인 중개보조원이 고의에 의한 불법행위자와 공동불법행위책임을 부담하는 경우, 중개보조원의 손해배상액을 정할 때에는 피해자의 과실을 참작하여 과실상계를 할 수 있다. 그리고 중개보조원을 고용한 개업공인중개사의 손해배상금액을 정할 때에는 개업공인중개사가 중개보조원의 사용자일 뿐 불법행위에 관여하지는 않았다는 등의 개별적인 사정까지 고려하여 중개보조원보다 가볍게 책임을 제한할 수도 있다.

② 도급인이 민법 제673조(수급인이 일을 완성하기 전에는 도급인은 손해를 배상하고 계약을 해제할 수 있다)에 의하여 도급계약을 해제한 이상, 특별한 사정이 없는 한 도급인은 수급인에 대한 손해배상에 있어서 과실상계나 손해배상예정액 감액을 주장할 수 없다.

③ 특별한 사정이 없는 한 손해배상 청구소송에서 피해자에게 과실이 인정되면 법원은 손해배상의 책임 및 그 금액을 정함에 있어서 이를 참작하여야 한다. 배상의무자가 피해자의 과실에 관하여 주장하지 않는 경우에도 소송자료에 의하여 과실이 인정되는 경우에는 이를 법원이 직권으로 심리·판단하여야 한다.

④ 피해자가 공동불법행위자들을 모두 피고로 삼아 한꺼번에 손해배상청구소송을 제기한 경우와 달리, 공동불법행위자 별로 별개의 소를 제기하여 소송을 진행하는 경우에는 과실상계비율과 손해액도 서로 달리 인정될 수 있다.

⑤ 당사자 사이의 계약에서 채무자의 채무불이행으로 인한 손해배상액이 예정되어 있는 경우에도, 채권자에게 과실이 있다면 과실상계를 할 수 있다.

정답 ▶ 30 ④ 31 ⑤

해설 ① 피해자의 부주의를 이용하여 고의로 불법행위를 저지른 사람이 바로 피해자의 부주의를 이유로 자신의 책임을 줄여 달라고 주장하는 것은 허용될 수 없다. 그러나 이는 그러한 사유가 있는 자에게 과실상계의 주장을 허용하는 것이 신의칙에 반하기 때문이므로, 불법행위자 중의 일부에게 그러한 사유가 있다고 하여 그러한 사유가 없는 다른 불법행위자까지도 과실상계의 주장을 할 수 없다고 해석할 것은 아니다. 또한 중개보조원이 업무상 행위로 거래당사자인 피해자에게 고의로 불법행위를 저지른 경우라고 하더라도, 중개보조원을 고용하였을 뿐 이러한 불법행위에 가담하지 않은 개업공인중개사에게 책임을 묻고 있는 피해자에게 과실이 있다면, 법원은 과실상계의 법리에 따라 손해배상의 책임과 그 금액을 정하는 데 이를 참작하여야 한다. 따라서 과실에 의한 불법행위자인 중개보조원이 고의에 의한 불법행위자와 공동불법행위책임을 부담하는 경우 중개보조원의 손해배상액을 정할 때에는 피해자의 과실을 참작하여 과실상계를 할 수 있고, 중개보조원을 고용한 개업공인중개사의 손해배상금액을 정할 때에는 개업공인중개사가 중개보조원의 사용자일 뿐 불법행위에 관여하지는 않았다는 등의 개별적인 사정까지 고려하여 중개보조원보다 가볍게 책임을 제한할 수도 있다(대판 2018.2.13, 2015다242429).

② 민법 제673조에서 도급인으로 하여금 자유로운 해제권을 행사할 수 있도록 하는 대신 수급인이 입은 손해를 배상하도록 규정하고 있는 것은 도급인의 일방적인 의사에 기한 도급계약 해제를 인정하는 대신, 도급인의 일방적인 계약해제로 인하여 수급인이 입게 될 손해, 즉 수급인이 이미 지출한 비용과 일을 완성하였더라면 얻었을 이익을 합한 금액을 전부 배상하게 하는 것이라 할 것이므로, 위 규정에 의하여 도급계약을 해제한 이상은 특별한 사정이 없는 한 도급인은 수급인에 대한 손해배상에 있어서 과실상계나 손해배상예정액 감액을 주장할 수는 없다(대판 2002.5.10, 2000다37296·37302).

③ 민법상의 과실상계제도는 채권자가 신의칙상 요구되는 주의를 다하지 아니한 경우 공평의 원칙에 따라 손해의 발생에 관한 채권자의 그와 같은 부주의를 참작하게 하려는 것이므로 단순한 부주의라도 그로 말미암아 손해가 발생하거나 확대된 원인을 이루었다면 피해자에게 과실이 있는 것으로 보아 과실상계를 할 수 있고, 피해자에게 과실이 인정되면 법원은 손해배상의 책임 및 그 금액을 정함에 있어서 이를 참작하여야 하며, 배상의무자가 피해자의 과실에 관하여 주장하지 않는 경우에도 소송자료에 의하여 과실이 인정되는 경우에는 이를 법원이 직권으로 심리·판단하여야 한다(대판 1996.10.25, 96다30113).

④ 피해자가 공동불법행위자들을 모두 피고로 삼아 한꺼번에 손해배상청구의 소를 제기한 경우와 달리 공동불법행위자별로 별개의 소를 제기하여 소송을 진행하는 경우에는 각 소송에서 제출된 증거가 서로 다르고 이에 따라 교통사고의 경위와 피해자의 손해액산정의 기초가 되는 사실이 달리 인정됨으로 인하여 과실상계비율과 손해액도 서로 달리 인정될 수 있는 것이므로, 피해자가 공동불법행위자들 중 일부를 상대로 한 전소에서 승소한 금액을 전부 지급받았다고 하더라도 그 금액이 나머지 공동불법행위자에 대한 후소에서 산정된 손해액에 미치지 못한다면 후소의 피고는 그 차액을 피해자에게 지급할 의무가 있다(대판 2001.2.9, 2000다60227).

⑤ 당사자 사이의 계약에서 채무자의 채무불이행으로 인한 손해배상액이 예정되어 있는 경우, 채무불이행으로 인한 손해의 발생 및 확대에 채권자에게도 과실이 있더라도 민법 제398조 제2항에 따라 채권자의 과실을 비롯하여 채무자가 계약을 위반한 경위 등 제반 사정을 참작하여 손해배상 예정액을 감액할 수는 있을지언정 채권자의 과실을 들어 과실상계를 할 수는 없다(대판 2016.6.10, 2014다200763·200770).

32 과실상계(過失相計)에 관한 다음 설명 중 가장 옳지 않은 것은? (다툼이 있는 경우 판례에 의함)

▶ 2017년 9급(법원서기보)

① 불법행위로 인한 손해발생으로 이득이 생기고 동시에 그 손해발생에 피해자에게도 과실이 있는 경우 먼저 산정된 손해액에서 이득을 공제한 다음에 과실상계를 하여야 한다.
② 표현대리행위가 성립하는 경우 상대방에게 과실이 있다고 하더라도 과실상계의 법리를 유추적용하여 본인의 책임을 경감할 수 없다.
③ 매매계약이 해제되어 원상회복의무의 이행으로서 이미 지급한 매매대금 기타의 급부의 반환을 구하는 경우 과실상계는 적용되지 않는다.
④ 가해행위와 피해자 측의 요인이 경합하여 손해가 발생하거나 확대된 경우 피해자 측의 요인이 체질적인 소인 또는 질병의 위험도와 같이 피해자 측의 귀책사유와 무관한 것이더라도 과실상계의 법리를 유추적용할 수 있다.

해설 ① 불법행위로 인한 손해배상액을 산정함에 있어서는 과실상계를 한 다음 손익상계를 하여야 한다(대판 1996.1.23, 95다24340).
② 표현대리행위가 성립하는 경우에 그 본인은 표현대리행위에 의하여 전적인 책임을 져야 하고, 상대방에게 과실이 있다고 하더라도 과실상계의 법리를 유추적용하여 본인의 책임을 경감할 수 없다(대판 1996.7.12, 95다49554).
③ 과실상계는 본래 채무불이행 또는 불법행위로 인한 손해배상책임에 대하여 인정되는 것이고, 매매계약이 해제되어 소급적으로 효력을 잃은 결과 매매당사자에게 당해 계약에 기한 급부가 없었던 것과 동일한 재산상태를 회복시키기 위한 원상회복의무의 이행으로서 이미 지급한 매매대금 기타의 급부의 반환을 구하는 경우에는 적용되지 아니한다(대판 2014.3.13, 2013다34143).
④ 가해행위와 피해자 측의 요인이 경합하여 손해가 발생하거나 확대된 경우에는 그 피해자 측의 요인이 체질적인 소인 또는 질병의 위험도와 같이 피해자 측의 귀책사유와 무관한 것이라고 할지라도, 그 질환의 태양·정도 등에 비추어 가해자에게 손해의 전부를 배상하게 하는 것이 공평의 이념에 반하는 경우에는, 법원은 손해배상액을 정하면서 과실상계의 법리를 유추적용하여 그 손해의 발생 또는 확대에 기여한 피해자 측의 요인을 참작할 수 있다(대판 2000.1.21, 98다50586).

정답 32 ①

33 과실상계에 관한 다음 설명 중 옳지 않은 것은? (다툼이 있는 경우 판례에 의함)

① 채권자에게 과실이 있는 경우 비록 일부청구임을 명시한 경우라 하더라도 과실상계가 인정되는데, 이 경우 과실상계를 함에 있어서는 손해의 전액에서 과실비율에 의한 감액을 하고 그 잔액이 청구액을 초과하지 않을 경우에는 그 잔액을 인용한다.

② 채무불이행뿐만 아니라 불법행위로 인한 손해배상청구의 경우에도 적용된다.

③ 표현대리행위가 성립하는 경우에 그 본인은 표현대리행위에 의하여 전적인 책임을 져야 하고, 상대방에게 과실이 있다고 하더라도 과실상계의 법리를 유추적용하여 본인의 책임을 경감할 수 없다.

④ 상대방이 착오에 빠진 사실을 알면서도 이를 이용하거나 이에 적극 편승하여 부당한 이득을 취득하는 경우 내지 피해자의 부주의를 이용하여 고의의 불법행위를 한 경우라도 손해분담의 공평의 원칙상 과실상계가 허용된다.

⑤ 과실상계의 규정은 배상의무자가 배상권리자에 과실이 있음을 주장하지 않더라도 법원은 직권으로 위 과실 유무를 판단하여 책임 및 배상액을 참작하여야 한다.

해설 ① 판례는 1개의 손해배상청구권 중 일부가 소송상 청구되어 있는 경우에 과실상계를 함에 있어서는 손해의 전액에서 과실비율에 의한 감액을 하고 그 잔액이 청구액을 초과하지 않을 경우에는 그 잔액을 인용할 것이고 잔액이 청구액을 초과할 경우에는 청구의 전액

② 제396조【과실상계】채무불이행에 관하여 채권자에게 과실이 있는 때에는 법원은 손해배상의 책임 및 그 금액을 정함에 이를 참작하여야 한다.
제763조【준용규정】제393조, 제394조, 제396조, 제399조의 규정은 불법행위로 인한 손해배상에 준용한다.

손해배상의 책임과 그 배상액을 산정함에 있어 채권자의 과실(=피해자의 기여도)을 참작하여 채무자 또는 가해자의 책임을 부정하거나 배상액을 경감하는 제도를 말한다(제396조). 이러한 과실상계제도는 불법행위에도 준용된다(제763조).

③ 과실상계는 채무불이행 또는 불법행위로 인한 손해배상책임에 대하여 인정되는 것이므로 본래의 급부를 청구하는 경우에는 적용되지 않는다(대판 2001.2.9, 99다48801).
표현대리행위가 성립하는 경우에 그 본인은 표현대리행위에 의하여 전적인 책임을 져야 하고, 상대방에게 과실이 있다고 하더라도 과실상계의 법리를 유추적용하여 본인의 책임을 경감할 수 없다(대판 1996.7.12, 95다49554).

④ 판례는 상대방이 착오에 빠진 사실을 알면서도 이를 이용하거나 이에 적극 편승하여 부당한 이득을 취득하는 경우나(대판 2008.5.15, 2007다88644), 피해자의 부주의를 이용하여 고의의 불법행위를 한 경우(대판 2005.11.10, 2003다66066)에는 과실상계를 허용하지 않는다. 다만, 피용자의 고의에 의한 불법행위로 사용자가 책임을 지는 경우(대판 2002.12.26, 2000다56952), 대표기관의 고의의 불법행위로 법인이 책임을 지는 경우(대판 1987.12.8, 86다카1170)에는 피해자의 과실을 참작할 것이라고 한다.

⑤ 법원은 직권으로 과실 유무를 조사하여야 하며(직권조사사항), 과실이 인정된 때에는 반드시 과실을 참작하여야 한다. 불법행위나 채무불이행으로 인한 손해배상 사건에서 피해자에게 손해의 발생이나 확대에 관하여 과실이 있는 경우에 그 과실상계 사유에 관한 사실인정이나 그 비율을 정하는 것은 그것이 형평의 원칙에 비추어 현저히 불합리하다고 인정되지 않는 한 사실심의 전권사항에 속한다(대판 2002.7.12, 2001다44338).

손해배상 청구소송에서 피해자에게 과실이 인정되면 법원은 손해배상의 책임 및 그 금액을 정함에 있어서 이를 참작하여야 하며, 배상의무자가 피해자의 과실에 관하여 주장하지 않는 경우에도 소송자료에 의하여 과실이 인정되는 경우에는 이를 법원이 직권으로 심리·판단하여야 할 것이지만, 피해자의 부주의를 이용하여 고의로 불법행위를 저지른 자가 바로 그 피해자의 부주의를 이유로 자신의 책임을 감하여 달라고 주장하는 것은 허용될 수 없다(대판 2000.1.21. 99다50538).

34 과실상계에 관한 다음 설명 중 가장 옳지 않은 것은? ▸ 2021년 법원행시

① 과실상계는 채무불이행 내지 불법행위로 인한 손해배상책임에 대하여 인정되는 것이고, 채무 내용에 따른 본래의 급부의 이행을 구하는 경우에는 특별한 사정이 없는 한 적용되지 않는다.

② 표현대리행위가 성립하는 경우에 그 본인은 표현대리행위에 의하여 전적인 책임을 져야 하고, 상대방에게 과실이 있다고 하더라도 과실상계의 법리를 유추적용하여 본인의 책임을 경감할 수 없다.

③ 과실상계는 매매계약이 해제되어 원상회복의무의 이행으로서 이미 지급한 매매대금 기타의 급부의 반환을 구하는 경우에는 적용되지 아니한다.

④ 계약에서 채무불이행으로 인한 손해배상액이 예정되어 있는 경우, 채무불이행으로 인한 손해의 발생 및 확대에 채권자에게 과실이 있다면 손해배상 예정액을 감액할 수 있을 뿐만 아니라 채권자의 과실을 이유로 과실상계를 할 수도 있다.

⑤ 고의에 의한 채무불이행으로서 채무자가 계약 체결 당시 채권자가 계약 내용의 중요 부분에 관하여 착오에 빠진 사실을 알면서도 이를 이용하거나 이에 적극 편승하여 계약을 체결하고 그 결과 채무자가 부당한 이익을 취득하게 되는 경우에는 채권자의 과실에 기한 과실상계가 허용되지 않는다.

해설 ① 과실상계는 채무불이행 내지 불법행위로 인한 손해배상책임에 대하여 인정되는 것이고, 채무 내용에 따른 본래의 급부의 이행을 구하는 경우에 적용될 것은 아니다(대판 2000.4.7. 99다53742).

② 표현대리행위가 성립하는 경우에 그 본인은 표현대리행위에 의하여 전적인 책임을 져야 하고, 상대방에게 과실이 있다고 하더라도 과실상계의 법리를 유추적용하여 본인의 책임을 경감할 수 없다(대판 1996.7.12. 95다49554).

③ 과실상계는 본래 채무불이행 또는 불법행위로 인한 손해배상책임에 대하여 인정되는 것이고, 매매계약이 해제되어 소급적으로 효력을 잃은 결과 매매당사자에게 해당 계약에 기한 급부가 없었던 것과 동일한 재산상태를 회복시키기 위한 원상회복의무의 이행으로서 이미 지급한 매매대금 기타의 급부의 반환을 구하는 경우에는 적용되지 아니하며, 계약의 해제로 인한 원상회복청구권에 대하여 해제자가 해제의 원인이 된 채무불이행에 관하여 '원인'의 일부를 제공하였다는 등의 사유를 내세워 신의칙 또는 공평의 원칙에 기하여 일반적으로 손해배상에

있어서의 과실상계에 준하여 권리의 내용이 제한될 수 있다고 하는 것은 허용되어서는 아니 된다(대판 2014.3.13, 2013다34143).

④ 당사자 사이의 계약에서 채무자의 채무불이행으로 인한 손해배상액이 예정되어 있는 경우, 채무불이행으로 인한 손해의 발생 및 확대에 채권자에게도 과실이 있더라도 민법 제398조 제2항에 따라 채권자의 과실을 비롯하여 채무자가 계약을 위반한 경위 등 제반 사정을 참작하여 손해배상 예정액을 감액할 수는 있을지언정 채권자의 과실을 들어 과실상계를 할 수는 없다(대판 2016.6.10, 2014다200763·200700).

⑤ 고의에 의한 채무불이행으로서 채무자가 계약 체결 당시 채권자가 계약 내용의 중요 부분에 관하여 착오에 빠진 사실을 알면서도 이를 이용하거나 이에 적극 편승하여 계약을 체결하고 그 결과 채무자가 부당한 이익을 취득하게 되는 경우 등과 같이 채무자로 하여금 채무불이행으로 인한 이익을 최종적으로 보유하게 하는 것이 공평의 이념이나 신의칙에 반하는 결과를 초래하는 경우에는 채권자의 과실에 터 잡은 채무자의 과실상계 주장을 허용하여서는 안 된다(대판 2014.7.24, 2010다58315).

35 손해배상액의 예정에 관한 다음 설명 중 틀린 것은? (다툼이 있는 경우 판례에 의함)

① 위약금의 약정은 손해배상액의 예정으로 추정한다.
② 손해배상액의 예정은 이행의 청구나 계약의 해제에 영향을 미치지 아니한다.
③ 유상계약을 체결함에 있어서 계약금 등 금원이 수수되었다고 하더라도 이를 위약금으로 하기로 하는 특약이 없는 경우에는 그 계약금 등을 손해배상액의 예정으로 볼 수 없다.
④ 손해배상의 예정액이 부당하게 과다한 경우에는 법원은 당사자의 주장이 없더라도 직권으로 이를 감액할 수 있는데, 이 경우 손해배상의 예정액이 부당히 과다한지 여부는 당사자의 계약 당시를 기준으로 판단한다.
⑤ 채무불이행으로 인한 손해배상액의 예정이 있는 경우에는 채권자는 채무불이행 사실만 증명하면 손해의 발생 및 그 액을 증명하지 아니하고 예정배상액을 청구할 수 있다.

해설 ①, ② 제398조 제3항과 제4항 【배상액의 예정】
③ 손해배상액의 예정은 이행의 청구나 계약의 해제에 영향을 미치지 아니한다.
④ 위약금의 약정은 손해배상액의 예정으로 추정한다.

③ 유상계약을 체결함에 있어서 계약금 등 금원이 수수되었다고 하더라도 이를 위약금으로 하기로 하는 특약이 있는 경우에 한하여 민법 제398조 제4항에 의하여 손해배상액의 예정으로 서의 성질을 가진 것으로 볼 수 있을 뿐이고, 그와 같은 특약이 없는 경우에는 그 계약금 등을 손해배상액의 예정으로 볼 수 없다(대판 1996.6.14, 95다11429).

④ [1] 민법 제398조 제2항에 의하면, "손해배상의 예정액이 부당히 과다한 경우에는 법원이 이를 적당히 감액할 수 있다."고 규정하고 있는바, 여기서 '부당히 과다한 경우'라 함은 채권자와 채무자의 각 지위, 계약의 목적 및 내용, 손해배상액을 예정한 동기, 채무액에 대한 예정액의 비율, 예상손해액의 크기, 그 당시의 거래관행 등 모든 사정을 참작하여 일반 사회관념에 비추어 그 예정액의 지급이 경제적 약자의 지위에 있는 채무자에게 부당한 압박을 가하여 공정성

을 잃는 결과를 초래한다고 인정되는 경우를 뜻하는 것으로 보아야 하고, 한편 위 규정의 적용에 따라 손해배상의 예정액이 부당하게 과다한지의 여부 내지 그에 대한 적당한 감액의 범위를 판단하는 데 있어서는 법원이 구체적으로 그 판단을 하는 때, 즉 사실심의 변론종결 당시를 기준으로 하여 그 사이에 발생한 위와 같은 모든 사정을 종합적으로 고려하여야 할 것이다. [2] 법원이 손해배상의 예정액이 부당히 과다하다고 하여 감액을 한 경우에는 손해배상액의 예정에 관한 약정 중 감액 부분에 해당하는 부분은 처음부터 무효라고 할 것이다(대판 2004.12.10, 2002다73852).

⑤ 채무불이행으로 인한 손해배상액이 예정되어 있는 경우에는 채권자는 채무불이행 사실만 증명하면 손해의 발생 및 그 액을 증명하지 아니하고 예정배상액을 청구할 수 있고, 채무자는 채권자와 채무불이행에 있어 채무자의 귀책사유를 묻지 아니한다는 약정을 하지 아니한 이상 자신의 귀책사유가 없음을 주장·입증함으로써 예정배상액의 지급책임을 면할 수 있다. 그리고 채무자의 귀책사유를 묻지 아니한다는 약정의 존재 여부는 근본적으로 당사자 사이의 의사해석의 문제로서, 당사자 사이의 약정 내용과 그 약정이 이루어지게 된 동기 및 경위, 당사자가 그 약정에 의하여 달성하려고 하는 목적과 진정한 의사, 거래의 관행 등을 종합적으로 고찰하여 합리적으로 해석하여야 하지만, 당사자의 통상의 의사는 채무자의 귀책사유로 인한 채무불이행에 대해서만 손해배상액을 예정한 것으로 봄이 상당하므로, 채무자의 귀책사유를 묻지 않기로 하는 약정의 존재는 엄격하게 제한하여 인정하여야 한다(대판 2007.12.27, 2006다9408).

36 손해배상액의 예정에 관한 다음 설명 중 가장 옳지 않은 것은? (다툼이 있는 경우 판례에 의함)

① 채무불이행으로 인한 손해배상액의 예정이 있는 경우에는 채권자는 채무불이행 사실만 증명하면 손해의 발생 및 손해액을 증명하지 아니하고 예정배상액을 청구할 수 있다.

② 손해배상 예정액이 부당하게 과다한 경우에는 법원은 당사자의 주장이 없더라도 직권으로 이를 감액할 수 있다.

③ 계약 당시 당사자 사이에 손해배상액을 예정하는 내용의 약정이 있는 경우에는 그것은 계약상의 채무불이행으로 인한 손해액에 관한 것이고 이를 그 계약과 관련된 불법행위상의 손해까지 예정한 것이라고는 볼 수 없다.

④ 계약 당시 손해배상액을 예정한 경우에 다른 특약이 없는 한 채무불이행으로 인하여 입은 특별손해까지도 예정액에 포함된다고 볼 수 없고, 채권자는 손해가 예정액을 초과하는 경우 초과 부분을 따로 청구할 수 있다.

⑤ 위약금은 민법 제398조 제4항에 의하여 손해배상액의 예정으로 추정되므로 위약금이 위약벌로 해석되기 위하여는 특별한 사정이 주장·입증되어야 하는바, 당사자 사이의 도급계약서에 계약보증금 외에 지체상금도 규정되어 있다는 점만을 이유로 하여 계약보증금을 위약벌로 보기는 어렵다.

해설 ① 채무불이행으로 인한 손해배상액의 예정이 있는 경우에는 채권자는 채무불이행 사실만 증명하면 손해의 발생 및 그 액을 증명하지 아니하고 예정배상액을 청구할 수 있다(대판 2007. 12.27, 2006다9408).

정답 35 ④ 36 ④

② 제398조 제2항 【배상액의 예정】 손해배상의 예정액이 부당히 과다한 경우에는 법원은 적당히 감액할 수 있다.

③ 계약 당시 당사자 사이에 손해배상액을 예정하는 내용의 약정이 있는 경우에는 그것은 계약상의 채무불이행으로 인한 손해액에 관한 것이고, 이를 그 계약과 관련된 불법행위상의 손해까지 예정한 것이라고는 볼 수 없다(대판 1999.11.5, 98다48033).

④ 당사자 사이의 채무불이행에 관하여 손해배상액을 예정한 경우에 채권자는 통상의 손해뿐만 아니라 특별한 사정으로 인한 손해에 관하여도 예정된 배상액만을 청구할 수 있고 특약이 없는 한 예정액을 초과한 배상액을 청구할 수는 없다(대판 1988.9.27, 86다카2375).

⑤ 도급계약서 및 그 계약내용에 편입된 약관에 수급인의 귀책사유로 인하여 계약이 해제된 경우에는 계약보증금이 도급인에게 귀속한다는 조항이 있을 때 이 계약보증금이 손해배상액의 예정인지 위약벌인지는 도급계약서 및 위 약관 등을 종합하여 구체적 사건에서 개별적으로 결정할 의사해석의 문제이고, 위약금은 민법 제398조 제4항에 의하여 손해배상액의 예정으로 추정되므로 위약금이 위약벌로 해석되기 위하여는 특별한 사정이 주장·입증되어야 하는 바, 당사자 사이의 도급계약서에 계약보증금 외에 지체상금도 규정되어 있다는 점만을 이유로 하여 계약보증금을 위약벌로 보기는 어렵다(대판 2000.12.8, 2000다35771).

37 손해배상액의 예정에 관한 다음 설명 중 가장 옳지 않은 것은? (다툼이 있는 경우 판례에 의함)

▶ 2016년 법무사

① 민법 제398조 제2항의 적용에 따라 손해배상의 예정액이 부당하게 과다한지의 여부 내지 그에 대한 적당한 감액의 범위를 판단하는 데 있어서는, 손해배상액을 예정할 당시의 사정만을 기준으로 판단하는 것이 원칙이고, 특별한 사정이 있는 경우에 한하여 사실심의 변론종결 당시를 기준으로 하여 판단한다.

② 채무불이행으로 인한 손해배상액의 예정이 있는 경우에는 채권자는 채무불이행 사실만 증명하면 손해의 발생 및 그 액을 증명하지 않고 예정배상액을 청구할 수 있고, 채무자는 채권자와 채무불이행에 있어 채무자의 귀책사유를 묻지 않는다는 약정을 하지 않은 이상 자신의 귀책사유가 없음을 주장·증명함으로써 위 예정배상액의 지급책임을 면할 수 있다.

③ 민법 제398조가 규정하는 손해배상의 예정은 채무불이행의 경우에 채무자가 지급하여야 할 손해배상액을 미리 정해두는 것으로서 그 목적은 손해의 발생사실과 손해액에 대한 입증곤란을 배제하고 분쟁을 사전에 방지하여 법률관계를 간이하게 해결하는 것 외에 채무자에게 심리적으로 경고를 줌으로써 채무이행을 확보하려는 데에 있으므로, 채무자가 실제로 손해발생이 없다거나 손해액이 예정액보다 적다는 것을 입증하더라도 채무자는 그 예정액의 지급을 면하거나 감액을 청구하지 못한다.

④ 위약벌의 약정은 채무의 이행을 확보하기 위하여 정해지는 것으로서 손해배상의 예정과는 그 내용이 다르므로 손해배상의 예정에 관한 민법 제398조 제2항을 유추적용하여 그 액을 감액할 수는 없다.

⑤ 법원이 손해배상의 예정액을 부당히 과다하다고 하여 감액하려면 채권자와 채무자의 경제적 지위, 계약의 목적과 내용, 손해배상액을 예정한 경위와 동기, 채무액에 대한 예정액의 비율, 예상 손해액의 크기, 당시의 거래 관행과 경제상태 등을 참작한 결과 손해배상 예정액의 지급이 경제적 약자의 지위에 있는 채무자에게 부당한 압박을 가하여 공정을 잃는 결과를 초래한다고 인정되는 경우라야 하고, 단지 예정액 자체가 크다든가 계약 체결 시부터 계약 해제 시까지의 시간적 간격이 짧다든가 하는 사유만으로는 부족하다.

해설 ① 민법 제398조 제2항에 의하면, "손해배상의 예정액이 부당히 과다한 경우에는 법원이 이를 적당히 감액할 수 있다."고 규정하고 있는바, 여기서 '부당히 과다한 경우'라 함은 채권자와 채무자의 각 지위, 계약의 목적 및 내용, 손해배상액을 예정한 동기, 채무액에 대한 예정액의 비율, 예상손해액의 크기, 그 당시의 거래관행 등 모든 사정을 참작하여 일반 사회관념에 비추어 그 예정액의 지급이 경제적 약자의 지위에 있는 채무자에게 부당한 압박을 가하여 공정성을 잃는 결과를 초래한다고 인정되는 경우를 뜻하는 것으로 보아야 하고, 한편 위 규정의 적용에 따라 손해배상의 예정액이 부당하게 과다한지의 여부 내지 그에 대한 적당한 감액의 범위를 판단하는 데 있어서는, 법원이 구체적으로 그 판단을 하는 때, 즉 사실심의 변론종결 당시를 기준으로 하여 그 사이에 발생한 위와 같은 모든 사정을 종합적으로 고려하여야 할 것이다(대판 2004.12.10, 2002다73852).

② 채무불이행으로 인한 손해배상액이 예정되어 있는 경우에는 채권자는 채무불이행 사실만 증명하면 손해의 발생 및 그 액을 증명하지 아니하고 예정배상액을 청구할 수 있고, 채무자는 채권자와 채무불이행에 있어 채무자의 귀책사유를 묻지 아니한다는 약정을 하지 아니한 이상 자신의 귀책사유가 없음을 주장·입증함으로써 예정배상액의 지급책임을 면할 수 있다. 그리고 채무자의 귀책사유를 묻지 아니한다는 약정의 존재 여부는 근본적으로 당사자 사이의 의사해석의 문제로서, 당사자 사이의 약정 내용과 그 약정이 이루어지게 된 동기 및 경위, 당사자가 그 약정에 의하여 달성하려고 하는 목적과 진정한 의사, 거래의 관행 등을 종합적으로 고찰하여 합리적으로 해석하여야 하지만, 당사자의 통상의 의사는 채무자의 귀책사유로 인한 채무불이행에 대해서만 손해배상액을 예정한 것으로 봄이 상당하므로, 채무자의 귀책사유를 묻지 않기로 하는 약정의 존재는 엄격하게 제한하여 인정하여야 한다(대판 2007.12.27, 2006다9408).

③ 민법 제398조가 규정하는 손해배상의 예정은 채무불이행의 경우에 채무자가 지급하여야 할 손해배상을 미리 정해두는 것으로서 그 목적은 손해의 발생사실과 손해액에 대한 입증곤란을 배제하고 분쟁을 사전에 방지하여 법률관계를 간이하게 해결하는 것 외에 채무자에게 심리적으로 경고를 줌으로써 채무이행을 확보하려는 데에 있으므로, 채무자가 실제로 손해발생이 없다거나 손해액이 예정액보다 적다는 것을 입증하더라도 채무자는 그 예정액의 지급을 면하거나 감액을 청구하지 못한다(대판 1993.4.23, 92다41719 ; 대판 1968.6.22, 67다737).

④ 위약벌의 약정은 채무의 이행을 확보하기 위하여 정하는 것으로서 손해배상의 예정과 다르므로 손해배상의 예정에 관한 민법 제398조 제2항을 유추 적용하여 그 액을 감액할 수 없고, 다만 의무의 강제로 얻는 채권자의 이익에 비난하여 약정된 벌이 과도하게 무거울 때에는 일부 또는 전부가 공서양속에 반하여 무효로 된다(대판 2016.1.28, 2015다239324).

정답 37 ①

⑤ 법원이 손해배상의 예정액을 부당히 과다하다고 하여 감액하려면 채권자와 채무자의 경제적 지위, 계약의 목적과 내용, 손해배상액을 예정한 경위와 동기, 채무액에 대한 예정액의 비율, 예상 손해액의 크기, 당시의 거래 관행과 경제상태 등을 참작한 결과 손해배상 예정액의 지급이 경제적 약자의 지위에 있는 채무자에게 부당한 압박을 가하여 공정을 잃는 결과를 초래한다고 인정되는 경우라야 하고, 단지 예정액 자체가 크다든가 계약 체결 시부터 계약 해제 시까지의 시간적 간격이 짧다든가 하는 사유만으로는 부족하다(대판 2014.7.24, 2014다209227).

38 손해배상액의 예정과 위약벌에 관한 다음 설명 중 가장 옳지 않은 것은? ▸ 2018년 법원행시

① 당사자 사이에 채무불이행이 있으면 위약금을 지급하기로 하는 약정이 있는 경우에 그 위약금이 손해배상액의 예정인지 위약벌인지는 계약서 등 처분문서의 내용과 계약의 체결 경위 등을 종합하여 구체적 사건에서 개별적으로 판단할 의사해석의 문제이고, 위약금은 민법 제398조 제4항에 의하여 손해배상액의 예정으로 추정된다. 이러한 법리에 비추어 보면, 하나의 계약에 채무불이행으로 인한 손해의 배상에 관하여 손해배상액 예정에 관한 조항이 따로 있다거나 실손해의 배상을 전제로 하는 조항이 있고 그와 별도로 위약금 조항을 두고 있어서 그 위약금 조항을 손해배상액의 예정으로 해석하게 되면 이중배상이 이루어질 수 있다 하더라도, 그러한 사정만으로는 그 위약금을 위약벌로 볼 수 없다.

② 민법 제398조 제2항의 적용에 따라 손해배상의 예정액이 부당하게 과다한지의 여부 내지 그에 대한 적당한 감액의 범위를 판단하는 데 있어서는, 법원이 구체적으로 그 판단을 하는 때, 즉 사실심의 변론종결 당시를 기준으로 하여 그 사이에 발생한 모든 사정을 종합적으로 고려하여야 할 것이다.

③ 민법 제398조가 규정하는 손해배상액의 예정은 채무불이행의 경우에 채무자가 지급하여야 할 손해배상액을 미리 정해두는 것으로서 그 목적은 손해의 발생사실과 손해액에 대한 증명 곤란을 배제하고 분쟁을 사전에 방지하여 법률관계를 간이하게 해결하는 것 외에 채무자에게 심리적으로 경고를 줌으로써 채무이행을 확보하려는 데 있다. 따라서 채무자가 실제로 손해발생이 없다거나 손해액이 예정액보다 적다는 것을 증명하더라도 이 점만으로 채무자는 그 예정액의 지급을 면하거나 감액을 청구하지 못한다.

④ 법원이 손해배상의 예정액을 부당히 과다하다고 하여 감액하려면 채권자와 채무자의 경제적 지위, 계약의 목적과 내용, 손해배상액을 예정한 경위와 동기, 채무액에 대한 예정액의 비율, 예상 손해액의 크기, 당시의 거래 관행과 경제상태 등을 참작한 결과 손해배상 예정액의 지급이 경제적 약자의 지위에 있는 채무자에게 부당한 압박을 가하여 공정을 잃는 결과를 초래한다고 인정되는 경우라야 하고, 단지 예정액 자체가 크다든가 계약 체결 시부터 계약해제 시까지의 시간적 간격이 짧다든가 하는 사유만으로는 부족하다.

⑤ 위약벌의 약정은 채무의 이행을 확보하기 위하여 정해지는 것으로서 손해배상의 예정과는 그 내용이 다르므로 손해배상액의 예정에 관한 민법 제398조 제2항을 유추적용하여 그 액을 감액할 수는 없고, 다만 그 의무의 강제에 의하여 얻어지는 채권자의 이익에 비하여 약정된 벌이 과도하게 무거울 때에는 그 일부 또는 전부가 공서양속에 반하여 무효로 된다.

해설 ① 당사자 사이에 채무불이행이 있으면 위약금을 지급하기로 하는 약정이 있는 경우에 위약금이 손해배상액의 예정인지 위약벌인지는 계약서 등 처분문서의 내용과 계약의 체결 경위 등을 종합하여 구체적 사건에서 개별적으로 판단할 의사해석의 문제이고, 위약금은 민법 제398조 제4항에 의하여 손해배상액의 예정으로 추정되지만, 당사자 사이의 위약금 약정이 채무불이행으로 인한 손해의 배상이나 전보를 위한 것이라고 보기 어려운 특별한 사정, 특히 하나의 계약에 채무불이행으로 인한 손해의 배상에 관하여 손해배상예정에 관한 조항이 따로 있다거나 실손해의 배상을 전제로 하는 조항이 있고 그와 별도로 위약금 조항을 두고 있어서 위약금 조항을 손해배상액의 예정으로 해석하게 되면 이중배상이 이루어지는 등의 사정이 있을 때에는 위약금은 위약벌로 보아야 한다(대판 2016.7.14, 2013다82944, 2013다82951).

② [1] 민법 제398조 제2항에 의하면, "손해배상의 예정액이 부당히 과다한 경우에는 법원이 이를 적당히 감액할 수 있다"고 규정하고 있는바, 여기서 '부당히 과다한 경우'라 함은 채권자와 채무자의 각 지위, 계약의 목적 및 내용, 손해배상액을 예정한 동기, 채무액에 대한 예정액의 비율, 예상손해액의 크기, 그 당시의 거래관행 등 모든 사정을 참작하여 일반 사회관념에 비추어 그 예정액의 지급이 경제적 약자의 지위에 있는 채무자에게 부당한 압박을 가하여 공정성을 잃는 결과를 초래한다고 인정되는 경우를 뜻하는 것으로 보아야 하고, 한편 위 규정의 적용에 따라 손해배상의 예정액이 부당하게 과다한지의 여부 내지 그에 대한 적당한 감액의 범위를 판단하는 데 있어서는, 법원이 구체적으로 그 판단을 하는 때, 즉 사실심의 변론종결 당시를 기준으로 하여 그 사이에 발생한 위와 같은 모든 사정을 종합적으로 고려하여야 할 것이다.
[2] 법원이 손해배상의 예정액이 부당히 과다하다고 하여 감액을 한 경우에는 손해배상액의 예정에 관한 약정 중 감액 부분에 해당하는 부분은 처음부터 무효라고 할 것이다(대판 2004.12.10, 2002다73852).

③ 민법 제398조가 규정하는 손해배상의 예정은 채무불이행의 경우에 채무자가 지급하여야 할 손해배상액을 미리 정해두는 것으로서 그 목적은 손해의 발생사실과 손해액에 대한 증명 곤란을 배제하고 분쟁을 사전에 방지하여 법률관계를 간이하게 해결하는 것 외에 채무자에게 심리적으로 경고를 줌으로써 채무이행을 확보하려는 데 있다. 따라서 채무자가 실제로 손해발생이 없다거나 손해액이 예정액보다 적다는 것을 증명하더라도 채무자는 그 예정액의 지급을 면하거나 감액을 청구하지 못한다. 여기서 민법 제398조 제2항에 의하여 법원이 예정액을 감액할 수 있는 '부당히 과다한 경우'란 손해가 없다든가 손해액이 예정액보다 적다는 것만으로는 부족하고, 계약자의 경제적 지위, 계약의 목적 및 내용, 손해배상액 예정의 경위 및 거래관행 기타 여러 사정을 고려하여 그와 같은 예정액의 지급이 경제적 약자의 지위에 있는 채무자에게 부당한 압박을 가하여 공정성을 잃는 결과를 초래한다고 인정되는 경우를 뜻하는 것으로 보아야 한다(대판 2016.3.24, 2014다3115).

정답 **38** ①

④ [1] 법원이 손해배상의 예정액을 부당히 과다하다고 하여 감액하려면 채권자와 채무자의 경제적 지위, 계약의 목적과 내용, 손해배상액을 예정한 경위와 동기, 채무액에 대한 예정액의 비율, 예상 손해액의 크기, 당시의 거래 관행과 경제상태 등을 참작한 결과 손해배상 예정액의 지급이 경제적 약자의 지위에 있는 채무자에게 부당한 압박을 가하여 공정을 잃는 결과를 초래한다고 인정되는 경우라야 하고, 단지 예정액 자체가 크다든가 계약 체결 시부터 계약 해제 시까지의 시간적 간격이 짧다든가 하는 사유만으로는 부족하다.
[2] 임차인 甲이 임대인 乙과의 임대차계약에서 채무불이행에 따른 손해배상액으로 예정한 계약금이 임대차계약의 잔금 지급기일로부터 3일 만에 해제된 사정을 고려하면 부당히 과다하다고 주장하면서 乙을 상대로 계약금 반환 등을 구한 사안에서, 임대차계약 해제 시까지의 시간적 간격이 짧다는 사정만을 근거로 손해배상 예정액이 부당하게 과다하다고 본 원심판결에 법리오해의 잘못이 있다고 한 사례(대판 2014.7.24, 2014다209227).

⑤ 위약벌의 약정은 손해배상의 예정과는 그 내용이 다르므로 손해배상의 예정에 관한 민법 제398조 제2항을 유추적용하여 그 액을 감액할 수는 없으며, 다만 그 의무의 강제에 의하여 얻어지는 채권자의 이익에 비하여 약정된 벌이 과도하게 무거울 때에는 그 일부 또는 전부가 공서양속에 반하여 무효로 되는 것에 불과하다(대판 2002.4.23, 2000다56976).

39 채무불이행으로 인한 손해배상청구에 관한 다음 설명 중 옳은 것을 모두 고른 것은? (다툼이 있는 경우 판례에 따르고 전원합의체 판결의 경우 다수의견에 의함) ▶ 2017년 법원행시

㉠ 보증서의 보증금액은 보증인이 보증책임을 지게 될 주채무에 관한 한도액을 정한 것으로서 그 한도액에는 주채무자의 채권자에 대한 원금과 이자 및 지연손해금이 모두 포함되고 그 합계액이 보증의 한도액을 초과할 수 없지만, 보증채무는 주채무와는 별개의 채무이기 때문에 보증채무 자체의 이행지체로 인한 지연손해금은 보증의 한도액과는 별도로 부담하여야 한다.

㉡ 소유자가 자신의 소유권에 기하여 실체관계에 부합하지 아니하는 등기의 명의인을 상대로 등기말소청구를 한 후 그 등기말소의무자의 행위로 인하여 소유권을 상실함으로써 등기말소 등을 청구할 수 없게 되었다면, 등기말소의무자에 대하여 그 권리의 이행불능을 이유로 민법 제390조상의 손해배상청구권을 가진다.

㉢ 신용보증기금이 수익자인 A를 상대로 원물반환으로 근저당권설정등기의 말소를 구하는 사해행위취소소송을 제기하여 승소판결을 받아 확정되었는데, 이후 해당 부동산에 관한 경매절차가 진행되어 제3자에게 매각됨으로써 A의 근저당권설정등기의 말소등기의무가 이행불능된 경우, 신용보증기금은 대상청구권의 행사로서 A가 말소될 근저당권설정등기에 기한 근저당권자로서 지급받은 배당금의 반환을 청구할 수 있다.

㉣ 계약당사자 일방이 자신이 부담하는 계약상 채무를 이행하는 데 장애가 될 수 있는 사유를 계약을 체결할 당시에 알았거나 예견할 수 있었음에도 이를 상대방에게 고지하지 아니한 경우에는, 특별한 사정이 없는 한 비록 그 사유로 인하여 채무가 불이행되는 것 자체에 대하여 잘못이 없다고 하더라도 그 채무가 불이행된 것에 대하여 귀책사유가 없다고 할 수 없다.

> ㉤ 채권의 가압류는 제3채무자에 대하여 채무자에게 지급하는 것을 금지하는 것이므로, 가압류가 있는 동안에는 이행기가 도래하더라도 제3채무자는 그 지체책임을 면할 수 있다.
>
> ㉥ 채무불이행을 이유로 계약해제와 아울러 손해배상을 청구하는 경우, 이행이익의 배상을 구하는 것이 원칙이나 그에 갈음하여 신뢰이익의 배상을 구할 수도 있는데, 그 신뢰이익 중 계약의 체결과 이행을 위하여 통상적으로 지출되는 비용은 통상의 손해로서 상대방이 알았거나 알 수 있었는지의 여부와는 관계없이 그 배상을 구할 수 있으나, 이를 초과하여 지출되는 비용은 특별한 사정으로 인한 손해로서 상대방이 이를 알았거나 알 수 있었던 경우에 한하여 그 배상을 구할 수 있다.

① ㉠, ㉡, ㉣, ㉥　② ㉡, ㉢, ㉤, ㉥　③ ㉠, ㉡, ㉢, ㉣
④ ㉢, ㉣, ㉤, ㉥　⑤ ㉠, ㉢, ㉣, ㉥

해설 ㉠ 보증서의 보증금액은 보증인이 보증책임을 지게 될 주채무에 관한 한도액을 정한 것으로서 한도액에는 주채무자의 채권자에 대한 원금과 이자 및 지연손해금이 모두 포함되고 합계액이 보증의 한도액을 초과할 수 없지만, 보증채무는 주채무와는 별개의 채무이기 때문에 보증채무 자체의 이행지체로 인한 지연손해금은 보증의 한도액과는 별도로 부담하여야 하고, 이때 보증채무의 연체이율에 관하여 특별한 약정이 없는 경우라면 거래행위의 성질에 따라 상법 또는 민법에서 정한 법정이율에 따라야 한다. 그리고 선급금 반환사유가 발생하였을 경우 선급금 잔액에 대하여 선급금 지급 시부터 이자를 가산하여 반환할지는 주계약 당사자 사이의 약정에 따라야 한다(대판 2016.1.28, 2013다74110).

㉡ 소유자가 자신의 소유권에 기하여 실체관계에 부합하지 아니하는 등기의 명의인을 상대로 그 등기말소나 진정명의회복 등을 청구하는 경우에, 그 권리는 물권적 청구권으로서의 방해배제청구권(민법 제214조)의 성질을 가진다. 그러므로 소유자가 그 후에 소유권을 상실함으로써 이제 등기말소 등을 청구할 수 없게 되었다면, 이를 위와 같은 청구권의 실현이 객관적으로 불능이 되었다고 파악하여 등기말소 등 의무자에 대하여 그 권리의 이행불능을 이유로 민법 제390조상의 손해배상청구권을 가진다고 말할 수 없다. 위 법규정에서 정하는 채무불이행을 이유로 하는 손해배상청구권은 계약 또는 법률에 기하여 이미 성립하여 있는 채권관계에서 본래의 채권이 동일성을 유지하면서 그 내용이 확장되거나 변경된 것으로서 발생한다. 그러나 위와 같은 등기말소청구권 등의 물권적 청구권은 그 권리자인 소유자가 소유권을 상실하면 이제 그 발생의 기반이 아예 없게 되어 더 이상 그 존재 자체가 인정되지 아니하는 것이다. 이러한 법리는 선행소송에서 소유권보존등기의 말소등기청구가 확정되었다고 하더라도 그 청구권의 법적 성질이 채권적 청구권으로 바뀌지 아니하므로 마찬가지이다(대판(전합) 2012.5.17, 2010다28604).

㉢ 우리 민법이 이행불능의 효과로서 채권자의 전보배상청구권과 계약해제권 외에 별도로 대상청구권을 규정하고 있지 않으나 해석상 대상청구권을 부정할 이유는 없다. 신용보증기금이 갑 주식회사를 상대로 제기한 사해행위취소소송에서 원물반환으로 근저당권설정등기의 말소를 구하여 승소판결이 확정되었는데, 그 후 해당 부동산이 관련 경매사건에서 담보권 실행을 위한 경매절차를 통하여 제3자에게 매각된 사안에서, 위와 같이 부동산이 담보권 실행을 위한 경매절차에 의하여 매각됨으로써 확정판결에 기한 갑 회사의 근저당권설정등기 말소등기절차의무가 이행불

정답 39 ⑤

능된 경우, 신용보증기금은 대상청구권 행사로서 갑 회사가 말소될 근저당권설정등기에 기한 근저당권자로서 지급받은 배당금의 반환을 청구할 수 있다(대판 2012.6.28, 2010다71431).

㉣ 계약당사자 일방이 자신이 부담하는 계약상 채무를 이행하는 데 장애가 될 수 있는 사유를 계약을 체결할 당시에 알았거나 예견할 수 있었음에도 이를 상대방에게 고지하지 아니한 경우에는, 비록 그 사유로 말미암아 후에 채무불이행이 되는 것 자체에 대하여는 그에게 어떠한 잘못이 없다고 하더라도, 상대방이 그 장애사유를 인식하고 이에 관한 위험을 인수하여 계약을 체결하였다거나 채무불이행이 상대방의 책임 있는 사유로 인한 것으로 평가되어야 하는 등의 특별한 사정이 없는 한, 그 채무가 불이행된 것에 대하여 귀책사유가 없다고 할 수 없다. 그것이 계약의 원만한 실현과 관련하여 각각의 당사자가 부담하여야 할 위험을 적절하게 분배한다는 계약법의 기본적 요구에 부합한다(대판 2011.8.25, 2011다43778).

㉤ 채권의 가압류는 제3채무자에 대하여 채무자에게 지급하는 것을 금지하는 데 그칠 뿐 채무 그 자체를 면하게 하는 것이 아니고, 가압류가 있다 하여도 그 채권의 이행기가 도래한 때에는 제3채무자는 그 지체책임을 면할 수 없다고 보아야 할 것이다(대판 1994.12.13, 93다951).

㉥ 채무불이행을 이유로 계약해제와 아울러 손해배상을 청구하는 경우에 그 계약이행으로 인하여 채권자가 얻을 이익 즉 이행이익의 배상을 구하는 것이 원칙이지만, 그에 갈음하여 그 계약이 이행되리라고 믿고 채권자가 지출한 비용 즉 신뢰이익의 배상을 구할 수도 있다고 할 것이고, 그 신뢰이익 중 계약의 체결과 이행을 위하여 통상적으로 지출되는 비용은 통상의 손해로서 상대방이 알았거나 알 수 있었는지의 여부와는 관계없이 그 배상을 구할 수 있고, 이를 초과하여 지출되는 비용은 특별한 사정으로 인한 손해로서 상대방이 이를 알았거나 알 수 있었던 경우에 한하여 그 배상을 구할 수 있다(대판 2003.10.23, 2001다75295).

40 손해배상에 관한 다음 설명 중 가장 옳지 않은 것은? (다툼이 있는 경우 판례에 의함)
▸ 2017년 법원행시

① 매도인이 매수인으로부터 매매대금을 약정된 기일에 지급받지 못한 결과 제3자로부터 부동산을 매수하고 그 잔대금을 지급하지 못하여 그 계약금을 몰수당함으로써 손해를 입었다고 하더라도 매수인이 이를 알았거나 알 수 있었던 경우에만 그 손해를 배상할 책임이 있다.

② 수급인의 하자담보책임은 무과실책임으로서 여기에 민법 제396조의 과실상계 규정이 준용될 수 없으므로, 하자발생 및 그 확대에 가공한 도급인의 잘못을 참작하여 손해배상의 범위를 정할 수는 없다.

③ 사용자가 피용자의 과실에 의한 불법행위로 인한 사용자책임을 부담하는 경우와 마찬가지로 피용자의 고의에 의한 불법행위로 인하여 사용자책임을 부담하는 경우에도 피해자에게 그 손해의 발생과 확대에 기여한 과실이 있다면 사용자책임의 범위를 정함에 있어서 이러한 피해자의 과실을 고려하여 그 책임을 제한할 수 있다.

④ 금융기관이 어음할인을 하고 취득한 어음을 지급기일에 적법하게 지급제시를 하지 아니하여 소구권을 보전하지 아니하였다 할지라도, 지급기일 후에 어음발행인의 자력이 악화되어 무자력이 되는 바람에 어음환매자가 발행인에 대한 어음채권과 원인채권의 어느 것도 받을 수 없게 됨으로 인하여 손해를 입게 된 것이라면, 지급제시 의무를 불이행한 금융기관이 그 의무 불이행 당시인 어음의 지급기일에 장차 어음발행인의 자력이 악화될 것임을 알았거나 알 수 있었을 때라야 어음을 환매하는 자에 대하여 손해배상 채무를 진다.

⑤ 채권자가 그 채권의 목적인 물건 또는 권리의 가액전부를 손해배상으로 받은 때에는 채무자는 그 물건 또는 권리에 관하여 당연히 채권자를 대위한다.

해설 ① 매도인이 매수인으로부터 매매대금을 약정된 기일에 지급받지 못한 결과 제3자로부터 부동산을 매수하고 그 잔대금을 지급하지 못하여 그 계약금을 몰수당함으로써 손해를 입었다고 하더라도 이는 특별한 사정으로 인한 손해이므로 매수인이 이를 알았거나 알 수 있었던 경우에만 그 손해를 배상할 책임이 있다(대판 1991.10.11, 91다25369).

② 수급인의 하자담보책임은 법이 특별히 인정한 무과실책임으로서 여기에 민법 제396조의 과실상계 규정이 준용될 수는 없다 하더라도 담보책임이 민법의 지도이념인 공평의 원칙에 입각한 것인 이상 하자발생 및 그 확대에 가공한 도급인의 잘못을 참작할 수 있다(대판 2004.8.20, 2001다70337).

③ 사용자가 피용자의 과실에 의한 불법행위로 인한 사용자책임을 부담하는 경우와 마찬가지로 피용자의 고의에 의한 불법행위로 인하여 사용자책임을 부담하는 경우에도 피해자에게 그 손해의 발생과 확대에 기여한 과실이 있다면 사용자책임의 범위를 정함에 있어서 이러한 피해자의 과실을 고려하여 그 책임을 제한할 수 있다(대판 2002.12.26, 2000다56952).

④ 금융기관이 어음할인을 하고 취득한 어음을 지급기일에 적법하게 지급제시를 하지 아니하여 소구권을 보전하지 아니하였다 할지라도, 지급기일 후에 어음발행인의 자력이 악화되어 무자력이 되는 바람에 어음환매자가 발행인에 대한 어음채권과 원인채권의 어느 것도 받을 수 없게 됨으로 인하여 손해를 입게 된 것이라면, 이러한 손해는 어음 주채무자인 발행인의 자력의 악화라는 특별 사정으로 인한 손해로서 지급제시 의무를 불이행한 금융기관이 그 의무 불이행 당시인 어음의 지급기일에 장차 어음발행인의 자력이 악화될 것임을 알았거나 알 수 있었을 때라야 어음을 환매하는 자에 대하여 손해배상 채무를 진다(대판 2003.1.24, 2002다59849).

⑤ 제399조【손해배상자의 대위】 채권자가 그 채권의 목적인 물건 또는 권리의 가액전부를 손해배상으로 받은 때에는 채무자는 그 물건 또는 권리에 관하여 당연히 채권자를 대위한다.

정답 40 ②

41

손해배상액의 예정에 관한 다음 설명 중 가장 옳지 않은 것은? (다툼이 있는 경우 판례에 의함)

▶ 2017년 법원행시

① 당사자 사이의 계약에서 채무자의 채무불이행으로 인한 손해배상액이 예정되어 있는 경우, 채무불이행으로 인한 손해의 발생 및 확대에 채권자에게도 과실이 있다면 채권자의 과실을 들어 과실상계를 할 수 있다.

② 위약벌의 약정은 채무의 이행을 확보하기 위하여 정하는 것으로서 손해배상의 예정과 다르므로 손해배상의 예정에 관한 민법 제398조 제2항을 유추 적용하여 그 액을 감액할 수 없다.

③ 유상계약을 체결함에 있어서 계약금이 수수된 경우 계약금은 해약금의 성질을 가지고 있어서, 이를 위약금으로 하기로 하는 특약이 없는 이상 계약이 당사자 일방의 귀책사유로 인하여 해제되었다 하더라도 상대방은 계약불이행으로 입은 실제 손해만을 배상받을 수 있을 뿐 계약금이 위약금으로서 상대방에게 당연히 귀속되는 것은 아니다.

④ 채무불이행으로 인한 손해배상액이 예정되어 있는 경우에는 채권자는 채무불이행 사실만 증명하면 손해의 발생 및 그 액을 증명하지 아니하고 예정배상액을 청구할 수 있고, 채무자는 채권자와 채무불이행에 있어 채무자의 귀책사유를 묻지 아니한다는 약정을 하지 아니한 이상 자신의 귀책사유가 없음을 주장·입증함으로써 예정배상액의 지급책임을 면할 수 있다.

⑤ 부동산 거래신고 등에 관한 법률상 토지거래허가를 받지 않아 유동적 무효인 매매계약을 체결한 경우에도, 매매계약 체결 당시 일방이 토지거래허가를 받기 위한 협력 자체를 이행하지 아니하거나 허가신청에 이르기 전에 매매계약을 철회하는 경우 상대방에게 일정한 손해액을 배상하기로 하는 약정을 유효하게 할 수 있다.

해설 ① 당사자 사이의 계약에서 채무자의 채무불이행으로 인한 손해배상액이 예정되어 있는 경우, 채무불이행으로 인한 손해의 발생 및 확대에 채권자에게도 과실이 있더라도 민법 제398조 제2항에 따라 채권자의 과실을 비롯하여 채무자가 계약을 위반한 경위 등 제반 사정을 참작하여 손해배상 예정액을 감액할 수는 있을지언정 채권자의 과실을 들어 과실상계를 할 수는 없다(대판 2016.6.10, 2014다200763, 200770).

② 위약벌의 약정은 채무의 이행을 확보하기 위하여 정해지는 것으로서 손해배상의 예정과는 그 내용이 다르므로 손해배상의 예정에 관한 민법 제398조 제2항을 유추 적용하여 그 액을 감액할 수는 없고 다만 그 의무의 강제에 의하여 얻어지는 채권자의 이익에 비하여 약정된 벌이 과도하게 무거울 때에는 그 일부 또는 전부가 공서양속에 반하여 무효로 된다(대판 1993.3.23, 92다46905).

③ 유상계약을 체결함에 있어서 계약금이 수수된 경우 계약금은 해약금의 성질을 가지고 있어서, 이를 위약금으로 하기로 하는 특약이 없는 이상 계약이 당사자 일방의 귀책사유로 인하여 해제되었다 하더라도 상대방은 계약불이행으로 입은 실제 손해만을 배상받을 수 있을 뿐 계약금이 위약금으로서 상대방에게 당연히 귀속되는 것은 아니다(대판 2010.4.29, 2007다24930).

④ 채무불이행으로 인한 손해배상액이 예정되어 있는 경우에는 채권자는 채무불이행 사실만 증명하면 손해의 발생 및 그 액을 증명하지 아니하고 예정배상액을 청구할 수 있고, 채무자는 채권

자와 채무불이행에 있어 채무자의 귀책사유를 묻지 아니한다는 약정을 하지 아니한 이상 자신의 귀책사유가 없음을 주장·입증함으로써 예정배상액의 지급책임을 면할 수 있다. 그리고 채무자의 귀책사유를 묻지 아니한다는 약정의 존재 여부는 근본적으로 당사자 사이의 의사해석의 문제로서, 당사자 사이의 약정 내용과 그 약정이 이루어지게 된 동기 및 경위, 당사자가 그 약정에 의하여 달성하려고 하는 목적과 진정한 의사, 거래의 관행 등을 종합적으로 고찰하여 합리적으로 해석하여야 하지만, 당사자의 통상의 의사는 채무자의 귀책사유로 인한 채무불이행에 대해서만 손해배상액을 예정한 것으로 봄이 상당하므로, 채무자의 귀책사유를 묻지 않기로 하는 약정의 존재는 엄격하게 제한하여 인정하여야 한다(대판 2007.12.27, 2006다9408).

⑤ 국토이용관리법상 토지거래허가를 받지 않아 유동적 무효의 상태에 있는 계약을 체결한 당사자는 쌍방이 그 계약이 효력이 있는 것으로 완성될 수 있도록 서로 협력할 의무가 있으므로, 이러한 매매계약을 체결할 당시 당사자 사이에 그 일방이 토지거래허가를 받기 위한 협력 자체를 이행하지 아니하거나 허가신청에 이르기 전에 매매계약을 철회하는 경우 상대방에게 일정한 손해액을 배상하기로 하는 약정을 유효하게 할 수 있으며, 토지거래허가 구역 내의 토지에 관한 매매계약을 체결함에 있어서 토지거래허가를 받을 수 없는 경우 이외에 당사자 일방의 계약 위반으로 인한 손해배상액의 약정에 있어서 계약 위반이라 함은 당사자 일방이 그 협력의무를 이행하지 아니하거나 매매계약을 일방적으로 철회하여 그 매매계약이 확정적으로 무효가 되는 경우를 포함하는 것으로 봄이 상당하다(대판 1998.3.27, 97다36996).

42 손해배상에 관한 다음 설명 중 가장 옳지 않은 것은? (다툼이 있는 경우 판례에 따르고 전원합의체 판결의 경우 다수의견에 의함) ▶ 2019년 법무사

① 계약 당시 손해배상액을 예정한 경우 다른 특약이 없는 한 채무불이행으로 인하여 입은 통상손해 외에 특별손해까지도 예정액에 포함된다고 할 수는 없고, 채권자의 손해가 예정액을 초과한다면 이를 주장·입증하여 초과부분을 따로 청구할 수 있다.

② 계약 당시 당사자 사이에 손해배상액을 예정하는 내용의 약정이 있는 경우에는 그것은 계약상의 채무불이행으로 인한 손해액에 관한 것이고 이를 그 계약과 관련된 불법행위상의 손해까지 예정한 것이라고는 볼 수 없다.

③ 채무불이행으로 인한 손해배상 예정액의 청구와 채무불이행으로 인한 손해배상액의 청구는 그 청구원인을 달리 하는 별개의 청구이므로 손해배상 예정액의 청구 가운데 채무불이행으로 인한 손해배상액의 청구가 포함되어 있다고 볼 수 없다.

④ 토지에 대한 부당한 가압류의 집행으로 그 지상에 건물을 신축하는 내용의 공사도급계약이 해제됨으로 인한 손해는 특별손해이므로, 가압류채권자가 토지에 대한 가압류집행이 그 지상 건물 공사도급계약의 해제사유가 된다는 특별한 사정을 알았거나 알 수 있었을 때에 한하여 배상의 책임이 있다.

⑤ 일반육체노동을 하는 사람 또는 육체노동을 주로 생계활동으로 하는 사람의 일실수입 산정에 있어서 그 산정의 기초가 되는 가동연한은 특별한 사정이 없는 한 경험칙상 만 65세까지로 보아야 한다.

정답 ▶ 41 ① 42 ①

해설 ① 당사자 사이의 채무불이행에 관하여 손해배상액을 예정한 경우에 채권자는 통상의 손해뿐만 아니라 특별한 사정으로 인한 손해에 관하여도 예정된 배상액만을 청구할 수 있고 특약이 없는 한 예정액을 초과한 배상액을 청구할 수는 없다(대판 1988.9.27. 86다카2375).

② 계약 당시 당사자 사이에 손해배상액을 예정하는 내용의 약정이 있는 경우에는 그것은 계약 상의 채무불이행으로 인한 손해액에 관한 것이고, 이를 그 계약과 관련된 불법행위상의 손해 까지 예정한 것이라고는 볼 수 없다(대판 1999.11.5. 98다48033).

③ 채무불이행으로 인한 손해배상 예정액의 청구와 채무불이행으로 인한 손해배상액의 청구는 그 청구원인을 달리 하는 별개의 청구이므로 손해배상 예정액의 청구 가운데 채무불이행으로 인한 손해배상액의 청구가 포함되어 있다고 볼 수 없고, 채무불이행으로 인한 손해배상액의 청구에 있어서 손해의 발생 사실과 그 손해를 금전적으로 평가한 배상액에 관하여는 손해배 상을 구하는 채권자가 주장·입증하여야 하는 것이므로, 채권자가 손해배상책임의 발생 원인 사실에 관하여는 주장·입증을 하였더라도 손해의 발생 사실에 관한 주장·입증을 하지 아 니하였다면 변론주의의 원칙상 법원은 당사자가 주장하지 아니한 손해의 발생 사실을 기초로 하여 손해액을 산정할 수는 없다(대판 2000.2.11. 99다49644).

④ 가압류나 가처분 등 보전처분은 법원의 재판에 의하여 집행되는 것이기는 하나, 그 실체상 청구권이 있는지 여부는 본안소송에 맡기고 단지 소명에 의하여 채권자의 책임 아래 하는 것이므로, 그 집행 후에 집행채권자가 본안소송에서 패소 확정되었다면 그 보전처분의 집행 으로 인하여 채무자가 입은 손해에 대하여는 특별한 반증이 없는 한 집행채권자에게 고의 또는 과실이 있다고 추정되고, 따라서 그 부당한 집행으로 인한 손해에 대하여 이를 배상할 책임이 있다고 할 것이나, 토지에 대한 부당한 가압류의 집행으로 그 지상에 건물을 신축하는 내용의 공사도급계약이 해제됨으로 인한 손해는 특별손해이므로, 가압류채권자가 토지에 대 한 가압류집행이 그 지상 건물 공사도급계약의 해제사유가 된다는 특별한 사정을 알았거나 알 수 있었을 때에 한하여 배상의 책임이 있다(대판 2008.6.26. 2006다84874).

⑤ 대법원은 1989. 12. 26. 선고한 88다카16867 전원합의체 판결(이하 '종전 전원합의체 판결'이라 한다)에서 일반육체노동을 하는 사람 또는 육체노동을 주로 생계활동으로 하는 사람(이하 '육 체노동'이라 한다)의 가동연한을 경험칙상 만 55세라고 본 기존 견해를 폐기하였다. 그 후부터 현재에 이르기까지 육체노동의 가동연한을 경험칙상 만 60세로 보아야 한다는 견해를 유지 하여 왔다. 그런데 우리나라의 사회적·경제적 구조와 생활여건이 급속하게 향상·발전하고 법제도가 정비·개선됨에 따라 종전 전원합의체 판결 당시 위 경험칙의 기초가 되었던 제반 사정들이 현저히 변하였기 때문에 위와 같은 견해는 더 이상 유지하기 어렵게 되었다. 이제는 특별한 사정이 없는 한 만 60세를 넘어 만 65세까지도 가동할 수 있다고 보는 것이 경험칙에 합당하다(대판(전합) 2019.2.21. 2018다248909).

43 손해배상액의 예정에 관한 다음 설명 중 가장 옳지 않은 것은? (다툼이 있는 경우 판례에 의하고, 전원합의체 판결의 경우 다수의견에 의함) ▶ 2020년 9급(법원서기보)

① 채무불이행으로 인한 손해배상액의 예정이 있는 경우에 채권자는 채무불이행 사실만 증명하면 손해의 발생 및 그 액을 증명하지 아니하고 예정배상액을 청구할 수 있다.

② 채무자는 채권자와 사이에 채무불이행에 있어 채무자의 귀책사유를 묻지 아니한다는 약정을 하지 아니한 이상 자신의 귀책사유가 없음을 주장·입증함으로써 예정배상액의 지급책임을 면할 수 있다.

③ 손해배상액의 예정이 부당하게 과다하면 법원은 이를 직권으로 감액할 수 있는데, 손해배상액이 부당하게 과다한지 여부는 '사실심 변론종결시'를 기준으로 판단한다.

④ 법원이 손해배상의 예정액이 부당하게 과다하다고 하여 감액을 하였다고 하더라도 손해배상액의 예정에 관한 약정 중 감액부분에 해당하는 부분이 처음부터 무효인 것은 아니다.

> **해설** ①, ② 채무불이행으로 인한 손해배상액이 예정되어 있는 경우에는 채권자는 채무불이행 사실만 증명하면 손해의 발생 및 그 액을 증명하지 아니하고 예정배상액을 청구할 수 있고, 채무자는 채권자와 채무불이행에 있어 채무자의 귀책사유를 묻지 아니한다는 약정을 하지 아니한 이상 자신의 귀책사유가 없음을 주장·입증함으로써 예정배상액의 지급책임을 면할 수 있다(대판 2007.12.27, 2006다9408).
>
> ③, ④ 손해배상의 예정액이 부당하게 과다한지의 여부 내지 그에 대한 적당한 감액의 범위를 판단하는 데 있어서는, 법원이 구체적으로 그 판단을 하는 때, 즉 사실심의 변론종결 당시를 기준으로 하여 그 사이에 발생한 위와 같은 모든 사정을 종합적으로 고려하여야 할 것이고, 법원이 손해배상의 예정액이 부당히 과다하다고 하여 감액을 한 경우에는 손해배상액의 예정에 관한 약정 중 감액 부분에 해당하는 부분은 처음부터 무효라고 할 것이다(대판 2004.12.10, 2002다73852).

44 손해배상액의 예정에 관한 다음 설명 중 가장 옳지 않은 것은? ▶ 2021년 법원행시

① 금전채무에 관하여 이행지체에 대비한 지연손해금 비율을 따로 약정한 경우에 이는 손해배상액의 예정으로서 민법 제398조 제2항에 의한 감액의 대상이 된다.

② 계약 당시 당사자 사이에 손해배상액을 예정하는 내용의 약정이 있는 경우에는 그것은 계약상의 채무불이행으로 인한 손해액에 관한 것이고 이를 그 계약과 관련된 불법행위상의 손해까지 예정한 것이라고는 볼 수 없다.

③ 계약의 일방 당사자인 피고의 귀책사유로 인하여 계약이 해제되는 경우에는 위약금 약정을 두지 않고 그 상대방인 원고의 귀책사유로 인하여 계약이 해제된 경우에 대해서만 위약금 약정을 두었다 하더라도, 그 위약금 약정이 무효로 되는지 여부는 별론으로 하고 원고에 대한 위약금 규정이 있다고 하여 공평의 원칙상 그 상대방인 피고의 귀책사유로 계약이 해제되는 경우에도 원고의 귀책사유로 인한 해제의 경우와 마찬가지로 피고에게 위약금 지급의무가 인정되는 것은 아니다.

④ 무권대리인이 계약에서 정한 채무를 이행하지 않으면 상대방에게 채무불이행에 따른 손해를 배상할 책임을 지고, 위 계약에서 채무불이행에 대비하여 손해배상액의 예정에 관한 조항을 둔 때에는 특별한 사정이 없는 한 무권대리인은 그 조항에서 정한 바에 따라 산정한 손해액을 지급하여야 하는데, 이 경우에도 손해배상액의 예정에 관한 민법 제398조가 적용된다.

⑤ 민법 제398조 제2항은 손해배상액이 부당하게 과다한 경우에 법원으로 하여금 이를 감액할 수 있도록 규정하고 있는데, 위 규정은 강행법규가 아니므로 위 규정에 기한 감액주장을 사전에 배제하는 약정도 허용된다.

해설 ① 금전채무에 관하여 이행지체에 대비한 지연손해금 비율을 약정한 경우 이는 일종의 손해배상액을 예정한 것으로 본다(대판 2000.7.28, 99다38637). 따라서 실손해가 예정액보다 크다는 것을 증명하더라도 별도의 손해배상청구는 할 수 없다. 다만 법원은 민법 제398조 제2항, 이자제한법 제6조에 따라 그 예정액이 부당히 과다한 경우에는 이를 적당히 감액할 수 있다(대판 2017.8.18, 2017다228762).

② 계약 당시 당사자 사이에 손해배상액을 예정하는 내용의 약정이 있는 경우에는 그것은 계약상의 채무불이행으로 인한 손해액에 관한 것이고, 이를 그 계약과 관련된 불법행위상의 손해까지 예정한 것이라고는 볼 수 없다(대판 1999.1.15, 98다48033).

③ 계약의 일방 당사자인 피고의 귀책사유로 인하여 계약이 해제되는 경우에는 위약금 약정을 두지 않고 그 상대방인 원고의 귀책사유로 인하여 계약이 해제된 경우에 대해서만 위약금 약정을 두었다 하더라도, 그 위약금 약정이 무효로 되는지 여부는 별론으로 하고 원고에 대한 위약금 규정이 있다고 하여 공평의 원칙상 그 상대방인 피고의 귀책사유로 계약이 해제되는 경우에도 원고의 귀책사유로 인한 해제의 경우와 마찬가지로 피고에게 위약금 지급의무가 인정되는 것은 아니다(대판 2008.2.14, 2006다37892).

④ 다른 자의 대리인으로서 계약을 맺은 자가 그 대리권을 증명하지 못하고 또 본인의 추인을 받지 못한 경우에는 그는 상대방의 선택에 따라 계약을 이행할 책임 또는 손해를 배상할 책임이 있다(민법 제135조 제1항). 이때 상대방이 계약의 이행을 선택한 경우 무권대리인은 계약이 본인에게 효력이 발생하였더라면 본인이 상대방에게 부담하였을 것과 같은 내용의 채무를 이행할 책임이 있다. 무권대리인은 마치 자신이 계약의 당사자가 된 것처럼 계약에서 정한 채무를 이행할 책임을 지는 것이다. 무권대리인이 계약에서 정한 채무를 이행하지 않으면 상대방에게 채무불이행에 따른 손해를 배상할 책임을 진다. 위 계약에서 채무불이행에 대비하여 손해배상액의 예정에 관한 조항을 둔 때에는 특별한 사정이 없는 한 무권대리인은 조항에서 정한 바에 따라 산정한 손해액을 지급하여야 한다. 이 경우에도 손해배상액의 예정에 관한 민법 제398조가 적용됨은 물론이다(대판 2018.6.28, 2018다210775).

⑤ 민법 제398조 제2항은 손해배상의 예정액이 부당하게 과다한 경우에 법원으로 하여금 이를 적당히 감액할 수 있도록 규정하고 있고, 위 규정은 강행법규이므로 위 규정에 기한 감액주장을 사전에 배제하는 내용의 약정은 허용되지 아니한다(대판 2007.10.25, 2007다40765).

45 채무불이행으로 인한 손해배상에 관한 다음 설명 중 가장 옳지 않은 것은?

▶ 2022년 법원사무관 승진

① 매매로 인한 부동산소유권이전채무가 이행불능됨으로써 매수인이 매도인에 대하여 갖게 되는 손해배상채권은 그 부동산소유권의 이전채무가 이행불능된 때에 발생하는 것이고 그 계약체결일에 생기는 것은 아니므로 위 손해배상채권의 소멸시효는 계약체결일이 아닌 소유권이전채무가 이행불능된 때부터 진행한다.

② 일반적으로 임대차계약에 있어서 임대인의 채무불이행으로 인하여 임차인이 임차의 목적을 달성할 수 없게 되어 손해가 발생한 경우에는 임차인이 재산적 손해의 배상만으로는 회복될 수 없는 정신적 고통을 입었다는 특별한 사정이 있고, 임대인이 이와 같은 사정을 알았거나 알 수 있었을 경우에 한하여 정신적 고통에 대한 위자료를 인정할 수 있다.

③ 채무불이행을 이유로 손해배상을 청구하는 경우에 그 계약이행으로 인하여 채권자가 얻을 이익, 즉 이행이익의 배상을 구하는 것이 원칙이지만 그에 갈음하여 그 계약이 이행되리라고 믿고 채권자가 지출한 비용, 즉 신뢰이익의 배상을 구할 수도 있다.

④ 매도인의 매매목적물에 관한 소유권이전등기 의무가 이행불능이 됨으로 말미암아 매수인이 입는 손해액은 원칙적으로 그 이행불능이 될 당시의 목적물의 시가 상당액이고, 그 이후 목적물의 가격이 등귀하였다 하여도 그로 인한 손해는 특별손해로서도 청구할 수 없다.

해설 ① 매매로 인한 부동산소유권이전채무가 이행불능됨으로써 매수인이 매도인에 대하여 갖게 되는 손해배상채권은 그 부동산소유권의 이전채무가 이행불능된 때에 발생하는 것이고 그 계약체결일에 생기는 것은 아니므로 위 손해배상채권의 소멸시효는 계약체결일 아닌 소유권이전채무가 이행불능된 때부터 진행한다(대판 1990.11.9, 90다카22513).

② 일반적으로 임대차계약에 있어서 임대인의 채무불이행으로 인하여 임차인이 임차의 목적을 달할 수 없게 되어 손해가 발생한 경우, 이로 인하여 임차인이 받은 정신적 고통은 그 재산적 손해에 대한 배상이 이루어짐으로써 회복된다고 보아야 할 것이므로, 임차인이 재산적 손해의 배상만으로는 회복될 수 없는 정신적 고통을 입었다는 특별한 사정이 있고, 임대인이 이와 같은 사정을 알았거나 알 수 있었을 경우에 한하여 정신적 고통에 대한 위자료를 인정할 수 있다(대판 1994.12.13, 93다59779).

③ 채무불이행을 이유로 계약해제와 아울러 손해배상을 청구하는 경우에 그 계약이행으로 인하여 채권자가 얻을 이익 즉 이행이익의 배상을 구하는 것이 원칙이지만, 그에 갈음하여 그 계약이 이행되리라고 믿고 채권자가 지출한 비용 즉 신뢰이익의 배상을 구할 수도 있다(대판 2002.6.11, 2002다2539).

④ 매도인의 매매목적물에 관한 소유권이전등기 의무가 이행불능이 됨으로 말미암아 매수인이 입는 손해액은 원칙적으로 그 이행불능이 될 당시의 목적물의 시가 상당액이고, 그 이후 목적물의 가격이 등귀하였다 하여도 그로 인한 손해는 특별한 사정으로 인한 것이어서 매도인이 이행불능 당시 그와 같은 특수한 사정을 알았거나 알 수 있었을 때에 한하여 그 등귀한 가격에 의한 손해배상을 청구할 수 있다 함은 대법원의 확립된 판례이다(대판 1996.6.14, 94다61359·61366 등).

정답 45 ④

46 채무불이행과 손해배상에 관한 다음 설명 중 가장 옳지 않은 것은? ▶ 2022년 법원행시

① 채무불이행을 이유로 계약을 해제하거나 해지하고 손해배상을 청구하는 경우에, 채권자는 채무가 이행되었더라면 얻었을 이익을 얻지 못하는 손해를 입은 것이므로 계약의 이행으로 얻을 이익, 즉 이행이익의 배상을 구하는 것이 원칙이다.

② 채권자는 계약이 이행되리라고 믿고 지출한 비용의 배상을 채무불이행으로 인한 손해라고 볼 수 있는 한도에서 청구할 수 있고, 이러한 지출비용의 배상은 이행이익의 증명이 곤란한 경우에 그 증명을 용이하게 하기 위하여 인정되는데, 이 경우에도 채권자가 입은 손해, 즉 이행이익의 범위를 초과할 수는 없다.

③ 채권자가 계약의 이행으로 얻을 수 있는 이익이 인정되지 않는 경우라도 지출비용의 배상은 청구할 수 있다.

④ 계약 상대방의 채무불이행을 이유로 한 계약의 해지 또는 해제는 손해배상의 청구에 영향을 미치지 않지만, 다른 특별한 사정이 없는 한 그 손해배상책임 역시 채무불이행으로 인한 손해배상책임과 다를 것이 없으므로, 상대방에게 고의 또는 과실이 없을 때에는 배상책임을 지지 않고, 이는 상대방의 채무불이행 여부와 상관없이 일정한 사유가 발생하면 계약을 해지 또는 해제할 수 있도록 하는 약정해지·해제권을 유보한 경우에도 마찬가지이다.

⑤ 민법 제397조 제1항은 본문에서 금전채무불이행의 손해배상액을 법정이율에 의할 것을 규정하고 그 단서에서 "그러나 법령의 제한에 위반하지 아니한 약정이율이 있으면 그 이율에 의한다."고 정하는데, 단서규정은 약정이율이 법정이율 이상인 경우에만 적용되고, 약정이율이 법정이율보다 낮은 경우에는 본문으로 돌아가 법정이율에 의하여 지연손해금을 정하여야 한다.

> **해설** ①,② 대판 2007.1.25, 2004다51825; 대판 2017.2.15, 2015다235766
> ③ 채권자가 계약의 이행으로 얻을 수 있는 이익이 인정되지 않는 경우라면, 채권자에게 배상해야 할 손해가 발생하였다고 볼 수 없으므로, 당연히 지출비용의 배상을 청구할 수 없다(대판 2017.2.15, 2015다235766).
> ④ 계약 상대방의 채무불이행을 이유로 한 계약의 해지 또는 해제는 손해배상의 청구에 영향을 미치지 아니하지만(민법 제551조), 다른 특별한 사정이 없는 한 그 손해배상책임 역시 채무불이행으로 인한 손해배상책임과 다를 것이 없으므로, 상대방에게 고의 또는 과실이 없을 때에는 배상책임을 지지 아니한다(민법 제390조). 이는 상대방의 채무불이행과 상관없이 일정한 사유가 발생하면 계약을 해지 또는 해제할 수 있도록 하는 약정해지·해제권을 유보한 경우에도 마찬가지이고 그것이 자기책임의 원칙에 부합한다(대판 2016.4.15, 2015다59115).
> ⑤ 민법 제397조 제1항은 본문에서 금전채무불이행의 손해배상액을 법정이율에 의할 것을 규정하고 그 단서에서 "그러나 법령의 제한에 위반하지 아니한 약정이율이 있으면 그 이율에 의한다"고 정한다. 이 단서규정은 약정이율이 법정이율 이상인 경우에만 적용되고, 약정이율이 법정이율보다 낮은 경우에는 그 본문으로 돌아가 법정이율에 의하여 지연손해금을 정할 것이다(대판 2009.12.24, 2009다85342).

47 채권의 효력에 관한 다음 설명 중 가장 옳지 않은 것은? (다툼이 있는 경우 판례에 의함)
▶ 2014년 법무사

① 채무이행의 불확정한 기한이 있는 경우에는 채무자는 이행청구를 받은 때로부터 지체 책임이 있다.
② 위약벌의 약정은 손해배상액의 예정과는 그 내용이 다르므로 손해배상액의 예정에 관한 민법 제398조 제2항을 유추적용하여 그 액을 감액할 수는 없다.
③ 손해배상액의 예정은 이행의 청구나 계약의 해제에 영향을 미치지 아니한다.
④ 채무자는 채권자지체 중에는 고의 또는 중대한 과실이 없으면 불이행으로 인한 모든 책임이 없고, 이자 있는 채권이라도 이자를 지급할 필요가 없으며, 채권자지체로 인하여 그 목적물의 보관 또는 변제비용이 증가된 때에는 그 증가액은 채권자의 부담으로 한다.
⑤ 채권자가 그 채권의 목적인 물건 또는 권리의 가액 전부를 손해배상으로 받은 때에는 채무자는 그 물건 또는 권리에 관하여 당연히 채권자를 대위한다.

해설 ① 채무이행의 불확정한 기한이 있는 경우에는 채무자는 기한이 도래함을 안 때로부터 지체책임이 있다(제387조 제1항 제2문).
② 위약벌의 약정은 손해배상의 예정과는 그 내용이 다르므로 손해배상의 예정에 관한 민법 제398조 제2항을 유추적용하여 그 액을 감액할 수는 없으며, 다만 그 의무의 강제에 의하여 얻어지는 채권자의 이익에 비하여 약정된 벌이 과도하게 무거울 때에는 그 일부 또는 전부가 공서양속에 반하여 무효로 되는 것에 불과하다(대판 2002.4.23, 2000다56976 ; 대판 2015.12.10, 2014다14511).
③ 손해배상액의 예정은 이행의 청구나 계약의 해제에 영향을 미치지 아니한다(제398조 제3항).
④ 채권자지체 중에는 채무자는 고의 또는 중대한 과실이 없으면 불이행으로 인한 모든 책임이 없다(제401조). 채권자지체 중에는 이자있는 채권이라도 채무자는 이자를 지급할 의무가 없다(제402조). 채권자지체로 인하여 그 목적물의 보관 또는 변제의 비용이 증가된 때에는 그 증가액은 채권자의 부담으로 한다(제403조).
⑤ 채권자가 그 채권의 목적인 물건 또는 권리의 가액전부를 손해배상으로 받은 때에는 채무자는 그 물건 또는 권리에 관하여 당연히 채권자를 대위한다(제399조).

48 손해배상액의 예정과 위약벌에 관한 다음 설명 중 가장 옳지 않은 것은?

▶ 2023년 법원사무관 승진

① 위약금은 민법 제398조 제4항에 따라 손해배상액의 예정으로 추정되지만, 당사자 사이의 위약금 약정이 채무불이행으로 인한 손해의 배상이나 전보를 위한 것이라고 보기 어려운 특별한 사정, 특히 하나의 계약에 채무불이행으로 인한 손해의 배상에 관하여 손해배상예정에 관한 조항이 따로 있다거나 실손해의 배상을 전제로 하는 조항이 있고 그와 별도로 위약금 조항을 두고 있어서 그 위약금 조항을 손해배상액의 예정으로 해석하게 되면 이중배상이 이루어지는 등의 사정이 있을 때에는 그 위약금은 위약벌로 보아야 한다.

② 손해배상 예정액 감액사유에 관한 사실을 인정하거나 감액비율을 정하는 것은 형평의 원칙에 비추어 현저히 불합리하다고 인정되지 않는 한 사실심의 전권에 속하는 사항이다.

③ 위약금 약정이 손해배상액의 예정과 위약벌의 성격을 함께 가지는 경우 특별한 사정이 없는 한 법원은 당사자의 주장이 없더라도 직권으로 민법 제398조 제2항에 따라 위약금 전체 금액을 기준으로 감액할 수 있다.

④ 손해배상액의 예정과 위약벌은 그 기능이 유사하므로, 위약벌은 손해배상액의 예정과 함께 위약금의 일종으로서 손해배상액의 예정에 관한 민법 제398조 제2항을 유추적용하여 그 액을 감액할 수 있다고 해석하여야 한다.

해설 ① 대판 2016.7.14, 2013다82944, 2013다82951

② 손해배상의 예정액이 부당히 과다한 경우에 법원은 직권으로 적당히 감액할 수 있다(제398조 제2항). 그 기준시점은 사실심 변론종결 당시를 기준으로 그 사이에 발생한 모든 사정을 종합적으로 고려하여야 하고, 이때 감액사유에 대한 사실인정이나 비율을 정하는 것은 원칙적으로 사실심의 전권에 속하는 사항이지만, 그것이 형평의 원칙에 비추어 현저히 불합리하다고 인정되는 경우에는 위법한 것으로서 허용되지 않는다(대판 2017.7.11, 2016다52265; 대판 2017.8.18, 2017다228762).

③ 위약금 약정이 손해배상액의 예정과 위약벌의 성격을 함께 가지는 경우 특별한 사정이 없는 한 법원은 당사자의 주장이 없더라도 직권으로 민법 제398조 제2항에 따라 위약금 전체 금액을 기준으로 감액할 수 있다. 이때 그 금액이 부당하게 과다한지는 채권자와 채무자의 각 지위, 계약의 목적과 내용, 위약금 약정을 한 동기와 경위, 계약 위반 과정, 채무액에 대한 위약금의 비율, 예상 손해액의 크기, 의무의 강제를 통해 얻는 채권자의 이익, 그 당시의 거래관행 등 모든 사정을 참작하여 일반 사회관념에 비추어 위약금의 지급이 채무자에게 부당한 압박을 가하여 공정성을 잃는 결과를 초래한다고 볼 수 있는지를 고려해서 판단해야 한다(대판 2020.11.12, 2017다275270).

④ 위약벌의 약정은 채무의 이행을 확보하기 위하여 정하는 것으로서 손해배상의 예정과 다르므로 손해배상의 예정에 관한 민법 제398조 제2항을 유추적용하여 그 액을 감액할 수 없고, 다만 의무의 강제로 얻는 채권자의 이익에 비난하여 약정된 벌이 과도하게 무거울 때에는 일부 또는 전부가 공서양속에 반하여 무효로 된다(대판 2016.1.28, 2015다239324).

49

손해배상에 관한 다음 설명 중 옳지 않은 것을 모두 고른 것은? ▶ 2023년 법무사

ㄱ. 손해배상액의 예정과 위약벌은 그 기능이 유사하므로, 약정의 형식이나 해석 결과에 따라 감액 여부를 달리 취급할 것이 아니라, 위약벌도 손해배상액의 예정과 함께 위약금의 일종으로서 손해배상액의 예정에 관한 민법 제398조 제2항을 유추하여 감액할 수 있다고 해석하는 것이 공평의 관념에 부합한다.

ㄴ. 금전채무 불이행에 관한 특칙을 규정한 민법 제397조는 그 이행지체가 있으면 지연이자 부분만큼의 손해가 있는 것으로 의제하려는 데에 그 취지가 있는 것이므로 지연이자를 청구하는 채권자는 그 만큼의 손해가 있었다는 것을 주장 및 증명할 필요가 없다.

ㄷ. 계약 당시 당사자 사이에 손해배상액을 예정하는 내용의 약정이 있는 경우에는 그것은 계약상의 채무불이행으로 인한 손해액에 관한 것이고 이를 그 계약과 관련된 불법행위상의 손해까지 예정한 것이라고는 볼 수 없다.

ㄹ. 채무불이행자 또는 불법행위자는 특별한 사정의 존재를 알았거나 알 수 있었으면 그러한 특별사정으로 인한 손해를 배상하여야 할 의무가 있는 것이고, 그러한 특별한 사정에 의하여 발생한 손해의 액수까지 알았거나 알 수 있었어야 하는 것은 아니다.

ㅁ. 도급인이 그가 분양한 아파트의 하자와 관련하여 구분소유자들로부터 손해배상청구를 당하여 그 하자에 대한 손해배상금 및 이에 대한 지연손해금을 지급한 경우, 그 지연손해금은 수급인의 도급계약상의 채무불이행과 상당인과관계가 있는 손해라고 볼 수 있으므로, 도급인으로서는 수급인을 상대로 위 하자에 대한 손해배상금 및 이에 대한 지연손해금의 지급을 청구할 수 있다.

① ㄱ, ㄴ, ㄷ   ② ㄴ, ㄷ, ㄹ   ③ ㄷ, ㄹ, ㅁ

④ ㄱ, ㄴ, ㄹ   ⑤ ㄱ, ㄴ, ㅁ

해설 ㄱ. 위약벌의 약정은 채무의 이행을 확보하기 위하여 정해지는 것으로서 손해배상의 예정과는 그 내용이 다르므로 **손해배상의 예정에 관한 민법 제398조 제2항을 유추적용하여 그 액을 감액할 수는 없고,** 다만 그 의무의 강제에 의하여 얻어지는 채권자의 이익에 비하여 약정된 벌이 과도하게 무거울 때에는 그 일부 또는 전부가 공서양속에 반하여 무효로 된다(대판 1993.3.23, 92다46905; 대판 2005.10.13, 2005다26277; 대판(전합) 2022.7.21, 2018다248855).

ㄴ. 금전채무 불이행에 관한 특칙을 규정한 민법 제397조는 그 이행지체가 있으면 지연이자 부분만큼의 손해가 있는 것으로 의제하려는 데에 그 취지가 있는 것이므로 **지연이자를 청구하는 채권자는 그 만큼의 손해가 있었다는 것을 증명할 필요가 없는 것이나,** 그렇다고 하더라도 채권자가 금전채무의 불이행을 원인으로 손해배상을 구할 때에 **지연이자 상당의 손해가 발생하였다는 취지의 주장은 하여야 하는 것**이지 주장조차 하지 아니하여 그 손해를 청구하고 있다고 볼 수 없는 경우까지 지연이자 부분만큼의 손해를 인용해 줄 수는 없는 것이다(대판 2000.2.11, 99다49644).

정답 48 ④   49 ⑤

ㄷ. 대판 1999.1.15, 98다48033
ㄹ. 대판 1994.11.11, 94다22446; 대판 2002.10.25, 2002다23598
ㅁ. 도급인이 그가 분양한 아파트의 하자와 관련하여 구분소유자들로부터 손해배상청구를 당하여 그 하자에 대한 손해배상금 및 이에 대한 지연손해금을 지급한 경우, 그 지연손해금은 도급인이 '자신의 채무'의 이행을 지체함에 따라 발생한 것에 불과하므로 특별한 사정이 없는 한 수급인의 도급계약상의 채무불이행과 상당인과관계가 있는 손해라고 볼 수는 없다. 이러한 경우 도급인으로서는 구분소유자들의 손해배상청구와 상관없이 수급인을 상대로 위 하자에 대한 손해배상금(원금)의 지급을 청구하여 그 이행지체에 따른 지연손해금을 청구할 수 있을 뿐이다(대판 2013.11.28, 2012다202383).

50 다음 설명 중 옳지 않은 것을 모두 고른 것은?

▶ 2023년 법무사

ㄱ. 민법 제400조 소정의 채권자지체가 성립하기 위해서는 민법 제460조 소정의 채무자의 변제 제공이 있어야 하고, 변제 제공은 원칙적으로 현실 제공으로 하여야 하며, 다만 구두의 제공으로 하더라도 무방한 경우 또는 구두의 제공조차 필요하지 않은 경우도 있지만, 민법 제538조 제1항 제2문 소정의 '채권자의 수령지체 중에 당사자 쌍방의 책임 없는 사유로 이행할 수 없게 된 때'에 해당하기 위해서는 현실 제공이나 구두 제공이 필요하다.

ㄴ. 채무불이행으로 인한 손해배상 예정액의 청구와 채무불이행으로 인한 손해배상액의 청구는 그 청구원인을 달리 하는 별개의 청구이므로 손해배상 예정액의 청구 가운데 채무불이행으로 인한 손해배상액의 청구가 포함되어 있다고 볼 수 없다. 따라서 채무불이행으로 인한 손해배상액의 청구에 있어서 채권자가 손해배상 책임의 발생원인 사실에 관하여는 주장·입증을 하였더라도 손해의 발생 사실에 관한 주장·입증을 하지 아니하였다면 변론주의의 원칙상 법원은 당사자가 주장하지 아니한 손해의 발생 사실을 기초로 하여 손해액을 산정할 수는 없다.

ㄷ. 매수인의 잔금지급 지체로 인하여 계약을 해제하지 아니한 매도인이 지체된 기간 동안 입은 손해 중 그 미지급 잔금에 대한 법정이율에 따른 이자 상당의 금액은 통상손해라고 할 것이고, 그 사이에 매매대상 토지의 개별공시지가가 급등하여 매도인의 양도소득세 부담이 늘었다면 그 손해 또한 사회일반의 관념상 매매계약에서의 잔금지급의 이행지체의 경우 통상 발생하는 것으로 생각되는 범위의 통상손해라고 할 수 있다.

ㄹ. 공동불법행위로 인한 손해배상책임의 범위는 피해자에 대한 관계에서 가해자들 전원의 행위를 전체적으로 함께 평가하여 정하여야 하나, 이는 과실상계를 위한 피해자의 과실을 평가함에 있어서 공동불법행위자 전원에 대한 과실을 전체적으로 평가하여야 한다는 것이지, 공동불법행위자 중에 고의로 불법행위를 행한 자가 있는 경우에는 피해자에게 과실이 없는 것으로 보아야 한다거나 모든 불법행위자가 과실상계의 주장을 할 수 없게 된다는 의미는 아니다.

ㅁ. 실화가 중과실로 인한 것이 아닌 경우 배상의무자는 법원에 손해배상액의 경감을 청구할 수 있고, 이러한 청구가 있을 경우 법원은 배상의무자 및 피해자의 경제상태 등을 고려하여 그 손해배상액을 경감하여야 한다.

① ㄱ, ㄴ   ② ㄷ, ㄹ   ③ ㄱ, ㅁ
④ ㄴ, ㄹ   ⑤ ㄷ, ㅁ

해설 ㄱ. 대판 2004.3.12, 2001다79013
     ㄴ. 대판 2000.2.11, 99다49644
     ㄷ. 매수인의 잔금지급 지체로 인하여 계약을 해제하지 아니한 매도인이 지체된 기간 동안 입은 손해 중 그 미지급 잔금에 대한 법정이율에 따른 이자 상당의 금액은 통상손해라고 할 것이지만, 그 사이에 매매대상 토지의 개별공시지가가 급등하여 매도인의 양도소득세 부담이 늘었다고 하더라도 그 손해는 사회일반의 관념상 매매계약에서의 잔금지급의 이행지체의 경우 통상 발생하는 것으로 생각되는 범위의 통상손해라고 할 수는 없고, 이는 특별한 사정에 의하여 발생한 손해에 해당한다(대판 2006.4.13, 2005다75897).
     ㄹ. 대판 2007.6.14, 2006다78336 ; 대판 2020.2.27, 2019다223747
     ㅁ. 실화가 중대한 과실로 인한 것이 아닌 경우 그로 인한 손해의 배상의무자는 법원에 손해배상액의 경감을 청구할 수 있고(실화책임법 제3조 제1항), 법원은 제1항의 청구가 있을 경우에는 다음 각 호의 사정을 고려하여 그 손해배상액을 경감할 수 있다(실화책임법 제3조 제2항).
       1. 화재의 원인과 규모
       2. 피해의 대상과 정도
       3. 연소(延燒) 및 피해 확대의 원인
       4. 피해 확대를 방지하기 위한 실화자의 노력
       5. 배상의무자 및 피해자의 경제상태
       6. 그 밖에 손해배상액을 결정할 때 고려할 사정

51 다음 설명 중 가장 옳지 않은 것은?   ▶ 2023년 법무사

① 교통사고의 피해자가 사고로 상해를 입은 후에도 계속하여 종전과 같이 직장에 근무하여 종전과 같은 보수를 지급받고 있다 하더라도 이를 손해배상액에서 공제할 수 없다.
② 아파트 건축으로 인근 토지 소유자의 일조권을 침해하여 불법행위로 인한 손해배상책임이 성립한 경우 아파트 건축으로 인하여 그 토지의 지가가 상승하였다고 하더라도 그 이익을 손해배상액에서 공제할 수 없다.
③ 교통사고를 일으켜 개인택시를 운전하는 사람을 사망하게 한 경우 그 망인의 가족들이 망인의 가동연한이 도래하기 전에 미리 개인택시운송사업면허를 다른 사람에게 처분하고 받은 돈에 대한 망인의 가동연한까지의 법정이자 상당 이익을 망인에 대한 손해배상액에서 공제할 수 있다.

정답   50 ⑤   51 ③

④ 공무원연금법상의 퇴직연금을 받던 사람이 다른 사람의 불법행위로 인하여 사망한 경우에 그 유족이 퇴직연금 상당의 손해배상청구권을 상속함과 동시에 유족연금을 지급받게 되었다면, 유족에게 지급할 손해배상액을 산정함에 있어서는 위 망인의 일실퇴직연금액에서 유족연금액을 공제하여야 한다.

⑤ 피해자가 수령한 산업재해보상보험법에 따른 휴업급여금이나 장해급여금이 법원에서 인정된 소극적 손해액을 초과하더라도 그 초과부분을 기간과 성질을 달리하는 손해배상액에서 공제할 것은 아니며, 휴업급여는 휴업기간 중의 일실수입에 대응하는 것이므로 그것이 지급된 휴업기간 중의 일실수입 상당의 손해액에서만 공제되어야 한다.

해설 ① 특별한 사정이 없는 한 피해자가 신체적인 기능의 장애로 인하여 아무런 재산상 손해도 입지 않았다고 단정할 수는 없고, 또한 피해자가 사실심의 변론종결 시까지 종전 직장으로부터 종전과 같은 보수를 지급받았다고 하더라도 그것이 사고와 상당인과관계에 있는 이익이라고는 볼 수 없어 가해자가 배상하여야 할 손해액에서 그 보수액을 공제할 것은 아니다(대판 1993.7.27, 92다15031).

② 손해배상액의 산정에 있어 손익상계가 허용되기 위해서는 손해배상책임의 원인이 되는 행위로 인하여 피해자가 새로운 이득을 얻었을 뿐만 아니라 그 이득은 배상의무자가 배상하여야 할 손해의 범위에 대응하는 것이어야 한다. (중간생략) 이 사건 아파트의 건축으로 인하여 이 사건 토지의 지가가 상승하였다고 하더라도 그것은 이 사건 손해배상책임의 원인이 되는 피고의 일조방해와는 아무런 관계가 없는 이익으로서 손익상계에 의하여 공제하여야 할 이익으로 볼 수 없다(대판 2011.4.28, 2009다98652).

③ 불법행위로 사망한 피해자 명의의 개인택시운송사업면허를 유족들이 다른사람에게 매도함으로써 발생한 그 처분가액에 대한 가동연한까지의 중간이자 상당의 이익은 직접적으로 불법행위로 인하여 발생한 이익이라고는 보기 어려울 뿐 아니라, 위 망인의 가동연한이 도래한 때에 있어서의 위 개인택시의 처분가액이 유족들의 처분가액과 반드시 같은 것이라고 예측할 수도 없는 것이어서 불법행위와 상당인과관계가 있는 이익이라고 보기도 어렵다고 할 것이므로 손익상계에 의하여 손해에서 공제할 수 있는 이득이라고 할 수 없다(대판(전합) 1989.12.26, 88다카16867).

④ 대판 2007.12.13, 2007다54481 → 공제하지 않는다면 유족은 같은 목적의 급부를 이중으로 받는 결과가 되기 때문이다.

⑤ 대판 2020.6.25, 2020다216240

52 손해배상액의 예정에 관한 다음 설명 중 가장 옳지 않은 것은? ▶ 2024년 법원행시

① 민법 제398조 제2항은 손해배상의 예정액이 부당히 과다한 경우에는 법원이 적당히 감액할 수 있다고 정하고 있다. 손해배상액의 예정은 채무불이행의 경우에 채무자가 지급하여야 할 손해배상액을 미리 정해두는 것으로서, 손해의 발생사실과 손해액에 대한 증명곤란을 배제하고 분쟁을 사전에 방지하여 법률관계를 간이하게 해결함과 함께 채무자에게 심리적으로 경고를 함으로써 채무이행을 확보하려는 데에 그 기능이나 목적이 있다.

② 손해배상 예정액의 감액사유에 대한 사실인정이나 그 비율을 정하는 것은 원칙적으로 사실심의 전권에 속하는 사항이지만, 그것이 형평의 원칙에 비추어 현저히 불합리하다고 인정되는 경우에는 위법한 것으로서 허용되지 않는다.

③ 법원은 손해배상 예정액이 부당히 과다한지를 판단할 때 손해배상액의 예정 당시를 기준으로 여러 사정을 종합적으로 고려하여야 한다.

④ 민법 제398조 제2항에 의한 손해배상 예정액의 감액은 국가가 당사자 사이의 실질적 불평등을 제거하고 공정성을 보장하기 위하여 계약의 체결 또는 그 내용에 간섭하는 사적 자치의 원칙에 대한 제한의 한 가지 형태이다. 여기에서 '부당히 과다한 경우'란 손해가 없다거나 손해액이 예정액보다 적다는 것만으로는 부족하고, 계약자의 경제적 지위, 계약의 목적, 손해배상액 예정의 경위 및 거래관행 기타 제반 사정을 고려하여 그와 같은 예정액의 지급이 경제적 약자의 지위에 있는 채무자에게 부당한 압박을 가하여 공정성을 잃는 결과를 초래한다고 인정되는 경우를 뜻한다. 손해배상액 예정이 없더라도 채무자가 당연히 지급의무를 부담하여 채권자가 받을 수 있던 금액보다 적은 금액으로 감액하는 것은 손해배상액 예정에 관한 약정 자체를 전면 부인하는 것과 같은 결과가 되기 때문에 감액의 한계를 벗어나는 것이다.

⑤ 위약벌의 약정은 채무의 이행을 확보하기 위하여 정하는 것으로서 손해배상액의 예정과 그 내용이 다르므로 손해배상액의 예정에 관한 민법 제398조 제2항을 유추적용하여 그 액을 감액할 수 없다.

해설 ① 민법 제398조 제2항은 손해배상의 예정액이 부당히 과다한 경우에는 법원이 적당히 감액할 수 있다고 정하고 있다. 손해배상액의 예정은 채무불이행의 경우에 채무자가 지급하여야 할 손해배상액을 미리 정해두는 것으로서, 손해의 발생사실과 손해액에 대한 증명곤란을 배제하고 분쟁을 사전에 방지하여 법률관계를 간이하게 해결함과 함께 채무자에게 심리적으로 경고를 함으로써 채무이행을 확보하려는 데에 그 기능이나 목적이 있다(대판 2023.8.18, 2022다227619).

② 손해배상 예정액의 감액사유에 대한 사실인정이나 그 비율을 정하는 것은 원칙적으로 사실심의 전권에 속하는 사항이지만, 그것이 형평의 원칙에 비추어 현저히 불합리하다고 인정되는 경우에는 위법한 것으로서 허용되지 않는다(대판 2023.8.18, 2022다227619).

③ 법원은 손해배상 예정액이 부당히 과다한지를 판단할 때 <u>사실심의 변론종결 당시를 기준</u>으로 그 사이에 발생한 사정을 종합적으로 고려하여야 한다(대판 2023.8.18, 2022다227619).

④ 민법 제398조 제2항에 의한 손해배상 예정액의 감액은 국가가 당사자 사이의 실질적 불평등을 제거하고 공정성을 보장하기 위하여 계약의 체결 또는 그 내용에 간섭하는 사적 자치의 원칙에 대한 제한의 한 가지 형태이다. 여기에서 '부당히 과다한 경우'는 손해가 없다거나 손해액이 예정액보다 적다는 것만으로는 부족하고, 계약자의 경제적 지위, 계약의 목적, 손해배상액 예정의 경위 및 거래관행 기타 제반 사정을 고려하여 그와 같은 예정액의 지급이 경제적 약자의 지위에 있는 채무자에게 부당한 압박을 가하여 공정성을 잃는 결과를 초래한다고 인정되는 경우를 뜻한다. 기록상 실제의 손해액 또는 예상 손해액을 알 수 있는 경우에는 이를 그 예정액과 대비하여 볼 필요가 있고, 단지 예정액 자체가 크다든가 계약 체결 시부터 계약 해제 시까지의 시간적 간격이 짧다든가 하는 사유만으로는 손해배상 예정액을 부당히 과다하다고 하여 감액하기에 부족하다. <u>손해배상액 예정이 없더라도 채무자가 당연히 지급의무를 부담하여 채권자가 받을 수 있던 금액보다 적은 금액으로 감액하는 것은 손해배상액 예정에 관한 약정 자체를 전면 부인하는 것과 같은 결과가 되기 때문에 감액의 한계를 벗어나는 것이다</u>(대판 2023.8.18, 2022다227619).

⑤ 위약벌의 약정은 채무의 이행을 확보하기 위하여 정하는 것으로서 손해배상액의 예정과 그 내용이 다르므로 손해배상액의 예정에 관한 민법 제398조 제2항을 유추적용하여 그 액을 감액할 수 없다. 위와 같은 현재의 판례는 타당하고 그 법리에 따라 거래계의 현실이 정착되었다고 할 수 있으므로 그대로 유지되어야 한다(대판(전합) 2022.7.21, 2018다248855).

53 다음 설명 중 가장 옳지 않은 것은? ▸2024년 법원사무관 승진

① 위약벌의 약정은 채무의 이행을 확보하기 위하여 정하는 것으로서 손해배상액의 예정과 그 내용이 다르므로 손해배상액의 예정에 관한 민법 제398조 제2항을 유추적용하여 그 액을 감액할 수 없다.

② 채무불이행을 이유로 계약해제와 아울러 손해배상을 청구하는 경우 그 계약이행으로 인하여 채권자가 얻을 이익 즉 이행이익의 배상을 구하는 것이 원칙이고, 다만 특별한 사정이 있는 경우에는 그 계약이 이행되리라고 믿고 채권자가 지출한 비용 즉 신뢰이익의 배상도 구할 수 있으므로, 이행이익뿐만 아니라 신뢰이익을 별도로 구할 수 있고, 그 범위도 이행이익을 초과할 수 있다.

③ 구 이자제한법(2014.1.14. 법률 제12227호로 일부 개정되기 전의 것, 이하 '이자제한법'이라 한다) 제2조 제1항은 "금전대차에 관한 계약상의 최고이자율은 연 30%를 초과하지 아니하는 범위 안에서 대통령령으로 정한다."라고 정하고 있고, 같은 조 제2항은 "제1항에 따른 최고이자율은 약정한 때의 이자율을 말한다."라고 규정하고 있으며, 같은 조 제3항은 "계약상의 이자로서 제1항에서 정한 최고이자율을 초과하는 부분은 무효로 한다."라고 규정하고 있으므로, 이자제한법의 최고이자율 제한에 관한 규정은 금전대차에 관한 계약상의 이자에 관하여 적용될 뿐, 계약을 위반한 사람을 제재하고 계약의 이행을 간접적으로 강제하기 위하여 정한 위약벌의 경우에는 적용될 수 없다.

④ 민법 제397조 제1항은 본문에서 금전채무불이행의 손해배상액을 법정이율에 의할 것을 규정하고 그 단서에서 "그러나 법령의 제한에 위반하지 아니한 약정이율이 있으면 그 이율에 의한다."고 정한다. 이 단서규정은 약정이율이 법정이율 이상인 경우에만 적용되고, 약정이율이 법정이율보다 낮은 경우에는 그 본문으로 돌아가 법정이율에 의하여 지연손해금을 정할 것이다. 우선 금전채무에 관하여 아예 이자약정이 없어서 이자청구를 전혀 할 수 없는 경우에도 채무자의 이행지체로 인한 지연손해금은 법정이율에 의하여 청구할 수 있으므로, 이자를 조금이라도 청구할 수 있었던 경우에는 더욱이나 법정이율에 의한 지연손해금을 청구할 수 있다고 하여야 한다.

> **해설** ① 대판(전합) 2022.7.21. 2018다248855
> ② 채무불이행을 이유로 계약해제와 아울러 손해배상을 청구하는 경우 그 계약이행으로 인하여 채권자가 얻을 이익 즉 이행이익의 배상을 구하는 것이 원칙이고, 다만 일정한 경우에는 그 계약이 이행되리라고 믿고 채권자가 지출한 비용 즉 신뢰이익의 배상도 구할 수 있는 것이지만, 중복배상 및 과잉배상 금지원칙에 비추어 그 신뢰이익은 이행이익에 갈음하여서만 구할 수 있고, 그 범위도 이행이익을 초과할 수 없다(대판 2007.1.25. 2004다51825).
> ③ 대판 2017.11.29. 2016다259769
> ④ 대판 2009.12.24. 2009다85342

54 통상손해와 특별손해에 관한 다음 설명 중 가장 옳지 않은 것은? ▶ 2024년 법원사무관 승진

① 불법행위로 영업용 물건이 멸실된 경우, 이를 대체할 다른 물건을 마련하기 위하여 필요한 합리적인 기간 동안 그 물건을 이용하여 영업을 계속하였더라면 얻을 수 있었던 이익, 즉 휴업손해는 그에 대한 증명이 가능한 한 통상의 손해로서 그 교환가치와는 별도로 배상하여야 한다.

② 부당한 가압류의 집행으로 그 가압류 목적물의 처분이 지연되어 소유자가 손해를 입었다면 가압류 신청인은 그 손해를 배상할 책임이 있다. 가압류 집행 당시 부동산의 소유자가 그 부동산을 사용·수익하는 경우에는 그 부동산의 처분이 지체되었다고 하더라도 그로 인한 손해는 그 부동산을 계속 사용·수익함으로 인한 이익과 상쇄되어 결과적으로 부동산의 처분이 지체됨에 따른 손해가 없다고 할 수 있고, 만일 그 부동산의 처분 지연으로 인한 손해가 그 부동산을 계속 사용·수익하는 이익을 초과한다면 이는 특별손해이다.

③ 민법 제393조 제2항의 특별사정으로 인한 손해배상에 있어서 채무자가 그 사정을 알았거나 알 수 있었는지를 가리는 시기는 계약체결 당시이므로, 채무자가 채무의 이행기에 이르러 그 사정을 알았다고 하더라도 손해배상의 책임이 없다.

④ 채무불이행자 또는 불법행위자는 특별한 사정의 존재를 알았거나 알 수 있었으면 그러한 특별사정으로 인한 손해를 배상하여야 할 의무가 있는 것이고, 그러한 특별한 사정에 의하여 발생한 손해의 액수까지 알았거나 알 수 있었어야 하는 것은 아니다.

> **정답** 53 ② 54 ③

해설 ① 대판(전합) 2004.3.18, 2001다82507

② 부당한 가압류의 집행으로 그 가압류 목적물의 처분이 지연되어 소유자가 손해를 입었다면 가압류 신청인은 그 손해를 배상할 책임이 있다고 할 것이나, 가압류 집행 당시 부동산의 소유자가 그 부동산을 사용·수익하는 경우에는 그 부동산의 처분이 지체되었다고 하더라도 그로 인한 손해는 그 부동산을 계속 사용·수익함으로 인한 이익과 상쇄되어 결과적으로 부동산의 처분이 지체됨에 따른 손해가 없다고 할 수 있을 것이고, 만일 그 부동산의 처분 지연으로 인한 손해가 그 부동산을 계속 사용·수익하는 이익을 초과한다면 이는 특별손해라고 할 수 있을 것이다(대판 2009.7.23, 2008다79524).

③ 민법 제393조 제2항 소정의 특별사정으로 인한 손해배상에 있어서 채무자가 그 사정을 알았거나 알 수 있었는지의 여부를 가리는 시기는 계약체결 당시가 아니라 채무의 이행기까지를 기준으로 판단하여야 한다(대판 1985.9.10, 84다카1532).

④ 채무불이행자 또는 불법행위자는 **특별한 사정의 존재를 알았거나 알 수 있었으면** 그러한 특별사정으로 인한 **손해를 배상**하여야 할 의무가 있는 것이고, 그러한 **특별한 사정에 의하여 발생한 손해의 액수까지 알았거나 알 수 있었어야 하는 것은 아니다**(대판 2002.10.25, 2002다23598).

55 다음 설명 중 옳지 않은 것은? (다툼이 있는 경우 판례에 의함) ▶ 2015년 변호사

① 채권자지체 중에는 채무자는 고의 또는 중대한 과실이 없으면 불이행으로 인한 모든 책임이 없다.

② 손해배상액의 예정은 이행의 청구나 계약의 해제에 영향을 미치지 아니한다.

③ 채권자가 그 채권의 목적인 물건 또는 권리의 가액전부를 손해배상으로 받은 때에는 채무자는 그 물건 또는 권리에 관하여 당연히 채권자를 대위한다.

④ 채권자지체 중이라도 채무자는 이자 있는 채권에 대하여는 이자를 지급할 의무가 있다.

⑤ 당사자가 금전이 아닌 것으로써 손해의 배상에 충당할 것을 예정한 위약금 약정도 손해배상액의 예정으로 추정된다.

해설 ① 제401조(채권자지체와 채무자의 책임)

② 제398조 제3항(배상액의 예정)

③ 제399조(손해배상자의 대위)

④ 채권자지체 중이라도 채무자는 이자 있는 채권에 대하여는 이자를 지급할 의무가 없다(제402조).

⑤ 제398조 제5항(배상액의 예정)

56 **채권자지체에 관한 다음 설명 중 가장 옳지 않은 것은?**

① 채권자지체 중에는 채무자는 고의 또는 과실이 없으면 불이행으로 인한 모든 책임이 없다.

② 채권자지체 중에는 이자 있는 채권이라도 채무자는 이자를 지급할 의무가 없다.

③ 채권자지체로 인하여 그 목적물의 보관 또는 변제의 비용이 증가된 때에는 그 증가액은 채권자의 부담으로 한다.

④ 채무의 이행에 있어 채권자의 수령이나 협력이 필요 없는 경우에는 채권자지체가 성립할 여지가 없다.

⑤ 채권자지체가 성립하기 위해서는 채무자의 현실제공이 필요하나, 채무자의 변제제공 이전에 채권자가 미리 변제받기를 거절한 때에는 구두제공으로 족하고, 채권자가 변제받지 않을 의사가 명백한 경우에는 구두의 제공조차 필요 없다.

해설 ① 제401조 【채권자지체와 채무자의 책임】 채권자지체 중에는 채무자는 고의 또는 중대한 과실이 없으면 불이행으로 인한 모든 책임이 없다.

② 제402조 【동전-채권자지체】 채권자지체 중에는 이자 있는 채권이라도 채무자는 이자를 지급할 의무가 없다.

③ 제403조 【채권자지체와 채권자의 책임】 채권자지체로 인하여 그 목적물의 보관 또는 변제의 비용이 증가된 때에는 그 증가액은 채권자의 부담으로 한다.

④ 채권자지체가 성립하기 위해서는 채권의 성질상 채무의 이행에 채권자의 협력이 필요할 것이 요구된다. 따라서 부작위채무나 의사표시를 해야 할 채무 등과 같이 채무자의 이행행위만으로 이행이 완료되는 경우에는 채권자지체가 발생하지 않는다.

⑤ 채무자는 원칙적으로 '현실의 제공'을 하여야 한다. 다만 채권자가 미리 변제받기를 거절하거나 채무의 이행에 채권자의 행위를 요하는 경우에는 '구두의 제공'으로 족하다. 그러나 채권자의 변제받지 않을 의사가 명백한 경우에는 "구두의 제공조차 필요 없다".

57 **다음 중 채권자대위권의 목적으로 되는 권리가 아닌 것은?** (다툼이 있는 경우 판례에 의함)

▶ 2015년 법원행시

① 채권자취소권

② 가압류·가처분결정에 대한 본안의 제소명령을 신청할 수 있는 권리

③ 제소기간의 도과에 의한 가압류·가처분의 취소를 신청할 수 있는 권리

④ 사정변경에 따른 가압류·가처분의 취소를 신청할 수 있는 권리

⑤ 가압류결정에 대한 이의신청

정답 ⟩ 55 ④ 56 ① 57 ⑤

해설 이미 채무자와 제3자 사이에 소송이 계속된 후에 소송수행을 위하여 개개의 소송법상의 권리를 대위행사하는 것, 예컨대 소송개시 후의 공격·방어방법의 제출, 상소제기, 재심의 소제기, 집행방법에 대한 이의제기, 가압류결정에 대한 이의신청 등은 허용될 수 없다(대판 2012.12.27, 2012다75239 ; 대결 1961.10.26, 4924민재항559).

58 채권자대위권에 관한 다음 설명 중 가장 옳지 않은 것은? (다툼이 있는 경우 판례에 의함)
▶ 2015년 법무사

① 채권자는 자기의 채권을 보전하기 위하여 채무자의 권리를 행사할 수 있으나, 그 채권의 기한이 도래하기 전에는 법원의 허가 없이 위 권리를 행사하지 못한다.
② 채권자대위권을 행사하는 채권자는 제3채무자에게 자기와 제3채무자 사이의 독자적인 사정에 기한 사유를 주장할 수는 없다.
③ 채권자대위소송의 제3채무자는 채무자의 채권자에 대한 소멸시효 완성의 항변을 원용할 수 있다.
④ 채권자가 채권자대위권을 행사한 때에는 채무자에게 통지하여야 하고, 채무자가 그 통지를 받은 후에는 그 권리를 처분하여도 이로써 채권자에게 대항하지 못하며, 이 경우 채권자가 채무자에게 그 사실을 통지하지 아니하였더라도 채무자가 자기의 채권이 채권자에 의하여 대위행사되고 있는 사실을 알고 있었다면 그 처분을 가지고 채권자에게 대항할 수 없다.
⑤ 채권자취소권도 채권자가 채무자를 대위하여 행사하는 것이 가능하다.

해설 ① 채권자는 자기의 채권을 보전하기 위하여 채무자의 권리를 행사할 수 있으나, 그 채권의 기한이 도래하기 전에는 법원의 허가 없이 위 권리를 행사하지 못한다(제404조 제2항).
② 채권자대위권을 행사하는 채권자는 채무자가 제3채무자에게 주장할 수 있는 사유를 주장하는 것으로 제3채무자에게 자기와 제3채무자 사이의 독자적인 사정에 기한 사유를 주장할 수는 없는 것이다(대판 2009.5.28, 2009다4787).
③ 채권자대위소송의 제3채무자는 채무자의 채권자에 대한 소멸시효 완성의 항변을 원용할 수 없다(대판 2004.2.12, 2001다10151).
④ 채권자가 채권자대위권을 행사한 때에는 채무자에게 통지하여야 하고, 채무자가 그 통지를 받은 후에는 그 권리를 처분하여도 이로써 채권자에게 대항하지 못하며, 이 경우 채권자가 채무자에게 그 사실을 통지하지 아니하였더라도 채무자가 자기의 채권이 채권자에 의하여 대위행사되고 있는 사실을 알고 있었다면 그 처분을 가지고 채권자에게 대항할 수 없다(대판 1993.4.27, 93다4519).
⑤ 채권자취소권도 채권자가 채무자를 대위하여 행사하는 것이 가능하다(대판 2001.12.27, 2000다73049).

59 채권자대위권에 관한 다음 설명 중 가장 옳지 않은 것은? (다툼이 있는 경우 판례에 의함)

▶ 2016년 법무사

① 채권자가 자기채권을 보전하기 위하여 채무자의 권리를 행사하려면 채무자의 무자력을 요건으로 하는 것이 통상이고, 임대차보증금반환채권을 양수한 채권자가 그 이행을 청구하기 위하여 임차인의 가옥명도가 선 이행되어야 할 필요가 있어서 그 명도를 구하는 경우에도 채무자의 무자력을 요건으로 한다.

② 채권자는 채무자에 대한 채권을 보전하기 위하여 채무자를 대위해서 채무자의 권리를 행사할 수 있는데, 채권자가 보전하려는 권리와 대위하여 행사하려는 채무자의 권리가 밀접하게 관련되어 있고 채권자가 채무자의 권리를 대위하여 행사하지 않으면 자기 채권의 완전한 만족을 얻을 수 없게 될 위험이 있어 채무자의 권리를 대위하여 행사하는 것이 자기 채권의 현실적 이행을 유효·적절하게 확보하기 위하여 필요한 경우에는 채권자대위권의 행사가 채무자의 자유로운 재산관리행위에 대한 부당한 간섭이 된다는 등의 특별한 사정이 없는 한 채권자는 채무자의 권리를 대위하여 행사할 수 있어야 한다.

③ 채권자대위권은 채무자가 제3채무자에 대한 권리를 행사하지 아니하는 경우에 한하여 채권자가 자기의 채권을 보전하기 위하여 행사할 수 있는 것이어서, 채권자가 대위권을 행사할 당시에 이미 채무자가 그 권리를 재판상 행사하였을 때에는 채권자는 채무자를 대위하여 채무자의 권리를 행사할 수 없다.

④ 채권자대위권을 행사함에 있어서 채권자가 제3채무자에 대하여 자기에게 직접 급부를 요구하여도 상관없는 것이고 자기에게 급부를 요구하여도 어차피 그 효과는 채무자에게 귀속되는 것이므로, 채권자대위권을 행사하여 채권자가 제3채무자에게 그 명의의 소유권보존등기나 소유권이전등기의 말소절차를 직접 자기에게 이행할 것을 청구하여 승소하였다고 하여도 그 효과는 원래의 소유자인 채무자에게 귀속되는 것이니, 법원이 채권자대위권을 행사하는 채권자에게 직접 말소등기 절차를 이행할 것을 명하였다고 하여 무슨 위법이 있다고 할 수 없다.

⑤ 채권자는 자기의 채권을 보전하기 위하여 채무자의 권리를 행사할 수 있다. 그러나 일신에 전속한 권리는 그러하지 아니하다.

해설 ① 채권자가 자기채권을 보전하기 위하여 채무자의 권리를 행사하려면 채무자의 무자력을 요건으로 하는 것이 통상이지만 임대차보증금반환채권을 양수한 채권자가 그 이행을 청구하기 위하여 임차인의 가옥명도가 선 이행되어야 할 필요가 있어서 그 명도를 구하는 경우에는 그 채권의 보전과 채무자인 임대인의 자력유무는 관계가 없는 일이므로 무자력을 요건으로 한다고 할 수 없다(대판 1989.4.25, 88다카4253·4260).

② 채권자는 채무자에 대한 채권을 보전하기 위하여 채무자를 대위해서 채무자의 권리를 행사할 수 있는바, 채권자가 보전하려는 권리와 대위하여 행사하려는 채무자의 권리가 밀접하게 관련되어 있고 채권자가 채무자의 권리를 대위하여 행사하지 않으면 자기 채권의 완전한 만족을 얻을 수 없게 될 위험이 있어 채무자의 권리를 대위하여 행사하는 것이 자기 채권의

정답 58 ③ 59 ①

현실적 이행을 유효·적절하게 확보하기 위하여 필요한 경우에는 채권자대위권의 행사가 채무자의 자유로운 재산관리행위에 대한 부당한 간섭이 된다는 등의 특별한 사정이 없는 한 채권자는 채무자의 권리를 대위하여 행사할 수 있어야 하고, 피보전채권이 특정채권이라 하여 반드시 순차매도 또는 임대차에 있어 소유권이전등기청구권이나 인도청구권 등의 보전을 위한 경우에만 한하여 채권자대위권이 인정되는 것은 아니며, 물권적 청구권에 대하여도 채권자대위권에 관한 민법 제404조의 규정과 위와 같은 법리가 적용될 수 있다(대판 2007.5.10, 2006다82700·82717).

③ 채권자대위권은 채무자가 제3채무자에 대한 권리를 행사하지 아니하는 경우에 한하여 채권자가 자기의 채권을 보전하기 위하여 행사할 수 있는 것이기 때문에 채권자가 대위권을 행사할 당시 이미 채무자가 그 권리를 재판상 행사하였을 때에는 설사 패소의 확정판결을 받았더라도 채권자는 채무자를 대위하여 채무자의 권리를 행사할 당사자적격이 없다(대판 1993. 3.26, 92다32876).

④ 채권자대위권을 행사함에 있어서 채권자가 제3채무자에 대하여 자기에게 직접 급부를 요구하여도 상관없는 것이고 자기에게 급부를 요구하여도 어차피 그 효과는 채무자에게 귀속되는 것이므로, 채권자대위권을 행사하여 채권자가 제3채무자에게 그 명의의 소유권보존등기나 소유권이전등기의 말소절차를 직접 자기에게 이행할 것을 청구하여 승소하였다고 하여도 그 효과는 원래의 소유자인 채무자에게 귀속되는 것이니, 법원이 채권자대위권을 행사하는 채권자에게 직접 말소등기 절차를 이행할 것을 명하였다고 하여 무슨 위법이 있다고 할 수 없다(대판 1996.2.9, 95다27998).

⑤ 제404조 제1항 【채권자대위권】 채권자는 자기의 채권을 보전하기 위하여 채무자의 권리를 행사할 수 있다. 그러나 일신에 전속한 권리는 그러하지 아니하다.

60 채권자대위권에 관한 다음 설명 중 가장 옳지 않은 것은? (다툼이 있는 경우 판례에 의함)

▶ 2017년 법무사

① 상소의 제기와 마찬가지로 종전 재심대상판결에 대하여 불복하여 종전 소송절차의 재개, 속행 및 재심판을 구하는 재심의 소 제기는 채권자대위권의 목적이 될 수 없다.

② 매수인이 매도인에 대하여 가지는 토지거래허가신청 절차의 협력의무의 이행청구권도 채권자대위권의 행사에 의하여 보전될 수 있는 채권에 해당한다.

③ 채권자가 양수한 임차보증금의 이행을 청구하기 위하여 임차인의 가옥명도가 선이행되어야 할 필요가 있어서 그 명도를 구하는 경우에는 그 채권의 보전과 채무자인 임대인의 자력유무는 관계가 없는 일이므로 무자력을 요건으로 한다고 할 수 없다.

④ 채권자대위소송을 제기한 경우, 제3채무자는 채권자의 채무자에 대한 권리의 발생원인이 된 법률행위가 무효라거나 위 권리가 변제 등으로 소멸하였다는 등의 사실을 주장하여 채권자의 채무자에 대한 권리가 인정되는지 여부를 다툴 수 있다.

⑤ 유류분반환청구권은 그 재산권적 성격에 의하여 원칙적으로 채권자대위권의 목적이 될 수 있다.

해설 ① 채권을 보전하기 위하여 대위행사가 필요한 경우는 실체법상 권리뿐만 아니라 소송법상 권리에 대하여서도 대위가 허용되나, 채무자와 제3채무자 사이의 소송이 계속된 이후의 소송수행과 관련한 개개의 소송상 행위는 그 권리의 행사를 소송당사자인 채무자의 의사에 맡기는 것이 타당하므로 채권자대위가 허용될 수 없다. 같은 취지에서 볼 때 상소의 제기와 마찬가지로 종전 재심대상판결에 대하여 불복하여 종전 소송절차의 재개, 속행 및 재심판을 구하는 재심의 소 제기는 채권자대위권의 목적이 될 수 없다(대판 2012.12.27, 2012다75239).

② 국토이용관리법상의 토지거래규제구역 내의 토지에 관하여 관할 관청의 허가 없이 체결된 매매계약이라고 하더라도, 거래 당사자 사이에는 그 계약이 효력이 있는 것으로 완성될 수 있도록 서로 협력할 의무가 있어, 그 매매계약의 쌍방 당사자는 공동으로 관할 관청의 허가를 신청할 의무가 있고, 이러한 의무에 위배하여 허가신청에 협력하지 아니하는 당사자에 대하여 상대방은 협력의무의 이행을 청구할 수 있는 것이므로, 이와 같은 매수인이 매도인에 대하여 가지는 토지거래허가신청 절차의 협력의무의 이행청구권도 채권자대위권의 행사에 의하여 보전될 수 있는 채권에 해당한다(대판 1995.9.5, 95다22917).

③ 채권자가 자기채권을 보전하기 위하여 채무자의 권리를 행사하려면 채무자의 무자력을 요건으로 하는 것이 통상이지만 임대차보증금반환채권을 양수한 채권자가 그 이행을 청구하기 위하여 임차인의 가옥명도가 선이행되어야 할 필요가 있어서 그 명도를 구하는 경우에는 그 채권의 보전과 채무자인 임대인의 자력유무는 관계가 없는 일이므로 무자력을 요건으로 한다고 할 수 없다(대판 1989.4.25, 88다카4253·4260).

④ 채권자가 채권자대위소송을 제기한 경우, 제3채무자는 채무자가 채권자에 대하여 가지는 항변권이나 형성권 등과 같이 권리자에 의한 행사를 필요로 하는 사유를 들어 채권자의 채무자에 대한 권리가 인정되는지 여부를 다툴 수 없지만, 채권자의 채무자에 대한 권리의 발생원인이 된 법률행위가 무효라거나 위 권리가 변제 등으로 소멸하였다는 등의 사실을 주장하여 채권자의 채무자에 대한 권리가 인정되는지 여부를 다투는 것은 가능하고, 이 경우 법원은 제3채무자의 주장을 고려하여 채권자의 채무자에 대한 권리가 인정되는지 여부에 관하여 직권으로 심리·판단하여야 한다(대판 2015.9.10, 2013다55300).

⑤ 유류분반환청구권은 그 행사 여부가 유류분권리자의 인격적 이익을 위하여 그의 자유로운 의사결정에 전적으로 맡겨진 권리로서 행사상의 일신전속성을 가진다고 보아야 하므로, 유류분권리자에게 그 권리행사의 확정적 의사가 있다고 인정되는 경우가 아니라면 채권자대위권의 목적이 될 수 없다(대판 2010.5.27, 2009다93992).

정답 60 ⑤

61 채권자대위권에 관한 다음 설명 중 가장 옳지 않은 것은? (다툼이 있는 경우 판례에 의함)

▶ 2017년 법원행시

① 이혼으로 인한 재산분할청구권은 협의 또는 심판에 의하여 그 구체적 내용이 형성되기까지는 그 범위 및 내용이 불명확·불확정하기 때문에 구체적으로 권리가 발생하였다고 할 수 없으므로 이를 보전하기 위하여 채권자대위권을 행사할 수 없다.

② 채권자가 채권자대위권을 행사하는 방법으로 제3채무자를 상대로 소송을 제기하였다가 채무자를 대위할 피보전채권이 인정되지 않는다는 이유로 소각하 판결을 받아 확정된 경우 그 판결의 기판력이 채권자가 채무자를 상대로 피보전채권의 이행을 구하는 소송에 미치는 것은 아니다.

③ 피보전채권이 특정채권인 경우, 순차매도 또는 임대차에 있어 소유권이전등기청구권이나 인도청구권 등의 보전을 위한 경우에만 채권자대위권이 인정되는 것은 아니며, 물권적 청구권에 대하여도 인정된다.

④ 형성권의 경우 행사상의 일신전속권이 아니라면 채권자대위권의 대상이 될 수 있다.

⑤ 임대인의 동의 없는 임차권의 양도는 당사자 사이에서는 유효하다 하더라도 다른 특약이 없는 한 임대인에게는 대항할 수 없는 것이나, 임대인에 대항할 수 없는 임차권의 양수인도 임차목적물을 보전하기 위하여 권한 없이 점유하는 자를 상대로 임대인의 목적물반환청구권을 대위행사할 수 있다.

해설 ① 이혼으로 인한 재산분할청구권은 협의 또는 심판에 의하여 그 구체적 내용이 형성되기까지는 그 범위 및 내용이 불명확·불확정하기 때문에 구체적으로 권리가 발생하였다고 할 수 없으므로 이를 보전하기 위하여 채권자대위권을 행사할 수 없다(대판 1999.4.9, 98다58016).

② 민사소송법 제218조 제3항은 '다른 사람을 위하여 원고나 피고가 된 사람에 대한 확정판결은 그 다른 사람에 대하여도 효력이 미친다.'고 규정하고 있으므로, 채권자가 채권자대위권을 행사하는 방법으로 제3채무자를 상대로 소송을 제기하고 판결을 받은 경우 채권자가 채무자에 대하여 민법 제405조 제1항에 의한 보존행위 이외의 권리행사의 통지, 또는 민사소송법 제84조에 의한 소송고지 혹은 비송사건절차법 제49조 제1항에 의한 법원에 의한 재판상 대위의 허가를 고지하는 방법 등 어떠한 사유로 인하였든 적어도 채권자대위권에 의한 소송이 제기된 사실을 채무자가 알았을 때에는 그 판결의 효력이 채무자에게 미친다고 보아야 한다. 이때 채무자에게도 기판력이 미친다는 의미는 채권자대위소송의 소송물인 피대위채권의 존부에 관하여 채무자에게도 기판력이 인정된다는 것이고, 채권자대위소송의 소송요건인 피보전채권의 존부에 관하여 당해 소송의 당사자가 아닌 채무자에게 기판력이 인정된다는 것은 아니다. 따라서 채권자가 채권자대위권을 행사하는 방법으로 제3채무자를 상대로 소송을 제기하였다가 채무자를 대위할 피보전채권이 인정되지 않는다는 이유로 소각하 판결을 받아 확정된 경우 그 판결의 기판력이 채권자가 채무자를 상대로 피보전채권의 이행을 구하는 소송에 미치는 것은 아니다(대판 2014.1.23, 2011다108095).

③ 피보전채권이 특정채권이라 하여 반드시 순차매도 또는 임대차에 있어 소유권이전등기청구권이나 인도청구권 등의 보전을 위한 경우에만 한하여 채권자대위권이 인정되는 것은 아니며, 물권적 청구권에 대하여도 채권자대위권에 관한 민법 제404조의 규정과 위와 같은 법리가 적용될 수 있다(대판 2007.5.10, 2006다82700·82717).

④ 채권자는 자기의 채권을 보전하기 위하여 채무자의 권리를 행사할 수 있다. 그러나 일신에 전속한 권리는 그러하지 아니하다(제404조 제1항). 따라서 형성권이라도 행사상의 일신전속권이 아니라면 채권자대위권의 대상이 될 수 있다. 판례도 임대인의 임대차계약에 대한 해지권을 오로지 임대인의 의사에 행사의 자유가 맡겨져 있는 행사상의 일신전속권에 해당하는 것으로 보기 어렵다고 하여 대위행사가 가능함을 인정한 바 있다(대판 1989.4.25, 88다카4253·4260 참조).

⑤ 임대인의 동의 없는 임차권의 양도는 당사자 사이에서는 유효하다 하더라도 다른 특약이 없는 한 임대인에게는 대항할 수 없는 것이고 임대인에 대항할 수 없는 임차권의 양수인으로서는 임대인의 권한을 대위행사할 수 없다(대판 1985.2.8, 84다카188).

62 채권자대위권에 관한 다음 설명 중 가장 옳지 않은 것은? (다툼이 있는 경우 판례에 의함)

▶ 2018년 법무사

① 계약의 승낙은 일신전속권에 해당하지 아니하므로, 특별한 사정이 없는 한 특정채권 보전을 위한 채권자대위권의 목적이 될 수 있다.

② 채권자는 그 채권의 기한이 도래하기 전에는 법원 허가 없이 채권자대위권을 행사하지 못하나, 보전행위는 할 수 있다.

③ 채권자대위권을 행사함에 있어서 채권자가 채무자를 상대로 하여 그 보전되는 청구권에 기한 이행청구의 소를 제기하여 승소판결을 선고받고 그 판결이 확정되면, 제3채무자는 그 청구권의 존재를 다툴 수 없는 것이 원칙이다.

④ 채권자대위권 행사가 채무자의 자유로운 재산관리행위에 대한 부당한 간섭이 된다는 등의 특별한 사정이 있는 경우에는 보전의 필요성이 부정될 수 있다.

⑤ 채권자대위소송이 제기되고 채무자가 이를 알게 되면, 채무자가 피대위권리를 처분하여도 이로써 채권자에게 대항하지 못한다.

해설 ① 민법 제404조 제1항은 "채권자는 자기의 채권을 보전하기 위하여 채무자의 권리를 행사할 수 있다. 그러나 일신에 전속한 권리는 그러하지 아니하다."고 하여 이른바 행사상의 일신전속권은 채권자대위권의 목적이 될 수 없다고 규정하고 있다. 이에 비추어 볼 때, 계약의 청약이나 승낙과 같이 비록 행사상의 일신전속권은 아니지만 이를 행사하면 그로써 새로운 권리의무관계가 발생하는 등으로 권리자 본인이 그로 인한 법률관계 형성의 결정 권한을 가지도록 할 필요가 있는 경우에는, 채무자에게 이미 그 권리행사의 확정적 의사가 있다고 인정되는 등 특별한 사정이 없는 한, 그 권리는 채권자대위권의 목적이 될 수 없다고 봄이 상당하다. 그리고 이는 일반채권자의 책임재산의 보전을 위한 경우뿐만 아니라 특정채권의 보전이나 실현을 위하여 채권자대위권을 행사하고자 하는 경우에 있어서도 마찬가지라고 할 것이다(대판 2012.3.29, 2011다100527).

② 제404조

③ 채권자대위권을 행사함에 있어 채권자가 채무자를 상대로 그 보전되는 청구권에 기한 이행청구의 소를 제기하여 승소판결을 선고받고 그 판결이 확정되면 제3채무자는 그 청구권의 존재를 다툴 수 없다(대판 2007.5.10, 2006다82700, 82717).

④ 민법 제404조에서 규정하고 있는 채권자대위권은 채권자가 채무자에 대한 자기의 채권을 보전하기 위하여 필요한 경우에 채무자의 제3자에 대한 권리를 대위하여 행사할 수 있는 권리를 말하므로, 보전되는 채권에 대하여 보전의 필요성이 인정되어야 한다. 여기에서 보전의 필요성은, 채권자가 보전하려는 권리와 대위하여 행사하려는 채무자의 권리가 밀접하게 관련되어 있고, 채권자가 채무자의 권리를 대위하여 행사하지 않으면 자기 채권의 완전한 만족을 얻을 수 없게 될 위험이 있어 채무자의 권리를 대위하여 행사하는 것이 자기 채권의 현실적 이행을 유효·적절하게 확보하기 위하여 필요한 것을 말하며, 채권자대위권의 행사가 채무자의 자유로운 재산관리행위에 대한 부당한 간섭이 된다는 등의 특별한 사정이 있는 경우에는 보전의 필요성을 인정할 수 없다(대판 2013.5.23, 2010다50014).

⑤ 민법 제405조에 의하면 채권자가 채권자대위권에 기하여 채무자의 권리를 행사하고 그 사실을 채무자에게 통지한 경우에는 채무자가 그 권리를 처분하여도 이로써 채권자에게 대항하지 못한다고 규정되어 있는데, 이 경우 채권자가 채무자에게 그 사실을 통지하지 아니하였더라도 채무자가 자기의 채권이 채권자에 의하여 대위행사되고 있는 사실을 알고 있었다면 그 처분을 가지고 채권자에게 대항할 수 없다(대판 1993.4.27, 92다44350).

63 채권자대위권에 관한 다음 설명 중 가장 옳지 않은 것은? ▸ 2018년 법원행시

① 甲은 乙에게 1억원의 대여금 채권을 가지고 있고, 乙은 丙에게 1억원의 매매대금 채권을 가지고 있다. 甲이 乙에 대한 채권을 보전하기 위하여 乙을 대위하여 丙에 대하여 매매대금을 청구하는 소를 제기하기 이전에 乙이 丙을 상대로 1억원의 매매대금의 지급을 구하는 소를 제기하였고 패소확정판결을 받은 경우, 甲은 乙을 대위하여 권리를 행사할 수 없다.

② 甲은 乙에게 1억원의 대여금 채권을 가지고 있고, 乙은 丙에게 1억원의 매매대금 채권을 가지고 있다. 甲이 乙에 대한 채권을 보전하기 위하여 乙을 대위하여 丙에 대하여 매매대금을 청구하는 소를 제기하고 이러한 사실을 乙에게 통지한 경우, 甲의 채권자대위소송 판결의 효력은 乙에게 미친다.

③ 임차인 甲이 임대인 乙에 대한 임대차보증금반환채권을 丙에게 양도하고 乙에게 이를 통지하였다. 임대차 종료시 甲이 乙에게 임대차목적물의 반환을 거부하고 있어 乙이 丙에게 보증금의 지급을 거부하고 있는 경우, 丙은 乙을 대위하여 甲에게 임대차목적물의 반환을 청구할 수 있고, 이때 乙의 무자력은 요구되지 않는다.

④ 甲이 자신의 X토지를 乙에게 매도하고, 乙은 X토지를 丙에게 매도하였으나, 아직 X토지의 등기명의는 甲으로 되어 있다. 丙이 乙을 대위하여 甲에 대하여 소유권이전등기를 청구하는 소를 제기하였고, 乙은 丙의 채권자대위권 행사를 통지받았다. 그 이후 乙이 자신의 채무를 이행하지 않자 이를 이유로 甲이 乙과의 매매계약을 해제한 경우, 甲은 그 계약해제를 이유로 丙에게 대항할 수 없다.

⑤ 甲이 자신의 X토지를 乙에게 매도하고, 乙은 X토지를 공동으로 매수하려는 丙, 丁, 戊에게 매도하였으나, 아직 X토지의 등기명의는 甲으로 되어 있다. 丙이 乙을 대위하여 甲에 대하여 소유권이전등기를 청구하는 소를 제기한 경우, 丙은 자기의 매수지분 범위 내에서만 乙의 甲에 대한 소유권이전등기청구권을 대위행사할 수 있다.

해설 ① 채권자대위권은 채무자가 제3채무자에 대한 권리를 행사하지 아니하는 경우에 한하여 채권자가 자기의 채권을 보전하기 위하여 행사할 수 있는 것이기 때문에 채권자가 대위권을 행사할 당시 이미 채무자가 그 권리를 재판상 행사하였을 때에는 설사 패소의 확정판결을 받았더라도 채권자는 채무자를 대위하여 채무자의 권리를 행사할 당사자적격이 없다(대판 1993. 3.26. 92다32876).

② 채권자가 채권자대위권을 행사하는 방법으로 제3채무자를 상대로 소송을 제기하고 판결을 받은 경우에는 어떠한 사유로 인하였든 적어도 채무자가 채권자 대위권에 의한 소송이 제기된 사실을 알았을 경우에는 그 판결의 효력은 채무자에게 미친다(대판(전합) 1975.5.13. 74다1664).

③ 채권자가 자기채권을 보전하기 위하여 채무자의 권리를 행사하려면 채무자의 무자력을 요건으로 하는 것이 통상이지만 임대차보증금반환채권을 양수한 채권자가 그 이행을 청구하기 위하여 임차인의 가옥명도가 선이행되어야 할 필요가 있어서 그 명도를 구하는 경우에는 그 채권의 보전과 채무자인 임대인의 자력유무는 관계가 없는 일이므로 무자력을 요건으로 한다고 할 수 없다(대판 1989.4.25. 88다카4253,4260).

④ 민법 제405조 제2항은 '채무자가 채권자대위권행사의 통지를 받은 후에는 그 권리를 처분하여도 이로써 채권자에게 대항하지 못한다'고 규정하고 있다. 위 조항의 취지는 채권자가 채무자에게 대위권 행사사실을 통지하거나 채무자가 채권자의 대위권 행사사실을 안 후에 채무자에게 대위의 목적인 권리의 양도나 포기 등 처분행위를 허용할 경우 채권자에 의한 대위권 행사를 방해하는 것이 되므로 이를 금지하는 데에 있다고 할 것이다. 그런데 채무자의 채무불이행 사실 자체만으로는 권리변동의 효력이 발생하지 않아 이를 채무자가 제3채무자에 대하여 가지는 채권을 소멸시키는 적극적인 행위로 파악할 수 없는 점, 더구나 법정해제는 채무자의 객관적 채무불이행에 대한 제3채무자의 정당한 법적 대응인 점, 채권이 압류·가압류된 경우에도 압류 또는 가압류된 채권의 발생원인이 된 기본계약의 해제가 인정되는 것과 균형을 이룰 필요가 있는 점 등을 고려할 때 채무자가 자신의 채무불이행을 이유로 매매계약이 해제되도록 한 것을 두고 민법 제405조 제2항에서 말하는 '처분'에 해당한다고 할 수 없다. 따라서 채무자가 채권자대위권행사의 통지를 받은 후에 채무를 불이행함으로써 통지 전에 체결된 약정에 따라 매매계약이 자동적으로 해제되거나, 채권자대위권행사의 통지를 받은 후에 채무자의 채무불이행을 이유로 제3채무자가 매매계약을 해제한 경우 제3채무자는 그 계약해제로써 대위권을 행사하는 채권자에게 대항할 수 있다고 할 것이다. 다만 형식적으로는 채무자의 채무불이행을 이유로 한 계약해제인 것처럼 보이지만 실질적으로는 채무자와 제3채무자 사이의 합의에 따라 계약을 해제한 것으로 볼 수 있거나, 채무자와 제3채무자가 단지 대위채권자에게 대항할 수 있도록 채무자의 채무불이행을 이유로 하는 계약해제인 것처럼 외관을 갖춘 것이라는 등의 특별한 사정이 있는 경우에는 채무자가 그 피대위채권을 처분한 것으로 보아 제3채무자는 그 계약해제로써 대위권을 행사하는 채권자에게 대항할 수 없다고 할 것이다(대판(전합) 2012.5.17. 2011다87235).

정답 63 ④

⑤ 부동산을 공동매수한 채권자가 채무자에 대한 소유권이전등기청구권을 피보전채권으로 하여 제3채무자를 상대로 채무자의 제3채무자에 대한 소유권이전등기청구권을 대위행사하는 소송을 제기한 사안에서, 위 채권자는 공동매수인 중 1인에 불과하므로 그의 매수지분 범위 내에서만 채무자의 제3채무자에 대한 소유권이전등기청구권을 대위행사할 수 있고, 그 지분을 초과하는 부분에 관하여는 채무자를 대위할 보전의 필요성이 없다(대판 2010.11.11, 2010다43597).

64 甲은 乙에 대하여 1억원의 대여금채권을, 乙은 丙에 대하여 1억원의 매매대금채권을 각 보유하고 있던 중, 甲이 무자력인 乙에 대한 채권을 보전하기 위해 乙을 대위하여 丙에 대하여 매매대금청구소송을 제기하였는데, 乙은 대위소송 사실을 알고 있었다. 다음 설명 중 가장 옳은 것은? (다툼이 있는 경우 판례에 의함) ▸ 2017년 9급(법원서기보)

① 이후 乙이 丙으로부터 1억원 매매대금채권을 변제받았더라도 丙은 甲에게 변제항변을 할 수 없다.

② 소송 중 乙의 丙에 대한 채권의 소멸시효가 이미 완성된 것으로 밝혀진 경우 丙은 소멸시효완성으로 甲에게 대항할 수 있다.

③ 甲의 대위소송의 판결의 효력은 乙에게 미치지 않는다.

④ 소송 중 丙이 乙의 채무불이행으로 인해 매매계약을 해제하였더라도 丙은 이로써 甲에게 대항할 수 없다.

해설 ① 채권자가 채무자를 대위하여 채무자의 제3채무자에 대한 권리를 행사하고 채무자에게 통지를 하거나 채무자가 채권자의 대위권 행사사실을 안 후에는 채무자는 그 권리에 대한 처분권을 상실하여 그 권리의 양도나 포기등 처분행위를 할 수 없고 채무자의 처분행위에 기하여 취득한 권리로서는 채권자에게 대항할 수 없으나, 채무자의 변제수령은 처분행위라 할 수 없고 같은 이치에서 채무자가 그 명의로 소유권이전등기를 경료하는 것 역시 처분행위라고 할 수 없으므로 소유권이전등기청구권의 대위행사 후에도 채무자는 그 명의로 소유권이전등기를 경료하는 데 아무런 지장이 없다(대판 1991.4.12, 90다9407).

② 채권자대위권은 채무자의 제3채무자에 대한 권리를 행사하는 것이므로, 제3채무자는 채무자에 대해 가지는 모든 항변사유로 채권자에게 대항할 수 있으나, 채권자는 채무자 자신이 주장할 수 있는 사유의 범위 내에서 주장할 수 있을 뿐 자기와 제3채무자 사이의 독자적인 사정에 기한 사유를 주장할 수는 없다(대판 2009.5.28, 2009다4787).

③ 어느 채권자가 채권자대위권을 행사하는 방법으로 제3채무자를 상대로 소송을 제기하여 판결을 받은 경우, 어떠한 사유로든 채무자가 채권자대위소송이 제기된 사실을 알았을 경우에 한하여 그 판결의 효력이 채무자에게 미치므로, 이러한 경우에는 그 후 다른 채권자가 동일한 소송물에 대하여 채권자대위권에 기한 소를 제기하면 전소의 기판력을 받게 된다고 할 것이지만, 채무자가 전소인 채권자대위소송이 제기된 사실을 알지 못하였을 경우에는 전소의 기판력이 다른 채권자가 제기한 후소인 채권자대위소송에 미치지 않는다(대판 1994.8.12, 93다52808).

④ 민법 제405조 제2항은 '채무자가 채권자대위권행사의 통지를 받은 후에는 그 권리를 처분하여도 이로써 채권자에게 대항하지 못한다'고 규정하고 있다. 위 조항의 취지는 채권자가 채무자에게 대위권 행사사실을 통지하거나 채무자가 채권자의 대위권 행사사실을 안 후에 채무자에게 대위의 목적인 권리의 양도나 포기 등 처분행위를 허용할 경우 채권자에 의한 대위권행사를 방해하는 것이 되므로 이를 금지하는 데에 있다고 할 것이다. 그런데 채무자의 채무불이행 사실 자체만으로는 권리변동의 효력이 발생하지 않아 이를 채무자가 제3채무자에 대하여 가지는 채권을 소멸시키는 적극적인 행위로 파악할 수 없는 점, 더구나 법정해제는 채무자의 객관적 채무불이행에 대한 제3채무자의 정당한 법적 대응인 점, 채권이 압류·가압류된 경우에도 압류 또는 가압류된 채권의 발생원인이 된 기본계약의 해제가 인정되는 것과 균형을 이룰 필요가 있는 점 등을 고려할 때 채무자가 자신의 채무불이행을 이유로 매매계약이 해제되도록 한 것을 두고 민법 제405조 제2항에서 말하는 '처분'에 해당한다고 할 수 없다. 따라서 채무자가 채권자대위권행사의 통지를 받은 후에 채무를 불이행함으로써 통지 전에 체결된 약정에 따라 매매계약이 자동적으로 해제되거나, 채권자대위권행사의 통지를 받은 후에 채무자의 채무불이행을 이유로 제3채무자가 매매계약을 해제한 경우 제3채무자는 그 계약해제로써 대위권을 행사하는 채권자에게 대항할 수 있다고 할 것이다. 다만 형식적으로는 채무자의 채무불이행을 이유로 한 계약해제인 것처럼 보이지만 실질적으로는 채무자와 제3채무자 사이의 합의에 따라 계약을 해제한 것으로 볼 수 있거나, 채무자와 제3채무자가 단지 대위채권자에게 대항할 수 있도록 채무자의 채무불이행을 이유로 하는 계약해제인 것처럼 외관을 갖춘 것이라는 등의 특별한 사정이 있는 경우에는 채무자가 그 피대위채권을 처분한 것으로 보아 제3채무자는 그 계약해제로써 대위권을 행사하는 채권자에게 대항할 수 없다고 할 것이다(대판(전합) 2012.5.17, 2011다87235).

65 채권자인 甲이 채무자인 乙을 대위하여 제3채무자인 丙을 상대로 채권자대위소송을 제기한 경우 다음 설명 중 가장 옳은 것은? (다툼이 있는 경우 판례에 의함) ▸ 2018년 9급(법원서기보)

① 甲의 乙에 대한 피보전채권이 존재하지 않는다는 이유로 소 각하 판결이 확정된 경우에는 그 후 甲이 乙에게 다시 동일한 피보전채권을 청구원인으로 소송을 제기하는 경우 乙이 채권자대위소송이 제기된 사실을 알았던 경우에는 전소의 기판력이 미친다.

② 채권자대위소송의 제기로 甲의 乙에 대한 채권은 소멸시효가 중단되나, 乙의 丙에 대한 채권의 소멸시효는 중단되지 않는다.

③ 乙의 丙에 대한 채권이 존재하지 않는다는 이유로 甲의 청구가 기각되어 확정되었다면, 그 후 乙의 또 다른 채권자인 丁이 乙을 대위하여 丙을 상대로 채권자대위소송을 제기하는 경우 乙이 전소인 甲의 채권자대위소송 사실을 알았는지 여부와 무관하게 전소의 기판력이 丁이 제기한 후소에는 미치지 않는다.

④ 丙은 乙이 甲에 대하여 가지는 항변권이나 형성권 등과 같이 권리자에 의한 행사를 필요로 하는 사유를 들어 甲의 乙에 대한 권리가 인정되는지 여부를 다툴 수 없지만, 甲의 乙에 대한 권리의 발생원인이 된 법률행위가 무효라거나 위 권리가 변제 등으로 소멸하였다는 등의 사실을 주장하여 甲의 乙에 대한 권리가 인정되는지 여부를 다투는 것은 가능하다.

해설 ① 민사소송법 제218조 제3항은 '다른 사람을 위하여 원고나 피고가 된 사람에 대한 확정판결은 그 다른 사람에 대하여도 효력이 미친다.'고 규정하고 있으므로, 채권자가 채권자대위권을 행사하는 방법으로 제3채무자를 상대로 소송을 제기하고 판결을 받은 경우 채권자가 채무자에 대하여 민법 제405조 제1항에 의한 보존행위 이외의 권리행사의 통지, 또는 민사소송법 제84조에 의한 소송고지 혹은 비송사건절차법 제49조 제1항에 의한 법원에 의한 재판상 대위의 허가를 고지하는 방법 등 어떠한 사유로 인하였든 적어도 채권자대위권에 의한 소송이 제기된 사실을 채무자가 알았을 때에는 그 판결의 효력이 채무자에게 미친다고 보아야 한다. 이때 채무자에게도 기판력이 미친다는 의미는 채권자대위소송의 소송물인 피대위채권의 존부에 관하여 채무자에게도 기판력이 인정된다는 것이고, 채권자대위소송의 소송요건인 피보전채권의 존부에 관하여 당해 소송의 당사자가 아닌 채무자에게 기판력이 인정된다는 것은 아니다. 따라서 채권자가 채권자대위권을 행사하는 방법으로 제3채무자를 상대로 소송을 제기하였다가 채무자를 대위할 피보전채권이 인정되지 않는다는 이유로 소각하 판결을 받아 확정된 경우 그 판결의 기판력이 채권자가 채무자를 상대로 피보전채권의 이행을 구하는 소송에 미치는 것은 아니다(대판 2014.1.23. 2011다108095).
② 채권자대위권 행사의 효과는 채무자에게 귀속되는 것이므로 채권자대위소송의 제기로 인한 소멸시효 중단의 효과 역시 채무자에게 생긴다(대판 2011.10.13. 2010다80930).
③ 어느 채권자가 채권자대위권을 행사하는 방법으로 제3채무자를 상대로 소송을 제기하여 판결을 받은 경우, 어떠한 사유로든 채무자가 채권자대위소송이 제기된 사실을 알았을 경우에 한하여 그 판결의 효력이 채무자에게 미치므로, 이러한 경우에는 그 후 다른 채권자가 동일한 소송물에 대하여 채권자대위권에 기한 소를 제기하면 전소의 기판력을 받게 된다고 할 것이지만, 채무자가 전소인 채권자대위소송이 제기된 사실을 알지 못하였을 경우에는 전소의 기판력이 다른 채권자가 제기한 후소인 채권자대위소송에 미치지 않는다(대판 1994.8.12. 93다52808).
④ 채권자가 채권자대위소송을 제기한 경우, 제3채무자는 채무자가 채권자에 대하여 가지는 항변권이나 형성권 등과 같이 권리자에 의한 행사를 필요로 하는 사유를 들어 채권자의 채무자에 대한 권리가 인정되는지 여부를 다툴 수 없지만, 채권자의 채무자에 대한 권리의 발생원인이 된 법률행위가 무효라거나 위 권리가 변제 등으로 소멸하였다는 등의 사실을 주장하여 채권자의 채무자에 대한 권리가 인정되는지 여부를 다투는 것은 가능하고, 이 경우 법원은 제3채무자의 주장을 고려하여 채권자의 채무자에 대한 권리가 인정되는지 여부에 관하여 직권으로 심리·판단하여야 한다(대판 2015.9.10. 2013다55300).

66 채권자대위권에 관한 다음 설명 중 가장 옳지 않은 것은? (다툼이 있는 경우 판례에 의함)

▶ 2019년 법원주사보

① 임대인에 대항할 수 없는 임차권의 양수인도 임대인을 대위하여 임차목적물의 무단점유자를 상대로 건물의 인도를 청구할 수 있다.
② 채권자의 피보전채권은 채무자의 제3채무자에 대한 권리보다 먼저 성립하였을 것을 요하지 않는다.
③ 채무자가 이미 확정판결을 받은 경우에는 패소판결을 받은 경우라도 동일 소송물에 대한 채권자대위소송은 당사자적격 흠결로 소각하 판결을 선고한다.
④ 채권자대위권 행사의 효과는 채무자에게 귀속되는 것이므로 채권자대위소송의 제기로 인한 소멸시효 중단의 효과 역시 채무자에게 생긴다.

> **해설** ① 임대인의 동의없는 임차권의 양도는 당사자 사이에서는 유효하다 하더라도 다른 특약이 없는 한 임대인에게는 대항할 수 없는 것이고 임대인에 대항할 수 없는 임차권의 양수인으로서는 임대인의 권한을 대위행사할 수 없다(대판 1985.2.8, 84다카188).
> ② 제404조 본문에서는 '채권'으로 규정되어 있으나, 채권자의 대위에 의한 보전에 적합한 것이면 채권뿐만 아니라 널리 청구권을 포함된다. 또한 채권자의 채권은 채무자의 제3채무자에 대한 권리(피대위채권)보다 먼저 성립되어 있을 필요도 없다(채권자취소권과 다르다는 점에 주의를 요한다).
> ③ 채권자대위권은 채무자가 제3채무자에 대한 권리를 행사하지 아니하는 경우에 한하여 채권자가 자기의 채권을 보전하기 위하여 행사할 수 있는 것이기 때문에 채권자가 대위권을 행사할 당시 이미 채무자가 그 권리를 재판상 행사하였을 때에는 설사 패소의 확정판결을 받았더라도 채권자는 채무자를 대위하여 채무자의 권리를 행사할 당사자적격이 없다(대판 1993.3.26, 92다32876).
> ④ 채권자대위권 행사의 효과는 채무자에게 귀속되는 것이므로 채권자대위소송의 제기로 인한 소멸시효 중단의 효과 역시 채무자에게 생긴다(대판 2011.10.13, 2010다80930).

67 채권자대위에 관한 다음 설명 중 가장 옳지 않은 것은? (다툼이 있는 경우 판례에 의함)

▶ 2019년 법원사무관 승진

① 채권자취소권은 채권자대위권의 목적이 될 수 없다.
② 이혼으로 인한 재산분할청구권은 협의 또는 심판에 의하여 그 구체적 내용이 형성되기까지는 그 범위 및 내용이 불명확·불확정하기 때문에 구체적으로 권리가 발생하였다고 할 수 없으므로 이를 보전하기 위하여 채권자대위권을 행사할 수 없다.
③ 채권자는 자기의 채무자에 대한 부동산의 소유권이전등기청구권 등 특정채권을 보전하기 위하여 채무자가 방치하고 있는 그 부동산에 관한 특정권리를 대위하여 행사할 수 있고 그 경우에는 채무자의 무자력을 요건으로 하지 않는다.

정답 ▶ 66 ① 67 ①

④ 채권자가 보전하려는 권리와 대위하여 행사하려는 채무자의 권리가 밀접하게 관련되어 있고, 채권자가 채무자의 권리를 대위하여 행사하지 않으면 자기 채권의 완전한 만족을 얻을 수 없게 될 위험이 있어 채무자의 권리를 대위하여 행사하는 것이 자기 채권의 현실적 이행을 유효·적절하게 확보하기 위하여 필요한 경우에는 특별한 사정이 없는 한 채무자의 권리를 대위하여 행사할 수 있다.

해설 ① 채권자대위권은 채무자의 권리를 채권자가 행사하는 것이므로, 그 전제로서 채무자의 권리가 채무자 아닌 채권자에 의해 행사되더라도 무방한 것이어야 한다. 따라서 채무자의 일신에 전속하는 권리(행사상 일신전속권)에 대해서는 채권자대위권을 행사할 수 없다(제404조 제1항 단서). 그러나 기본적으로 책임재산의 보전과 관련이 있는 재산권은 채권자대위권의 목적이 될 수 있다. 따라서 채권자취소권도 채권자가 채무자를 대위하여 행사하는 것이 가능하다.
② 이혼으로 인한 재산분할청구권은 협의 또는 심판에 의하여 그 구체적 내용이 형성되기까지는 그 범위 및 내용이 불명확·불확정하기 때문에 구체적으로는 권리가 발생하였다고 할 수 없으므로 이를 보전하기 위하여 채권자대위권을 행사할 수 없다(대판 1999.4.9, 98다58016).
③ 채권자는 자기의 채무자에 대한 부동산의 소유권이전등기청구권 등 특정채권을 보전하기 위하여 채무자가 방치하고 있는 그 부동산에 관한 특정권리를 대위하여 행사할 수 있고 그 경우에는 채무자의 무자력을 요건으로 하지 아니하는 것이다(대판 1992.10.27, 91다483).
④ 민법 제404조에서 규정하고 있는 채권자대위권은 채권자가 채무자에 대한 자기의 채권을 보전하기 위하여 필요한 경우에 채무자의 제3자에 대한 권리를 대위하여 행사할 수 있는 권리를 말하므로, 보전되는 채권에 대하여 보전의 필요성이 인정되어야 한다. 여기에서 보전의 필요성은, 채권자가 보전하려는 권리와 대위하여 행사하려는 채무자의 권리가 밀접하게 관련되어 있고, 채권자가 채무자의 권리를 대위하여 행사하지 않으면 자기 채권의 완전한 만족을 얻을 수 없게 될 위험이 있어 채무자의 권리를 대위하여 행사하는 것이 자기 채권의 현실적 이행을 유효·적절하게 확보하기 위하여 필요한 것을 말하며, 채권자대위권의 행사가 채무자의 자유로운 재산관리행위에 대한 부당한 간섭이 된다는 등의 특별한 사정이 있는 경우에는 보전의 필요성을 인정할 수 없다(대판 2013.5.23, 2010다50014).

68 **채권자대위권에 관한 다음 설명 중 가장 옳지 않은 것은?** (각 설문은 상호 독립적임. 다툼이 있는 경우 판례에 따르고 전원합의체 판결의 경우 다수의견에 의함) ▶ 2019년 법무사
① 채권자 甲의 채무자 乙에 대한 채권이 변제기가 도래하지 아니한 경우, 甲은 자기의 채권을 보전하기 위하여 법원의 허가를 얻어 乙의 丙에 대한 채권을 대위행사할 수 있다.
② X주택의 임대인 乙에 대한 임차인 丙의 보증금반환채권을 양수한 甲이 그 이행을 청구하기 위하여 丙의 X주택 인도가 선이행되어야 할 필요가 있어서 乙을 대위하여 그 인도를 청구하는 경우, 乙의 무자력은 요구되지 않는다.
③ 채무자 乙이 채권자 甲의 채권자대위권 행사를 통지받은 후에 乙의 채무불이행을 이유로 제3채무자 丙이 乙과 丙 사이의 매매계약을 해제한 경우, 丙은 위 계약의 해제로써 대위권을 행사하는 甲에게 대항할 수 있다.

④ 채권자 甲이 채무자 乙을 대위하여 제3채무자 丙에 대한 채권을 행사하는 경우, 丙은 甲의 乙에 대한 채권이 소멸시효가 완성되었음을 항변할 수 없다.
⑤ 채무자인 비법인사단 乙이 그 명의로 제3채무자 丙을 상대로 소를 제기하였으나 사원총회의 결의 없이 총유재산에 관한 소가 제기되었다는 이유로 각하판결이 선고·확정된 경우, 乙은 스스로 丙에 대한 자신의 권리를 행사한 것이므로 이후 채권자 甲의 채권자대위의 소는 부적법하다.

해설 ① 제404조 제2항 참조
② 채권자가 자기채권을 보전하기 위하여 채무자의 권리를 행사하려면 채무자의 무자력을 요건으로 하는 것이 통상이지만, 임대차보증금반환채권을 양수한 채권자가 그 이행을 청구하기 위하여 임차인의 가옥명도가 선 이행되어야 할 필요가 있어서 그 명도를 구하는 경우에는 그 채권의 보전과 채무자인 임대인의 자력유무는 관계가 없는 일이므로 무자력을 요건으로 한다고 할 수 없다(대판 1989.4.25, 88다카4253,4260).
③ 민법 제405조 제2항은 '채무자가 채권자대위권행사의 통지를 받은 후에는 그 권리를 처분하여도 이로써 채권자에게 대항하지 못한다'고 규정하고 있다. 위 조항의 취지는 채권자가 채무자에게 대위권 행사사실을 통지하거나 채무자가 채권자의 대위권 행사사실을 안 후에 채무자에게 대위의 목적인 권리의 양도나 포기 등 처분행위를 허용할 경우 채권자에 의한 대위권 행사를 방해하는 것이 되므로 이를 금지하는 데에 있다고 할 것이다. 그런데 채무자의 채무불이행 사실 자체만으로는 권리변동의 효력이 발생하지 않아 이를 채무자가 제3채무자에 대하여 가지는 채권을 소멸시키는 적극적인 행위로 파악할 수 없는 점, 더구나 법정해제는 채무자의 객관적 채무불이행에 대한 제3채무자의 정당한 법적 대응인 점, 채권이 압류·가압류된 경우에도 압류 또는 가압류된 채권의 발생원인이 된 기본계약의 해제가 인정되는 것과 균형을 이룰 필요가 있는 점 등을 고려할 때 채무자가 자신의 채무불이행을 이유로 매매계약이 해제되도록 한 것을 두고 민법 제405조 제2항에서 말하는 '처분'에 해당한다고 할 수 없다. 따라서 채무자가 채권자대위권행사의 통지를 받은 후에 채무를 불이행함으로써 통지 전에 체결된 약정에 따라 매매계약이 자동적으로 해제되거나, 채권자대위권행사의 통지를 받은 후에 채무자의 채무불이행을 이유로 제3채무자가 매매계약을 해제한 경우 제3채무자는 그 계약해제로써 대위권을 행사하는 채권자에게 대항할 수 있다고 할 것이다. 다만 형식적으로는 채무자의 채무불이행을 이유로 한 계약해제인 것처럼 보이지만 실질적으로는 채무자와 제3채무자 사이의 합의에 따라 계약을 해제한 것으로 볼 수 있거나, 채무자와 제3채무자가 단지 대위채권자에게 대항할 수 있도록 채무자의 채무불이행을 이유로 하는 계약해제인 것처럼 외관을 갖춘 것이라는 등의 특별한 사정이 있는 경우에는 채무자가 그 피대위채권을 처분한 것으로 보아 제3채무자는 그 계약해제로써 대위권을 행사하는 채권자에게 대항할 수 없다고 할 것이다(대판(전합) 2012.5.17, 2011다87235).
④ 채권자대위권의 행사에서 제3채무자는 채무자가 채권자에 가지는 항변으로 대항할 수 없고, 채권의 소멸시효가 완성된 경우 이를 원용할 수 있는 자는 원칙적으로는 시효이익을 직접 받는 자뿐이므로 제3채무자는 이를 행사할 수 없다(대판 1998.12.8, 97다31472).
⑤ 채권자대위권은 채무자가 스스로 제3채무자에 대한 권리를 행사하지 아니하는 경우에 한하여 채권자가 자기의 채권을 보전하기 위하여 행사할 수 있는 것이어서, 채권자가 대위권을 행사할 당시에 이미 채무자가 그 권리를 재판상 행사하였을 때에는 채권자는 채무자를 대위하여 채무자의 권리를 행사할 수 없다. 그런데 비법인사단이 사원총회의 결의 없이 제기한

정답 68 ⑤

소는 소제기에 관한 특별수권을 결하여 부적법하고, 그 경우 소제기에 관한 비법인사단의 의사결정이 있었다고 할 수 없다. 따라서 비법인사단인 채무자 명의로 제3채무자를 상대로 한 소가 제기되었으나 사원총회의 결의 없이 총유재산에 관한 소가 제기되었다는 이유로 각하판결을 받고 그 판결이 확정된 경우에는 채무자가 스스로 제3채무자에 대한 권리를 행사한 것으로 볼 수 없다(대판 2018.10.25, 2018다210539).

69 채권자대위권에 관한 다음 설명 중 가장 옳지 않은 것은? ▸ 2021년 법원서기보

① 채권자가 채권자대위권을 행사하여 제3자에 대하여 하는 청구에 있어서, 제3채무자는 채무자가 채권자에 대하여 가지는 항변으로 대항할 수 없고, 채권의 소멸시효가 완성된 경우 이를 원용할 수 있는 자는 원칙적으로는 시효이익을 직접 받는 자뿐이며, 채권자대위소송의 제3채무자는 이를 행사할 수 없다.

② 채권자대위소송에서 피보전채권이 인정되지 아니할 경우 당사자적격이 없게 되므로 그 대위소송은 부적법하여 각하된다.

③ 보전행위는 채권자의 피보전채권의 이행기가 도래하기 전이라도 법원의 허가 없이 대위할 수 있다.

④ 유류분권리자의 유류분반환청구권행사에 대한 확정적 의사 여부와 관계없이 유류분반환청구권도 채권자대위의 목적이 될 수 있다.

해설 ① 채권자가 채권자대위권을 행사하여 제3자에 대하여 하는 청구에 있어서, 제3채무자는 채무자가 채권자에 대하여 가지는 항변으로 대항할 수 없고, 채권의 소멸시효가 완성된 경우 이를 원용할 수 있는 자는 원칙적으로는 시효이익을 직접 받는 자뿐이고, 채권자대위소송의 제3채무자는 이를 행사할 수 없다(대판 2004.2.12, 2001다10151).

② 채권자대위소송에 있어서 대위에 의하여 보전될 채권자의 채무자에 대한 권리가 인정되지 아니할 경우에는 채권자가 스스로 원고가 되어 채무자의 제3채무자에 대한 권리를 행사할 당사자적격이 없게 되므로 그 대위소송은 부적법하여 각하할 수밖에 없다(대판 1994.6.24, 94다14339).

③ 제404조 제2항 단서

④ 유류분반환청구권은 그 행사 여부가 유류분권리자의 인격적 이익을 위하여 그의 자유로운 의사결정에 전적으로 맡겨진 권리로서 행사상의 일신전속성을 가진다고 보아야 하므로, 유류분권리자에게 그 권리행사의 확정적 의사가 있다고 인정되는 경우가 아니라면 채권자대위권의 목적이 될 수 없다(대판 2010.5.27, 2009다93992).

70 민법 제404조 채권자대위권에 관한 다음 설명 중 가장 옳지 않은 것은? ▸ 2020년 법원행시

① 甲 종중이 종원인 乙에게 부동산을 적법하게 명의신탁하였는데 乙과 丙이 공모하여 부동산을 매매한 사실이 없음에도 丙 명의로 허위의 소유권이전등기를 마친 경우 甲 종중은 명의신탁계약을 해지하지 않고도 乙을 대위하여 丙을 상대로 소유권이전등기의 말소를 구할 수 있다.

② 채권자대위권에서 보전되는 채권은 보전의 필요성이 인정되고 이행기가 도래한 것이면 족하고, 그 채권의 발생원인이 어떠하든 대위권을 행사함에는 아무런 방해가 되지 아니하나 적어도 채무자에 대한 채권이 제3채무자에게 대항할 수 있는 것이어야 한다.

③ 甲은 자기의 토지 위에 있는 乙 소유의 건물에 대한 건물철거청구권을 보전하기 위해 그 건물의 임대인인 乙을 대위하여 乙로부터 건물을 임차한 丙을 상대로 임대차계약 해지권 및 건물인도청구권을 행사할 수 있다.

④ 채권자가 자신의 금전채권을 보전할 목적으로 채무자의 제3자에 대한 권리를 대위행사하기 위하여는 특별한 사정이 없는 한 채무자의 변제자력이 없어야 하고 채무자의 무자력에 대한 증명책임은 채권자에게 있다.

⑤ 甲의 채권자 乙이 甲을 대위하여 丙을 상대로 부당이득금의반환을 구하는 소를 제기하여 '丙은 乙에게 1억원을 지급하라.'는 확정판결을 받았더라도 위 부당이득반환채권이 변제 등으로 소멸하기 전이라면 甲의 다른 채권자 丁은 위 채권을 압류할 수 있다.

해설 ① 종중원에게 명의신탁된 종중소유 부동산에 관하여 제3자 명의로 원인무효의 소유권이전등기가 경유된 경우에는 종중은 수탁자가 가지고 있는 소유권이전등기 말소등기절차이행 청구권을 대위행사 할 수 있다. 이 경우 종중이 본건 임야에 대한 소유권을 신탁계약 당사자 이외의 제3자에게 대항할 수 없다 하여도 종중은 본건 임야에 관한 신탁계약에 기한 신탁자로서 수탁자에 대하여 신탁계약상의 채권이 있음은 분명하다 할 것이므로, 신탁자인 종중은 수탁자가 본건 임야에 관하여 가지고 있는 원인무효로 인한 소유권이전등기 말소등기절차이행청구권을 대위행사 할 수 있다 할 것이다. 따라서 원심이 원고 종중은 신탁계약을 해지하지 아니하고서는 신탁계약의 수탁자를 대위하여 피고 등에게 각 등기말소를 구할 수 없다고 판단한 것은 채권자 대위권에 관한 법리를 오해한 위법이 있다 할 것이다(대판 1965.11.23, 65다1669).

② 민법 제404조에서 규정하고 있는 채권자대위권은 채권자가 채무자에 대한 자기의 채권을 보전하기 위하여 필요한 경우에 채무자의 제3자에 대한 권리를 대위행사할 수 있는 권리를 말하는 것으로서, 이 때 보전되는 채권은 보전의 필요성이 인정되고 이행기가 도래한 것이면 족하고, 그 채권의 발생원인이 어떠하든 대위권을 행사함에는 아무런 방해가 되지 아니하며, 또한 채무자에 대한 채권이 제3채무자에게까지 대항할 수 있는 것임을 요하는 것도 아니다(대판 2003.4.11, 2003다1250).

③ 채권자는 채무자에 대한 채권을 보전하기 위하여 채무자를 대위해서 채무자의 권리를 행사할 수 있는바, 채권자가 보전하려는 권리와 대위하여 행사하려는 채무자의 권리가 밀접하게 관련되어 있고 채권자가 채무자의 권리를 대위하여 행사하지 않으면 자기 채권의 완전한 만족을 얻을 수 없게 될 위험이 있어 채무자의 권리를 대위하여 행사하는 것이 자기 채권의 현실적 이행을 유효·적절하게 확보하기 위하여 필요한 경우에는 채권자대위권의 행사가 채무자의

자유로운 재산관리행위에 대한 부당한 간섭이 된다는 등의 특별한 사정이 없는 한 채권자는 채무자의 권리를 대위하여 행사할 수 있어야 하고, 피보전채권이 특정채권이라 하여 반드시 순차매도 또는 임대차에 있어 소유권이전등기청구권이나 인도청구권 등의 보전을 위한 경우에만 한하여 채권자대위권이 인정되는 것은 아니며, 물권적 청구권에 대하여도 채권자대위권에 관한 민법 제404조의 규정과 위와 같은 법리가 적용될 수 있다. 또한 임대인의 임대차계약 해지권은 오로지 임대인의 의사에 행사의 자유가 맡겨져 있는 행사상의 일신전속권에 해당하는 것으로 볼 수 없다. 나아가 토지 소유권에 근거하여 그 토지상 건물의 임차인들을 상대로 건물에서의 퇴거를 청구할 수 있었더라도 퇴거청구와 건물의 임대인을 대위하여 임차인들에게 임대차계약의 해지를 통고하고 건물의 인도를 구하는 청구는 그 요건과 효과를 달리하는 것이므로, 위와 같은 퇴거청구를 할 수 있었다는 사정이 채권자대위권의 행사요건인 채권보전의 필요성을 부정할 사유가 될 수 없다(대판 2007.5.10, 2006다82700·82717).

④ 채권자대위권의 행사로서 채권자가 채권을 보전하기에 필요한 여부는 변론종결당시를 표준으로 판단되어야 할 것이며 그 채권이 금전채권일 때에는 채무자가 무자력하여 그 일반재산의 감소를 방지할 필요가 있는 경우에 허용되고 이와 같은 요건의 존재사실은 채권자가 주장·입증하여야 한다(대판 1976.7.13, 75다1086).

⑤ 채권자가 자기의 금전채권을 보전하기 위하여 채무자의 금전채권을 대위행사하는 경우 제3채무자로 하여금 채무자에게 지급의무를 이행하도록 청구할 수도 있지만, 직접 대위채권자 자신에게 이행하도록 청구할 수도 있다. 그런데 채권자대위소송에서 제3채무자로 하여금 직접 대위채권자에게 금전의 지급을 명하는 판결이 확정되더라도, 대위의 목적인 권리, 즉 채무자의 제3채무자에 대한 피대위채권이 판결의 집행채권으로서 존재하고 대위채권자는 채무자를 대위하여 피대위채권에 대한 변제를 수령하게 될 뿐 자신의 채권에 대한 변제로서 수령하게 되는 것이 아니므로, 피대위채권이 변제 등으로 소멸하기 전이라면 채무자의 다른 채권자는 이를 압류·가압류할 수 있다(대판 2016.8.29, 2015다236547; 대판 2016.9.28, 2016다205915).

71 **채권자대위권에 관한 다음 설명 중 가장 옳지 않은 것은?** ▶ 2022년 법원사무관 승진

① 유류분반환청구권은 유류분권리자에게 그 권리행사의 확정적 의사가 있다고 인정되는 경우가 아니라면 채권자대위권의 목적이 될 수 없다.

② 후견인이 민법 제950조 제1항 각 호의 행위를 하면서 친족회의 동의를 얻지 아니한 경우 제2항의 규정에 의하여 피후견인 또는 친족회가 그 후견인의 행위를 취소할 수 있는 권리(취소권)는 행사상의 일신전속권이므로 채권자대위권의 목적이 될 수 없다.

③ 토지거래허가구역 내의 토지매매에서 토지거래허가 신청절차협력의무 이행청구권은 채권자대위권의 목적이 될 수 없다.

④ 상소의 제기와 마찬가지로 종전 재심대상판결에 대하여 불복하여 종전 소송절차의 재개, 속행 및 재심판을 구하는 재심의 소 제기는 채권자대위권의 목적이 될 수 없다.

해설 ① 유류분반환청구권은 그 행사 여부가 유류분권리자의 인격적 이익을 위하여 그의 자유로운 의사결정에 전적으로 맡겨진 권리로서 행사상의 일신전속성을 가진다고 보아야 하므로, 유류분권리자에게 그 권리행사의 확정적 의사가 있다고 인정되는 경우가 아니라면 채권자대위권의 목적이 될 수 없다(대판 2010.5.27, 2009다93992).

② 후견인이 민법 제950조 제1항 각 호의 행위를 하면서 친족회(현 후견감독인, 이하 동일함)의 동의를 얻지 아니한 경우, 제2항의 규정에 의하여 피후견인 또는 친족회가 그 후견인의 행위를 취소할 수 있는 권리(= 취소권)는 행사상의 일신전속권이므로 채권자대위권의 목적이 될 수 없다(대판 1996.5.31, 94다35985).

③ 토지거래규제구역 내의 토지에 대하여 甲과 乙 사이에 권리이전 약정을 포함한 토지매수 위임계약이 이루어지고 그 수임인인 乙과 토지소유자 丙 사이에 매수인을 乙로 한 토지 매매계약이 체결된 경우, 甲은 乙에 대하여 그 위임계약이 효력이 있는 것으로 완성될 수 있도록 토지거래허가 신청절차에 협력할 것을 청구할 권리(피보전권리)가 있고, 그와 같은 토지거래허가신청절차의 협력의무 이행청구권을 보전하기 위하여 乙을 대위하여 그에게 토지를 매도한 丙을 상대로 乙과 丙 사이의 토지매매에 대한 토지거래허가신청절차에 협력할 것(피대위권리)을 청구할 수 있다(대판 1996.10.25, 96다23825).

④ 채무자와 제3채무자 사이의 소송이 계속된 이후의 소송수행과 관련한 개개의 소송상 행위는 그 권리의 행사를 소송당사자인 채무자의 의사에 맡기는 것이 타당하므로 채권자대위가 허용될 수 없다. 같은 취지에서 볼 때 상소의 제기와 마찬가지로 종전 재심대상판결에 대하여 불복하여 종전 소송절차의 재개, 속행 및 재심판을 구하는 재심의 소 제기는 채권자대위권의 목적이 될 수 없다(대판 2012.12.27, 2012다75239).

72 채권자대위에 관한 다음 설명 중 가장 옳지 않은 것은? ▶ 2022년 9급(법원서기보)

① 채권자대위소송에서 대위에 의하여 보전될 채권자의 채무자에 대한 권리(피보전채권)가 존재하는지 여부는 소송요건으로서 법원의 직권조사사항이므로, 법원으로서는 그 판단의 기초자료인 사실과 증거를 직권으로 탐지할 의무까지는 없다 하더라도, 법원에 현출된 모든 소송자료를 통하여 살펴보아 피보전채권의 존부에 관하여 의심할 만한 사정이 발견되면 직권으로 추가적인 심리·조사를 통하여 그 존재 여부를 확인하여야 할 의무가 있다.

② 채무자의 재산인 조합원 지분을 압류한 채권자는, 당해 채무자가 속한 조합에 존속기간이 정하여져 있다거나 기타 채무자 본인의 조합탈퇴가 허용되지 아니하는 것과 같은 특별한 사유가 있지 않은 한, 채권자대위권에 의하여 채무자의 조합 탈퇴의 의사표시를 대위행사할 수 있다.

③ 원고가 미등기 건물을 매수하였으나 소유권이전등기를 하지 못한 경우에는 위 건물의 소유권을 원시취득한 매도인을 대위하여 불법점유자에 대하여 명도청구를 할 수 있지만, 이때 원고는 불법점유자에 대하여 직접 자기에게 명도할 것을 청구할 수는 없다.

④ 임대인의 임대차계약 해지권은 오로지 임대인의 의사에 행사의 자유가 맡겨져 있는 행사상의 일신전속권에 해당하지 않으므로 채권자대위권의 목적이 될 수 있다. 또한, 채권자가 양수한 임차보증금의 이행을 청구하기 위하여 임차인의 가옥명도가 선이행되어야 할 필요가 있어서 그 명도를 구하는 경우에는 그 채권의 보전과 채무자인 임대인의 자력유무는 관계가 없는 일이므로 무자력을 요건으로 한다고 할 수 없다.

정답 71 ③ 72 ③

해설 ① 채권자대위소송에서 대위에 의하여 보전될 채권자의 채무자에 대한 권리(피보전채권)가 존재
하는지 여부는 소송요건으로서 법원의 직권조사사항이므로, 법원으로서는 그 판단의 기초자
료인 사실과 증거를 직권으로 탐지할 의무까지는 없다 하더라도, 법원에 현출된 모든 소송자
료를 통하여 살펴보아 피보전채권의 존부에 관하여 의심할 만한 사정이 발견되면 직권으로
추가적인 심리·조사를 통하여 그 존재 여부를 확인하여야 할 의무가 있다(대판 2009.4.23,
2009다3234).

② 조합원이 조합을 탈퇴할 권리는 그 성질상 조합계약의 해지권으로서 그의 일반재산을 구성하
는 재산권의 일종이라 할 것이고 채권자대위가 허용되지 않는 일신전속적 권리라고는 할 수
없다. 따라서 채무자의 재산인 조합원 지분을 압류한 채권자는, 당해 채무자가 속한 조합에
존속기간이 정하여져 있다거나 기타 채무자 본인의 조합탈퇴가 허용되지 아니하는 것과 같
은 특별한 사유가 있지 않은 한, 채권자대위권에 의하여 채무자의 조합 탈퇴의 의사표시를
대위행사할 수 있다 할 것이고, 일반적으로 조합원이 조합을 탈퇴하면 조합목적의 수행에 지
장을 초래할 것이라는 사정만으로는 이를 불허할 사유가 되지 아니한다(대결 2007.11.30,
2005마1130).

③ 원고가 미등기 건물을 매수하였으나 소유권이전등기를 하지 못한 경우에는 위 건물의 소유권
을 원시취득한 매도인을 대위하여 불법점유자에 대하여 명도청구를 할 수 있고, 이때 원고는
불법점유자에 대하여 직접 자기에게 명도할 것을 청구할 수도 있다(대판 1980.7.8, 79다1928).

④ 임대인의 임대차계약 해지권은 오로지 임대인의 의사에 행사의 자유가 맡겨져 있는 행사상의
일신전속권에 해당하는 것으로 볼 수 없으므로 채권자대위권의 목적이 될 수 있다(대판
2007.5.10, 2006다82700·82717). 또한 채권자가 자기채권을 보전하기 위하여 채무자의 권
리를 행사하려면 채무자의 무자력을 요건으로 하는 것이 통상이지만, 임대차보증금반환채권을
양수한 채권자가 그 이행을 청구하기 위하여 임차인의 가옥명도가 선이행되어야 할 필요가 있
어서 그 명도를 구하는 경우에는 그 채권의 보전과 채무자인 임대인의 자력유무는 관계가 없는
일이므로 무자력을 요건으로 한다고 할 수 없다(대판 1989.4.25, 88다카4253·4260).

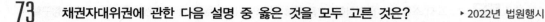

73 채권자대위권에 관한 다음 설명 중 옳은 것을 모두 고른 것은? ▸2022년 법원행시

> ㄱ. 토지 소유권에 근거하여 그 토지상 건물의 임차인들을 상대로 건물에서의 퇴거를 청
> 구할 수 있었더라도, 퇴거청구와 건물 임대인을 대위하여 임차인들에게 임대차계약
> 의 해지를 통고하고 건물의 인도를 구하는 청구는 그 요건과 효과를 달리하는 것이므
> 로 별개로 청구가 가능하고, 위와 같이 퇴거청구를 할 수 있었다는 사정이 채권자대
> 위권의 행사요건인 보전의 필요성을 부정할 사유가 될 수 없다.
>
> ㄴ. 채권자가 채무자를 상대로 소유권이전등기절차이행의 소를 제기하여 패소의 확정판
> 결을 받게 되면 채권자는 채무자의 제3자에 대한 권리를 행사하는 채권자대위소송에
> 서 그 확정판결의 기판력으로 말미암아 더 이상 채무자에 대하여 동일한 청구원인으
> 로 소유권이전등기청구를 할 수 없으므로 그러한 권리를 보전하기 위한 채권자대위
> 소송은 그 요건을 갖추지 못하여 부적법하다.
>
> ㄷ. 채무자 소유의 부동산을 시효취득한 채권자의 공동상속인이 채무자에 대한 소유권이
> 전등기청구권을 피보전채권으로 하여 제3채무자를 상대로 채무자의 제3채무자에 대
> 한 소유권이전등기의 말소등기청구권을 대위행사하는 경우, 공동상속인은 자신의 지
> 분 범위 내에서만 채무자의 제3채무자에 대한 소유권이전등기의 말소등기청구권을
> 대위행사할 수 있고, 지분을 초과하는 부분에 관하여는 채무자를 대위할 보전의 필요
> 성이 없다.
>
> ㄹ. 채권자는 자기의 채권을 보전하기 위하여, 일신에 전속한 권리가 아닌 한 채무자의
> 권리를 행사할 수 있다(민법 제404조 제1항). 공유물분할청구권은 공유관계에서 수
> 반되는 형성권으로서 공유자의 일반재산을 구성하는 재산권의 일종이다. 공유물분할
> 청구권의 행사가 오로지 공유자의 자유로운 의사에 맡겨져 있어 공유자 본인만 행사
> 할 수 있는 권리라고 볼 수는 없다. 따라서 공유물분할청구권도 채권자대위권의 목
> 적이 될 수 있다.
>
> ㅁ. 채권자가 채권자대위소송을 제기한 경우, 제3채무자는 채무자가 채권자에 대하여 가
> 지는 항변권이나 형성권 등과 같이 권리자에 의한 행사를 필요로 하는 사유를 들어
> 채권자의 채무자에 대한 권리가 인정되는지 여부를 다툴 수 없지만, 채권자의 채무자
> 에 대한 권리의 발생원인이 된 법률행위가 무효라거나 위 권리가 변제 등으로 소멸하
> 였다는 등의 사실을 주장하여 채권자의 채무자에 대한 권리가 인정되는지 여부를 다
> 투는 것은 가능하다.

① ㄱ, ㄴ, ㄷ, ㄹ   ② ㄱ, ㄴ, ㄹ, ㅁ
③ ㄷ, ㄹ, ㅁ   ④ ㄴ, ㄷ, ㄹ, ㅁ
⑤ ㄱ, ㄴ, ㄷ, ㄹ, ㅁ

정답 **73** ⑤

해설 ㄱ. 토지 소유권에 근거하여 그 토지상 건물의 임차인들을 상대로 건물에서의 퇴거를 청구할 수 있었더라도 퇴거청구와 건물의 임대인을 대위하여 임차인들에게 임대차계약의 해지를 통고하고 건물의 인도를 구하는 청구는 그 요건과 효과를 달리하는 것이므로, 위와 같은 퇴거청구를 할 수 있었다는 사정이 채권자대위권의 행사요건인 채권보전의 필요성을 부정할 사유가 될 수 없다(대판 2007.5.10, 2006다82700·82717).

ㄴ. 채권자가 채무자를 상대로 소유권이전등기절차이행의 소를 제기하여 패소의 확정판결을 받게 되면, 채권자는 채무자의 제3자에 대한 권리를 행사하는 채권자대위소송에서 그 확정판결의 기판력으로 말미암아 더 이상 채무자에 대하여 동일한 청구원인으로 소유권이전등기청구를 할 수 없으므로, 그러한 권리를 보전하기 위한 채권자대위소송은 그 요건을 갖추지 못하여 부적법하다(대판 2003.5.13, 2002다64148).

ㄷ. 채무자 소유의 부동산을 시효취득한 채권자의 공동상속인이 채무자에 대한 소유권이전등기청구권을 피보전채권으로 하여 제3채무자를 상대로 채무자의 제3채무자에 대한 소유권이전등기의 말소등기청구권을 대위행사하는 경우, 공동상속인은 자신의 지분 범위 내에서만 채무자의 제3채무자에 대한 소유권이전등기의 말소등기청구권을 대위행사할 수 있고, 지분을 초과하는 부분에 관하여는 채무자를 대위할 보전의 필요성이 없다(대판 2014.10.27, 2013다25217).

ㄹ. 채권자는 자기의 채권을 보전하기 위하여, 일신에 전속한 권리가 아닌 한 채무자의 권리를 행사할 수 있다(민법 제404조 제1항). 공유물분할청구권은 공유관계에서 수반되는 형성권으로서 공유자의 일반재산을 구성하는 재산권의 일종이다. 공유물분할청구권이 오로지 공유자의 의사에 행사의 자유가 맡겨져 있어 공유자 본인만 행사할 수 있는 권리라고 볼 수는 없다. 따라서 공유물분할청구권도 채권자대위권의 목적이 될 수 있다(대판(전) 2020.5.21, 2018다879).

ㅁ. 채권자가 채권자대위소송을 제기한 경우, 제3채무자는 채무자가 채권자에 대하여 가지는 항변권이나 형성권 등과 같이 권리자에 의한 행사를 필요로 하는 사유를 들어 채권자의 채무자에 대한 권리가 인정되는지 여부를 다툴 수 없지만, 채권자의 채무자에 대한 권리의 발생원인이 된 법률행위가 무효라거나 위 권리가 변제 등으로 소멸하였다는 등의 사실을 주장하여 채권자의 채무자에 대한 권리가 인정되는지 여부를 다투는 것은 가능하고, 이 경우 법원은 제3채무자의 주장을 고려하여 채권자의 채무자에 대한 권리가 인정되는지 여부에 관하여 직권으로 심리·판단하여야 한다(대판 2015.9.10, 2013다55300).

74 채권자대위권에 관한 다음 설명 중 가장 옳지 않은 것은? ▶ 2022년 법무사

① 채무자의 적극재산인 부동산에 이미 제3자 명의로 소유권이전청구권보전의 가등기가 경료되어 있는 경우에는 위 가등기가 가등기담보 등에 관한 법률에 정한 담보가등기로서 강제집행을 통한 매각이 가능하다는 등의 특별한 사정이 없는 한 위 부동산은 실질적으로 재산적 가치가 없어 적극재산을 산정함에 있어서 이를 제외하여야 할 것이다.

② 임대인의 동의 없는 임차권의 양도는 당사자 사이에서는 유효하다 하더라도 다른 특약이 없는 한 임대인에게는 대항할 수 없는 것이고, 임대인에 대항할 수 없는 임차권의 양수인으로서는 임대인의 권한을 대위행사할 수 없다.

③ 민사집행법 제301조에 의하여 가처분절차에도 준용되는 같은 법 제287조 제1항에 따라 가압류·가처분결정에 대한 본안의 제소명령을 신청할 수 있는 권리나 같은 조 제2항 및 제3항에 따라 제소기간의 도과에 의한 가압류·가처분의 취소를 신청할 수 있는 권리는 채권자대위권의 목적이 될 수 있는 권리로 볼 수 없다.

④ 피대위자인 채무자가 실존인물이 아니거나 사망한 사람인 경우 피보전채권인 채권자의 채무자에 대한 권리를 인정할 수 없는 경우에 해당하므로 그러한 채권자대위소송은 당사자적격이 없어 부적법하다.

⑤ 채권자대위권에 기해 청구를 하다가 당해 피대위채권 자체를 양수하여 양수금청구로 소를 변경하더라도 당초의 채권자대위소송으로 인한 시효중단의 효력은 소멸하지 않는다.

해설 ① 채권자대위의 요건으로서의 무자력이란 채무자의 변제자력이 없음을 뜻하고 특히 임의 변제를 기대할 수 없는 경우에는 강제집행을 통한 변제가 고려되어야 하므로, 소극재산이든 적극재산이든 위와 같은 목적에 부합할 수 있는 재산인지 여부가 변제자력 유무 판단의 중요한 고려요소가 되어야 한다. 따라서 채무자의 적극재산인 부동산에 이미 제3자 명의로 소유권이전청구권보전의 가등기가 마쳐져 있는 경우에는 강제집행을 통한 변제가 사실상 불가능하므로, 그 가등기가 가등기담보 등에 관한 법률에 정한 담보가등기로서 강제집행을 통한 매각이 가능하다는 등의 특별한 사정이 없는 한, 위 부동산은 실질적으로 재산적 가치가 없어 적극재산을 산정할 때 제외하여야 한다(대판 2009.2.26, 2008다76556).

② 임대인의 동의 없는 임차권의 양도는 당사자 사이에서는 유효하다 하더라도 다른 특약이 없는 한 임대인에게는 대항할 수 없는 것이고 임대인에 대항할 수 없는 임차권의 양수인으로서는 임대인의 권한을 대위행사할 수는 없다(대판 1985.2.8, 84다카188).

③ 민사소송법 제715조에 의하여 가처분절차에도 준용되는 같은 법 제705조 제1항에 따라 가압류·가처분결정에 대한 본안의 제소명령을 신청할 수 있는 권리나 같은 조 제2항에 따라 제소기간의 도과에 의한 가압류·가처분의 취소를 신청할 수 있는 권리는 가압류·가처분신청에 기한 소송을 수행하기 위한 소송절차상의 개개의 권리가 아니라, 제소기간의 도과에 의한 가압류·가처분의 취소신청권은 가압류·가처분신청에 기한 소송절차와는 별개의 독립된 소송절차를 개시하게 하는 권리이고, 본안제소명령의 신청권은 제소기간의 도과에 의한 가압류·가처분의 취소신청권을 행사하기 위한 전제요건으로 인정된 독립된 권리이므로, 본안제소명령의 신청권이나 제소기간의 도과에 의한 가압류·가처분의 취소신청권은 채권자대위권의 목적이 될 수 있는 권리라고 봄이 상당하다(대결 1993.12.27, 93마1655).

④ 채권자대위소송에서 대위에 의하여 보전될 채권자의 채무자에 대한 권리가 인정되지 아니할 경우에는 채권자가 스스로 원고가 되어 채무자의 제3채무자에 대한 권리를 행사할 당사자적격이 없게 되므로 그 대위소송은 부적법하여 각하할 것인바, 피대위자인 채무자가 실존인물이 아니거나 사망한 사람인 경우 역시 피보전채권인 채권자의 채무자에 대한 권리를 인정할 수 없는 경우에 해당하므로 그러한 채권자대위소송은 당사자적격이 없어 부적법하다(대판 2021.7.21, 2020다300893).

⑤ 원고가 채권자대위권에 기해 청구를 하다가 당해 피대위채권 자체를 양수하여 양수금청구로 소를 변경한 경우, 이는 청구원인의 교환적 변경으로서 채권자대위권에 기한 구 청구는 취하된 것으로 보아야 하나, 그 채권자대위소송의 소송물은 채무자의 제3채무자에 대한 계약금반

환청구권인데 위 양수금청구는 원고가 위 계약금반환청구권 자체를 양수하였다는 것이어서 양 청구는 동일한 소송물에 관한 권리의무의 특정승계가 있을 뿐 그 소송물은 동일한 점, 시효중단의 효력은 특정승계인에게도 미치는 점(민법 제169조), 계속 중인 소송에 소송목적인 권리 또는 의무의 전부나 일부를 승계한 특정승계인이 소송참가하거나 소송인수한 경우에는 소송이 법원에 처음 계속된 때에 소급하여 시효중단의 효력이 생기는 점(민사소송법 제80조, 제82조 제3항), 원고는 위 계약금반환채권을 채권자대위권에 기해 행사하다 다시 이를 양수받아 직접 행사한 것이어서 위 계약금반환채권과 관련하여 원고를 '권리 위에 잠자는 자'로 볼 수 없는 점 등에 비추어 볼 때, 당초의 채권자대위소송으로 인한 시효중단의 효력이 소멸하지 않는다(대판 2010.6.24, 2010다17284).

75 채권자대위권에 관한 다음 설명 중 가장 옳지 않은 것은? ▶ 2023년 법원사무관 승진

① 진료행위가 위법한 임의 비급여 진료행위에 해당하여 무효인 동시에 보험자와 피보험자가 체결한 실손의료보험계약상 보험금 지급사유에 해당하지 아니하여 보험자가 피보험자에 대하여 보험금 상당의 부당이득반환채권을 갖게 된 경우, 채권자인 보험자가 금전채권인 부당이득반환채권을 보전하기 위하여 채무자인 피보험자를 대위하여 제3채무자인 요양기관을 상대로 진료비 상당의 부당이득반환채권을 행사하는 형태의 채권자대위소송에서 채무자가 자력이 있는 때에는 보전의 필요성이 인정된다고 볼 수 없다.

② 피대위자인 채무자가 실존인물이 아니거나 사망한 사람인 경우에는, 피보전채권인 채권자의 채무자에 대한 권리를 인정할 수 없으므로, 이러한 채권자대위소송은 당사자적격이 없어 부적법하다.

③ 채무자에 대한 파산선고 당시, 파산채권자가 제기한 채권자대위소송이 법원에 계속되어 있는 때에는 소송절차가 중단되고 파산관재인이나 상대방이 이를 수계할 수 있다.

④ 공유물분할청구권은 공유관계에서 수반되는 형성권으로서 공유자의 일반재산을 구성하는 재산권의 일종이지만, 그 행사가 오로지 공유자의 자유로운 의사에 맡겨져 있어 공유자 본인만 행사할 수 있는 권리에 해당하므로, 공유물분할청구권은 채권자대위권의 목적이 될 수 없다.

해설 ① 피보험자가 임의 비급여 진료행위에 따라 요양기관에 진료비를 지급한 다음 실손의료보험계약상의 보험자에게 청구하여 진료비와 관련한 보험금을 지급받았는데, 진료행위가 위법한 임의 비급여 진료행위로서 무효인 동시에 보험자와 피보험자가 체결한 실손의료보험계약상 진료행위가 보험금 지급사유에 해당하지 아니하여 보험자가 피보험자에 대하여 보험금 상당의 부당이득반환채권을 갖게 된 경우, 채권자인 보험자가 금전채권인 부당이득반환채권을 보전하기 위하여 채무자인 피보험자를 대위하여 제3채무자인 요양기관을 상대로 진료비 상당의 부당이득반환채권을 행사하는 형태의 채권자대위소송에서 **채무자가 자력이 있는 때**에는 **보전의 필요성이 인정된다고 볼 수 없다**(대판(전합) 2022.8.25, 2019다229202). 즉 채무자의 자력 유무와 보전의 필요성에 관한 일반 법리를 적용한 것으로, 채무자가 무자력일 때에 보전의 필요성을 인정할 수 있다는 것이다. → 채무자의 자력 유무에 관계없이 보전의 필요성이 인정된다(×).

② 채권자대위소송에서 대위에 의하여 보전될 채권자의 채무자에 대한 권리가 인정되지 아니할 경우에는 채권자가 스스로 원고가 되어 채무자의 제3채무자에 대한 권리를 행사할 당사자적격이 없게 되므로 그 대위소송은 부적법하여 각하할 것인바, 피대위자인 채무자가 실존인물이 아니거나 사망한 사람인 경우 역시 피보전채권인 채권자의 채무자에 대한 권리를 인정할 수 없는 경우에 해당하므로 그러한 채권자대위소송은 당사자적격이 없어 부적법하다(대판 2021.7.21, 2020다300893).

③ 채권자대위소송에서 원고는 채무자에 대한 자신의 권리를 보전하기 위하여 채무자를 대위하여 자신의 명의로 채무자의 제3채무자에 대한 권리를 행사하는 것이므로, 그 지위는 채무자 자신이 원고인 경우와 마찬가지라고 볼 수 있다. 그런데 소송의 당사자가 파산선고를 받은 때에 파산재단에 관한 소송절차는 중단되고(민사소송법 제239조), 파산채권자는 파산절차에 의하지 아니하고는 파산채권을 행사할 수 없게 된다[채무자 회생 및 파산에 관한 법률(이하 '채무자회생법'이라 한다) 제424조]. 그리고 채무자가 파산선고 당시에 가진 모든 재산은 파산재단에 속하게 되고, 채무자는 파산재단을 관리 및 처분하는 권한을 상실하며 그 관리 및 처분권은 파산관재인에게 속하게 되므로(채무자회생법 제382조 제1항, 제384조), 채무자에 대한 파산선고로 채권자가 대위하고 있던 채무자의 제3자에 대한 권리의 관리 및 처분권 또한 파산관재인에게 속하게 된다. 한편 채무자회생법은 채권자취소소송의 계속 중에 소송의 당사자가 아닌 채무자가 파산선고를 받은 때에는 소송절차는 중단되고 파산관재인이 이를 수계할 수 있다고 규정하고 있는데(채무자회생법 제406조, 제347조 제1항), 채권자대위소송도 그 목적이 채무자의 책임재산 보전에 있고 채무자에 대하여 파산이 선고되면 그 소송 결과는 파산재단의 증감에 직결된다는 점은 채권자취소소송에서와 같다. 이와 같은 채권자대위소송의 구조, 채무자회생법의 관련 규정 취지 등에 비추어 보면, 민법 제404조의 규정에 의하여 파산채권자가 제기한 채권자대위소송이 채무자에 대한 파산선고 당시 법원에 계속되어 있는 때에는 다른 특별한 사정이 없는 한 민사소송법 제239조, 채무자회생법 제406조, 제347조 제1항을 유추 적용하여 그 소송절차는 중단되고 파산관재인이 이를 수계할 수 있다(대판 2013.3.28, 2012다100746).

④ 채권자는 자기의 채권을 보전하기 위하여, 일신에 전속한 권리가 아닌 한 채무자의 권리를 행사할 수 있다(민법 제404조 제1항). 공유물분할청구권은 공유관계에서 수반되는 형성권으로서 공유자의 일반재산을 구성하는 재산권의 일종이다. 공유물분할청구권이 오로지 공유자의 의사에 행사의 자유가 맡겨져 있어 공유자 본인만 행사할 수 있는 권리라고 볼 수는 없다. 따라서 공유물분할청구권도 채권자대위권의 목적이 될 수 있다(대판(전합) 2020.5.21, 2018다879).

76 甲의 대여금채권자 乙은 그 채권을 보전하기 위하여 채권자대위권을 행사하여 甲의 X에 대한 대여금채권의 이행을 청구하는 소송을 제기하였다. 다음 설명 중 옳지 않은 것은 모두 몇 개인가?

▸ 2023년 법원행시

ㄱ. 乙이 채권자대위소송을 제기하기 전에 甲이 X를 상대로 이미 소를 제기하여 패소판결을 받았다면, 乙은 채권자대위권을 행사할 수 없다.

ㄴ. 채권자대위권 행사의 효과는 채무자에게 귀속되는 것이므로 채권자대위소송의 제기로 인한 소멸시효 중단의 효과 역시 甲에게 생긴다.

ㄷ. 甲의 자력이 충분하고, 乙의 대여금채권과 甲의 대여금채권이 관련성도 없다면 乙이 제기한 채권자대위소송은 보전의 필요성이 인정되지 않는다.

ㄹ. 乙은 채권자대위권을 행사하면서 X를 상대로 직접 자신에게 금전을 지급하라고 청구할 수는 없다.

ㅁ. 乙의 채권자대위소송 진행 중 甲에게 소송 고지를 하여 甲이 위 소송이 제기된 사실을 알았을 경우에는 乙이 받은 판결의 효력은 甲에게 미친다.

① 없음   ② 1개   ③ 2개
④ 3개   ⑤ 4개

해설 ※ 옳지 않은 것은 ㄹ. 1개이다.

ㄱ. 채권자대위권은 채무자가 제3채무자에 대한 권리를 행사하지 아니하는 경우에 한하여 채권자가 자기의 채권을 보전하기 위하여 행사할 수 있는 것이기 때문에 채권자가 대위권을 행사할 당시 이미 채무자가 그 권리를 재판상 행사하였을 때에는 설사 패소의 확정판결을 받았더라도 채권자는 채무자를 대위하여 채무자의 권리를 행사할 당사자적격이 없다(대판 1993.3.26. 92다32876, 대판 2020.6.23. 2019다218684).

ㄴ. 채권자는 채무자의 권리를 행사하는 것이므로 그 행사의 실체법상 효과는 언제나 채무자에게 귀속되고(기판력의 문제와 다름), 채권자에게 귀속되는 것이 아니다. 따라서 채권자대위권 행사의 효과는 채무자에게 귀속되는 것이므로 채권자대위소송의 제기로 인한 소멸시효 중단의 효과 역시 채무자에게 생긴다(대판 2011.10.13. 2010다80930, 대판 2013.3.14. 2012다37565).

ㄷ. 특정채권의 경우에는 무자력 요건을 필요로 하지 않지만, 금전채권의 경우는 원칙상 무자력이 요구된다. → 채권자가 채무자를 대위함에 있어서 대위에 의하여 보전될 채권자의 채무자에 대한 권리가 금전채권인 경우에는 그 보전의 필요성 즉, 채무자가 무자력인 때에만 채권자가 채무자를 대위하여 채무자의 제3채무자에 대한 권리를 행사할 수 있다(대판 1993.10.8. 93다28867).

ㄹ. 채권자가 자기의 금전채권을 보전하기 위하여 채무자의 금전채권을 대위행사하는 경우 제3채무자로 하여금 채무자에게 지급의무를 이행하도록 청구할 수도 있지만, **직접 대위채권자 자신에게 이행하도록 청구할 수도 있다.** 그런데 채권자대위소송에서 제3채무자로 하여금 직접 대위채권자에게 금전의 지급을 명하는 판결이 확정되더라도, 대위의 목적인 권리, 즉 채무자의 제3채무자에 대한 피대위채권이 판결의 집행채권으로서 존재하고 대위채권자는 채무자를 대위하여 피대위채권에 대한 변제를 수령하게 될 뿐 자신의 채권에 대한 변제로서 수령하게

되는 것이 아니므로, 피대위채권이 변제 등으로 소멸하기 전이라면 채무자의 다른 채권자는 이를 압류·가압류할 수 있다(대판 2016.8.29, 2015다236547).

　　ㅁ. 판결의 효력(기판력)이 채무자에게 미치는가에 대해, 판례는 채권자가 채권자대위권을 행사하는 방법으로 제3채무자를 상대로 소송을 제기하고 판결을 받은 경우에는 <u>어떠한 사유로 인하였던 적어도 채무자가 채권자 대위권에 의한 소송이 제기된 사실을 알았을 경우에는 그 판결의 효력은 채무자에게 미친다</u>고 본다(대판(전합) 1975.5.13, 74다1664, 대판 2014.1.23, 2011다108095).

77 채권자대위에 관한 다음 설명 중 가장 옳지 않은 것은? ▸2024년 법원행시

① 보험자가 피보험자에 대하여 보험금 상당의 부당이득반환채권을 갖게 된 경우, 채권자인 보험자가 금전채권인 부당이득반환채권을 보전하기 위하여 채무자인 피보험자를 대위하여 제3채무자인 요양기관을 상대로 진료비 상당의 부당이득반환채권을 행사하는 형태의 채권자대위소송에서 채무자가 자력이 있는 때에는 보전의 필요성이 인정된다고 볼 수 없다.

② 공유물분할청구권의 행사가 오로지 공유자의 자유로운 의사에 맡겨져 있어 공유자 본인만 행사할 수 있는 권리라고 볼 수는 없으므로 공유물분할청구권도 채권자대위권의 목적이 될 수 있다. 따라서 채권자가 자신의 금전채권을 보전하기 위하여 채무자를 대위하여 부동산에 관한 공유물분할청구권을 행사하는 것은, 책임재산의 보전과 직접적인 관련이 있어 채권의 현실적 이행을 유효·적절하게 확보하기 위하여 필요하다고 볼 수 있으므로 원칙적으로 보전의 필요성을 인정할 수 있다.

③ 국가가 채권자대위 소송의 요건을 갖추어 납세의무자의 제3자에 대한 채권을 대위하여 행사하는 것은 납세의무 없는 제3자에게 조세채무를 부담하게 하거나 이를 보증하게 하는 것이 아닐 뿐만 아니라, 그로 인하여 조세채권의 성립이나 행사의 범위가 임의로 확대되는 것도 아니므로, 조세채권자인 국가는 납세의무자가 조세채무를 변제할 충분한 자력을 가지고 있지 아니함에도 불구하고 제3자에 대한 권리를 실현하지 아니하는 경우 채권자대위권 행사를 통하여 납세의무자의 일반재산을 확보·보전할 필요성이 있다.

④ 비법인사단이 사원총회의 결의 없이 제기한 소는 소제기에 관한 특별수권을 결하여 부적법하고 그 경우 소제기에 관한 비법인사단의 의사결정이 있었다고 할 수 없으므로, 비법인사단인 채무자 명의로 제3채무자를 상대로 한 소가 제기되었으나 사원총회의 결의 없이 총유재산에 관한 소가 제기되었다는 이유로 각하판결을 받고 그 판결이 확정된 경우에는 채무자가 스스로 제3채무자에 대한 권리를 행사한 것으로 볼 수 없다.

⑤ 채권을 보전하기 위하여 대위행사가 필요한 경우는 실체법상의 권리뿐만 아니라 소송법상의 권리에 대하여서도 대위가 허용된다 할 것이나, 상소의 제기와 마찬가지로 종전 재심대상판결에 대하여 불복하여 종전 소송절차의 재개, 속행 및 재심판을 구하는 재심의 소 제기는 채권자대위권의 목적이 될 수 없다고 봄이 상당하다.

해설 ① [다수의견] 피보험자가 임의 비급여 진료행위에 따라 요양기관에 진료비를 지급한 다음 실손의료보험계약상의 보험자에게 청구하여 진료비와 관련한 보험금을 지급받았는데, 진료행위가 위법한 임의 비급여 진료행위로서 무효인 동시에 보험자와 피보험자가 체결한 실손의료보험계약상 진료행위가 보험금 지급사유에 해당하지 아니하여 보험자가 피보험자에 대하여 보험금 상당의 부당이득반환채권을 갖게 된 경우, 채권자인 보험자가 금전채권인 부당이득반환채권을 보전하기 위하여 채무자인 피보험자를 대위하여 제3채무자인 요양기관을 상대로 진료비 상당의 부당이득반환채권을 행사하는 형태의 채권자대위소송에서 채무자가 자력이 있는 때에는 보전의 필요성이 인정된다고 볼 수 없다. 구체적인 이유는 다음과 같다. (가) 채무자인 피보험자가 자력이 있는 경우라면, 특별한 사정이 없는 한 채권자인 보험자가 채무자의 요양기관에 대한 부당이득반환채권을 대위하여 행사하지 않으면 자신의 채무에 대한 부당이득반환채권의 완전한 만족을 얻을 수 없게 될 위험이 있다고 할 수 없다. 나아가 피보전채권인 보험자의 피보험자에 대한 부당이득반환채권과 대위채권인 피보험자의 요양기관에 대한 부당이득반환채권 사이에는 피보전채권의 실현 또는 만족을 위하여 대위권리의 행사가 긴밀하게 필요하다는 등의 밀접한 관련성을 인정할 수도 없다. 만약 채무자인 피보험자의 자력이 있는데도 보전의 필요성을 인정한다면, 이는 채권자인 보험자에게 사실상의 담보를 취득하게 하는 특권을 부여하고, 법적 근거 없이 직접청구권을 인정하는 위험을 야기하며, 다른 채권자보다 우선하여 보험자의 채권만족이 실현되어 채권자평등주의에 기반한 민사집행법 체계와 조화를 이루지 못할 우려가 있다. (나) 보험자가 요양기관의 위법한 임의 비급여 진료행위가 무효라는 이유로 자력이 있는 피보험자의 요양기관에 대한 권리를 대위하여 행사하는 것은 피보험자의 자유로운 재산관리행위에 대한 부당한 간섭이 될 수 있다(대판(전합) 2022.8.25. 2019다229202).

② 채권자는 자기의 채권을 보전하기 위하여, 일신에 전속한 권리가 아닌 한 채무자의 권리를 행사할 수 있다(민법 제404조 제1항). 공유물분할청구권은 공유관계에서 수반되는 형성권으로서 공유자의 일반재산을 구성하는 재산권의 일종이다. 공유물분할청구권의 행사가 오로지 공유자의 자유로운 의사에 맡겨져 있어 공유자 본인만 행사할 수 있는 권리라고 볼 수는 없다. 따라서 **공유물분할청구권도 채권자대위권의 목적이 될 수 있다.** 그러나 **채권자가 자신의 금전채권을 보전하기 위하여 채무자를 대위하여 부동산에 관한 공유물분할청구권을 행사하는 것은, 책임재산의 보전과 직접적인 관련이 없어 채권의 현실적 이행을 유효·적절하게 확보하기 위하여 필요하다고 보기 어렵고 채무자의 자유로운 재산관리행위에 대한 부당한 간섭이 되므로 보전의 필요성을 인정할 수 없다.** **또한** 특정 분할 방법을 전제하고 있지 않은 **공유물분할청구권의 성격 등에 비추어 볼 때 그 대위행사를 허용하면 여러 법적 문제들이 발생한다.** 따라서 **극히 예외적인 경우가 아니라면 금전채권자는 부동산에 관한 공유물분할청구권을 대위행사할 수 없다고 보아야 한다.** 이는 채무자의 공유지분이 다른 공유자들의 공유지분과 함께 근저당권을 공동으로 담보하고 있고, 근저당권의 피담보채권이 채무자의 공유지분 가치를 초과하여 채무자의 공유지분만을 경매하면 남을 가망이 없어 민사집행법 제102조에 따라 경매절차가 취소될 수밖에 없는 반면, 공유물분할의 방법으로 공유부동산 전부를 경매하면 민법 제368조 제1항에 따라 각 공유지분의 경매대가에 비례해서 공동근저당권의 피담보채권을 분담하게 되어 채무자의 공유지분 경매대가에서 근저당권의 피담보채권 분담액을 변제하고 남을 가망이 있는 경우에도 마찬가지이다(대판(전합) 2020.5.21. 2018다879).

③ 조세채권자인 국가는 납세의무자가 조세채무를 변제할 충분한 자력을 가지고 있지 아니함에도 불구하고 제3자에 대한 권리를 실현하지 아니하는 경우 채권자대위권 행사를 통하여 납세의무자의 일반재산을 확보·보전할 필요성이 있다. 국세기본법 제28조 제1항은 조세채권의 소멸시효 중단사유로 납세고지, 독촉 또는 납부최고, 교부청구, 압류를 규정하면서 그와는

별도로 제28조 제3항 제5호에서 '민법 제404조에 따른 채권자대위 소송을 제기하여 그 소송이 진행 중인 기간'에는 소멸시효가 진행되지 않는 것으로 규정하고 있다. 국가가 채권자대위 소송의 요건을 갖추어 납세의무자의 제3자에 대한 채권을 대위하여 행사하는 것은 납세의무 없는 제3자에게 조세채무를 부담하게 하거나 이를 보증하게 하는 것이 아닐 뿐만 아니라, 그로 인하여 조세채권의 성립이나 행사의 범위가 임의로 확대되는 것도 아니다. 한편 국세징수법 제41조 제2항은 '세무서장이 채권압류의 통지를 한 때에는 체납액을 한도로 하여 체납자인 채권자를 대위한다'고 규정하고 있으나, 위 규정에 의한 압류금 지급청구소송은 채권자대위 소송과는 근거와 요건이 서로 다르다. 위와 같은 국세기본법의 규정, 채권자대위 소송의 목적과 근거, 효과 등에 비추어 보면, 국가는 조세채권의 보전을 위하여 납세의무자의 제3자에 대한 채권을 대위하여 행사할 수 있다(대판 2019.4.11. 2017다269862).

④ 채권자대위권은 채무자가 스스로 제3채무자에 대한 권리를 행사하지 아니하는 경우에 한하여 채권자가 자기의 채권을 보전하기 위하여 행사할 수 있는 것이어서, 채권자가 대위권을 행사할 당시에 이미 채무자가 그 권리를 재판상 행사하였을 때에는 채권자는 채무자를 대위하여 채무자의 권리를 행사할 수 없다. 그런데 비법인사단이 사원총회의 결의 없이 제기한 소는 소제기에 관한 특별수권을 결하여 부적법하고, 그 경우 소제기에 관한 비법인사단의 의사결정이 있었다고 할 수 없다. 따라서 비법인사단인 채무자 명의로 제3채무자를 상대로 한 소가 제기되었으나 사원총회의 결의 없이 총유재산에 관한 소가 제기되었다는 이유로 각하판결을 받고 그 판결이 확정된 경우에는 채무자가 스스로 제3채무자에 대한 권리를 행사한 것으로 볼 수 없다(대판 2018.10.25. 2018다210539).

⑤ 대판 2012.12.27. 2012다75239

78 채권자대위에 관한 다음 설명 중 가장 옳은 것은?   ▶ 2024년 법무사

① 채권자대위권은 채무자의 제3채무자에 대한 권리를 행사하는 것이므로, 제3채무자는 채무자에 대해 가지는 모든 항변사유로 채권자에게 대항할 수 있고, 공평의 원칙상 채권자도 채무자 자신이 주장할 수 있는 사유의 범위뿐만 아니라 채권자 자신과 제3채무자 사이의 독자적인 사정에 기한 사유도 함께 주장할 수 있다.

② 채권자대위권은 채무자가 제3채무자에 대한 권리를 행사하지 아니하는 경우에 한하여 채권자가 자기의 채권을 보전하기 위하여 행사할 수 있는 것이기는 하나, 채권자가 대위권을 행사할 당시 이미 채무자가 그 권리를 재판상 행사하였으나 이후 불성실한 소송수행 등으로 패소의 확정판결을 받은 경우라면, 채권자는 채무자를 대위하여 채무자의 권리를 행사할 당사자적격이 있다.

③ 임대인의 임대차계약 해지권은 오로지 임대인의 의사에 행사의 자유가 맡겨져 있어 민법 제404조 제1항 후단에서 정하는 채권자대위권의 소극적 요건 중 하나인 '행사상의 일신전속권'에 해당하는 것으로 볼 수 있으므로, 채권자대위권의 대상이 되지 아니한다.

④ 부동산의 소유자에 대하여 소유권이전등기를 청구할 지위에 있기는 하지만 아직 그 소유권이전등기를 경료하지 않은 상태에서, 제3자가 부동산의 소유자를 상대로 그 부동산에 관한 소유권이전등기절차 이행의 확정판결을 받아 소유권이전등기를 경료한 경우, 그 확정판결이 당연무효이거나 재심의 소에 의하여 취소되지 않았더라도, 종전의 소유권이전등기청구권을 가지는 자가 부동산의 소유자에 대한 소유권이전등기청구권을 보전하기 위하여 부동산의 소유자를 대위하여 제3자 명의의 소유권이전등기가 원인무효임을 내세워 그 등기의 말소를 구할 수 있다.

⑤ 채무자 소유의 부동산을 시효취득한 채권자의 공동상속인이 채무자에 대한 소유권이전등기청구권을 피보전채권으로 하여 제3채무자를 상대로 채무자의 제3채무자에 대한 소유권이전등기의 말소등기청구권을 대위행사하는 경우, 공동상속인은 자신의 지분 범위 내에서만 채무자의 제3채무자에 대한 소유권이전등기의 말소등기청구권을 대위행사할 수 있고, 지분을 초과하는 부분에 관하여는 채무자를 대위할 보전의 필요성이 없다.

해설　① 채권자대위권은 채무자의 제3채무자에 대한 권리를 행사하는 것이므로, 제3채무자는 채무자에 대해 가지는 모든 항변사유로 채권자에게 대항할 수 있으나, 채권자는 채무자 자신이 주장할 수 있는 사유의 범위 내에서 주장할 수 있을 뿐 자기와 제3채무자 사이의 독자적인 사정에 기한 사유를 주장할 수는 없다(대판 2009.5.28, 2009다4787).

② 채권자대위권은 채무자가 제3채무자에 대한 권리를 행사하지 아니하는 경우에 한하여 채권자가 자기의 채권을 보전하기 위하여 행사할 수 있는 것이기 때문에 채권자가 대위권을 행사할 당시 이미 채무자가 그 권리를 재판상 행사하였을 때에는 설사 패소의 확정판결을 받았더라도 채권자는 채무자를 대위하여 채무자의 권리를 행사할 당사자적격이 없다(대판 1993.3.26, 92다32876).

③ 임대인의 임대차계약 해지권은 오로지 임대인의 의사에 행사의 자유가 맡겨져 있는 행사상의 일신전속권에 해당하는 것으로 볼 수 없으므로 채권자대위권의 목적이 될 수 있다(대판 2007.5.10, 2006다82700·82717).

④ 부동산의 소유자에 대하여 소유권이전등기를 청구할 지위에 있기는 하지만 아직 그 소유권이전등기를 경료하지 않은 상태에서, 제3자가 부동산의 소유자를 상대로 그 부동산에 관한 소유권이전등기절차 이행의 확정판결을 받아 소유권이전등기를 경료한 경우, 그 확정판결이 당연무효이거나 재심의 소에 의하여 취소되지 않는 한, 종전의 소유권이전등기청구권을 가지는 자가 매도인에 대한 소유권이전등기청구권을 보전하기 위하여 매도인을 대위하여 제3자 명의의 소유권이전등기가 원인무효임을 내세워 그 등기의 말소를 구하는 것은 확정판결의 기판력에 저촉되므로 허용될 수 없다(대판 1999.2.24, 97다46955).

⑤ 채무자 소유의 부동산을 시효취득한 채권자의 공동상속인이 채무자에 대한 소유권이전등기청구권을 피보전채권으로 하여 제3채무자를 상대로 채무자의 제3채무자에 대한 소유권이전등기의 말소등기청구권을 대위행사하는 경우, 공동상속인은 자신의 지분 범위 내에서만 채무자의 제3채무자에 대한 소유권이전등기의 말소등기청구권을 대위행사할 수 있고, 지분을 초과하는 부분에 관하여는 채무자를 대위할 보전의 필요성이 없다(대판 2014.10.27, 2013다25217).

79 채권자취소권의 제척기간에 관한 다음 설명 중 가장 옳지 않은 것은? (다툼이 있는 경우 판례에 의함) ▶ 2017년 9급(법원서기보)

① 채권자취소권 행사에 있어서 제척기간의 기산점인 채권자가 '취소원인을 안 날'이라 함은 채권자가 채권자취소권의 요건을 안 날, 즉 채무자가 채권자를 해함을 알면서 사해행위를 하였다는 사실을 알게 된 날을 의미하므로 구체적인 사해행위의 존재를 알고 나아가 채무자에게 사해의 의사가 있었다는 사실까지 알 것을 요한다.

② 채권자가 수익자를 상대로 사해행위의 취소를 구하는 소를 제기하여 채무자와 수익자 사이의 법률행위를 취소하는 내용의 판결을 선고받아 확정되었더라도 채권자가 그 소송과는 별도로 전득자에 대하여 채권자취소권을 행사하여 원상회복을 구하기 위해서는 민법 제406조 제2항에 정한 제척기간 안에 전득자에 대한 관계에 있어서 채무자와 수익자 사이의 사해행위를 취소하는 청구를 하여야 한다.

③ 채무자가 자기의 유일한 재산인 부동산을 매각하여 소비하기 쉬운 금전으로 바꾸는 행위는 특별한 사정이 없는 한 채권자에 대하여 사해행위가 되어 채무자의 사해의 의사가 추정되므로 이처럼 채무자가 유일한 재산인 부동산을 처분하였다는 사실을 채권자가 알았다면 특별한 사정이 없는 한 채무자의 사해의사도 채권자가 알았다고 봄이 타당하다.

④ 채권자가 동일한 수익자를 상대로 사해행위의 취소와 원상회복을 청구함에 있어 사해행위의 취소만을 먼저 청구한 다음 원상회복을 나중에 청구할 수 있지만, 이 경우 사해행위 취소청구와 원상회복의 청구는 모두 민법 제406조 제2항에 정한 제척기간 안에 하여야 한다.

해설 ① [1] 채권자취소권 행사에 있어서 제척기간의 기산점인 채권자가 '취소원인을 안 날'이라 함은 채권자가 채권자취소권의 요건을 안 날, 즉 채무자가 채권자를 해함을 알면서 사해행위를 하였다는 사실을 알게 된 날을 의미한다.
[2] 채권자취소권 행사에 있어서 채권자가 취소원인을 알았다고 하기 위하여서는 단순히 채무자가 재산의 처분행위를 하였다는 사실을 아는 것만으로는 부족하고 구체적인 사해행위의 존재를 알고 나아가 채무자에게 사해의 의사가 있었다는 사실까지 알 것을 요하나, 나아가 채권자가 수익자나 전득자의 악의까지 알아야 하는 것은 아니다(대판 2000.9.29, 2000다3262).

② 채권자가 전득자를 상대로 민법 제406조 제1항에 의한 채권자취소권을 행사하기 위하여는 같은 조 제2항에서 정한 기간 안에 채무자와 수익자 사이의 사해행위취소를 법원에 소를 제기하는 방법으로 청구하여야 하는 것이고, 채권자가 수익자를 상대로 사해행위취소를 구하는 소를 제기하여 채무자와 수익자 사이의 법률행위를 취소하는 내용의 판결이 선고되어 확정되었더라도 판결의 효력은 그 소송의 피고가 아닌 전득자에게는 미치지 아니하므로, 채권자가 전득자에 대하여 채권자취소권을 행사하여 원상회복을 구하기 위하여는 민법 제406조 제2항에서 정한 기간 안에 별도로 전득자에 대한 관계에서 채무자와 수익자 사이의 사해행

정답 ▶ 79 ④

위를 취소하는 청구를 하여야 한다. 이는 기존 전득자 명의의 등기가 말소된 후 다시 새로운 전득자 명의의 등기가 경료되어 새로운 전득자에 대한 관계에서 채무자와 수익자 사이의 사해행위를 취소하는 청구를 하는 경우에도 마찬가지이다(대판 2014.2.13, 2012다204013).

③ 채무자가 유일한 재산인 부동산을 매각하여 소비하기 쉬운 금전으로 바꾸는 것은 특별한 사정이 없는 한 사해행위가 되고, 사해행위의 주관적 요건인 채무자의 사해의사는 채권의 공동담보에 부족이 생기는 것을 인식하는 것을 말하는 것으로서, 채권자를 해할 것을 기도하거나 의욕하는 것을 요하지 아니하며, 채무자가 유일한 재산인 부동산을 매각하여 소비하기 쉬운 금전으로 바꾸는 경우에는 채무자의 사해의사는 추정되므로, 채무자가 유일한 재산인 부동산을 매도한 경우 그러한 사실을 채권자가 알게 된 때에 채권자가 채무자에게 당해 부동산 외에는 별다른 재산이 없다는 사실을 알고 있었다면 그 때 채권자는 채무자가 채권자를 해함을 알면서 사해행위를 한 사실을 알게 되었다고 보아야 한다(대판 1999.4.9, 99다2515).

④ 채권자가 민법 제406조 제1항에 따라 사해행위의 취소와 원상회복을 청구하는 경우 사해행위의 취소만을 먼저 청구한 다음 원상회복을 나중에 청구할 수 있다. 이 경우 채권자가 민법 제406조 제1항에 따라 사해행위의 취소와 원상회복을 청구하는 경우 사해행위 취소 청구가 민법 제406조 제2항에 정하여진 기간 안에 제기되었다면 원상회복의 청구는 그 기간이 지난 뒤에도 할 수 있다(대판 2001.9.4, 2001다14108).

80 채권자취소권에 관한 다음 설명 중 가장 옳지 않은 것은? (다툼이 있는 경우 판례에 의함)

▶ 2018년 9급(법원서기보)

① 점유취득시효 완성 후 부동산 소유자가 이를 처분한 경우, 점유자는 시효취득을 원인으로 한 소유권이전등기청구권을 피보전채권으로 하여서는 채권자취소권을 행사할 수 없다. 채권자취소권을 특정물에 대한 소유권이전등기청구권을 보전하기 위해 행사하는 것은 허용되지 않기 때문이다.

② 채무자의 법률행위가 통정허위표시인 경우에도 채권자취소권의 대상이 되고, 한편 채권자취소권의 대상으로 된 채무자의 법률행위라도 통정허위표시의 요건을 갖춘 경우에는 무효라고 할 것이다.

③ 채권자가 채권자취소권을 행사할 때에는 원칙적으로 자신의 채권액을 초과하여 취소권을 행사할 수는 없고, 이때 채권자의 채권액에는 사해행위의 취소를 명하는 판결이 확정될 때까지 발생한 이자나 지연손해금이 포함된다.

④ 채무자가 채권자를 해함을 알고 재산권을 목적으로 한 법률행위를 한 경우, 채권자는 사해행위의 취소를 법원에 소를 제기하는 방법으로 청구할 수 있을 뿐 소송상의 공격방어방법으로는 주장할 수 없다.

해설 ① 민법 제406조 소정의 채권자취소권은 채무자의 행위로 인하여 그의 일반재산이 감소되어 총 채권자들의 채권의 공동담보에 부족이 생겨 채권자를 해함을 요건으로 하여 인정되는 권리인 것이므로, 이 사건에 있어서와 같이 취득시효의 대상인 부동산의 소유자가 취득시효 완성 후에 이를 처분하여 채권자의 시효취득을 원인으로 한 소유권이전등기청구권이 침해되었음을 이유로 하는 경우에는, 채권자취소권을 인정할 수 없다(대판 1992.11.24, 92다33855, 33862).

② 채무자의 법률행위가 통정허위표시인 경우에도 채권자취소권의 대상이 되고, 한편 채권자취소권의 대상으로 된 채무자의 법률행위라도 통정허위표시의 요건을 갖춘 경우에는 무효라고 할 것이다(대판 1998.2.27, 97다50985).

③ 채권자가 채권자취소권을 행사할 때에는 원칙적으로 자신의 채권액을 초과하여 취소권을 행사할 수 없고, 이때 채권자의 채권액에는 사해행위 이후 사실심 변론종결시까지 발생한 이자나 지연손해금이 포함된다(대판 2002.10.25, 2002다42711).

④ 채무자가 채권자를 해함을 알고 재산권을 목적으로 한 법률행위를 한 경우, 채권자는 사해행위의 취소를 법원에 소를 제기하는 방법으로 청구할 수 있을뿐 소송상의 공격방어방법으로 주장할 수 없다(대판 1995.7.25, 95다8393).

81 채권자취소에 관한 다음 설명 중 가장 옳지 않은 것은? (다툼이 있는 경우 판례에 의함)

▶ 2017년 법원사무관 승진

① 사해행위 당시에 이미 채권 성립의 기초가 되는 법률관계가 발생되어 있고, 가까운 장래에 그 법률관계에 기하여 채권이 성립되리라는 점에 대한 고도의 개연성이 있으며, 실제로 가까운 장래에 그 개연성이 현실화되어 채권이 성립된 경우에는, 그 채권도 채권자취소권의 피보전채권이 될 수 있다.

② 채무자의 수익자에 대한 채권양도가 사해행위로 취소되는 경우, 수익자가 제3채무자에게서 아직 채권을 추심하지 아니한 때에는, 채권자는 사해행위취소에 따른 원상회복으로서 수익자가 제3채무자에게 채권양도가 취소되었다는 취지의 통지를 하도록 청구할 수 있고, 채권자는 채무자를 대위하여 제3채무자에게 채권에 관한 지급을 청구할 수 있다.

③ 사해행위인 매매예약에 기하여 수익자 앞으로 가등기를 마친 후 전득자 앞으로 그 가등기 이전의 부기등기를 마치고 나아가 그 가등기에 기한 본등기까지 마쳤다 하더라도, 채권자는 수익자를 상대로 그 사해행위인 매매예약의 취소를 청구할 수 있고 특별한 사정이 없는 한 수익자는 위 가등기 및 본등기에 의하여 발생된 채권자들의 공동담보 부족에 관하여 원상회복의무로서 가액을 배상할 의무를 진다.

④ 사해행위의 취소는 취소소송의 당사자 간에 상대적으로 취소의 효력이 있는 것으로 당사자 이외의 제3자는 다른 특별한 사정이 없는 이상 취소로 그 법률관계에 영향을 받지 않는다. 사해행위의 취소에 상대적 효력만을 인정하는 것은 사해행위 취소채권자와 수익자 그리고 제3자의 이익을 조정하기 위한 것으로 그 취소의 효력이 미치지 아니하는 제3자의 범위를 사해행위를 기초로 목적부동산에 관하여 새롭게 법률행위를 한 그 목적부동산의 전득자 등만으로 한정할 것은 아니므로, 수익자와 새로운 법률관계를 맺은 것이 아니라 수익자의 고유채권자로서 이미 가지고 있던 채권 확보를 위하여 수익자가 사해행위로 취득한 근저당권에 배당된 배당금을 가압류한 자에게 사해행위취소 판결의 효력이 미친다고 볼 수 없다.

해설 ① 채권자취소권에 의하여 보호될 수 있는 채권은 원칙적으로 사해행위라고 볼 수 있는 행위가 행하여지기 전에 발생된 것임을 요하지만, 그 사해행위 당시에 이미 채권 성립의 기초가 되는 법률관계가 발생되어 있고, 가까운 장래에 그 법률관계에 터잡아 채권이 성립되리라는 점에 대한 고도의 개연성이 있으며, 실제로 가까운 장래에 그 개연성이 현실화되어 채권이 성립된 경우에는, 그 채권도 채권자취소권의 피보전채권이 될 수 있다(대판 2011.1.13, 2010다68084).

② 채무자의 수익자에 대한 채권양도가 사해행위로 취소되는 경우, 수익자가 제3채무자에게서 아직 채권을 추심하지 아니한 때에는, 채권자는 사해행위취소에 따른 원상회복으로서 수익자가 제3채무자에게 채권양도가 취소되었다는 취지의 통지를 하도록 청구할 수 있다. 그런데 사해행위의 취소는 채권자와 수익자의 관계에서 상대적으로 채무자와 수익자 사이의 법률행위를 무효로 하는 데에 그치고, 채무자와 수익자 사이의 법률관계에는 영향을 미치지 아니한다. 따라서 채무자의 수익자에 대한 채권양도가 사해행위로 취소되고, 그에 따른 원상회복으로서 제3채무자에게 채권양도가 취소되었다는 취지의 통지가 이루어지더라도, 채권자와 수익자의 관계에서 채권이 채무자의 책임재산으로 취급될 뿐, 채무자가 직접 채권을 취득하여 권리자로 되는 것은 아니므로, 채권자는 채무자를 대위하여 제3채무자에게 채권에 관한 지급을 청구할 수 없다(대판 2015.11.17, 2012다2743).

③ 사해행위인 매매예약에 기하여 수익자 앞으로 가등기를 마친 후 전득자 앞으로 가등기 이전의 부기등기를 마치고 나아가 가등기에 기한 본등기까지 마쳤다 하더라도, 위 부기등기는 사해행위인 매매예약에 기초한 수익자의 권리의 이전을 나타내는 것으로서 부기등기에 의하여 수익자로서의 지위가 소멸하지는 아니하며, 채권자는 수익자를 상대로 사해행위인 매매예약의 취소를 청구할 수 있다. 그리고 설령 부기등기의 결과 가등기 및 본등기에 대한 말소청구 소송에서 수익자의 피고적격이 부정되는 등의 사유로 인하여 수익자의 원물반환의무인 가등기말소의무의 이행이 불가능하게 된다 하더라도 달리 볼 수 없으며, 특별한 사정이 없는 한 수익자는 가등기 및 본등기에 의하여 발생된 채권자들의 공동담보 부족에 관하여 원상회복의무로서 가액을 배상할 의무를 진다(대판(전합) 2015.5.21, 2012다952).

④ 사해행위의 취소는 취소소송의 당사자 간에 상대적으로 취소의 효력이 있는 것으로 당사자 이외의 제3자는 다른 특별한 사정이 없는 이상 취소로 그 법률관계에 영향을 받지 않는다. 사해행위의 취소에 상대적 효력만을 인정하는 것은 사해행위 취소채권자와 수익자 그리고 제3자의 이익을 조정하기 위한 것으로 그 취소의 효력이 미치지 아니하는 제3자의 범위를 사해행위를 기초로 목적부동산에 관하여 새롭게 법률행위를 한 그 목적부동산의 전득자 등만으로 한정할 것은 아니므로, 수익자와 새로운 법률관계를 맺은 것이 아니라 수익자의 고유채권자로서 이미 가지고 있던 채권 확보를 위하여 수익자가 사해행위로 취득한 근저당권에 배당된 배당금을 가압류한 자에게 사해행위취소 판결의 효력이 미친다고 볼 수 없다(대판 2009.6.11, 2008다7109).

82 사해행위취소에 관한 다음 설명 중 가장 옳지 않은 것은? (다툼이 있는 경우 판례에 의함)

▶ 2018년 법무사

① 사해행위취소의 소는 채권자가 취소원인을 안 날로부터 1년, 법률행위 있은 날로부터 5년 내에 제기하여야 한다.

② 채권자가 채권자취소권을 행사하려면 사해행위로 인하여 이익을 받은 자나 전득한 자를 상대로 그 법률행위의 취소를 청구하는 소송을 제기하여야 되는 것으로서 채무자를 상대로 그 소송을 제기할 수는 없다.

③ 사해행위라고 볼 수 있는 행위가 행하여지기 전에 발생한 채권은 원칙적으로 채권자취소권에 의하여 보호될 수 있는 채권이 될 수 있고, 채권자의 채권이 사해행위 이전에 성립한 이상 사해행위 이후에 양도되었다고 하더라도 양수인은 채권자취소권을 행사할 수 있다.

④ 무자력상태의 채무자가 소송절차를 통해 수익자에게 자신의 책임재산을 이전하기로 하여 수익자가 제기한 소송에서 자백하는 등의 방법으로 패소판결을 받아 확정시키고, 이에 따라 수익자 앞으로 책임재산에 대한 소유권이전등기가 마쳐진 경우 채무자와 수익자 사이의 이전합의가 사해행위가 되더라도 확정판결의 효력에 의하여 채권자는 확정판결을 통해 마쳐진 소유권이전등기의 말소를 구할 수 없으므로 가액배상만을 구할 수 있다.

⑤ 재산분할청구권의 보전을 위해서도 사해행위취소권을 행사할 수 있다.

해설 ① 제406조

② 채권자가 채권자취소권을 행사하려면 사해행위로 인하여 이익을 받은 자나 전득한 자를 상대로 그 법률행위의 취소를 청구하는 소송을 제기하여야 되는 것으로서 채무자를 상대로 그 소송을 제기할 수는 없다(대판 2004.8.30, 2004다21923).

③ 사해행위라고 볼 수 있는 행위가 행하여지기 전에 발생한 채권은 원칙적으로 채권자취소권에 의하여 보호될 수 있는 채권이 될 수 있고, 채권자의 채권이 사해행위 이전에 성립한 이상 사해행위 이후에 양도되었다고 하더라도 양수인은 채권자취소권을 행사할 수 있으며, 채권양수일에 채권자취소권의 피보전채권이 새로이 발생되었다고 할 수 없다(대판 2012.2.9, 2011다77146).

④ 채권자가 사해행위의 취소와 함께 수익자 또는 전득자로부터 책임재산의 회복을 명하는 사해행위취소의 판결을 받은 경우 수익자 또는 전득자가 채권자에 대하여 사해행위의 취소로 인한 원상회복 의무를 부담하게 될 뿐, 채권자와 채무자 사이에서 취소로 인한 법률관계가 형성되는 것은 아니다. 따라서 위와 같이 채무자와 수익자 사이의 소송절차에서 확정판결 등을 통해 마쳐진 소유권이전등기가 사해행위취소로 인한 원상회복으로써 말소된다고 하더라도, 그것이 확정판결 등의 효력에 반하거나 모순되는 것이라고는 할 수 없다(대판 2017.4.7, 2016다204783).

정답 ▶ 82 ④

⑤ 제839조의3【재산분할청구권 보전을 위한 사해행위취소권】
　① 부부의 일방이 다른 일방의 재산분할청구권 행사를 해함을 알면서도 재산권을 목적으로 하는 법률행위를 한 때에는 다른 일방은 제406조 제1항을 준용하여 그 취소 및 원상회복을 가정법원에 청구할 수 있다.
　② 제1항의 소는 제406조 제2항의 기간 내에 제기하여야 한다.

83 甲은 자신의 소유인 X토지를 乙에게 매도하고 대금 전부를 지급받았다. 이후 甲은 X토지를 다시 丙에게 매도한 후 丙에게 소유권이전등기를 마쳐주었다. 다음 설명 중 가장 옳지 않은 것은? (다툼이 있는 경우 판례에 의함)　　▶ 2018년 법무사

① 甲이 X토지를 먼저 乙에게 매도하였다는 사실을 丙이 알고 있었다고 하더라도 다른 특별한 사정이 없었다면 X토지의 소유권은 丙에게 있다.

② 위 ①의 경우, 乙은 甲을 상대로 이행불능을 이유로 한 전보배상을 청구하거나 대상청구권을 행사할 수 있다.

③ 위 ①의 경우, 乙이 甲에 대한 소유권이전등기청구권의 보전을 위하여 甲과 丙사이의 매매계약에 대하여 채권자취소권을 행사하는 것은 허용되지 않는다.

④ 丙이 甲의 이중매매에 적극 가담한 것으로 인정되는 경우, 乙은 甲을 대위함이 없이 직접 丙을 상대로 소유권이전등기의 말소를 청구할 수 있다.

⑤ 丙이 甲의 이중매매에 적극 가담한 것으로 인정되는 경우, 만약 丁이 丙명의의 소유권이전등기를 신뢰하여 丙으로부터 X토지를 매수하여 소유권이전등기를 마쳤더라도, 丁은 X토지의 소유권을 주장하지 못한다.

해설 ① 이중매매를 사회질서에 반하는 법률행위로서 무효라고 하기 위하여는, 제2매수인이 이중매매 사실을 아는 것만으로는 부족하고, 나아가 매도인의 배임행위(또는 배신행위)를 유인, 교사하거나 이에 협력하는 등 적극적으로 가담하는 것이 필요하며, 그와 같은 사유가 있는지를 판단할 때에는 이중매매계약에 이른 경위, 약정된 대가 등 계약 내용의 상당성 또는 특수성 및 양도인과 제2매수인의 관계 등을 종합적으로 살펴보아야 한다(대판 2013.6.27, 2011다5813).

② 부동산매매에 있어서 매도인이 목적물을 타인에게 이미 매도하여 그 타인에게 소유권이전등기를 하여줄 의무가 있음에도 불구하고 제3자에게 다시 양도하여 소유권이전등기를 경유한 때에는 특별한 사정이 없는 한 매도인이 그 타인에게 부담하고 있는 소유권이전등기의무는 이행불능의 상태에 있다고 봄이 상당하다(대판 1983.3.22, 80다1416).
우리 민법이 이행불능의 효과로서 채권자의 전보배상청구권과 계약해제권 외에 별도로 대상청구권을 규정하고 있지 않으나 해석상 대상청구권을 부정할 이유는 없다(대판 2012.6.28, 2010다71431).

③ 채권자취소권을 특정물에 대한 소유권이전등기청구권을 보전하기 위하여 행사하는 것은 허용되지 않으므로, 부동산의 제1양수인은 자신의 소유권이전등기청구권 보전을 위하여 양도인과 제3자 사이에서 이루어진 이중양도행위에 대하여 채권자취소권을 행사할 수 없다(대판 1999.4.27, 98다56690).

④ 매도인의 매수인에 대한 배임행위에 가담하여 증여를 받아 이를 원인으로 소유권이전등기를 경료한 수증자에 대하여 매수인은 매도인을 대위하여 위 등기의 말소를 청구할 수는 있으나

직접 청구할 수는 없다는 것은 형식주의 아래서의 등기청구권의 성질에 비추어 당연하다 (대판 1983.4.26, 83다카57).
⑤ 부동산의 이중매매가 반사회적 법률행위에 해당하는 경우에는 이중매매계약은 절대적으로 무효이므로, 당해 부동산을 제2매수인으로부터 다시 취득한 제3자는 설사 제2매수인이 당해 부동산의 소유권을 유효하게 취득한 것으로 믿었더라도 이중매매계약이 유효하다고 주장할 수 없다(대판 1996.10.25, 96다29151).

84 채권자취소권에 관한 다음 설명 중 가장 옳지 않은 것은? (다툼이 있는 경우 판례에 의함)
▶ 2017년 법무사

① 사해행위취소소송에 있어서 수익자가 사해행위임을 몰랐다는 사실은 그 수익자 자신에게 증명책임이 있고, 이때 수익자의 선의를 인정함에 있어서는 객관적이고 납득할 만한 증거자료 등에 의하여야 한다.
② 협의 또는 심판에 의하여 구체화되지 않은 재산분할청구권은 채무자의 책임재산에 해당하지 아니하고 이를 포기하는 행위 또한 채권자취소권의 대상이 될 수 없다.
③ 채무자가 연속하여 수개의 재산행위를 한 경우에는 채권자취소권에 관하여 각 행위별로 그로 인하여 무자력이 초래되었는지 여부에 따라 사해성을 판단하는 것이 원칙이다.
④ 부동산을 양도받아 소유권이전등기청구권을 가지고 있는 자가 양도인이 제3자에게 이를 이중으로 양도하여 소유권이전등기를 경료하여 줌으로써 취득하는 부동산 가액 상당의 손해배상채권은 이중양도행위에 대한 사해행위취소권을 행사할 수 있는 피보전권리에 해당하지 않는다.
⑤ 가등기에 기하여 본등기가 경료된 경우 가등기의 원인인 법률행위와 본등기의 원인인 법률행위가 명백히 다른 것이 아닌 한 사해행위 요건의 구비 여부는 본등기가 마쳐진 당시를 기준으로 하여 판단하여야 한다.

해설 ① 채권자가 사해행위의 취소로서 수익자를 상대로 채무자와의 법률행위의 취소를 구함과 아울러 전득자를 상대로도 전득행위의 취소를 구함에 있어서, 전득자의 악의는 전득행위 당시 채무자와 수익자 사이의 법률행위가 채권자를 해한다는 사실, 즉 사해행위의 객관적 요건을 구비하였다는 것에 대한 인식을 의미한다. 한편 사해행위취소소송에서 채무자의 악의의 점에 대하여는 취소를 주장하는 채권자에게 증명책임이 있으나, 수익자 또는 전득자가 악의라는 점에 관하여는 증명책임이 채권자에게 있는 것이 아니고 수익자 또는 전득자 자신에게 선의라는 사실을 증명할 책임이 있으며, 채무자의 재산처분행위가 사해행위에 해당할 경우에 사해행위 또는 전득행위 당시 수익자 또는 전득자가 선의였음을 인정함에 있어서는 객관적이고도 납득할 만한 증거자료 등에 의하여야 하고, 채무자나 수익자의 일방적인 진술이나 제3자의 추측에 불과한 진술 등에만 터 잡아 사해행위 또는 전득행위 당시 수익자 또는 전득자가 선의였다고 선뜻 단정하여서는 아니 된다(대판 2015.6.11, 2014다237192).
② 이혼으로 인한 재산분할청구권은 이혼을 한 당사자의 일방이 다른 일방에 대하여 재산분할을 청구할 수 있는 권리로서 이혼이 성립한 때에 그 법적 효과로서 비로소 발생하는 것일

뿐만 아니라, 협의 또는 심판에 의하여 구체적 내용이 형성되기까지는 그 범위 및 내용이 불명확·불확정하기 때문에 구체적으로 권리가 발생하였다고 할 수 없으므로 협의 또는 심판에 의하여 구체화되지 않은 재산분할청구권은 채무자의 책임재산에 해당하지 아니하고, 이를 포기하는 행위 또한 채권자취소권의 대상이 될 수 없다(대판 2013.10.11, 2013다7936).

③ 채무자의 재산처분행위가 사해행위가 되기 위해서는 그 행위로 말미암아 채무자의 총재산의 감소가 초래되어 채권의 공동담보에 부족이 생기게 되어야 하는 것, 즉 채무자의 소극재산이 적극재산보다 많아져야 하는 것인바, 채무자가 연속하여 수 개의 재산처분행위를 한 경우에는, 그 행위들을 하나의 행위로 보아야 할 특별한 사정이 없는 한, 일련의 행위를 일괄하여 그 전체의 사해성 여부를 판단할 것이 아니라 각 행위마다 그로 인하여 무자력이 초래되었는지 여부에 따라 사해성 여부를 판단하여야 한다(대판 2001.4.27, 2000다69026).

나아가 판례는 "채무자가 연속하여 수개의 재산행위를 한 경우에는 채권자취소권에 관하여 각 행위별로 그로 인하여 무자력이 초래되었는지 여부에 따라 사해성을 판단하는 것이 원칙이지만, 그 일련의 행위들을 하나의 행위로 볼 특별한 사정이 있는 때에는 이를 일괄하여 전체로서 사해성이 있는지 판단하여야 한다. 이때 그러한 특별한 사정이 있는지 여부는 행위의 상대방의 동일성, 각 재산행위의 시간적 근접성, 채무자와 상대방의 관계, 행위의 동기 내지 기회의 동일성 여부 등을 기준으로 결정되어야 한다(대판 2010.5.27, 2010다15387)."고 하였다.

④ 부동산을 양도받아 소유권이전등기청구권을 가지고 있는 자가 양도인이 제3자에게 이를 이중으로 양도하여 소유권이전등기를 경료하여 줌으로써 취득하는 부동산 가액 상당의 손해배상채권은 이중양도행위에 대한 사해행위취소권을 행사할 수 있는 피보전채권에 해당한다고 할 수 없다(대판 1999.4.27, 98다56690). 왜냐하면 이중양도 당시 제1매수인의 손해배상채권은 아직 발생하지 아니하였고 그 채권 성립에 관한 고도의 개연성 또한 없기 때문이다.

⑤ 가등기에 기하여 본등기가 경료된 경우 가등기의 원인인 법률행위와 본등기의 원인인 법률행위가 명백히 다른 것이 아닌 한 사해행위 요건의 구비 여부는 가등기의 원인된 법률행위 당시를 기준으로 하여 판단하여야 한다(대판 2014.3.27, 2013다1518 등).

85 채권자취소권에 관한 다음 설명 중 가장 옳지 않은 것은? (다툼이 있는 경우 판례에 의함)
▶ 2017년 법원행시

① 채권자취소에 있어서, 가액배상을 하여야 하는 수익자는 자기의 채무자에 대한 반대채권으로써 상계를 주장할 수는 없다.

② 채권자취소에 있어서, 수익자가 채무자에게 가액배상금 명목으로 금원을 일부 지급하였다는 점을 들어 채권자취소권을 행사하는 원고에 대하여 가액배상에서의 공제를 주장할 수는 없다.

③ 채권자취소소송에서 채무자의 무자력 여부를 판단함에 있어 다른 특별한 사정이 없는 한 실질적으로 재산적 가치가 없는 재산은 적극재산에서 제외하여야 한다.

④ 채권자가 채권자취소소송에서 사해행위에 해당하는 금전 지급 행위를 취소하고 원상회복으로서 그 금전의 지급을 청구하는 경우, 원금 외에 지연배상금의 지급은 청구할 수 없다.

⑤ 채권자취소권도 채권자가 채무자를 대위하여 행사하는 것이 가능하다.

해설 ① 채권자취소권은 채권의 공동담보인 채무자의 책임재산을 보전하기 위하여 채무자와 수익자 사이의 사해행위를 취소하고 채무자의 일반재산으로부터 일탈된 재산을 모든 채권자를 위하여 수익자 또는 전득자로부터 환원시키는 제도로서, 수익자로 하여금 자기의 채무자에 대한 반대채권으로써 상계를 허용하는 것은 사해행위에 의하여 이익을 받은 수익자를 보호하고 다른 채권자의 이익을 무시하는 결과가 되어 위 제도의 취지에 반하므로, 수익자가 채권자취소에 따른 원상회복으로서 가액배상을 할 때에 채무자에 대한 채권자라는 이유로 채무자에 대하여 가지는 자기의 채권과의 상계를 주장할 수는 없다(대판 2001.6.1, 99다63183).

② 채권자취소권은 채권의 공동담보인 채무자의 책임재산을 보전하기 위하여 채무자의 일반재산으로부터 일탈된 재산을 모든 채권자를 위하여 수익자 또는 전득자로부터 환원시키는 제도로서, 그 행사의 효력은 채권자와 수익자 또는 전득자와의 상대적인 관계에서만 미치는 것이므로 채권자취소권의 행사로 인하여 채무자가 수익자나 전득자에 대하여 어떠한 권리를 취득하는 것은 아니라고 할 것이고, 따라서 수익자가 채무자에게 가액배상금 명목으로 금원을 지급하였다는 점을 들어 채권자취소권을 행사하는 채권자에 대하여 가액배상에서의 공제를 주장할 수는 없다(대판 2001.6.1, 99다63183).

③ 채무자의 재산처분행위가 사해행위가 되기 위해서는 그 행위로 말미암아 채무자의 총재산의 감소가 초래되어 채권의 공동담보에 부족이 생기게 되어야 하는 것, 즉 채무자의 소극재산이 적극재산보다 많아져야 하는 것인바, 채무자가 재산처분행위를 할 당시 그의 적극재산 중 부동산과 채권이 있어 그 재산의 합계가 채권자의 채권액을 초과한다고 하더라도 그 적극재산을 산정함에 있어서는 다른 특별한 사정이 없는 한 실질적으로 재산적 가치가 없어 채권의 공동담보로서의 역할을 할 수 없는 재산은 이를 제외하여야 할 것이고, 그 재산이 채권인 경우에는 그것이 용이하게 변제를 받을 수 있는 확실성이 있는 것인지 여부를 합리적으로 판정하여 그것이 긍정되는 경우에 한하여 적극재산에 포함시켜야 할 것이다(대판 2001.10.12, 2001다32533).

④ 금전의 지급을 사해행위로서 취소하여 원상회복으로 금전의 지급을 구하는 경우 원금 외에 지연배상금의 지급도 구할 수 있고, 이 경우 지연배상금의 기산점은 상대방이 실제로 금전을 지급받은 때로 보아야 할 것이다(대판 2006.10.26, 2005다76753).

⑤ 채권자취소권도 채권자가 채무자를 대위하여 행사하는 것이 가능하다(대판 2001.12.27, 2000다73049).

---

86 **채권자취소권에 관한 다음 설명 중 가장 옳지 않은 것은?** ▸ 2018년 법원행시

① 어느 시점에서 사해행위에 해당하는 법률행위가 있었는가를 따짐에 있어서는 당사자 사이의 이해관계에 미치는 중대한 영향을 고려하여 신중하게 이를 판정하여야 하고, 채무자의 재산처분행위가 사해행위가 되는지 여부는 처분행위 당시를 기준으로 판단하여야 하며, 설령 그 재산처분행위가 정지조건부인 경우라 하더라도 특별한 사정이 없는 한 마찬가지라고 할 것이다.

② 사해성의 요건은 행위 당시는 물론 채권자가 취소권을 행사할 당시(사해행위취소소송의 사실심 변론종결시)에도 갖추고 있어야 하므로, 처분행위 당시에는 채권자를 해하는 것이었더라도 그 후 채무자가 자력을 회복하거나 채무가 감소하여 취소권 행사시에 채권자를 해하지 않게 되었다면, 채권자취소권에 의하여 책임재산을 보전할 필요성이 없으므로 채권자취소권은 소멸한다.

정답 ▸ 85 ④ 86 ⑤

③ 채권자취소권의 행사에 있어서 제척기간의 도과에 관한 입증책임은 채권자취소소송의 상대방에게 있다.

④ 특정한 채권에 대한 공동 연대보증인 중 1인이 다른 공동 연대보증인에게 재산을 증여하여 특정채권자가 추급할 수 있는 채무자들의 총 책임재산에는 변동이 없다고 하더라도, 재산을 증여한 연대보증인의 재산이 감소되어 그 특정한 채권자를 포함한 일반채권자들의 공동담보에 부족이 생기거나 그 부족이 심화된 경우에는 그 증여행위의 사해성을 부정할 수 없다.

⑤ 채무자가 사해행위취소로 그 등기명의를 회복한 부동산을 제3자에게 처분하는 경우에 이는 무권리자의 처분으로서 효력이 없지만, 이 경우 취소채권자나 민법 제407조에 따라 사해행위취소와 원상회복의 효력을 받는 채권자가 위와 같은 등기명의인인 제3자를 상대로 직접 그 등기의 말소를 청구할 수는 없다.

해설 ① 어느 시점에서 사해행위에 해당하는 법률행위가 있었는가를 따질 때에는 당사자 사이의 이해관계에 미치는 중대한 영향을 고려하여 신중하게 이를 판정하여야 하고, 채무자의 재산처분행위가 사해행위가 되는지는 처분행위 당시를 기준으로 판단하여야 하며, 설령 재산처분행위가 정지조건부인 경우라 하더라도 특별한 사정이 없는 한 마찬가지이다(대판 2013.6.28, 2013다8564).

② 사해성의 요건은 행위 당시는 물론 채권자가 취소권을 행사할 당시(사해행위취소소송의 사실심 변론종결시)에도 갖추고 있어야 하므로, 처분행위 당시에는 채권자를 해하는 것이었더라도 그 후 채무자가 자력을 회복하거나 채무가 감소하여 취소권 행사시에 채권자를 해하지 않게 되었다면, 채권자취소권에 의하여 책임재산을 보전할 필요성이 없으므로 채권자취소권은 소멸한다(대판 2009.3.26, 2007다63102). 처분행위 당시에는 채권자를 해하는 것이었다고 하더라도 그 후 채무자가 자력을 회복하여 사해행위취소권을 행사하는 사실심의 변론종결시에는 채권자를 해하지 않게 된 경우에는 책임재산 보전의 필요성이 없어지게 되어 채권자취소권이 소멸하는 것으로 보아야 할 것인바, 그러한 사정변경이 있다는 사실은 채권자취소소송의 상대방이 증명하여야 한다(대판 2007.11.29, 2007다54849).

③ 채권자취소권의 행사에 있어서 제척기간의 기산점인 채권자가 "취소원인을 안 날"이라 함은 채무자가 채권자를 해함을 알면서 사해행위를 하였다는 사실을 알게 된 날을 의미한다. 이는 단순히 채무자가 재산의 처분행위를 한 사실을 아는 것만으로는 부족하고, 구체적인 사해행위의 존재를 알고 나아가 채무자에게 사해의 의사가 있었다는 사실까지 알 것을 요한다. 한편 그 제척기간의 도과에 관한 입증책임은 채권자취소소송의 상대방에게 있다(대판 2009.3.26, 2007다63102).

④ 특정한 채권에 대한 공동 연대보증인 중 1인이 다른 공동 연대보증인에게 재산을 증여하여 특정채권자가 추급할 수 있는 채무자들의 총 책임재산에는 변동이 없다고 하더라도, 재산을 증여한 연대보증인의 재산이 감소되어 그 특정한 채권자를 포함한 일반채권자들의 공동담보에 부족이 생기거나 그 부족이 심화된 경우에는, 그 증여행위의 사해성을 부정할 수는 없다(대판 2009.3.26, 2007다63102).

⑤ [1] 사해행위의 취소는 채권자와 수익자의 관계에서 상대적으로 채무자와 수익자 사이의 법률행위를 무효로 하는 데에 그치고 채무자와 수익자 사이의 법률관계에는 영향을 미치지 아니하므로, 채무자와 수익자 사이의 부동산매매계약이 사해행위로 취소되고 그에 따른 원상회복으로 수익자 명의의 소유권이전등기가 말소되어 채무자의 등기명의가 회복되더라도, 그 부

동산은 취소채권자나 민법 제407조에 따라 사해행위 취소와 원상회복의 효력을 받는 채권자와 수익자 사이에서 채무자의 책임재산으로 취급될 뿐, 채무자가 직접 부동산을 취득하여 권리자가 되는 것은 아니다.

[2] 채무자가 사해행위 취소로 등기명의를 회복한 부동산을 제3자에게 처분하더라도 이는 무권리자의 처분에 불과하여 효력이 없으므로, 채무자로부터 제3자에게 마쳐진 소유권이전등기나 이에 기초하여 순차로 마쳐진 소유권이전등기 등은 모두 원인무효의 등기로서 말소되어야 한다. 이 경우 취소채권자나 민법 제407조에 따라 사해행위 취소와 원상회복의 효력을 받는 채권자는 채무자의 책임재산으로 취급되는 부동산에 대한 강제집행을 위하여 원인무효 등기의 명의인을 상대로 등기의 말소를 청구할 수 있다(대판 2017.3.9. 2015다217980).

87 채권자취소권에 관한 설명 중 옳지 않은 것은? (다툼이 있는 경우에는 판례에 의함)

▶ 2013년 사법시험

① 채권자가 가압류를 한 부동산에 대하여 가압류채무자가 제3자에게 근저당권을 설정해 준 경우, 비록 가압류채권자가 부동산 환가대금으로부터 근저당권자와 평등하게 배당받을 수 있다고 하더라도, 가압류채권자는 근저당권설정행위에 대하여 채권자취소권을 행사할 수 있다.

② 채무자가 기존채무의 변제를 위하여 특정채권자와 소비대차계약을 체결하고, 강제집행을 승낙하는 취지가 기재된 공정증서를 작성해주어 채무자 소유의 부동산에 대한 경매절차에서 그가 배당을 받았더라도, 채무자의 책임재산을 그 채권자에게 실질적으로 양도한 것이 아니라면 다른 채권자는 위 소비대차계약을 사해행위라는 이유로 취소할 수 없다.

③ 점유취득시효 완성 후 부동산 소유자가 이를 처분한 경우, 점유자는 시효취득을 원인으로 한 소유권이전등기청구권을 피보전채권으로 하여 채권자취소권을 행사할 수 있다.

④ 채무의 이행을 담보하기 위하여 채무자 소유의 부동산에 대하여 근저당권이 설정되어 있고, 그 부동산의 가액 및 채권최고액이 당해 채무액을 초과하는 경우에는 비록 위 채무의 연대보증인이 그의 유일한 재산을 처분하는 법률행위를 하더라도 채권자는 이를 사해행위라는 이유로 취소할 수 없다.

⑤ 이미 채무초과 상태에 있는 채무자가 상속재산의 분할협의를 하면서 자신의 상속분에 관한 권리를 포기함으로써 일반 채권자에 대한 공동담보가 감소되는 결과가 발생한 경우에는 분할협의를 사해행위라는 이유로 취소할 수 있다.

해설 ① 채권자가 이미 자기 채권의 보전을 위하여 가압류를 한 바 있는 부동산을 채무자가 제3자가 부담하는 채무의 담보로 제공하여 근저당권을 설정하여 줌으로써 물상보증을 한 경우, 비록 당해 부동산의 환가대금으로부터는 가압류채권자가 위와 같이 근저당권을 설정받은 근저당권자와 평등하게 배당을 받을 수 있다고 하더라도, 일반적으로 그 배당으로부터 가압류채권의 충분한 만족을 얻는다는 보장이 없기 때문이다(대판 2010.6.24. 2010다20617).

정답 ▶ 87 ③

② 채권자가 채무의 변제를 구하는 것은 그의 당연한 권리행사로서 다른 채권자가 존재한다는 이유로 이것이 방해받아서는 아니 되고 채무자도 다른 채권자가 있다는 이유로 그 채무이행을 거절할 수는 없는 것이므로, 채무자의 재산에 대한 경매절차에서 평등하게 배당받기 위해 집행권원을 필요로 하는 채권자의 요구에 따라 채무자가 그 채권자에 대한 기존채무의 변제를 위하여 소비대차계약을 체결하고 강제집행을 승낙하는 취지가 기재된 공정증서를 작성하여 준 경우에는 그와 같은 행위로 인해 자신의 책임재산을 특정 채권자에게 실질적으로 양도한 것과 다를 바 없는 것으로 볼 수 있는 특별한 사정이 있는 경우에 해당하지 아니하는 한 다른 채권자를 해하는 사해행위가 된다고 볼 수 없다(대판 2011.12.22, 2010다103376).

③ 채권자취소권은 특정채권을 위해서는 인정되지 않는다(대판 1991.7.23, 91다6757 등). 따라서 취득시효의 대상인 부동산의 소유자가 취득시효 완성 후에 이를 처분하여 채권자의 시효취득을 원인으로 한 소유권이전등기청구권이 침해되었음을 이유로 하는 경우에는 채권자취소권을 인정할 수 없다(대판 1992.11.24, 92다33855·33862).

④ 주채무자 또는 제3자 소유의 부동산에 대하여 채권자 앞으로 근저당권이 설정되어 있고, 그 부동산의 가액 및 채권최고액이 당해 채무액을 초과하여 채무 전액에 대하여 채권자에게 우선변제권이 확보되어 있다면, 그 범위 내에서는 채무자의 재산처분행위는 채권자를 해하지 아니하므로 연대보증인이 비록 유일한 재산을 처분하는 법률행위를 하더라도 채권자에 대하여 사해행위가 성립되지 않는다고 보아야 할 것이다(대판 2007.1.11, 2006다59182).

⑤ 이미 채무초과 상태에 있는 채무자가 상속재산의 분할협의를 하면서 자신의 상속분에 관한 권리를 포기함으로써 일반채권자에 대한 공동담보가 감소한 경우에도 원칙적으로 채권자에 대한 사해행위에 해당한다(대판 2007.7.26, 2007다29119).

88 채권자취소권에 관한 다음 설명 중 가장 옳지 않은 것은? (다툼이 있는 경우 판례에 의함)

▶ 2014년 법무사

① 채권자취소권의 규정에 의한 취소와 원상회복은 모든 채권자의 이익을 위하여 그 효력이 있다.

② 대리인이 한 법률행위가 사해행위인지를 판단함에 있어 수익자 또는 전득자의 사해행위에 대한 악의의 유무는 대리인을 기준으로 판단하여야 한다.

③ 협의 또는 심판에 의하여 구체화되지 않은 재산분할청구권을 포기하는 행위도 채권자취소권의 대상이 될 수 있다.

④ 신규자금의 융통 없이 단지 기존채무의 이행을 유예받기 위하여 자신의 채권자 중 한 사람에게 담보를 제공하는 행위는 다른 특별한 사정이 없는 한 다른 채권자들에 대한 관계에서는 사해행위에 해당한다.

⑤ 저당권이 설정되어 있는 부동산이 사해행위로 이전된 경우에 그 사해행위 후 변제 등에 의하여 저당권설정등기가 말소된 경우 그 부동산의 가액에서 저당권의 피담보채무액을 공제한 잔액의 한도에서 사해행위를 취소하고 그 가액의 배상을 구할 수 있을 뿐이다.

해설 ① 전조(채권자취소권)의 규정에 의한 취소와 원상회복은 모든 채권자의 이익을 위하여 그 효력이 있다(제407조).

② 대리인이 한 법률행위가 사해행위인지를 판단함에 있어 수익자 또는 전득자의 사해행위에 대한 악의의 유무는 <u>대리인을 기준으로</u> 한다(대판 2006.9.8, 2006다22661).

③ 협의 또는 심판에 의하여 구체화되지 않은 재산분할청구권은 채무자의 책임재산에 해당하지 아니하고, 이를 포기하는 행위 또한 채권자취소권의 대상이 될 수 없다(대판 2013.10.11, 2013다7936).

④ 신규자금의 융통 없이 단지 기존채무의 이행을 유예받기 위하여 자신의 채권자 중 한 사람에게 담보를 제공하는 행위는 다른 특별한 사정이 없는 한 다른 채권자들에 대한 관계에서는 사해행위에 해당한다(대판 2010.4.29, 2009다104564).

⑤ 저당권이 설정되어 있는 부동산에 관하여 사해행위가 이루어진 경우에 그 <u>사해행위는 부동산의 가액에서 저당권의 피담보채권액을 공제한 잔액의 범위 내에서만 성립한다</u>고 보아야 하므로, 사해행위 후 변제 등에 의하여 저당권설정등기가 말소된 경우, 사해행위를 취소하여 그 부동산의 자체의 회복을 명하는 것은 당초 일반 채권자들의 공동담보로 되어 있지 아니하던 부분까지 회복을 명하는 것이 되어 공평에 반하는 결과가 되므로, <u>그 부동산의 가액에서 저당권의 피담보채무액을 공제한 잔액의 한도에서 사해행위를 취소하고 그 가액의 배상을 구할 수 있을 뿐이고, 그와 같은 가액 산정은 사실심변론 종결시를 기준으로 하여야 한다</u>(대판 1999.9.7, 98다41490).

89 채권자취소권에 관한 다음 설명 중 가장 옳지 않은 것은? (다툼이 있는 경우 판례에 의함)
▸ 2016년 법무사

① 채무초과 상태의 채무자가 그의 유일한 재산을 우선변제권 있는 채권자에게 대물변제로 제공한 행위는 특별한 사정이 없는 한 다른 채권자들의 이익을 해한다고 볼 수 없어 사해행위가 되지 않는다.

② 사해행위가 채권자에 의하여 취소되기 전에 이미 수익자가 배당금을 현실로 지급받은 경우, 채권자는 원상회복방법으로 수익자를 상대로 배당 금원 중 자신의 채권액 상당의 지급을 가액배상의 방법으로 청구할 수 있다.

③ 가등기에 기하여 본등기가 경료된 경우 가등기의 원인인 법률행위와 본등기의 원인인 법률행위가 명백히 다른 것이 아닌 한 사해행위 요건의 구비 여부는 가등기의 원인된 법률행위 당시를 기준으로 하여 판단하여야 한다.

④ 채무자가 채권자와 신용카드가입계약을 체결하고 신용카드를 발급받았으나 자신의 유일한 부동산을 매도한 후에 비로소 신용카드를 사용하기 시작하여 신용카드대금을 연체하게 된 경우, 그 신용카드대금채권은 사해행위 이후에 발생한 채권이지만, 위 신용카드가입계약을 '채권성립의 기초가 되는 법률관계'로 볼 수 있는 이상 사해행위의 피보전채권이 될 수 있다.

정답 88 ③ 89 ④

⑤ 채권자가 가등기의 원인행위가 사해행위임을 안 때부터 1년 내에 가등기의 원인행위에 대하여 취소의 소를 제기하였다면 본등기의 원인행위에 대한 취소 청구는 그 원인행위에 대한 제척기간이 경과한 후 제기하더라도 적법하다.

해설 ① 채무자의 재산이 채무의 전부를 변제하기에 부족한 경우에 채무자가 그의 유일한 재산을 어느 특정 채권자에게 대물변제로 제공하는 행위는 다른 특별한 사정이 없는 한 다른 채권자들에 대한 관계에서 사해행위가 되지만, 채권자들의 공동담보가 되는 채무자의 총재산에 대하여 다른 채권자에 우선하여 변제를 받을 수 있는 권리를 가지는 채권자는 처음부터 채무자의 재산에 대한 환가절차에서 다른 채권자에 우선하여 배당을 받을 수 있는 지위에 있으므로, 그와 같은 우선변제권 있는 채권자에 대한 대물변제의 제공행위는 특별한 사정이 없는 한 다른 채권자들의 이익을 해한다고 볼 수 없어 사해행위가 되지 않는다(대판 2008.2.14, 2006다33357).

② 채권자의 사해행위취소 및 원상회복청구가 인정되면 수익자 또는 전득자는 원상회복으로서 사해행위의 목적물을 채무자에게 반환할 의무를 지게 되고 원물반환이 불가능하거나 현저히 곤란한 경우에는 원상회복의무의 이행으로서 사해행위 목적물의 가액 상당을 배상하여야 한다. 그리고 사해행위가 채권자에 의하여 취소되기 전에 이미 수익자 또는 전득자가 배당금을 지급받은 경우에는, 채권자는 원상회복방법으로 수익자 또는 전득자를 상대로 배당으로 수령한 금전의 지급을 가액배상의 방법으로 청구할 수 있다(대판 2014.12.11, 2011다49783).

③ 가등기에 기하여 본등기가 경료된 경우 가등기의 원인인 법률행위와 본등기의 원인인 법률행위가 명백히 다른 것이 아닌 한 사해행위 요건의 구비 여부는 가등기의 원인된 법률행위 당시를 기준으로 하여 판단하여야 한다(대판 2014.3.27, 2013다1518 등).

④ 신용카드가입계약은 신용카드의 발행 및 관리, 신용카드의 이용과 관련된 대금의 결제에 관한 기본적 사항을 포함하고 있기는 하나 그에 기하여 신용카드업자의 채권이 바로 성립되는 것은 아니고, 신용카드를 발행받은 신용카드회원이 i) 신용카드를 사용하여 신용카드가맹점으로부터 물품을 구매하거나 용역을 제공받음으로써 성립하는 신용카드매출채권을 신용카드가맹점이 신용카드업자에게 양도하거나, ii) 신용카드업자로부터 자금의 융통을 받는 별개의 법률관계에 의하여 비로소 채권이 성립하는 것이므로, 단순히 신용카드가입계약만을 가리켜 여기에서 말하는 '채권성립의 기초가 되는 법률관계'에 해당한다고 할 수는 없다. 따라서 채무자가 채권자와 신용카드가입계약을 체결하고 신용카드를 발급받았으나 자신의 유일한 부동산을 매도한 후에 비로소 신용카드를 사용하기 시작하여 신용카드대금을 연체하게 된 경우, 그 신용카드대금채권은 사해행위 이후에 발생한 채권에 불과하여 사해행위의 피보전채권이 될 수 없다(대판 2004.11.12, 2004다40955).

⑤ 가등기의 등기원인인 법률행위와 본등기의 등기원인인 법률행위가 명백히 다른 것이 아닌 한, 가등기 및 본등기의 원인행위에 대한 사해행위 취소 등 청구의 제척기간의 기산일은 가등기의 원인행위가 사해행위임을 안 때라고 할 것인바, 채권자가 가등기의 원인행위가 사해행위임을 안 때부터 1년 내에 가등기의 원인행위에 대하여 취소의 소를 제기하였다면 본등기의 원인행위에 대한 취소 청구는 그 원인행위에 대한 제척기간이 경과한 후 제기하더라도 적법하다(대판 2006.12.21, 2004다24960).

90 채권자취소권에 관한 다음 설명 중 가장 옳지 않은 것은? (다툼이 있는 경우 판례에 따르고 전원합의체 판결의 경우 다수의견에 의함) ▶ 2019년 법무사

① A가 B에게 부동산을 양도하기로 매매계약을 체결한 후 위 부동산을 다시 C에게 이중으로 양도하고 C 명의로 소유권이전등기를 마쳐주었다. 이 경우 B는 소유권이전등기청구권은 물론이고, 이행불능에 따른 손해배상청구권을 피보전채권으로 하여서도, A와 C 사이의 매매계약을 사해행위로 취소할 수 없다.

② 甲에 대하여 억대에 이르는 채무를 부담하는 등 거액의 채무초과 상태에서 별다른 재산이 없던 채무자 乙은 그 어머니인 丙으로부터 상속을 받게 되자, 다른 공동상속인들인 A, B, C, D와 사이에 상속재산분할협의를 하면서 망인 丙의 상속재산으로 시가 3억 9,000만원 상당의 부동산과 丙명의의 7,000만원 상당의 예금이 있었음에도, 위 부동산에 대한 자신의 상속지분 2/13를 포기하고 대신 현금으로만 8,000만원을 지급받기로 합의하였다. 이 경우 위 상속재산분할협의는 사해행위취소의 대상이 될 수 있다.

③ 甲 주식회사가 乙에게 채무를 변제하지 못하는 것을 정지조건으로 甲 회사의 丙에 대한 채권을 양도하고 乙로부터 금전을 차용하였는데, 그 후 甲 회사가 부도를 내고 사업을 폐지한 다음 乙과 위 채권에 관한 채권양도증서를 작성하여 채권양도 사실을 丙에게 통지하였다. 이 경우 甲회사와 乙이 체결한 채권양도계약이 사해행위에 해당하는지는 양도증서가 작성된 시점이 아니라 당초 채권양도계약이 체결된 시점을 기준으로 판단하여야 한다.

④ 채무자 乙은 수익자 丙에게 그 소유의 부동산을 매도하고 그 명의로 소유권이전등기를 마쳐주었는데, 그 후 위 매매계약이 사해행위라는 이유로 취소되고 그 원상회복으로 丙 명의의 소유권이전등기가 말소되자, 乙은 같은 날 丁에게 위 부동산을 다시 매도하고 소유권이전등기를 마쳐주었다. 이 경우 위 사해행위 이전에 乙에 대한 채권을 취득한 甲은 위 부동산에 대한 강제집행을 위하여 직접 丁을 상대로 소유권이전등기의 말소를 청구할 수 있다.

⑤ 부부인 乙과 丙은 부동산을 1/2 지분씩 공유하고 있었는데, A 은행에 위 부동산 전부에 관하여 채무자를 乙, 채권최고액을 1억 3,000만원으로 하는 근저당권을 설정하여 주었다. 그 후 乙은 채무초과 상태에서 자신의 유일한 재산인 위 부동산 중 1/2 지분을 丙에게 증여하는 계약을 체결하고, 丙 명의로 소유권이전등기를 마쳐주었다. 丙은 위 부동산에 관하여 B 은행에 채권최고액 1억 800만원으로 하는 근저당권을 설정하여 주고 B 은행으로부터 9,000만원을 대출받아 이를 이용하여 A은행 명의의 근저당권설정등기를 말소하였다. 이 경우 乙과 丙의 위 증여계약이 사해행위인지 여부를 판단할 때 채무자 乙 소유의 부동산 지분이 부담하는 피담보채권액은 원칙적으로 공유지분의 비율에 따라 분담된 금액이다.

해설 ① 판례는 채권자취소권을 특정물에 대한 소유권이전등기청구권을 보전하기 위하여 행사하는 것은 허용되지 않으므로, 부동산의 제1양수인은 자신의 소유권이전등기청구권 보전을 위하여 양도인과 제3자 사이에서 이루어진 이중양도행위에 대하여 채권자취소권을 행사할 수 없다. 또한 사해행위라고 주장하는 이 사건 부동산에 관한 매매 당시 아직 위 손해배상채권이 발생하지 아니하였고 그 채권 성립에 관한 고도의 개연성 또한 없으므로 이행불능에 따른 손해배상채권을 피보전채권으로 하여도 채권자취소권을 행사할 수 없다는 입장이다(대판 1999.4.27. 98다56690).

② 상속재산의 분할협의는 상속이 개시되어 공동상속인 사이에 잠정적 공유가 된 상속재산에 대하여 그 전부 또는 일부를 각 상속인의 단독소유로 하거나 새로운 공유관계로 이행시킴으로써 상속재산의 귀속을 확정시키는 것으로 그 성질상 재산권을 목적으로 하는 법률행위이므로 사해행위취소권 행사의 대상이 될 수 있고, 한편 채무자가 자기의 유일한 재산인 부동산을 매각하여 소비하기 쉬운 금전으로 바꾸거나 타인에게 무상으로 이전하여 주는 행위는 특별한 사정이 없는 한 채권자에 대하여 사해행위가 되는 것이므로, 이미 채무초과 상태에 있는 채무자가 상속재산의 분할협의를 하면서 유일한 상속재산인 부동산에 관하여는 자신의 상속분을 포기하고 대신 소비하기 쉬운 현금을 지급받기로 하였다면, 이러한 행위는 실질적으로 채무자가 자기의 유일한 재산인 부동산을 매각하여 소비하기 쉬운 금전으로 바꾸는 것과 다르지 아니하여 특별한 사정이 없는 한 채권자에 대하여 사해행위가 된다고 할 것이며, 이와 같은 금전의 성격에 비추어 상속재산 중에 위 부동산 외에 현금이 다소 있다 하여도 마찬가지로 보아야 할 것이다(대판 2008.3.13. 2007다73765).

③ 어느 시점에서 사해행위에 해당하는 법률행위가 있었는가를 따질 때에는 당사자 사이의 이해관계에 미치는 중대한 영향을 고려하여 신중하게 이를 판정하여야 하고, 채무자의 재산처분행위가 사해행위가 되는지는 처분행위 당시를 기준으로 판단하여야 하며, 설령 재산처분행위가 정지조건부인 경우(예컨대 부도가 나서 사업을 폐지하는 경우를 정지조건으로 하여 채권을 양도하는 경우)라 하더라도 특별한 사정이 없는 한 마찬가지이다(대판 2013.6.28. 2013다8564).

④ 사해행위의 취소는 채권자와 수익자의 관계에서 상대적으로 채무자와 수익자 사이의 법률행위를 무효로 하는 데에 그치고 채무자와 수익자 사이의 법률관계에는 영향을 미치지 아니하므로, 채무자와 수익자 사이의 부동산매매계약이 사해행위로 취소되고 그에 따른 원상회복으로 수익자 명의의 소유권이전등기가 말소되어 채무자의 등기명의가 회복되더라도, 그 부동산은 취소채권자나 민법 제407조에 따라 사해행위 취소와 원상회복의 효력을 받는 채권자와 수익자 사이에서 채무자의 책임재산으로 취급될 뿐, 채무자가 직접 부동산을 취득하여 권리자가 되는 것은 아니다. (따라서) 채무자가 사해행위 취소로 등기명의를 회복한 부동산을 제3자에게 처분하더라도 이는 무권리자의 처분에 불과하여 효력이 없으므로, 채무자로부터 제3자에게 마쳐진 소유권이전등기나 이에 기초하여 순차로 마쳐진 소유권이전등기 등은 모두 원인무효의 등기로서 말소되어야 한다. 이 경우 취소채권자나 민법 제407조에 따라 사해행위 취소와 원상회복의 효력을 받는 채권자는 채무자의 책임재산으로 취급되는 부동산에 대한 강제집행을 위하여 원인무효 등기의 명의인을 상대로 등기의 말소를 청구할 수 있다(대판 2017.3.9. 2015다217980).

⑤ 사해행위취소의 소에서 채무자가 수익자에게 양도한 목적물에 저당권이 설정되어 있는 경우라면 그 목적물 중에서 일반채권자들의 공동담보에 제공되는 책임재산은 피담보채권액을 공제한 나머지 부분만이라고 할 것이고 그 피담보채권액이 목적물의 가액을 초과할 때는 당해 목적물의 양도는 사해행위에 해당한다고 할 수 없다. 그런데 (ㄱ) 수 개의 부동산에 공동저당권이 설정되어 있는 경우 책임재산을 산정함에 있어 각 부동산이 부담하는 피담보채권액은

특별한 사정이 없는 한 민법 제368조의 규정 취지에 비추어 공동저당권의 목적으로 된 각 부동산의 가액에 비례하여 「공동저당권의 피담보채권액을 안분한 금액」이라고 보아야 한다. (ㄴ) 그러나 그 수 개의 부동산 중 일부는 채무자의 소유이고 다른 일부는 물상보증인의 소유인 경우에는, 물상보증인이 민법 제481조, 제482조의 규정에 따른 변제자대위에 의하여 채무자 소유의 부동산에 대하여 저당권을 행사할 수 있는 지위에 있는 점 등을 고려할 때, 그 물상보증인이 채무자에 대하여 구상권을 행사할 수 없는 특별한 사정이 없는 한 채무자 소유의 부동산에 관한 피담보채권액은 「공동저당권의 피담보채권액 전액」으로 봄이 상당하다. 이러한 법리는 하나의 공유부동산 중 일부 지분이 채무자의 소유이고, 다른 일부 지분이 물상보증인의 소유인 경우에도 마찬가지로 적용된다. 이와 달리 채무자와 물상보증인의 공유인 부동산에 관하여 저당권이 설정되어 있고, 채무자가 그 부동산 중 자신의 지분을 양도하여 그 양도가 사해행위에 해당하는지를 판단할 때 채무자 소유의 부동산 지분이 부담하는 피담보채권액은 「원칙적으로 각 공유지분의 비율에 따라 분담된 금액」이라는 취지의 대판 2002.12.6, 2002다39715 판결과 대판 2005.12.9, 2005다39068 판결은 이 판결의 견해와 저촉되는 한도에서 변경하기로 한다(대판(전합) 2013.7.18, 2012다5643).

91 **채권자취소권에 관한 설명 중 옳은 것은?** (다툼이 있는 경우 판례에 의함) ▶ 2016년 변호사

① 채권자취소권을 특정물에 대한 소유권이전등기청구권을 보전하기 위하여 행사하는 것은 허용되지 않으므로 부동산의 제1양수인은 자신의 소유권이전등기청구권 보전을 위하여 양도인과 제2양수인 사이에서 이루어진 이중양도행위에 대하여 채권자취소권을 행사할 수는 없으나, 양도인이 부동산을 제2양수인에게 이중양도하고 소유권이전등기를 마침으로써 제1양수인이 양도인에 대해 취득하는 손해배상채권은 채권자취소권의 피보전채권이 될 수 있다.

② 채권자취소권을 행사하기 위해서는 처분행위 당시 채권자를 해하는 것이기만 하면 되므로, 사실심 변론종결 당시에 채무자가 자력을 회복하여 채권자를 해하지 않게 된 경우에도 채권자취소권 행사가 가능하다.

③ 수익자 또는 전득자의 악의의 증명책임은 채권자가 부담한다.

④ 채권자가 채무자의 채권자취소권을 대위행사하는 경우 채권자가 취소원인을 안 지 1년이 지났다면, 채무자가 그 취소원인을 안 날로부터 1년, 법률행위가 있은 날로부터 5년 내라도 채권자취소의 소를 제기할 수 없다.

⑤ 채권자는 사해행위의 취소와 원상회복을 청구함에 있어 사해행위의 취소만을 먼저 청구한 다음 원상회복을 나중에 청구할 수 있으며, 이 경우 사해행위 취소 청구가 민법 제406조 제2항에 정하여진 기간 안에 제기되었다면 원상회복의 청구는 그 기간이 지난 뒤에도 할 수 있다.

해설 ① 채권자취소권을 특정물에 대한 소유권이전등기청구권을 보전하기 위하여 행사하는 것은 허용되지 않으므로 부동산의 제1양수인은 자신의 소유권이전등기청구권 보전을 위하여 양도인

정답 ▶ 91 ⑤

과 제2양수인 사이에서 이루어진 이중양도행위에 대하여 채권자취소권을 행사할 수는 없고, 제1양수인이 양도인에 대해 취득하는 손해배상채권도 채권자취소권의 피보전채권이 될 수 없다(대판 1999.4.27, 98다56690).
② 채권자취소권을 행사하기 위해서는 사실심 변론종결 당시에도 채무자가 무자력이어야 한다(대판 2009.3.26, 2007다63102).
③ 수익자 또는 전득자의 악의는 채무자와는 달리 추정되기 때문에 자신들이 선의를 입증하여야 한다(대판 2010.4.29, 2009다104564).
④ 채권자가 채무자의 채권자취소권을 대위행사하는 경우, 채무자를 기준으로 하기 때문에 채무자가 그 취소원인을 안 날로부터 1년, 법률행위가 있은 날로부터 5년 내라면 채권자취소의 소를 제기할 수 있다(대판 2001.12.27, 2000다73049).
⑤ 채권자는 사해행위의 취소와 원상회복을 청구함에 있어 사해행위의 취소만을 먼저 청구한 다음 원상회복을 나중에 청구할 수 있으며, 이 경우 사해행위 취소 청구가 민법 제406조 제2항에 정하여진 기간 안에 제기되었다면 원상회복의 청구는 그 기간이 지난 뒤에도 할 수 있다(대판 2001.9.4, 2001다14108).

92 채권자취소권에 관한 다음 설명 중 가장 옳지 않은 것은? (다툼이 있는 경우 판례에 의함)
▶ 2015년 법무사

① 채무자와 물상보증인의 공유인 부동산에 관하여 저당권이 설정된 후 채무자가 자신의 지분을 양도한 경우, 그 양도가 사해행위에 해당하는지를 판단할 때 채무자 소유의 지분이 부담하는 피담보채권액은 특별한 사정이 없는 한 공동저당권의 피담보채권액 전액이다.
② 채무초과 상태에 있는 채무자가 여러 채권자 중 일부에게만 채무의 이행과 관련하여 그 채무의 본래 목적이 아닌 다른 채권 기타 적극재산을 양도하는 행위는, 채무자가 특정 채권자에게 채무의 내용에 좇은 이행을 하는 경우와는 달리 원칙적으로 다른 채권자들에 대한 관계에서 사해행위가 될 수 있다.
③ 채권자가 수익자를 상대로 사해행위의 취소를 구하는 소를 제기하여 채무자와 수익자 사이의 법률행위를 취소하는 내용의 판결이 확정되더라도, 채권자가 전득자에 대하여 채권자취소권을 행사하여 원상회복을 구하기 위해서는 민법 제406조 제2항에서 정한 기간 안에 별도로 전득자에 대한 관계에서 채무자와 수익자 사이의 사해행위를 취소하는 청구를 하여야 한다.
④ 채무자의 채권자는 사해행위의 수익자 또는 전득자에 대하여 회생절차가 개시되더라도 관리인을 상대로 사해행위의 취소 및 그에 따른 원물반환을 구하는 사해행위취소의 소를 제기할 수 있다.
⑤ 채무자가 제3채무자에 대한 채권을 특정 채권자에게 양도하였다가 채권양도가 사해행위라는 이유로 취소판결이 확정되었으나, 채권자가 그 채권에 대하여 채권압류 및 추심명령도 받은 경우, 그 채권자는 그 채권에 대한 제3채무자의 혼합공탁에 따른 배당절차에서 압류·추심명령을 받은 채권자의 지위에서 배당받을 수도 있고, 사해행위의 수익자인 그 채권의 양수인의 자격으로 배당받을 수도 있다.

해설 ① 채무자와 물상보증인의 공유인 부동산에 관하여 저당권이 설정된 후 채무자가 자신의 지분을 양도한 경우, 그 양도가 사해행위에 해당하는지를 판단할 때 채무자 소유의 지분이 부담하는 피담보채권액은 특별한 사정이 없는 한 공동저당권의 피담보채권액 전액이다. 따라서 채무자와 물상보증인의 지분비율범위에 한하여 부담한다고 하는 판결은 폐기되었다(대판(전합) 2013.7.18, 2012다5643).

② 채무초과 상태에 있는 채무자가 여러 채권자 중 일부에게만 채무의 이행과 관련하여 그 채무의 본래 목적이 아닌 다른 채권 기타 적극재산을 양도하는 행위는, 채무자가 특정 채권자에게 채무의 내용에 좇은 이행을 하는 경우와는 달리 원칙적으로 다른 채권자들에 대한 관계에서 사해행위가 될 수 있다(대판 2011.10.13, 2011다28045).

③ 수익자를 상대로 소를 제기하든, 전득자를 상대로 제기하든 각각 제척기간을 준수하여야 한다(대판 2014.2.13, 2012다204013).

④ 채무자의 채권자는 사해행위의 수익자 또는 전득자에 대하여 회생절차가 개시되더라도 관리인을 상대로 사해행위의 취소 및 그에 따른 원물반환을 구하는 사해행위취소의 소를 제기할 수 있다(대판 2014.9.4, 2014다36771).

⑤ 채무자가 제3채무자에 대한 채권을 특정 채권자에게 양도하였다가 채권양도가 사해행위라는 이유로 취소판결이 확정되었으나, 채권자가 당해 채권에 대하여 채권압류 및 추심명령도 받아 둔 경우에는, 당해 채권에 대한 제3채무자의 혼합공탁에 따른 배당절차에서 채권자가 사해행위의 수익자인 당해 채권의 양수인의 자격으로는 배당받을 수 없으나, 압류 및 추심명령을 받은 채권자의 지위에서 배당받는 것은 가능하다(대판 2014.3.27, 2011다107818).

93 채권자취소소송에 관한 설명 중 옳지 않은 것은? (다툼이 있는 경우에는 판례에 의함)

① 채권자취소권은 법원에 소를 제기하는 방법으로 행사하여야 하고, 피고가 소송에서 항변으로 행사할 수는 없다.

② 채권자취소소송은 사해행위로 인하여 이익을 받은 자나 그로부터 전득한 자를 피고로 하여야 하고, 채무자는 피고적격이 없다.

③ 사해행위취소판결의 기판력은 그 취소권을 행사한 채권자와 그 상대방인 수익자 또는 전득자에게 미치고, 채무자에게는 그가 소송계속 사실을 알았을 경우라도 미치지 않는다.

④ 채권자가 사해행위의 취소 및 원상회복을 구함에 대하여 법원이 원상회복으로 원물반환이 아닌 가액배상을 명하고자 할 경우, 곧바로 가액배상을 명할 수 없다.

⑤ 채무자 乙의 사해행위에 대하여 채권자 甲이 제기한 채권자취소소송의 계속 중, 다른 채권자 丙이 제기한 채권자취소소송은 중복소송에 해당하거나 권리보호의 이익이 없는 것으로 볼 수 없다.

해설 ① 채권자취소권은 법원에 소를 제기하는 방법으로 행사하여야 하고, 피고가 소송상의 공격방어방법으로 주장할 수 없다(대판 1995.7.25, 95다8393 등).

②, ③ 대판 2004.8.30, 2004다21923 등

정답 92 ⑤ 93 ④

④ 채권자가 사해행위의 취소 및 원상회복을 구함에 대하여 법원이 원상회복으로 원물반환이 아닌 가액배상을 명할 수 있다(대판 1996.10.29, 96다23207 등).

⑤ 채권자취소권의 요건을 갖춘 여러 명의 채권자가 동시에 또는 시기를 달리하여 사해행위취소 및 원상회복청구의 소를 제기한 경우 중복제소에 해당하는지 여부와 관련하여, 판례는 "채권자취소권의 요건을 갖춘 각 채권자는 고유의 권리로서 채무자의 재산처분 행위를 취소하고 그 원상회복을 구할 수 있는 것이므로 여러 명의 채권자가 동시에 또는 시기를 달리하여 사해행위취소 및 원상회복청구의 소를 제기한 경우 이들 소가 중복제소에 해당하지 아니할 뿐만 아니라, 어느 한 채권자가 동일한 사해행위에 관하여 사해행위취소 및 원상회복청구를 하여 승소판결을 받아 그 판결이 확정되었다는 것만으로는 그 후에 제기된 다른 채권자의 동일한 청구가 권리보호의 이익이 없게 되는 것은 아니고, 그에 기하여 재산이나 가액의 회복을 마친 경우에 비로소 다른 채권자의 사해행위취소 및 원상회복청구는 그와 중첩되는 범위 내에서 권리보호의 이익이 없게 된다."고 한다(대판 2008.4.24, 2007다84352).

94 사해행위취소에 관한 다음 설명 중 가장 옳지 않은 것은? (다툼이 있는 경우 판례에 의하고, 전원합의체 판결의 경우 다수의견에 의함) ▶ 2019년 9급(법원서기보)

① 상속의 포기는 민법 제406조 제1항에서 정하는 "재산권에 관한 법률행위"에 해당하지 아니하여 사해행위취소의 대상이 되지 못한다. 그러나 채무자가 채무초과 상태에서 자신의 부동산에 주택임대차보호법 제8조에 따라 최우선변제권이 있는 임차권을 설정하여 준 행위는 사해행위취소의 대상이 될 수 있다.

② 사해행위인 매매예약에 기하여 수익자 앞으로 가등기를 마친 후 전득자 앞으로 가등기 이전의 부기등기를 마치고 나아가 가등기에 기한 본등기까지 마쳤다 하더라도, 위 부기등기는 사해행위인 매매예약에 기초한 수익자의 권리의 이전을 나타내는 것으로서 부기등기에 의하여 수익자로서의 지위가 소멸하지는 아니하며, 채권자는 수익자를 상대로 사해행위인 매매예약의 취소를 청구할 수 있다. 그리고 수익자의 원물반환의무인 가등기말소의무의 이행이 불가능하게 되는 경우 특별한 사정이 없는 한 수익자는 가등기 및 본등기에 의하여 발생된 채권자들의 공동담보 부족에 관하여 원상회복의무로서 가액을 배상할 의무를 진다.

③ 사해행위의 목적인 부동산에 수 개의 저당권이 설정되어 있다가 사해행위 후 그 중 일부의 저당권만이 말소된 경우에도 사해행위의 취소에 따른 원상회복은 가액배상의 방법에 의하여야 하고, 그 경우 배상하여야 할 가액은 사해행위 취소시인 사실심 변론종결시를 기준으로 그 부동산의 가액에서 말소된 저당권의 피담보채권액만을 공제하여 산정하여야 한다.

④ 채권자가 사해행위의 취소와 함께 수익자 또는 전득자로부터 책임재산의 회복을 명하는 사해행위취소의 판결을 받은 경우 취소의 효과는 채권자와 수익자 또는 전득자 사이에만 미치므로, 수익자 또는 전득자가 채권자에 대하여 사해행위의 취소로 인한 원상회복 의무를 부담하게 될 뿐, 채권자와 채무자 사이에서 취소로 인한 법률관계가 형성되거나 취소의 효력이 소급하여 채무자의 책임재산으로 복구되는 것은 아니다.

해설 ① 상속의 포기는 비록 포기자의 재산에 영향을 미치는 바가 없지 아니하나 상속인으로서의 지위 자체를 소멸하게 하는 행위로서 순전한 재산법적 행위와 같이 볼 것이 아니다. 따라서 상속의 포기는 민법 제406조 제1항에서 정하는 '재산권에 관한 법률행위'에 해당하지 아니하여 사해행위취소의 대상이 되지 못한다(대판 2011.6.9, 2011다29307). 또한 주택임대차보호법 제8조의 소액보증금 최우선변제권은 임차목적 주택에 대하여 저당권에 의하여 담보된 채권, 조세 등에 우선하여 변제받을 수 있는 일종의 법정담보물권을 부여한 것이므로, 채무자가 채무초과상태에서 채무자 소유의 유일한 주택에 대하여 위 법조 소정의 임차권을 설정해 준 행위는 채무초과상태에서의 담보제공행위로서 채무자의 총재산의 감소를 초래하는 행위가 되는 것이고, 따라서 그 임차권설정행위는 사해행위취소의 대상이 된다(대판 2005.5.13, 2003다50771).

② 사해행위인 매매예약에 기하여 수익자 앞으로 가등기를 마친 후 전득자 앞으로 가등기 이전의 부기등기를 마치고 나아가 가등기에 기한 본등기까지 마쳤다 하더라도, 위 부기등기는 사해행위인 매매예약에 기초한 수익자의 권리의 이전을 나타내는 것으로서 부기등기에 의하여 수익자로서의 지위가 소멸하지는 아니하며, 채권자는 수익자를 상대로 사해행위인 매매예약의 취소를 청구할 수 있다. 그리고 설령 부기등기의 결과 가등기 및 본등기에 대한 말소청구소송에서 수익자의 피고적격이 부정되는 등의 사유로 인하여 수익자의 원물반환의무인 가등기말소의무의 이행이 불가능하게 된다 하더라도 달리 볼 수 없으며, 특별한 사정이 없는 한 수익자는 가등기 및 본등기에 의하여 발생된 채권자들의 공동담보 부족에 관하여 원상회복 의무로서 가액을 배상할 의무를 진다(대판(전합) 2015.5.21, 2012다952).

③ 어느 부동산에 관한 법률행위가 사해행위에 해당하는 경우에는 원칙적으로 그 사해행위를 취소하고 소유권이전등기의 말소 등 부동산 자체의 회복을 명하여야 하는 것이나, 저당권이 설정되어 있는 부동산에 관하여 사해행위가 이루어진 경우에 그 사해행위는 부동산의 가액에서 저당권의 피담보채권액을 공제한 잔액의 범위 내에서만 성립한다고 보아야 하므로 사해행위 후 변제 등에 의하여 저당권설정등기가 말소된 경우, 사해행위를 취소하여 그 부동산 자체의 회복을 명하는 것은 당초 일반 채권자들의 공동담보로 되어 있지 아니하던 부분까지 회복시키는 것이 되어 공평에 반하는 결과가 되어, 그 부동산의 가액에서 저당권의 피담보채권액을 공제한 잔액의 한도에서 사해행위를 취소하고 그 가액의 배상을 명할 수 있을 뿐이므로, 사해행위의 목적인 부동산에 수 개의 저당권이 설정되어 있다가 사해행위 후 그 중 일부의 저당권만이 말소된 경우에도 사해행위의 취소에 따른 원상회복은 가액배상의 방법에 의할 수밖에 없을 것이고, 그 경우 배상하여야 할 가액은 사해행위 취소시인 사실심변론 종결시를 기준으로 하여 그 부동산의 가액에서 말소된 저당권의 피담보채권액과 말소되지 아니한 저당권의 피담보채권액을 모두 공제하여 산정하여야 한다(대판 1998.2.13, 97다6711).

④ 채권자가 사해행위의 취소와 함께 수익자 또는 전득자로부터 책임재산의 회복을 명하는 사해행위취소의 판결을 받은 경우 그 취소의 효과는 채권자와 수익자 또는 전득자 사이에만 미치므로, 수익자 또는 전득자가 채권자에 대하여 사해행위의 취소로 인한 원상회복 의무를 부담하게 될 뿐, 채권자와 채무자 사이에서 그 취소로 인한 법률관계가 형성되거나 취소의 효력이 소급하여 채무자의 책임재산으로 복구되는 것은 아니다(대판 2014.6.12, 2012다47548).

정답 94 ③

95 채권자취소권에 관한 다음 설명 중 가장 옳지 않은 것은?

▶ 2020년 법무사

① 채권자가 채권자취소권을 행사하려면 사해행위로 인하여 이익을 받은 자나 전득한 자를 상대로 그 법률행위의 취소를 청구하는 소송을 제기하여야 되는 것으로서 채무자를 상대로 그 소송을 제기할 수는 없다.

② 이혼으로 인한 재산분할청구권은 이혼을 한 당사자의 일방이 다른 일방에 대하여 재산분할을 청구할 수 있는 권리로서 이혼이 성립한 때에 그 법적 효과로서 비로소 발생하는 것일 뿐만 아니라, 협의 또는 심판에 의하여 구체적 내용이 형성되기까지는 그 범위 및 내용이 불명확·불확정하기 때문에 구체적으로 권리가 발생하였다고 할 수 없으므로 협의 또는 심판에 의하여 구체화되지 않은 재산분할청구권은 채무자의 책임재산에 해당하지 아니하고, 이를 포기하는 행위 또한 채권자취소권의 대상이 될 수 없다.

③ 채무자가 사해행위 취소로 등기명의를 회복한 부동산을 제3자에게 처분하더라도 이는 무권리자의 처분에 불과하여 효력이 없으므로, 제3자에게 마쳐진 소유권이전등기나 이에 기초하여 순차로 마쳐진 소유권이전등기 등은 모두 원인무효의 등기로서 말소되어야 한다. 이 경우 취소채권자나 민법 제407조에 따라 사해행위 취소와 원상회복의 효력을 받는 채권자는 채무자의 책임재산으로 취급되는 부동산에 대한 강제집행을 위하여 원인무효 등기의 명의인을 상대로 등기의 말소를 청구할 수 있다.

④ 건축 중인 건물 외에 별다른 재산이 없는 채무자가 건축 중인 건물을 양도하기 위해 수익자 앞으로 건축주명의를 변경해주기로 약정한 때에 이러한 건축주명의변경 약정은 민법 제406조 제1항의 재산권을 목적으로 한 법률행위에 해당한다고 볼 수 없으므로 다른 일반채권자의 이익을 해하는 사해행위가 된다고 할 수 없다.

⑤ 채권자취소권의 요건을 갖춘 각 채권자는 고유의 권리로서 채무자의 재산처분행위를 취소하고 그 원상회복을 구할 수 있는 것이지만, 어느 한 채권자가 동일한 사해행위에 관하여 채권자취소 및 원상회복청구를 하여 승소판결을 받아 그 판결이 확정되고 그에 기하여 재산이나 가액의 회복을 마친 경우에는, 다른 채권자의 채권자취소 및 원상회복청구는 그와 중첩되는 범위 내에서 권리보호의 이익이 없게 된다.

해설 ① 사해행위취소소송의 피고적격에 관한 내용이다. 채권자가 채권자취소권을 행사하려면 사해행위로 인하여 이익을 받은 자나 전득한 자를 상대로 그 법률행위의 취소를 청구하는 소송을 제기하여야 되는 것으로서 채무자를 상대로 그 소송을 제기할 수는 없다(대판 2004.8.30, 2004다21923).

② 이혼으로 인한 재산분할청구권은 이혼을 한 당사자의 일방이 다른 일방에 대하여 재산분할을 청구할 수 있는 권리로서 이혼이 성립한 때에 그 법적 효과로서 비로소 발생하는 것일 뿐만 아니라, 협의 또는 심판에 의하여 구체적 내용이 형성되기까지는 그 범위 및 내용이 불명확·불확정하기 때문에 구체적으로 권리가 발생하였다고 할 수 없으므로 협의 또는 심판에 의하여 구체화되지 않은 재산분할청구권은 채무자의 책임재산에 해당하지 아니하고, 이를 포기하는 행위 또한 채권자취소권의 대상이 될 수 없다(대판 2013.10.11, 2013다7936).

③ 채무자가 사해행위 취소로 등기명의를 회복한 부동산을 제3자에게 처분하더라도 이는 무권리자의 처분에 불과하여 효력이 없으므로, 채무자로부터 제3자에게 마쳐진 소유권이전등기

나 이에 기초하여 순차로 마쳐진 소유권이전등기 등은 모두 원인무효의 등기로서 말소되어야 한다. 이 경우 취소채권자나 민법 제407조에 따라 사해행위 취소와 원상회복의 효력을 받는 채권자는 채무자의 책임재산으로 취급되는 부동산에 대한 강제집행을 위하여 원인무효 등기의 명의인을 상대로 등기의 말소를 청구할 수 있다(대판 2017.3.9. 2015다217980).

④ 건축 중인 건물 외에 별다른 재산이 없는 채무자가 수익자에게 책임재산인 위 건물을 양도하기 위해 수익자 앞으로 건축주명의를 변경해주기로 약정하였다면 위 양도 약정이 포함되어 있다고 볼 수 있는 건축주명의변경 약정은 채무자의 재산감소 효과를 가져오는 행위로서 다른 일반채권자의 이익을 해하는 사해행위가 될 수 있다(대판 2017.4.27. 2016다279206).

⑤ 채권자취소권의 요건을 갖춘 각 채권자는 고유의 권리로서 채무자의 재산처분행위를 취소하고 그 원상회복을 구할 수 있는 것이지만, 어느 한 채권자가 동일한 사해행위에 관하여 채권자취소 및 원상회복청구를 하여 승소판결을 받아 그 판결이 확정되고 그에 기하여 재산이나 가액의 회복을 마친 경우에는, 다른 채권자의 채권자취소 및 원상회복청구는 그와 중첩되는 범위 내에서 권리보호의 이익이 없게 된다(대판 2005.3.24. 2004다65367).

96 채권자취소권에 관한 다음 설명 중 가장 옳지 않은 것은?

▶ 2020년 법무사

① 특정물에 대한 소유권이전등기청구권을 보전하기 위하여 채권자취소권을 행사하는 것은 허용되지 않으므로, 부동산의 제1양수인은 자신의 소유권이전등기청구권 보전을 위하여 양도인과 제3자 사이에서 이루어진 이중양도행위에 대하여 채권자취소권을 행사할 수 없다.

② 부동산을 매수하여 소유권이전등기청구권을 가지고 있는 자가 매도인이 제3자에게 이를 이중으로 양도하여 소유권이전등기를 경료하여 줌으로써 취득하게 되는 부동산 가액 상당의 손해배상채권은 금전채권이므로 이중양도행위에 대하여 사해행위취소권을 행사할 수 있는 피보전채권에 해당한다.

③ 채권자취소권에 의하여 보호될 수 있는 채권은 원칙적으로 사해행위라고 볼 수 있는 행위가 행하여지기 전에 발생된 것임을 요하지만, 그 사해행위 당시에 이미 채권 성립의 기초가 되는 법률관계가 발생되어 있고, 가까운 장래에 그 법률관계에 터잡아 채권이 성립되리라는 점에 대한 고도의 개연성이 있으며, 실제로 가까운 장래에 그 개연성이 현실화되어 채권이 성립된 경우에는, 그 채권도 채권자취소권의 피보전채권이 될 수 있다.

④ 신용카드가입계약은 신용카드의 발행 및 관리, 신용카드의 이용과 관련된 대금의'결제에 관한 기본적 사항을 포함하고 있기는 하나 그에 기하여 신용카드업자의 채권이 바로 성립되는 것은 아니고, 신용카드를 발행받은 신용카드회원이 신용카드를 사용하여 신용카드가맹점으로부터 물품을 구매하거나 용역을 제공받음으로써 성립하는 신용카드매출채권을 신용카드가맹점이 신용카드업자에게 양도하거나, 신용카드업자로부터 자금의 융통을 받는 별개의 법률관계에 의하여 비로소 채권이 성립하는 것이므로, 단순히 신용카드가입계약만을 가리켜 채권성립의 기초가 되는 법률관계에 해당한다고 할 수는 없다.

정답 ▶ 95 ④   96 ②

⑤ 채무자가 채권자와 신용카드가입계약을 체결하고 신용카드를 발급받았으나 유일한 재산인 아파트를 매도한 이후에 비로소 신용카드를 사용하기 시작하여 카드대금을 연체하게 되었다면 그 신용카드대금채권은 사해행위의 피보전채권이 될 수 없다.

해설 ① 채권자취소권을 특정물에 대한 소유권이전등기청구권을 보전하기 위하여 행사하는 것은 허용되지 않으므로, 부동산의 제1양수인은 자신의 소유권이전등기청구권 보전을 위하여 양도인과 제3자 사이에서 이루어진 이중양도행위에 대하여 채권자취소권을 행사할 수 없다(대판 1999.4.27, 98다56690).

② 부동산을 양도받아 소유권이전등기청구권을 가지고 있는 자가 양도인이 제3자에게 이를 이중으로 양도하여 소유권이전등기를 경료하여 줌으로써 취득하는 부동산 가액 상당의 손해배상채권은 이중양도행위에 대한 사해행위취소권을 행사할 수 있는 피보전채권에 해당한다고 할 수 없다(대판 1999.4.27, 98다56690).

③,④,⑤ 채권자취소권에 의하여 보호될 수 있는 채권은 원칙적으로 사해행위라고 볼 수 있는 행위가 행하여지기 전에 발생된 것임을 요하지만, 그 사해행위 당시에 이미 채권 성립의 기초가 되는 법률관계가 발생되어 있고, 가까운 장래에 그 법률관계에 터잡아 채권이 성립되리라는 점에 대한 고도의 개연성이 있으며, 실제로 가까운 장래에 그 개연성이 현실화되어 채권이 성립된 경우에는, 그 채권도 채권자취소권의 피보전채권이 될 수 있다. 그러나 신용카드가입계약은 신용카드의 발행 및 관리, 신용카드의 이용과 관련된 대금의 결제에 관한 기본적 사항을 포함하고 있기는 하나 그에 기하여 신용카드업자의 채권이 바로 성립되는 것은 아니고, 신용카드를 발행받은 신용카드회원이 신용카드를 사용하여 신용카드가맹점으로부터 물품을 구매하거나 용역을 제공받음으로써 성립하는 신용카드매출채권을 신용카드가맹점이 신용카드업자에게 양도하거나, 신용카드업자로부터 자금의 융통을 받는 별개의 법률관계에 의하여 비로소 채권이 성립하는 것이므로, 단순히 신용카드가입계약만을 가리켜 여기에서 말하는 '채권성립의 기초가 되는 법률관계'에 해당한다고 할 수는 없다. 따라서 채무자가 채권자와 신용카드가입계약을 체결하고 신용카드를 발급받았으나 자신의 유일한 부동산을 매도한 후에 비로소 신용카드를 사용하기 시작하여 신용카드대금을 연체하게 된 경우, 그 신용카드대금채권은 사해행위 이후에 발생한 채권에 불과하여 사해행위의 피보전채권이 될 수 없다(대판 2004.11.12, 2004다40955).

97 채권자취소권에 관한 아래 〈사례〉에 대한 다음 〈설명〉 중 옳은 것을 모두 고른 것은? (다툼이 있는 경우 판례에 의하고, 전원합의체 판결의 경우 다수의견에 의함) ▸ 2019년 법원행시

┤ 사례 ├

○ 2016.1.1. 甲은 乙에게 5천만원을 대여하였다.

○ 2016.6.1. 乙은 A은행으로부터 2천만원을 빌리면서 자신 소유의 유일한 재산인 X토지에 관하여 1순위 근저당권(채권최고액 3천만원)을 설정하였다.

○ 2016.7.1. 乙은 B은행으로부터 1천만원을 빌리면서 위 X토지에 관하여 2순위 근저당권(채권최고액 2천만원)을 설정하였다.

○ 2017.3.1. 乙은 위 X토지(당시 시가 7천만원)를 처남 丙에게 5천만원에 매도하고, 같은 날 丙 앞으로 소유권이전등기를 마쳐 주었다.

○ 2017.3.15. 丙은 A은행에 대한 2천만원의 피담보채무액 전액을 변제하고 1순위 근저당권설정등기를 말소하였다.

○ 2017.6.1. 甲은 乙의 위 X토지 매도사실과 그로 인해 乙이 무자력이 된 사실을 알게 되었다.

○ 2018.5.1. 甲은 乙과 丙 사이의 매매행위가 사해행위라고 주장하면서, 乙과 丙을 상대로 위 2017.3.1.자 매매계약의 취소 및 원상회복을 구하는 소를 제기하였다.

○ 2018.12.31. 甲이 제기한 소송의 변론이 종결되었다(변론종결일 현재 甲이 가진 대여금채권의 원금, 이자 및 지연손해금의 합계는 6천 5백만원이고, X토지의 시가는 8천만원이며, B은행에 대한 乙의 피담보채무액 1천만원은 변동이 없다).

〈설명〉

ㄱ. 甲이 乙을 상대로 한 소제기는 피고적격이 없어 부적법하다.

ㄴ. 丙을 상대로 한 소송에서 법원은 사해행위취소에 따른 원상회복으로서 丙 명의의 소유권이전등기의 말소등기절차의 이행을 명할 수 있다.

ㄷ. 법원이 사해행위취소에 따른 원상회복으로서 丙에게 가액배상을 명한다면, 丙이 甲에게 지급하여야 할 금액은 6천 5백만원이다.

ㄹ. 법원이 사해행위취소에 따른 원상회복으로서 丙에게 가액배상을 명한다면, 丙이 甲에게 지급하여야 할 금액은 5천만원이다.

① ㄱ, ㄴ   ② ㄱ, ㄹ   ③ ㄴ, ㄷ

④ ㄱ, ㄴ, ㄷ   ⑤ ㄱ, ㄷ

해설 ㄱ. 채권자가 채권자취소권을 행사하려면 사해행위로 인하여 이익을 받은 자나 전득한 자를 상대로 그 법률행위의 취소를 청구하는 소송을 제기하여야 되는 것으로서, 채무자를 상대로 그 소송을 제기할 수는 없다(대판 1991.8.13. 91다13717). 즉 채무자를 상대로 한 소는 당사자적격이 없어 부적법하다.

ㄴ. 부동산에 관한 법률행위가 사해행위에 해당하는 경우에는 원칙적으로 그 사해행위를 취소하고 소유권이전등기의 말소 등 부동산 자체의 회복을 명하는 것이 원칙이지만, 저당권이 설정되어 있는 부동산에 관하여 사해행위가 이루어진 경우에 그 사해행위는 부동산의 가액에서 저당권의 피담보채권액을 공제한 잔액의 범위 내에서만 성립한다고 보아야 하므로, 사해행위 후 변제 등에 의하여 저당권설정등기가 말소된 경우, 사해행위를 취소하여 그 부동산의 자체의 회복을 명하는 것은 당초 일반 채권자들의 공동담보로 되어 있지 아니하던 부분까지 회복을 명하는 것이 되어 공평에 반하는 결과가 되므로, 그 부동산의 가액에서 저당권의 피담보채무액을 공제한 잔액의 한도에서 사해행위를 취소하고 그 가액의 배상을 구할 수 있을 뿐이고, 그와 같은 가액 산정은 사실심 변론종결시를 기준으로 하여야 한다(대판 1999.9.7, 98다41490).

ㄷ.ㄹ. 어느 부동산에 관한 법률행위가 사해행위에 해당하는 경우에는 원칙적으로 그 사해행위를 취소하고 소유권이전등기의 말소 등 부동산 자체의 회복을 명하여야 하는 것이나, 저당권이 설정되어 있는 부동산에 관하여 사해행위가 이루어진 경우에 그 사해행위는 부동산의 가액에서 저당권의 피담보채권액을 공제한 잔액의 범위 내에서만 성립한다고 보아야 하므로 사해행위 후 변제 등에 의하여 저당권설정등기가 말소된 경우, 사해행위를 취소하여 그 부동산 자체의 회복을 명하는 것은 당초 일반 채권자들의 공동담보로 되어 있지 아니하던 부분까지 회복시키는 것이 되어 공평에 반하는 결과가 되어, 그 부동산의 가액에서 저당권의 피담보채권액을 공제한 잔액의 한도에서 사해행위를 취소하고 그 가액의 배상을 명할 수 있을 뿐이므로, 사해행위의 목적인 부동산에 수 개의 저당권이 설정되어 있다가 사해행위 후 그 중 일부의 저당권만이 말소된 경우에도 사해행위의 취소에 따른 원상회복은 가액배상의 방법에 의할 수밖에 없을 것이고, 그 경우 배상하여야 할 가액은 사해행위 취소시인 사실심변론 종결시를 기준으로 하여 그 부동산의 가액에서 말소된 저당권의 피담보채권액과 말소되지 아니한 저당권의 피담보채권액을 모두 공제하여 산정하여야 한다(대판 1998.2.13, 97다6711). 한편, 가액배상은 채권자의 피보전채권액(결국 채권자는 자신의 피보전채권액을 초과하여 가액배상을 구할 수 없다)과 목적물의 공동담보가액 중 적은 금액을 한도로 이루어진다. 이 중 (ㄱ) 채권자의 피보전채권액은 우선변제권이 확보되어 있는 경우 그 부분만큼은 공제하고, 이자나 지연손해금이 발생하는 경우에는 사실심변론 종결시까지의 발생분을 포함한다. 반면, (ㄴ) 목적물의 공동담보가액을 산정함에 있어서는 목적물의 가액에서 말소된 저당권의 피담보채권액은 물론이고, 말소되지 아니한 다른 저당권이 있을 경우 그 저당권의 피담보채권액까지 모두 공제하여 산정하여야 하고, 목적물의 가액 및 피담보채권액 산정의 기준시점은 사실심변론 종결시가 된다. 설정된 담보물권이 근저당권인 경우 채권최고액이 아니라 변론종결 당시 실제 피담보채권액을 공제하여야 한다. 따라서 사안의 경우, 변론종결일 당시 甲의 피보전채권액은 6천 5백만원이고, 목적물의 공동담보가액은 X토지의 시가 8천만원에서 이미 말소된 A은행의 근저당권 피담보채권액 2천만원과 아직 말소되지 아니한 B은행의 피담보채권액 1천만원 모두를 공제한 잔액은 5천만원이 되므로, 결국 법원은 5천만원의 가액배상을 명하여야 한다.

98 **채권자취소권에 관한 다음 설명 중 가장 옳지 않은 것은?** ▸ 2021년 법원서기보

① 점유취득시효 완성 후 부동산 소유자가 이를 처분한 경우 점유자는 시효취득을 원인으로 한 소유권이전등기청구권을 피보전채권으로 하여 채권자취소권을 행사할 수 있다.

② 채권자가 수익자를 상대로 사해행위취소의 소를 제기한 경우 수익자는 취소채권자의 채권이 시효로 소멸하였음을 주장할 수 있다.

③ 채무자가 채권자와 신용카드가입계약을 체결하고 신용카드를 발급받았으나 자신의 유일한 부동산을 매도한 후에 비로소 신용카드를 사용하기 시작하여 신용카드대금을 연체하게 된 경우, 그 신용카드대금채권은 사해행위 이후에 발생한 채권에 불과하여 사해행위의 피보전채권이 될 수 없다.

④ 수익자를 상대로 한 사해행위 취소소송에서 승소하였더라도 전득자에 대하여 원상회복을 구하기 위해서는 민법 제406조 제2항에서 정한 기간 내에 별도로 전득자에 대하여 채권자취소권을 행사하여야 한다.

해설 ① 채권자취소권을 특정물에 대한 소유권이전등기청구권을 보전하기 위하여 행사하는 것은 허용되지 않으므로, 부동산의 제1양수인은 자신의 소유권이전등기청구권 보전을 위하여 양도인과 제3자 사이에서 이루어진 이중양도행위에 대하여 채권자취소권을 행사할 수 없다(대판 1999.4.27, 98다56690). 따라서 취득시효의 대상인 부동산의 소유자가 취득시효 완성 후에 이를 처분하여 채권자의 시효취득을 원인으로 한 소유권이전등기청구권이 침해되었음을 이유로 하는 경우에는 채권자취소권을 인정할 수 없다(대판 1992.11.24, 92다33855·33862).

② 소멸시효를 원용할 수 있는 사람은 권리의 소멸에 의하여 직접 이익을 받는 자에 한정되는바, 사해행위취소소송의 상대방이 된 사해행위의 수익자는, 사해행위가 취소되면 사해행위에 의하여 얻은 이익을 상실하고 사해행위취소권을 행사하는 채권자의 채권이 소멸하면 그와 같은 이익의 상실을 면하는 지위에 있으므로, 그 채권의 소멸에 의하여 직접 이익을 받는 자에 해당하는 것으로 보아야 한다(대판 2007.11.29, 2007다54849).

③ 채권자취소권에 의하여 보호될 수 있는 채권은 원칙적으로 사해행위라고 볼 수 있는 행위가 행하여지기 전에 발생된 것임을 요하지만, 그 사해행위 당시에 이미 채권 성립의 기초가 되는 법률관계가 발생되어 있고, 가까운 장래에 그 법률관계에 터 잡아 채권이 성립되리라는 점에 대한 고도의 개연성이 있으며, 실제로 가까운 장래에 그 개연성이 현실화되어 채권이 성립된 경우에는, 그 채권도 채권자취소권의 피보전채권이 될 수 있다. (그러나) 신용카드가입계약은 신용카드의 발행 및 관리, 신용카드의 이용과 관련된 대금의 결제에 관한 기본적 사항을 포함하고 있기는 하나 그에 기하여 신용카드업자의 채권이 바로 성립되는 것은 아니므로, 단순히 신용카드가입계약만을 가리켜 여기에서 말하는 '채권성립의 기초가 되는 법률관계'에 해당한다고 할 수는 없다(대판 2004.11.12, 2004다40955).

④ 채권자가 수익자를 상대로 사해행위의 취소를 구하는 소를 이미 제기하여 채무자와 수익자 사이의 법률행위를 취소하는 내용의 판결을 선고받아 확정되었더라도 그 판결의 효력은 그 소송의 피고가 아닌 전득자에게는 미칠 수 없는 것이므로, 채권자가 그 소송과는 별도로 전득자에 대하여 채권자취소권을 행사하여 원상회복을 구하기 위해서는 위에서 본 법리에 따라 민법 제406조 제2항에서 정한 기간 안에 전득자에 대한 관계에 있어서 채무자와 수익자 사이의 사해행위를 취소하는 청구를 하지 않으면 아니 된다(대판 2005.6.9, 2004다17535).

정답 98 ①

99 다음 설명 중 가장 옳지 않은 것은? ▶ 2021년 법무사

① 채권자가 사해행위의 취소로서 수익자를 상대로 채무자와의 법률행위의 취소를 구함과 아울러 전득자를 상대로도 전득행위의 취소를 구함에 있어서, 전득자의 악의는 전득행위 당시 채무자와 수익자 사이의 법률행위가 채권자를 해한다는 사실, 즉 사해행위의 객관적 요건을 구비하였다는 것에 대한 인식을 의미한다. 한편 사해행위취소소송에서 채무자의 악의의 점에 대하여는 취소를 주장하는 채권자에게 증명책임이 있으나 수익자 또는 전득자가 악의라는 점에 관하여는 증명책임이 채권자에게 있는 것이 아니고 수익자 또는 전득자 자신에게 선의라는 사실을 증명할 책임이 있으며, 채무자의 재산처분행위가 사해행위에 해당할 경우에 사해행위 또는 전득행위 당시 수익자 또는 전득자가 선의였음을 인정함에 있어서는 객관적이고도 납득할 만한 증거자료 등에 의하여야 하고, 채무자나 수익자의 일방적인 진술이나 제3자의 추측에 불과한 진술 등에만 터 잡아 사해행위 또는 전득행위 당시 수익자 또는 전득자가 선의였다고 선뜻 단정하여서는 아니 된다.

② 상속재산의 분할협의는 상속이 개시되어 공동상속인 사이에 잠정적 공유가 된 상속재산에 대하여 그 전부 또는 일부를 각 상속인의 단독소유로 하거나 새로운 공유관계로 이행시킴으로써 상속재산의 귀속을 확정시키는 것에 불과하므로 사해행위취소권 행사의 대상이 될 수 없다. 따라서 채무자가 자기의 유일한 재산인 부동산을 매각하여 소비하기 쉬운 금전으로 바꾸거나 타인에게 무상으로 이전하여 주는 행위가 채권자에 대하여 사해행위가 되는 것과 달리, 이미 채무초과 상태에 있는 채무자가 상속재산의 분할협의를 하면서 자신의 상속분에 관한 권리를 포기하였다고 하더라도 채권자에 대한 사해행위에 해당한다고 할 수는 없다.

③ 근저당권이 설정되어 있는 부동산에 관하여 사해행위가 이루어진 후 근저당권이 말소되어 그 부동산의 가액에서 근저당권 피담보채무액을 공제한 나머지 금액의 한도에서 사해행위를 취소하고 가액의 배상을 명하는 경우 그 가액의 산정은 사실심 변론종결 시를 기준으로 하여야 하고, 이 경우 사해행위가 있은 후 그 부동산에 관한 권리를 취득한 전득자에 대하여는 사실심 변론종결 시의 부동산 가액에서 말소된 근저당권 피담보채무액을 공제한 금액과 사실심 변론종결 시를 기준으로 한 취소채권자의 채권액 중 적은 금액의 한도 내에서 그가 취득한 이익에 대해서만 가액배상을 명할 수 있다.

④ 부동산에 관한 법률행위가 사해행위에 해당하는 경우에는 채무자의 책임재산을 보전하기 위하여 사해행위를 취소하고 원상회복을 명하여야 한다. 수익자는 채무자로부터 받은 재산을 반환하는 것이 원칙이지만, 그 반환이 불가능하거나 곤란한 사정이 있는 때에는 그 가액을 반환하여야 한다. 사해행위를 취소하여 부동산 자체의 회복을 명하게 되면 당초 일반 채권자들의 공동담보로 되어 있지 않던 부분까지 회복을 명하는 것이 되어 공평에 반하는 결과가 되는 경우에는 그 부동산의 가액에서 공동담보로 되어 있지 않던 부분의 가액을 뺀 나머지 금액 한도에서 가액반환을 명할 수 있다.

⑤ 채권자취소의 소는 채권자가 취소원인을 안 날로부터 1년 내에 제기하여야 한다(민법 제406조 제2항). 여기에서 취소원인을 안다는 것은 단순히 채무자의 법률행위가 있었다는 사실을 아는 것만으로는 부족하고, 그 법률행위가 채권자를 불리하게 하는 행위라는 것, 즉 그 행위에 의하여 채권의 공동담보에 부족이 생기거나 이미 부족상태에 있는 공동담보가 한층 더 부족하게 되어 채권을 완전하게 만족시킬 수 없게 된다는 것까지 알아야 한다.

해설 ① 채권자가 사해행위의 취소로서 수익자를 상대로 채무자와의 법률행위의 취소를 구함과 아울러 전득자를 상대로도 전득행위의 취소를 구함에 있어서, 전득자의 악의는 전득행위 당시 채무자와 수익자 사이의 법률행위가 채권자를 해한다는 사실, 즉 사해행위의 객관적 요건을 구비하였다는 것에 대한 인식을 의미한다. 한편 사해행위취소소송에서 채무자의 악의의 점에 대하여는 취소를 주장하는 채권자에게 증명책임이 있으나, 수익자 또는 전득자가 악의라는 점에 관하여는 증명책임이 채권자에게 있는 것이 아니고 수익자 또는 전득자 자신에게 선의라는 사실을 증명할 책임이 있으며, 채무자의 재산처분행위가 사해행위에 해당할 경우에 사해행위 또는 전득행위 당시 수익자 또는 전득자가 선의였음을 인정함에 있어서는 객관적이고도 납득할 만한 증거자료 등에 의하여야 하고, 채무자나 수익자의 일방적인 진술이나 제3자의 추측에 불과한 진술 등에만 터 잡아 사해행위 또는 전득행위 당시 수익자 또는 전득자가 선의였다고 선뜻 단정하여서는 아니 된다(대판 2015.6.11, 2014다237192).

② 상속재산의 분할협의는 상속이 개시되어 공동상속인 사이에 잠정적 공유가 된 상속재산에 대하여 그 전부 또는 일부를 각 상속인의 단독소유로 하거나 새로운 공유관계로 이행시킴으로써 상속재산의 귀속을 확정시키는 것으로 그 성질상 재산권을 목적으로 하는 법률행위이므로 사해행위취소권 행사의 대상이 될 수 있다. 다만 채무초과 상태에 있는 채무자가 상속재산의 분할협의를 하면서 상속재산에 관한 권리를 포기함으로써 결과적으로 일반 채권자에 대한 공동담보가 감소되었다 하더라도, 그 재산분할결과가 위 구체적 상속분에 상당하는 정도에 미달하는 과소한 것이라고 인정되지 않는 한 사해행위로서 취소되어야 할 것은 아니고, 구체적 상속분에 상당하는 정도에 미달하는 과소한 경우에도 사해행위로서 취소되는 범위는 그 미달하는 부분에 한정하여야 한다. 이때 지정상속분이나 기여분, 특별수익 등의 존부 등 구체적 상속분이 법정상속분과 다르다는 사정은 채무자가 주장·입증하여야 할 것이다(대판 2001.2.9, 2000다51797).

③ 근저당권이 설정되어 있는 부동산에 관하여 사해행위가 이루어진 후 근저당권이 말소되어 그 부동산의 가액에서 근저당권 피담보채무액을 공제한 나머지 금액의 한도에서 사해행위를 취소하고 가액의 배상을 명하는 경우 그 가액의 산정은 사실심 변론종결 시를 기준으로 하여야 하고, 이 경우 사해행위가 있은 후 그 부동산에 관한 권리를 취득한 전득자에 대하여는 사실심 변론종결 시의 부동산 가액에서 말소된 근저당권 피담보채무액을 공제한 금액과 사실심 변론종결 시를 기준으로 한 취소채권자의 채권액 중 적은 금액의 한도 내에서 그가 취득한 이익에 대해서만 가액배상을 명할 수 있다(대판 2019.4.11, 2018다203715).

④ 부동산에 관한 법률행위가 사해행위에 해당하는 경우에는 채무자의 책임재산을 보전하기 위하여 사해행위를 취소하고 원상회복을 명하여야 한다. 수익자는 채무자로부터 받은 재산을 반환하는 것이 원칙이지만, 그 반환이 불가능하거나 곤란한 사정이 있는 때에는 그 가액을

반환하여야 한다. 사해행위를 취소하여 부동산 자체의 회복을 명하게 되면 당초 일반 채권자들의 공동담보로 되어 있지 않던 부분까지 회복을 명하는 것이 되어 공평에 반하는 결과가 되는 경우에는 그 부동산의 가액에서 공동담보로 되어 있지 않던 부분의 가액을 뺀 나머지 금액 한도에서 가액반환을 명할 수 있다(대판 2018.9.13, 2018다215756).

⑤ 채권자취소의 소는 채권자가 취소원인을 안 날로부터 1년 내에 제기하여야 한다(민법 제406조 제2항). 여기에서 취소원인을 안다는 것은 단순히 채무자의 법률행위가 있었다는 사실을 아는 것만으로는 부족하고, 그 법률행위가 채권자를 불리하게 하는 행위라는 것, 즉 그 행위에 의하여 채권의 공동담보에 부족이 생기거나 이미 부족상태에 있는 공동담보가 한층 더 부족하게 되어 채권을 완전하게 만족시킬 수 없게 된다는 것까지 알아야 한다(대판 2018.9.13, 2018다215756).

100 채권자취소권에 관한 다음 설명 중 가장 옳지 않은 것은?　▶ 2020년 법원행시

① 이미 채무초과 상태에 있는 채무자가 상속을 포기하는 것은 사해행위취소의 대상이 되지 않는다. 그러나 이미 채무초과상태에 있는 채무자가 상속재산분할협의를 하면서 자신의 상속분에 관한 권리를 포기하는 것은 사해행위취소의 대상이 될 수 있고, 마찬가지로 유증을 포기하는 것도 사해행위취소의 대상이 될 수 있다.

② 채무자와 수익자 사이의 저당권설정행위가 사해행위로 인정되어 저당권설정계약이 취소되는 경우에도 당해 부동산이 이미 매각절차에 의하여 매각되어 대금이 완납되었을 때에는 낙찰인의 소유권취득에는 영향을 미칠 수 없으므로, 수익자는 채권자취소권의 행사에 따르는 원상회복의 방법으로 자신이 받은 배당금을 반환하여야 한다.

③ 부동산을 양도받아 소유권이전등기청구권을 가지고 있는 자가 양도인이 제3자에게 이를 이중으로 양도하여 소유권이전등기를 경료하여 줌으로써 취득하는 부동산 가액 상당의 손해배상채권은 그 이중양도행위에 대한 사해행위취소권을 행사할 수 있는 피보전채권에 해당한다고 할 수 없다.

④ 채무자가 유일한 재산인 그 소유의 부동산에 관한 매매예약에 따른 예약완결권이 제척기간 경과가 임박하여 소멸할 예정인 상태에서 제척기간을 연장하기 위하여 새로 매매예약을 하는 행위는 채권자취소권의 대상인 사해행위가 될 수 있다.

⑤ 채권자취소권의 요건을 갖춘 각 채권자가 동시 또는 이시에 사해행위의 취소 및 원상회복을 구하는 소송을 제기하였다 하여도 그중 어느 소송에서 승소판결이 선고·확정되고 그에 기하여 재산이나 가액의 회복을 마치기 전에는 각 소송이 중복제소에 해당한다거나 권리보호의 이익이 없게 되는 것은 아니다.

해설 ① ⅰ) 상속의 포기는 민법 제406조 제1항에서 정하는 '재산권에 관한 법률행위'에 해당하지 아니하여 사해행위취소의 대상이 되지 못한다(대판 2011.6.9, 2011다29307). 반면 ⅱ) 이미 채무초과 상태에 있는 채무자가 상속재산의 분할협의를 하면서 자신의 상속분에 관한 권리를 포기함으로써 일반채권자에 대한 공동담보가 감소한 경우에는 원칙적으로 채권자에 대한 사해행위에 해당한다(대판 2007.7.26, 2007다29119). 그러나 ⅲ) 유증을 받을 자는 유언자의 사망 후에 언제든지 유증을 승인 또는 포기할 수 있고, 그 효력은 유언자가 사망한 때에 소급하여 발생하므로(민법 제1074조), 채무초과 상태에 있는 채무자라도 자유롭게 유증을 받을 것을 포기할 수 있다. 또한 채무자의 유증 포기가 직접적으로 채무자의 일반재산을 감소시켜 채무자의 재산을 유증 이전의 상태보다 악화시킨다고 볼 수도 없다. 따라서 유증을 받을 자가 이를 포기하는 것은 사해행위 취소의 대상이 되지 않는다(대판 2019.1.17, 2018다260855).

② 채무자와 수익자 사이의 저당권설정행위가 사해행위로 인정되어 저당권설정계약이 취소되는 경우에도 당해 부동산이 이미 입찰절차에 의하여 낙찰되어 대금이 완납되었을 때에는 낙찰인의 소유권취득에는 영향을 미칠 수 없으므로, 채권자취소권의 행사에 따르는 원상회복의 방법으로 입찰인의 소유권이전등기를 말소할 수는 없고, 수익자가 받은 배당금을 반환하여야 한다(대판 2001.2.27, 2000다44348).

③ 부동산을 양도받아 소유권이전등기청구권을 가지고 있는 자가 양도인이 제3자에게 이를 이중으로 양도하여 소유권이전등기를 경료하여 줌으로써 취득하는 부동산 가액 상당의 손해배상채권은 이중양도행위에 대한 사해행위취소권을 행사할 수 있는 피보전채권에 해당한다고 할 수 없다(대판 1999.4.27, 98다56690). 왜냐하면 이중양도 당시 제1매수인의 손해배상채권은 아직 발생하지 아니하였고 그 채권 성립에 관한 고도의 개연성 또한 없기 때문이다.

④ 채무자가 유일한 재산인 그 소유의 부동산에 관한 매매예약에 따른 예약 완결권이 제척기간 경과가 임박하여 소멸할 예정인 상태에서 제척기간을 연장하기 위하여 새로 매매예약을 하는 행위는 채무자가 부담하지 않아도 될 채무를 새롭게 부담하게 되는 결과가 되므로 채권자취소권의 대상인 사해행위가 될 수 있다(대판 2018.11.29, 2017다247190).

⑤ 채권자취소권의 요건을 갖춘 각 채권자는 고유의 권리로서 채무자의 재산처분행위를 취소하고 그 원상회복을 구할 수 있는 것이므로 각 채권자가 동시 또는 이시에 사해행위의 취소 및 원상회복을 구하는 소송을 제기하였다 하여도, 그중 어느 소송에서 승소판결이 선고·확정되고 그에 기하여 재산이나 가액의 회복을 마치기 전에는, 각 소송이 중복제소에 해당한다거나 권리보호의 이익이 없게 되는 것은 아니다(대판 2005.5.27, 2004다67806).

101 다음 설명 중 가장 옳지 않은 것은 모두 몇 개인가? ▶ 2021년 법원행시

> 가. 채권자가 사해행위 취소와 함께 수익자 또는 전득자로부터 책임재산의 회복을 구하는 사해행위취소의 소를 제기한 경우 취소의 효과는 채권자와 수익자 또는 전득자 사이의 관계에서만 생긴다. 그리고 채권자가 사해행위 취소로써 전득자를 상대로 채무자와 수익자 사이의 법률행위 취소를 구하는 경우, 전득자의 악의는 전득행위 당시 취소를 구하는 법률행위가 채권자를 해한다는 사실, 즉 사해행위의 객관적 요건을 구비하였다는 것에 대한 인식을 의미하므로, 전득자의 악의를 판단함에 있어서는 전득자가 전득행위 당시 채무자와 수익자 사이의 법률행위의 사해성을 인식하였는지만이 문제가 될 뿐이고, 수익자가 채무자와 수익자 사이 법률행위의 사해성을 인식하였는지는 원칙적으로 문제가 되지 않는다.

정답   100 ①   101 ③

나. 채권자가 자기의 금전채권을 보전하기 위하여 채무자의 금전채권을 대위행사하는 경우 제3채무자로 하여금 채무자에게 지급의무를 이행하도록 청구하는 것이므로, 직접 대위채권자 자신에게 이행하도록 청구할 수는 없다.

다. 유류분반환청구권은 그 행사 여부가 유류분권리자의 인격적 이익을 위하여 그의 자유로운 의사결정에 전적으로 맡겨진 권리로서 행사상의 일신전속성을 가진다고 보아야 하므로, 유류분권리자에게 그 권리행사의 확정적 의사가 있다고 인정되는 경우가 아니라면 채권자대위권의 목적이 될 수 없다.

라. 채권자취소권은 채무자의 사해행위를 채권자와 수익자 또는 전득자 사이에서 상대적으로 취소하고 채무자의 책임재산에서 일탈한 재산을 회복하여 채권자의 강제집행이 가능하도록 하는 것을 본질로 하는 권리이므로, 원상회복을 가액배상으로 하는 경우에 그 이행의 상대방은 채무자이어야 한다.

마. 민법 제406조의 채권자취소권의 대상인 '사해행위'란 채무자가 적극재산을 감소시키거나 소극재산을 증가시킴으로써 채무초과상태에 이르거나 이미 채무초과상태에 있는 것을 심화시킴으로써 채권자를 해하는 행위를 말한다. 그리고 사해행위취소의 소에서 채무자가 그와 같이 채무초과상태에 있는지 여부는 사해행위 당시를 기준으로 판단하여야 한다.

① 없음   ② 1개   ③ 2개
④ 3개   ⑤ 4개

해설 가. 채권자가 사해행위 취소와 함께 수익자 또는 전득자로부터 책임재산의 회복을 구하는 사해행위취소의 소를 제기한 경우 취소의 효과는 채권자와 수익자 또는 전득자 사이의 관계에서만 생긴다. 그리고 채권자가 사해행위 취소로써 전득자를 상대로 채무자와 수익자 사이의 법률행위 취소를 구하는 경우, 전득자의 악의는 전득행위 당시 취소를 구하는 법률행위가 채권자를 해한다는 사실, 즉 사해행위의 객관적 요건을 구비하였다는 것에 대한 인식을 의미하므로, 전득자의 악의 판단에서는 전득자가 전득행위 당시 채무자와 수익자 사이의 법률행위의 사해성을 인식하였는지만이 문제가 될 뿐이고, 수익자가 채무자와 수익자 사이 법률행위의 사해성을 인식하였는지는 원칙적으로 문제가 되지 않는다(대판 2012.8.17, 2010다87672).

나. 채권자가 자기의 금전채권을 보전하기 위하여 채무자의 금전채권을 대위행사하는 경우 제3채무자로 하여금 채무자에게 지급의무를 이행하도록 청구할 수도 있지만, 직접 대위채권자 자신에게 이행하도록 청구할 수도 있다. 그런데 채권대위소송에서 제3채무자로 하여금 직접 대위채권자에게 금전의 지급을 명하는 판결이 확정되더라도, 대위의 목적인 권리, 즉 채무자의 제3채무자에 대한 피대위채권이 판결의 집행채권으로서 존재하고 대위채권자는 채무자를 대위하여 피대위채권에 대한 변제를 수령하게 될 뿐 자신의 채권에 대한 변제로서 수령하게 되는 것이 아니므로, 피대위채권이 변제 등으로 소멸하기 전이라면 채무자의 다른 채권자는 이를 압류·가압류할 수 있다(대판 2016.8.29, 2015다236547).

다. 유류분반환청구권은 그 행사 여부가 유류분권리자의 인격적 이익을 위하여 그의 자유로운 의사결정에 전적으로 맡겨진 권리로서 행사상의 일신전속성을 가진다고 보아야 하므로, 유류분권리자에게 그 권리행사의 확정적 의사가 있다고 인정되는 경우가 아니라면 채권자대위권의 목적이 될 수 없다(대판 2010.5.27, 2009다93992).

라. 채권자취소권은 채무자의 사해행위를 채권자와 수익자 또는 전득자 사이에서 상대적으로 취소하고 채무자의 책임재산에서 일탈한 재산을 회복하여 채권자의 강제집행이 가능하도록 하는 것을 본질로 하는 권리이므로, 원상회복을 가액배상으로 하는 경우에 그 이행의 상대방은 채권자이어야 한다(대판 2008.4.24, 2007다84352).

마. 민법 제406조에서 정하는 채권자취소권의 대상인 '사해행위'란 채무자가 적극재산을 감소시키거나 소극재산을 증가시킴으로써 채무초과상태에 이르거나 이미 채무초과상태에 있는 것을 심화시킴으로써 채권자를 해하는 행위를 가리킨다. 그리고 사해행위취소소송에서 채무자가 그와 같이 채무초과상태에 있는지 여부는 사해행위 당시를 기준으로 판단된다(대판 2013.4.26, 2012다118334).

102 채권자취소권에 관한 다음 설명 중 가장 옳지 않은 것은? ▶ 2022년 법원행시

① 채권자가 채권자취소권을 행사할 때에는 원칙적으로 자신의 채권액을 초과하여 취소권을 행사할 수 없고, 이때 채권자의 채권액에는 사해행위 이후 사실심 변론종결 시까지 발생한 이자나 지연손해금이 포함된다.

② 사해행위를 전부 취소하고 원상회복을 구하는 채권자의 주장 속에는 사해행위를 일부 취소하고 가액의 배상을 구하는 취지도 포함되어 있으므로, 채권자가 원상회복만을 구하는 경우에도 법원은 가액의 배상을 명할 수 있다.

③ 근저당권이 설정되어 있는 부동산에 관하여 사해행위가 이루어진 후 근저당권이 말소되어 그 부동산의 가액에서 근저당권 피담보채무액을 공제한 나머지 금액의 한도에서 사해행위를 취소하고 가액의 배상을 명하는 경우 그 가액의 산정은 사실심 변론종결 시를 기준으로 하여야 한다.

④ 사해행위로 부동산 소유권이 이전된 후 그 부동산에 관하여 제3자가 저당권이나 지상권 등의 권리를 취득한 경우 채권자가 원상회복방법으로 수익자 명의 등기의 말소를 구하거나 수익자를 상대로 채무자 앞으로 직접 소유권이전등기절차를 이행할 것을 구하는 것은 허용되지 않는다.

⑤ 저당권이 설정되어 있는 부동산에 관하여 사해행위 후 변제 등으로 저당권설정등기가 말소되어 사해행위 취소와 함께 가액반환을 명하는 경우, 부동산 가액에서 저당권의 피담보채권액을 공제한 한도에서 가액반환을 하여야 하는데, 그 부동산에 위와 같은 저당권 이외에 우선변제권 있는 임차인이 있는 경우에는 사해행위 이전에 임대차계약이 체결되었고 임차인에게 임차보증금에 대해 우선변제권이 있다면, 부동산 가액 중 임차보증금에 해당하는 부분이 일반 채권자의 공동담보에 제공되었다고 볼 수 없으므로 수익자가 반환할 부동산 가액에서 우선변제권 있는 임차보증금 반환채권액을 공제하여야 하나, 사해행위 이후에 비로소 채무자가 부동산을 임대한 경우에는 그 임차보증금을 가액반환의 범위에서 공제할 이유가 없다.

정답 ▶ 102 ④

해설 ① 채권자가 채권자취소권을 행사할 때에는 원칙적으로 자신의 채권액을 초과하여 취소권을 행사할 수는 없지만, 이때 채권자의 채권액에는 사해행위 이후 사실심 변론종결 시까지 발생한 이자나 지연손해금이 포함된다(대판 2001.12.11, 2001다64547).

② 사해행위를 전부 취소하고 원상회복을 구하는 채권자의 주장 속에는 사해행위를 일부 취소하고 가액의 배상을 구하는 취지도 포함되어 있으므로, 채권자가 원상회복만을 구하는 경우에도 법원은 (청구취지의 변경이 없더라도) 가액의 배상을 명할 수 있다(대판 2001.9.4, 2000다66416).

③ 근저당권이 설정되어 있는 부동산에 관하여 사해행위가 이루어진 후 근저당권이 말소되어 그 부동산의 가액에서 근저당권 피담보채무액을 공제한 나머지 금액의 한도에서 사해행위를 취소하고 가액의 배상을 명하는 경우 그 가액의 산정은 사실심 변론종결 시를 기준으로 하여야 하고, 이 경우 사해행위가 있은 후 그 부동산에 관한 권리를 취득한 전득자에 대하여는 사실심 변론종결 시의 부동산 가액에서 말소된 근저당권 피담보채무액을 공제한 금액과 사실심 변론종결 시를 기준으로 한 취소채권자의 채권액 중 적은 금액의 한도 내에서 그가 취득한 이익에 대해서만 가액배상을 명할 수 있다(대판 2019.4.11, 2018다203715).

④ 채권자의 사해행위취소 및 원상회복청구가 인정되면, 수익자는 원상회복으로서 사해행위의 목적물을 채무자에게 반환할 의무를 지게 되고, 만일 원물반환이 불가능하거나 현저히 곤란한 경우에는 원상회복의무의 이행으로서 사해행위 목적물의 가액 상당을 배상하여야 하는바, 여기에서 원물반환이 불가능하거나 현저히 곤란한 경우라 함은 원물반환이 단순히 절대적, 물리적으로 불능인 경우가 아니라 사회생활상의 경험법칙 또는 거래상의 관념에 비추어 그 이행의 실현을 기대할 수 없는 경우를 말하는 것이므로, 사해행위 후 그 목적물에 관하여 제3자가 저당권이나 지상권 등의 권리를 취득한 경우에는 수익자가 목적물을 저당권 등의 제한이 없는 상태로 회복하여 이전하여 줄 수 있다는 등의 특별한 사정이 없는 한, 채권자는 수익자를 상대로 원물반환 대신 그 가액 상당의 배상을 구할 수도 있다고 할 것이나, 그렇다고 하여 채권자가 스스로 위험이나 불이익을 감수하면서 원물반환을 구하는 것까지 허용되지 아니하는 것으로 볼 것은 아니고, 그 경우 채권자는 원상회복 방법으로 가액배상 대신 수익자 명의의 등기의 말소를 구하거나 수익자를 상대로 채무자 앞으로 직접 소유권이전등기절차를 이행할 것을 구할 수 있다(대판 2001.2.9, 2000다57139; 대판 2018.12.28, 2017다265815).

⑤ 저당권이 설정되어 있는 부동산에 관하여 사해행위 후 변제 등으로 저당권설정등기가 말소되어 사해행위 취소와 함께 가액반환을 명하는 경우, 부동산 가액에서 저당권의 피담보채권액을 공제한 한도에서 가액반환을 하여야 한다. 그런데 그 부동산에 위와 같은 저당권 이외에 우선변제권 있는 임차인이 있는 경우에는 임대차계약의 체결시기 등에 따라 임차보증금 공제 여부가 달라질 수 있다. 가령 ⅰ) 사해행위 이전에 임대차계약이 체결되었고 임차인에게 임차보증금에 대해 우선변제권이 있다면, 부동산 가액 중 임차보증금에 해당하는 부분이 일반 채권자의 공동담보에 제공되었다고 볼 수 없으므로 수익자가 반환할 부동산 가액에서 우선변제권 있는 임차보증금 반환채권액을 공제하여야 한다. 그러나 ⅱ) 부동산에 관한 사해행위 이후에 비로소 채무자가 부동산을 임대한 경우에는 그 임차보증금을 가액반환의 범위에서 공제할 이유가 없다. 이러한 경우에는 부동산 가액 중 임차보증금에 해당하는 부분도 일반 채권자의 공동담보에 제공되어 있음이 분명하기 때문이다(대판 2018.9.13, 2018다215756).

103 채권자취소권에 관한 다음 설명 중 가장 옳지 않은 것은? ▸ 2023년 법원사무관 승진

① 사해행위취소의 소에서 채무자는 피고적격이 없고, 사해행위취소 판결의 효과는 채권자와 수익자 또는 전득자 사이에만 미치므로, 수익자 또는 전득자와 채무자 사이에서 그 취소로 인한 법률관계가 형성되는 것은 아니다.

② 채권자취소권에 의해 보호되는 피보전채권은 원칙적으로 사해행위가 행하여지기 전에 발생된 것임을 요하나, 사해행위 당시 이미 채권 성립의 기초가 되는 법률관계가 발생되어 있고, 가까운 장래에 그 법률관계에 터잡아 채권이 성립되리라는 점에 대한 고도의 개연성이 있으며, 실제로 가까운 장래에 그 개연성이 현실화되어 채권이 성립된 경우에는 그 채권도 피보전채권이 될 수 있다.

③ 가족법상의 행위 중 이혼에 따른 재산분할, 상속재산분할, 상속포기도 사해행위취소의 대상이 될 수 있다.

④ 채무자의 재산처분행위가 사해행위에 해당하는 경우 수익자 또는 전득자의 사해의사는 추정되므로 수익자 또는 전득자 스스로 사해의사가 없어 선의임을 주장·증명하여야 한다.

해설 ① 채권자가 채권자취소권을 행사하려면 사해행위로 인하여 이익을 받은 자나 전득한 자를 상대로 그 법률행위의 취소를 청구하는 소송을 제기하여야 되는 것으로서, 채무자를 상대로 그 소송을 제기할 수는 없다(대판 1991.8.13, 91다13717). 또한 채권자가 사해행위의 취소와 함께 수익자 또는 전득자로부터 책임재산의 회복을 구하는 사해행위취소의 소를 제기한 경우 그 취소의 효과는 채권자와 수익자 또는 전득자 사이의 관계에서만 생기는 것이므로, 수익자 또는 전득자가 사해행위의 취소로 인한 원상회복 또는 이에 갈음하는 가액배상을 하여야 할 의무를 부담한다고 하더라도 이는 채권자에 대한 관계에서 생기는 법률효과에 불과하고 채무자와 사이에서 그 취소로 인한 법률관계가 형성되는 것은 아니다(대판 1988.2.23, 87다카1989, 대결 2002.5.10, 2002마1156).

② 대판 2002.11.28, 2002다42957, 대판 2004.11.12, 2004다40955 등

③ ⅰ) 이혼에 따른 재산분할은 그 재산분할이 민법 제839조의2 제2항의 규정 취지에 따른 상당한 정도를 벗어나는 과대한 것이라고 인정되는 경우 사해행위에 해당하여 취소의 대상으로 될 수 있을 것이고(대판 2001.2.9, 2000다63516), 상속재산의 분할협의는 상속이 개시되어 공동상속인 사이에 잠정적 공유가 된 상속재산에 대하여 그 전부 또는 일부를 각 상속인의 단독소유로 하거나 새로운 공유관계로 이행시킴으로써 상속재산의 귀속을 확정시키는 것으로 그 성질상 재산권을 목적으로 하는 법률행위이므로 사해행위취소권 행사의 대상이 될 수 있다(대판 2001.2.9, 2000다51797). ⅱ) 그러나 상속의 포기는 비록 포기자의 재산에 영향을 미치는 바가 없지 아니하나(그러한 측면과 관련하여서는 '채무자 회생 및 파산에 관한 법률' 제386조도 참조) 상속인으로서의 지위 자체를 소멸하게 하는 행위로서 순전한 재산법적 행위와 같이 볼 것이 아니다. 상속의 포기는 민법 제406조 제1항에서 정하는 '재산권에 관한 법률행위'에 해당하지 아니하여 사해행위취소의 대상이 되지 못한다(대판 2011.6.9, 2011다29307).

④ 사해행위취소소송에 있어서 <u>채무자의 악의의 점에 대하여는 그 취소를 주장하는 채권자에게 입증책임</u>이 있으나, <u>수익자 또는 전득자가 악의라는 점에 관하여는</u> 입증책임이 채권자에게 있는 것이 아니고 <u>수익자 또는 전득자 자신에게 선의라는 사실을 입증할 책임이 있다</u>(대판 1997.5.23, 95다51908, 대판 2015.6.11, 2014다237192).

104 채권자취소권에 관한 다음 설명 중 옳지 않은 것은 모두 몇 개인가? ▶ 2023년 법원행시

ㄱ. 연대보증인의 법률행위가 사해행위에 해당하는지 여부를 판단함에 있어서, 주채무에 관하여 주채무자 또는 제3자 소유의 부동산에 대하여 채권자 앞으로 근저당권이 설정되어 있는 등으로 채권자에게 우선변제권이 확보되어 있는 경우가 아닌 이상, 주채무자의 일반적인 자력은 고려할 요소가 아니다.

ㄴ. 채무자 甲이 채권자 乙의 요구에 따라 채권자 乙에 대한 기존채무의 변제를 위하여 소비대차계약을 체결하고 강제집행을 승낙하는 취지가 기재된 공정증서를 작성하여 주어 전체적으로 채무자 甲의 책임재산이 감소하지 않는 경우에는, 그와 같은 행위로 인해 채무자 甲의 책임재산을 특정 채권자 乙에게 실질적으로 양도한 것과 다를 바 없는 것으로 볼 수 있는 특별한 사정이 있는 경우에 해당하지 아니하는 한, 다른 채권자를 해하는 사해행위가 된다고 볼 수 없다.

ㄷ. 채무자가 강제집행을 회피할 목적으로 자기의 사실상 유일한 재산을 제3자에게 무상으로 양도한 행위는 다른 파산채권자들과의 관계에서 사해행위가 되지만, 그 제3자가 양수채권을 추심하여 그 돈을 채무자에게 주었다면 그 금액 상당은 원상회복이나 가액반환의 범위에서 공제되어야 한다.

ㄹ. 채권자가 사해행위 취소로써 전득자를 상대로 채무자와 수익자 사이의 법률행위의 취소를 구함에 있어서 채무자와 수익자 사이의 법률행위뿐만 아니라 수익자와 전득자 사이의 전득행위 또한 채권자를 해하는 행위로서 사해행위의 요건을 갖추어야 한다.

ㅁ. 동일인의 소유인 토지와 건물의 처분행위를 채권자취소권에 의하여 취소하는 경우 그중 대지의 가격이 채권자의 채권액보다 다액이라 하더라도 대지와 건물 중 일방만을 취소하게 되면 건물의 소유자와 대지의 소유자가 다르게 되어 가격과 효용을 현저히 감소시킬 것이므로 전부를 취소함이 정당하다.

① 1개   ② 2개   ③ 3개
④ 4개   ⑤ 5개

해설 ※ 옳지 않은 것은 ㄷ. ㄹ. 2개이다.
- ㄱ. 대판 2003.7.8, 2003다13246
- ㄴ. 대판 2011.12.22, 2010다103376, 대판 2015.10.29, 2012다14975
- ㄷ. 채무자가 강제집행을 회피할 목적으로 자기의 사실상 유일한 재산을 제3자에게 무상으로 양도한 행위는 다른 파산채권자들과의 관계에서 사해행위가 되고, 그 <u>제3자가 양수채권을</u>

추심하여 그 돈을 채무자에게 주었다고 하더라도 그 금액 상당을 원상회복이나 가액반환의 범위에서 공제할 것은 아니다(대판 2013.4.11, 2012다211).

ㄹ. ⅰ) 채권자가 전득자를 상대로 하여 사해행위의 취소와 함께 책임재산의 회복을 구하는 사해행위 취소의 소를 제기한 경우에 그 취소의 효과는 채권자와 전득자 사이의 상대적인 관계에서만 생기는 것이고 채무자 또는 채무자와 수익자 사이의 법률관계에는 미치지 않는 것이므로, 이 경우 취소의 대상이 되는 사해행위는 채무자와 수익자 사이에서 행하여진 법률행위에 국한되고, 수익자와 전득자 사이의 법률행위는 취소의 대상이 되지 않는다(대판 2004.8.30, 2004다21923). 또한 ⅱ) 채권자가 사해행위의 취소로서 수익자를 상대로 채무자와의 법률행위의 취소를 구함과 아울러 전득자를 상대로도 전득행위의 취소를 구함에 있어서, 전득자의 악의는 전득행위 당시 그 행위가 채권자를 해한다는 사실, 즉 사해행위의 객관적 요건을 구비하였다는 것에 대한 인식을 의미하므로, 전득자의 악의를 판단함에 있어서는 단지 전득자가 전득행위 당시 채무자와 수익자 사이의 법률행위의 사해성을 인식하였는지 여부만이 문제가 될 뿐이지, 수익자와 전득자 사이의 전득행위가 다시 채권자를 해하는 행위로서 사해행위의 요건을 갖추어야 하는 것은 아니다(대판 2006.7.4, 2004다61280).

ㅁ. 동일인의 소유인 토지와 건물의 처분행위를 채권자취소권에 의하여 취소하는 경우 그중 대지의 가격이 채권자의 채권액보다 다액이라 하더라도 대지와 건물 중 일방만을 취소하게 되면 건물의 소유자와 대지의 소유자가 다르게 되어 가격과 효용을 현저히 감소시킬 것이므로 경제적인 이유로 불가분의 관계에 있다하여 이를 전부 취소함이 정당하다(대판 1975.2.25, 74다2114).

105 채권자취소권에 관한 다음 설명 중 옳은 것을 모두 고른 것은? ▸2023년 법무사

ㄱ. 채권자취소권의 요건을 갖춘 각 채권자는 고유의 권리로서 채무자의 재산처분 행위를 취소하고 그 원상회복을 구할 수 있는 것이므로, 각 채권자가 동시 또는 이시에 채권자취소 및 원상회복소송을 제기한 경우 이들 소송은 중복제소에 해당하지 않는다.

ㄴ. 사해행위 당시에 이미 채권 성립의 기초가 되는 법률관계가 발생되어 있고 가까운 장래에 그 법률관계에 기하여 채권이 성립될 고도의 개연성이 있으며 실제로 가까운 장래에 그 개연성이 현실화되어 채권이 성립된 경우에는 그 채권도 채권자취소권의 피보전채권이 될 수 있으므로, 사해행위 당시 계속적인 물품거래관계가 존재하였다는 사정만으로도 채권 성립의 기초가 되는 법률관계가 발생하여 있었다고 할 수 있다.

ㄷ. 채권자취소소송에서 피보전채권의 존재가 인정되어 사해행위 취소 및 원상회복을 명하는 판결이 확정되었다고 하더라도, 그에 기하여 재산이나 가액의 회복을 마치기 전에 피보전채권이 소멸하여 채권자가 더 이상 채무자의 책임재산에 대하여 강제집행을 할 수 없게 되었다면, 이는 위 판결의 집행력을 배제하는 적법한 청구이의 이유가 된다.

ㄹ. 채권자가 채무자 소유의 부동산에 대한 가압류신청 시 첨부한 등기부등본에 수익자 명의의 근저당권설정등기가 경료되어 있었다면 채권자가 가압류신청 당시 사해행위 취소원인을 알았다고 인정할 수 있다.

ㅁ. 수익자가 채권자취소에 따른 원상회복으로서 가액배상을 할 경우, 수익자 자신도 채무자에 대한 채권자라는 이유로 채무자에 대하여 가지는 자기의 채권과의 상계를 주장할 수는 없다.

① ㄱ, ㄴ, ㄹ   ② ㄱ, ㄴ, ㅁ   ③ ㄱ, ㄷ, ㅁ
④ ㄴ, ㄷ, ㅁ   ⑤ ㄷ, ㄹ, ㅁ

해설 ㄱ. 대판 2003.7.11, 2003다19558 → ※ [참고] : 어느 한 채권자가 동일한 사해행위에 관하여 채권자취소 및 원상회복청구를 하여 승소판결을 받아 그 판결이 확정되었다는 것만으로 그 후에 제기된 다른 채권자의 동일한 청구가 권리보호의 이익이 없어지게 되는 것은 아니고, 그에 기하여 재산이나 가액의 회복을 마친 경우에 비로소 다른 채권자의 채권자취소 및 원상회복청구는 그와 중첩되는 범위 내에서 권리보호의 이익이 없게 된다.

ㄴ. 계속적인 물품공급계약에서 대상이 되는 물품의 구체적인 수량, 거래단가, 거래시기 등에 관하여까지 구체적으로 미리 정하고 있다거나, 일정한 한도에서 공급자가 외상으로 물품을 공급할 의무를 규정하고 있지 않은 이상, <u>계속적 물품공급계약 그 자체에 기하여 거래당사자의 채권이 바로 성립하지는 아니하며, 주문자가 상대방에게 구체적으로 물품의 공급을 의뢰하고 그에 따라 상대방이 물품을 공급하는 별개의 법률관계가 성립하여야만 채권이 성립한다.</u> 따라서 특별한 사정이 없는 한 <u>사해행위 당시 계속적인 물품거래관계가 존재하였다는 사정만으로 채권 성립의 기초가 되는 법률관계가 발생하여 있었다고 할 수 없다</u>(대판 2023.3.16, 2022다272046).

ㄷ. 대판 2017.10.26, 2015다224469

ㄹ. 채권자취소의 소에서 채권자가 취소원인을 안다고 하는 것은 단순히 채무자의 법률행위가 있었다는 사실을 아는 것만으로는 부족하고, 그 법률행위가 채권자를 해하는 행위라는 것까지 알아야 하므로, 채권자가 채무자의 유일한 재산에 대하여 가등기가 경료된 사실을 알고 채무자의 재산상태를 조사한 결과 다른 재산이 없음을 확인한 후 채무자의 재산에 대하여 가압류를 한 경우에는 채권자는 그 가압류 무렵에는 채무자가 채권자를 해함을 알면서 사해행위를 한 사실을 알았다고 봄이 상당하지만, <u>채권자가 채무자 소유의 부동산에 대한 가압류신청 시 첨부한 등기부등본에 수익자 명의의 근저당권설정등기가 경료되어 있었다는 사실만으로는 채권자가 가압류신청 당시 취소원인을 알았다고 인정할 수 없다</u>(대판 2001.2.27, 2000다44348).

ㅁ. 대판 2001.6.1, 99다63183 → 왜냐하면 수익자로 하여금 자기의 채무자에 대한 반대채권으로써 상계를 허용하는 것은 사해행위에 의하여 이익을 받은 수익자를 보호하고 다른 채권자의 이익을 무시하는 결과가 되어 위 제도의 취지에 반하기 때문이다.

106 채권자취소에 관한 다음 설명 중 가장 옳지 않은 것은? ▸ 2024년 법원행시

① 채권자취소권의 행사에서 그 제척기간의 기산점인 '채권자가 취소원인을 안 날'은 채권자가 채권자취소권의 요건을 안 날, 즉 채무자가 채권자를 해함을 알면서 사해행위를 하였다는 사실을 알게 된 날을 말한다. 따라서 사해행위의 객관적 사실을 안 경우에는 취소원인을 알았다고 추정할 수 있다.

② 채무자가 재산처분행위를 할 당시 적극재산을 산정함에 있어서는 다른 특별한 사정이 없는 한 실질적으로 재산적 가치가 없어 채권의 공동담보로서의 역할을 할 수 없는 재산은 이를 제외하여야 하고, 재산이 채권인 경우에는 그것이 용이하게 변제를 받을 수 있는 확실성이 있는 것인지 여부를 합리적으로 판정하여 그것이 긍정되는 경우에 한하여 적극재산에 포함시켜야 한다. 실질적으로 재산적 가치가 없어 채권의 공동담보로서의 역할을 할 수 없는 재산에 해당한다는 점에 대한 주장·증명책임 역시 취소채권자가 부담한다.

③ 여러 명의 채권자가 사해행위취소 및 원상회복청구의 소를 제기하여 여러 개의 소송이 계속 중인 경우에는 각 소송에서 채권자의 청구에 따라 사해행위취소와 원상회복을 명하는 판결을 선고하여야 하고, 수익자가 가액배상을 하여야 할 경우에도 수익자가 반환해야 할 가액 범위에서 각 채권자의 피보전채권액 전액의 반환을 명하여야 한다.

④ 채권자취소권의 행사에 따른 가액배상은 사해행위 당시 채무자의 일반 채권자들의 공동담보로 되어 있어 사해행위가 성립하는 범위 내의 부동산 가액 전부의 배상을 명하는 것으로, 저당권이 설정된 부동산에 관하여 사해행위가 이루어진 경우 부동산의 가액에서 그 저당권의 피담보채권액을 공제한 잔액의 범위 내에서만 사해행위가 성립하므로, 사실심변론종결 시 기준의 부동산 가액에서 저당권의 피담보채권액을 공제한 잔액의 한도에서 사해행위를 취소하고 가액의 배상을 구할 수 있다.

⑤ 저당권이 설정된 부동산이 사해행위로 증여되었다가 그 저당권의 실행 등으로 말미암아 수증자인 수익자에게 돌아갈 배당금청구권이 있음에도 배당금지급금지가처분 등으로 인하여 현실적으로 지급되지 못한 경우, 채권자취소권의 행사에 따른 원상회복의 방법은 수익자가 취득한 배당금청구권을 채무자에게 반환하는 방법으로 이루어져야 하고, 이는 배당금채권의 양도와 그 채권양도의 통지를 배당금채권의 채무자에게 할 것을 명하는 형태가 된다.

해설 ① 채권자취소권의 행사에서 그 제척기간의 기산점인 '채권자가 취소원인을 안 날'은 채권자가 채권자취소권의 요건을 안 날, 즉 채무자가 채권자를 해함을 알면서 사해행위를 하였다는 사실을 알게 된 날을 말한다. 이때 **채권자가 취소원인을 알았다고 하기 위해서는 단순히 채무자가 재산의 처분행위를 하였다는 사실을 아는 것만으로는 부족하며, 구체적인 사해행위의 존재를 알고 나아가 채무자에게 사해의 의사가 있었다는 사실까지 알 것을 요한다. 사해행위의 객관적 사실을 알았다고 하여 취소원인을 알았다고 추정할 수는 없고, 그 제척기간의 도과에 관**

한 증명책임은 사해행위취소소송의 상대방에게 있다(대판 2002.9.24, 2002다23857; 대판 2023.4.13, 2021다309231).

② 채무자의 재산처분행위가 사해행위가 되기 위해서는 그 행위로 말미암아 채무자의 총재산의 감소가 초래되어 채권의 공동담보에 부족이 생기게 되어야 하는 것, 즉 채무자의 소극재산이 적극재산보다 많아져야 하는 것인바, **채무자가 재산처분행위를 할 당시 적극재산을 산정함에 있어서는 다른 특별한 사정이 없는 한 실질적으로 재산적 가치가 없어 채권의 공동담보로서의 역할을 할 수 없는 재산은 이를 제외하여야 하고, 재산이 채권인 경우에는 그것이 용이하게 변제를 받을 수 있는 확실성이 있는 것인지 여부를 합리적으로 판정하여 그것이 긍정되는 경우에 한하여 적극재산에 포함시켜야 한다.** 나아가, 채무자의 재산처분행위가 사해행위에 해당함을 주장하면서 그 취소를 구하는 채권자는 채무자의 재산처분행위로 인하여 무자력 또는 채무초과 상태가 초래되었다는 사실에 관한 주장·증명책임을 부담하므로, 어떠한 채권의 존부 및 범위에 관한 증명이 있는 경우에는, 그 채권이 용이하게 변제를 받을 수 있는 확실성이 없는 등 실질적으로 재산적 가치가 없어 채권의 공동담보로서의 역할을 할 수 없는 재산에 해당한다는 점에 대한 주장·증명책임 역시 취소채권자가 부담한다(대판 2023.10.18, 2023다237804).

③ 채권자취소권의 요건을 갖춘 각 채권자는 고유의 권리로서 채무자의 재산처분 행위를 취소하고 원상회복을 청구할 수 있다. 여러 명의 채권자가 동시에 또는 시기를 달리하여 사해행위 취소와 원상회복을 구하는 소를 제기한 경우, 그중 한 채권자가 동일한 사해행위에 관하여 사해행위 취소와 원상회복 청구를 하여 승소판결을 받아 그 판결이 확정되었다는 것만으로는 그 후에 제기된 다른 채권자의 동일한 청구가 권리보호의 이익이 없게 되는 것은 아니다. 이러한 판결에 기초하여 재산이나 가액의 회복을 마친 경우에 비로소 다른 채권자의 사해행위 취소와 원상회복 청구는 그와 중첩되는 범위에서 권리보호의 이익이 없게 된다. 따라서 **여러 명의 채권자가 사해행위 취소와 원상회복 청구의 소를 제기하여 여러 개의 소송이 계속 중인 경우에는 각 소송에서 채권자의 청구에 따라 사해행위 취소와 원상회복을 명하는 판결을 선고해야 하고, 수익자가 가액배상을 해야 할 경우에도 수익자가 반환해야 할 가액 범위에서 각 채권자의 피보전채권액 전액의 반환을 명해야 한다**(대판 2022.8.19, 2018다219208).

④ 채권자취소권의 행사에 따른 가액배상은 사해행위 당시 채무자의 일반 채권자들의 공동담보로 되어 있어 사해행위가 성립하는 범위 내의 부동산 가액 전부의 배상을 명하는 것으로, **저당권이 설정된 부동산에 관하여 사해행위가 이루어진 경우 부동산의 가액에서 그 저당권의 피담보채권액을 공제한 잔액의 범위 내에서만 사해행위가 성립하므로, 사실심 변론종결 시 기준의 부동산 가액에서 저당권의 피담보채권액을 공제한 잔액의 한도에서 사해행위를 취소하고 가액의 배상을 구할 수 있다.** 따라서 사해행위 이후 그 부동산에 관하여 제3자가 저당권을 취득한 경우에는, 그 피담보채권액은 사해행위 당시 일반 채권자들의 공동담보였던 부분에 속하므로 채권자취소권의 행사에 따른 원상회복의 범위에서 이를 공제할 수 없고, 이를 포함한 전부가 가액배상 등 원상회복의 범위에 포함된다 할 것인데, 이는 채무자의 부동산에 관하여 증여 등 사해행위로 수익자에게 그 소유권이 이전된 후 경매의 실행으로 배당절차가 진행된 경우에도 마찬가지로, 그 부동산 가액 중 수익자의 채권자가 배당절차에 참여하여 취득한 배당액 상당은 사해행위 당시 채무자의 일반 채권자들의 공동담보였으므로 가액배상 등 원상회복의 범위에서 공제하여 산정할 것은 아니고, 수익자의 채권자가 채무자의 일반채권자에 해당하는 지위를 겸하고 있다고 하여 달리 볼 것도 아니다(대판 2023.6.29, 2022다244928).

⑤ 저당권이 설정된 부동산이 사해행위로 증여되었다가 그 저당권의 실행 등으로 말미암아 수증자인 수익자에게 돌아갈 배당금청구권이 있음에도 배당금지급금지가처분 등으로 인하여 현실적으로 지급되지 못한 경우, **채권자취소권의 행사에 따른 원상회복의 방법은 수익자가 취득한**

배당금청구권을 채무자에게 반환하는 방법으로 이루어져야 하고, 이는 배당금채권의 양도와 그 채권양도의 통지를 배당금채권의 채무자에게 할 것을 명하는 형태가 된다(대판 2023.6.29, 2022다244928).

107 채권자취소권에 관한 다음 설명 중 가장 옳은 것은? ▶2024년 법무사

① 채권자의 채권이 사해행위 이전에 성립되어 있는 이상 그 채권이 양도된 경우에도 그 양수인이 채권자취소권을 행사할 수 있으나, 이 경우 채권양도의 대항요건을 사해행위 이후에 갖추었다면, 채권양수인으로서는 채무자에게 채권양도로 대항할 수 없는 만큼 채권자취소권을 행사할 수 없다.

② 채권자취소권 행사는 채무 이행을 구하는 것이 아니라 총채권자를 위하여 채무자의 자력 감소를 방지하고, 일탈된 채무자의 책임재산을 회수하여 채권의 실효성을 확보하는 데 목적이 있으나, 채무자의 법률행위를 취소하는 법률효과를 부여하는 채권자취소권의 내용에 비추어 볼 때 피보전채권이 사해행위 이전에 이미 성립되어 있다면, 그 액수나 범위가 구체적으로 확정되어야 할 것이다.

③ 어느 부동산에 관한 법률행위가 사해행위에 해당하는 경우에 그 부동산에 관하여 주택임대차보호법 제3조 제1항이 정한 대항력을 갖추고 임대차계약서에 확정일자를 받아 임대차보증금 우선변제권을 가진 임차인 또는 같은 법 제8조에 의하여 임대차보증금 중 일정액을 우선하여 변제받을 수 있는 소액임차인이 있는 때에는 수익자가 배상하여야 할 부동산의 가액에서 그 우선변제권 있는 임차보증금 반환채권 금액을 공제하여서는 아니 된다.

④ 저당권이 이미 설정되어 있는 부동산에 관하여 사해행위가 이루어진 경우에 그 사해행위는 부동산의 가액에서 저당권의 피담보채권액을 공제한 잔액의 범위 내에서만 성립한다고 보아야 하므로, 사해행위 후 변제 등에 의하여 저당권설정등기가 말소된 경우, 사해행위를 취소하여 그 부동산 자체의 회복을 명하는 것은 당초 일반 채권자들의 공동담보로 되어 있지 아니하던 부분까지 회복을 명하는 것이 되어 공평에 반하는 결과가 되므로, 그 부동산의 가액에서 저당권의 피담보채무액을 공제한 잔액의 한도에서 사해행위를 취소하고 그 가액의 배상을 구할 수 있을 뿐이고, 그와 같은 가액 산정은 변제 등에 의하여 저당권설정등기가 말소될 당시를 기준으로 하여야 한다.

⑤ 처분행위 당시에는 채권자를 해하는 것이었다고 하더라도 그 후 채무자가 자력을 회복하여 사해행위취소권을 행사하는 사실심의 변론종결 시에는 채권자를 해하지 않게 된 경우에는 책임재산 보전의 필요성이 없어지게 되어 채권자취소권이 소멸하는 것으로 보아야 할 것인바, 그러한 사정변경이 있다는 사실은 채권자취소소송의 상대방이 증명하여야 한다.

정답 ▶ 107 ⑤

해설 ① 사해행위라고 볼 수 있는 행위가 행하여지기 전에 발생한 채권은 원칙적으로 채권자취소권에 의하여 보호될 수 있는 채권이 될 수 있고, 채권자의 채권이 사해행위 이전에 성립한 이상 사해행위 이후에 양도되었다고 하더라도 양수인은 채권자취소권을 행사할 수 있으며, 채권 양수일에 채권자취소권의 피보전채권이 새로이 발생되었다고 할 수 없다(대판 2012.2.9, 2011다77146).

② 채권자취소권 행사는 채무 이행을 구하는 것이 아니라 총채권자를 위하여 채무자의 자력 감소를 방지하고, 일탈된 채무자의 책임재산을 회수하여 채권의 실효성을 확보하는 데 목적이 있으므로, 피보전채권이 사해행위 이전에 성립되어 있는 이상 액수나 범위가 구체적으로 확정되지 않은 경우라고 하더라도 채권자취소권의 피보전채권이 된다(대판 2018.6.28, 2016다1045).

③ 부동산에 저당권 이외에 우선변제권 있는 임차인이 있는 경우에는 부동산 가액 중 임차보증금에 해당하는 부분이 일반 채권자의 공동담보에 제공되었다고 볼 수 없으므로 수익자가 반환할 부동산 가액에서 우선변제권 있는 임차보증금 반환채권액을 공제하여야 한다(대판 2018.9.13, 2018다215756).

④ 저당권이 설정되어 있는 부동산에 관하여 사해행위가 이루어진 경우에 그 사해행위는 부동산의 가액에서 저당권의 피담보채권액을 공제한 잔액의 범위 내에서만 성립한다고 보아야 하므로, 사해행위 후 변제 등에 의하여 저당권설정등기가 말소된 경우, 사해행위를 취소하여 그 부동산의 자체의 회복을 명하는 것은 당초 일반 채권자들의 공동담보로 되어 있지 아니하던 부분까지 회복을 명하는 것이 되어 공평에 반하는 결과가 되므로, 그 부동산의 가액에서 저당권의 피담보채무액을 공제한 잔액의 한도에서 사해행위를 취소하고 그 가액의 배상을 구할 수 있을 뿐이고, 그와 같은 가액 산정은 사실심변론 종결 시를 기준으로 하여야 한다(대판 1999.9.7, 98다41490).

⑤ 사해성의 요건은 행위 당시는 물론 채권자가 취소권을 행사할 당시(사해행위취소소송의 사실심 변론종결 시)에도 갖추고 있어야 하므로, 처분행위 당시에는 채권자를 해하는 것이었더라도 그 후 채무자가 자력을 회복하거나 채무가 감소하여 취소권 행사 시에 채권자를 해하지 않게 되었다면, 채권자취소권에 의하여 책임재산을 보전할 필요성이 없으므로 채권자취소권은 소멸한다(대판 2009.3.26, 2007다63102). 처분행위 당시에는 채권자를 해하는 것이었다고 하더라도 그 후 채무자가 자력을 회복하여 사해행위취소권을 행사하는 사실심의 변론종결 시에는 채권자를 해하지 않게 된 경우에는 책임재산 보전의 필요성이 없어지게 되어 채권자취소권이 소멸하는 것으로 보아야 할 것인바, 그러한 사정변경이 있다는 사실은 채권자취소소송의 상대방이 증명하여야 한다(대판 2007.11.29, 2007다54849).

108 채권자대위권과 채권자취소권을 비교한 다음 설명 중 옳지 않은 것을 모두 고른 것은?(다툼이 있는 경우 판례에 의하고, 전원합의체 판결의 경우 다수의견에 의함) ▸ 2020년 9급(법원서기보)

> ㄱ. 채권자대위권은 재판상 또는 재판 외에서 행사할 수 있으나, 채권자취소권은 반드시 소(訴) 제기의 방식으로만 행사할 수 있다.
> ㄴ. 대위채권자의 피보전채권은 채무자의 제3채무자에 대한 권리보다 먼저 성립하였을 것을 요하지 않으나, 취소채권자의 피보전채권은 원칙적으로 채무자의 사해행위가 행하여지기 전에 발생된 것임을 요한다.
> ㄷ. 채권자대위권은 소유권이전등기청구권과 같은 특정물채권을 피보전채권으로 삼을 수 없으나, 채권자취소권은 이와 같은 특정물채권을 피보전채권으로 삼을 수 있다.
> ㄹ. 채권자대위소송에서 피보전채권이 인정되지 아니할 경우에는 청구를 기각하여야 하나, 채권자취소소송에서 피보전채권이 존재하지 않는 경우에는 소(訴)를 각하하여야 한다.

① ㄱ, ㄷ
② ㄷ, ㄹ
③ ㄱ, ㄴ
④ ㄴ, ㄹ

해설 ㄱ. 채권자대위권은 재판상 또는 재판 외에서 행사할 수 있으나, 채권자취소권은 재판상으로만 행사하여야 하고(제406조 제1항 본문), 소송상 공격방어방법의 형태로는 할 수 없다.
ㄴ. 채권자대위권에서 채권자의 채권은 채무자의 제3채무자에 대한 권리(피대위채권)보다 먼저 성립되어 있을 필요가 없으나, 채권자취소권에서 채권자의 채권은 사해행위 이전에 이미 발생한 것이어야 한다(사해행위 당시에 성립하지 않았던 채권은 그 성질상 사해행위에 의해 침해될 수 없기 때문이다).
ㄷ. 채권자대위권에서 피보전채권은 금전채권 이외에 특정채권도 포함하지만, 채권자취소권에서 피보전채권은 금전채권이어야 하며, 특정채권을 보전하기 위하여 채권자취소권을 행사할 수 없다.
ㄹ. 채권자대위소송에 있어서 대위에 의하여 보전될 채권자의 채무자에 대한 권리가 인정되지 아니할 경우에는 채권자가 스스로 원고가 되어 채무자의 제3채무자에 대한 권리를 행사할 당사자적격이 없게 되므로 그 대위소송은 부적법하여 각하할 수밖에 없지만(대판 1994.6.24. 94다14339), 채권자취소소송에서 피보전채권이 존재하지 않는 경우에는 청구를 기각하여야 한다.

정답 108 ②

109 **채권자대위권 및 채권자취소권에 관한 설명 중 옳지 않은 것은?** (다툼이 있는 경우 판례에 의함)

▶ 2016년 변호사

① 채무자가 채권자대위권 행사의 통지를 받은 후에 제3채무자가 채무자의 채무불이행을 이유로 채무자에 대하여 매매계약을 해제한 경우, 원칙적으로 제3채무자는 그 계약해제로써 채권자대위권을 행사하는 채권자에게 대항할 수 있다.

② 채권자대위소송에서 대위에 의하여 보전될 채무자에 대한 채권자의 권리가 존재하는지 여부는 소송요건으로서 법원의 직권조사사항이다.

③ 채권자의 채권이 사해행위 이전에 성립하였다면 사해행위 이후에 양도되었다고 하더라도 그 채권의 양수인은 채권자취소권을 행사할 수 있다.

④ 사해행위 당시 이미 채권 성립의 기초가 되는 법률관계가 발생되어 있고, 가까운 장래에 그 법률관계에 기하여 채권이 성립되리라는 점에 대한 고도의 개연성이 있으며, 실제로 가까운 장래에 그 개연성이 현실화되어 사해행위 이후에 채권이 성립된 경우에는 채권자취소권의 피보전채권이 될 수 있다.

⑤ 여러 명의 채권자가 사해행위취소 및 원상회복청구의 소를 제기하여 여러 개의 소송이 계속 중인 경우에는 각 소송에서 채권자의 청구에 따라 사해행위의 취소 및 원상회복을 명하는 판결을 선고하여야 하고, 수익자 또는 전득자가 가액배상을 하여야 할 경우, 수익자 또는 전득자는 채권자들의 채권액에 비례하여 채권자별로 안분한 범위 내에서 이를 반환하여야 한다.

해설 ① 채무자가 채권자대위권 행사의 통지를 받은 후에 제3채무자가 채무자의 채무불이행을 이유로 채무자에 대하여 매매계약을 해제한 경우, 원칙적으로 제3채무자는 그 계약해제로써 채권자대위권을 행사하는 채권자에게 대항할 수 있다(대판(전합) 2012.5.17. 2011다87235).

② 채권자대위소송에서 대위에 의하여 보전될 채무자에 대한 채권자의 권리가 존재하는지 여부는 소송요건으로서 법원의 직권조사사항이다. 따라서 채권자의 채권이 존재하지 않는 경우에는 부적법각하 당하게 된다(대판 2014.3.27. 2009다104960).

③ 채권양도는 동일성이 있기 때문에 채권자의 채권이 사해행위 이전에 성립하였다면 사해행위 이후에 양도되었다고 하더라도 그 채권의 양수인은 채권자취소권을 행사할 수는 것이다(대판 2012.2.9. 2011다77146).

④ 사해행위 당시 이미 채권 성립의 기초가 되는 법률관계가 발생되어 있고, 가까운 장래에 그 법률관계에 기하여 채권이 성립되리라는 점에 대한 고도의 개연성이 있으며, 실제로 가까운 장래에 그 개연성이 현실화되어 사해행위 이후에 채권이 성립된 경우에는 채권자취소권의 피보전채권이 될 수 있다(대판 2002.11.28. 2002다42957).

⑤ 여러 명의 채권자가 사해행위취소 및 원상회복청구의 소를 제기하여 여러 개의 소송이 계속 중인 경우에는 각 소송에서 채권자의 청구에 따라 사해행위의 취소 및 원상회복을 명하는 판결을 선고하여야 하고, 수익자(전득자포함)가 가액배상을 하여야 할 경우에도 수익자가 반환하여야 할 가액을 채권자의 채권액에 비례하여 채권자별로 안분한 범위 내에서 반환을 명할 것이 아니라, 수익자가 반환하여야 할 가액 범위 내에서 각 채권자의 피보전채권액 전액의 반환을 명하여야 한다(대판 2005.11.25. 2005다51457).

110 채권자대위권과 채권자취소권에 관한 다음 설명 중 가장 옳지 않은 것은? (다툼이 있는 경우 판례에 의함)

① 채권자대위권의 행사 시 채권자의 채권은 채무자의 제3채무자에 대한 권리보다 먼저 성립될 필요가 없으나, 채권자취소권의 행사시 채권자의 채권은 원칙적으로 사해행위보다 먼저 성립되어야 한다.

② 채권자대위권은 재판상 또는 재판 외에서 행사할 수 있으나, 채권자취소권은 반드시 소제기의 방법으로만 행사할 수 있다.

③ 채권자대위권의 행사시 채권자의 채권은 금전채권이 아닌 것도 가능하나, 채권자취소권의 행사시 채권자의 채권은 금전채권이어야 한다.

④ 채권자대위권의 행사시 채무자의 무자력이 반드시 필요한 것은 아니지만, 채권자취소권의 행사시 채무자의 무자력은 반드시 필요하다.

⑤ 채권자대위권과 달리 채권자취소권의 경우 취소채권자는 자신이 회복해 온 재산에 대하여 우선권을 갖게 된다.

> **해설** ① 채권자대위권에서 채권자의 채권은 채무자의 제3채무자에 대한 권리(피대위채권)보다 먼저 성립되어 있을 필요가 없으나, 채권자취소권에서 채권자의 채권은 사해행위 이전에 이미 발생한 것이어야 한다(사해행위 당시에 성립하지 않았던 채권은 그 성질상 사해행위에 의해 침해될 수 없기 때문이다).
>
> ② 채권자대위권은 재판상 또는 재판 외에서 행사할 수 있으나, 채권자취소권은 재판상으로만 행사하여야 하고(제406조 제1항 본문), 소송상 공격방어방법의 형태로는 할 수 없다.
>
> ③ 채권자대위권에서 피보전채권은 금전채권 이외에 특정채권도 포함하지만, 채권자취소권에서 피보전채권은 금전채권이어야 하며, 특정채권을 보전하기 위하여 채권자취소권을 행사할 수 없다.
>
> ④ 채권자대위권에서 피보전채권이 특정채권인 경우에는 무자력을 불요하지만, 금전채권의 경우에는 원칙상 무자력이 요구된다. 반면 채권자취소권의 경우 사해행위가 성립하기 위해서는 채무자의 법률행위로 인해 그의 일반재산이 감소하여 채권의 공동담보에 부족이 생기고 채권자에게 완전한 변제를 할 수 없게 되어야 한다. 즉 채무자가 자신의 무자력을 초래함을 알면서 재산상 법률행위를 한 경우이어야 하는바, 채권자취소권의 경우에는 피보전채권이 금전채권인 경우에도 채권자대위권과 달리 항상 무자력을 필요로 한다.
>
> ⑤ 채권자대위권은 채권자가 채무자의 권리를 행사하는 것이므로 그 행사의 실체법상 효과는 직접 채무자에게 귀속되고, 채권자에게 귀속되는 것이 아니다. 반면 채권자취소권 행사의 효과는 모든 채권자를 위하여 그 효력이 있으므로(제407조), 취소채권자 스스로 인도받은 경우에도 그로부터 우선변제를 받을 수 있는 것은 아니다.

정답 | 109 ⑤ | 110 ⑤

심화문제 | 확인 · 보충 · 심화문제

01 **이행지체에 관한 설명 중 옳은 것은?** (다툼이 있는 경우 판례에 의함) ▸ 2016년 변호사

① 매수인이 매도인으로부터 물품을 공급받은 다음 그들 사이의 물품대금 지급방법에 관한 약정에 따라 그 대금의 지급을 위하여 매도인에게 지급기일이 물품 공급일자 이후로 된 약속어음을 발행·교부한 경우 물품대금 지급채무의 이행기는 그 약속어음의 지급기일이지만, 예외적으로 그 약속어음이 발행인의 지급정지의 사유로 그 지급기일 이전에 지급거절된 때에는 그때 위 물품대금 지급채무의 이행기가 도달한다.

② 이행기의 정함이 없는 채권을 양수받은 채권양수인이 채무자를 상대로 이행청구를 하면 그 다음 날부터 이행지체 책임이 발생하며, 이는 채무자에 대한 지명채권 양도의 통지가 이행청구 이후에 도달한 경우에도 동일하다.

③ 乙이 甲에게 기존 매매대금 채무의 이행확보를 위해 약속어음을 발행한 경우 약정된 매매대금채무의 변제기가 도과하더라도 甲이 乙에게 위 약속어음을 반환하지 않는 이상 원칙적으로 이행지체가 발생하지 않는다.

④ 甲의 乙에 대한 매매대금채권의 지급을 금지하는 채권가압류 명령이 乙에게 송달되었다면 그 매매대금채권의 변제기가 도래하더라도 乙은 이행지체 책임을 면한다.

⑤ 특정물의 매매에 있어서 매수인의 대금지급채무가 이행지체에 빠졌다 하더라도 그 목적물의 인도가 이루어지지 아니하는 한 매도인은 매수인의 대금지급채무의 이행지체를 이유로 매매대금의 이자 상당액의 손해배상청구를 할 수 없다.

해설 ① 판례는 매수인이 매도인으로부터 물품을 공급받은 다음 그들 사이의 물품대금 지급방법에 관한 약정에 따라 그 대금의 지급을 위하여 매도인에게 지급기일이 물품 공급일자 이후로 된 약속어음을 발행·교부한 경우 물품대금 지급채무의 이행기는 그 약속어음의 지급기일이기 때문에 그 약속어음이 발행인의 지급정지의 사유로 그 지급기일 이전에 지급거절된 때라도 그때 위 물품대금 지급채무의 이행기가 도달한다고 볼 수 없다는 입장이다(대판 2014. 6.26, 2011다101599). 즉 약속어음이 발행인의 지급정지의 사유로 그 지급기일 이전에 지급거절되었더라도 물품대금 지급채무가 그 지급거절된 때에 이행기에 도달하는 것은 아니다(대판 2000.9.5, 2000다26333).

② 채무에 이행기의 정함이 없는 경우에는 채무자가 이행의 청구를 받은 다음 날부터 이행지체의 책임을 지는 것이나, 한편 지명채권이 양도된 경우 채무자에 대한 대항요건이 갖추어질 때까지 채권양수인은 채무자에게 대항할 수 없으므로, 이행기의 정함이 없는 채권을 양수한 채권양수인이 채무자를 상대로 그 이행을 구하는 소를 제기하고 소송 계속 중 채무자에 대한 채권양도통지가 이루어진 경우에는 특별한 사정이 없는 한 채무자는 채권양도통지가 도달된 다음 날부터 이행지체의 책임을 진다(대판 2014.4.10, 2012다29557).

③ 乙이 甲에게 기존 매매대금 채무의 이행확보를 위해 약속어음을 발행한 경우 약정된 매매대금채무의 변제기가 도과하면, 甲이 乙에게 위 약속어음을 반환하지 않았다 하더라도 원칙적으로 이행지체가 발생하지 않는 것이 아니라 일단 이행지체 책임을 진다는 것이다(대판 1999.

7.9, 98다47542).

④ 甲의 乙에 대한 매매대금채권의 지급을 금지하는 채권가압류 명령이 乙에게 송달되었다면 그 매매대금채권의 변제기가 도래하더라도 乙은 이행지체 책임을 면하는 것이 아니라 일단 이행지체책임을 부담한다(대판(전합) 1994.12.13. 93다951).

⑤ 제587조와 관련하여, 판례는 "특정물의 매매에 있어서 매수인의 대금지급채무가 이행지체에 빠졌다 하더라도 그 목적물의 인도가 이루어지지 아니하는 한 매도인은 매수인의 대금지급 채무의 이행지체를 이유로 매매대금의 이자 상당액의 손해배상청구를 할 수 없다."고 판시하 였다(대판 2004.4.23. 2004다8210).

02 甲은 2005.3.1. 乙에게 500만원을 이자 월 1%, 이자지급일 매월 말일, 변제기 2005.10.31.로 정하여 대여하였다. 이 사례에 관한 설명 중 옳은 것은? (다툼이 있는 경우에는 판례에 의함)

① 乙이 위 차용금채무의 이행에 관하여 甲에게 어음을 교부하는 경우, 다른 특별한 사정 이 없는 한 乙의 차용금채무는 소멸하고 어음채무만이 잔존한다.

② 乙이 위 차용금채무의 지급을 위하여 甲에게 어음을 교부하고, 甲이 그 어음과 분리하 여 대여금채권만을 제3자 丙에게 양도하고 이를 乙에게 통지하였다면, 丙이 乙에 대하 여 그 대여금의 반환을 청구한 경우, 乙은 丙에 대하여 그 어음을 반환 받을 때까지 차용금채무의 이행을 거절할 수 있는 항변권을 행사할 수 없다.

③ 甲이 위 500만원 대여금채권의 지급을 확보하기 위하여 2005.3.1. 乙 발행의 액면금 600만원인 약속어음을 교부받고 2006.2.20. 위 약속어음채권을 피보전권리로 하여 乙소유의 부동산을 가압류하였다 하더라도 위 대여금채권의 소멸시효가 중단되는 것 은 아니다.

④ 乙이 변제기인 2005.10.31.이 지난 후에도 차용원리금을 전혀 변제하지 않으므로 甲 이 2006.1.1. 乙에 대하여 그 원리금 및 지연손해금의 지급을 청구한 일이 있다면, 그 후 甲은 乙에 대하여 위 500만원에 대한 2005.11.1.부터 2005.12.31.까지 2개월 간의 지연손해금 10만원에 대한 지연손해금의 지급도 구할 수 있다.

⑤ 乙이 변제기인 2005.10.31. 차용금 500만원을 반환하지 않음으로 인하여 발생한 지 연손해금은 민법 제163조 제1호 소정의 '1년 이내의 기간으로 정한 금전의 지급을 목 적으로 한 채권'으로서 3년의 단기소멸시효의 대상이 된다.

해설 ① 기존 채무의 이행에 관하여 채무자가 채권자에게 어음을 교부할 때의 당사자의 의사는 기존 원인채무의 '지급에 갈음하여', 즉 기존 원인채무를 소멸시키고 새로운 어음채무만을 존속시 키려고 하는 경우와, 기존 원인채무를 존속시키면서 그에 대한 지급방법으로서 이른바 '지급 을 위하여' 교부하는 경우 및 단지 기존 채무의 지급 담보의 목적으로 이루어지는 이른바 '담 보를 위하여' 교부하는 경우로 나누어 볼 수 있는데, 당사자 사이에 특별한 의사표시가 없으 면 어음의 교부가 있다고 하더라도 이는 기존 원인채무는 여전히 존속하고 단지 그 '지급을 위하여' 또는 그 '담보를 위하여' 교부된 것으로 추정할 것이며, 따라서 특별한 사정이 없는 한 기존의 원인채무는 소멸하지 아니하고 어음상의 채무와 병존한다고 보아야 할 것이고, 이 경우 어음상의 주채무자가 원인관계상의 채무자와 동일하지 아니한 때에는 제3자인 어음상의 주채무자에 의한 지급이 예정되고 있으므로 이는 '지급을 위하여' 교부된 것으로 추정하여야 한다(대판 1996.11.8, 95다25060).

② 기존채무와 어음채무가 병존하는 경우, 채무자는 2중 지급의 위험을 피하기 위하여 어음의 반환이 있을 때까지 기존채무의 이행을 거절할 수 있다는 것이 판례이다. 즉 기존채무의 이행과 어음반환 사이에는 동시이행관계가 인정된다. 한편, 동시이행의 항변권은 채권이 양도되거나 채무가 인수되어 그 동일성이 유지되는 한 존속할 수 있다. 따라서 乙은 기존채권을 양도받은 丙에 대하여도 동시이행의 항변으로 대항할 수 있다.

> **【대판 2003.5.30, 2003다13512】** [1] 채무자가 기존채무의 지급을 위하여 채권자에게 수표를 교부하였는데 채권자가 그 수표와 분리하여 기존 원인채권만을 제3자에게 양도한 경우, 채무자는 기존 원인채권의 양도인에 대하여 채권자가 위 수표의 반환 없는 기존 원인채무의 이행을 거절할 수 있는 항변권을 그 채권양도통지를 받기 이전부터 이미 가지고 있었으므로 채권양수인에 대하여도 이와 같은 항변권을 행사할 수 있다. [2] 기존채무의 지급을 위하여 수표를 교부받은 채권자가 그 수표와 분리하여 기존 원인채권만을 제3자에게 양도한 경우, 기존채무의 지급을 위하여 수표를 교부하였다는 것은 채무자와 기존채권의 양도인 사이에서는 그 수표금이 지급되는 등 채무자가 그 수표상의 상환의무를 면하게 되면 원인채무 또한 소멸할 것을 예정하고 있었던 것으로 보아야 할 것인데, 수표금의 지급으로써 기존 원인채무도 소멸할 것을 예정하고 있었던 사정은 그 채권양도통지 이전에 이미 존재하고 있었던 것이므로, 그 채권양도통지 후에 수표금의 지급이 이루어지더라도 이는 양도통지 후에 새로이 발생한 사유로 볼 수는 없다고 할 것이니, 따라서 채무자로서는 기존 원인채권의 양수인에 대하여 기존채무의 지급을 위하여 교부한 수표가 양도통지 이후에 결제되었다는 사유로써 그 기존채무의 소멸을 주장할 수 있다.

③ 원인채권의 지급을 확보하기 위한 방법으로 어음이 수수된 경우, 이러한 어음은 경제적으로 동일한 급부를 위하여 원인채권의 지급수단으로 수수된 것으로서 그 어음채권의 행사는 원인채권을 실현하기 위한 것일 뿐만 아니라, 원인채권의 소멸시효는 어음금 청구소송에 있어서 채무자의 인적항변 사유에 해당하는 관계로 채권자가 어음채권의 소멸시효를 중단하여 두어도 채무자의 인적항변에 따라 그 권리를 실현할 수 없게 되는 불합리한 결과가 발생하게 되므로, 채권자가 원인채권에 기하여 청구를 한 것이 아니라 어음채권에 기하여 청구를 하는 반대의 경우에는 원인채권의 소멸시효를 중단시키는 효력이 있다고 봄이 상당하고, 이러한 법리는 채권자가 어음채권을 피보전권리로 하여 채무자의 재산을 가압류함으로써 그 권리를 행사한 경우에도 마찬가지로 적용된다(대판 1999.6.11, 99다16378).

④ 금전채무의 지연손해금채무는 금전채무의 이행지체로 인한 손해배상채무로서 이행기의 정함이 없는 채무에 해당하므로, 채무자는 확정된 지연손해금채무에 대하여 채권자로부터 이행청구를 받은 때로부터 지체책임을 부담하게 된다(대판 2004.7.9, 2004다11582).

⑤ 금전채무의 이행지체로 인하여 발생하는 지연손해금은 그 성질이 손해배상금이지 이자가 아니며, 민법 제163조 제1호가 규정한 '1년 이내의 기간으로 정한 채권'도 아니므로 3년간의 단기소멸시효의 대상이 되지 아니한다(대판 1998.10.11, 98다42141).

03 **이행불능에 관한 설명 중 옳지 않은 것은?** (다툼이 있는 경우에는 판례에 의함)

① 부동산소유권이전등기 의무자가 그 부동산에 관하여 제3자에게 가등기를 경료해 준 경우, 그 가등기만으로는 소유권이전등기의무가 이행불능이 된다고 할 수 없다.

② 부동산소유권이전등기 의무자가 그 부동산에 관하여 제3자에게 채무담보를 위하여 소유권이전등기를 경료해 준 경우, 그 의무자가 채무를 변제할 자력이 없더라도 소유권이전등기의무가 이행불능이 되는 것은 아니다.

③ 임대인이 임대목적물의 소유권을 상실하였다는 이유만으로 임대인의 임차인에 대한 임대차계약상의 의무가 이행불능으로 되는 것은 아니다.

④ 임차건물이 화재로 손실되어 임차인의 임차물 반환채무가 이행불능이 된 경우, 화재원인이 불명인 때에도, 임차인이 그 이행불능으로 인한 손해배상책임을 면하려면 임차건물의 보존에 관하여 선량한 관리자의 주의의무를 다하였음을 입증하여야 한다.

⑤ 매도인의 소유권이전등기의무가 이행불능이 되어 매수인이 매매계약을 해제하기 위해서는, 잔대금 지급의무가 소유권이전등기의무와 동시이행관계에 있더라도, 매수인이 이행 또는 이행의 제공을 할 필요는 없다.

해설 ① 부동산소유권이전등기 의무자가 그 부동산 상에 가등기를 경료한 경우 가등기는 본등기의 순위보전의 효력을 가지는 것에 불과하고 또한 그 소유권이전등기 의무자의 처분권한이 상실되지도 아니하므로 그 가등기만으로는 소유권이전등기의무가 이행불능이 된다고 할 수 없다(대판 1993.9.14, 93다12268).

② 부동산소유권이전등기 의무자가 그 부동산에 관하여 제3자 앞으로 비록 채무담보를 위하여 소유권이전등기를 경료하였다고 할지라도 그 의무자가 채무를 변제할 자력이 없는 경우에는 특단의 사정이 없는 한 그 소유권이전등기의무는 이행불능이 된다(대판 1991.7.26, 91다8104).

③ 계약의 이행불능 여부는 사회통념에 의하여 이를 판정하여야 할 것인바, 임대차계약상의 임대인의 의무는 목적물을 사용수익케 할 의무로서, 목적물에 대한 소유권 있음을 성립요건으로 하고 있지 아니하여 임대인이 소유권을 상실하였다는 이유만으로 그 의무가 불능하게 된 것이라고 단정할 수 없다(대판 1994.5.10, 93다37977).

④ 임차인의 임차물 반환채무가 이행불능이 된 경우 임차인이 그 이행불능으로 인한 손해배상책임을 면하려면 그 이행불능이 임차인의 귀책사유로 말미암은 것이 아님을 입증할 책임이 있으며, 임차건물이 화재로 소훼된 경우에 있어서 그 화재의 발생원인이 불명인 때에도 임차인이 그 책임을 면하려면 그 임차건물의 보존에 관하여 선량한 관리자의 주의의무를 다하였음을 입증하여야 한다(대판 1999.9.21, 99다36273).

⑤ 매도인의 매매계약상의 소유권이전등기의무가 이행불능이 되어 이를 이유로 매매계약을 해제함에 있어서는 상대방의 잔대금지급의무가 매도인의 소유권이전등기의무와 동시이행관계에 있다고 하더라도 그 이행의 제공을 필요로 하는 것이 아니다(대판 2003.1.24, 2000다22850).

정답 03 ②

04 이행불능에 관한 설명 중 옳지 않은 것을 모두 고른 것은? (다툼이 있는 경우 판례에 의함)

▶ 2016년 사법시험

ㄱ. 임대인은 목적물을 사용·수익하게 할 의무가 있으므로 임대인이 소유권을 상실하였다는 이유만으로 그 의무가 불능이라고 보아야 한다.

ㄴ. 민법은 이행불능의 효과로 채권자의 전보배상청구권과 계약해제권 외에 별도로 대상청구권을 규정하고 있지는 않으므로 대상청구권은 인정될 수 없다.

ㄷ. 부동산에 관한 매매계약의 체결 후에 그 목적 부동산에 소유권이전청구권을 보전하기 위한 가등기가 마쳐졌다면 매도인의 소유권이전등기의무는 이행불능이라고 보아야 한다.

ㄹ. 소유자가 자신의 소유권에 기하여 실체관계에 부합하지 아니하는 등기의 명의인을 상대로 그 등기말소를 청구하는 경우, 소유자가 그 후에 그 소유권을 상실함으로써 이제 등기말소 등을 청구할 수 없게 되었다면, 등기말소의무자에 대하여 그 권리의 이행불능을 이유로 민법 제390조상의 손해배상청구권을 가진다.

ㅁ. 甲이 토지를 乙에게 증여하기로 하는 계약을 체결하고 나서 그 토지를 丙에게 매도하는 계약을 체결하였다면, 乙은 甲에 대하여 이행불능을 이유로 손해배상을 청구할 수 있다.

ㅂ. 임대인의 수선의무 지체를 이유로 임대차계약이 해지되었으나 아직 임차건물이 반환되지 않은 상황에서 원인불명의 화재로 소훼된 경우, 임차인은 그 임차건물의 보존에 관하여 선량한 관리자의 주의의무를 다하였음을 입증하지 않아도 이행불능으로 인한 손해배상책임을 면한다.

① ㄱ, ㄴ, ㄷ, ㅁ   ② ㄱ, ㄷ, ㅁ, ㅂ
③ ㄴ, ㄷ, ㄹ, ㅂ   ④ ㄱ, ㄴ, ㄷ, ㅁ, ㅂ
⑤ ㄱ, ㄴ, ㄷ, ㄹ, ㅁ, ㅂ

해설 ㄱ. 계약의 이행불능 여부는 사회통념에 의하여 이를 판정하여야 할 것인바, 임대차계약상의 임대인의 의무는 목적물을 사용수익케 할 의무로서, 목적물에 대한 소유권 있음을 성립요건으로 하고 있지 아니하여 임대인이 소유권을 상실하였다는 이유만으로 그 의무가 불능하게 된 것이라고 단정할 수 없다(대판 1994.5.10, 93다37977).

ㄴ. 우리 민법이 이행불능의 효과로서 채권자의 전보배상청구권과 계약해제권 외에 별도로 대상청구권을 규정하고 있지 않으나 해석상 대상청구권을 부정할 이유는 없다(대판 2012.6.28, 2010다71431).

ㄷ. 가등기는 본등기의 순위보전의 효력을 가지는 것에 불과하고, 또한 그 소유권이전등기의무자의 처분권한이 상실되는 것도 아니므로 그 가등기만으로는 소유권이전등기의무가 이행불능이 된다고 할 수 없다(대판 1993.9.14, 93다12268).

ㄹ. 소유자가 소유권을 상실함으로써 이제 등기말소 등을 청구할 수 없게 되었다면, 등기말소 등 의무자에 대하여 그 권리의 이행불능을 이유로 민법 제390조상의 손해배상청구권을 가진다고 말할 수 없다(대판(전합) 2012.5.17, 2010다28604).

ㅁ. 부동산소유권이전등기 의무자가 그 목적물을 제3자에게 양도하고 아직 그 소유권이전등기를 경유하지 아니한 경우에는 특단의 사유가 없는 한 위 소유권이전등기의무는 이행불능의 상태에 있다고 볼 수 없다(대판 1984.4.10, 83다카1222).

ㅂ. 임차인의 임대차 목적물 반환의무가 이행불능이 된 경우 임차인이 그 이행불능으로 인한 손해배상책임을 면하려면 그 이행불능이 임차인의 귀책사유로 말미암은 것이 아님을 입증할 책임이 있고, 임차건물이 화재로 소훼된 경우에 있어서 그 화재의 발생원인이 불명인 때에도 임차인이 그 책임을 면하려면 그 임차건물의 보존에 관하여 선량한 관리자의 주의의무를 다하였음을 입증하여야 하는 것이며, 이러한 법리는 임대차의 종료 당시 임차목적물 반환채무가 이행불능 상태는 아니지만 반환된 임차건물이 화재로 인하여 훼손되었음을 이유로 손해배상을 구하는 경우에도 동일하게 적용되고, 나아가 그 임대차계약이 임대인의 수선의무 지체로 해지된 경우라도 마찬가지다(대판 2010.4.29, 2009다96984).

05 甲과 乙은 2011.5.20. 甲 소유의 X 토지에 관한 매매계약을 체결하면서 계약금 3,000만원은 당일 지급하였고, 중도금과 잔금 2억 7,000만원은 같은 해 8.20. 지급하기로 하였는데, 같은 해 7.10. X 토지가 수용되어 甲이 보상금으로 4억원을 받았다. 다음 설명 중 옳은 것을 모두 고른 것은? (다툼이 있는 경우에는 판례에 의함) ▶ 2013년 변호사

> ㄱ. 乙은 甲에 대하여 보상금의 지급을 구하지 않고, 계약금 3,000만원에 대한 부당이득 반환청구권을 행사할 수 있다.
>
> ㄴ. X 토지의 수용은 甲의 귀책사유에 의한 것이 아니므로 위험부담의 법리에 따라 乙의 반대급부의무 역시 소멸하고, 이는 乙이 甲에 대하여 보상금의 반환을 청구하더라도 마찬가지이다.
>
> ㄷ. 甲이 지급받은 보상금의 반환을 청구할 수 있는 乙의 권리는 특별한 사정이 없는 한 X 토지가 수용된 시점부터 소멸시효가 진행한다.

① ㄱ, ㄷ   ② ㄱ, ㄴ, ㄷ
③ ㄱ   ④ ㄴ
⑤ ㄷ

해설 ㄱ. 제537조 위험부담을 주장했다는 것이다. 따라서 부당이득이 문제된다. 즉 쌍무계약에서 당사자 쌍방의 귀책사유 없이 채무가 이행불능되어 계약관계가 소멸한 경우 적용되는 법리는 부당이득이다(대판 2009.5.28, 2008다98655 등).

ㄴ. 보상금을 청구한다는 것은 대상청구권을 주장한다는 것으로 위험부담과는 다른 것이다. 보상금을 청구하려면 자신의 반대급부를 이행하여야 한다(위 판례 등 참조).

ㄷ. 불능시부터 시효가 진행하며 채권적 청구권으로 이해한다. 따라서 소멸시효 10년에 걸린다. 다만 예외도 있음에 유념하여야 한다(대판 2002.2.8, 99다23901 등).

정답   04 ⑤   05 ①

06 채무불이행에 관한 설명 중 옳은 것(○)과 옳지 않은 것(×)을 올바르게 조합한 것은?
(다툼이 있는 경우 판례에 의함) ▸ 2015년 사법시험

> ㄱ. 불법행위에 의한 손해배상채무의 경우 특별한 사정이 없는 한 불법행위자가 피해자로부터 이행청구를 받은 다음 날부터 지체책임을 진다.
> ㄴ. 매도인의 소유권이전등기의무가 이행불능이 되어 매수인이 이를 이유로 매매계약을 해제하기 위해서는 이와 동시이행 관계에 있는 잔대금지급의무에 관하여 적어도 구두의 제공은 하여야 한다.
> ㄷ. 매도인 甲이 X 부동산을 매수인 乙에게 매도한 후 X 부동산에 관하여 丙 앞으로 채무담보를 위한 소유권이전등기를 경료해 준 경우 甲의 변제자력에 관계없이 甲의 乙에 대한 소유권이전등기의무는 이행불능이 된다.
> ㄹ. 甲 소유의 부동산에 관하여 乙이 원인무효인 소유권이전등기를 한 뒤 이를 丙에게 매도하여 丙 명의의 소유권이전등기가 마쳐졌다. 甲이 乙과 丙을 상대로 각 소유권이전등기의 말소를 구하는 소를 제기하여 乙에게는 승소하였으나, 丙에 대해서는 등기부취득시효가 완성되었다는 이유로 패소하여 그 판결이 확정되었다. 이 경우 甲은 乙을 상대로 등기말소청구권의 이행불능을 이유로 채무불이행에 기한 손해배상청구를 할 수 있다.
> ㅁ. 甲과 乙은 아파트 분양계약을 체결하면서 계약이 해제될 경우 반환할 금전에 관한 지연손해금률을 연 3%로 약정하였다. 乙이 甲과의 분양계약을 해제하고 분양대금의 반환을 청구하면서 이행지체에 따른 지연손해금에 관하여 법정이율의 적용을 주장하는 경우, 법원은 이를 받아들여야 한다.

① ㄱ(○), ㄴ(○), ㄷ(○), ㄹ(○), ㅁ(×) ② ㄱ(○), ㄴ(×), ㄷ(○), ㄹ(×), ㅁ(○)
③ ㄱ(×), ㄴ(○), ㄷ(×), ㄹ(×), ㅁ(×) ④ ㄱ(×), ㄴ(×), ㄷ(×), ㄹ(×), ㅁ(○)
⑤ ㄱ(×), ㄴ(×), ㄷ(×), ㄹ(×), ㅁ(×)

해설 ㄱ. 불법행위로 인한 손해배상채무에 대하여는 별도의 이행 최고가 없더라도 채무성립과 동시에 지연손해금이 발생하는 것이 원칙이다(대판 2012.3.29, 2011다38325).
ㄴ. 매수인이 매도인의 이행불능을 이유로 해제하고자 할 때는 비록 자신의 반대의무가 동시이행의 관계에 있어도 이행제공을 할 필요가 없다(대판 2003.1.24, 2000다22850).
ㄷ. 부동산소유권이전등기 의무자가 그 부동산에 관하여 제3자 앞으로 비록 채무담보를 위하여 소유권이전등기를 경료하였다고 할지라도 그 의무자가 채무를 변제할 자력이 없는 경우에는 특단의 사정이 없는 한 그 소유권이전등기의무는 이행불능이 된다(대판 1991.7.26, 91다8104).
ㄹ. 소유자가 자신의 소유권에 기하여 실체관계에 부합하지 아니하는 등기의 명의인을 상대로 그 등기말소나 진정명의회복 등을 청구하는 경우에, 그 권리는 물권적 청구권으로서의 방해배제청구권의 성질을 가진다. 그러므로 소유자가 그 후에 소유권을 상실함으로써 이제 등기말소 등을 청구할 수 없게 되었다면, 이를 위와 같은 청구권의 실현이 객관적으로 불능이 되었다고 파악하여 등기말소 등 의무자에 대하여 그 권리의 이행불능을 이유로 민법 제390조상의 손해배상청구권을 가진다고 말할 수 없다(대판(전합) 2012.5.17, 2010다28604).
ㅁ. 계약해제 시 붙이는 이자는 당사자 사이에 그 이자에 관하여 특별한 약정이 있으면 그 약정이율이 우선 적용되고 약정이율이 없으면 민사 또는 상사 법정이율이 적용된다. 반면 원상회

복의무가 이행지체에 빠진 이후의 기간에 대해서는 부당이득반환의무로서의 이자가 아니라 반환채무에 대한 지연손해금이 발생하게 되므로 거기에는 지연손해금률이 적용되어야 한다. 그 지연손해금률에 관하여도 당사자 사이에 별도의 약정이 있으면 그에 따라야 할 것이고, 설사 그것이 법정이율보다 낮다 하더라도 마찬가지이다. 그리고 계약해제 시 반환할 금전에 가산할 이자에 관하여 당사자 사이에 약정이 있는 경우에는 특별한 사정이 없는 한 이행지체로 인한 지연손해금도 그 약정이율에 의하기로 하였다고 보는 것이 당사자의 의사에 부합한다. 다만 그 약정이율이 법정이율보다 낮은 경우에는 약정이율에 의하지 아니하고 법정이율에 의한 지연손해금을 청구할 수 있다고 봄이 타당하다(대판 2013.4.26, 2011다50509).

07 **과실상계에 관한 설명 중 판례의 입장에 부합하는 것을 모두 고른 것은?**

> ㉠ 매도인의 하자담보책임은 민법이 특별히 인정한 무과실책임으로서 과실상계에 관한 규정이 준용될 수 없으므로 하자의 발생 및 그 확대에 가공한 매수인의 과실은 손해배상의 범위를 정함에 있어 참작될 수 없다.
> ㉡ 채권자의 청구가 연대보증인에 대하여 그 보증채무의 이행을 구하고 있음이 명백한 경우에는, 과실상계의 법리는 적용될 여지가 없다.
> ㉢ 불법행위를 원인으로 하는 손해배상의 경우, 피해자와 신분상 또는 생활관계상 일체를 이루고 있는 자의 과실도 고려한다.
> ㉣ 법원은 채권자의 과실을 인정한 이상 반드시 이를 참작하여야 한다.
> ㉤ 불법행위로 인한 손해가 발생하고 그 손해발생으로 이득이 생기고 동시에 그 손해발생에 피해자에게도 과실이 있어 과실상계를 하여야 할 경우에는 먼저 산정된 손해액에서 위 이득을 공제한 다음에 과실상계를 하여야 한다.
> ㉥ 피해자의 부주의가 아닌 체질적인 소인과 같이 귀책사유와 무관한 것인 경우에는 과실상계의 법리가 유추적용되지 않는다.

① ㉠, ㉡, ㉣
② ㉠, ㉤, ㉥
③ ㉡, ㉢, ㉣
④ ㉡, ㉢, ㉤
⑤ ㉢, ㉣, ㉤

해설 ㉠ 판례는 민법 제581조, 제580조에 기한 매도인의 하자담보책임은 법이 특별히 인정한 무과실책임으로서 여기에 민법 제396조의 과실상계 규정이 준용될 수는 없다 하더라도, 담보책임이 민법의 지도이념인 공평의 원칙에 입각한 것인 이상, 하자 발생 및 그 확대에 가공한 매수인의 잘못을 참작하여 손해배상의 범위를 정함이 상당하다는 입장이다(대판 1995.6.30, 94다23920).
㉡ 채권자의 청구가 연대보증인에 대하여 그 보증채무의 이행을 구하고 있음이 명백한 경우에는, 손해배상 책임의 유무 또는 배상의 범위를 정함에 있어 채권자의 과실이 참작되는 과실상계의 법리는 적용될 여지가 없다(대판 1996.2.23, 95다49141).

정답 ▶ 06 ⑤ 07 ③

ⓒ 불법행위로 인한 손해배상의 책임 및 그 범위를 정함에 있어 피해자의 과실을 참작하는 이유는 불법행위로 인하여 발생한 손해를 가해자와 피해자 사이에 공평하게 분담시키고자 함에 있으므로, 피해자의 과실에는 피해자 본인의 과실뿐 아니라 그와 신분상 내지 사회생활상 일체를 이루는 관계에 있는 자의 과실도 피해자측의 과실로서 참작되어야 하고, 어느 경우에 신분상 내지 사회생활상 일체를 이루는 관계라고 할 것인지는 구체적인 사정을 검토하여 피해자측의 과실로 참작하는 것이 공평의 관념에서 타당한지에 따라 판단하여야 한다(대판 1999.7.23, 98다31868).

ⓔ 법원은 직권으로 과실 유무를 조사하여야 하며(직권조사사항), 과실이 인정된 때에는 반드시 과실을 참작하여야 한다(제396조). 그러나 불법행위나 채무불이행으로 인한 손해배상 사건에서 피해자에게 손해의 발생이나 확대에 관하여 과실이 있는 경우에 그 과실상계 사유에 관한 사실인정이나 그 비율을 정하는 것은 그것이 형평의 원칙에 비추어 현저히 불합리하다고 인정되지 않는 한 사실심의 전권사항에 속한다(대판 1996.10.25, 96다30113 ; 대판 2002.7.12, 2001다44338 등).

ⓜ 과실상계와 손익상계의 사유가 경합할 경우 판례는 먼저 과실상계를 한 후 손익상계를 한다. 즉 손해발생으로 인하여 피해자에게 이득이 생기고, 한편 그 손해발생에 피해자의 과실이 경합되어 과실상계를 하여야 할 경우에는 먼저 산정된 손해액에다 과실상계를 한 후에 위 이득을 공제하여야 한다(대판 1981.6.9, 80다3277 등).

ⓗ 피해자 측의 요인이 체질적인 소인 또는 질병의 위험도와 같이 피해자의 손해의 전부를 배상시키는 것이 공평의 이념에 반하는 경우에는 과실상계의 법리를 유추적용할 수 있다(대판 1998.7.24, 98다12270 ; 대판 2000.1.21, 98다50586).

08 **과실상계에 관한 다음 설명 중 틀린 것을 모두 고른 것은?** (다툼이 있는 경우에는 판례에 의함)

ㄱ. 불법행위로 인하여 1,000만원 상당의 손해가 발생하였는데 피해자가 700만원만 청구한 경우 피해자의 과실이 20%라면 가해자는 청구금액 700만원에 대해 20%의 과실상계를 하여 560만원만 지급하면 된다.

ㄴ. 피해자의 부주의를 이용하여 고의로 불법행위를 저지른 자가 바로 그 피해자의 부주의를 이유로 자신의 책임을 감하여 달라고 주장하는 것은 허용될 수 없다.

ㄷ. 손해담보계약상 담보의무자의 책임은 이행의 책임이므로 과실상계 규정이 준용될 수 없는 것이 원칙이나 구체적인 사정에 따라 과실상계의 법리를 유추적용하여 감경할 수 있다.

① ㄱ, ㄴ, ㄷ　　　　② ㄱ, ㄴ
③ ㄱ, ㄷ　　　　　　④ ㄴ, ㄷ
⑤ ㄱ

해설 ㄱ. 일개의 손해배상청구권 중 일부가 소송상 청구되어 있는 경우에 과실상계를 함에 있어서는 손해의 전액에서 과실비율에 의한 감액을 하고 그 잔액이 청구액을 초과하지 않을 경우에는 그 잔액을 인용할 것이고 잔액이 청구액을 초과할 경우에는 청구의 전액을 인용하는 것으로 풀이하는 것이 일부청구를 하는 당사자의 통상적 의사라고 할 것이다(대판 1976.6.22, 75다819). 따라서 1,000만원을 기준으로 20%를 과실상계하면 800만원이 되고 청구액이 그 금액을 초과하지 않으므로 청구액 700만원 전부가 인용되어야 한다.

ㄴ. 피해자의 부주의를 이용하여 고의로 불법행위를 저지른 자가 바로 그 피해자의 부주의를 이유로 자신의 책임을 감하여 달라고 주장하는 것은 허용될 수 없다(대판 2005.11.10, 2003다66066).

ㄷ. 손해담보계약상 담보의무자의 책임은 손해배상책임이 아니라 이행의 책임이고, 따라서 담보계약상 담보권리자의 담보의무자에 대한 청구권의 성질은 손해배상청구권이 아니라 이행청구권이므로, 민법 제396조의 과실상계 규정이 준용될 수 없음은 물론 과실상계의 법리를 유추적용하여 그 담보책임을 감경할 수도 없는 것이 원칙이지만, 다만 담보권리자의 고의 또는 과실로 손해가 야기되는 등의 구체적인 사정에 비추어 담보권리자의 권리 행사가 신의칙 또는 형평의 원칙에 반하는 경우에는 그 권리 행사의 전부 또는 일부가 제한될 수는 있다(대판 2002.5.24, 2000다72572).

09 과실상계에 관한 설명 중 옳은 것을 모두 고른 것은? (다툼이 있는 경우에는 판례에 의함)

▶ 2013년 변호사

ㄱ. 표현대리가 성립하여 본인에 대하여 이행청구를 함에 있어서 상대방에게 과실이 있더라도 과실상계의 법리를 적용할 수 없다.

ㄴ. 손해배상청구권 중 일부가 청구된 경우의 과실상계는 전체 손해액에서 과실비율에 의한 감액을 하고, 잔액이 청구액을 초과하면 청구액을 인용하고 잔액이 청구액을 초과하지 않으면 그 잔액을 인용한다.

ㄷ. 피해자의 손해가 100만원, 손해야기행위로 인한 이익이 30만원, 피해자 과실이 30%인 경우, 피해자가 배상받을 수 있는 손해액은 49만원이다.

ㄹ. 배상의무자가 피해자의 과실에 관하여 주장하지 않는 경우에는 법원은 과실상계를 판단할 수 없다.

① ㄱ, ㄴ
② ㄱ, ㄷ
③ ㄴ, ㄷ
④ ㄴ, ㄹ
⑤ ㄱ, ㄴ, ㄷ

해설 ㄱ. 표현대리가 성립하는 경우에는 과실상계는 인정되지 않는다(대판 1996.7.12, 95다49554 등).

ㄴ. 외측설 - 손해배상의 일부청구의 경우 과실상계의 방법 : 일개의 손해배상청구권 중 일부가 소송상 청구되어 있는 경우에 과실상계를 함에 있어서는 손해의 전액에서 과실비율에 의한 감액을 하고 그 잔액이 청구액을 초과하지 않을 경우에는 그 잔액을 인용할 것이고 잔액이 청구액을 초과할 경우에는 청구의 전액을 인용하는 것으로 해석하여야 할 것이며 이와 같이 풀이하는 것이 일부청구를 하는 당사자의 통상적 의사라고 할 것이다. 이는 소위 외측설에

따른 이론인 바 외측설에 따라 원고의 청구를 인용한다고 하여도 이것이 당사자 처분권 주의에 위배되는 것이라고 할 수는 없는 것이라고 할 것이다(대판 1976.6.22, 75다819).

ㄷ. 과실상계 후 손익상계를 하여야 하며, 따라서 40만원이어야 한다(대판 1996.1.23, 95다24340).

ㄹ. 과실상계는 채권자의 과실이 있으면 법원이 반드시 직권으로 고려하여야 한다. 다만 그 과실의 정도는 사실심의 전권사항이다(대판 2006.4.28, 2005다44626 등).

10 甲은 그 소유의 토지를 乙에게 매도하면서 매매대금채무의 불이행에 관하여 손해배상액의 예정을 하였다. 甲이 乙의 채무불이행을 이유로 그 예정된 손해배상액을 청구하는 경우에 관한 설명 중 옳은 것은? (다툼이 있는 경우에는 판례에 의함) ▸ 2012년 변호사

① 甲은 乙의 이행지체 및 손해발생사실을 증명하여야 하고, 손해액을 증명할 필요는 없다.

② 乙이 甲의 과실을 증명하여 과실상계를 주장하는 경우, 법원은 손해배상액의 산정에 그 과실을 참작하여야 한다.

③ 다른 약정이 없는 한 乙은 자신에게 귀책사유가 없다는 것을 주장·증명하더라도 예정 배상액의 지급책임을 면할 수 없다.

④ 손해배상예정액이 부당하게 과다한지 여부는 손해배상예정의 약정 시를 기준으로 판단하여야 한다.

⑤ 甲은 특약이 없는 한 통상의 손해뿐만 아니라 특별한 사정으로 인한 손해에 관하여도 예정된 배상액만을 청구할 수 있다.

해설 ① 甲은 乙의 채무불이행사실(이행지체)은 입증하여야 하나, 손해발생사실은 증명을 요하지 않는다. 물론 손해액을 증명할 필요도 없다(대판 1975.3.25, 74다296 등).

② 예정된 것을 청구할 때 판례는 과실상계를 하지 않는다(대판 2002.1.25, 99다57126).

③ 채무자는 채권자와 채무불이행에 있어 채무자의 귀책사유를 묻지 아니한다는 약정을 하지 아니한 이상 자신의 귀책사유가 없음을 주장·입증함으로써 예정배상액의 지급책임을 면할 수 있다(대판 2010.2.25, 2009다83797 등).

④ 손해배상액 예정의 약정 시를 기준으로 판단하는 것이 아니라, 사실심변론 종결 시이다(대판 2009.2.26, 2007다19051 등).

⑤ 손해배상액을 예정한 경우에는 다른 특약이 없는 한 채무불이행으로 인하여 입은 통상손해는 물론 특별손해까지도 예정액에 포함된다(대판 2007.7.27, 2007다18478 등).

11 손해배상액의 예정에 관한 설명 중 옳은 것(○)과 옳지 않은 것(×)을 올바르게 조합한 것은? (다툼이 있는 경우 판례에 의함) ▸ 2015년 사법시험

> ㄱ. 도급계약에서 지체상금을 계약 총액에서 지체상금률을 곱하여 산출하기로 약정한 경우, 손해배상액의 예정에 해당하는 지체상금이 과다한지 여부는 지체상금 총액이 아니라 지체상금률을 기준으로 판단하여야 한다.
>
> ㄴ. 매매당사자가 계약금으로 수수한 금액에 관하여 매수인이 위약하면 이를 포기한 것으로 보고 매도인이 위약하면 그 배액을 상환하기로 하는 뜻의 약정을 한 경우, 그 위약금의 약정은 손해배상액의 예정으로 추정된다.
>
> ㄷ. 금전채무에 관하여 이행지체에 대비한 지연손해금 비율을 따로 약정한 경우 그 약정은 손해배상액의 예정에 해당한다.
>
> ㄹ. 공사수급인의 연대보증인이 부담하는 지체상금이 과다한지 여부는 연대보증인을 기준으로 판단하여야 할 것이지 주채무자인 공사수급인을 기준으로 판단할 것은 아니다.
>
> ㅁ. 손해배상액이 예정된 경우 채권자는 실제 손해액을 구체적으로 주장·증명할 필요가 없으나, 법원이 그 예정액이 과다하다고 하여 감경을 할 경우에는 손해배상 예정액의 과다 여부를 판단하기 위하여 실제의 손해액을 구체적으로 심리·확정하여야 한다.

① ㄱ(○), ㄴ(○), ㄷ(×), ㄹ(×), ㅁ(×)
② ㄱ(×), ㄴ(○), ㄷ(○), ㄹ(×), ㅁ(×)
③ ㄱ(×), ㄴ(○), ㄷ(○), ㄹ(○), ㅁ(×)
④ ㄱ(○), ㄴ(×), ㄷ(×), ㄹ(○), ㅁ(○)
⑤ ㄱ(○), ㄴ(×), ㄷ(×), ㄹ(×), ㅁ(○)

해설 ㄱ. 지체상금을 계약총액에서 지체상금률을 곱하여 산출하기로 정한 경우, 민법 제398조 제2항에 의하면, 손해배상액의 예정액이 부당히 과다한 경우에는 법원은 적당히 감액할 수 있다고 규정되어 있고 여기의 손해배상의 예정액이란 문언상 그 예정한 손해배상액의 총액을 의미한다고 해석되므로, 손해배상의 예정에 해당하는 지체상금의 과다 여부는 지체상금 총액을 기준으로 하여 판단하여야 한다(대판 2002.12.24, 2000다54536).

ㄴ. 계약금은 해약금으로 추정되지만, 계약금지급과 더불어 위약특약을 하면 손해배상예정의 성질도 함께 가져 민법 제398조 제4항에 의해서 손해배상의 예정으로도 추정된다(대판 2005.10.13, 2005다26277).

ㄷ. 금전채무에 관하여 이행지체에 대비한 지연손해금 비율을 따로 약정한 경우에 이는 일종의 손해배상액의 예정으로서 민법 제398조에 의한 감액의 대상이 된다(대법원 2000.7.28, 99다38637).

ㄹ. 공사수급인의 연대보증인이 부담하는 지체상금이 과다한지 여부는 연대보증인이 아닌 주채무자인 공사수급인을 기준으로 판단할 것이다(대판 2005.8.19, 2002다59764).

ㅁ. 법원이 손해배상 예정액의 과다 여부를 판단하기 위하여 실제의 손해액을 구체적으로 심리·확정하여야만 하는 것은 아니다(대판 2010.7.15, 2010다10382).

정답 ▸ 10 ⑤ 11 ②

12 甲이 자기 소유의 토지를 乙에게 매도하고 乙이 계약금 및 중도금만 지급하고 잔금을 지급하지 아니하여 아직 소유권이전등기가 경료되지 아니한 상태에서, 다시 乙이 丙에게 위 토지를 매도하고 丙은 乙에게 대금 전액을 지급하였다. 이에 관한 설명 중 옳은 것은? (다툼이 있는 경우에는 판례에 의함)

① 丙은 乙에 대한 소유권이전등기청구권을 보전하기 위하여 乙을 대위하여 甲에게 소유권이전등기 청구를 할 수 있는바, 이 경우 乙은 무자력이어야 한다.

② 丙이 乙을 대위하여 甲에게 소유권이전등기를 청구하는 경우, 甲은 丙에 대하여 잔금 수령과 동시에 이행하겠다는 항변을 할 수 있다.

③ 丙이 乙을 대위하여 甲에게 제기한 소유권이전등기청구소송이 계속 중이더라도, 乙은 직접 甲을 상대로 소유권이전등기청구소송을 제기할 수 있다.

④ 丙이 乙을 대위하여 甲에게 제기한 소유권이전등기청구소송의 판결의 효력은 乙이 소송제기를 알았는지 여부에 불구하고 乙에게 미친다.

⑤ 乙과 丙 사이의 매매계약이 사회질서에 위반되어 무효이더라도, 甲과 乙 사이의 매매계약이 유효하면, 丙은 乙을 대위하여 甲에게 소유권이전등기청구를 할 수 있다.

해설 ① 채권자는 자기의 채무자에 대한 부동산의 소유권이전등기청구권 등 특정채권을 보전하기 위하여 채무자가 방치하고 있는 그 부동산에 관한 특정권리를 대위하여 행사할 수 있고 그 경우에는 채무자의 무자력을 요건으로 하지 아니하는 것이다(대판 1992.10.2, 91다483).

② 채무자가 권리를 행사하는 경우에 비해 대위권의 행사로 제3채무자의 지위가 불리하게 되어서는 안 되기 때문에, 제3채무자는 대위권 행사의 통지 전 채무자에 대해 발생한 항변사유를 가지고 대위채권자에게 대항할 수 있다(제405조 제2항). 즉 제3채무자는 채무자에 대한 무효와 취소, 권리소멸, 변제, 상계, 동시이행의 항변 등의 사유로 채권자에게 대항할 수 있다.

③ 채권자가 채무자를 대위하여 제3채무자를 상대로 제기한 채권자대위소송이 법원에 계속 중 채무자와 제3채무자 사이에 채권자대위소송과 소송물을 같이 하는 내용의 소송이 제기된 경우, 양 소송은 동일소송이므로 후소는 중복제소금지원칙에 위배되어 제기된 부적법한 소송이라 할 것이다(대판 1992.5.22, 91다41187).

④ 판결의 효력(기판력)이 채무자에게 미치는가에 대하여, 판례는 채권자가 채권자대위권을 행사하는 방법으로 제3채무자를 상대로 소송을 제기하고 판결을 받은 경우에는 어떠한 사유로 인하였던 적어도 채무자가 채권자 대위권에 의한 소송이 제기된 사실을 알았을 경우에는 그 판결의 효력은 채무자에게 미친다고 본다(대판(전) 1975.5.13, 74다1664).

⑤ 채권자대위소송에 있어서 대위에 의하여 보전될 채권자의 채무자에 대한 권리가 인정되지 아니할 경우에는 채권자가 스스로 원고가 되어 채무자의 제3채무자에 대한 권리를 행사할 당사자적격이 없게 되므로 그 대위소송은 부적법하여 각하할 수밖에 없다(대판 1994.6.24, 94다14339).
따라서 乙과 丙 사이의 매매계약이 민법 제103조에 위반되어 무효라면 丙의 피보전채권이 인정될 수 없으므로, 丙은 채권자대위권을 행사할 수 없다.

13 甲은 乙에 대하여 1억원의 대여금 채권을 가지고 있고, 乙은 丙에 대하여 1억원의 자동차 매매대금채권을 가지고 있다. 甲은 乙에 대한 채권을 보전하기 위하여 乙을 대위하여 丙에 대하여 매매대금을 직접 자신에게 지급하라는 소송을 제기하고 이러한 사실을 乙에게 통지 하였다. 다음 설명 중 옳지 않은 것은? (다툼이 있는 경우에는 판례에 의함) ▸ 2012년 변호사

① 甲의 乙에 대한 대여금채권의 소멸시효가 완성된 경우, 특별한 사정이 없는 한 丙은 위 소멸시효 완성을 원용하여 항변할 수 없다.

② 채권자대위권을 행사하는 甲에게 변제수령의 권한을 인정하는 것은 채권자평등의 원칙 에 어긋날 뿐만 아니라 丙을 이중변제의 위험에 빠지게 하는 것이므로 丙은 甲의 이행 청구를 거절할 수 있다.

③ 위 채권자대위소송의 판결의 효력은 乙에게 미친다.

④ 위 소가 제기되기 이전에 乙이 丙을 상대로 1억원의 매매대금 채권의 지급을 구하는 소를 제기하였으나 이미 패소확정판결을 받은 경우, 甲은 乙을 대위하여 권리를 행사 할 수 없다.

⑤ 丙은 乙에게 매매대금 1억원을 변제하고, 이를 항변사유로 하여 甲에게 대항할 수 있다.

해설 ① 대판 2004.2.12, 2001다10151 등

② 채권자대위권을 행사하는 채권자에게 변제수령의 권한을 인정하더라도 그것이 채권자 평등 의 원칙에 어긋난다거나 제3채무자를 이중 변제의 위험에 빠뜨리게 하는 것이라고 할 수 없 다(대판 2005.4.15, 2004다70024).

③ 판례는 채무자가 알았던 경우에 미친다고 한다(대판 1993.4.27, 93다4519 등).

④ 채권자대위권은 채무자의 제3채무자에 대한 권리행사를 하지 않는 경우에 가능하기 때문에 권리행사를 하여 패소판결을 받은 경우에는 인정되지 않는다(대판 1980.5.27, 80다735).

⑤ 제3채무자가 채무자에게 변제하는 것은 채권자를 해하는 처분행위가 아니다(대판 1991.4.12, 90다9407 등).

14 채권자대위권에 관한 설명 중 옳은 것을 모두 고른 것은? (다툼이 있는 경우에는 판례에 의함)

▶ 2012년 사법시험

> ㄱ. 채권자가 채무자의 채권자취소권을 대위행사하는 경우, 제소기간은 채권자취소권을 대위행사하는 채권자를 기준으로 하여 그 준수 여부를 가려야 하므로, 채권자취소권을 대위행사하는 채권자가 취소원인을 안 지 1년이 지났다면 그는 채권자취소의 소를 제기할 수 없다.
>
> ㄴ. 임차인 甲이 임대인 乙에 대한 임대차보증금반환채권을 丙에게 양도하고 乙에게 이를 통지한 경우, 임대차 종료시 甲이 乙에게 임대차목적물의 반환을 거부하고 있어 乙이 丙에게 보증금의 지급을 거부하고 있는 상황이라면, 丙은 乙을 대위하여 甲에게 임대차목적물의 반환을 청구할 수 있고, 이 경우 乙의 무자력은 요구되지 않는다.
>
> ㄷ. 채권자대위소송에 있어 피보전채권이나 피대위권리가 부존재하는 경우에는 청구기각판결을 선고하여야 한다.
>
> ㄹ. 채권자가 채무자의 제3채무자에 대한 부당이득금반환채권을 대위행사하는 경우, 채권자는 제3채무자로 하여금 채무자에게 그 반환의무를 이행하도록 청구하여야 하고, 직접 자신에게 이행하도록 청구할 수는 없다.
>
> ㅁ. 채권자대위소송을 제기한 채권자가 이미 그 피보전권리에 관하여 채무자를 상대로 이행의 소를 제기하여 승소확정판결을 받은 경우라면, 제3채무자는 그 피보전권리의 존재를 다툴 수 없다.

① ㄱ, ㄹ   ② ㄴ, ㅁ

③ ㄴ, ㄷ, ㄹ   ④ ㄴ, ㄷ, ㅁ

⑤ ㄱ, ㄴ, ㄹ

해설 ㄱ. 제척기간은 대위의 목적으로 되는 권리의 채권자인 채무자를 기준으로 하여야 한다(대판 2001.12.27, 2000다73049).

ㄴ. 채권자가 자기 금전채권을 보전하기 위하여 채무자의 권리를 행사하려면 채무자의 무자력을 요건으로 하는 것이 통상이지만, 임대차보증금반환채권을 양수한 채권자가 그 이행을 청구하기 위하여 임차인의 가옥명도가 선 이행되어야 할 필요가 있어서 그 명도를 구하는 경우에는 그 채권의 보전과 채무자인 임대인의 자력 유무는 관계가 없는 일이므로 무자력을 요건으로 보지 않는다(대판 1989.4.25, 88다카4253).

ㄷ. 채권자대위소송에서 피보전채권은 소송요건으로서 그 대위소송은 부적법 각하한다(대판 2003.5.13, 2002다64148 등). 다만 피대위권리의 부존재의 경우에는 본안의 청구가 이유가 없기 때문에 청구기각판결을 선고하게 된다.

ㄹ. 집행채무자의 채권자가 그 집행채권자를 상대로 부당이득금반환채권을 대위행사하는 경우 집행채무자에게 그 반환의무를 이행하도록 청구할 수도 있지만, 직접 대위채권자에게 이행하도록 청구할 수도 있다고 보아야 하는데, 이와 같이 채권자대위권을 행사하는 채권자에게 변제수령의 권한을 인정하더라도 그것이 채권자평등의 원칙에 어긋난다거나 제3채무자를 이중변제의 위험에 빠뜨리게 하는 것이라고 할 수 없다(대판 2005.4.15, 2004다70024).

ㅁ. 채권자대위권을 행사함에 있어 채권자가 채무자를 상대로 그 보전되는 청구권에 기한 이행 청구의 소를 제기하여 승소판결을 선고받고 그 판결이 확정되면 제3채무자는 그 청구권의 존재를 다툴 수 없다(대판 2007.5.10, 2006다82700・82717).

15 다음 설명 중 옳지 않은 것을 모두 고른 것은? (다툼이 있는 경우 판례에 의함) ▸2015년 변호사

> ㄱ. 채무자가 채권자대위권 행사의 통지를 받은 후에는 채무자의 채무불이행을 이유로 제3채무자가 매매계약을 해제하더라도, 제3채무자는 원칙적으로 계약해제로써 대위 권을 행사하는 채권자에게 대항할 수 없다.
>
> ㄴ. 채권자대위권은 채무자의 제3채무자에 대한 권리를 행사하는 것이므로, 제3채무자 는 채무자에 대해 가지는 모든 항변사유로 채권자에게 대항할 수 있으나, 채권자는 채무자가 주장할 수 있는 사유의 범위 내에서 주장할 수 있을 뿐 자기와 제3채무자 사이의 독자적인 사정에 기한 사유를 주장할 수는 없다.
>
> ㄷ. 유류분반환청구권은 그 행사 여부가 유류분권리자의 인격적 이익을 위하여 그의 자 유로운 의사결정에 전적으로 맡겨진 권리로서 행사상의 일신전속성을 가진다고 보아 야 하므로, 유류분권리자에게 그 권리행사의 확정적 의사가 있다고 인정되는 경우가 아니라면 채권자대위권의 목적이 될 수 없다.

① ㄱ   ② ㄷ
③ ㄱ, ㄴ   ④ ㄱ, ㄷ
⑤ ㄴ, ㄷ

해설 ㄱ. 합의해제와 법정해제를 구별한 2012년 전원합의체 판결이다. 즉 채무자가 채권자대위권 행 사의 통지를 받은 후에는 채무자의 채무불이행을 이유로 제3채무자가 매매계약을 해제가 있 는 경우, 제3채무자는 원칙적으로 계약해제로써 대위권을 행사하는 채권자에게 대항할 수 있다(대판(전합) 2012.5.17, 2011다87235).
　　　ㄴ. 채권자대위권은 채무자의 제3채무자에 대한 권리를 행사하는 것이므로, 제3채무자는 채무자 에 대해 가지는 모든 항변사유로 채권자에게 대항할 수 있으나, 채권자는 채무자가 주장할 수 있는 사유의 범위 내에서 주장할 수 있을 뿐 자기와 제3채무자 사이의 독자적인 사정에 기한 사유를 주장할 수는 없다(대판 2009.5.28, 2009다4787).
　　　ㄷ. 유류분반환청구권은 그 행사 여부가 유류분권리자의 인격적 이익을 위하여 그의 자유로운 의사결정에 전적으로 맡겨진 권리로서 행사상의 일신전속성을 가진다고 보아야 하므로, 유 류분권리자에게 그 권리행사의 확정적 의사가 있다고 인정되는 경우가 아니라면 채권자대위 권의 목적이 될 수 없다(대판 2010.5.27, 2009다93992).

정답 ▸ 14 ②　15 ①

16 甲에 대하여 금전채무를 부담하고 있는 乙이 자기 소유의 유일한 재산인 부동산을 丙에게 증여하고 소유권이전등기를 경료해 주었고, 그 후 丙이 이를 다시 丁에게 매도하고 소유권이전등기를 경료해 주었다. 甲이 채권자취소권을 행사하는 경우에 관한 설명 중 옳지 않은 것은? (다툼이 있는 경우에는 판례에 의함)

① 甲은 丙을 상대로 乙, 丙 사이의 증여계약을 취소하고, 부동산소유권이전에 갈음하는 가액의 반환을 청구할 수 있다. 이 경우 취소판결의 효력은 乙과 丁에게는 미치지 않는다.

② 甲은 丁을 상대로 乙, 丙 사이의 증여계약을 취소하고, 원상회복의 방법으로 丁 명의의 소유권이전등기의 말소를 청구할 수 있으나, 직접 乙 앞으로 소유권이전등기를 청구할 수 없다.

③ 원칙적으로 甲은 乙에게 원상회복된 책임재산에 대한 강제집행절차를 통해서 채권의 만족을 받아야 하며, 이 경우 甲에게 우선변제권이 인정되는 것은 아니다.

④ 丙이 사해행위 취소에 따른 원상회복으로서 가액배상을 하여야 할 때, 자신도 乙에 대한 채권자라는 이유로 乙에 대하여 가지는 자기의 채권과의 상계를 주장할 수 없다.

⑤ 甲의 사해행위취소소송은 甲이 취소의 원인을 안 날로부터 1년 내에 제기하여야 하는데, 취소의 원인을 안 날이란 단순히 乙의 丙에 대한 증여가 있었다는 사실을 아는 것만으로는 부족하고 그 증여가 채권자를 해하게 된다는 것까지 안 날을 말한다.

해설 ① 채권자가 전득자를 상대로 하여 사해행위의 취소와 함께 책임재산의 회복을 구하는 사해행위 취소의 소를 제기한 경우에 그 취소의 효과는 채권자와 전득자 사이의 상대적인 관계에서만 생기는 것이고 채무자 또는 채무자와 수익자 사이의 법률관계에는 미치지 않는 것이므로, 이 경우 취소의 대상이 되는 사해행위는 채무자와 수익자 사이에서 행하여진 법률행위에 국한되고, 수익자와 전득자 사이의 법률행위는 취소의 대상이 되지 않는다(대판 2004.8.30, 2004다21923). 사해행위취소판결의 기판력은 그 취소권을 행사한 채권자와 그 상대방인 수익자 또는 전득자와의 상대적인 관계에서만 미칠 뿐 그 소송에 참가하지 아니한 채무자 또는 채무자와 수익자 사이의 법률관계에는 미치지 아니한다(대판 1988.2.23, 87다카1989).

② 자기 앞으로 소유권을 표상하는 등기가 되어 있었거나 법률에 의하여 소유권을 취득한 자가 진정한 등기명의를 회복하기 위한 방법으로는 그 등기의 말소를 구하는 외에 현재의 등기명의인을 상대로 직접 소유권이전등기절차의 이행을 구하는 것도 허용되어야 하는바, 이러한 법리는 사해행위 취소소송에 있어서 취소 목적 부동산의 등기명의를 수익자로부터 채무자 앞으로 복귀시키고자 하는 경우에도 그대로 적용될 수 있다고 할 것이고, 따라서 채권자는 사해행위의 취소로 인한 원상회복 방법으로 수익자 명의의 등기의 말소를 구하는 대신 수익자를 상대로 채무자 앞으로 직접 소유권이전등기절차를 이행할 것을 구할 수도 있다(대판 2000.2.25, 99다53704).

③ 채권자취소권 행사에 의한 취소와 원상회복은 모든 채권자의 이익을 위하여 그 효력이 있다(제407조). 취소권을 행사한 채권자이더라도 취소권에 의하여 회복된 재산에 대하여 다시 강제집행절차를 밟지 않으면 그것을 자기 채권의 변제에 충당할 수 없다. 즉 채권자가 회복된 재산으로부터 우선변제를 받을 권리는 없다(대판 2005.8.25, 2005다14595). 다만 회복재산을 대위수령할 수 있는데, 채권자의 채무자에 대한 채권과 채무자의 회복된 재산에 대한 반환채권이 상계적상에 있으면 상계의 의사표시에 의하여 사실상의 우선변제를 받을 수 있다.

④ 채권자취소권은 채권의 공동담보인 채무자의 책임재산을 보전하기 위하여 채무자와 수익자 사이의 사해행위를 취소하고 채무자의 일반재산으로부터 일탈된 재산을 모든 채권자를 위하

여 수익자 또는 전득자로부터 환원시키는 제도이므로, 수익자인 채권자로 하여금 안분액의 반환을 거절하도록 하는 것은 자신의 채권에 대하여 변제를 받은 수익자를 보호하고 다른 채권자의 이익을 무시하는 결과가 되어 제도의 취지에 반하게 되므로, 수익자가 채무자의 채권자인 경우 수익자가 가액배상을 할 때에 수익자 자신도 사해행위취소의 효력을 받는 채권자 중의 1인이라는 이유로 취소채권자에 대하여 총채권액 중 자기의 채권에 대한 안분액의 분배를 청구하거나, 수익자가 취소채권자의 원상회복에 대하여 총채권액 중 자기의 채권에 해당하는 안분액의 배당요구권으로써 원상회복청구와의 상계를 주장하여 그 안분액의 지급을 거절할 수는 없다(대판 2001.2.27, 2000다44348).

⑤ 채권자취소권 행사에 있어서 제척기간의 기산점인 채권자가 '취소원인을 안 날'이라 함은 채권자가 채권자취소권의 요건을 안 날, 즉 채무자가 채권자를 해함을 알면서 사해행위를 하였다는 사실을 알게 된 날을 의미하고, 채권자가 취소원인을 알았다고 하기 위하여서는 단순히 채무자가 재산의 처분행위를 하였다는 사실을 아는 것만으로는 부족하고 구체적인 사해행위의 존재를 알고 나아가 채무자에게 사해의 의사가 있었다는 사실까지 알 것을 요하며, 사해의 객관적 사실을 알았다고 하여 취소의 원인을 알았다고 추정할 수는 없다(대판 2002.9.24, 2002다23857).

17 채권자취소권에 관한 설명 중 옳지 않은 것은? (다툼이 있는 경우에는 판례에 의함)

① 저당권이 설정되어 있는 부동산에 관하여 사해행위가 이루어진 후 변제에 의하여 위 저당권설정등기가 말소된 경우에는, 그 부동산의 가액에서 저당권의 피담보채무액을 공제한 잔액의 한도 내에서만 사해행위를 취소하여야 하는데, 이 경우 부동산의 가액 산정은 사해행위 시가 아니라 사실심변론 종결 시를 기준으로 하여야 한다.

② 2개의 저당권이 설정되어 있는 부동산에 관하여 사해행위가 이루어진 후 변제에 의하여 1개의 저당권설정등기가 말소된 상태에서 위 사해행위를 취소하고 가액배상을 하여야 할 경우, 배상하여야 할 가액은 부동산의 가액에서 이미 말소된 저당권의 피담보채권액과 아직 말소되지 아니한 저당권의 피담보채권액을 공제하여 산정한다.

③ 채권자가 수익자에 대하여 원상회복을 청구하지 아니한 채 사해행위의 취소만을 먼저 청구하는 것은 허용되고, 이 경우 사해행위 취소청구가 민법 소정의 제척기간 내에 제기되었다면 원상회복의 청구는 그 기간이 지난 뒤에도 할 수 있다.

④ 채권자가 채무자를 상대로 그 채무의 이행을 구하는 소를 제기하여 승소판결이 확정되었다 하더라도 그 판결의 기판력이 수익자에게 미치는 것은 아니므로, 채권자가 수익자를 상대로 하여 제기한 채권자취소소송에서 수익자는 위 승소판결에서 확정된 채권자의 채권의 존부나 범위에 관하여 다툴 수 있다.

⑤ 상속포기는 민법 제406조 제1항에서 정하는 재산권에 관한 법률행위에 해당하지 아니하여 사해행위취소의 대상이 되지 못한다.

정답 16 ② 17 ④

해설 ① 부동산에 관한 법률행위가 사해행위에 해당하는 경우에는 원칙적으로 그 사해행위를 취소하고 소유권이전등기의 말소 등 부동산 자체의 회복을 명하는 것이 원칙이지만, 저당권이 설정되어 있는 부동산에 관하여 사해행위가 이루어진 경우에 그 사해행위는 부동산의 가액에서 저당권의 피담보채권액을 공제한 잔액의 범위 내에서만 성립한다고 보아야 하므로, 사해행위 후 변제 등에 의하여 저당권설정등기가 말소된 경우, 사해행위를 취소하여 그 부동산의 자체의 회복을 명하는 것은 당초 일반 채권자들의 공동담보로 되어 있지 아니하던 부분까지 회복을 명하는 것이 되어 공평에 반하는 결과가 되므로, 그 부동산의 가액에서 저당권의 피담보채무액을 공제한 잔액의 한도에서 사해행위를 취소하고 그 가액의 배상을 구할 수 있을 뿐이고, 그와 같은 가액 산정은 사실심변론 종결 시를 기준으로 하여야 한다(대판 1999.9.7, 98다41490).

② 어느 부동산에 관한 법률행위가 사해행위에 해당하는 경우에는 원칙적으로 그 사해행위를 취소하고 소유권이전등기의 말소 등 부동산 자체의 회복을 명하여야 하는 것이나, 저당권이 설정되어 있는 부동산에 관하여 사해행위가 이루어진 경우에 그 사해행위는 부동산의 가액에서 저당권의 피담보채권액을 공제한 잔액의 범위 내에서만 성립한다고 보아야 하므로 사해행위 후 변제 등에 의하여 저당권설정등기가 말소된 경우, 사해행위를 취소하여 그 부동산 자체의 회복을 명하는 것은 당초 일반 채권자들의 공동담보로 되어 있지 아니하던 부분까지 회복시키는 것이 되어 공평에 반하는 결과가 되어, 그 부동산의 가액에서 저당권의 피담보채권액을 공제한 잔액의 한도에서 사해행위를 취소하고 그 가액의 배상을 명할 수 있을 뿐이므로, 사해행위의 목적인 부동산에 수 개의 저당권이 설정되어 있다가 사해행위 후 그 중 일부의 저당권만이 말소된 경우에도 사해행위의 취소에 따른 원상회복은 가액배상의 방법에 의할 수밖에 없을 것이고, 그 경우 배상하여야 할 가액은 사해행위 취소시인 사실심변론 종결 시를 기준으로 하여 그 부동산의 가액에서 말소된 저당권의 피담보채권액과 말소되지 아니한 저당권의 피담보채권액을 모두 공제하여 산정하여야 한다(대판 1998.2.13, 97다6711).

> **[가액배상의 범위]**
> 가액배상은 ① 채권자의 피보전채권액(결국 채권자는 자신의 피보전채권액을 초과하여 가액배상을 구할 수 없다), ② 목적물의 공동담보가액, ③ 수익자 · 전득자가 취득한 이익 중 가장 적은 금액을 한도로 이루어진다. 이 중 (ㄱ) 채권자의 피보전채권액은 우선변제권이 확보되어 있는 경우 그 부분만큼은 공제하고, 이자나 지연손해금이 발생하는 경우에는 사실심변론 종결 시까지의 발생분을 포함한다. 반면, (ㄴ) 목적물의 공동담보가액을 산정함에 있어서는 목적물의 가액에서 말소된 저당권의 피담보채권액은 물론이고, 말소되지 아니한 다른 저당권이 있을 경우 그 저당권의 피담보채권액까지 모두 공제하여 산정하여야 하고, 목적물의 가액 및 피담보채권액 산정의 기준시점은 사실심변론 종결시가 된다. 설정된 담보물권이 근저당권인 경우 채권최고액이 아니라 변론종결 당시 실제 피담보채권액을 공제하여야 할 것이나, 피담보채권액이 밝혀져 있지 않으면 채권최고액을 공제할 수밖에 없다.

③ 채권자가 제406조 제1항에 따라 사해행위의 취소와 원상회복을 청구하는 경우 사해행위 취소청구가 제406조 제2항에 정하여진 기간 안에 제기되었다면 원상회복의 청구는 그 기간이 지난 뒤에도 할 수 있다(대판 2001.9.4, 2001다14108).

④ 채권자가 채무자를 상대로 그 채무의 이행을 구하는 소를 제기하여 승소판결이 확정되면 채권자취소소송의 상대방인 수익자나 전득자는 그와 같이 확정된 채권자의 채권의 존부나 범위에 관하여 다툴 수 없다(대판 2003.7.11, 2003다19572).

⑤ 상속의 포기는 비록 포기자의 재산에 영향을 미치는 바가 없지 아니하나(그러한 측면과 관련하여서는 '채무자 회생 및 파산에 관한 법률' 제386조도 참조) 상속인으로서의 지위 자체를 소멸하게 하는 행위로서 순전한 재산법적 행위와 같이 볼 것이 아니다. 오히려 상속의 포기는 1차적으

로 피상속인 또는 후순위상속인을 포함하여 다른 상속인 등과의 인격적 관계를 전체적으로 판단하여 행하여지는 '인적 결단'으로서의 성질을 가진다. 그러한 행위에 대하여 비록 상속인 인 채무자가 무자력상태에 있다고 하여서 그로 하여금 상속포기를 하지 못하게 하는 결과가 될 수 있는 채권자의 사해행위취소를 쉽사리 인정할 것이 아니다. 그리고 상속은 피상속인이 사망 당시에 가지던 모든 재산적 권리 및 의무·부담을 포함하는 총체재산이 한꺼번에 포괄 적으로 승계되는 것으로서 다수의 관련자가 이해관계를 가지는데, 위와 같이 상속인으로서의 자격 자체를 좌우하는 상속포기의 의사표시에 사해행위에 해당하는 법률행위에 대하여 채권 자 자신과 수익자 또는 전득자 사이에서만 상대적으로 그 효력이 없는 것으로 하는 채권자취 소권의 적용이 있다고 하면, 상속을 둘러싼 법률관계는 그 법적 처리의 출발점이 되는 상속 인 확정의 단계에서부터 복잡하게 얽히게 되는 것을 면할 수 없다. 또한 상속인의 채권자의 입장에서는 상속의 포기가 그의 기대를 저버리는 측면이 있다고 하더라도 채무자인 상속인 의 재산을 현재의 상태보다 악화시키지 아니한다. 이러한 점들을 종합적으로 고려하여 보면, 상속의 포기는 민법 제406조 제1항에서 정하는 '재산권에 관한 법률행위'에 해당하지 아니하 여 사해행위취소의 대상이 되지 못한다(대판 2011.6.9, 2011다29307).

18 채권자취소권에 관한 설명으로 옳지 않은 것을 모두 고른 것은? (다툼이 있는 경우에는 판례에 의함)

> ㄱ. 매도행위가 사해행위에 해당하는 경우, 제3자가 목적물에 관하여 저당권 등의 권리 를 취득한 때에는 수익자를 상대로 가액배상만을 구할 수 있을 뿐, 원물반환을 구할 수는 없다.
> ㄴ. 사해행위취소소송을 제기한 채권자 등이 그 판결 결과에 의해 원상회복된 채무자의 재산에 대한 강제집행을 신청하여 그 절차가 개시된 경우, 위 소송에서 패소한 수익 자로서는 채무자에 대한 채권자일지라도 그 집행권원을 갖추어 배당을 요구할 권리 가 없다.
> ㄷ. 채권자취소권의 요건을 갖춘 채권자는 고유의 권리로 채무자의 재산처분행위를 취소 하고 그 원상회복을 구할 수 있으나, 그 효과는 모든 채권자의 이익을 위한 것이므 로, 어느 채권자의 승소판결이 먼저 확정되면 다른 채권자는 다시 사해행위취소소송 을 제기할 수 없다.
> ㄹ. 부동산실권리자명의등기에 관한 법률이 적용되어 명의수탁자인 채무자 명의의 소유 권이전등기가 무효인 경우, 채무자가 이에 터잡아 제3자와 근저당권설정계약을 체결 하고 근저당권설정등기를 경료해 준 행위도 사해행위에 해당한다.

① ㄱ, ㄴ, ㄷ   ② ㄱ, ㄴ, ㄹ   ③ ㄱ, ㄷ, ㄹ
④ ㄴ, ㄷ, ㄹ   ⑤ ㄱ, ㄴ, ㄷ, ㄹ

정답 ▶ 18 ⑤

해설 ㄱ. 채권자의 사해행위취소 및 원상회복청구가 인정되면, 수익자는 원상회복으로서 사해행위의 목적물을 채무자에게 반환할 의무를 지게 되고, 만일 원물반환이 불가능하거나 현저히 곤란한 경우에는 원상회복의무의 이행으로서 사해행위 목적물의 가액 상당을 배상하여야 하는바, 여기에서 원물반환이 불가능하거나 현저히 곤란한 경우라 함은 원물반환이 단순히 절대적, 물리적으로 불능인 경우가 아니라 사회생활상의 경험법칙 또는 거래상의 관념에 비추어 그 이행의 실현을 기대할 수 없는 경우를 말하는 것이므로, 사해행위 후 그 목적물에 관하여 제3자가 저당권이나 지상권 등의 권리를 취득한 경우에는 수익자가 목적물을 저당권 등의 제한이 없는 상태로 회복하여 이전하여 줄 수 있다는 등의 특별한 사정이 없는 한, 채권자는 수익자를 상대로 원물반환 대신 그 가액 상당의 배상을 구할 수도 있다고 할 것이나, 그렇다고 하여 채권자가 스스로 위험이나 불이익을 감수하면서 원물반환을 구하는 것까지 허용되지 아니하는 것으로 볼 것은 아니고, 그 경우 채권자는 원상회복 방법으로 가액배상 대신 수익자 명의의 등기의 말소를 구하거나 수익자를 상대로 채무자 앞으로 직접 소유권이전등기절차를 이행할 것을 구할 수 있다(대판 2001.2.9, 2000다57139).

ㄴ. 민법 제406조에 의한 채권자취소와 원상회복은 모든 채권자의 이익을 위하여 그 효력이 있는 것인바, 채무자가 다수의 채권자들 중 1인(수익자)에게 담보를 제공하거나 대물변제를 한 것이 다른 채권자들에 대한 사해행위가 되어 채권자들 중 1인의 사해행위 취소소송 제기에 의하여 그 취소와 원상회복이 확정된 경우에, 사해행위의 상대방인 수익자는 그의 채권이 사해행위 당시에 그대로 존재하고 있었거나 또는 사해행위가 취소되면서 그의 채권이 부활하게 되는 결과 본래의 채권자로서의 지위를 회복하게 되는 것이므로, 다른 채권자들과 함께 민법 제407조에 의하여 그 취소 및 원상회복의 효력을 받게 되는 채권자에 포함된다고 할 것이고, 따라서 취소소송을 제기한 채권자 등이 원상회복된 채무자의 재산에 대한 강제집행을 신청하여 그 절차가 개시되면 수익자인 채권자도 그 집행권원을 갖추어 강제집행절차에서 배당을 요구할 권리가 있다(대판 2003.6.27, 2003다15907).

ㄷ. [1] 채권자취소소송의 중복제소 해당 여부
채권자취소권의 요건을 갖춘 각 채권자는 고유의 권리로서 채무자의 재산처분 행위를 취소하고 그 원상회복을 구할 수 있는 것이므로, 각 채권자가 동시 또는 이시에 채권자취소 및 원상회복소송을 제기한 경우 이들 소송이 중복제소에 해당하는 것이 아니다.
[2] 어느 한 채권자가 채권자취소권을 행사하여 승소판결이 확정된 경우 그 후에 제기된 다른 채권자의 채권자취소소송이 권리보호의 이익이 없어지는지 여부
어느 한 채권자가 동일한 사해행위에 관하여 채권자취소 및 원상회복청구를 하여 승소판결을 받아 그 판결이 확정되었다는 것만으로 그 후에 제기된 다른 채권자의 동일한 청구가 권리보호의 이익이 없어지게 되는 것은 아니고, 그에 기하여 재산이나 가액의 회복을 마친 경우에 비로소 다른 채권자의 채권자취소 및 원상회복청구는 그와 중첩되는 범위 내에서 권리보호의 이익이 없게 된다(대판 2003.7.11, 2003다19558).

ㄹ. 명의수탁자인 채무자 명의의 소유권이전등기가 무효인 경우에는 그 부동산은 채무자의 소유가 아니기 때문에 이를 채무자의 일반 채권자들의 공동담보에 공하여지는 책임재산이라고 볼 수 없고, 채무자가 위 부동산에 관하여 제3자와 근저당권설정계약을 체결하고 나아가 그에게 근저당권설정등기를 마쳐주었다 하더라도 그로써 채무자의 책임재산에 감소를 초래한 것이라고 할 수 없으므로 이를 들어 채무자의 일반 채권자들을 해하는 사해행위라고 할 수 없고, 채무자에게 사해의 의사가 있다고 볼 수도 없다(대판 2000.3.10, 99다55069).

19 채권자취소권에 관한 설명으로 옳지 않은 것은? (다툼이 있는 경우에는 판례에 의함)

① 전득자를 상대로 사해행위 취소의 소를 제기한 경우, 원물반환이 가능한 때에는 가액배상은 허용되지 않으며, 원물반환이 불가능하거나 현저히 곤란한 경우에만 예외적으로 가액배상이 허용된다.

② 채권자가 수익자를 상대로 사해행위의 취소를 구하는 소를 이미 제기하여 채무자와 수익자 사이의 법률행위를 취소하는 내용의 판결이 확정된 경우, 그 판결의 효력은 그 소송의 피고가 아닌 전득자에게는 미칠 수 없다.

③ 채무자가 양도한 목적물에 담보권이 설정되어 있고 피담보채권액이 목적물의 가액을 초과하는 경우, 당해 재산의 양도는 사해행위에 해당하지 않는다.

④ 가액배상의 방법으로 원상회복을 하는 경우, 그 배상액은 취소채권자의 채권액 범위 내로 제한되고, 이때 채권자의 채권액에는 사해행위 이후 사실심변론 종결 시까지 발생한 이자나 지연손해금이 포함된다.

⑤ 가압류가 되어 있는 목적물에 관하여 사해행위가 이루어지고, 사해행위 후 수익자 또는 전득자가 그 가압류 청구채권을 변제하여 가압류를 해제시켰다면, 법원은 사해행위를 취소하면서 원상회복으로 원물반환 대신 가액배상을 명하여야 한다.

해설 ① 채권자의 사해행위취소 및 원상회복청구가 인정되면, 수익자 또는 전득자는 원상회복으로서 사해행위의 목적물을 채무자에게 반환할 의무를 지게 되고, 원물반환이 불가능하거나 현저히 곤란한 경우에는 원상회복의무의 이행으로서 사해행위 목적물의 가액 상당을 배상하여야 하는바, 원래 채권자와 아무런 채권·채무관계가 없었던 수익자가 채권자취소에 의하여 원상회복의무를 부담하는 것은 형평의 견지에서 법이 특별히 인정한 것이므로, 그 가액배상의 의무는 목적물의 반환이 불가능하거나 현저히 곤란하게 됨으로써 성립하고, 그 외에 그와 같이 불가능하게 된 데에 상대방인 수익자 등의 고의나 과실을 요하는 것은 아니다(대판 1998.5.15, 97다58316).

② 채권자가 전득자를 상대로 민법 제406조 제1항에 의한 채권자취소권을 행사하기 위해서는, 같은 조 제2항에서 정한 기간 안에 채무자와 수익자 사이의 사해행위의 취소를 소송상 공격방법의 주장이 아닌 법원에 소를 제기하는 방법으로 청구하여야 하는 것이고, 비록 채권자가 수익자를 상대로 사해행위의 취소를 구하는 소를 이미 제기하여 채무자와 수익자 사이의 법률행위를 취소하는 내용의 판결을 선고받아 확정되었더라도 그 판결의 효력은 그 소송의 피고가 아닌 전득자에게는 미칠 수 없는 것이므로, 채권자가 그 소송과는 별도로 전득자에 대하여 채권자취소권을 행사하여 원상회복을 구하기 위해서는 위에서 본 법리에 따라 민법 제406조 제2항에서 정한 기간 안에 전득자에 대한 관계에 있어서 채무자와 수익자 사이의 사해행위를 취소하는 청구를 하지 않으면 아니 된다(대판 2005.6.9, 2004다17535).

③ 채무자가 양도한 목적물에 담보권이 설정되어 있는 경우라면 그 목적물 중에서 일반 채권자들의 공동담보에 공하여지는 책임재산은 피담보채권액을 공제한 나머지 부분만이라 할 것이므로, 피담보채권액이 목적물의 가격을 초과하고 있는 때에는 당해 목적물의 양도는 사해행위에 해당한다고 할 수 없다(대판 2001.10.9, 2000다42618).

정답 19 ⑤

④ 가액배상은 ⅰ) 채권자의 피보전채권액(결국 채권자는 자신의 피보전채권액을 초과하여 가액배상을 구할 수 없다), ⅱ) 목적물의 공동담보가액, ⅲ) 수익자·전득자가 취득한 이익 중 가장 적은 금액을 한도로 이루어진다. 이 중 채권자의 피보전채권액은 우선변제권이 확보되어 있는 경우 그 부분만큼은 공제하고, 이자나 지연손해금이 발생하는 경우에는 사실심변론 종결 시까지의 발생분을 포함한다(대판 2002.4.12, 2000다63912).

⑤ 사해행위 당시 어느 부동산이 가압류되어 있다는 사정은 채권자 평등의 원칙상 채권자의 공동담보로서 그 부동산의 가치에 아무런 영향을 미치지 아니하므로, 가압류가 된 여부나 그 청구채권액의 다과에 관계없이 그 부동산 전부에 대하여 사해행위가 성립하고, 따라서 사해행위 후 수익자 또는 전득자가 그 가압류 청구채권을 변제하거나 채권액 상당을 해방공탁하여 가압류를 해제시키거나 또는 그 집행을 취소시켰다 하더라도, 법원이 사해행위를 취소하면서 원상회복으로 원물반환 대신 가액배상을 명하여야 하거나, 다른 사정으로 가액배상을 명하는 경우에도 그 변제액을 공제할 것은 아니다(대판 2003.2.11, 2002다37474).

20 채권자취소권에 관한 설명 중 옳은 것을 모두 고른 것은? (다툼이 있는 경우 판례에 의함)
▸ 2015년 변호사

> ㄱ. 채권자가 전득자를 상대로 하여 사해행위취소의 소를 제기하는 경우, 취소의 대상이 되는 사해행위는 채무자와 수익자 사이에서 행하여진 법률행위에 국한될 뿐 수익자와 전득자 사이의 법률행위는 그 대상이 되지 않는다.
> ㄴ. 사해행위가 채권자에 의하여 취소되기 전에 이미 수익자가 배당금을 현실로 지급받은 경우, 채권자는 원상회복방법으로 수익자 또는 전득자를 상대로 배당 또는 변제로 수령한 금원 중 자신의 채권액 상당의 지급을 가액배상의 방법으로 청구할 수 있다.
> ㄷ. 가등기에 기하여 본등기가 경료된 경우 가등기의 원인인 법률행위와 본등기의 원인인 법률행위가 명백히 다른 경우가 아닌 한, 사해행위 요건의 구비 여부는 가등기의 원인인 법률행위 당시를 기준으로 하여 판단하여야 한다.

① ㄱ
② ㄱ, ㄴ
③ ㄱ, ㄷ
④ ㄴ, ㄷ
⑤ ㄱ, ㄴ, ㄷ

해설 ㄱ. 채권자가 전득자를 상대로 하여 사해행위취소의 소를 제기하는 경우, 취소의 대상이 되는 사해행위는 채무자와 수익자 사이에서 행하여진 법률행위에 국한될 뿐 수익자와 전득자 사이의 법률행위는 그 대상이 되지 않는다(대판 2014.2.13, 2012다204013 등).
ㄴ. 사해행위가 채권자에 의하여 취소되기 전에 이미 수익자가 배당금을 현실로 지급받은 경우, 채권자는 원상회복방법으로 수익자 또는 전득자를 상대로 배당 또는 변제로 수령한 금원 중 자신의 채권액 상당의 지급을 가액배상의 방법으로 청구할 수 있다(대판 2012.6.28, 2010다71431).
ㄷ. 가등기에 기하여 본등기가 경료된 경우 가등기의 원인인 법률행위와 본등기의 원인인 법률행위가 명백히 다른 경우가 아닌 한, 사해행위 요건의 구비 여부는 가등기의 원인인 법률행위 당시를 기준으로 하여 판단하여야 한다(대판 2009.3.26, 2007다63102).

21   X, Y 토지는 모두 甲 소유인데 Y 토지에 관하여 甲의 채권자 A의 가압류등기가 마쳐진 후 甲은 X, Y 토지 양 지상에 걸쳐 Z 건물을 건축하였다. 甲은 X 토지와 Z 건물을 乙에게 매각하고 각 등기를 이전하여 주었다. 그 후 甲의 채권자에 의하여 Z 건물에 관한 매매계약만이 사해행위취소소송을 통하여 취소되고 그에 따라 Z 건물에 마쳐져 있던 乙 명의의 등기가 말소되었다. 그 후 Z 건물은 강제경매절차를 통하여 丙이 소유권을 취득하였다. 한편, A는 집행권원을 확보하여 Y 토지에 관하여 강제경매를 신청하였고, 그 경매절차에서 丁이 소유권을 취득하였다. 乙과 丁은 丙에 대하여 Z 건물 중 각자 자기 토지 지상부분에 대한 철거를 청구하는 소송을 제기하였다. 이에 관한 법률관계 중 옳은 것(○)과 옳지 않은 것 (×)을 올바르게 조합한 것은? (각 지문은 독립적이며, 다툼이 있는 경우 판례에 의함)

▶ 2016년 변호사

> ㄱ. 사해행위취소소송을 거쳐 Z 건물에 관한 乙 명의의 등기가 말소된 때, X 토지에 관하여 甲에게 관습상 법정지상권이 발생한다.
> ㄴ. 丁의 丙에 대한 철거청구는 기각된다.
> ㄷ. Z 건물이 강제경매될 당시 X 토지에 관하여 丙에게 관습상 법정지상권이 발생하지 않는다.

① ㄱ(○), ㄴ(×), ㄷ(×)   ② ㄱ(×), ㄴ(○), ㄷ(×)
③ ㄱ(×), ㄴ(×), ㄷ(×)   ④ ㄱ(○), ㄴ(○), ㄷ(×)
⑤ ㄱ(○), ㄴ(×), ㄷ(○)

해설   ㄱ. 토지와 그 지상건물이 함께 양도되었다가 채권자취소권의 행사에 따라 그 중 건물에 관하여만 양도가 취소되고 수익자와 전득자 명의의 소유권이전등기가 말소된 경우 채무자에게 건물의 소유를 위한 관습상 법정지상권이 인정되지 않는다(대판 2014.12.24, 2012다73158). 따라서 사해행위취소소송을 거쳐 Z 건물에 관한 乙 명의의 등기가 말소된 때, X 토지에 관하여 甲에게 관습상 법정지상권이 발생한다고 볼 수 없다.

ㄴ. ㄷ. 가압류가 선행하여 강제경매가 되는 경우에 가압류 당시 토지와 건물의 소유자가 동일하여야 한다(대판 2013.4.11, 2009다62059). 그리고 사해행위의 수익자 또는 전득자가 건물의 소유자로서 법정지상권을 취득한 후 건물의 양도에 대한 채권자취소권의 행사에 따라 수익자와 전득자 명의의 소유권이전등기가 말소된 다음 경매절차에서 그 건물이 매각되는 경우 매수인(경락인)이 위 지상권도 취득하게 된다(대판 2014.12.24, 2012다73158). 따라서 Y 토지에 가압류 당시 Z 건물의 소유자는 X 토지부분에 대하여는 법정지상권이 인정되고, Y 토지 부분에는 법정지상권이 인정되지 않기 때문에 결국 건물은 철거될 수밖에 없다. 따라서 丁의 丙에 대한 철거청구는 인용되어야 하며, Z 건물이 강제경매될 당시 X 토지에 관하여 丙에게는 관습상 법정지상권이 발생한다.

chapter

03 | 채권의 양도와 채무인수

기본문제 | 기본문제의 구성

01 **채권양도에 관한 설명 중 가장 옳지 않은 것은?** (다툼이 있는 경우 판례에 의함)

▶ 2014년 법무사

① 지명채권의 양도는 양도인이 채무자에게 통지하거나 채무자가 승낙하지 아니하면 채무자 기타 제3자에게 대항하지 못하고, 위 통지나 승낙은 확정일자 있는 증서에 의하지 아니하면 채무자 이외의 제3자에게 대항하지 못한다.

② 채권양도가 다른 채무의 담보조로 이루어졌으며 또한 그 채무가 변제되었다고 하더라도, 이는 채권 양도인과 양수인간의 문제일 뿐이고, 양도채권의 채무자는 채권 양도·양수인 간의 채무 소멸 여하에 관계없이 양도된 채무를 양수인에게 변제하여야 하는 것이므로, 설령 그 피담보채무가 변제로 소멸되었다고 하더라도 양도채권의 채무자로서는 이를 이유로 채권양수인의 양수금 청구를 거절할 수 없다.

③ 채권은 당사자가 반대의 의사를 표시한 경우에는 양도하지 못하나, 그 의사표시로써 선의의 제3자에게 대항하지 못한다.

④ 양도인이 채무자에게 채권양도를 통지한 때에는 아직 양도하지 아니하였거나 그 양도가 무효인 경우에도 선의인 채무자는 양수인에게 대항할 수 있는 사유로 양도인에게 대항할 수 있고, 위 통지는 양수인의 동의가 없으면 철회하지 못한다.

⑤ 채무자가 이의를 보류하지 아니하고 지명채권양도의 승낙을 한 때에는 양도인에게 대항할 수 있는 사유로써 양수인에게 대항하지 못한다. 따라서 채무자가 채무를 소멸하게 하기 위하여 양도인에게 급여한 것이 있어도 이를 회수할 수 없고, 양도인에 대하여 부담한 채무가 있어도 그 성립되지 아니함을 주장할 수 없다.

해설 ① 제450조【지명채권양도의 대항요건】
① 지명채권의 양도는 양도인이 채무자에게 통지하거나 채무자가 승낙하지 아니하면 채무자 기타 제3자에게 대항하지 못한다.
② 전항의 통지나 승낙은 확정일자 있는 증서에 의하지 아니하면 채무자 이외의 제3자에게 대항하지 못한다.

② 채권양도가 다른 채무의 담보조로 이루어졌으며 또한 그 채무가 변제되었다고 하더라도, 이는 채권 양도인과 양수인 간의 문제일 뿐이고, 양도채권의 채무자는 채권 양도·양수인 간의 채무 소멸 여하에 관계없이 양도된 채무를 양수인에게 변제하여야 하는 것이므로, 설령 그 피담보채무가 변제로 소멸되었다고 하더라도 양도채권의 채무자로서는 이를 이유로 채권양수인의 양수금 청구를 거절할 수 없다(대판 1999.11.26, 99다23093).

③ 채권은 당사자가 반대의 의사를 표시한 경우에는 양도하지 못한다. 그러나 그 의사표시로써 선의의 제3자에게 대항하지 못한다(제449조 제2항).

④ 제452조【양도통지와 금반언】
① 양도인이 채무자에게 채권양도를 통지한 때에는 아직 양도하지 아니하였거나 그 양도가 무효인 경우에도 선의인 채무자는 양수인에게 대항할 수 있는 사유로 양도인에게 대항할 수 있다.
② 전항의 통지는 양수인의 동의가 없으면 철회하지 못한다.

⑤ 채무자가 이의를 보류하지 아니하고 전조의 승낙을 한 때에는 양도인에게 대항할 수 있는 사유로써 양수인에게 대항하지 못한다. 그러나 채무자가 채무를 소멸하게 하기 위하여 양도인에게 급여한 것이 있으면 이를 회수할 수 있고 양도인에 대하여 부담한 채무가 있으면 그 성립되지 아니함을 주장할 수 있다(제451조 제1항).

02 지명채권 양도에 관한 다음 설명 중 가장 옳지 않은 것은? (다툼이 있는 경우 판례에 의함)

▶ 2016년 법무사

① 매매로 인한 소유권이전등기청구권은 특별한 사정이 없는 이상 그 권리의 성질상 양도가 제한되고 그 양도에 채무자의 승낙이나 동의를 요한다고 할 것이므로 통상의 채권양도와 달리 양도인의 채무자에 대한 통지만으로는 채무자에 대한 대항력이 생기지 않으며 반드시 채무자의 동의나 승낙을 받아야 대항력이 생긴다.

② 당사자의 의사표시에 의한 채권양도 금지는 제3자가 악의의 경우는 물론 제3자가 채권양도 금지를 알지 못한 데에 중대한 과실이 있는 경우 그 채권양도 금지로써 대항할 수 있다.

③ 종전의 채권자가 채권의 추심 기타 행사를 위임하여 채권을 양도하였으나 양도의 '원인'이 되는 그 위임이 해지 등으로 효력이 소멸한 경우에 이로써 채권은 양도인에게 복귀하게 되고, 나아가 양수인은 그 양도의무계약의 해지로 인하여 양도인에 대하여 부담하는 원상회복의무의 한 내용으로 채무자에게 이를 통지할 의무를 부담한다고 봄이 상당하다.

④ 당사자 사이에 양도금지의 특약이 있는 채권이더라도 전부명령에 의하여 전부되는 데에는 지장이 없고, 양도금지의 특약이 있는 사실에 관하여 집행채권자가 선의인가 악의인가는 전부명령의 효력에 영향을 미치지 못하는 것이지만, 그 전부채권자로부터 다시 그 채권을 양수한 자가 그 특약의 존재를 알았거나 중대한 과실로 알지 못한 경우 채무자는 위 특약을 근거로 삼아 채권양도의 무효를 주장할 수 있다.

⑤ 채무자가 양도되는 채권의 성립이나 소멸에 영향을 미치는 사정에 관하여 양수인에게 알려야 할 신의칙상 주의의무가 있다고 볼 만한 특별한 사정이 없는 한 채무자가 그러한 사정을 알리지 아니하였다고 하여 불법행위가 성립한다고 볼 수 없다.

해설 ① 부동산의 매매로 인한 소유권이전등기청구권은 물권의 이전을 목적으로 하는 매매의 효과로서 매도인이 부담하는 재산이전의무의 한 내용을 이루는 것이고, 매도인이 물권행위의 성립요건을 갖추도록 의무를 부담하는 경우에 발생하는 채권적 청구권으로 그 이행과정에 신리관계가 따르므로, 소유권이전등기청구권을 매수인으로부터 양도받은 양수인은 매도인이 그 양도에 대하여 동의하지 않고 있다면 매도인에 대하여 채권양도를 원인으로 하여 소유권이전등기절차의 이행을 청구할 수 없고, 따라서 매매로 인한 소유권이전등기청구권은 특별한 사정이 없는 이상 그 권리의 성질상 양도가 제한되고 그 양도에 채무자의 승낙이나 동의를 요한다고 할 것이므로 통상의 채권양도와 달리 양도인의 채무자에 대한 통지만으로는 채무자에 대한 대항력이 생기지 않으며 반드시 채무자의 동의나 승낙을 받아야 대항력이 생긴다(대판 2005.3.10, 2004다67653 · 67660).

② 민법 제449조 제2항이 채권양도 금지의 특약은 선의의 제3자에게 대항할 수 없다고만 규정하고 있어서 그 문언상 제3자의 과실의 유무를 문제삼고 있지는 아니하지만, 제3자의 중대한 과실은 악의와 같이 취급되어야 하므로, 양도금지 특약의 존재를 알지 못하고 채권을 양수한 경우에 있어서 그 알지 못함에 중대한 과실이 있는 때에는 악의의 양수인과 같이 양도에 의한 채권을 취득할 수 없다고 해석하는 것이 상당하다(대판 1996.6.28, 96다18281).

③ 종전의 채권자가 채권의 추심 기타 행사를 위임하여 채권을 양도하였으나 양도의 '원인'이 되는 그 위임이 해지 등으로 효력이 소멸한 경우에 이로써 채권은 양도인에게 복귀하게 되고, 나아가 양수인은 그 양도의무계약의 해지로 인하여 양도인에 대하여 부담하는 원상회복의무(이는 계약의 효력불발생에서의 원상회복의무 일반과 마찬가지로 부당이득반환의무의 성질을 가진다)의 한 내용으로 채무자에게 이를 통지할 의무를 부담한다(대판 2011.3.24, 2010다100711).

④ 당사자 사이에 양도금지의 특약이 있는 채권이더라도 전부명령에 의하여 전부되는 데에는 지장이 없고, 양도금지의 특약이 있는 사실에 관하여 집행채권자가 선의인가 악의인가는 전부명령의 효력에 영향을 미치지 못하는 것인바, 이와 같이 양도금지특약부 채권에 대한 전부명령이 유효한 이상, 그 전부채권자로부터 다시 그 채권을 양수한 자가 그 특약의 존재를 알았거나 중대한 과실로 알지 못하였다고 하더라도 채무자는 위 특약을 근거로 삼아 채권양도의 무효를 주장할 수 없다(대판 2003.12.11, 2001다3771).

⑤ 채무자가 채권양도에 대하여 이의를 보류하지 아니하는 승낙을 하였더라도 양도인에게 대항할 수 있는 사유로서 양수인에게 대항하지 못할 뿐이고(민법 제451조), 채권의 내용이나 양수인의 권리 확보에 위험을 초래할 만한 사정을 조사, 확인할 책임은 원칙적으로 양수인 자신에게 있으므로, 채무자는 양수인이 대상 채권의 내용이나 원인이 되는 법률관계에 대하여 잘 알고 있음을 전제로 채권양도를 승낙할지를 결정하면 되고 양수인이 채권의 내용 등을 실제와 다르게 인식하고 있는지까지 확인하여 위험을 경고할 의무는 없다. 따라서 채무자가 양도되는 채권의 성립이나 소멸에 영향을 미치는 사정에 관하여 양수인에게 알려야 할 신의칙상 주의의무가 있다고 볼 만한 특별한 사정이 없는 한 채무자가 그러한 사정을 알리지 아니하였다고 하여 불법행위가 성립한다고 볼 수 없다(대판 2015.12.24, 2014다49241).

03

채권양도에 관한 설명 중 옳지 않은 것은? (다툼이 있는 경우 판례에 의함) ▶ 2016년 변호사

① 부동산 매매로 인한 소유권이전등기청구권을 제3자에게 양도하는 경우 매수인이 매도 인에게 양도사실을 통지하는 것만으로는 매도인에 대한 대항력이 생기지 않으며 반드 시 매도인의 동의나 승낙을 받아야 대항력이 생긴다.

② 당사자의 의사표시에 의한 채권양도금지 특약은 제3자가 악의인 경우는 물론 제3자가 채권양도금지 특약을 알지 못한 데에 중대한 과실이 있는 경우에도 채권양도금지 특약 으로써 대항할 수 있고, 제3자의 악의 내지 중과실은 채권양도금지 특약으로 양수인에 게 대항하려는 자가 이를 주장·증명하여야 한다.

③ 당사자의 의사표시에 의한 채권양도금지 특약이 있는 경우 악의의 양수인으로부터 다 시 선의로 양수한 전득자는 그 채권을 유효하게 취득하나, 선의의 양수인으로부터 다 시 채권을 양수한 악의의 전득자는 그 채권을 유효하게 취득하지 못한다.

④ 전세금반환채권의 경우, 전세권이 존속하는 동안은 전세권을 존속시키기로 하면서 전 세금반환채권만을 전세권과 분리하여 확정적으로 양도하는 것은 허용되지 않으며, 다 만 전세권 존속 중에는 장래에 그 전세권이 소멸하는 경우에 전세금 반환채권이 발생 하는 것을 조건으로 그 장래의 조건부 채권을 양도할 수 있다.

⑤ 채무자가 채권자에게 채무변제와 관련하여 다른 채권을 양도하는 것은 특단의 사정이 없는 한 채무변제를 위한 담보 또는 변제의 방법으로 양도되는 것으로 추정할 것이지 채무변제에 갈음한 것으로 볼 것은 아니어서, 그 경우 채권양도만 있으면 바로 원래의 채권이 소멸한다고 볼 수는 없고 채권자가 양도받은 채권을 변제받은 때에 비로소 그 범위 내에서 채무자가 면책된다.

해설 ① 채권양도의 성질상 제한이다. 즉 부동산 매매로 인한 소유권이전등기청구권을 제3자에게 양 도하는 경우 매수인이 매도인에게 양도사실을 통지하는 것만으로는 매도인에 대한 대항력이 생기지 않으며 반드시 매도인의 동의나 승낙을 받아야 대항력이 생긴다(대판 2005.3.10, 2004다67653).

② 당사자의 의사표시에 의한 채권양도금지 특약은 제3자가 악의인 경우는 물론 제3자가 채권 양도금지 특약을 알지 못한 데에 중대한 과실이 있는 경우에도 채권양도금지 특약으로써 대 항할 수 있고, 제3자의 악의 내지 중과실은 채권양도금지 특약으로 양수인에게 대항하려는 자가 이를 주장·증명하여야 한다(대판 2010.5.13, 2010다8310).

③ 승계취득의 법리를 묻고 있다. 당사자의 의사표시에 의한 채권양도금지 특약이 있는 경우 악 의의 양수인으로부터 다시 선의로 양수한 전득자는 그 채권을 유효하게 취득하며, 또한 선의 의 양수인으로부터 다시 채권을 양수한 악의의 전득자라도 그 채권을 유효하게 취득한다(대 판 2015.4.9, 2012다118020).

④ 전세금반환채권의 경우, 전세권이 존속하는 동안은 전세권을 존속시키기로 하면서 전세금반 환채권만을 전세권과 분리하여 확정적으로 양도하는 것은 허용되지 않으며, 다만 전세권 존 속 중에는 장래에 그 전세권이 소멸하는 경우에 전세금 반환채권이 발생하는 것을 조건으로 그 장래의 조건부 채권을 양도할 수 있다(대판 2002.8.23, 2001다69122).

정답 ▶ 03 ③

⑤ 채무자가 채권자에게 채무변제와 관련하여 다른 채권을 양도하는 것은 특단의 사정이 없는 한 채무변제를 위한 담보 또는 변제의 방법으로 양도되는 것으로 추정할 것이지 채무변제에 갈음한 것으로 볼 것은 아니어서, 그 경우 채권양도만 있으면 바로 원래의 채권이 소멸한다고 볼 수는 없고 채권자가 양도받은 채권을 변제받은 때에 비로소 그 범위 내에서 채무자가 면책된다(대판 2013.5.9, 2012다40998).

04 채권양도에 관한 판례의 태도로 가장 옳지 않은 것은? ▶ 2013년 법원행시

① 주채무자에 대한 채권이 이전되면 당사자 사이에 별도의 특약이 없는 한 보증인에 대한 채권도 함께 이전하고, 채권양도의 대항요건도 주채권의 이전에 관하여 구비하면 족하며, 별도로 보증채권에 관하여 대항요건을 갖출 필요는 없다.

② 채권양도의 대항요건을 갖추지 못하였다고 하더라도 채권의 양수인이 채무자를 상대로 재판상의 청구를 하였다면 이는 소멸시효 중단사유인 재판상의 청구에 해당한다.

③ 채권양도가 있기 전에 미리 하는 사전통지는 양도시기를 확정할 수 없으므로 통지로서의 효력이 없으나, 사전통지 후에 그에 상응하는 양도가 실제로 이루어지면 그 때부터는 효력이 생긴다.

④ 매매로 인한 소유권이전등기청구권은 특별한 사정이 없는 한, 그 권리의 성질상 양도가 제한되고 그 양도에 채무자의 승낙이나 동의를 요한다고 할 것이므로, 통상의 채권양도와 달리 양도인의 채무자에 대한 통지만으로는 채무자에 대한 대항력이 생기지 않으며 반드시 채무자의 동의나 승낙을 받아야 대항력이 생긴다.

⑤ 전세권 존속 중에 전세금반환청구권을 장래의 조건부 채권으로 양도하는 것은 허용된다.

해설 ① 보증채무는 주채무에 대한 부종성 또는 수반성이 있어서 주채무자에 대한 채권이 이전되면 당사자 사이에 별도의 특약이 없는 한 보증인에 대한 채권도 함께 이전하고 이 경우 채권양도의 대항요건도 주채권의 이전에 관하여 구비하면 족하고, 별도로 보증채권에 관하여 대항요건을 갖출 필요는 없다(대판 2002.9.10, 2002다21509).

② 비록 대항요건을 갖추지 못하여 채무자에게 대항하지 못한다고 하더라도 채권의 양수인이 채무자를 상대로 재판상의 청구를 하였다면 이는 소멸시효 중단사유인 재판상의 청구에 해당한다고 보아야 한다(대판 2005.11.10, 2005다41818).

③ 채권양도의 통지는 양도와 동시 또는 사후에 행하여지는데, 판례도 "민법 제450조 제1항 소정의 채권양도의 통지는 양도인이 채무자에 대하여 당해 채권을 양수인에게 양도하였다는 사실을 통지하는 이른바 관념의 통지로서, 채권양도가 있기 전에 미리 하는 사전통지는 채무자로 하여금 양도의 시기를 확정할 수 없는 불안한 상태에 있게 하는 결과가 되어 원칙적으로 허용될 수 없다(대판 2000.4.11, 2000다2627). 따라서 양도 후 다시 통지를 하여야 한다.

④ 통상의 채권양도와 달리 양도인의 채무자에 대한 통지만으로는 채무자에 대한 대항력이 생기지 않으며 반드시 채무자의 동의나 승낙을 받아야 대항력이 생긴다(대판 2005.3.10, 2004다67653·67660).

⑤ 전세권은 전세금을 지급하고 타인의 부동산을 그 용도에 따라 사용·수익하는 권리로서 전세금의 지급이 없으면 전세권은 성립하지 아니하는 등으로 전세금은 전세권과 분리될 수 없

는 요소일 뿐 아니라 전세권에 있어서는 그 설정행위에서 금지하지 아니하는 한 전세권자는 전세권 자체를 처분하여 전세금으로 지출한 자본을 회수할 수 있도록 되어 있으므로, 전세권이 존속하는 동안은 전세권을 존속시키기로 하면서 전세금반환채권만을 전세권과 분리하여 확정적으로 양도하는 것은 허용되지 않는 것이며, 다만 전세권 존속 중에는 장래에 그 전세권이 소멸하는 경우에 전세금반환채권이 발생하는 것을 조건으로 그 장래의 조건부 채권을 양도할 수 있을 뿐이라 할 것이다(대판 2002.8.23, 2001다69122).

05 **채권양도에 관한 다음 설명 중 옳지 않은 것은?** (다툼이 있는 경우 판례에 의함)

① 채권이 이중으로 양도되고, 각 채권양도통지가 같은 날 도달되었는데 그 선후관계에 대하여 달리 입증이 없으면 동시에 도달된 것으로 추정한다.

② 각 채권양도 통지가 동시에 송달된 경우에도 제3채무자로서는 이중지급의 위험을 방지하기 위하여 송달의 선후가 불명한 경우에 준하여 채권자를 알 수 없다는 이유로 공탁을 함으로써 법률관계의 불안으로부터 벗어날 수 있다.

③ 각 채권양도 통지가 제3채무자에게 동시에 송달되어 채권양수인들 상호간에 우열이 없는 경우, 채권양수인들 중 한 명이 양수한 채권전액에 대하여 채권양수금소송을 제기하였다면 제3채무자로서는 각 채권양도 통지를 동시에 송달받았다는 사실을 들어 위 소송을 제기한 채권양수인에게 대항할 수 있다.

④ 채무자가 양도인으로부터 채권양도의 통지를 받은 후 양수인에게 변제한 때에는 그 양도가 무효인 경우라도 채무자가 변제 시 이러한 사실을 알지 못했던 때에는 양도인에게 그 변제의 유효를 주장할 수 있다.

⑤ 채권양도계약이 해제된 때에 채권양수인이 채무자에게 그 해제를 통지한 경우이어야 해제를 이유로 채무자에게 대항할 수 있다.

해설 ①, ②, ③ 채권이 이중으로 양도된 경우 양수인 상호간의 우열의 기준에 관한 판례(대판(전) 1994.4.26, 93다24223)

[1] 채권이 이중으로 양도된 경우의 양수인 상호간의 우열은 통지 또는 승낙에 붙여진 확정일자의 선후에 의하여 결정할 것이 아니라, 채권양도에 대한 채무자의 인식, 즉 확정일자 있는 양도통지가 채무자에게 도달한 일시 또는 확정일자 있는 승낙의 일시의 선후에 의하여 결정하여야 할 것이고, 이러한 법리는 채권양수인과 동일 채권에 대하여 가압류명령을 집행한 자 사이의 우열을 결정하는 경우에 있어서도 마찬가지이므로, 확정일자 있는 채권양도 통지와 가압류결정 정본의 제3채무자(채권양도의 경우는 채무자)에 대한 도달의 선후에 의하여 그 우열을 결정하여야 한다.

[2] 채권양도 통지, 가압류 또는 압류명령 등이 제3채무자에 동시에 송달되어 그들 상호간에 우열이 없는 경우에도 그 채권양수인, 가압류 또는 압류채권자는 모두 제3채무자에 대하여 완전한 대항력을 갖추었다고 할 것이므로, 그 전액에 대하여 채권양수금, 압류전부금 또는 추심금의 이행청구를 하고 적법하게 이를 변제받을 수 있고, 제3채무자로서는 이들 중 누구

에게라도 그 채무 전액을 변제하면 다른 채권자에 대한 관계에서도 유효하게 면책되는 것이며, 만약 양수채권액과 가압류 또는 압류된 채권액의 합계액이 제3채무자에 대한 채권액을 초과할 때에는 그들 상호간에는 법률상의 지위가 대등하므로 공평의 원칙상 각 채권액에 안분하여 이를 내부적으로 다시 정산할 의무가 있다.

[3] 채권양도의 통지와 가압류 또는 압류명령이 제3채무자에게 동시에 송달되었다고 인정되어 채무자가 채권양수인 및 추심명령이나 전부명령을 얻은 가압류 또는 압류채권자 중 한 사람이 제기한 급부소송에서 전액 패소한 이후에도 다른 채권자가 그 송달의 선후에 관하여 다시 문제를 제기하는 경우 기판력의 이론상 제3채무자는 이중지급의 위험이 있을 수 있으므로, 동시에 송달된 경우에도 제3채무자는 송달의 선후가 불명한 경우에 준하여 채권자를 알 수 없다는 이유로 변제공탁을 함으로써 법률관계의 불안으로부터 벗어날 수 있다.

[4] 채권양도 통지와 채권가압류결정 정본이 같은 날 도달되었는데 그 선후관계에 대하여 달리 입증이 없으면 동시에 도달된 것으로 추정한다.

④ | 제452조 제1항【양도통지와 금반언】양도인이 채무자에게 채권양도를 통지한 때에는 아직 양도하지 아니하였거나 그 양도가 무효인 경우에도 선의인 채무자는 양수인에게 대항할 수 있는 사유로 양도인에게 대항할 수 있다.

⑤ 지명채권의 양도계약이 해제된 경우 해제의 사유를 채무자에게 대항하려면 원래의 채권양수인이 채무자에게 통지하여야 한다(대판 1962.4.26, 62다10).

→ 채권양도계약이 해제된 때에 채권양수인이 채무자에게 그 해제를 통지하는 경우뿐만 아니라 채권양도인이 통지하는 경우에도 해제를 이유로 채무자에게 대항할 수 있다.(×)

06 채권양도에 관한 다음 설명 중 가장 옳지 않은 것은? (다툼이 있는 경우 판례에 의함)

▶ 2017년 9급(법원서기보)

① 지명채권의 양도통지를 한 후 그 양도계약이 해제된 경우 양도인이 그 해제를 이유로 다시 원래의 채무자에 대하여 양도채권으로 대항하려면 양수인이 채무자에게 위와 같은 해제사실을 통지하여야 한다.

② 지명채권의 양도 당시 양도통지가 확정일자 없는 증서에 의하였으나 이후 그 증서에 확정일자를 얻었다면 그 이후부터는 제3자에 대한 대항력을 취득한다.

③ 양도금지 특약의 존재를 알지 못하고 채권을 양수한 경우 그 알지 못함에 중대한 과실이 있다면 양도에 의한 채권을 취득할 수 없다.

④ 당사자 사이에 양도금지의 특약이 있는 채권이라도 압류 및 전부명령에 의하여 이전할 수 있으나 양도금지의 특약이 있는 사실에 관하여 압류채권자가 선의라면 그 전부명령은 효력이 없다.

해설 ① 지명채권의 양도통지를 한 후 그 양도계약이 해제된 경우에, 양도인이 그 해제를 이유로 다시 원래의 채무자에 대하여 양도채권으로 대항하려면 양수인이 채무자에게 위와 같은 해제사실을 통지하여야 한다(대판 1993.8.27, 93다17379).

② 지명채권의 양도통지가 확정일자 없는 증서에 의하여 이루어짐으로써 제3자에 대한 대항력을 갖추지 못하였으나 그 후 그 증서에 확정일자를 얻은 경우에는 그 일자 이후에는 제3자에

대한 대항력을 취득한다(대판 1988.4.12, 87다카2429).

③ 민법 제449조 제2항이 채권양도 금지의 특약은 선의의 제3자에게 대항할 수 없다고만 규정하고 있어서 그 문언상 제3자의 과실의 유무를 문제삼고 있지는 아니하지만, 제3자의 중대한 과실은 악의와 같이 취급되어야 하므로, 양도금지 특약의 존재를 알지 못하고 채권을 양수한 경우에 있어서 그 알지 못함에 중대한 과실이 있는 때에는 악의의 양수인과 같이 양도에 의한 채권을 취득할 수 없다고 해석하는 것이 상당하다(대판 1996.6.28, 96다18281).

④ 당사자 사이에 양도금지의 특약이 있는 채권이라도 압류 및 전부명령에 의하여 이전할 수 있고, 양도금지의 특약이 있는 사실에 관하여 압류채권자가 선의인가 악의인가는 전부명령의 효력에 영향을 미치지 못한다(대판 1976.10.29, 76다1623).

07 채권양도에 관한 다음 설명 중 가장 옳지 않은 것은? (다툼이 있는 경우 판례에 의함)

▶ 2018년 9급(법원서기보)

① 대항요건을 갖추지 못한 채권양수인이 채무자를 상대로 재판상 청구를 하였다고 하더라도, 이를 소멸시효 중단 사유인 재판상 청구로 볼 수는 없다.

② 당사자의 의사표시에 의하여 채권양도가 금지된 경우, 채권양수인인 제3자가 악의이거나 채권양도 금지를 알지 못한 데에 중과실이 있는 경우 채무자는 위 채권양도 금지로써 그 제3자에 대하여 대항할 수 있다.

③ 채권양도행위가 사해행위에 해당하지 않는 경우에 양도통지가 따로 채권자취소권 행사 대상이 될 수는 없다.

④ 지명채권의 양도통지를 한 후 채권양도계약이 해제된 경우, 채권양수인이 채무자에게 위와 같은 해제 사실을 통지하면, 채권양도인은 해제를 이유로 다시 원래 채무자에 대하여 양도채권으로 대항할 수 있다.

해설 ① 비록 대항요건을 갖추지 못하여 채무자에게 대항하지 못한다고 하더라도 채권의 양수인이 채무자를 상대로 재판상의 청구를 하였다면 이는 소멸시효 중단사유인 재판상의 청구에 해당한다고 보아야 한다(대판 2005.11.10, 2005다41818).

② 민법 제449조 제2항이 채권양도 금지의 특약은 선의의 제3자에게 대항할 수 없다고만 규정하고 있어서 그 문언상 제3자의 과실의 유무를 문제삼고 있지는 아니하지만, 제3자의 중대한 과실은 악의와 같이 취급되어야 하므로, 양도금지 특약의 존재를 알지 못하고 채권을 양수한 경우에 있어서 그 알지 못함에 중대한 과실이 있는 때에는 악의의 양수인과 같이 양도에 의한 채권을 취득할 수 없다고 해석하는 것이 상당하다(대판 1996.6.28, 96다18281).

③ 채권자취소권은 채무자가 채권자에 대한 책임재산을 감소시키는 행위를 한 경우 이를 취소하고 원상회복을 하여 공동담보를 보전하는 권리이고, 채권양도의 경우 권리이전의 효과는 원칙적으로 당사자 사이의 양도계약 체결과 동시에 발생하며 채무자에 대한 통지 등은 채무자를 보호하기 위한 대항요건일 뿐이므로, 채권양도행위가 사해행위에 해당하지 않는 경우에 양도통지가 따로 채권자취소권 행사의 대상이 될 수는 없다(대판 2012.8.30, 2011다32785 · 32792).

④ 지명채권의 양도통지를 한 후 양도계약이 해제 또는 합의해제된 경우에 채권양도인이 해제 등을 이유로 다시 원래의 채무자에 대하여 양도채권으로 대항하려면 채권양도인이 채권양수인의 동의를 받거나 채권양수인이 채무자에게 위와 같은 해제 등 사실을 통지하여야 한다(대판 2012.11.29, 2011다17953).

08 채권양도에 관한 다음 설명 중 가장 옳지 않은 것은? (다툼이 있는 경우 판례에 의함)

▶ 2017년 법무사

① 채무자가 이의를 보류하지 아니하고 채권양도에 관하여 승낙을 한 때에는 양도인에게 대항할 수 있는 사유로써 양수인에게 대항하지 못한다. 따라서 보험자가 보험금청구권 양도 승낙시에 면책사유에 대한 이의를 보류하지 않았다면 보험계약상의 면책사유를 양수인에게 주장할 수 없다.

② 채권의 양도는 양도인이 채무자에게 통지하거나 채무자가 승낙하지 아니하면 채무자 기타 제3자에게 대항하지 못한다. 그러나 대항요건을 갖추지 못하여 채무자에게 대항하지 못한다고 하더라도 채권의 양수인이 채무자를 상대로 재판상의 청구를 하였다면 이는 소멸시효 중단사유인 재판상의 청구에 해당한다.

③ 가압류된 채권도 양도가 가능하고, 가압류된 금전채권의 양수인은 제3채무자를 상대로 양수금의 이행을 구하는 소송을 제기할 수도 있다.

④ 채권양도가 다른 채무의 담보조로 이루어졌으며 또한 그 다른 채무가 변제되었다고 하더라도 양도채권의 채무자로서는 그와 관계없이 채권양수인에게 양도된 채무를 변제하여야 한다.

⑤ 채권양도의 통지는 민사소송법상의 송달에 관한 규정에서 송달장소로 정하는 채무자의 주소·거소·영업소 또는 사무소 등에 해당하지 아니하는 장소에서라도 채무자가 사회통념상 그 통지의 내용을 알 수 있는 객관적 상태에 놓여졌다고 인정됨으로써 족하다고 할 것이다.

해설 ① 보험금청구권은 보험자의 면책사유 없는 보험사고에 의하여 피보험자에게 손해가 발생한 경우에 비로소 권리로서 구체화되는 정지조건부권리이고, 그 조건부권리도 보험사고가 면책사유에 해당하는 경우에는 그에 의하여 조건불성취로 확정되어 소멸하는 것이라 할 것인데, 위와 같은 보험금청구권의 양도에 대한 채무자의 승낙은 별도로 면책사유가 있으면 보험금을 지급하지 않겠다는 취지를 명시하지 않아도 당연히 그것을 전제로 하고 있다고 보아야 하고, 더구나 보험사고 발생 전의 보험금청구권 양도를 승인함에 있어서 보험자가 위 항변사유가 상당한 정도로 발생할 가능성이 있음을 인식하였다는 등의 사정이 없는 한 존재하지도 아니하는 면책사유 항변을 유보하고 이의하여야 한다고 할 수는 없으므로, 보험자는 비록 위 보험금청구권 양도 승인시에 면책사유에 대한 이의를 유보하지 않았다 하더라도 보험계약상의 면책사유를 주장할 수 있다(대판 2001.6.15, 99다72453).

② 채권양도는 구 채권자인 양도인과 신 채권자인 양수인 사이에 채권을 그 동일성을 유지하면서 전자로부터 후자에게로 이전시킬 것을 목적으로 하는 계약을 말한다 할 것이고, 채권양도에 의하여 채권은 그 동일성을 잃지 않고 양도인으로부터 양수인에게 이전되며, 이러한 법리는 채권양도의 대항요건을 갖추지 못하였다고 하더라도 마찬가지인 점, 민법 제149조의 "조건의 성취가 미정한 권리의무는 일반규정에 의하여 처분, 상속, 보존 또는 담보로 할 수 있다"는 규정은 대항요건을 갖추지 못하여 채무자에게 대항하지 못한다고 하더라도 채권양도에 의하여 채권을 이전받은 양수인의 경우에도 그대로 준용될 수 있는 점, 채무자를 상대로 재판상의 청구를 한 채권의 양수인을 '권리 위에 잠자는 자'라고 할 수 없는 점 등에 비추어 보면, 비록 대항요건을 갖추지 못하여 채무자에게 대항하지 못한다고 하더라도 채권의 양수인이 채무자를 상대로 재판상의 청구를 하였다면 이는 소멸시효 중단사유인 재판상의 청구에 해당한다고 보아야 한다(대판 2005.11.10, 2005다41818).

③ 채권양도는 구 채권자인 양도인과 신 채권자인 양수인 사이에 채권을 그 동일성을 유지하면서 전자로부터 후자에게로 이전시킬 것을 목적으로 하는 계약을 말한다 할 것이고, 채권양도에 의하여 채권은 그 동일성을 잃지 않고 양도인으로부터 양수인에게 이전된다 할 것이며, 가압류된 채권도 이를 양도하는데 아무런 제한이 없다 할 것이나, 다만 가압류된 채권을 양수받은 양수인은 그러한 가압류에 의하여 권리가 제한된 상태의 채권을 양수받는다고 보아야 할 것이고, 이는 채권을 양도받았으나 확정일자 있는 양도통지나 승낙에 의한 대항요건을 갖추지 아니하는 사이에 양도된 채권이 가압류된 경우에도 동일하다. 채권가압류의 처분금지의 효력은 본안소송에서 가압류채권자가 승소하여 채무명의를 얻는 등으로 피보전권리의 존재가 확정되는 것을 조건으로 하여 발생하는 것이므로 채권가압류결정의 채권자가 본안소송에서 승소하는 등으로 채무명의를 취득하는 경우에는 가압류에 의하여 권리가 제한된 상태의 채권을 양수받는 양수인에 대한 채권양도는 무효가 된다(대판 2002.4.26, 2001다59033).

④ 채권양도가 다른 채무의 담보조로 이루어졌으며 또한 그 채무가 변제되었다고 하더라도, 이는 채권 양도인과 양수인 간의 문제일 뿐이고, 양도채권의 채무자는 채권 양도·양수인 간의 채무 소멸 여하에 관계없이 양도된 채무를 양수인에게 변제하여야 하는 것이므로, 설령 그 피담보채무가 변제로 소멸되었다고 하더라도 양도채권의 채무자로서는 이를 이유로 채권양수인의 양수금 청구를 거절할 수 없다(대판 1999.11.26, 99다23093).

⑤ 채권양도의 통지는 채무자에게 도달됨으로써 효력이 발생하는 것이고, 여기서 도달이라 함은 사회통념상 상대방이 통지의 내용을 알 수 있는 객관적 상태에 놓여졌다고 인정되는 상태를 가리킨다. 이와 같이 도달은 보다 탄력적인 개념으로서 송달장소나 수송달자 등의 면에서 위에서 본 송달에서와 같은 엄격함은 요구되지 아니하며, 이에 송달장소 등에 관한 민사소송법의 규정을 유추적용할 것이 아니다. 따라서 채권양도의 통지는 민사소송법상의 송달에 관한 규정에서 송달장소로 정하는 채무자의 주소·거소·영업소 또는 사무소 등에 해당하지 아니하는 장소에서라도 채무자가 사회통념상 그 통지의 내용을 알 수 있는 객관적 상태에 놓여졌다고 인정됨으로써 족하다(대판 2011.1.13, 2010다77477).

09 채권양도에 관한 다음 설명 중 가장 옳지 않은 것은? (다툼이 있는 경우 판례에 의함)

▶ 2017년 법원행시

① 소송행위를 하게 하는 것을 주목적으로 채권양도 등이 이루어진 경우 그 채권양도가 신탁법상의 신탁에 해당하지 않는다고 하여도 신탁법 제6조가 유추적용되므로 무효이다.

② 부동산의 매매로 인한 소유권이전등기청구권은 통상의 채권양도와 달리 양도인의 채무자에 대한 통지만으로는 채무자에 대한 대항력이 생기지 않고 반드시 채무자의 동의나 승낙을 받아야 대항력이 생긴다.

③ 당사자 사이에 양도금지의 특약이 있는 채권이라도 압류 및 전부명령에 따라 이전될 수 있고, 양도금지의 특약이 있는 사실에 관하여 압류채권자가 선의인가 악의인가는 전부명령의 효력에 영향이 없다.

④ 채무자가 채권자에게 채무변제와 관련하여 다른 채권을 양도하는 것은 특단의 사정이 없는 한 채무변제를 위한 담보 또는 변제의 방법으로 양도되는 것으로 추정할 것이지 채무변제에 갈음한 것으로 볼 것은 아니어서, 채권양도만 있으면 바로 원래의 채권이 소멸한다고 볼 수는 없다.

⑤ 채권양도금지특약에 반하여 채권양도가 이루어진 경우 양수인의 선의, 악의 등에 따라 양수채권의 채권자가 결정될 수 있으므로, 민법 제487조 후단의 채권자 불확지를 원인으로 하여 변제공탁을 할 수는 없다.

해설 ① 소송행위를 하게 하는 것을 주목적으로 채권양도 등이 이루어진 경우 그 채권양도가 신탁법상의 신탁에 해당하지 않는다고 하여도 신탁법 제6조(또는 제7조)가 유추적용되므로 무효라고 할 것이고, 소송행위를 하게 하는 것이 주목적인지의 여부는 채권양도계약이 체결된 경위와 방식, 양도계약이 이루어진 후 제소에 이르기까지의 시간적 간격, 양도인과 양수인간의 신분관계 등 제반상황에 비추어 판단하여야 할 것이다(대판 2002.12.6, 2000다4210).

② 부동산의 매매로 인한 소유권이전등기청구권은 물권의 이전을 목적으로 하는 매매의 효과로서 매도인이 부담하는 재산권이전의무의 한 내용을 이루는 것이고, 매도인이 물권행위의 성립요건을 갖추도록 의무를 부담하는 경우에 발생하는 채권적 청구권으로 그 이행과정에 신뢰관계가 따르므로, 소유권이전등기청구권을 매수인으로부터 양도받은 양수인은 매도인이 그 양도에 대하여 동의하지 않고 있다면 매도인에 대하여 채권양도를 원인으로 하여 소유권이전등기절차의 이행을 청구할 수 없고, 따라서 <u>매매로 인한 소유권이전등기청구권은 특별한 사정이 없는 이상 그 권리의 성질상 양도가 제한되고 그 양도에 채무자의 승낙이나 동의를 요한다고 할 것이므로 통상의 채권양도와 달리 양도인의 채무자에 대한 통지만으로는 채무자에 대한 대항력이 생기지 않으며 반드시 채무자의 동의나 승낙을 받아야 대항력이 생긴다</u> (대판 2005.3.10, 2004다67653・67660).

③ 당사자 사이에 양도금지의 특약이 있는 채권이라도 압류 및 전부명령에 의하여 이전할 수 있고, 양도금지의 특약이 있는 사실에 관하여 압류채권자가 선의인가 악의인가는 전부명령의 효력에 영향을 미치지 못한다(대판 1976.10.29, 76다1623).

④ 채무자가 채권자에게 채무변제와 관련하여 다른 채권을 양도하는 것은 특단의 사정이 없는 한 채무변제를 위한 담보 또는 변제의 방법으로 양도되는 것으로 추정할 것이지 채무변제에 갈음한 것으로 볼 것은 아니어서, 그 경우 채권양도만 있으면 바로 원래의 채권이 소멸한다

고 볼 수는 없고 채권자가 양도받은 채권을 변제받은 때에 비로소 그 범위 내에서 채무자가 면책된다(대판 2013.5.9, 2012다40998).
⑤ 채권양도금지특약에 반하여 채권양도가 이루어진 경우, 그 양수인이 양도금지특약이 있음을 알았거나 중대한 과실로 알지 못하였던 경우에는 채권양도는 효력이 없게 되고, 반대로 양수인이 중대한 과실 없이 양도금지특약의 존재를 알지 못하였다면 채권양도는 유효하게 되어 채무자로서는 양수인에게 양도금지특약을 가지고 그 채무이행을 거절할 수 없게 되어 양수인의 선의, 악의 등에 따라 양수채권의 채권자가 결정되는바, 이와 같이 양도금지의 특약이 붙은 채권이 양도된 경우에 양수인의 악의 또는 중과실에 관한 입증책임은 채무자가 부담하지만, 그러한 경우에도 채무자로서는 양수인의 선의 등의 여부를 알 수 없어 과연 채권이 적법하게 양도된 것인지에 관하여 의문이 제기될 여지가 충분히 있으므로 특별한 사정이 없는 한 민법 제487조 후단의 채권자 불확지를 원인으로 하여 변제공탁을 할 수 있다(대판 2000.12.22, 2000다55904).

10 채권양도에 관한 다음 설명 중 가장 옳지 않은 것은? ▶ 2018년 법원행시

① 채권양도통지는 양도인이 직접 하지 아니하고 사자를 통하여 하거나 대리인으로 하여금 하게 하여도 무방하고, 채권의 양수인도 양도인으로부터 채권양도통지 권한을 위임받아 대리인으로서 그 통지를 할 수 있다.

② 채권양도통지가 확정일자 없는 증서에 의하여 이루어짐으로써 제3자에 대한 대항력을 갖추지 못하였더라도 확정일자 없는 증서에 의한 양도통지나 승낙 후에 그 증서에 확정일자를 얻은 경우 그 일자 이후에는 제3자에 대한 대항력을 취득한다. 다만 확정일자란 증서에 대하여 그 작성한 일자에 관한 완전한 증거가 될 수 있는 것으로 법률상 인정되는 일자를 말하며 당사자가 나중에 변경하는 것이 불가능한 확정된 일자를 가리키므로, 원본이 아닌 사본에 확정일자를 갖춘 경우 대항력을 인정할 수 없다.

③ 지명채권의 양도통지를 한 후 그 양도계약이 해제된 경우에, 양도인이 그 해제를 이유로 다시 원래의 채무자에 대하여 양도채권으로 대항하려면 양수인이 채무자에게 위와 같은 해제사실을 통지하여야 한다.

④ 채권양도통지 권한을 위임받은 양수인이 양도인을 대리하여 채권양도통지를 함에 있어서는 양도인 본인과 대리인을 표시하여야 하는 것이므로, 양수인이 서면으로 채권양도통지를 함에 있어 대리관계의 현명을 하지 않은 채 양수인 명의로 된 채권양도통지서를 채무자에게 발송하여 도달되었다 하더라도 특별한 사정이 없는 한 이는 효력이 없다.

⑤ 채권자의 영업양도인에 대한 채권과 영업양수인에 대한 채권은 어디까지나 법률적으로 발생 원인을 달리하는 별개의 채권으로서 그 성질상 영업양수인에 대한 채권이 영업양도인에 대한 채권의 처분에 당연히 종속된다고 볼 수 없다. 따라서 채권자가 영업양도인에 대한 채권을 타인에게 양도하였다는 사정만으로 영업양수인에 대한 채권까지 당연히 함께 양도된 것이라고 단정할 수 없으며, 함께 양도된 경우라도 채권양도의 대항요건은 채무자별로 갖추어야 하는 것이다.

정답 **09** ⑤ **10** ②

해설 ① 민법 제450조에 의한 채권양도통지는 양도인이 직접 하지 아니하고 사자를 통하여 하거나 대리인으로 하여금 하게 하여도 무방하고, 채권의 양수인도 양도인으로부터 채권양도통지 권한을 위임받아 대리인으로서 그 통지를 할 수 있다(대판 2004.2.13, 2003다43490).

② 양도통지가 확정일자 없는 증서에 의하여 이루어짐으로써 제3자에 대한 대항력을 갖추지 못하였더라도 확정일자 없는 증서에 의한 양도통지나 승낙 후에 그 증서에 확정일자를 얻은 경우 그 일자 이후에는 제3자에 대한 대항력을 취득하는 것인바, 확정일자 제도의 취지에 비추어 볼 때 원본이 아닌 사본에 확정일자를 갖추었다 하더라도 대항력의 판단에 있어서는 아무런 차이가 없다(대판 2006.9.14, 2005다45537).

③ 지명채권의 양도계약이 해제된 경우 해제의 사유를 채무자에게 대항하려면 원래의 채권양수인이 채무자에게 통지하여야 한다(대판 1962.4.26, 62다10).

④ [1] 민법 제450조에 의한 채권양도통지는 양도인이 직접하지 아니하고 사자를 통하여 하거나 대리인으로 하여금 하게 하여도 무방하고, 채권의 양수인도 양도인으로부터 채권양도통지 권한을 위임받아 대리인으로서 그 통지를 할 수 있다.

[2] 채권양도통지 권한을 위임받은 양수인이 양도인을 대리하여 채권양도통지를 함에 있어서는 민법 제114조 제1항의 규정에 따라 양도인 본인과 대리인을 표시하여야 하는 것이므로, 양수인이 서면으로 채권양도통지를 함에 있어 대리관계의 현명을 하지 아니한 채 양수인 명의로 된 채권양도통지서를 채무자에게 발송하여 도달되었다 하더라도 이는 효력이 없다고 할 것이다(대판 2004.2.13, 2003다43490).

⑤ 영업양수인이 양도인의 상호를 계속사용하지 아니하는 경우에 양도인의 영업으로 인한 채무를 인수할 것을 광고한 때에는 양수인도 변제할 책임이 있는바(상법 제44조), 이 경우 영업양도인의 영업으로 인한 채무와 영업양수인의 상법 제44조에 따른 채무는 같은 경제적 목적을 가진 채무로서 서로 중첩되는 부분에 관하여는 일방의 채무가 변제 등으로 소멸하면 다른 일방의 채무도 소멸하는 이른바 부진정연대의 관계에 있지만, 채권자의 영업양도인에 대한 채권과 영업양수인에 대한 채권은 어디까지나 법률적으로 발생원인을 달리하는 별개의 채권으로서 그 성질상 영업양수인에 대한 채권이 영업양도인에 대한 채권의 처분에 당연히 종속된다고 볼 수 없다. 따라서 채권자가 영업양도인에 대한 채권을 타인에게 양도하였다는 사정만으로 영업양수인에 대한 채권까지 당연히 함께 양도된 것이라고 단정할 수 없고, 함께 양도된 경우라도 채권양도의 대항요건은 채무자별로 갖추어야 한다(대판 2009.7.9, 2009다23696).

11 채권양도에 관한 다음 설명 중 가장 옳지 않은 것은? (다툼이 있는 경우 판례에 따르고 전원합의체 판결의 경우 다수의견에 의함) ▶ 2019년 법무사

① 채권양도금지의 특약에 위반해서 채권을 제3자에게 양도한 경우에 악의 또는 중과실의 채권양수인에 대하여는 채권 이전의 효과가 생기지 아니하나, 채무자가 그 양도에 대하여 사후승낙을 한 때에는 무효인 채권양도행위가 추인되어 유효하게 되며, 이 경우 채권양도의 효과는 다른 특별한 사정이 없는 한 채권양도 시로 소급하여 발생한다.

② 채권에 대한 압류 및 추심명령이 있으면 제3채무자에 대한 이행의 소는 추심채권자만이 제기할 수 있고 채무자는 피압류채권에 대한 이행소송을 제기할 당사자적격을 상실한다.

③ 매매로 인한 소유권이전등기청구권은 특별한 사정이 없는 한, 그 권리의 성질상 양도가 제한되고 그 양도에 채무자의 승낙이나 동의를 요한다고 할 것이므로, 통상의 채권양도와 달리 양도인의 채무자에 대한 통지만으로는 채무자에 대한 대항력이 생기지 않으며 반드시 채무자의 동의나 승낙을 받아야 대항력이 생긴다.

④ 취득시효완성으로 인한 소유권이전등기청구권은 채권자와 채무자 사이에 계약관계나 신뢰관계가 없고, 채권자가 채무자에게 반대급부로 부담하여야 하는 의무도 없으므로, 취득시효완성으로 인한 소유권이전등기청구권의 양도의 경우에는 매매로 인한 소유권이전등기청구권에 관한 양도제한의 법리가 적용되지 않는다.

⑤ 채권양도 당시 양도 목적 채권의 채권액이 확정되어 있지 아니하였다 하더라도, 채무의 이행기까지 이를 확정할 수 있는 기준이 설정되어 있다면 그 채권의 양도는 유효한 것으로 보아야 한다.

해설 ① 채권양도금지의 특약에 위반해서 채권을 제3자에게 양도한 경우에 악의 또는 중과실의 채권양수인에 대하여는 채권 이전의 효과가 생기지 아니하나, 악의 또는 중과실로 채권양수를 받은 후 채무자가 그 양도에 대하여 승낙을 한 때에는 채무자의 사후승낙에 의하여 무효인 채권양도행위가 추인되어 유효하게 되며, 이 경우 다른 약정이 없는 한 소급효가 인정되지 않고 양도의 효과는 승낙 시부터 발생한다고 하였다(대판 2009.10.29, 2009다47685).

② 채권에 대한 압류 및 추심명령이 있으면 제3채무자에 대한 이행의 소는 추심채권자만이 제기할 수 있고 채무자는 피압류채권에 대한 이행소송을 제기할 당사자적격을 상실한다(대판 2000.4.11, 99다23888).

③.④ (ㄱ) 부동산매매계약에서 매도인과 매수인은 서로 동시이행관계에 있는 일정한 의무를 부담하므로 이행과정에 신뢰관계가 따른다. 특히 매도인으로서는 매매대금 지급을 위한 매수인의 자력, 신용 등 매수인이 누구인지에 따라 계약유지 여부를 달리 생각할 여지가 있다. 이러한 이유로 매매로 인한 소유권이전등기청구권의 양도는 특별한 사정이 없는 이상 양도가 제한되고 양도에 채무자의 승낙이나 동의를 요한다고 할 것이므로 통상의 채권양도와 달리 양도인의 채무자에 대한 통지만으로는 채무자에 대한 대항력이 생기지 않으며 반드시 채무자의 동의나 승낙을 받아야 대항력이 생긴다. 그러나 (ㄴ) 취득시효완성으로 인한 소유권이전등기청구권은 채권자와 채무자 사이에 아무런 계약관계나 신뢰관계가 없고, 그에 따라 채권자가 채무자에게 반대급부로 부담하여야 하는 의무도 없다. 따라서 취득시효완성으로 인한 소유권이전등기청구권의 양도의 경우에는 매매로 인한 소유권이전등기청구권에 관한 양도제한의 법리가 적용되지 않는다(대판 2018.7.12, 2015다36167).

⑤ 채권양도에 있어 사회통념상 양도 목적 채권을 다른 채권과 구별하여 그 동일성을 인식할 수 있을 정도이면 그 채권은 특정된 것으로 보아야 할 것이고, 채권양도 당시 양도 목적 채권의 채권액이 확정되어 있지 아니하였다 하더라도 채무의 이행기까지 이를 확정할 수 있는 기준이 설정되어 있다면 그 채권의 양도는 유효한 것으로 보아야 한다(대판 1997.7.25, 95다21624).

정답 ▶ 11 ①

12 채권양도의 통지에 관한 다음 설명 중 가장 옳지 않은 것은? (다툼이 있는 경우 판례에 의하고, 전원합의체 판결의 경우 다수의견에 의함) ▶ 2019년 법원행시

① 채권양도가 있기 전에 미리 하는 채권양도통지는 채무자로 하여금 양도의 시기를 확정할 수 없는 불안한 상태에 있게 하는 결과가 되어 원칙으로 허용될 수 없지만, 채권양도인의 확정일자부 채권양도통지와 채무자의 확정일자부 채권양도승낙이 모두 있은 후에 채권양도계약이 체결된 경우에는 실제로 채권양도계약이 체결된 날에 제3자에 대한 대항력이 발생한다.

② 지명채권의 양도통지를 한 후 양도계약이 해제 또는 합의해제된 경우 채권양도인이 채권양수인의 동의를 받거나 채권양수인이 직접 채무자에게 위와 같은 해제 등 사실을 통지하여야 하는데, 위와 같은 대항요건이 갖추어질 때까지 양도계약의 해제 등을 알지 못한 선의인 채무자는 해제 등의 통지가 있은 다음에도 채권양수인에 대한 반대채권에 의한 상계로써 채권양도인에게 대항할 수 있다.

③ 기존채무의 지급을 위하여 수표를 교부받은 채권자가 그 수표와 분리하여 기존 원인채권만을 제3자에게 양도한 경우, 채무자로서는 기존 원인채권의 양수인에 대하여 양도통지 이후에 위 수표금의 지급이 이루어졌다는 사유를 들어 그 기존채무의 소멸을 주장할 수는 없다.

④ 채권자가 채권양도의 통지를 하였으나 채무자가 변동된 주소의 신고의무를 게을리 하는 등의 귀책사유로 인하여 위 통지를 수령하지 못할 경우 위 통지가 채무자에게 도달한 것으로 간주하기로 하는 채권자와 채무자 사이의 합의는 유효하므로, 위와 같은 합의가 있는 경우 채무자가 폐업사실 및 폐업 후 주소지를 채권자에게 신고하지 않아 채권양도통지서를 수령하지 못하였더라도 이를 이유로 채권양수인에게 대항할 수는 없다.

⑤ 채권양도통지 권한을 위임받은 양수인이 양도인을 대리하여 채권양도통지를 함에 있어서는 양도인 본인과 대리인을 표시하여야 하는 것이므로, 양수인이 서면으로 채권양도통지를 함에 있어 대리관계의 현명을 하지 아니한 채 양수인 명의로 된 채권양도통지서를 채무자에게 발송하여 도달되었다 하더라도 특별한 사정이 없는 한 이는 효력이 없다.

해설 ① 사전통지는 원칙적으로 허용되지 않는다. 채무자로 하여금 양도의 시기를 확정할 수 없는 불안한 상태에 놓이게 하기 때문이다. 따라서 사전통지가 있더라도 채무자에게 법적으로 아무런 불안한 상황이 발생하지 않는 경우(예 사전통지와 사전승낙이 모두 있는 경우)에까지 그 효력을 부인할 것은 아니다(대판 2010.2.11. 2009다90740).

② 민법 제452조는 '양도통지와 금반언'이라는 제목 아래 제1항에서 '양도인이 채무자에게 채권양도를 통지한 때에는 아직 양도하지 아니하였거나 그 양도가 무효인 경우에도 선의인 채무자는 양수인에게 대항할 수 있는 사유로 양도인에게 대항할 수 있다'고 하고, 제2항에서 '전항의 통지는 양수인의 동의가 없으면 철회하지 못한다'고 하여 채권양도가 불성립 또는 무효인 경우에 선의인 채무자를 보호하는 규정을 두고 있다. 이는 채권양도가 해제 또는 합의해제되어 소급적으로 무효가 되는 경우에도 유추적용할 수 있다고 할 것이므로, 지명채권의 양

도통지를 한 후 양도계약이 해제 또는 합의해제된 경우에 채권양도인이 해제 등을 이유로 다시 원래의 채무자에 대하여 양도채권으로 대항하려면 채권양도인이 채권양수인의 동의를 받거나 채권양수인이 채무자에게 위와 같은 해제 등 사실을 통지하여야 한다. 이 경우 위와 같은 대항요건이 갖추어질 때까지 양도계약의 해제 등을 알지 못한 선의인 채무자는 해제 등의 통지가 있은 다음에도 채권양수인에 대한 반대채권에 의한 상계로써 채권양도인에게 대항할 수 있다고 봄이 타당하다(대판 2012.11.29, 2011다17953).

③ 기존채무의 지급을 위하여 수표를 교부받은 채권자가 그 수표와 분리하여 기존 원인채권만을 제3자에게 양도한 경우, 기존채무의 지급을 위하여 수표를 교부하였다는 것은 채무자와 기존채권의 양도인 사이에서는 그 수표금이 지급되는 등 채무자가 그 수표상의 상환의무를 면하게 되면 원인채무 또한 소멸할 것을 예정하고 있었던 것으로 보아야 할 것인데, 수표금의 지급으로써 기존 원인채무도 소멸할 것을 예정하고 있었던 사정은 그 채권양도통지 이전에 이미 존재하고 있었던 것이므로, 그 채권양도통지 후에 수표금의 지급이 이루어지더라도 이는 양도통지 후에 새로이 발생한 사유로 볼 수는 없다고 할 것이니, 따라서 채무자로서는 기존 원인채권의 양수인에 대하여 기존채무의 지급을 위하여 교부한 수표가 양도통지 이후에 결제되었다는 사유로써 그 기존채무의 소멸을 주장할 수 있다(대판 2003.5.30, 2003다 13512).

④ 민법 제450조 제1항에서 "지명채권의 양도는 양도인이 채무자에게 통지하거나 채무자가 승낙하지 아니하면 채무자 기타 제3자에게 대항하지 못한다"고 규정하고 있으나, 위 규정이 채권자가 채권양도의 통지를 하였으나 채무자가 변동된 주소의 신고의무를 게을리하는 등의 귀책사유로 인하여 위 통지를 수령하지 못할 경우 위 통지가 채무자에게 도달한 것으로 간주하기로 하는 합의의 효력까지 부정하게 하는 것은 아니라 할 것이다(대판 2008.1.10, 2006다41204). → 이 사건 제2대출 당시 대한건설은 성원파이낸스와 사이에 주소 등 신고사항에 변경이 있을 때에는 서면으로 이를 신고하고, 이러한 신고를 게을리하여 성원파이낸스로부터 통지 등이 도달하지 아니한 경우에는 보통 도달하여야 할 때 도달한 것으로 보아도 이의 없기로 약정하였는데, 대한건설이 폐업사실 및 폐업 후 주소지를 성원파이낸스에 신고하지 아니함으로써 성원파이낸스가 대한건설의 법인등기부상 주소지이자 소비대차약정서 기재 주소지로 발송한 채권양도통지서가 대한건설이 이미 폐업한 관계로 반송되었으므로, 성원파이낸스가 대한건설의 법인등기부상 주소지로 통지서를 송달함으로써 이 사건 채권양도의 통지가 있었다고 보아야 한다고 하여, 이 사건 제2대출에 따른 대출금채권이 적법하게 양도되었다고 본 사례이다.

⑤ 민법 제450조에 의한 채권양도통지는 양도인이 직접 하지 아니하고 사자를 통하여 하거나 대리인으로 하여금 하게 하여도 무방하고, 채권의 양수인도 양도인으로부터 채권양도통지 권한을 위임받아 대리인으로서 그 통지를 할 수 있다. 채권양도통지 권한을 위임받은 양수인이 양도인을 대리하여 채권양도통지를 함에 있어서는 민법 제114조 제1항의 규정에 따라 양도인 본인과 대리인을 표시하여야 하는 것이므로, 양수인이 서면으로 채권양도통지를 함에 있어 대리관계의 현명을 하지 아니한 채 양수인 명의로 된 채권양도통지서를 채무자에게 발송하여 도달되었다 하더라도 이는 효력이 없다고 할 것이다(대판 2004.2.13, 2003다43490).

13 채권양도에 관한 다음 설명 중 가장 옳지 않은 것은? ▸ 2020년 법무사

① 채권양도에 있어 사회통념상 양도 목적 채권을 다른 채권과 구별하여 그 동일성을 인식할 수 있을 정도이면 그 채권은 특정된 것으로 보아야 할 것이고, 채권양도 당시 양도 목적 채권의 채권액이 확정되어 있지 아니하였다 하더라도 채무의 이행기까지 이를 확정할 수 있는 기준이 설정되어 있다면 그 채권의 양도는 유효한 것으로 보아야 할 것이다.

② 양도금지특약을 위반하여 채권을 제3자에게 양도한 경우에 채권양수인이 양도금지특약이 있음을 알았거나 중대한 과실로 알지 못하였다면 채권 이전의 효과가 생기지 아니한다. 반대로 양수인이 중대한 과실 없이 양도금지특약의 존재를 알지 못하였다면 채권양도는 유효하게 되어 채무자는 양수인에게 양도금지특약을 가지고 채무 이행을 거절할 수 없다. 채권양수인의 악의 내지 중과실은 양도금지특약으로 양수인에게 대항하려는 자가 주장·증명하여야 한다.

③ 채권이 이중으로 양도된 경우 양수인들이 모두 제3자에 대한 대항요건을 갖추었다면 양수인 상호간 우열은 통지 또는 승낙에 붙여진 확정일자의 선후에 의하여 결정한다.

④ 당사자 사이에 양도금지의 특약이 있는 채권이더라도 전부명령에 의하여 전부되는 데에는 지장이 없고, 양도금지의 특약이 있는 사실에 관하여 집행채권자가 선의인가 악의인가는 전부명령의 효력에 영향을 미치지 못한다.

⑤ 채무자가 채권자에게 채무변제와 관련하여 다른 채권을 양도하는 것은 특단의 사정이 없는 한 채무변제를 위한 담보 또는 변제의 방법으로 양도되는 것으로 추정할 것이지 채무변제에 갈음한 것으로 볼 것은 아니어서, 그 경우 채권양도만 있으면 바로 원래의 채권이 소멸한다고 볼 수는 없고 채권자가 양도받은 채권을 변제받은 때에 비로소 그 범위 내에서 채무자가 면책된다.

해설 ① 채권양도에 있어 사회통념상 양도 목적 채권을 다른 채권과 구별하여 그 동일성을 인식할 수 있을 정도이면 그 채권은 특정된 것으로 보아야 할 것이고, 채권양도 당시 양도 목적 채권의 채권액이 확정되어 있지 아니하였다 하더라도 채무의 이행기까지 이를 확정할 수 있는 기준이 설정되어 있다면 그 채권의 양도는 유효한 것으로 보아야 한다(대판 1997.7.25, 95다21624).

② [다수의견] 채권은 양도할 수 있다. 그러나 채권의 성질이 양도를 허용하지 아니하는 때에는 그러하지 아니하다(민법 제449조 제1항). 그리고 채권은 당사자가 반대의 의사를 표시한 경우에는 양도하지 못한다. 그러나 그 의사표시로써 선의의 제3자에게 대항하지 못한다(민법 제449조 제2항). 이처럼 당사자가 양도를 반대하는 의사를 표시(이하 '양도금지특약'이라고 한다)한 경우 채권은 양도성을 상실한다. 양도금지특약을 위반하여 채권을 제3자에게 양도한 경우에 채권양수인이 양도금지특약이 있음을 알았거나 중대한 과실로 알지 못하였다면 채권 이전의 효과가 생기지 아니한다. 반대로 양수인이 중대한 과실 없이 양도금지특약의 존재를 알지 못하였다면 채권양도는 유효하게 되어 채무자는 양수인에게 양도금지특약을 가지고 채무 이행을 거절할 수 없다. 채권양수인의 악의 내지 중과실은 양도금지특약으로 양수인에게 대항하려는 자가 주장·증명하여야 한다(대판(전) 2019.12.19, 2016다24284).

③ 채권이 이중으로 양도된 경우의 양수인 상호간의 우열은 통지 또는 승낙에 붙여진 확정일자의 선후에 의하여 결정할 것이 아니라, 채권양도에 대한 채무자의 인식, 즉 확정일자 있는

양도통지가 채무자에게 도달한 일시 또는 확정일자 있는 승낙의 일시의 선후에 의하여 결정하여야 할 것이고, 이러한 법리는 채권양수인과 동일 채권에 대하여 가압류명령을 집행한 자 사이의 우열을 결정하는 경우에 있어서도 마찬가지이므로, 확정일자 있는 채권양도 통지와 가압류결정 정본의 제3채무자(채권양도의 경우는 채무자)에 대한 도달의 선후에 의하여 그 우열을 결정하여야 한다(대판(전) 1994.4.26. 93다24223).

④ 당사자 사이에 양도금지의 특약이 있는 채권이더라도 전부명령에 의하여 전부되는 데에는 지장이 없고, 양도금지의 특약이 있는 사실에 관하여 집행채권자가 선의인가 악의인가는 전부명령의 효력에 영향을 미치지 못하는 것인바, 이와 같이 양도금지특약부 채권에 대한 전부명령이 유효한 이상, 그 전부채권자로부터 다시 그 채권을 양수한 자가 그 특약의 존재를 알았거나 중대한 과실로 알지 못하였다고 하더라도 채무자는 위 특약을 근거로 삼아 채권양도의 무효를 주장할 수 없다(대판 2003.12.11. 2001다3771).

⑤ 채무자가 채권자에게 채무변제와 관련하여 다른 채권을 양도하는 것은 특단의 사정이 없는 한 채무변제를 위한 담보 또는 변제의 방법으로 양도되는 것으로 추정할 것이지 채무변제에 갈음한 것으로 볼 것은 아니어서, 채권양도만 있으면 바로 원래의 채권이 소멸한다고 볼 수는 없는 것이고 채권자가 양도받은 채권을 변제받음으로써 그 범위 내에서 채무자가 면책되는 것이므로, 양도 채권의 변제에 관하여는 기존채무의 채무자에게 주장·입증책임이 있다(대판 1995.12.22. 95다16660).

14 채권양도에 관한 다음 설명 중 가장 옳지 않은 것은? ▶ 2021년 법원서기보

① 채무자가 채권양도 통지를 받은 당시 이미 상계할 수 있는 원인이 있었던 경우에는 아직 상계적상에 있지 않더라도 그 후 상계적상에 이르면 채무자는 양수인에 대하여 상계로 대항할 수 있다.

② 처분권한 없는 자가 지명채권을 양도한 경우 특별한 사정이 없는 한 채권양도로서 효력을 가질 수 없으므로 양수인은 채권을 취득하지 못한다.

③ 채권이 이중으로 양도된 경우 양수인 상호 간의 우열은 확정일자 있는 양도통지가 채무자에게 도달한 일시 또는 확정일자 있는 승낙의 일시의 선후에 의하여 결정하여야 한다.

④ 선순위 근저당권부채권을 양수한 채권자는 채권양도의 대항요건을 갖추지 아니하면 후순위 근저당권자에게 대항하지 못한다.

해설 ① 채권양도에 있어서 채무자가 양도인에게 이의를 보류하지 아니하고 승낙을 하였다는 사정이 없거나 또는 이의를 보류하지 아니하고 승낙을 하였더라도 양수인이 악의 또는 중과실의 경우에 해당하는 한, 채무자의 승낙 당시까지 양도인에 대하여 생긴 사유로써 양수인에게 대항할 수 있다고 할 것인데, 승낙 당시 이미 상계를 할 수 있는 원인이 있었던 경우에는 아직 상계적상에 있지 아니하였다 하더라도 그 후에 상계적상이 생기면 채무자는 양수인에 대하여 상계로 대항할 수 있다(대판 1999.8.20. 99다18039; 대판 2019.6.27. 2017다222962).

정답 ▶ 13 ③   14 ④

② 지명채권의 양도란 채권의 귀속주체가 법률행위에 의하여 변경되는 것으로서 이른바 준물권행위 내지 처분행위의 성질을 가지므로, 그것이 유효하기 위하여는 양도인이 채권을 처분할 수 있는 권한을 가지고 있어야 한다. 처분권한 없는 자가 지명채권을 양도한 경우 특별한 사정이 없는 한 채권양도로서 효력을 가질 수 없으므로 양수인은 채권을 취득하지 못한다(대판 2016.7.14, 2015다46119).

③ 채권이 이중으로 양도된 경우의 양수인 상호간의 우열은 통지 또는 승낙에 붙여진 확정일자의 선후에 의하여 결정할 것이 아니라, 채권양도에 대한 채무자의 인식, 즉 확정일자 있는 양도통지가 채무자에게 도달한 일시 또는 확정일자 있는 승낙의 일시의 선후에 의하여 결정하여야 한다(대판(전) 1994.4.26, 93다24223).

④ 채권양도의 대항요건의 흠결의 경우 채권을 주장할 수 없는 채무자 이외의 제3자는 양도된 채권 자체에 관하여 양수인의 지위와 양립할 수 없는 법률상 지위를 취득한 자에 한하므로, 선순위의 근저당권부채권을 양수한 채권자보다 후순위의 근저당권자는 채권양도의 대항요건을 갖추지 아니한 경우 대항할 수 없는 제3자에 포함되지 않는다(대판 2005.6.23, 2004다29279).

15 다음 설명 중 가장 옳은 것은? ▶ 2021년 법무사

① 채권은 양도할 수 있는 것이 원칙이나, 채권의 성질이 양도를 허용하지 않는 경우 및 당사자가 양도 반대의 의사표시를 한 경우에는 양도할 수 없다.

② 당사자가 양도 반대의 의사표시를 한 경우에, 선의 및 중과실이 아닌 제3자에게는 대항하지 못한다.

③ 지명채권의 양도는 양도인이 채무자에게 통지하여야 하고, 채무자가 승낙하지 아니하면 채무자 기타 선의의 제3자에게 대항하지 못한다.

④ 채무자가 이의를 보류하고 승낙을 한 때에도 양도인에게 대항할 수 있는 사유로써 양수인에게 대항하지 못한다.

⑤ 채무자가 채무를 소멸하게 하기 위하여 양도인에게 급여한 것이 있으면 이를 회수할 수 있으나, 양도인에 대하여 부담한 채무가 있으면 그 성립되지 아니함을 주장할 수 없다.

해설 ①, ② 제449조 【채권의 양도성】
> ① 채권은 양도할 수 있다. 그러나 채권의 성질이 양도를 허용하지 아니하는 때에는 그러하지 아니하다.
> ② 채권은 당사자가 반대의 의사를 표시한 경우에는 양도하지 못한다. 그러나 그 의사표시로써 선의의 제3자에게 대항하지 못한다.

다만 판례는 "민법 제449조 제2항이 채권양도 금지의 특약은 선의의 제3자에게 대항할 수 없다고만 규정하고 있어서 그 문언상 제3자의 과실의 유무를 문제삼고 있지는 아니하지만, 제3자의 중대한 과실은 악의와 같이 취급되어야 하므로, 양도금지 특약의 존재를 알지 못하고 채권을 양수한 경우에 있어서 그 알지 못함에 중대한 과실이 있는 때에는 악의의 양수인과 같이 양도에 의한 채권을 취득할 수 없다(채권 이전의 효과가 생기지 아니한다)고 해석하는 것이 상당하다. (이 경우) 제3자의 악의 내지 중과실은 채권양도 금지의 특약으로 양수인에게 대항하려는 자가 이를 주장·입증하여야 한다."는 입장이다(대판(전) 2019.12.19, 2016다24284).

③ 제450조 제1항【지명채권양도의 대항요건】지명채권의 양도는 양도인이 채무자에게 통지하거나 채무자가 승낙하지 아니하면 채무자 기타 제3자에게 대항하지 못한다.

④, ⑤ 제451조 제1항【승낙, 통지의 효과】채무자가 이의를 보류하지 아니하고 전조의 승낙을 한 때에는 양도인에게 대항할 수 있는 사유로써 양수인에게 대항하지 못한다. 그러나 채무자가 채무를 소멸하게 하기 위하여 양도인에게 급여한 것이 있으면 이를 회수할 수 있고 양도인에 대하여 부담한 채무가 있으면 그 성립되지 아니함을 주장할 수 있다.

16 채권양도에 관한 다음 설명 중 가장 옳지 않은 것은? ▶ 2020년 법원행시

① 지명채권의 양도는 양도인이 채무자에게 통지하거나 채무자가 승낙하지 아니하면 채무자 기타 제3자에게 대항하지 못한다.

② 민법 제449조 제2항은 채권은 당사자가 반대의 의사를 표시한 경우에는 양도하지 못하나 그 의사표시로써 선의의 제3자에게 대항하지 못한다고 규정하고 있다.

③ 양도금지특약을 위반하여 채권을 제3자에게 양도한 경우에 채권양수인이 양도금지특약이 있음을 알았거나 중대한 과실로 알지 못하였다면 채권 이전의 효과가 생기지 아니한다.

④ 채무자가 이의를 보류하지 아니하고 채권양도의 승낙을 한 때에는 양도인에게 대항할 수 있는 사유로써 양수인에게 대항하지 못한다. 그러나 채무자가 채무를 소멸하게 하기 위하여 양도인에게 급여한 것이 있으면 이를 회수할 수 있고 양도인에 대하여 부담한 채무가 있으면 그 성립되지 아니함을 주장할 수 있다.

⑤ 민법 제449조 제2항 단서의 채권양도금지 특약으로써 대항할 수 없는 선의의 제3자는 채권자로부터 직접 채권을 양수한 자만을 가리키는 것이므로, 악의의 양수인으로부터 다시 선의로 양수한 전득자는 위 조항에서의 선의의 제3자에 해당하지 않는다.

해설

① 제450조 제1항【지명채권양도의 대항요건】지명채권의 양도는 양도인이 채무자에게 통지하거나 채무자가 승낙하지 아니하면 채무자 기타 제3자에게 대항하지 못한다.

② 제449조 제2항【채권의 양도성】채권은 당사자가 반대의 의사를 표시한 경우에는 양도하지 못한다. 그러나 그 의사표시로써 선의의 제3자에게 대항하지 못한다.

③ [다수의견] 채권은 양도할 수 있다. 그러나 채권의 성질이 양도를 허용하지 아니하는 때에는 그러하지 아니하다(민법 제449조 제1항). 그리고 채권은 당사자가 반대의 의사를 표시한 경우에는 양도하지 못한다. 그러나 그 의사표시로써 선의의 제3자에게 대항하지 못한다(민법 제449조 제2항). 이처럼 당사자가 양도를 반대하는 의사를 표시(이하 '양도금지특약'이라고 한다)한 경우 채권은 양도성을 상실한다. 양도금지특약을 위반하여 채권을 제3자에게 양도한 경우에 채권양수인이 양도금지특약이 있음을 알았거나 중대한 과실로 알지 못하였다면 채권 이전의 효과가 생기지 아니한다. 반대로 양수인이 중대한 과실 없이 양도금지특약의 존재를

알지 못하였다면 채권양도는 유효하게 되어 채무자는 양수인에게 양도금지특약을 가지고 채무 이행을 거절할 수 없다. 채권양수인의 악의 내지 중과실은 양도금지특약으로 양수인에게 대항하려는 자가 주장·증명하여야 한다(대판(전) 2019.12.19. 2016다24284).

④ | 제451조 제1항【승낙, 통지의 효과】채무자가 이의를 보류하지 아니하고 전조의 승낙을 한 때에는 양도인에게 대항할 수 있는 사유로써 양수인에게 대항하지 못한다. 그러나 채무자가 채무를 소멸하게 하기 위하여 양도인에게 급여한 것이 있으면 이를 회수할 수 있고 양도인에 대하여 부담한 채무가 있으면 그 성립되지 아니함을 주장할 수 있다.

⑤ 당사자의 의사표시에 의한 채권양도금지 특약은 제3자가 악의인 경우는 물론 제3자가 채권양도금지 특약을 알지 못한 데에 중대한 과실이 있는 경우에도 채권양도금지 특약으로써 대항할 수 있고, 제3자의 악의 내지 중과실은 채권양도금지 특약으로 양수인에게 대항하려는 자가 이를 주장·증명하여야 한다. 그리고 민법 제449조 제2항 단서는 채권양도금지 특약으로써 대항할 수 없는 자를 '선의의 제3자'라고만 규정하고 있어 채권자로부터 직접 양수한 자만을 가리키는 것으로 해석할 이유는 없으므로, 악의의 양수인으로부터 다시 선의로 양수한 전득자도 위 조항에서의 선의의 제3자에 해당한다. 또한 선의의 양수인을 보호하고자 하는 위 조항의 입법 취지에 비추어 볼 때, 이러한 선의의 양수인으로부터 다시 채권을 양수한 전득자는 선의·악의를 불문하고 채권을 유효하게 취득한다(대판 2015.4.9. 2012다118020).

17 채권양도에 관한 다음 사례 중 가장 옳지 않은 것은? ▸ 2021년 법원행시

① 甲이 乙에 대한 금전채권을 丙에게 양도하고 이를 乙에게 통지하였는데, 이후 甲과 丙 사이에 채권양도계약이 해제된 경우 甲이 乙에게 채무의 이행을 구하기 위해서는 丙이 乙에게 해제사실을 통지하여야 한다.

② 甲이 2021.1.3. 乙에 대한 금전채권을 丙에게 양도하고, 2021.1.10. 이를 다시 丁에게 이중으로 양도하였는데, 각 채권양도에 대한 확정일자부 통지가 乙에게 모두 같은 날 도달했다면 乙은 丙과 丁 누구에게라도 전액을 변제하면 다른 채권자에 대한 관계에서도 유효하게 면책된다.

③ 甲이 乙에 대한 금전채권을 丙에게 양도하고 양도사실을 乙에게 통지하였는데, 甲과 乙은 채권계약 당시 양도금지의 약정을 하였다. 丙이 乙에게 채무 이행의 소를 제기하자 乙은 양도금지특약을 들어 채권양도가 무효라고 주장하였고, 丙은 특약에 대하여 아는 바가 없다고 다투고 있는 상황에서 丙이 양도금지특약을 알았거나 알지 못한 데에 중과실이 있다는 사정에 대한 증명책임은 乙에게 있다.

④ 甲이 乙에 대한 금전채권을 丙에게 양도하고 이를 확정일자 있는 증서로 乙에게 통지한 후 다시 丁에게 이중으로 양도하였는데 이에 대하여 乙이 이의를 유보하지 않은 단순승낙을 하였다. 이 경우 乙은 丁에게 채무를 이행하여야 한다.

⑤ 甲이 乙에게 1억원을 대여할 당시 丙이 甲에 대하여 乙과 연대하여 채무를 보증하였다. 이후 甲이 위 대여금채권을 丁에게 양도하면서 채권양도의 사실을 乙에게만 통지하고 丙에게 통지하지 않았다고 하더라도 丁은 丙에게 채권양도사실로 대항할 수 있다.

해설 ① 지명채권의 양도통지를 한 후 그 양도계약이 해제된 경우에, 양도인이 그 해제를 이유로 다시 원래의 채무자에 대하여 양도채권으로 대항하려면 양수인이 채무자에게 위와 같은 해제사실을 통지하여야 한다(대판 1993.8.27, 93다17379).

② 채권양도 통지, 가압류 또는 압류명령 등이 제3채무자에 동시에 송달되어 그들 상호 간에 우열이 없는 경우에도 그 채권양수인, 가압류 또는 압류채권자는 모두 제3채무자에 대하여 완전한 대항력을 갖추었다고 할 것이므로, 그 전액에 대하여 채권양수금, 압류전부금 또는 추심금의 이행청구를 하고 적법하게 이를 변제받을 수 있고, 제3채무자로서는 이들 중 누구에게라도 그 채무 전액을 변제하면 다른 채권자에 대한 관계에서도 유효하게 면책되는 것이며, 만약 양수채권액과 가압류 또는 압류된 채권액의 합계액이 제3채무자에 대한 채권액을 초과할 때에는 <u>그들 상호간에는 법률상의 지위가 대등하므로 공평의 원칙상 각 채권액에 안분하여 이를 내부적으로 다시 정산할 의무가 있다</u>(대판(전) 1994.4.26, 93다24223).

③ 민법 제449조 제2항이 채권양도 금지의 특약은 선의의 제3자에게 대항할 수 없다고만 규정하고 있어서 그 문언상 제3자의 과실의 유무를 문제삼고 있지는 아니하지만, 제3자의 중대한 과실은 악의와 같이 취급되어야 하므로, 양도금지 특약의 존재를 알지 못하고 채권을 양수한 경우에 있어서 그 알지 못함에 중대한 과실이 있는 때에는 악의의 양수인과 같이 양도에 의한 채권을 취득할 수 없다(채권 이전의 효과가 생기지 아니한다)고 해석하는 것이 상당하다. (이 경우) 제3자의 악의 내지 중과실은 채권양도 금지의 특약으로 양수인에게 대항하려는 자<u>(채무자)가 이를 주장·입증하여야 한다</u>(대판(전) 2019.12.19, 2016다24284).

④ i) 지명채권의 양도란 채권의 귀속주체가 법률행위에 의하여 변경되는 것으로서 이른바 준물권행위 내지 처분행위의 성질을 가지므로, 그것이 유효하기 위하여는 양도인이 채권을 처분할 수 있는 권한을 가지고 있어야 한다. 처분권한 없는 자가 지명채권을 양도한 경우 특별한 사정이 없는 한 채권양도로서 효력을 가질 수 없으므로 양수인은 채권을 취득하지 못한다. 양도인이 지명채권을 제1양수인에게 1차로 양도한 다음 제1양수인이 그에 따라 확정일자 있는 증서에 의한 대항요건을 적법하게 갖추었다면 이로써 채권이 제1양수인에게 이전하고 양도인은 채권에 대한 처분권한을 상실하므로, 그 후 양도인이 동일한 채권을 제2양수인에게 양도하였더라도 제2양수인은 채권을 취득할 수 없다(대판 2016.7.14, 2015다46119). 또한 ii) 민법은 <u>채권의 귀속에 관한 우열을 오로지 확정일자 있는 증서에 의한 통지 또는 승낙의 유무와 그 선후로써만 결정하도록 규정하고 있는 데다가,</u> 채무자의 '이의를 보류하지 아니한 승낙'은 민법 제451조 제1항 전단의 규정 자체로 보더라도 그의 양도인에 대한 항변을 상실시키는 효과밖에 없고, 채권에 관하여 권리를 주장하는 자가 여럿인 경우 그들 사이의 우열은 채무자에게도 효력이 미치므로, 위 규정의 '양도인에게 대항할 수 있는 사유'란 <u>채권의 성립, 존속, 행사를 저지·배척하는 사유를 가리킬 뿐이고, 채권의 귀속(채권이 이미 타인에게 양도되었다는 사실)은 이에 포함되지 아니한다</u>(대판 1994.4.29, 93다35551). 따라서 제1양수인 丙이 채권을 유효하게 취득하고 무권한자 처분행위에 해당하는 제2양도계약을 채무자가 이의를 유보하지 않고 승낙하였더라도 丙에게 채권이 귀속되었다는 사실로 丁에게 대항할 수 있으므로, 채무자 乙은 丙에게 채무를 이행하여야 한다.

⑤ 보증채무는 주채무에 대한 부종성 또는 수반성이 있어서 주채무자에 대한 채권이 이전되면 당사자 사이에 별도의 특약이 없는 한 보증인에 대한 채권도 함께 이전하고, 이 경우 채권양도의 대항요건도 주채권의 이전에 관하여 구비하면 족하고, 별도로 보증채권에 관하여 대항요건을 갖출 필요는 없다(대판 2002.9.10, 2002다21509).

정답 17 ④

18

채권양도에 관한 다음 설명 중 가장 옳지 않은 것은? ▸ 2022년 9급(법원서기보)

① 당사자가 이혼이 성립하기 전에 이혼소송과 병합하여 재산분할의 청구를 한 경우에, 아직 발생하지 않았고 그 구체적 내용이 형성되지 않은 재산분할청구권을 미리 양도하는 것은 성질상 허용되지 않는다.

② 채권양도금지특약에 반하여 채권양도가 이루어진 경우, 그 양수인이 양도금지특약이 있음을 알았거나 중대한 과실로 알지 못하다면 채권양도는 효력이 없게 되는데, 이때 양수인의 악의 또는 중과실에 관한 입증책임은 채무자가 부담한다.

③ 채권이 이중으로 양도된 경우의 양수인 상호간의 우열은 통지 또는 승낙에 붙여진 확정일자의 선후에 의하여 결정하며, 이러한 법리는 채권양수인과 동일 채권에 대하여 가압류명령을 집행한 자 사이의 우열을 결정하는 경우에 있어서도 마찬가지이다.

④ 주채무자에 대한 채권이 이전되면 당사자 사이에 별도의 특약이 없는 한 보증인에 대한 채권도 함께 이전하는바, 채권양도의 대항요건도 주채권의 이전에 관하여 구비하면 족할 뿐, 별도로 보증채권에 관하여 대항요건을 갖출 필요는 없다.

해설 ① 이혼으로 인한 재산분할청구권은 이혼을 한 당사자의 일방이 다른 일방에 대하여 재산분할을 청구할 수 있는 권리로서, 이혼이 성립한 때에 법적 효과로서 비로소 발생하며, 또한 협의 또는 심판에 의하여 구체적 내용이 형성되기 전까지는 범위 및 내용이 불명확·불확정하기 때문에 구체적으로 권리가 발생하였다고 할 수 없다. 따라서 당사자가 이혼이 성립하기 전에 이혼소송과 병합하여 재산분할의 청구를 한 경우에, 아직 발생하지 아니하였고 구체적 내용이 형성되지 아니한 재산분할청구권을 미리 양도하는 것은 성질상 허용되지 아니하며, 법원이 이혼과 동시에 재산분할로서 금전의 지급을 명하는 판결이 확정된 이후부터 채권 양도의 대상이 될 수 있다(대판 2017.9.21, 2015다61286).

② 채권은 양도할 수 있다. 그러나 채권의 성질이 양도를 허용하지 아니하는 때에는 그러하지 아니하다(민법 제449조 제1항). 그리고 채권은 당사자가 반대의 의사를 표시한 경우에는 양도하지 못한다. 그러나 그 의사표시로써 선의의 제3자에게 대항하지 못한다(민법 제449조 제2항). 이처럼 당사자가 양도를 반대하는 의사를 표시(이하 '양도금지특약'이라고 한다)한 경우 채권은 양도성을 상실한다. 양도금지특약을 위반하여 채권을 제3자에게 양도한 경우에 채권양수인이 양도금지특약이 있음을 알았거나 중대한 과실로 알지 못하였다면 채권 이전의 효과가 생기지 아니한다. 반대로 양수인이 중대한 과실 없이 양도금지특약의 존재를 알지 못하였다면 채권양도는 유효하게 되어 채무자는 양수인에게 양도금지특약을 가지고 채무 이행을 거절할 수 없다. 채권양수인의 악의 내지 중과실은 양도금지특약으로 양수인에게 대항하려는 자가 주장·증명하여야 한다(대판(전) 2019.12.19, 2016다24284).

③ 채권이 이중으로 양도된 경우의 양수인 상호간의 우열은 통지 또는 승낙에 붙여진 확정일자의 선후에 의하여 결정할 것이 아니라, 채권양도에 대한 채무자의 인식, 즉 확정일자 있는 양도통지가 채무자에게 도달한 일시 또는 확정일자 있는 승낙의 일시의 선후에 의하여 결정하여야 할 것이고, 이러한 법리는 채권양수인과 동일 채권에 대하여 가압류명령을 집행한 자 사이의 우열을 결정하는 경우에 있어서도 마찬가지이므로, 확정일자 있는 채권양도 통지와 가압류결정 정본의 제3채무자(채권양도의 경우는 채무자)에 대한 도달의 선후에 의하여 그 우열을 결정하여야 한다(대판(전) 1994.4.26, 93다24223).

④ 보증채무는 주채무에 대한 부종성 또는 수반성이 있어서 주채무자에 대한 채권이 이전되면 당사자 사이에 별도의 특약이 없는 한 보증인에 대한 채권도 함께 이전하고, 이 경우 채권양도의 대항요건도 주채권의 이전에 관하여 구비하면 족하고, 별도로 보증채무에 관하여 대항요건을 갖출 필요는 없다(대판 2002.9.10, 2002다21509).

19 채권양도에 관한 다음 설명 중 가장 옳지 않은 것은? ▸2022년 법원행시

① 양도된 채권이 이미 변제 등으로 소멸한 경우에는 그 후에 그 채권에 관한 채권압류 및 추심명령이 송달되더라도 그 채권압류 및 추심명령은 존재하지 아니하는 채권에 대한 것으로서 무효이고, 민법 제450조 제2항 소정의 제3자에 대한 대항요건의 문제는 발생될 여지가 없다.

② 당사자 사이에 양도금지의 특약이 있는 채권이라도 압류 및 전부명령에 따라 이전될 수 있고, 이는 압류채권자가 양도금지의 특약이 있는 사실을 알고 있었다 하더라도 마찬가지이다.

③ 임대인이 임대차보증금반환청구채권의 양도통지를 받은 후에 임대인과 임차인 사이에 임대차계약의 갱신이나 계약기간 연장에 관하여 합의가 있더라도 이를 가지고 보증금반환채권의 양수인에게 대항할 수 없다.

④ 甲이 지명채권을 乙에게 양도하고 乙이 그에 따라 확정일자 있는 증서에 의한 대항요건을 적법하게 갖춘 상태에서 甲이 동일한 채권을 丙에게 재차 양도한 다음 甲과 乙이 채권양도계약을 합의해지하고 그 사실을 乙이 채무자에게 적법하게 통지하였다면 丙은 유효하게 채권을 취득한다.

⑤ 채권의 양수인이 채권양도의 대항요건을 갖추지 못한 상태에서 채무자를 상대로 재판상의 청구를 한 경우 소멸시효의 중단사유인 재판상의 청구에 해당한다.

해설 ① 민법 제450조 제2항 소정의 지명채권양도의 제3자에 대한 대항요건은 양도된 채권이 존속하는 동안에 그 채권에 관하여 양수인의 지위와 양립할 수 없는 법률상의 지위를 취득한 제3자가 있는 경우에 적용되는 것이므로, 양도된 채권이 이미 변제 등으로 소멸한 경우에는 그 후에 그 채권에 관한 채권압류 및 추심명령이 송달되더라도 그 채권압류 및 추심명령은 존재하지 아니하는 채권에 대한 것으로서 무효이고, 위와 같은 대항요건의 문제는 발생될 여지가 없다(대판 2003.10.24, 2003다37426).

② 대판 2003.12.11, 2001다3771 ; 대판 2002.8.27, 2001다71699

③ 대판 1989.4.25, 88다카4253 · 4260

④ 양도인이 지명채권을 제1양수인에게 1차로 양도한 다음 제1양수인이 그에 따라 확정일자 있는 증서에 의한 대항요건을 적법하게 갖추었다면 이로써 채권이 제1양수인에게 이전하고 양도인은 채권에 대한 처분권한을 상실하므로, 그 후 양도인이 동일한 채권을 제2양수인에게 양도하였더라도 제2양수인은 채권을 취득할 수 없다. 이 경우 양도인이 다른 채무를 담보하기 위하여 제1차 양도계약을 하였더라도 대외적으로 채권이 제1양수인에게 이전되어 제1양수인이 채권을 취득하게 되므로 그 후에 이루어진 제2차 양도계약에 따라 제2양수인이 채권

정답 ▸ 18 ③ 19 ④

을 취득하지 못하게 됨은 마찬가지이다. 또한 제2차 양도계약 후 양도인과 제1양수인이 제1차 양도계약을 합의해지한 다음 제1양수인이 그 사실을 채무자에게 통지함으로써 채권이 다시 양도인에게 귀속하게 되었더라도 특별한 사정이 없는 한 양도인이 처분권한 없이 한 제2차 양도계약이 채권양도로서 유효하게 될 수는 없으므로, 그로 인하여 제2양수인이 당연히 채권을 취득하게 된다고 볼 수는 없다(대판 2016.7.14, 2015다46119).

⑤ 채무자를 상대로 재판상의 청구를 한 채권의 양수인을 '권리 위에 잠자는 자'라고 할 수 없는 점 등에 비추어 보면, 비록 대항요건을 갖추지 못하여 채무자에게 대항하지 못한다고 하더라도 채권의 양수인이 채무자를 상대로 재판상의 청구를 하였다면 이는 소멸시효 중단사유인 재판상의 청구에 해당한다(대판 2005.11.10, 2005다41818).

20 채권양도에 관한 다음 설명 중 가장 옳지 않은 것은? ▶ 2022년 법무사

① 지명채권의 양도통지를 한 후 그 양도계약이 해제된 경우에, 양도인이 그 해제를 이유로 다시 원래의 채무자에 대하여 양도채권으로 대항하려면 양도인이 채무자에게 위와 같은 해제사실을 통지하여야 한다.

② 채권양도에 관한 채무자의 승낙이라 함은 채무자가 채권양도 사실에 관한 인식을 표명하는 것으로서 이른바 관념의 통지에 해당하고, 대리인에 의하여도 위와 같은 승낙을 할 수 있다.

③ 채권가압류의 처분금지의 효력은 본안소송에서 가압류채권자가 승소하여 집행권원을 얻는 등으로 피보전권리의 존재가 확정되는 것을 조건으로 하여 발생하는 것이므로 채권가압류결정의 채권자가 본안소송에서 승소하는 등으로 집행권원을 취득하는 경우에는 가압류에 의하여 권리가 제한된 상태의 채권을 양수받는 양수인에 대한 채권양도는 무효가 된다.

④ 집합채권의 양도가 양도금지특약에 위반해서 무효인 경우 채무자는 일부 개별 채권을 특정하여 추인하는 것이 가능하고, 이 경우 다른 약정이 없는 한 소급효가 인정되지 않고 양도의 효과는 추인 시부터 발생한다고 할 것이다.

⑤ 소송행위를 하게 하는 것을 주된 목적으로 채권양도가 이루어진 경우 그 채권양도가 신탁법상의 신탁에 해당하지 않는다고 하여도 신탁법 제6조가 유추적용되므로 이는 무효이다.

해설 ① 지명채권의 양도통지를 한 후 그 양도계약이 해제된 경우에, 양도인이 그 해제를 이유로 다시 원래의 채무자에 대하여 양도채권으로 대항하려면 양수인이 채무자에게 위와 같은 해제사실을 통지하여야 한다(대판 1993.8.27, 93다17379).

② 대판 2013.6.28, 2011다83110

③ 대판 2002.4.26, 2001다59033

④ 당사자의 양도금지의 의사표시로써 채권은 양도성을 상실하며 양도금지의 특약에 위반해서 채권을 제3자에게 양도한 경우에 악의 또는 중과실의 채권양수인에 대하여는 채권 이전의 효과가 생기지 아니하나, 악의 또는 중과실로 채권양수를 받은 후 채무자가 그 양도에 대하여 승낙을 한 때에는 채무자의 사후승낙에 의하여 무효인 채권양도행위가 추인되어 유효하게

되며 이 경우 다른 약정이 없는 한 소급효가 인정되지 않고 양도의 효과는 승낙 시부터 발생
한다. 이른바 집합채권의 양도가 양도금지특약을 위반하여 무효인 경우 채무자는 일부 개별
채권을 특정하여 추인하는 것이 가능하다(대판 2009.10.29, 2009다47685).

⑤ 소송행위를 하게 하는 것을 주된 목적으로 채권양도가 이루어진 경우 그 채권양도가 신탁법
상의 신탁에 해당하지 않는다고 하여도 신탁법 제6조가 유추적용되므로 이는 무효이다. 소송
행위를 하게 하는 것이 주된 목적인지는 채권양도계약이 체결된 경위와 방식, 양도계약이 이
루어진 후 제소에 이르기까지의 시간적 간격, 양도인과 양수인의 신분관계 등 제반 상황에
비추어 판단하여야 한다(대판 2018.10.25, 2017다272103).

21 채권의 양도에 관한 다음 설명 중 가장 옳지 않은 것은? ▸ 2023년 법원사무관 승진

① 양도금지특약을 위반하여 채권을 제3자에게 양도한 경우에 채권양수인이 양도금지특
약이 있음을 알았거나 중대한 과실로 알지 못하였다면 채권 이전의 효과가 생기지 아
니한다. 반대로 양수인이 중대한 과실 없이 양도금지특약의 존재를 알지 못하였다면
채권양도는 유효하게 되어 채무자는 양수인에게 양도금지특약을 가지고 채무 이행을
거절할 수 없다. 채권양수인의 악의 내지 중과실은 양도금지특약으로 양수인에게 대항
하려는 자가 주장·증명하여야 한다.

② 소송행위를 하게 하는 것을 주된 목적으로 채권양도가 이루어진 경우 그 채권양도가
신탁법상의 신탁에 해당하지 않는다고 하여도 신탁법 제6조가 유추적용되므로 이는 무
효이다. 소송행위를 하게 하는 것이 주된 목적인지는 채권양도계약이 체결된 경위와
방식, 양도계약이 이루어진 후 제소에 이르기까지의 시간적 간격, 양도인과 양수인의
신분관계 등 제반 상황에 비추어 판단하여야 한다.

③ 부동산매매계약에서 매도인과 매수인은 서로 동시이행관계에 있는 일정한 의무를 부담
하므로 이행과정에 신뢰관계가 따른다. 특히 매도인으로서는 매매대금 지급을 위한 매
수인의 자력, 신용 등 매수인이 누구인지에 따라 계약유지 여부를 달리 생각할 여지가
있다. 이러한 이유로 매매로 인한 소유권이전등기청구권의 양도는 특별한 사정이 없는
이상 양도가 제한되고 양도에 채무자의 승낙이나 동의를 요한다고 할 것이므로 통상의
채권양도와 달리 양도인의 채무자에 대한 통지만으로는 채무자에 대한 대항력이 생기
지 않으며 반드시 채무자의 동의나 승낙을 받아야 대항력이 생긴다.

④ 채권양수인이 양수채권을 자동채권으로 하여 그 채무자가 채권양수인에 대해 가지고
있던 기존 채권과 상계한 경우, 채권양도 전에 이미 양 채권의 변제기가 도래하였다면
상계의 효력은 그 변제기로 소급한다.

해설 ① 대판(전합) 2019.12.19, 2016다24284
② 대판 2002.12.6, 2000다4210, 대판 2018.10.25, 2017다272103
③ 대판 2005.3.10, 2004다67653, 대판 2018.7.12, 2015다36167

정답 ▸ 20 ① 21 ④

④ 민법 제493조 제2항은 "상계의 의사표시는 각 채무가 상계할 수 있는 때에 대등액에 관하여 소멸한 것으로 본다."라고 정하고 있으므로 **상계의 효력은 상계적상 시로 소급하여 발생**한다. 상계적상은 자동채권과 수동채권이 상호 대립하는 때에 비로소 생긴다. **채권양수인이 양수채권을 자동채권으로 하여 그 채무자가 채권양수인에 대해 가지고 있던 기존 채권과 상계한 경우, 채권양수인은 채권양도의 대항요건이 갖추어진 때 비로소 자동채권을 행사할 수 있으므로** 채권양도 전에 이미 양 채권의 변제기가 도래하였다고 하더라도 **상계의 효력은 변제기로 소급하는 것이 아니라 채권양도의 대항요건이 갖추어진 시점으로 소급한다**(대판 2022.6.30. 2022다200089).

22 채권양도에 관한 다음 설명 중 가장 옳지 않은 것은? ▸ 2023년 법원행시

① 채권이 이중으로 양도된 경우의 양수인 상호 간의 우열은 통지 또는 승낙에 붙여진 확정일자의 선후에 의하여 결정한다.

② 확정일자 있는 채권양도 통지와 채권가압류명령이 제3채무자에게 동시에 도달된 경우 제3채무자는 송달의 선후가 불명한 경우에 준하여 채권자를 알 수 없다는 이유로 변제공탁을 할 수 있다.

③ 채권양도 통지와 채권가압류결정 정본이 같은 날 도달되었는데 그 선후관계에 대하여 달리 입증이 없으면 동시에 도달된 것으로 추정한다.

④ 당사자의 의사표시에 의한 채권의 양도금지는 채권양수인인 제3자가 악의인 경우이거나 채권양도 금지를 알지 못한 데에 중대한 과실이 있는 경우 채무자가 위 채권양도 금지로써 그 제3자에 대하여 대항할 수 있다.

⑤ 지명채권 양도의 통지는 양도인이 직접 하지 않고 사자를 통하여 하거나 대리인으로 하여금 하게 할 수 있고, 채권양수인도 양도인으로부터 채권양도통지 권한을 위임받아 대리인으로서 그 통지를 할 수 있다.

> **해설** ① 채권이 이중으로 양도된 경우의 양수인 상호 간의 우열은 <u>통지 또는 승낙에 붙여진 확정일자의 선후에 의하여 결정할 것이 아니라</u>. **채권양도에 대한 채무자의 인식, 즉 확정일자 있는 양도통지가 채무자에게 도달한 일시 또는 확정일자 있는 승낙의 일시의 선후**에 의하여 결정하여야 할 것이고, 이러한 법리는 채권양수인과 동일 채권에 대하여 가압류명령을 집행한 자 사이의 우열을 결정하는 경우에 있어서도 마찬가지이므로, <u>확정일자 있는 채권양도 통지와 가압류결정 정본의 제3채무자(채권양도의 경우는 채무자)에 대한 도달의 선후에 의하여 그 우열을 결정하여야 한다</u>(대판(전합) 1994.4.26. 93다24223).
> ②,③ 대판(전합) 1994.4.26. 93다24223
> ④ 대판 2015.4.9. 2012다118020
> ⑤ 대판 2004.2.13. 2003다43490

23 채권양도에 관한 다음 설명 중 가장 옳지 않은 것은?

▶ 2023년 법무사

① 민법 제666조에서 정한 수급인의 저당권설정청구권은 공사대금채권을 담보하기 위하여 인정되는 채권적 청구권으로서 공사대금채권에 부수하여 인정되는 권리이므로, 당사자 사이에 공사대금채권만을 양도하고 저당권설정청구권은 이와 함께 양도하지 않기로 약정하였다는 등의 특별한 사정이 없는 한, 공사대금채권이 양도되는 경우 저당권설정청구권도 이에 수반하여 함께 이전된다고 봄이 타당하다.

② 채무자가 양도되는 채권의 성립이나 소멸에 영향을 미치는 사정에 관하여 양수인에게 알려야 할 신의칙상 주의의무가 있다고 볼 만한 특별한 사정이 없는 한, 채무자가 그러한 사정을 알리지 아니하였다고 하여 불법행위가 성립한다고 볼 수 없다.

③ 제3채무자가 질권설정 사실을 승낙한 후 질권설정계약이 합의해지된 경우에, 만일 질권자가 제3채무자에게 질권설정계약의 해지 사실을 통지하였다면, 설사 아직 해지가 되지 아니하였다고 하더라도 선의인 제3채무자는 질권설정자에게 대항할 수 있는 사유로 질권자에게 대항할 수 있다고 봄이 타당하다.

④ 채무자의 채권양도인에 대한 자동채권이 발생하는 기초가 되는 원인이 양도 전에 이미 성립하여 존재하고 그 자동채권이 수동채권인 양도채권과 동시이행의 관계에 있다 하더라도, 양도통지가 채무자에게 도달하여 채권양도의 대항요건이 갖추어진 후에 자동채권이 발생하였다면, 채무자는 동시이행의 항변권을 주장할 수 없고, 따라서 그 채권에 의한 상계로 양수인에게 대항할 수도 없다.

⑤ 양도금지특약부 채권에 대한 전부명령이 유효한 이상, 그 전부채권자로부터 다시 그 채권을 양수한 자가 그 특약의 존재를 알았거나 중대한 과실로 알지 못하였다 하더라도 채무자는 위 특약을 근거로 삼아 채권양도의 무효를 주장할 수 없다.

해설 ① 대판 2018.11.29. 2015다19827 → ※ [참고] : 신축건물의 수급인으로부터 공사대금채권을 양수받은 자의 저당권설정청구에 의하여 신축건물의 도급인이 그 건물에 저당권을 설정하는 행위 역시 다른 특별한 사정이 없는 한 사해행위에 해당하지 아니한다.

② 대판 2015.12.24. 2014다49241 → 왜냐하면 채권의 내용이나 양수인의 권리 확보에 위험을 초래할 만한 사정을 조사, 확인할 책임은 원칙적으로 양수인 자신에게 있기 때문이다.

③ 대판 2014.4.10. 2013다76192

④ 채권양도에 의하여 채권은 그 동일성을 유지하면서 양수인에게 이전되고, 채무자는 양도통지를 받은 때까지 양도인에 대하여 생긴 사유로써 양수인에게 대항할 수 있다(민법 제451조 제2항). 따라서 채무자의 채권양도인에 대한 자동채권이 발생하는 기초가 되는 원인이 양도 전에 이미 성립하여 존재하고 자동채권이 수동채권인 양도채권과 동시이행의 관계에 있는 경우에는, 양도통지가 채무자에게 도달하여 채권양도의 대항요건이 갖추어진 후에 자동채권이 발생하였다고 하더라도 채무자는 동시이행의 항변권을 주장할 수 있고, 따라서 그 채권에 의한 상계로 양수인에게 대항할 수 있다(대판 2015.4.9. 2014다80945).

정답 ▶ 22 ① 23 ④

⑤ 대판 2003.12.11, 2001다3771 → ※ [참고] : 당사자 사이에 <u>양도금지의 특약이 있는 채권</u><u>이라도 압류 및 전부명령에 의하여 이전할 수 있고</u>, 양도금지의 특약이 있는 사실에 관하여 <u>압류채권자가 선의인가 악의인가는</u> 전부명령의 효력에 영향을 <u>미치지 못한다</u>(대판 1976.10.29, 76다1623).

24 채권양도에 관한 다음 설명 중 가장 옳지 않은 것은? ▸ 2024년 법원행시

① 채권양도는 양도인과 양수인 사이에 채권을 그 동일성을 유지하면서 전자로부터 후자에게로 이전시킬 것을 목적으로 하는 계약을 말한다. 채권양도에 의하여 채권은 그 동일성을 잃지 않고 양도인으로부터 양수인에게 이전되는데, 이는 채권양도의 대항요건을 갖추지 못하였다고 하더라도 마찬가지이다. 이와 같은 채권의 귀속주체 변경의 효과는 원칙적으로 채권양도에 따른 처분행위 시 발생한다.

② 채권자가 채무자와 한 양도금지특약을 위반하여 채권을 양도하면 채권자가 그 위반에 따른 채무불이행책임을 지는 것은 당연하나, 이것을 넘어서서 양도인과 양수인 사이의 채권양도에 따른 법률효과까지 부정할 근거가 없으므로, 채권양도에 따라 채권은 양도인으로부터 양수인에게 이전하는 것이고, 채권양도의 당사자가 아닌 채무자의 의사에 따라 채권양도의 효력이 좌우되지는 않는다.

③ 소송행위를 하게 하는 것을 주된 목적으로 채권양도가 이루어진 경우 그 채권양도가 신탁법상의 신탁에 해당하지 않는다고 하여도 신탁법 제6조가 유추적용되므로 이는 무효이다. 소송행위를 하게 하는 것이 주된 목적인지는 채권양도계약이 체결된 경위와 방식, 양도계약이 이루어진 후 제소에 이르기까지의 시간적 간격, 양도인과 양수인의 신분관계 등 제반 상황에 비추어 판단하여야 한다.

④ 지명채권의 양도는 특별한 사정이 없는 한 채권자와 양수인 사이의 계약에 의하여 이루어지는데, 채무자에 대한 통지 또는 채무자의 승낙이 없으면 채무자 기타 제3자에게 대항할 수 없다(민법 제450조 제1항). 한편 위 통지나 승낙이 확정일자 있는 증서에 의한 것이 아니면 채무자 이외의 제3자에게 대항하지 못하므로(민법 제450조 제2항), 양수인은 대항요건을 구비하기 위해 채권자에게 채권양도통지절차의 이행을 청구할 수 있다.

⑤ 비록 부동산 명의신탁자가 명의신탁약정을 해지한 다음 제3자에게 '명의신탁 해지를 원인으로 한 소유권이전등기청구권'을 양도하였다고 하더라도 명의수탁자가 양도에 대하여 동의하거나 승낙하지 않고 있다면 양수인은 위와 같은 소유권이전등기청구권을 양수하였다는 이유로 명의수탁자에 대하여 직접 소유권이전등기청구를 할 수 없다.

해설 ① 채권양도는 양도인과 양수인 사이에 채권을 동일성을 유지하면서 전자로부터 후자에게로 이전시킬 것을 목적으로 하는 계약을 말한다. 채권양도에 의하여 채권은 동일성을 잃지 않고 양도인으로부터 양수인에게 이전되는데, 이는 채권양도의 대항요건을 갖추지 못하였다고 하더라도 마찬가지이다. 이와 같은 채권의 귀속주체 변경의 효과는 원칙적으로 채권양도에 따른 처분행위 시 발생하는바, 지명채권 양수인이 '양도되는 채권의 채무자'인 경우에는 채권양도에 따른 처분행위 시 채권과 채무가 동일한 주체에 귀속한 때에 해당하므로 민법 제507조 본문에 따라 채권이 혼동에 의하여 소멸한다(대판 2022.1.13, 2019다272855).

② ⅰ) 채권은 양도할 수 있다. 그러나 채권의 성질이 양도를 허용하지 아니하는 때에는 그러하지 아니하다(민법 제449조 제1항). 그리고 채권은 당사자가 반대의 의사를 표시한 경우에는 양도하지 못한다. 그러나 그 의사표시로써 선의의 제3자에게 대항하지 못한다(민법 제449조 제2항). 이처럼 **당사자가 양도를 반대하는 의사를 표시(이하 '양도금지특약'이라고 한다)한 경우 채권은 양도성을 상실한다. 양도금지특약을 위반하여 채권을 제3자에게 양도한 경우에 채권양수인이 양도금지특약이 있음을 알았거나 중대한 과실로 알지 못하였다면 채권 이전의 효과가 생기지 아니한다.** 반대로 양수인이 중대한 과실 없이 양도금지특약의 존재를 알지 못하였다면 채권양도는 유효하게 되어 채무자는 양수인에게 양도금지특약을 가지고 채무 이행을 거절할 수 없다. 채권양수인의 악의 내지 중과실은 양도금지특약으로 양수인에게 대항하려는 자가 주장·증명하여야 한다. ⅱ) 민법 **제449조 제2항 본문**이 당사자가 양도를 반대하는 의사를 표시한 경우 채권을 양도하지 못한다고 규정한 것은 **양도금지특약을 위반한 채권양도의 효력을 부정하는 의미라고 해석하여야 한다.** 법조문에서 '양도하지 못한다'고 명시적으로 규정하고 있음에도 이를 '양도할 수 있다'고 해석할 수는 없다. 나아가 민법 **제449조 제2항 단서**는 본문에 의하여 **양도금지특약을 위반하여 이루어진 채권양도가 무효로 됨을 전제로 하는 규정이다.** 따라서 양도금지특약을 위반한 채권양도는 당연히 무효이지만 거래의 안전을 보호하기 위하여 선의의 제3자에게 무효를 주장할 수 없다는 의미로 위 단서규정을 해석함이 문언 및 본문과의 관계에서 자연스럽다(대판(전합) 2019.12.19, 2016다24284). → 지문은 전합 판례의 반대의견의 내용이다.

③ 대판 2018.10.25, 2017다272103

④ 지명채권의 양도는 특별한 사정이 없는 한 채권자와 양수인 사이의 계약에 의하여 이루어지는데, 채무자에 대한 통지 또는 채무자의 승낙이 없으면 채무자 기타 제3자에게 대항할 수 없다(민법 제450조 제1항). 한편 위 통지나 승낙이 확정일자 있는 증서에 의한 것이 아니면 채무자 이외의 제3자에게 대항하지 못하므로(민법 제450조 제2항), **양수인은 대항요건을 구비하기 위해 채권자에게 채권양도통지절차의 이행을 청구할 수 있다**(대판 2022.10.27, 2017다243143).

⑤ 부동산이 전전 양도된 경우에 중간생략등기의 합의가 없는 한 최종 양수인은 최초 양도인에 대하여 직접 자기 명의로의 소유권이전등기를 청구할 수 없고, 부동산의 양도계약이 순차 이루어져 최종 양수인이 중간생략등기의 합의를 이유로 최초 양도인에게 직접 소유권이전등기청구권을 행사하기 위하여는 관계 당사자 전원의 의사 합치, 즉 중간생략등기에 대한 최초 양도인과 중간자의 동의가 있는 외에 최초 양도인과 최종 양수인 사이에도 중간등기 생략의 합의가 있었음이 요구된다. 그러므로 비록 최종 양수인이 중간자로부터 소유권이전등기청구권을 양도받았다 하더라도 최초 양도인이 양도에 대하여 동의하지 않고 있다면 최종 양수인은 최초 양도인에 대하여 채권양도를 원인으로 하여 소유권이전등기절차 이행을 청구할 수 없다. 이와 같은 법리는 명의신탁자가 부동산에 관한 유효한 명의신탁약정을 해지한 후 이를 원인으로 한 소유권이전등기청구권을 양도한 경우에도 적용된다. 따라서 비록 부동산 **명의신탁자가 명의신탁약정을 해지한 다음 제3자에게 '명의신탁 해지를 원인으로 한 소유권이전등기청구권'을 양도하였다고 하더라도 명의수탁자가 양도에 대하여 동의하거나 승낙하지 않고 있다면 양수인은 위와 같은 소유권이전등기청구권을 양수하였다는 이유로 명의수탁자에 대하여 직접 소유권이전등기청구를 할 수 없다**(대판 2021.6.3, 2018다280316).

정답 **24 ②**

25 다음 설명 중 가장 옳지 않은 것은?

▶ 2024년 법원사무관 승진

① 부동산의 매수인이 매매목적물에 관한 근저당권의 피담보채무를 인수하는 한편, 그 채무액을 매매대금에서 공제하기로 약정한 경우, 다른 특별한 약정이 없는 이상 이는 매도인을 면책시키는 채무인수가 아니라 이행인수로 보아야 하고, 부동산의 매수인이 매매목적물에 관한 임대차보증금 반환채무 등을 인수하는 한편, 그 채무액을 매매대금에서 공제하기로 약정한 경우에도, 그 인수는 특별한 사정이 없는 이상 매도인을 면책시키는 면책적 채무인수가 아니라 이행인수로 보아야 한다.

② 민법 제449조 제2항 단서는 채권양도금지 특약으로써 대항할 수 없는 자를 '선의의 제3자'라고만 규정하고 있어 채권자로부터 직접 양수한 자만을 가리키는 것으로 해석할 이유는 없으므로, 악의의 양수인으로부터 다시 선의로 양수한 전득자도 위 조항에서의 선의의 제3자에 해당한다. 또한 선의의 양수인을 보호하고자 하는 위 조항의 입법 취지에 비추어 볼 때, 이러한 선의의 양수인으로부터 다시 채권을 양수한 전득자는 선의·악의를 불문하고 채권을 유효하게 취득한다.

③ 채권양도는 양도인과 양수인 사이에 채권을 동일성을 유지하면서 전자로부터 후자에게로 이전시킬 것을 목적으로 하는 계약을 말한다. 채권양도에 의하여 채권은 동일성을 잃지 않고 양도인으로부터 양수인에게 이전되는데, 이는 채권양도의 대항요건을 갖추지 못하였다고 하더라도 마찬가지이다. 이와 같은 채권의 귀속주체 변경의 효과는 원칙적으로 채권양도에 따른 처분행위 시 발생하는바, 지명채권 양수인이 '양도되는 채권의 채무자'인 경우에는 채권양도에 따른 처분행위 시 채권과 채무가 동일한 주체에 귀속한 때에 해당하므로 민법 제507조 본문에 따라 채권이 혼동에 의하여 소멸한다.

④ 취득시효완성으로 인한 소유권이전등기청구권은 채권자와 채무자 사이에 매매계약과 같은 계약관계가 없더라도 장기간 부동산을 점유한 신뢰관계가 있으므로, 취득시효완성으로 인한 소유권이전등기청구권의 양도의 경우에도 매매로 인한 소유권이전등기청구권에 관한 양도제한의 법리가 적용된다.

해설 ① 대판 2008.4.24, 2008다3053, 대판 2001.4.27, 2000다69026
② 대판 2015.4.9, 2012다118020
③ 대판 2022.1.13, 2019다272855
④ ⅰ) 부동산매매계약에서 매도인과 매수인은 서로 동시이행관계에 있는 일정한 의무를 부담하므로 이행과정에 신뢰관계가 따른다. 특히 매도인으로서는 매매대금 지급을 위한 매수인의 자력, 신용 등 매수인이 누구인지에 따라 계약유지 여부를 달리 생각할 여지가 있다. 이러한 이유로 매매로 인한 소유권이전등기청구권의 양도는 특별한 사정이 없는 이상 양도가 제한되고 양도에 채무자의 승낙이나 동의를 요한다고 할 것이므로 통상의 채권양도와 달리 양도인의 채무자에 대한 통지만으로는 채무자에 대한 대항력이 생기지 않으며 반드시 채무자의 동의나 승낙을 받아야 대항력이 생긴다. 그러나 ⅱ) 취득시효완성으로 인한 소유권이전등기청구권은 채권자와 채무자 사이에 아무런 계약관계나 신뢰관계가 없고, 그에 따라 채권자가 채무자에게 반대급부로 부담하여야 하는 의무도 없다. 따라서 취득시효완성으로 인한 소유권이전등기청구권의 양도의 경우에는 매매로 인한 소유권이전등기청구권에 관한 양도제한의 법리가 적용되지 않는다(대판 2018.7.12, 2015다36167).

26 채권양도에 관한 다음 설명 중 가장 옳지 않은 것은?

▶ 2024년 법무사

① 양도인이 지명채권을 제1양수인에게 1차로 양도한 다음 제1양수인이 그에 따라 확정일자 있는 증서에 의한 대항요건을 적법하게 갖추었다면 이로써 채권이 제1양수인에게 이전하고 양도인은 채권에 대한 처분권한을 상실하므로, 그 후 양도인이 동일한 채권을 제2양수인에게 양도하였더라도 제2양수인은 채권을 취득할 수 없다. 다만, 제2차 양도계약 후 양도인과 제1양수인이 제1차 양도계약을 합의해지한 다음 제1양수인이 그 사실을 채무자에게 통지함으로써 채권이 다시 양도인에게 귀속하게 되었다면, 양도인이 처분권한 없이 한 제2차 양도계약이 채권양도로서 유효하게 될 수 있다.

② 당사자의 의사표시에 의한 채권양도금지 특약은 제3자가 악의인 경우는 물론 제3자가 채권양도금지 특약을 알지 못한 데에 중대한 과실이 있는 경우에도 채권양도금지 특약으로써 대항할 수 있고, 제3자의 악의 내지 중과실은 채권양도금지 특약으로 양수인에게 대항하려는 자가 이를 주장·증명하여야 한다.

③ 민법 제449조 제2항 단서는 채권양도금지 특약으로써 대항할 수 없는 자를 '선의의 제3자'라고만 규정하고 있어 채권자로부터 직접 양수한 자만을 가리키는 것으로 해석할 이유는 없으므로, 악의의 양수인으로부터 다시 선의로 양수한 전득자도 위 조항에서의 선의의 제3자에 해당한다.

④ 지명채권양도에 있어서 확정일자 있는 증서에 의한 통지나 승낙은 제3자에 대한 대항요건에 불과하고 채권양도의 유효요건은 아니며, 여기서 채무자 이외의 제3자라 함은 당해 채권에 관하여 양수인의 지위와 양립할 수 없는 법률상 지위를 취득한 자를 말하는 것이므로, 당해 채권을 양수한 양수인에게까지 확정일자 있는 증서에 의한 통지나 승낙이 대항요건으로 필요한 것은 아니라고 할 것이다.

⑤ 채권양도의 통지는 채무자에게 도달됨으로써 효력이 발생하는 것이고, 여기서 도달이라 함은 사회통념상 상대방이 통지의 내용을 알 수 있는 객관적 상태에 놓여졌다고 인정되는 상태를 가리킨다. 이와 같이 도달은 보다 탄력적인 개념으로서 송달장소나 수송달자 등의 면에서 민사소송법상의 송달에서와 같은 엄격함은 요구되지 아니하며, 이에 따라 송달장소 등에 관한 민사소송법의 규정을 유추적용할 것이 아니다.

해설 ① 양도인이 지명채권을 제1양수인에게 1차로 양도한 다음 제1양수인이 그에 따라 확정일자 있는 증서에 의한 대항요건을 적법하게 갖추었다면 이로써 채권이 제1양수인에게 이전하고 양도인은 채권에 대한 처분권한을 상실하므로, 그 후 양도인이 동일한 채권을 제2양수인에게 양도하였더라도 제2양수인은 채권을 취득할 수 없다. 이 경우 양도인이 다른 채무를 담보하기 위하여 제1차 양도계약을 하였더라도 대외적으로 채권이 제1양수인에게 이전되어 제1양수인이 채권을 취득하게 되므로 그 후에 이루어진 제2차 양도계약에 따라 제2양수인이 채권을 취득하지 못하게 됨은 마찬가지이다. 또한 제2차 양도계약 후 양도인과 제1양수인이 제1차 양도계약을 합의해지한 다음 제1양수인이 그 사실을 채무자에게 통지함으로써 채권이 다시 양도인에게 귀속하게 되었더라도 특별한 사정이 없는 한 양도인이 처분권한 없이 한 제2

차 양도계약이 채권양도로서 유효하게 될 수는 없으므로 그로 인하여 제2양수인이 당연히 채권을 취득하게 된다고 볼 수는 없다(대판 2016.7.14, 2015다46119).

② 당사자의 의사표시에 의한 채권양도금지 특약은 제3자가 악의인 경우는 물론 제3자가 채권양도금지 특약을 알지 못한 데에 중대한 과실이 있는 경우에도 채권양도금지 특약으로써 대항할 수 있고, 제3자의 악의 내지 중과실은 채권양도금지 특약으로 양수인에게 대항하려는 자가 이를 주장·증명하여야 한다(대판 2010.5.13, 2010다8310, 대판(전) 2019.12.19, 2016다24284).

③ 당사자의 의사표시에 의한 채권양도금지 특약은 제3자가 악의인 경우는 물론 제3자가 채권양도금지 특약을 알지 못한 데에 중대한 과실이 있는 경우에도 채권양도금지 특약으로써 대항할 수 있고, 제3자의 악의 내지 중과실은 채권양도금지 특약으로 양수인에게 대항하려는 자가 이를 주장·증명하여야 한다. 그리고 민법 제449조 제2항 단서는 채권양도금지 특약으로써 대항할 수 없는 자를 '선의의 제3자'라고만 규정하고 있어 채권자로부터 직접 양수한 자만을 가리키는 것으로 해석할 이유는 없으므로, 악의의 양수인으로부터 다시 선의로 양수한 전득자도 위 조항에서의 선의의 제3자에 해당한다. 또한 선의의 양수인을 보호하고자 하는 위 조항의 입법 취지에 비추어 볼 때, 이러한 선의의 양수인으로부터 다시 채권을 양수한 전득자는 선의·악의를 불문하고 채권을 유효하게 취득한다(대판 2015.4.9, 2012다118020).

④ 지명채권양도에 있어서 확정일자 있는 증서에 의한 통지나 승락은 제3자에 대한 대항요건에 불과하고 채권양도의 유효요건은 아니며, 여기서 채무자 이외의 제3자라 함은 당해 채권에 관하여 양수인의 지위와 양립할 수 없는 법률상 지위를 취득한 자를 말하는 것이므로 당해 채권을 양수한 양수인에게까지 확정일자 있는 증서에 의한 통지나 승락이 대항요건으로 필요한 것은 아니라고 할 것이다(대판 1983.2.22, 81다134·135·136).

⑤ 대판 2011.1.13, 2010다77477

27

채무인수에 관한 설명 중 가장 옳지 않은 것은? (다툼이 있는 경우 판례에 의함) ▸ 2014년 법무사

① 채무자와 인수인의 계약으로 체결되는 병존적 채무인수는 채권자로 하여금 인수인에 대하여 새로운 권리를 취득하게 하는 것으로 제3자를 위한 계약의 하나로 볼 수 있고, 이와 비교하여 이행인수는 채무자와 인수인 사이의 계약으로 인수인이 변제 등에 의하여 채무를 소멸케 하여 채무자의 책임을 면하게 할 것을 약정하는 것으로 인수인이 채무자에 대한 관계에서 채무자를 면책케 하는 채무를 부담하게 될 뿐 채권자로 하여금 직접 인수인에 대한 채권을 취득케 하는 것이 아니므로 결국 제3자를 위한 계약과 이행인수의 판별 기준은 계약 당사자에게 제3자 또는 채권자가 계약당사자 일방 또는 인수인에 대하여 직접 채권을 취득케 할 의사가 있는지 여부에 달려 있다 할 것이다.

② 주택의 임차인이 제3자에 대한 대항력을 갖추기 전에 임차주택의 소유권이 양도된 경우, 매수인이 매매목적물에 관한 임대차보증금 반환채무 등을 인수하는 한편 그 채무액을 매매대금에서 공제하기로 약정하였다면 그 인수는 특별한 사정이 없는 이상 매도인을 면책시키는 면책적 채무인수가 아니라 이행인수로 보아야 한다.

③ 면책적 채무인수의 경우 채권자의 승낙이 계약의 효력발생요건인 것과 마찬가지로 채무자와 인수인의 합의에 의한 중첩적 채무인수의 경우에도 채권자의 수익의 의사표시는 그 계약의 효력발생요건에 해당한다.

④ 채권자의 승낙에 의하여 채무인수의 효력이 생기는 경우, 채권자가 승낙을 거절하면 그 이후에는 채권자가 다시 승낙하여도 채무인수로서의 효력이 생기지 않는다.

⑤ 면책적 채무인수는 소멸시효의 중단사유인 채무승인에 해당하므로 면책적 채무인수가 있는 경우 인수채무의 소멸시효기간은 채무인수일로부터 새로이 진행된다.

해설 ① 중첩적 채무인수(제3자를 위한 계약)와 이행인수의 구별 기준은 계약 당사자에게 제3자 또는 채권자가 계약 당사자 일방 또는 인수인에 대해 직접 채권을 취득케 할 의사가 있는지 여부에 달려 있다 할 것이고, 구체적으로는 계약 체결의 동기, 경위 및 목적, 계약에 있어서의 당사자의 지위, 당사자 사이 및 당사자와 제3자 사이의 이해관계, 거래 관행 등을 종합적으로 고려하여 그 의사를 해석하여야 한다(대판 1997.10.24, 97다28698).

② 부동산의 매수인이 매매목적물에 관한 임대차보증금 반환채무 등을 인수하는 한편 그 채무액을 매매대금에서 공제하기로 약정한 경우, 그 인수는 특별한 사정이 없는 이상 매도인을 면책시키는 면책적 채무인수가 아니라 이행인수로 보아야 하고, 면책적 채무인수로 보기 위해서는 이에 대한 채권자 즉 임차인의 승낙이 있어야 한다(대판 2001.4.27, 2000다69026 등 참조). 이 경우 임차인의 승낙은 반드시 명시적 의사표시에 의하여야 하는 것은 아니고 묵시적 의사표시에 의하여서도 가능하다고 할 것이나, 주택의 임차인이 제3자에 대한 대항력을 갖추기 전에 임차주택의 소유권이 양도되어 당연히 양수인이 임대차보증금 반환채무를 면책적으로 인수한 것으로 볼 수 없는 경우 주택임차인의 어떠한 행위를 임대차보증금 반환채무의 면책적 인수에 대한 묵시적 승낙의 의사표시에 해당한다고 볼 것인지 여부는 그 행위 당시 임대차보증금의 객관적 회수가능성 등 제반 사정을 고려하여 신중하게 판단하여야 한다(대판 2008.9.11, 2008다39663).

→ 임대차보증금의 회수가능성이 의문시되는 상황이어서 임대차보증금 반환채무의 면책적 인수에 대한 묵시적 승낙 또는 추인의 의사표시가 인정되기 어렵다고 본 사안이다.

③ 채무자와 인수인의 합의에 의한 중첩적 채무인수는 일종의 제3자를 위한 계약이라고 할 것이므로, 채권자는 인수인에 대하여 채무이행을 청구하거나 기타 채권자로서의 권리를 행사하는 방법으로 수익의 의사표시를 함으로써 인수인에 대하여 직접 청구할 권리를 갖게 된다. 이러한 점에서 채무자에 대한 채권을 상실시키는 효과가 있는 면책적 채무인수의 경우 채권자의 승낙을 계약의 효력발생요건으로 보아야 하는 것과는 달리, 채무자와 인수인의 합의에 의한 중첩적 채무인수의 경우 채권자의 수익의 의사표시는 그 계약의 성립요건이나 효력발생요건이 아니라 채권자가 인수인에 대하여 채권을 취득하기 위한 요건이다(대판 2013.9.13, 2011다56033).

④ 채무인수의 효력이 생기기 위하여 채권자의 승낙을 요하는 것은 면책적 채무인수의 경우에 한하고, 채무인수가 면책적인가 중첩적인가 하는 것은 채무인수계약에 나타난 당사자 의사의 해석에 관한 문제이다. (한편) 채권자의 승낙에 의하여 채무인수의 효력이 생기는 경우, 채권자가 승낙을 거절하면 그 이후에는 채권자가 다시 승낙하여도 채무인수로서의 효력이 생기지 않는다(대판 1998.11.24, 98다33765).

정답 27 ③

⑤ 면책적 채무인수가 있는 경우, 인수채무의 소멸시효기간은 채무인수와 동시에 이루어진 소멸시효 중단사유, 즉 채무승인에 따라 채무인수일로부터 새로이 진행된다(대판 1999.7.9. 99다12376).

28 채무인수에 관한 다음 설명 중 가장 옳지 않은 것은? (다툼이 있는 경우 판례에 의함)
▶ 2017년 법무사

① 면책적 채무인수가 있은 경우, 인수채무의 소멸시효기간은 채무인수와 동시에 이루어진 소멸시효중단사유, 즉 채무승인에 따라 채무인수일로부터 새로이 진행된다.
② 인수채무가 원래 5년의 상사시효의 적용을 받던 채무라면 그 후 면책적 채무인수에 따라 그 채무자의 지위가 인수인으로 교체되었다고 하더라도 그 소멸시효의 기간은 여전히 5년의 상사시효의 적용을 받는다 할 것이고, 이는 채무인수행위가 상행위나 보조적 상행위에 해당하지 아니한다고 하여 달리 볼 것이 아니다.
③ 부동산의 매수인이 매매목적물에 관한 채무를 인수하는 한편 그 채무액을 매매대금에서 공제하기로 약정한 경우, 그 인수는 특별한 사정이 없는 한 매도인을 면책시키는 채무인수가 아니라 이행인수로 보아야 하므로, 설령 매수인이 위 채무를 현실적으로 변제하지 아니하였다 하더라도 그와 같은 사정만으로는 매도인은 매매계약을 해제할 수 없다.
④ 제3자가 채무자와의 계약으로 채무를 인수한 경우에는 채권자의 승낙에 의하여 그 효력이 생긴다. 이때 채권자의 승낙 또는 거절의 상대방은 제3자이다.
⑤ 채무자와 인수인의 합의에 의한 중첩적 채무인수는 일종의 제3자를 위한 계약이라고 할 것이므로, 채권자는 인수인에 대하여 채무이행을 청구하거나 기타 채권자로서의 권리를 행사하는 방법으로 수익의 의사표시를 함으로써 인수인에 대하여 직접 청구할 권리를 갖게 된다.

해설 ① 면책적 채무인수가 있는 경우, 인수채무의 소멸시효기간은 채무인수와 동시에 이루어진 소멸시효 중단사유, 즉 채무승인에 따라 채무인수일로부터 새로이 진행된다(대판 1999.7.9. 99다12376).
② 면책적 채무인수라 함은 채무의 동일성을 유지하면서 이를 종래의 채무자로부터 제3자인 인수인에게 이전하는 것을 목적으로 하는 계약으로서, 채무인수로 인하여 인수인은 종래의 채무자와 지위를 교체하여 새로이 당사자로서 채무관계에 들어서서 종래의 채무자와 동일한 채무를 부담하고 동시에 종래의 채무자는 채무관계에서 탈퇴하여 면책되는 것일 뿐이므로, 인수채무가 원래 5년의 상사시효의 적용을 받던 채무라면 그 후 면책적 채무인수에 따라 그 채무자의 지위가 인수인으로 교체되었다고 하더라도 그 소멸시효의 기간은 여전히 5년의 상사시효의 적용을 받는다 할 것이고, 이는 채무인수행위가 상행위나 보조적 상행위에 해당하지 아니한다고 하여 달리 볼 것이 아니다(대판 1999.7.9. 99다12376).
③ 부동산의 매수인이 매매목적물에 관한 근저당권의 피담보채무, 가압류채무, 임대차보증금 반환채무를 인수하는 한편 그 채무액을 매매대금에서 공제하기로 약정한 경우, 다른 특별한 사정이 없는 이상, 이는 매도인을 면책시키는 채무인수가 아니라 이행인수로 보아야 하고, 매수인이 그 채무를 현실적으로 변제할 의무를 부담한다고도 해석할 수 없으며, 특별한 사정이

없는 한 매수인이 매매대금에서 그 채무액을 공제한 나머지를 지급함으로써 잔금지급의무를 다한 것으로 보아야 한다(대판 2002.5.10, 2000다18578). 따라서 매수인이 이행인수한 채무를 현실적으로 변제하지 아니하였다 하더라도 그와 같은 사정만으로는 매도인은 매매계약을 해제할 수 없고, 매수인이 인수채무를 이행하지 않음으로써 매매대금의 일부를 지급하지 않은 것과 동일하다고 평가할 수 있는 특별한 사유가 있을 때 계약해제권이 발생한다(대판 1995.8.11, 94다58599). 즉 매매목적물에 관한 근저당권의 피담보채무를 인수한 매수인이 인수채무의 일부인 근저당권의 피담보채무의 변제를 게을리함으로써 매매목적물에 관하여 근저당권의 실행으로 임의경매절차가 개시되고 매도인이 경매절차의 진행을 막기 위하여 피담보채무를 변제하였다면, 매도인은 채무인수인에 대하여 손해배상채권을 취득하는 이외에 이 사유를 들어 매매계약을 해제할 수 있다(대판 2004.7.9, 2004다13083).

④ 제454조 【채무자와의 계약에 의한 채무인수】
　① 제3자가 채무자와의 계약으로 채무를 인수한 경우에는 채권자의 승낙에 의하여 그 효력이 생긴다.
　② 채권자의 승낙 또는 거절의 상대방은 채무자나 제3자이다.

⑤ 채무자와 인수인의 합의에 의한 중첩적 채무인수는 일종의 제3자를 위한 계약이라고 할 것이므로, 채권자는 인수인에 대하여 채무이행을 청구하거나 기타 채권자로서의 권리를 행사하는 방법으로 수익의 의사표시를 함으로써 인수인에 대하여 직접 청구할 권리를 갖게 된다(대판 2013.9.13, 2011다56033).

29 채무인수, 이행인수, 계약인수에 관한 다음 설명 중 옳지 않은 것을 모두 고른 것은?

▶ 2018년 법원행시

ㄱ. 면책적 채무인수의 경우 채권자의 승낙은 계약의 효력발생요건이며, 중첩적 채무인수의 경우 채권자의 수익의 의사표시는 채권자가 인수인에 대하여 채권을 취득하기 위한 요건이다.

ㄴ. 면책적 채무인수의 채무자와 인수인은 상당한 기간을 정하여 채권자에게 승낙 여부의 확답을 최고할 수 있는데, 채권자가 그 기간 내에 확답을 발송하지 않으면 승낙한 것으로 본다.

ㄷ. 이행인수의 인수인은 채무자와의 사이에서 채권자에게 채무를 이행할 의무를 부담하는 데 그치므로, 채권자는 직접 인수인에게 채무를 이행할 것을 청구할 수 없다.

ㄹ. 이행인수의 채무자는 인수인이 채권자에게 채무를 이행할 의무를 이행하지 아니하는 경우 인수인에 대하여 채권자에게 이행할 것을 청구할 수 있으나, 채권자는 채권자대위권에 의하여 채무자의 인수인에 대한 청구권을 대위행사할 수는 없다.

ㅁ. 계약상 지위의 양도에 의하여 계약당사자로서의 지위가 제3자에게 이전되는 계약인수의 경우, 계약상 지위를 전제로 한 권리관계만이 이전될 뿐이므로 불법행위에 기한 손해배상청구권은 별도의 채권양도절차 없이 제3자에게 당연히 이전되는 것이 아니다.

ㅂ. 채권의 압류가 채권의 발생원인인 법률관계에 대한 채무자의 처분까지 구속하는 효력은 없으므로, 채무자의 제3채무자에 대한 채권이 압류된 후 채권의 발생 원인인 계약의 당사자 지위를 이전하는 계약인수가 이루어진 경우, 제3채무자는 계약인수에 의하여 그와 채무자 사이의 계약관계가 소멸하였음을 내세워 압류 채권자에게 대항할 수 있다.

① ㄱ, ㄹ
② ㄴ, ㄹ, ㅂ
③ ㄱ, ㄷ, ㅂ
④ ㄴ, ㄹ, ㅁ, ㅂ
⑤ ㄴ, ㄹ

해설 ㄱ. 채무자와 인수인의 합의에 의한 중첩적 채무인수는 일종의 제3자를 위한 계약이라고 할 것이므로, 채권자는 인수인에 대하여 채무이행을 청구하거나 기타 채권자로서의 권리를 행사하는 방법으로 수익의 의사표시를 함으로써 인수인에 대하여 직접 청구할 권리를 갖게 된다. 이러한 점에서 채무자에 대한 채권을 상실시키는 효과가 있는 면책적 채무인수의 경우 채권자의 승낙을 계약의 효력발생요건으로 보아야 하는 것과는 달리, 채무자와 인수인의 합의에 의한 중첩적 채무인수의 경우 채권자의 수익의 의사표시는 그 계약의 성립요건이나 효력발생요건이 아니라 채권자가 인수인에 대하여 채권을 취득하기 위한 요건이다(대판 2013.9.13, 2011다56033).

ㄴ. 거절한 것으로 본다(제455조 제1항, 제2항 참조).

> 제455조【승낙여부의 최고】
> ① 전조의 경우에 제3자나 채무자는 상당한 기간을 정하여 승낙여부의 확답을 채권자에게 최고할 수 있다.
> ② 채권자가 그 기간 내에 확답을 발송하지 아니한 때에는 거절한 것으로 본다.

ㄷ. ㄹ. 이행인수는 인수인이 채무자에 대하여 그 채무를 이행할 것을 약정하는 채무자와 인수인 간의 계약으로서, 인수인은 채무자와 사이에 채권자에게 채무를 이행할 의무를 부담하는 데 그치고 직접 채권자에 대하여 채무를 부담하는 것이 아니므로 채권자는 직접 인수인에게 채무를 이행할 것을 청구할 수 없으나, 채무자는 인수인이 그 채무를 이행하지 아니하는 경우 인수인에 대하여 채권자에게 이행할 것을 청구할 수 있고, 그에 관한 승소의 판결을 받은 때에는 금전채권의 집행에 관한 규정을 준용하여 강제집행을 할 수도 있다. 이러한 채무자의 인수인에 대한 청구권은 그 성질상 재산권의 일종으로서 일신전속적 권리라고 할 수는 없으므로, 채권자는 채권자대위권에 의하여 채무자의 인수인에 대한 청구권을 대위행사할 수 있다(대판 2009.6.11, 2008다75072).

ㅁ. 구 표시·광고의 공정화에 관한 법률(2011.9.15. 법률 제11050호로 개정되기 전의 것, 이하 '표시광고법'이라 한다)상 허위·과장광고로 인한 손해배상청구권은 불법행위에 기한 손해배상청구권의 성격을 가지는데, 계약상 지위의 양도에 의하여 계약당사자로서의 지위가 제3자에게 이전되는 경우 계약상 지위를 전제로 한 권리관계만이 이전될 뿐 불법행위에 기한 손해배상청구권은 별도의 채권양도절차 없이 제3자에게 당연히 이전되는 것이 아니므로, 표시광고법상 허위·과장광고로 인한 손해배상청구권을 가지고 있던 아파트 수분양자가 수분양

자의 지위를 제3자에게 양도하였다는 사정만으로 양수인이 당연히 위 손해배상청구권을 행사할 수 있다고 볼 수는 없고, 다만 허위·과장광고를 그대로 믿고 허위·과장광고로 높아진 가격에 수분양자 지위를 양수하는 등으로 양수인이 수분양자 지위를 양도받으면서 허위·과장광고로 인한 손해를 입었다는 등의 특별한 사정이 있는 경우에만 양수인이 손해배상청구권을 행사할 수 있다(대판 2015.7.23, 2012다15336·15343·15350·15367·15374·15381·15398·15404).

ㅂ. 채권의 압류는 제3채무자에 대하여 채무자에게 지급 금지를 명하는 것이므로 채무자는 채권을 소멸 또는 감소시키는 등의 행위를 할 수 없고 그와 같은 행위로 채권자에게 대항할 수 없는 것이지만, 채권의 발생원인인 법률관계에 대한 채무자의 처분까지도 구속하는 효력은 없다. 그런데 계약 당사자로서의 지위 승계를 목적으로 하는 계약인수의 경우에는 양도인이 계약관계에서 탈퇴하는 까닭에 양도인과 상대방 당사자 사이의 계약관계가 소멸하지만, 양도인이 계약관계에 기하여 가지던 권리의무가 동일성을 유지한 채 양수인에게 그대로 승계된다. 따라서 양도인의 제3채무자에 대한 채권이 압류된 후 채권의 발생원인인 계약의 당사자 지위를 이전하는 계약인수가 이루어진 경우 양수인은 압류에 의하여 권리가 제한된 상태의 채권을 이전받게 되므로, 제3채무자는 계약인수에 의하여 그와 양도인 사이의 계약관계가 소멸하였음을 내세워 압류채권자에 대항할 수 없다(대판 2015.5.14, 2012다41359).

30 채무인수에 관한 다음 설명 중 가장 옳지 않은 것은? (다툼이 있는 경우 판례에 의하고, 전원합의체 판결의 경우 다수의견에 의함)

▶ 2020년 9급(법원서기보)

① 채무인수가 면책적인가 중첩적인가 하는 것은 채무인수계약에 나타난 당사자 의사의 해석에 관한 문제이나, 면책적 인수인지, 중첩적 인수인지가 분명하지 아니한 때에는 중첩적으로 인수한 것으로 볼 것이다.

② 채무자와 인수인의 합의에 의한 중첩적 채무인수의 경우 채권자의 수익의 의사표시는 그 계약의 성립요건이나 효력발생요건이 아니라 채권자가 인수인에 대하여 채권을 취득하기 위한 요건이다.

③ 채무가 인수되는 경우에 구채무자의 채무에 관하여 제3자가 제공한 담보는 채무인수로 인하여 소멸하되, 다만 그 제3자가 채무인수에 동의한 경우에 한하여 소멸하지 아니하고 신채무자를 위하여 존속하게 된다.

④ 근저당권에 관하여 채무인수를 원인으로 채무자를 교체하는 변경등기(부기등기)가 마쳐진 경우 특별한 사정이 없는 한 그 근저당권은 당초 구채무자가 부담하고 있다가 신채무자가 인수하게 된 채무와 함께 그 후 신채무자(채무인수인)가 다른 원인으로 부담하게 된 새로운 채무를 담보한다.

> 해설 ① 채무의 인수에 있어서 면책적 인수인지, 중첩적 인수인지가 분명하지 아니한 때에는 이를 중첩적으로 인수한 것으로 본다(대판 1988.5.24, 87다카3104).

정답 ▶ 30 ④

② 채무자와 인수인의 합의에 의한 중첩적 채무인수는 일종의 제3자를 위한 계약이라고 할 것이므로, 채권자는 인수인에 대하여 채무이행을 청구하거나 기타 채권자로서의 권리를 행사하는 방법으로 수익의 의사표시를 함으로써 인수인에 대하여 직접 청구할 권리를 갖게 된다. 이러한 점에서 채무자에 대한 채권을 상실시키는 효과가 있는 면책적 채무인수의 경우 채권자의 승낙을 계약의 효력발생요건으로 보아야 하는 것과는 달리, 채무자와 인수인의 합의에 의한 중첩적 채무인수의 경우 채권자의 수익의 의사표시는 그 계약의 성립요건이나 효력발생요건이 아니라 채권자가 인수인에 대하여 채권을 취득하기 위한 요건이다(대판 2013.9.13, 2011다56033).

③
> 제459조【채무인수와 보증, 담보의 소멸】전채무자의 채무에 대한 보증이나 제3자가 제공한 담보는 채무인수로 인하여 소멸한다. 그러나 보증인이나 제3자가 채무인수에 동의한 경우에는 그러하지 아니하다.

④ 채무가 인수되는 경우에 구 채무자의 채무에 관하여 제3자가 제공한 담보는 채무인수로 인하여 소멸하되 다만 그 제3자(물상보증인)가 채무인수에 동의한 경우에 한하여 소멸하지 아니하고 신 채무자를 위하여 존속하게 되는바, 이 경우 물상보증인이 채무인수에 관하여 하는 동의는 채무인수인을 위하여 새로운 담보를 설정하겠다는 의사표시가 아니라 기존의 담보를 채무인수인을 위하여 계속 유지하겠다는 의사표시에 불과하여 그 동의에 의하여 유지되는 담보는 기존의 담보와 동일한 내용을 갖는 것이므로, 근저당권에 관하여 채무인수를 원인으로 채무자를 교체하는 변경등기(부기등기)가 마쳐진 경우 특별한 사정이 없는 한 그 근저당권은 당초 구 채무자가 부담하고 있다가 신 채무자가 인수하게 된 채무만을 담보하는 것이지, 그 후 신 채무자(채무인수인)가 다른 원인으로 부담하게 된 새로운 채무까지 담보하는 것으로 볼 수는 없다(대판 2000.12.26, 2000다56204).

31 채무인수에 관한 다음 설명 중 가장 옳지 않은 것은? (다툼이 있는 경우 판례에 의함)

▶ 2019년 법원사무관 승진

① 채무인수에 있어서 면책적 인수인지, 중첩적 인수인지가 분명하지 아니한 때에는 채무자의 이익을 고려하여 이를 면책적 인수로 본다.

② 채무자와 인수인의 합의에 의한 중첩적 채무인수인 경우 채권자는 인수인에 대하여 채무이행을 청구하는 등의 방법으로 수익의 의사표시를 함으로써 인수인에 대하여 직접 청구할 권리를 갖게 된다.

③ 채권자와 보증인 사이에 보증인이 주채무를 중첩적으로 인수하기로 약정하였다 하더라도 특별한 사정이 없는 한 채무인수로 인하여 보증인과 주채무자 사이의 주채무에 관련된 구상관계가 달라지는 것은 아니다.

④ 계약 당사자로서의 지위의 승계를 목적으로 하는 계약의 인수는 양도인과 양수인 및 잔류 당사자의 동시적인 합의에 의한 3면계약으로 이루어지는 것이 통상적이라고 할 것이지만, 계약 관계자 3인 중 2인의 합의와 나머지 당사자의 동의 내지 승낙의 방법으로도 가능하다.

해설 ① 채무의 인수가 면책적인지 중첩적인지 여부가 명확하지 않을 경우에는 채권자 보호를 위해 중첩적으로 인수한 것으로 보아야 한다(대판 1989.9.12, 88다카13806).

② 채무자와 인수인의 합의에 의한 중첩적 채무인수는 일종의 제3자를 위한 계약이라고 할 것이므로, 채권자는 인수인에 대하여 채무이행을 청구하거나 기타 채권자로서의 권리를 행사하는 방법으로 수익의 의사표시를 함으로써 인수인에 대하여 직접 청구할 권리를 갖게 된다. 이러한 점에서 채무자에 대한 채권을 상실시키는 효과가 있는 면책적 채무인수의 경우 채권자의 승낙을 계약의 효력발생요건으로 보아야 하는 것과는 달리, 채무자와 인수인의 합의에 의한중첩적 채무인수의 경우 채권자의 수익의 의사표시는 그 계약의 성립요건이나 효력발생요건이 아니라 채권자가 인수인에 대하여 채권을 취득하기 위한 요건이다(대판 2013.9.13, 2011다56033).

③ 채권자와 보증인 사이에 보증인이 주채무를 중첩적으로 인수하기로 약정하였다 하더라도 특별한 사정이 없는 한 보증인은 주채무자에 대한 관계에서는 종전의 보증인의 지위를 그대로 유지한다고 봄이 상당하므로, 채무인수로 인하여 보증인과 주채무자 사이의 주채무에 관련된 구상관계가 달라지는 것은 아니다(대판 2003.11.14, 2003다37730).

④ 계약 당사자로서의 지위의 승계를 목적으로 하는 계약의 인수는 계약으로부터 발생하는 채권채무의 이전 외에 그 계약관계로부터 생기는 해제권 등 포괄적인 권리의무의 양도를 포함하는 것이므로 그 계약은 양도인과 양수인 및 잔류 당사자의 동시적인 합의에 의한 3면계약으로 이루어지는 것이 통상적이라고 할 것이지만, 계약 관계자 3인 중 2인의 합의와 나머지 당사자의 동의 내지 승낙의 방법으로도 가능하다(대판 1992.3.13, 91다32534).

32 채무인수에 관한 다음 설명 중 가장 옳지 않은 것은? ▸2021년 법무사

① 면책적 채무인수는 채무자와 인수인 사이의 계약으로도 할 수 있으며, 이 경우 채권자의 승낙이 있어야 그 효력이 발생한다.

② 면책적 채무인수에서 채권자가 승낙을 거절하면 그 이후에는 채권자가 다시 승낙하여도 채무인수로서의 효력이 생기지 않는다.

③ 채무자와 인수인 사이의 면책적 채무인수약정에 대해 채권자의 승낙이 있는 경우 채무자가 자신의 채무를 담보하기 위해 설정하였던 저당권은 원칙적으로 소멸한다.

④ 부동산의 매수인이 매매목적물에 관한 임대차보증금 반환채무를 인수하는 한편 그 채무액을 매매대금에서 공제하기로 약정한 경우 이에 대해 채권자인 임차인의 승낙이 있다면 면책적 채무인수로 볼 수 있다.

⑤ 중첩적 채무인수에서 인수인이 채무자의 부탁 없이 채권자와의 계약으로 채무를 인수하는 것은 매우 드문 일이므로 채무자와 인수인은 원칙적으로 주관적 공동관계가 있는 연대채무관계에 있고, 인수인이 채무자의 부탁을 받지 아니하여 주관적 공동관계가 없는 경우에는 부진정연대관계에 있는 것으로 보아야 한다.

해설 ① 제454조 제1항【채무자와의 계약에 의한 채무인수】제3자가 채무자와의 계약으로 채무를 인수한 경우에는 채권자의 승낙에 의하여 그 효력이 생긴다.

정답 ▸ 31 ① 32 ③

② 채권자의 승낙에 의하여 채무인수의 효력이 생기는 경우, 채권자가 승낙을 거절하면 그 이후에는 채권자가 다시 승낙하여도 채무인수로서의 효력이 생기지 않는다(대판 1998.11.24, 98다33765).

③ 채무자가 스스로 담보물을 제공한 경우에는 인수계약이 채무자와 인수인 사이에 의해 체결된 것이면 제459조 단서를 유추적용하여 소멸하지 않는다(통설). 참고할 판례도 면책적 채무인수라 함은 채무의 동일성을 유지하면서 이를 종래의 채무자로부터 제3자인 인수인에게 이전하는 것을 목적으로 하는 계약을 말하는바, 채무인수로 인하여 인수인은 종래의 채무자와 지위를 교체하여 새로이 당사자로서 채무관계에 들어서서 종래의 채무자와 동일한 채무를 부담하고 동시에 종래의 채무자는 채무관계에서 탈퇴하여 면책되는 것일 뿐 종래의 채무가 소멸하는 것이 아니므로, 채무인수로 종래의 채무가 소멸하였으니 저당권의 부종성으로 인하여 당연히 소멸한 채무를 담보하는 저당권도 소멸한다는 법리는 성립하지 않는다고 하였다(대판 1996.10.11, 96다27476).

④ 부동산의 매수인이 매매 목적물에 관한 임대차보증금 반환채무 등을 인수하는 한편, 그 채무액을 매매대금에서 공제하기로 약정한 경우, 그 인수는 특별한 사정이 없는 이상 매도인을 면책시키는 면책적 채무인수가 아니라 이행인수로 보아야 하고, 면책적 채무인수로 보기 위하여는 이에 대한 채권자 즉, 임차인의 승낙이 있어야 한다(대판 2001.4.27, 2000다69026).

⑤ 중첩적 채무인수에서 인수인이 채무자의 부탁 없이 채권자와의 계약으로 채무를 인수하는 것은 매우 드문 일이므로 채무자와 인수인은 원칙적으로 주관적 공동관계가 있는 연대채무관계에 있고, 인수인이 채무자의 부탁을 받지 아니하여 주관적 공동관계가 없는 경우에는 부진정연대관계에 있는 것으로 보아야 한다(대판 2009.8.20, 2009다32409).

33 **채권양도와 채무인수에 관한 다음 설명 중 가장 옳지 않은 것은?** (다툼이 있는 경우 판례에 의함)
▸ 2019년 법원주사보

① 지명채권의 양도는 양도인이 채무자에게 통지하거나 채무자가 승낙하지 아니하면 채무자 기타 제3자에게 대항하지 못한다. 위 통지나 승낙은 확정일자 있는 증서에 의하지 아니하면 채무자 이외의 제3자에 대하여 대항하지 못한다.

② 양도인이 채무자에게 채권양도를 통지한 때에는 아직 양도하지 아니하였거나 그 양도가 무효인 경우에도 채무자는 양수인에게 대항할 수 있는 사유로 양도인에게 대항할 수 있고, 위 통지는 양수인의 동의가 없어도 철회할 수 있다.

③ 제3자가 채무자와 면책적 채무인수 약정을 한 경우에는 채권자의 승낙이 있어야 그 효력이 생기고, 채권자의 채무인수에 대한 승낙은 다른 의사표시가 없으면 채무를 인수한 때에 소급하여 그 효력이 생긴다.

④ 면책적 채무인수의 경우 전 채무자의 채무에 대한 보증이나 제3자가 제공한 담보는 보증인이나 제3자가 채무인수에 대하여 동의하지 않는 한 원칙적으로 소멸한다.

해설 ① 제450조【지명채권양도의 대항요건】
① 지명채권의 양도는 양도인이 채무자에게 통지하거나 채무자가 승낙하지 아니하면 채무자
기타 제3자에게 대항하지 못한다.
② 전항의 통지나 승낙은 확정일자있는 증서에 의하지 아니하면 채무자 이외의 제3자에게
대항하지 못한다.

② 제452조【양도통지와 금반언】
① 양도인이 채무자에게 채권양도를 통지한 때에는 아직 양도하지 아니하였거나 그 양도가
무효인 경우에도 선의인 채무자는 양수인에게 대항할 수 있는 사유로 양도인에게 대항할
수 있다.
② 전항의 통지는 양수인의 동의가 없으면 철회하지 못한다.

③ 제455조 제1항【승낙여부의 최고】
① 전조의 경우에 제3자나 채무자는 상당한 기간을 정하여 승낙여부의 확답을 채권자에게
최고할 수 있다.
제457조【채무인수의 소급효】채권자의 채무인수에 대한 승낙은 다른 의사표시가 없으면
채무를 인수한 때에 소급하여 그 효력이 생긴다. 그러나 제3자의 권리를 침해하지 못한다.

④ 제459조【채무인수와 보증, 담보의 소멸】전채무자의 채무에 대한 보증이나 제3자가 제공
한 담보는 채무인수로 인하여 소멸한다. 그러나 보증인이나 제3자가 채무인수에 동의한 경우
에는 그러하지 아니하다.

34 甲에 대한 乙의 채무를 丙이 인수하였다. 이에 관한 다음 설명 중 옳은 것을 모두 고른 것은?

▶ 2023년 법원행시

ㄱ. 채무인수의 효력이 생기기 위하여 甲의 승낙을 요하는 것은 면책적 채무인수의 경우
에 한하는데, 甲의 승낙에 의하여 채무인수의 효력이 생기는 경우 甲이 승낙을 거절
하였더라도 그 이후에 甲이 다시 승낙하면 채무인수로서의 효력이 생긴다.

ㄴ. 乙과 丙의 채무인수계약을 甲이 승낙한 바 있고 그 뒤 丙이 위 채무인수계약을 적법
하게 취소하려면, 甲의 승낙이 있다든가 甲이 위 인도계약을 승낙할 때에 丙의 취소
권유보를 승낙하였다든가의 특수한 사정이 있어야 한다.

ㄷ. 이해관계 있는 제3자는 채무자의 의사에 반해서도 채무를 인수할 수 있다.

ㄹ. 인수채무가 원래 5년의 상사시효의 적용을 받던 채무라 하더라도 그 후 면책적 채무
인수에 따라 그 채무자의 지위가 인수인으로 교체되었다면 그 소멸시효의 기간은 채
무인수행위가 상행위나 보조적 상행위여야만 5년의 상사시효의 적용을 받는다 할 것
이다.

정답 33 ②   34 ⑤

ㅁ. 계약당사자 중 일방이 상대방 및 제3자와 3면 계약을 체결하거나 상대방의 승낙을
얻어 계약상 당사자로서의 지위를 포괄적으로 제3자에게 이전하는 경우 이를 양수
한 제3자는 양도인의 계약상 지위를 승계함으로써 종래 계약에서 이미 발생한 채권
·채무도 모두 이전받게 된다.

① ㄱ, ㄴ, ㄷ   ② ㄱ, ㄴ, ㄹ   ③ ㄴ, ㄷ, ㄹ
④ ㄴ, ㄹ, ㅁ   ⑤ ㄴ, ㄷ, ㅁ

해설 ㄱ. 채무인수의 효력이 생기기 위하여 채권자의 승낙을 요하는 것은 면책적 채무인수의 경우에
한하고, 채무인수가 면책적인가 중첩적인가 하는 것은 채무인수계약에 나타난 당사자 의사의
해석에 관한 문제이다. (한편) 채권자의 승낙에 의하여 채무인수의 효력이 생기는 경우, 채권자
가 승낙을 거절하면 그 이후에는 채권자가 다시 승낙하여도 채무인수로서의 효력이 생기지
않는다(대판 1998.11.24, 98다33765).

ㄴ. 채무자와 제3자와 채무인수계약을 채권자가 승낙한 바 있다면 그 뒤 채권인수인이 위 채무
인수계약을 적법하게 취소하려면 채무자의 승낙이 있다든가 채권자가 위 인도계약을 승낙할
때에 채무인수인의 취소권유보를 승낙하였다든가의 특수한 사정이 있어야 한다(대판
1962.5.17, 62다161).

ㄷ. 이해관계 없는 제3자는 채무자의 의사에 반하여 채무를 인수하지 못한다(제453조 제2항).
반면 이해관계 있는 제3자는 채무자의 의사에 반해서도 채무를 인수할 수 있다.

ㄹ. 면책적 채무인수라 함은 채무의 동일성을 유지하면서 이를 종래의 채무자로부터 제3자인 인수
인에게 이전하는 것을 목적으로 하는 계약으로서, 채무인수로 인하여 인수인은 종래의 채무
자와 지위를 교체하여 새로이 당사자로서 채무관계에 들어서서 종래의 채무자와 동일한 채
무를 부담하고 동시에 종래의 채무자는 채무관계에서 탈퇴하여 면책되는 것일 뿐이므로, 인
수채무가 원래 5년의 상사시효의 적용을 받던 채무라면 그 후 면책적 채무인수에 따라 그
채무자의 지위가 인수인으로 교체되었다고 하더라도 그 소멸시효의 기간은 여전히 5년의 상
사시효의 적용을 받는다 할 것이고, 이는 채무인수행위가 상행위나 보조적 상행위에 해당하
지 아니한다고 하여 달리 볼 것이 아니다(대판 1999.7.9, 99다12376).

ㅁ. 계약당사자 중 일방이 상대방 및 제3자와 3면 계약을 체결하거나 상대방의 승낙을 얻어 계
약상 당사자로서의 지위를 포괄적으로 제3자에게 이전하는 경우 이를 양수한 제3자는 양도
인의 계약상 지위를 승계함으로써 종래 계약에서 이미 발생한 채권·채무도 모두 이전받게
된다(대판(전합) 2011.6.23, 2007다63089·63096).

35 채무인수에 관한 다음 설명 중 가장 옳지 않은 것은? ▶ 2024년 법원사무관 승진

① 채무자와 인수인의 합의에 의한 중첩적 채무인수의 경우 채권자는 인수인에 대하여 채무이행을 청구하거나 기타 채권자로서의 권리를 행사하는 방법으로 수익의 의사표시를 함으로써 인수인에 대하여 직접 청구할 권리를 갖게 된다.

② 채무자와 인수인의 합의에 의한 중첩적 채무인수의 경우 채권자의 수익의 의사표시는 그 계약의 성립요건이나 효력발생요건에 해당한다.

③ 채무자와 인수인의 합의에 의한 중첩적 채무인수의 경우 채권자가 수익을 받지 않겠다는 의사표시를 하였다면 채권자는 인수인에 대하여 채권을 취득하지 못하고, 특별한 사정이 없는 한 사후에 이를 번복하고 다시 수익의 의사표시를 할 수는 없다.

④ 인수인이 채권자에게 중첩적 채무인수라는 취지를 알리지 아니한 채 채무인수에 대한 승낙 여부만을 최고하여 채권자가 인수인으로부터 최고받은 채무인수가 채무자에 대한 채권을 상실하게 하는 면책적 채무인 것으로 잘못 알고 면책적 채무인수를 승낙하지 아니한다는 취지의 의사표시를 한 경우 채권자는 그 후 중첩적 채무인수 계약이 유효하게 존속하고 있는 한 수익의 의사표시를 하여 인수인에 대한 채권을 취득할 수 있다.

해설 ①,② 채무자와 인수인의 합의에 의한 중첩적 채무인수는 일종의 제3자를 위한 계약이라고 할 것이므로, 채권자는 인수인에 대하여 채무이행을 청구하거나 기타 채권자로서의 권리를 행사하는 방법으로 수익의 의사표시를 함으로써 인수인에 대하여 직접 청구할 권리를 갖게 된다. 이러한 점에서 채무자에 대한 채권을 상실시키는 효과가 있는 면책적 채무인수의 경우 채권자의 승낙을 계약의 효력발생요건으로 보아야 하는 것과는 달리, **채무자와 인수인의 합의에 의한 중첩적 채무인수의 경우 채권자의 수익의 의사표시는 그 계약의 성립요건이나 효력발생요건이 아니라 채권자가 인수인에 대하여 채권을 취득하기 위한 요건이다**(대판 2013.9.13. 2011다56033).

③,④ 대판 2013.9.13. 2011다56033

정답 ▶ 35 ②

심화문제 | 확인 · 보충 · 심화문제

01 채권양도에 관한 설명 중 옳은 것을 모두 고른 것은? (다툼이 있는 경우 판례에 의함)

▸ 2015년 변호사

> ㄱ. 주채무자에 대하여 채권양도통지 등 대항요건을 갖추었다면 연대보증인에 대하여 별도의 대항요건을 갖추지 않았더라도 양수인은 연대보증인에게 대항할 수 있다.
>
> ㄴ. 임대인이 임대차보증금반환채권의 양도통지를 받은 후에는 임대인과 임차인 사이에 임대차계약의 갱신이나 계약기간 연장에 관하여 명시적 또는 묵시적 합의가 있더라도 그 합의의 효과는 임대차보증금반환채권의 양수인에 대하여는 미칠 수 없다.
>
> ㄷ. 지명채권의 양도통지를 한 후 양도계약이 합의해제된 경우, 채권양도인이 해제를 이유로 다시 원래의 채무자에 대하여 양도채권으로 대항하려면, 채권양도인이 채권양수인의 동의를 받아 양도통지를 철회하거나 채권양수인이 채무자에게 위와 같은 해제 사실을 통지하여야 한다.

① ㄷ   ② ㄱ, ㄴ
③ ㄱ, ㄷ   ④ ㄴ, ㄷ
⑤ ㄱ, ㄴ, ㄷ

해설 ㄱ. 주채무자에 대한 사유는 보증인에게 미치는 것이 원칙이기 때문에, 주채무자에 대하여 채권양도통지 등 대항요건을 갖추었다면 연대보증인에 대하여 별도의 대항요건을 갖추지 않았더라도 양수인은 연대보증인에게 대항할 수 있다(대판 2002.9.10, 2002다21509).

ㄴ. 임대인이 임대차보증금반환채권의 양도통지를 받은 후에는 임대인과 임차인 사이에 임대차계약의 갱신이나 계약기간 연장에 관하여 명시적 또는 묵시적 합의가 있더라도 그 합의의 효과는 임대차보증금반환채권의 양수인에 대하여는 미칠 수 없다(대판 1989.4.25, 88다카4253·4260).

ㄷ. 지명채권의 양도통지를 한 후 양도계약이 합의해제된 경우, 채권양도인이 해제를 이유로 다시 원래의 채무자에 대하여 양도채권으로 대항하려면, 채권양도인이 채권양수인의 동의를 받아 양도통지를 철회하거나 채권양수인이 채무자에게 위와 같은 해제 사실을 통지하여야 한다(대판 2012.11.29, 2011다17953).

02 甲은 乙에 대한 3,000만원의 물품대금채권 중 1,000만원 부분을 丙에게 양도하고 乙에게 확정일자 있는 증서로 2015.6.2. 통지하여 그 통지는 같은 날 도달하였다. 그후 2015.6.30. 甲은 다시 위 물품대금채권 3,000만원 전부를 丁에게 양도하였고, 같은 날 乙이 이의를 보류하지 않고 이를 구두로 승낙하였다. 한편 甲의 채권자 戊는 甲의 乙에 대한 3,000만원의 물품대금채권 중 800만원 부분에 대하여 압류 및 전부명령을 받았고, 그 전부명령은 2015.7.4. 乙에게 도달하여 확정되었다. 乙은 丁, 戊에게 각 얼마를 지급하여야 하는가? (다툼이 있는 경우 판례에 의함) ▶ 2016년 변호사

① 丁에게 3,000만원, 戊에게 0원 ② 丁에게 2,000만원, 戊에게 0원
③ 丁에게 2,200만원, 戊에게 800만원 ④ 丁에게 2,000만원, 戊에게 800만원
⑤ 丁에게 1,200만원, 戊에게 800만원

> **해설** 丁에게 1,200만원, 戊에게 800만원이 타당하다. 즉 제3자간 채권귀속에 관한 우열은 이의를 보류하지 않고 승낙을 하였다고 하더라도 확정일자보다 우선할 수는 없다. 따라서 丙은 1천만원에, 戊는 800만원에 대하여 정보다 우선한다. 따라서 丁은 나머지 채권(1200만원)을 갖게 된다(대판 1994.4.29. 93다35551).

03 지명채권 양도의 대항요건에 관한 설명 중 옳은 것을 모두 고른 것은? (다툼이 있는 경우에는 판례에 의함) ▶ 2014년 사법시험

> ㄱ. 甲은 乙로부터 Y에 대한 乙의 채권을 乙이 甲에게 양도한다는 내용의 채권양도증서를 작성받아 그 증서에 2013.6.7.자로 확정일자를 부여받았다. 그 후 乙은 위 증서와는 별도로 위 채권을 甲에게 양도한다는 내용의 서면을 Y에게 일반우편으로 발송하였고, 그 우편이 2013.6.13. Y에게 도달하였다. 그 편지봉투에는 2013.6.10.자 우체국 소인이 찍혀 있다. 위 우편이 Y에게 도달한 후 乙의 채권자 丙이 위 채권을 가압류하더라도 甲은 채권양수로써 丙에게 대항할 수 있다.
> ㄴ. 甲이 Y에 대한 대여금채권을 乙에게 양도하고 Y에게 채권양도의 통지를 한 후에 채권양도계약이 적법하게 취소된다면, 乙은 부당이득반환의 법리에 따라 Y에게 甲으로의 채권양도를 통지하여야 한다.
> ㄷ. 甲이 丙의 연대보증 하에 乙에게 돈을 대여하고 丁에게 乙·丙에 대한 채권을 양도하는 경우, 甲은 乙에게 채권양도의 통지를 하는 것으로 충분하고 丙에 대하여 별도로 채권양도의 대항요건을 갖출 필요는 없다.
> ㄹ. 채무자에 대한 채권양도의 통지가 민사소송법상 부적법한 송달이라면 채권양도의 대항요건을 갖추었다고 볼 수 없다.

ㅁ. 저당권부 채권의 양수인은 저당권이전의 부기등기를 하는 외에 지명채권 양도의 대항요건까지 갖추어야 채무자에게 대항할 수 있다.

ㅂ. 甲이 乙에 대한 대여금채권을 丙과 丁에게 이중으로 양도하고 각각 확정일자 있는 증서로 채권양도의 통지를 하였다면 丙과 丁 사이의 우선순위는 확정일자의 선후에 의하여 결정된다.

① ㄱ, ㄷ, ㄹ   ② ㄴ, ㄷ, ㅁ   ③ ㄴ, ㄹ, ㅁ
④ ㄹ, ㅁ, ㅂ   ⑤ ㄱ, ㄴ, ㄷ

해설 ㄱ. 확정일자 있는 증서에 의한 통지나 승낙은 통지나 승낙행위 자체를 확정일자 있는 증서로 하여야 한다는 것을 의미하지, 통지나 승낙이 있었음을 확정일자부 증서의 방법으로 증명하는 것을 말하는 것이 아니다(대판 2011.7.14, 2009다49469). 그리고 판례는 채무자에 대한 채권양도 통지와는 무관하게 별도의 양도증서에 확정일자를 받은 경우, 그 채권양도로써 제3자에게 대항할 수 없다고 하고 있다(대판 2002.4.9, 2001다80815).

ㄴ. 지명채권의 양도통지를 한 후 그 양도계약이 취소·해제·해지 등이 된 경우에, 양도인이 그 취소 등을 이유로 다시 원래의 채무자에 대하여 양도채권으로 대항하려면 양수인이 채무자에게 위와 같은 해제사실을 통지하여야 한다(대판 2011.3.24, 2010다100711).

ㄷ. 주채무자에 대하여 그 대항요건을 갖추었으면 보증인에 대하여 별도의 대항요건(통지, 승낙)을 갖추지 아니하였어도 주된 채권양도의 효력으로써 보증인에 대하여 이를 주장할 수 있다(대판 1989.10.24, 88다카20774).

ㄹ. 채권양도의 통지의 도달에는 민사소송법상의 송달에 관한 규정이 적용되지 않기 때문에 송달장소로 정하는 채무자의 주소·거소·영업소 또는 사무소 등에 해당하지 아니하는 장소에서라도 채무자가 사회통념상 그 통지의 내용을 알 수 있는 객관적 상태에 놓여졌다고 인정됨으로써 족하다. 즉 민법상 제111조 이하의 도달주의가 적용된다(요지가능성설 ; 대판 2010.4.15, 2010다57).

ㅁ. 지명채권양도와 물권양도의 요건을 구비하여야 한다는 것이다. 즉 저당권은 피담보채권과 분리하여 양도하지 못하는 것이어서 저당권부 채권의 양도는 언제나 저당권의 양도와 채권양도가 결합되어 행해지므로 저당권부 채권의 양도는 민법 제186조의 부동산물권변동에 관한 규정과 민법 제449조 내지 제452조의 채권양도에 관한 규정에 의해 규율되므로 저당권의 양도에 있어서도 물권변동의 일반원칙에 따라 저당권을 이전할 것을 목적으로 하는 물권적 합의와 등기가 있어야 저당권이 이전된다고 할 것이나, 이때의 물권적 합의는 저당권의 양도·양수받는 당사자 사이에 있으면 족하고 그 외에 그 채무자나 물상보증인 사이에까지 있어야 하는 것은 아니라 할 것이고, 단지 채무자에게 채권양도의 통지나 이에 대한 채무자의 승낙이 있으면 채권양도를 가지고 채무자에게 대항할 수 있게 되는 것이다(대판 2005.6.10, 2002다15412·15429).

ㅂ. 채권이 이중으로 양도된 경우의 양수인 상호간의 우열은 통지 또는 승낙에 붙여진 확정일자의 선후에 의하여 결정할 것이 아니라 채권양도에 대한 채무자의 인식, 즉 확정일자 있는 양도통지가 채무자에게 도달한 일시 또는 확정일자 있는 승낙의 일시의 선후에 의하여 결정하여야 할 것이다(대판(전합) 1994.4.26, 93다24223).

04 甲은 丙의 근저당권이 설정되어 있는 乙 소유의 A부동산을 1억원에 매수하면서 乙의 丙에 대한 피담보채무(6,000만원)를 인수하는 한편, 그 채무액을 매매대금에서 공제하기로 약정하였다. 이에 관한 설명 중 옳지 않은 것은? (다툼이 있는 경우에는 판례에 의함)

▶ 2010년 사법시험

① 甲・乙 간의 인수약정은 丙의 승낙이 없으면 丙에게 대항하지 못할 뿐 그들 사이에서는 유효하고, 특별한 사정이 없는 한 甲은 4,000만원을 乙에게 지급함으로써 잔금지급의무를 다한 것이 된다.

② 甲이 乙의 채무를 면책적으로 인수하기로 乙과 약정하였더라도 丙의 승낙이 없는 한 그 약정은 이행인수로서의 효력이 있지만, 丙이 甲에게 6,000만원의 지급을 청구하였다면 면책적 채무인수로서의 효력이 있다.

③ 甲이 丙에게 6,000만원의 변제를 게을리함으로써 A 부동산에 관한 근저당권의 실행으로 경매절차가 개시되자 乙이 경매절차의 진행을 막기 위하여 6,000만원을 변제하였다면, 乙은 甲에 대하여 손해배상채권을 취득하는 이외에 그 사유를 들어 매매계약을 해제할 수도 있다.

④ 甲이 丙에게 6,000만원의 채무를 이행하지 않아서 乙이 이를 변제하였다면, 그로 인한 甲의 손해배상의무와 乙의 소유권이전등기의무는 동시이행의 관계에 있다.

⑤ 甲이 A 부동산에 관한 소유권이전등기를 경료받은 후에 丙의 근저당권 행사로 인하여 그 소유권을 잃은 때에는, 甲은 원칙적으로 乙에게 담보책임을 물을 수 있다.

해설 ① 부동산의 매수인이 매매목적물에 관한 근저당권의 피담보채무, 가압류채무, 임대차보증금 반환채무를 인수하는 한편 그 채무액을 매매대금에서 공제하기로 약정한 경우, 다른 특별한 사정이 없는 이상, 이는 매도인을 면책시키는 채무인수가 아니라 이행인수로 보아야 하고, 매수인이 그 채무를 현실적으로 변제할 의무를 부담한다고도 해석할 수 없으며, 특별한 사정이 없는 한 매수인이 매매대금에서 그 채무액을 공제한 나머지를 지급함으로써 잔금지급의무를 다한 것으로 보아야 한다(대판 2002.5.10, 2000다18578).

② 면책적 채무인수의 효력이 발생하기 위해서는 채권자의 승낙이 필요하다(제454조 제1항). 채무자와 인수인 사이의 계약에 의한 채무인수에 대하여 채권자는 명시적인 방법뿐만 아니라 묵시적인 방법으로도 승낙을 할 수 있는 것인데, 채권자가 직접 채무인수인에 대하여 인수채무금의 지급을 청구하였다면 그 지급청구로써 묵시적으로 채무인수를 승낙한 것으로 보아야 한다(대판 1989.11.14, 88다카29962).

③ 매수인이 이행인수한 채무를 현실적으로 변제하지 아니하였다 하더라도 그와 같은 사정만으로는 매도인은 매매계약을 해제할 수 없고, 매수인이 인수채무를 이행하지 않음으로써 매매대금의 일부를 지급하지 않은 것과 동일하다고 평가할 수 있는 특별한 사유가 있을 때 계약해제권이 발생한다(대판 1995.8.11, 94다58599).
매매목적물에 관한 근저당권의 피담보채무를 인수한 매수인이 인수채무의 일부인 근저당권의 피담보채무의 변제를 게을리함으로써 매매목적물에 관하여 근저당권의 실행으로 임의경매절차가 개시되고 매도인이 경매절차의 진행을 막기 위하여 피담보채무를 변제하였다면, 매

정답 04 ⑤

도인은 채무인수인에 대하여 손해배상채권을 취득하는 이외에 이 사유를 들어 매매계약을 해제할 수 있다(대판 2004.7.9, 2004다13083).

④ 부동산매매계약과 함께 이행인수계약이 이루어진 경우, 매수인이 인수한 채무는 매매대금지급채무에 갈음한 것으로서 매도인이 매수인의 인수채무불이행으로 말미암아 또는 임의로 인수채무를 대신 변제하였다면, 그로 인한 손해배상채무 또는 구상채무는 인수채무의 변형으로서 매매대금지급채무에 갈음한 것의 변형이므로 매수인의 손해배상채무 또는 구상채무와 매도인의 소유권이전등기의무는 대가적 의미가 있어 이행상 견련관계에 있다고 인정되고, 따라서 양자는 동시이행의 관계에 있다고 해석함이 공평의 관념 및 신의칙에 합당하다(대판 2004.7.9, 2004다13083).

⑤ 매매의 목적이 된 부동산에 설정된 저당권의 행사로 인하여 매수인이 취득한 소유권을 잃은 때에는 매수인은 민법 제576조 제1항의 규정에 의하여 매매계약을 해제할 수 있지만, 매수인이 매매목적물에 관한 근저당권의 피담보채무를 인수하는 것으로 매매대금의 지급에 갈음하기로 약정한 경우에는 특별한 사정이 없는 한, 매수인으로서는 매도인에 대하여 민법 제576조 제1항의 담보책임을 면제하여 주었거나 이를 포기한 것으로 봄이 상당하므로, 매수인이 매매목적물에 관한 근저당권의 피담보채무 중 일부만을 인수한 경우 매도인으로서는 자신이 부담하는 피담보채무를 모두 이행한 이상 매수인이 인수한 부분을 이행하지 않음으로써 근저당권이 실행되어 매수인이 취득한 소유권을 잃게 되더라도 민법 제576조 소정의 담보책임을 부담하게 되는 것은 아니다(대판 2002.9.4, 2002다11151).

05 채무인수에 관한 설명 중 옳은 것을 모두 고른 것은? (다툼이 있는 경우에는 판례에 의함)

▶ 2013년 사법시험

ㄱ. 부동산 매수인이 그 물건에 설정된 저당권의 피담보채무를 인수하면서 그 채무액을 매매대금에서 공제하기로 약정한 경우, 그 인수는 특별한 사정이 없는 한 매도인을 면책시키는 채무인수로 보아야 한다.

ㄴ. 상사시효의 적용을 받는 채무를 면책적으로 인수한 경우, 그 채무인수행위가 상행위나 보조적 상행위에 해당하지 않더라도 인수채무의 소멸시효는 여전히 상사시효의 적용을 받는다.

ㄷ. 면책적 채무인수는 채권자와 인수인 사이의 계약으로 할 수 있으나, 인수인은 언제나 채무자의 의사에 반하여 채무를 인수하지 못한다.

ㄹ. 채권자의 승낙에 의하여 채무인수의 효력이 생기는 경우, 채권자가 승낙을 거절하면 그 이후에는 채권자가 다시 승낙하여도 채무인수로서의 효력이 생기지 않는다.

ㅁ. 채권자가 면책적 채무인수인에 대하여 인수채무금의 지급을 직접 청구하였다면 그 지급청구로써 그 채무인수를 묵시적으로 승낙한 것으로 볼 수 있다.

① ㄴ, ㄹ, ㅁ   ② ㄱ, ㄴ, ㄹ
③ ㄱ, ㄷ, ㄹ   ④ ㄴ, ㄷ, ㅁ
⑤ ㄱ, ㄴ, ㄷ

해설 ㄱ. 부동산의 매수인이 매매목적물에 관한 근저당권의 피담보채무·가압류채무·임대차보증금 반환채무를 인수하는 한편 그 채무액을 매매대금에서 공제하기로 약정한 경우, 다른 특별한 약정이 없는 이상, 이는 매도인을 면책시키는 채무인수가 아니라 이행인수로 보아야 한다(대판 2008.4.24, 2008다3053·3060).

ㄴ. 면책적 채무인수라 함은 채무의 동일성을 유지하면서 이를 종래의 채무자로부터 제3자인 인수인에게 이전하는 것을 목적으로 하는 계약으로서, 채무인수로 인하여 인수인은 종래의 채무자와 지위를 교체하여 새로이 당사자로서 채무관계에 들어서서 종래의 채무자와 동일한 채무를 부담하고 동시에 종래의 채무자는 채무관계에서 탈퇴하여 면책되는 것일 뿐이므로, 인수채무가 원래 5년의 상사시효의 적용을 받던 채무라면 그 후 면책적 채무인수에 따라 그 채무자의 지위가 인수인으로 교체되었다고 하더라도 그 소멸시효의 기간은 여전히 5년의 상사시효의 적용을 받는다 할 것이고, 이는 채무인수행위가 상행위나 보조적 상행위에 해당하지 아니한다고 하여 달리 볼 것이 아니다(대판 1999.7.9, 99다12376).

ㄷ. 인수인은 채권자와의 계약으로 채무를 인수하여 채무자의 채무를 면하게 할 수 있다. 그러나 이해관계없는 제3자는 채무자의 의사에 반하여 채무를 인수하지 못한다(제453조). 따라서 이해관계있는 인수인은 채무자의 의사에 반하여 채무를 인수할 수 있다고 해석한다.

ㄹ. 채권자의 승낙에 의하여 채무인수의 효력이 생기는 경우, 채권자가 승낙을 거절하면 그 이후에는 채권자가 다시 승낙하여도 채무인수로서의 효력이 생기지 않는다(대판 1998.11.24, 98다33765).

ㅁ. 채무자와 인수인 간의 계약에 의한 면책적 채무인수에 대하여 채권자는 명시적인 방법뿐만 아니라 묵시적인 방법으로도 승낙을 할 수 있는 것인데, 채권자가 직접 채무인수인에 대하여 인수채무금의 지급을 청구하였다면 그 지급청구로써 묵시적으로 채무인수를 승낙한 것으로 보아야 한다(대판 1989.11.14, 88다카29962).

정답 05 ①

01 변제 또는 변제충당에 관한 설명 중 가장 옳지 않은 것은? (다툼이 있는 경우 판례에 의함)

▸ 2014년 법무사

① 채무의 변제는 제3자도 할 수 있으나, 채무의 성질 또는 당사자의 의사표시로 제3자의 변제를 허용하지 아니하는 때에는 그러하지 아니하다. 그리고 이해관계없는 제3자는 채무자의 의사에 반하여 변제하지 못한다.

② 채무자가 1개 또는 수 개의 채무의 비용 및 이자를 지급할 경우에 변제자가 그 전부를 소멸하게 하지 못한 급여를 한 때에는 비용, 이자, 원본의 순서로 변제에 충당하여야 한다.

③ 이행지체에 빠진 채무자가 원본뿐 아니라 지연이자도 지급할 의무가 있는 경우에, 채무자가 원본과 지연이자를 합한 전액에 미치지 못하는 이행제공을 하면서 이를 원본에 대한 변제로 지정하였더라도, 그 지정은 변제충당의 법리에 따라 채권자에 대하여 효력이 있으므로, 채권자는 그 수령을 거절할 수 없다.

④ 민법 제470조에 정하여진 채권의 준점유자라 함은, 변제자의 입장에서 볼 때 일반의 거래관념상 채권을 행사할 정당한 권한을 가진 것으로 믿을 만한 외관을 가지는 사람을 말하므로 준점유자가 스스로 채권자라고 하여 채권을 행사하는 경우뿐만 아니라 채권자의 대리인이라고 하면서 채권을 행사하는 때에도 채권의 준점유자에 해당한다.

⑤ 채권자와 채무자 사이에 미리 변제충당에 관한 약정이 있으며, 그 약정 내용이, 변제가 채권자에 대한 모든 채무를 소멸시키기에 부족한 경우 채권자가 적당하다고 인정하는 순서와 방법에 의하여 충당하기로 한 것이라면, 채권자가 위 약정에 터잡아 스스로 적당하다고 인정하는 순서와 방법에 좇아 변제충당을 한 이상 채무자에 대한 의사표시와 관계없이 그 충당의 효력이 있다.

해설 ① 제469조【제3자의 변제】
① 채무의 변제는 제3자도 할 수 있다. 그러나 채무의 성질 또는 당사자의 의사표시로 제3자의 변제를 허용하지 아니하는 때에는 그러하지 아니하다.
② 이해관계없는 제3자는 채무자의 의사에 반하여 변제하지 못한다.

② 채무자가 1개 또는 수 개의 채무의 비용 및 이자를 지급할 경우에 변제자가 그 전부를 소멸하게 하지 못한 급여를 한 때에는 비용, 이자, 원본의 순서로 변제에 충당하여야 한다(제479조 제1항).

③ 채무자가 이행지체에 빠진 이상, 채무자의 이행제공이 이행지체를 종료시키려면 완전한 이행을 제공하여야 하므로, 채무자가 원본뿐 아니라 지연이자도 지급할 의무가 있는 때에는 원본과 지연이자를 합한 전액에 대하여 이행의 제공을 하여야 할 것이고, 그에 미치지 못하는 이행제공을 하면서 이를 원본에 대한 변제로 지정하였더라도, 그 지정은 민법 제479조 제1

항에 반하여 채권자에 대하여 효력이 없으므로, 채권자는 그 수령을 거절할 수 있다(대판 2005.8.19, 2003다22042).

④ 민법 제470조에 정하여진 채권의 준점유자라 함은, 변제자의 입장에서 볼 때 일반의 거래관념상 채권을 행사할 정당한 권한을 가진 것으로 믿을 만한 외관을 가지는 사람을 말하므로 준점유자가 스스로 채권자라고 하여 채권을 행사하는 경우뿐만 아니라 채권자의 대리인이라고 하면서 채권을 행사하는 자도 채권의 준점유자에 해당한다(대판 2004.4.23, 2004다5389). → 예금주의 대리인이라고 주장하는 자가 예금주의 통장과 인감을 소지하고 예금반환청구를 한 경우, 은행이 예금청구서에 나타난 인영과 비밀번호를 신고된 것과 대조 확인하는 외에 주민등록증을 통하여 예금주와 청구인의 호주가 동일인이라는 점까지 확인하여 예금을 지급하였다면 이는 채권의 준점유자에 대한 변제로서 유효하다고 한 사례이다.

⑤ 변제충당지정은 상대방에 대한 의사표시로써 하여야 하나, 채권자와 채무자 사이에 변제충당에 관한 약정이 있고, 그 약정내용이 변제가 채권자에 대한 모든 채무를 소멸시키기에 부족한 때에는 채권자가 적당하다고 인정하는 순서와 방법에 의하여 충당하기로 한 것이라면, 변제수령권자인 채권자가 위 약정에 터잡아 스스로 적당하다고 인정하는 순서와 방법에 좇아 변제충당을 한 이상 변제자에 대한 의사표시와 관계없이 충당의 효력이 있다(대판 2012.4.13, 2010다1180).

02 변제 또는 변제충당에 관한 다음 설명 중 가장 옳지 않은 것은? (다툼이 있는 경우 판례에 의함)
▶ 2016년 법무사

① 변제는 채무내용에 좇은 현실제공으로 이를 하여야 한다. 그러나 채권자가 미리 변제받기를 거절하거나 채무의 이행에 채권자의 행위를 요하는 경우에는 변제준비의 완료를 통지하고 그 수령을 최고하면 된다.

② 채무자는 물론 채권자라고 할지라도 비용, 이자, 원본의 순서와 다르게 일방적으로 충당의 순서를 지정할 수는 없으므로, 당사자의 일방적인 지정에 대하여 상대방이 지체 없이 이의를 제기하지 아니함으로써 묵시적 합의가 되었다고 보여지는 경우라도 위 법정충당의 순서와는 달리 충당의 순서를 인정할 수는 없다.

③ 변제자가 주채무자인 경우 보증인이 있는 채무와 보증인이 없는 채무 사이에 변제이익의 점에서 차이가 없다.

④ 변제자가 채무자인 경우 물상보증인이 제공한 물적 담보가 있는 채무와 그러한 담보가 없는 채무 사이에 변제이익의 점에서 차이가 없다.

⑤ 채권자의 태도로 보아 채무자가 설사 채무의 이행제공을 하였더라도 그 수령을 거절하였을 것이 명백한 경우에는 채무자는 이행의 제공을 하지 않고 바로 변제공탁할 수 있는 것이다.

해설 ① 제460조 【변제제공의 방법】변제는 채무내용에 좇은 현실제공으로 이를 하여야 한다. 그러나 채권자가 미리 변제받기를 거절하거나 채무의 이행에 채권자의 행위를 요하는 경우에는 변제준비의 완료를 통지하고 그 수령을 최고하면 된다.

정답 01 ③ 02 ②

② 비용, 이자, 원본에 대한 변제충당에 있어서는 민법 제479조에 그 충당 순서가 법정되어 있고 지정 변제충당에 관한 민법 제476조는 준용되지 않으므로 원칙적으로 비용, 이자, 원본의 순서로 충당하여야 하고, 채무자는 물론 채권자라 할지라도 위 법정 순서와 다르게 일방적으로 충당의 순서를 지정할 수는 없다. 그러나 당사자 사이에 특별한 합의가 있는 경우이거나 당사자의 일방적인 지정에 대하여 상대방이 지체 없이 이의를 제기하지 아니함으로써 묵시적인 합의가 되었다고 보이는 경우에는 그 법정충당의 순서와는 달리 충당의 순서를 인정할 수 있다(대판 2009.6.11, 2009다12399).

③ 변제자가 주채무자인 경우 보증인이 있는 채무와 보증인이 없는 채무 사이에는 양자의 변제이익은 같으며, 또한 마찬가지로 보증기간 중이든 종료 후이든 양자는 변제이익이 같다(대판 1999.8.24, 99다26481).

④ 변제자가 주채무자인 경우 보증인이 있는 채무와 보증인이 없는 채무 사이에 전자가 후자에 비하여 변제이익이 더 많다고 볼 근거는 전혀 없으므로 양자는 변제이익의 점에서 차이가 없다고 보아야 한다. 마찬가지로 변제자가 채무자인 경우 물상보증인이 제공한 물적 담보가 있는 채무와 그러한 담보가 없는 채무 사이에도 변제이익의 점에서 차이가 없다(대판 2014.4.30, 2013다8250).

⑤ 채권자의 태도로 보아 채무자가 설사 채무의 이행제공을 하였더라도 그 수령을 거절하였을 것이 명백한 경우에는 채무자는 이행의 제공을 하지 않고 바로 변제공탁할 수 있다(대판 1981.9.8, 80다2851).

03 다음 설명 중 옳은 것은? (다툼이 있는 경우 판례에 의함) ▶ 2016년 변호사

① 채무의 일부 변제제공은 채무의 본지에 따른 이행의 제공이라 할 수 없어 이행제공의 효력이 발생할 수 없으나, 채무의 일부를 공탁한 경우에는 그 부분에 한해 원칙적으로 변제의 효력이 발생한다.

② 비용, 이자, 원본에 대한 변제충당에 있어서는 민법 제479조에 그 충당 순서가 법정되어 있으므로 당사자 사이에 특별한 합의가 없는 한 비용, 이자, 원본의 순서로 변제에 충당하여야 할 것이나, 채권자는 일방적으로 위 법정 순서와 다르게 충당의 순서를 지정할 수 있다.

③ 채무의 성질 또는 당사자의 의사표시로 변제장소를 정하지 아니한 때에는 특정물의 인도는 채권자의 현주소지에서 하여야 한다.

④ 채권의 준점유자에 대한 변제는 변제자가 선의이며 과실이 없는 경우에 한해 효력이 있는데, 만약 그 변제를 받은 자에게 변제수령의 권한이 인정된다면 채권의 준점유자에 대한 변제의 법리를 적용할 필요 없이 그에 대한 변제는 유효하다.

⑤ 변제받을 권한 없는 자에 대한 변제의 경우에도 채권자가 이익을 받은 한도에서 효력이 있는데, 여기에서 말하는 '채권자가 이익을 받은' 경우에는 변제의 수령자가 진정한 채권자에게 채무자의 변제로 받은 급부를 직접 전달한 경우는 포함되나, 무권한자의 변제수령을 채권자가 사후에 추인한 경우는 포함되지 않는다.

해설 ① 채무의 일부 변제제공은 채무의 본지에 따른 이행의 제공이라 할 수 없어 이행제공의 효력이 발생할 수 없으며, 마찬가지로 채무의 일부를 공탁한 경우에는 그 부분에 한해서도 원칙적으

로 변제의 효력이 발생하지 않는다(대판 1998.10.13. 98다17046).

② 비용, 이자, 원본에 대한 변제충당에 있어서는 민법 제479조에 그 충당 순서가 법정되어 있으므로 당사자 사이에 특별한 합의가 없는 한 비용, 이자, 원본의 순서로 변제에 충당하여야 할 것이며, 이는 채권자가 일방적으로 위 법정 순서와 다르게 충당의 순서를 지정할 수도 없다. 따라서 변경을 가하려면 합의충당을 하여야 한다(제479조, 대판 2012.4.13.2010다1180).

③ 채무의 성질 또는 당사자의 의사표시로 변제장소를 정하지 아니한 때에는 특정물의 인도는 채권자의 현주소지가 아닌 채권성립당시 그 물건이 있던 장소에서 하여야 한다(제467조 제1항).

④ 민법 제470조에서 정하는 '채권의 준점유자'는 진정한 채권자 등 변제수령의 권한이 있는 자 이외의 자로서 변제자의 입장에서 볼 때 일반의 거래관념상 채권을 행사할 정당한 권한을 가진 것으로 믿을 만한 외관을 가지는 사람을 말한다. 따라서 채무자가 채권의 준점유자에 대한 변제를 가리기 위해서는, 먼저 그 변제를 받은 자가 변제를 수령할 권한이 없는 자임이 전제가 되어야 하고, 만약 변제수령의 권한이 인정되면 채권의 준점유자에 대한 변제의 법리를 적용할 필요 없이 그에 대한 변제는 유효하다고 보아야 한다(대판 2012.6.14. 2010다29034).

⑤ 민법 제472조는 불필요한 연쇄적 부당이득반환의 법률관계가 형성되는 것을 피하기 위하여 변제받을 권한 없는 자에 대한 변제의 경우에도 채권자가 이익을 받은 한도에서 효력이 있다고 규정하고 있는데, 여기에서 말하는 '채권자가 이익을 받은' 경우에는 변제의 수령자가 진정한 채권자에게 채무자의 변제로 받은 급부를 전달한 경우는 물론이고, 그렇지 않더라도 무권한자의 변제수령을 채권자가 사후에 추인한 때와 같이 무권한자의 변제수령을 채권자의 이익으로 돌릴 만한 실질적 관련성이 인정되는 경우도 포함된다(대판 2012.10.25. 2010다32214).

04 변제에 관한 다음 설명 중 가장 옳지 않은 것은? (다툼이 있는 경우 판례에 의함)

▶ 2015년 법무사

① 채무의 변제는 원칙적으로 채무자뿐만 아니라 제3자도 할 수 있고, 채무의 성질상 반드시 변제자 본인의 행위에 의해서만 가능한 것이 아닌 이상 제3자를 이행보조자 내지 이행대행자로 사용하여 대위변제할 수도 있다.

② 채무자를 위하여 변제한 자는 변제와 동시에 채권자의 승낙을 얻어 채권자를 대위할 수 있고, 변제할 정당한 이익이 있는 자는 변제로 당연히 채권자를 대위한다.

③ 연대채무자가 변제 기타 자기의 출재로 공동면책을 얻은 때에는 다른 연대채무자의 부담부분에 대하여 구상권을 행사할 수 있고, 그 부담부분은 균등한 것으로 추정되나 연대채무자 사이에 부담부분에 관한 특약이 있거나 특약이 없더라도 채무의 부담과 관련하여 각 채무자의 수익비율이 다르다면 특약 또는 비율에 따라 부담분이 결정된다.

④ 채권의 일부에 대하여 대위변제가 있는 때에는 대위자는 그 변제한 가액에 비례하여 채권자와 함께 그 권리를 행사하고, 채무불이행을 원인으로 하는 계약의 해지 또는 해제는 채권자만이 할 수 있다.

⑤ 채권자의 고의나 과실로 담보가 상실 또는 감소한 경우 민법 제485조에 의하여 법정대위자가 면책되는지 여부 및 면책되는 범위는 대위 변제한 시점을 표준시점으로 하여 판단하여야 한다.

해설 ① 채무의 변제는 원칙적으로 채무자뿐만 아니라 제3자도 할 수 있고, 채무의 성질상 반드시 변제자 본인의 행위에 의해서만 가능한 것이 아닌 이상 제3자를 이행보조자 내지 이행대행자로 사용하여 대위변제할 수도 있다(대판 2001.6.15, 99다13513).

② 채무자를 위하여 변제한 자는 변제와 동시에 채권자의 승낙을 얻어 채권자를 대위할 수 있고, 변제할 정당한 이익이 있는 자는 변제로 당연히 채권자를 대위한다(제480조, 제481조).

③ 연대채무자가 변제 기타 자기의 출재로 공동면책을 얻은 때에는 다른 연대채무자의 부담부분에 대하여 구상권을 행사할 수 있고, 그 부담부분은 균등한 것으로 추정되나 연대채무자 사이에 부담부분에 관한 특약이 있거나 특약이 없더라도 채무의 부담과 관련하여 각 채무자의 수익비율이 다르다면 특약 또는 비율에 따라 부담분이 결정된다(대판 2014.8.20, 2012다97420).

④ 채권의 일부에 대하여 대위변제가 있는 때에는 대위자는 그 변제한 가액에 비례하여 채권자와 함께 그 권리를 행사하고, 채무불이행을 원인으로 하는 계약의 해지 또는 해제는 채권자만이 할 수 있다(제483조).

⑤ 채권자의 고의나 과실로 담보가 상실 또는 감소한 경우 민법 제485조에 의하여 법정대위자가 면책되는지 여부 및 면책되는 범위는 대위 '변제한 시점'을 표준시점이 아닌 채권자가 권리를 '포기한 시점'(=담보가 상실 또는 감소된 시점)을 기준으로 하여 판단하여야 한다(대판 2014.10.15, 2013다91788).

05 변제에 관한 설명 중 가장 옳지 않은 것은? (다툼이 있는 경우 판례에 의함)

① 채무의 변제는 원칙적으로 채무자뿐만 아니라 제3자도 할 수 있고, 채무의 성질상 반드시 변제자 본인의 행위에 의해서만 가능한 것이 아닌 이상 제3자를 이행보조자 내지 이행대행자로 사용하여 변제할 수도 있다.

② 담보권자가 담보권을 확보하기 위하여 지출한 비용은 특약이 없는 한 담보권자가 부담하여야 한다.

③ 민법 제470조에 정하여진 채권의 준점유자라 함은, 변제자의 입장에서 볼 때 일반의 거래관념상 채권을 행사할 정당한 권한을 가진 것으로 믿을 만한 외관을 가지는 사람을 말하므로 준점유자가 스스로 채권자라고 하여 채권을 행사하는 경우뿐만 아니라 채권자의 대리인이라고 하면서 채권을 행사하는 때에도 채권의 준점유자에 해당한다.

④ 채무자가 채무 전부를 변제한 때에는 채권자에게 채권증서의 반환을 청구할 수 있는데, 이때 채권증서의 반환과 변제는 동시이행관계에 있다.

⑤ 쌍무계약의 당사자 일방이 먼저 한 번 현실의 제공을 하고, 상대방을 수령지체에 빠지게 하였다고 하더라도 그 이행의 제공이 계속되지 않는 경우는 과거에 이행의 제공이 있었다는 사실만으로 상대방이 가지는 동시이행의 항변권이 소멸하는 것은 아니다.

해설 ① 채무의 변제는 원칙적으로 채무자뿐만 아니라 제3자도 할 수 있고, 채무의 성질상 반드시 변제자 본인의 행위에 의해서만 가능한 것이 아닌 이상, 제3자를 이행보조자 내지 이행대행자로 사용하여 대위변제할 수도 있다(대판 2001.6.15, 99다13515).

② 담보권자가 담보권을 확보하기 위하여 지출한 비용은 특약이 없는 한 담보권자가 부담하여야 한다(대판 1987.6.9, 86다카2435).

③ 민법 제470조에 정하여진 채권의 준점유자라 함은, 변제자의 입장에서 볼 때 일반의 거래관념
상 채권을 행사할 정당한 권한을 가진 것으로 믿을 만한 외관을 가지는 사람을 말하므로 준점
유자가 스스로 채권자라고 하여 채권을 행사하는 경우뿐만 아니라 채권자의 대리인이라고 하
면서 채권을 행사하는 때에도 채권의 준점유자에 해당한다(대판 2004.4.23, 2004다5389).

④ 채무자가 채무 전부를 변제한 때에는 채권자에게 채권증서의 반환을 청구할 수 있으며, 제3자
가 변제를 하는 경우에는 제3자도 채권증서의 반환을 구할 수 있으나(민법 제475조 참조), 이러
한 채권증서 반환청구권은 채권 전부를 변제한 경우에 인정되는 것이고, 영수증 교부의무와는
달리 변제와 동시이행관계에 있지 않고, 한편 파산법 제241조 제2항에서 "파산관재인이 배당
을 한 때에는 채권표 및 채권의 증서에 배당한 금액을 기입하고 이에 기명날인하여야 한다."고
규정하고 있지만, 위 규정만으로 채권증서 자체를 배당금 지급(일부 변제)과 동시이행으로 파
산관재인에게 교부하여야 할 의무가 인정되는 것은 아니다(대판 2005.8.19, 2003다22042).

⑤ 쌍무계약의 당사자 일방이 먼저 한번 현실의 제공을 하고 상대방을 수령지체에 빠지게 하였
다 하더라도 그 이행의 제공이 계속되지 않는 경우는 과거에 이행의 제공이 있었다는 사실만
으로 상대방이 가지는 동시이행의 항변권이 소멸하는 것은 아니므로, 일시적으로 당사자 일
방의 의무의 이행제공이 있었으나 곧 그 이행의 제공이 중지되어 더 이상 그 제공이 계속되
지 아니하는 기간 동안에는 상대방의 의무가 이행지체 상태에 빠졌다고 할 수는 없다고 할
것이고, 따라서 그 이행의 제공이 중지된 이후에 상대방의 의무가 이행지체되었음을 전제로
하는 손해배상청구도 할 수 없다(대판 1999.7.9, 98다13754·13761).

---

06 변제 또는 변제충당에 관한 다음 설명 중 가장 옳지 않은 것은? (다툼이 있는 경우 판례에 의함)
▶ 2017년 법무사

① 변제자가 주채무자인 경우, 보증인이 있는 채무와 보증인이 없는 채무 사이에 전자가
후자에 비하여 변제이익이 더 많다고 볼 근거는 전혀 없으므로 양자는 변제이익의 점
에서 차이가 없다고 보아야 하나, 물상보증인이 제공한 물적 담보가 있는 채무와 그러
한 담보가 없는 채무 사이에는 변제이익의 점에서 차이가 있다.

② 채무자는 물론 채권자라고 할지라도 비용, 이자, 원본의 순서와 다르게 일방적으로 충
당의 순서를 지정할 수는 없으나, 당사자의 일방적인 지정에 대하여 상대방이 지체 없
이 이의를 제기하지 아니함으로써 묵시적 합의가 되었다고 보여지는 경우 위 법정충당
의 순서와는 달리 충당의 순서를 인정할 수 있다.

③ 민법 제472조는 불필요한 연쇄적 부당이득반환의 법률관계가 형성되는 것을 피하기
위하여 변제받을 권한 없는 자에 대한 변제의 경우에도 그로 인하여 채권자가 이익을
받은 한도에서 효력이 있다고 규정하고 있다. 그런데 변제수령자가 변제로 받은 급부
를 가지고 자신이나 제3자의 채권자에 대한 채무를 변제함으로써 채권자의 기존 채권
을 소멸시킨 경우에는 채권자에게 실질적인 이익이 생겼다고 할 수 없으므로 위 규정
에 의한 변제의 효력을 인정할 수 없다.

④ 채권의 일부에 대하여 대위변제가 있는 때에는 대위자는 그 변제한 가액에 비례하여 채권자와 함께 그 권리를 행사하나, 채무불이행을 원인으로 하는 계약의 해지 또는 해제는 채권자만이 할 수 있다.

⑤ 채권의 준점유자에 대한 변제는 변제자가 선의이며 과실 없는 때에 한하여 효력이 있다.

해설 ① 변제자가 주채무자인 경우 보증인이 있는 채무와 보증인이 없는 채무 사이에 전자가 후자에 비하여 변제이익이 더 많다고 볼 근거는 전혀 없으므로 양자는 변제이익의 점에서 차이가 없다고 보아야 한다. 마찬가지로 변제자가 채무자인 경우 물상보증인이 제공한 물적 담보가 있는 채무와 그러한 담보가 없는 채무 사이에도 변제이익의 점에서 차이가 없다(대판 2014.4.30. 2013다8250).

② 비용, 이자, 원본에 대한 변제충당에 있어서는, 민법 제479조에 그 충당 순서가 법정되어 있고 지정 변제충당에 관한 같은 법 제476조는 준용되지 않으므로, 당사자 사이에 특별한 합의가 없는 한 비용, 이자, 원본의 순서로 충당하여야 할 것이고, 채무자는 물론 채권자라고 할지라도 위 법정 순서와 다르게 일방적으로 충당의 순서를 지정할 수는 없다고 할 것이지만, 당사자의 일방적인 지정에 대하여 상대방이 지체없이 이의를 제기하지 아니함으로써 묵시적인 합의가 되었다고 보여지는 경우에는 그 법정충당의 순서와는 달리 충당의 순서를 인정할 수 있는 것이다(대판 2002.5.10. 2002다12871·12888).

③ 민법 제472조는 불필요한 연쇄적 부당이득반환의 법률관계가 형성되는 것을 피하기 위하여 변제받을 권한 없는 자에 대한 변제의 경우에도 그로 인하여 채권자가 이익을 받은 한도에서 효력이 있다고 규정하고 있다. 여기에서 '채권자가 이익을 받은' 경우란 변제수령자가 채권자에게 변제로 받은 급부를 전달한 경우는 물론이고, 변제수령자가 변제로 받은 급부를 가지고 채권자의 자신에 대한 채무의 변제에 충당하거나 채권자의 제3자에 대한 채무를 대신 변제함으로써 채권자의 기존 채무를 소멸시키는 등 채권자에게 실질적인 이익이 생긴 경우를 포함하나, 변제수령자가 변제로 받은 급부를 가지고 자신이나 제3자의 채권자에 대한 채무를 변제함으로써 채권자의 기존 채권을 소멸시킨 경우에는 채권자에게 실질적인 이익이 생겼다고 할 수 없으므로 민법 제472조에 의한 변제의 효력을 인정할 수 없다(대판 2014.10.15. 2013다17117).

④ 제483조【일부의 대위】
① 채권의 일부에 대하여 대위변제가 있는 때에는 대위자는 그 변제한 가액에 비례하여 채권자와 함께 그 권리를 행사한다.
② 전항의 경우에 채무불이행을 원인으로 하는 계약의 해지 또는 해제는 채권자만이 할 수 있고 채권자는 대위자에게 그 변제한 가액과 이자를 상환하여야 한다.

⑤ 제470조【채권의 준점유자에 대한 변제】 채권의 준점유자에 대한 변제는 변제자가 선의이며 과실 없는 때에 한하여 효력이 있다.

07 변제충당에 관한 다음 설명 중 가장 옳지 않은 것은? (다툼이 있는 경우 판례에 의함)

▶ 2018년 9급(법원서기보)

① 법정변제충당의 경우 이행기가 도래한 채무와 도래하지 아니한 채무가 있으면 이행기가 도래한 채무의 변제에 충당하는데, 이행기의 도래 여부는 이행기의 유예가 있더라도 본래의 이행기를 기준으로 판단한다.

② 변제자가 주채무자인 경우 보증인이 없는 채무가 보증인이 있는 채무보다 변제이익이 더 많다고 볼 수 없다.

③ 지정변제충당에서 변제자의 지정이 없다면 변제받은 자가 그 당시 어느 채무를 지정하여 변제에 충당할 수 있지만, 변제자가 그 충당에 대하여 즉시 이의를 한 때에는 그러하지 아니하다.

④ 채무자의 변제가 모든 채무를 소멸시키기에 부족한 때에는 채권자가 적당하다고 인정하는 순서와 방법에 의하여 충당하기로 약정하였으면, 채권자는 별도의 의사표시를 하지 않고도 그 약정에 터 잡아 스스로 적당하다고 인정하는 순서와 방법에 좇아 변제충당을 할 수 있다.

해설
① 채무 중에 이행기가 도래한 것과 도래하지 아니한 것이 있으면 이행기가 도래한 채무의 변제에 충당한다(제477조 제1호). 이 경우 법정변제충당의 순위를 정함에 있어서 변제의 유예가 있는 채무에 대하여는 유예기까지 변제기가 도래하지 않은 것과 같게 보아야 한다(대판 1999.8.24, 99다22281·22298).

② 변제자가 주채무자인 경우 보증인이 있는 채무와 보증인이 없는 채무 사이에 전자가 후자에 비하여 변제이익이 더 많다고 볼 근거는 전혀 없으므로 양자는 변제이익의 점에서 차이가 없다고 보아야 한다. 마찬가지로 변제자가 채무자인 경우 물상보증인이 제공한 물적 담보가 있는 채무와 그러한 담보가 없는 채무 사이에도 변제이익의 점에서 차이가 없다(대판 2014.4.30, 2013다8250). 즉 보증인의 유무는 변제이익의 다과에 영향을 주지 못한다.

③ 제476조 제2항 【지정변제충당】 변제자가 전항의 지정을 하지 아니할 때에는 변제받는 자는 그 당시 어느 채무를 지정하여 변제에 충당할 수 있다. 그러나 변제자가 그 충당에 대하여 즉시 이의를 한 때에는 그러하지 아니하다.

④ 변제충당 지정은 상대방에 대한 의사표시로서 하여야 하는 것이기는 하나, 변제충당에 관한 민법 제476조 내지 제479조의 규정은 임의규정이므로 변제자(채무자)와 변제수령자(채권자)는 약정에 의하여 위 각 규정을 배제하고 제공된 급부를 어느 채무에 어떤 방법으로 충당할 것인가를 결정할 수 있고, 이와 같이 채권자와 채무자 사이에 미리 변제충당에 관한 약정이 있으며, 그 약정 내용이, 변제가 채권자에 대한 모든 채무를 소멸시키기에 부족한 경우 채권자가 적당하다고 인정하는 순서와 방법에 의하여 충당하기로 한 것이라면, 채권자가 위 약정에 터잡아 스스로 적당하다고 인정하는 순서와 방법에 좇아 변제충당을 한 이상 채무자에 대한 의사표시와 관계없이 그 충당의 효력이 있다(대판 2004.3.25, 2001다53349).

정답 **07** ①

08 변제충당에 관한 다음 설명 중 가장 옳지 않은 것은? ▶ 2018년 법원행시

① 변제충당이란 채무자가 동일한 채권자에 대하여 동종의 목적을 갖는 수개의 채무를 부담하는 경우 또는 1개의 채무의 변제로 수개의 급부를 하여야 할 경우에 변제제공된 것이 채무 전부를 소멸시키기에 부족한 때에, 변제제공된 것으로 어느 채무의 변제에 충당할 것인지를 결정하는 것을 뜻한다.

② 배당기일 이후 배당표 확정시까지 해당 채권의 이자 또는 지연손해금이 발생하였는데도 이를 배제하고 배당기일까지 발생한 이자 또는 지연손해금의 변제에만 충당한다면, 이는 변제의 효력이 발생하는 시점과 변제충당의 기준시점을 달리 보는 것이 되어 변제충당의 본질에 어긋난다.

③ 연대보증인이 주채무자의 채무 중 일정 범위에 대하여 보증을 한 경우에 주채무자가 일부변제를 하면, 특별한 사정이 없는 한 일부변제금은 주채무자의 채무 전부를 대상으로 변제충당의 일반원칙에 따라 충당되고, 연대보증인은 변제충당 후 남은 주채무자의 채무 중 보증한 범위 내의 것에 대하여 보증책임을 부담한다.

④ 변제충당에 관한 민법 제476조 내지 제479조의 규정은 임의규정이므로 변제자와 변제받는 자 사이에 위 규정과 다른 약정이 있다면 그 약정에 따라 변제충당의 효력이 발생하고, 위 규정과 다른 약정이 없는 경우에 변제의 제공이 그 채무 전부를 소멸하게 하지 못하는 때에는 민법 제476조의 지정변제충당에 의하여 변제충당의 효력이 발생하고 보충적으로 민법 제477조의 법정변제충당의 순서에 따라 변제충당의 효력이 발생한다.

⑤ 변제충당지정은 상대방에 대한 의사표시로써 하여야 하는 것이므로, 채권자와 채무자 사이에 미리 변제충당에 관한 약정이 있고, 약정내용이 변제가 채권자에 대한 모든 채무를 소멸시키기에 부족한 때에는 채권자가 적당하다고 인정하는 순서와 방법에 의하여 충당하기로 하는 것이며, 변제수령권자인 채권자가 이러한 약정에 터 잡아 스스로 적당하다고 인정하는 순서와 방법에 좇아 변제충당을 하는 경우에도, 변제자에 대한 의사표시를 하여야 변제충당의 효력이 있다.

해설 ①, ② 채권계산서를 제출한 근저당권자의 피담보채권에 대하여 다른 채권자가 이의함으로써 해당 배당액이 공탁되었다가 배당이의소송을 거쳐 배당표가 확정됨에 따라 공탁된 배당금이 지급되는 경우에, 그 배당금은 특별한 사정이 없는 한 민법 제479조 제1항에 따라 배당표의 확정 시까지(배당표 확정시보다 앞서는 공탁금 수령 시에 변제의 효력이 발생한다고 볼 수 있는 경우에는 공탁금 수령 시까지를 의미한다. 이하 같다) 발생한 이자나 지연손해금 채권에 먼저 충당된 다음 원금에 충당된다고 보아야 한다. 이유는 다음과 같다. ① 변제충당이란 채무자가 동일한 채권자에 대하여 동종의 목적을 갖는 수개의 채무를 부담하는 경우 또는 1개의 채무의 변제로 수개의 급부를 하여야 할 경우에 변제제공된 것이 채무 전부를 소멸시키기에 부족한 때에, 변제제공된 것으로 어느 채무의 변제에 충당할 것인지를 결정하는 것을 뜻한다. 배당기일 이후 배당표 확정시까지 해당 채권의 이자 또는 지연손해금이 발생하였는데도 이를 배제하고 배당기일까지 발생한 이자 또는 지연손해금의 변제에만 충당한다면, 이는 변제의 효력이 발생하는 시점과 변제충당의 기준시점을 달리 보는 것이 되어 변제충당의 본질에 어긋난다. ② 공탁된 배당금을 배당이의소송의 결과에 따라 지급하는 것은 그 범위에서 잠정적으로 보류되었던 배당절차를 마무리하는 것이므로, 배당기일에 확정된 배당금을 지급받은 다른 채권자들과의 형평을 고려해야 한다(배당재원은 한정되어 있으므로 어느 한 채권자에 대한 배당액이 늘어나면 다른 채권자에 대한 배당액은 줄어들 수밖에 없기 때문이다). 그러나 배당금의 수령으로 채무 소멸(변제)의 효력이 발생하는 시점에 실체법상 존재하는 채권 중 어느 채권의 변제에 충당할 것인지는 채무자와 해당 채권자 사이에서만 문제 되는 것으로서, 다른 채권자들의 배당액에 영향을 주지 않는다. ③ 채권계산서에 기재된 원금 또는 배당기일까지의 이자·지연손해금만이 '배당액'에 포함될 수 있다고 하여 '변제충당'도 그 원금 또는 이자·지연손해금에 대해서만 할 수 있다고 본다면, 이는 채권계산서를 제출한 근저당권자가 언제나 이자·지연손해금 중 배당기일까지의 부분만을 지정하여 충당할 수 있다고 보는 것과 마찬가지가 된다(대판 2018.3.27, 2015다70822).

③ 연대보증인이 주채무자의 채무 중 일정 범위에 대하여 보증을 한 경우에 주채무자가 일부변제를 하면, 특별한 사정이 없는 한 일부변제금은 주채무자의 채무 전부를 대상으로 변제충당의 일반원칙에 따라 충당되고, 연대보증인은 변제충당 후 남은 주채무자의 채무 중 보증한 범위 내의 것에 대하여 보증책임을 부담한다(대판 2016.8.25, 2016다2840).

④ 변제충당에 관한민법 제476조 내지 제479조의 규정은 임의규정이므로 변제자와 변제받는 자 사이에 위 규정과 다른 약정이 있다면 그 약정에 따라 변제충당의 효력이 발생하고, 위 규정과 다른 약정이 없는 경우에 변제의 제공이 그 채무 전부를 소멸하게 하지 못하는 때에는 민법 제476조의 지정변제충당에 의하여 변제충당의 효력이 발생하고 보충적으로 민법 제477조의 법정변제충당의 순서에 따라 변제충당의 효력이 발생한다(대결 2010.3.10, 2009마1942).

⑤ 변제충당지정은 상대방에 대한 의사표시로써 하여야 하나, 채권자와 채무자 사이에 변제충당에 관한 약정이 있고, 그 약정내용이 변제가 채권자에 대한 모든 채무를 소멸시키기에 부족한 때에는 채권자가 적당하다고 인정하는 순서와 방법에 의하여 충당하기로 한 것이라면, 변제수령권자인 채권자가 위 약정에 터 잡아 스스로 적당하다고 인정하는 순서와 방법에 좇아 변제충당을 한 이상 변제자에 대한 의사표시와 관계없이 충당의 효력이 있다고 해석하는 것이 타당하다(대판 2012.4.13, 2010다1180).

09 **변제에 관한 다음 설명 중 가장 옳지 않은 것은?** ▸ 2020년 법무사

① 변제는 채무내용에 좇은 현실제공으로 이를 하여야 하나, 채권자가 미리 변제받기를 거절하거나 채무의 이행에 채권자의 행위를 요하는 경우에는 변제준비의 완료를 통지하고 그 수령을 최고하면 된다.

② 채무자가 채무 전부를 변제한 때에는 채권자에게 채권증서의 반환을 청구할 수 있으며, 제3자가 변제를 하는 경우에는 제3자도 채권증서의 반환을 구할 수 있으나, 이러한 채권증서 반환청구권은 채권 전부를 변제한 경우에 인정되는 것이고, 영수증 교부의무와는 달리 변제와 동시이행관계에 있지 않다.

정답 ▶ 08 ⑤ 09 ⑤

③ 변제충당지정은 상대방에 대한 의사표시로써 하여야 하나, 채권자와 채무자 사이에 변
제충당에 관한 약정이 있고, 그 약정내용이 변제가 채권자에 대한 모든 채무를 소멸시
키기에 부족한 때에는 채권자가 적당하다고 인정하는 순서와 방법에 의하여 충당하기
로 한 것이라면, 변제수령권자인 채권자가 위 약정에 터 잡아 스스로 적당하다고 인정
하는 순서와 방법에 좇아 변제충당을 한 이상 변제자에 대한 의사표시와 관계없이 충
당의 효력이 있다고 해석하는 것이 타당하다.

④ 담보권 실행을 위한 경매에서 배당된 배당금이 담보권자가 가지는 수개의 피담보채권
전부를 소멸시키기에 부족한 경우에는 민법 제476조에 의한 지정변제충당은 허용될
수 없고, 채권자와 채무자 사이에 변제충당에 관한 합의가 있었다고 하여 그 합의에
따른 변제충당도 허용될 수 없으며, 획일적으로 가장 공평타당한 충당방법인 민법 제
477조 및 제479조의 규정에 의한 법정변제충당의 방법에 따라 충당하여야 한다.

⑤ 채무의 성질 또는 당사자의 의사표시로 변제장소를 정하지 아니한 때에는 특정물의 인
도는 이행기에 그 물건이 있던 장소에서 하여야 한다.

해설 ① 제460조【변제제공의 방법】변제는 채무내용에 좇은 현실제공으로 이를 하여야 한다. 그러
나 채권자가 미리 변제받기를 거절하거나 채무의 이행에 채권자의 행위를 요하는 경우에는
변제준비의 완료를 통지하고 그 수령을 최고하면 된다.

② 채무자가 채무 전부를 변제한 때에는 채권자에게 채권증서의 반환을 청구할 수 있으며, 제3
자가 변제를 하는 경우에는 제3자도 채권증서의 반환을 구할 수 있으나(민법 제475조 참조).
이러한 채권증서 반환청구권은 채권 전부를 변제한 경우에 인정되는 것이고, 영수증 교부의
무와는 달리 변제와 동시이행관계에 있지 않다(대판 2005.8.19, 2003다22042).

③ 변제충당지정은 상대방에 대한 의사표시로써 하여야 하나, 채권자와 채무자 사이에 변제충당
에 관한 약정이 있고, 그 약정내용이 변제가 채권자에 대한 모든 채무를 소멸시키기에 부족한
때에는 채권자가 적당하다고 인정하는 순서와 방법에 의하여 충당하기로 한 것이라면, 변제
수령권자인 채권자가 위 약정에 터 잡아 스스로 적당하다고 인정하는 순서와 방법에 좇아
변제충당을 한 이상 변제자에 대한 의사표시와 관계없이 충당의 효력이 있다고 해석하는 것
이 타당하다(대판 2012.4.13, 2010다1180).

④ 담보권 실행을 위한 경매에서 배당된 배당금이 담보권자가 가지는 수개의 피담보채권 전부를
소멸시키기에 부족한 경우에는 민법 제476조에 의한 지정변제충당은 허용될 수 없고, 채권자
와 채무자 사이에 변제충당에 관한 합의가 있었다고 하여 그 합의에 따른 변제충당도 허용될
수 없으며, 획일적으로 가장 공평타당한 충당방법인 민법 제477조 및 제479조의 규정에 의
한 법정변제충당의 방법에 따라 충당하여야 하는 것이고, 이러한 법정변제충당은 이자 혹은
지연손해금과 원본 간에는 이자 혹은 지연손해금과 원본의 순으로 이루어지고, 원본 상호간
에는 그 이행기의 도래 여부와 도래 시기, 그리고 이율의 고저와 같은 변제이익의 다과에 따
라 순차적으로 이루어지나, 다만 그 이행기나 변제이익의 다과에 있어 아무런 차등이 없을
경우에는 각 원본 채무액에 비례하여 안분하게 되는 것이다(대판 2000.12.8, 2000다51339).

⑤ '채권성립 당시'에 그 물건이 있던 장소에서 하여야 한다. 즉 채무의 성질 또는 당사자의 의사
표시로 변제장소를 정하지 아니한 때에는 특정물의 인도는 채권성립 당시에 그 물건이 있던
장소에서 하여야 한다(민법 제467조 제1항).

10 **변제충당에 관한 다음 설명 중 가장 옳지 않은 것은?** (다툼이 있는 경우 판례에 의함)

▶ 2020년 법원사무관 승진

① 변제자가 주채무자인 경우에 보증인이 있는 채무와 보증인이 없는 채무 사이에 있어서 전자가 후자에 비하여 변제이익이 더 많다.

② 연대보증채무를 포함한 보증채무는 변제자 자신의 채무에 비하여 변제자에게 변제의 이익이 적다.

③ 담보권 실행을 위한 경매에서 배당된 배당금이 담보권자가 가지는 수개의 피담보채권 전부를 소멸시키기에 부족한 경우에는 민법 제476조에 의한 지정변제충당은 허용될 수 없고, 채권자와 채무자 사이에 변제충당에 관한 합의가 있었다고 하여 그 합의에 따른 변제충당도 허용될 수 없으며, 민법 제477조 및 제479조의 규정에 의한 법정변제충당의 방법에 따라 충당하여야 한다.

④ 여러 명의 연대채무자 또는 연대보증인에 대하여 따로따로 소송이 제기되는 등으로 그 판결에 의하여 확정된 채무원본이나 지연손해금의 금액과 이율 등이 서로 달라지게 되어 원금이나 지연손해금에 채무자들이 공동으로 부담하는 부분과 공동으로 부담하지 않는 부분이 생긴 경우에 어느 채무자가 채무 일부를 변제한 때에는 그 변제자가 부담하는 채무 중 공동으로 부담하지 않는 부분의 채무 변제에 우선 충당되고 그 다음 공동 부담 부분의 채무 변제에 충당된다.

> **해설** ① 변제자가 주채무자인 경우 보증인이 있는 채무와 보증인이 없는 채무 사이에 전자가 후자에 비하여 변제이익이 더 많다고 볼 근거는 전혀 없으므로 양자는 변제이익의 점에서 차이가 없다고 보아야 한다. 마찬가지로 변제자가 채무자인 경우 물상보증인이 제공한 물적 담보가 있는 채무와 그러한 담보가 없는 채무 사이에도 변제이익의 점에서 차이가 없다(대판 2014.4.30. 2013다8250).
>
> ② 특별한 사정이 없는 한 변제자가 타인의 채무에 대한 보증인으로서 부담하는 보증채무(연대보증채무도 포함)는 변제자 자신의 채무에 비하여 변제자에게 그 변제의 이익이 적다고 보아야 한다(대판 2002.7.12. 99다68652).
>
> ③ 담보권 실행을 위한 임의경매에서 배당된 배당금이 담보권자가 가지는 수 개의 피담보채권 전부를 소멸시키기에 부족한 경우에는 채권자와 채무자 사이에 변제충당에 관한 합의가 있었다 하더라도 그 합의에 따른 변제충당은 허용될 수 없고, 획일적으로 가장 공평타당한 충당방법인 민법 제477조 및 제479조의 규정에 의한 법정변제충당의 방법에 따라 충당하여야 한다(대판 2001.9.28. 2001다33352).
>
> ④ 여러 명의 연대채무자 또는 연대보증인에 대하여 따로따로 소송이 제기되는 등으로 그 판결에 의하여 확정된 채무원본이나 지연손해금의 금액과 이율 등이 서로 달라지게 되어 원금이나 지연손해금에 채무자들이 공동으로 부담하는 부분과 공동으로 부담하지 않는 부분이 생긴 경우에 어느 채무자가 채무 일부를 변제한 때에는 그 변제자가 부담하는 채무 중 공동으로 부담하지 않는 부분의 채무 변제에 우선 충당되고 그 다음 공동 부담부분의 채무 변제에 충당된다. 그리고 채권의 목적을 달성시키는 변제와 같은 사유는 연대채무자 또는 연대보증채무자 전원에 대하여 절대적 효력을 가지므로 어느 채무자의 변제 등으로 다른 채무자와

정답 ▶ **10** ①

공동으로 부담하는 부분의 채무가 소멸되면 그 채무소멸의 효과는 다른 채무자 전원에 대하여 미친다(대판 2013.3.14, 2012다85281).

11 변제자대위에 관한 다음 설명 중 옳지 않은 것은? (다툼이 있는 경우 판례에 의함)

① 변제자대위는 주채무를 변제함으로써 주채무자 및 다른 연대보증인에 대하여 갖게 된 구상권의 효력을 확보하기 위한 제도여서 대위에 의한 원채권 및 담보권의 행사범위는 구상권의 범위로 한정된다.

② 법정대위할 자가 있는 경우에 채권자의 고의나 과실로 담보가 상실되거나 감소된 때에는 대위할 자는 그 상실 또는 감소로 인하여 상환을 받을 수 없는 한도에서 그 책임을 면한다.

③ 근저당권에 의하여 담보되는 피담보채권이 확정된 경우, 변제할 정당한 이익이 있는 자가 채무자를 위하여 근저당권의 피담보채무의 일부를 대위변제한 때에 대위변제자는 근저당권의 일부이전의 부기등기를 경료하지 않으면 종래 채권자가 가지고 있던 담보권을 취득할 수 없다.

④ 대위에 의해 이전되는 권리는 채권자의 채권 및 담보에 관한 권리이고, 채권자가 계약당사자의 지위에서 가지는 취소권·해제권·해지권 등은 이전되지 않는다.

⑤ 보증인은 미리 전세권이나 저당권의 등기에 그 대위를 부기하지 아니하면 전세물이나 저당물에 권리를 취득한 제3자에 대하여 채권자를 대위하지 못한다. 여기서 '미리'라 함은 보증인이 변제한 후 제3취득자가 등기를 경료하기 전을 말한다.

해설 ① 제482조 제1항【변제자대위의 효과, 대위자간의 관계】전2조의 규정에 의하여 채권자를 대위한 자는 자기의 권리에 의하여 구상할 수 있는 범위에서 채권 및 그 담보에 관한 권리를 행사할 수 있다.

변제자대위는 주채무를 변제함으로써 주채무자 및 다른 연대보증인에 대하여 갖게 된 구상권의 효력을 확보하기 위한 제도여서 대위에 의한 원채권 및 담보권의 행사 범위는 구상권의 범위로 한정된다(대판 2005.10.13, 2003다24147).

② 제485조【채권자의 담보상실, 감소행위와 법정대위자의 면책】제481조(=법정대위)의 규정에 의하여 대위할 자가 있는 경우에 채권자의 고의나 과실로 담보가 상실되거나 감소된 때에는 대위할 자는 그 상실 또는 감소로 인하여 상환을 받을 수 없는 한도에서 그 책임을 면한다.

③ 근저당권에 의하여 담보되는 피담보채권이 확정되게 되면, 그 피담보채권액이 그 근저당권의 채권최고액을 초과하지 않는 한 그 근저당권 내지 그 실행으로 인한 경락대금에 대한 권리 중 그 피담보채권액을 담보하고 남는 부분은 저당권의 일부이전의 부기등기의 경료 여부와 관계없이 대위변제자에게 법률상 당연히 이전된다(대판 2002.7.26, 2001다53929).

④ 제483조【일부의 대위】
① 채권의 일부에 대하여 대위변제가 있는 때에는 대위자는 그 변제한 가액에 비례하여 채권자와 함께 그 권리를 행사한다.
② 전항의 경우에 채무불이행을 원인으로 하는 계약의 해지 또는 해제는 채권자만이 할 수 있고 채권자는 대위자에게 그 변제한 가액과 이자를 상환하여야 한다.

⑤ 제482조 제2항 1호 【변제자대위의 효과, 대위자간의 관계】 보증인은 미리 전세권이나 저당권의 등기에 그 대위를 부기하지 아니하면 전세물이나 저당물에 권리를 취득한 제3자에 대하여 채권자를 대위하지 못한다.

여기서 '미리'라 함은 보증인이 변제한 후 제3취득자가 등기를 경료하기 전을 말한다(통설). 판례도 마찬가지의 입장이다.

타인의 채무를 변제하고 채권자를 대위하는 대위자 상호간의 관계를 규정한 민법 제482조 제2항 제5호 단서에서 대위의 부기등기에 관한 제1호의 규정을 준용하도록 규정한 취지는 자기의 재산을 타인의 채무의 담보로 제공한 물상보증인이 수인일 때 그중 일부의 물상보증인이 채무의 변제로 다른 물상보증인에 대하여 채권자를 대위하게 될 경우에 미리 대위의 부기등기를 하여 두지 아니하면 채무를 변제한 뒤에 그 저당물을 취득한 제3취득자에 대하여 채권자를 대위할 수 없도록 하려는 것이라고 해석되므로, 자신들 소유의 부동산을 채무자의 채무의 담보로 제공한 물상보증인들이 채무를 변제한 뒤 다른 물상보증인 소유부동산에 설정된 근저당권설정등기에 관하여 대위의 부기등기를 하여 두지 아니하고 있는 동안에 제3취득자가 위 부동산을 취득하였다면, 대위변제한 물상보증인들은 제3취득자에 대하여 채권자를 대위할 수 없다(대판 1990.11.9, 90다카10305).

12 변제자대위에 관한 다음 설명 중 가장 옳지 않은 것은? (다툼이 있는 경우 판례에 의함)

▶ 2019년 법원주사보

① 변제자대위란 제3자 또는 공동채무자 등이 변제 또는 담보권 실행 등으로 채권자에게 만족을 준 경우 대위변제자는 채무자에 대하여 구상권을 취득하게 되는데, 이 경우 변제 등으로 소멸하게 될 채권자의 채권 및 담보권을 대위변제자에게 이전시킴으로써 대위변제자의 구상을 용이하게 하는 제도를 말한다.

② 법률의 규정에 의한 권리의 이전인 점에서 법률행위에 의한 채권의 이전인 채권양도와 구별되며, 원권리자의 권리행사가 금지된다는 점에서 피대위권리의 주체인 채무자도 권리를 행사할 수 있는 채권자대위권과 구별된다.

③ 대위변제한 제3자는 채무자에 대한 자신의 구상권 외에, 채권자가 채무자에 대하여 가지고 있던 채권 기타의 권리도 취득하므로 청구권의 경합이 생기게 된다.

④ 변제할 정당한 이익이 있는 제3자가 채무자를 위하여 변제한 경우에는 변제와 동시에 채권자의 승낙을 얻어 채권자를 대위할 수 있다.

해설 ①, ② 제3자 또는 공동채무자 등이 변제를 하는 경우 채무자에 대해 구상권을 취득하는데, 민법은 이러한 구상권의 확보를 위해서 변제 등으로 소멸하는 채권자의 채권 및 그 담보권을 변제자에게 이전시킴으로써 구상권의 효력을 확보하기 위해 변제자대위제도를 인정하고 있다(제482조 제1항 참조) (대판 2005.10.13, 2003다24147 참고). 이러한 변제자대위는 법률의 규정에 의한 권리의 이전인 점에서 법률행위에 의한 채권의 이전인 채권양도와 구별되며, 원권리자의 권리행사가 금지된다는 점에서 피대위권리의 주체인 채무자도 권리를 행사할 수 있는 채권자대위권과 구별된다.

정답 ▶ 11 ③ 12 ④

③ 변제로 인해 채권자의 채권 및 그 담보권은 변제자에게 법률상 당연 이전된다(법률상 권리이전설. 따라서 계약에 의한 채권이전인 채권양도가 아니다). 이에 따르면 변제자는 채무자에 대한 고유의 구상권과 대위에 의한 채권자의 채권 내지 담보권을 취득하는데, 양자는 서로 별개의 독립한 권리이므로 청구권의 경합이 생긴다.

④ 변제자가 변제할 정당한 이익이 없는 경우에는 채권자의 승낙이 있는 때에 한해 채권자를 대위할 수 있다(제480조 제1항). 그러나 변제할 정당한 이익이 있는 자는 변제로 당연히 채권자를 대위하고, 채권자의 승낙은 필요 없다(제481조).

13 변제자대위에 관한 다음 설명 중 가장 옳지 않은 것은? (다툼이 있는 경우 판례에 의하고, 전원합의체 판결의 경우 다수의견에 의함)

▶ 2019년 법원행시

① 이행인수인이 채무자와의 이행인수약정에 따라 채권자에게 채무를 이행하기로 약정하였음에도 불구하고 이를 이행하지 아니하는 경우 채무자에 대하여 채무불이행의 책임을 지게 되어 특별한 법적 불이익을 입게 될 지위에 있으므로, 이행인수인은 민법 제481조에 의해 법정대위를 할 수 있는 '변제할 정당한 이익이 있는 자'이다.

② 채권자가 채무자의 재산에 대하여 가압류결정을 받은 경우 그 피보전권리에 관하여 채권자를 대위하는 변제자는 채권자의 승계인으로서 가압류의 집행이 되기 전에는 승계집행문을 부여받아 가압류의 집행을 할 수 있고, 가압류의 집행이 된 후에는 승계집행문을 부여받지 않더라도 가압류에 의한 보전의 이익을 자신을 위하여 주장할 수 있다.

③ 변제할 정당한 이익이 있는 자가 채무자를 위하여 근저당권의 피담보채무의 일부를 대위변제한 경우, 대위변제자는 근저당권 일부이전의 부기등기 여부와 관계없이 변제한 가액의 범위 내에서 종래 채권자가 가지고 있던 채권 및 담보에 관한 권리를 법률상 당연히 취득하고, 그 변제한 가액에 비례하여 채권자와 같은 지위를 가진다.

④ 근저당권은 그 피담보채권에 관한 거래가 종료하기까지 채권이 계속적으로 증감 변동하므로, 근저당권의 피담보채권이 확정되기 전에 그 채권의 일부를 양도하거나 대위변제하였다고 하여 근저당권이 양수인이나 대위변제자에게 이전되는 것은 아니다.

⑤ 채권자의 고의 또는 과실로 담보가 상실되거나 감소된 때에는 대위할 자는 그 담보의 상실 또는 감소로 인하여 상환받을 수 없는 한도에서 그 책임을 면하는데, 법정대위자의 면책 여부 및 면책 범위는 담보가 상실 또는 감소된 시점을 표준시점으로 하여 판단한다.

해설 ① 민법 제481조에 의하여 법정대위를 할 수 있는 '변제할 정당한 이익이 있는 자'라고 함은 변제함으로써 당연히 대위의 보호를 받아야 할 법률상의 이익을 가지는 자를 의미한다. 그런데 이행인수인이 채무자와의 이행인수약정에 따라 채권자에게 채무를 이행하기로 약정하였음에도 불구하고 이를 이행하지 아니하는 경우에는 채무자에 대하여 채무불이행의 책임을 지게 되어 특별한 법적 불이익을 입게 될 지위에 있다고 할 것이므로, 이행인수인은 그 변제를 할 정당한 이익이 있다고 할 것이다(대결 2012.7.16, 2009마461).

② 수인의 보증인이 있는 경우에 어느 보증인이 자기의 부담부분을 넘은 변제를 한 때에는 다른 보증인에 대하여 구상권을 행사할 수 있고, 그 구상권의 범위 내에서 종래 채권자가 가지고 있던 채권 및 그 담보에 관한 권리는 법률상 당연히 그 변제자에게 이전되는 것이므로, 채권자가 어느 공동보증인의 재산에 대하여 가압류결정을 받은 경우에, 그 피보전권리에 관하여

채권자를 대위하는 변제자는 채권자의 승계인으로서, 가압류의 집행이 되기 전이라면 민사소송법 제708조 제1항에 따라 승계집행문을 부여받아 가압류의 집행을 할 수 있고, 가압류의 집행이 된 후에는 위와 같은 승계집행문을 부여받지 않더라도 가압류에 의한 보전의 이익을 자신을 위하여 주장할 수 있다(대판 1993.7.13, 92다33251).

③ 근저당권에 의하여 담보되는 피담보채권이 확정되게 되면, 그 피담보채권액이 그 근저당권의 채권최고액을 초과하지 않는 한 그 근저당권 내지 그 실행으로 인한 경락대금에 대한 권리 중 그 피담보채권액을 담보하고 남는 부분은 저당권의 일부이전의 부기등기의 경료 여부와 관계없이 대위변제자에게 법률상 당연히 이전된다(대판 2002.7.26, 2001다53929). 이때에도 채권자는 대위변제자에 대하여 우선변제권을 가진다고 할 것인바, 이 경우에 채권자의 우선변제권은 피담보채권액을 한도로 특별한 사정이 없는 한 자기가 보유하고 있는 잔존 채권액 전액에 미친다고 할 것이고, 이러한 법리는 채권자와 후순위권리자 사이에서도 마찬가지라 할 것이므로 근저당권의 실행으로 인한 배당절차에서도 채권자는 특별한 사정이 없는 한 자기가 보유하고 있는 잔존 채권액 및 피담보채권액의 한도에서 후순위권리자에 우선해서 배당받을 수 있다(대판 2004.6.25, 2001다2426).

④ 근저당권은 계속적인 거래관계로부터 발생·소멸하는 불특정다수의 채권 중 그 결산기에 잔존하는 채권을 일정한 한도액의 범위 내에서 담보하는 것으로서 그 거래가 종료하기까지 그 피담보채권은 계속적으로 증감·변동하는 것이므로, 근저당 거래관계가 계속되는 관계로 근저당권의 피담보채권이 확정되지 아니하는 동안에는 그 채권의 일부가 대위변제되었다 하더라도 그 근저당권이 대위변제자에게 이전될 수 없다(대판 2000.12.26, 2000다54451).

⑤ 채권자의 고의나 과실로 담보가 상실 또는 감소한 경우 민법 제485조에 의하여 법정대위자가 면책되는지 여부 및 면책되는 범위는 담보가 상실 또는 감소한 시점을 표준시점으로 하여 판단하여야 한다(대판 2008.12.11, 2007다66590).

14 다음 설명 중 가장 옳지 않은 것은? (다툼이 있는 경우 판례에 따르고 전원합의체 판결의 경우 다수의견에 의함) ▸ 2019년 법무사

① 비용, 이자, 원본에 대한 변제충당의 순서는 민법 제479조에 법정되어 있으므로 당사자 사이에 그와 다른 특별한 합의가 있었다는 등의 특단의 사정이 없는 한 위의 법정순서에 의하여 변제충당이 이루어져야 한다.

② 수인이 시기를 달리하여 채권의 일부씩을 대위변제하고 근저당권 일부이전의 부기등기를 각 경료한 경우 그들은 각 일부대위자로서 그 변제한 가액에 비례하여 근저당권을 준공유하고 있다고 보아야 하고, 그 근저당권을 실행하여 배당함에 있어서는 다른 특별한 사정이 없는 한 각 변제채권액에 비례하여 안분배당하여야 한다.

③ 변제자가 주채무자인 경우 보증인이 있는 채무와 보증인이 없는 채무 사이에 전자가 후자에 비하여 변제이익이 더 많다고 볼 근거는 전혀 없으므로 양자는 변제이익의 점에서 차이가 없다고 보아야 한다. 마찬가지로 변제자가 채무자인 경우 물상보증인이 제공한 물적 담보가 있는 채무와 그러한 담보가 없는 채무 사이에도 변제이익의 점에서 차이가 없다.

④ 이해관계 없는 제3자는 채무자의 의사에 반하여 변제하지 못하는데, 부동산의 매수인은 그 권리실현에 장애가 되는 그 부동산에 대한 담보권 등의 권리를 소멸시키기 위하여 매도인의 채무를 대신 변제할 법률상 이해관계 있는 제3자라고 볼 것이다.

⑤ 본래의 청구권에 선이행청구 또는 동시이행의 항변권이 붙은 경우 채권자는 자기의 상대의무 이행을 하지 아니하면 공탁물을 수령하지 못하고, 반대로 채권자가 어떤 반대급부 기타의 조건이행을 필요로 하지 않고 곧바로 수령할 수 있는 권리를 갖는 경우에 채무자가 채권자의 어떤 행위의 이행을 조건으로 공탁하였다면 이러한 조건만 무효로 될 뿐이어서 결과적으로 공탁 자체는 유효하게 된다.

해설 ① 비용, 이자, 원본에 대한 변제충당에 있어서는 민법 제479조에 그 충당 순서가 법정되어 있고 지정 변제충당에 관한 민법 제476조는 준용되지 않으므로 원칙적으로 비용, 이자, 원본의 순서로 충당하여야 하고, 채무자는 물론 채권자라 할지라도 위 법정 순서와 다르게 일방적으로 충당의 순서를 지정할 수는 없다. 그러나 당사자 사이에 특별한 합의가 있는 경우이거나 당사자의 일방적인 지정에 대하여 상대방이 지체 없이 이의를 제기하지 아니함으로써 묵시적인 합의가 되었다고 보이는 경우에는 그 법정충당의 순서와는 달리 충당의 순서를 인정할 수 있다(대판 2009.6.11, 2009다12399).

② 변제할 정당한 이익이 있는 사람이 채무자를 위하여 근저당권 피담보채무의 일부를 대위변제한 경우에는 대위변제자는 근저당권 일부 이전의 부기등기 경료 여부에 관계없이 변제한 가액 범위 내에서 채권자가 가지고 있던 채권 및 담보에 관한 권리를 법률상 당연히 취득한다. 한편 수인이 시기를 달리하여 채권의 일부씩을 대위변제한 경우 그들은 각 일부 대위변제자로서 변제한 가액에 비례하여 근저당권을 준공유한다고 보아야 하나, 그 경우에도 채권자는 특별한 사정이 없는 한 채권의 일부씩을 대위변제한 일부 대위변제자들에 대하여 우선변제권을 가지고, 채권자의 우선변제권은 채권최고액을 한도로 자기가 보유하고 있는 잔존 채권액 전액에 미치므로, 결국 근저당권을 실행하여 배당할 때에는 채권자가 자신의 잔존 채권액을 일부 대위변제자들보다 우선하여 배당받고, 일부 대위변제자들은 채권자가 우선 배당받고 남은 한도액을 각 대위변제액에 비례하여 안분 배당받는 것이 원칙이다(대판 2011.6.10, 2011다9013).

③ 변제자가 주채무자인 경우 보증인이 있는 채무와 보증인이 없는 채무 사이에 전자가 후자에 비하여 변제이익이 더 많다고 볼 근거는 전혀 없으므로 양자는 변제이익의 점에서 차이가 없다고 보아야 한다. 마찬가지로 변제자가 채무자인 경우 물상보증인이 제공한 물적 담보가 있는 채무와 그러한 담보가 없는 채무 사이에도 변제이익의 점에서 차이가 없다(대판 2014.4.30, 2013다8250).

④ 부동산의 매수인은 그 권리실현에 장애가 되는 그 부동산에 대한 담보권 등의 권리를 소멸시키기 위하여 매도인의 채무를 대신 변제할 법률상 이해관계 있는 제3자라고 볼 것이다(대판 1995.3.24, 94다44620).

⑤ 채무자가 채권자에 대하여 동시이행의 항변권을 가지는 때에는 채권자의 반대급부의 제공을 공탁물수령의 조건으로 할 수 있으나(본래의 채권에 대한 조건인 경우), 그 채권에 붙일 수 없는 조건(예 피담보채무의 변제는 담보물권등기의 말소의무보다 선이행해야 할 의무인데, 동시이행항변권을 행사하는 경우)을 붙여서 한 공탁은 채권자가 승낙하지 않는 한 공탁 자체가 무효가 된다(대판 1970.9.22, 70다1061).

15 변제에 관한 다음 설명 중 가장 옳지 않은 것은? (다툼이 있는 경우 판례에 의하고, 전원합의체 판결의 경우 다수의견에 의함) ▶ 2020년 9급(법원서기보)

① 변제는 채무내용에 좇은 현실제공으로 이를 하여야 한다. 그러나 채권자가 미리 변제받기를 거절하거나 채무의 이행에 채권자의 행위를 요하는 경우에는 변제준비의 완료를 통지하고 그 수령을 최고하면 된다.

② 채무자가 채권자의 승낙을 얻어 본래의 채무이행에 갈음하여 다른 급여를 한 때에는 변제와 같은 효력이 있다.

③ 당사자의 특별한 의사표시가 없으면 변제기 전에는 채무자는 변제할 수 없다.

④ 채무의 성질이 제3자의 변제를 허용하지 않거나 당사자의 약정으로 제3자의 변제를 금지한 경우가 아니라면, 이해관계 있는 제3자는 채무자의 의사에 반해서도 변제할 수 있다.

> **해설**
>
> ① 제460조【변제제공의 방법】변제는 채무내용에 좇은 현실제공으로 이를 하여야 한다. 그러나 채권자가 미리 변제받기를 거절하거나 채무의 이행에 채권자의 행위를 요하는 경우에는 변제준비의 완료를 통지하고 그 수령을 최고하면 된다.
>
> ② 제466조【대물변제】채무자가 채권자의 승낙을 얻어 본래의 채무이행에 갈음하여 다른 급여를 한 때에는 변제와 같은 효력이 있다.
>
> ③ 제468조【변제기전의 변제】당사자의 특별한 의사표시가 없으면 변제기 전이라도 채무자는 변제할 수 있다. 그러나 상대방의 손해는 배상하여야 한다.
>
> ④ 제469조 참조. 채무의 성질이 제3자의 변제를 허용하지 않거나 당사자의 약정으로 제3자의 변제를 금지한 경우가 아니라면, 이해관계 있는 제3자는 채무자의 의사에 반해서도 변제할 수 있다. 그러나 이해관계 없는 제3자는 채무자의 의사에 반하여 변제하지 못한다.

16 변제에 관한 다음 설명 중 가장 옳지 않은 것은? ▶ 2022년 9급(법원서기보)

① 물상보증인이 담보부동산을 제3취득자에게 매도하고 제3취득자가 담보부동산에 설정된 근저당권의 피담보채무의 이행을 인수한 경우, 그 이행인수는 매매당사자 사이의 내부적인 계약에 불과하여 이로써 물상보증인의 책임이 소멸하지 않는 것이고, 따라서 담보부동산에 대한 담보권이 실행된 경우에 제3취득자가 채무자에 대한 구상권을 취득한다.

② 채무의 성질 또는 당사자의 의사표시로 변제장소를 정하지 아니한 때에는 특정물의 인도는 채권성립 당시에 그 물건이 있던 장소에서 하여야 한다.

③ 채무자가 채권자에게 채무변제와 관련하여 다른 채권을 양도하는 것은 특단의 사정이 없는 한 채무변제를 위한 담보 또는 변제의 방법으로 양도되는 것으로 추정할 것이지 채무변제에 갈음한 것으로 볼 것은 아니어서, 채권양도만 있으면 바로 원래의 채권이 소멸한다고 볼 수는 없다.

정답 | 15 ③   16 ①

④ 변제비용은 다른 의사표시가 없으면 채무자가 부담하지만, 채권자의 주소이전 기타의 행위로 인하여 변제비용이 증가된 때에는 그 증가액은 채권자의 부담으로 한다. 매매계약에 관한 비용은 당사자 쌍방이 균분하여 부담한다.

해설 ① 물상보증인이 담보부동산을 제3취득자에게 매도하고 제3취득자가 담보부동산에 설정된 근저당권의 피담보채무의 이행을 인수한 경우, 그 이행인수는 매매당사자 사이의 내부적인 계약에 불과하여 이로써 물상보증인의 책임이 소멸하지 않는 것이고, 따라서 담보부동산에 대한 담보권이 실행된 경우에도 제3취득자가 아닌 원래의 물상보증인이 채무자에 대한 구상권을 취득한다(대판 1997.5.30, 97다1556).

② 제467조 제1항【변제의 장소】채무의 성질 또는 당사자의 의사표시로 변제장소를 정하지 아니한 때에는 특정물의 인도는 채권성립 당시에 그 물건이 있던 장소에서 하여야 한다.

③ 채무자가 채권자에게 채무변제와 관련하여 다른 채권을 양도하는 것은 특단의 사정이 없는 한 채무변제를 위한 담보 또는 변제의 방법으로 양도되는 것으로 추정할 것이지 채무변제에 갈음한 것으로 볼 것은 아니어서, 채권양도만 있으면 바로 원래의 채권이 소멸한다고 볼 수는 없는 것이고 채권자가 양도받은 채권을 변제받음으로써 그 범위 내에서 채무자가 면책되는 것이므로, 양도 채권의 변제에 관하여는 기존채무의 채무자에게 주장·입증책임이 있다(대판 1995.12.22, 95다16660).

④ 제473조【변제비용의 부담】변제비용은 다른 의사표시가 없으면 채무자의 부담으로 한다. 그러나 채권자의 주소이전 기타의 행위로 인하여 변제비용이 증가된 때에는 그 증가액은 채권자의 부담으로 한다.
제566조【매매계약의 비용의 부담】매매계약에 관한 비용은 당사자 쌍방이 균분하여 부담한다.

17 변제와 채권증서 반환청구권에 관한 다음 설명 중 가장 옳지 않은 것은? ▶ 2022년 법원행시

① 채권증서가 있는 경우에 변제자가 채권전부를 변제한 때에는 채권증서의 반환을 청구할 수 있다. 채권이 변제 이외의 사유로 전부 소멸한 때에도 같다.

② 민법 제347조는 채권을 질권의 목적으로 하는 경우에 채권증서가 있는 때에는 질권의 설정은 그 증서를 질권자에게 교부함으로써 효력이 생긴다고 규정하고 있다. 여기에서 말하는 '채권증서'는 채권의 존재를 증명하기 위하여 채권자에게 제공된 문서로서 특정한 이름이나 형식을 따라야 하는 것은 아니지만, 장차 변제 등으로 채권이 소멸하는 경우에는 민법 제475조에 따라 채무자가 채권자에게 그 반환을 청구할 수 있는 것이어야 한다. 이에 비추어 임대차계약서와 같이 계약 당사자 쌍방의 권리의무관계의 내용을 정한 서면은 그 계약에 의한 권리의 존속을 표상하기 위한 것이라고 할 수는 없으므로 위 채권증서에 해당하지 않는다.

③ 지불각서와 같은 채권증서는 채무자가 작성하여 채권자에게 교부하는 것이고, 채무자가 채무 전부를 변제하거나 그밖의 사유로 채권이 소멸한 때에는 채권자에게 채권증서의 반환을 청구할 수 있다. 이러한 채권증서 반환청구권은 채무 전부를 변제하는 등 채권이 소멸한 경우에 인정되므로, 채권자가 채무자로부터 채권증서를 교부받은 후 이를 다시 채무자에게 반환하였다면 특별한 사정이 없는 한 그 채권은 변제 등의 사유로 소멸하였다고 추정할 수 있다.

④ 금전을 대여한 채권자가 그 채권증서로서 그 채권에 관하여 기한이익의 상실사유 및 지연손해금 등을 정하고 강제집행을 승낙한다는 내용이 기재되어 채권자에게 유리한 공정증서를 작성 받아 소지하고 있다가 공정증서에 표시된 채권금 중 일부를 지급받고 자의로 당해 공정증서 원본을 채무자에게 반환하였다면, 진정한 채권액이 처음부터 위 지급금액에 한정되거나 채권자가 나머지 채권의 일부를 포기하는 등 그 법적원인이 어떠한 것이든 간에 다른 특별한 사정이 없는 한 당해 채권관계는 소멸되었다고 보는 것이 경험칙에 부합한다.

⑤ 채무자가 채무 전부를 변제한 때에는 채권자에게 채권증서의 반환을 청구할 수 있으며, 제3자가 변제를 하는 경우에는 제3자도 채권증서의 반환을 구할 수 있으나(민법 제475조 참조), 이러한 채권증서 반환청구권은 채권 전부를 변제한 경우에 인정되는 것이고, 영수증 교부의무처럼 변제와 동시이행관계에 있다.

해설 ① 제475조

② 민법 제347조는 채권을 질권의 목적으로 하는 경우에 채권증서가 있는 때에는 질권의 설정은 그 증서를 질권자에게 교부함으로써 효력이 생긴다고 규정하고 있다. 여기에서 말하는 '채권증서'는 채권의 존재를 증명하기 위하여 채권자에게 제공된 문서로서 특정한 이름이나 형식을 따라야 하는 것은 아니지만, 장차 변제 등으로 채권이 소멸하는 경우에는 민법 제475조에 따라 채무자가 채권자에게 그 반환을 청구할 수 있는 것이어야 한다. 이에 비추어 임대차계약서와 같이 계약 당사자 쌍방의 권리의무관계의 내용을 정한 서면은 그 계약에 의한 권리의 존속을 표상하기 위한 것이라고 할 수는 없으므로 위 채권증서에 해당하지 않는다(대판 2013.8.22. 2013다32574).

③ 지불각서와 같은 채권증서는 채무자가 작성하여 채권자에게 교부하는 것이고, 채무자가 채무 전부를 변제하거나 그 밖의 사유로 채권이 소멸한 때에는 채권자에게 채권증서의 반환을 청구할 수 있고(민법 제475조 참조), 이러한 채권증서 반환청구권은 채무 전부를 변제하는 등 채권이 소멸한 경우에 인정되므로, 채권자가 채무자로부터 채권증서를 교부받은 후 이를 다시 채무자에게 반환하였다면 특별한 사정이 없는 한 그 채권은 변제 등의 사유로 소멸하였다고 추정할 수 있다(대판 2011.11.24. 2011다74550).

④ 대판 2011.6.9. 2011다23170

⑤ 채무자가 채무 전부를 변제한 때에는 채권자에게 채권증서의 반환을 청구할 수 있으며, 제3자가 변제를 하는 경우에는 제3자도 채권증서의 반환을 구할 수 있으나(민법 제475조 참조), 이러한 채권증서 반환청구권은 채권 전부를 변제한 경우에 인정되는 것이고, 영수증 교부의무와는 달리 변제와 동시이행관계에 있지 않다(대판 2005.8.19. 2003다22042).

정답 17 ⑤

18 변제충당에 관한 다음 설명 중 가장 옳지 않은 것은? ▸2021년 법원행시

① 채무자가 특정 채무의 변제로 금원을 지급한 사실을 주장하는데 대하여 채권자가 이를 수령한 사실을 인정하고서 다만 다른 채무의 변제에 충당하였다고 주장하는 경우에는, 채권자는 다른 채권이 존재하는 사실과 다른 채권에 대한 변제충당의 합의가 있었다거나 다른 채권이 법정충당의 우선순위에 있다는 사실을 주장·입증하여야 한다.

② 변제자가 주채무자인 경우 보증인이 있는 채무와 보증인이 없는 채무 사이에 양자는 변제이익의 점에서 차이가 없다.

③ 비용, 이자, 원본에 대한 변제충당의 순서에 관한 민법 제479조는 변제뿐만 아니라 공탁, 상계에도 적용되고, 여기에서 우선 충당되는 비용에는 채권을 실행하는 데 소요된 소송비용 또는 집행비용으로서 소송비용액확정결정 또는 집행비용액확정결정을 받은 것이 포함된다.

④ 비용, 이자, 원본에 대한 변제충당에 관하여 당사자 사이에 특별한 합의가 없는 한 비용, 이자, 원본의 순서로 충당하여야 할 것이지만, 당사자의 일방적인 지정에 대하여 상대방이 지체 없이 이의를 제기하지 아니함으로써 묵시적인 합의가 되었다고 보여지는 경우에는 그 법정충당의 순서와는 달리 충당의 순서를 인정할 수 있다.

⑤ 민법 제477조의 법정변제충당을 위한 변제이익은 변제자를 기준으로 판단하여야 하고, 법정변제충당의 순서는 사실심 변론종결 시를 기준으로 할 것이지 채무자의 변제제공 당시를 기준으로 정할 것은 아니다.

해설 ① 채무자가 특정한 채무의 변제조로 금원 등을 지급한 사실을 주장함에 대하여, 채권자가 이를 수령한 사실을 인정하고서 다만 타 채무의 변제에 충당하였다고 주장하는 경우에는, 채권자는 타 채권이 존재하는 사실과 타 채권에 대한 변제충당의 합의가 있었다거나 타 채권이 법정충당의 우선순위에 있다는 사실을 주장·증명하여야 한다(대판 2014.1.23, 2011다108095).
② 변제자가 주채무자인 경우, 보증인이 있는 채무와 보증인이 없는 채무 사이에는 변제이익의 점에서 차이가 없다고 보아야 하므로, 보증기간 중의 채무와 보증기간 종료 후의 채무 사이에서도 변제이익의 점에서 차이가 없다. 따라서 주채무자가 변제한 금원은 이행기가 먼저 도래한 채무부터 법이 정하는 바에 따라 변제충당을 하여야 한다(대판 2021.1.28, 2019다207141).
③ 비용, 이자, 원본에 대한 변제충당의 순서에 관한 민법 제479조는 변제뿐만 아니라 공탁, 상계 등 그 밖의 채무소멸원인에도 적용되고, 여기에서 우선 충당되는 비용에는 채권을 실행하는 데 소요된 소송비용 또는 집행비용으로서 소송비용액확정결정 또는 집행비용액확정결정을 받은 것이 포함된다(대판 2006.10.12, 2004재다818).
④ 비용, 이자, 원본에 대한 변제충당에 있어서는, 민법 제479조에 그 충당 순서가 법정되어 있고 지정 변제충당에 관한 같은 법 제476조는 준용되지 않으므로, 당사자 사이에 특별한 합의가 없는 한 비용, 이자, 원본의 순서로 충당하여야 할 것이고, 채무자는 물론 채권자라고 할지라도 위 법정 순서와 다르게 일방적으로 충당의 순서를 지정할 수는 없다고 할 것이지만, 당사자의 일방적인 지정에 대하여 상대방이 지체 없이 이의를 제기하지 아니함으로써 묵시적인 합의가 되었다고 보여지는 경우에는 그 법정충당의 순서와는 달리 충당의 순서를 인정할 수 있는 것이다(대판 2002.5.10, 2002다12871·12888).

⑤ 변제충당에 관한 민법 제476조 내지 제479조는 임의규정이므로 변제자와 변제받는 자 사이에 위 규정과 다른 약정이 있다면 약정에 따라 변제충당의 효력이 발생하고, 위 규정과 다른 약정이 없는 경우에 변제의 제공이 채무 전부를 소멸하게 하지 못하는 때에는 민법 제476조의 지정변제충당에 따라 변제충당의 효력이 발생하고 보충적으로 민법 제477조의 법정변제충당의 순서에 따라 변제충당의 효력이 발생한다. 이때 민법 제477조의 법정변제충당의 순서는 채무자의 변제제공 당시를 기준으로 정하여야 한다(대판 2015.11.26, 2014다71712).

19 변제충당에 관한 다음 설명 중 가장 옳지 않은 것은? ▶ 2022년 9급(법원서기보)

① 변제충당에 관한 민법 제476조 내지 제479조는 임의규정이므로, 담보권의 실행 등을 위한 경매에 있어서 배당금이 동일 담보권자가 가지는 수개의 피담보채권의 전부를 소멸시키기에 부족한 경우, 채권자와 채무자 사이에 변제충당에 관한 합의가 있었다면 그 합의에 의한 변제충당이 허용될 수 있다.

② 비용, 이자, 원본에 대한 변제충당에 있어서 당사자의 일방적인 지정에 대하여 상대방이 지체 없이 이의를 제기하지 아니함으로써 묵시적인 합의가 되었다고 보여지는 경우에는 그 법정충당의 순서와는 달리 충당의 순서를 인정할 수 있다.

③ 변제자가 주채무자인 경우에 보증인이 있는 채무와 보증인이 없는 채무, 물상보증인이 제공한 물적 담보가 있는 채무와 그러한 담보가 없는 채무 간에 변제이익은 차이가 없다.

④ 변제자와 변제수령자는 변제로 소멸한 채무에 관한 보증인 등 이해관계 있는 제3자의 이익을 해하지 않는 이상 이미 급부를 마친 뒤에도 기존의 충당방법을 배제하고 제공된 급부를 어느 채무에 어떤 방법으로 다시 충당할 것인가를 약정할 수 있다.

해설 ① 담보권 실행을 위한 임의경매에서 배당된 배당금이 담보권자가 가지는 수개의 피담보채권 전부를 소멸시키기에 부족한 경우에는 채권자와 채무자 사이에 변제충당에 관한 합의가 있었다 하더라도 그 합의에 따른 변제충당은 허용될 수 없고, 획일적으로 가장 공평타당한 충당방법인 민법 제477조 및 제479조의 규정에 의한 법정변제충당의 방법에 따라 충당하여야 한다(대판 2001.9.28, 2001다33352).

② 비용, 이자, 원본에 대한 변제충당에 있어서는, 민법 제479조에 그 충당 순서가 법정되어 있고 지정 변제충당에 관한 같은 법 제476조는 준용되지 않으므로, 당사자 사이에 특별한 합의가 없는 한 비용, 이자, 원본의 순서로 충당하여야 할 것이고, 채무자는 물론 채권자라고 할지라도 위 법정 순서와 다르게 일방적으로 충당의 순서를 지정할 수는 없다고 할 것이지만, 당사자의 일방적인 지정에 대하여 상대방이 지체 없이 이의를 제기하지 아니함으로써 묵시적인 합의가 되었다고 보여지는 경우에는 그 법정충당의 순서와는 달리 충당의 순서를 인정할 수 있는 것이다(대판 2002.5.10, 2002다12871·12888).

③ 변제자가 주채무자인 경우 보증인이 있는 채무와 보증인이 없는 채무 사이에 전자가 후자에 비하여 변제이익이 더 많다고 볼 근거는 전혀 없으므로 양자는 변제이익의 점에서 차이가 없다고 보아야 한다. 마찬가지로 변제자가 채무자인 경우 물상보증인이 제공한 물적 담보가 있는

채무와 그러한 담보가 없는 채무 사이에도 변제이익의 점에서 차이가 없다(대판 2014.4.30, 2013다8250).

④ 변제자(채무자)와 변제수령자(채권자)는 변제로 소멸한 채무에 관한 보증인 등 이해관계 있는 제3자의 이익을 해하지 않는 이상 이미 급부를 마친 뒤에도 기존의 충당방법을 배제하고 제공된 급부를 어느 채무에 어떤 방법으로 다시 충당할 것인가를 약정할 수 있다(대판 2013.9.12, 2012다118044 · 118051).

20 변제자대위에 관한 다음 설명 중 가장 옳지 않은 것은? ▸ 2021년 법원서기보

① 보증인이 채무를 변제한 후 채권자의 저당권 등기에 관하여 대위의 부기등기를 하지 않고 있는 동안 제3취득자가 목적부동산에 대하여 권리를 취득한 경우 보증인은 제3취득자에 대하여 채권자를 대위할 수 없다.

② 변제할 정당한 이익이 있는 자가 채무자를 위하여 채권 일부를 대위변제하였는데 채권자가 부동산에 대하여 저당권을 가지고 있는 경우, 채권자는 대위변제자에게 일부대위변제에 따른 저당권의 일부이전의 부기등기를 경료해 주어야 할 의무가 있고, 이 경우 채권자는 일부 대위변제자에 대하여 우선변제권을 주장할 수 없다.

③ 구상권과 변제자대위권은 원본, 변제기, 이자, 지연손해금의 유무 등에 있어서 그 내용이 다른 별개의 권리이다.

④ 채권자가 고의나 과실로 담보를 상실하게 하거나 감소하게 하여 물상보증인의 대위권을 침해한 경우, 물상보증인은 그 상실 또는 감소로 인하여 상환을 받을 수 없는 한도에서 면책 주장을 할 수 있다.

해설 ① 민법 제480조, 제481조에 따라 채권자를 대위한 자는 자기의 권리에 의하여 구상할 수 있는 범위에서 채권과 그 담보에 관한 권리를 행사할 수 있다(제482조 제1항). 보증인과 제3취득자 사이의 변제자대위에 관하여 민법 제482조 제2항 제1호는 "보증인은 미리 전세권이나 저당권의 등기에 그 대위를 부기하지 아니하면 전세물이나 저당물에 권리를 취득한 제3자에 대하여 채권자를 대위하지 못한다."라고 정하고 있다. 이 규정은 보증인의 변제로 저당권 등이 소멸한 것으로 믿고 목적부동산에 대하여 권리를 취득한 제3취득자를 예측하지 못한 손해로부터 보호하기 위한 것이다. 따라서 ⅰ) 보증인이 채무를 변제한 후 저당권 등의 등기에 관하여 대위의 부기등기를 하지 않고 있는 동안 제3취득자가 목적부동산에 대하여 권리를 취득한 경우 보증인은 제3취득자에 대하여 채권자를 대위할 수 없다. ⅱ) 그러나 제3취득자가 목적부동산에 대하여 권리를 취득한 후 채무를 변제한 보증인은 대위의 부기등기를 하지 않고도 대위할 수 있다고 보아야 한다. 보증인이 변제하기 전 목적부동산에 대하여 권리를 취득한 제3자는 등기부상 저당권 등의 존재를 알고 권리를 취득하였으므로 나중에 보증인이 대위하더라도 예측하지 못한 손해를 입을 염려가 없기 때문이다(대판 2020.10.15, 2019다222041).

② 변제할 정당한 이익이 있는 자가 채무자를 위하여 채권의 일부를 대위변제할 경우에 대위변제자는 변제한 가액의 범위 내에서 종래 채권자가 가지고 있던 채권 및 담보에 관한 권리를 취득하게 되고 따라서 채권자가 부동산에 대하여 저당권을 가지고 있는 경우에는 채권자는

대위변제자에게 일부 대위변제에 따른 저당권의 일부이전의 부기등기를 경료해 주어야 할 의무가 있다 할 것이나, 이 경우에도 채권자는 일부 대위변제자에 대하여 우선변제권을 가지고 있다(대판 1988.9.27, 88다카1797 등).

③ 채무자를 위하여 채무를 변제한 자는 채무자에 대한 구상권을 취득할 수 있는데, 구상권은 변제자가 민법 제480조 제1항에 따라 가지는 변제자대위권과 원본, 변제기, 이자, 지연손해금 유무 등에서 그 내용이 다른 별개의 권리이다(대판 2021.2.5, 2016다232597).

④ 물상보증인은 근저당권의 피담보채무를 변제할 정당한 이익이 있는 자로서 변제로 채권자를 대위할 법정대위권이 있다. 채권자가 고의나 과실로 담보를 상실하게 하거나 감소하게 한 때에는 특별한 사정이 없는 한 물상보증인의 대위권을 침해하는 것이므로 물상보증인은 민법 제485조에 따라 상실 또는 감소로 인하여 상환을 받을 수 없는 한도에서 면책 주장을 할 수 있다. 여기서 물상보증인이 면책 주장을 할 수 있다는 것은 채무자가 부담하는 근저당권의 피담보채무 자체가 소멸한다는 뜻은 아니고 피담보채무에 관한 물상보증인의 책임이 소멸한다는 의미이다(대판 2017.10.31, 2015다65042).

21 **변제로 인한 대위에 관한 다음 설명 중 가장 옳지 않은 것은?** ▶ 2022년 법원사무관 승진

① 물상보증인이 채무자의 채무를 변제한 경우에 가지는 구상권과 변제자 대위권은 그 원본, 변제기, 이자, 지연손해금의 유무 등에 있어서 그 내용이 다른 별개의 권리로서, 물상보증인은 고유의 구상권을 행사하든 대위하여 채권자의 권리를 행사하든 자유이다.

② 채무인수의 대가로 기존 채무자가 물상보증인에게 어떤 급부를 하기로 약정하였다는 등의 사정이 없는 한 물상보증인이 기존 채무자의 채무를 면책적으로 인수하였다는 것만으로 물상보증인이 기존 채무자에 대하여 구상권 등의 권리를 가진다고 할 수 없다. 따라서 변제로 인한 대위도 할 수 없다.

③ 민법 제481조는 변제할 정당한 이익이 있는 자는 변제로 당연히 채권자를 대위한다고 규정하고 있는바, 위 조항에서 말하는 '변제할 정당한 이익'은 법률상 이익뿐만 아니라 사실상의 이해관계까지 포함한다.

④ 보증인과 물상보증인이 여럿 있는 경우 어느 누구라도 각자의 부담 부분을 넘는 대위변제 등을 하지 않으면 다른 보증인과 물상보증인을 상대로 채권자의 권리를 대위할 수 없다.

해설 ① 물상보증인이 채무자의 채무를 변제한 경우, 그는 ⅰ) 민법 제370조에 의하여 준용되는 같은 법 제341조에 의하여 채무자에 대하여 구상권을 가짐과 동시에 ⅱ) 민법 제481조에 의하여 당연히 채권자를 대위하고, ⅲ) 위 구상권과 변제자 대위권은 원본, 변제기, 이자, 지연손해금의 유무 등에 있어서 내용이 다른 별개의 권리로서, 물상보증인은 고유의 구상권을 행사하든 대위하여 채권자의 권리를 행사하든 자유이다(대판 1997.5.30, 97다1556).

② 타인의 채무를 담보하기 위하여 그 소유의 부동산에 저당권을 설정한 물상보증인이 타인의 채무를 변제하거나 저당권의 실행으로 저당물의 소유권을 잃은 때에는 채무자에 대하여 구상권을 취득한다(민법 제370조, 제341조). 그런데 구상권 취득의 요건인 '채무의 변제'라 함은 채무의 내용인 급부가 실현되고 이로써 채권이 그 목적을 달성하여 소멸하는 것을 의미하므로, 기존 채무가 동일성을 유지하면서 인수 당시의 상태로 종래의 채무자로부터 인수인에게 이전할 뿐 기존 채무를 소멸시키는 효력이 없는 면책적 채무인수는 설령 이로 인하여 기존 채무자가 채무를 면한다고 하더라도 이를 가리켜 채무가 변제된 경우에 해당한다고 할 수 없다. 따라서 채무인수의 대가로 기존 채무자가 물상보증인에게 어떤 급부를 하기로 약정하였다는 등의 사정이 없는 한 물상보증인이 기존 채무자의 채무를 면책적으로 인수하였다는 것만으로 물상보증인이 기존 채무자에 대하여 구상권 등의 권리를 가진다고 할 수 없다(대판 2019.2.14, 2017다274703).

③ '변제할 정당한 이익'란 변제를 하지 않으면 채권자로부터 집행을 받게 되거나 또는 채무자에 대한 자기의 권리를 잃게 되는 지위에 있기 때문에 변제함으로써 당연히 대위의 보호를 받아야 할 법률상 이익을 가지는 자를 말하고, 단지 사실상의 이해관계를 가진 자는 제외된다(대결 2009.5.28, 2008마109).

④ 민법 제482조 제2항 제5호는 동일한 채무에 대하여 인적 무한책임을 지는 보증인과 물적 유한책임을 지는 물상보증인이 여럿 있고 그 중 어느 1인이 먼저 대위변제를 하거나 경매를 통한 채무상환을 함으로써 다른 자에 대하여 채권자의 권리를 대위하게 되는 경우, 먼저 대위변제 등을 한 자가 부당하게 이익을 얻거나 대위가 계속 반복되는 것을 방지하고 대위관계를 공평하게 처리하기 위하여 대위자들 상호간의 대위의 순서와 분담비율을 규정하고 있는 바, 위 규정에 의하면, 여러 보증인과 물상보증인 사이에서는 그 중 어느 1인에 의하여 「주채무 전액이 상환되었을 것을 전제」로 하여 그 주채무 전액에 민법 제482조 제2항 제5호에서 정한 대위비율을 곱하여 산정한 금액이 각자가 대위관계에서 분담하여야 할 부담부분이다. 그런데 여러 보증인 또는 물상보증인 중 어느 1인이 위와 같은 방식으로 산정되는 자신의 부담부분에 미달하는 대위변제 등을 한 경우 그 대위변제액 또는 경매에 의한 채무상환액에 위 규정에서 정한 대위비율을 곱하여 산출된 금액만큼 곧바로 다른 자를 상대로 채권자의 권리를 대위할 수 있도록 한다면, 먼저 대위변제 등을 한 자가 부당하게 이익을 얻거나 대위자들 상호간에 대위가 계속 반복되게 되고 대위관계를 공평하게 처리할 수도 없게 되므로, 민법 제482조 제2항 제5호의 규정 취지에 반하는 결과가 생기게 된다. 따라서 보증인과 물상보증인이 여럿 있는 경우 어느 누구라도 위와 같은 방식으로 산정한 각자의 부담부분을 넘는 대위변제 등을 하지 않으면 다른 보증인과 물상보증인을 상대로 채권자의 권리를 대위할 수 없다(대판 2010.6.10, 2007다61113·61120).

22 대위변제에 관한 다음 설명 중 가장 옳지 않은 것은? ▸2022년 법무사

① 보증인은 피보증인의 채무를 변제할 정당한 이익이 있는 자로서 그 변제로 인하여 당연히 채권자를 대위할 법정대위권이 있는 것이므로 다른 특단의 사정이 없는 한 채권자가 고의나 과실로 담보를 상실하게 하거나 감소되게 한 때에는 보증인의 대위권을 침해한 것이 되어 보증인은 민법 제485조에 의하여 그 상실 또는 감소로 인하여 상환을 받을 수 없는 한도에서 그 면책주장을 할 수 있다.

② 변제할 정당한 이익이 있는 사람이 채무자를 위하여 채권의 일부를 대위변제할 경우에 대위변제자는 변제한 가액의 범위 내에서 종래 채권자가 가지고 있던 채권 및 담보에 관한 권리를 취득하므로, 채권자가 부동산에 대하여 저당권을 가지고 있는 경우에는 채권자는 대위변제자에게 일부 대위변제에 따른 저당권 일부 이전의 부기등기를 할 의무를 진다.

③ 제3자가 유효하게 채무자가 부담하는 채무를 변제한 경우에 채무자와 계약관계가 있으면 그에 따라 구상권을 취득하고, 그러한 계약관계가 없으면 특별한 사정이 없는 한 민법 제734조 제1항에서 정한 사무관리가 성립하여 민법 제739조에 정한 사무관리비용의 상환청구권에 따라 구상권을 취득한다.

④ 변제할 정당한 이익이 있는 수인이 시기를 달리하여 근저당권의 피담보채권의 일부씩을 대위변제한 경우 그들은 각 일부 대위변제자로서 그 변제한 가액에 비례하여 근저당권을 준공유하고 있다고 보아야 하고, 그 근저당권을 실행하여 배당함에 있어서는 다른 특별한 사정이 없는 한 먼저 대위변제한 순서대로 배당하여야 한다.

⑤ 근저당권은 계속적인 거래관계로부터 발생·소멸하는 불특정다수의 채권 중 그 결산기에 잔존하는 채권을 일정한 한도액의 범위 내에서 담보하는 것으로서 그 거래가 종료하기까지 그 피담보채권은 계속적으로 증감·변동하는 것이므로, 근저당 거래관계가 계속되는 관계로 근저당권의 피담보채권이 확정되지 아니하는 동안에는 그 채권의 일부가 대위변제되었다 하더라도 그 근저당권이 대위변제자에게 이전될 수 없다.

해설 ① 보증인은 피보증인의 채무를 변제할 정당한 이익이 있는 자로서 그 변제로 인하여 당연히 채권자를 대위할 법정대위권이 있는 것이므로 다른 특단의 사정이 없는 한 채권자가 고의나 과실로 담보를 상실하게 하거나 감소되게 한 때에는 보증인의 대위권을 침해한 것이 되어 보증인은 민법 제485조에 의하여 그 상실 또는 감소로 인하여 상환을 받을 수 없는 한도에서 그 면책주장을 할 수 있다(대판 1996.12.6, 96다35774).

② 변제할 정당한 이익이 있는 자가 채무자를 위하여 채권의 일부를 대위변제할 경우에 대위변제자는 변제한 가액의 범위 내에서 종래 채권자가 가지고 있던 채권 및 담보에 관한 권리를 취득하게 되고 따라서 채권자가 부동산에 대하여 저당권을 가지고 있는 경우에는 채권자는 대위변제자에게 일부 대위변제에 따른 저당권의 일부이전의 부기등기를 경료해 주어야 할 의무가 있다 할 것이나, 이 경우에도 채권자는 일부 대위변제자에 대하여 우선변제권을 가지고 있다(대판 1988.9.27, 88다카1797).

정답 ▸ 22 ④

③ 제3자가 유효하게 채무자가 부담하는 채무를 변제한 경우에 채무자와 계약관계가 있으면 그에 따라 구상권을 취득하고, 그러한 계약관계가 없으면 특별한 사정이 없는 한 민법 제734조 제1항에서 정한 사무관리가 성립하여 민법 제739조에 정한 사무관리비용의 상환청구권에 따라 구상권을 취득한다(대판 2022.3.17, 2021다276539).

④ 수인이 시기를 달리하여 채권의 일부씩을 대위변제한 경우 그들은 각 일부 대위변제자로서 그 변제한 가액에 비례하여 근저당권을 준공유하고 있다고 보아야 하고, 그 근저당권을 실행하여 배당함에 있어서는 다른 특별한 사정이 없는 한 각 변제채권액에 비례하여 안분 배당하여야 한다(대판 2006.2.10, 2004다2762).

⑤ 대판 2000.12.26, 2000다54451

23 변제에 관한 다음 설명 중 가장 옳지 않은 것은? ▶ 2023년 법원행시

① 혼인 외의 자의 생부가 사망한 경우, 혼인 외의 출생자는 그가 인지청구의 소를 제기하였다고 하더라도 그 인지판결이 확정되기 전에는 상속인으로서의 권리를 행사할 수 없고, 그러한 인지판결이 확정되기 전의 정당한 상속인이 채무자에 대하여 소를 제기하고, 나아가 승소판결까지 받았다면, 그러한 표현상속인에 대한 채무자의 변제는, 특별한 사정이 없는 한, 채권의 준점유자에 대한 변제로서 적법하다.

② 주채무자가 변제자인 경우에는, 담보로 제3자가 발행 또는 배서한 약속어음이 교부된 채무와 다른 채무 사이에 변제이익의 점에서 차이가 없다고 보아야 할 것이나, 담보로 주채무자 자신이 발행 또는 배서한 어음이 교부된 채무는 다른 채무보다 변제이익이 많은 것으로 보아야 한다.

③ 채무자가 채무와 관련하여 채권자에게 채무자 소유의 재산을 양도하기로 약정한 경우에, 그것이 종전 채무의 변제에 갈음하여 대물변제 조로 양도하기로 한 것인지 아니면 종전 채무의 담보를 위하여 추후 청산절차를 유보하고 양도하기로 한 것인지는 약정 당시의 당사자 의사해석에 관한 문제이다.

④ 타인의 채무를 담보하기 위하여 근저당권을 설정한 물상보증인이 채무를 변제한 때 다른 사정에 의하여 채무자에 대하여 구상권이 없는 경우라도 구상권과 변제자대위는 내용이 다른 별개의 권리이므로 채권자를 대위하여 채권자의 채권 및 담보에 관한 권리를 행사할 수 있다고 해석하여야 한다.

⑤ 변제자(채무자)와 변제수령자(채권자)는 변제로 소멸한 채무에 관한 보증인 등 이해관계 있는 제3자의 이익을 해하지 않는 이상 이미 급부를 마친 뒤에도 기존의 충당방법을 배제하고 제공된 급부를 어느 채무에 어떤 방법으로 다시 충당할 것인가를 약정할 수 있다고 할 것이다.

해설 ① 인지판결이 확정되기 전의 정당한 상속인이 채무자에 대하여 소를 제기하고 승소판결까지 받았다면, 그러한 **표현상속인에 대한 채무자의 변제는 채권의 준점유자에 대한 변제**로서 **적법**하다(대판 1995.1.24, 93다32200).

② 대판 1999.8.24, 99다22281 → 변제이익은 변제자를 기준으로 판단하여야 한다. 따라서 ⅰ) 주채무자 이외의 자가 변제자인 경우에는 변제자가 발행 또는 배서한 어음에 의하여 담보되는 채무가 다른 채무보다 변제이익이 많다고 보아야 한다. ⅱ) 주채무자가 변제자인 경우에는 담보로 제3자가 발행 또는 배서한 약속어음이 교부된 채무와 다른 채무 사이에 변제이익의 점에서 차이가 없다고 보아야 할 것이나, 담보로 주채무자 자신이 발행 또는 배서한 어음이 교부된 채무는 다른 채무보다 변제이익이 많은 것으로 보아야 한다.

③ 채무자가 채무와 관련하여 채권자에게 채무자 소유의 재산을 양도하기로 약정한 경우에, 그것이 종전 채무의 변제에 갈음하여 대물변제 조로 양도하기로 한 것인지 아니면 종전 채무의 담보를 위하여 추후 청산절차를 유보하고 양도하기로 한 것인지는 약정 당시의 당사자 의사 해석에 관한 문제이다. 이에 관하여 명확한 증명이 없는 경우에는, 약정에 이르게 된 경위 및 당시의 상황, 양도 당시의 채무액과 양도목적물의 가액, 양도 후의 이자 등 채무 변제 내용, 양도 후의 양도목적물의 지배 및 처분관계 등 여러 사정을 종합하여 그것이 담보 목적인지를 가려야 한다(대판 2015.8.27, 2013다28247).

④ 타인의 채무를 담보하기 위하여 근저당권을 설정한 물상보증인이 채무를 변제한 때에는 채무자에 대한 구상권이 있고, 물상보증인은 변제할 정당한 이익이 있으므로 변제로 당연히 채권자를 대위하여 채권자의 채권 및 그 담보에 관한 권리를 행사할 수 있다. 다만 물상보증인은 자기의 권리에 의하여 구상할 수 있는 범위에서 그와 같은 권리를 행사할 수 있으므로, 물상보증인이 채무를 변제한 때에도 다른 사정에 의하여 채무자에 대하여 구상권이 없는 경우에는 채권자를 대위하여 채권자의 채권 및 담보에 관한 권리를 행사할 수 없다고 해석하여야 한다(대판 2014.4.30, 2013다80429·80436).

⑤ 대판 2013.9.12, 2012다118044. 왜냐하면 민법의 변제충당에 관한 규정은 임의규정이기 때문이다.

---

24 **변제충당에 관한 다음 설명 중 가장 옳지 않은 것은?** ▶ 2023년 법원행시

① 변제자와 변제받는 자 사이에 민법 제476조 내지 제479조와 다른 약정이 있다면 그 약정에 따라 변제충당의 효력이 발생하고, 그러한 약정이 없는 경우에 변제의 제공이 그 채무 전부를 소멸하게 하지 못하는 때에는 민법 제476조의 지정변제충당에 의하여 변제충당의 효력이 발생하고 보충적으로 민법 제477조의 법정변제충당의 순서에 따라 변제충당의 효력이 발생한다.

② 동일 당사자 사이에 수 개의 채권관계가 성립되어 있어 채무자가 특정채무를 지정하여 변제한 경우, 특정채무에 대한 변제의 효과가 인정되고, 그 변제액이 지정한 특정채무의 액수를 초과하더라도 당사자 사이에 다른 채권의 변제에 충당하거나 공제의 대상으로 삼기로 하는 합의가 있는 등 특별한 사정이 없는 한 초과액수가 다른 채권의 변제에 당연 충당되거나 공제의 대상이 되지는 않는다.

정답 **23 ④ 24 ⑤**

③ 다수의 채무 중 보증인에 의하여 담보되는 채무와 그렇지 않은 채무가 있는 경우, 이행기가 먼저 도래하는 채무를 먼저 변제하기로 하는 내용의 합의충당이 현저히 부당하거나 신의칙에 반한다고 볼 수 없어 유효하고, 그 결과 보증인에 의해 담보되는 채무가 남게 되었다면 그 보증인은 보증책임을 부담한다.

④ 지정변제충당에서 변제자의 변제충당에 관한 지정이 없으면 변제수령자가 지정할 수 있고, 이에 대해서는 변제자가 즉시 이의를 제기할 수 있다.

⑤ 담보권 실행을 위한 경매에서 배당된 배당금이 담보권자가 가지는 수 개의 피담보채권 전부를 소멸시키기에 부족한 경우에도 채권자와 채무자 사이에 변제충당에 관한 합의가 있었다면 그 합의에 따르거나 민법 제476조에 의한 지정변제충당의 방법으로 충당한다.

해설 ① 변제충당에 관한 민법 제476조 내지 제479조는 임의규정이므로 변제자와 변제받는 자 사이에 위 규정과 다른 약정이 있다면 약정에 따라 변제충당의 효력이 발생하고, 위 규정과 다른 약정이 없는 경우에 변제의 제공이 채무 전부를 소멸하게 하지 못하는 때에는 민법 제476조의 지정변제충당에 따라 변제충당의 효력이 발생하고 보충적으로 민법 제477조의 법정변제충당의 순서에 따라 변제충당의 효력이 발생한다. 이때 민법 제477조의 법정변제충당의 순서는 채무자의 변제제공 당시를 기준으로 정하여야 한다(대판 2015.11.26, 2014다71712).

② 대판 2021.1.14, 2020다261776

③ 다수의 채무 중 보증인에 의하여 담보되고 있는 채무와 그렇지 않은 채무가 있는 경우에, 채권자와 채무자가 충당의 합의를 함에 있어서 보증인이 있는 채무를 반드시 먼저 변제하여야 한다고 볼 근거가 없고, 계약자유의 원칙에 의하여 채권자와 채무자는 제공된 급부를 어느 채무에 어떤 방법으로 충당할 것인가를 결정할 수 있으며, 다만 그러한 충당이 보증인에게 현저히 부당하고 신의칙에 반하는 때에는 합의충당의 효력이 부정된다고 할 것이다. 따라서 다수의 채무 중 이행기가 먼저 도래하는 채무를 먼저 변제하기로 하는 내용의 합의충당이 현저히 부당하거나 신의칙에 반한다고 볼 수 없어 유효하고, 그 결과 보증인에 의해 담보되는 채무가 남게 되었다면 그 보증인은 보증책임을 부담한다(대판 2010.10.28, 2010다55187).

④ 제476조 제2항

⑤ 담보권 실행을 위한 경매에서 배당된 배당금이 담보권자가 가지는 여러 개의 피담보채권 전부를 소멸시키기에 부족한 경우에는 지정변제충당이나 합의에 따른 변제충당은 허용될 수 없고, 법정변제충당의 방법에 따라 충당하여야 한다(대판 1996.5.10, 95다55504).

25 변제에 관한 다음 설명 중 가장 옳지 않은 것은? ▶ 2023년 법무사

① 채무담보 목적의 가등기가 경료되어 있는 부동산을 시효취득하여 소유권이전등기청구권을 취득한 자가 그 등기를 경료하지 못하던 중에 채권자가 청산절차를 거치지 아니하고 위 가등기에 기하여 본등기를 경료하였다면 그는 부동산 소유자에 대한 소유권이전등기청구권을 보전하기 위하여 위 소유자를 대위하여 그의 채권자에게 위 채무를 변제할 법률상의 권한이 있어 이해관계 있는 제3자에 해당한다.

② 확정판결에 대한 청구이의 사유는 그 확정판결의 변론 종결 후에 생긴 것이어야 하므로, 확정판결의 변론 종결 전에 이루어진 일부이행을 채권자가 변론 종결 후 수령함으로써 변제의 효력이 발생한 경우 그 한도 내에서도 청구 이의 사유가 될 수는 없다.

③ 효력규정인 강행법규에 위반되는 계약을 체결한 자가 그 약정의 효력이 부인된다는 사실을 알지 못한 탓에 그 약정에 따라 변제수령권을 갖는 것처럼 외관을 갖게 된 자에게 변제를 한 경우에는, 특별한 사정이 없는 한 과실에 기인한 변제이므로 채권의 준점유자에 대한 변제로서 유효하다고 볼 수 없다.

④ 채무자(乙)가 제3채무자(丙)에 대하여 가지고 있던 채권에 관하여 제3자(丁) 앞으로 대항력 있는 채권양도가 이루어진 후 乙이 丁의 승낙 없이 임의로 丙에게 채권양도철회의 통지를 한 상태에서 乙에 대한 채권자(甲)가 위 채권에 대하여 채권압류 및 전부명령을 받고 이어 甲이 제기한 전부금소송에서 丙이 패소판결을 받고 甲에게 그 금원을 지급한 경우, 법률전문가가 아닌 丙이 甲이 유효하게 채권을 전부받은 채권자인 것으로 오인한 데 대하여 과실이 있다고 볼 수 없으므로 丙의 甲에 대한 변제는 채권의 준점유자에 대한 변제로서 유효하다.

⑤ 채무자는 변제의 제공이 있는 때로부터 채무불이행의 책임을 면하지만, 금전채무의 경우 현실제공은 특별한 사정이 없는 한 채권자가 급부를 즉시 수령할 수 있는 상태에 있어야만 인정될 수 있다. 따라서 채무자가 채무내용에 좇은 급부를 제공하면서도 채권자가 그 급부를 즉시 수령하기 어려운 장애요인을 형성·유지한 경우에는 현실제공이 있다고 할 수 없다.

해설 ① 대판 1991.7.12, 90다17774

② 확정판결에 대한 청구이의 사유는 그 확정판결의 변론 종결 후에 생긴 것이어야 한다. 그러나 **확정판결의 변론 종결 전에 이루어진 일부이행을 채권자가 변론 종결 후 수령함으로써 변제의 효력이 발생한 경우에는 그 한도 내에서 청구이의 사유가 될 수 있다고** 보아야 한다(대판 2009.10.29, 2008다51359).

③ 대판 2004.6.11, 2003다1601

④ 대판 1997.3.11, 96다44747 → 법률전문가가 아닌 丙으로서는 乙의 채권양도철회통지로 인하여 채권양도가 없었던 것과 같이 되었다고 믿을 수밖에 없었고, 더욱이 甲이 제기한 전부금청구의 소에서 전부명령의 효력을 적극 다투었다가 패소판결을 선고받았다면, 丙은 甲

정답 ▶ **25 ②**

이 유효하게 임대보증금반환채권을 전부받은 채권자인 것으로 오인한 데 대하여 과실이 있다고 볼 수 없고, 따라서 丙의 甲에 대한 변제는 유효하다고 본 사례이다.
⑤ 대판 2012.10.11, 2011다17403

26 변제충당에 관한 다음 설명 중 가장 옳지 않은 것은? ▸2024년 법원행시

① 변제충당에 관한 규정은 임의규정이므로 다른 약정이 있다면 그 약정에 따라 변제충당의 효력이 발생하고, 다른 약정이 없는 경우 변제의 제공이 그 채무 전부를 소멸하게 하지 못하는 때에는 민법 제476조의 지정변제충당에 의하여 변제충당의 효력이 발생하며, 보충적으로 민법 제477조의 법정변제충당의 순서에 따라 변제충당의 효력이 발생한다.

② 변제자가 주채무자인 경우, 보증인이 있는 채무와 보증인이 없는 채무 사이에는 변제이익의 점에서 차이가 없으므로, 주채무자가 변제한 금원은 이행기가 먼저 도래한 채무부터 법이 정하는 바에 따라 변제충당을 하여야 한다.

③ 원본뿐 아니라 지연이자도 지급할 의무가 있는 채무자가 원본과 지연이자를 합한 전액에 미치지 못하는 이행제공을 하면서 이를 원본에 대한 변제로 지정하였더라도, 그 지정은 채권자에 대하여 효력이 없으므로 채권자는 그 수령을 거절할 수 있다.

④ 변제자가 채무자인 경우 물상보증인이 제공한 물적 담보가 있는 채무보다 그러한 담보가 없는 채무의 변제이익이 더 크다. 따라서 물상보증인이 제공한 물적 담보가 있는 채무와 그러한 물적 담보가 없는 채무가 모두 변제기에 있으면, 물상보증인이 제공한 물적 담보가 없는 채무의 변제에 충당된다.

⑤ 변제충당에 관한 별도의 약정이 있는 경우에는 채무자가 변제를 하면서 위 약정과 달리 특정 채무의 변제에 우선적으로 충당한다고 지정하더라도 그에 대하여 채권자가 명시적 또는 묵시적으로 동의하지 않는 한 그 지정은 효력이 없어 채무자가 지정한 채무가 변제되어 소멸하는 것은 아니다.

해설 ① 변제충당에 관한 민법 제476조 내지 제479조는 임의규정이므로 변제자와 변제받는 자 사이에 위 규정과 다른 약정이 있다면 약정에 따라 변제충당의 효력이 발생하고, 위 규정과 다른 약정이 없는 경우에 변제의 제공이 채무 전부를 소멸하게 하지 못하는 때에는 민법 제476조의 지정변제충당에 따라 변제충당의 효력이 발생하고 보충적으로 민법 제477조의 법정변제충당의 순서에 따라 변제충당의 효력이 발생한다. 이때 민법 제477조의 법정변제충당의 순서는 채무자의 변제제공 당시를 기준으로 정하여야 한다(대판 2015.11.26, 2014다71712).

② 변제자가 주채무자인 경우, 보증인이 있는 채무와 보증인이 없는 채무 사이에는 변제이익의 점에서 차이가 없다고 보아야 하므로, 보증기간 중의 채무와 보증기간 종료 후의 채무 사이에서도 변제이익의 점에서 차이가 없다. 따라서 주채무자가 변제한 금원은 이행기가 먼저 도래한 채무부터 법이 정하는 바에 따라 변제충당을 하여야 한다(대판 2021.1.28, 2019다207141).

③ 대판 2005.8.19, 2003다22042

④ 변제자가 주채무자인 경우 보증인이 있는 채무와 보증인이 없는 채무 사이에 전자가 후자에 비하여 변제이익이 더 많다고 볼 근거는 전혀 없으므로 양자는 변제이익의 점에서 차이가 없다고 보아야 한다. 마찬가지로 변제자가 채무자인 경우 물상보증인이 제공한 물적 담보가 있는 채무와 그러한 담보가 없는 채무 사이에도 변제이익의 점에서 차이가 없다(대판 2014.4.30, 2013다8250).

⑤ 변제충당 지정은 상대방에 대한 의사표시로서 하여야 하는 것이기는 하나, 변제충당에 관한 민법 제476조 내지 제479조의 규정은 임의규정이므로 변제자(채무자)와 변제수령자(채권자)는 약정에 의하여 위 각 규정을 배제하고 제공된 급부를 어느 채무에 어떤 방법으로 충당할 것인가를 결정할 수 있고, 이와 같이 채권자와 채무자 사이에 미리 변제충당에 관한 약정이 있으며, 그 약정 내용이, 변제가 채권자에 대한 모든 채무를 소멸시키기에 부족한 경우 채권자가 적당하다고 인정하는 순서와 방법에 의하여 충당하기로 한 것이라면, 채권자가 위 약정에 터잡아 스스로 적당하다고 인정하는 순서와 방법에 좇아 변제충당을 한 이상 채무자에 대한 의사표시와 관계없이 그 충당의 효력이 있고, 위와 같이 미리 변제충당에 관한 별도의 약정이 있는 경우에는 채무자가 변제를 하면서 위 약정과 달리 특정 채무의 변제에 우선적으로 충당한다고 지정하더라도 그에 대하여 채권자가 명시적 또는 묵시적으로 동의하지 않는 한 그 지정은 효력이 없어 채무자가 지정한 채무가 변제되어 소멸하는 것은 아니다(대판 2004.3.25, 2001다53349).

27 변제공탁에 관한 다음 설명 중 가장 옳은 것은?　　　　　▶ 2022년 법원행시

① 변제공탁이 유효하려면 채무 전부에 대한 변제의 제공 및 채무 전액에 대한 공탁이 있음을 요하고 채무 전액이 아닌 일부에 대한 공탁은 그 부분에 관하여서도 효력이 생기지 않는다. 한편 채권자가 공탁금을 채권의 일부에 충당한다는 유보의 의사표시를 하고 이를 수령한 때에는 그 공탁금은 채권의 일부의 변제에 충당되는데, 그 경우 유보의 의사표시는 명시적이어야 한다.

② 변제공탁이 변제의 효력이 인정되려면, 변제공탁이 적법하고 채권자가 공탁물 출급청구를 하여야 한다. 이와 같은 요건이 충족된 경우 공탁을 한 때에 소급하여 변제의 효력이 발생한다.

③ 공탁물 출급청구권에 대하여 가압류 집행이 되는 경우에는 변제의 효력을 인정할 수 없다.

④ 매수인이 매도인을 대리하여 매매대금을 수령할 권한을 가진 자에게 잔대금의 수령을 최고하고 그 자를 공탁물수령자로 지정하여 한 변제공탁은 매도인에 대한 잔대금 지급의 효력이 있다.

⑤ 채권소멸의 효력을 소급적으로 소멸시키는 공탁물의 회수는 공탁자에 의하여 이루어진 경우에 한한다. 따라서 제3자가 공탁자에게 대하여 가지는 별도 채권의 집행권원으로써 공탁자의 공탁물 회수청구권에 대하여 압류 및 추심명령을 받아 그 집행으로 공탁물을 회수한 경우는 채권소멸의 효력에 영향이 없다.

정답　　26 ④　　27 ④

해설 ① 유보의 의사표시는 반드시 명시적으로 하여야 하는 것은 아니다(대판 2014.8.20, 2014다 30650).

② ③ 변제공탁이 적법하면 채권자가 공탁물 출급청구를 하였는지의 여부와 관계없이 공탁을 한 때에 변제의 효력이 발생한다. 또한 공탁물 출급청구권에 대하여 가압류 집행이 되더라도 변제의 효력에 영향을 미치지 아니한다(대판 2011.12.13, 2011다11580).

④ 대판 2012.3.15, 2011다77849

⑤ 채권소멸의 효력을 소급적으로 소멸시키는 공탁물의 회수는 공탁자에 의하여 이루어진 경우 뿐만 아니라 제3자가 공탁자에게 대하여 가지는 별도 채권의 집행권원으로써 공탁자의 공탁물 회수청구권에 대하여 압류 및 추심명령을 받아 그 집행으로 공탁물을 회수한 경우도 포함된다(대판 2014.5.29, 2013다212295).

28 변제공탁에 관한 다음 설명 중 가장 옳지 않은 것은? ▶ 2023년 법무사

① 변제공탁의 목적인 채무는 현존하는 확정채무여야 하지만, 그 의미는 장래의 채무나 불확정채무는 원칙적으로 변제공탁의 목적이 되지 못한다는 것일 뿐, 채무자에 대한 각 채권자의 채권이 동일한 채권이어야 한다는 의미는 아니다.

② 변제공탁이 적법한 경우에는 채권자가 공탁물 출급청구를 하였는지 여부와는 관계없이 공탁을 한 때에 변제의 효력이 발생하나, 피공탁자를 포함한 제3자가 공탁자에 대하여 가지는 별도 채권의 집행권원으로써 공탁자의 공탁물 회수청구권에 대하여 압류 및 추심명령을 받아 그 집행으로 공탁물을 회수한 경우 채권소멸의 효력은 소급하여 없어진다.

③ 채권자에게 반대급부 기타 조건의 이행의무가 없음에도 불구하고 채무자가 그와 같은 조건으로 변제공탁을 한 때에는 채권자가 이를 수락하였다고 하더라도 그 변제공탁은 무효이다.

④ 채권자의 태도로 보아 채무자가 설령 채무의 이행제공을 하였더라도 그 수령을 거절하였을 것이 명백한 경우에는 채무자는 이행의 제공을 하지 않고 바로 변제공탁할 수 있다.

⑤ 채무자가 채무액의 일부만을 변제공탁하였으나 그 후 부족분을 추가로 공탁하였다면 그때부터는 전 채무액에 대하여 유효한 공탁이 이루어진 것으로 볼 수 있고, 이 경우 채권자가 공탁물수령의 의사표시를 하기 전이라면 추가공탁을 하면서 제1차 공탁 시에 지정된 공탁의 목적인 채무의 내용을 변경하는 것도 허용될 수 있다.

해설 ① 대판 2014.12.24, 2014다207245

② 대판 2020.5.22, 2018마5697

③ 변제공탁에 있어서 채권자에게 반대급부 기타 조건의 이행의무가 없음에도 불구하고 채무자가 이를 조건으로 공탁한 때에는 **채권자가 이를 수락하지 않는 한 그 변제공탁은 무효이다**(대판 2002.12.6, 2001다2846). → ※ [참고] : 반대급부의 이행의무 없는 채권자에 대한 조건부 변제공탁의 효력 : 채권자의 승낙이 없는 한 무효(대판 1970.9.22, 70다1061)

④ 대판 1981.9.8, 80다2851

⑤ 대판 1991.12.27, 91다35670

29 다음 설명 중 가장 옳은 것은?

▶ 2022년 법무사

① 채권의 일부에 대한 대위변제가 있는 때에는 채권자는 채권증서에 그 대위를 기입한 후 그 채권증서 및 점유한 담보물을 대위자에게 교부하여야 한다.

② 변제공탁은 제3자를 위한 계약의 일종이므로, 채권자의 수익의 의사표시가 있는 때에 공탁의 효력이 발생한다.

③ 경개로 인한 신채무가 원인의 불법 또는 당사자가 알지 못한 사유로 인하여 성립되지 아니하거나 취소된 때에는 구채무는 소멸되지 아니한다.

④ 경개계약은 신채권을 성립시키고 구채권을 소멸시키는 처분행위로서 신채권이 성립되면 그 효과는 완결되고 경개계약 자체의 이행의 문제는 발생할 여지가 없으므로 경개에 의하여 성립된 신채무의 불이행을 이유로 경개계약을 해제할 수는 없고, 경개계약의 성립 후에 그 계약을 합의해제하여 구채권을 부활시키는 것은 당사자 사이에서도 불가능하다.

⑤ 부적법한 변제공탁으로 변제의 효력이 발생하지 않았다면 피공탁자는 이를 수락하여 공탁물 출급청구를 할 수도 없고, 공탁자에 대한 다른 채권에 기하여 공탁자의 공탁물 회수청구권에 대하여 압류 및 추심명령을 받아 그 집행으로 공탁물을 회수할 수도 없다.

해설

① 제484조【대위변제와 채권증서, 담보물】
　① 채권전부의 대위변제를 받은 채권자는 그 채권에 관한 증서 및 점유한 담보물을 대위자에게 교부하여야 한다.
　② 채권의 일부에 대한 대위변제가 있는 때에는 채권자는 채권증서에 그 대위를 기입하고 자기가 점유한 담보물의 보존에 관하여 대위자의 감독을 받아야 한다.

② 변제공탁은 제3자를 위한 임치계약으로 보아 제3자를 위한 계약의 일종으로 본다. 그러나 공탁을 한 때에 변제의 효력이 발생하고, 제3자의 수익의 의사표시는 필요하지 않다고 본다.

③ 제504조【구채무불소멸의 경우】경개로 인한 신채무가 원인의 불법 또는 당사자가 알지 못한 사유로 인하여 성립되지 아니하거나 취소된 때에는 구채무는 소멸되지 아니한다.

④ 경개계약은 신채권을 성립시키고 구채권을 소멸시키는 처분행위로서 신채권이 성립되면 그 효과는 완결되고 경개계약 자체의 이행의 문제는 발생할 여지가 없으므로 경개에 의하여 성립된 신채무의 불이행을 이유로 경개계약을 해제할 수는 없다. (그러나) 계약자유의 원칙상 경개계약의 성립 후에 그 계약을 합의해제하여 구채권을 부활시키는 것은 적어도 당사자 사이에서는 가능하다(대판 2003.2.11, 2002다62333).

⑤ 부적법한 변제공탁으로 변제의 효력이 발생하지 않았다고 하더라도, 피공탁자는 이를 수락하여 공탁물 출급청구를 할 수 있고, 그 대신 공탁자에 대한 다른 채권에 기하여 공탁자의 공탁물 회수청구권에 대하여 압류 및 추심명령을 받아 그 집행으로 공탁물을 회수할 수도 있다(대결 2020.5.22, 2018마5697).

정답　28 ③　29 ③

30 공탁에 관한 다음 설명 중 가장 옳지 않은 것은? (다툼이 있는 경우 판례에 의함)

▶ 2015년 법무사

① 상대적 불확지 변제공탁의 피공탁자 중 1인을 채무자로 하여 그의 공탁물출급청구권에 대하여 채권압류 및 추심명령을 받은 추심채권자는 자기의 이름으로 다른 피공탁자를 상대로 공탁물출급청구권이 추심채권자의 채무자에게 있음을 확인한다는 확인의 소를 제기할 수 있다.

② 변제공탁이 유효하려면 채무 전부에 대한 변제의 제공 및 채무 전액에 대한 공탁이 있어야 하고 채무 전액이 아닌 일부에 대한 공탁은 그 부분에 관하여서도 효력이 생기지 않으나, 채권자가 공탁금을 채권의 일부에 충당한다는 유보의 의사표시를 하고 이를 수령한 때에는 그 공탁금은 채권의 일부의 변제에 충당되고, 그 경우 유보의 의사표시는 반드시 명시적으로 하여야 하는 것은 아니다.

③ 공탁관의 처분에 대하여 불복이 있는 때에는 공탁법이 정한 바에 따라 이의신청과 항고를 할 수 있고, 공탁관에 대하여 공탁법이 정한 절차에 의하여 공탁금지급청구를 하지 않고 직접 민사소송으로써 국가를 상대로 공탁금지급청구를 할 수도 있다.

④ 변제공탁이 적법한 경우에는 채권자가 공탁물 출급청구를 하였는지와 관계없이 공탁을 한 때에 변제의 효력이 발생하고, 그 후 공탁물 출급청구권에 대하여 가압류 집행이 되더라도 변제의 효력에 영향을 미치지 않는다.

⑤ 변제공탁자가 공탁물 회수권의 행사에 의하여 공탁물을 회수한 경우 채권소멸의 효력은 소급하여 없어진다.

해설 ① 상대적 불확지 변제공탁의 피공탁자 중 1인을 채무자로 하여 그의 공탁물출급청구권에 대하여 채권압류 및 추심명령을 받은 추심채권자는 자기의 이름으로 다른 피공탁자(피공탁자 이외의 제3자는 상대방이 되지 못한다)를 상대로 공탁물출급 청구권이 추심채권자의 채무자에게 있음을 확인한다는 확인의 소를 제기할 수 있다(대판 2008.10.23, 2007다35596).

② 일부공탁은 그 부분에 관하여서도 효력이 생기지 않으나, 채권자가 공탁금을 채권의 일부에 충당한다는 유보의 의사표시를 하고 이를 수령한 때에는 그 공탁금은 채권의 일부의 변제에 충당되고, 그 경우 유보의 의사표시는 반드시 명시적 또는 묵시적으로도 가능하다(대판 1989.7.25, 88다카11053).

③ 공탁관의 처분에 대하여 불복이 있는 때에는 공탁법이 정한 바에 따라 이의신청과 항고를 할 수 있고, 공탁관에 대하여 공탁법이 정한 절차에 의하여 공탁금지급청구를 하지 않고 직접 민사소송으로써 국가를 상대로 공탁금지급청구를 할 수는 없다(대판 2013.7.25, 2012다204815).

④ 변제공탁이 적법한 경우에는 채권자가 공탁물 출급청구를 하였는지와 관계없이 공탁을 한 때에 변제의 효력이 발생하고, 그 후 공탁물 출급청구권에 대하여 가압류 집행이 되더라도 변제의 효력에 영향을 미치지 않는다(대판 2014.5.29, 2013다212295).

⑤ 해제조건설이 다수설과 판례이다. 즉 공탁을 하면 채무가 즉시 소멸하며, 변제공탁자가 공탁물 회수권의 행사에 의하여 공탁물을 회수한 경우 채권소멸의 효력은 소급하여 없어진다(대판 2014.5.29, 2013다212295).

31 공탁에 관한 다음 설명 중 가장 옳지 않은 것은? (다툼이 있는 경우 판례에 의함)

▶ 2017년 법무사

① 공탁금출급청구권은 피공탁자가 공탁소에 대하여 공탁금의 지급, 인도를 구하는 청구권으로서 위 청구권이 시효로 소멸한 경우 공탁자에게 공탁금회수청구권이 인정되지 않는 한 그 공탁금은 국고에 귀속하게 된다.

② 변제공탁이 적법한 경우에는 채권자가 공탁물 출급청구를 하였는지 여부와는 관계없이 공탁을 한 때에 변제의 효력이 발생하나, 변제공탁자가 공탁물 회수권의 행사에 의하여 공탁물을 회수한 경우에는 공탁하지 아니한 것으로 보아 채권소멸의 효력은 소급하여 없어진다. 이와 같이 채권소멸의 효력을 소급적으로 소멸시키는 공탁물의 회수에는 공탁자에 의하여 이루어진 경우뿐만 아니라 제3자가 공탁자에 대하여 가지는 별도 채권의 집행권원으로써 공탁자의 공탁물 회수청구권에 대하여 압류 및 추심명령을 받아 그 집행으로 공탁물을 회수한 경우도 포함된다.

③ 어음발행인이 지급기일에 피사취신고 등 사고신고를 하면서 어음액면금 상당의 사고신고담보금을 지급은행에 예치하였다면, 이는 어음소지인에 대한 변제공탁으로서 효력을 갖고, 따라서 지급기일부터의 이자나 지연손해금의 발생이 저지되는 효력이 생긴다.

④ 건물명도와 동시이행관계에 있는 임차보증금의 변제공탁을 함에 있어서 건물을 명도하였다는 확인서를 첨부할 것을 반대급부조건으로 붙였다면 위 변제공탁은 명도의 선이행을 조건으로 한 것이라고 볼 수밖에 없으므로 변제의 효력이 없다고 보아야 할 것이다.

⑤ 변제의 목적물이 공탁에 적당하지 아니하거나 멸실 또는 훼손될 염려가 있거나 공탁에 과다한 비용을 요하는 경우에는 변제자는 법원의 허가를 얻어 그 물건을 경매하거나 시가로 방매하여 대금을 공탁할 수 있다.

해설 ① 공탁금출급청구권은 피공탁자가 공탁소에 대하여 공탁금의 지급, 인도를 구하는 청구권으로서 위 청구권이 시효로 소멸한 경우 공탁자에게 공탁금회수청구권이 인정되지 않는 한 그 공탁금은 국고에 귀속하게 되는 것이어서(공탁사무처리규칙 제55조 참조), 공탁금출급청구권의 종국적인 채무자로서 소멸시효를 원용할 수 있는 자는 국가이다(대판 2007.3.30, 2005다11312).

② 변제공탁이 적법한 경우에는 채권자가 공탁물 출급청구를 하였는지 여부와는 관계없이 공탁을 한 때에 변제의 효력이 발생하나, 변제공탁자가 공탁물 회수권의 행사에 의하여 공탁물을 회수한 경우에는 공탁하지 아니한 것으로 보아 채권소멸의 효력은 소급하여 없어진다. 이와 같이 채권소멸의 효력을 소급적으로 소멸시키는 공탁물의 회수에는 공탁자에 의하여 이루어진 경우뿐만 아니라, 제3자가 공탁자에게 대하여 가지는 별도 채권의 집행권원으로써 공탁자의 공탁물 회수청구권에 대하여 압류 및 추심명령을 받아 그 집행으로 공탁물을 회수한 경우도 포함된다(대판 2014.5.29, 2013다212295).

③ 어음발행인이 지급기일에 피사취신고 등 사고신고를 하면서 어음액면금 상당의 사고신고담보금을 지급은행에 예치하였다 하더라도, 어음소지인에 대한 변제공탁으로서 효력을 갖는다

정답 ▶ 30 ③ 31 ③

PART 02

고 볼 수는 없고, 지급기일부터의 이자나 지연손해금의 발생이 저지되는 효력이 생긴다고 볼 수도 없다. 그리고 이는 어음소지인이 나중에 지급은행으로부터 사고신고담보금을 지급받았다고 하여 달리 볼 것도 아니다(대판 2017.2.3, 2016다41425).

④ 건물명도와 동시이행관계에 있는 임차보증금의 변제공탁을 함에 있어서 건물을 명도하였다는 확인서를 첨부할 것을 반대급부조건으로 붙였다면 위 변제공탁은 명도의 선이행을 조건으로 한 것이라고 볼 수밖에 없으므로 변제의 효력이 없다고 보아야 할 것이다(대판 1991.12.10, 91다27594).

⑤ 제490조 【자조매각금의 공탁】 변제의 목적물이 공탁에 적당하지 아니하거나 멸실 또는 훼손될 염려가 있거나 공탁에 과다한 비용을 요하는 경우에는 변제자는 법원의 허가를 얻어 그 물건을 경매하거나 시가로 방매하여 대금을 공탁할 수 있다.

32 민법상 변제공탁에 관한 다음 설명 중 가장 옳지 않은 것은? (다툼이 있는 경우 판례에 의하고, 전원합의체 판결의 경우 다수의견에 의함) ▶ 2019년 9급(법원서기보)

① 채권자가 공탁을 승인하거나 공탁소에 대하여 공탁물을 받기를 통고하거나 공탁유효의 판결이 확정되기까지는 변제자는 공탁물을 회수할 수 있다.

② 매수인이, 매도인을 대리하여 매매대금을 수령할 권한을 가진 자에게 잔대금 수령을 최고하고 그 자를 공탁물수령자로 지정하여 한 변제공탁도 다른 특별한 사정이 없는 한 매도인에 대한 잔대금 지급으로서의 효력이 있다.

③ 채권양도금지특약에 반하여 채권양도가 이루어졌다는 사정만으로는 민법 제487조 후단의 채권자 불확지를 원인으로 하여 변제공탁을 할 수 없는 것이 원칙이나, 그 경우에도 확정일자 있는 채권양도 통지와 채권가압류명령을 동시에 송달받은 제3채무자는 변제공탁을 할 수 있다.

④ 채무자가 채권자의 상대의무이행과 동시에 변제할 경우에는 채권자는 그 의무이행을 하지 아니하면 공탁물을 수령하지 못한다.

해설 ① 제489조 제1항 【공탁물의 회수】 채권자가 공탁을 승인하거나 공탁소에 대하여 공탁물을 받기를 통고하거나 공탁유효의 판결이 확정되기까지는 변제자는 공탁물을 회수할 수 있다. 이 경우에는 공탁하지 아니한 것으로 본다.

② 매수인이 매도인을 대리하여 매매대금을 수령할 권한을 가진 자에게 잔대금의 수령을 최고하고 그 자를 공탁물수령자로 지정하여 한 변제공탁은 매도인에 대한 잔대금 지급의 효력이 있다(대판 2012.3.15, 2011다77849).

③ 채권양도금지의 특약이 붙은 채권이 양도된 경우에 양수인의 악의 또는 중과실에 관한 입증책임은 채무자가 부담하지만, 그러한 경우에도 채무자로서는 양수인의 선의 등의 여부를 알 수 없어 과연 채권이 적법하게 양도된 것인지에 관하여 의문이 제기될 여지가 충분히 있으므로 특별한 사정이 없는 한 민법 제487조 후단의 채권자 불확지를 원인으로 하여 변제공탁을 할 수 있다(대판 2000.12.22, 2000다55904). 또한 확정일자 있는 채권양도의 통지와 가압류 또는 압류명령이 제3채무자에게 동시에 송달되었다고 인정되어 채무자가 채권양수인 및

추심명령이나 전부명령을 얻은 가압류 또는 압류채권자 중 한 사람이 제기한 급부소송에서 전액 패소한 이후에도 다른 채권자가 그 송달의 선후에 관하여 다시 문제를 제기하는 경우 기판력의 이론상 제3채무자는 이중지급의 위험이 있을 수 있으므로, 동시에 송달된 경우에도 제3채무자는 송달의 선후가 불명한 경우에 준하여 채권자를 알 수 없다는 이유로 변제공탁 을 함으로써 법률관계의 불안으로부터 벗어날 수 있다(대판(전) 1994.4.26, 93다24223).

④ 제491조【공탁물 수령과 상대의무이행】채무자가 채권자의 상대의무이행과 동시에 변제할 경우에는 채권자는 그 의무이행을 하지 아니하면 공탁물을 수령하지 못한다.

33 경개에 관한 다음 설명 중 가장 옳지 않은 것은? (다툼이 있는 경우 판례에 의함)

▶ 2018년 법무사

① 당사자가 채무의 중요한 부분을 변경하는 계약을 한 때에는 구채무는 경개로 인하여 소멸한다.

② 경개나 준소비대차는 모두 기존채무를 소멸하게 하고 신채무를 성립시키는 계약인 점 에 있어서는 동일하지만 경개의 경우에는 기존채무와 신채무 사이에 동일성이 없는 반 면, 준소비대차의 경우에는 원칙적으로 동일성이 인정된다는 점에 차이가 있다.

③ 경개계약은 신채권을 성립시키고 구채권을 소멸시키는 처분행위로서 신채권이 성립되 면 그 효과는 완결되고 경개계약 자체의 이행의 문제는 발생할 여지가 없으므로 경개 에 의하여 성립된 신채무의 불이행을 이유로 경개계약을 해제할 수 없고, 당사자들 사 이에서도 그 계약을 합의해제하여 구채권을 부활시킬 수 없다.

④ 경개로 인한 신채무가 원인의 불법 또는 당사자가 알지 못한 사유로 인하여 성립하지 아니하거나 취소된 때에는 구채무는 소멸하지 않는다.

⑤ 경개의 당사자는 구채무의 담보를 그 목적의 한도에서 신채무의 담보로 할 수 있다. 그러나 제3자가 제공한 담보는 그 승낙을 얻어야 한다.

해설 ① 제500조

② 경개나 준소비대차는 모두 기존채무를 소멸하게 하고 신채무를 성립시키는 계약인 점에 있어서는 동일하지만 경개의 경우에는 기존채무와 신채무 사이에 동일성이 없는 반면, 준 소비대차의 경우에는 원칙적으로 동일성이 인정된다는 점에 차이가 있다(대판 2016.6.9, 2014다64752).

③ 경개계약은 신채권을 성립시키고 구채권을 소멸시키는 처분행위로서 신채권이 성립되면 그 효과는 완결되고 경개계약 자체의 이행의 문제는 발생할 여지가 없으므로 경개에 의하여 성 립된 신채무의 불이행을 이유로 경개계약을 해제할 수는 없다. 그러나 계약자유의 원칙상 경 개계약의 성립 후에 그 계약을 합의해제하여 구채권을 부활시키는 것은 적어도 당사자 사이 에서는 가능하다(대판 2003.2.11, 2002다62333).

④ 제504조

⑤ 제505조

정답 ▶ 32 ③ 33 ③

34 다음 설명 중 가장 옳지 않은 것은? ▸2023년 법무사

① 경개계약은 신채권을 성립시키고 구채권을 소멸시키는 처분행위로서 신채권이 성립되면 그 효과는 완결되고 경개계약 자체의 이행의 문제는 발생할 여지가 없으므로 경개에 의하여 성립된 신채무의 불이행을 이유로 경개계약을 해제할 수는 없다.

② 기존의 채권이 제3자에게 이전된 경우 이를 채권의 양도로 볼 것인가 또는 경개로 볼 것인가는 일차적으로 당사자의 의사에 의하여 결정되고, 만약 당사자의 의사가 명백하지 아니할 때에는 일반적으로 채권의 양도로 볼 것이다.

③ 기존채무와 관련하여 새로운 약정을 체결한 경우에 그러한 약정이 경개에 해당하는 것인지 아니면 단순히 기존채무의 변제기나 변제방법 등을 변경한 것인지는 당사자의 의사에 의하여 결정되고, 만약 당사자의 의사가 명백하지 아니할 때에는 의사해석의 문제로 귀착되는 것으로서, 이러한 당사자의 의사를 해석함에 있어서는 새로운 약정이 이루어지게 된 동기 및 경위, 당사자가 그 약정에 의하여 달성하려고 하는 목적과 진정한 의사 등을 종합적으로 고찰하여 사회정의와 형평의 이념에 맞도록 논리와 경험의 법칙, 그리고 사회일반의 상식과 거래의 통념에 따라 합리적으로 해석하여야 한다.

④ 채무자가 부담한 구채무의 일부가 이자제한법 위반으로 무효라고 하더라도 경개계약을 체결한 경우 그 부분에 관하여 효력이 발생하지 않는다고 할 수 없다.

⑤ 현실적인 자금의 수수 없이 형식적으로만 신규대출을 하여 기존채무를 변제하는 이른바 대환은 특별한 사정이 없는 한 형식적으로는 별도의 대출에 해당하나 실질적으로는 기존채무의 변제기의 연장에 불과하여 경개라고 할 수 없다.

> **해설** ① 대판 2003.2.11, 2002다62333
> ② 대판 1996.7.9, 96다16612
> ③ 대판(전합) 2019.10.23, 2012다46170
> ④ 계약상의 이자로서 **이자제한법 소정의 제한이율을 초과하는 부분은 무효**이고 이러한 제한초과의 이자에 대하여 <u>준소비대차계약 또는 경개계약을 체결하더라도</u> <u>그 초과 부분에 대하여는 효력이 생기지 아니한다</u>(대판 1998.10.13, 98다17046).
> ⑤ 대판 2012.2.23, 2011다76426 → 대환의 법적 성질 = 준소비대차

35 채권의 소멸에 관한 다음 설명 중 가장 옳지 않은 것은? ▸2018년 법원행시

① 채무의 면제는 반드시 명시적인 의사표시만에 의하여야 하는 것은 아니고 채권자의 어떠한 행위 내지 의사표시의 해석에 의하여 채무의 면제라고 볼 수 있는 경우에는 이를 인정하여야 할 것이기는 하나, 이와 같이 인정하기 위하여는 당해 권리관계의 내용에 따라 이에 관한 채권자의 행위 내지 의사표시의 해석을 엄격히 하여야 한다.

② 토지를 乙에게 명의신탁하고 장차의 소유권이전의 청구권 보전을 위하여 자신의 명의로 가등기를 경료한 甲이 이후 乙의 가등기에 기한 본등기 절차의 이행의무를 인수한 경우, 甲의 가등기에 기한 본등기청구권은 혼동으로 인하여 소멸한다.

③ "경개의 당사자는 구 채무의 담보를 그 목적의 한도에서 신 채무의 담보로 할 수 있다." 고 규정하고 있는 민법 제505조(신채무에의 담보이전)는 당사자의 편의를 위하여 부종 성에 대한 예외를 인정한 것이므로, 경개계약으로 구 채무에 관한 저당권 등이 신 채무 에 이전되기 위하여는 당사자 사이에 그러한 뜻의 특약이 이루어져야 하고, 이는 반드 시 명시적일 것을 요한다.

④ 채무자가 채권자에게 채무변제와 관련하여 다른 채권을 양도하는 것은 특단의 사정이 없는 한 채무변제를 위한 담보 또는 변제의 방법으로 양도되는 것으로 추정할 것이고, 채무변제에 갈음한 것으로 볼 것은 아니다.

⑤ 위탁자와 수탁자 사이에 신탁계약이 해지되었을 때 수탁자가 최종 계산을 거쳐 수익자 에게 신탁재산을 교부한 후 잔여재산이 있는 경우 이를 위탁자에게 반환하기로 약정하 였으나, 신탁재산을 수령할 권한이 있는 수익자인지에 관한 다툼이 있고 수탁자가 선 량한 관리자의 주의를 다하여도 수익자라고 주장하는 자와 위탁자 중 누구에게 신탁 재산을 지급하여야 하는지 알 수 없다면 수탁자는 민법 제487조 후단의 채권자 불확지 를 원인으로 하여 신탁재산을 변제공탁할 수 있다.

해설 ① 당사자 사이에 계약의 해석을 둘러싸고 이견이 있어 처분문서에 나타난 당사자의 의사해석 이 문제되는 경우에 그 해석은 문언의 내용, 그와 같은 약정이 이루어진 동기와 경위, 약정에 의하여 달성하려는 목적, 당사자의 진정한 의사 등을 종합적으로 고찰하여 논리와 경험칙에 따라 합리적으로 해석하여야 한다. 그리고 채권의 포기(또는 채무의 면제)는 반드시 명시적인 의사표시만에 의하여야 하는 것이 아니고 채권자의 어떠한 행위 내지 의사표시의 해석에 의 하여 그것이 채권의 포기라고 볼 수 있는 경우에도 이를 인정하여야 하나, 그와 같이 인정하 기 위하여는 당해 권리관계의 내용에 따라 이에 대한 채권자의 행위 내지 의사표시의 해석을 엄격히 하여 그 적용 여부를 결정하여야 한다(대판 2010.10.14, 2010다40505).

② 채권은 채권과 채무가 동일한 주체에 귀속한 때에 한하여 혼동으로 소멸하는 것이 원칙이므 로, 어느 특정의 물건에 관한 채권을 가지는 자가 그 물건의 소유자가 되었다는 사정만으로 는 채권과 채무가 동일한 주체에 귀속한 경우에 해당한다고 할 수 없어 그 물건에 관한 채권 이 혼동으로 소멸하는 것은 아닌바, 토지를 乙에게 명의신탁하고 장차의 소유권이전의 청구 권 보전을 위하여 자신의 명의로 가등기를 경료한 甲이, 乙에 대하여 가지는 가등기에 기한 본등기청구권은 채권으로서, 甲이 乙을 상속하거나 乙의 가등기에 기한 본등기 절차 이행의 의무를 인수하지 아니하는 이상, 甲이 가등기에 기한 본등기 절차에 의하지 아니하고 乙로부 터 별도의 소유권이전등기를 경료받았다고 하여 혼동의 법리에 의하여 甲의 가등기에 기한 본등기청구권이 소멸하는 것은 아니다(대판 1995.12.26, 95다29888).

③ 민법 제505조(신채무에의 담보이전)는 "경개의 당사자는 구 채무의 담보를 그 목적의 한도에서 신 채무의 담보로 할 수 있다. 그러나 제3자가 제공한 담보는 그 승낙을 얻어야 한다."고 규 정하고 있는바, 이 규정은 경개에 의하여 구 채무가 소멸하기 때문에 이에 따르는 인적·물 적 담보 또한, 부종성의 원리에 따라 당연히 함께 소멸하고, 당사자가 신 채무에 관하여 저당 권 등을 설정하기로 합의하여도 구 채무에 관하여 존재하던 저당권 등은 어차피 소멸하여 그 순위의 보전이 불가능하나, 이러한 결과가 많은 경우 당사자의 의도에 반하는 것인 점을 고려하여 당사자의 편의를 위하여 부종성에 대한 예외를 인정한 것으로서, 경개계약의 경우

구 채무에 관한 저당권 등이 신 채무에 이전되기 위하여는 당사자 사이에 그러한 뜻의 특약이 이루어져야 하지만, 반드시 명시적인 것을 필요로 하지는 않고, 묵시적인 합의로도 가능하다(대판 2002.10.11, 2001다7445).

④ 채무자가 채권자에게 채무변제와 관련하여 다른 채권을 양도하는 것은 특단의 사정이 없는 한 채무변제를 위한 담보 또는 변제의 방법으로 양도되는 것으로 추정할 것이지 채무변제에 갈음한 것으로 볼 것은 아니어서, 채권양도만 있으면 바로 원래의 채권이 소멸한다고 볼 수는 없다(대판 1995.9.15, 95다13371).

⑤ 위탁자와 수탁자 사이에 신탁계약이 해지 또는 종료되었을 때 수탁자가 최종 계산을 거쳐 수익자에게 신탁재산을 교부한 후 잔여재산이 있는 경우 이를 위탁자에게 반환하기로 약정하였다면, 수탁자는 그 절차에 따라 수익자에게 신탁재산을 교부하고 남은 재산이 있으면 이를 위탁자에게 반환하면 된다. 그러나 신탁재산을 수령할 권한이 있는 수익자인지에 관한 다툼이 있다면, 수탁자는 그 사람이 정당한 수익자인지 여부에 따라 신탁재산을 수익자 또는 위탁자 중 누구에게 지급하여야 하는지가 결정된다. 만일 수탁자가 선량한 관리자의 주의를 다하여도 수익자라고 주장하는 자와 위탁자 중 누구에게 신탁재산을 지급하여야 하는지 알 수 없다면 '과실 없이 채권자를 알 수 없는 경우'에 해당하므로, 수탁자는 민법 제487조 후단의 채권자 불확지를 원인으로 하여 신탁재산을 변제공탁할 수 있다(대판 2014.12.24, 2014다207245 · 207252).

36 다음 설명 중 가장 옳지 않은 것은? ▶ 2022년 법원행시

① 채무자가 채권자의 승낙을 얻어 본래의 채무이행에 갈음하여 부동산으로 대물변제를 하였으나 본래의 채무가 존재하지 않았던 경우에는, 당사자가 특별한 의사표시를 하지 않은 한, 대물변제는 무효로서 부동산의 소유권이 이전되는 효과가 발생하지 않는다.

② 채무변제를 위한 담보 또는 변제의 방법으로 다른 채권을 양도하기로 하는 경우, 특별한 사정이 없는 한 채권양도의 요건을 갖추어 대체급부가 이루어짐으로써 원래의 채무는 소멸하는 것이고 그 양수한 채권의 변제까지 이루어져야만 원래의 채무가 소멸하는 것은 아니다.

③ 채무변제에 갈음하여 다른 채권을 양도하기로 한 경우 대체급부로서 채권을 양도한 양도인은 양도 당시 양도대상인 채권의 존재에 대해서는 담보책임을 지지만 당사자 사이에 별도의 약정이 있다는 등 특별한 사정이 없는 한 그 채무자의 변제자력까지 담보하는 것은 아니다.

④ 채무자가 채권자에게 채무변제와 관련하여 다른 채권을 양도하는 것은 특단의 사정이 없는 한 채무변제를 위한 담보 또는 변제의 방법으로 양도되는 것으로 추정할 것이지 채무변제에 갈음한 것으로 볼 것은 아니다.

⑤ 대물변제예약 완결권은 일종의 형성권으로서 당사자 사이에 그 행사기간을 약정한 때에는 그 기간 내에, 그러한 약정이 없는 때에는 그 권리가 발생한 때로부터 10년 내에 이를 행사하여야 하고, 이 기간을 도과한 때에는 예약완결권은 제척기간의 경과로 인하여 소멸한다.

해설 ① 대판 1991.11.12, 91다9503

②,④ 채무자가 채권자에게 채무변제와 관련하여 다른 채권을 양도하는 것은 특단의 사정이 없는 한 채무변제를 위한 담보 또는 변제의 방법으로 양도되는 것으로 추정할 것이지 채무변제에 갈음한 것으로 볼 것은 아니어서, 그 경우 채권양도만 있으면 바로 원래의 채권이 소멸한다고 볼 수는 없고 채권자가 양도받은 채권을 변제받은 때에 비로소 그 범위 내에서 채무자가 면책된다(대판 1995.9.15, 95다13371; 대판 2013.5.9, 2012다40998).

③ 채무자가 채권자에게 채무변제에 '갈음하여' 다른 채권을 양도하기로 한 경우에는 특별한 사정이 없는 한 채권양도의 요건을 갖추어 대체급부가 이루어짐으로써 원래의 채무는 소멸하는 것이고 그 양수한 채권의 변제까지 이루어져야만 원래의 채무가 소멸한다고 할 것은 아니다. 이 경우 대체급부로서 채권을 양도한 양도인은 양도 당시 양도대상인 채권의 존재에 대해서는 담보책임을 지지만 당사자 사이에 별도의 약정이 있다는 등 특별한 사정이 없는 한 그 채무자의 변제자력까지 담보하는 것은 아니다(대판 2013.5.9, 2012다40998).

⑤ 매매의 일방예약에서 예약자의 상대방이 매매예약 완결의 의사표시를 하여 매매의 효력을 생기게 하는 권리, 즉 매매예약의 완결권은 일종의 형성권으로서 당사자 사이에 그 행사기간을 약정한 때에는 그 기간 내에, 그러한 약정이 없는 때에는 그 예약이 성립한 때로부터 10년 내에 이를 행사하여야 하고, 그 기간을 지난 때에는 예약완결권은 제척기간의 경과로 인하여 소멸한다(대판 2003.1.10, 2000다26425; 대판 2018.11.29, 2017다247190).

37 다음 설명 중 옳은 것(○)과 옳지 않은 것(X)을 가장 올바르게 조합한 것은?

▶ 2024년 법원행시

ㄱ. 채무자가 누가 진정한 채권자인지를 알 수 없어 상대적 불확지의 변제공탁을 하여 피공탁자 중 1인이 다른 피공탁자들을 상대로 자기에게 공탁금출급청구권이 있다는 확인을 구한 경우에, 피공탁자들 사이에서 누가 진정한 채권자로서 공탁금출급청구권을 가지는지는 피공탁자들과 공탁자인 채무자 사이의 법률관계에서 누가 본래의 채권을 행사할 수 있는 진정한 채권자인지를 기준으로 판단하여야 한다.

ㄴ. 계약자유의 원칙상 경개계약의 성립 후에 그 계약을 명시적이든 묵시적이든 합의해제하여 구채무를 부활시키는 것이 가능하므로, 다수 당사자 사이에서 경개계약이 체결된 경우 일부 당사자만이 경개계약을 합의해제하더라도 이를 무효라고 볼 수는 없고, 그 효과도 모든 당사자들에게 미친다.

ㄷ. 사회통념상 허용될 수 있는 적정이율을 초과하는 이자약정이 민법 제103조에 위반되어 무효라고 보더라도 당사자 사이의 약정에 따라 이자가 지급된 이상 그 불법원인은 대주와 차주 쌍방 모두에게 있다고 볼 수밖에 없고, 대주가 불법성을 명확하게 인식했다고 평가하기는 어렵다는 점에 비추어 보면 일률적으로 대주의 불법성이 차주의 그것에 비해 현저히 크다고 단정할 수만은 없으므로 결국 민법 제746조 본문에 따라 차주의 반환청구는 허용될 수 없다.

정답 36 ② 37 ②

ㄹ. 지명채권 양수인이 '양도되는 채권의 채무자'여서 양도된 채권이 민법 제507조 본문에 따라 혼동에 의하여 소멸한 경우에는, 후에 채권에 관한 압류 또는 가압류결정이 제3채무자에게 송달되더라도 채권압류 또는 가압류결정은 존재하지 아니하는 채권에 대한 것으로서 무효이고, 압류 또는 가압류채권자는 민법 제450조 제2항에서 정한 제3자에 해당하지 아니한다.

ㅁ. 민법상 채무면제는 채권을 무상으로 소멸시키는 채권자의 채무자에 대한 단독행위이고 다만 계약에 의하여도 동일한 법률효과를 발생시킬 수 있는 것이므로, 검사 작성의 피의자신문조서는 당해 신문과정에서 다른 피의자나 참고인과 대질이 이루어졌고 그 진술기재 가운데 채무면제의 의사가 표시되어 있다면 그 부분을 채무면제의 처분문서로 보기에 충분하다.

① ㄱ(○), ㄴ(○), ㄷ(×), ㄹ(×), ㅁ(○)
② ㄱ(○), ㄴ(×), ㄷ(×), ㄹ(○), ㅁ(×)
③ ㄱ(×), ㄴ(○), ㄷ(○), ㄹ(×), ㅁ(○)
④ ㄱ(×), ㄴ(×), ㄷ(○), ㄹ(○), ㅁ(○)
⑤ ㄱ(○), ㄴ(×), ㄷ(○), ㄹ(×), ㅁ(×)

해설 ㄱ. 채무자가 과실 없이 채권자를 알 수 없는 경우에는 변제의 목적물을 공탁하면 채무를 면하고(민법 제487조 후단), 채권자는 공탁소에 대하여 공탁금출급청구권을 가지게 된다. 이때 피공탁자가 된 채권자가 가지는 공탁금출급청구권은 채무자에 대한 본래의 채권을 갈음하는 권리이므로, 그 귀속 주체와 권리 범위는 본래의 채권이 성립한 법률관계에 따라 정해진다. 따라서 채무자가 누가 진정한 채권자인지를 알 수 없어 상대적 불확지의 변제공탁을 하여 피공탁자 중 1인이 다른 피공탁자들을 상대로 자기에게 공탁금출급청구권이 있다는 확인을 구한 경우에, 피공탁자들 사이에서 누가 진정한 채권자로서 공탁금출급청구권을 가지는지는 피공탁자들과 공탁자인 채무자 사이의 법률관계에서 누가 본래의 채권을 행사할 수 있는 진정한 채권자인지를 기준으로 판단하여야 한다(대판 2017.5.17. 2016다270049).

ㄴ. 계약자유의 원칙상 경개계약의 성립 후에 그 계약을 명시적이든 묵시적이든 합의해제하여 구채무를 부활시키는 것은 적어도 당사자 사이에서는 가능하다. 또한, **다수 당사자 사이에서 경개계약이 체결된 경우 일부 당사자만이 경개계약을 합의해제하더라도 이를 무효라고 볼 수는 없고, 다만 그 효과가 경개계약을 해제하기로 합의한 당사자들에게만 미치는 것에 불과하다.** 그런데 일부 당사자만이 경개계약을 합의해제하게 되면 그들 사이에서는 구채무가 부활하고 나머지 당사자들 사이에서는 경개계약에 따른 신채무가 여전히 효력을 가지게 됨으로써 당사자들 사이의 법률관계가 간명하게 규율되지 않는 경우가 발생할 수 있고, 경개계약을 합의해제하는 당사자들로서도 이러한 문제를 해결하는 것이 중요한 관심사가 될 터이므로 이에 관한 아무런 약정이나 논의 없이 그들 사이에서만 경개계약을 해제하기로 합의하는 것은 경험칙에 비추어 이례에 속하는 일이다(대판 2010.7.29. 2010다699).

ㄷ. 선량한 풍속 기타 사회질서에 위반하여 무효인 부분의 이자 약정을 원인으로 차주가 대주에게 임의로 이자를 지급하는 것은 통상 불법의 원인으로 인한 재산 급여라고 볼 수 있을 것이나, 불법원인급여에 있어서도 그 불법원인이 수익자에게만 있는 경우이거나 수익자의 불법성이 급여자의 그것보다 현저히 커서 급여자의 반환청구를 허용하지 않는 것이 오히려 공평

과 신의칙에 반하게 되는 경우에는 급여자의 반환청구가 허용되므로, **대주가 사회통념상 허용되는 한도를 초과하는 이율의 이자를 약정하여 지급받은 것은 그의 우월한 지위를 이용하여 부당한 이득을 얻고 차주에게는 과도한 반대급부 또는 기타의 부당한 부담을 지우는 것으로서 그 불법의 원인이 수익자인 대주에게만 있거나 또는 적어도 대주의 불법성이 차주의 불법성에 비하여 현저히 크다고 할 것이어서 차주는 그 이자의 반환을 청구할 수 있다**(대판(전합) 2007.2.15, 2004다50426). → 지문은 전합 판례의 반대의견의 내용이다.

ㄹ. 민법 제450조 제2항에서 정한 지명채권양도의 제3자에 대한 대항요건은 양도된 채권이 존속하는 동안에 그 채권에 관하여 양수인의 지위와 양립할 수 없는 법률상의 지위를 취득한 제3자가 있는 경우에 적용된다. 따라서 지명채권 양수인이 '양도되는 채권의 채무자'여서 양도된 채권이 민법 제507조 본문에 따라 혼동에 의하여 소멸한 경우에는 후에 채권에 관한 압류 또는 가압류결정이 제3채무자에게 송달되더라도 채권압류 또는 가압류결정은 존재하지 아니하는 채권에 대한 것으로서 무효이고, 압류 또는 가압류채권자는 민법 제450조 제2항에서 정한 제3자에 해당하지 아니한다(대판 2022.1.13, 2019다272855).

ㅁ. 민법상 채무면제는 채권을 무상으로 소멸시키는 채권자의 채무자에 대한 단독행위이고 다만 계약에 의하여도 동일한 법률효과를 발생시킬 수 있는 것인 반면, 검사 작성의 피의자신문조서는 검사가 피의자를 신문하여 그 진술을 기재한 조서로서 그 작성형식은 원칙적으로 검사의 신문에 대하여 피의자가 응답하는 형태를 취하므로, 비록 당해 신문과정에서 다른 피의자나 참고인과 대질이 이루어진 경우라고 할지라도 피의자 진술은 어디까지나 검사를 상대로 이루어지는 것이므로 그 진술기재 가운데 채무면제의 의사가 표시되어 있다고 하더라도 그 부분이 곧바로 채무면제의 처분문서에 해당한다고 보기 어렵다(대판 1998.10.13, 98다17046).

38 상계에 관한 다음 설명 중 옳지 않은 것은?

① 상계는 쌍방의 채무가 성질상 상계할 수 있을 때에는 상대방에 대한 의사표시로 하고, 조건이나 기한이 붙은 상계의 의사표시는 그 조건이 성취되거나 기한이 도달한 때 비로소 효력이 발생한다.

② 상계에 있어서 자동채권은 반드시 변제기에 있어야 하나, 수동채권은 반드시 변제기가 도래하여야 하는 것은 아니다.

③ 부작위채무나 서로 노무를 제공하는 채무에 대하여는 상계가 허용되지 않는다.

④ 연대채무자 1인이 채권자에 대하여 채권이 있는 경우에 그 채무자가 상계한 때에는 채권은 모든 연대채무자의 이익을 위하여 소멸한다.

⑤ 조합의 채무자는 그 채무와 조합원에 대한 채권으로 상계할 수 없다.

해설 ① 제493조 제1항 【상계의 방법, 효과】 상계는 상대방에 대한 의사표시로 한다. 이 의사표시에는 조건 또는 기한을 붙이지 못한다.
→ 상계계약의 경우에는 불법행위에 의한 채권도 대상이 될 수 있고, 조건이나 기한도 붙일 수 있다.(○)

정답 ▶ 38 ①

② 이행기가 아직 도래하지 않은 채권은 상계하면 상대방의 기한이익을 부당하게 상실시킬 우려가 있으므로 자동채권은 반드시 변제기에 있어야 하지만, 수동채권은 반드시 변제기에 있을 필요는 없다.
→ 상계를 하기 위해서는 자동채권뿐만 아니라 수동채권도 반드시 변제기가 도래하여야 한다.(×)

③ 채권의 성질상 서로 현실의 이행을 하여야만 채권의 목적을 달성할 수 있는 경우에는 상계가 허용되지 않는다. 따라서 부작위채무, 서로 노무를 제공하는 채무 등은 상계할 수 없다.

④ 제418조 제1항 【상계의 절대적 효력】 어느 연대채무자가 채권자에 대하여 채권이 있는 경우에 그 채무자가 상계한 때에는 채권은 모든 연대채무자의 이익을 위하여 소멸한다.

⑤ 제715조 【조합채무자의 상계의 금지】 조합의 채무자는 그 채무와 조합원에 대한 채권으로 상계하지 못한다.

39 민법상 상계에 관한 다음 설명 중 옳지 않은 것은?

① 채권이 압류하지 못할 것인 때에는 그 채무자는 상계로 채권자에게 대항하지 못한다.
② 채무가 고의의 불법행위로 인한 것인 때에는 그 채무자는 상계로 채권자에게 대항하지 못한다.
③ 소멸시효가 완성된 채권이 그 완성 전에 상계할 수 있었던 것이면 그 채권자는 상계할 수 있다.
④ 지급을 금지하는 명령을 받은 제3채무자는 그 전에 취득한 채권에 의한 상계로 그 명령을 신청한 채권자에게 대항하지 못한다.
⑤ 상계의 의사표시는 각 채무가 상계할 수 있는 때에 대등액에 관하여 소멸한 것으로 본다.

해설
① 제497조 【압류금지채권을 수동채권으로 하는 상계의 금지】 채권이 압류하지 못할 것인 때에는 그 채무자는 상계로 채권자에게 대항하지 못한다.
→ 압류금지채권을 자동채권으로 한 상계는 허용된다.(○)

② 제496조 【불법행위채권을 수동채권으로 하는 상계의 금지】 채무가 고의의 불법행위로 인한 것인 때에는 그 채무자는 상계로 채권자에게 대항하지 못한다.

③ 제495조 【소멸시효완성된 채권에 의한 상계】 소멸시효가 완성된 채권이 그 완성 전에 상계할 수 있었던 것이면 그 채권자는 상계할 수 있다.
→ 소멸시효가 완성된 채권은 시효완성 전에 상계할 수 있었다 하더라도 이를 자동채권으로 하여 반대채권과 상계할 수 없다.(×)

④ 제498조 【지급금지채권을 수동채권으로 하는 상계의 금지】 지급을 금지하는 명령을 받은 제3채무자는 그 후에 취득한 채권에 의한 상계로 그 명령을 신청한 채권자에게 대항하지 못한다.

⑤ 제493조 제2항 【상계의 방법, 효과】 상계의 의사표시는 각 채무가 상계할 수 있는 때에 대등액에 관하여 소멸한 것으로 본다.

40 상계에 관한 다음 설명 중 옳지 않은 것은? (다툼이 있는 경우 판례에 의함)

① 보증인은 주채무자의 채권에 의한 상계로 채권자에게 대항할 수 있다.

② 금전채권에 대한 압류 및 전부명령이 있고 제3채무자의 압류채무자에 대한 자동채권이 수동채권인 피압류채권과 동시이행의 관계에 있는 경우에는 압류명령이 제3채무자에게 송달되어 압류의 효력이 생긴 후에 자동채권이 발생하였다고 하더라도 제3채무자는 그 채권에 의한 상계로 압류채권자에게 대항할 수 있다.

③ 자동채권과 수동채권이 모두 불법행위로 인한 손해배상채권인 경우에는 상계할 수 있다.

④ 압류금지채권을 자동채권으로 한 상계는 허용된다.

⑤ 동시이행의 항변권이 붙은 채권은 이를 자동채권으로 하여 상계할 수 없으나, 수동채권으로 하여 상계하는 것은 허용된다.

> **해설** ① 제434조 【보증인과 주채무자 상계권】 보증인은 주채무자의 채권에 의한 상계로 채권자에게 대항할 수 있다.
>
> ② 제3채무자의 압류채무자에 대한 자동채권이 수동채권인 피압류채권과 동시이행의 관계에 있는 경우에는, 비록 압류명령이 제3채무자에게 송달되어 압류의 효력이 생긴 후에 비로소 자동채권이 발생하였다고 하더라도 동시이행의 항변권을 주장할 수 있는 제3채무자로서는 그 채권에 의한 상계로써 압류채권자에게 대항할 수 있는 것으로서, 이 경우 자동채권이 발생한 기초가 되는 원인은 수동채권이 압류되기 전에 이미 성립하여 존재하고 있었던 것이므로 그 자동채권은 민법 제498조에 규정된 '지급을 금지하는 명령을 받은 제3채무자가 그 후에 취득한 채권'에 해당하지 않는다(대판 2005.11.10, 2004다37676).
>
> ③ 고의의 불법행위로 인한 손해배상채권을 수동채권으로 하는 상계는 허용되지 않는 것이며, 이는 그 자동채권이 동시에 행하여진 싸움에서 서로 상해를 가한 경우와 같이 동일한 사안에서 발생한 고의의 불법행위로 인한 손해배상채권인 경우에도 마찬가지이다(대판 1994.2.25, 93다38444).
>
> ④ 제497조 【압류금지채권을 수동채권으로 하는 상계의 금지】 채권이 압류하지 못할 것인 때에는 그 채무자는 상계로 채권자에게 대항하지 못한다.
>
> ⑤ 자동채권에 항변권이 붙어 있는 경우에는 상계가 허용되지 않는다. 이는 상대방의 항변권 행사기회를 박탈하지 않기 위함이다. 그러나 수동채권에 항변권이 붙어 있는 경우에는 상계가 허용된다. 상계자 스스로 항변을 포기할 수 있기 때문이다.
> 항변권이 붙어 있는 채권을 자동채권으로 하여 타의 채무와의 상계를 허용한다면 상계자 일방의 의사표시에 의하여 상대방의 항변권행사의 기회를 상실케 하는 결과가 되므로 이와 같은 상계는 그 성질상 허용될 수 없다(대판 2002.8.23, 2002다25242).

41 상계에 관한 다음 설명 중 가장 옳지 않은 것은? (다툼이 있는 경우 판례에 의함) ▸ 2014년 법무사

① 상계의 의사표시에는 조건 또는 기한을 붙이지 못하고, 채권이 압류하지 못할 것인 때에는 그 채무자는 상계로 채권자에게 대항하지 못한다.

② 상계적상 시점 이전에 수동채권의 변제기가 이미 도래하여 지체가 발생한 경우에는 상계적상 시점까지의 수동채권의 약정이자 및 지연손해금을 계산한 다음 자동채권으로 그 약정이자 및 지연손해금을 먼저 소각하고 잔액을 가지고 원본을 소각하여야 한다.

③ 부진정연대채무자 중 1인이 자신의 채권자에 대한 반대채권으로 상계를 한 경우에도 그 상계로 인한 채무소멸의 효력은 소멸한 채무 전액에 관하여 다른 부진정연대채무자에 대하여도 미치고, 이는 부진정연대채무자 중 1인이 채권자와 상계계약을 체결한 경우에도 마찬가지이다.

④ 소멸시효가 완성된 채권이라 하더라도 그 시효 완성 전에 상계할 수 있었던 것이면 그 채권자는 상계할 수 있는 것이고 그 상계의 효과는 각 채무가 상계할 수 있는 때에 대등액에 관하여 소멸한 것으로 본다.

⑤ 채권압류 및 전부명령에 있어 제3채무자에게 전부명령이 송달된 후에는 그 제3채무자는 그 명령을 송달받기 전에 채무자에 대하여 상계적상에 있던 반대채권을 가지고 있었다 하여도 그 반대채권으로 전부되는 채무자의 채권과 상계할 수 없다.

해설 ① 상계는 상대방에 대한 의사표시로 한다. 이 의사표시에는 조건 또는 기한을 붙이지 못한다(제493조 제1항). 채권이 압류하지 못할 것인 때에는 그 채무자는 상계로 채권자에게 대항하지 못한다(제497조).

② 상계의 의사표시가 있는 경우, 채무는 상계적상시에 소급하여 대등액에 관하여 소멸한 것으로 보게 되므로, 상계에 의한 양 채권의 차액 계산 또는 상계 충당은 상계적상의 시점을 기준으로 하게 되고, 따라서 그 시점 이전에 수동채권의 변제기가 이미 도래하여 지체가 발생한 경우에는 상계적상 시점까지의 수동채권의 약정이자 및 지연손해금을 계산한 다음 자동채권으로써 먼저 수동채권의 약정이자 및 지연손해금을 소각하고 잔액을 가지고 원본을 소각하여야 한다(대판 2005.7.8, 2005다8125).

③ 판례는 종래 부진정연대채무에서 상계의 절대적 효력을 부인하였으나, 최근 판례에서 "부진정연대채무자 중 1인이 자신의 채권자에 대한 반대채권으로 상계를 한 경우에도 채권은 변제, 대물변제 또는 공탁이 행하여진 경우와 동일하게 현실적으로 만족을 얻어 그 목적을 달성하는 것이므로, 그 상계로 인한 채무소멸의 효력은 소멸한 채무 전액에 관하여 다른 부진정연대채무자에 대하여도 미친다고 보아야 한다. 이는 부진정연대채무자 중 1인이 채권자와 상계계약을 체결한 경우에도 마찬가지이다. 나아가 이러한 법리는 채권자가 상계 내지 상계계약이 이루어질 당시 다른 부진정연대채무자의 존재를 알았는지 여부에 의하여 좌우되지 아니한다."라고 판시하여 절대효를 긍정하는 입장으로 변경하였다(대판(전) 2010.9.16, 2008다97218).

④ 소멸시효가 완성된 채권이 그 완성전에 상계할 수 있었던 것이면 그 채권자는 상계할 수 있다(제495조). 상계의 의사표시는 각 채무가 상계할 수 있는 때에 대등액에 관하여 소멸한 것으로 본다(제493조 제2항).

⑤ 채권압류 및 전부명령에 있어 제3채무자는 그 명령이 송달되기 이전에 채무자에 대하여 상계적상에 있었던 반대채권을 가지고 있었다면 그 명령이 송달된 이후에 상계로서 전부채권자에게 대항할 수 있다(대판(전합) 1973.11.13, 73다518).

42 상계에 관한 다음 설명 중 가장 옳지 않은 것은? (다툼이 있는 경우 판례에 의함)

▶ 2015년 법무사

① 유치권이 인정되는 아파트를 경매절차에서 매수한 자가 그 아파트의 일부를 점유·사용하고 있는 유치권자에 대한 임료 상당의 부당이득금 반환채권을 자동채권으로 하고 유치권자의 종전 소유자에 대한 유익비상환채권을 수동채권으로 하여 상계의 의사표시를 한 경우에는 부당이득금 반환채권과 유익비상환채권이 대등액의 범위 내에서 소멸한다.

② 상계의 대상이 될 수 있는 자동채권과 수동채권이 동시이행관계에 있다고 하더라도 서로 현실적으로 이행하여야 할 필요가 없는 경우라면 특별한 사정이 없는 한 상계가 허용된다.

③ 사용자가 근로자에게 퇴직금 명목으로 지급한 금원 상당의 부당이득반환채권을 자동채권으로 하여 근로자의 퇴직금채권을 상계하는 것은 퇴직금채권의 2분의 1을 초과하는 부분에 해당하는 금액에 관하여만 허용된다.

④ 사용자가 근로자의 동의를 얻어 근로자의 임금채권에 대하여 상계하는 경우에 그 동의가 근로자의 자유로운 의사에 터잡아 이루어진 것이라고 인정할 만한 합리적인 이유가 객관적으로 존재하는 때에는 그 상계가 허용될 수 있다.

⑤ 피고의 소송상 상계항변에 대하여 원고가 소송상 상계의 재항변을 하는 것은 다른 특별한 사정이 없는 한 허용되지 않는다.

해설 ① 제3자에 대한 채권을 수동채권으로 하는 상계를 부정하는 것이 판례이다. 따라서 유치권이 인정되는 아파트를 경매절차에서 매수한 자가 그 아파트의 일부를 점유·사용하고 있는 유치권자에 대한 임료 상당의 부당이득금 반환채권을 자동채권으로 하고 유치권자의 종전 소유자에 대한 유익비상환채권을 수동채권으로 하여 상계의 의사표시를 한 경우, 상계를 부정한다(대판 2011.4.28, 2010다101394).

② 상계의 대상이 될 수 있는 자동채권과 수동채권이 동시이행관계에 있다고 하더라도 서로 현실적으로 이행하여야 할 필요가 없는 경우라면 특별한 사정이 없는 한 상계가 허용된다(대판 2006.7.28, 2004다54633).

③ 사용자가 근로자에게 퇴직금 명목으로 지급한 금원 상당의 부당이득반환채권을 자동채권으로 하여 근로자의 퇴직금 채권을 상계하는 것은 퇴직금채권의 2분의 1을 초과하는 부분에 해당하는 금액에 관하여만 허용된다(대판(전합) 2010.5.20, 2007다90760).

④ 사용자가 근로자의 동의를 얻어 근로자의 임금채권에 대하여 상계하는 경우에 그 동의가 근로자의 자유로운 의사에 터잡아 이루어진 것이라고 인정할 만한 합리적인 이유가 객관적으로 존재하는 때에는 그 상계가 허용될 수 있다(대판(전합) 2010.5.20, 2007다90760).

⑤ 소송상 방어방법으로서의 상계항변은 통상 그 수동채권의 존재가 확정되는 것을 전제로 하여 행하여지는 일종의 예비적 항변으로서 소송상 상계의 의사표시에 의해 확정적으로 그 효과가 발생하는 것이 아니라 당해 소송에서 수동채권의 존재 등 상계에 관한 법원의 실질적 판단이 이루어지는 경우에 비로소 실체법상 상계의 효과가 발생한다. 이러한 피고의 소송상 상계항변에 대하여 원고가 다시 피고의 자동채권을 소멸시키기 위하여 소송상 상계의 재항변을 하는 경우, 법원이 원고의 소송상 상계의 재항변과 무관한 사유로 피고의 소송상 상계항변을 배척하는 경우에는 소송상 상계의 재항변을 판단할 필요가 없고, 피고의 소송상 상계

항변이 이유 있다고 판단하는 경우에는 원고의 청구채권인 수동채권과 피고의 자동채권이 상계적상 당시에 대등액에서 소멸한 것으로 보게 될 것이므로 원고가 소송상 상계의 재항변으로써 상계할 대상인 피고의 자동채권이 그 범위에서 존재하지 아니하는 것이 되어 이때에도 역시 원고의 소송상 상계의 재항변에 관하여 판단할 필요가 없게 된다. 또한 원고가 소송물인 청구채권 외에 피고에 대하여 다른 채권을 가지고 있다면 소의 추가적 변경에 의하여 그 채권을 당해 소송에서 청구하거나 별소를 제기할 수 있는 것이다. 그렇다면 원고의 소송상 상계의 재항변은 일반적으로 이를 허용할 이익이 없다고 할 것이다. 따라서 피고의 소송상 상계항변에 대하여 원고가 소송상 상계의 재항변을 하는 것은 다른 특별한 사정이 없는 한 허용되지 않는다고 보는 것이 타당하다(대판 2014.6.12. 2013다95964 ; 대판 2015.3.20. 2012다107662).

43 상계에 관한 다음 설명 중 가장 옳지 않은 것은? (다툼이 있는 경우 판례에 의함)

▶ 2016년 법무사

① 채무자의 채권양도인에 대한 자동채권이 발생하는 기초가 되는 원인이 양도 전에 이미 성립하여 존재하고 그 자동채권이 수동채권인 양도채권과 동시이행의 관계에 있는 경우에는, 양도통지가 채무자에게 도달하여 채권양도의 대항요건이 갖추어진 후에 자동채권이 발생하였다고 하더라도 채무자는 동시이행의 항변권을 주장할 수 있고, 따라서 그 채권에 의한 상계로 양수인에게 대항할 수 있다.

② 가분적인 금전채권의 일부에 대한 전부명령이 확정된 경우 그 채권에 대하여 압류채무자에 대한 반대채권으로 상계하고자 하는 제3채무자로서는 전부채권자 혹은 압류채무자 중 어느 누구도 상계의 상대방으로 지정하여 상계하거나 상계로 대항할 수 있고, 그러한 제3채무자의 상계 의사표시를 수령한 전부채권자는 압류채무자에 잔존한 채권 부분이 먼저 상계되어야 한다거나 각 분할채권액의 채권 총액에 대한 비율에 따라 상계되어야 한다는 이의를 할 수 없다.

③ 고의의 불법행위 채권을 자동채권으로 하여 상계할 수 있다.

④ 불법행위 또는 채무불이행에 따른 채무자의 손해배상액을 산정할 때에 손해부담의 공평을 기하기 위하여 채무자의 책임을 제한할 필요가 있고, 채무자가 채권자에 대하여 가지는 반대채권으로 상계항변을 하는 경우에는 먼저 상계한 후 책임제한을 하여야 한다.

⑤ 수탁보증인이 주채무자에 대하여 가지는 사전구상권을 자동채권으로 하는 상계는 허용될 수 없다.

해설 ① 채권양도에 의하여 채권은 그 동일성을 유지하면서 양수인에게 이전되고, 채무자는 양도통지를 받은 때까지 양도인에 대하여 생긴 사유로써 양수인에게 대항할 수 있다(민법 제451조 제2항). 따라서 채무자의 채권양도인에 대한 자동채권이 발생하는 기초가 되는 원인이 양도 전에 이미 성립하여 존재하고 자동채권이 수동채권인 양도채권과 동시이행의 관계에 있는 경우(도급계약에 의하여 완성된 목적물에 하자가 있는 경우에 도급인은 수급인에게 하자의 보수를 청구할 수 있고 그 하자의 보수에 갈음하여 또는 보수와 함께 손해배상을 청구할 수 있는데,

이들 청구권은 특별한 사정이 없는 한 민법 제667조 제3항에 따라 수급인의 공사대금채권과 동시이행관계에 있다)에는, 양도통지가 채무자에게 도달하여 채권양도의 대항요건이 갖추어진 후에 자동채권이 발생하였다고 하더라도 채무자는 동시이행의 항변권을 주장할 수 있고, 따라서 그 채권에 의한 상계로 양수인에게 대항할 수 있다(대판 2015.4.9, 2014다80945).

② 채권의 일부 양도가 이루어지면 특별한 사정이 없는 한 각 분할된 부분에 대하여 독립한 분할채권이 성립하므로 그 채권에 대하여 양도인에 대한 반대채권으로 상계하고자 하는 채무자로서는 양도인을 비롯한 각 분할채권자 중 어느 누구도 상계의 상대방으로 지정하여 상계할 수 있고, 그러한 채무자의 상계 의사표시를 수령한 분할채권자는 제3자에 대한 대항요건을 갖춘 양수인이라 하더라도 양도인 또는 다른 양수인에 귀속된 부분에 대하여 먼저 상계되어야 한다거나 각 분할채권액의 채권 총액에 대한 비율에 따라 상계되어야 한다는 이의를 할 수 없다(대판 2002.2.8, 2000다50596).

③ 채무가 고의의 불법행위로 인한 것인 때에는 그 채무자는 상계로 채권자에게 대항하지 못한다(제496조). 즉 고의의 불법행위 채권을 수동채권으로 하는 상계는 허용되지 않지만, 이를 자동채권으로 하는 상계는 허용된다.

④ 불법행위 또는 채무불이행에 따른 채무자의 손해배상액을 산정할 때에 손해부담의 공평을 기하기 위하여 (공평의 원칙 또는 신의성실의 원칙에 따라) 채무자의 책임을 제한할 필요가 있고, 채무자가 채권자에 대하여 가지는 반대채권으로 상계항변을 하는 경우에는 책임제한을 한 후의 손해배상액과 상계하여야 한다(대판 2015.3.20, 2012다107662).

⑤ 항변권이 붙어 있는 채권을 자동채권으로 하여 다른 채무(수동채권)와의 상계를 허용한다면 상계자 일방의 의사표시에 의하여 상대방의 항변권 행사의 기회를 상실시키는 결과가 되므로 그러한 상계는 허용될 수 없고, 특히 수탁보증인이 주채무자에 대하여 가지는 민법 제442조의 사전구상권에는 민법 제443조 소정의 이른바 면책청구권이 항변권으로 부착되어 있는 만큼 이를 자동채권으로 하는 상계는 허용될 수 없다(대판 2001.11.13, 2001다55222).

44 상계에 관한 설명 중 옳지 않은 것은? (다툼이 있는 경우 판례에 의함) ▶ 2016년 사법시험

① 채권의 소멸시효가 완성된 경우 시효 완성 전에 상계할 수 있었던 것이면 이를 수동채권으로 하여 상계할 수 있다.

② 고의로 타인의 재산권을 침해하여 이득을 취한 경우에 부당이득반환채권을 수동채권으로 하는 상계는 허용되지 아니한다.

③ 동시에 행하여진 싸움에서 서로 상해를 가한 경우와 같이 동일한 사안에서 발생한 쌍방의 고의의 불법행위로 인한 손해배상채권인 경우에 상계가 허용된다.

④ 사용자는 근로자의 퇴직금채권에 대하여 그가 근로자에 대하여 가지고 있는 불법행위를 원인으로 하는 채권으로 상계할 수는 없다.

⑤ 자동채권이 수동채권의 지급금지 후에 현실적으로 발생하였으나, 그 채권의 발생의 기초가 되는 원인이 수동채권이 지급금지되기 전에 이미 성립하여 존재하고 있고 자동채권과 수동채권이 동시이행관계에 있는 경우에는 상계가 가능하다.

정답 43 ④ 44 ③

해설 ① 소멸시효가 완성된 채권이 그 완성 전에 상계할 수 있었던 것이면 그 채권자는 상계할 수 있다(제495조).

② 채무가 고의의 불법행위로 인한 것인 때에는 그 채무자는 상계로 채권자에게 대항하지 못한다(제496조). 이는 고의로 타인의 재산권을 침해하여 이득을 취한 경우에 부당이득반환채권을 수동채권으로 하는 상계에도 마찬가지이다(대판 2002.1.25, 2001다52506).

③ 고의의 불법행위로 인한 손해배상채권을 수동채권으로 하는 상계는 허용되지 않는 것이며, 이는 그 자동채권이 동시에 행하여진 싸움에서 서로 상해를 가한 경우와 같이 동일한 사안에서 발생한 고의의 불법행위로 인한 손해배상채권인 경우에도 마찬가지이다(대판 1994.2.25, 93다38444).

④ 근로자가 받을 퇴직금도 임금의 성질을 가진 것이므로 그 지급에 관하여서는 근로기준법 제36조에 따른 직접 전액지급의 원칙이 적용될 것이니 사용자는 근로자의 퇴직금채권에 대하여 그가 근로자에 대하여 가지고 있는 불법행위를 원인으로 하는 채권으로 상계할 수는 없다(대판 1976.9.28, 75다1768 판결).

⑤ 금전채권에 대한 압류 및 전부명령이 있는 때에는 압류된 채권은 동일성을 유지한 채로 압류채무자로부터 압류채권자에게 이전되고, 제3채무자는 채권이 압류되기 전에 압류채무자에게 대항할 수 있는 사유로써 압류채권자에게 대항할 수 있는 것이므로, 제3채무자의 압류채무자에 대한 자동채권이 수동채권인 피압류채권과 동시이행의 관계에 있는 경우에는, 압류명령이 제3채무자에게 송달되어 압류의 효력이 생긴 후에 자동채권이 발생하였다고 하더라도 제3채무자는 동시이행의 항변권을 주장할 수 있다. 이 경우에 자동채권이 발생한 기초가 되는 원인은 수동채권이 압류되기 전에 이미 성립하여 존재하고 있었던 것이므로, 그 자동채권은 민법 제498조의 '지급을 금지하는 명령을 받은 제3채무자가 그 후에 취득한 채권'에 해당하지 않는다고 봄이 상당하고, 제3채무자는 그 자동채권에 의한 상계로 압류채권자에게 대항할 수 있다(대판 2010.3.25, 2007다35152).

45 상계에 관한 다음 설명 중 가장 옳은 것은? (다툼이 있는 경우 판례에 의함) ▸ 2015년 법원행시

① 피용자의 고의의 불법행위로 인하여 사용자책임이 성립하는 경우라도 사용자는 자신의 고의에 기한 불법행위에 따른 채무는 아니므로 피해자의 사용자에 대한 손해배상채권을 수동채권으로 하여 상계할 수 있다.

② 유치권이 인정되는 아파트를 경락·취득한 甲이 유치권자에 대한 임료 상당의 부당이득금반환채권을 자동채권으로 하고 유치권자의 종전 소유자 乙에 대한 유익비상환채권을 수동채권으로 하여 상계의 의사표시를 한 경우 그 상계는 허용된다.

③ 특별한 사정이 없는 한 보증인의 사전구상권을 자동채권으로 하여 상계할 수 없다.

④ 여러 개의 자동채권이 있고 수동채권의 원리금이 자동채권의 원리금 합계에 미치지 못하는 경우에는 우선 수동채권의 채권자가 상계의 대상이 되는 수동채권을 지정할 수 있고, 다음으로 수동채권의 채무자가 이를 지정할 수 있으며, 양 당사자가 모두 지정하지 아니한 때에는 법정변제충당의 방법으로 상계충당이 이루어지게 된다.

⑤ 채권의 일부양도가 이루어진 경우 그 분할된 채권에 대하여 양도인에 대한 반대채권으로 상계하고자 하는 채무자는 양도인을 비롯한 각 분할채권자 중 어느 누구라도 상계의 상대방으로 지정하여 상계할 수 있으나, 채권양수인이 제3자에 대한 대항요건을 갖추었다면, 양도인에 귀속된 부분에 대하여 먼저 상계되어야 한다.

해설 ① 고의의 불법행위채권을 수동채권으로 하는 상계는 허용되지 않는다. 따라서 피용자의 고의의 불법행위로 인하여 사용자책임이 성립하는 경우, 피해자의 사용자에 대한 손해배상채권을 수동채권으로 하여 상계할 수 없다(대판 2006.10.26, 2004다63019).

② 제3자 변제는 가능하나 제3자 상계는 허용하지 않는다는 것이 판례이다. 따라서 유치권이 인정되는 아파트를 경락·취득한 甲이 유치권자에 대한 임료 상당의 부당이득금 반환채권을 자동채권으로 하고 유치권자의 종전 소유자 乙에 대한 유익비상환채권을 수동채권으로 하여 상계의 의사표시를 한 경우 그 상계는 허용되지 않는다(대판 2011.4.28, 2010다101394).

③ 자동채권에 항변권이 붙어 있는 경우에 상계가 제한되는데, 수탁보증인이 주채무자에 대하여 가지는 민법 제442조의 사전구상권에는 민법 제443조의 면책청구권이 항변권으로 부착되어 있는 만큼 이를 자동채권으로 하여 상계할 수 없다(대판 2004.5.28, 2001다81245).

④ 변제충당에서 지정충당은 변제자(채무자)가 먼저 지정권이 있다. 따라서 여러 개의 자동채권이 있고 수동채권의 원리금이 자동채권의 원리금 합계에 미치지 못하는 경우에는 우선 수동채권의 채권자가 아니라 자동채권의 채권자(수동채권의 채무자)가 상계의 대상이 되는 자동채권을 지정할 수 있고, 다음으로 자동채권의 채무자가 이를 지정할 수 있으며, 양 당사자가 모두 지정하지 아니한 때에는 법정변제충당의 방법으로 상계충당이 이루어지게 된다(대판 2013.2.28, 2012다94155).

⑤ 상계는 상계권을 행사하는 사람의 자유이다. 따라서 채권의 일부양도가 이루어진 경우 그 분할된 채권에 대하여 양도인에 대한 반대채권으로 상계하고자 하는 채무자는 양도인을 비롯한 각 분할채권자 중 어느 누구라도 상계의 상대방으로 지정하여 상계할 수 있고, 채권양수인이 제3자에 대한 대항요건을 갖추었다면, 양도인에 귀속된 부분에 대하여 먼저 상계되어야 하는 것도 아니다. 즉 누구도 상대방으로 하여 상계할 수 있다(대판 2006.7.28, 2004다54633).

46 상계에 관한 설명 중 옳지 않은 것은? (다툼이 있는 경우 판례에 의함) ▸ 2015년 사법시험

① 부당이득의 원인이 고의의 불법행위에 기인함으로써 불법행위로 인한 손해배상채권과 부당이득반환채권이 모두 성립하여 양 채권이 경합하는 경우, 피해자가 부당이득반환채권만을 청구하고 불법행위로 인한 손해배상채권을 청구하지 아니하였다면 가해자는 피해자에 대한 채권으로 상계할 수 있다.

② 유치권이 인정되는 아파트를 경락·취득한 자가 유치권자에 대한 임료 상당의 부당이득반환채권을 자동채권으로 하여 유치권자의 종전 소유자에 대한 유익비상환채권과 상계하는 것은 허용되지 않는다.

정답 45 ③ 46 ①

③ 집행력 있는 판결정본을 가진 채권자가 우선변제권을 주장하며 담보권에 기하여 배당 요구를 한 경우, 채무자는 담보권에 대한 배당에 이의한 후 제기한 배당이의의 소에서 상계를 주장할 수 있다.

④ 수탁보증인이 주채무자에 대하여 사전구상권을 가지는 경우, 이를 자동채권으로 하여 주채무자에 대한 채무와 상계하는 것은 특별한 사정이 없는 한 허용되지 않는다.

⑤ 이혼한 부부 중 자녀의 양육자인 일방이 심판에 의하여 구체적으로 확정된 양육비채권 중 이미 이행기가 도달한 부분으로써 상대방의 양육자에 대한 위자료 및 재산분할청구 권과 상계하는 것은 허용된다.

해설 ① 부당이득의 원인이 고의의 불법행위에 기인함으로써 불법행위로 인한 손해배상채권과 부당 이득반환채권이 모두 성립하여 양 채권이 경합하는 경우 피해자가 부당이득반환채권만을 청 구하고 불법행위로 인한 손해배상채권을 청구하지 아니하였다하더라도 가해자는 피해자에 대한 채권으로 상계할 수 없다(대판 2002.1.25. 2001다52506).

② 제3자에 대한 채권을 수동채권으로 하는 상계는 허용하지 않는다. 즉 자동채권과 수동채권은 상호간 대립하여야 한다는 것이다(대판 2011.4.28. 2010다101394).

③ 집행력 있는 판결정본을 가진 채권자가 우선변제권을 주장하며 담보권에 기하여 배당요구를 한 경우 여기서 배당의 기초가 되는 것은 담보권이지 집행력 있는 판결정본이 아니므로, 채 무자로서는 담보권에 대한 배당에 이의한 후 제기한 배당이의의 소에서 담보권에 기한 우선 변제권이 미치는 피담보채권의 존부 및 범위 등을 다투기 위하여 상계를 주장할 수 있다 (대판 2011.7.28. 2010다70018).

④ 수탁보증인이 주채무자에 대하여 가지는 민법 제442조의 사전구상권에는 민법 제443조의 담보제공청구권이 항변권으로 부착되어 있는 만큼 이를 자동채권으로 하는 상계는 허용될 수 없다(대판 2004.5.28. 2001다81245).

⑤ 당사자의 협의 또는 가정법원의 심판에 의하여 구체적인 청구권의 내용과 범위가 확정되 기 전에는 그 내용이 극히 불확정하여 상계할 수 없지만, 가정법원의 심판에 의하여 구체 적인 청구권의 내용과 범위가 확정된 후의 양육비채권 중 이미 이행기에 도달한 후의 양 육비채권은 완전한 재산권(손해배상청구권)으로서 친족법상의 신분으로부터 독립하여 처분 이 가능하고, 권리자의 의사에 따라 포기, 양도 또는 상계의 자동채권으로 하는 것도 가능 하다(대판 2006.7.4. 2006므751).

47 **다음 설명 중 가장 옳지 않은 것은?** (다툼이 있는 경우 판례에 의함) ▶ 2015년 법무사

① 어느 특정의 물건에 관한 채권을 가지는 자가 그 물건의 소유자가 된 경우 그 물건에 관한 채권은 혼동으로 소멸한다.

② 매매의 당사자 일방에 대한 의무이행의 기한이 있는 때에는 상대방의 의무이행에 대하 여도 동일한 기한이 있는 것으로 추정한다.

③ 임대인의 귀책사유로 임대차계약이 해제되었다고 하더라도 임차인은 원상회복의무를 부담한다.

④ 채권양도행위가 사해행위에 해당하지 않는 경우에 양도통지가 따로 채권자취소권 행사 의 대상이 될 수는 없다.

⑤ 민법 제756조에 규정된 사용자책임의 요건인 '사무집행에 관하여'라는 뜻은 피용자의 불법행위가 외형상 객관적으로 사용자의 사업활동 내지 사무집행행위 또는 그와 관련된 것이라고 보여질 때에는 행위자의 주관적 사정을 고려함이 없이 이를 사무집행에 관하여 한 행위로 본다는 것이다.

해설 ① 혼동은 물권과 물권간, 채권과 채무간 되는 것이지, 물권과 채권이 혼동되는 것이 아니다. 따라서 어느 특정의 물건에 관한 채권을 가지는 자가 그 물건의 소유자가 된 경우 그 물건에 관한 채권은 혼동으로 소멸하지 않는다(대판 2007.2.22, 2004다59546).
② 매매의 당사자 일방에 대한 의무이행의 기한이 있는 때에는 상대방의 의무이행에 대하여도 동일한 기한이 있는 것으로 추정한다(제585조).
③ 임대인의 귀책사유로 임대차계약이 해제되었다고 하더라도 임차인은 원상회복의무를 부담한다(대판 1990.12.26, 90다카25383).
④ 채권양도행위가 사해행위에 해당하지 않는 경우에 양도통지가 따로 채권자취소권 행사의 대상이 될 수는 없다(대판 2012.8.30, 2011다32785).
⑤ 민법 제756조에 규정된 사용자책임의 요건인 '사무집행에 관하여'라는 뜻은 피용자의 불법행위가 외형상 객관적으로 사용자의 사업활동 내지 사무집행행위 또는 그와 관련된 것이라고 보여질 때에는 행위자의 주관적 사정을 고려함이 없이 이를 사무집행에 관하여 한 행위로 본다는 것이다(대판 2007.4.12, 2006다29839).

48 상계에 관한 다음 설명 중 가장 옳지 않은 것은? (다툼이 있는 경우 판례에 의함)

▸ 2017년 9급(법원서기보)

① 보증인의 주채무자에 대한 사전구상채권을 자동채권으로 하는 민법상의 상계는 허용되지 않는다.
② 고의의 불법행위에 인한 손해배상채권에 대한 상계금지(민법 제496조)를 중과실의 불법행위에 인한 손해배상채권에까지 유추 또는 확장적용할 수 없다.
③ 피용자의 고의의 불법행위로 인하여 사용자책임이 성립하는 경우 사용자는 자신의 고의의 불법행위가 아님을 이유로 민법 제496조의 적용을 면할 수 있다.
④ 당사자 쌍방의 채무가 서로 상계적상에 있다 하더라도 그 자체만으로 상계로 인한 채무 소멸의 효력이 생기는 것은 아니다.

해설 ① 항변권이 붙어 있는 채권을 자동채권으로 하여 다른 채무(수동채권)와의 상계를 허용한다면 상계자 일방의 의사표시에 의하여 상대방의 항변권 행사의 기회를 상실시키는 결과가 되므로 그러한 상계는 허용될 수 없고, 특히 수탁보증인이 주채무자에 대하여 가지는 민법 제442조의 사전구상권에는 민법 제443조 소정의 이른바 면책청구권이 항변권으로 부착되어 있는 만큼 이를 자동채권으로 하는 상계는 허용될 수 없다(대판 2001.11.13, 2001다55222·55239).
② 민법 제496조가 고의의 불법행위로 인한 손해배상채권에 대한 상계를 금지하는 입법취지는 고의의 불법행위에 인한 손해배상채권에 대하여 상계를 허용한다면 고의로 불법행위를 한

자가 상계권행사로 현실적으로 손해배상을 지급할 필요가 없게 됨으로써 보복적 불법행위를 유발하게 될 우려가 있고, 고의의 불법행위로 인한 피해자가 가해자의 상계권행사로 인하여 현실의 변제를 받을 수 없는 결과가 됨은 사회적 정의관념에 맞지 아니하므로 고의에 의한 불법행위의 발생을 방지함과 아울러 고의의 불법행위로 인한 피해자에게 현실의 변제를 받게 하려는 데 있는바, 이 같은 입법취지나 적용결과에 비추어 볼 때 고의의 불법행위에 인한 손해배상채권에 대한 상계금지를 중과실의 불법행위에 인한 손해배상채권에까지 유추 또는 확장적용하여야 할 필요성이 있다고 할 수 없다(대판 1994.8.12. 93다52808).

③ 민법 제756조에 의한 사용자의 손해배상책임은 피용자의 배상책임에 대한 대체적 책임이고, 같은 조 제1항에서 사용자가 피용자의 선임 및 그 사무감독에 상당한 주의를 한 때 또는 상당한 주의를 하여도 손해가 있을 경우에는 책임을 면할 수 있도록 규정함으로써 사용자책임에서 사용자의 과실은 직접의 가해행위가 아닌 피용자의 선임·감독에 관련된 것으로 해석되는 점에 비추어 볼 때, 피용자의 고의의 불법행위로 인하여 사용자책임이 성립하는 경우에 민법 제496조의 적용을 배제하여야 할 이유가 없으므로 사용자책임이 성립하는 경우 사용자는 자신의 고의의 불법행위가 아니라는 이유로 민법 제496조의 적용을 면할 수는 없다(대판 2006.10.26. 2004다63019).

④ 당사자 쌍방의 채무가 서로 상계적상에 있다 하더라도, 별도의 의사표시 없이도 상계된 것으로 한다는 특약이 없는 한, 그 자체만으로 상계로 인한 채무 소멸의 효력이 생기는 것은 아니고 상계의 의사표시를 기다려 비로소 상계로 인한 채무 소멸의 효력이 생긴다(대판 2000.9.8. 99다6524).

49 상계에 관한 다음 설명 중 가장 옳지 않은 것은? (다툼이 있는 경우 판례에 의함)

▶ 2018년 9급(법원서기보)

① 부진정연대채무자 중 1인이 자신의 채권자에 대한 반대채권으로 상계를 한 경우에도 채권은 현실적으로 만족을 얻어 그 목적을 달성하는 것이므로, 그 상계로 인한 채무소멸의 효력은 소멸한 채무 전액에 관하여 다른 부진정연대채무자에 대하여도 미친다.

② 위 ①의 법리는 부진정연대채무자 중 1인이 채권자와 상계계약을 체결한 경우에도 마찬가지고, 채권자가 상계계약이 이루어질 당시 다른 부진정연대채무자의 존재를 알았는지 여부에 의하여 좌우되지 아니한다.

③ 고의의 불법행위로 인한 손해배상채권을 수동채권으로 하는 상계는 허용되지 않는 것이나, 그 자동채권이 동시에 행하여진 싸움에서 서로 상해를 가한 경우와 같이 동일한 사안에서 발생한 고의의 불법행위로 인한 손해배상채권인 경우에는 상계가 허용된다.

④ 상계의 의사표시는 일방적으로 철회할 수는 없는 것이지만, 상계의 의사표시 후에 상계자와 상대방이 상계가 없었던 것으로 하기로 한 약정은 제3자에게 손해를 미치지 않는 한 계약자유의 원칙상 유효하다.

해설 ①, ② 부진정연대채무자 중 1인이 자신의 채권자에 대한 반대채권으로 상계를 한 경우에도 채권은 변제, 대물변제, 또는 공탁이 행하여진 경우와 동일하게 현실적으로 만족을 얻어 그 목적을 달성하는 것이므로, 그 상계로 인한 채무소멸의 효력은 소멸한 채무 전액에 관하여 다른 부진정연대채무자에 대하여도 미친다고 보아야 한다. 이는 부진정연대채무자 중 1인이 채권자와 상계계약을 체결한 경우에도 마찬가지이다. 나아가 이러한 법리는 채권자가 상계 내지 상계계약이 이루어질 당시 다른 부진정연대채무자의 존재를 알았는지 여부에 의하여 좌우되지 아니한다(대판(전합) 2010.9.16, 2008다97218).

③ 고의의 불법행위로 인한 손해배상채권을 수동채권으로 하는 상계는 허용되지 않는 것이며, 이는 그 자동채권이 동시에 행하여진 싸움에서 서로 상해를 가한 경우와 같이 동일한 사안에서 발생한 고의의 불법행위로 인한 손해배상채권인 경우에도 마찬가지이다(대판 1994.2.25, 93다38444).

④ 상계의 의사표시는 일방적으로 철회할 수는 없는 것이지만, 상계의 의사표시 후에 상계자와 상대방이 상계가 없었던 것으로 하기로 한 약정은 제3자에게 손해를 미치지 않는 한 계약자유의 원칙상 유효하다(대판 1995.6.16, 95다11146).

50 상계에 관한 다음 설명 중 가장 옳지 않은 것은? ▶ 2018년 법원행시

① 고의의 불법행위로 인한 손해배상채권의 양도가 사해행위에 해당하는 경우, 그 손해배상채권의 채무자가 채권양도인에 대한 별도의 채권자 지위에서 채권양수인에게 채권자취소권을 행사하여 채권양도의 취소를 구함과 아울러 원상회복방법으로 직접 자신 앞으로 가액배상의 지급을 구하는 것은, 민법 제496조(고의의 불법행위로 인한 채권을 수동채권으로 하는 상계의 금지)의 취지에 반하므로 허용될 수 없다.

② 양도 또는 대위되는 채권이 원래 압류가 금지되는 것이었던 경우, 그 채권이 양도되거나 대위의 요건이 구비된 이후에 있어서도 여전히 이를 수동채권으로 한 상계로써 채권양수인 또는 대위채권자에게 대항할 수 없다.

③ 도급인이 수급인과의 사이에 수급인이 그가 고용한 근로자들에 대한 노임지급을 지체하자 도급인이 수급인에 대한 기성공사대금에서 노임 상당액을 공제하여 근로자들에게 직접 지불할 수 있다고 약정한 경우, 수급인의 도급인에 대한 위 기성공사대금채권을 자동채권으로 한 상계는 허용될 수 없다.

④ 채권자가 주채무자에 대하여 상계적상에 있는 자동채권을 상계처리하지 아니하였다 하여 이를 이유로 보증채무자가 신용보증한 채무의 이행을 거부할 수 없으며 나아가 보증 채무자의 책임이 면책되는 것도 아니다.

⑤ 도급인이 수급인에 대한 하자보수나 손해배상청구권을 자동채권으로 하고 수급인의 공사잔대금 채권을 수동채권으로 하여 상계의 의사표시를 한 경우, 특별한 사정이 없는 한 도급인의 공사대금 지급채무는 상계의 의사표시를 한 다음날부터 지체에 빠진다.

해설 ① 고의의 불법행위로 인한 손해배상채권의 채무자는 그 채권을 수동채권으로 한 상계로 채권자에게 대항하지 못하고(민법 제496조), 그 결과 채권이 양도된 경우에 양수인에게도 상계로 대항할 수 없게 되나(민법 제451조 제2항 참조), 채권양도가 사해행위에 해당하는 경우 불법행위로 인한 손해배상채권의 채무자가 채권양도인에 대한 별도의 채권자 지위에서 채권양수인

에게 채권자취소권을 행사하여 채권양도의 취소를 구함과 아울러 취소에 따른 원상회복 방법으로 직접 자신 앞으로 가액배상의 지급을 구하는 것 자체는 민법 제496조에 반하지 않으므로 허용된다(대판 2011.6.10, 2011다8980·8997).

② 양도 또는 대위되는 채권이 원래 압류가 금지되는 것이었던 경우에는, 처음부터 이를 수동채권으로 한 상계로 채권자에게 대항하지 못하던 것이어서 그 채권의 존재가 채무자의 자동채권에 대한 담보로서 기능할 여지가 없고 따라서 그 담보적 기능에 대한 채무자의 합리적 기대가 있다고도 할 수 없으므로, 그 채권이 양도되거나 대위의 요건이 구비된 이후에 있어서도 여전히 이를 수동채권으로 한 상계로써 채권양수인 또는 대위채권자에게 대항할 수 없다고 봄이 상당하다(대판 2009.12.10, 2007다30171).

③ 도급인이 수급인과의 사이에 수급인이 그가 고용한 근로자들에 대한 노임지급을 지체한 경우 도급인이 수급인에 대한 기성공사대금에서 노임 상당액을 공제하여 근로자들에게 직접 지불할 수 있다고 약정하였다면, 수급인이 근로자들에게 노임지급을 지체한 상태에서 도급인에게 기성공사대금의 지급을 구할 경우 도급인으로서는 위 약정에 따라 적어도 수급인이 근로자들에게 노임을 지급할 때까지는 기성공사대금 중 수급인이 지체한 노임 상당액의 지급을 거절할 수 있다 할 것이므로, 수급인의 도급인에 대한 위 기성공사대금채권은 도급인이 위와 같이 일정한 경우 그 지급을 거절할 수 있는 항변권이 부착되어 있는 채권이라고 할 수 있을 것이고, 따라서 위 채권을 자동채권으로 한 상계는 허용될 수 없다(대판 2002.8.23, 2002다25242).

④ 상계는 단독행위로서 상계를 하는 여부는 채권자의 의사에 따르는 것이고 상계적상에 있는 자동채권이 있다 하여 반드시 상계를 하여야 할 것은 아니므로 채권자가 주채무자에 대하여 상계적상에 있는 자동채권을 상계처리하지 아니하였다 하여 이를 이유로 보증채무자가 신용보증한 채무의 이행을 거부할 수 없으며 나아가 보증채무자의 책임이 면책되는 것도 아니다(대판 1987.5.12, 86다카1340).

⑤ 도급계약에 있어서 완성된 목적물에 하자가 있는 때에는 도급인은 수급인에 대하여 하자의 보수를 청구할 수 있고 그 하자의 보수에 갈음하여 또는 보수와 함께 손해배상을 청구할 수 있는바, 이들 청구권은 특별한 사정이 없는 한 수급인의 공사대금 채권과 동시이행관계에 있는 것이므로, 이와 같이 도급인이 하자보수나 손해배상청구권을 보유하고 이를 행사하는 한에 있어서는 도급인의 공사대금 지급채무는 이행지체에 빠지지 아니하고, 도급인이 하자보수나 손해배상 채권을 자동채권으로 하고 수급인의 공사잔대금 채권을 수동채권으로 하여 상계의 의사표시를 한 다음날 비로소 지체에 빠진다(대판 1996.7.12, 96다7250·7267).

51 상계에 관한 다음 설명 중 가장 옳은 것은? (다툼이 있는 경우 판례에 의하고, 전원합의체 판결의 경우 다수의견에 의함) ▶ 2019년 9급(법원서기보)

① 상계의 의사표시가 있는 경우, 채무는 상계적상시에 소급하여 대등액에서 소멸한 것으로 보게 되므로 상계에 의한 양 채권의 차액 계산 또는 상계충당은 상계적상의 시점을 기준으로 하게 된다. 따라서 그 시점 이전에 수동채권의 변제기가 이미 도래하여 지체가 발생한 경우에는 상계적상 시점까지의 수동채권의 약정이자 및 지연손해금을 계산한 다음 자동채권으로 그 약정이자 및 지연손해금을 먼저 소각하고 잔액을 가지고 원본을 소각하여야 한다. 한편 여러 개의 자동채권이 있고 수동채권의 원리금이 자동채권의 원리금 합계에 미치지 못하는 경우에는 우선 자동채권의 채권자가 상계의 대상이 되는 자동채권을 지정할 수 있고, 다음으로 자동채권의 채무자가 이를 지정할 수 있으며, 양 당사자가 모두 지정하지 아니한 때에는 법정변제충당의 방법으로 상계충당이 이루어지게 된다.

② 소송에서의 상계항변은 채권자인 원고의 금전채권이 인정되는 것을 전제로 채무자인 피고의 자동채권으로 상계하여 원고의 채권을 소멸시키겠다는 항변이다. 따라서 피고의 상계항변이 먼저 이루어지고 그 후 대여금채권의 소멸을 주장하는 소멸시효항변이 있었던 경우에, 채무자인 피고는 수동채권의 존재를 전제로 상계항변을 한 것이므로 이러한 상계항변에는 수동채권의 시효이익을 포기하려는 효과의사가 포함된 것으로 보아야 한다. 이는 1심에서 공격방어방법으로 상계항변이 먼저 이루어지고 그 후 항소심에서 소멸시효항변이 이루어진 경우에도 마찬가지이다.

③ 민법 제496조는 고의에 의한 불법행위 또는 보복적 불법행위의 발생을 방지하고 불법행위로 인한 피해자가 현실의 변제를 받을 수 있도록 하기 위해 불법행위채권을 수동채권으로 하는 상계를 금지하고 있다. 따라서 법이 보장하는 상계권은 이처럼 그의 채무가 고의의 불법행위에 기인하는 채무자에게는 적용이 없다. 그러나 부당이득의 원인이 고의의 불법행위에 기인함으로써 불법행위로 인한 손해배상채권과 부당이득반환채권이 모두 성립하여 양 채권이 경합하는 경우에 피해자가 부당이득반환채권만을 청구하고 불법행위로 인한 손해배상채권을 청구하지 아니하였다면 이러한 경우까지 민법 제496조를 유추적용하여야 하는 것은 아니다.

④ 물상보증인 소유의 부동산에 대한 후순위저당권자는 물상보증인이 대위취득한 채무자 소유의 부동산에 대한 선순위공동저당권에 대하여 물상대위를 할 수 있다. 이 경우에 만일 채무자가 물상보증인에 대한 반대채권을 가지고 있는 경우라면 채무자는 물상보증인의 구상금 채권과 상계를 주장하며 물상보증인 소유의 부동산에 대한 후순위저당권자에게 대항할 수 있다.

해설 ① 상계의 의사표시가 있는 경우, 채무는 상계적상시에 소급하여 대등액에서 소멸한 것으로 보게 되므로, 상계에 의한 양 채권의 차액 계산 또는 상계충당은 상계적상의 시점을 기준으로

정답 ▶ 51 ①

하게 된다. 따라서 그 시점 이전에 수동채권의 변제기가 이미 도래하여 지체가 발생한 경우에는 상계적상 시점까지의 수동채권의 지연손해금을 계산한 다음 자동채권으로 그 지연손해금을 먼저 소각하고 잔액을 가지고 원본을 소각하여야 한다(대판 2013.11.14, 2013다46023). 또한 상계의 경우에도 민법 제499조에 의하여 민법 제476조, 제477조에 규정된 변제충당의 법리가 준용된다. 따라서 여러 개의 자동채권이 있고 수동채권의 원리금이 자동채권의 원리금 합계에 미치지 못하는 경우에는 우선 자동채권의 채권자가 상계의 대상이 되는 자동채권을 지정할 수 있고, 다음으로 자동채권의 채무자가 이를 지정할 수 있으며, 양 당사자가 모두 지정하지 아니한 때에는 법정변제충당의 방법으로 상계충당이 이루어지게 된다(대판 2011.8.25, 2011다24814).

② 소송에서의 상계항변은 일반적으로 소송상의 공격방어방법으로 피고의 금전지급의무가 인정되는 경우 자동채권으로 상계를 한다는 예비적 항변의 성격을 갖는다. 따라서 상계항변이 먼저 이루어지고 그 후 대여금채권의 소멸을 주장하는 소멸시효항변이 있었던 경우에, 상계항변 당시 채무자인 피고에게 수동채권인 대여금채권의 시효이익을 포기하려는 효과의사가 있었다고 단정할 수 없다. 그리고 항소심 재판이 속심적 구조인 점을 고려하면 제1심에서 공격방어방법으로 상계항변이 먼저 이루어지고 그 후 항소심에서 소멸시효항변이 이루어진 경우를 달리 볼 것은 아니다(대판 2013.2.28, 2011다21556).

③ 부당이득의 원인이 고의의 불법행위에 기인함으로써 불법행위로 인한 손해배상채권과 부당이득반환채권이 모두 성립하여 양채권이 경합하는 경우 피해자가 부당이득반환채권만을 청구하고 불법행위로 인한 손해배상채권을 청구하지 아니한 때에도, 그 청구의 실질적 이유, 즉 부당이득의 원인이 고의의 불법행위였다는 점은 불법행위로 인한 손해배상채권을 청구하는 경우와 다를 바 없다 할 것이어서, 고의의 불법행위에 의한 손해배상채권은 현실적으로 만족을 받아야 한다는 상계금지의 취지는 이러한 경우에도 타당하므로, 민법 제496조를 유추적용함이 상당하다(대판 2002.1.25, 2001다52506).

④ 공동저당에 제공된 채무자 소유의 부동산과 물상보증인 소유의 부동산 가운데 물상보증인 소유의 부동산이 먼저 경매되어 매각대금에서 선순위공동저당권자가 변제를 받은 때에는 물상보증인은 채무자에 대하여 구상권을 취득함과 동시에 변제자대위에 의하여 채무자 소유의 부동산에 대한 선순위공동저당권을 대위취득한다. 물상보증인 소유의 부동산에 대한 후순위저당권자는 물상보증인이 대위취득한 채무자 소유의 부동산에 대한 선순위공동저당권에 대하여 물상대위를 할 수 있다. 이 경우에 채무자는 물상보증인에 대한 반대채권이 있더라도 특별한 사정이 없는 한 물상보증인의 구상금 채권과 상계함으로써 물상보증인 소유의 부동산에 대한 후순위저당권자에게 대항할 수 없다. 채무자는 선순위공동저당권자가 물상보증인 소유의 부동산에 대해 먼저 경매를 신청한 경우에 비로소 상계할 것을 기대할 수 있는데, 이처럼 우연한 사정에 의하여 좌우되는 상계에 대한 기대가 물상보증인 소유의 부동산에 대한 후순위저당권자가 가지는 법적 지위에 우선할 수 없다(대판 2017.4.26, 2014다221777).

52 상계에 관한 다음 설명 중 가장 옳지 않은 것은? (다툼이 있는 경우 판례에 따르고 전원합의체 판결의 경우 다수의견에 의함) ▸ 2019년 법무사

① 유치권이 인정되는 아파트를 경매로 취득한 자가 유치권자에 대한 임료 상당의 부당이득금반환채권을 자동채권으로 하고, 유치권자의 종전 소유자에 대한 유익비상환채권을 수동채권으로 하여 상계하는 것은 허용되지 않는다.

② 부당이득의 원인이 고의의 불법행위에 기인함으로써 불법행위로 인한 손해배상채권과 부당이득반환채권이 모두 성립하여 양 채권이 경합하는 경우 피해자가 부당이득반환채권만을 청구하고 불법행위로 인한 손해배상채권을 청구하지 아니하였다면, 가해자는 피해자에 대한 채권으로 상계할 수 있다.

③ 공법상의 확정된 벌금채권도 자동채권으로 될 수 있다.

④ 부진정연대채무자 중 1인이 자신의 채권자에 대한 반대채권으로 상계를 한 경우, 그 상계로 인한 채무소멸의 효력은 소멸한 채무 전액에 관하여 다른 부진정연대채무자에 대하여도 미친다.

⑤ 공동명의 예금채권자 중 1인에 대한 별개의 대출금채권을 가지는 은행은 그 대출금채권을 자동채권으로 하고, 위 공동명의 예금채권자 중 1인의 지분에 상응하는 예금반환채권을 수동채권으로 하여 상계할 수 있다.

해설 ① 상계는 당사자 쌍방이 서로 같은 종류를 목적으로 한 채무를 부담한 경우에 서로 같은 종류의 급부를 현실로 이행하는 대신 어느 일방 당사자의 의사표시로 그 대등액에 관하여 채권과 채무를 동시에 소멸시키는 것이고, 이러한 상계제도의 취지는 서로 대립하는 두 당사자 사이의 채권·채무를 간이한 방법으로 원활하고 공평하게 처리하려는 데 있으므로, 수동채권으로 될 수 있는 채권은 상대방이 상계자에 대하여 가지는 채권이어야 하고, 상대방이 제3자에 대하여 가지는 채권과는 상계할 수 없다고 보아야 한다. 그렇지 않고 만약 상대방이 제3자에 대하여 가지는 채권을 수동채권으로 하여 상계할 수 있다고 한다면, 이는 상계의 당사자가 아닌 상대방과 제3자 사이의 채권채무관계에서 상대방이 제3자에게서 채무의 본지에 따른 현실급부를 받을 이익을 침해하게 될 뿐 아니라, 상대방의 채권자들 사이에서 상계자만 독점적인 만족을 얻게 되는 불합리한 결과를 초래하게 되므로, 상계의 담보적 기능과 관련하여 법적으로 보호받을 수 있는 당사자의 합리적 기대가 이러한 경우에까지 미친다고 볼 수는 없다(대판 2011.4.28, 2010다101394 → 유치권이 인정되는 아파트를 경락·취득한 자가 아파트 일부를 점유·사용하고 있는 유치권자에 대한 임료 상당의 부당이득금 반환채권을 자동채권으로 하고 유치권자의 종전 소유자에 대한 유익비상환채권을 수동채권으로 하여 상계의 의사표시를 한 사안에서, 상대방이 제3자에 대하여 가지는 채권을 수동채권으로 하여 상계할 수 없음에도, 그러한 상계가 허용됨을 전제로 위 상계의 의사표시로 부당이득금 반환채권과 유익비상환채권이 대등액의 범위 내에서 소멸하였다고 본 원심판결에 법리오해의 위법이 있다고 한 사례).

② 부당이득의 원인이 고의의 불법행위에 기인함으로써 불법행위로 인한 손해배상채권과 부당이득반환채권이 모두 성립하여 양채권이 경합하는 경우 피해자가 부당이득반환채권만을 청구하고 불법행위로 인한 손해배상채권을 청구하지 아니한 때에도, 그 청구의 실질적 이유,

즉 부당이득의 원인이 고의의 불법행위였다는 점은 불법행위로 인한 손해배상채권을 청구하는 경우와 다를 바 없다 할 것이어서, 고의의 불법행위에 의한 손해배상채권은 현실적으로 만족을 받아야 한다는 상계금지의 취지는 이러한 경우에도 타당하므로, 민법 제496조를 유추적용함이 상당하다(대판 2002.1.25, 2001다52506).

③ 상계는 쌍방이 서로 상대방에 대하여 같은 종류의 급부를 목적으로 하는 채권을 가지고 자동채권의 변제기가 도래하였을 것을 그 요건으로 하는 것인데, 형벌의 일종인 벌금도 일정 금액으로 표시된 추상적 경제가치를 급부목적으로 하는 채권인 점에서는 다른 금전채권들과 본질적으로 다를 것이 없고, 다만 발생의 법적 근거가 공법관계라는 점에서만 차이가 있을 뿐이나 채권 발생의 법적 근거가 무엇인지는 급부의 동종성을 결정하는 데 영향이 없으며, 벌금형이 확정된 이상 벌금채권의 변제기는 도래한 것이므로 달리 이를 금하는 특별한 법률상 근거가 없는 이상 벌금채권은 적어도 상계의 자동채권이 되지 못할 아무런 이유가 없다(대판 2004.4.27, 2003다3789).

④ 부진정연대채무자 중 1인이 자신의 채권자에 대한 반대채권으로 상계를 한 경우에도 채권은 변제, 대물변제, 또는 공탁이 행하여진 경우와 동일하게 현실적으로 만족을 얻어 그 목적을 달성하는 것이므로, 그 상계로 인한 채무소멸의 효력은 소멸한 채무 전액에 관하여 다른 부진정연대채무자에 대하여도 미친다고 보아야 한다. 이는 부진정연대채무자 중 1인이 채권자와 상계계약을 체결한 경우에도 마찬가지이다. 나아가 이러한 법리는 채권자가 상계 내지 상계계약이 이루어질 당시 다른 부진정연대채무자의 존재를 알았는지 여부에 의하여 좌우되지 아니한다(대판(전합) 2010.9.16, 2008다97218).

⑤ 공동명의 예금채권자 중 1인에 대한 별개의 대출금채권을 가지는 은행으로서는 그 대출금채권을 자동채권으로 하여 그의 지분에 상응하는 예금반환채권에 대하여 상계할 수 있다 할 것이고, 다만 공동명의 예금채권자 중 1인이 다른 공동명의 예금채권자의 지분을 양수하였음을 이유로 그 지분에 대한 은행의 상계주장에 대항하기 위해서는 공동명의 예금채권자들과 은행 사이에 예금반환채권의 귀속에 관한 별도의 합의가 있거나 채권양도의 대항요건을 갖추어야 한다(대판 2004.10.14, 2002다55908).

53 상계에 관한 다음 설명 중 가장 옳지 않은 것은? ▸2020년 법무사

① 중과실로 인한 불법행위를 저지른 가해자는 현실적으로 손해배상을 지급할 필요가 있으므로 중과실로 인한 불법행위 손해배상채권을 수동채권으로 하여 가해자가 상계를 하는 것은 금지된다.

② 벌금형이 확정되었다면 벌금채권의 변제기는 도래한 것이므로 달리 이를 금하는 특별한 법률상 근거가 없는 이상 벌금채권은 상계의 자동채권이 될 수 있다.

③ 소멸시효가 완성된 채권이 그 완성 전에 상계적상에 있었다면 소멸시효가 완성된 채권을 자동채권으로 하여 상계할 수 있다.

④ 고의의 불법행위로 인한 피해자는 가해자에 대한 손해배상채권과 가해자의 자신에 대한 대여금 채권을 상계할 수 있다.

⑤ 금전채권에 대한 압류 및 전부명령이 있는 때에는 압류된 채권은 동일성을 유지한 채로 압류채무자로부터 압류채권자에게 이전되고, 제3채무자는 채권이 압류되기 전에 압류채무자에게 대항할 수 있는 사유로써 압류채권자에게 대항할 수 있는 것이므로 제3채무자의 압류채무자에 대한 자동채권이 수동채권인 피압류채권과 동시이행의 관계에 있는 경우에는, 압류명령이 제3채무자에게 송달되어 압류의 효력이 생긴 후에 자동채권이 발생하였다고 하더라도 제3채무자는 동시이행의 항변권을 주장할 수 있다.

해설 ① 민법 제496조가 고의의 불법행위로 인한 손해배상채권에 대한 상계를 금지하는 입법취지는 고의의 불법행위에 인한 손해배상채권에 대하여 상계를 허용한다면 고의로 불법행위를 한 자가 상계권행사로 현실적으로 손해배상을 지급할 필요가 없게 됨으로써 보복적 불법행위를 유발하게 될 우려가 있고, 고의의 불법행위로 인한 피해자가 가해자의 상계권행사로 인하여 현실의 변제를 받을 수 없는 결과가 됨은 사회적 정의관념에 맞지 아니하므로 고의에 의한 불법행위의 발생을 방지함과 아울러 고의의 불법행위로 인한 피해자에게 현실의 변제를 받게 하려는 데 있는바, 이 같은 입법취지나 적용결과에 비추어 볼 때 고의의 불법행위에 인한 손해배상채권에 대한 상계금지를 중과실의 불법행위에 인한 손해배상채권에까지 유추 또는 확장적용하여야 할 필요성이 있다고 할 수 없다(대판 1994.8.12, 93다52808).

② 상계는 쌍방이 서로 상대방에 대하여 같은 종류의 급부를 목적으로 하는 채권을 가지고 자동채권의 변제기가 도래하였을 것을 그 요건으로 하는 것인데, 형벌의 일종인 벌금도 일정 금액으로 표시된 추상적 경제가치를 급부목적으로 하는 채권인 점에서는 다른 금전채권들과 본질적으로 다를 것이 없고, 다만 발생의 법적 근거가 공법관계라는 점에서만 차이가 있을 뿐이나 채권 발생의 법적 근거가 무엇인지는 급부의 동종성을 결정하는 데 영향이 없으며, 벌금형이 확정된 이상 벌금채권의 변제기는 도래한 것이므로 달리 이를 금하는 특별한 법률상 근거가 없는 이상 벌금채권은 적어도 상계의 자동채권이 되지 못할 아무런 이유가 없다(대판 2004.4.27, 2003다37891).

③ 민법 제495조 참조. 즉 소멸시효가 완성된 채권이 그 완성 전에 상계할 수 있었던 것이면 그 채권자는 상계할 수 있다.

④ 고의의 불법행위로 인한 손해배상채권을 '수동채권'으로 하여 이를 상계하지 못하나(민법 제496조), 고의의 불법행위로 인한 채권이라도 '자동채권'으로 한 상계는 허용된다(대판 1983.10.11, 83다카 542).

⑤ 금전채권에 대한 압류 및 전부명령이 있는 때에는 압류된 채권은 동일성을 유지한 채로 압류채무자로부터 압류채권자에게 이전되고, 제3채무자는 채권이 압류되기 전에 압류채무자에게 대항할 수 있는 사유로써 압류채권자에게 대항할 수 있는 것이므로, 제3채무자의 압류채무자에 대한 자동채권이 수동채권인 피압류채권과 동시이행의 관계에 있는 경우에는, 압류명령이 제3채무자에게 송달되어 압류의 효력이 생긴 후에 자동채권이 발생하였다고 하더라도 제3채무자는 동시이행의 항변권을 주장할 수 있다. 이 경우에 자동채권이 발생한 기초가 되는 원인은 수동채권이 압류되기 전에 이미 성립하여 존재하고 있었던 것이므로, 그 자동채권은 민법 제498조의 '지급을 금지하는 명령을 받은 제3채무자가 그 후에 취득한 채권'에 해당하지 않는다고 봄이 상당하고, 제3채무자는 그 자동채권에 의한 상계로 압류채권자에게 대항할 수 있다(대판 2010.3.25, 2007다35152).

54 상계에 관한 다음 설명 중 가장 옳지 않은 것은? (다툼이 있는 경우 판례에 의하고, 전원합의체 판결의 경우 다수의견에 의함) ▶ 2019년 법원행시

① 수탁보증인이 주채무자에 대하여 가지는 민법 제442조의 사전구상권에는 민법 제443 조의 담보제공청구권이 항변권으로 부착되어 있는 만큼 이를 자동채권으로 하는 상계 는 원칙적으로 허용될 수 없다.

② 매도인이나 수급인의 담보책임을 기초로 한 손해배상채권의 제척기간이 지난 경우 제 척기간이 지나기 전에 상대방의 채권과 상계할 수 있었던 때에는 매수인이나 도급인은 민법 제495조를 유추적용하여 위 손해배상채권을 자동채권으로 해서 상대방의 채권과 상계할 수 있다.

③ 상계에 있어 수동채권으로 될 수 있는 채권은 상대방이 상계자에 대하여 가지는 채권 이어야 하고, 상대방이 제3자에 대하여 가지는 채권과는 상계할 수 없다.

④ 상계의 의사표시가 있는 경우 채무는 상계적상 시에 소급하여 대등액에서 소멸한 것으 로 보게 되므로, 상계에 의한 양채권의 차액 계산 또는 상계충당은 상계적상의 시점을 기준으로 하게 된다.

⑤ 일반적으로 당사자 사이에 상계적상이 있는 채권이 병존하고 있는 경우 이를 상계할 수 있는 것이 원칙이나, 이러한 상계의 대상이 되는 채권은 상대방과 사이에서 직접 발생한 채권에 한하는 것이고, 제3자로부터 양수 등을 원인으로 하여 취득한 채권은 포함되지 않는다.

> **해설** ① 수탁보증인이 주채무자에 대하여 가지는 민법 제442조의 사전구상권에는 민법 제443조의 담보제공청구권이 항변권으로 부착되어 있는 만큼 이를 자동채권으로 하는 상계는 허용될 수 없다(대판 2004.5.28, 2001다81245).
>
> ② 민법 제495조는 "소멸시효가 완성된 채권이 그 완성 전에 상계할 수 있었던 것이면 그 채권자는 상계할 수 있다."라고 정하고 있다. 이는 당사자 쌍방의 채권이 상계적상에 있었던 경우에 당사자들은 채권·채무관계가 이미 정산되어 소멸하였거나 추후에 정산될 것이라고 생각하는 것이 일반적이라는 점을 고려하여 당사자들의 신뢰를 보호하기 위한 것이다. 매도인이나 수급인의 담보책임을 기초로 한 매수인이나 도급인의 손해배상채권의 제척기간이 지난 경우에도 민법 제495조를 유추적용해서 매수인이나 도급인이 상대방의 채권과 상계할 수 있는지 문제 된다. 매도인의 담보책임을 기초로 한 매수인의 손해배상채권 또는 수급인의 담보책임을 기초로 한 도급인의 손해배상채권이 각각 상대방의 채권과 상계적상에 있는 경우에 당사자들은 채권·채무관계가 이미 정산되었거나 정산될 것으로 기대하는 것이 일반적이므로, 그 신뢰를 보호할 필요가 있다. 이러한 손해배상채권의 제척기간이 지난 경우에도 그 기간이 지나기 전에 상대방에 대한 채권·채무관계의 정산 소멸에 대한 신뢰를 보호할 필요성이 있다는 점은 소멸시효가 완성된 채권의 경우와 아무런 차이가 없다. 따라서 매도인이나 수급인의 담보책임을 기초로 한 손해배상채권의 제척기간이 지난 경우에도 제척기간이 지나기 전 상대방의 채권과 상계할 수 있었던 경우에는 매수인이나 도급인은 민법 제495조를 유추적용해서 위 손해배상채권을 자동채권으로 해서 상대방의 채권과 상계할 수 있다고 봄이 타당하다(대판 2019.3.14, 2018다255648).

③ 상계는 당사자 쌍방이 서로 같은 종류를 목적으로 한 채무를 부담한 경우에 서로 같은 종류의 급부를 현실로 이행하는 대신 어느 일방 당사자의 의사표시로 그 대등액에 관하여 채권과 채무를 동시에 소멸시키는 것이고, 이러한 상계제도의 취지는 서로 대립하는 두 당사자 사이의 채권·채무를 간이한 방법으로 원활하고 공평하게 처리하려는 데 있으므로, 수동채권으로 될 수 있는 채권은 상대방이 상계자에 대하여 가지는 채권이어야 하고, 상대방이 제3자에 대하여 가지는 채권과는 상계할 수 없다고 보아야 한다. 그렇지 않고 만약 상대방이 제3자에 대하여 가지는 채권을 수동채권으로 하여 상계할 수 있다고 한다면, 이는 상계의 당사자가 아닌 상대방과 제3자 사이의 채권채무관계에서 상대방이 제3자에게서 채무의 본지에 따른 현실급부를 받을 이익을 침해하게 될 뿐 아니라, 상대방의 채권자들 사이에서 상계자만 독점적인 만족을 얻게 되는 불합리한 결과를 초래하게 되므로, 상계의 담보적 기능과 관련하여 법적으로 보호받을 수 있는 당사자의 합리적 기대가 이러한 경우에까지 미친다고 볼 수는 없다(대판 2011.4.28, 2010다101394).

④ 상계의 의사표시가 있는 경우, 채무는 상계적상시에 소급하여 대등액에서 소멸한 것으로 보게 되므로, 상계에 의한 양 채권의 차액 계산 또는 상계충당은 상계적상의 시점을 기준으로 하게 된다. 따라서 그 시점 이전에 수동채권의 변제기가 이미 도래하여 지체가 발생한 경우에는 상계적상 시점까지의 수동채권의 지연손해금을 계산한 다음 자동채권으로 그 지연손해금을 먼저 소각하고 잔액을 가지고 원본을 소각하여야 한다(대판 2013.11.14, 2013다46023).

⑤ 일반적으로 당사자 사이에 상계적상이 있는 채권이 병존하고 있는 경우에는 이를 상계할 수 있는 것이 원칙이고, 이러한 상계의 대상이 되는 채권은 상대방과 사이에서 직접 발생한 채권에 한하는 것이 아니라 제3자로부터 양수 등을 원인으로 하여 취득한 채권도 포함한다 할 것이다(대판 2003.4.11, 2002다59481).

55 채권의 소멸에 관한 다음 설명 중 가장 옳지 않은 것은? (다툼이 있는 경우 판례에 의함)

▶ 2019년 법원주사보

① 기존 채권, 채무의 당사자가 그 목적물을 소비대차의 목적으로 할 것을 약정한 경우 그 약정을 경개로 볼 것인지, 준소비대차로 볼 것인지는 일차적으로 당사자의 의사에 의해 결정된다.

② 경개계약의 경우 구채무에 관한 저당권 등이 신채무에 이전되기 위해서는 당사자 사이에 특약이 이루어져야 하고, 구채무가 소멸함이 원칙인 경개의 특성에 비추어 볼 때 그 특약은 반드시 명시적이어야 한다.

③ 채권은 채권과 채무가 동일한 주체에 귀속한 때에 한하여 혼동으로 소멸하는 것이 원칙이므로, 어느 특정의 물건에 관한 채권을 가지는 자가 그 물건의 소유자가 되었다는 사정만으로는 채권과 채무가 동일한 주체에 귀속한 경우에 해당한다고 할 수 없어 그 물건에 관한 채권이 혼동으로 소멸하는 것은 아니다.

④ 매매계약에 따른 소유권이전등기청구권 보전을 위하여 가등기가 경료된 경우 그 가등기권자가 가등기설정자에게 가지는 가등기에 기한 본등기청구권은 채권으로서 가등기권자가 가등기설정자를 상속하거나 그의 가등기에 기한 본등기절차 이행의 의무를 인수하지 아니하는 이상, 가등기권자가 가등기에 기한 본등기절차에 의하지 아니하고 가등기설정자로부터 별도의 소유권이전등기를 경료받았다고 하여 혼동의 법리에 의하여 가등기권자의 가등기에 기한 본등기청구권이 소멸하지는 않는다.

해설 ① 기존채권, 채무의 당사자가 그 목적물을 소비대차의 목적으로 할 것을 약정한 경우 그 약정을 경개로 볼 것인가 또는 준소비대차로 볼 것인가는 일차적으로 당사자의 의사에 의하여 결정되고, 만약 당사자의 의사가 명백하지 않을 때에는 특별한 사정이 없는 한 동일성을 상실함으로써 채권자가 담보를 잃고 채무자가 항변권을 잃게 되는 것과 같이 스스로 불이익을 초래하는 의사를 표시하였다고는 볼 수 없으므로 일반적으로 준소비대차로 보아야 하지만, 신채무의 성질이 소비대차가 아니거나 기존채무와 동일성이 없는 경우에는 준소비대차로 볼 수 없다(대판 2003.9.26, 2002다31803·31810).

② 민법 제505조(신채무에의 담보이전)는 "경개의 당사자는 구 채무의 담보를 그 목적의 한도에서 신 채무의 담보로 할 수 있다. 그러나 제3자가 제공한 담보는 그 승낙을 얻어야 한다."고 규정하고 있는바, 이 규정은 경개에 의하여 구 채무가 소멸하기 때문에 이에 따르는 인적·물적 담보 또한, 부종성의 원리에 따라 당연히 함께 소멸하고, 당사자가 신 채무에 관하여 저당권 등을 설정하기로 합의하여도 구 채무에 관하여 존재하던 저당권 등은 어차피 소멸하여 그 순위의 보전이 불가능하나, 이러한 결과가 많은 경우 당사자의 의도에 반하는 것인 점을 고려하여 당사자의 편의를 위하여 부종성에 대한 예외를 인정한 것으로서, 경개계약의 경우 구 채무에 관한 저당권 등이 신 채무에 이전되기 위하여는 당사자 사이에 그러한 뜻의 특약이 이루어져야 하지만, 반드시 명시적인 것을 필요로 하지는 않고, 묵시적인 합의로도 가능하다(대판 2002.10.11, 2001다7445).

③.④ 채권은 채권과 채무가 동일한 주체에 귀속한 때에 한하여 혼동으로 소멸하는 것이 원칙이므로, 어느 특정의 물건에 관한 채권을 가지는 자가 그 물건의 소유자가 되었다는 사정만으로는 채권과 채무가 동일한 주체에 귀속한 경우에 해당한다고 할 수 없어 그 물건에 관한 채권이 혼동으로 소멸하는 것은 아닌바, 토지를 乙에게 명의신탁하고 장차의 소유권이전의 청구권 보전을 위하여 자신의 명의로 가등기를 경료한 甲이, 乙에 대하여 가지는 가등기에 기한 본등기청구권은 채권으로서, 甲이 乙을 상속하거나 乙의 가등기에 기한 본등기 절차 이행의 의무를 인수하지 아니하는 이상, 甲이 가등기에 기한 본등기 절차에 의하지 아니하고 乙로부터 별도의 소유권이전등기를 경료받았다고 하여 혼동의 법리에 의하여 甲의 가등기에 기한 본등기청구권이 소멸하는 것은 아니다(대판 1995.12.26, 95다29888).

56 상계에 관한 다음 설명 중 가장 옳지 않은 것은? (다툼이 있는 경우 판례에 의함)

▸ 2020년 법원사무관 승진

① 상계의 담보적 기능에 비추어 볼 때, 상계금지 내지 제한 특약의 존재를 함부로 넓게 인정할 것은 아니다. 따라서 상계금지 내지 제한 특약은 약정에 참여한 당사자의 명시적인 의사표시가 있는 경우에만 인정할 수 있을 뿐, 의사표시의 해석상 그것이 상계금지 내지 제한의 특약이라고 볼 수 있는 경우까지 이를 폭넓게 인정할 수는 없다.

② 항변권이 붙어 있는 채권을 자동채권으로 하여 다른 채무(수동채권)와의 상계를 허용한다면 상계자 일방의 의사표시에 의하여 상대방의 항변권 행사의 기회를 상실시키는 결과가 되므로 그러한 상계는 허용될 수 없다.

③ 법률의 규정 등 특별한 사정이 없는 한 자동채권으로 될 수 있는 채권은 상계자가 상대방에 대하여 가지는 채권이어야 하고 제3자가 상대방에 대하여 가지는 채권으로는 상계할 수 없다.

④ 상계의 의사표시가 있는 경우, 채무는 상계적상시에 소급하여 대등액에서 소멸한 것으로 보게 되므로, 상계에 의한 양 채권의 차액 계산 또는 상계충당은 상계적상의 시점을 기준으로 하게 된다.

해설 ① 원래 상계제도는 서로 대립하는 채권, 채무를 간이한 방법에 의하여 결제함으로써 양자의 채권채무관계를 원활하고 공평하게 처리함을 목적으로 하고 상계권을 행사하려고 하는 자에 대하여는 수동채권의 존재가 사실상 자동채권에 대한 담보로서의 기능을 하는 것이어서 그 담보적 기능에 대한 당사자의 합리적 기대가 법적으로 보호받을 만한 가치가 있음에 근거하는 것이다. 그러나 상계의 담보적 기능이 절대적인 것은 아니고, 또한 당사자 사이의 상계금지 또는 제한의 특약으로 그와 같은 합리적 기대이익을 배제할 수 있음은 계약자유의 원칙상 가능하다. 나아가 당사자 사이의 이와 같은 합의는 명시적인 경우뿐만 아니라 의사표시의 해석상 인정되는 경우도 포함된다고 할 것이다.

② 항변권이 붙어 있는 채권을 자동채권으로 하여 다른 채무와의 상계를 허용한다면 상계자 일방의 의사표시에 의하여 상대방의 항변권행사의 기회를 상실케 하는 결과가 되므로 이와 같은 상계는 그 성질상 허용될 수 없다(대판 2002.8.23, 2002다25242).

③ 상계는 당사자 쌍방이 서로 같은 종류를 목적으로 한 채무를 부담한 경우에 서로 같은 종류의 급부를 현실로 이행하는 대신 어느 일방 당사자의 의사표시로 그 대등액에 관하여 채권과 채무를 동시에 소멸시키는 것이고, 이러한 상계제도의 취지는 서로 대립하는 두 당사자 사이의 채권·채무를 간이한 방법으로 원활하고 공평하게 처리하려는 데 있으므로, 수동채권으로 될 수 있는 채권은 상대방이 상계자에 대하여 가지는 채권이어야 하고, 상대방이 제3자에 대하여 가지는 채권과는 상계할 수 없다고 보아야 한다. 그렇지 않고 만약 상대방이 제3자에 대하여 가지는 채권을 수동채권으로 하여 상계할 수 있다고 한다면, 이는 상계의 당사자가 아닌 상대방과 제3자 사이의 채권채무관계에서 상대방이 제3자에게서 채무의 본지에 따른 현실급부를 받을 이익을 침해하게 될 뿐 아니라, 상대방의 채권자들 사이에서 상계자만 독점적인 만족을 얻게 되는 불합리한 결과를 초래하게 되므로, 상계의 담보적 기능과 관련하여

정답 **56** ①

법적으로 보호받을 수 있는 당사자의 합리적 기대가 이러한 경우에까지 미친다고 볼 수는 없다(대판 2011.4.28, 2010다101394).

④ 상계의 의사표시가 있는 경우, 채무는 상계적상시에 소급하여 대등액에서 소멸한 것으로 보게 되므로, 상계에 의한 양 채권의 차액 계산 또는 상계충당은 상계적상의 시점을 기준으로 하게 된다. 따라서 그 시점 이전에 수동채권의 변제기가 이미 도래하여 지체가 발생한 경우에는 상계적상 시점까지의 수동채권의 지연손해금을 계산한 다음 자동채권으로 그 지연손해금을 먼저 소각하고 잔액을 가지고 원본을 소각하여야 한다(대판 2013.11.14, 2013다46023).

57 다음 설명 중 가장 옳지 않은 것은? ▸2021년 법무사

① 상계는 당사자 쌍방이 서로 같은 종류를 목적으로 한 채무를 부담한 경우에 서로 같은 종류의 급부를 현실로 이행하는 대신 어느 일방 당사자의 의사표시로 그 대등액에 관하여 채권과 채무를 동시에 소멸시키는 것이고, 이러한 상계제도의 취지는 서로 대립하는 두 당사자 사이의 채권·채무를 간이한 방법으로 원활하고 공평하게 처리하려는 데 있다. 따라서 수동채권으로 될 수 있는 채권은 상대방이 상계자에 대하여 가지는 채권에 한정되지 않고, 상대방이 제3자에 대하여 가지는 채권과도 상계할 수 있다고 보아야 한다.

② 타인의 채무를 담보하기 위하여 그 소유의 부동산에 저당권을 설정한 물상보증인이 타인의 채무를 변제하거나 저당권의 실행으로 저당물의 소유권을 잃은 때에는 채무자에 대하여 구상권을 취득한다(민법 제370조, 제341조). 그런데 구상권 취득의 요건인 '채무의 변제'라 함은 채무의 내용인 급부가 실현되고 이로써 채권이 그 목적을 달성하여 소멸하는 것을 의미하므로, 기존 채무가 동일성을 유지하면서 인수 당시의 상태로 종래의 채무자로부터 인수인에게 이전할 뿐 기존 채무를 소멸시키는 효력이 없는 면책적 채무인수는 설령 이로 인하여 기존 채무자가 채무를 면한다고 하더라도 이를 가리켜 채무가 변제된 경우에 해당한다고 할 수 없다. 따라서 채무인수의 대가로 기존 채무자가 물상보증인에게 어떤 급부를 하기로 약정하였다는 등의 사정이 없는 한 물상보증인이 기존 채무자의 채무를 면책적으로 인수하였다는 것만으로 물상보증인이 기존 채무자에 대하여 구상권 등의 권리를 가진다고 할 수 없다.

③ 일반적으로 당사자 사이에 상계적상이 있는 채권이 병존하고 있는 경우에는 이를 상계할 수 있는 것이 원칙이고, 이러한 상계의 대상이 되는 채권은 상대방과 사이에서 직접 발생한 채권에 한하는 것이 아니라 제3자로부터 양수 등을 원인으로 하여 취득한 채권도 포함한다. 또한 당사자가 상계의 대상이 되는 채권이나 채무를 취득하게 된 목적과 경위, 상계권을 행사함에 이른 구체적·개별적 사정에 비추어, 그것이 상계 제도의 목적이나 기능을 일탈하고, 법적으로 보호받을 만한 가치가 없는 경우에는, 그 상계권의 행사는 신의칙에 반하거나 상계에 관한 권리를 남용하는 것으로서 허용되지 않는다고 함이 상당하고, 상계권 행사를 제한하는 위와 같은 근거에 비추어 볼 때 일반적인 권리남용의 경우에 요구되는 주관적 요건을 필요로 하는 것은 아니다.

④ 민법 제496조는 "채무가 고의의 불법행위로 인한 것인 때에는 그 채무자는 상계로 채권자에게 대항하지 못한다."라고 정하고 있다. 고의에 의한 불법행위의 발생을 방지함과 아울러 고의의 불법행위로 인한 피해자에게 현실의 변제를 받게 하려는 데 이 규정의 취지가 있다. 이 규정은 고의의 불법행위로 인한 손해배상채권을 수동채권으로 한 상계에 관한 것이고 고의의 채무불이행으로 인한 손해배상채권에는 적용되지 않는다. 다만 고의에 의한 행위가 불법행위를 구성함과 동시에 채무불이행을 구성하여 불법행위로 인한 손해배상채권과 채무불이행으로 인한 손해배상채권이 경합하는 경우에는 이 규정을 유추적용할 필요가 있다.

⑤ 당사자 쌍방의 채무가 서로 상계적상에 있다 하더라도, 별도의 의사표시 없이도 상계된 것으로 한다는 특약이 없는 한, 그 자체만으로 상계로 인한 채무 소멸의 효력이 생기는 것은 아니고 상계의 의사표시를 기다려 비로소 상계로 인한 채무소멸의 효력이 생긴다.

해설 ① 상계는 당사자 쌍방이 서로 같은 종류를 목적으로 한 채무를 부담한 경우에 서로 같은 종류의 급부를 현실로 이행하는 대신 어느 일방 당사자의 의사표시로 그 대등액에 관하여 채권과 채무를 동시에 소멸시키는 것이고, 이러한 상계제도의 취지는 서로 대립하는 두 당사자 사이의 채권·채무를 간이한 방법으로 원활하고 공평하게 처리하려는 데 있으므로, 수동채권으로 될 수 있는 채권은 상대방이 상계자에 대하여 가지는 채권이어야 하고, 상대방이 제3자에 대하여 가지는 채권과는 상계할 수 없다고 보아야 한다(대판 2011.4.28. 2010다101394).

② 타인의 채무를 담보하기 위하여 그 소유의 부동산에 저당권을 설정한 물상보증인이 타인의 채무를 변제하거나 저당권의 실행으로 저당물의 소유권을 잃은 때에는 채무자에 대하여 구상권을 취득한다(민법 제370조, 제341조). 그런데 구상권 취득의 요건인 '채무의 변제'라 함은 채무의 내용인 급부가 실현되고 이로써 채권이 그 목적을 달성하여 소멸하는 것을 의미하므로, 기존 채무가 동일성을 유지하면서 인수 당시의 상태로 종래의 채무자로부터 인수인에게 이전할 뿐 기존 채무를 소멸시키는 효력이 없는 면책적 채무인수는 설령 이로 인하여 기존 채무자가 채무를 면한다고 하더라도 이를 가리켜 채무가 변제된 경우에 해당한다고 할 수 없다. 따라서 채무인수의 대가로 기존 채무자가 물상보증인에게 어떤 급부를 하기로 약정하였다는 등의 사정이 없는 한 물상보증인이 기존 채무자의 채무를 면책적으로 인수하였다는 것만으로 물상보증인이 기존 채무자에 대하여 구상권 등의 권리를 가진다고 할 수 없다(대판 2019.2.14. 2017다274703).

③ 일반적으로 당사자 사이에 상계적상이 있는 채권이 병존하는 경우 이를 상계할 수 있는 것이 원칙이다. 이러한 상계권자의 지위가 법률상 보호를 받는 것은 상계제도가 서로 대립하는 채권, 채무를 간이한 방법으로 결제함으로써 양자의 채권관계를 원활하고 공평하게 처리함을 목적으로 하고, 상계권을 행사하려고 하는 자에 대하여는 수동채권의 존재가 사실상 자동채권에 대한 담보로서의 기능을 하는 것이어서 그 담보적 기능에 대한 당사자의 합리적 기대가 법적으로 보호받을 만한 가치가 있음에 근거하는 것이다. 따라서 당사자가 상계의 대상이 되는 채권을 취득하거나 채무를 부담하게 된 목적과 경위, 상계권을 행사함에 이른 구체적, 개별적 사정에 비추어, 그것이 위와 같은 상계제도의 목적이나 기능을 일탈하고 법적으로 보호받을 만한 가치가 없는 경우에는 그 상계권의 행사는 신의칙에 반하거나 상계에 관한 권리를 남용하는 것으로서 허용되지 않는다고 하여야 하고, 상계권의 행사를 제한하는 위와 같은 근

거에 비추어 일반적인 권리 남용의 경우에 요구되는 주관적 요건을 필요로 하는 것은 아니다 (대판 2013.4.11, 2012다105888).

④ 민법 제496조는 "채무가 고의의 불법행위로 인한 것인 때에는 그 채무자는 상계로 채권자에게 대항하지 못한다."라고 정하고 있다. 고의의 불법행위로 인한 손해배상채권에 대하여 상계를 허용한다면 고의로 불법행위를 한 사람까지도 상계권 행사로 현실적으로 손해배상을 지급할 필요가 없게 되어 보복적 불법행위를 유발하게 될 우려가 있다. 또 고의의 불법행위로 인한 피해자가 가해자의 상계권 행사로 현실의 변제를 받을 수 없는 결과가 됨은 사회적 정의 관념에 맞지 않는다. 따라서 고의에 의한 불법행위의 발생을 방지함과 아울러 고의의 불법행위로 인한 피해자에게 현실의 변제를 받게 하려는 데 이 규정의 취지가 있다. ⅰ) 이 규정은 고의의 불법행위로 인한 손해배상채권을 수동채권으로 한 상계에 관한 것이고 고의의 채무불이행으로 인한 손해배상채권에는 적용되지 않는다. ⅱ) 다만 고의에 의한 행위가 불법행위를 구성함과 동시에 채무불이행을 구성하여 불법행위로 인한 손해배상채권과 채무불이행으로 인한 손해배상채권이 경합하는 경우에는 이 규정을 유추적용할 필요가 있다. 이러한 경우에 고의의 채무불이행으로 인한 손해배상채권을 수동채권으로 한 상계를 허용하면 이로써 고의의 불법행위로 인한 손해배상채권까지 소멸하게 되어 고의의 불법행위에 의한 손해배상채권은 현실적으로 만족을 받아야 한다는 이 규정의 입법 취지가 몰각될 우려가 있기 때문이다. 따라서 이러한 예외적인 경우에는 민법 제496조를 유추적용하여 고의의 채무불이행으로 인한 손해배상채권을 수동채권으로 하는 상계를 한 경우에도 채무자가 상계로 채권자에게 대항할 수 없다고 보아야 한다(대판 2017.2.15, 2014다19776·19783).

⑤ 당사자 쌍방의 채무가 서로 상계적상에 있다 하더라도, 별도의 의사표시 없이도 상계된 것으로 한다는 특약이 없는 한, 그 자체만으로 상계로 인한 채무 소멸의 효력이 생기는 것은 아니고 상계의 의사표시를 기다려 비로소 상계로 인한 채무 소멸의 효력이 생긴다(대판 2000.9.8, 99다6524).

58 상계에 관한 다음 설명 중 가장 옳지 않은 것은? ▸ 2020년 법원행시

① 사용자가 근로자에게 매월 계산의 착오 등으로 임금을 초과지급하다가 근로자가 퇴직하여 퇴직금을 청구한 경우 사용자는 그 퇴직금채권의 2분의 1을 초과하는 부분에 해당하는 금액에 관하여만 그동안 초과 지급한 임금의 반환청구권을 자동채권으로 하여 상계할 수 있다.

② 파산자의 보증인이 파산선고 후 채권자에게 그 보증채무의 일부를 변제하여 그 출재액을 한도로 파산자에 대하여 구상권을 취득하였다 하더라도 채권자가 파산선고시의 채권 전액을 파산채권으로 신고한 이상 보증인으로서는 파산자에 대하여 그 구상권을 파산채권으로 행사할 수 없어 이를 자동채권으로 하여 파산자에 대한 채무와 상계할 수도 없다.

③ 甲이 乙의 丙에 대한 공사대금채권 2억원 중 1억원을 양수하고 채권양도의 대항요건을 갖춘 경우, 乙에 대하여 5천만원의 반대채권을 갖고 있던 丙은 甲, 乙 중 누구라도 상계의 상대방으로 지정하여 5천만원 전액을 상계할 수 있다.

④ 제3채무자가 압류 효력 발생 당시 이미 반대채권을 취득한 이상 그의 상계에 대한 기대는 합리적이고 정당하므로 그 당시 양 채권이 상계적상에 있지 아니하였다 하더라도 양 채권의 변제기 선후를 불문하고 그 후에 상계적상에 이르면 상계로써 압류채권자에게 대항할 수 있다.

⑤ 어음채권을 자동채권으로 하여 상계의 의사표시를 하는 경우에 있어 재판 외의 상계의 경우에는 어음채무자의 승낙이 없는 이상 어음의 교부가 필요불가결하고 어음의 교부가 없으면 상계의 효력이 생기지 아니한다.

해설 ① 사용자가 근로자에게 퇴직금 명목으로 지급한 금원 상당의 부당이득반환채권을 자동채권으로 하여 근로자의 퇴직금 채권을 상계하는 것은 퇴직금채권의 2분의 1을 초과하는 부분에 해당하는 금액에 관하여만 허용된다(대판(전) 2010.5.20. 2007다90760).

② 파산자의 보증인이 파산선고 후 보증채무를 전부 이행함으로써 구상권을 취득한 경우, 그 구상권은 파산선고 당시 이미 장래의 구상권으로서 파산채권으로 존재하고 있었다고 보아야 하는 점, 파산절차에서는 장래의 청구권을 자동채권으로 한 상계가 허용되는 점, 정지조건부 채권 또는 장래의 청구권을 가진 자가 그 채무를 변제하는 경우에는 후일 상계를 하기 위하여 그 채권액의 한도에서 변제액의 임치를 청구할 수 있는 점 등에 비추어, 그 구상권을 자동채권으로 하여 파산채무자에 대한 채무와 상계할 수 있다고 봄이 상당하다. 그런데 파산선고 후 파산채권자가 다른 채무자로부터 일부 변제를 받거나 다른 채무자에 대한 회사정리절차 내지 파산절차에 참가하여 변제 또는 배당을 받았다 하더라도 그에 의하여 채권자가 채권 전액에 대하여 만족을 얻은 것이 아닌 한 파산채권액에 감소를 가져오는 것은 아니어서, 채권자는 여전히 파산선고 시의 채권 전액으로써 계속하여 파산절차에 참가할 수 있고, 채권의 일부에 대한 대위변제를 한 구상권자가 자신이 변제한 가액에 비례하여 채권자와 함께 파산채권자로서 권리를 행사할 수 있는 것은 아니다. 따라서 파산자의 보증인이 파산선고 후 채권자에게 그 보증채무의 일부를 변제하여 그 출재액을 한도로 파산자에 대하여 구상권을 취득하였다 하더라도 채권자가 파산선고 시의 채권 전액을 파산채권으로 신고한 이상 보증인으로서는 파산자에 대하여 그 구상권을 파산채권으로 행사할 수 없어 이를 자동채권으로 하여 파산자에 대한 채무와 상계할 수도 없다(대판 2008.8.21. 2007다37752).

③ 채권의 일부 양도가 이루어지면 특별한 사정이 없는 한 각 분할된 부분에 대하여 독립한 분할 채권이 성립하므로 그 채권에 대하여 양도인에 대한 반대채권으로 상계하고자 하는 채무자로서는 양도인을 비롯한 각 분할채권자 중 어느 누구도 상계의 상대방으로 지정하여 상계할 수 있고, 그러한 채무자의 상계 의사표시를 수령한 분할채권자는 제3자에 대한 대항요건을 갖춘 양수인이라 하더라도 양도인 또는 다른 양수인에 귀속된 부분에 대하여 먼저 상계되어야 한다거나 각 분할채권액의 채권 총액에 대한 비율에 따라 상계되어야 한다는 이의를 할 수 없다(대판 2002.2.8. 2000다50596).

④ 가압류의 효력발생 당시에 양 채권이 상계적상에 있거나, 반대채권이 가압류 당시에 변제기에 이르지 않은 경우에도 피압류채권인 수동채권의 변제기와 동시에 또는 먼저 변제기에 도달하는 경우에는 상계할 수 있다(대판 2003.6.27. 2003다7623).

⑤ 어음채권을 자동채권으로 하여 상계의 의사표시를 하는 경우에 있어 재판외의 상계의 경우에는 어음채무자의 승낙이 없는 이상 어음의 교부가 필요불가결하고 어음의 교부가 없으면 상계의 효력이 생기지 아니한다 할 것이지만, 재판상의 상계의 경우에는 어음을 서증으로써 법정에 제출하여 상대방에게 제시되게 함으로써 충분하다(대판 1991.4.9. 91다2892).

정답 58 ④

59 다음 설명 중 가장 옳지 않은 것은? ▶ 2021년 법원행시

① 부진정연대채무자 중 1인이 자신의 채권자에 대한 반대채권으로 상계를 한 경우에도 채권은 변제, 대물변제, 또는 공탁이 행하여진 경우와 동일하게 현실적으로 만족을 얻어 그 목적을 달성하는 것이므로, 그 상계로 인한 채무소멸의 효력은 소멸한 채무 전액에 관하여 다른 부진정연대채무자에 대하여도 미친다고 보아야 한다. 이는 부진정연대채무자 중 1인이 채권자와 상계계약을 체결한 경우에도 마찬가지이다. 나아가 이러한 법리는 채권자가 상계 내지 상계계약이 이루어질 당시 다른 부진정연대채무자의 존재를 알았는지 여부에 의하여 좌우되지 아니한다.

② 쌍방이 서로 같은 종류를 목적으로 한 채무를 부담한 경우 쌍방 채무의 이행기가 도래한 때에는 각 채무자는 대등액에 관하여 상계할 수 있다(민법 제492조 제1항). 민법 제492조 제1항에서 정한 '채무의 이행기가 도래한 때'는 채권자가 채무자에게 이행의 청구를 할 수 있는 시기가 도래하였음을 의미하고 채무자가 이행지체에 빠지는 시기를 말하는 것이 아니다.

③ 상계는 당사자 쌍방이 서로 같은 종류를 목적으로 한 채무를 부담한 경우에 서로 같은 종류의 급부를 현실로 이행하는 대신 어느 일방 당사자의 의사표시로 그 대등액에 관하여 채권과 채무를 동시에 소멸시키는 것이고, 이러한 상계제도의 취지는 서로 대립하는 두 당사자 사이의 채권·채무를 간이한 방법으로 원활하고 공평하게 처리하려는 데 있으므로, 수동채권으로 될 수 있는 채권은 상대방이 상계자에 대하여 가지는 채권이어야 하고, 상대방이 제3자에 대하여 가지는 채권과는 상계할 수 없다고 보아야 한다.

④ 상계의 의사표시는 각 채무가 상계할 수 있는 때에 대등액에 관하여 소멸한 것으로 본다(민법 제493조 제2항). 상계의 의사표시가 있는 경우 채무는 상계적상 시에 소급하여 대등액에 관하여 소멸하게 되므로, 상계에 따른 양 채권의 차액 계산 또는 상계 충당은 상계적상의 시점을 기준으로 한다. 따라서 그 시점 이전에 수동채권에 대하여 이자나 지연손해금이 발생한 경우 상계적상 시점까지 수동채권의 이자나 지연손해금을 계산한 다음 자동채권으로써 먼저 수동채권의 이자나 지연손해금을 소각하고 잔액을 가지고 원본을 소각하여야 한다.

⑤ 민법 제495조는 "소멸시효가 완성된 채권이 그 완성 전에 상계할 수 있었던 것이면 그 채권자는 상계할 수 있다."라고 정하고 있다. 따라서 제척기간이 완성된 채권에 대해서는 그 적용(유추적용)이 될 수 없다.

해설 ① 부진정연대채무자 중 1인이 자신의 채권자에 대한 반대채권으로 상계를 한 경우에도 채권은 변제, 대물변제, 또는 공탁이 행하여진 경우와 동일하게 현실적으로 만족을 얻어 그 목적을 달성하는 것이므로, 그 상계로 인한 채무소멸의 효력은 소멸한 채무 전액에 관하여 다른 부진정연대채무자에 대하여도 미친다고 보아야 한다. 이는 부진정연대채무자 중 1인이 채권자와 상계계약을 체결한 경우에도 마찬가지이다. 나아가 이러한 법리는 채권자가 상계 내지 상계계약이 이루어질 당시 다른 부진정연대채무자의 존재를 알았는지 여부에 의하여 좌우되지 아니한다(대판(전) 2010.9.16, 2008다97218).

② 쌍방이 서로 같은 종류를 목적으로 한 채무를 부담한 경우 쌍방 채무의 이행기가 도래한 때에는 각 채무자는 대등액에 관하여 상계할 수 있다(제492조 제1항). 민법 제492조 제1항에서 정한 '채무의 이행기가 도래한 때'는 채권자가 채무자에게 이행의 청구를 할 수 있는 시기가 도래하였음을 의미하고 채무자가 이행지체에 빠지는 시기를 말하는 것이 아니다(대판 2021.5.7, 2018다25946).

③ 상계는 당사자 쌍방이 서로 같은 종류를 목적으로 한 채무를 부담한 경우에 서로 같은 종류의 급부를 현실로 이행하는 대신 어느 일방 당사자의 의사표시로 그 대등액에 관하여 채권과 채무를 동시에 소멸시키는 것이고, 이러한 상계제도의 취지는 서로 대립하는 두 당사자 사이의 채권·채무를 간이한 방법으로 원활하고 공평하게 처리하려는 데 있으므로, 수동채권으로 될 수 있는 채권은 상대방이 상계자에 대하여 가지는 채권이어야 하고, 상대방이 제3자에 대하여 가지는 채권과는 상계할 수 없다고 보아야 한다(대판 2011.4.28, 2010다101394).

④ 상계의 의사표시는 각 채무가 상계할 수 있는 때에 대등액에 관하여 소멸한 것으로 본다(제493조 제2항). 상계의 의사표시가 있는 경우 채무는 상계적상 시에 소급하여 대등액에 관하여 소멸하게 되므로, 상계에 따른 양 채권의 차액 계산 또는 상계 충당은 상계적상의 시점을 기준으로 한다. 따라서 그 시점 이전에 수동채권에 대하여 이자나 지연손해금이 발생한 경우 상계적상 시점까지 수동채권의 이자나 지연손해금을 계산한 다음 자동채권으로써 먼저 수동채권의 이자나 지연손해금을 소각하고 잔액을 가지고 원본을 소각하여야 한다(대판 2021.5.7, 2018다25946).

⑤ 매도인의 담보책임을 기초로 한 <u>매수인의 손해배상채권</u> 또는 수급인의 담보책임을 기초로 한 <u>도급인의 손해배상채권</u>이 각각 상대방의 채권과 상계적상에 있는 경우에 당사자들은 채권·채무관계가 이미 정산되었거나 정산될 것으로 기대하는 것이 일반적이므로, 그 신뢰를 보호할 필요가 있다. 이러한 손해배상채권의 제척기간이 지난 경우에도 그 기간이 지나기 전에 상대방에 대한 채권·채무관계의 정산 소멸에 대한 <u>신뢰를 보호할 필요성</u>이 있다는 점은 소멸시효가 완성된 채권의 경우와 아무런 차이가 없다. 따라서 매도인이나 수급인의 담보책임을 기초로 한 손해배상채권의 제척기간이 지난 경우에도 제척기간이 지나기 전 상대방의 채권과 상계할 수 있었던 경우에는 매수인이나 도급인은 민법 제495조를 유추적용해서 위 손해배상채권을 자동채권으로 해서 상대방의 채권과 상계할 수 있다고 봄이 타당하다(대판 2019.3.14, 2018다255648).

60 **상계에 관한 다음 설명 중 가장 옳지 않은 것은?** ▶ 2022년 9급(법원서기보)

① 임차인의 유익비상환채권은 임대차계약 종료 시에 비로소 발생하므로, 임대차 존속 중 임대인의 구상금채권의 소멸시효가 완성된 경우 구상금채권과 임차인의 유익비상환채권이 상계할 수 있는 상태에 있었다고 할 수 없고, 임대인은 이미 소멸시효가 완성된 구상금채권을 자동채권으로 삼아 임차인의 유익비상환채권과 상계할 수 없다.

② 채권압류명령을 받은 제3채무자가 압류채무자에 대한 반대채권을 가지고 있는 경우에 상계로써 압류채권자에게 대항하기 위하여는, 압류의 효력 발생 당시에 대립하는 양 채권이 상계적상에 있거나, 제3채무자의 반대채권의 변제기가 피압류채권의 변제기와 동시에 또는 그보다 먼저 도래하여야 한다.

정답 **59** ⑤ **60** ④

③ 피고가 상계항변으로 두 개 이상의 반대채권을 주장하였는데 법원이 그중 어느 하나의 반대채권의 존재를 인정하여 수동채권의 일부와 대등액에서 상계하는 판단을 하고, 나머지 반대채권들은 모두 부존재한다고 판단하여 그 부분 상계항변은 배척한 경우, 반대채권들이 부존재한다는 판단에 대하여 기판력이 발생하는 전체 범위는 위와 같이 상계를 마친 후의 수동채권의 잔액을 초과할 수 없다.

④ 유치권이 인정되는 아파트를 경락·취득한 자는 유치권자에 대한 임료 상당의 부당이득금 반환채권을 자동채권으로 하고 유치권자의 종전 소유자에 대한 유익비상환채권을 수동채권으로 하여 상계할 수 있다.

해설 ① 민법 제626조 제2항은 임차인이 유익비를 지출한 경우에는 임대인은 임대차 종료 시에 그 가액의 증가가 현존한 때에 한하여 임차인의 지출한 금액이나 그 증가액을 상환하여야 한다고 규정하고 있으므로, 임차인의 유익비상환채권은 임대차계약이 종료한 때에 비로소 발생한다고 보아야 한다. 따라서 임대차 존속 중 임대인의 구상금채권의 소멸시효가 완성된 경우에는 위 구상금채권과 임차인의 유익비상환채권이 상계할 수 있는 상태에 있었다고 할 수 없으므로, 그 이후에 임대인이 이미 소멸시효가 완성된 구상금채권을 자동채권으로 삼아 임차인의 유익비상환채권과 상계하는 것은 민법 제495조에 의하더라도 인정될 수 없다(대판 2021.2.10, 2017다258787).

② 채권압류명령을 받은 제3채무자가 압류채무자에 대한 반대채권을 가지고 있는 경우에 상계로써 압류채권자에게 대항하기 위하여는, 압류의 효력 발생 당시에 대립하는 양 채권이 상계적상에 있거나, 그 당시 반대채권(자동채권)의 변제기가 도래하지 아니한 경우에는 그것이 피압류채권(수동채권)의 변제기와 동시에 또는 그보다 먼저 도래하여야 한다. 이러한 법리는 채권압류명령을 받은 제3채무자이자 보증채무자인 사람이 압류 이후 보증채무를 변제함으로써 담보제공청구의 항변권을 소멸시킨 다음, 압류채무자에 대하여 압류 이전에 취득한 사전구상권으로 피압류채권과 상계하려는 경우에도 적용된다고 봄이 타당하다(대판 2019.2.14, 2017다274703).

③ 피고가 상계항변으로 2개 이상의 반대채권(또는 자동채권, 이하 '반대채권'이라고만 한다)을 주장하였는데 법원이 그중 어느 하나의 반대채권의 존재를 인정하여 수동채권의 일부와 대등액에서 상계하는 판단을 하고, 나머지 반대채권들은 모두 부존재한다고 판단하여 그 부분 상계항변은 배척한 경우에, 수동채권 중 위와 같이 상계로 소멸하는 것으로 판단된 부분은 피고가 주장하는 반대채권들 중 그 존재가 인정되지 않은 채권들에 관한 분쟁이나 그에 관한 법원의 판단과는 관련이 없어 기판력의 관점에서 동일하게 취급할 수 없으므로, 그와 같이 반대채권들이 부존재한다는 판단에 대하여 기판력이 발생하는 전체 범위는 위와 같이 상계를 마친 후의 수동채권의 잔액을 초과할 수 없다고 보아야 한다(대판 2018.8.30, 2016다46338·46345).

④ 유치권이 인정되는 아파트를 경락·취득한 자가 아파트 일부를 점유·사용하고 있는 유치권자에 대한 임료 상당의 부당이득금 반환채권을 자동채권으로 하고 유치권자의 종전 소유자에 대한 유익비상환채권을 수동채권으로 하여 상계의 의사표시를 한 사안에서, 상대방이 제3자에 대하여 가지는 채권을 수동채권으로 하여 상계할 수 없다(대판 2011.4.28, 2010다101394).

61 상계에 관한 다음 설명 중 가장 옳지 않은 것은? ▸2022년 법무사

① 상계에 따른 양 채권의 차액 계산 또는 상계 충당은 상계적상의 시점을 기준으로 하므로, 그 시점 이전에 수동채권에 대하여 이자나 지연손해금이 발생한 경우 상계적상 시점까지 수동채권의 이자나 지연손해금을 계산한 다음 자동채권으로써 먼저 수동채권의 이자나 지연손해금을 소각하고 잔액을 가지고 원본을 소각하여야 한다.

② 채권압류명령을 받은 제3채무자가 압류채무자에 대한 반대채권을 가지고 있는 경우에 상계로써 압류채권자에게 대항하기 위하여는, 압류의 효력 발생 당시에 대립하는 양 채권이 상계적상에 있거나, 그 당시 반대채권(자동채권)의 변제기가 도래하지 아니한 경우에는 그것이 피압류채권(수동채권)의 변제기와 동시에 또는 그보다 먼저 도래하여야 한다.

③ 채무자가 채권양도 통지를 받은 경우 채무자는 그때까지 양도인에 대하여 생긴 사유로써 양수인에게 대항할 수 있고, 당시 이미 상계할 수 있는 원인이 있었던 경우에는 아직 상계적상에 있지 않더라도 그 후에 상계적상에 이르면 채무자는 양수인에 대하여 상계로 대항할 수 있다.

④ 채권자가 주채무자에 대하여 상계적상에 있는 자동채권을 상계하지 않았다고 하여 이를 이유로 보증채무자가 보증한 채무의 이행을 거부할 수 없으며 나아가 보증채무자의 책임이 면책되는 것도 아니다.

⑤ 소멸시효가 완성된 채권이 그 완성 전에 상계할 수 있었던 것이면 그 채권자는 상계할 수 있으나, 매도인이나 수급인의 담보책임을 기초로 한 매수인이나 도급인의 손해배상채권의 제척기간이 지난 경우에는 위 법리가 적용되지 않으므로 매수인이나 도급인은 위 손해배상채권을 자동채권으로 하여 상대방의 채권과 상계할 수 없다.

해설 ① 대판 2005.7.8, 2005다8125, 대판 2021.5.7, 2018다25946

② 채권압류명령을 받은 제3채무자가 압류채무자에 대한 반대채권을 가지고 있는 경우에 상계로써 압류채권자에게 대항하기 위하여는, 압류의 효력 발생 당시에 대립하는 양 채권이 상계적상에 있거나, 그 당시 반대채권(자동채권)의 변제기가 도래하지 아니한 경우에는 그것이 피압류채권(수동채권)의 변제기와 동시에 또는 그보다 먼저 도래하여야 한다. 이러한 법리는 채권압류명령을 받은 제3채무자이자 보증채무자인 사람이 압류 이후 보증채무를 변제함으로써 담보제공청구의 항변권을 소멸시킨 다음, 압류채무자에 대하여 압류 이전에 취득한 사전구상권으로 피압류채권과 상계하려는 경우에도 적용된다고 봄이 타당하다(대판 2019.2.14, 2017다274703).

③ 지명채권의 양도는 양도인이 채무자에게 통지하거나 채무자가 승낙하지 않으면 채무자에게 대항하지 못한다(민법 제450조 제1항). 채무자가 채권양도 통지를 받은 경우 채무자는 그때까지 양도인에 대하여 생긴 사유로써 양수인에게 대항할 수 있고(제451조 제2항), 당시 이미 상계할 수 있는 원인이 있었던 경우에는 아직 상계적상에 있지 않더라도 그 후에 상계적상에 이르면 채무자는 양수인에 대하여 상계로 대항할 수 있다(대판 2019.6.27, 2017다222962).

정답 ▶ 61 ⑤

④ 상계는 단독행위로서 상계를 할지는 채권자의 의사에 따른 것이고 상계적상에 있는 자동채권이 있다고 하여 반드시 상계를 해야 할 것은 아니다. 따라서 채권자가 주채무자에 대하여 상계적상에 있는 자동채권을 상계하지 않았다고 하여 이를 이유로 보증채무자가 보증한 채무의 이행을 거부할 수 없으며 나아가 보증채무자의 책임이 면책되는 것도 아니다(대판 2018.9.13, 2015다209347).

⑤ 민법 제495조는 "소멸시효가 완성된 채권이 그 완성 전에 상계할 수 있었던 것이면 그 채권자는 상계할 수 있다."라고 정하고 있다. 이는 당사자 쌍방의 채권이 상계적상에 있었던 경우에 당사자들은 채권·채무관계가 이미 정산되어 소멸하였거나 추후에 정산될 것이라고 생각하는 것이 일반적이라는 점을 고려하여 당사자들의 신뢰를 보호하기 위한 것이다. 매도인의 담보책임을 기초로 한 매수인의 손해배상채권 또는 수급인의 담보책임을 기초로 한 도급인의 손해배상채권이 각각 상대방의 채권과 상계적상에 있는 경우에 당사자들은 채권·채무관계가 이미 정산되었거나 정산될 것으로 기대하는 것이 일반적이므로, 그 신뢰를 보호할 필요가 있다. 이러한 손해배상채권의 제척기간이 지난 경우에도 그 기간이 지나기 전에 상대방에 대한 채권·채무관계의 정산 소멸에 대한 신뢰를 보호할 필요성이 있다는 점은 소멸시효가 완성된 채권의 경우와 아무런 차이가 없다. 따라서 매도인이나 수급인의 담보책임을 기초로 한 손해배상채권의 제척기간이 지난 경우에도 제척기간이 지나기 전 상대방의 채권과 상계할 수 있었던 경우에는 매수인이나 도급인은 민법 제495조를 유추적용해서 위 손해배상채권을 자동채권으로 해서 상대방의 채권과 상계할 수 있다고 봄이 타당하다(대판 2019.3.14, 2018다255648).

62 상계에 관한 다음 설명 중 가장 옳지 않은 것은? ▶ 2023년 법원사무관 승진

① 상계의 자동채권은 반드시 변제기에 있어야 하나, 상계자가 기한의 이익을 포기하고 이행기 전에 상계할 수 있기 때문에 수동채권은 반드시 변제기가 도래하여야 하는 것은 아니다.

② 항변권이 붙어 있는 채권을 자동채권으로 한 상계는 그 성질상 허용되지 않으나, 양 채권이 동시이행 관계에 있고 양 채무가 동종의 급부를 목적으로 한다면 상계가 가능하다.

③ 고의의 불법행위로 인한 손해배상채권은 이를 수동채권으로 하여 상계할 수 없으나, 중과실의 불법행위에 기한 손해배상채권을 수동채권으로 하는 상계나 고의의 불법행위에 기한 손해배상채권을 자동채권으로 하는 상계는 금지되지 않는다.

④ 채무자가 집행권원인 확정판결의 변론종결 전에 상대방에 대하여 상계적상에 있는 채권을 가지고 있었으나 상계의 의사표시는 그 변론종결 후에 한 경우, 당사자가 집행권원인 확정판결의 변론종결 전에 자동채권의 존재를 몰랐을 경우에 한하여 청구이의 사유가 된다.

해설 ① 이행기가 아직 도래하지 않은 채권은 상계하면 상대방의 기한이익을 부당하게 상실시킬 우려가 있으므로 자동채권은 반드시 변제기에 있어야 하지만, 수동채권은 반드시 변제기에 있을 필요는 없다.

② 항변권이 붙어 있는 채권을 자동채권으로 하여 타의 채무와의 상계를 허용한다면 상계자 일방의 의사표시에 의하여 상대방의 항변권행사의 기회를 상실케 하는 결과가 되므로 이와 같은 상계는 그 성질상 허용될 수 없다(대판 2002.8.23. 2002다25242). 그러나 수동채권에 항변권이 붙어 있는 경우에는 상계가 허용된다. 상계자 스스로 항변을 포기할 수 있기 때문이다. 또한 상계제도는 서로 대립하는 채권·채무를 간이한 방법에 의하여 결제함으로써 양자의 채권·채무 관계를 원활하고 공평하게 처리함을 목적으로 하고 있으므로, **상계의 대상이 될 수 있는 자동채권과 수동채권이 동시이행관계에 있다고 하더라도 서로 현실적으로 이행하여야 할 필요가 없는 경우라면** 상계로 인한 불이익이 발생할 우려가 없고 오히려 상계를 허용하는 것이 동시이행관계에 있는 채권·채무 관계를 간명하게 해소할 수 있으므로 특별한 사정이 없는 한 **상계가 허용된다**(대판 2006.7.28. 2004다54633).

③ 제496조의 불법행위 유발의 방지와 피해자에게 현실의 변제를 받게 하려는 취지상 고의의 불법행위로 인한 손해배상채권은 이를 수동채권으로 하여 상계할 수 없다. 그러나 고의의 불법행위에 기한 손해배상채권을 자동채권으로 하는 상계와 중과실의 불법행위에 기한 손해배상채권을 수동채권으로 하는 상계는 금지되지 않는다(대판 1994.8.12. 93다52808).

④ 당사자 쌍방의 채무가 서로 상계적상에 있다 하더라도 그 자체만으로 상계로 인한 채무소멸의 효력이 생기는 것은 아니고, 상계의 의사표시를 기다려 비로소 상계로 인한 채무소멸의 효력이 생기는 것이므로, **채무자가 채무명의인 확정판결의 변론종결 전에 상대방에 대하여 상계적상에 있는 채권을 가지고 있었다 하더라도 채무명의인 확정판결의 변론종결 후에 이르러 비로소 상계의 의사표시를 한 때에는 민사소송법 제505조 제2항**(현재 민사집행법 제44조 제2항)**이 규정하는 '이의원인이 변론종결 후에 생긴 때'에 해당하는 것으로서, 당사자가 채무명의인 확정판결의 변론종결 전에 자동채권의 존재를 알았는가 몰랐는가에 관계없이 적법한 청구이의 사유로 된다**(대판 1998.11.24. 98다25344, 대판 2005.11.10. 2005다41443).

63 **상계에 관한 다음 설명 중 옳은 것을 모두 고른 것은?** ▶ 2023년 법원행시

ㄱ. 상계의 경우에도 민법 제499조에 의하여 민법 제476조, 제477조에 규정된 변제충당의 법리가 준용된다. 따라서 여러 개의 자동채권이 있고 수동채권의 원리금이 자동채권의 원리금 합계에 미치지 못하는 경우에는 우선 자동채권의 채권자가 상계의 대상이 되는 자동채권을 지정할 수 있고, 다음으로 자동채권의 채무자가 이를 지정할 수 있으며, 양 당사자가 모두 지정하지 아니한 때에는 법정변제충당의 방법으로 상계충당이 이루어지게 된다.

ㄴ. 민법상 조합에 해당하는 공동수급체에 대한 구성원의 이익분배청구권과 구성원에 대한 공동수급체의 출자금 채권이 상계적상에 있으면 상계에 관한 민법 규정에 따라 두 채권을 대등액에서 상계할 수 있다.

ㄷ. 피해자의 부주의를 이용하여 고의로 불법행위를 저지른 자가 바로 그 피해자의 부주의를 이유로 자신의 책임을 감하여 달라고 주장하는 것은 허용될 수 없으나, 불법행위자 중 일부에게 그러한 사유가 있다고 하여 그러한 사유가 없는 다른 불법행위자까지도 과실상계의 주장을 할 수 없다고 해석할 것은 아니다.

ㄹ. 상계의 의사표시는 일방적으로 철회할 수 없고, 상계의 의사표시 후에 상계자와 상대방이 상계가 없었던 것으로 하기로 하는 약정 또한 제3자에게 손해를 미치는지 여부를 묻지 않고 무효이다.

ㅁ. 형벌의 일종인 벌금은 일정 금액으로 표시된 추상적 경제가치를 급부목적으로 하는 채권인 점에서는 다른 금전채권들과 본질적으로 다르지 않지만, 발생의 법적 근거가 공법관계라는 점에서 차이가 있으므로, 국가는 확정된 벌금채권을 자동채권으로 하여 사인의 국가에 대한 부당이득반환채권과 상계할 수 없다.

① ㄱ, ㄴ, ㄷ   ② ㄱ, ㄴ, ㄹ   ③ ㄱ, ㄴ, ㅁ
④ ㄴ, ㄷ, ㄹ   ⑤ ㄴ, ㄷ, ㅁ

해설 ㄱ. 대판 2013.3.28, 2012다94155

ㄴ. **건설공동수급체는** 기본적으로 **민법상의 조합**의 성질을 가지는 것인바, 건설공동수급체의 구성원인 조합원이 그 출자의무를 불이행하였더라도 이를 이유로 그 조합원이 조합에서 제명되지 아니하고 있는 한, **조합은 조합원에 대한 출자금채권과 그 연체이자채권, 그 밖의 손해배상채권으로 조합원의 이익분배청구권과 직접 상계할 수 있을 뿐이고,** 조합계약에 달리 출자의무의 이행과 이익분배를 직접 연계시키는 특약(출자의무의 이행을 이익분배와의 사이에서 선이행관계로 견련시키거나 출자의무의 불이행 정도에 따라 이익분배금을 전부 또는 일부 삭감하는 것 등)을 두지 않는 한 **출자의무의 불이행을 이유로 이익분배 자체를 거부할 수는 없다**고 할 것이다(대판 2006.8.25, 2005다16959).

ㄷ. **피해자의 부주의를 이용하여 고의로 불법행위를 저지른 사람이 바로 피해자의 부주의를 이유로 자신의 책임을 줄여달라고 주장하는 것은 허용될 수 없다.** 그러나 이는 그러한 사유가 있는 자에게 과실상계의 주장을 허용하는 것이 신의칙에 반하기 때문이므로, 불법행위자 중의 일부에게 그러한 사유가 있다고 하여 **그러한 사유가 없는 다른 불법행위자까지도 과실상계의 주장을 할 수 없다고 해석할 것은 아니다**(대판 2018.2.13, 2015다242429).

ㄹ. **상계의 의사표시는** 일방적으로 철회할 수는 없는 것이지만, **상계의 의사표시 후에 상계자와 상대방이 상계가 없었던 것으로 하기로 한 약정은 제3자에게 손해를 미치지 않는 한** 계약자유의 원칙상 **유효**하다(대판 1995.6.16, 95다11146).

ㅁ. 형벌의 일종인 벌금도 일정 금액으로 표시된 추상적 경제가치를 급부목적으로 하는 채권인 점에서는 다른 금전채권들과 본질적으로 다를 것이 없고, 다만 발생의 법적 근거가 공법관계라는 점에서만 차이가 있을 뿐이나 채권 발생의 법적 근거가 무엇인지는 급부의 동종성을 결정하는 데 영향이 없으며, 벌금형이 확정된 이상 벌금채권의 변제기는 도래한 것이므로 달리 이를 금하는 특별한 법률상 근거가 없는 이상 **벌금채권은 적어도 상계의 자동채권이 되지 못할 아무런 이유가 없다**(대판 2004.4.27, 2003다37891).

64 상계에 관한 다음 설명 중 가장 옳지 않은 것은? ▶ 2024년 법무사

① 상속채권자가 상속이 개시된 후 한정승인 이전에 피상속인에 대한 채권을 자동채권으로 하여 상속인에 대한 채무에 대하여 상계하였더라도, 그 이후 상속인이 한정승인을 하는 경우에는 민법 제1031조의 취지에 따라 상계가 소급하여 효력을 상실하고, 상계의 자동채권인 상속채권자의 피상속인에 대한 채권과 수동채권인 상속인에 대한 채무는 모두 부활한다.

② 채권양도가 사해행위에 해당하는 경우 불법행위로 인한 손해배상채권의 채무자가 채권양도인에 대한 별도의 채권자 지위에서 채권양수인에게 채권자취소권을 행사하여 채권양도의 취소를 구함과 아울러 취소에 따른 원상회복 방법으로 직접 자신 앞으로 가액배상의 지급을 구하는 것 자체는 민법 제496조에 반하지 않으므로 허용된다.

③ 수탁보증인이 주채무자에 대하여 가지는 민법 제442조의 사전구상권에는 민법 제443조의 담보제공청구권이 항변권으로 부착되어 있으므로 이를 자동채권으로 하는 상계는 원칙적으로 허용될 수 없다.

④ 대항요건을 갖춘 채권양수인이 양수채권을 자동채권으로 하여 그 채무자가 채권양수인에 대해 가지고 있던 기존 채권과 상계한 경우, 채권양도 전에 이미 양 채권의 변제기가 도래하였다면 상계의 효력은 변제기로 소급한다.

⑤ 민법 제492조 제1항에 따르면 쌍방이 서로 같은 종류를 목적으로 한 채무를 부담한 경우 쌍방 채무의 이행기가 도래한 때에는 각 채무자는 대등액에 관하여 상계할 수 있는데, 위 조항에서 정한 '채무의 이행기가 도래한 때'는 채권자가 채무자에게 이행의 청구를 할 수 있는 시기가 도래하였음을 의미하고 채무자가 이행지체에 빠지는 시기를 말하는 것이 아니다.

해설 ① 상속인이 한정승인을 하는 경우에도, 피상속인의 채무와 유증에 대한 책임 범위가 한정될 뿐 상속인은 상속이 개시된 때부터 피상속인의 일신에 전속한 것을 제외한 피상속인의 재산에 관한 포괄적인 권리·의무를 승계하지만(민법 제1005조), 피상속인의 상속재산을 상속인의 고유재산으로부터 분리하여 청산하려는 한정승인 제도의 취지에 따라 상속인의 피상속인에 대한 재산상 권리·의무는 소멸하지 아니한다(민법 제1031조). 그러므로 상속채권자가 피상속인에 대하여는 채권을 보유하면서 상속인에 대하여는 채무를 부담하는 경우, 상속이 개시되면 위 채권 및 채무가 모두 상속인에게 귀속되어 상계적상이 생기지만, 상속인이 한정승인을 하면 상속이 개시된 때부터 민법 제1031조에 따라 피상속인의 상속재산과 상속인의 고유재산이 분리되는 결과가 발생하므로, 상속채권자의 피상속인에 대한 채권과 상속인에 대한 채무 사이의 상계는 제3자의 상계에 해당하여 허용될 수 없다. 즉, 상속채권자가 상속이 개시된 후 한정승인 이전에 피상속인에 대한 채권을 자동채권으로 하여 상속인에 대한 채무에 대하여 상계하였더라도, 그 이후 상속인이 한정승인을 하는 경우에는 민법 제1031조의 취지에 따라 상계가 소급하여 효력을 상실하고, 상계의 자동채권인 상속채권자의 피상속인에 대한 채권과 수동채권인 상속인에 대한 채무는 모두 부활한다(대판 2022.10.27, 2022다254154).

정답 64 ④

② 고의의 불법행위로 인한 손해배상채권의 채무자는 그 채권을 수동채권으로 한 상계로 채권자에게 대항하지 못하고(민법 제496조), 그 결과 채권이 양도된 경우에 양수인에게도 상계로 대항할 수 없게 되나(민법 제451조 제2항 참조), 채권양도가 사해행위에 해당하는 경우 불법행위로 인한 손해배상채권의 채무자가 채권양도인에 대한 별도의 채권자 지위에서 채권양수인에게 채권자취소권을 행사하여 채권양도의 취소를 구함과 아울러 취소에 따른 원상회복 방법으로 직접 자신 앞으로 가액배상의 지급을 구하는 것 자체는 민법 제496조에 반하지 않으므로 허용된다(대판 2011.6.10. 2011다8980 · 8997).

③ 대판 2001.11.13. 2001다55222

④ 민법 제493조 제2항은 "상계의 의사표시는 각 채무가 상계할 수 있는 때에 대등액에 관하여 소멸한 것으로 본다."라고 정하고 있으므로 **상계의 효력은 상계적상 시로 소급**하여 **발생**한다. 상계적상은 자동채권과 수동채권이 상호 대립하는 때에 비로소 생긴다. **채권양수인이 양수채권을 자동채권으로 하여 그 채무자가 채권양수인에 대해 가지고 있던 기존 채권과 상계한 경우**, 채권양수인은 채권양도의 대항요건이 갖추어진 때 비로소 자동채권을 행사할 수 있으므로 채권양도 전에 이미 양 채권의 변제기가 도래하였다고 하더라도 **상계의 효력은 변제기로 소급하는 것이 아니라 채권양도의 대항요건이 갖추어진 시점으로 소급한다**(대판 2022.6.30. 2022다200089).

⑤ 쌍방이 서로 같은 종류를 목적으로 한 채무를 부담한 경우 쌍방 채무의 이행기가 도래한 때에는 각 채무자는 대등액에 관하여 상계할 수 있다(제492조 제1항). 민법 제492조 제1항에서 정한 '채무의 이행기가 도래한 때'는 채권자가 채무자에게 이행의 청구를 할 수 있는 시기가 도래하였음을 의미하고 채무자가 이행지체에 빠지는 시기를 말하는 것이 아니다(대판 2021.5.7. 2018다25946).

심화문제 | 확인 · 보충 · 심화문제

01 변제의 제공에 관한 다음 설명 중 판례의 입장과 다른 것은?

① 채권자가 아닌 제3자 명의로 개설된 예금계좌에 채무자가 현금을 입금시켰다면 예금명의자인 제3자가 당해 금전채권에 대한 변제의 제공을 받을 수 있는 지위에 있지 아니하는 한, 원칙적으로 그 입금이 채무 내용에 좇은 현실의 제공이라고 볼 수 없다.

② 쌍무계약의 당사자 일방이 한번 현실의 제공을 하여 상대방을 수령지체에 빠지게 하면 그 이행의 제공이 계속되지 않은 경우에도 상대방이 가진 동시이행의 항변권은 소멸한다.

③ 쌍무계약의 당사자 일방이 미리 자기 채무를 이행하지 아니할 의사를 명백히 표명한 때에는 상대방은 이행의 최고나 자기 채무의 이행의 제공이 없이 계약을 해제할 수 있다.

④ 부동산의 매도인이 매수인을 이행지체에 빠뜨리기 위하여 소유권이전등기에 필요한 서류 등을 현실적으로 제공할 필요까지는 없으나, 최소한 위 서류 등을 준비하여 두고 그 뜻을 매수인에게 통지하여 잔금지급과 아울러 이를 수령하여 갈 것을 최고함은 요한다.

⑤ 채무자가 기존 채무의 이행에 관하여 채권자에게 어음을 교부하는 경우에 당사자 사이에 특별한 의사표시가 없고, 다른 한편 어음상의 주채무자가 원인관계상의 채무자와 동일하지 아니한 때에는 제3자인 어음상의 주채무자에 의한 지급이 예정되고 있으므로, 이는 '지급을 위하여' 교부된 것으로 추정된다.

해설 ① 채권자가 아닌 제3자 명의로 개설된 예금계좌에 채무자가 현금을 입금시켰다고 하더라도 예금명의자인 제3자가 당해 금전채권에 대한 변제의 제공을 받을 수 있는 지위에 있지 아니하는 한 그 입금이 채무 내용에 좇은 현실의 제공이라고 볼 수 없을 것이지만, 채권자가 금융기관으로서 채무자에게 금전채무의 이행방법으로 제3자 명의로 개설된 예금계좌에 입금할 것을 요청하였고, 그 예금계좌가 채권자의 관리 하에 있어 채권자가 즉시 인출할 수 있는 지위에 있는 경우에는, 채권자 명의로 개설된 예금계좌에 아무런 유보 없이 입금시킨 경우와 마찬가지로, 채무자가 입금한 금원이 그 예금계좌에 들어가 입금기재된 때에 그에 따른 변제의 효력이 발생한다(대판 1998.7.24. 98다7698).

② 쌍무계약의 당사자 일방이 먼저 한번 현실의 제공을 하고 상대방을 수령지체에 빠지게 하였다 하더라도 그 이행의 제공이 계속되지 않는 경우는 과거에 이행의 제공이 있었다는 사실만으로 상대방이 가지는 동시이행의 항변권이 소멸하는 것은 아니므로, 일시적으로 당사자 일방의 의무의 이행제공이 있었으나 곧 그 이행의 제공이 중지되어 더 이상 그 제공이 계속되지 아니하는 기간 동안에는 상대방의 의무가 이행지체 상태에 빠졌다고 할 수는 없다고 할 것이고, 따라서 그 이행의 제공이 중지된 이후에 상대방의 의무가 이행지체되었음을 전제로 하는 손해배상청구도 할 수 없다(대판 1995.3.14. 94다26646).

③ 매수인이 잔대금 지급의무를 이행하고 소유권이전등기를 넘겨받을 의사가 없음을 미리 표시한 것으로 볼 수 있는 객관적인 명백한 사정이 있는 경우에는 당사자 일방이 자기의 채무의 이행을 제공하지 않더라도 상대방의 이행지체를 이유로 계약을 해제할 수 있는 것으로, 매수인이 이를 번복할 가능성이 있다고 볼 만한 다른 특별한 사정이 없는 한, 이러한 경우까지

정답 ▶ 01 ②

매도인에게 매수인을 이행지체에 빠뜨리기 위하여 구두제공의 방법으로라도 자기의 반대채무를 이행제공할 것을 요구할 것은 아니라고 볼 것이다(대판 1995.4.28, 94다16083).

④ 쌍무계약인 부동산매매계약에 있어서는 특별한 사정이 없는 한 매수인의 잔대금지급의무와 매도인의 소유권이전등기서류 교부의무는 동시이행관계에 있다 할 것이고, 이러한 경우에 매도인이 매수인에게 지체의 책임을 지워 매매계약을 해제하려면 매수인이 이행기일에 잔대금을 지급하지 아니한 사실만으로는 부족하고, 매도인이 소유권이전등기신청에 필요한 일체의 서류를 수리할 수 있을 정도로 준비하여 그 뜻을 상대방에게 통지하여 수령을 최고함으로써 이를 제공하여야 하는 것이 원칙이고, 또 상당한 기간을 정하여 상대방의 잔대금채무이행을 최고한 후 매수인이 이에 응하지 아니한 사실이 있어야 하는 것이며, 매도인이 제공하여야 할 소유권이전등기신청에 필요한 일체의 서류라 함은 등기권리증, 위임장 및 부동산매도용 인감증명서 등 등기신청행위에 필요한 모든 구비서류를 말한다(대판 1992.7.14, 92다5713).

⑤ 기존 채무의 이행에 관하여 채무자가 채권자에게 어음을 교부할 때의 당사자의 의사는 기존 원인채무의 '지급에 갈음하여', 즉 기존 원인채무를 소멸시키고 새로운 어음채무만을 존속시키려고 하는 경우와, 기존 원인채무를 존속시키면서 그에 대한 지급방법으로서 이른바 '지급을 위하여' 교부하는 경우 및 단지 기존 채무의 지급 담보의 목적으로 이루어지는 이른바 '담보를 위하여' 교부하는 경우로 나누어 볼 수 있는데, 당사자 사이에 특별한 의사표시가 없으면 어음의 교부가 있다고 하더라도 이는 기존 원인채무는 여전히 존속하고 단지 그 '지급을 위하여' 또는 그 '담보를 위하여' 교부된 것으로 추정할 것이며, 따라서 특별한 사정이 없는 한 기존의 원인채무는 소멸하지 아니하고 어음상의 채무와 병존한다고 보아야 할 것이고, 이 경우 어음상의 주채무자가 원인관계상의 채무자와 동일하지 아니한 때에는 제3자인 어음상의 주채무자에 의한 지급이 예정되고 있으므로 이는 '지급을 위하여' 교부된 것으로 추정하여야 한다(대판 1996.11.8, 95다25060).

02 甲을 채권자, 乙을 채무자라고 할 경우, 변제의 충당에 관한 설명으로서 옳은 것(○)과 옳지 않은 것(×)을 바르게 표시한 것은? (다툼이 있는 경우에는 판례에 의함) ▸ 2014년 사법시험

ㄱ. 乙의 甲에 대한 원리금채무 중 이자채무에 관하여는 소멸시효가 완성된 상태에서 乙이 채무액수를 다투지 않고 채무원리금 총액 중 일부를 甲에게 변제조로 지급한 경우, 乙은 원금채무에 관하여 묵시적으로 승인하는 한편 이자채무에 관하여 소멸시효 완성의 이익을 포기한 것으로 추정되므로, 충당에 관하여 甲, 乙 사이의 합의나 지정이 없으면 법정변제충당하여야 한다.

ㄴ. 乙의 甲에 대한 채무로서 보증인이 있는 X 채무와 없는 Y 채무가 있는데, 충당의 합의나 지정이 없어 乙이 변제조로 지급한 돈이 이행기가 먼저 도래한 Y 채무에 법정변제충당되어 Y 채무가 모두 소멸된 후에도 甲과 乙은 다시 위 돈을 X 채무에 충당하는 것으로 약정할 수 있다.

ㄷ. 乙이 1개 또는 수 개의 채무의 비용 및 이자를 지급할 경우 변제자가 그 전부를 소멸하게 하지 못한 급여를 한 때에는 비용, 이자, 원본의 순서로 변제충당하여야 하는데, 여기서의 '비용'에는 甲의 권리실행비용 중에서 소송비용액확정 결정이나 집행비용액확정 결정에 의하여 乙이 부담하는 것으로 확정된 소송비용이나 집행비용도 포함된다.

ㄹ. 乙의 甲에 대한 채무로서 제3자인 丙이 발행하고 乙이 배서한 어음에 의하여 담보되는 X 채무와 아무 담보 없는 Y 채무가 있다면, 乙이 변제자일 경우 X 채무와 Y 채무는 변제이익이 같다.

ㅁ. 여러 명의 연대채무자에 대하여 따로따로 소송이 제기되어 판결에 의하여 확정된 채무 원본이나 지연손해금의 금액과 이율 등이 서로 달라져 원금이나 지연손해금에 채무자들이 공동으로 부담하는 부분과 공동으로 부담하지 않는 부분이 생긴 경우, 어느 채무자가 채무 일부를 변제하면 채무자들이 공동으로 부담하는 부분에 우선 충당되고, 그 다음 공동으로 부담하지 않는 부분의 변제에 충당된다.

ㅂ. 甲과 乙이 乙의 변제가 甲에 대한 모든 채무를 소멸시키기에 부족한 때에는 甲이 적당하다고 인정하는 순서와 방법에 의하여 충당하기로 약정하였으면, 甲은 별도의 의사표시를 하지 않고도 그 약정에 터잡아 스스로 적당하다고 인정하는 순서와 방법에 좇아 변제충당을 할 수 있다.

① ㄱ(○), ㄴ(×), ㄷ(○), ㄹ(×), ㅁ(×), ㅂ(○)
② ㄱ(○), ㄴ(○), ㄷ(×), ㄹ(×), ㅁ(○), ㅂ(×)
③ ㄱ(○), ㄴ(○), ㄷ(×), ㄹ(×), ㅁ(×), ㅂ(○)
④ ㄱ(×), ㄴ(○), ㄷ(×), ㄹ(○), ㅁ(○), ㅂ(×)
⑤ ㄱ(○), ㄴ(○), ㄷ(○), ㄹ(×), ㅁ(×), ㅂ(○)

해설 ㄱ. 원금채무에 관하여는 소멸시효가 완성되지 아니하였으나 이자채무에 관하여는 소멸시효가 완성된 상태에서 채무자가 채무를 일부 변제한 때에는 액수에 관하여 다툼이 없는 한 원금채무에 관하여 묵시적으로 승인하는 한편 이자채무에 관하여 시효완성의 사실을 알고 그 이익을 포기한 것으로 추정되며, 채무자의 변제가 채무 전체를 소멸시키지 못하고 당사자가 변제에 충당할 채무를 지정하지 아니한 때에는 민법 제479조, 제477조에 따른 법정변제충당의 순서에 따라 충당되어야 한다(대판 2013.5.23, 2013다12464).

ㄴ. 민법의 변제충당에 관한 규정은 임의규정이다. 따라서 변제자(채무자)와 변제수령자(채권자)는 변제로 소멸한 채무에 관한 보증인 등 이해관계있는 제3자의 이익을 해하지 않는 이상 이미 급부를 마친 뒤에도 기존의 충당방법을 배제하고 제공된 급부를 어느 채무에 어떤 방법으로 다시 충당할 것인가를 약정할 수도 있는 것이다(대판 2013.9.12, 2012다118044).

ㄷ. 변제충당 중 지정충당의 제한사유에는 비용채무자가 1개 또는 수 개의 채무의 비용 및 이자를 지급할 경우에 변제자가 그 전부를 소멸하게 하지 못한 급여를 한 때에는 비용, 이자, 원본의 순서로 변제에 충당하여야 한다(민법 제479조 제1항). 여기서의 비용은 당사자 사이의 약정이나 법률의 규정 등에 의하여 채무자가 당해 채권에 관하여 부담하여야 하는 비용을 의미한다. 비용에는 변제비용, 계약비용 이외에 소송비용, 경매비용, 집행비용 등이 포함된다. 따라서 채무자가 부담하여야 하는 변제비용(민법 제473조 본문)이나, 채권자의 권리실행비용 중에서 소송비용액확정결정이나 집행비용액확정결정에 의하여 채무자가 부담하는 것으로 확정된 소송비용 또는 집행비용 등은 위와 같은 비용의 범주에 속한다. 그러나 변제비용이라고 하더라도

정답 02 ⑤

채권자의 주소이전 기타의 행위로 인하여 증가된 액수는 원칙적으로 채권자가 부담하여야 하므로 위 규정에서 말하는 비용에 해당하지 않는다(대판 2008.12.24. 2008다61172).

ㄹ. 법정변제충당을 위한 변제이익은 변제자를 기준으로 판단하여야 한다. 따라서 먼저 주채무자 이외의 자가 변제자인 경우에는, 변제자가 발행 또는 배서한 어음에 의하여 담보되는 채무가 다른 채무보다 변제이익이 많다고 보아야 한다. 그러나 주채무자가 변제자인 경우에는, 담보로 제3자가 발행 또는 배서한 약속어음이 교부된 채무와 다른 채무 사이에 변제이익의 점에서 차이가 없다고 보아야 할 것이나, 담보로 주채무자 자신이 발행 또는 배서한 어음이 교부된 채무는 다른 채무보다 변제이익이 많은 것으로 보아야 한다(대판 1999.8.24. 99다22281).

ㅁ. 여러 명의 연대채무자 또는 연대보증인에 대하여 따로따로 소송이 제기되는 등으로 그 판결에 의하여 확정된 채무원본이나 지연손해금의 금액과 이율 등이 서로 달라지게 되어 원금이나 지연손해금에 채무자들이 공동으로 부담하는 부분과 공동으로 부담하지 않는 부분이 생긴 경우에 어느 채무자가 채무 일부를 변제한 때에는 그 변제자가 부담하는 채무 중 공동으로 부담하지 않는 부분의 채무 변제에 우선 충당되고 그 다음 공동 부담부분의 채무 변제에 충당된다. 그리고 채권의 목적을 달성시키는 변제와 같은 사유는 연대채무자 또는 연대보증채무자 전원에 대하여 절대적 효력을 가지므로 어느 채무자의 변제 등으로 다른 채무자와 공동으로 부담하는 부분의 채무가 소멸되면 그 채무소멸의 효과는 다른 채무자 전원에 대하여 미친다(대판 2013.3.14. 2012다85281).

ㅂ. 채권자와 채무자 사이에 미리 변제충당에 관한 약정이 있으며, 그 약정 내용이, 변제가 채권자에 대한 모든 채무를 소멸시키기에 부족한 경우 채권자가 적당하다고 인정하는 순서와 방법에 의하여 충당하기로 한 것이라면, 채권자가 위 약정에 터잡아 스스로 적당하다고 인정하는 순서와 방법에 좇아 변제충당을 한 이상 채무자에 대한 의사표시와 관계없이 그 충당의 효력이 있다(대판 1991.7.23. 90다18678).

03 변제에 관한 설명 중 옳은 것을 모두 고른 것은? (다툼이 있는 경우에는 판례에 의함)
▶ 2012년 사법시험

> ㄱ. 담보권 실행을 위한 경매에서 배당된 배당금이 담보권자가 가지는 여러 개의 피담보채권 전부를 소멸시키기에 부족한 경우에는 지정변제충당이나 합의에 따른 변제충당은 허용될 수 없고, 법정변제충당의 방법에 따라 충당하여야 한다.
> ㄴ. 변제자가 변제에 충당할 채무를 지정하지 않은 경우 변제받는 자는 채무를 지정하여 변제에 충당할 수 있고, 이 경우 변제자는 그 충당에 대하여 이의를 제기할 수 없다.
> ㄷ. 비용, 이자, 원본에 대한 변제충당에 있어서는 당사자의 일방적인 지정에 대하여 상대방이 지체 없이 이의를 제기하지 아니함으로써 묵시적인 합의가 되었다고 보이는 경우에도 그 법정충당의 순서와는 달리 충당의 순서를 인정할 수 없다.
> ㄹ. 법정변제충당의 순위를 정함에 있어서 변제의 유예가 있는 채무는 유예기까지 변제기가 도래하지 않은 것으로 보아야 한다.
> ㅁ. 변제자가 주채무자인 경우 보증인이 있는 채무가 보증인이 없는 채무보다 변제이익이 더 많다.

① ㄱ, ㄴ ② ㄴ, ㄷ ③ ㄱ, ㄹ
④ ㄴ, ㄷ, ㅁ ⑤ ㄱ, ㄹ, ㅁ

해설 변제충당의 대표적 판례가 포함되어 있는 문제이다([ㄱ]). 즉 "담보권 실행을 위한 경매에서 배당된 배당금이 담보권자가 가지는 여러 개의 피담보채권 전부를 소멸시키기에 부족한 경우에는 지정변제충당이나 합의에 따른 변제충당은 허용될 수 없고, 법정변제충당의 방법에 따라 충당하여야 한다."(대판 1996.5.10, 95다55504). 한편 [ㄹ] 변제충당은 [ㄱ]과 같은 제3자에게 영향을 주는 경우 이외에는 임의규정이기 때문에 법정변제충당의 순위를 정함에 있어서 변제의 유예가 있는 채무에 대하여는 유예기까지 변제기가 도래하지 않은 것과 같게 보아야 한다(대판 1999.8.24, 99다22281,22298). 한편 [ㄴ]은 부당한데, 변제자가 변제충당할 채무의 지정을 하지 아니할 때에는 수령자는 그 당시 어느 채무를 지정하여 변제에 충당할 수 있으나, 변제자가 그 충당에 대하여 즉시 이의를 제기할 수 있다(제476조 제2항). 또한 [ㄷ]은 부당한데, 즉 "비용, 이자, 원본에 대한 변제충당에 있어서는 당사자의 일방적인 지정에 대하여 상대방이 지체 없이 이의를 제기하지 아니함으로써 묵시적인 합의가 되었다고 보이는 경우에도 그 법정충당의 순서와는 달리 충당의 순서를 인정할 수 없다."가 아니라 '있다'로 하여야 한다(대판 2009.6.11, 2009다12399).
보통 합의는 명시적 뿐만 아니라 묵시적인 경우를 포함한다.

04 乙은 甲으로부터 9,000만원을 차용하면서 그 담보로 乙소유의 A 부동산(시가 1억 2,000만원)과 B 부동산(시가 8,000만원)에 공동저당으로 각 1번저당권을 설정하여 주었고, 乙의 부탁을 받은 丙은 乙의 위 차용금채무를 보증하였는데, 그 후 乙은 A 부동산을 丁에게, B 부동산을 戊에게 각 매도하여 각 소유권이전등기를 경료하여 주었다. 이에 관한 설명 중 옳은 것은? (이자 및 지연손해금은 고려하지 않고, 다툼이 있는 경우 판례에 의함)

① 甲이 丙과 보증계약을 체결함에 있어서, 甲은 丙에게 乙의 신용상태를 고지하여야 할 의무가 있다.

② 乙이 자신의 주채무에 관한 시효완성의 이익을 포기하면 보증인인 丙은 乙의 주채무가 시효소멸하였음을 원용할 수 없다.

③ 丙이 甲에게 9,000만원 전액을 변제한 경우 甲의 승낙을 얻어야 甲을 대위할 수 있는데, 이 경우 丙이 乙에게 그 대위의 효력을 주장하기 위하여는 甲이 대위의 사실을 乙에게 통지하거나 乙이 대위를 승낙하여야 한다.

④ 丁이 乙을 대신하여 甲에게 9,000만원 전액을 변제하였다면, 丁은 甲을 대위하여 丙에 대하여 3,000만원의 상환을 구할 수 있다.

⑤ 丁이 乙을 대신하여 甲에게 9,000만원 전액을 변제하였다면, 丁은 甲을 대위하여 3,600만원의 범위 내에서 B 부동산에 설정된 저당권을 행사할 수 있다.

해설 ① 보증제도는 본질적으로 주채무자의 무자력으로 인한 채권자의 위험을 인수하는 것이므로, 보증인이 주채무자의 자력에 대하여 조사한 후 보증계약을 체결할 것인지의 여부를 스스로 결정하여야 하는 것이고, 채권자가 보증인에게 채무자의 신용상태를 고지할 신의칙상의 의무는 존재하지 아니한다(대판 1998.7.24, 97다35276).

② 제433조 제2항 【보증인과 주채무자 항변권】 주채무자의 항변포기는 보증인에게 효력이 없다.

보증인은 부종성에 기해 주채무의 시효소멸을 독자적으로 원용할 수 있다. 또한, 주채무가 시효로 소멸한 때에는 보증인도 그 시효소멸을 원용할 수 있으며 주채무자가 시효의 이익을 포기하더라도 보증인에게는 그 효력이 없다(대판 1991.1.29. 89다카1114).

③ 제481조【변제자의 법정대위】변제할 정당한 이익이 있는 자는 변제로 당연히 채권자를 대위한다.

보증인은 변제하지 아니하면 자기 재산에 집행을 당할 위험이 있는 자로서 변제에 정당한 이익이 있는 자에 해당한다. 따라서 임의대위와는 달리 변제로 인한 대위에 채권자의 승낙을 요하지 아니하고 당연히 채권자를 대위하게 된다. 즉 채권자 甲의 승낙 및 그 대항요건은 불필요하다.

④ 제482조 제2항 제2호【변제자대위의 효과, 대위자간의 관계】전항의 권리행사는 다음 각 호의 규정에 의하여야 한다.
2. 제3취득자는 보증인에 대하여 채권자를 대위하지 못한다.

⑤ 제482조 제2항 제3호【변제자대위의 효과, 대위자간의 관계】전항의 권리행사는 다음 각 호의 규정에 의하여야 한다.
3. 제3취득자중의 1인은 각 부동산의 가액에 비례하여 다른 제3취득자에 대하여 채권자를 대위한다.

따라서 사안의 경우 丁이 소유하는 A 부동산의 시가가 1억 2천만원이고, 戊가 소유하는 B 부동산의 시가가 8천만원이므로 丁과 戊는 3 : 2의 비율로 채무자의 채무를 분담한다. 결국, 전액 변제한 丁은 戊에 대하여 9천만원×2/5 = 3천 6백만원의 범위에서 변제자대위권을 행사할 수 있다.

05 甲에게 2,000만원의 대여금채무를 부담하고 있는 乙은 위 채무에 대한 담보로 甲에게 乙 소유의 X 토지에 대하여 피담보채권액 2,000만원의 저당권을 설정하여 주었다. 丙은 乙의 甲에 대한 위 대여금채무를 주채무로 하여 甲과 연대보증계약을 체결하였다. 丙은 위 대여금채무 중 1,000만원을 대위변제하였고, 甲은 나머지 대여금채권을 변제받기 위하여 X 토지에 설정된 위 저당권에 기하여 경매를 신청하였으며, 위 경매절차에서 X 토지는 1,500만원에 매도되었다. 다음 설명 중 옳은 것을 모두 고른 것은? (다툼이 있는 경우 판례에 의함)

▶ 2015년 변호사

ㄱ. 丙은 대위변제한 1,000만원 범위 내에서 甲이 乙에 대하여 가지고 있던 채권 및 담보에 관한 권리를 취득한다.
ㄴ. 甲은 丙에게 X 토지에 설정된 위 저당권 일부 이전의 부기등기를 경료해 줄 의무가 있다.
ㄷ. 丙은 X 토지 경매에 따른 배당절차에서 대위변제한 1,000만원 부분에 한하여 甲에 우선해서 배당받는다.

① ㄱ　　　　　② ㄱ, ㄴ　　　　　③ ㄱ, ㄷ
④ ㄴ, ㄷ　　　　　⑤ ㄱ, ㄴ, ㄷ

해설 전형적인 일부변제자대위에서 배당 시 채권자 우위설을 묻고 있다(대판 1988.9.27. 88다카1797).
ㄱ. ㄴ. 丙은 대위변제한 1,000만원 범위 내에서 甲이 乙에 대하여 가지고 있던 채권 및 담보에

관한 권리를 취득한다(제483조). 따라서 甲은 丙에게 X 토지에 설정된 위 저당권 일부 이전의 부기등기를 경료해 줄 의무가 있다.

ㄷ. 甲이 X 토지 경매에 따른 배당절차에서 잔존하는 1,000만원 부분에 한하여 丙에 우선해서 배당받는다.

06 1억원의 채무를 부담하고 있는 甲을 위하여 乙과 丙은 보증인이 되었고, 丁은 자기 소유의 시가 6,000만원의 부동산에 저당권을 설정하여 물상보증인이 되었으며, 戊도 자기 소유의 시가 4,000만원의 부동산에 저당권을 설정하여 물상보증인이 되었다. 당사자 사이의 특약 등 다른 특별한 사정이 없다면 乙이 甲의 채무 전액을 변제한 경우, 乙이 丙, 丁, 戊에 대하여 채권자를 대위할 수 있는 범위로 옳은 것은? (다툼이 있는 경우 판례에 의함)

▶ 2016년 변호사

① 丙에 대하여 2,500만원, 丁에 대하여 2,500만원, 戊에 대하여 2,500만원
② 丙에 대하여 2,500만원, 丁에 대하여 2,000만원, 戊에 대하여 3,000만원
③ 丙에 대하여 2,500만원, 丁에 대하여 3,000만원, 戊에 대하여 2,000만원
④ 丙에 대하여 5,000만원, 丁에 대하여 1,500만원, 戊에 대하여 1,000만원
⑤ 丙에 대하여 7,500만원, 丁에 대하여 0원, 戊에 대하여 0원

> **해설** 제482조 제2항 5호(자기의 재산을 타인의 채무의 담보로 제공한 자와 보증인 간에는 그 인원수에 비례하여 채권자를 대위한다. 그러나 자기의 재산을 타인의 채무의 담보로 제공한 자가 수인인 때에는 보증인의 부담부분을 제외하고 그 잔액에 대하여 각 재산의 가액에 비례하여 대위한다)에 따라서 계산하면, 丙에 대하여 2,500만원, 丁에 대하여 3,000만원, 戊에 대하여 2,000만원이 된다.

07 甲이 乙에 대하여 100만원의 채권을 가지고 있고, 乙이 이를 담보하기 위하여 자신 소유의 부동산(경매대가 80만원)에 근저당권을 설정해 주었고, 丙, 丁이 乙의 甲에 대한 채무를 보증하였다. 변제자대위에 관한 다음 설명 중 가장 옳지 않은 것은? (다툼이 있는 경우 판례에 의함)

▶ 2013년 법원행시

① 만일 戊가 채무자인 乙로부터 담보로 제공된 부동산을 취득한 후 乙의 채무를 전액 변제하였다 하더라도, 戊는 보증인 丙과 丁에 대하여 대위할 수 없다.
② 보증인 丙이 40만원을 변제하면 丙은 변제한 가액에 비례하여 채권자 甲과 함께 그 권리를 행사하게 되는바, 저당부동산이 경매된 경우 경매대금 80만원에서 甲은 48만원, 丙은 32만원을 배당받는다.
③ 위 ②항의 경우 甲과 丙사이에 경매대금의 배당에 대한 우선순위에 관하여 별도의 약정이 있었다면 그 약정에 따라 변제의 순위가 정해진다.

정답 05 ② 06 ③ 07 ②

④ 보증인 丙과 丁이 각각 40만원과 60만원을 甲에게 변제한 경우 경매대가 80만원은 변제의 순서에 관계없이 丙에게 32만원, 丁에게 48만원이 배당된다.

⑤ 보증인 丙이 甲에게 40만원을 변제한 후 甲과 丙사이에 나머지 60만원에 대해서는 채권자 甲이 丙보다 우선회수 한다는 특약을 한 경우 후에 丁이 나머지 60만원을 甲에게 변제하였다 하더라도 丁이 甲의 丙에 대한 우선변제특약에 따른 권리까지 이전받는다고 볼 수는 없다.

해설 ① 제3취득자는 보증인에 대하여 채권자를 대위하지 못한다(제482조 제2항 제2호). 따라서 戊는 보증인 丙과 丁에 대하여 대위할 수 없다.

② 채권의 일부에 대하여 대위변제가 있는 때에는 대위자는 그 변제한 가액에 비례하여 채권자와 함께 그 권리를 행사한다(제483조 제1항). 여기서 "채권자와 함께 그 권리를 행사한다."는 의미는 이 경우에 변제에 관하여는 채권자가 우선하는 것으로 봄이 다수설·판례이다(대판 1988.9.27, 88다카1797). 따라서 저당부동산이 경매된 경우 경매대금 80만원에서 채권자 甲은 나머지 60만원, 丙은 20만원을 배당받는다.

③ 배당에 대한 우선순위에 관하여 별도의 약정이 있었다면 그 약정에 따라 변제의 순위가 정해진다.

④ 변제의 순서에 관계없이 채권액에 비례하여 보증인 丙과 丁이 각각 40만원과 60만원을 甲에게 변제한 경우 경매대가 80만원은 丙에게 32만원, 丁에게 48만원이 배당된다.

⑤ 우선변제특약에 따른 권리까지 이전받는다고 볼 수는 없다. 즉 변제로 채권자를 대위하는 경우 '채권 및 그 담보에 관한 권리'가 변제자에게 이전될 뿐 계약당사자의 지위가 이전되는 것은 아니라는 점, 변제로 채권자를 대위하는 자가 구상권 범위에서 행사할 수 있는 '채권 및 그 담보에 관한 권리'에는 채권자와 채무자 사이에 채무의 이행을 확보하기 위한 특약이 있는 경우 그 특약에 기하여 채권자가 가지게 되는 권리도 포함되나, 채권자와 일부 대위변제자 사이의 약정에 지나지 않는 변제의 순위에 관한 별도의 약정(이하 '우선회수특약'이라 한다)이 당연히 대위하거나 이전받게 된다고 볼 수는 없다(대판 2010.4.8, 2009다80460).

08 **상계에 관한 설명 중 옳지 않은 것은?** (다툼이 있는 경우에는 판례에 의함)

① 수탁보증인은 주채무자에 대한 사전구상권을 자동채권으로 하여 상계할 수 있다.

② 국가는 확정된 벌금채권을 자동채권으로 하여 사인의 국가에 대한 부당이득반환채권과 상계할 수 있다.

③ 사용자는 근로자의 동의없이 근로자에 대한 대출금 채권을 자동채권으로 하여 근로자의 퇴직금 채권과 일방적으로 상계할 수 없다.

④ 상계금지특약이 있음을 알지 못한 채 채권을 양수한 자는 이를 자동채권으로 하여 상계할 수 있다.

⑤ 동시이행관계에 있는 자동채권과 수동채권이 서로 현실적으로 이행하여야 할 필요가 없는 경우 상계가 허용된다.

해설 ① 항변권이 붙어 있는 채권을 자동채권으로 하여 다른 채무(수동채권)와의 상계를 허용한다면 상계자 일방의 의사표시에 의하여 상대방의 항변권 행사의 기회를 상실시키는 결과가 되므

로 그러한 상계는 허용될 수 없고, 특히 수탁보증인이 주채무자에 대하여 가지는 민법 제442
조의 사전구상권에는 민법 제443조 소정의 이른바 면책청구권이 항변권으로 부착되어 있는
만큼 이를 자동채권으로 하는 상계는 허용될 수 없다(대판 2001.11.13, 2001다55222).

② 상계는 쌍방이 서로 상대방에 대하여 같은 종류의 급부를 목적으로 하는 채권을 가지고 자동
채권의 변제기가 도래하였을 것을 그 요건으로 하는 것인데, 형벌의 일종인 벌금도 일정 금
액으로 표시된 추상적 경제가치를 급부목적으로 하는 채권인 점에서는 다른 금전채권들과
본질적으로 다를 것이 없고, 다만 발생의 법적 근거가 공법관계라는 점에서만 차이가 있을
뿐이나 채권 발생의 법적 근거가 무엇인지는 급부의 동종성을 결정하는 데 영향이 없으며,
벌금형이 확정된 이상 벌금채권의 변제기는 도래한 것이므로 달리 이를 금하는 특별한 법률
상 근거가 없는 이상 벌금채권은 적어도 상계의 자동채권이 되지 못할 아무런 이유가 없다
(대판 2004.4.27, 2003다3789).

③ 근로자가 받을 퇴직금은 임금의 성질을 가지는 것으로서 근로기준법 제36조에 의하여 사용
자는 그 수령권자에게 직접 전액을 지급하여야 하는 것이므로 사용자가 자기 직원으로 근무
하다가 사망한 근로자의 퇴직금에 대하여 사용자의 동인에 대한 대출금채권으로 상계충당할
수 없다(대판 1990.5.8, 88다카26413).

④
> 제492조 【상계의 요건】
> ① 쌍방이 서로 같은 종류를 목적으로 한 채무를 부담한 경우에 그 쌍방의 채무의 이행기가
> 도래한 때에는 각 채무자는 대등액에 관하여 상계할 수 있다. 그러나 채무의 성질이 상계
> 를 허용하지 아니할 때에는 그러하지 아니하다.
> ② 전항의 규정은 당사자가 다른 의사를 표시한 경우에는 적용하지 아니한다. 그러나 그 의
> 사표시로써 선의의 제3자에게 대항하지 못한다.

⑤ 상계제도는 서로 대립하는 채권·채무를 간이한 방법에 의하여 결제함으로써 양자의 채권·
채무 관계를 원활하고 공평하게 처리함을 목적으로 하고 있으므로, 상계의 대상이 될 수 있
는 자동채권과 수동채권이 동시이행관계에 있다고 하더라도 서로 현실적으로 이행하여야 할
필요가 없는 경우라면 상계로 인한 불이익이 발생할 우려가 없고 오히려 상계를 허용하는
것이 동시이행관계에 있는 채권·채무관계를 간명하게 해소할 수 있으므로 특별한 사정이
없는 한 상계가 허용된다(대판 2006.7.28, 2004다54633).

09 상계에 관한 설명으로 옳지 않은 것은? (다툼이 있는 경우에는 판례에 의함)

① 상계적상 시점 이전에 수동채권의 변제기가 이미 도래하여 지체가 발생한 경우, 그 시
점까지의 수동채권의 약정이자 및 지연손해금을 자동채권으로써 먼저 소각하고 그 잔
액을 가지고 수동채권의 원본을 소각하여야 한다.

② 수동채권으로 될 수 있는 채권은 상대방이 상계자에 대하여 가지는 채권이어야 하고,
상대방이 제3자에 대하여 가지는 채권과는 상계할 수 없다고 보아야 한다.

③ 가압류명령을 받은 제3채무자가 가압류채무자에 대하여 가지는 자동채권이 압류 당시에
변제기에 이르지 않은 경우에는 피압류채권인 수동채권의 변제기와 동시에 또는 그 보다
먼저 변제기에 도달하여야 제3채무자가 가압류채권자에게 상계로써 대항할 수 있다.

④ 가압류명령이 제3채무자에게 송달되어 가압류의 효력이 생긴 후에 제3채무자의 가압류채무자에 대한 자동채권이 발생한 경우에는 제3채무자가 가압류채권자에게 상계로써 대항할 수 없고, 이는 자동채권과 수동채권이 동시이행의 관계에 있고 수동채권이 가압류되기 전에 자동채권 발생의 기초가 되는 원인이 이미 성립한 경우에도 마찬가지이다.

⑤ 부당이득의 원인이 고의의 불법행위에 기인함으로써 불법행위로 인한 손해배상채권과 부당이득반환채권이 모두 성립하여 양 채권이 경합하는 경우, 피해자가 부당이득반환채권만을 청구하고 불법행위로 인한 손해배상채권을 청구하지 아니한 때에도 이를 수동채권으로 하여 상계할 수 없다.

해설 ① 상계의 의사표시가 있는 경우, 채무는 상계적상 시에 소급하여 대등액에 관하여 소멸한 것으로 보게 되므로, 상계에 의한 양 채권의 차액 계산 또는 상계 충당은 상계적상의 시점을 기준으로 하게 되고, 따라서 그 시점 이전에 수동채권의 변제기가 이미 도래하여 지체가 발생한 경우에는 상계적상 시점까지의 수동채권의 약정이자 및 지연손해금을 계산한 다음 자동채권으로써 먼저 수동채권의 약정이자 및 지연손해금을 소각하고 잔액을 가지고 원본을 소각하여야 한다(대판 2005.7.8, 2005다8125).

② 상계는 당사자 쌍방이 서로 같은 종류를 목적으로 한 채무를 부담한 경우에 서로 같은 종류의 급부를 현실로 이행하는 대신 어느 일방 당사자의 의사표시로 그 대등액에 관하여 채권과 채무를 동시에 소멸시키는 것이고, 이러한 상계제도의 취지는 서로 대립하는 두 당사자 사이의 채권·채무를 간이한 방법으로 원활하고 공평하게 처리하려는 데 있으므로, 수동채권으로 될 수 있는 채권은 상대방이 상계자에 대하여 가지는 채권이어야 하고, 상대방이 제3자에 대하여 가지는 채권과는 상계할 수 없다고 보아야 한다. 그렇지 않고 만약 상대방이 제3자에 대하여 가지는 채권을 수동채권으로 하여 상계할 수 있다고 한다면, 이는 상계의 당사자가 아닌 상대방과 제3자 사이의 채권채무관계에서 상대방이 제3자에게서 채무의 본지에 따른 현실급부를 받을 이익을 침해하게 될 뿐 아니라, 상대방의 채권자들 사이에서 상계자만 독점적인 만족을 얻게 되는 불합리한 결과를 초래하게 되므로, 상계의 담보적 기능과 관련하여 법적으로 보호받을 수 있는 당사자의 합리적 기대가 이러한 경우에까지 미친다고 볼 수는 없다(대판 2011.4.28, 2010다101394).

③ 가압류명령을 받은 제3채무자가 가압류 채무자에 대한 반대채권을 가지고 있는 경우에 가압류채권자에게 상계로써 대항하기 위하여는 가압류의 효력발생 당시에 양 채권이 상계적상에 있거나 반대채권이 압류당시 변제기에 달하지 아니한 경우에는 피압류채권인 수동채권의 변제기와 동시에 또는 그보다 먼저 변제기에 도달하는 경우이어야 한다(대판 1982.6.22, 82다카200).

④ 제3채무자의 압류채무자에 대한 자동채권이 수동채권인 피압류채권과 동시이행의 관계에 있는 경우에는, 비록 압류명령이 제3채무자에게 송달되어 압류의 효력이 생긴 후에 비로소 자동채권이 발생하였다고 하더라도 동시이행의 항변권을 주장할 수 있는 제3채무자로서는 그 채권에 의한 상계로써 압류채권자에게 대항할 수 있는 것으로서, 이 경우 자동채권이 발생한 기초가 되는 원인은 수동채권이 압류되기 전에 이미 성립하여 존재하고 있었던 것이므로 그 자동채권은 민법 제498조에 규정된 '지급을 금지하는 명령을 받은 제3채무자가 그 후에 취득한 채권'에 해당하지 않는다(대판 2005.11.10, 2004다37676).

⑤ 부당이득의 원인이 고의의 불법행위에 기인함으로써 불법행위로 인한 손해배상채권과 부당이득반환채권이 모두 성립하여 양채권이 경합하는 경우 피해자가 부당이득반환채권만을 청구하고 불법행위로 인한 손해배상채권을 청구하지 아니한 때에도, 그 청구의 실질적 이유, 즉 부당이득의 원인이 고의의 불법행위였다는 점은 불법행위로 인한 손해배상채권을 청구하

는 경우와 다를 바 없다 할 것이어서, 고의의 불법행위에 의한 손해배상채권은 현실적으로 만족을 받아야 한다는 상계금지의 취지는 이러한 경우에도 타당하므로, 민법 제496조를 유추적용함이 상당하다(대판 2002.1.25, 2001다52506).

10 상계에 관한 설명 중 옳지 않은 것을 모두 고른 것은? (다툼이 있는 경우 판례에 의함)

▸ 2015년 변호사

> ㄱ. 채권자가 직접 채무자에게 금전을 대여하여 생긴 대여금채권에 대해 소멸시효가 완성되었다 하더라도 그 완성 전에 상계할 수 있었던 것이면, 그 채권자는 상계할 수 있다.
> ㄴ. 채권압류 및 전부명령 송달 이전에 채무자에 대하여 상계적상에 있었던 반대채권을 가진 제3채무자는 그 명령이 송달된 이후에도 상계로 전부채권자에게 대항할 수 있다.
> ㄷ. 상계적상 시점 이전에 수동채권의 변제기가 이미 도래하여 지체가 발생하였더라도 법원은 상계에 대하여 판단할 때 상계적상 시점까지의 수동채권의 지연손해금을 고려할 필요가 없다.
> ㄹ. 채권의 일부 양도가 이루어지면 특별한 사정이 없는 한 각 분할된 부분에 대하여 독립한 분할채권이 성립하므로 그 채권에 대하여 양도인에 대한 반대채권으로 상계하고자 하는 채무자로서는 양도인을 비롯한 각 분할채권자 중 어느 누구도 상계의 상대방으로 지정하여 상계할 수 있다.

① ㄱ, ㄴ   ② ㄱ, ㄷ   ③ ㄴ
④ ㄷ   ⑤ ㄹ

해설 ㄱ. 채권자가 직접 채무자에게 금전을 대여하여 생긴 대여금채권에 대해 소멸시효가 완성되었다 하더라도 그 완성 전에 상계할 수 있었던 것이면, 그 채권자는 상계할 수 있다(제495조).
ㄴ. 채권압류 및 전부명령 송달 이전에 채무자에 대하여 상계적상에 있었던 반대채권을 가진 제3채무자는 그 명령이 송달된 이후에도 상계로 전부채권자에게 대항할 수 있다(대판(전합) 2012.2.16, 2011다45521).
ㄷ. "상계의 의사표시가 있는 경우, 채무는 상계적상 시에 소급하여 대등액에서 소멸한 것으로 보게 되므로, 상계에 의한 양 채권의 차액 계산 또는 상계충당은 상계적상의 시점을 기준으로 하게 된다. 따라서 그 시점 이전에 수동채권의 변제기가 이미 도래하여 지체가 발생한 경우에는 상계적상 시점까지의 수동채권의 지연손해금을 계산한 다음 자동채권으로 그 지연손해금을 먼저 소각하고 잔액을 가지고 원본을 소각하여야 한다(대판 2013.11.14, 2013다46023).
ㄹ. 채권의 일부 양도가 이루어지면 특별한 사정이 없는 한 각 분할된 부분에 대하여 독립한 분할채권이 성립하므로 그 채권에 대하여 양도인에 대한 반대채권으로 상계하고자 하는 채무자로서는 양도인을 비롯한 각 분할채권자 중 어느 누구도 상계의 상대방으로 지정하여 상계할 수 있다(대판 2006.7.28, 2004다54633).

정답   10 ④

11 甲은 乙에게 7,000만원의 금전채권(변제기 2015.5.8.)이 있고, 乙은 甲에게 5,000만원의 금전채권(변제기 2015.8.24.)이 있다. 다음 설명 중 옳은 것을 모두 고른 것은?

(각 지문은 독립적이며, 다툼이 있는 경우 판례에 의함) ▶2016년 변호사

ㄱ. 甲의 乙에 대한 채권과 乙의 甲에 대한 채권이 모두 대여금채권인 경우, 2015.7.15. 甲은 상계할 수 있지만 乙은 상계할 수 없다.

ㄴ. 甲의 채권자 丙이 2015.8.20. 甲의 乙에 대한 대여금채권을 가압류하여 그 가압류명령이 乙에게 2015.8.21. 송달되었더라도 2015.8.25.에는 乙은 甲에 대한 자신의 대여금채권으로 위 가압류된 채권을 상계할 수 있다.

ㄷ. 甲의 乙에 대한 채권과 乙의 甲에 대한 채권이 모두 대여금채권인 경우, 乙이 2015.10.31. 상계의 의사표시를 하여 그 의사표시가 같은 날 甲에게 도달하였다면, 2015.10.31.을 기준으로 두 채권은 대등액의 범위 내에서 소멸한 것으로 본다.

ㄹ. 甲의 乙에 대한 채권은 대여금채권이고, 乙의 甲에 대한 채권은 甲의 일방적인 폭행으로 인한 손해배상채권이라면 甲은 상계할 수 없으나, 乙은 상계할 수 있다.

① ㄱ, ㄴ, ㄹ ② ㄱ, ㄷ ③ ㄱ, ㄹ
④ ㄴ, ㄷ, ㄹ ⑤ ㄴ, ㄷ

해설 ㄱ. 상계는 동종의 채권이 변제기에 이르러야 하는데, 특히 자동채권의 변제기는 반드시 도래하여야 한다. 그러나 수동채권의 경우는 기한의 이익을 포기할 수 있기 때문에 甲의 乙에 대한 채권(자동채권)과 乙의 甲에 대한 채권이 모두 대여금채권인 경우, 2015.7.15. 甲은 상계할 수 있지만 乙은 상계할 수 없다(대판 2011.7.28, 2010다70018).

ㄴ. 지급을 금지하는 명령을 받은 제3채무자는 그 후에 취득한 채권에 의한 상계로 그 명령을 신청한 채권자에게 대항하지 못한다(제498조). 이와 관련하여 판례는 "압류 또는 가압류효력 발생당시(도달시)에 제3채무자가 채무자에 대해 갖는 자동채권의 변제기가 아직 도래하지 않았더라도 압류채권자가 이행을 청구할 수 있는 때, 자동채권의 변제기가 동시에 도래하거나 또는 그 전에 도래한 때에는 제3채무자의 상계에 관한 기대는 보호되어야 한다."고 판시하고 있다(대판 2015.1.29, 2012다108764 등). 따라서 甲의 채권자 丙이 2015.8.20. 甲의 乙에 대한 대여금채권을 가압류하여 그 가압류명령이 乙에게 2015.8.21. 송달되어 효력이 발생할 당시 자동채권의 이행기가 수동채권과 동시에 도래하거나 또는 전에 도래하여야 하는데, 도래하고 있지 않고 있기 때문에, 비록 2015.8.25.에도 乙은 甲에 대한 자신의 대여금채권으로 위 가압류된 채권과 상계할 수 없는 것이다.

ㄷ. 상계는 각 채무가 상계할 수 있는 때에 소급하여 효력이 생긴다. 따라서 甲의 乙에 대한 채권과 乙의 甲에 대한 채권이 모두 대여금채권인 경우, 乙이 2015.10.31. 상계의 의사표시를 하여 그 의사표시가 같은 날 甲에게 도달하였다면, 2015.10.31.을 기준으로 두 채권은 대등액의 범위 내에서 소멸하는 것이 아니라 모두 이행기가 도래한 8. 24.을 기준으로 상계한 것으로 보는 것이다(제493조 제2항).

ㄹ. 고의의 불법행위채권을 수동채권으로 하는 상계는 허용되지 않는다. 따라서 甲의 乙에 대한 채권은 대여금채권이고, 乙의 甲에 대한 채권은 甲의 일방적인 폭행으로 인한 손해배상채권이라면 甲은 불법행위채권을 수동채권으로 상계할 수 없으나, 乙은 상계할 수 있다(제496조).

정답 ▶ 11 ③

기본문제 | 기본문제의 구성

01 **다음 중 원칙적으로 불가분채무가 발생하는 경우를 모두 고른 것은?** (다툼이 있는 경우 판례에 의함)

> ㉠ 수인이 공동으로 법률상 원인 없이 타인의 재산을 사용함으로 말미암아 부담하게 되는 부당이득반환채무
> ㉡ 건물의 공유자가 공동으로 건물을 임대하고 보증금을 수령한 경우 그 보증금의 반환채무
> ㉢ 타인의 토지에 불법으로 건립된 건물에 대한 공동상속인들의 철거의무
> ㉣ 공동불법행위자 중 1인에 대하여 구상의무를 부담하는 다른 공동불법행위자가 수인인 경우 그들의 구상권자에 대한 채무
> ㉤ 법인 대표자의 직무상 불법행위에 대한 법인과 대표자의 책임
> ㉥ 공동임차인들의 차임지급의무

① ㉠, ㉡, ㉢   ② ㉠, ㉢, ㉥   ③ ㉠, ㉤, ㉥
④ ㉠, ㉡, ㉢, ㉣   ⑤ ㉡, ㉢, ㉣, ㉥

해설 ㉠ 여러 사람이 공동으로 법률상 원인 없이 타인의 재산을 사용한 경우의 부당이득 반환채무는 특별한 사정이 없는 한 불가분적 이득의 반환으로서 불가분채무이고, 불가분채무는 각 채무자가 채무 전부를 이행할 의무가 있으며, 1인의 채무이행으로 다른 채무자도 그 의무를 면하게 된다(대판 2001.12.11, 2000다13948).
　㉡ 건물의 공유자가 공동으로 건물을 임대하고 보증금을 수령한 경우, 특별한 사정이 없는 한 그 임대는 각자 공유지분을 임대한 것이 아니고 임대목적물을 다수의 당사자로서 공동으로 임대한 것이고 그 보증금 반환채무는 성질상 불가분채무에 해당된다고 보아야 할 것이다(대판 1998.12.8, 98다43137).
　㉢ 공동상속인들의 건물철거의무는 그 성질상 불가분채무이고 각자 그 지분의 한도 내에서 건물 전체에 대한 철거의무를 지는 것이므로 공동상속인의 일부만을 상대로 하여 건물전체의 철거를 청구할 수 있다(대판 1980.6.24, 80다756).
　㉣ 공동불법행위자 중 1인에 대하여 구상의무를 부담하는 다른 공동불법행위자가 수인인 경우에는 특별한 사정이 없는 이상 그들의 구상권자에 대한 채무는 이를 부진정연대채무로 보아야 할 근거는 없으며, 오히려 다수당사자 사이의 분할채무의 원칙이 적용되어 각자의 부담부분에 따른 분할채무로 봄이 상당하다(대판 2002.9.27, 2002다15917).
　㉤ 법인의 불법행위책임과 그 이사 기타 대표자 개인의 책임은 법률규정에는 연대채무로 명시되어 있으나 부진정연대채무로 해석함이 통설 및 판례이다.

정답　01 ①

ⓗ 공동임대차·사용대차에 있어서 차주들의 차임지급의무는 연대채무이다(제616조, 제654조 참조).

02 불가분채무에 관한 다음 설명 중 가장 옳지 않은 것은? ▸ 2018년 법원행시

① 불가분채무는 각 채무자가 채무 전부를 이행할 의무가 있으며, 1인의 채무이행으로 다른 채무자도 그 의무를 면한다.

② 여러 사람이 공동으로 법률상 원인 없이 타인의 재산을 사용한 경우의 부당이득 반환채무는 특별한 사정이 없는 한 불가분적 이득의 반환으로서 불가분채무이다.

③ 건물의 공유자가 공동으로 건물을 임대하고 보증금을 수령한 경우, 특별한 사정이 없는 한 그 보증금 반환채무는 불가분채무에 해당된다.

④ 공동상속인들의 건물철거의무는 그 성질상 불가분채무라고 할 것이고 각자 그 지분의 한도 내에서 건물 전체에 대한 철거의무를 지는 것이다.

⑤ 변호사에게 공동당사자로서 소송대리를 위임한 소송사건의 결과에 따라 경제적 이익을 불가분적으로 향유하게 되거나 패소할 경우 소송 상대방에 대하여 부진정연대관계의 채무를 부담하게 된다면, 공동당사자들의 변호사에 대한 소송대리위임에 따른 보수금 지급채무는 특별한 사정이 없는 한 불가분채무이다.

해설 ①, ② 여러 사람이 공동으로 법률상 원인 없이 타인의 재산을 사용한 경우의 부당이득 반환채무는 특별한 사정이 없는 한 불가분적 이득의 반환으로서 불가분채무이고, 불가분채무는 각 채무자가 채무 전부를 이행할 의무가 있으며, 1인의 채무이행으로 다른 채무자도 그 의무를 면하게 된다(대판 2001.12.11, 2000다13948).

③ 건물의 공유자가 공동으로 건물을 임대하고 보증금을 수령한 경우, 특별한 사정이 없는 한 그 임대는 각자 공유지분을 임대한 것이 아니고 임대목적물을 다수의 당사자로서 공동으로 임대한 것이고 그 보증금 반환채무는 성질상 불가분채무에 해당된다고 보아야 할 것이다(대판 1998.12.8, 98다43137).

④ 공동상속인들의 건물철거의무는 그 성질상 불가분채무이고 각자 그 지분의 한도 내에서 건물전체에 대한 철거의무를 지는 것이므로 공동상속인의 일부만을 상대로 하여 건물전체의 철거를 청구할 수 있다(대판 1980.6.24, 80다756).

⑤ 변호사에게 공동당사자로서 소송대리를 위임한 소송사건의 결과에 따라 경제적 이익을 불가분적으로 향유하게 되거나 패소할 경우 소송 상대방에 대하여 부진정연대관계의 채무를 부담하게 된다 하더라도, 이러한 사정만으로 곧바로 공동당사자들의 변호사에 대한 소송대리위임에 따른 보수금지급채무가 연대 또는 불가분채무에 해당하는 것으로 단정할 수 없다(대판 1993.2.12, 92다42941).

03 다음 사례에서 원고와 피고가 甲에 대하여 부담하는 임대차보증금 반환채무의 성질 및 원고가 피고를 상대로 구상할 수 있는 금액을 가장 알맞게 짝지은 것은? ▸2022년 법원행시

> ○ 원고와 피고는 이 사건 부동산을 1/2 지분씩 공유하고 있었다.
> ○ 원고와 피고는 甲에게 이 사건 부동산을 임대하는 계약을 체결하였고, 甲은 원고와 피고에게 위 임대차계약에 따른 임대차보증금 10억원을 지급하였다.
> ○ 원고와 피고는 위 보증금을 원고 8억원, 피고 2억원으로 나누어 가졌다.
> ○ 甲은 원고와 피고를 상대로 위 임대차계약이 원고와 피고의 귀책사유로 해제되었다고 주장하며 위 임대차보증금 10억원의 반환을 구하는 소를 제기하였고, 그 소송에서 甲의 청구를 인용하는 판결이 확정되었다.
> ○ 이후 원고는 甲에게 위 판결에 따른 채무금 10억원을 지급하였다. 원고와 피고 사이에 부담부분에 관한 특약은 없었다.

① 연대채무 – 5억원　　② 연대채무 – 2억원
③ 분할채무 – 5억원　　④ 불가분채무 – 5억원
⑤ 불가분채무 – 2억원

해설 ① 원고와 피고가 甲에 대하여 부담하는 임대차보증금 반환채무의 성질 – 건물의 공유자가 공동으로 건물을 임대하고 보증금을 수령한 경우, 특별한 사정이 없는 한 그 임대는 각자 공유지분을 임대한 것이 아니고 임대목적물을 다수의 당사자로서 공동으로 임대한 것이고 그 보증금 반환채무는 성질상 불가분채무에 해당된다고 보아야 할 것이다(대판 1998.12.8, 98다43137).
② 원고가 피고를 상대로 구상할 수 있는 금액 – 불가분채무의 경우 연대채무에 관한 규정이 준용된다(제411조, 제425조 제1항). 따라서 불가분채무자가 변제 기타 자기의 출재로 공동면책을 얻은 때에는 다른 불가분채무자를 상대로 구상권을 행사할 수 있다. 이 경우 불가분채무자 사이에 부담부분에 관한 특약이 있거나 특약이 없더라도 채무자의 수익비율이 다르다면 그 특약 또는 비율에 따라 부담부분이 결정되고, 불가분채무자가 변제 등으로 공동면책을 얻은 때에는 다른 채무자의 부담부분에 대하여 구상할 수 있다(대판 2020.7.9, 2020다208195). 사안에서 원고와 피고 사이에 부담부분에 관한 특약이 없었고, 원고와 피고는 보증금 10억원을 원고 8억원, 피고 2억원으로 나누어 가졌다고 하였으므로, 8:2의 비율에 따라 부담부분이 결정된다고 보아야 한다. 따라서 원고는 피고를 상대로 2억원을 구상할 수 있다.

정답　02 ⑤　03 ⑤

04 연대채무에 관한 다음 설명 중 틀린 것은?

① 채권자는 어느 연대채무자에 대하여 또는 동시나 순차로 모든 연대채무자에 대하여 채무의 전부나 일부의 이행을 청구할 수 있다.

② 어느 연대채무자에 대한 법률행위의 무효나 취소의 원인은 다른 연대채무자의 채무에 영향을 미치지 아니한다.

③ 상계할 채권이 있는 연대채무자가 상계하지 아니한 때에는 그 채무자의 부담부분에 한하여 다른 연대채무자가 상계할 수 있다.

④ 어느 연대채무자가 변제 기타 자기의 출재로 공동면책이 된 때에는 다른 연대채무자의 부담부분에 대하여 구상권을 행사할 수 있고, 그 구상권에는 면책된 날 이후의 법정이자 및 피할 수 없는 비용 기타 손해배상을 포함한다.

⑤ 어느 연대채무자에 대하여 소멸시효가 완성한 때라도 다른 연대채무자의 채무에 영향을 미치지 아니한다.

해설 ① 제414조【각 연대채무자에 대한 이행청구】채권자는 어느 연대채무자에 대하여 또는 동시나 순차로 모든 연대채무자에 대하여 채무의 전부나 일부의 이행을 청구할 수 있다.

→ 채권자는 연대채무자 중 임의로 1인을 선택하여 채무 전부의 이행을 청구할 수 있다.(○)
→ 채권자가 모든 연대채무자에 대하여 동시에 이행을 청구할 경우에는 연대채무자 각각의 부담부분에 한하여 이행을 청구할 수 있다.(×)

② 제415조【채무자에 생긴 무효, 취소】어느 연대채무자에 대한 법률행위의 무효나 취소의 원인은 다른 연대채무자의 채무에 영향을 미치지 아니한다.

③ 제418조【상계의 절대적 효력】
① 어느 연대채무자가 채권자에 대하여 채권이 있는 경우에 그 채무자가 상계한 때에는 채권은 모든 연대채무자의 이익을 위하여 소멸한다.
② 상계할 채권이 있는 연대채무자가 상계하지 아니한 때에는 그 채무자의 부담부분에 한하여 다른 연대채무자가 상계할 수 있다.

④ 제425조【출재채무자의 구상권】
① 어느 연대채무자가 변제 기타 자기의 출재로 공동면책이 된 때에는 다른 연대채무자의 부담부분에 대하여 구상권을 행사할 수 있다.
② 전항의 구상권은 면책된 날 이후의 법정이자 및 피할 수 없는 비용 기타 손해배상을 포함한다.

⑤ 제421조【소멸시효의 절대적 효력】어느 연대채무자에 대하여 소멸시효가 완성한 때에는 그 부담부분에 한하여 다른 연대채무자도 의무를 면한다.

→ 어느 연대채무자에 대하여 소멸시효가 완성한 때에는 다른 연대채무자의 채무도 소멸한다.(×)

05 연대채무에 관한 다음 설명 중 옳은 것은? (다툼이 있는 경우 판례에 의함)

① 채권자가 연대채무자 중 1인에 대하여 이행청구를 한 경우 이행지체의 효과는 그 1인에 대하여만 발생하고, 나머지 연대채무자는 지체책임이 발생하지 않는다.

② 어느 연대채무자의 소유부동산이 채권자의 신청에 의한 경매개시결정으로 압류된 경우 경매개시결정에 의한 시효중단의 효력은 다른 연대채무자에 대하여 미치지 않는다.

③ 어느 한 연대채무자와 채권자 사이에 경개가 이루어진 경우 그 채무자의 부담부분에 한하여 다른 연대채무자는 채무를 면한다.

④ 어느 연대채무자가 채권자에 대하여 채권이 있는 경우에 그 채무자가 상계한 때에는 그 채무자의 부담부분에 한하여 다른 연대채무자는 채무를 면한다.

⑤ 어느 연대채무자에 대한 채권자의 지체는 다른 연대채무자에게 효력이 없다.

해설 ① 연대채무자의 1인과 채권자 사이에 생긴 사유의 효력이 다른 연대채무자에게도 그대로 영향을 미치게 되는 경우로서, 채권만족사유인 변제(대물변제, 공탁), 이행의 청구(이행청구를 기초로 한 이행지체 및 시효중단의 효과), 채권자지체(제422조), 경개(제417조), 상계(제418조 1항)가 이에 해당된다.

② 연대채무자 중 1인과 채권자 사이에서 발생한 효력이 다른 연대채무자들에게 영향을 주지 못하는 경우로서 이행청구 이외의 시효중단사유(압류·가압류·승인), 연대채무자의 채무불이행책임(단, 이행청구에 의한 이행지체는 절대적 효력을 가짐), 채권양도에 있어서의 대항요건, 확정판결의 기판력 등이 이에 해당된다.

[1] 채권자의 신청에 의한 경매개시결정에 따라 연대채무자 1인의 소유 부동산이 압류된 경우, 이로써 위 채무자에 대한 채권의 소멸시효는 중단되지만 압류에 의한 시효중단의 효력은 다른 연대채무자에게 미치지 아니하므로, 경매개시결정에 의한 시효중단의 효력을 다른 연대채무자에 대하여 주장할 수 없다.

[2] 채권자가 연대채무자 1인의 소유 부동산에 대하여 경매신청을 한 경우, 이는 최고로서의 효력을 가지고 있고, 연대채무자에 대한 이행청구는 다른 연대채무자에게도 효력이 있으므로, 채권자가 6월 내에 다른 연대채무자를 상대로 재판상 청구를 하였다면 그 다른 연대채무자에 대한 채권의 소멸시효가 중단되지만, 이로 인하여 중단된 시효는 위 경매절차가 종료된 때가 아니라 재판이 확정된 때로부터 새로 진행된다(대판 2001.8.21, 2001다22840).

③ 제417조 【경개의 절대적 효력】 어느 연대채무자와 채권자간에 채무의 경개가 있는 때에는 채권은 모든 연대채무자의 이익을 위하여 소멸한다.

④ 제418조 제1항 【상계의 절대적 효력】 어느 연대채무자가 채권자에 대하여 채권이 있는 경우에 그 채무자가 상계한 때에는 채권은 모든 연대채무자의 이익을 위하여 소멸한다.

⑤ 제422조 【채권자지체의 절대적 효력】 어느 연대채무자에 대한 채권자의 지체는 다른 연대채무자에게도 효력이 있다.

정답 04 ⑤   05 ②

06 부진정연대채무에 관한 다음 설명 중 옳지 않은 것은? (다툼이 있는 경우 판례에 의함)

① 채무자가 부담하는 채무불이행으로 인한 손해배상채무와 제3자가 부담하는 불법행위로 인한 손해배상채무의 원인이 동일한 사실관계에 기한 경우 위 두 채무는 부진정연대채무관계에 있다.

② 금액이 다른 채무가 서로 부진정연대의 관계에 있을 때 금액이 많은 채무의 일부가 변제 등으로 소멸하는 경우 그 중 먼저 소멸하는 부분은 단독으로 채무를 부담하는 부분이 아니라 다른 채무자와 공동으로 채무를 부담하는 부분으로 보아야 한다.

③ 부진정연대채무에 있어서 채권자가 채무자 중의 1인에 대하여 손해배상에 관한 권리를 포기하거나 채무를 면제하는 의사표시를 하였다 하더라도 다른 채무자에 대하여 그 효력이 미친다고 볼 수는 없다.

④ 부진정연대채무에 해당하는 공동불법행위로 인한 손해배상채무에 있어서는 채무자 상호 간에 구상요건으로서의 통지에 관한 민법 제426조의 규정을 유추적용할 수 없다.

⑤ 부진정연대채무자 중의 1인이 채권자에 대한 반대채권으로 채무를 대등액에서 상계한 경우, 그 상계로 인한 채무소멸의 효력은 다른 부진정연대채무자에게도 미친다.

> **해설** ① 채무자가 부담하는 채무불이행으로 인한 손해배상채무와 제3자가 부담하는 불법행위로 인한 손해배상채무의 원인이 동일한 사실관계에 기한 경우에는 하나의 동일한 급부에 관하여 수인의 채무자가 각자 독립해서 그 전부를 급부하여야 할 의무를 부담하는 경우로서 부진정연대채무관계에 있다(대판 2006.9.8, 2004다55230).
>
> ② 다액채무자가 일부 변제를 하는 경우 그 변제로 인하여 먼저 소멸하는 부분은 당사자의 의사와 채무 전액의 지급을 확실히 확보하려는 부진정연대채무 제도의 취지에 비추어 볼 때 다액채무자가 단독으로 채무를 부담하는 부분으로 보아야 한다. 이러한 법리는 사용자의 손해배상액의 범위가 피해자의 과실을 참작하여 과실상계를 한 결과 타인에게 직접 손해를 가한 피용자 자신의 손해배상액과 달라졌는데 다액채무자인 피용자가 손해배상액의 일부를 변제한 경우에 적용되고, 공동불법행위자들의 피해자에 대한 과실비율이 달라 손해배상액의 범위가 달라졌는데 다액채무자인 공동불법행위자가 손해배상액의 일부를 변제한 경우에도 적용된다. 또한 중개보조원을 고용한 개업공인중개사의 공인중개사법 제30조 제1항에 따른 손해배상액의 범위가 과실상계를 한 결과 거래당사자에게 직접 손해를 가한 중개보조원 자신의 손해배상액과 달라졌는데 다액채무자인 중개보조원이 손해배상액의 일부를 변제한 경우에도 마찬가지이다(대판(전합) 2018.3.22, 2012다74236).
>
> ③ [1] 이른바 부진정연대채무의 관계에 있는 복수의 책임주체 내부관계에 있어서는 형평의 원칙상 일정한 부담부분이 있을 수 있으며, 그 부담부분은 각자의 고의 및 과실의 정도에 따라 정하여지는 것으로서 부진정연대채무자 중 1인이 자기의 부담부분 이상을 변제하여 공동의 면책을 얻게 하였을 때에는 다른 부진정연대채무자에게 그 부담부분의 비율에 따라 구상권을 행사할 수 있다.
>
> [2] 부진정연대채무자 상호간에 있어서 채권의 목적을 달성시키는 변제와 같은 사유는 채무자 전원에 대하여 절대적 효력을 발생하지만 그 밖의 사유는 상대적 효력을 발생하는 데에 그치는 것이므로 피해자가 채무자 중의 1인에 대하여 손해배상에 관한 권리를 포기하거나 채무를 면제하는 의사표시를 하였다 하더라도 다른 채무자에 대하여 그 효력이 미친다고 볼 수는 없다 할 것이고, 이러한 법리는 채무자들 사이의 내부관계에 있어 1인이 피해자로부터

합의에 의하여 손해배상채무의 일부를 면제받고도 사후에 면제받은 채무액을 자신의 출재로 변제한 다른 채무자에 대하여 다시 그 부담 부분에 따라 구상의무를 부담하게 된다 하여 달리 볼 것은 아니다(대판 2006.1.27, 2005다19378).

④ 부진정연대채무라고 할 공동불법행위로 인한 손해배상채무에 있어서는 그 변제에 관해서 채무자 상호간에 통지의무관계를 인정할 수 없고 변제로 인한 공동면책이 있는 경우에 있어서는 채무자 상호간에 어떤 대내적인 특별관계에서 또는 형평의 관점에서 손해를 분담하는 관계가 있는데 불과하므로 진정연대채무에 있어서 변제에 관하여 채무자 상호간에 통지의무를 인정하고 있는 민법 제426조의 규정을 유추적용할 수는 없다(대판 1976.7.13, 74다746).

⑤ 판례는 ① 종래 부진정연대채무에서 상계의 절대적 효력을 부인하였으나, ② 최근 판례에서 "부진정연대채무자 중 1인이 자신의 채권자에 대한 반대채권으로 상계를 한 경우에도 채권은 변제, 대물변제 또는 공탁이 행하여진 경우와 동일하게 현실적으로 만족을 얻어 그 목적을 달성하는 것이므로, 그 상계로 인한 채무소멸의 효력은 소멸한 채무 전액에 관하여 다른 부진정연대채무자에 대하여도 미친다고 보아야 한다. 이는 부진정연대채무자 중 1인이 채권자와 상계계약을 체결한 경우에도 마찬가지이다. 나아가 이러한 법리는 채권자가 상계 내지 상계계약이 이루어질 당시 다른 부진정연대채무자의 존재를 알았는지 여부에 의하여 좌우되지 아니한다." 라고 판시하여 절대효를 긍정하는 입장으로 변경하였다(대판(전) 2010.9.16, 2008다97218).

07 **다음 설명 중 옳지 않은 것은?** (다툼이 있는 경우 판례에 의함) ▸ 2016년 변호사

① 공동불법행위자는 채권자에 대한 관계에서 부진정연대책임을 지되, 공동불법행위자 중 1인이 전체 채무를 변제한 경우 특별한 사정이 없는 한 나머지 공동불법행위자들이 부담하는 구상채무의 성질은 각자의 부담부분에 따른 분할채무이다.

② 보증인은 자신의 채권자에 대한 채권으로 채권자의 보증채권과 상계할 수 있을 뿐만 아니라, 주채무자의 채권자에 대한 채권으로도 상계할 수 있다.

③ 공동불법행위자는 자신의 부담부분 이상을 변제하여 공동의 면책을 얻게 하였을 때에 다른 공동불법행위자에 대하여 구상권을 행사할 수 있으나, 연대채무자는 자신의 부담부분 이상을 변제하지 않더라도 다른 연대채무자에 대하여 구상권을 행사할 수 있다.

④ 부진정연대채무자 중의 1인이 채권자에 대하여 한 상계는 절대적 효력이 있지만, 부진정연대채무자 중의 1인과 채권자 사이의 상계계약의 경우에는 절대적 효력이 인정되지 않는다.

⑤ 여러 사람이 공동으로 법률상 원인 없이 타인의 재산을 사용한 경우의 부당이득 반환채무는 특별한 사정이 없는 한 불가분적 이득의 반환으로서 불가분채무이고, 불가분채무는 각 채무자가 채무 전부를 이행할 의무가 있으며, 1인의 채무이행으로 다른 채무자도 그 의무를 면하게 된다.

해설 ① 공동불법행위자는 채권자에 대한 관계에서 부진정연대책임을 지되, 공동불법행위자 중 1인이 전체 채무를 변제한 경우 나머지 공동불법행위자들이 부담하는 구상채무의 성질은 각자의 부담부분에 따른 분할채무가 원칙인데, 다만 구상권자인 공동불법행위자 측에 과실이 없

정답 06 ② 07 ④

는 경우에는 부진정연대채무가 된다(대판 2012.3.15, 2011다52727).

② 보증인은 자신의 채권자에 대한 채권으로 채권자의 보증채권과 상계할 수 있을 뿐만 아니라 (제492조), 주채무자의 채권자에 대한 채권으로도 상계할 수 있다(제434조).

③ 공동불법행위자는 자신의 부담부분 이상을 변제하여 공동의 면책을 얻게 하였을 때에 다른 공동불법행위자에 대하여 구상권을 행사할 수 있으나, 연대채무자는 자신의 부담부분 이상을 변제하지 않더라도 다른 연대채무자에 대하여 구상권을 행사할 수 있다(연대채무의 초과출재 불요설 입장 ; 대판 2013.11.14, 2013다46023).

④ 부진정연대채무자 중의 1인이 채권자에 대하여 한 상계와 상계계약 모두 절대적 효력이 있다는 것이 판례이다(대판(전합) 2010.9.16, 2008다97218).

⑤ 여러 사람이 공동으로 법률상 원인 없이 타인의 재산을 사용한 경우의 부당이득 반환채무는 특별한 사정이 없는 한 불가분적 이득의 반환으로서 불가분채무이고, 불가분채무는 각 채무자가 채무 전부를 이행할 의무가 있으며, 1인의 채무이행으로 다른 채무자도 그 의무를 면하게 된다(대판 1981.8.20, 80다2587).

08 다수당사자의 법률관계에 관한 다음 설명 중 가장 옳지 않은 것은? ▶ 2020년 법무사

① 다수당사자의 채권채무관계는 원칙적으로 분할채권채무관계이고 성질상 또는 당사자의 약정에 기하여 특히 불가분으로 하는 경우에 한하여 불가분채권채무관계로 되는 것이므로 불가분채권채무임을 주장하는 자가 불가분채권채무관계로 하는 의사표시나 특별한 사정을 주장·입증하여야 한다.

② 연대채무자 중 1인에 대하여 생긴 사유 중 채권의 만족을 가져 오는 변제 및 이와 동일시되는 대물변제, 공탁, 경개, 상계의 경우 그 전범위에서 면제, 혼동, 소멸시효 완성의 경우 그 부담부분에 한하여 채무 소멸의 절대적 효력이 인정되므로, 다른 연대채무자는 위 사유들을 채무 소멸의 유효한 항변으로 주장할 수 있다.

③ 부진정연대채무는 수인의 채무자가 동일한 내용의 급부에 대하여 각자 독립하여 전부를 급부할 의무를 부담하는 다수당사자의 법률관계로서 채무의 발생원인, 채무의 액수 등이 서로 동일할 것을 요한다.

④ 인화성 물질 등이 산재한 밀폐된 신축 중인 건물 내부에서 용접작업을 하던 중 화재가 발생하여 피용자가 사망한 사고에서 공사수급인은 건물의 점유자로서 그 보존상의 하자에 따른 불법행위로 인한 손해배상책임을, 사용자는 피용자의 안전에 대한 보호의무를 다하지 아니한 채무불이행으로 인한 손해배상책임을 각 부담하는 경우, 양 채무는 부진정연대채무의 관계에 있다.

⑤ 주택을 공동으로 소유하는 부부가 공동으로 주택을 임대하고 보증금을 수령한 경우 특별한 사정이 없는 한 그 임대는 각자 공유지분을 임대한 것이 아니고 임대목적물을 다수의 당사자로서 공동으로 임대한 것이므로 그 보증금반환채무는 성질상 불가분채무에 해당된다.

해설 ① 민법상 다수당사자의 채권관계는 원칙적으로 분할채권채무관계이고 채권의 성질상 또는 당사자의 약정에 기하여 특히 불가분으로 하는 경우에 한하여 불가분채권채무관계로 되는 것이므로, 불가분채권채무임을 주장하는 자가 불가분채권채무관계로 하는 의사표시나 특별한 사정을 주장·입증하여야 한다(대판 1992.10.27, 90다13628).

② 연대채무자 중 1인에 대하여 생긴 사유 중 채권의 만족을 가져 오는 변제 및 이와 동일시되는 대물변제, 공탁, 그리고 경개(민법 제417조), 상계(민법 제418조 제1항)의 경우 그 전범위에서, 면제(민법 제419조), 혼동(민법 제420조), 소멸시효 완성(민법 제421조)의 경우 그 부담 부분에 한하여 채무 소멸의 절대적 효력이 인정되므로, 다른 채무자는 위 사유들을 채무 소멸의 유효한 항변으로 주장할 수 있는 것이다(대판 2013.3.14, 2012다85281 등 참고).

③ 부진정연대채무 관계는 서로 별개의 원인으로 발생한 독립된 채무라 하더라도 동일한 경제적 목적을 가지고 있고 서로 중첩되는 부분에 관하여 일방의 채무가 변제 등으로 소멸할 경우 타방의 채무도 소멸하는 관계에 있으면 성립할 수 있고, 반드시 양 채무의 발생원인, 채무의 액수 등이 서로 동일할 것을 요한다고 할 수는 없다(대판 2009.8.20, 2007다7959).

④ 인화성 물질 등이 산재한 밀폐된 신축 중인 건물 내부에서 용접작업 등 화재 발생 우려가 많은 작업을 하던 중 화재가 발생하여 피용자가 사망한 사고에서 공사수급인은 건물의 점유자로서 그 보존상의 하자에 따른 불법행위로 인한 손해배상책임을, 사용자는 피용자의 안전에 대한 보호의무를 다하지 아니한 채무불이행으로 인한 손해배상책임을 각 부담하며, 그 채무는 부진정연대채무의 관계에 있다(대판 1999.2.23, 97다12082).

⑤ 건물의 공유자가 공동으로 건물을 임대하고 보증금을 수령한 경우, 특별한 사정이 없는 한 그 임대는 각자 공유지분을 임대한 것이 아니고 임대목적물을 다수의 당사자로서 공동으로 임대한 것이고 그 보증금 반환채무는 성질상 불가분채무에 해당된다고 보아야 할 것이다 (대판 1998.12.8, 98다43137).

09 다수당사자의 채권관계에 관한 다음 설명 중 가장 옳지 않은 것은? (다툼이 있는 경우 판례에 의함)
▸2019년 법원주사보

① 여러 사람이 공동으로 법률상 원인 없이 타인의 재산을 사용한 경우의 부당이득 반환채무는 특별한 사정이 없는 한 불가분적 이득의 반환으로서 불가분채무이다.

② 어느 연대채무자에 대하여 소멸시효가 완성한 때에는 그 부담부분에 한하여 다른 연대채무자도 의무를 면한다.

③ 부진정연대채무자 중 1인이 자신의 채권자에 대한 반대채권으로 상계를 한 경우, 채권은 변제, 대물변제, 공탁이 행하여진 경우와는 달리 현실적으로 만족을 얻은 것이 아니므로, 그 상계로 인한 채무소멸의 효력은 다른 부진정연대채무자에 대하여는 미치지 아니한다.

④ 보증채무에 있어 보증인은 특별한 사정이 없는 한 채무자가 채무불이행으로 인하여 부담하여야 할 손해배상채무에 관하여도 보증책임을 진다.

해설 ① 여러 사람이 공동으로 법률상 원인 없이 타인의 재산을 사용한 경우의 부당이득 반환채무는 특별한 사정이 없는 한 불가분적 이득의 반환으로서 불가분채무이고, 불가분채무는 각 채무

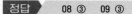

정답 ▸ 08 ③ 09 ③

자가 채무 전부를 이행할 의무가 있으며, 1인의 채무이행으로 다른 채무자도 그 의무를 면하게 된다(대판 2001.12.11. 2000다13948).
② 제421조
③ 부진정연대채무자 중 1인이 자신의 채권자에 대한 반대채권으로 상계를 한 경우에도 채권은 변제, 대물변제, 또는 공탁이 행하여진 경우와 동일하게 현실적으로 만족을 얻어 그 목적을 달성하는 것이므로, 그 상계로 인한 채무소멸의 효력은 소멸한 채무 전액에 관하여 다른 부진정연대채무자에 대하여도 미친다고 보아야 한다. 이는 부진정연대채무자 중 1인이 채권자와 상계계약을 체결한 경우에도 마찬가지이다. 나아가 이러한 법리는 채권자가 상계 내지 상계계약이 이루어질 당시 다른 부진정연대채무자의 존재를 알았는지 여부에 의하여 좌우되지 아니한다(대판(전) 2010.9.16. 2008다97218).
④ 제429조 참조. 보증인은 특별한 사정이 없는 한 채무자가 채무불이행으로 인하여 부담하여야 할 손해배상채무에 관하여도 보증책임을 진다고 할 것이고, 따라서 보증인으로서는 채무자의 채무불이행으로 인한 채권자의 손해를 배상할 책임이 있다(대판 1996.2.9. 94다38250).

10 보증채무의 부종성에 관한 다음 설명 중 가장 옳지 않은 것은? (다툼이 있는 경우 판례에 의함)
▶ 2015년 법원행시

① 주채무자에 대한 확정판결에 의하여 3년의 단기소멸시효에 해당하는 주채무의 소멸시효기간이 10년으로 연장된 상태에서 그 주채무를 보증하였다면 특별한 사정이 없는 한 그 보증채무에 대하여는 단기소멸시효가 적용될 여지가 없다.
② 주채무가 시효소멸한 상태에서 보증인이 보증채무를 이행하거나 승인하였다고 하더라도 주채무에 대한 소멸시효이익 포기의 효과가 발생한다고 할 수 없다.
③ 보증채무에 대한 소멸시효가 중단 등의 사유로 완성되지 않은 경우에는 주채무에 대한 소멸시효가 완성되어도 보증채무는 소멸하지 않는다.
④ 특별한 사정이 없는 한 어음금채무가 시효소멸하면 그 지급보증채무는 부종성에 따라 당연히 소멸한다.
⑤ 보증인의 출연행위 당시에는 주채무가 유효하게 존속하고 있었다 하더라도 그 후 주계약이 해제되어 소급적으로 소멸하는 경우, 보증인은 변제를 수령한 채권자를 상대로 이미 이행한 급부를 부당이득으로 반환청구할 수 있다.

해설 ① 보증채무는 주채무와는 별개의 독립한 채무이므로 보증채무와 주채무의 소멸시효기간은 채무의 성질에 따라 각각 별개로 정해진다. 그리고 주채무자에 대한 확정판결에 의하여 3년의 단기소멸시효에 해당하는 주채무의 소멸시효기간이 10년으로 연장된 상태에서 주채무를 보증한 경우, 특별한 사정이 없는 한 보증채무에 대하여는 단기소멸시효가 적용될 여지가 없고, 성질에 따라 보증인에 대한 채권이 민사채권인 경우에는 10년, 상사채권인 경우에는 5년의 소멸시효기간이 적용된다(대판 2014.6.12. 2011다76105).
② 원칙적으로 보증채무가 종된 것으로 보증인에게 생긴사유는 주채무자에게 영향을 주지 않는다. 따라서 보증채무에 대한 소멸시효가 중단되는 등의 사유로 완성되지 아니하였다고 하더라도 주채무에 대한 소멸시효가 완성된 경우에는 시효완성 사실로써 주채무가 당연히 소멸

되므로 보증채무의 부종성에 따라 보증채무 역시 당연히 소멸된다(대판 2012.7.12, 2010다 51192). 따라서 주채무의 시효소멸에도 불구하고 보증채무를 이행하겠다는 의사를 표시한 경우 등과 같이 부종성을 부정하여야 할 다른 특별한 사정이 없는 한 보증인은 여전히 주채무의 시효소멸을 이유로 보증채무의 소멸을 주장할 수 있다고 보아야 한다.

③ 보증채무에 대한 소멸시효가 중단 등의 사유로 완성되지 않은 경우에도 주채무에 대한 소멸시효가 완성되면 보증채무는 소멸한다(대판 2002.5.14, 2000다62476).

④ 특별한 사정이 없는 한 어음금채무가 시효소멸하면 그 지급보증채무는 부종성에 따라 당연히 소멸된다(대판 2008.1.18, 2005다10814).

⑤ 보증채무는 주채무와 동일한 내용의 급부를 목적으로 함이 원칙이지만 주채무와는 별개 독립의 채무이고, 한편 보증채무자가 주채무를 소멸시키는 행위는 주채무의 존재를 전제로 하므로, 보증인의 출연행위 당시에는 주채무가 유효하게 존속하고 있었다 하더라도 그 후 주계약이 해제되어 소급적으로 소멸하는 경우에는 보증인은 변제를 수령한 채권자를 상대로 이미 이행한 급부를 부당이득으로 반환청구할 수 있다(대판 2004.12.24, 2004다20265).

11 **보증채무에 관한 다음 설명 중 옳지 않은 것은?** (다툼이 있는 경우 판례에 의함)

① 보증계약체결 후 채권자가 보증인의 승낙 없이 주채무자에게 변제기를 연장하여 준 경우 원칙적으로 보증채무에 대해서는 그 효력이 미치지 않는다.

② 보증채무는 주채무의 이자, 위약금, 손해배상 기타 주채무에 종속한 채무를 포함한다.

③ 보증인은 주채무자의 채권에 의한 상계로 채권자에게 대항할 수 있다.

④ 주채무자의 부탁으로 보증인이 된 자는 채무의 이행기가 도래한 경우, 주채무자에 대하여 미리 구상권을 행사할 수 있다.

⑤ 보증채무는 주채무와는 별개의 독립된 채무이므로 보증인의 출연행위 당시에 주채무가 유효하게 존속하고 있었던 경우에는 그 후 주계약이 해제되어 소급적으로 소멸하였다고 하더라도 보증인은 변제를 수령한 채권자를 상대로 이미 이행한 급부를 부당이득으로 반환청구할 수 있다.

해설 ① 보증계약 후 보증인의 동의 없이 주채무의 내용이 변경된 경우 그 변경된 내용이 보증인에게 불리하게 된다면 이는 보증인에게 영향이 없다.
보증계약 체결 후 채권자가 보증인의 승낙 없이 주채무자에 대하여 변제기를 연장하여 준 경우, 그것이 반드시 보증인의 책임을 가중하는 것이라고는 할 수 없으므로 원칙적으로 보증채무에 대하여도 그 효력이 미친다(대판 1996.2.23, 95다49141).

② 제429조 제1항【보증채무의 범위】보증채무는 주채무의 이자, 위약금, 손해배상 기타 주채무에 종속한 채무를 포함한다.

③ 제434조【보증인과 주채무자 상계권】보증인은 주채무자의 채권에 의한 상계로 채권자에게 대항할 수 있다.

④ 제442조 제1항 【수탁보증인의 사전구상권】 주채무자의 부탁으로 보증인이 된 자는 다음 각 호의 경우에 주채무자에 대하여 미리 구상권을 행사할 수 있다.
1. 보증인이 과실 없이 채권자에게 변제할 재판을 받은 때
2. 주채무자가 파산선고를 받은 경우에 채권자가 파산재단에 가입하지 아니한 때
3. 채무의 이행기가 확정되지 아니하고 그 최장기도 확정할 수 없는 경우에 보증계약후 5년을 경과한 때
4. 채무의 이행기가 도래한 때

⑤ 보증채무는 주채무와 동일한 내용의 급부를 목적으로 함이 원칙이지만 주채무와는 별개 독립의 채무이고, 한편 보증채무자가 주채무를 소멸시키는 행위는 주채무의 존재를 전제로 하므로, 보증인의 출연행위 당시에는 주채무가 유효하게 존속하고 있었다 하더라도 그 후 주계약이 해제되어 소급적으로 소멸하는 경우에는 보증인은 변제를 수령한 채권자를 상대로 이미 이행한 급부를 부당이득으로 반환청구할 수 있다(대판 2004.12.24, 2004다20265).

12 보증채무에 관한 다음 설명 중 옳지 않은 것은? (다툼이 있는 경우 판례에 의함)

① 보증채무에 대한 소멸시효가 중단되었다고 하더라도 이로써 주채무에 대한 소멸시효가 중단되는 것은 아니고, 주채무가 소멸시효 완성으로 소멸된 경우에는 보증채무도 그 채무 자체의 시효중단에 불구하고 당연히 소멸된다.

② 특별한 사정이 없는 한 변제자가 타인의 채무에 대한 보증인으로서 부담하는 보증채무는 변제자 자신의 채무에 비하여 변제자에게 그 변제의 이익이 적다고 보아야 한다.

③ 주채무자에 대한 시효중단은 보증인에 대하여도 효력이 있다.

④ 보증기간과 보증한도액의 정함이 없는 계속적 보증계약의 경우 보증인이 사망하면 보증인의 지위는 상속되지 않지만, 다만 기왕에 발생된 보증채무는 상속된다.

⑤ 회사의 이사가 채무액과 변제기가 특정되어 있는 회사 채무에 대하여 보증계약을 체결한 경우에는 이사직 사임이라는 사정변경을 이유로 보증인인 이사가 일방적으로 보증계약을 해지할 수 있다.

해설 ① 보증채무에 대한 소멸시효가 중단되었다고 하더라도 이로써 주채무에 대한 소멸시효가 중단되는 것은 아니고, 주채무가 소멸시효 완성으로 소멸된 경우에는 보증채무도 그 채무 자체의 시효중단에 불구하고 부종성에 따라 당연히 소멸된다(대판 2002.5.14, 2000다62476).

② 특별한 사정이 없는 한 변제자가 타인의 채무에 대한 보증인으로서 부담하는 보증채무(연대보증채무도 포함)는 변제자 자신의 채무에 비하여 변제자에게 그 변제의 이익이 적다고 보아야 한다(대판 2002.7.12, 99다68652).

③ 제440조 【시효중단의 보증인에 대한 효력】 주채무자에 대한 시효의 중단은 보증인에 대하여 그 효력이 있다.

④ 보증한도액이 정해진 계속적 보증계약의 경우 보증인이 사망하였다 하더라도 보증계약이 당연히 종료되는 것은 아니고 특별한 사정이 없는 한 상속인들이 보증인의 지위를 승계한다고 보아야 할 것이나, 보증기간과 보증한도액의 정함이 없는 계속적 보증계약의 경우에는 보증

인이 사망하면 보증인의 지위가 상속인에게 상속된다고 할 수 없고, 다만 기왕에 발생된 보증채무만이 상속된다(대판 2002.5.12, 2000다47187).

⑤ 회사의 이사가 채무액과 변제기가 특정되어 있는 회사 채무에 대하여 보증계약을 체결한 경우에는 계속적 보증이나 포괄근보증의 경우와는 달리 이사직 사임이라는 사정변경을 이유로 보증인인 이사가 일방적으로 보증계약을 해지할 수 없다(대판 1999.12.28, 99다25938 ; 대판 2006.7.4, 2004다30675).

13 연대보증에 관한 다음 설명 중 가장 옳지 않은 것은? (다툼이 있는 경우 판례에 의함)

▶ 2015년 법무사

① 연대보증인 가운데 한 사람이 자기의 부담부분을 초과하여 변제한 경우, 그 초과 변제액에 대하여 다른 연대보증인을 상대로 구상권을 행사할 수 있는 연대보증인인지 여부는 당해 변제 시를 기준으로 판단한다.

② 수인의 연대보증인 중 1인이 변제로써 주채무를 감소시켰다고 하더라도 주채무의 남은 금액이 다른 연대보증인의 책임한도를 초과하는 경우에는 채무를 변제한 위 연대보증인이 그 채무의 변제를 내세워 보증책임이 그대로 남아 있는 다른 연대보증인에게 구상권을 행사할 수 없다.

③ 수인의 연대보증인이 있는 경우, 연대보증인들 사이에 연대관계의 특약이 있는 경우가 아니면 채권자가 연대보증인의 1인에 대하여 채무의 전부 또는 일부를 면제하더라도 다른 연대보증인에 대하여는 그 효력이 미치지 않는다.

④ 연대보증에는 보충성이 없어 최고·검색의 항변권이 인정되지 않는다.

⑤ 연대보증인 1인에 대한 채권포기는 주채무자나 다른 연대보증인에게 그 효력이 미친다.

해설 ① 자기의 부담부분을 초과한 변제를 함으로써 그 초과 변제액에 대하여 다른 연대보증인을 상대로 구상권을 행사할 수 있는 연대보증인인지 여부는 당해 변제 시를 기준으로 판단하되, 구체적으로는 우선 그때까지 발생·증가하였던 주채무의 총액에 분담비율을 적용하여 당해 연대보증인의 부담부분 총액을 산출한다. 한편, 이미 자기의 부담부분을 변제함으로써 위와 같은 구상권 행사의 대상에서 제외되는 다른 연대보증인인지 여부도 원칙적으로 구상의 기초가 되는 변제 당시에 위와 같은 방법에 의하여 확정되는 그 연대보증인의 부담부분을 기준으로 판단하여야 한다(대판 2009.6.25, 2007다70155).

② 판례는 "수인의 연대보증인이 주채무자의 채무를 일정한 한도에서 보증하기로 하는 이른바 일부보증을 한 경우, 연대보증인 중 1인이 변제로써 주채무를 감소시켰다고 하더라도 주채무의 남은 금액이 다른 연대보증인의 책임한도를 초과하고 있다면 그 다른 연대보증인으로서는 그 한도금액 전부에 대한 보증책임이 그대로 남아 있어 위의 채무변제로써 면책된 부분이 전혀 없다고 볼 수밖에 없고, 따라서 이러한 경우에는 채무를 변제한 위 연대보증인이 그 채무의 변제를 내세워 보증책임이 그대로 남아 있는 다른 연대보증인에게 구상권을 행사할 수 없다."고 하였다(대판 2002.3.15, 2001다59071).

정답 12 ⑤ 13 ⑤

③, ⑤ 판례는 "ⅰ) 연대보증인이라고 할지라도 주채무자에 대하여는 보증인에 불과하므로 연대채무에 관한 면제의 절대적 효력을 규정한 민법 제419조의 규정은 주채무자와 보증인 사이에는 적용되지 아니하는 것이니, 채권자가 연대보증인에 대하여 그 채무의 일부 또는 전부를 면제(채권을 포기)하였다 하더라도 그 면제의 효력은 주채무자에 대하여 미치지 아니한다. 또한 ⅱ) 수인의 연대보증인이 있는 경우, 연대보증인들 사이에 연대관계의 특약이 있는 경우가 아니면 채권자가 연대보증인의 1인에 대하여 채무의 전부 또는 일부를 면제하더라도 다른 연대보증인에 대하여는 그 효력이 미치지 아니한다."고 하였다(대판 1992.9.25. 91다37553).

④ 연대보증에는 보충성이 없어 최고·검색의 항변권이 인정되지 않는다(제437조).

14 다수당사자의 채권, 채무관계에 관한 설명 중 가장 옳지 않은 것은? ▸2014년 법무사

① 보증인은 주채무자의 항변으로 채권자에게 대항할 수 있고, 주채무자의 항변포기는 보증인에게 효력이 없다.

② 불가분채권자 중의 1인과 채무자 간에 경개나 면제있는 경우에 채무전부의 이행을 받은 다른 채권자는 그 1인이 권리를 잃지 아니하였으면 그에게 분급할 이익을 채무자에게 상환하여야 한다.

③ 어느 연대채무자가 채권자에 대하여 채권이 있는 경우에 그 채무자가 상계한 때에는 채권은 모든 연대채무자의 이익을 위하여 소멸하고, 상계할 채권이 있는 연대채무자가 상계하지 아니한 때에는 그 채무자의 부담부분에 한하여 다른 연대채무자가 상계할 수 있다.

④ 어느 연대채무자에 대하여 소멸시효가 완성한 때에는 그 부담부분에 한하여 다른 연대채무자도 의무를 면하고, 어느 연대채무자에 대한 채권자의 지체는 다른 연대채무자에게 효력이 없다.

⑤ 취소의 원인 있는 채무를 보증한 자가 보증계약 당시에 그 원인있음을 안 경우에 주채무의 불이행 또는 취소가 있는 때에는 주채무와 동일한 목적의 독립채무를 부담한 것으로 본다.

해설

① 제433조【보증인과 주채무자항변권】
① 보증인은 주채무자의 항변으로 채권자에게 대항할 수 있다.
② 주채무자의 항변포기는 보증인에게 효력이 없다.

② 불가분채권자 중의 1인과 채무자 간에 경개나 면제있는 경우에 채무전부의 이행을 받은 다른 채권자는 그 1인이 권리를 잃지 아니하였으면 그에게 분급할 이익을 채무자에게 상환하여야 한다(제410조 제2항).

③ 제418조【상계의 절대적 효력】
① 어느 연대채무자가 채권자에 대하여 채권이 있는 경우에 그 채무자가 상계한 때에는 채권은 모든 연대채무자의 이익을 위하여 소멸한다.
② 상계할 채권이 있는 연대채무자가 상계하지 아니한 때에는 그 채무자의 부담부분에 한하여 다른 연대채무자가 상계할 수 있다.

④ 어느 연대채무자에 대하여 소멸시효가 완성한 때에는 그 부담부분에 한하여 다른 연대채무자도 의무를 면한다(제421조). 어느 연대채무자에 대한 채권자의 지체는 다른 연대채무자에게도 효력이 있다(제422조).

⑤ 제436조 【취소할 수 있는 채무의 보증】 취소의 원인 있는 채무를 보증한 자가 보증계약당시에 그 원인 있음을 안 경우에 주채무의 불이행 또는 취소가 있는 때에는 주채무와 동일한 목적의 독립채무를 부담한 것으로 본다.
→ 개정 전 민법 제436조는 보증계약 당시에 무효·취소원인이 있음을 알고서 보증한 경우에는 주채무와 동일한 목적의 독립채무를 부담한다고 하였으나, 개정법에 의해 2015.2.3. 동조는 삭제되었으므로 부종성에 의해 보증채무도 소멸한다고 봄이 상당하다.

15 다음 설명 중 옳지 않은 것은? (다툼이 있는 경우 판례에 의함) ▸2015년 변호사

① 연대채무자 중 1인에게 발생한 법률행위의 무효나 취소의 원인은 다른 연대채무자의 채무에는 영향이 없다.

② 채권자의 신청에 의한 경매개시결정에 따라 연대채무자 중 1인 소유의 부동산이 압류된 경우, 압류에 의한 시효중단의 효력은 다른 연대채무자에게 미치지 않는다.

③ 부진정연대채무자 중 1인이 자신의 채권자에 대한 반대채권으로 상계를 한 경우, 그 상계로 인한 채무소멸의 효력은 소멸한 채무 전액에 관하여 다른 부진정연대채무자에 대하여도 미친다.

④ 공동불법행위자 중 1인의 손해배상채무가 시효로 소멸한 후 다른 공동불법행위자가 피해자에게 자기의 부담 부분을 넘는 손해를 배상한 경우, 손해를 배상한 공동불법행위자는 손해배상채무가 시효로 소멸한 다른 공동불법행위자에게는 구상권을 행사할 수 없다.

⑤ 부진정연대채무자 중 1인을 위하여 보증인이 된 자가 피보증인을 위하여 채무를 변제하였다면 다른 부진정연대채무자에 대하여 구상권을 행사할 수 있다.

해설 ① 제415조 【채무자에 생긴 무효, 취소】
② 제416조 【이행청구의 절대적 효력】
③ 부진정연대채무자 중 1인이 자신의 채권자에 대한 반대채권으로 상계나 상계계약의 절대효를 인정한다. 이때 다른 부진정연대채무자의 존재를 알았는지 여부에 의하여 좌우되지 아니한다(대판(전합) 2010.9.16, 2008다97218).
④ 공동불법행위자 중 1인의 손해배상채무가 시효로 소멸한 후 다른 공동불법행위자가 피해자에게 자기의 부담 부분을 넘는 손해를 배상한 경우, 손해를 배상한 공동불법행위자는 손해배상채무가 시효로 소멸한 다른 공동불법행위자에게 구상권을 행사할 수 있다(대판 1997.12.23, 97다42830 등).
⑤ 제447조 【연대, 불가분채무의 보증인의 구상권】 참조. 판례는 어느 부진정연대채무자를 위하여 보증인이 된 자가 채무를 이행한 경우에는 다른 부진정연대채무자에 대하여도 직접 구상권을 취득하게 되고, 그와 같은 구상권을 확보하기 위하여 채권자를 대위하여 채권자의 다른 부진정연대채무자에 대한 채권 및 그 담보에 관한 권리를 구상권의 범위 내에서 행사할 수 있다(대판 2010.5.27, 2009다85861).

정답 14 ④, ⑤ 15 ④

16 연대 또는 부진정연대채무에 관한 다음 설명 중 가장 옳지 않은 것은? (다툼이 있는 경우 판례에 의함) ▶ 2018년 법무사

① 민법 제426조 제2항은 "어느 연대채무자가 변제 기타 자기의 출재로 공동면책되었음을 다른 연대채무자에게 통지하지 아니한 경우에 다른 연대채무자가 선의로 채권자에게 변제 기타 유상의 면책행위를 한 때에는 그 연대채무자는 자기의 면책행위의 유효를 주장할 수 있다."라고 규정하고 있다. 부진정연대채무에 해당하는 공동불법행위로 인한 손해배상채무에 있어서도 연대채무의 경우와 마찬가지로 과실 없는 변제자를 보호할 필요가 있으므로, 위 규정이 유추적용된다.

② 상계할 채권이 있는 연대채무자가 상계하지 아니한 때에는 그 채무자의 부담부분에 한하여 다른 연대채무자가 상계할 수 있다.

③ 금액이 다른 채무가 서로 부진정연대 관계에 있을 때, 다액채무자가 일부 변제를 하는 경우 변제로 인하여 먼저 소멸하는 부분은 다액채무자가 단독으로 채무를 부담하는 부분이다.

④ 부진정연대채무에서 채무자 1인에 대한 재판상 청구 또는 채무자 1인이 행한 채무의 승인 등 소멸시효 중단사유나 시효이익 포기는 다른 채무자에게 효력을 미치지 않는다.

⑤ 부진정연대채무자 중 1인이 자신의 채권자에 대한 반대채권으로 상계를 한 경우에 그 상계로 인한 채무소멸의 효력은 소멸한 채무 전액에 관하여 다른 부진정연대채무자에 대하여도 미친다. 이는 부진정연대채무자 중 1인이 채권자와 상계계약을 체결한 경우에도 마찬가지이다.

해설 ① 민법 제426조가 연대채무에 있어서의 변제에 관하여 채무자 상호간에 통지의무를 인정하고 있는 취지는, 연대채무에 있어서는 채무자들 상호간에 공동목적을 위한 주관적인 연관관계가 있고 이와 같은 주관적인 연관관계의 발생 근거가 된 대내적 관계에 터잡아 채무자 상호간에 출연분담에 관한 관련관계가 있게 되므로, 구상관계에 있어서도 상호 밀접한 주관적인 관련관계를 인정하고 변제에 관하여 상호 통지의무를 인정함으로써 과실 없는 변제자를 보다 보호하려는 데 있으므로, 이와 같이 출연분담에 관한 주관적인 밀접한 연관관계가 없고 단지 채권만족이라는 목적만을 공통으로 하고 있는 부진정 연대채무에 있어서는 그 변제에 관하여 채무자 상호간에 통지의무 관계를 인정할 수 없고, 변제로 인한 공동면책이 있는 경우에 있어서는 채무자 상호간에 어떤 대내적인 특별관계에서 또는 형평의 관점에서 손해를 분담하는 관계가 있게 되는데 불과하다고 할 것이므로, 부진정 연대채무에 해당하는 공동불법행위로 인한 손해배상채무에 있어서도 채무자 상호간에 구상요건으로서의 통지에 관한 민법의 위 규정을 유추 적용할 수는 없다(대판 1998.6.26, 98다5777).

② 제418조

③ 금액이 다른 채무가 서로 부진정연대 관계에 있을 때 다액채무자가 일부 변제를 하는 경우 변제로 인하여 먼저 소멸하는 부분은 당사자의 의사와 채무 전액의 지급을 확실히 확보하려는 부진정연대채무 제도의 취지에 비추어 볼 때 다액채무자가 단독으로 채무를 부담하는 부분으로 보아야 한다. 이러한 법리는 사용자의 손해배상액이 피해자의 과실을 참작하여 과실상계를 한 결과 타인에게 직접 손해를 가한 피용자 자신의 손해배상액과 달라졌는데 다액채무자인 피용자가 손해배상액의 일부를 변제한 경우에 적용되고, 공동불법행위자들의 피해자에 대한 과실비율이 달라 손해배상액이 달라졌는데 다액채무자인 공동불법행위자가 손해배

상액의 일부를 변제한 경우에도 적용된다. 또한 중개보조원을 고용한 개업공인중개사의 공인중개사법 제30조 제1항에 따른 손해배상액이 과실상계를 한 결과 거래당사자에게 직접 손해를 가한 중개보조원 자신의 손해배상액과 달라졌는데 다액채무자인 중개보조원이 손해배상액의 일부를 변제한 경우에도 마찬가지이다(대판(전합) 2018.3.22. 2012다74236).

④ 부진정연대채무에서 채무자 1인에 대한 재판상 청구 또는 채무자 1인이 행한 채무의 승인 등 소멸시효의 중단사유나 시효이익의 포기는 다른 채무자에게 효력을 미치지 않는다(대판 2017.9.12. 2017다865).

⑤ 부진정연대채무자 중 1인이 자신의 채권자에 대한 반대채권으로 상계를 한 경우에도 채권은 변제, 대물변제, 또는 공탁이 행하여진 경우와 동일하게 현실적으로 만족을 얻어 그 목적을 달성하는 것이므로, 그 상계로 인한 채무소멸의 효력은 소멸한 채무 전액에 관하여 다른 부진정연대채무자에 대하여도 미친다고 보아야 한다. 이는 부진정연대채무자 중 1인이 채권자와 상계계약을 체결한 경우에도 마찬가지이다. 나아가 이러한 법리는 채권자가 상계 내지 상계계약이 이루어질 당시 다른 부진정연대채무자의 존재를 알았는지 여부에 의하여 좌우되지 아니한다(대판(전) 2010.9.16. 2008다97218).

17 연대채무 및 부진정연대채무에 관한 다음 설명 중 가장 옳지 않은 것은?

▶ 2022년 9급(법원서기보)

① 중첩적 채무인수에서 채무자와 인수인은 원칙적으로 주관적 공동관계가 있는 연대채무 관계에 있으나, 인수인이 채무자의 부탁을 받지 않아 주관적 공동관계가 없는 경우에는 부진정연대관계에 있다.

② 연대채무자 중 1인이 채무를 일부 면제받는 경우, 그 연대채무자의 잔존 채무액이 부담부분을 초과하는 경우에는 그 연대채무자의 부담부분이 감소한 것은 아니므로, 다른 연대채무자의 채무에도 영향을 주지 않아 다른 연대채무자는 채무전액을 부담하여야 한다.

③ 연대채무자가 변제 기타 자기의 출재로 공동면책이 된 때에는 다른 연대채무자의 부담부분에 대하여 구상권을 행사할 수 있고, 그 구상권에는 면책된 날 이후의 법정이자 및 피할 수 없는 비용 기타 손해배상이 포함된다.

④ 연대채무의 경우 연대채무자 중 1인이 채권자에 대한 반대채권으로 상계를 한 경우 그 상계의 효력이 다른 연대채무자에게도 미치나, 부진정연대채무의 경우 부진정연대채무자 중 1인이 채권자에 대한 반대채권으로 상계를 하였더라도 그 상계의 효력이 다른 부진정연대채무자에게 미치지 않는다.

해설 ① 중첩적 채무인수에서 인수인이 채무자의 부탁 없이 채권자와의 계약으로 채무를 인수하는 것은 매우 드문 일이므로 채무자와 인수인은 원칙적으로 주관적 공동관계가 있는 연대채무 관계에 있고, 인수인이 채무자의 부탁을 받지 아니하여 주관적 공동관계가 없는 경우에는 부진정연대관계에 있는 것으로 보아야 한다(대판 2009.8.20. 2009다32409).

② 민법 제419조는 "어느 연대채무자에 대한 채무면제는 그 채무자의 부담부분에 한하여 다른 연대채무자의 이익을 위하여 효력이 있다."라고 정하여 면제의 절대적 효력을 인정한다. 이는 당사자들 사이에 구상의 순환을 피하여 구상에 관한 법률관계를 간략히 하려는 데 취지가

정답 ▶ 16 ① 17 ④

있는바, 채권자가 연대채무자 중 1인에 대하여 채무를 일부 면제하는 경우에도 그와 같은 취지는 존중되어야 한다. 따라서 연대채무자 중 1인에 대한 채무의 일부 면제에 상대적 효력만 있다고 볼 특별한 사정이 없는 한 일부 면제의 경우에도 면제된 부담부분에 한하여 면제의 절대적 효력이 인정된다고 보아야 한다. 구체적으로 (ㄱ) 연대채무자 중 1인이 채무 일부를 면제받는 경우에 그 연대채무자가 지급해야 할 잔존 채무액이 부담부분을 초과하는 경우에는 그 연대채무자의 부담부분이 감소한 것은 아니므로 다른 연대채무자의 채무에도 영향을 주지 않아 다른 연대채무자는 채무 전액을 부담하여야 한다. (ㄴ) 반대로 일부 면제에 의한 피면제자의 잔존 채무액이 부담부분보다 적은 경우에는 차액(부담부분 - 잔존 채무액)만큼 피면제자의 부담부분이 감소하였으므로, 차액의 범위에서 면제의 절대적 효력이 발생하여 다른 연대채무자의 채무도 차액만큼 감소한다(대판 2019.8.14. 2019다216435).

③ 제425조【출재채무자의 구상권】
① 어느 연대채무자가 변제 기타 자기의 출재로 공동면책이 된 때에는 다른 연대채무자의 부담부분에 대하여 구상권을 행사할 수 있다.
② 전항의 구상권은 면책된 날 이후의 법정이자 및 피할 수 없는 비용 기타 손해배상을 포함한다.

④ 제418조 제1항【상계의 절대적 효력】어느 연대채무자가 채권자에 대하여 채권이 있는 경우에 그 채무자가 상계한 때에는 채권은 모든 연대채무자의 이익을 위하여 소멸한다.

→ 절대적 효력 : 연대채무자 중 1인이 채권자에 대한 반대채권으로 상계를 한 경우 그 상계의 효력은 다른 연대채무자에게도 미친다.
부진정연대채무자 중 1인이 자신의 채권자에 대한 반대채권으로 상계를 한 경우에도 채권은 변제, 대물변제 또는 공탁이 행하여진 경우와 동일하게 현실적으로 만족을 얻어 그 목적을 달성하는 것이므로, 그 상계로 인한 채무소멸의 효력은 소멸한 채무 전액에 관하여 다른 부진정연대채무자에 대하여도 미친다고 보아야 한다(대판(전) 2010.9.16. 2008다97218).

18 연대채무 및 부진정연대채무에 관한 다음 설명 중 가장 옳지 않은 것은? ▸ 2023년 법원행시

① 어느 연대채무자가 채무를 승인함으로써 그에 대한 시효가 중단되면 그로 인하여 다른 연대채무자에게도 시효중단의 효력이 발생한다.

② 중첩적 채무인수에서 인수인이 채무자의 부탁을 받지 아니하여 주관적 공동관계가 없는 경우에는 채무자와 인수인은 부진정연대관계에 있는 것으로 보아야 한다.

③ 금액이 서로 다른 채무가 서로 부진정연대관계에 있을 때 다액채무자가 일부 변제를 하는 경우 변제로 먼저 소멸하는 부분은 다액채무자가 단독으로 채무를 부담하는 부분으로 보아야 한다.

④ 연대채무자가 변제 기타 자기의 출재로 공동면책을 얻은 때에는 다른 연대채무자의 부담부분에 대하여 구상권을 행사할 수 있고 이때 부담부분은 균등한 것으로 추정되나, 연대채무자 사이에 부담부분에 관한 특약이 있다면 그에 따라 부담분이 결정된다.

⑤ 공동불법행위자 중 1인에 대하여 구상의무를 부담하는 다른 공동불법행위자가 수인인 경우에 구상권자인 공동불법행위자 측에 과실이 없어 내부적인 부담 부분이 전혀 없다면 그 구상권자에 대한 수인의 구상의무 사이의 관계는 부진정연대관계로 보아야 한다.

해설 ① 제423조 【효력의 상대성의 원칙】 전7조의 사항 외에는 어느 연대채무자에 관한 사항은 다른 연대채무자에게 효력이 없다. → 결국 이행청구에 따른 시효중단은 다른 연대채무자에게 효력이 미치지만, 어느 연대채무자의 채무승인에 따른 시효중단은 다른 연대채무자에게 효력이 발생하지 않는다.

② 중첩적 채무인수에서 인수인이 채무자의 부탁 없이 채권자와의 계약으로 채무를 인수하는 것은 매우 드문 일이므로 채무자와 인수인은 원칙적으로 주관적 공동관계가 있는 연대채무관계에 있고, 인수인이 채무자의 부탁을 받지 아니하여 주관적 공동관계가 없는 경우에는 부진정연대관계에 있는 것으로 보아야 한다(대판 2009.8.20. 2009다32409).

③ 대판(전합) 2018.3.22. 2012다74236 → ※ 채무액이 동일하거나 소액의 채무자가 일부변제한 경우에는 다른 불법행위자의 채무도 변제금 전액에 해당하는 부분이 소멸한다는 점과 차이가 있음을 주의하여야 한다(대판 1995.7.14. 94다19600, 대판 2012.2.9. 2009다72094).

④ 어느 연대채무자가 변제 기타 자기의 출재로 공동면책이 되게 한 때에는 다른 연대채무자의 부담부분에 대하여 구상권을 행사할 수 있고 이때 부담부분은 균등한 것으로 추정되나, 연대채무자 사이에 부담부분에 관한 특약이 있거나 특약이 없더라도 채무의 부담과 관련하여 각 채무자의 수익비율이 다른 경우에는 그 특약 또는 비율에 따라 부담부분이 결정된다(대판 2014.8.26. 2013다49428).

⑤ 공동불법행위자는 채권자에 대한 관계에서 부진정연대책임을 지되, 공동불법행위자 중 1인이 전체 채무를 변제한 경우 나머지 공동불법행위자들이 부담하는 구상채무의 성질은 각자의 부담부분에 따른 분할채무가 원칙인데, 다만 구상권자인 공동불법행위자 측에 과실이 없는 경우에는 부진정연대채무가 된다(대판 2012.3.15. 2011다52727).

19 다수당사자의 채권관계에 관한 다음 설명 중 가장 옳지 않은 것은? ▶ 2022년 법무사

① 공동불법행위자 중 1인에 대하여 구상의무를 부담하는 다른 공동불법행위자가 수인인 경우, 구상권자인 공동불법행위자측에 과실이 있든 없든 그에 대한 수인의 구상의무 사이의 관계를 부진정연대관계로 봄이 상당하다.

② 채권자의 신청에 의한 경매개시결정에 따라 연대채무자 1인의 소유 부동산이 압류된 경우, 이로써 위 채무자에 대한 채권의 소멸시효는 중단되지만, 압류에 의한 시효중단의 효력은 다른 연대채무자에게 미치지 않는다.

③ 금융기관이 회사 임직원의 대규모 분식회계로 인하여 회사의 재무구조를 잘못 파악하고 회사에 대출을 해 준 경우, 회사의 금융기관에 대한 대출금채무와 회사 임직원의 분식회계 행위로 인한 금융기관에 대한 손해배상채무는 부진정연대의 관계에 있다.

④ 부진정연대채무의 관계에 있는 채무자들을 공동피고로 하여 이행의 소가 제기된 경우 공동피고에 대한 각 청구는 법률상 양립할 수 없는 것이 아니므로 그 소송은 민사소송법 제70조 제1항에 규정한 본래 의미의 예비적·선택적 공동소송이라고 할 수 없다.

정답 18 ① 19 ①

⑤ 4인의 매도인이 4인의 매수인에게 임야를 매도하기로 하는 계약을 체결한 후 매매계약의 무효를 원인으로 부당이득으로서 계약금의 반환을 구하는 경우, 특별한 사정이 없으면 매도인 중의 1인이 매수인 중의 1인에게 위 계약금 전액을 반환할 의무가 있다고 할 수 없다.

해설 ① 공동불법행위자 중 1인에 대하여 구상의무를 부담하는 다른 공동불법행위자가 수인인 경우에는 특별한 사정이 없는 이상 그들의 구상권자에 대한 채무는 각자의 부담부분에 따른 분할채무로 봄이 상당하지만, 구상권자인 공동불법행위자측에 과실이 없는 경우, 즉 내부적인 부담부분이 전혀 없는 경우에는 이와 달리 그에 대한 수인의 구상의무 사이의 관계를 부진정연대관계로 봄이 상당하다(대판 2005.10.13, 2003다24147).

② 채권자의 신청에 의한 경매개시결정에 따라 연대채무자 1인의 소유 부동산이 압류된 경우, 이로써 위 채무자에 대한 채권의 소멸시효는 중단되지만, 압류에 의한 시효중단의 효력은 다른 연대채무자에게 미치지 아니하므로, 경매개시결정에 의한 시효중단의 효력을 다른 연대채무자에 대하여 주장할 수 없다(대판 2001.8.21, 2001다22840).

③ 금융기관이 회사 임직원의 대규모 분식회계로 인하여 회사의 재무구조를 잘못 파악하고 회사에 대출을 해 준 경우, 회사의 금융기관에 대한 대출금채무와 회사 임직원의 분식회계 행위로 인한 금융기관에 대한 손해배상채무는 서로 동일한 경제적 목적을 가진 채무로서 서로 중첩되는 부분에 관하여는 일방의 채무가 변제 등으로 소멸하면 타방의 채무도 소멸하는 이른바 부진정연대의 관계에 있다(대판 2008.1.18, 2005다65579).

④ 부진정연대채무 관계는 서로 별개의 원인으로 발생한 독립된 채무라 하더라도 동일한 경제적 목적을 가지고 있고 서로 중첩되는 부분에 관하여 일방의 채무가 변제 등으로 소멸할 경우 타방의 채무도 소멸하는 관계에 있으면 성립할 수 있고, 반드시 양 채무의 발생원인, 채무의 액수 등이 서로 동일할 것을 요한다고 할 수는 없다. 그리고 부진정연대채무의 관계에 있는 채무자들을 공동피고로 하여 이행의 소가 제기된 경우 그 공동피고에 대한 각 청구가 서로 법률상 양립할 수 없는 것이 아니므로 그 소송을 민사소송법 제70조 제1항 소정의 예비적·선택적 공동소송이라고 할 수 없다(대판 2009.3.26, 2006다47677).

⑤ 채권자나 채무자가 여러 사람인 경우에 특별한 의사표시가 없으면 각 채권자 또는 각 채무자는 균등한 비율로 권리가 있고 의무를 부담한다고 할 것이므로, 피고를 포함한 4인의 매도인이 원고를 포함한 4인의 매수인에게 임야를 매도하기로 하는 계약을 체결한 경우 매매계약의 무효를 원인으로 부당이득으로서 계약금의 반환을 구하는 채권은 특별한 사정이 없으면 불가분채권채무관계가 될 수 없으므로 매도인 중의 1인에 불과한 피고가 매수인 중의 1인에 불과한 원고에게 위 계약금 전액을 반환할 의무가 있다고 할 수 없다(대판 1993.8.14, 91다41316).

20 다수당사자의 채권관계에 관한 다음 설명 중 가장 옳지 않은 것은? (다툼이 있는 경우 판례에 의함)
▶ 2017년 법무사

① 여러 사람이 공동으로 법률상 원인 없이 타인의 재산을 사용한 경우의 부당이득 반환채무는 특별한 사정이 없는 한 불가분적 이득의 반환으로서 불가분채무로 보아야 한다.

② 연대채무자는 자신의 부담부분 이상을 변제하여 공동의 면책을 얻게 하였을 때에 다른 연대채무자에 대하여 구상권을 행사할 수 있으나, 공동불법행위자는 자신의 부담부분 이상을 변제하지 않더라도 다른 공동불법행위자에 대하여 구상권을 행사할 수 있다.

③ 어떤 물건에 대하여 직접점유자와 간접점유자가 있는 경우, 그에 대한 점유사용으로 인한 부당이득의 반환의무는 이른바 부진정연대채무의 관계에 있다.

④ 부진정연대채무자 중 1인을 위하여 보증인이 된 자가 피보증인을 위하여 그 채무를 변제한 경우에는 그 보증인은 다른 부진정연대채무자들에 대하여 그 부담 부분에 한하여 구상권을 행사할 수 있다.

⑤ 보증채무는 주채무와는 별개의 채무이므로 보증채무 자체의 이행지체로 인한 지연손해금은 보증한도액과는 별도로 보아야 하고, 주채무에 관하여 약정된 연체이율 역시 당연히 보증채무의 연체이율에 적용되는 것은 아니다.

해설 ① 여러 사람이 공동으로 법률상 원인 없이 타인의 재산을 사용한 경우의 부당이득 반환채무는 특별한 사정이 없는 한 불가분적 이득의 반환으로서 불가분채무이고, 불가분채무는 각 채무자가 채무 전부를 이행할 의무가 있으며, 1인의 채무이행으로 다른 채무자도 그 의무를 면하게 된다(대판 2001.12.11, 2000다13948).

② 연대채무에서 구상권이 성립하기 위해서는 출재자가 자기의 부담부분을 넘어서 공동면책을 얻어야 하는가에 대하여, 주관적 공동관계에 있는 연대채무자들 사이의 공평을 기하기 위하여 연대채무자는 자신의 부담부분 이상을 변제하지 않더라도 다른 연대채무자에 대하여 구상권을 행사할 수 있다(연대채무의 초과출재불요설 입장) (대판 2013.11.14, 2013다46023). 그러나 공동불법행위자 중 1인이 다른 공동불법행위자에 대하여 구상권을 행사하기 위하여는 자기의 부담 부분 이상을 변제하여 공동의 면책을 얻어야 한다(대판 1997.12.12, 96다50896).

③ 어떤 물건에 대하여 직접점유자와 간접점유자가 있는 경우, 그에 대한 점유·사용으로 인한 부당이득의 반환의무는 동일한 경제적 목적을 가진 채무로서 서로 중첩되는 부분에 관하여는 일방의 채무가 변제 등으로 소멸하면 타방의 채무도 소멸하는 이른바 부진정연대채무의 관계에 있다(대판 2012.9.27, 2011다76747).

④ 민법 제481조, 제482조에서 규정하고 있는 변제자대위는 제3자 또는 공동채무자의 한 사람이 채무자 또는 다른 공동채무자에 대하여 가지는 구상권의 실현을 목적으로 하는 제도이다. 이때 대위에 의한 원채권 및 담보권 행사의 범위는 구상권의 범위로 한정되는데 이는 위와 같은 제도적 취지를 반영한 것이다. 따라서 어느 부진정연대채무자를 위하여 보증인이 된 자가 채무를 이행한 경우에는 다른 부진정연대채무자에 대하여도 직접 구상권을 취득하게 되고, 그와 같은 구상권을 확보하기 위하여 채권자를 대위하여 채권자의 다른 부진정연대채무자에 대한 채권 및 그 담보에 관한 권리를 구상권의 범위 내에서 행사할 수 있다(대판 2010.5.27, 2009다85861).

정답 **20** ②

⑤ 보증채무는 주채무와는 별개의 채무이기 때문에 보증채무 자체의 이행지체로 인한 지연손해금은 보증한도액과는 별도인바, 이 경우 보증채무의 연체이율에 관하여 특별한 약정이 있으면 그에 따르고 특별한 약정이 없으면 거래행위의 성질에 따라 상법 또는 민법에서 정한 법정이율에 따르는 것이지, 주채무에 관하여 약정된 연체이율이 당연히 여기에 적용되는 것은 아니다(대판 2014.3.13, 2013다205693).

21 보증채무에 관한 다음 설명 중 가장 옳지 않은 것은? (다툼이 있는 경우 판례에 의함)

▶ 2017년 법원행시

① 보증채무는 주채무와는 별개의 채무이기 때문에 보증채무 자체의 이행지체로 인한 지연손해금은 보증한도액과는 별도로 부담하고, 이 경우 보증채무의 연체이율에 관하여 특별한 약정이 있으면 그에 따르고, 특별한 약정이 없는 경우라면 그 거래행위의 성질에 따라 상법 또는 민법에서 정한 법정이율에 따라야 할 것이고, 주채무에 관하여 약정된 연체이율이 당연히 여기에 적용되는 것은 아니다.

② 공사수급인의 연대보증인이 부담하는 지체상금 지급의무와 관련하여, 이른바 손해배상액의 예정으로서 지체상금액이 과다한지 여부는 연대보증인을 기준으로 판단하여야 한다.

③ 주채무 명의자인 제3자가 실질적 주채무자가 아니라는 사실을 연대보증인이 알고서 보증을 하였거나 보증책임을 이행한 경우라 할지라도, 그 제3자가 실질상의 주채무자를 연대보증한 것으로 인정할 수 있는 경우에는 제3자는 연대보증인에 대하여 공동보증인 간의 구상권 행사 법리에 따른 구상의무는 부담한다 할 것이다.

④ 보증채무는 주채무에 대한 부종성 또는 수반성이 있어서 주채무자에 대한 채권이 이전되면 당사자 사이에 별도의 특약이 없는 한 보증인에 대한 채권도 함께 이전하고, 이 경우 채권양도의 대항요건도 주채권의 이전에 관하여 구비하면 족하고 별도로 보증채권에 관하여 대항요건을 갖출 필요는 없다.

⑤ 채권자와 보증인 사이에 보증인이 주채무를 중첩적으로 인수하기로 약정하였다 하더라도 특별한 사정이 없는 한 보증인은 주채무자에 대한 관계에서는 종전의 보증인의 지위를 그대로 유지한다고 봄이 상당하므로, 채무인수로 인하여 보증인과 주채무자 사이의 주채무에 관련된 구상관계가 달라지는 것은 아니다.

해설 ① 보증채무는 주채무와는 별개의 채무이기 때문에 보증채무 자체의 이행지체로 인한 지연손해금은 보증한도액과는 별도인바, 이 경우 보증채무의 연체이율에 관하여 특별한 약정이 있으면 그에 따르고 특별한 약정이 없으면 거래행위의 성질에 따라 상법 또는 민법에서 정한 법정이율에 따르는 것이지, 주채무에 관하여 약정된 연체이율이 당연히 여기에 적용되는 것은 아니다(대판 2014.3.13, 2013다205693).

② 공사수급인의 연대보증인이 부담하는 지체상금 지급의무는 주채무자인 공사수급인이 지급하여야 할 지체상금의 범위에 부종하는 것이므로, 이른바 손해배상액의 예정으로서 지체상금액이 과다한지 여부는 주채무자인 공사수급인을 기준으로 판단하여야 할 것이지 연대보증인을 중심으로 판단할 것은 아니다(대판 2005.8.19, 2002다59764).

③ 주채무 명의자인 제3자가 실질적 주채무자가 아니라는 사실을 연대보증인이 알고서 보증을 하였거나 보증책임을 이행한 경우라 할지라도, 그 제3자가 실질상의 주채무자를 연대보증한 것으로 인정할 수 있는 경우에는 제3자는 연대보증인에 대하여 공동보증인 간의 구상권 행사 법리에 따른 구상의무는 부담한다 할 것이고, 제3자가 금융기관으로부터 대출을 받음에 있어 자신을 주채무자로 하도록 승낙한 경우의 제3자의 의사는 특별한 사정이 없는 한 대출에 따른 경제적인 효과는 실질상의 주채무자에게 귀속시킬지라도 법률상의 효과는 자신에게 귀속시킬 의사로서, 최소한 연대보증의 책임은 지겠다는 의사였다고 보아야 한다(대판 2002.12.10. 2002다47631).

④ 보증채무는 주채무에 대한 부종성 또는 수반성이 있어서 주채무자에 대한 채권이 이전되면 당사자 사이에 별도의 특약이 없는 한 보증인에 대한 채권도 함께 이전하고, 이 경우 채권양도의 대항요건도 주채권의 이전에 관하여 구비하면 족하고, 별도로 보증채권에 관하여 대항요건을 갖출 필요는 없다(대판 2002.9.10. 2002다21509).

⑤ 채권자와 보증인 사이에 보증인이 주채무를 중첩적으로 인수하기로 약정하였다 하더라도 특별한 사정이 없는 한 보증인은 주채무자에 대한 관계에서는 종전의 보증인의 지위를 그대로 유지한다고 봄이 상당하므로, 채무인수로 인하여 보증인과 주채무자 사이의 주채무에 관련된 구상관계가 달라지는 것은 아니다(대판 2003.11.14. 2003다37730).

22 보증채무에 관한 다음 설명 중 옳지 않은 것을 모두 고른 것은? ▶ 2018년 법원행시

ㄱ. 보증인의 출연행위 당시에 주채무가 유효하게 존속하고 있었다면 그 후 주계약이 해제되어 소급적으로 소멸하는 경우라도 보증인은 변제를 수령한 채권자를 상대로 이미 이행한 급부를 부당이득으로 반환청구할 수 없다.

ㄴ. 보증계약의 성립을 인정하려면 그 전제로서 보증인의 보증의사가 있어야 하고, 이러한 보증의사의 존부는 당사자가 거래에 관여하게 된 동기와 경위, 거래의 관행 등을 종합적으로 고찰하여 판단하여야 하며, 보증의사의 존재나 보증범위는 엄격하게 제한하여 인정하여야 한다.

ㄷ. 보증채무는 주된 채무의 존재를 전제로 하여 성립하고 존속하므로, 주채무 발생의 원인이 되는 기본계약이 반드시 보증계약보다 먼저 체결되어 있어야만 하며, 현실적으로 발생하지 아니한 장래의 채무에 대해서는 보증계약을 체결할 수 없다.

ㄹ. 수탁보증인이 사전구상권을 행사하는 경우, 사전구상으로써 청구할 수 있는 범위에는 보증인 자신이 부담할 것이 확정된 채무 전액 및 면책비용에 대한 법정이자나 채무의 원본에 대한 장래 도래할 이행기까지의 이자가 포함된다.

ㅁ. 현실적인 자금의 수수 없이 형식적으로만 신규대출을 하여 기존채무를 변제하는 이른바 대환은 실질적으로는 기존채무의 변제기의 연장에 불과하므로, 특별한 사정이 없는 한 기존채무에 대한 보증책임은 존속한다.

정답 21 ② 22 ④

> ㅂ. 수탁보증인이 주채무자로부터 사전구상금을 수령하였다면 채권자에게는 위 금원에 대한 인도청구권이 발생하므로, 수탁보증인이 주채무자로부터 수령한 사전구상금을 주채무자의 면책을 위하여 사용하지 않고 있다면 채권자에 대하여 부당이득이 성립한다.

① ㄱ, ㄴ   ② ㄷ, ㅁ   ③ ㄱ, ㅂ
④ ㄱ, ㄷ, ㄹ, ㅂ   ⑤ ㄱ, ㄷ, ㅂ

해설 ㄱ. 보증채무는 주채무와 동일한 내용의 급부를 목적으로 함이 원칙이지만 주채무와는 별개 독립의 채무이고, 한편 보증채무자가 주채무를 소멸시키는 행위는 주채무의 존재를 전제로 하므로, 보증인의 출연행위 당시에는 주채무가 유효하게 존속하고 있었다 하더라도 그 후 주계약이 해제되어 소급적으로 소멸하는 경우에는 보증인은 변제를 수령한 채권자를 상대로 이미 이행한 급부를 부당이득으로 반환청구할 수 있다(대판 2004.12.24, 2004다20265).

ㄴ. 보증계약의 성립을 인정하려면 당연히 그 전제로서 보증인의 보증의사가 있어야 하고, 이러한 보증의사의 존부는, 당사자가 거래에 관여하게 된 동기와 경위, 그 관여 형식 및 내용, 당사자가 그 거래행위에 의하여 달성하려는 목적, 거래의 관행 등을 종합적으로 고찰하여 판단하여야 할 당사자의 의사해석 및 사실인정의 문제이지만, 보증은 이를 부담할 특별한 사정이 있을 경우 이루어지는 것이므로, 보증의사의 존재나 보증범위는 이를 엄격하게 제한하여 인정하여야 할 것이다(대판 1998.12.8, 98다39923).

ㄷ. 주채무 발생의 원인이 되는 기본계약이 반드시 보증계약보다 먼저 체결되어야만 하는 것은 아니고, 보증계약 체결 당시 보증의 대상이 될 주채무의 발생원인과 그 내용이 어느 정도 확정되어 있다면 장래의 채무에 대해서도 유효하게 보증계약을 체결할 수 있다 할 것이다(대판 2006.6.27, 2005다50041).

ㄹ. 수탁보증인이 사전구상권을 행사하는 경우 보증인은 자신이 부담할 것이 확정된 채무 전액에 대하여 구상권을 행사할 수 있지만, 면책비용에 대한 법정이자나 채무의 원본에 대한 장래 도래할 이행기까지의 이자 등을 청구하는 것은 사전구상권의 성질상 허용될 수 없다(대판 2005.11.25, 2004다66834·66841).

ㅁ. 현실적인 자금의 수수 없이 형식적으로만 신규 대출을 하여 기존 채무를 변제하는 이른바 대환은 특별한 사정이 없는 한 형식적으로는 별도의 대출에 해당하나 실질적으로는 기존 채무의 변제기의 연장에 불과하므로 그 법률적 성질은 기존 채무가 여전히 동일성을 유지한 채 존속하는 준소비대차로 보아야 하고, 이러한 경우 채권자와 보증인 사이에 있어서 사전에 신규 대출 형식에 의한 대환을 하는 경우 보증책임을 면하기로 약정하는 등의 특별한 사정이 없는 한 기존 채무에 대한 보증책임이 존속된다(대판 1998.2.27, 97다16077).

ㅂ. 수탁보증인이 사전구상권을 행사하여 사전구상금을 수령하였다면 이는 결국 사전구상 당시 채권자에 대하여 보증인이 부담할 원본채무와 이미 발생한 이자, 피할 수 없는 비용 및 기타의 손해액을 선급받는 것이어서 이 금원은 주채무자에 대하여 수임인의 지위에 있는 수탁보증인이 위탁사무의 처리를 위하여 선급받은 비용의 성질을 가지는 것이므로 보증인은 이를 선량한 관리자의 주의로서 위탁사무인 주채무자의 면책에 사용하여야 할 의무가 있다(대판 2002.11.26, 2001다833, 대판 1989.9.29, 88다카10524). 따라서 수탁보증인이 위와 같은 의무를 이행하지 아니함으로써 위임인의 지위에 있는 주채무자로 하여금 손해를 입게 하였다면, 수탁보증인은 그 의무불이행으로 인하여 주채무자가 입은 손해를 배상할 책임을 면치 못할 것이다. 그러나 이로써 채권자의 채권이 소멸하는 것도 아니므로 수탁보증인이 주채무자로부터

수령한 사전구상금을 주채무자의 면책을 위하여 사용하지 않고 있다고 하여도 주채무자에 대한 손해배상책임은 별론으로 하고, 채권자에 대하여 부당이득이 성립한다고 할 수는 없다.

23 다음 설명 중 가장 옳지 않은 것은? (다툼이 있는 경우 판례에 따르고 전원합의체 판결의 경우 다수 의견에 의함) ▸ 2017년 법무사

① 甲에 대한 乙의 금전채무를 담보하기 위하여 丙이 자신의 부동산에 저당권을 설정해 주었는데, 이 때 乙의 부탁으로 물상보증인이 된 丙은 乙에 대하여 사전구상권을 행사할 수 있다.

② 甲에 대한 乙의 금전채무에 대하여 丙과 丁이 연대보증인이 된 경우, 甲의 丁에 대한 채권포기는 乙에게는 그 효력이 미치지 않는다.

③ 甲에 대한 乙의 금전채무에 대한 보증인 丙은 甲에 대한 자신의 채권으로 채권자의 보증채권과 상계할 수 있을 뿐만 아니라, 乙의 甲에 대한 채권으로도 상계할 수 있다.

④ 주채무자 甲이 면책행위를 하고도 수탁보증인 乙에게 그 사실을 통지하지 않고 있던 중, 乙이 사전통지를 하지 않고 甲의 면책행위가 있었음을 모르고 이중의 면책행위를 한 경우, 乙은 甲에 대하여 자기의 면책행위가 유효하다고 주장할 수 없다.

⑤ 부진정연대채무자 甲이 채권자 乙에 대한 자신의 반대채권으로 상계를 한 경우, 그 상계로 인한 채무소멸의 효력은 소멸한 채무 전액에 관하여 다른 부진정연대채무자 丙에 대하여도 미치고, 위 상계 당시 乙이 丙의 존재를 알지 못하여도 마찬가지이다.

해설 ① 민법 제370조에 의하여 민법 제341조가 저당권에 준용되는데, 민법 제341조는 타인의 채무를 담보하기 위한 저당권설정자가 그 채무를 변제하거나 저당권의 실행으로 인하여 저당물의 소유권을 잃은 때에 채무자에 대하여 구상권을 취득한다고 규정하여 물상보증인의 구상권 발생 요건을 보증인의 경우와 달리 규정하고 있는 점, 물상보증은 채무자 아닌 사람이 채무자를 위하여 담보물권을 설정하는 행위이고 채무자를 대신해서 채무를 이행하는 사무의 처리를 위탁받는 것이 아니므로 물상보증인은 담보물로서 물적 유한책임만을 부담할 뿐 채권자에 대하여 채무를 부담하는 것이 아닌 점, 물상보증인이 채무자에게 구상할 구상권의 범위는 특별한 사정이 없는 한 채무를 변제하거나 담보권의 실행으로 담보물의 소유권을 상실하게 된 시점에 확정된다는 점 등을 종합하면, 원칙적으로 수탁보증인의 사전구상권에 관한 민법 제442조는 물상보증인에게 적용되지 아니하고 물상보증인은 사전구상권을 행사할 수 없다(대판 2009. 7.23, 2009다19802).

② 연대보증인이라고 할지라도 주채무자에 대하여는 보증인에 불과하므로 연대채무에 관한 면제의 절대적 효력을 규정한 민법 제419조의 규정은 주채무자와 보증인 사이에는 적용되지 아니하는 것이니, 채권자가 연대보증인에 대하여 그 채무의 일부 또는 전부를 면제하였다 하더라도 그 면제의 효력은 주채무자에 대하여 미치지 아니한다(대판 1992.9.25, 91다37553).

정답 **23** ①

③ 쌍방이 서로 같은 종류를 목적으로 한 채무를 부담한 경우에 그 쌍방의 채무의 이행기가 도 래한 때에는 각 채무자는 대등액에 관하여 상계할 수 있으며(제492조), 보증인은 주채무자의 채권에 의한 상계로 채권자에게 대항할 수도 있다(제434조).

④ 민법 제446조의 규정은 같은 법 제445조 1항의 규정을 전제로 하는 것이어서 같은 법 제 445조 1항의 사전 통지를 하지 아니한 수탁보증인까지 보호하는 취지의 규정은 아니라 할 것이므로, 수탁보증에 있어서 주채무자가 면책행위를 하고도 그 사실을 보증인에게 통지하지 아니하고 있던 중에 보증인도 사전통지를 하지 아니한 채 이중의 면책행위를 한 경우에는 보증인도 주채무자에게 같은 법 제446조에 의하여 자기의 면책행위의 유효를 주장할 수 없 다. 그리고 위 경우에는 이중변제의 기본원칙으로 돌아가 먼저 이루어진 주채무자의 면책행 위가 유효하고 나중에 이루어진 보증인의 면책행위는 무효로 보아야 할 것이므로 보증인은 같은 법 제446조에 의하여 주채무자에게 구상권을 행사할 수 없다(대판 1997.10.10, 95다 46265).

⑤ 부진정연대채무자 중 1인이 자신의 채권자에 대한 반대채권으로 상계를 한 경우에도 채권은 변제, 대물변제 또는 공탁이 행하여진 경우와 동일하게 현실적으로 만족을 얻어 그 목적을 달성하는 것이므로, 그 상계로 인한 채무소멸의 효력은 소멸한 채무 전액에 관하여 다른 부 진정연대채무자에 대하여도 미친다고 보아야 한다. 이는 부진정연대채무자 중 1인이 채권자 와 상계계약을 체결한 경우에도 마찬가지이다. 나아가 이러한 법리는 채권자가 상계 내지 상 계계약이 이루어질 당시 다른 부진정연대채무자의 존재를 알았는지 여부에 의하여 좌우되지 아니한다(대판(전) 2010.9.16, 2008다97218).

24 **보증채무와 관련된 다음 설명 중 가장 옳지 않은 것은?** (다툼이 있는 경우 판례에 따르고 전원합 의체 판결의 경우 다수의견에 의함)　　　　　　　　　　　　　　　　　▶ 2019년 법무사

① 보증인의 채권자에 대한 출연행위 당시에는 주채무가 유효하게 존속하고 있었으나 그 후 주계약이 해제된 경우, 보증인은 변제를 수령한 채권자를 상대로 이미 이행한 급부 를 부당이득으로 반환청구할 수 있다.

② 보증인은 주채무자의 채권자에 대한 채권으로 상계할 수 있으며, 채권자가 주채무자에 대하여 상계적상에 있는 자동채권을 상계하지 않는 경우에는 이를 이유로 보증채무의 이행을 거부할 수 있다.

③ 보증인이 주채무자의 기망행위에 의하여 주채무가 있는 것으로 믿고 주채무자와 보증 계약을 체결한 후 그에 따라 보증채무자로서 그 채무까지 이행한 경우, 그 보증인은 주채무자의 채권자에 대한 채무부담행위라는 허위표시에 기초하여 구상권 취득에 관한 법률상 이해관계를 가지게 되었으므로 민법 제108조 제2항의 제3자에 해당한다.

④ 손해담보계약상 담보의무자의 책임은 손해배상책임이 아니라 이행의 책임이므로, 민법 제396조의 과실상계 규정이 준용될 수 없고, 과실상계의 법리를 유추적용하여 그 담보 책임을 감경할 수도 없다.

⑤ 보증기간과 보증한도액의 정함이 없는 계속적 보증계약의 경우, 보증인이 사망하면 상 속인은 보증인의 지위를 상속하지 않고 이미 발생한 보증채무만을 상속한다.

해설 ① 보증채무는 주채무와 동일한 내용의 급부를 목적으로 함이 원칙이지만 주채무와는 별개 독립의 채무이고, 한편 보증채무자가 주채무를 소멸시키는 행위는 주채무의 존재를 전제로 하므로, 보증인의 출연행위 당시에는 주채무가 유효하게 존속하고 있었다 하더라도 그 후 주계약이 해제되어 소급적으로 소멸하는 경우에는 보증인은 변제를 수령한 채권자를 상대로 이미 이행한 급부를 부당이득으로 반환청구할 수 있다(대판 2004.12.24. 2004다20265).

② 보증인은 주채무자의 채권자에 대한 채권으로 상계할 수 있으나(제434조), 상계는 단독행위로서 상계를 할지는 채권자의 의사에 따른 것이고 상계적상에 있는 자동채권이 있다고 하여 반드시 상계를 해야 할 것은 아니다. 따라서 채권자가 주채무자에 대하여 상계적상에 있는 자동채권을 상계하지 않았다고 하여 이를 이유로 보증채무자가 보증한 채무의 이행을 거부할 수 없으며 나아가 보증채무자의 책임이 면책되는 것도 아니다(대판 2018.9.13. 2015다209347).

③ 보증인이 주채무자의 기망행위에 의하여 주채무가 있는 것으로 믿고 주채무자와 보증계약을 체결한 다음 그에 따라 보증채무자로서 그 채무까지 이행한 경우, 그 보증인은 주채무자에 대한 구상권 취득에 관하여 법률상의 이해관계를 가지게 되었고 그 구상권 취득에는 보증의 부종성으로 인하여 주채무가 유효하게 존재할 것을 필요로 한다는 이유로 결국 그 보증인은 주채무자의 채권자에 대한 채무 부담행위라는 허위표시에 기초하여 구상권 취득에 관한 법률상 이해관계를 가지게 되었다고 보아 민법 제108조 제2항 소정의 '제3자'에 해당한다(대판 2000.7.6. 99다51258).

④ 손해담보계약상 담보의무자의 책임은 손해배상책임이 아니라 이행의 책임이고, 따라서 담보계약상 담보권리자의 담보의무자에 대한 청구권의 성질은 손해배상청구권이 아니라 이행청구권이므로, 민법 제396조의 과실상계 규정이 준용될 수 없음은 물론 과실상계의 법리를 유추적용하여 그 담보책임을 감경할 수도 없는 것이 원칙이지만, 다만 담보권리자의 고의 또는 과실로 손해가 야기되는 등의 구체적인 사정에 비추어 담보권리자의 권리 행사가 신의칙 또는 형평의 원칙에 반하는 경우에는 그 권리 행사의 전부 또는 일부가 제한될 수는 있다(대판 2002.5.24. 2000다72572).

⑤ 보증한도액이 정해진 계속적 보증계약의 경우 보증인이 사망하였다 하더라도 보증계약이 당연히 종료되는 것은 아니고 특별한 사정이 없는 한 상속인들이 보증인의 지위를 승계한다고 보아야 할 것이나, 보증기간과 보증한도액의 정함이 없는 계속적 보증계약의 경우에는 보증인이 사망하면 보증인의 지위가 상속인에게 상속된다고 할 수 없고, 다만 기왕에 발생된 보증채무만이 상속된다(대판 2002.5.12. 2000다47187).

25 **보증에 관한 다음 설명 중 가장 옳지 않은 것은?** ▶ 2020년 법무사

① 보증인의 출연행위 당시에는 주채무가 유효하게 존속하고 있었다 하더라도 그 후 주계약이 해제되어 소급적으로 소멸하는 경우에는 보증인은 변제를 수령한 채권자를 상대로 이미 이행한 급부를 부당이득으로 반환청구할 수 있다.

② 채무자의 채무불이행시의 손해배상의 범위에 관하여 채무자와 채권자 사이의 합의로 보증인의 관여 없이 그 손해배상 예정액이 결정되었다고 하더라도, 보증인으로서는 위 합의로 결정된 손해배상 예정액이 채무불이행으로 인하여 채무자가 부담할 손해배상 책임의 범위를 초과하지 아니한 한도 내에서만 보증책임이 있다.

정답 24 ② 25 ④

③ 채권자와 주채무자 사이의 확정판결에 의하여 주채무가 확정되어 그 소멸시효기간이 10년으로 연장되었다 할지라도 그 보증채무까지 당연히 단기소멸시효의 적용이 배제되어 10년의 소멸시효기간이 적용되는 것은 아니다.

④ 확정채무에 대한 연대보증인이더라도 그 채무의 이행기가 연장된 데에 대해 그가 동의한 바 없다면 원래 이행기가 경과한 후 연대보증인으로서의 채무를 부담하지 아니한다.

⑤ 일반적으로 계속적 거래의 도중에 매수인을 위하여 보증의 범위와 기간의 정함이 없이 보증인이 된 자는 특별한 사정이 없는 한 계약일 이후에 발생되는 채무뿐 아니라 계약일 현재 이미 발생된 채무도 보증하는 것으로 보는 것이 상당하다.

해설 ① 보증채무는 주채무와 동일한 내용의 급부를 목적으로 함이 원칙이지만 주채무와는 별개 독립의 채무이고, 한편 보증채무자가 주채무를 소멸시키는 행위는 주채무의 존재를 전제로 하므로, 보증인의 출연행위 당시에는 주채무가 유효하게 존속하고 있었다 하더라도 그 후 주계약이 해제되어 소급적으로 소멸하는 경우에는 보증인은 변제를 수령한 채권자를 상대로 이미 이행한 급부를 부당이득으로 반환청구할 수 있다(대판 2004.12.24, 2004다20265).

② 보증인은 특별한 사정이 없는 한 채무자가 채무불이행으로 인하여 부담하여야 할 손해배상채무에 관하여도 보증책임을 진다고 할 것이고, 따라서 보증인으로서는 채무자의 채무불이행으로 인한 채권자의 손해를 배상할 책임이 있다고 할 것이나, 원래 보증인의 의무는 보증계약 성립 후 채무자가 한 법률행위로 인하여 확장, 가중되지 아니하는 것이 원칙이므로, 채무자의 채무불이행시의 손해배상의 범위에 관하여 채무자와 채권자 사이의 합의로 보증인의 관여 없이 그 손해배상 예정액이 결정되었다고 하더라도, 보증인으로서는 위 합의로 결정된 손해배상 예정액이 채무불이행으로 인하여 채무자가 부담할 손해배상 책임의 범위를 초과하지 아니한 한도 내에서만 보증책임이 있다(대판 1996.2.9, 94다38250).

③ 채권자와 주채무자 사이의 확정판결에 의하여 주채무가 확정되어 그 소멸시효기간이 10년으로 연장되었다 할지라도 그 보증채무까지 당연히 단기소멸시효의 적용이 배제되어 10년의 소멸시효기간이 적용되는 것은 아니고, 채권자와 연대보증인 사이에 있어서 연대보증채무의 소멸시효기간은 여전히 종전의 소멸시효기간에 따른다(대판 2006.8.24, 2004다26287·26294).

④ 채무가 특정되어 있는 확정채무에 대하여 연대보증한 이상, 연대보증인으로서는 자신의 동의 없이 피보증채무의 이행기를 연장해 주었느냐의 여부에 상관없이 그 연대보증 채무를 부담한다(대판 1995.10.13, 94다4882).

⑤ 일반적으로 계속적 거래의 도중에 매수인을 위하여 보증의 범위와 기간의 정함이 없이 보증인이 된 자는 특별한 사정이 없는 한 계약일 이후에 발생되는 채무뿐 아니라 계약일 현재 이미 발생된 채무도 보증하는 것으로 보는 것이 상당하다(대판 1995.9.15, 94다41485).

26 보증채무에 관한 다음 설명 중 옳은 것을 모두 고른 것은? (다툼이 있는 경우 판례에 의하고, 전원합의체 판결의 경우 다수의견에 의함) ▶ 2019년 법원행시

> ㄱ. 불확정한 다수의 채무에 대하여 보증하는 경우 보증하는 채무의 최고액을 서면으로 특정하여야 한다.
> ㄴ. 회사의 임원이나 직원의 지위에 있었기 때문에 부득이 회사와 제3자 사이의 계속적 거래에서 발생하는 회사의 채무를 연대보증한 사람이 그 후 회사에서 퇴직하여 임직원의 지위에서 떠난 경우, 연대보증인은 특별한 사정이 없는 한 연대보증계약을 일방적으로 해지할 수 있다.
> ㄷ. 민법 제428조의2 제1항 전문은 "보증은 그 의사가 보증인의 기명날인 또는 서명이 있는 서면으로 표시되어야 효력이 발생한다."라고 규정하고 있는데, 이때 '보증인의 서명'을 타인이 대신 쓰는 것이나 '보증인의 기명날인'을 타인이 대행하는 것은 허용되지 않는다.
> ㄹ. 보증채무는 주채무와는 별개의 채무이기 때문에 보증채무 자체의 이행지체로 인한 지연손해금은 보증의 한도액과는 별도로 부담하여야 한다.
> ㅁ. 보증인이 보증채무를 이행한 경우에도 보증인의 기명날인 또는 서명이 있는 서면으로 보증의 의사가 표시되지 아니하였다면 보증의 무효를 주장할 수 있다.

① ㄱ, ㄴ, ㄷ   ② ㄴ, ㄷ, ㄹ   ③ ㄷ, ㄹ, ㅁ
④ ㄱ, ㄴ, ㅁ   ⑤ ㄱ, ㄴ, ㄹ

해설

ㄱ. ㅁ.
> **제428조의3 【근보증】**
> ① 보증은 불확정한 다수의 채무에 대해서도 할 수 있다. 이 경우 보증하는 채무의 최고액을 서면으로 특정하여야 한다.
> ② 제1항의 경우 채무의 최고액을 제428조의2 제1항에 따른 서면으로 특정하지 아니한 보증계약은 효력이 없다.
>
> **제428조의2 【보증의 방식】**
> ① 보증은 그 의사가 보증인의 기명날인 또는 서명이 있는 서면으로 표시되어야 효력이 발생한다. 다만, 보증의 의사가 전자적 형태로 표시된 경우에는 효력이 없다.
> ② 보증채무를 보증인에게 불리하게 변경하는 경우에도 제1항과 같다.
> ③ 보증인이 보증채무를 이행한 경우에는 그 한도에서 제1항과 제2항에 따른 방식의 하자를 이유로 보증의 무효를 주장할 수 없다.

ㄴ. 회사의 임원이나 직원의 지위에 있기 때문에 회사의 요구로 부득이 회사와 제3자 사이의 계속적 거래로 인한 회사의 채무에 대하여 보증인이 된 자가 그 후 회사로부터 퇴사하여 임원이나 직원의 지위를 떠난 때에는 보증계약성립 당시의 사정에 현저한 변경이 생긴 경우에 해당하여 사정변경을 이유로 보증계약을 해지할 수 있다(대판 2002.2.26, 2000다48265).

정답 ▶ **26 ⑤**

ㄷ. 민법 제428조의2 제1항 전문은 "보증은 그 의사가 보증인의 기명날인 또는 서명이 있는 서면으로 표시되어야 효력이 발생한다."라고 규정하고 있는데, 보증인의 서명은 원칙적으로 보증인이 직접 자신의 이름을 쓰는 것을 의미하므로 타인이 보증인의 이름을 대신 쓰는 것은 이에 해당하지 않지만, 보증인의 기명날인은 타인이 이를 대행하는 방법으로 하여도 무방하다(대판 2019.3.14, 2018다282473).

ㄹ. 보증채무는 주채무와는 별개의 채무이기 때문에 보증채무 자체의 이행지체로 인한 지연손해금은 보증한도액과는 별도로 부담하고(대판 2006.7.27, 2004다30675), 이 경우 보증채무의 연체이율에 관하여 특별한 약정이 없는 경우라면 그 거래행위의 성질에 따라 상법 또는 민법에서 정한 법정이율에 따라야 하며, 주채무에 관하여 약정된 연체이율이 당연히 여기에 적용되는 것은 아니지만, 특별한 약정이 있다면 이에 따라야 한다(대판 2005.6.23, 2005다18955 ; 대판 2000.4.11, 99다12123).

27 보증에 관한 다음 설명 중 가장 옳지 않은 것은? ▸2021년 법원서기보

① 보증인은 특별한 사정이 없는 한 채무자가 채무불이행으로 인하여 부담하여야 할 손해배상채무와 원상회복의무에 관하여도 보증책임을 진다.

② 채권자는 보증계약을 체결할 때 보증계약의 체결 여부 또는 그 내용에 영향을 미칠 수 있는 주채무자의 채무 관련 신용정보를 보유하고 있거나 알고 있는 경우에는 보증인에게 그 정보를 알려야 할 의무가 있다.

③ 보증인 보호를 위한 특별법 제7조 제1항에 따르면 보증기간의 약정이 없는 때에는 그 기간을 3년으로 보는데, 여기에서 말하는 보증기간은 특별한 사정이 없는 한 주채무의 발생기간이 아니라 보증채무의 존속기간을 의미한다.

④ 보증채무는 주채무에 대한 부종성 또는 수반성이 있어서 주채무자에 대한 채권이 이전되면 당사자 사이에 별도의 특약이 없는 한 보증인에 대한 채권도 함께 이전하고, 이 경우 채권양도의 대항요건도 주채권의 이전에 관하여 구비하면 족하고, 별도로 보증채권에 관하여 대항요건을 갖출 필요는 없다.

해설 ① 보증인은 특별한 사정이 없는 한 채무자가 채무불이행으로 인하여 부담하여야 할 손해배상채무와 원상회복의무에 관하여도 보증책임을 진다(대판 2012.5.24, 2011다109586).

② 제436조의2 제1항【채권자의 정보제공의무와 통지의무 등】채권자는 보증계약을 체결할 때 보증계약의 체결 여부 또는 그 내용에 영향을 미칠 수 있는 주채무자의 채무 관련 신용정보를 보유하고 있거나 알고 있는 경우에는 보증인에게 그 정보를 알려야 한다. 보증계약을 갱신할 때에도 또한 같다.

③ 보증인 보호를 위한 특별법(이하 '보증인보호법'이라 한다)은 보증에 관하여 민법에 대한 특례를 규정함으로써 아무런 대가 없이 호의로 이루어지는 보증인의 경제적·정신적 피해를 방지하고, 금전채무에 대한 합리적인 보증계약의 관행을 확립함으로써 신용사회 정착에 이바지함을 목적으로 한다(제1조). 보증계약을 체결할 때에는 보증채무 최고액을 서면으로 특정해야 하고(제4조, 제6조), 보증기간의 약정이 없는 때에는 그 기간을 3년으로 보고(제7조 제1항), 보증기간은 갱신할 수 있되 보증기간의 약정이 없는 때에는 계약체결 시의 보증기간을 그 기간으로

본다(제7조 제2항). 이러한 규정들의 내용과 체계, 입법 목적 등에 비추어 보면, 보증인보호법 제7조 제1항의 취지는 보증채무의 범위를 특정하여 보증인을 보호하는 것이다. 따라서 이 규정에서 정한 '보증기간'은 특별한 사정이 없는 한 보증인이 보증책임을 부담하는 주채무의 발생기간이라고 해석함이 타당하고, 보증채무의 존속기간을 의미한다고 볼 수 없다(대판 2020.7.23, 2018다42231).

④ 보증채무는 주채무에 대한 부종성 또는 수반성이 있어서 주채무자에 대한 채권이 이전되면 당사자 사이에 별도의 특약이 없는 한 보증인에 대한 채권도 함께 이전하고, 이 경우 채권양도의 대항요건도 주채권의 이전에 관하여 구비하면 족하고, 별도로 보증채권에 관하여 대항요건을 갖출 필요는 없다(대판 2002.9.10, 2002다21509).

28 보증에 관한 다음 설명 중 가장 옳은 것은?   ▶2021년 법무사

① 보증은 그 의사가 보증인의 기명날인 또는 서명이 있는 서면으로 표시되어야 효력이 발생하므로 작성된 서면에 최소한 '보증인' 또는 '보증한다'라는 문언의 기재가 있어야 한다.

② 보증서의 보증금액은 보증인이 보증책임을 지게 될 주채무에 관한 한도액을 정한 것으로서 그 한도액에는 주채무의 원금 및 이에 대한 이자, 지연손해금과 보증채무 자체의 이행지체로 인한 지연손해금이 모두 포함되므로 그 합계액이 보증의 한도액을 초과해서는 안된다.

③ 채권자와 주채무자 사이의 확정판결에 의하여 상사채무인 주채무가 확정되어 그 소멸시효기간이 10년으로 연장되었다면 채권자와 연대보증인 사이에 있어서 연대보증채무의 소멸시효기간도 10년으로 연장된다.

④ 채권자가 보증인에게 채무의 이행을 청구한 때에는 보증인은 주채무자의 변제자력이 있다는 점 및 그 집행이 용이하다는 점을 증명하여 먼저 주채무자에게 청구할 것과 그 재산에 대하여 집행할 것을 항변할 수 있고, 단순히 주채무자에게 먼저 청구할 것을 항변할 수는 없다.

⑤ 보증채무의 연체이율에 관하여 특별한 약정이 없으면 주채무에 관하여 약정된 연체이율이 적용된다.

해설 ① '보증인 보호를 위한 특별법' 제3조 제1항은 "보증은 그 의사가 보증인의 기명날인 또는 서명이 있는 서면으로 표시되어야 효력이 발생한다."고 정한다. 이와 같이 보증의 의사표시에 보증인의 기명날인 또는 서명이 있는 서면을 요구하는 것은, 한편으로 그 의사가 명확하게 표시되어서 보증의 존부 및 내용에 관하여 보다 분명한 확인수단이 보장되고, 다른 한편으로 보증인으로 하여금 가능한 한 경솔하게 보증에 이르지 아니하고 숙고의 결과로 보증을 하도록 하려는 취지에서 나온 것이다. 따라서 보증의 의사표시에 관하여 법률행위의 해석에 관한 일반 법리가 적용됨은 물론이나, 거기에서 더 나아가 위의 법규정이 정하는 방식이 준수되었는지 여부는 위와 같은 취지를 충족하는지 여부에 좇아 판단할 것이다. 그리고 이를 판단함에 있어서는 작성된 서면의 내용 및 그 체제 또는 형식, 보증에 이르게 된 경위, 주채무의 종류 또는 내용, 당사자 사이의 관계, 종전 거래의 내용이나 양상 등을 종합적으로 고려할 것이다. 그렇다면 위 법규정이 '보증의 의사'가 일정한 서면으로 표시되는 것을 정할 뿐이라는 점 등을 고려할 때, 작성된 서면에 반드시 '보증인' 또는 '보증한다'라는 문언의 기재가 있을 것이 요구되지는 아니한다고 봄이 상당하다(대판 2013.6.27. 2013다23372).

② 보증서의 보증금액은 보증인이 보증책임을 지게 될 주채무에 관한 한도액을 정한 것으로서 한도액에는 주채무자의 채권자에 대한 원금과 이자 및 지연손해금이 모두 포함되고 합계액이 보증의 한도액을 초과할 수 없지만, 보증채무는 주채무와는 별개의 채무이기 때문에 보증채무 자체의 이행지체로 인한 지연손해금은 보증의 한도액과는 별도로 부담하여야 하고, 이때 보증채무의 연체이율에 관하여 특별한 약정이 없는 경우라면 거래행위의 성질에 따라 상법 또는 민법에서 정한 법정이율에 따라야 한다(대판 2016.1.28. 2013다74110).

③ 채권자와 주채무자 사이의 확정판결에 의하여 주채무가 확정되어 그 소멸시효기간이 10년으로 연장되었다 할지라도 그 보증채무까지 당연히 단기소멸시효의 적용이 배제되어 10년의 소멸시효기간이 적용되는 것은 아니고, 채권자와 연대보증인 사이에 있어서 연대보증채무의 소멸시효기간은 여전히 종전의 소멸시효기간에 따른다(대판 2006.8.24. 2004다26287·26294).

④ 민법 제437조 본문에 의하면 채권자가 보증인에게 채무의 이행을 청구한 때에는 보증인은 주채무자의 변제자력이 있는 사실 및 그 집행이 용이할 것을 증명하여 먼저 주채무자에게 청구할 것과 그 재산에 대하여 집행할 것을 항변할 수 있다고 규정하므로, 보증인의 최고와 검색의 항변권은 보증인이 주채무자에게 변제자력이 있고 집행이 용이한 사실을 입증할 때에 성립될 수 있고, 단순히 주채무자에게 먼저 청구할 것을 항변할 수 없다고 할 것이다(대판 1968.9.24. 68다1271).

⑤ 보증채무는 주채무와는 별개의 채무이기 때문에 보증채무 자체의 이행지체로 인한 지연손해금은 보증한도액과는 별도로 부담하고, 이 경우 보증채무의 연체이율에 관하여 특별한 약정이 있으면 그에 따르고, 특별한 약정이 없는 경우라면 그 거래행위의 성질에 따라 상법 또는 민법에서 정한 법정이율에 따라야 할 것이고, 주채무에 관하여 약정된 연체이율이 당연히 여기에 적용되는 것은 아니다(대판 2003.6.13. 2001다29803).

29 보증인의 구상권에 관한 다음 설명 중 옳은 것을 모두 고른 것은? ▶ 2022년 법원행시

ㄱ. 수탁보증인의 사전구상권과 사후구상권은 그 종국적 목적과 사회적 효용을 같이하는 공통성을 가지고 있으므로, 사후구상권이 발생하면 목적달성 여부를 불문하고 사전구상권은 소멸한다.

ㄴ. 수탁보증인이 주채무자에 대하여 가지는 민법 제442조의 사전구상권을 자동채권으로 하는 상계는 원칙적으로 허용된다.

ㄷ. 사후구상권은 보증인이 채무자에 갈음하여 변제 등 자신의 출연으로 채무를 소멸시켰다고 하는 사실에 의하여 발생한다.

ㄹ. 원칙적으로 수탁보증인의 사전구상권에 관한 민법 제442조는 물상보증인에게 적용되므로 물상보증인은 사전구상권을 행사할 수 있다.

ㅁ. 타인의 채무를 담보하기 위하여 그 소유의 부동산에 저당권을 설정한 물상보증인이 타인의 채무를 변제하거나 저당권의 실행으로 저당물의 소유권을 잃은 때에는 채무자에 대하여 구상권을 취득한다.

ㅂ. 기존 채무가 동일성을 유지하면서 인수 당시의 상태로 종래의 채무자로부터 인수인에게 이전하는 면책적 채무인수는 구상권 취득의 요건인 '채무의 변제'에 해당하므로, 채무인수의 대가로 기존 채무자가 물상보증인에게 어떤 급부를 하기로 약정하였다는 등의 사정이 없더라도, 물상보증인은 기존 채무자의 채무를 면책적으로 인수함으로써 기존 채무자에 대하여 구상권을 가진다.

① ㄷ, ㅁ ② ㄷ, ㄹ, ㅁ ③ ㄱ, ㄷ, ㄹ, ㅂ
④ ㄴ, ㄷ, ㅂ ⑤ ㄹ, ㅁ

해설 ㄱ. ㄷ. 수탁보증인의 사전구상권과 사후구상권은 종국적 목적과 사회적 효용을 같이하는 공통성을 가지고 있으나, 사후구상권은 보증인이 채무자에 갈음하여 변제 등 자신의 출연으로 채무를 소멸시켰다고 하는 사실에 의하여 발생하는 것이고, 이에 대하여 사전구상권은 그 외의 민법 제442조 제1항 소정의 사유나 약정으로 정한 일정한 사실에 의하여 발생하는 등 발생원인을 달리하고 법적 성질도 달리하는 별개의 독립된 권리이므로, 사후구상권이 발생한 이후에도 사전구상권은 소멸하지 아니하고 병존하며, 다만 목적달성으로 일방이 소멸하면 타방도 소멸하는 관계에 있을 뿐이다(대판 2019.2.14, 2017다274703).

ㄴ. 항변권이 붙어 있는 채권을 자동채권으로 하여 다른 채무(수동채권)와의 상계를 허용한다면 상계자 일방의 의사표시에 의하여 상대방의 항변권 행사의 기회를 상실시키는 결과가 되므로 그러한 상계는 허용될 수 없고, 특히 수탁보증인이 주채무자에 대하여 가지는 민법 제442조의 사전구상권에는 민법 제443조의 담보제공청구권이 항변권으로 부착되어 있는 만큼 이를 자동채권으로 하는 상계는 원칙적으로 허용될 수 없다(대판 2019.2.14, 2017다274703).

ㄹ. 민법 제370조에 의하여 민법 제341조가 저당권에 준용되는데, 민법 제341조는 타인의 채무를 담보하기 위한 저당권설정자가 그 채무를 변제하거나 저당권의 실행으로 인하여 저당물의 소유권을 잃은 때에 채무자에 대하여 구상권을 취득한다고 규정하여 물상보증인의 구상권 발생 요건을 보증인의 경우와 달리 규정하고 있는 점, 물상보증은 채무자 아닌 사람이 채무자를 위하여 담보물을 설정하는 행위이고 채무자를 대신해서 채무를 이행하는 사무의 처리를 위탁받는 것이 아니므로 물상보증인은 담보물로서 물적 유한책임만을 부담할 뿐 채권자에 대하여 채무를 부담하는 것이 아닌 점, 물상보증인이 채무자에게 구상할 구상권의 범위는 특별한 사정이 없는 한 채무를 변제하거나 담보권의 실행으로 담보물의 소유권을 상실하게 된 시점에 확정된다는 점 등을 종합하면, 원칙적으로 수탁보증인의 사전구상권에 관한 민법 제442조는 물상보증인에게 적용되지 아니하고 물상보증인은 사전구상권을 행사할 수 없다(대판 2009.7.23, 2009다19802・19819).

ㅁ.ㅂ. 타인의 채무를 담보하기 위하여 그 소유의 부동산에 저당권을 설정한 물상보증인이 타인의 채무를 변제하거나 저당권의 실행으로 저당물의 소유권을 잃은 때에는 채무자에 대하여 구상권을 취득한다(민법 제370조, 제341조). 그런데 구상권 취득의 요건인 '채무의 변제'라 함은 채무의 내용인 급부가 실현되고 이로써 채권이 그 목적을 달성하여 소멸하는 것을 의미

정답 29 ①

하므로, 기존 채무가 동일성을 유지하면서 인수 당시의 상태로 종래의 채무자로부터 인수인에게 이전할 뿐 기존 채무를 소멸시키는 효력이 없는 면책적 채무인수는 설령 이로 인하여 기존 채무자가 채무를 면한다고 하더라도 이를 가리켜 채무가 변제된 경우에 해당한다고 할 수 없다. 따라서 채무인수의 대가로 기존 채무자가 물상보증인에게 어떤 급부를 하기로 약정하였다는 등의 사정이 없는 한 물상보증인이 기존 채무자의 채무를 면책적으로 인수하였다는 것만으로 물상보증인이 기존 채무자에 대하여 구상권 등의 권리를 가진다고 할 수 없다(대판 2019.2.14, 2017다274703).

30

甲에 대한 乙의 3,000만원의 금전채무에 대하여 丙과 丁이 연대보증인(각 전액보증, 내부적 부담부분 각 1,500만원)이 된 경우에 관한 다음 설명 중 가장 옳은 것은? ▸ 2022년 법무사

① 甲의 丙에 대한 채권포기는 乙에게는 그 효력이 미치지 않지만 丁에게는 미친다.
② 丙이 甲으로부터 청구를 받은 경우, 丙이 乙에게 변제자력이 있는 사실 및 그 집행이 용이할 것을 증명하면 甲은 우선 乙에게 청구하여야 한다.
③ 丙이 3,000만원을 甲에게 변제한 경우 丙은 乙에 대하여는 구상할 수 있지만 丁에 대하여 구상할 수는 없다.
④ 甲이 丙에 대한 연대보증채권을 피보전권리로 하여 丙 소유의 부동산에 가압류를 하더라도 乙에 대한 채권의 소멸시효는 중단되지 않는다.
⑤ 丙은 乙이 甲에 대하여 가지는 채권에 의한 상계를 가지고 甲에게 대항할 수 없다.

해설 ① ⅰ) 연대보증인이라고 할지라도 주채무자에 대하여는 보증인에 불과하므로 연대채무에 관한 면제의 절대적 효력을 규정한 민법 제419조의 규정은 주채무자와 보증인 사이에는 적용되지 아니하는 것이니, 채권자가 연대보증인에 대하여 그 채무의 일부 또는 전부를 면제하였다 하더라도 그 면제의 효력은 주채무자에 대하여 미치지 아니한다. 또한 ⅱ) 수인의 연대보증인이 있는 경우, 연대보증인들 사이에 연대관계의 특약이 있는 경우가 아니면 채권자가 연대보증인의 1인에 대하여 채무의 전부 또는 일부를 면제하더라도 다른 연대보증인에 대하여는 그 효력이 미치지 아니한다(대판 1992.9.25, 91다37553). → 甲의 丙에 대한 채권포기는 乙에게 그 효력이 미치지 않고 丁에게도 미치지 않는다.
② 연대보증의 경우에는 보충성이 없다. 따라서 연대보증인은 최고·검색의 항변권을 갖지 못한다(제437조 단서). → 甲은 丙의 최고·검색의 항변에 따라 乙에게 우선 청구해야 하는 것이 아니다.
③ 주채무자와 연대로 채무를 부담한 경우에 어느 보증인이 자기의 부담부분을 넘은 변제를 한 때에는 제425조 내지 제427조(=연대채무의 구상)의 규정을 준용한다(제448조 제2항). → 丙은 丁에 대하여도 구상할 수 있다.
④ 보증채무에 대한 소멸시효가 중단되었다고 하더라도 이로써 주채무에 대한 소멸시효가 중단되는 것은 아니고, 주채무가 소멸시효 완성으로 소멸된 경우에는 보증채무도 그 채무 자체의 시효 중단에 불구하고 부종성에 따라 당연히 소멸된다(대판 2002.5.14, 2000다62476). → 연대보증인 丙에 대한 소멸시효가 중단되었더라도 주채무자 乙에 대한 소멸시효는 중단되지 않는다.
⑤ 보증인은 주채무자의 채권에 의한 상계로 채권자에게 대항할 수 있다(제434조). → 연대보증인 丙은 주채무자 乙이 甲에 대하여 가지는 채권에 의한 상계를 가지고 甲에게 대항할 수 있다.

31 甲이 乙로부터 2억원을 차용하면서 丙이 乙에게 위 차용금에 대하여 보증채무를 부담하게 되었고 丁은 위 차용금의 담보로 자기 소유의 X토지(시가 3억원) 위에 저당권을 설정해 주었다. 이에 관한 다음 설명 중 옳은 것은 모두 몇 개인가? ▸ 2023년 법원행시

> ㄱ. 丙의 보증채무는 甲의 주채무와는 별개의 채무이기 때문에 보증채무 자체의 이행지체로 인한 지연손해금은 보증한도액과는 별도로 부담하고, 이 경우 보증채무의 연체이율에 관하여 특별한 약정이 없는 경우라면 그 거래행위의 성질에 따라 상법 또는 민법에서 정한 법정이율에 따라야 하며, 주채무에 관하여 약정된 연체이율이 당연히 여기에 적용되는 것은 아니지만, 특별한 약정이 있다면 이에 따라야 한다.
>
> ㄴ. 乙은 보증계약을 체결할 때 보증계약의 체결 여부 또는 그 내용에 영향을 미칠 수 있는 甲의 채무 관련 신용정보를 보유하고 있거나 알고 있는 경우에는 丙에게 그 정보를 알려야 한다. 같은 취지로, 乙은 丁에게도 甲의 신용 상태를 고지할 신의칙상 의무를 부담한다.
>
> ㄷ. 조세채권도 사법상 일반 금전채권과 그 성질이 유사하므로, 사법상의 계약에 의하여 조세채무를 부담하거나 이것을 보증하게 하여 이들로부터 일반채권의 행사 방법에 의하여 조세채권의 궁극적 만족을 실현하는 것도 허용될 수 있다 할 것이다.
>
> ㄹ. 丁이 그 피담보채무의 부존재 또는 소멸을 이유로 제기한 저당권설정등기 말소등기절차이행청구소송에서 乙이 청구기각의 판결을 구하고 피담보채권의 존재를 주장하였다면 피담보채권의 소멸시효에 관하여 규정한 민법 제168조 제1호 소정의 '청구'에 해당한다.
>
> ㅁ. 보증계약 체결 후 乙이 丙의 승낙 없이 甲에 대하여 변제기를 연장하여 주는 것은 丙의 책임을 가중하는 것이라고 볼 수 있으므로 보증채무에 대하여 그 효력이 미치지 않는다.

① 1개   ② 2개   ③ 3개
④ 4개   ⑤ 5개

해설 ※ 옳은 것은 ㄱ. 1개이다.

    ㄱ. 보증채무는 주채무와는 별개의 채무이기 때문에 보증채무 자체의 이행지체로 인한 지연손해금은 보증한도액과는 별도로 부담하고(대판 2006.7.27, 2004다30675), 이 경우 보증채무의 연체이율에 관하여 특별한 약정이 없는 경우라면 그 거래행위의 성질에 따라 상법 또는 민법에서 정한 법정이율에 따라야 하며, 주채무에 관하여 약정된 연체이율이 당연히 여기에 적용되는 것은 아니지만, 특별한 약정이 있다면 이에 따라야 한다(대판 2005.6.23, 2005다18955 ; 대판 2000.4.11, 99다12123).

    ㄴ. ① 제436조의2 제1항【채권자의 정보제공의무와 통지의무 등】채권자는 보증계약을 체결할 때 보증계약의 체결 여부 또는 그 내용에 영향을 미칠 수 있는 주채무자의 채무 관련 신용

정보를 보유하고 있거나 알고 있는 경우에는 보증인에게 그 정보를 알려야 한다. 보증계약을 갱신할 때에도 또한 같다.

② 물상보증인은 채무자가 아니라 채무자를 위해 자기 소유의 부동산을 담보로 제공하는 사람이다. 물상보증인은 담보권의 실행으로 담보물의 소유권을 잃게 되면 채무자에 대한 구상권을 행사할 수 있다. 보증제도는 본질적으로 주채무자의 무자력에 따른 채권자의 위험을 인수하는 것이다. 이러한 사정을 고려하면 물상보증인이 주채무자의 자력에 대하여 조사한 다음 계약을 체결할 것인지 여부를 스스로 결정해야 하고, 채권자가 물상보증인에게 주채무자의 신용 상태를 고지할 신의칙상 의무는 존재하지 않는다(대판 2020.10.15, 2017다254051).

③ 결국 채권자 乙은 보증인 丙에게 甲의 신용상태를 고지할 의무를 부담하지만, 물상보증인 丁에게는 甲의 신용상태를 고지할 신의칙상 의무를 부담하지 않는다.

ㄷ. 조세채권은 국세징수법에 의하여 우선권 및 자력집행권 등이 인정되는 권리로서 사적 자치가 인정되는 사법상의 채권과 그 성질을 달리할 뿐 아니라, 부당한 조세징수로부터 국민을 보호하고 조세부담의 공평을 기하기 위하여 그 성립과 행사는 법률에 의해서만 가능하고 법률의 규정과 달리 당사자가 그 내용 등을 임의로 정할 수 없으며, 조세채무관계는 공법상의 법률관계로서 그에 관한 쟁송은 원칙적으로 행정소송법의 적용을 받고, 조세는 공익성과 공공성 등의 특성을 갖는다는 점에서도 사법상의 채권과 구별된다. 따라서 조세에 관한 법률이 아닌 사법상 계약에 의하여 납세의무 없는 자에게 조세채무를 부담하게 하거나 이를 보증하게 하여 이들로부터 조세채권의 종국적 만족을 실현하는 것은 앞서 본 조세의 본질적 성격에 반할 뿐 아니라 과세관청이 과세징수상의 편의만을 위해 법률의 규정 없이 조세채권의 성립 및 행사 범위를 임의로 확대하는 것으로서 허용될 수 없다(대판 2017.8.29, 2016다224961).

ㄹ. 타인의 채무를 담보하기 위하여 자기의 물건에 담보권을 설정한 물상보증인은 채권자에 대하여 물적 유한책임을 지고 있어 그 피담보채권의 소멸에 의하여 직접 이익을 받는 관계에 있으므로 소멸시효의 완성을 주장할 수 있는 것이지만, 채권자에 대하여는 아무런 채무도 부담하고 있지 아니하므로, 물상보증인이 그 피담보채무의 부존재 또는 소멸을 이유로 제기한 저당권설정등기 말소등기절차이행청구소송에서 채권자 겸 저당권자가 청구기각의 판결을 구하고 피담보채권의 존재를 주장하였다고 하더라도 이로써 직접 채무자에 대하여 재판상 청구를 한 것으로 볼 수는 없는 것이므로 피담보채권의 소멸시효에 관하여 규정한 민법 제168조 제1호 소정의 '청구'에 해당하지 아니한다(대판 2004.1.16, 2003다30890).

ㅁ. 보증계약 체결 후 채권자가 보증인의 승낙 없이 주채무자에 대하여 변제기를 연장하여 준 경우, 그것이 반드시 보증인의 책임을 가중하는 것이라고는 할 수 없으므로 원칙적으로 보증채무에 대하여도 그 효력이 미친다(대판 1996.2.23, 95다49141).

32 수인의 채권자와 채무자에 관한 다음 설명 중 가장 옳지 않은 것은? ▶2024년 법원행시

① 여러 사람이 공동임대인으로서 임차인과 사이에 하나의 임대차계약을 체결한 경우에는 민법 제547조 제1항의 적용을 배제하는 특약이 있다는 등의 특별한 사정이 없는 한 공동임대인 전원의 해지의 의사표시에 의하여 임대차계약 전부를 해지하여야 한다. 이러한 법리는 임대차계약의 체결 당시부터 공동임대인이었던 경우뿐만 아니라 임대차목적물 중 일부가 양도되어 그에 관한 임대인의 지위가 승계됨으로써 공동임대인으로 되는 경우에도 마찬가지로 적용된다.

② 여러 명의 연대채무자 또는 연대보증인에 대하여 따로따로 소송이 제기되는 등으로 그 판결에 의하여 확정된 채무원본이나 지연손해금의 금액과 이율 등이 서로 달라지게 되어 원금이나 지연손해금에 채무자들이 공동으로 부담하는 부분과 공동으로 부담하지 않는 부분이 생긴 경우, 어느 채무자가 채무 일부를 변제한 때에는 그 변제자가 부담하는 채무 중 공동으로 부담하지 않는 부분의 채무 변제에 우선 충당되고 그 다음 공동 부담 부분의 채무 변제에 충당된다.

③ 수인의 채권자에게 금전채권이 불가분적으로 귀속되는 경우에, 불가분채권자들 중 1인을 집행채무자로 한 압류 및 전부명령이 이루어지면 그 불가분채권자의 채권은 전부채권자에게 이전되고, 그 압류 및 전부명령은 집행채무자가 아닌 다른 불가분채권자에게 효력이 미치므로, 다른 불가분채권자는 모든 채권자를 위하여 채무자에게 불가분채권 전부의 이행을 청구할 수 없다.

④ 주채무에 대한 소멸시효가 완성되어 보증채무가 소멸된 상태에서 보증인이 보증채무를 이행하거나 승인하였다고 하더라도, 주채무자가 아닌 보증인의 행위에 의하여 주채무에 대한 소멸시효 이익 포기 효과가 발생된다고 할 수 없다.

⑤ 수명이 공동으로 법률상 원인 없이 타인의 재산을 사용한 경우의 부당이득의 반환채무는 특별한 사정이 없는 한 불가분적 이득의 상환으로서 불가분채무라 할 것이고, 불가분채무는 각 채무자가 채무 전부를 이행할 의무가 있고 1인의 채무이행으로 다른 채무자도 그 의무를 면하게 되는 점에 있어서 연대채무와 그 내용이 동일하다 할 것이다.

해설 ① 민법 제547조 제1항은 "당사자의 일방 또는 쌍방이 수인인 경우에는 계약의 해지나 해제는 그 전원으로부터 또는 전원에 대하여 하여야 한다."라고 규정하고 있으므로, 여러 사람이 공동임대인으로서 임차인과 하나의 임대차계약을 체결한 경우에는 민법 제547조 제1항의 적용을 배제하는 특약이 있다는 등의 특별한 사정이 없는 한 공동임대인 전원의 해지의 의사표시에 따라 임대차계약 전부를 해지하여야 한다. 이러한 법리는 임대차계약의 체결 당시부터 공동임대인이었던 경우뿐만 아니라 임대차목적물 중 일부가 양도되어 그에 관한 임대인의 지위가 승계됨으로써 공동임대인으로 되는 경우에도 마찬가지로 적용된다(대판 2015.10.29, 2012다5537).

② 연대채무자 또는 연대보증인 중 1인이 채무의 일부를 변제한 경우에 당사자 사이에 특별한 합의가 없는 한 그 변제된 금액은 민법 제479조의 법정충당 순서에 따라 비용, 이자, 원본의 순서로 충당되어야 하므로 지연손해금 채무가 원본채무보다 먼저 충당된다. 한편 여러 명의

정답 ▷ 32 ③

연대채무자 또는 연대보증인에 대하여 따로따로 소송이 제기되는 등으로 그 판결에 의하여 확정된 채무원본이나 지연손해금의 금액과 이율 등이 서로 달라지게 되어 원금이나 지연손해금에 채무자들이 공동으로 부담하는 부분과 공동으로 부담하지 않는 부분이 생긴 경우에 어느 채무자가 채무 일부를 변제한 때에는 그 변제자가 부담하는 채무 중 공동으로 부담하지 않는 부분의 채무 변제에 우선 충당되고 그 다음 공동 부담 부분의 채무 변제에 충당된다. 그리고 채권의 목적을 달성시키는 변제와 같은 사유는 연대채무자 또는 연대보증채무자 전원에 대하여 절대적 효력을 가지므로 어느 채무자의 변제 등으로 다른 채무자와 공동으로 부담하는 부분의 채무가 소멸되면 그 채무소멸의 효과는 다른 채무자 전원에 대하여 미친다(대판 2013.3.14. 2012다85281).

③ 수인의 채권자에게 금전채권이 불가분적으로 귀속되는 경우에, 불가분채권자들 중 1인을 집행채무자로 한 압류 및 전부명령이 이루어지면 그 불가분채권자의 채권은 전부채권자에게 이전되지만, 그 압류 및 전부명령은 집행채무자가 아닌 다른 불가분채권자에게 효력이 없으므로 다른 불가분채권자의 채권의 귀속에 변경이 생기는 것은 아니다. 따라서 다른 불가분채권자는 모든 채권자를 위하여 채무자에게 불가분채권 전부의 이행을 청구할 수 있고, 채무자는 모든 채권자를 위하여 다른 불가분채권자에게 전부를 이행할 수 있다. 이러한 법리는 불가분채권의 목적이 금전채권인 경우 그 일부에 대하여만 압류 및 전부명령이 이루어진 경우에도 마찬가지이다(대판 2023.3.30. 2021다264253).

④ 보증채무에 대한 소멸시효가 중단되는 등의 사유로 완성되지 아니하였다고 하더라도 주채무에 대한 소멸시효가 완성된 경우에는 시효완성 사실로써 주채무가 당연히 소멸되므로 보증채무의 부종성에 따라 보증채무 역시 당연히 소멸된다. 그리고 주채무에 대한 소멸시효가 완성되어 보증채무가 소멸된 상태에서 보증인이 보증채무를 이행하거나 승인하였다고 하더라도, 주채무자가 아닌 보증인의 행위에 의하여 주채무에 대한 소멸시효 이익의 포기 효과가 발생된다고 할 수 없으며, 주채무의 시효소멸에도 불구하고 보증채무를 이행하겠다는 의사를 표시한 경우 등과 같이 부종성을 부정하여야 할 다른 특별한 사정이 없는 한 보증인은 여전히 주채무의 시효소멸을 이유로 보증채무의 소멸을 주장할 수 있다고 보아야 한다(대판 2012.7.12. 2010다51192).

⑤ 수인이 공동으로 법률상 원인 없이 타인의 재산을 사용한 경우의 부당이득의 반환채무는 특별한 사정이 없는 한 불가분적 이득의 상환으로서 불가분채무라 할 것이고, 불가분채무는 각 채무자가 채무 전부를 이행할 의무가 있고 1인의 채무이행으로 다른 채무자도 그 의무를 면하게 되는 점에 있어서 연대채무와 그 내용이 동일한 것이다(대판 1981.8.20. 80다2587).

33 다음 설명 중 가장 옳지 않은 것은?

▶ 2024년 법원사무관 승진

① 민법 제428조의2 제1항 전문은 "보증은 그 의사가 보증인의 기명날인 또는 서명이 있는 서면으로 표시되어야 효력이 발생한다."라고 규정하고 있는데, '보증인의 서명'은 원칙적으로 보증인이 직접 자신의 이름을 쓰는 것을 의미하므로 타인이 보증인의 이름을 대신 쓰는 것은 이에 해당하지 않지만, '보증인의 기명날인'은 타인이 이를 대행하는 방법으로 하여도 무방하다.

② 보증보험이란 피보험자와 어떠한 법률관계를 가진 보험계약자의 채무불이행으로 인하여 피보험자가 입게 될 손해의 전보를 보험자가 인수하는 것을 내용으로 하는 손해보험으로서, 형식적으로는 보험계약자인 채무자의 채무불이행을 보험사고로 하는 보험계약이나 실질적으로는 보증의 성격을 가지고 보증계약과 같은 효과를 목적으로 하는 것이므로, 보증보험계약의 성질에 반하지 않는 한 민법의 보증에 관한 규정이 준용되는데, 주채무자인 보험계약자에 대한 소멸시효의 중단 효과가 보험자에게도 미친다고 보더라도, 일반적으로 보험계약자가 주계약에 따른 채무를 이행하지 아니함으로써 피보험자가 입게 되는 손해를 약관에 따라 보험계약금액 범위 내에서 보상하는 보증보험계약의 성질을 해한다고 볼 수 없으므로, 보증보험계약에도 주채무자에 대한 시효중단의 효과에 관한 민법 제440조가 준용된다고 보아야 한다.

③ '보증인 보호를 위한 특별법'에 의하면, 보증기간의 약정이 없는 때에는 그 기간을 3년으로 보고(제7조 제1항), 그 취지는 보증채무의 범위를 특정하여 보증인을 보호하는 것이므로, 위 규정에서 정한 '보증기간'은 특별한 사정이 없는 한 보증채무의 존속기간을 의미한다.

④ 민법 제169조는 "시효의 중단은 당사자 및 그 승계인 간에만 효력이 있다."고 규정하고 있고, 한편 민법 제440조는 "주채무자에 대한 시효의 중단은 보증인에 대하여 그 효력이 있다."라고 규정하고 있는바, 민법 제440조는 민법 제169조의 예외 규정으로서 이는 채권자 보호 내지 채권담보의 확보를 위하여 주채무자에 대한 시효중단의 사유가 발생하였을 때는 그 보증인에 대한 별도의 중단조치가 이루어지지 아니하여도 동시에 시효중단의 효력이 생기도록 한 것이고, 그 시효중단사유가 압류, 가압류 및 가처분이라고 하더라도 이를 보증인에게 통지하여야 비로소 시효중단의 효력이 발생하는 것은 아니다.

해설 ① 대판 2019.3.14, 2018다282473

② 보증보험이란 피보험자와 어떠한 법률관계를 가진 보험계약자의 채무불이행으로 인하여 피보험자가 입게 될 손해의 전보를 보험자가 인수하는 것을 내용으로 하는 손해보험으로서, 형식적으로는 보험계약자인 채무자의 채무불이행을 보험사고로 하는 보험계약이나 실질적으로는 보증의 성격을 가지고 보증계약과 같은 효과를 목적으로 하는 것이므로, 보증보험계약의 성질에 반하지 않는 한 민법의 보증에 관한 규정이 준용되는데, 주채무자인 보험계약자에 대한 소멸시효의 중단 효과가 보험자에게도 미친다고 보더라도, 일반적으로 보험계약자가 주계약에 따른 채무를 이행하지 아니함으로써 피보험자가 입게 되는 손해를 약관에 따라 보험계약금액 범위 내에서 보상하는 보증보험계약의 성질을 해한다고 볼 수 없으므로, **보증보험계약에도 주채무자에 대한 시효중단의 효과에 관한 민법 제440조가 준용된다**고 보아야 한다(대판 2011.11.10, 2011다62090). → 보증보험의 피보험자인 甲 주식회사의 보험금청구권이 시효로 소멸하였는지 문제된 사안에서, 甲 회사가 보험계약 주채무자인 乙을 상대로 손해배상청구소송을 제기함으로써 丙 보증보험 주식회사에 대한 보험금청구권의 소멸시효 진행도 중단되었다고 본 사례이다.

정답 33 ③

③ 보증인 보호를 위한 특별법(이하 '보증인보호법'이라 한다)은 보증에 관하여 민법에 대한 특례를 규정함으로써 아무런 대가 없이 호의로 이루어지는 보증인의 경제적·정신적 피해를 방지하고, 금전채무에 대한 합리적인 보증계약의 관행을 확립함으로써 신용사회 정착에 이바지함을 목적으로 한다(제1조). 보증계약을 체결할 때에는 보증채무 최고액을 서면으로 특정해야 하고(제4조, 제6조), 보증기간의 약정이 없는 때에는 그 기간을 3년으로 보고(제7조 제1항), 보증기간은 갱신할 수 있되 보증기간의 약정이 없는 때에는 계약체결 시의 보증기간을 그 기간으로 본다(제7조 제2항). 이러한 규정들의 내용과 체계, 입법 목적 등에 비추어 보면, 보증인보호법 제7조 제1항의 취지는 **보증채무의 범위**를 **특정**하여 보증인을 보호하는 것이다. 따라서 이 규정에서 정한 '**보증기간**'은 특별한 사정이 없는 한 **보증인이 보증책임을 부담하는 주채무의 발생기간**이라고 **해석함이 타당하고, 보증채무의 존속기간을 의미한다고 볼 수 없다**(대판 2020.7.23, 2018다42231).

④ 민법 **제169조**는 '시효의 중단은 당사자 및 그 승계인 간에만 효력이 있다.'고 규정하고 있고, 한편 민법 **제440조**는 '주채무자에 대한 시효의 중단은 보증인에 대하여 그 효력이 있다.'라고 규정하고 있는바, 민법 **제440조**는 민법 **제169조의 예외 규정**으로서 이는 채권자 보호 내지 **채권담보의 확보**를 위하여 주채무자에 대한 시효중단의 사유가 발생하였을 때는 그 보증인에 대한 별도의 중단조치가 이루어지지 아니하여도 동시에 시효중단의 효력이 생기도록 한 것이고, 그 **시효중단사유가 압류, 가압류 및 가처분이라고 하더라도 이를 보증인에게 통지하여야 비로소 시효중단의 효력이 발생하는 것은 아니다**(대판 2005.10.27, 2005다35554).

34 보증에 관한 다음 설명 중 가장 옳지 않은 것은? ▸2024년 법무사

① 주채무에 대한 소멸시효가 완성되어 보증채무가 소멸된 상태에서 보증인이 보증채무를 이행하거나 승인하였다고 하더라도, 주채무자가 아닌 보증인의 행위에 의하여 주채무에 대한 소멸시효 이익의 포기 효과가 발생된다고 할 수 없다.

② 채권자와 주채무자 사이의 확정판결에 의하여 주채무가 확정되어 그 소멸시효기간이 10년으로 연장되었다면, 그 보증채무까지도 당연히 단기소멸시효의 적용이 배제되어 10년의 소멸시효기간이 적용된다고 보는 것이 보증채무의 성질에 부합한다.

③ 민법 제440조는 "주채무자에 대한 시효의 중단은 보증인에 대하여 그 효력이 있다."라고 규정하고 있는바, 민법 제440조는 시효중단에 관한 민법 제169조의 예외 규정으로서 이는 채권자 보호 내지 채권담보의 확보를 위하여 주채무자에 대한 시효중단의 사유가 발생하였을 때는 그 보증인에 대한 별도의 중단조치가 이루어지지 아니하여도 동시에 시효중단의 효력이 생기도록 한 것이고, 그 시효중단사유가 압류, 가압류 및 가처분이라고 하더라도 이를 보증인에게 통지하여야 비로소 시효중단의 효력이 발생하는 것은 아니다.

④ 수탁보증인의 사전구상권과 사후구상권은 종국적 목적과 사회적 효용을 같이하는 공통성을 가지고 있으나, 그 발생원인을 달리하고 법적 성질도 달리하는 별개의 독립된 권리이므로, 사후구상권이 발생한 이후에도 사전구상권은 소멸하지 아니하고 병존하며, 다만 목적달성으로 일방이 소멸하면 타방도 소멸하는 관계에 있을 뿐이다.

⑤ 어느 연대채무자나 어느 불가분채무자를 위하여 보증인이 된 자의 다른 연대채무자나 다른 불가분채무자에 대한 구상권에 관한 규정인 민법 제447조는 연대채무자 모두를 위하여 물상보증인이 된 자가 그 연대채무자의 1인에 대하여 구상권을 행사하는 경우에는 적용될 여지가 없다.

해설 ① 보증채무에 대한 소멸시효가 중단되는 등의 사유로 완성되지 아니하였다고 하더라도 주채무에 대한 소멸시효가 완성된 경우에는 시효완성 사실로써 주채무가 당연히 소멸되므로 보증채무의 부종성에 따라 보증채무 역시 당연히 소멸된다. 그리고 주채무에 대한 소멸시효가 완성되어 보증채무가 소멸된 상태에서 보증인이 보증채무를 이행하거나 승인하였다고 하더라도, 주채무자가 아닌 보증인의 행위에 의하여 주채무에 대한 소멸시효 이익의 포기 효과가 발생된다고 할 수 없으며, 주채무의 시효소멸에도 불구하고 보증채무를 이행하겠다는 의사를 표시한 경우 등과 같이 부종성을 부정하여야 할 다른 특별한 사정이 없는 한 보증인은 여전히 주채무의 시효소멸을 이유로 보증채무의 소멸을 주장할 수 있다고 보아야 한다(대판 2012.7.12, 2010다51192).

② 채권자와 주채무자 사이의 확정판결에 의하여 주채무가 확정되어 그 소멸시효기간이 10년으로 연장되었다 할지라도 그 보증채무까지 당연히 단기소멸시효의 적용이 배제되어 10년의 소멸시효기간이 적용되는 것은 아니고, 채권자와 연대보증인 사이에 있어서 연대보증채무의 소멸시효기간은 여전히 종전의 소멸시효기간에 따른다(대판 2006.8.24, 2004다26287·26294).

③ 민법 제169조는 '시효의 중단은 당사자 및 그 승계인 간에만 효력이 있다.'고 규정하고 있고, 한편 민법 제440조는 '주채무자에 대한 시효의 중단은 보증인에 대하여 그 효력이 있다.'라고 규정하고 있는바, 민법 제440조는 민법 제169조의 예외 규정으로서 이는 채권자 보호 내지 채권담보의 확보를 위하여 주채무자에 대한 시효중단의 사유가 발생하였을 때는 그 보증인에 대한 별도의 중단조치가 이루어지지 아니하여도 동시에 시효중단의 효력이 생기도록 한 것이고, 그 시효중단사유가 압류, 가압류 및 가처분이라고 하더라도 이를 보증인에게 통지하여야 비로소 시효중단의 효력이 발생하는 것은 아니다(대판 2005.10.27, 2005다35554).

④ 수탁보증인의 사전구상권과 사후구상권은 종국적 목적과 사회적 효용을 같이하는 공통성을 가지고 있으나, 사후구상권은 보증인이 채무자에 갈음하여 변제 등 자신의 출연으로 채무를 소멸시켰다고 하는 사실에 의하여 발생하는 것이고, 이에 대하여 사전구상권은 그 외의 민법 제442조 제1항 소정의 사유나 약정으로 정한 일정한 사실에 의하여 발생하는 등 발생원인을 달리하고 법적 성질도 달리하는 별개의 독립된 권리이므로, 사후구상권이 발생한 이후에도 사전구상권은 소멸하지 아니하고 병존하며, 다만 목적달성으로 일방이 소멸하면 타방도 소멸하는 관계에 있을 뿐이다(대판 2019.2.14, 2017다274703).

⑤ 민법 제447조(어느 연대채무자나 어느 불가분채무자를 위하여 보증인이 된 자는 다른 연대채무자나 다른 불가분채무자에 대하여 그 부담부분에 한하여 구상권이 있다)는 어느 연대채무자나 어느 불가분채무자를 위하여 보증인이 된 자의 다른 연대채무자나 다른 불가분채무자에 대한 구상권에 관한 규정에 불과하므로 연대채무자 모두를 위하여 물상보증인이 된 자가 그 연대채무자의 1인에 대하여 구상권을 행사하는 경우에는 적용될 여지가 없다(대판 1990.11.13, 90다카26065). → 결국 어느 연대채무자에게나 출연액 전부에 대하여 구상권을 갖는다.

정답 34 ②

35 **수인의 채권자 및 채무자에 관한 다음 설명 중 가장 옳지 않은 것은?** ▶ 2024년 법무사

① 공유물 무단 점유자에 대한 차임 상당 부당이득반환청구권은 특별한 사정이 없는 한 각 공유자에게 지분 비율만큼 귀속된다.

② 민법 제428조의2 제1항 전문은 "보증은 그 의사가 보증인의 기명날인 또는 서명이 있는 서면으로 표시되어야 효력이 발생한다."라고 규정하고 있는데, '보증인의 서명'은 원칙적으로 보증인이 직접 자신의 이름을 쓰는 것을 의미하므로 타인이 보증인의 이름을 대신 쓰는 것은 이에 해당하지 않지만, '보증인의 기명날인'은 타인이 이를 대행하는 방법으로 하여도 무방하다.

③ 부진정연대채무자 중 1인이 자신의 채권자에 대한 반대채권으로 상계를 한 경우, 채권자가 상계 내지 상계계약이 이루어질 당시 다른 부진정연대채무자의 존재를 알았던 경우에 한하여 그 상계로 인한 채무소멸의 효력이 소멸한 채무 전액에 관하여 다른 부진정연대채무자에 대하여도 미친다고 보아야 한다.

④ 여러 사람이 공동임대인으로서 임차인과 하나의 임대차계약을 체결한 경우에는 민법 제547조 제1항의 적용을 배제하는 특약이 있다는 등의 특별한 사정이 없는 한 공동임대인 전원의 해지의 의사표시에 따라 임대차계약 전부를 해지하여야 하고, 이러한 법리는 임대차계약의 체결 당시부터 공동임대인이었던 경우뿐만 아니라 임대차목적물 중 일부가 양도되어 그에 관한 임대인의 지위가 승계됨으로써 공동임대인으로 되는 경우에도 마찬가지로 적용된다.

⑤ 어느 연대채무자가 다른 연대채무자에게 통지하지 아니하고 변제 기타 자기의 출재로 공동면책이 된 경우에 다른 연대채무자가 채권자에게 대항할 수 있는 사유가 있었을 때에는 그 부담부분에 한하여 이 사유로 면책행위를 한 연대채무자에게 대항할 수 있고, 그 대항사유가 상계인 때에는 상계로 소멸할 채권은 그 연대채무자에게 이전된다.

해설 ① 공유물 무단 점유자에 대한 차임 상당 부당이득반환청구권은 특별한 사정이 없는 한 각 공유자에게 지분 비율만큼 귀속된다(대판 2021.12.16. 2021다257255). → ※ [보충] : 토지공유자는 특별한 사정이 없는 한 그 지분에 대응하는 비율의 범위 내에서만 그 차임상당의 부당이득금반환의 청구권을 행사할 수 있다(대판 1979.1.30. 78다2088).

② 민법 제428조의2 제1항 전문은 "보증은 그 의사가 보증인의 기명날인 또는 서명이 있는 서면으로 표시되어야 효력이 발생한다."라고 규정하고 있는데, 보증인의 서명은 원칙적으로 보증인이 직접 자신의 이름을 쓰는 것을 의미하므로 타인이 보증인의 이름을 대신 쓰는 것은 이에 해당하지 않지만, 보증인의 기명날인은 타인이 이를 대행하는 방법으로 하여도 무방하다(대판 2019.3.14. 2018다282473).

③ 부진정연대채무자 중 1인이 자신의 채권자에 대한 반대채권으로 상계를 한 경우에도 채권은 변제, 대물변제, 또는 공탁이 행하여진 경우와 동일하게 현실적으로 만족을 얻어 그 목적을 달성하는 것이므로, 그 상계로 인한 채무소멸의 효력은 소멸한 채무 전액에 관하여 다른 부진정연대채무자에 대하여도 미친다고 보아야 한다. 이는 부진정연대채무자 중 1인이 채권자와 상계계약을 체결한 경우에도 마찬가지이다. 나아가 이러한 법리는 채권자가 상계 내지 상계계약이 이루어질 당시 다른 부진정연대채무자의 존재를 알았는지 여부에 의하여 좌우되지 아니한다(대판(전합) 2010.9.16. 2008다97218).

④ 민법 제547조 제1항은 "당사자의 일방 또는 쌍방이 수인인 경우에는 계약의 해지나 해제는 그 전원으로부터 또는 전원에 대하여 하여야 한다."라고 규정하고 있으므로, 여러 사람이 공동임대인으로서 임차인과 하나의 임대차계약을 체결한 경우에는 민법 제547조 제1항의 적용을 배제하는 특약이 있다는 등의 특별한 사정이 없는 한 공동임대인 전원의 해지의 의사표시에 따라 임대차계약 전부를 해지하여야 한다. 이러한 법리는 임대차계약의 체결 당시부터 공동임대인이었던 경우뿐만 아니라 임대목적물 중 일부가 양도되어 그에 관한 임대인의 지위가 승계됨으로써 공동임대인으로 되는 경우에도 마찬가지로 적용된다(대판 2015.10.29. 2012다5537).

⑤ 제426조 제1항

36 **다음 중 그 액수가 가장 큰 것은?** (다툼이 있는 경우 판례에 의하고, 전원합의체 판결의 경우 다수의 견에 의함. 각 지문은 상호 독립적임) ▶ 2019년 법원행시

① 甲과 乙이 A에 대하여 고의의 공동불법행위에 의한 1천만원의 손해배상채무를 지고 있는데, 乙이 A에 대하여 가지고 있는 임금채권 4백만원으로 대등액에서 상계하기로 하는 상계계약을 체결한 경우, 남게 되는 甲의 채무액

② 피용자 甲이 A에 대하여 불법행위로 1천만원의 손해배상채무를 지고, 甲의 사용자 乙은 A와의 관계에서 과실상계에 의해 7백만원의 손해배상채무를 지고 있는데, 甲이 3백만원을 A에게 변제한 경우, 남게 되는 乙의 채무액

③ 甲과 乙이 A에 대하여 공동불법행위에 의한 2,400만원의 손해배상채무를 지고 있는데 (甲과 乙의 내부적 부담부분 비율은 2:1), 甲의 사용자 丙이 A에게 2,400만원을 변제한 경우, 丙의 乙에 대한 구상가능액

④ 甲이 乙에게 1천만원을 빌려주면서, 이를 담보하기 위해 乙소유의 X토지에 저당권을 설정하고, 그 외에 乙의 채무에 대한 보증인으로 丙을 두었는데, 乙이 X토지를 丁에게 양도하고 丁이 甲에게 1천만원을 변제한 경우, 丁의 丙에 대한 대위가능액

⑤ 甲은 3천만원의 현금재산을 가지고 있고(다른 증여재산 또는 채무는 없음), 그 상속인으로 자녀 乙, 丙, 丁만이 있는데, 甲이 사망하면서 위 재산 3천만원 전부를 乙에게 유증한 경우, 丙의 유류분액

해설 ① ⅰ) 甲과 乙은 공동불법행위자들로서 그들의 A에 대한 손해배상채무는 부진정연대채무의 관계에 있고, 상계계약의 경우에는 제497조의 제한은 문제되지 않는다. 한편 ⅱ) 부진정연대채무자 중 1인이 자신의 채권자에 대한 반대채권으로 상계를 한 경우에도 채권은 변제, 대물변제, 또는 공탁이 행하여진 경우와 동일하게 현실적으로 만족을 얻어 그 목적을 달성하는 것이므로, 그 상계로 인한 채무소멸의 효력은 소멸한 채무 전액에 관하여 다른 부진정연대채무자에 대하여도 미친다고 보아야 한다. 이는 부진정연대채무자 중 1인이 채권자와 상계계약을 체결한 경우에도 마찬가지이다. 나아가 이러한 법리는 채권자가 상계 내지 상계계약이 이루어질 당시 다른 부진정연대채무자의 존재를 알았는지 여부에 의하여 좌우되지 아니한다(대판(전) 2010.9.16. 2008다97218). 따라서 乙이 A에 대하여 가지고 있는 임금채권 4백만원으로 1천만원의 손해

배상채무와 대등액에서 상계하기로 하는 상계계약을 체결한 경우, 다른 부진정연대채무자 甲에게도 채무소멸의 효력이 미치므로, 결국 甲의 채무액은 6백만원이 남게 된다.

② ⅰ) 피용자 甲과 사용자 乙은 부진정연대채무를 지는 관계에 있다. 한편 ⅱ) 부진정연대채무 관계에 있는 다액채무자가 일부 변제를 하는 경우 그 변제로 인하여 먼저 소멸하는 부분은 당사자의 의사와 채무 전액의 지급을 확실히 확보하려는 부진정연대채무 제도의 취지에 비추어 볼 때 다액채무자가 단독으로 채무를 부담하는 부분으로 보아야 한다. 이러한 법리는 사용자의 손해배상액의 범위가 피해자의 과실을 참작하여 과실상계를 한 결과 타인에게 직접 손해를 가한 피용자 자신의 손해배상액과 달라졌는데 다액채무자인 피용자가 손해배상액의 일부를 변제한 경우에 적용되고, 공동불법행위자들의 피해자에 대한 과실비율이 달라 손해배상액의 범위가 달라졌는데 다액채무자인 공동불법행위자가 손해배상액의 일부를 변제한 경우에도 적용된다(대판(전합) 2018.3.22, 2012다74236). 따라서 다액의 채무인 1천만원의 손해배상채무를 지는 피용자 甲이 3백만원을 A에게 변제한 경우, 그 변제로 인하여 甲이 단독으로 채무를 부담하는 부분인 3백만원이 먼저 소멸하므로 사용자 乙의 채무가 소멸하는 부분은 없다. 결국 乙의 채무액은 그대로 7백만원이 남게 된다.

③ 피용자와 제3자가 공동불법행위로 피해자에게 손해를 가하여 그 손해배상채무를 부담하는 경우에 피용자와 제3자는 공동불법행위자로서 서로 부진정연대관계에 있고, 한편 사용자의 손해배상책임은 피용자의 배상책임에 대한 대체적 책임이어서 사용자도 제3자와 부진정연대관계에 있다고 보아야 할 것이므로, 사용자가 피용자와 제3자의 책임비율에 의하여 정해진 피용자의 부담부분을 초과하여 피해자에게 손해를 배상한 경우에는 사용자는 제3자에 대하여도 구상권을 행사할 수 있으며, 그 구상의 범위는 제3자의 부담부분에 국한된다고 보는 것이 타당하다(대판(전) 1992.6.23, 91다33070). 따라서 甲과 乙이 A에 대하여 공동불법행위에 의한 2,400만원의 손해배상채무를 지고 있는데(甲과 乙의 내부적 부담부분 비율은 2:1), 피용자 甲의 사용자 丙이 A에게 2,400만원을 변제한 경우, 丙은 제3자인 乙의 부담부분인 8백만원(2,400만원 × 1/3)의 범위에서 구상권을 행사할 수 있다.

④ 제3취득자는 보증인에 대하여 채권자를 대위하지 못한다(제482조 제2항 제2호). 따라서 甲의 저당권이 설정된 채무자 乙의 X토지를 취득한 丁은 채무를 변제하더라도 보증인 丙을 상대로 채권자를 대위하지 못하는바, 결국 丁의 丙에 대한 대위가능액은 없다.

⑤ 유류분권자의 유류분액은 유류분산정의 기초 재산에 그 상속인의 유류분 비율을 곱하여 계산한다(유류분 = 유류분 산정의 기초재산 × 유류분 비율). 이 경우 ⅰ) 유류분 산정의 기초재산은 피상속인의 상속개시 시에 있어서 가진 재산의 가액에 증여재산의 가액을 가산하고 채무의 전액을 공제(유류분 산정의 기초가 되는 재산 = 피상속인이 상속개시 시에 가진 재산가액 + 증여재산 가액 − 채무전액)하여 이를 산정한다(제1113조 제1항). 한편 ⅱ) 유류분 비율은 당해 상속인의 법정상속분에 그의 유류분율을 곱하여 산정(유류분 비율 = 당해 상속인의 법정상속분 × 그의 유류분율)하고, 직계비속의 유류분율은 그 법정상속분의 2분의 1이다(제1112조 제1호). 따라서 사안의 경우 다른 증여재산 또는 채무는 없다고 하였으므로, 유류분 산정의 기초재산은 3천만원이고, 그 상속인으로 자녀 乙, 丙. 丁의 법정상속분은 각 1/3이 된다. 또한 유류분율은 법정상속분의 1/2이 되므로, 결국 丙의 유류분액은 '3천만원 × 1/2 × 1/3 = 5백만원'이 된다.

심화문제 | 확인 · 보충 · 심화문제

01 다음 중 원칙적으로 연대채무 또는 부진정연대채무가 발생하는 경우를 모두 고른 것은?
(다툼이 있는 경우에는 판례에 의함)

> ㉠ 법인 대표자의 직무상 불법행위에 대한 법인과 대표자의 책임
> ㉡ 공동임차인들의 차임지급의무
> ㉢ 상사채무가 아닌 조합채무에 대한 조합원들의 개인책임
> ㉣ 공동상속인들의 건물철거의무
> ㉤ 일상가사로 인한 금전채무에 대한 부부의 책임
> ㉥ 금전채무를 상속한 공동상속인들의 책임

① ㉠, ㉡, ㉤
② ㉠, ㉢, ㉤
③ ㉠, ㉤, ㉥
④ ㉠, ㉡, ㉣, ㉤
⑤ ㉡, ㉢, ㉣, ㉥

해설 ㉠ 부진정연대채무에 해당한다.
　　 ㉡ 연대채무에 해당한다(제654조).
　　 ㉢ 분할채무에 해당한다. 조합채무에 대하여 조합원들은 손익분배비율에 따른 책임을 부담한다
　　　　(제711조). 그러나 조합채권자가 그 비율을 알지 못한 때에는 각 조합원들에게 균분하여 그
　　　　권리를 행사할 수 있다(제712조). 따라서 조합원들은 분할채무를 부담하는 것이 원칙이다. 판
　　　　례도 마찬가지이다.
　　 ㉣ 공동상속인들의 건물철거의무는 성질상 불가분채무이다. 공동상속인들의 건물철거의무는 그 성
　　　　질상 불가분채무이고 각자 그 지분의 한도 내에서 건물전체에 대한 철거의무를 지는 것이므로 공
　　　　동상속인의 일부만을 상대로 하여 건물전체의 철거를 청구할 수 있다(대판 1980.6.24, 80다756).
　　 ㉤ 연대채무에 해당한다(제832조).
　　 ㉥ 분할채무에 해당한다. 금전채무와 같이 급부의 내용이 가분인 채무가 공동상속된 경우, 이는
　　　　상속 개시와 동시에 당연히 법정상속분에 따라 공동상속인에게 분할되어 귀속되는 것이므로,
　　　　상속재산 분할의 대상이 될 여지가 없다(대판 1997.6.24, 97다8809).

정답　01 ①

02 **다음 기술 중 옳지 않은 것은?** (다툼이 있는 경우에는 판례에 의함)

① 甲, 乙이 丙에 대하여 1,000만원의 연대채무를 부담하고 있고(甲, 乙의 부담부분은 균등하다), 한편 甲은 丙에 대하여 800만원의 반대채권을 가지고 있는데, 甲이 상계할 수 있음에도 불구하고 상계를 하지 않는 경우, 乙은 500만원의 범위 내에서 甲의 丙에 대한 채권을 가지고 丙의 甲에 대한 채권과 상계할 수 있다.

② 甲, 乙이 丙에 대하여 기한이 없는 1,000만원의 연대채무를 부담하고 있는 경우에, 丙이 甲에게 이행청구를 하여 甲의 채무가 이행기가 도래하면 乙의 채무 역시 이행기가 도래한다.

③ 甲, 乙이 丙에 대하여 1,000만원의 연대채무를 부담하고 있는데(甲, 乙의 부담부분은 균등하다), 甲이 위 연대채무의 발생원인이었던 甲, 丙 사이의 원인계약을 丙의 기망행위를 이유로 적법하게 취소한 경우, 乙은 여전히 丙에 대해 1,000만원의 채무를 부담한다.

④ 甲이 丙에 대하여 1,000만원의 채무를 부담하고 있고, 乙이 이에 대해 연대보증채무를 부담하고 있는 경우, 본래 상사(商事)채권이었던 丙의 甲에 대한 채권이 甲과 丙 사이의 판결에 의해 확정됨으로써 소멸시효기간이 10년으로 변경되었다 하더라도, 본래 상사채무였던 乙의 丙에 대한 보증채무는 여전히 종전의 소멸시효기간에 따른다.

⑤ 甲, 乙이 중첩적 채무인수인으로서 丙에 대하여 1,000만원의 채무를 지고 있는 경우, 甲이 丙에 대한 800만원의 반대채권을 가지고 丙의 채권과 상계하였더라도, 乙의 丙에 대한 채무는 200만원으로 감축되지 않는다.

해설 ① 상계할 채권이 있는 연대채무자가 상계하지 아니한 때에는 그 채무자의 부담부분에 한하여 다른 연대채무자가 상계할 수 있다(제418조 제2항). 따라서 甲이 상계할 반대채권을 가지고 있음에도 상계를 하지 않고 있는 경우에는 다른 연대채무자 乙은 甲의 부담부분인 500만원 (부담부분이 동일하기 때문)에 한하여 甲의 채권으로 상계할 수 있다.

② 어느 연대채무자에 대한 이행청구는 다른 연대채무자에게도 효력이 있다(제416조). 따라서 이행청구로 인한 소멸시효 중단의 효과와 이행기 도래의 효과도 역시 절대적 효력을 가진다.

③ 어느 연대채무자에 대한 법률행위의 무효나 취소의 원인은 다른 연대채무자의 채무에 영향을 미치지 않는다(제415조). 따라서 甲과 丙 사이의 법률행위가 취소되더라도 乙의 채무에는 영향을 미치지 않는다.

④ 민법 제165조가 판결에 의하여 확정된 채권, 판결과 동일한 효력이 있는 것에 의하여 확정된 채권은 단기의 소멸시효에 해당한 것이라도 그 소멸시효는 10년으로 한다고 규정하는 것은 당해 판결 등의 당사자 사이에 한하여 발생하는 효력에 관한 것이고, 채권자와 주채무자 사이의 판결 등에 의해 채권이 확정되어 그 소멸시효가 10년으로 되었다 할지라도 위 당사자 이외의 채권자와 연대보증인 사이에 있어서는 위 확정판결 등은 그 시효기간에 대하여는 아무런 영향도 없고 채권자의 연대보증인의 연대보증채권의 소멸시효기간은 여전히 종전의 소멸시효기간에 따른다(대판 1985.11.25. 86다카1569).

⑤ 중첩적 채무인수의 경우, 판례는 채무자와 인수인 간에 주관적 공동관계가 있는지 여부에 따라 연대채무관계 또는 부진정연대채무관계로 파악하고 있다(이원설). 다만 일반적으로는 주관적 공동관계가 있는 연대채무로 보고 있다. 지문 사안의 경우 불분명하지만 연대채무로 보든 부진정연대채무로 보든, 상계의 절대적 효력을 인정함에는 차이가 없으므로, 상계권자인 甲의 상계로 인하여 丙의 乙에 대한 채권도 甲의 채권과 대등액에서 소멸된다고 할 것이다.

03 乙의 甲에 대한 1,000만원의 금전채무에 대하여 丙과 丁이 연대보증인이 된 경우(丙과 丁 사이에 특약은 없는 것으로 한다)에 관한 설명으로 옳은 것은? (다툼이 있는 경우에는 판례에 의함)

① 丙이 甲으로부터 이행청구를 받은 경우, 丙이 乙에게 집행이 용이한 재산이 있음을 증명하면 甲은 우선 乙에게 청구하여야 한다.

② 丙의 채무에 대한 시효중단의 사유가 있는 경우에 주채무까지 시효중단되지는 않는다.

③ 甲의 丁에 대한 채권포기는 乙이나 丙에게도 그 효력이 미친다.

④ 丙이 1,000만원을 甲에게 변제한 경우, 丙은 乙에 대하여 구상할 수 있지만 丁에 대하여는 구상할 수 없다.

⑤ 乙이 甲에 대하여 채권을 가지고 있더라도 丙은 이 채권에 의한 상계를 가지고 甲에게 대항할 수 없다.

해설 ① 연대보증의 경우에는 보충성이 없다. 따라서 연대보증인은 최고·검색의 항변권을 갖지 못한다(제437조 단서).

② 보증인에 관하여 생긴 사유는 원칙적으로 주채무자에게 그 효력이 없다(상대효). 다만, 채권을 만족시키는 사유(예 변제·대물변제·공탁·상계 등)는 당연히 주채무자에게 절대적 효력을 갖는다. 보증채무에 대한 소멸시효가 중단되었다고 하더라도 이로써 주채무에 대한 소멸시효가 중단되는 것은 아니고, 주채무가 소멸시효 완성으로 소멸된 경우에는 보증채무도 그 채무 자체의 시효중단에 불구하고 부종성에 따라 당연히 소멸된다(대판 2002.5.14, 2000다62476).

③ 주채무자에 관하여 생긴 사유는 원칙적으로 모두 연대보증인에게 효력이 미치지만, 연대보증인 1인에게 생긴 사유는 주채무자를 면책시키는 사유 이외에는 주채무자뿐만 아니라 다른 공동연대보증인에게도 영향이 없다.

④ 연대보증인이 자기의 부담부분을 넘은 변제를 한 때에는 연대채무자의 구상권 규정을 준용하므로, 다른 공동보증인에게 각자의 부담부분만큼 구상권을 행사할 수 있다.

> 제448조 제2항 【공동보증인간의 구상권】주채무가 불가분이거나 각 보증인이 상호연대로 또는 주채무자와 연대로 채무를 부담한 경우에 어느 보증인이 자기의 부담부분을 넘은 변제를 한 때에는 제425조 내지 제427조(= 연대채무의 구상규정)의 규정을 준용한다.

⑤ 제434조 【보증인과 주채무자 상계권】보증인은 주채무자의 채권에 의한 상계로 채권자에게 대항할 수 있다.

04 부진정연대채무에 관한 다음 설명 중 틀린 것은 모두 몇 개인가? (다툼이 있는 경우 판례에 의함)
▶ 2011년 법원행시

> ㉠ 부진정연대채무자 중 1인이 자신의 채권자에 대한 반대채권으로 상계를 한 경우 그 채무 소멸의 효력은 소멸한 채무전액에 관하여 다른 부진정연대채무자에 대하여도 미친다.

정답 ▶ 02 ⑤ 03 ② 04 ③

  ⓛ 위 채무 소멸의 효력은 채권자가 상계가 이루어질 당시 다른 부진정연대채무자의 존재를 알았는지 여부에 따라 달라질 수 있다.

  ⓒ 부진정연대채무자 중 1인이 채권자와 상계계약을 체결한 경우에도, 그 채무 소멸의 효력은 소멸한 채무 전액에 관하여 다른 부진정연대채무자에 대하여도 미친다.

  ⓔ 부진정연대채무에 있어 채무자 1인에 대한 이행의 청구가 있으면 다른 채무자에 대하여도 시효중단의 효과가 발생한다.

  ⓜ 부진정연대채무관계는 서로 별개의 원인으로 발생한 독립된 채무라 하더라도 가능하고, 양 채무의 발생원인, 채무의 액수 등이 반드시 서로 동일할 필요는 없다.

① 없다   ② 1개   ③ 2개
④ 3개   ⑤ 4개

해설 ㉠, ㉡, ㉢ 부진정연대채무자 중 1인이 자신의 채권자에 대한 반대채권으로 상계를 한 경우에도 채권은 변제, 대물변제, 또는 공탁이 행하여진 경우와 동일하게 현실적으로 만족을 얻어 그 목적을 달성하는 것이므로, 그 상계로 인한 채무소멸의 효력은 소멸한 채무 전액에 관하여 다른 부진정연대채무자에 대하여도 미친다고 보아야 한다. 이는 부진정연대채무자 중 1인이 채권자와 상계계약을 체결한 경우에도 마찬가지이다. 나아가 이러한 법리는 채권자가 상계 내지 상계계약이 이루어질 당시 다른 부진정연대채무자의 존재를 알았는지 여부에 의하여 좌우되지 아니한다(대판(전합) 2010.9.16, 2008다97218).

   ⓔ 제416조 진정연대채무는 이행청구에 절대적 효력이 인정되나, 부진정연대채무에 있어 채무자 1인에 대한 이행의 청구는 다른 채무자에 대하여 그 효력이 미치지 않는다(대판 1997.9.12, 95다42027).

   ⓜ 부진정연대채무 관계는 서로 별개의 원인으로 발생한 독립된 채무라 하더라도 동일한 경제적 목적을 가지고 있고 서로 중첩되는 부분에 관하여 일방의 채무가 변제 등으로 소멸할 경우 타방의 채무도 소멸하는 관계에 있으면 성립할 수 있고, 반드시 양 채무의 발생원인, 채무의 액수 등이 서로 동일할 것을 요한다고 할 수는 없다(대판 2009.3.26, 2006다47677).

05 다수당사자의 채권관계에 관한 설명 중 옳은 것(○)과 옳지 않은 것(×)을 바르게 표시한 것은? (다툼이 있는 경우에는 판례에 의함)

  ㄱ. 甲이 乙에게 토지를 매도하면서 그 토지에 설정된 丙의 저당권을 말소해 주기로 약정하였으나 乙이 甲에게 대금을 전부 지급하고 저당권이 말소되지 않은 상태로 위 토지의 소유권을 이전받았는데, 그 후 저당권자인 丙이 위 저당권의 실행을 위하여 경매를 신청하자 乙이 자신의 출재로 위 저당권의 피담보채무를 변제함으로써 저당권을 소멸시켰더라도, 乙이 위 토지를 매수할 당시에 저당권이 설정되어 있음을 알고 있었을 경우에는 매도인인 甲에 대하여 구상권을 행사할 수 없다.

ㄴ. 수인의 연대채무자 중 한 사람 소유의 부동산에 대하여 경매개시결정에 의해 그 부동산이 압류된 경우, 별다른 조치를 취하지 않더라도 다른 연대채무자들에 대한 시효의 진행도 중단된다.

ㄷ. 주채무자의 부탁을 받아 보증인으로 된 자가 주채무자에게 구상권을 행사하는 경우, 면책된 날 이후의 법정이자에 대해서는 구상권을 행사할 수 없다.

ㄹ. 甲이 丁은행으로부터 대출을 받음에 있어서 甲 자신이 실질상 주채무자이지만, 丁은행과 사이에 대출계약을 맺음에 있어서 편의상 丙을 주채무자, 甲과 乙을 연대보증인으로 하는 내용의 대출계약을 체결하였다고 하더라도, 그 후 甲이 위 대출금을 전부 변제하였다면 甲은 다른 연대보증인인 乙에 대하여 구상권을 행사할 수 있다.

① ㄱ (○), ㄴ (×), ㄷ (×), ㄹ (○) ② ㄱ (×), ㄴ (×), ㄷ (○), ㄹ (×)
③ ㄱ (○), ㄴ (○), ㄷ (×), ㄹ (○) ④ ㄱ (×), ㄴ (×), ㄷ (×), ㄹ (×)
⑤ ㄱ (○), ㄴ (○), ㄷ (○), ㄹ (×)

해설 ㄱ. 부동산의 매수인이 소유권을 보존하기 위하여 자신의 출재로 피담보채권을 변제함으로써 그 부동산에 설정된 저당권을 소멸시킨 경우에는, 매수인이 그 부동산 매수시 저당권이 설정되었는지의 여부를 알았든 몰랐든 간에 이와 관계없이 민법 제576조 제2항에 의하여 매도인에게 그 출재의 상환을 청구할 수 있다(대판 1996.4.12, 95다55245).

ㄴ. [1] 채권자의 신청에 의한 경매개시결정에 따라 연대채무자 1인의 소유 부동산이 압류된 경우, 이로써 위 채무자에 대한 채권의 소멸시효는 중단되지만, 압류에 의한 시효중단의 효력은 다른 연대채무자에게 미치지 아니하므로, 경매개시결정에 의한 시효중단의 효력을 다른 연대채무자에 대하여 주장할 수 없다.

[2] 채권자가 연대채무자 1인의 소유 부동산에 대하여 경매신청을 한 경우, 이는 최고로서의 효력을 가지고 있고, 연대채무자에 대한 이행청구는 다른 연대채무자에게도 효력이 있으므로, 채권자가 6월 내에 다른 연대채무자를 상대로 재판상 청구를 하였다면 그 다른 연대채무자에 대한 채권의 소멸시효가 중단되지만, 이로 인하여 중단된 시효는 위 경매절차가 종료된 때가 아니라 재판이 확정된 때로부터 새로 진행된다(대판 2001.8.21, 2001다22840).

ㄷ. 수탁보증인의 구상권은 연대채무자의 구상권을 준용한다(제441조 제2항, 제425조 제2항).

> 제425조 제2항 【출재채무자의 구상권】 전항의 구상권은 면책된 날 이후의 법정이자 및 피할 수 없는 비용 기타 손해배상을 포함한다.

ㄹ. 공동보증은 통상의 보증과 마찬가지로 주채무에 관하여 최종적인 부담을 지지 아니하고 전적으로 주채무의 이행을 담보하는 것이고(제428조), 공동보증인은 자기의 출재로 공동면책이 된 때에는 그 출재한 금액에 불구하고 주채무자에게 구상을 할 수 있는 것이므로(제441조 제1항, 제444조), 채권자에 대한 관계에서는 공동연대보증인이지만 내부관계에서는 실질상의 주채무자인 경우에 다른 연대보증인이 채권자에 대하여 그 보증채무를 변제한 때에 그 연대보증인은 실질상의 주채무자에 대하여 구상권을 행사할 수 있는 반면에 실질상의 주채무자인 연대보증인이 자기의 부담부분을 넘어서 그 보증채무를 변제한 경우에는 다른 연대보증인에 대하여 민법 제448조 제2항, 제425조에 따른 구상권을 행사할 수는 없다(대판 2004.9.24, 2004다27440).

정답 05 ④

06 다수당사자의 채권관계에 관한 설명 중 옳은 것을 모두 고른 것은? (다툼이 있는 경우 판례에 의함)

▶ 2015년 사법시험

> ㄱ. 甲, 乙, 丙은 공동의 불법행위로 丁에게 9,000만원의 부진정연대채무를 부담하고 있고 과실비율은 균등하다. 이 경우 甲의 보증인 戊가 5,000만원을 변제하였다면, 戊는 甲뿐만 아니라 乙, 丙에 대해서도 직접 구상권을 취득한다.
>
> ㄴ. 甲, 乙, 丙은 丁에게 9,000만원의 연대채무를 부담하고 있고 내부적인 부담비율은 균등하다. 그런데 丁이 사망하여 유일한 상속인인 甲이 丁을 상속하였다. 이 경우 乙, 丙은 甲에 대하여 아무런 채무도 부담하지 않는다.
>
> ㄷ. 丙은 乙의 부탁을 받지 않고 그와 아무런 법적 관계없이 甲과의 계약에 따라 乙의 甲에 대한 차용금 채무 1억원을 중첩적으로 인수하였다. 이후 甲이 乙을 상대로 대여금 반환청구의 소를 제기하였다면, 그 시효중단의 효력은 丙에게도 미친다.
>
> ㄹ. 甲, 乙, 丙은 공동의 과실로 교통사고를 발생시켜 丁에게 1억원의 손해를 입혔다. 甲, 乙, 丙의 과실 비율은 20:30:50인데, 甲이 위 1억원 전액을 丁에게 배상하였다면 乙과 丙은 甲에 대하여 8,000만원의 구상채무를 부담하며, 乙, 丙의 각 구상채무는 부진정연대의 관계에 있다.
>
> ㅁ. 甲, 乙, 丙은 丁에게 1억원의 연대채무를 부담하고 있고 내부적인 부담비율은 20:30:50이다. 그런데 甲이 丁에게 5,000만원의 채권을 취득하였고, 甲과 丁의 각 채무는 상계적상에 있으나 甲은 상계하지 않고 있다. 이 경우 乙은 2,000만원의 한도에서 甲이 丁에 대하여 가지는 위 채권으로 丁의 채권과 상계할 수 있다.

① ㄱ, ㅁ   ② ㄱ, ㄴ, ㅁ
③ ㄱ, ㄷ, ㄹ   ④ ㄴ, ㄷ, ㄹ
⑤ ㄱ, ㄷ, ㄹ, ㅁ

해설 ㄱ. 부진정연대채무자 중 1인을 위하여 보증인이 된 자가 그 채무를 변제한 경우, 다른 부진정연대채무자에 대하여 직접 구상권을 취득한다(대판 2010.5.27, 2009다85861).

ㄴ. 제420조 혼동의 부담부분형 절대효이다. 즉 연대채무자 중 1인이 채권자를 상속하여 혼동이 생긴 경우로, 혼동된 전액이 아니라 그 연대채무자의 부담부분에 한하여 다른 연대채무자의 채무도 소멸한다.

ㄷ. 아무런 법적 관계없는 자가 채무자의 부탁 없이 채무자의 채무에 대해서 병존적 채무인수를 한 경우에, 그 채무자와 인수인의 관계는 부진정연대채무관계이다. 따라서 부진정연대채무에서 이행청구에 의한 시효중단은 상대효에 불과하다(대판 2009.8.20, 2009다32409).

ㄹ. 수인의 공동불법행위자들의 다른 공동불법행위자에 대한 구상의무는 분할채무가 원칙이다(대판 2008.2.29, 2007다89494 등).

ㅁ. 제418조 제2항의 내용이다. 연대채무자 1인이 자신이 채권으로 채권자에게 상계권을 행사하지 않아 다른 연대채무자가 상계권을 행사한 경우에는 그 연대채무자의 부담부분에 한하여 가능하다.

07 보증채무에 관한 설명 중 옳은 것을 모두 고른 것은? (다툼이 있는 경우 판례에 의함)

▸ 2015년 변호사

> ㄱ. 보증채무에 대한 소멸시효가 중단되었더라도 이로써 주채무에 대한 소멸시효가 중단
>   되는 것은 아니다.
> ㄴ. 주채무가 소멸시효 완성으로 소멸된 경우 보증채무도 그 자체의 시효중단에 불구하
>   고 당연히 소멸된다.
> ㄷ. 보증채무자는 보증채무 자체의 이행지체로 인한 지연손해금에 대하여는 보증한도액
>   과 별도로 이를 부담한다.
> ㄹ. 보증채무의 연체이율에 관하여 특별한 약정이 없으면 주채무에 관하여 약정된 연체
>   이율이 적용된다.

① ㄱ, ㄴ
② ㄱ, ㄴ, ㄷ
③ ㄱ, ㄷ, ㄹ
④ ㄴ, ㄷ, ㄹ
⑤ ㄱ, ㄴ, ㄷ, ㄹ

해설 ㄱ. ㄴ 주채무에 대한 시효중단사유는 보증채무에 영향을 주나, 반대로 보증채무에 대한 소멸시
      효가 중단되었더라도 이로써 주채무에 대한 소멸시효가 중단되는 것은 아니다. 그리고 보증
      채무의 부종성에 비추어, 주채무가 소멸시효 완성으로 소멸된 경우 보증채무도 그 자체의
      시효중단에 불구하고 당연히 소멸된다(대판 2002.5.14, 2000다62476).
     ㄷ. 보증채무는 독립성이 있기 때문에 보증채무자는 보증채무 자체의 이행지체로 인한 지연손해
      금에 대하여는 보증한도액과 별도로 이를 부담한다(대판 2006.7.4, 2004다30675).
     ㄹ. 보증채무의 연체이율에 관하여 특별한 약정이 없으면 주채무에 관하여 약정된 연체이율이
      당연히 적용되는 것이 아니다(대판 2014.3.13, 2013다205693 등).

정답 06 ①   07 ②

기본문제 | 기본문제의 구성

01 절 **계약의 성립**

01 **계약의 성립에 관한 다음 설명 중 옳지 않은 것은?** (다툼이 있는 경우 판례에 의함)

① 승낙자가 청약에 대하여 조건을 붙이거나 변경을 가하여 승낙한 때에는 그 청약의 거절과 동시에 새로 청약한 것으로 본다.

② 청약은 상대방 있는 의사표시이므로 불특정다수인에 대한 청약은 효력이 인정되지 아니하는 것이 원칙이다.

③ 상대방의 의사표시를 오해하여 청약이 가지는 객관적 의미와 일치하지 않는 객관적 의미를 가지는 승낙을 한 경우, 착오와는 달리 취소할 수 있는 데에 그치는 것이 아니라 처음부터 계약이 성립하지 아니하였던 것으로 된다.

④ 청약의 의사표시는 상대방에 도달한 때부터 효력이 생기고, 일단 효력이 생긴 후에는 청약자가 원칙적으로 이를 임의로 철회하지 못한다.

⑤ 청약자의 의사표시나 관습에 의하여 승낙의 통지가 필요하지 아니한 경우에는 계약은 승낙의 의사표시로 인정되는 사실이 있는 때에 성립한 것으로 본다.

해설 ① 제534조【변경을 가한 승낙】승낙자가 청약에 대하여 조건을 붙이거나 변경을 가하여 승낙한 때에는 그 청약의 거절과 동시에 새로 청약한 것으로 본다.

② 청약의 의사표시는 상대방 있는 의사표시이지만, 상대방은 반드시 청약 당시에 특정되어 있을 필요가 없고, <u>불특정다수인에 대한 것도 유효하다.</u>

③ 불합의는 의사표시의 불일치, 즉 해석에 의하여 확정된 의사표시들의 객관적 의미가 일치하지 않는 것이다. 이에는 당사자가 불합치를 모르고 있는 무의식적 불합의가 있는데, 이는 계약의 성립의 문제로서 불합의가 있는 경우 계약은 성립하지 않는다. 반면 착오는 청약 또는 승낙의 어느 한 의사표시 내에서 표의자의 효과의사와 표시내용이 일치하지 않는 경우를 가리키며 그것은 의사표시의 효력문제이다. 따라서 불합의 여부를 먼저 검토하여 불합의로 판명되면 계약은 불성립이 되므로, 착오취소의 문제는 발생하지 않는다.

④ 제111조 제1항【의사표시의 효력발생시기】상대방이 있는 의사표시는 상대방에게 도달한 때에 그 효력이 생긴다.
제527조【계약의 청약의 구속력】계약의 청약은 이를 철회하지 못한다.

즉 청약도 상대방 있는 의사표시이므로 상대방에게 도달하여야 효력이 발생하고, 청약이 상대방에게 도달하여 효력이 발생하면 청약자는 임의로 이를 철회하지 못한다(제527조). 이를 청약의 구속력이라 한다. 다만 (ㄱ) 청약이 상대방에게 도달하기 전, 혹은 (ㄴ) 청약 시 철회권을 유보한 경우에는 이를 철회할 수 있다.

⑤ 제532조 【의사실현에 의한 계약성립】 청약자의 의사표시나 관습에 의하여 승낙의 통지가 필요하지 아니한 경우에는 계약은 승낙의 의사표시로 인정되는 사실이 있는 때에 성립한다.

02 계약의 성립에 관한 다음 설명 중 가장 옳지 않은 것은? (다툼이 있는 경우 판례에 의함)

▸ 2013년 법원행시

① 매도인이 매수인에게 매매계약을 합의해제할 것을 청약하였으나 매수인이 그 청약에 대하여 조건을 붙이거나 변경을 가하여 승낙하였다면 매도인의 청약은 거절된 것으로 본다.

② 명예퇴직의 신청은 근로계약에 대한 합의해지의 청약에 불과하므로 이에 대한 사용자의 승낙이 있어 근로계약이 합의해지되기 전에는 근로자가 임의로 그 청약의 의사표시를 철회할 수 있다.

③ 계약을 체결하면서 그 계약으로 인한 법률효과에 관하여 제대로 알지 못하고 처분문서인 계약서를 작성하였다면 이는 당사자의 의사의 불합치에 해당하여 계약은 성립되지 않는다.

④ 매매계약에서는 매매목적물과 대금이 반드시 계약체결 당시에 구체적으로 특정될 필요는 없으며, 이를 사후에라도 구체적으로 특정할 수 있는 방법과 기준이 정하여져 있으면 충분하다.

⑤ 과세 당국 등의 추적을 피하기 위하여 일정한 인적 관계에 있는 사람이 그 소유의 금전을 자신의 예금계좌로 송금한다는 사실을 알면서 그에게 자신의 예금계좌로 송금할 것을 승낙 또는 양해하였다거나 그러한 목적으로 자신의 예금계좌를 사실상 지배하도록 용인하였다는 것만으로는 특별한 사정이 없는 한 객관적으로 송금인과 계좌명의인 사이에 그 송금액을 계좌명의인에게 위와 같이 무상 공여한다는 의사의 합치가 있었다고 추단된다고 할 수 없다.

해설 ① 민법 제534조

② 명예퇴직의 신청은 근로계약에 대한 합의해지의 청약에 불과하여 이에 대한 사용자의 승낙이 있어 근로계약이 합의해지되기 전에는 근로자가 임의로 그 청약의 의사표시를 철회할 수 있다(대판 2003.4.25, 2002다11458).

③ 계약서에 의해 계약을 체결하였으나 계약으로 인한 법률효과를 제대로 알지 못한 경우 계약의 효력 : 계약의 성립을 위한 의사표시의 객관적 합치 여부를 판단함에 있어, 처분문서인 계약서가 있는 경우에는 특별한 사정이 없는 한 계약서에 기재된 대로의 의사표시의 존재 및 내용을 인정하여야 하고, 계약을 체결함에 있어 당해 계약으로 인한 법률효과에 관하여 제대로 알지 못하였다 하더라도 이는 계약체결에 관한 의사표시의 착오의 문제가 될 뿐이다(대판 2009.4.23, 2008다96291).

④ 대판 1996.4.26, 94다34432

⑤ 다른 사람의 예금계좌에 금전을 이체하는 등으로 송금하는 경우 그 송금은 다양한 법적 원인에 기하여 행하여질 수 있는 것으로서, 과세 당국 등의 추적을 피하기 위하여 일정한 인적 관계에 있는 사람이 그 소유의 금전을 자신의 예금계좌로 송금한다는 사실을 알면서 그에게

정답 01 ② 02 ③

자신의 예금계좌로 송금할 것을 승낙 또는 양해하였다거나 그러한 목적으로 자신의 예금계좌를 사실상 지배하도록 용인하였다는 것만으로는 다른 특별한 사정이 없는 한 객관적으로 송금인과 계좌명의인 사이에 그 송금액을 계좌명의인에게 위와 같이 '무상 공여'한다는 의사의 합치가 있었다고 추단된다고 쉽사리 말할 수 없다(대판 2012.7.26, 2012다30861).

03 계약의 성립에 관한 다음 설명 중 가장 옳지 않은 것은? (다툼이 있는 경우 판례에 의함)

▸2014년 법무사

① 승낙의 기간을 정한 계약의 청약은 청약자가 그 기간 내에 승낙의 통지를 받지 못한 때에는 그 효력을 잃고, 승낙의 기간을 정하지 아니한 계약의 청약은 청약자가 상당한 기간 내에 승낙의 통지를 받지 못한 때에는 그 효력을 잃는다.

② 당사자 간에 동일한 내용의 청약이 상호교차된 경우에는 양청약이 상대방에게 도달한 때에 계약이 성립하고, 격지자 간의 계약은 승낙의 통지를 발송한 때에 성립한다.

③ 부동산매매계약에 있어서 실제면적이 계약면적에 미달하는 경우에는 그 매매가 그 미달 부분만큼 일부 무효임을 들어 일반 부당이득반환청구를 하거나 그 부분의 원시적 불능을 이유로 민법 제535조가 규정하는 계약체결상의 과실에 따른 책임의 이행을 구할 수 있다.

④ 명예퇴직은 근로자가 명예퇴직의 신청을 하면 사용자가 요건을 심사한 후 이를 승인함으로써 합의에 의하여 계약관계를 종료시키는 것으로, 명예퇴직의 신청은 근로계약에 대한 합의해지의 청약에 불과하여 이에 대한 사용자의 승낙이 있어 근로계약이 합의해지되기 전에는 근로자가 임의로 그 청약의 의사표시를 철회할 수 있다.

⑤ 계약이 성립하기 위하여는 당사자의 서로 대립하는 수개의 의사표시의 객관적 합치가 필요하고 객관적 합치가 있다고 하기 위하여는 당사자의 의사표시에 나타나 있는 사항에 관하여는 모두 일치하고 있어야 하는 한편, 계약 내용의 '중요한 점' 및 계약의 객관적 요소는 아니더라도 특히 당사자가 그것에 중대한 의의를 두고 계약성립의 요건으로 할 의사를 표시한 때에는 이에 관하여 합치가 있어야 계약이 적법·유효하게 성립한다.

> **해설** ① 승낙의 기간을 정한 계약의 청약은 청약자가 그 기간 내에 승낙의 통지를 받지 못한 때에는 그 효력을 잃는다(제528조). 승낙의 기간을 정하지 아니한 계약의 청약은 청약자가 상당한 기간내에 승낙의 통지를 받지 못한 때에는 그 효력을 잃는다(제529조).
> ② 당사자 간에 동일한 내용의 청약이 상호교차된 경우에는 양청약이 상대방에게 도달한 때에 계약이 성립한다(제533조). 격지자 간의 계약은 승낙의 통지를 발송한 때에 성립한다(제531조).
> ③ 매매 기타의 유상계약의 경우 계약내용의 일부가 객관적으로 원시적 불능이라도 계약은 유효하게 성립하고 담보책임으로 처리되므로(제574조, 제567조), 동 규정은 적용될 여지가 없다. 부동산매매계약에 있어서 실제면적이 계약면적에 미달하는 경우에는 그 매매가 수량지정매매에 해당할 때에 한하여 민법 제574조, 제572조에 의한 대금감액청구권을 행사함은 별론으로 하고, 그 매매계약이 그 미달 부분만큼 일부 무효임을 들어 이와 별도로 일반 부당이득반환청구를 하거나 그 부분의 원시적 불능을 이유로 민법 제535조가 규정하는 계약체결상의 과실에 따른 책임의 이행을 구할 수 없다(대판 2002.4.9, 99다47396).

④ 명예퇴직은 근로자가 명예퇴직의 신청(청약)을 하면 사용자가 요건을 심사한 후 이를 승인(승낙)함으로써 합의에 의하여 근로관계를 종료시키는 것으로, 명예퇴직의 신청은 근로계약에 대한 합의해지의 청약에 불과하여 이에 대한 사용자의 승낙이 있어 근로계약이 합의해지되기 전에는 근로자가 임의로 그 청약의 의사표시를 철회할 수 있다(대판 2003.4.25, 2002다11458).

⑤ [1] 계약이 성립하기 위하여는 당사자의 서로 대립하는 수개의 의사표시의 객관적 합치가 필요하고 객관적 합치가 있다고 하기 위하여는 당사자의 의사표시에 나타나 있는 사항에 관하여는 모두 일치하고 있어야 하는 한편, 계약 내용의 '중요한 점' 및 계약의 객관적 요소는 아니더라도 특히 당사자가 그것에 중대한 의의를 두고 계약성립의 요건으로 할 의사를 표시한 때에는 이에 관하여 합치가 있어야 계약이 적법·유효하게 성립한다.
[2] 계약이 성립하기 위한 법률요건인 청약은 그에 응하는 승낙만 있으면 곧 계약이 성립하는 구체적, 확정적 의사표시여야 하므로, 청약은 계약의 내용을 결정할 수 있을 정도의 사항을 포함시키는 것이 필요하다(대판 2003.4.11, 2001다53059).

04 계약의 성립에 관한 다음 설명 중 가장 옳지 않은 것은? (다툼이 있는 경우 판례에 의함)
▸ 2017년 법무사

① 근로자가 사직원의 제출방법에 의하여 근로계약관계의 합의해지를 청약하고 이에 대하여 사용자가 승낙함으로써 당해 근로관계를 종료시키게 되는 경우 근로자는 사직원의 제출에 따른 사용자의 승낙의사가 형성되어 확정적으로 근로계약 종료의 효과가 발생하기 전에는 사직의 의사표시를 자유로이 철회할 수 있다.

② 매매계약 당사자 중 매도인이 매수인에게 매매계약의 합의해제를 청약하였다고 할지라도, 매수인이 그 청약에 대하여 조건을 붙이거나 변경을 가하여 승낙한 때에는 민법 제534조의 규정에 비추어 그 청약의 거절과 동시에 새로 청약한 것으로 보게 되는 것이고, 그로 인하여 종전의 매도인의 청약은 실효된다.

③ 예금계약은 예금자가 예금의 의사를 표시하면서 금융기관에 돈을 제공하고 금융기관이 그 의사에 따라 그 돈을 받아 확인을 하면 그로써 성립하며, 금융기관의 직원이 그 받은 돈을 금융기관에 입금하지 아니하고 이를 횡령하였다고 하더라도 예금계약의 성립에는 지장이 없다.

④ 승낙의 기간을 정한 계약의 청약은 청약자가 그 기간 내에 승낙의 통지를 받지 못한 때에는 그 효력을 잃으나, 승낙의 기간을 정하지 아니한 계약의 청약은 청약자가 상당한 기간 내에 승낙의 통지를 받지 못하더라도 그 효력을 잃지 않는다.

⑤ 격지자간의 계약은 승낙의 통지를 발송한 때에 성립하고, 당사자 간에 동일한 내용의 청약이 상호교차된 경우에는 양청약이 상대방에게 도달한 때에 계약이 성립한다.

정답 03 ③   04 ④

해설 ① 근로자가 일방적으로 근로계약관계를 종료시키는 해약의 고지방법에 의하여 임의사직하는 경우가 아니라, 근로자가 사직원의 제출방법에 의하여 근로계약관계의 합의해지를 청약하고 이에 대하여 사용자가 승낙함으로써 당해 근로관계를 종료시키게 되는 경우에 있어서는, 근로자는 위 사직원의 제출에 따른 사용자의 승낙의사가 형성되어 확정적으로 근로계약 종료의 효과가 발생하기 전에는 그 사직의 의사표시를 자유로이 철회할 수 있다고 보아야 할 것이며, 다만 근로계약 종료의 효과발생 전이라고 하더라도 근로자가 사직의 의사표시를 철회하는 것이 사용자에게 불측의 손해를 주는 등 신의칙에 반한다고 인정되는 특별한 사정이 있는 경우에 한하여 그 철회가 허용되지 않는다고 해석함이 상당하다(대판 1992.4.10, 91다43138).

② 매매계약 당사자 중 매도인이 매수인에게 매매계약을 합의해제할 것을 청약하였다고 할지라도, 매수인이 그 청약에 대하여 조건을 붙이거나 변경을 가하여 승낙한 때에는 민법 제534조의 규정에 비추어 보면 그 청약의 거절과 동시에 새로 청약한 것으로 보게 되는 것이고, 그로 인하여 종전의 매도인의 청약은 실효된다(대판 2002.4.12, 2000다17834).

③ 예금계약은 예금자가 예금의 의사를 표시하면서 금융기관에 돈을 제공하고 금융기관이 그 의사에 따라 그 돈을 받아 확인을 하면 그로써 성립하며, 금융기관의 직원이 그 받은 돈을 금융기관에 입금하지 아니하고 이를 횡령하였다고 하더라도 예금계약의 성립에는 아무런 소장이 없다(대판 1996.1.26, 95다26919).

④ 제528조 제1항【승낙기간을 정한 계약의 청약】승낙의 기간을 정한 계약의 청약은 청약자가 그 기간 내에 승낙의 통지를 받지 못한 때에는 그 효력을 잃는다.
제529조【승낙기간을 정하지 아니한 계약의 청약】승낙의 기간을 정하지 아니한 계약의 청약은 청약자가 상당한 기간내에 승낙의 통지를 받지 못한 때에는 그 효력을 잃는다.

⑤ 제531조【격지자간의 계약성립시기】격지자간의 계약은 승낙의 통지를 발송한 때에 성립한다.
제533조【교차청약】당사자 간에 동일한 내용의 청약이 상호교차된 경우에는 양청약이 상대방에게 도달한 때에 계약이 성립한다.

05 **계약에 관한 다음 설명 중 가장 옳지 않은 것은?** ▶ 2017년 9급(법원서기보)

① 교차청약에 의해 계약이 성립하는 경우에는 양청약이 상대방에게 도달한 때에 계약이 성립한다.

② 모든 무상계약의 채무자는 자기재산과 동일한 정도의 주의의무를 부담한다.

③ 승낙자가 청약에 대하여 조건을 붙여 승낙한 때에는 그 청약의 거절과 동시에 새로 청약한 것으로 본다.

④ 청약자의 의사표시나 관습에 의하여 승낙의 통지가 필요하지 아니한 경우에는 계약은 승낙의 의사표시로 인정되는 사실이 있는 때에 성립한다.

해설 ① 제533조【교차청약】당사자 간에 동일한 내용의 청약이 상호교차된 경우에는 양청약이 상대방에게 도달한 때에 계약이 성립한다.

② 무상임치의 경우에는 자기재산과 동일한 주의의무를 부담한다(제695조). 다만 위임의 경우에는 유상·무상을 불문하고 선량한 관리자의 주의의무를 부담한다(제681조).

③ 제534조【변경을 가한 승낙】승낙자가 청약에 대하여 조건을 붙이거나 변경을 가하여 승낙한 때에는 그 청약의 거절과 동시에 새로 청약한 것으로 본다.

④ 제532조【의사실현에 의한 계약성립】청약자의 의사표시나 관습에 의하여 승낙의 통지가 필요하지 아니한 경우에는 계약은 승낙의 의사표시로 인정되는 사실이 있는 때에 성립한다.

06 다음 설명 중 가장 옳지 않은 것은? ▸2022년 법무사

① 계약이 의사의 불합치로 성립하지 아니한 경우 그로 인하여 손해를 입은 당사자는 상대방이 계약이 성립되지 아니할 수 있다는 것을 알았거나 알 수 있었음을 이유로 민법 제535조를 유추적용하여 계약체결상의 과실로 인한 손해배상청구를 할 수 있다.

② 당사자 간에 동일한 내용의 청약이 상호교차된 경우에는 양청약이 상대방에게 도달한 때에 계약이 성립하고, 승낙자가 청약에 대하여 조건을 붙이거나 변경을 가하여 승낙한 때에는 그 청약의 거절과 동시에 새로 청약한 것으로 본다.

③ 명예퇴직의 신청은 근로계약에 대한 합의해지의 청약에 불과하여 이에 대한 사용자의 승낙이 있어 근로계약이 합의해지되기 전에는 근로자가 임의로 그 청약의 의사표시를 철회할 수 있다.

④ 무효인 약관조항에 의거하여 계약이 체결되었다면 그 후 상대방이 계약의 이행을 지체하는 과정에서 약관작성자로부터 채무의 이행을 독촉받고 종전 약관에 따른 계약내용의 이행 및 약정내용을 재차 확인하는 취지의 각서를 작성하여 교부하였다 하여 무효인 약관의 조항이 유효한 것으로 된다고 할 수 없다.

⑤ 약관상 매매계약 해제 시 매도인을 위한 손해배상액의 예정조항은 있는 반면 매수인을 위한 손해배상액의 예정조항은 없는 경우, 매도인 일방만을 위한 손해배상액의 예정조항을 두었다는 사정만으로는 약관의 규제에 관한 법률에 위배되어 무효라 할 수는 없다.

해설 ① 계약이 의사의 불합치로 성립하지 아니한 경우, 그로 인하여 손해를 입은 당사자가 상대방에게 부당이득반환청구 또는 불법행위로 인한 손해배상청구를 할 수 있는지는 별론으로 하고, 상대방이 계약이 성립되지 아니할 수 있다는 것을 알았거나 알 수 있었음을 이유로 민법 제535조를 유추적용하여 계약체결상의 과실로 인한 손해배상청구를 할 수는 없다(대판 2017.11.14, 2015다10929).

② 제533조, 제534조

③ 명예퇴직은 근로자가 명예퇴직의 신청(청약)을 하면 사용자가 요건을 심사한 후 이를 승인(승낙)함으로써 합의에 의하여 근로관계를 종료시키는 것으로, 명예퇴직의 신청은 근로계약에 대한 합의해지의 청약에 불과하여 이에 대한 사용자의 승낙이 있어 근로계약이 합의해지되기 전에는 근로자가 임의로 그 청약의 의사표시를 철회할 수 있다(대판 2003.4.25, 2002다 11458). → ※ [보충] : ① 사용자의 승낙의 의사표시가 근로자에게 도달하기 전까지 근로자가 사직의 의사표시를 철회할 수 있다고 하는 것은 민법 제527조 "계약의 청약은 이를 철회

하지 못한다."라는 규정에 배치되는 해석이므로, 이와 같이 해석하는 근거가 무엇인지 문제된다. 이와 관련하여 우선 민법 제527조는 지금까지 계약관계가 없었던 당사자 사이에 새로운 계약관계를 창설하는 경우, 즉 계약성립의 경우에 전형적으로 타당한 것이고, 이와는 달리 지금까지 계속적으로 인적 결합관계에 있는 근로계약의 당사자 사이에서의 계약관계 종료를 위한 합의해약의 청약에 있어서는 그 철회를 자유로이 허용하더라도 상대방의 보호에 흠이 되는 것은 아니므로 위 법조의 적용을 부정하여도 지장이 없다는 이유로 수긍되고 있다. 또한 노·사 간의 계약관계는 형식상으로는 대등·평등한 것 같지만 실질적으로는 사용자가 우월적 지위에 있음을 부인할 수 없고, 이것은 근로자가 퇴직원 등에 의하여 퇴직의 의사표시를 하기까지 사이의 경위, 동기 형성에 있어 사용자의 압력이 유형·무형으로 작용할 가능성이 크기 때문에 근로자의 진의를 존중하여 퇴직 의사표시의 철회를 허용함으로써 근로계약관계의 유지·계속을 인정하는 것이 요망된다는 점도 이러한 해석의 근거가 되고 있다. ② 참고로 대법원은 근로자의 퇴직의 의사표시와 관련하여 철회가 문제되는 경우를 크게 해약의 고지(근로계약의 해지통고)와 합의해지의 청약으로 나누어서 판단하고 있다. 후자의 경우라면 위 ①과 같이 판단하지만, 전자의 경우로서 단순히 해약의 고지인 경우에는 사직의 의사표시가 도달한 이상 임의로 사직의 의사표시를 철회할 수 없다. 그리고 사직의 의사표시는 특별한 사정이 없는 한 당해 근로계약을 종료시키는 취지의 해약고지로 본다.

④ 무효인 약관조항에 의거하여 계약이 체결되었다면 그 후 상대방이 계약의 이행을 지체하는 과정에서 약관작성자로부터 채무의 이행을 독촉받고 종전 약관에 따른 계약내용의 이행 및 약정내용을 재차 확인하는 취지의 각서를 작성하여 교부하였다 하여 무효인 약관의 조항이 유효한 것으로 된다거나, 위 각서의 내용을 새로운 개별약정으로 보아 약관의 유·무효와는 상관없이 위 각서에 따라 채무의 이행 및 원상회복의 범위 등이 정하여진다고 할 수 없다(대판 2000.1.18, 98다18506).

⑤ 약관상 매매계약 해제 시 매도인을 위한 손해배상액의 예정조항은 있는 반면 매수인을 위한 손해배상액의 예정조항은 없는 경우, 매도인 일방만을 위한 손해배상액의 예정조항을 두었다고 하여 곧 그 조항이 약관의 규제에 관한 법률에 위배되어 무효라 할 수는 없다. (또한) 그 약관조항이 매수인에 대하여 부당하게 불리하다거나 신의성실의 원칙에 반하여 불공정하다고 볼 수 없다(대판 2000.9.22, 99다53759).

07 계약교섭의 부당파기에 관한 다음 설명 중 가장 옳지 않은 것은? (다툼이 있는 경우 판례에 따르고 전원합의체 판결의 경우 다수의견에 의함. 이하 같음) ▶ 2021년 법무사

① 어느 일방이 교섭단계에서 계약이 확실하게 체결되리라는 정당한 기대 내지 신뢰를 부여하여 상대방이 그 신뢰에 따라 행동하였음에도 상당한 이유 없이 계약의 체결을 거부하여 손해를 입혔다면 이는 신의성실의 원칙에 비추어 볼 때 계약자유원칙의 한계를 넘는 위법한 행위로서 불법행위를 구성한다.

② 계약교섭의 부당한 중도파기가 불법행위를 구성하는 경우 그러한 불법행위로 인한 손해는 일방이 신의에 반하여 상당한 이유 없이 계약교섭을 파기함으로써 계약체결을 신뢰한 상대방이 입게 된 상당인과관계 있는 손해로서 계약이 유효하게 체결된다고 믿었던 것에 의하여 입었던 손해 즉 신뢰손해에 한정된다.

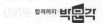

③ 아직 계약체결에 관한 확고한 신뢰가 부여되기 이전 상태에서 계약교섭의 당사자가 계약체결이 좌절되더라도 어쩔 수 없다고 생각하고 지출한 비용, 예컨대 경쟁입찰에 참가하기 위하여 지출한 제안서, 견적서 작성비용 등도 원칙적으로 민법상 손해배상의 범위에 포함된다.

④ 침해행위와 피해법익의 유형에 따라서 계약교섭의 파기로 인한 불법행위가 인격적 법익을 침해함으로써 상대방에게 정신적 고통을 초래하였다고 인정되는 경우라면 그러한 정신적 고통에 대한 손해에 대하여는 별도로 배상을 구할 수 있다.

⑤ 계약교섭 단계에서 당사자 중 일방이 이행에 착수하는 것은 이례적이라고 할 것이므로 설령 이행에 착수하였다고 하더라도 이는 자기의 위험 판단과 책임에 의한 것이라고 평가할 수 있지만 만일 이행의 착수가 상대방의 적극적인 요구에 따른 것이고, 그 이행에 들인 비용의 지급에 관하여 이미 계약교섭이 진행되고 있었다는 등의 특별한 사정이 있는 경우에는 당사자 중 일방이 계약의 성립을 기대하고 이행을 위하여 지출한 비용 상당의 손해가 상당인과관계 있는 손해에 해당한다.

해설 ①, ②, ③, ④ 대판 2003.4.11, 2001다53059 : 어느 일방이 교섭단계에서 계약이 확실하게 체결되리라는 정당한 기대 내지 신뢰를 부여하여 상대방이 그 신뢰에 따라 행동하였음에도 상당한 이유 없이 계약의 체결을 거부하여 손해를 입혔다면 이는 신의성실의 원칙에 비추어 볼 때 계약자유원칙의 한계를 넘는 위법한 행위로서 불법행위를 구성한다. 계약교섭의 부당한 중도파기가 불법행위를 구성하는 경우 그러한 불법행위로 인한 손해는 일방이 신의에 반하여 상당한 이유 없이 계약교섭을 파기함으로써 계약체결을 신뢰한 상대방이 입게 된 상당인과관계 있는 손해로서 계약이 유효하게 체결된다고 믿었던 것에 의하여 입었던 손해 즉 신뢰손해에 한정된다고 할 것이고, 이러한 신뢰손해란 예컨대, 그 계약의 성립을 기대하고 지출한 계약준비비용과 같이 그러한 신뢰가 없었더라면 통상 지출하지 아니하였을 비용상당의 손해라고 할 것이며, 아직 계약체결에 관한 확고한 신뢰가 부여되기 이전 상태에서 계약교섭의 당사자가 계약체결이 좌절되더라도 어쩔 수 없다고 생각하고 지출한 비용, 예컨대 경쟁입찰에 참가하기 위하여 지출한 제안서, 견적서 작성비용 등은 여기에 포함되지 아니한다. 침해행위와 피해법익의 유형에 따라서는 계약교섭의 파기로 인한 불법행위가 인격적 법익을 침해함으로써 상대방에게 정신적 고통을 초래하였다고 인정되는 경우라면 그러한 정신적 고통에 대한 손해에 대하여는 별도로 배상을 구할 수 있다.

⑤ 계약교섭의 부당한 중도파기가 불법행위를 구성하는 경우, 상대방에게 배상책임을 지는 것은 계약체결을 신뢰한 상대방이 입게 된 상당인과관계 있는 손해이고, 한편 계약교섭 단계에서는 아직 계약이 성립된 것이 아니므로 당사자 중 일방이 계약의 이행행위를 준비하거나 이를 착수하는 것은 이례적이라고 할 것이므로, 설령 이행에 착수하였다고 하더라도 이는 자기의 위험 판단과 책임에 의한 것이라고 평가할 수 있지만, 만일 이행의 착수가 상대방의 적극적인 요구에 따른 것이고, 바로 위와 같은 이행에 들인 비용의 지급에 관하여 이미 계약교섭이 진행되고 있었다는 등의 특별한 사정이 있는 경우에는, 당사자 중 일방이 계약의 성립을 기대하고 이행을 위하여 지출한 비용 상당의 손해가 상당인과관계 있는 손해에 해당한다(대판 2004.5.28, 2002다32301).

정답 07 ③

02 절 계약의 효력

01 **동시이행 항변권에 관한 다음 설명 중 옳지 않은 것은?** (다툼이 있는 경우 판례에 의함)

① 일방의 채무가 변제기에 도달하지 않았더라도 그 채무가 쌍무계약에서 발생한 경우에는 상대방은 자신의 채무에 대하여 동시이행의 항변을 할 수 있다.

② 쌍무계약의 무효 · 취소로 인한 각 당사자의 원상회복의무에 있어서도 동시이행항변권이 인정된다.

③ 동시이행의 항변권은 상대방의 이행제공이 있을 때까지 자신의 이행을 거절할 수 있을 뿐인 연기적 항변권이다.

④ 동시이행 항변권이 붙은 채권을 자동채권으로 하는 상계는 금지된다.

⑤ 원래 쌍무계약에서 인정되는 동시이행의 항변권을 비쌍무계약에 확장함에 있어서는 양 채무가 동일한 법률요건으로부터 생겨서 공평의 관점에서 보아 견련적으로 이행시킴이 마땅한 경우이어야 한다.

해설 ① 제536조 제1항 【동시이행의 항변권】 쌍무계약의 당사자 일방은 상대방이 그 채무이행을 제공 할 때까지 자기의 채무이행을 거절할 수 있다. 그러나 상대방의 채무가 변제기에 있지 아니하는 때에는 그러하지 아니하다.

② [1] 동시이행의 항변권을 규정한 민법 536조의 취지는 공평관념과 신의칙에 합당하기 때문이며 동조가 동법 549조에 의하여 계약해제의 경우 각 당사자의 원상회복의무이행에 준용되고 있는 점을 생각할 때 쌍무계약이 무효로 되어 각 당사자가 서로 취득한 것을 반환하여야 할 경우에도 동시이행관계가 있다고 보아 민법 536조를 준용함이 옳다(대판 1976.4.27, 75다1241).
[2] 매매계약이 취소된 경우에 당사자 쌍방의 원상회복의무는 동시이행의 관계에 있다(대판 2001.7.10, 2001다3764).

③ 동시이행의 항변권은 상대방의 채무 이행이 있기까지 자신의 채무 이행을 거절할 수 있는 권리이다. 이것이 동시이행항변권의 본질적 효력이며, 일시적으로만 상대방의 청구권 작용을 저지하는 연기적 항변권이다.

④ 항변권이 붙어 있는 채권을 자동채권으로 하여 타의 채무와의 상계를 허용한다면 상계자 일방의 의사표시에 의하여 상대방의 항변권행사의 기회를 상실케 하는 결과가 되므로 이와 같은 상계는 그 성질상 허용될 수 없다(대판 2002.8.23, 2002다25242).

⑤ 원래 쌍무계약에서 인정되는 동시이행의 항변권을 비쌍무계약에 확장함에 있어서는 양 채무가 동일한 법률요건으로부터 생겨서 공평의 관점에서 보아 견련적으로 이행시킴이 마땅한 경우라야 한다(대판 2000.10.27, 2000다36118).
  → 동시이행의 항변권은 쌍무계약에만 인정되는 것이므로, 판례는 비쌍무계약에는 확장하여 동시이행의 항변권을 인정하고 있지 않다.(×)

02 동시이행관계에 관한 다음 설명 중 옳지 않은 것은? (다툼이 있는 경우 판례에 의함)

① 매매 목적부동산에 제3자 명의의 가압류등기가 되어 있는 경우 특별한 사정이 없는 한 매도인의 소유권이전등기의무와 아울러 위 가압류등기의 말소의무도 매수인의 대금지급의무와 동시이행관계에 있다.

② 채권자의 가등기를 말소할 의무와 채무자의 소유권이전등기절차를 이행할 의무가 동시이행의 관계에 있는 경우, 위 가등기말소의무는 위 소유권이전등기절차이행의무가 이행불능이 됨으로 인하여 발생한 채무자의 채권자에 대한 손해배상의무와도 여전히 동시이행의 관계에 있다.

③ 쌍무계약에 있어서 상대방의 부수적 사항에 관한 의무위반만을 이유로 해서는 자기의 채무이행을 거절할 수 있는 동시이행의 항변권을 갖지 못한다.

④ 부동산매매계약이 당사자 일방의 채무불이행으로 해제된 경우 매도인의 매매대금반환의무와 매수인의 소유권이전등기말소의무는 동시이행관계에 있으므로, 매도인이 반환하여야 할 매매대금에 민법 소정의 법정이율에 의한 법정이자는 가산되지 않는다.

⑤ 임대차관계의 종료로 발생하는 임차인의 목적물반환의무와 임대인의 연체차임 기타 손해배상금을 공제하고 남은 보증금반환의무는 동시이행관계에 있다.

해설 ① 가압류등기 등이 있는 부동산의 매매계약에 있어서는 매도인의 소유권이전등기 의무와 아울러 가압류등기의 말소의무도 매수인의 대금지급의무와 동시이행 관계에 있다고 할 것이다 (대판 2000.11.28, 2000다8533).

② 채권자의 가등기를 말소할 의무와 채무자의 소유권이전등기절차를 이행할 의무가 동시이행의 관계에 있는 경우, 위 가등기말소의무는 위 <u>소유권이전등기절차이행의무가 이행불능이 됨으로 인하여 발생한 채무자의 채권자에 대한 손해배상의무와도 여전히 동시이행의 관계에 있다</u>(대판 1997.4.25, 96다40677·40684).

③ 쌍무계약에 있어서 상대방의 <u>부수적 사항에 관한 의무위반만을 이유로 해서는 자기의 채무이행을 거절할 수 있는 동시이행의 항변권을 갖지 못한다</u>(대판 1976.10.12, 73다584).

④ 법정해제권 행사의 경우 당사자 일방이 그 수령한 금전을 반환함에 있어 그 받은 때로부터 <u>법정이자를 부가함을 요하는 것은 민법 제548조 제2항이 규정하는 바로서, 이는 원상회복의 범위에 속하는 것이며 일종의 부당이득반환의 성질을 가지는 것이고 반환의무의 이행지체로 인한 것이 아니므로,</u> 부동산 매매계약이 해제된 경우 매도인의 매매대금 반환의무와 매수인의 소유권이전등기말소등기 절차이행의무가 <u>동시이행의 관계에 있는지 여부와는 관계없이 매도인이 반환하여야 할 매매대금에 대하여는 그 받은 날로부터 민법 소정의 법정이율인 연 5푼의 비율에 의한 법정이자를 부가하여 지급하여야 하고, 이와 같은 법리는 약정된 해제권</u>을 행사하는 경우라 하여 달라지는 것은 아니다(대판 2000.6.9, 2000다9123).

⑤ 임대차계약의 기간이 만료된 경우에 <u>임차인이 임차목적물을 명도할 의무와 임대인이 보증금 중 연체차임 등 당해 임대차에 관하여 명도시까지 생긴 모든 채무를 청산한 나머지를 반환할 의무는 동시이행의 관계가 있다</u>(대판 1977.9.28, 77다1241·1242).

정답 01 ① 02 ④

03 매도인 甲과 매수인 乙 사이의 X 토지의 매매계약에 대한 다음 설명 중 옳은 것은? (다툼이 있는 경우 판례에 의함)

① 乙이 중도금을 지급하지 아니하였더라도 잔금 지급일에 동시이행항변권을 행사할 수 있으면, 乙은 잔금 지급일 이전의 이행지체책임은 부담하지 않는다.

② 乙이 중도금을 지급한 후 잔금 지급일에 잔금을 지급하려고 하였으나 甲이 정당한 원인 없이 수령을 거절하여 지급하지 못한 경우에, 그 후 乙이 자기 채무의 이행제공 없이 다시 소유권이전의무의 이행을 청구하더라도 甲은 동시이행항변권을 행사할 수 없다.

③ X 토지에 丙의 근저당권설정등기가 되어 있는 경우, 乙이 근저당권의 피담보채무를 인수하여 그 채무액 상당을 잔금에서 공제하기로 약정하는 등의 특별한 사정이 없는 한, 乙의 잔금 지급의무는 甲의 위 근저당권말소 및 소유권이전등기의무와 동시이행관계에 있다.

④ 乙이 잔금지급을 담보하기 위한 약속어음을 발행하여 甲에게 교부한 경우, 甲이 어음의 반환을 제공하지 아니한 채 행한 이행의 최고는 부적법하므로 원인채무의 이행을 거절한 乙은 지체책임을 지지 않는다.

⑤ 甲이 乙을 상대로 잔금과 그에 대한 지연손해금을 청구하는 경우에, 乙이 명시적으로 동시이행항변을 하지 않았다면 乙의 잔금지급의무와 甲의 소유권이전등기 관련서류 교부의무가 동시이행관계에 있더라도 乙은 지체책임을 면할 수 없다.

해설 ① 매수인이 선이행하여야 할 중도금 지급을 하지 아니한 채 잔대금지급일을 경과한 경우에는 매수인의 중도금 및 이에 대한 지급일 다음 날부터 잔대금지급일까지의 지연손해금과 잔대금의 지급채무는 매도인의 소유권이전등기의무와 특별한 사정이 없는 한 동시이행관계에 있다(대판 1991.3.27, 90다19930).

② 쌍무계약의 당사자 일방이 먼저 한번 현실의 제공을 하고 상대방을 수령지체에 빠지게 하였다 하더라도 그 이행의 제공이 계속되지 않는 경우는 과거에 이행의 제공이 있었다는 사실만으로 상대방이 가지는 동시이행의 항변권이 소멸하는 것은 아니므로, 일시적으로 당사자 일방의 의무의 이행제공이 있었으나 곧 그 이행의 제공이 중지되어 더 이상 그 제공이 계속되지 아니하는 기간 동안에는 상대방의 의무가 이행지체 상태에 빠졌다고 할 수는 없다고 할 것이고, 따라서 그 이행의 제공이 중지된 이후에 상대방의 의무가 이행지체되었음을 전제로 하는 손해배상청구도 할 수 없다(대판 1999.7.9, 98다13754·13761).

③ 말소되지 않은 근저당권등기가 남아 있는 부동산을 매매하는 경우에는 매도인의 소유권이전등기의무 및 근저당권설정등기말소의무와 매수인의 대금지급의무가 동시이행의 관계에 있는 것으로 본다(대판 1979.11.13, 79다1562).

→ 근저당권이 설정되어 있는 부동산의 매매에 있어서는 소유권이전등기 소요서류와 아울러 근저당권말소등기절차 소요서류의 교부와 매매대금의 지급은 특별한 사정이 없는 한 동시이행관계에 있다.(○)(대판 1973.6.5, 68다2342).

④ 기존채무와 어음, 수표채무가 병존하는 경우 원인채무의 이행과 어음, 수표의 반환이 동시이행의 관계에 있다 하더라도 채권자가 어음, 수표의 반환을 제공하지 아니하면 채무자에게 적법한 이행의 최고를 할 수 없다고 할 수는 없고, 채무자는 원인채무의 이행기를 도과하면 원칙적으로 이행지체의 책임을 지고, 채권자로부터 어음, 수표의 반환을 받지 아니하였다 하더라도 이 어음, 수표를 반환하지 않음을 이유로 위와 같은 항변권을 행사하여 그 지급을 거절하고 있는 것이 아닌 한 이행지체의 책임을 면할 수 없다(대판 1993.11.9, 93다11203).

⑤ 쌍무계약에서 쌍방의 채무가 동시이행관계에 있는 경우 일방의 채무의 이행기가 도래하더라도 상대방 채무의 이행제공이 있을 때까지는 그 채무를 이행하지 않아도 이행지체의 책임을 지지 않는 것이며, 이와 같은 효과는 이행지체의 책임이 없다고 주장하는 자가 반드시 동시이행의 항변권을 행사하여야만 발생하는 것은 아니므로, 동시이행관계에 있는 쌍무계약상 자기채무의 이행을 제공하는 경우 그 채무를 이행함에 있어 상대방의 행위를 필요로 할 때에는 언제든지 현실로 이행을 할 수 있는 준비를 완료하고 그 뜻을 상대방에게 통지하여 그 수령을 최고하여야만 상대방으로 하여금 이행지체에 빠지게 할 수 있는 것이다(대판 2001.7.10, 2001다3764).

→ 동시이행의 항변권을 가지는 채무자는 비록 이행기에 이행을 하지 않더라도 이행지체의 책임을 지지 않는다.(○)

→ 동시이행의 항변권은 당사자가 이를 원용하여야 그 인정여부를 심리할 수 있으므로, 동시이행의 항변권을 실제로 행사하지 않으면 이행지체책임을 진다.(×)

04 **동시이행의 항변에 관한 다음 설명 중 틀린 것은?** (다툼이 있는 경우 판례에 의함)

① 채무의 변제와 채권증서의 반환은 동시이행의 관계에 있지 않으나, 영수증의 교부의무와는 동시이행관계에 있다.

② 부동산 매매계약과 함께 이행인수계약이 이루어진 경우, 매수인의 인수채무불이행 또는 매도인의 임의변제로 인한 매수인의 손해배상채무 또는 구상채무는 매도인의 소유권이전등기의무와 동시이행의 관계에 있다.

③ 임대인의 임대차보증금반환의무와 임차인의 주택임대차보호법 제3조의3에 의한 임차권등기말소의무는 서로 동시이행관계에 있다.

④ 하자확대손해로 인한 수급인의 손해배상의무와 도급인의 공사대금채무는 동시이행의 관계에 있다.

⑤ 소유권이전등기청구권이 가압류되어 있어 가압류를 해제하여야만 소유권이전등기를 경료받을 수 있는 자가 그 목적물을 매도한 경우, 매수인은 위 가압류가 해제되어 완전한 소유권이전등기를 경료받을 때까지 동시이행의 항변권을 행사하여 매매잔대금의 지급을 거절할 수 있다.

해설 ① 채권증서 반환청구권은 채권 전부를 변제한 경우에 인정되는 것이고, 영수증 교부의무와는 달리 변제와 동시이행관계에 있지 않다(대판 2005.8.19, 2003다22042).

② 부동산매매계약과 함께 이행인수계약이 이루어진 경우, 매수인이 인수한 채무는 매매대금지급채무에 갈음한 것으로서 매도인이 매수인의 인수채무불이행으로 말미암아 또는 임의로 인수채무를 대신 변제하였다면, 그로 인한 손해배상채무 또는 구상채무는 인수채무의 변형으로서 매매대금지급채무에 갈음한 것의 변형이므로 매수인의 손해배상채무 또는 구상채무와 매도인의 소유권이전등기의무는 대가적 의미가 있어 이행상 견련관계에 있다고 인정되고, 따라서 양자는 동시이행의 관계에 있다고 해석함이 공평의 관념 및 신의칙에 합당하다(대판 2004.7.9, 2004다13083).

③ 주택임대차보호법 제3조의3 규정에 의한 임차권등기는 이미 임대차계약이 종료하였음에도 임대인이 그 보증금을 반환하지 않는 상태에서 경료되게 되므로, 이미 사실상 이행지체에 빠진 임대인의 임대차보증금의 반환의무와 그에 대응하는 임차인의 권리를 보전하기 위하여 새로이 경료하는 임차권등기에 대한 임차인의 말소의무를 동시이행관계에 있는 것으로 해석할 것은 아니고, 특히 위 임차권등기는 임차인으로 하여금 기왕의 대항력이나 우선변제권을 유지하도록 해 주는 담보적 기능만을 주목적으로 하는 점 등에 비추어 볼 때, 임대인의 임대차보증금의 반환의무가 임차인의 임차권등기 말소의무보다 먼저 이행되어야 할 의무이다 (대판 2005.6.9, 2005다4529).

④ 수급인이 도급계약에 따른 의무를 제대로 이행하지 못함으로 말미암아 도급인의 신체 또는 재산에 손해가 발생한 경우 수급인에게 귀책사유가 없었다는 점을 스스로 입증하지 못하는 한 도급인에게 그 손해를 배상할 의무가 있다고 보아야 할 것이고, 원래 동시이행의 항변권은 공평의 관념과 신의칙에 입각하여 각 당사자가 부담하는 채무가 서로 대가적 의미를 가지고 관련되어 있을 때 그 이행과정에서의 견련관계를 인정하여 당사자 일방은 상대방이 채무를 이행하거나 이행의 제공을 하지 아니한 채 당사자 일방의 채무의 이행을 청구할 때에는 자기의 채무이행을 거절할 수 있도록 하는 제도인데, 이러한 제도의 취지로 볼 때 비록 당사자가 부담하는 각 채무가 쌍무계약관계에서 고유의 대가관계가 있는 채무는 아니라고 하더라도 구체적인 계약관계에서 각 당사자가 부담하는 채무에 관한 약정내용 등에 따라 그것이 대가적 의미가 있어 이행상의 견련관계를 인정하여야 할 사정이 있는 경우에는 동시이행의 항변권이 인정되어야 하는 점, 민법 제667조 제3항에 의하여 민법 제536조가 준용되는 결과 도급인이 수급인에 대하여 하자보수와 함께 청구할 수 있는 손해배상채권과 수급인의 공사대금채권은 서로 동시이행관계에 있는 점 등에 비추어 보면, 하자확대손해로 인한 수급인의 손해배상채무와 도급인의 공사대금채무도 동시이행관계에 있는 것으로 보아야 한다 (대판 2005.11.10, 2004다37676).

⑤ 소유권이전등기청구권이 가압류되어 있어 가압류의 해제를 조건으로 하여서만 소유권이전등기절차의 이행을 명받을 수 있는 자가 그 목적물을 매도한 경우, 위 가압류를 해제하지 아니하고서는 자신 명의로 소유권이전등기를 경료받을 수 없고, 따라서 매수인 명의로 소유권이전등기도 경료하여 줄 수가 없으므로, 그러한 경우에는 소유권이전등기청구권의 가압류를 해제하여 완전한 소유권이전등기를 경료하여 주는 것까지 동시이행관계에 있는 것으로 봄이 상당하고, 위 가압류가 해제되지 않는 이상 매수인은 매매잔대금의 지급을 거절할 수 있다 (대판 2001.7.27, 2001다27784·27791).

05 **동시이행의 항변권에 관한 설명 중 옳지 않은 것은?** (다툼이 있는 경우 판례에 의함) .

▶ 2012년 법원행시

① 어음상 권리가 시효완성으로 소멸하여 채무자에게 이중지급의 위험이 없고 채무자가 다른 어음상 채무자에 대하여 권리를 행사할 수도 없는 경우에는 채권자의 원인채권 행사에 대하여 채무자에게 어음상환의 동시이행항변을 인정할 필요가 없다.

② 동시이행의 관계에 있는 쌍방의 채무 중 어느 한 채무가 이행불능이 됨으로 인하여 발생한 손해배상채무도 여전히 다른 채무와 동시이행의 관계에 있다.

③ 부동산의 매수인이 매매목적물에 관한 근저당권의 피담보채무를 인수하는 한편 그 채

무액을 매매대금에서 공제하기로 약정한 경우, 매도인이 그 채무를 대신 변제하였다면 그로 인한 매수인의 매도인에 대한 구상채무와 매도인의 소유권이전의무는 동시이행의 관계에 있게 된다.

④ 부동산매매계약에서 매수인이 부가가치세를 부담하기로 약정한 경우, 부가가치세의 지급시기와 방법 등에 관하여 특별한 약정이 없다면, 매수인의 부가가치세 지급의무는 매도인의 소유권이전등기의무와 대가적 의미를 갖는 채무가 아니므로 서로 동시이행의 관계에 있지 않다.

⑤ 쌍무계약이 무효로 되어 각 당사자가 서로 취득한 것을 반환하여야 할 경우, 어느 일방의 당사자에게만 먼저 그 반환의무의 이행이 강제된다면 공평과 신의칙에 위배되는 결과가 되므로 각 당사자의 반환의무는 동시이행관계에 있다.

해설 ① 본래 기존의 원인채권과 어음채권이 병존하는 경우에 채권자가 원인채권을 행사함에 있어서 채무자는 원칙적으로 어음과 상환으로 지급하겠다고 하는 항변으로 채권자에게 대항할 수 있다. 그러나 어음상 권리가 시효완성으로 소멸하여 채무자에게 이중지급의 위험이 없고 채무자가 다른 어음상 채무자에 대하여 권리를 행사할 수도 없는 경우에는 채권자의 원인채권 행사에 대하여 채무자에게 어음상환의 동시이행항변을 인정할 필요가 없으므로 결국 채무자의 동시이행항변권은 부인된다(대판 2010.7.29, 2009다69692).

② 채무불이행에 의한 손해배상의 경우 동일성이 있는 권리변경 중 내용의 변경에 해당하여, 동시이행의 관계에 있는 쌍방의 채무 중 어느 한 채무가 이행불능이 됨으로 인하여 발생한 손해배상채무도 여전히 다른 채무와 동시이행의 관계에 있다(대판 2000.2.25, 97다30066).

③ 부동산매매계약과 함께 이행인수계약이 이루어진 경우 매수인이 인수한 채무는 매매대금지급채무에 갈음한 것으로서 매도인이 매수인의 인수채무불이행으로 말미암아 또는 임의로 인수채무를 대신 변제하였다면 그로 인한 손해배상채무 또는 구상채무는 인수채무의 변형으로서 매매대금지급채무에 갈음한 것의 변형이므로 매수인의 손해배상채무 또는 구상채무와 매도인의 소유권이전등기 의무는 대가적 의미가 있어 이행상 견련관계에 있다고 인정되고, 따라서 양자는 동시이행의 관계에 있다(대판 2004.7.9, 2004다13083).

④ 별개의 계약으로 체결된 경우에도 견련성이 인정되는 경우 동시이행항변권이 인정된다. 즉 부동산 매매계약에 있어 매수인이 부가가치세(또는 양도소득세)를 부담하기로 약정한 경우, 부가가치세를 매매대금과 별도로 지급하기로 했다는 등의 특별한 사정이 없는 한 부가가치세를 포함한 매매대금 전부와 부동산의 소유권이전등기의무가 동시이행의 관계에 있다고 봄이 상당하다(대판 2006.2.24, 2005다58656・58663).

⑤ 쌍무계약이 무효로 되어 각 당사자가 서로 취득한 것을 반환하여야 할 경우, 어느 일방의 당사자에게만 먼저 그 반환의무의 이행이 강제된다면 공평과 신의칙에 위배되는 결과가 되므로 각 당사자의 반환의무는 동시이행관계에 있다(대판 2007.12.28, 2005다38843).

점답 05 ④

06 동시이행항변권에 관한 다음 설명 중 가장 옳지 않은 것은? (다툼이 있는 경우 판례에 의함)

▶ 2014년 법무사

① 매매계약에서 대가적 의미가 있는 매도인의 소유권이전의무와 매수인의 대금지급의무 중 어느 의무가 선이행의무라고 하더라도 이행기가 도과한 경우에는 특별한 사정이 없는 한 그 의무를 포함하여 매도인과 매수인 雙方의 의무는 동시이행관계에 놓이게 된다.

② 매매계약이 취소된 경우에 당사자 雙方의 원상회복의무는 동시이행의 관계에 있다.

③ 쌍무계약에서 雙方의 채무가 동시이행의 관계에 있는 경우 일방의 채무의 이행기가 도래하더라도 상대방 채무의 이행제공이 있을 때까지는 그 채무를 이행하지 않아도 이행지체의 책임을 지지 않는 것이지만, 이와 같은 효과는 이행지체의 책임이 없다고 주장하는 자가 동시이행의 항변권을 행사하여야 발생한다.

④ 제3채무자의 압류채무자에 대한 자동채권이 수동채권인 피압류채권과 동시이행의 관계에 있는 경우에는, 압류명령이 제3채무자에게 송달되어 압류의 효력이 생긴 후에 자동채권이 발생하였다고 하더라도 제3채무자는 동시이행의 항변권을 주장할 수 있다.

⑤ 동시이행의 관계에 있는 쌍무계약에 있어서 상대방의 채무불이행을 이유로 계약을 해제하려고 하는 자는 동시이행에 있는 자기 채무의 이행을 제공하여야 하고, 그 채무를 이행함에 있어 상대방의 행위를 필요로 할 때에는 언제든지 현실로 이행을 할 수 있는 준비를 완료하고 그 뜻을 상대방에게 통지하여 그 수령을 최고하여야만 상대방으로 하여금 이행지체에 빠지게 할 수 있는 것이며 단순히 이행의 준비태세를 갖추고 있는 것만으로는 안 된다.

해설 ① 매매계약에서 대가적 의미가 있는 매도인의 소유권이전의무와 매수인의 대금지급의무는 다른 약정이 없는 한 동시이행의 관계에 있으며, 또한 설령 어느 의무가 선이행의무라고 하더라도 이행기가 도과된 경우에는 이행기 도과에 불구하고 여전히 선이행하기로 약정하는 등의 특별한 사정이 없는 한 그 의무를 포함하여 매도인과 매수인 쌍방의 의무는 동시이행관계에 놓이게 된다(대판 2013.6.13, 2011다73472).

② 매매계약이 취소된 경우에 당사자 쌍방의 원상회복의무는 동시이행의 관계에 있다(대판 2001.7.10, 2001다3764).

③ 쌍무계약에서 쌍방의 채무가 동시이행관계에 있는 경우 일방의 채무의 이행기가 도래하더라도 상대방 채무의 이행제공이 있을 때까지는 그 채무를 이행하지 않아도 이행지체의 책임을 지지 않는 것이며, 이와 같은 효과는 이행지체의 책임이 없다고 주장하는 자가 반드시 동시이행의 항변권을 행사하여야만 발생하는 것은 아니므로, 동시이행관계에 있는 쌍무계약상 자기채무의 이행을 제공하는 경우 그 채무를 이행함에 있어 상대방의 행위를 필요로 할 때에는 언제든지 현실로 이행을 할 수 있는 준비를 완료하고 그 뜻을 상대방에게 통지하여 그 수령을 최고하여야만 상대방으로 하여금 이행지체에 빠지게 할 수 있는 것이다(대판 2001.7.10, 2001다3764).

④ 금전채권에 대한 압류 및 전부명령이 있는 때에는 압류된 채권은 동일성을 유지한 채로 압류채무자로부터 압류채권자에게 이전되고, 제3채무자는 채권이 압류되기 전에 압류채무자에게 대항할 수 있는 사유로써 압류채권자에게 대항할 수 있는 것이므로 제3채무자의 압류채무자에 대한 자동채권이 수동채권인 피압류채권과 동시이행의 관계에 있는 경우에는, 압류명령이

제3채무자에게 송달되어 압류의 효력이 생긴 후에 자동채권이 발생하였다고 하더라도 제3채무자는 동시이행의 항변권을 주장할 수 있고 따라서 그 채권에 의한 상계로 압류채권자에게 대항할 수 있는 것으로서, 이 경우에 자동채권이 발생한 기초가 되는 원인은 수동채권이 압류되기 전에 이미 성립하여 존재하고 있었던 것이므로, 그 자동채권은 민법 제498조 소정의 '지급을 금지하는 명령을 받은 제3채무자가 그 후에 취득한 채권'에 해당하지 않는다고 봄이 상당하다(대판 1993.9.28, 92다55794).

⑤ 동시이행의 관계에 있는 쌍무계약에 있어서 상대방의 채무불이행을 이유로 계약을 해제하려고 하는 자는 동시이행관계에 있는 자기 채무의 이행을 제공하여야 하고, 그 채무를 이행함에 있어 상대방의 행위를 필요로 할 때에는 언제든지 현실로 이행을 할 수 있는 준비를 완료하고 그 뜻을 상대방에게 통지하여 그 수령을 최고하여야만 상대방으로 하여금 이행지체에 빠지게 할 수 있는 것이며 단순히 이행의 준비태세를 갖추고 있는 것만으로는 안된다(대판 1992.7.24, 91다38723·38730).

07 동시이행관계에 관한 다음 설명 중 가장 옳지 않은 것은? (다툼이 있는 경우 판례에 의함)

▶ 2017년 법무사

① 근저당권 실행을 위한 경매가 무효로 되어 채권자(근저당권자)가 채무자를 대위하여 매수인에 대한 소유권이전등기말소청구권을 행사하는 경우, 채권자(근저당권자)가 매수인에 대하여 부담하는 배당금반환채무와 매수인이 채무자에 대하여 부담하는 소유권이전등기말소의무는 서로 동시이행관계에 있다.

② 매도인의 매매계약상의 소유권이전등기의무가 이행불능이 되어 이를 이유로 매매계약을 해제함에 있어서는 상대방의 잔대금지급의무가 매도인의 소유권이전등기의무와 동시이행관계에 있다고 하더라도 그 이행의 제공을 필요로 하는 것이 아니다.

③ 지입계약의 종료에 따라 지입회사가 지입차주에 대하여 부담하는 소유권이전등록절차 이행의무와 지입계약이 유지됨으로 인하여 지입회사에게 부과된 세금이나 지입차주의 차량운행과 관련하여 발생한 과태료 등을 정산하여 지급하여야 할 지입차주의 지입회사에 대한 의무는 쌍무계약에 있어서 고유의 대가관계에 있는 것은 아니라고 하더라도 형평의 원칙에 비추어 서로 동시이행관계에 있다고 봄이 상당하다.

④ 공사도급계약상 도급인의 지체상금채권과 수급인의 공사대금채권은 특별한 사정이 없는 한 동시이행의 관계에 있다고 할 수 없다.

⑤ 주택임대차보호법 제3조의3 규정에 의한 임차권등기는 이미 임대차계약이 종료하였음에도 임대인이 그 보증금을 반환하지 않는 상태에서 경료되게 되므로, 이미 사실상 이행지체에 빠진 임대인의 임대차보증금의 반환의무와 그에 대응하는 임차인의 권리를 보전하기 위하여 새로이 경료하는 임차권등기에 대한 임차인의 말소의무를 동시이행관계에 있는 것으로 해석할 것은 아니다.

정답 06 ③   07 ①

해설 ① 근저당권 실행을 위한 경매가 무효로 되어 채권자(=근저당권자)가 채무자를 대위하여 낙찰자에 대한 소유권이전등기 말소청구권을 행사하는 경우, 낙찰자가 부담하는 소유권이전등기 말소의무는 채무자에 대한 것인 반면, 낙찰자의 배당금 반환청구권은 실제 배당금을 수령한 채권자(=근저당권자)에 대한 채권인바, 채권자(=근저당권자)가 낙찰자에 대하여 부담하는 배당금 반환채무와 낙찰자가 채무자에 대하여 부담하는 소유권이전등기 말소의무는 서로 이행의 상대방을 달리하는 것으로서, 채권자(=근저당권자)의 배당금 반환채무가 동시이행의 항변권이 부착된 채 채무자로부터 승계된 채무도 아니므로, 위 두 채무는 동시에 이행되어야 할 관계에 있지 아니하다(대판 2006.9.22, 2006다24049).
② 매도인의 매매계약상의 소유권이전등기의무가 이행불능이 되어 이를 이유로 매매계약을 해제함에 있어서는 상대방의 잔대금지급의무가 매도인의 소유권이전등기의무와 동시이행관계에 있다고 하더라도 그 이행의 제공을 필요로 하는 것이 아니다(대판 2003.1.24, 2000다22850).
③ 지입계약의 종료에 따라 지입회사가 지입차주에 대하여 부담하는 소유권이전등록절차이행의무와 지입계약이 유지됨으로 인하여 지입회사에게 부과된 세금이나 지입차주의 차량운행과 관련하여 발생한 과태료 등을 정산하여 지급하여야 할 지입차주의 지입회사에 대한 의무는 쌍무계약에 있어서 고유의 대가관계에 있는 것은 아니라고 하더라도 형평의 원칙에 비추어 서로 동시이행관계에 있다고 봄이 상당하다(대판 2010.6.24, 2010다22989).
④ 공사도급계약상 도급인의 지체상금채권과 수급인의 공사대금채권은 특별한 사정이 없는 한 동시이행의 관계에 있다고 할 수 없다(대판 2015.8.27, 2013다81224,81231).
⑤ 주택임대차보호법 제3조의3 규정에 의한 임차권등기는 이미 임대차계약이 종료하였음에도 임대인이 그 보증금을 반환하지 않는 상태에서 경료되게 되므로, 이미 사실상 이행지체에 빠진 임대인의 임대차보증금의 반환의무와 그에 대응하는 임차인의 권리를 보전하기 위하여 새로이 경료하는 임차권등기에 대한 임차인의 말소의무를 동시이행관계에 있는 것으로 해석할 것은 아니고, 특히 위 임차권등기는 임차인으로 하여금 기왕의 대항력이나 우선변제권을 유지하도록 해 주는 담보적 기능만을 주목적으로 하는 점 등에 비추어 볼 때, 임대인의 임대차보증금의 반환의무가 임차인의 임차권등기 말소의무보다 먼저 이행되어야 할 의무이다(대판 2005.6.9, 2005다4529).

08 **동시이행에 관한 다음 설명 중 가장 옳지 않은 것은?** (다툼이 있는 경우 판례에 의함)

▶ 2017년 법원행시

① 매도인의 매매대금 반환의무와 매수인의 소유권이전등기 말소등기절차 이행의무가 동시이행의 관계에 있으면, 매매계약이 무효로 되어 반환할 매매대금에 대한 법정이자가 붙지 않는다.
② 쌍무계약인 매매계약에서 매수인이 선이행의무인 잔금지급의무를 이행하지 않던 중 매도인도 소유권이전등기의무의 이행을 제공하지 아니한 채 그 이행기를 도과한 경우, 특별한 사정이 없는 한 매도인과 매수인 쌍방의 의무가 동시이행 관계에 있게 된다.
③ 쌍무계약의 당사자 일방이 한번 현실의 제공을 하여 상대방을 수령지체에 빠지게 하였으나 그 이행의 제공이 계속되지 않는 경우, 이행의 제공이 중지된 이후에 상대방의 이행지체를 이유로 손해배상청구를 할 수 없다.

④ 소비대차 계약에 있어서 채무의 담보목적으로 저당권 설정등기를 경료한 경우에 채무자의 채무변제는 저당권설정등기 말소등기에 앞서는 선행의무이며 채무의 변제와 동시이행 관계에 있는 것이 아니다.

⑤ 공사도급계약상 도급인의 지체상금채권과 수급인의 공사대금채권은 특별한 사정이 없는 한 동시이행의 관계에 있다고 할 수 없다.

> **해설** ① 계약무효의 경우 각 당사자가 상대방에 대하여 부담하는 반환의무는 성질상 부당이득반환의무로서 악의의 수익자는 그 받은 이익에 법정이자를 붙여 반환하여야 하므로(민법 제748조 제2항), 매매계약이 무효로 되는 때에는 매도인이 악의의 수익자인 경우 특별한 사정이 없는 한 매도인은 반환할 매매대금에 대하여 민법이 정한 연 5%의 법정이율에 의한 이자를 붙여 반환하여야 한다. 그리고 위와 같은 법정이자의 지급은 부당이득반환의 성질을 가지는 것이지 반환의무의 이행지체로 인한 손해배상이 아니므로, 매도인의 매매대금 반환의무와 매수인의 소유권이전등기 말소등기절차 이행의무가 동시이행의 관계에 있는지 여부와는 관계가 없다(대판 2017.3.9. 2016다47478).
>
> ② 매매계약에서 대가적 의미가 있는 매도인의 소유권이전의무와 매수인의 대금지급의무는 다른 약정이 없는 한 동시이행의 관계에 있으며, 또한 설령 어느 의무가 선이행의무라고 하더라도 이행기가 도과된 경우에는 이행기 도과에 불구하고 여전히 선이행하기로 약정하는 등의 특별한 사정이 없는 한 그 의무를 포함하여 매도인과 매수인 쌍방의 의무는 동시이행관계에 놓이게 된다(대판 2013.6.13. 2011다73472).
>
> ③ 쌍무계약의 당사자 일방이 먼저 한 번 현실의 제공을 하고, 상대방을 수령지체에 빠지게 하였다고 하더라도 그 이행의 제공이 계속되지 않는 경우는 과거에 이행의 제공이 있었다는 사실만으로 상대방이 가지는 동시이행의 항변권이 소멸하는 것은 아니므로, 일시적으로 당사자 일방의 의무의 이행 제공이 있었으나 곧 그 이행의 제공이 중지되어 더 이상 그 제공이 계속되지 아니하는 기간 동안에는 상대방의 의무가 이행지체 상태에 빠졌다고 할 수는 없다고 할 것이고, 따라서 그 이행의 제공이 중지된 이후에 상대방의 의무가 이행지체되었음을 전제로 하는 손해배상청구도 할 수 없는 것이다(대판 1995.3.14. 94다26646).
>
> ④ 소비대차 계약에 있어서 채무의 담보목적으로 저당권 설정등기를 경료한 경우에 채무자의 채무변제는 저당권설정등기 말소등기에 앞서는 선행의무이며 채무의 변제와 동시이행 관계에 있는 것이 아니다(대판 1969.9.30. 69다1173).
>
> ⑤ 공사도급계약상 도급인의 지체상금채권과 수급인의 공사대금채권은 특별한 사정이 없는 한 동시이행의 관계에 있다고 할 수 없다(대판 2015.8.27. 2013다81224·81231).

09 동시이행의 항변권에 관한 다음 설명 중 가장 옳지 않은 것은? (다툼이 있는 경우 판례에 의함)

▶ 2018년 법무사

① 계약당사자가 부담하는 각 채무가 쌍무계약에 있어 고유의 대가관계가 있는 채무가 아니라고 하더라도 구체적인 계약관계에서 각 당사자가 부담하는 채무에 관한 약정 내용에 따라 그것이 대가적 의미가 있어 이행상의 견련관계를 인정하여야 할 사정이 있는 경우에는 동시이행의 항변권을 인정할 수 있다.

> **정답** 08 ① 09 ④

② 주택임대차보호법 제3조의3 규정에 의한 임차권등기는 이미 임대차계약이 종료하였음
에도 임대인이 그 보증금을 반환하지 않는 상태에서 경료되게 되므로, 이미 사실상 이
행지체에 빠진 임대인의 임대차보증금의 반환의무와 그에 대응하는 임차인의 권리를
보전하기 위하여 새로이 경료하는 임차권등기에 대한 임차인의 말소의무를 동시이행관
계에 있는 것으로 해석할 것은 아니다.

③ 쌍무계약의 당사자 일방이 먼저 한번 현실의 제공을 하고 상대방을 수령지체에 빠지게
하였다 하더라도 그 이행의 제공이 계속되지 않는 경우는 과거에 이행의 제공이 있었
다는 사실만으로 상대방이 가지는 동시이행의 항변권이 소멸하는 것은 아니다.

④ 쌍무계약에서 쌍방의 채무가 동시이행관계에 있는 경우 일방의 채무의 이행기가 도래
하더라도 상대방 채무의 이행제공이 있을 때까지는 그 채무를 이행하지 않아도 이행지
체의 책임을 지지 않는 것이며, 이와 같은 효과는 이행지체의 책임이 없다고 주장하는
자가 동시이행의 항변권을 행사하여야만 발생하는 것이다.

⑤ 임대차계약이 해지된 후에 임대인이 잔존 임차보증금반환청구권을 전부받은 자에게 그
채무를 현실적으로 이행하였거나 그 채무이행을 제공하지 않은 이상, 임차인의 목적물
에 대한 점유는 동시이행의 항변권에 기한 것이어서 불법점유라고 볼 수 없다.

해설 ① 당사자 쌍방이 부담하는 채무가 쌍무계약상의 고유의 대가관계에 있는 채무가 아니라고 하
더라도 구체적 계약관계에서 각 당사자가 부담하는 채무 사이에 대가적 의미가 있어 이행상
의 견련관계를 인정하여야 할 사정이 있는 경우에는 위 각 채무는 서로 동시이행관계에 있다
고 볼 수 있다(대판 1995.6.30. 94다55118).

② 주택임대차보호법 제3조의3 규정에 의한 임차권등기는 이미 임대차계약이 종료하였음에도
임대인이 그 보증금을 반환하지 않는 상태에서 경료되게 되므로, 이미 사실상 이행지체에 빠
진 임대인의 임대차보증금의 반환의무와 그에 대응하는 임차인의 권리를 보전하기 위하여
새로이 경료하는 임차권등기에 대한 임차인의 말소의무를 동시이행관계에 있는 것으로 해석
할 것은 아니고, 특히 위 임차권등기는 임차인으로 하여금 기왕의 대항력이나 우선변제권을
유지하도록 해 주는 담보적 기능만을 주목적으로 하는 점 등에 비추어 볼 때, 임대인의 임대
차보증금의 반환의무가 임차인의 임차권등기 말소의무보다 먼저 이행되어야 할 의무이다
(대판 2005.6.9. 2005다4529).

③ 쌍무계약의 당사자 일방이 먼저 한번 현실의 제공을 하고 상대방을 수령지체에 빠지게 하였
다 하더라도 그 이행의 제공이 계속되지 않는 경우는 과거에 이행의 제공이 있었다는 사실만
으로 상대방이 가지는 동시이행의 항변권이 소멸하는 것은 아니므로, 일시적으로 당사자 일
방의 의무의 이행제공이 있었으나 곧 그 이행의 제공이 중지되어 더 이상 그 제공이 계속되
지 아니하는 기간 동안에는 상대방의 의무가 이행지체 상태에 빠졌다고 할 수는 없다고 할
것이고, 따라서 그 이행의 제공이 중지된 이후에 상대방의 의무가 이행지체되었음을 전제로
하는 손해배상청구도 할 수 없다(대판 1999.7.9. 98다13754·13761).

④ 쌍무계약에서 쌍방의 채무가 동시이행관계에 있는 경우 일방의 채무의 이행기가 도래하더라
도 상대방 채무의 이행제공이 있을 때까지는 그 채무를 이행하지 않아도 이행지체의 책임을
지지 않는 것이고, 이와 같은 효과는 이행지체의 책임이 없다고 주장하는 자가 반드시 동시
이행의 항변권을 행사하여야만 발생하는 것은 아니다(대판 1998.3.13. 97다54604·54611).

⑤ 임차인의 임차보증금반환청구채권이 전부된 경우에도 채권의 동일성은 그대로 유지되는 것이어서 동시이행관계도 당연히 그대로 존속한다고 해석할 것이므로 임대차계약이 해지된 후에 임대인이 잔존임차보증금반환청구 채권을 전부받은 자에게 그 채무를 현실적으로 이행하였거나 그 채무이행을 제공하였음에도 불구하고 임차인이 목적물을 명도하지 않음으로써 임차목적물반환채무가 이행지체에 빠지는 등의 사유로 동시이행의 항변권을 상실하게 되었다는 점에 관하여 임대인이 주장, 입증을 하지 않은 이상, 임차인의 목적물에 대한 점유는 동시이행의 항변권에 기한 것이어서 불법점유라고 볼 수 없다(대판 1989.10.27, 89다카4298).

10 **동시이행의 항변권에 관한 다음 설명 중 가장 옳지 않은 것은?** (다툼이 있는 경우 판례에 의함)
▶ 2017년 법원사무관 승진

① 당사자가 부담하는 각 채무가 쌍무계약에 있어 고유의 대가관계가 있는 채무가 아니라고 하더라도 구체적인 계약관계에서 각 당사자가 부담하는 채무에 관한 약정 내용에 따라 그것이 대가적 의미가 있어 이행상의 견련관계를 인정하여야 할 사정이 있는 경우에는 동시이행의 항변권을 인정할 수 있다.
② 쌍무계약에서 쌍방의 채무가 동시이행관계에 있는 경우, 일방의 채무의 이행기가 도래하더라도 상대방 채무의 이행제공이 있을 때까지는 그 채무를 이행하지 않아도 이행지체의 책임을 지지 않는 것이고, 이와 같은 효과는 이행지체의 책임이 없다고 주장하는 자가 반드시 동시이행의 항변권을 행사하여야만 발생하는 것은 아니다.
③ 쌍무계약이 무효로 되어 각 당사자가 서로 취득한 것을 반환하여야 할 경우, 어느 일방의 당사자에게만 먼저 그 반환의무의 이행이 강제된다면 공평과 신의칙에 위배되는 결과가 되므로 각 당사자의 반환의무는 동시이행관계에 있다.
④ 동시이행의 항변권이 붙은 채권을 자동채권으로 하는 상계도 허용된다.

해설 ① 동시이행의 항변권은 공평의 관념과 신의칙에 입각하여 각 당사자가 부담하는 채무가 서로 대가적 의미를 가지고 관련되어 있을 때 그 이행에 있어서 견련관계를 인정하여 당사자 일방은 상대방이 채무를 이행하거나 이행의 제공을 하지 아니한 채 당사자 일방의 채무의 이행을 청구할 때에는 자기의 채무이행을 거절할 수 있도록 하는 제도이다. 이러한 제도의 취지에서 볼 때 당사자가 부담하는 각 채무가 쌍무계약에서 고유의 대가관계에 있는 채무가 아니더라도, 구체적인 계약관계에서 각 당사자가 부담하는 채무에 관한 약정 내용에 따라 그것이 대가적 의미가 있어 이행상의 견련관계를 인정하여야 할 사정이 있는 경우에는 동시이행의 항변권을 인정할 수 있다(대판 2007.6.14, 2007다3285).
② 쌍무계약에서 쌍방의 채무가 동시이행관계에 있는 경우 일방의 채무의 이행기가 도래하더라도 상대방 채무의 이행제공이 있을 때까지는 그 채무를 이행하지 않아도 이행지체의 책임을 지지 않는 것이며, 이와 같은 효과는 이행지체의 책임이 없다고 주장하는 자가 반드시 동시이행의 항변권을 행사하여야만 발생하는 것은 아니므로, 동시이행관계에 있는 쌍무계약상 자기채무의 이행을 제공하는 경우 그 채무를 이행함에 있어 상대방의 행위를 필요로 할 때에는 언제든지 현실로 이행을 할 수 있는 준비를 완료하고 그 뜻을 상대방에게 통지하여 그 수령을 최고하여야만 상대방으로 하여금 이행지체에 빠지게 할 수 있는 것이다(대판 2001.7.10, 2001다3764).

정답 ▶ 10 ④

③ 쌍무계약이 무효로 되어 각 당사자가 서로 취득한 것을 반환하여야 할 경우, 어느 일방의 당사자에게만 먼저 그 반환의무의 이행이 강제된다면 공평과 신의칙에 위배되는 결과가 되므로 각 당사자의 반환의무는 동시이행관계에 있다(대판 2007.12.8, 2005다38843).

④ 항변권이 부착되어 있는 채권을 자동채권으로 하여 타의 채무와의 상계는 일방의 의사표시에 의하여 상대방의 항변권 행사의 기회를 상실케 하는 결과가 되므로 성질상 허용할 수 없는 것이나 상계항변에서 들고 나온 자동채권을 부정하여 그 항변을 배척하는 것과 자동채권의 성립은 인정되나 성질상 상계를 허용할 수 없다 하여 상계항변을 배척하는 것과는 그 형식면에서는 같을지라도 전자의 경우엔 기판력이 있다 할 것이므로 양자는 판결의 효력이 다른 것이다(대판 1975.10.21, 75다48).

11 동시이행의 항변권에 관한 다음 설명 중 가장 옳지 않은 것은? (다툼이 있는 경우 판례에 의함)

▸ 2015년 법무사

① 쌍무계약에서 서로 대가관계에 있는 당사자 쌍방의 의무는 원칙적으로 동시이행의 관계에 있고, 나아가 하나의 계약으로 둘 이상의 민법상의 전형계약을 포괄하는 내용의 계약을 체결한 경우에 당사자 일방의 여러 의무가 포괄하여 상대방의 여러 의무와 대가관계에 있다고 인정되면, 이러한 당사자 일방의 여러 의무와 상대방의 여러 의무는 동시이행의 관계에 있다고 봄이 상당하다.

② 쌍무계약에서 발생하는 쌍방 당사자의 채무는 서로 동시이행의 관계에 있다고 할 것이지만, 상대 당사자가 일방 당사자의 채무 이행에 대한 수령을 거절하는 의사를 명백히 표시하고 그 의사를 뒤집을 가능성이 보이지 아니하는 경우에는 일방 당사자는 위 채무를 이행하거나 그 이행을 제공하지 아니하더라도 채무불이행의 책임을 면한다.

③ 쌍무계약이 무효로 되어 각 당사자가 서로 취득한 것을 반환하여야 할 경우, 각 당사자의 반환의무는 동시이행관계에 있다고 봄이 상당하다.

④ 쌍무계약의 당사자 일방이 먼저 한 번 현실의 제공을 하고, 상대방을 수령지체에 빠지게 하였다면, 그 이행의 제공이 계속되지 않더라도 상대방이 가지는 동시이행의 항변권은 소멸한다.

⑤ 동시이행의 관계에 있는 쌍방의 채무 중 어느 한 채무가 이행불능이 됨으로 인하여 발생한 손해배상채무도 여전히 다른 채무와 동시이행의 관계에 있다.

> **해설** ① 쌍무계약에서 서로 대가관계에 있는 당사자 쌍방의 의무는 원칙적으로 동시이행의 관계에 있고, 나아가 하나의 계약으로 둘 이상의 민법상의 전형계약을 포괄하는 내용의 계약을 체결한 경우에 당사자 일방의 여러 의무가 포괄하여 상대방의 여러 의무와 대가관계에 있다고 인정되면, 이러한 당사자 일방의 여러 의무와 상대방의 여러 의무는 동시이행의 관계에 있다고 봄이 상당하다(대판 2011.2.10, 2010다77385).
>
> ② 쌍무계약에서 발생하는 쌍방 당사자의 채무는 서로 동시이행의 관계에 있다고 할 것이지만, 상대 당사자가 일방 당사자의 채무 이행에 대한 수령을 거절하는 의사를 명백히 표시하고 그 의사를 뒤집을 가능성이 보이지 아니하는 경우에는 일방 당사자는 위 채무를 이행하거나 그 이행을 제공하지 아니하더라도 채무불이행의 책임을 면한다(대판 1995.4.28, 94다16083).

③ 쌍무계약이 무효(또는 취소)로 되어 각 당사자가 서로 취득한 것을 반환하여야 할 경우, 각 당사자의 반환의무는 동시이행관계에 있다고 봄이 상당하다(대판 2007.12.28, 2005다38843).

④ 쌍무계약의 당사자 일방이 먼저 한 번 현실의 제공을 하고, 상대방을 수령지체에 빠지게 하였다면, "그 이행의 제공이 계속되어야" 상대방이 가지는 동시이행의 항변권이 비로소 소멸한다(대판 1993.8.24, 92다56490).

⑤ 동시이행의 관계에 있는 쌍방의 채무 중 어느 한 채무가 이행불능이 됨으로 인하여 발생한 손해배상채무도 여전히 다른 채무와 동시이행의 관계에 있다(대판 2000.2.25, 97다30066).

12 **동시이행의 항변권에 관한 다음 설명 중 가장 옳지 않은 것은?** (다툼이 있는 경우 판례에 의하고, 전원합의체 판결의 경우 다수의견에 의함) ▶ 2019년 9급(법원서기보)

① 쌍무계약의 무효로 인하여 각 당사자가 서로 취득한 것을 반환해야 할 경우 각 반환의무는 동시이행관계에 있다.

② 금전채권에 대한 압류 및 추심명령이 있는 경우에는 추심채무자는 제3채무자에 대하여 피압류채권에 기하여 그 동시이행을 구하는 항변권을 상실하게 된다.

③ 선이행의무자가 그 이행을 지체하는 동안에 상대방의 채무가 이행기에 달하게 되면, 선이행의무를 부담하는 채무자도 동시이행항변권을 행사할 수 있다.

④ 동시이행항변권이 붙은 채권을 자동채권으로 하는 상계는 원칙적으로 금지된다.

해설 ① 쌍무계약이 무효로 되어 각 당사자가 서로 취득한 것을 반환하여야 할 경우, 어느 일방의 당사자에게만 먼저 그 반환의무의 이행이 강제된다면 공평과 신의칙에 위배되는 결과가 되므로 각 당사자의 반환의무는 동시이행관계에 있다(대판 2007.12.28, 2005다38843).

② 금전채권에 대한 압류 및 추심명령이 있는 경우, 이는 강제집행절차에서 추심채권자에게 채무자의 제3채무자에 대한 채권을 추심할 권능만을 부여하는 것이므로, 이로 인하여 채무자가 제3채무자에 대하여 가지는 채권이 추심채권자에게 이전되거나 귀속되는 것은 아니므로, 추심채무자로서는 제3채무자에 대하여 피압류채권에 기하여 그 동시이행을 구하는 항변권을 상실하지 않는다(대판 2001.3.9, 2000다73490).

③ 매수인이 선이행의무 있는 중도금을 지급하지 않았다 하더라도 계약이 해제되지 않은 상태에서 잔대금 지급일이 도래하여 그 때까지 중도금과 잔대금이 지급되지 아니하고 잔대금과 동시이행관계에 있는 매도인의 소유권이전등기 소요서류가 제공된 바 없이 그 기일이 도과하였다면, 다른 특별한 사정이 없는 한, 매수인의 중도금 및 잔대금의 지급과 매도인의 소유권이전등기 소요서류의 제공은 동시이행관계에 있다 할 것이어서 그 때부터는 매수인은 중도금을 지급하지 아니한 데 대한 이행지체의 책임을 지지 아니한다(대판 2002.3.29, 2000다577).

④ 자동채권에 항변권이 붙어 있는 경우에는 상계가 허용되지 않는다. 즉 항변권이 붙어 있는 채권을 자동채권으로 하여 타의 채무와의 상계를 허용한다면 상계자 일방의 의사표시에 의하여 상대방의 항변권행사의 기회를 상실케 하는 결과가 되므로 이와 같은 상계는 그 성질상 허용될 수 없다(대판 2002.8.23, 2002다25242). 그러나 수동채권에 항변권이 붙어 있는 경우에는 상계가 허용된다. 상계자 스스로 항변을 포기할 수 있기 때문이다.

정답 11 ④ 12 ②

13 동시이행의 항변권에 관한 다음 설명 중 가장 옳지 않은 것은? (다툼이 있는 경우 판례에 의함)

▶ 2019년 법원사무관 승진

① 목적물 반환에 대한 동시이행의 항변권을 상실하였음에도 불구하고 동시이행의 관계에 있지 아니한 채권이나 상대방에 대하여 가지고 있지 아니한 채권을 주장하면서 그 목적물의 반환을 계속 거부하면서 점유하고 있다면, 이러한 점유는 적어도 과실에 의한 점유로서 불법행위를 구성한다.

② 매도인이 매매계약의 목적물상에 설정되어 있는 담보권설정등기를 말소해야 할 의무와 매수인의 잔대금 지급의무는 특별한 사정이 없는 한 동시이행 관계에 있는 것이고 쌍방이 그 이행기에 채무를 이행하지 아니하였다면 그 이후 쌍방의 채무는 기한의 정함이 없는 동시이행 관계에 있게 된다.

③ 임대차계약 종료 후 임대인이 그 보증금을 반환하지 않은 상태에서 주택임대차보호법 제3조의3 규정에 의한 임차권등기가 마쳐진 경우, 임대인의 임대차보증금 반환의무와 임차인의 임차권등기 말소의무는 동시이행관계에 있다.

④ 임차인이 불이행한 원상회복의무가 사소한 부분이고 그로 인한 손해배상액 역시 근소한 금액인 경우에, 임대인은 동시이행의 항변권을 근거로 임차인이 그 원상회복의무를 이행할 때까지 거액의 잔존 임대차보증금 전액에 대하여 그 반환을 거부할 수는 없다.

해설 ① 쌍무계약이 무효로 되어 각 당사자가 서로 취득한 것을 반환하여야 할 경우, 어느 일방의 당사자에게만 먼저 그 반환의무의 이행이 강제된다면 공평과 신의칙에 위배되는 결과가 되므로 각 당사자의 반환의무는 동시이행의 관계에 있다고 봄이 상당하다. 이러한 동시이행의 항변권을 행사하여 계약 목적물을 계속 점유한 것이라면 그 점유를 불법점유라고 할 수 없을 것이나, 그러한 동시이행의 항변권을 상실하였음에도 불구하고 동시이행의 관계에 있지 아니한 채권이나 또한 상대방에 대하여 가지고 있지 아니한 채권을 주장하면서 그 목적물의 반환을 계속 거부하면서 점유하고 있다면, 이러한 점유는 적어도 과실에 의한 점유로서 불법행위를 구성한다(대판 1996.6.14, 95다54693).

② 매도인이 매매계약의 목적물상에 설정되어 있는 담보권 설정등기를 말소해야 할 의무와 매수인의 잔대금 지급의무는 특별한 사정이 없는 한 동시이행 관계에 있는 것이고 쌍방이 그 이행기에 채무를 이행하지 아니하였다면 그 이후 쌍방의 채무는 기한의 정함이 없는 동시이행 관계에 있게 된다(대판 1980.8.26, 80다1037).

③ 임대인의 임대차보증금 반환의무와 임차인의 임차권등기 말소의무는 동시이행관계에 있지 않고 임대차보증금을 선이행하여야 한다(대판 2005.6.9, 2005다4529).

④ 동시이행의 항변권은 근본적으로 공평의 관념에 따라 인정되는 것인데, 임차인이 불이행한 원상회복의무가 사소한 부분이고 그로 인한 손해배상액 역시 근소한 금액인 경우에까지 임대인이 그를 이유로, 임차인이 그 원상회복의무를 이행할 때까지, 혹은 임대인이 현실로 목적물의 명도를 받을 때까지 원상회복의무 불이행으로 인한 손해배상액 부분을 넘어서서 거액의 잔존 임대차보증금 전액에 대하여 그 반환을 거부할 수 있다고 하는 것은 오히려 공평의 관념에 반하는 것이 되어 부당하고, 그와 같은 임대인의 동시이행의 항변은 신의칙에 반하는 것이 되어 허용할 수 없다(대판 1999.11.12, 99다34697). → 임차인이 금 326,000원이 소요되는 전기시설의 원상회복을 하지 아니한 채 건물의 명도 이행을 제공한 경우, 임대인이 이를 이유로 금 125,000,000원 정도의 잔존 임대차보증금 전액의 반환을 거부할 동시이행의 항변권을 행사할 수 없다고 한 사례이다.

14 동시이행관계에 관한 다음 설명 중 옳은 것은 모두 몇 개인가? ▸2020년 법원행시

> ㄱ. 동시이행의 항변권에 관한 제536조는 강행규정이 아니므로 쌍방의 채무가 쌍무계약이 아니라 별개의 계약에 기한 것이더라도 동시이행의 특약이 있으면 동시이행의 항변권이 인정되는 반면, 쌍무계약에 기한 것이더라도 동시이행의 항변권을 배제할 수도 있다.
>
> ㄴ. 임대차 종료 시 임차인이 임차목적물을 인도할 의무와 임대인이 임대보증금 중 미지급 월 임료 등을 공제한 나머지 보증금을 반환할 의무가 동시이행관계에 있는 이상, 임차인이 동시이행항변권에 기하여 임차목적물을 사용·수익하는 경우에 그 점유는 불법점유라고 할 수 없어 그로 인한 손해배상책임이나 부당이득반환책임을 질 여지가 없다.
>
> ㄷ. 공사도급계약의 도급인이 자신 소유의 토지에 근저당권을 설정하여 수급인으로 하여금 공사에 필요한 자금을 대출받도록 한 경우 수급인의 근저당권 말소의무는 도급인의 공사대금채무와 동시이행관계에 있고, 나아가 도급인이 대출금 등을 대위변제함으로써 수급인이 지게 된 구상금채무도 그 대등액의 범위 내에서 도급인의 공사대금채무와 동시이행관계에 있다.
>
> ㄹ. 채무를 담보하기 위하여 어음이 발행된 경우 채권자가 원인채권을 행사함에 대하여 채무자는 어음과 상환으로 지급하겠다는 항변으로 채권자에게 대항할 수 없다.
>
> ㅁ. 임대차보증금반환채권에 대한 압류 및 추심명령이 있더라도 임대인이 임차인에 대하여 가지는 동시이행항변권을 상실하지 않는다.
>
> ㅂ. 소비대차 계약에서 채무의 담보목적으로 저당권 설정등기를 마친 경우에 채무자의 채무변제와 저당권설정등기의 말소등기의무는 동시이행관계에 있다.

① 1개   ② 2개   ③ 3개
④ 4개   ⑤ 5개

해설 ㄱ. 민법 제536조의 동시이행 항변권은 상호 대가적 채무의 이행상 견련관계를 인정함이 공평의 원칙에 합당하기 때문에 마련된 것으로서 임의규정에 해당한다. 따라서 쌍방의 채무가 쌍무계약이 아니라 별개의 계약에 기한 것이더라도 동시이행의 특약이 있으면 동시이행의 항변권이 인정되는 반면, 쌍무계약에 기한 것이더라도 동시이행의 항변권을 배제할 수도 있다.
ㄴ. 임대차계약의 종료에 의하여 발생된 임차인의 임차목적물 반환의무와 임대인의 연체차임을 공제한 나머지 보증금의 반환의무는 동시이행의 관계에 있는 것이므로, 임대차계약 종료 후에도 임차인이 동시이행의 항변권을 행사하여 임차건물을 계속 점유하여 온 것이라면 임차인의 그 건물에 대한 점유는 불법점유라고 할 수는 없으나, 임차목적물을 사용·수익하여 이득이 있다면 이는 부당이득으로서 반환하여야 하는 것은 당연하다(대판 1992.4.14, 92다45202·45219 등).

정답 13 ③ 14 ③

ㄷ. 공사도급계약의 도급인이 자신 소유의 토지에 근저당권을 설정하여 수급인으로 하여금 공사에 필요한 자금을 대출받도록 한 경우, 수급인의 근저당권 말소의무는 도급인의 공사대금채무에 대하여 공사도급계약상 고유한 대가관계가 있는 의무는 아니지만, 담보제공의 경위와 목적, 대출금의 사용용도 및 그에 따른 공사대금의 실질적 선급과 같은 자금지원 효과와 이로 인하여 도급인이 처하게 될 이중지급의 위험 등 구체적인 계약관계에 비추어 볼 때, 이행상의 견련관계가 인정되므로 양자는 서로 동시이행의 관계에 있고, 나아가 수급인이 근저당권 말소의무를 이행하지 아니한 결과 도급인이 위 대출금 및 연체이자를 대위변제함으로써 수급인이 지게 된 구상금채무도 근저당권 말소의무의 변형물로서 그 대등액의 범위 내에서 도급인의 공사대금채무와 동시이행의 관계에 있다(대판 2010.3.25, 2007다35152).
ㄹ. 본래 기존의 원인채권과 어음채권이 병존하는 경우에 채권자가 원인채권을 행사함에 있어서 채무자는 원칙적으로 어음과 상환으로 지급하겠다고 하는 항변으로 채권자에게 대항할 수 있다(대판 2010.7.29, 2009다69692).
ㅁ. 추심명령은 강제집행절차에서 추심채권자에게 채무자의 제3채무자에 대한 채권을 추심할 권능만을 부여하는 것이므로, 이로 인하여 채무자가 제3채무자에 대하여 가지는 채권이 추심채권자에게 이전되거나 귀속되는 것은 아니어서, 추심채무자로서는 제3채무자에 대하여 피압류채권에 기하여 그 동시이행을 구하는 항변권을 상실하지 않는다(대판 2001.3.9, 2000다73490).
ㅂ. 소비대차 계약에 있어서 채무의 담보목적으로 저당권 설정등기를 경료한 경우에 채무자의 채무변제는 저당권설정등기 말소등기에 앞서는 선행의무이며 채무의 변제와 동시이행 관계에 있는 것이 아니다(대판 1969.9.30, 69다1173).

15 동시이행관계에 관한 다음 설명 중 가장 옳지 않은 것은? ▶ 2021년 법원행시

① 공사도급계약상 도급인의 지체상금채권과 수급인의 공사대금채권은 특별한 사정이 없는 한 동시이행의 관계에 있다고 할 수 없다.
② 쌍무계약이 무효로 되어 각 당사자가 서로 취득한 것을 반환하여야 할 경우, 어느 당사자 일방이 무효로 된 계약의 목적물을 점유하더라도 상대방이 동시이행의 관계에 있는 자신의 반환의무를 이행하거나 적법하게 이행제공하는 등으로 당사자 일방의 동시이행항변권을 상실시키지 아니한 이상, 그 점유는 불법점유라 할 수 없으므로 이로 인한 손해배상책임을 지지 않는다.
③ 임대인의 임대차보증금의 반환의무와 임차인의 주택임대차보호법 제3조의3 규정에 의한 임차권등기의 말소의무는 동시이행관계에 있는 것이 아니고, 임대인의 임대차보증금의 반환의무가 임차인의 임차권등기 말소의무보다 먼저 이행되어야 할 의무이다.
④ 부동산의 매수인이 매매목적물에 관한 근저당권의 피담보채무를 인수하는 한편 그 채무액을 매매대금에서 공제하기로 약정한 경우, 매도인이 그 채무를 대신 변제하였다면 매수인의 매도인에 대한 구상채무는 매도인의 소유권이전의무와 더 이상 동시이행의 관계에 있지 않고, 매수인의 매도인에 대한 구상채무가 매도인의 소유권이전의무보다 먼저 이행되어야 한다.

⑤ 매매계약에서 대가적 의미가 있는 매도인의 소유권이전의무와 매수인의 대금지급의무 중 어느 의무가 선이행의무라고 하더라도 그 의무가 이행되지 아니한 채로 상대방 의무의 이행기가 도과된 경우에는 이행기 도과에도 불구하고 여전히 선이행하기로 약정하는 등의 특별한 사정이 없는 한 그 의무를 포함하여 매도인과 매수인 쌍방의 의무는 동시이행관계에 놓이게 된다.

해설 ① 공사도급계약상 도급인의 지체상금채권과 수급인의 공사대금채권은 특별한 사정이 없는 한 동시이행의 관계에 있다고 할 수 없다(대판 2015.8.27, 2013다81224·81231).

② 쌍무계약이 무효로 되어 각 당사자가 서로 취득한 것을 반환하여야 할 경우, 어느 일방의 당사자에게만 먼저 그 반환의무의 이행이 강제된다면 공평과 신의칙에 위배되는 결과가 되므로 각 당사자의 반환의무는 동시이행관계에 있다고 봄이 상당하다. 이에 따라 어느 당사자 일방이 무효로 된 계약의 목적물을 점유하더라도 상대방이 동시이행의 관계에 있는 자신의 반환의무를 이행하거나 적법하게 이행제공하는 등으로 당사자 일방의 동시이행 항변권을 상실시키지 아니한 이상, 그 점유는 불법점유라 할 수 없으므로 이로 인한 손해배상책임을 지지 아니하고, 이러한 효과는 손해배상책임이 없다고 주장하는 자가 반드시 동시이행의 항변권을 행사하여야만 발생하는 것이 아니다(대판 2019.6.13, 2019다208533·208540).

③ 주택임대차보호법 제3조의3 규정에 의한 임차권등기는 이미 임대차계약이 종료하였음에도 임대인이 그 보증금을 반환하지 않는 상태에서 경료되게 되므로, 이미 사실상 이행지체에 빠진 임대인의 임대차보증금의 반환의무와 그에 대응하는 임차인의 권리를 보전하기 위하여 새로이 경료하는 임차권등기에 대한 임차인의 말소의무를 동시이행관계에 있는 것으로 해석할 것은 아니고, 특히 위 임차권등기는 임차인으로 하여금 기왕의 대항력이나 우선변제권을 유지하도록 해 주는 담보적 기능만을 주목적으로 하는 점 등에 비추어 볼 때, 임대인의 임대차보증금의 반환의무가 임차인의 임차권등기 말소의무보다 먼저 이행되어야 할 의무이다(대판 2005.6.9, 2005다4529).

④ 부동산의 매수인이 매매목적물에 관한 근저당권의 피담보채무를 인수하는 한편 그 채무액을 매매대금에서 공제하기로 약정한 경우, 매수인이 인수하기로 한 채무는 매매대금 지급채무에 갈음한 것으로서 매도인이 그 채무를 대신 변제하였다면 그로 인한 매수인의 매도인에 대한 구상채무는 인수채무의 변형으로서 매매대금 지급채무에 갈음한 것의 변형이므로, 매수인의 구상채무와 매도인의 소유권이전의무는 대가적 의미가 있어 이행상 견련관계에 있다고 인정되고, 따라서 양자는 동시이행의 관계에 있다고 해석함이 공평의 관념 및 신의칙에 합당하다(대판 2007.6.14, 2007다3285).

⑤ 쌍무계약인 매매계약에서 매수인이 선이행의무인 분양잔대금 지급의무를 이행하지 않고 있는 사이에 매도인의 소유권이전등기의무의 이행기가 도과한 경우, 분양잔대금 지급채무를 여전히 선이행하기로 약정하는 등 특별한 사정이 없는 한 매도인과 매수인 쌍방의 의무는 동시이행 관계에 놓이게 된다(대판 2001.7.27, 2001다27784·27791).

정답 ▶ **15** ④

16 동시이행의 항변권에 관한 다음 설명 중 가장 옳지 않은 것은? ▸ 2022년 법무사

① 동시이행의 관계에 있는 쌍방의 채무 중 어느 한 채무가 이행불능이 됨으로 인하여 발생한 손해배상채무도 여전히 다른 채무와 동시이행의 관계에 있다.

② 매매계약에서 대가적 의미가 있는 매도인의 소유권이전의무와 매수인의 대금지급의무는 다른 약정이 없는 한 동시이행의 관계에 있다. 설령 어느 의무가 선이행의무라고 하더라도 이행기가 지난 때에는 이행기가 지난 후에도 여전히 선이행하기로 약정하는 등의 특별한 사정이 없는 한 그 의무를 포함하여 매도인과 매수인 쌍방의 의무는 동시이행관계에 놓이게 된다.

③ 매수인이 매도인을 상대로 매매목적 부동산 중 일부에 대해서만 소유권이전등기의무의 이행을 구하고 있는 경우에는, 매도인은 특별한 사정이 없는 한 그 매매잔대금 일부에 대하여 동시이행의 항변권을 행사할 수 있다.

④ 일반적으로 동시이행의 관계가 인정되는 경우에 그러한 항변권을 행사하는 자의 상대방이 그 동시이행의 의무를 이행하기 위하여 과다한 비용이 소요되거나 또는 그 의무의 이행이 실제적으로 어려운 반면 그 의무의 이행으로 인하여 항변권자가 얻는 이득은 별달리 크지 아니하여 동시이행의 항변권의 행사가 주로 자기 채무의 이행만을 회피하기 위한 수단이라고 보여지는 경우에는 그 항변권의 행사는 권리남용으로서 배척되어야 할 것이다.

⑤ 동시이행의 항변권은 당사자가 행사하지 않는 이상 법원으로서는 이를 고려할 필요가 없지만, 이행지체책임은 동시이행의 항변권을 행사하지 않아도 발생하지 않는다.

해설 ① 동시이행의 관계에 있는 쌍방의 채무 중 어느 한 채무가 이행불능이 됨으로 인하여 발생한 손해배상채무도 여전히 다른 채무와 동시이행의 관계에 있다(대판 2014.4.30, 2010다 11323).

② 매매계약에서 대가적 의미가 있는 매도인의 소유권이전의무와 매수인의 대금지급의무는 다른 약정이 없는 한 동시이행의 관계에 있으며, 또한 설령 어느 의무가 선이행의무라고 하더라도 이행기가 도과된 경우에는 이행기 도과에 불구하고 여전히 선이행하기로 약정하는 등의 특별한 사정이 없는 한 그 의무를 포함하여 매도인과 매수인 쌍방의 의무는 동시이행관계에 놓이게 된다(대판 2013.6.13, 2011다73472).

③ 부동산매매계약에서 발생하는 매도인의 소유권이전등기의무와 매수인의 매매잔대금지급의무는 동시이행관계에 있고, 동시이행의 항변권은 상대방의 채무이행이 있기까지 자신의 채무이행을 거절할 수 있는 권리이므로, 매수인이 매도인을 상대로 매매목적 부동산 중 일부에 대해서만 소유권이전등기의무의 이행을 구하고 있는 경우에도 매도인은 특별한 사정이 없는 한 그 매매잔대금 전부에 대하여 동시이행의 항변권을 행사할 수 있다고 할 것이다(대판 2006.2.23, 2005다53187).

④ 대판 1992.4.28, 91다29972

⑤ 대판 1990.11.27, 90다카25222; 대판 2001.7.10, 2001다3764 → 청구저지효는 항변권을 행사해야만 그 효력이 발생하고, 항변권자의 원용이 없으면 법원은 항변권의 존재를 고려하지 않으므로 법원은 원고승소판결을 하게 된다. 반면 지체저지효는 이행지체의 책임이 없다고 주장하는 자가 반드시 동시이행의 항변권을 행사하여야만 발생하는 것은 아니다.

17 동시이행항변에 관한 다음 설명 중 가장 옳지 않은 것은?(다툼이 있는 경우 판례에 따르고 전원합의체 판결의 경우 다수의견에 의함. 이하 같음) ▶ 2023년 법무사

① 완성된 목적물에 하자가 있어 도급인이 하자의 보수에 갈음하여 손해배상을 청구한 경우에 도급인의 손해배상 채권과 동시이행관계에 있는 수급인의 공사대금 채권은 공사 잔대금 채권 중 위 손해배상 채권액과 동액의 채권에 한한다.

② 제3채무자의 압류채무자에 대한 자동채권이 수동채권인 피압류채권과 동시이행의 관계에 있다 하더라도, 압류명령이 제3채무자에게 송달되어 압류의 효력이 생긴 후에 자동채권이 발생하였다면 그 자동채권은 민법 제498조의 '지급을 금지하는 명령을 받은 제3채무자가 그 후에 취득한 채권'에 해당하므로, 제3채무자는 동시이행의 항변권을 주장할 수 없다.

③ 계속적 거래관계에 있어서 재화나 용역을 먼저 공급한 후 일정기간마다 거래대금을 정산하여 일정기일 후에 지급받기로 약정한 경우에, 공급자가 선이행의 자기 채무를 이행하였으나 이미 정산이 완료되어 이행기가 지난 전기의 대금을 지급받지 못한 경우에는, 공급자는 이미 이행기가 지난 전기의 대금을 지급받을 때까지 선이행의무가 있는 다음 기간의 자기 채무의 이행을 거절할 수 있다고 해석할 것이다.

④ 부동산 매매계약에 있어 매수인이 부가가치세를 부담하기로 약정한 경우, 부가가치세를 매매대금과 별도로 지급하기로 했다는 등의 특별한 사정이 없는 한 부가가치세를 포함한 매매대금 전부와 부동산의 소유권이전등기의무가 동시이행의 관계에 있다고 봄이 상당하다.

⑤ 근저당권설정등기가 되어 있는 부동산을 매매하는 경우, 매수인이 근저당권의 피담보채무를 인수하여 그 채무금 상당을 매매잔대금에서 공제하기로 하는 특약을 하는 등 특별한 사정이 없는 한, 매도인의 근저당권말소 및 소유권이전등기의무와 매수인의 잔대금지급의무는 동시이행의 관계에 있는 것이다.

해설 ① 완성된 목적물에 하자가 있어 도급인이 하자의 보수에 갈음하여 손해배상을 청구한 경우에, 도급인은 수급인이 그 손해배상청구에 관하여 채무이행을 제공할 때까지 그 손해배상액에 상응하는 보수액에 관하여만 자기의 채무이행을 거절할 수 있을 뿐이고 그 나머지 보수액은 지급을 거절할 수 없다고 할 것이므로, 도급인의 손해배상 채권과 동시이행관계에 있는 수급인의 공사대금 채권은 공사잔대금 채권 중 위 손해배상 채권액과 동액의 채권에 한하고, 그 나머지 공사잔대금 채권은 위 손해배상 채권과 동시이행관계에 있다고 할 수 없다(대판 1996.6.11, 95다12798).

② 금전채권에 대한 압류 및 전부명령이 있는 때에는 압류된 채권은 동일성을 유지한 채로 압류채무자로부터 압류채권자에게 이전되고, 제3채무자는 채권이 압류되기 전에 압류채무자에게 대항할 수 있는 사유로써 압류채권자에게 대항할 수 있는 것이므로, 제3채무자의 압류채무자에 대한 자동채권이 수동채권인 피압류채권과 동시이행의 관계에 있는 경우에는, 압류명령이 제3채무자에게 송달되어 압류의 효력이 생긴 후에 자동채권이 발생하였다고 하더라도 제3채무

자는 **동시이행의 항변권을 주장할 수 있다**. 이 경우에 <u>자동채권이 발생한 기초가 되는 원인은</u> 수동채권이 <u>압류되기 전에 이미 성립하여 존재하고 있었던 것이므로, 그 자동채권은 민법 제 498조의 '지급을 금지하는 명령을 받은 제3채무자가 그 후에 취득한 채권'에 해당하지 않는다</u>고 봄이 상당하고, 제3채무자는 그 자동채권에 의한 <u>상계로</u> 압류채권자에게 <u>대항할 수 있다</u> (대판 2010.3.25, 2007다35152).

③ 계속적 거래관계에 있어서 재화나 용역을 먼저 공급한 후 일정 기간마다 거래대금을 정산하여 일정 기일 후에 지급받기로 약정한 경우에 공급자가 선이행의 자기 채무를 이행하고 이미 정산이 완료되어 이행기가 지난 전기의 대금을 지급받지 못하였거나 후이행의 상대방의 채무가 아직 이행기가 되지 아니하였지만 이행기의 이행이 현저히 불안한 사유가 있는 경우에는 민법 제536조 제2항 및 신의성실의 원칙에 비추어 볼 때 **공급자는 이미 이행기가 지난 전기의 대금을 지급받을 때 또는 전기에 대한 상대방의 이행기 미도래채무의 이행불안사유가 해소될 때까지 선이행의무가 있는 다음 기간의 자기 채무의 이행을 거절할 수 있다**. 민법 제 536조 제2항에서의 '상대방의 채무이행이 곤란할 현저한 사유'라 함은 계약 성립 후 상대방의 신용불안이나 재산상태의 악화 등 사정으로 반대급부를 이행받을 수 없게 될지도 모를 사정변경이 생기고 이로 인하여 당초의 계약 내용에 따른 선이행의무를 이행하게 하는 것이 공평의 관념과 신의칙에 반하게 되는 경우를 말한다(대판 2002.9.4, 2001다1386).

④ 대판 2006.2.24, 2005다58656

⑤ 대판 1991.11.26, 91다23103

18 **동시이행관계에 관한 다음 설명 중 가장 옳지 않은 것은?** ▶ 2023년 법원사무관 승진

① 쌍무계약에서 서로 대가관계에 있는 당사자 쌍방의 의무는 원칙적으로 동시이행관계에 있고, 그 제도의 취지상 당사자가 부담하는 각 채무가 쌍무계약에 있어서의 고유의 대가관계에 있는 채무가 아니더라도, 구체적인 계약관계에서 각 당사자가 부담하는 채무에 관한 약정 내용에 따라 그것이 대가적 의미가 있어 이행상의 견련관계를 인정하여야 할 사정이 있는 경우에는 동시이행항변권을 인정할 수 있다. 이는 민법 제536조 제2항에서 정한 이른바 '불안의 항변권'의 경우에도 마찬가지로 적용된다.

② 상가임대차계약이 종료된 경우, 임차인의 임차목적물반환의무와 임대인의 권리금 회수 방해로 인한 손해배상의무는 동일한 법률관계에서 발생한 것인 데다가 공평의 관점에서 보더라도 이행상 견련관계가 인정된다.

③ 분양권매매계약 체결 당시 매매계약서상의 명목상 매매대금을 실제 매매대금보다 줄여서 기재하고 그 차액에 해당하는 금원에 관해 따로 현금보관증을 작성하여 둔 경우, 매수인의 위 현금보관증 기재 금원 지급의무와 매도인의 수분양자명의 변경절차이행의무는 동시이행관계에 있다.

④ 임대차계약관계에서 임대인의 임대차보증금반환의무는 임차인의 임차권등기 말소의무보다 먼저 이행되어야 하므로, 동시이행관계로 볼 수는 없다.

해설 ① 동시이행의 항변권은 당사자 쌍방이 부담하는 <u>각 채무가 고유의 대가관계에 있는 쌍무계약상 채무가 아니더라도</u> 구체적 계약관계에서 당사자 쌍방이 부담하는 채무 사이에 <u>대가적 의미</u>

가 있어 이행상 견련관계를 인정하여야 할 사정이 있는 경우에는 이를 인정해야 한다. 이러한 법리는 민법 제536조 제1항뿐만 아니라 같은 조 제2항에서 정한 이른바 '불안의 항변권'의 경우에도 마찬가지로 적용된다(대판 2022.5.13, 2019다215791).

② 임차인의 **임차목적물 반환의무**는 임대차계약의 종료에 의하여 발생하나, 임대인의 **권리금 회수 방해로 인한 손해배상의무**는 상가건물 임대차보호법에서 정한 **권리금 회수기회 보호의무 위반**을 원인으로 하고 있으므로 양 채무는 동일한 법률요건이 아닌 별개의 원인에 기하여 발생한 것일 뿐 아니라 공평의 관점에서 보더라도 그 사이에 **이행상 견련관계를 인정하기 어렵다**(대판 2019.7.10, 2018다242727).

③ 분양권매매계약의 체결 당시 양도소득세의 일부 회피 목적으로 매매계약서상의 명목상 매매대금을 실제 매매대금보다 줄여서 기재하고 그 차액에 해당하는 금원에 관해 따로 현금보관증을 작성하여 둔 사안에서, 그 금원도 매매대금의 일부에 해당하므로 달리 매수인과 매도인이 위 금원의 지급의무를 위 매매계약과 무관한 별개의 독립된 채무로 하기로 특별히 약정하였다고 볼 만한 사정이 없는 한, **매수인의 위 금원 지급의무와 매도인의 수분양자명의 변경절차이행의무가 서로 대가관계에 있는 것으로 동시이행의 관계에 있다**(대판 2007.6.14, 2007다3285).

④ 주택임대차보호법 제3조의3 규정에 의한 임차권등기는 임차인으로 하여금 기왕의 대항력이나 우선변제권을 유지하도록 해 주는 담보적 기능만을 주목적으로 하는 점 등에 비추어 볼 때, 임대인의 임대차보증금 반환의무는 임차인의 임차권등기 말소의무보다 먼저 이행되어야 한다(대판 2005.6.9, 2005다4529).

19 동시이행의 항변권에 관한 다음 설명 중 옳지 않은 것을 모두 고른 것은? ▶2023년 법원행시

ㄱ. 근저당권 실행을 위한 경매가 무효로 되어 채권자(=근저당권자)가 채무자를 대위하여 낙찰자에 대한 소유권이전등기 말소청구권을 행사하는 경우, 채권자(=근저당권자)가 낙찰자에 대하여 부담하는 배당금 반환채무와 낙찰자가 채무자에 대하여 부담하는 소유권이전등기 말소의무는 서로 동시에 이행되어야 한다.

ㄴ. 동시이행의 항변권은 상대방의 채무이행이 있기까지 자신의 채무이행을 거절할 수 있는 권리이므로, 매수인이 매도인을 상대로 매매목적 부동산 중 일부에 대해서만 소유권이전등기의무의 이행을 구하고 있는 경우라면 매도인은 특별한 사정이 없는 한 그 비율에 해당하는 매매잔대금 일부에 한하여만 동시이행의 항변권을 행사할 수 있다.

ㄷ. 부동산의 매매계약시 그 부동산의 양도로 인하여 매도인이 부담할 양도소득세를 매수인이 부담하기로 하는 특약을 하였다면 매도인의 소유권이전등기의무와 매수인의 양도소득세액 제공의무는 원칙적으로 서로 동시이행의 관계에 있다고 봄이 상당하다.

ㄹ. 상품권 발행인이 상품권의 내용에 따른 제품제공의무를 이행하지 않음으로 인하여 그 소지인에게 그 이행에 갈음한 손해배상책임을 지게 되는 경우에, 발행인의 손해배상의무에 관하여는 그 이행의 최고를 받은 다음부터 이행지체의 책임을 진다.

정답 18 ② 19 ④

> ㅁ. 부동산에 관한 매매계약을 체결한 후 매수인 앞으로 소유권이전등기를 마치기 전에 매수인으로부터 그 부동산을 다시 매수한 제3자의 처분금지가처분신청으로 매매목적부동산에 관하여 가처분등기가 이루어진 상태에서 매도인과 매수인 사이의 매매계약이 해제된 경우, 위와 같은 가처분등기의 말소와 매도인의 대금반환의무는 동시이행의 관계에 있다.

① ㄱ, ㄴ, ㄷ   ② ㄱ, ㄷ, ㄹ   ③ ㄱ, ㄴ, ㄷ, ㄹ
④ ㄱ, ㄴ, ㄷ, ㅁ   ⑤ ㄱ, ㄴ, ㄹ, ㅁ

해설 ㄱ. 근저당권 실행을 위한 경매가 무효로 되어 채권자(=근저당권자)가 채무자를 대위하여 낙찰자에 대한 소유권이전등기 말소청구권을 행사하는 경우, 낙찰자가 부담하는 소유권이전등기 말소의무는 채무자에 대한 것인 반면, 낙찰자의 배당금 반환청구권은 실제 배당금을 수령한 채권자(=근저당권자)에 대한 채권인바, 채권자(=근저당권자)가 낙찰자에 대하여 부담하는 배당금 반환채무와 낙찰자가 채무자에 대하여 부담하는 소유권이전등기 말소의무는 서로 이행의 상대방을 달리하는 것으로서, 채권자(=근저당권자)의 배당금 반환채무가 동시이행의 항변권이 부착된 채 채무자로부터 승계된 채무도 아니므로, 위 두 채무는 동시에 이행되어야 할 관계에 있지 아니하다(대판 2006.9.22, 2006다24049).

ㄴ. 부동산매매계약에서 발생하는 매도인의 소유권이전등기의무와 매수인의 매매잔대금지급의무는 동시이행관계에 있고, 동시이행의 항변권은 상대방의 채무이행이 있기까지 자신의 채무이행을 거절할 수 있는 권리이므로, 매수인이 매도인을 상대로 매매목적 부동산 중 일부에 대해서만 소유권이전등기의무의 이행을 구하고 있는 경우에도 매도인은 특별한 사정이 없는 한 그 매매잔대금 '전부'에 대하여 동시이행의 항변권을 행사할 수 있다고 할 것이다(대판 2006.2.23, 2005다53187).

ㄷ. 원래 부동산의 매매계약시 그 부동산의 양도로 인하여 매도인이 부담할 양도소득세를 매수인이 부담하기로 하는 특약을 하였다 하여도 매수인이 양도소득세를 부담하기 위한 이행제공의 형태, 방법, 시기 등이 매도인의 소유권이전등기의무와 견련관계에 있다고 인정되는 경우에 한하여 매도인의 소유권이전등기의무와 매수인의 양도소득세액 제공의무는 서로 동시이행의 관계에 있다고 봄이 상당하다(대판 1993.8.24, 92다56490, 대판 1995.3.10, 94다27977). → 원칙적으로 서로 동시이행의 관계에 있다(×).

ㄹ. 상품권 발행인이 상품권의 내용에 따른 제품제공의무를 이행하지 않음으로 인하여 그 소지인에게 그 이행에 갈음한 손해배상책임을 지게 되는 경우에도 이중지급의 위험을 방지하기 위하여 공평의 관념과 신의칙상 발행인의 손해배상의무와 소지인의 상품권 반환의무 사이에 동시이행관계가 인정된다 할 것이나, 이는 민법 제536조에 정하는 쌍무계약상의 채권채무관계나 그와 유사한 대가관계가 있어서 그러는 것이 아니므로, 발행인의 손해배상의무에 관하여는 그 이행의 최고를 받은 다음부터 이행지체의 책임을 진다(대판 2007.9.20, 2005다63337).

ㅁ. 부동산에 관한 매매계약을 체결한 후 매수인 앞으로 소유권이전등기를 마치기 전에 매수인으로부터 그 부동산을 다시 매수한 제3자의 처분금지가처분신청으로 매매목적부동산에 관하여 가처분등기가 이루어진 상태에서 매도인과 매수인 사이의 매매계약이 해제된 경우, 매도인만이 가처분이의 등을 신청할 수 있을 뿐 매수인은 가처분 당사자가 아니어서 가처분이의 등에 의하여 가처분등기를 말소할 수 있는 법률상의 지위에 있지 않고, 제3자가 한 가처분을 매도인의 매수인에 대한 소유권이전등기의무의 일부이행으로 평가할 수 없어 그 가처분

등기를 말소하는 것이 매매계약 해제에 따른 매수인의 원상회복의무에 포함된다고 보기도 어려우므로, **가처분등기의 말소와 매도인의 대금반환의무가 동시이행의 관계에 있지 않다**(대판 2009.7.9, 2009다18526).

20. 동시이행항변에 관한 다음 설명 중 가장 옳지 않은 것은?
▶ 2024년 법무사

① 기존의 원인채권과 어음채권이 병존하는 경우에 채권자가 원인채권을 행사함에 있어서 채무자는 원칙적으로 어음과 상환으로 지급하겠다고 하는 항변으로 채권자에게 대항할 수 있다. 따라서 어음상 권리가 시효완성으로 소멸하여 채무자에게 이중지급의 위험이 없고 채무자가 다른 어음상 채무자에 대하여 권리를 행사할 수도 없는 경우이더라도 채권자의 원인채권 행사에 대하여 채무자에게 어음상환의 동시이행항변을 인정할 필요가 있다.

② 토지 임차인의 매수청구권 행사로 지상 건물에 대하여 시가에 의한 매매 유사의 법률관계가 성립된 경우에는 임차인의 건물명도 및 그 소유권이전등기의무와 토지 임대인의 건물대금지급의무는 서로 대가관계에 있는 채무가 되므로, 임차인이 임대인에게 매수청구권이 행사된 건물들에 대한 명도와 소유권이전등기를 마쳐주지 아니하였다면 임대인에게 그 매매대금에 대한 지연손해금을 구할 수 없다.

③ 매수인이 매매의 목적이 된 부동산을 명도받기 전에 잔대금을 먼저 지급하기로 약정한 매매의 경우에, 매수인이 잔대금지급채무를 이행하지 아니하였다고 하더라도 매매계약이 해제되지 아니한 상태에서 부동산의 명도기일이 지날 때까지 부동산이 명도되지 아니하였다면, 그때부터는 매수인의 잔대금지급채무와 매도인의 부동산명도의무는 동시이행의 관계에 있게 된다.

④ 동시이행의 항변권은 상대방의 채무이행이 있기까지 자신의 채무이행을 거절할 수 있는 권리이므로, 매수인이 매도인을 상대로 매매목적 부동산 중 일부에 대해서만 소유권이전등기의무의 이행을 구하고 있는 경우에도 매도인은 특별한 사정이 없는 한 그 매매잔대금 전부에 대하여 동시이행의 항변권을 행사할 수 있다고 할 것이다.

⑤ 항변권이 부착되어 있는 채권을 자동채권으로 하여 타의 채무와의 상계를 허용한다면 상계가 일방의 의사표시에 의하여 상대방의 항변권행사의 기회를 상실케 하는 결과가 되므로 이와 같은 상계는 그 성질상 허용할 수 없다.

해설 ① 본래 기존의 원인채권과 어음채권이 병존하는 경우에 채권자가 원인채권을 행사함에 있어서 채무자는 원칙적으로 어음과 상환으로 지급하겠다고 하는 항변으로 채권자에게 대항할 수 있다. 그러나 어음상 권리가 시효완성으로 소멸하여 채무자에게 이중지급의 위험이 없고 채무자가 다른 어음상 채무자에 대하여 권리를 행사할 수도 없는 경우에는 채권자의 원인채권 행사에 대하여 채무자에게 어음상환의 동시이행항변을 인정할 필요가 없으므로 결국 채무자의 동시이행항변권은 부인된다(대판 2010.7.29, 2009다69692).
② 토지 임차인의 매수청구권 행사로 지상 건물에 대하여 시가에 의한 매매 유사의 법률관계가

정답 ▶ **20 ①**

성립된 경우에는 임차인의 건물명도 및 그 소유권이전등기의무와 토지 임대인의 건물대금지급의무는 서로 대가관계에 있는 채무가 되므로, 임차인이 임대인에게 매수청구권이 행사된 건물들에 대한 명도와 소유권이전등기를 마쳐주지 아니하였다면 임대인에게 그 매매대금에 대한 지연손해금을 구할 수 없다(대판 1998.5.8. 98다2389).

③ 매수인이 매매의 목적이 된 부동산을 명도받기 전에 잔대금을 먼저 지급하기로 약정한 매매의 경우에, 매수인이 잔대금지급채무를 이행하지 아니하였다고 하더라도 매매계약이 해제되지 아니한 상태에서 부동산의 명도기일이 지날 때까지 부동산이 명도되지 아니하였다면, 그때부터는 매수인의 잔대금지급채무와 매도인의 부동산명도의무는 동시이행의 관계에 있게 된다(대판 1991.8.13. 91다13144).

④ 부동산매매계약에서 발생하는 매도인의 소유권이전등기의무와 매수인의 매매잔대금지급의무는 동시이행관계에 있고, 동시이행의 항변권은 상대방의 채무이행이 있기까지 자신의 채무이행을 거절할 수 있는 권리이므로, 매수인이 매도인을 상대로 매매목적 부동산 중 일부에 대해서만 소유권이전등기의무의 이행을 구하고 있는 경우에도 매도인은 특별한 사정이 없는 한 그 매매잔대금 전부에 대하여 동시이행의 항변권을 행사할 수 있다고 할 것이다(대판 2006.2.23. 2005다53187).

⑤ 대판 2002.8.23. 2002다25242 → ※ [보충] : 수탁보증인이 주채무자에 대하여 가지는 민법 제442조의 사전구상권에는 민법 제443조 소정의 이른바 면책청구권이 항변권으로 부착되어 있는 만큼 이를 자동채권으로 하는 상계는 허용될 수 없다(대판 2001.11.13. 2001다55222·55239).

21 계약의 효력에 관한 설명 중 가장 옳지 않은 것은? (다툼이 있는 경우 통설·판례에 의함)

▶ 2014년 법무사

① 민법 제537조가 정한 채무자위험부담주의는 강행규정이 아니므로 이와 다른 약정이 있으면 그에 따른다.

② 쌍무계약에서 당사자 쌍방의 귀책사유 없이 채무가 이행불능된 경우 이미 이행한 급부는 법률상 원인 없는 급부가 되어 부당이득의 법리에 따라 반환청구할 수 있다.

③ 쌍무계약의 당사자 일방의 채무가 채권자의 책임 있는 사유로 이행할 수 없게 된 때에는 채무자는 상대방의 이행을 청구할 수 있다.

④ 사용자의 해고처분이 무효인 때에는 그동안 근로의 제공을 하지 못한 것은 사용자의 귀책사유이므로 근로자는 임금의 지급을 청구할 수 있다.

⑤ 쌍무계약의 당사자 일방의 채무가 쌍방의 책임 없는 사유로 이행할 수 없게 된 때에는 채무자는 이행을 청구하지 못하고, 이는 채권자의 수령지체 중이라도 마찬가지이다.

해설 ① 위험부담에 관한 제537조는 임의규정이므로, 당사자 간의 약정으로 다른 내용을 정할 수 있다. 판례도 제537조의 규정에 관한 약관이 가능함을 전제로 그 약관의 무효여부를 판시한 바 있다. 약관의 내용이 사적자치의 영역에 속하는 채무자위험부담주의에 관한 민법 제537조의 규정에 관한 것이라고 하더라도, 사업자가 상당한 이유 없이 자신이 부담하여야 할 위험을 고객에게 이전하는 내용의 약관조항은 고객의 정당한 이익과 합리적인 기대에 반할 뿐 아니라 사적 자치의 한계를 벗어나는 것이라고 할 것이고, 따라서 이러한 사적자치의 한계를 벗어나는 약관조항을 무효로 한다고 하여 사적자치의 원칙에 반한다고 할 수는 없다(대판 2005.2.18, 2003두3734).

② 민법 제537조는 채무자위험부담주의를 채택하고 있는 바, 쌍무계약에서 당사자 쌍방의 귀책사유 없이 채무가 이행불능된 경우 채무자는 급부의무를 면함과 더불어 반대급부도 청구하지 못하므로, 쌍방 급부가 없었던 경우에는 계약관계는 소멸하고 이미 이행한 급부는 법률상 원인 없는 급부가 되어 부당이득의 법리에 따라 반환청구할 수 있다(대판 2009.5.28, 2008다98655・98662).

③ 쌍무계약의 당사자 일방의 채무가 채권자의 책임 있는 사유로 이행할 수 없게 된 때에는 채무자는 상대방의 이행을 청구할 수 있다(제538조 제1항 제1문).

④ 사용자의 부당한 해고처분이 무효이거나 취소된 때에는 그동안 피해고자의 근로자로서 지위는 계속되고, 그간 근로의 제공을 하지 못한 것은 사용자의 귀책사유로 인한 것이므로 근로자는 민법 제538조 제1항에 의하여 계속 근로하였을 경우 받을 수 있는 임금 전부의 지급을 청구할 수 있다(대판 2012.2.9, 2011다20034).

⑤ 쌍무계약의 당사자 일방의 채무가 당사자 쌍방의 책임 없는 사유로 이행할 수 없게 된 때에는 채무자는 상대방의 이행을 청구하지 못한다(제537조). 쌍무계약의 당사자 일방의 채무가 채권자의 책임 있는 사유로 이행할 수 없게 된 때에는 채무자는 상대방의 이행을 청구할 수 있다. 채권자의 수령지체 중에 당사자 쌍방의 책임 없는 사유로 이행할 수 없게 된 때에도 같다(제538조 제1항).

22 **위험부담에 관한 다음 설명 중 가장 옳지 않은 것은?** (다툼이 있는 경우 판례에 의하고, 전원합의체 판결의 경우 다수의견에 의함) ▶ 2019년 법원행시

① 민법 제538조(채권자귀책사유로 인한 이행불능) 제1항의 '채권자의 책임 있는 사유'란 채권자의 어떤 작위나 부작위가 채무자의 이행의 실현을 방해하고, 그 작위나 부작위를 채권자가 피할 수 있었다는 점에서 신의칙상 비난받을 수 있는 경우를 말한다.

② 부동산 매수인이 매매목적물에 설정된 근저당권의 피담보채무에 관하여 그 이행을 인수한 경우, 매수인이 그 변제를 게을리하여 근저당권이 실행됨으로써 매도인이 매매목적물에 관한 소유권을 상실하였다면, 특별한 사정이 없는 한 이는 매수인에게 책임 있는 사유로 인하여 소유권이전등기의무가 이행불능으로 된 것으로 보아야 한다.

③ 영상물 제작공급계약상 수급인이 도급인과 협력하여 그 지시감독을 받으면서 영상물을 제작하여야 하는 경우, 도급인의 영상물제작에 대한 협력의 거부로 수급인이 독자적으로 성의껏 제작하여 납품한 영상물이 도급인의 의도에 부합되지 아니하게 되었다면, 이는 계약상 협력의무의 이행을 거부한 도급인의 귀책사유로 인한 것이므로 수급인은 약정대금 전부의 지급을 청구할 수 있다.

④ 쌍무계약에서 당사자 쌍방의 귀책사유 없이 채무가 이행불능된 경우 채무자는 급부의무를 면함과 더불어 반대급부도 청구하지 못하므로, 경매절차가 진행되어 매각허가결정이 확정되었으나 매각대금이 완납되기 전에 경매목적물의 소유자와 매수인의 책임으로 돌릴 수 없는 사유로 경매목적물의 일부가 멸실된 경우, 매수인이 나머지 부분이라도 매수할 의사가 있어서 경매법원에 대하여 매각대금의 감액을 신청하여 왔더라도 경매법원으로서는 그 감액결정을 허용할 수는 없다.

⑤ 사용자의 귀책사유로 인하여 해고된 근로자가 해고기간 중에 다른 직장에서 근무하여 지급받은 임금은 민법 제538조 제2항의 '자기의 채무를 면함으로써 얻은 이익'에 해당하므로, 사용자는 근로자에게 해고기간 중의 임금을 지급함에 있어 위와 같은 이익(중간수입)을 공제할 수 있으나, 근로자가 지급받을 수 있는 임금액 중 근로기준법 소정의 휴업수당의 범위 내의 금액은 중간수입으로 공제할 수 없다.

해설 ① 민법 제538조 제1항은 쌍무계약의 위험부담에 관한 채무자주의 원칙의 예외로서 "쌍무계약의 당사자 일방의 채무가 채권자의 책임 있는 사유로 이행할 수 없게 된 때에는 채무자는 상대방의 이행을 청구할 수 있다."고 규정하고 있다. 여기에서 '채권자의 책임 있는 사유'란 채권자의 어떤 작위나 부작위가 채무자의 이행의 실현을 방해하고 그 작위나 부작위는 채권자가 이를 피할 수 있었다는 점에서 신의칙상 비난받을 수 있는 경우를 의미한다(대판 2014.11.27, 2013다94701).

② 부동산 매수인이 매매목적물에 설정된 근저당권의 피담보채무에 관하여 그 이행을 인수한 경우, 채권자에 대한 관계에서는 매도인이 여전히 채무를 부담한다고 하더라도, 매도인과 매수인 사이에서는 매수인에게 위 피담보채무를 변제할 책임이 있으므로, 매수인이 그 변제를 게을리하여 근저당권이 실행됨으로써 매도인이 매매목적물에 관한 소유권을 상실하였다면, 특별한 사정이 없는 한, 이는 매수인에게 책임 있는 사유로 인하여 소유권이전등기의무가 이행불능으로 된 경우에 해당하고, 거기에 매도인의 과실이 있다고 할 수는 없다(대판 2008.8.21, 2007다8464).

③ 영상물 제작공급계약상 수급인의 채무가 도급인과 협력하여 그 지시감독을 받으면서 영상물을 제작하여야 하므로 도급인의 협력 없이는 완전한 이행이 불가능한 채무이고, 한편 그 계약의 성질상 수급인이 일정한 기간 내에 채무를 이행하지 아니하면 계약의 목적을 달성할 수 없는 정기행위인 사안에서, 도급인의 영상물제작에 대한 협력의 거부로 수급인이 독자적으로 성의껏 제작하여 납품한 영상물이 도급인의 의도에 부합되지 아니하게 됨으로써 결과적으로 도급인의 의도에 부합하는 영상물을 기한 내에 제작하여 납품하여야 할 수급인의 채무가 이행불능케 된 경우, 이는 계약상의 협력의무의 이행을 거부한 도급인의 귀책사유로 인한 것이므로 수급인은 약정대금 전부의 지급을 청구할 수 있다고 하였다(대판 1996.7.9, 96다14364).

④ 임의경매절차가 진행되어 그 매각허가결정이 확정되었는데 그 매각대금 지급기일이 지정되기 전에 그 매각목적물에 대한 소유자 내지 채무자 또는 그 매수인의 책임으로 돌릴 수 없는 사유로 말미암아 그 매각목적물의 일부가 멸실되었고, 그 매수인이 나머지 부분이라도 매수할 의사가 있어서 경매법원에 대하여 그 매각대금의 감액신청을 하여 왔을 때에는 경매법원으로서는 민법상의 쌍무계약에 있어서의 위험부담 내지 하자담보책임의 이론을 적용하여 그 감액결정을 허용하는 것이 상당하다(대결 2004.12.24, 2003마1665).

⑤ 중간수입의 공제와 그 제한; ⅰ) 사용자의 귀책사유로 인하여 해고된 근로자가 해고기간 중에 다른 직장에 종사하여 얻은 이익(이른바 중간수입)은 민법 제538조 제2항에서 말하는 채무를 면함으로써 얻은 이익에 해당하므로, 사용자는 위 근로자에게 해고기간 중의 임금을 지

급함에 있어 위의 이익의 금액을 임금액에서 공제할 수 있다(대판 1991.6.28, 90다카 25277). 그러나 ⅱ) 근로기준법 제38조는 근로자의 최저생활을 보장하려는 취지에서 사용자의 귀책사유로 인하여 휴업하는 경우에는 사용자는 휴업기간 중 당해 근로자에게 그 평균임금의 100분의 70 이상의 수당을 지급하여야 한다고 규정하고 있고, 여기서의 휴업에는 개개의 근로자가 근로계약에 따라 근로를 제공할 의사가 있음에도 불구하고 그 의사에 반하여 취업이 거부되거나 또는 불가능하게 된 경우도 포함되므로 근로자가 사용자의 귀책사유로 인하여 해고된 경우에도 위 휴업수당에 관한 근로기준법이 적용될 수 있으며 이 경우에 근로자가 지급받을 수 있는 해고기간 중의 임금액 중 위 휴업수당의 한도에서는 이를 중간수입공제의 대상으로 삼을 수 없고, 그 휴업수당을 초과하는 금액 범위에서만 공제하여야 할 것이다(대판 1991.12.13, 90다18999).

23 다음 설명 중 옳지 않은 것은? (다툼이 있는 경우 판례에 의함) ▶ 2018년 법무사

① 쌍무계약에서 계약체결 후에 당사자 쌍방의 귀책사유 없이 채무의 이행이 불가능하게 된 경우, 당사자 일방이 이미 이행한 급부는 법률상 원인 없는 급부가 되어 상대방에게 부당이득의 법리에 따라 반환청구할 수 있다.

② 쌍무계약의 당사자 일방의 채무가 채권자의 수령지체 중에 당사자 쌍방의 책임 없는 사유로 이행할 수 없게 된 때에는, 채무자는 상대방의 이행을 청구할 수 있다. 다만, 채무자가 자기의 채무를 면함으로써 이익을 얻은 때에는 이를 채권자에게 상환하여야 한다.

③ 민법 제400조에 정한 채권자지체가 성립하기 위해서는 민법 제460조 소정의 채무자의 변제 제공이 있어야 하지만, 채권자가 변제를 받지 아니할 의사가 확고한 경우(이른바 채권자의 영구적 불수령)에는 구두의 제공조차 필요 없다. 따라서 쌍무계약에서 당사자 일방이 이른바 영구적 불수령 의사를 표시한 이상, 상대방이 현실 제공이나 구두 제공을 하지 않더라도 민법 제538조 제1항 제2문에 정한 '채권자의 수령지체 중에 당사자 쌍방의 책임 없는 사유로 이행할 수 없게 된 때'에 해당할 수 있다.

④ 매매계약이 무효로 되는 때에는 매도인이 악의의 수익자인 경우 특별한 사정이 없는 한 매도인은 반환할 매매대금에 대하여 민법이 정한 연 5%의 법정이율에 의한 이자를 붙여 반환하여야 한다. 그리고 이는 매도인의 매매대금반환의무와 매수인의 소유권이전등기 말소등기절차 이행의무가 동시이행 관계에 있는 경우에도 마찬가지이다.

⑤ 제3자를 위한 계약관계에서 낙약자와 요약자 사이의 법률관계(이른바 기본관계)를 이루는 계약이 무효이거나 해제된 경우, 특별한 사정이 없는 한 낙약자가 이미 제3자에게 급부한 것이 있더라도 낙약자는 계약해제 등에 기한 원상회복 또는 부당이득을 원인으로 제3자를 상대로 그 반환을 구할 수 없다.

> **해설** ① 민법 제537조는 채무자위험부담주의를 채택하고 있는바, 쌍무계약에서 당사자 쌍방의 귀책사유 없이 채무가 이행불능된 경우 채무자는 급부의무를 면함과 더불어 반대급부도 청구하지 못하므로, 쌍방 급부가 없었던 경우에는 계약관계는 소멸하고 이미 이행한 급부는 법률

정답 23 ③

상 원인 없는 급부가 되어 부당이득의 법리에 따라 반환청구할 수 있다(대판 2009.5.28, 2008다98655·98662).

② 제538조

③ 민법 제400조 소정의 채권자지체가 성립하기 위해서는 민법 제460조 소정의 채무자의 변제 제공이 있어야 하고, 변제 제공은 원칙적으로 현실 제공으로 하여야 하며 다만 채권자가 미리 변제받기를 거절하거나 채무의 이행에 채권자의 행위를 요하는 경우에는 구두의 제공으로 하더라도 무방하고, 채권자가 변제를 받지 아니할 의사가 확고한 경우(이른바, 채권자의 영구적 불수령)에는 구두의 제공을 한다는 것조차 무의미하므로 그러한 경우에는 구두의 제공조차 필요 없다고 할 것이지만, 그러한 구두의 제공조차 필요 없는 경우라고 하더라도, 이는 그로써 채무자가 채무불이행책임을 면한다는 것에 불과하고, 민법 제538조 제1항 제2문 소정의 '채권자의 수령지체 중에 당사자 쌍방의 책임 없는 사유로 이행할 수 없게 된 때'에 해당하기 위해서는 현실 제공이나 구두 제공이 필요하다. 다만, 그 제공의 정도는 그 시기와 구체적인 상황에 따라 신의성실의 원칙에 어긋나지 않게 합리적으로 정하여야 한다(대판 2004.3.12, 2001다79013).

④ 계약무효의 경우 각 당사자가 상대방에 대하여 부담하는 반환의무는 성질상 부당이득반환의무로서 악의의 수익자는 그 받은 이익에 법정이자를 붙여 반환하여야 하므로(민법 제748조 제2항), 매매계약이 무효로 되는 때에는 매도인이 악의의 수익자인 경우 특별한 사정이 없는 한 매도인은 반환할 매매대금에 대하여 민법이 정한 연 5%의 법정이율에 의한 이자를 붙여 반환하여야 한다. 그리고 위와 같은 법정이자의 지급은 부당이득반환의 성질을 가지는 것이지 반환의무의 이행지체로 인한 손해배상이 아니므로, 매도인의 매매대금 반환의무와 매수인의 소유권이전등기 말소등기절차 이행의무가 동시이행의 관계에 있는지 여부와는 관계가 없다(대판 2017.3.9, 2016다47478).

⑤ 제3자를 위한 계약관계에서 낙약자와 요약자 사이의 법률관계(이른바 기본관계)를 이루는 계약이 무효이거나 해제된 경우 그 계약관계의 청산은 계약의 당사자인 낙약자와 요약자 사이에 이루어져야 하므로, 특별한 사정이 없는 한 낙약자가 이미 제3자에게 급부한 것이 있더라도 낙약자는 계약해제 등에 기한 원상회복 또는 부당이득을 원인으로 제3자를 상대로 그 반환을 구할 수 없다(대판 2010.8.19, 2010다31860·31877).

24 다음 설명 중 옳지 않은 것은 모두 몇 개인가? ▸ 2021년 법원행시

가. 민법 제538조 제1항은 쌍무계약의 위험부담에 관한 채무자주의 원칙의 예외로서 "쌍무계약의 당사자 일방의 채무가 채권자의 책임 있는 사유로 이행할 수 없게 된 때에는 채무자는 상대방의 이행을 청구할 수 있다."고 규정하고 있다. 여기에서 '채권자의 책임 있는 사유'란 채권자의 어떤 작위나 부작위가 채무자의 이행의 실현을 방해하고 그 작위나 부작위는 채권자가 이를 피할 수 있었다는 점에서 신의칙상 비난받을 수 있는 경우를 의미한다.

나. 민법 제400조 소정의 채권자지체가 성립하기 위해서는 민법 제460조 소정의 채무자의 변제 제공이 있어야 하고, 변제 제공은 원칙적으로 현실 제공으로 하여야 하며 다만 채권자가 미리 변제받기를 거절하거나 채무의 이행에 채권자의 행위를 요하는 경우에는 구두의 제공으로 하더라도 무방하고, 채권자가 변제를 받지 아니할 의사가 확고한 경우(이른바, 채권자의 영구적 불수령)에는 구두의 제공을 한다는 것조차 무의미하므로 그러한 경우에는 구두의 제공조차 필요 없다.

다. 임차인의 임차목적물 명도의무와 임대인의 보증금 반환의무는 동시이행의 관계에 있다 하겠으므로, 임대인의 동시이행의 항변권을 소멸시키고 임대보증금 반환 지체책임을 인정하기 위해서는 임차인이 임대인에게 임차목적물의 명도의 이행제공을 하여야만 한다 할 것이고, 임차인이 임차목적물에서 퇴거하면서 그 사실을 임대인에게 알리지 아니하였다고 하더라도 임차목적물의 명도의 이행제공이 없었다고 볼 수는 없다.

라. 쌍무계약에서 雙방의 채무가 동시이행관계에 있는 경우 일방의 채무의 이행기가 도래하더라도 상대방 채무의 이행제공이 있을 때까지는 그 채무를 이행하지 않아도 이행지체의 책임을 지지 않는 것이나, 이와 같은 효과는 이행지체의 책임이 없다고 주장하는 자가 동시이행의 항변권을 행사하여야 발생하는 것이다.

마. 쌍무계약의 일방 당사자가 이행기에 한번 이행제공을 하여서 상대방을 이행지체에 빠지게 한 경우, 신의성실의 원칙상 이행을 최고하는 일방 당사자로서는 그 채무이행의 제공을 계속할 필요는 없다 하더라도 상대방이 최고기간 내에 이행 또는 이행제공을 하면 계약해제권은 소멸되므로 상대방의 이행을 수령하고 자신의 채무를 이행할 수 있는 정도의 준비가 되어 있으면 된다.

① 1개   ② 2개   ③ 3개
④ 4개   ⑤ 없음

해설 가. 민법 제538조 제1항은 쌍무계약의 위험부담에 관한 채무자주의 원칙의 예외로서 "쌍무계약의 당사자 일방의 채무가 채권자의 책임 있는 사유로 이행할 수 없게 된 때에는 채무자는 상대방의 이행을 청구할 수 있다."고 규정하고 있다. 여기에서 '채권자의 책임 있는 사유'란 채권자의 어떤 작위나 부작위가 채무자의 이행의 실현을 방해하고 그 작위나 부작위는 채권자가 이를 피할 수 있었다는 점에서 신의칙상 비난받을 수 있는 경우를 의미한다(대판 2014.11.27, 2013다94701).

나. 민법 제400조 소정의 채권자지체가 성립하기 위해서는 민법 제460조 소정의 채무자의 변제 제공이 있어야 하고, 변제 제공은 원칙적으로 현실 제공으로 하여야 하며 다만 채권자가 미리 변제받기를 거절하거나 채무의 이행에 채권자의 행위를 요하는 경우에는 구두의 제공으로 하더라도 무방하고, 채권자가 변제를 받지 아니할 의사가 확고한 경우(이른바, 채권자의 영구적 불수령)에는 구두의 제공을 한다는 것조차 무의미하므로 그러한 경우에는 구두의 제공조차 필요 없다고 할 것이지만, 그러한 구두의 제공조차 필요 없는 경우라고 하더라도, 이는 그로써 채무자가 채무불이행책임을 면한다는 것에 불과하고, 민법 제538조 제1항 제2문 소정의 '채권자의 수령지체 중에 당사자 쌍방의 책임 없는 사유로 이행할 수 없게 된 때'에 해당

하기 위해서는 현실 제공이나 구두 제공이 필요하다(대판 2004.3.12, 2001다79013).

다. 임차인의 임차목적물 명도의무와 임대인의 보증금 반환의무는 동시이행의 관계에 있다 하겠으므로, 임대인의 동시이행의 항변권을 소멸시키고 임대보증금 반환 지체책임을 인정하기 위해서는 임차인이 임대인에게 임차목적물의 명도의 이행제공을 하여야만 한다 할 것이고, 임차인이 임차목적물에서 퇴거하면서 그 사실을 임대인에게 알리지 아니한 경우에는 임차목적물의 명도의 이행제공이 있었다고 볼 수는 없다(대판 2002.2.26, 2001다77697).

라. 쌍무계약에서 쌍방의 채무가 동시이행관계에 있는 경우 일방의 채무의 이행기가 도래하더라도 상대방 채무의 이행제공이 있을 때까지는 그 채무를 이행하지 않아도 이행지체의 책임을 지지 않는 것이고, 이와 같은 효과는 이행지체의 책임이 없다고 주장하는 자가 반드시 동시이행의 항변권을 행사하여야만 발생하는 것은 아니다(대판 1998.3.13, 97다54604·54611).

마. 쌍무계약의 일방 당사자가 이행기에 한번 이행제공을 하여서 상대방을 이행지체에 빠지게 한 경우, 신의성실의 원칙상 이행을 최고하는 일방 당사자로서는 그 채무이행의 제공을 계속할 필요는 없다 하더라도, 상대방이 최고기간 내에 이행 또는 이행제공을 하면 계약해제권은 소멸되므로 상대방의 이행을 수령하고 자신의 채무를 이행할 수 있는 정도의 준비가 되어 있으면 된다(대판 1996.11.26, 96다35590·35606).

25. 제3자를 위한 계약에 관한 다음 설명 중 옳지 않은 것은? (다툼이 있는 경우 판례에 의함)

① 수익자가 수익의 의사표시를 한 이후에도 낙약자의 채무불이행이 있는 경우에 요약자는 수익자의 동의 없이 일방적으로 그 계약을 해제할 수 있다.

② 제3자를 위한 계약관계에서 기본관계를 이루는 계약이 해제된 경우 특별한 사정이 없는 한 낙약자가 이미 제3자에게 급부한 것이 있더라도 낙약자는 계약해제에 기한 원상회복 또는 부당이득을 원인으로 제3자를 상대로 그 반환을 구할 수 없다.

③ 당사자 일방이 계약을 해제한 때에는 각 당사자는 그 상대방에 대하여 원상회복의 의무가 있으나 제3자의 권리를 해하지 못한다고 할 때, 제3자를 위한 계약에서의 제3자는 여기의 제3자에 해당되지 않는다.

④ 제3자를 위한 계약에 있어서 수익의 의사표시를 한 수익자는 낙약자에게 직접 그 이행을 청구할 수는 있으나, 요약자가 계약을 해제한 경우에 낙약자에게 자기가 입은 손해의 배상을 청구할 수 없고, 또한 계약의 해제권이나 해제를 원인으로 한 원상회복청구권이 없다.

⑤ 제3자를 위한 계약의 채무자(낙약자)는 상당한 기간을 정하여 계약의 이익의 향수여부의 확답을 제3자(수익자)에게 최고할 수 있고, 채무자(낙약자)가 그 기간 내에 확답을 받지 못한 때에는 제3자(수익자)가 계약의 이익을 받을 것을 거절한 것으로 본다.

해설 ① 수익자의 권리가 확정된 이후에도 낙약자의 채무불이행이 있는 경우에 요약자는 낙약자로 하여금 제3자에게 손해배상할 것을 청구할 수 있고, 수익자의 동의 없이 일방적으로 그 계약을 해제할 수 있다(대판 1970.2.24, 69다1410).

② 제3자를 위한 계약관계에서 낙약자와 요약자 사이의 법률관계(이른바 기본관계)를 이루는 계약이 해제된 경우 그 계약관계의 청산은 계약의 당사자인 낙약자와 요약자 사이에 이루어져야 하므로, 특별한 사정이 없는 한 낙약자가 이미 제3자에게 급부한 것이 있더라도 낙약자는 계약해제에 기한 원상회복 또는 부당이득을 원인으로 제3자를 상대로 그 반환을 구할 수 없다(대판 2005.7.22, 2005다7566·7573).

③ 제3자를 위한 계약에서의 제3자가 계약해제 시 보호되는 민법 제548조 제1항 단서의 제3자에 해당하지 않음은 물론이나, 그렇다고 당연히 계약해제로 인한 원상회복의무를 부담해야하는 것은 아니고, 또한 낙약자는 미지급급부에 대해서는 민법 제542조에 따라 계약해제에 따른 항변으로 제3자에게 그 지급을 거절할 수 있는 것이나, 이는 이미 지급한 급부에 대해 계약해제에 따른 원상회복을 구하는 것과는 다른 경우로서 동일한 법리가 적용될 수는 없는 것이므로, 원심이 같은 취지에서 본소와 반소청구를 판단하고 있는 것은 정당하고, 거기에 원고가 상고이유로 드는 이유모순의 위법이 없다(대판 2005.7.22, 2005다7566·7573).

④ 제3자를 위한 계약에 있어서 수익의 의사표시를 한 수익자는 낙약자에게 직접 그 이행을 청구할 수 있을 뿐만 아니라 요약자가 계약을 해제한 경우에는 낙약자에게 자기가 입은 손해의 배상을 청구할 수 있는 것이므로, 수익자가 완성된 목적물의 하자로 인하여 손해를 입었다면 수급인은 그 손해를 배상할 의무가 있다. 그러나 제3자를 위한 계약의 당사자가 아닌 수익자는 계약의 해제권이나 해제를 원인으로 한 원상회복청구권이 있다고 볼 수 없다(대판 1994.8.12, 92다41559).

→ 낙약자가 채무를 이행하지 아니한 경우라도 제3자는 계약을 해제할 수 없다.(○)

⑤ 제540조【채무자의 제3자에 대한 최고권】 전조(제3자를 위한 계약)의 경우에 채무자는 상당한 기간을 정하여 계약의 이익의 향수여부의 확답을 제3자에게 최고할 수 있다. 채무자가 그 기간 내에 확답을 받지 못한 때에는 제3자가 계약의 이익을 받을 것을 거절한 것으로 본다.

---

26 제3자를 위한 계약에 관한 다음 설명 중 옳지 않은 것은? (다툼이 있는 경우 판례에 의함)

① 이행인수계약은 제3자를 위한 계약이 아니다.

② 제3자의 권리는 그 제3자가 채무자에게 대하여 계약의 이익을 받을 의사를 표시한 때에 생기지만, 제3자는 계약체결 당시에 현존하거나 특정될 필요는 없다. 따라서 설립 중의 법인이나 태아도 제3자가 될 수 있다.

③ 제3자를 위한 계약은 단순히 제3자에게 권리만을 부여하는 것을 필요로 하지 않고 제3자에게 일정한 부담하에 권리를 부여하는 것도 가능하다.

④ 제3자의 권리가 생긴 후에라도 원칙적으로 당사자는 이를 자유롭게 변경 또는 소멸시킬 수 있다.

⑤ 낙약자는 요약자와의 기본계약에서 발생되는 무효, 취소, 채무불이행 등의 항변사유를 제3자에게 주장할 수 있음이 원칙이다.

해설 ① 당사자의 의사가 불분명한 경우에 그것이 제3자를 위한 계약인지 여부는 의사표시의 해석 문제로 귀결되는데, 병존적 채무인수계약은 제3자를 위한 계약이지만 면책적 채무인수·이행인수·계약인수는 제3자를 위한 계약이 아니다.

② 제539조 제2항【제3자를 위한 계약】전항의 경우에 제3자의 권리는 그 제3자가 채무자에게 대하여 계약의 이익을 받을 의사를 표시한 때에 생긴다.

수익자는 처음부터 확정되어 있을 필요는 없고, 또한 현존하고 있어야 하는 것도 아니다. 따라서 태아나 설립 중 법인을 수익자로 하는 것도 가능하다(대판 1960.7.21, 4292민상773).
→ 제3자를 위한 계약에서 제3자의 권리는 계약의 성립으로 발생한다.(×)

③ 제3자를 위한 계약은 단순히 제3자에게 권리만을 부여하는 것을 필요로 하지 않고 제3자에게 일정한 부담하에 권리를 부여하는 것도 가능하다(대판 1965.11.9, 65다1620).

④ 제541조【제3자의 권리의 확정】제539조의 규정에 의하여 제3자의 권리가 생긴 후에는 당사자는 이를 변경 또는 소멸시키지 못한다.

⑤ 제542조【채무자의 항변권】채무자는 제539조의 계약에 기한 항변으로 그 계약의 이익을 받을 제3자에게 대항할 수 있다.

즉 낙약자는 기본계약으로부터 기인하는 의사표시의 하자, 무효, 취소, 해제·해지 등에 기한 항변으로 그 계약의 이익을 받을 제3자에게 대항할 수 있다.

27 제3자를 위한 계약에 관한 다음 설명 중 가장 옳은 것은? (다툼이 있는 경우 판례에 따르고 전원합의체 판결의 경우 다수의견에 의함) ▸ 2019년 법무사

① 요약자와 낙약자 사이의 매매계약이 무효인 경우, 매수인인 낙약자는 수익자에게 지급한 매매대금을 부당이득이라는 이유로 수익자를 상대로 그 반환을 청구할 수 있다.

② 요약자와 수익자 사이의 법률관계가 무효임을 이유로 요약자는 낙약자에게 부담하는 채무의 이행을 거부할 수 있다.

③ 채무자와 인수인의 계약으로 체결되는 병존적 채무인수는 채권자로 하여금 인수인에 대하여 새로운 권리를 취득하게 하는 것으로, 그 성격은 제3자를 위한 계약이 아니라 이행인수로 보아야 한다.

④ 수익자가 수익의 의사표시를 한 이후에 요약자가 낙약자의 채무불이행을 이유로 계약을 해제한 경우, 수익의 의사표시를 한 수익자는 낙약자에게 자기가 입은 손해의 배상을 청구할 수 있다.

⑤ 제3자를 위한 계약이 성립하기 위하여는 그 계약의 당사자가 아닌 제3자로 하여금 직접 권리를 취득하게 하는 조항이 있어야 하므로, 계약의 당사자가 제3자에 대하여 가진 채권에 관하여 그 채무를 면제하는 계약은 제3자를 위한 계약으로 유효하다고 볼 수 없다.

해설

① 제3자를 위한 계약관계에서 낙약자와 요약자 사이의 법률관계(이른바 기본관계)를 이루는 계약이 무효이거나 해제된 경우 그 계약관계의 청산은 계약의 당사자인 낙약자와 요약자 사이에 이루어져야 하므로, 특별한 사정이 없는 한 낙약자가 이미 제3자에게 급부한 것이 있더라도 낙약자는 계약해제 등에 기한 원상회복 또는 부당이득을 원인으로 제3자를 상대로 그 반환을 구할 수 없다(대판 2010.8.19, 2010다31860·31877).

② 제3자를 위한 계약의 체결 원인이 된 요약자와 제3자(수익자) 사이의 법률관계(이른바 대가관계)의 효력은 제3자를 위한 계약 자체는 물론 그에 기한 요약자와 낙약자 사이의 법률관계(이른바 기본관계)의 성립이나 효력에 영향을 미치지 아니하므로, (ㄱ) 낙약자는 요약자와 수익자 사이의 법률관계에 기한 항변으로 수익자에게 대항하지 못하고, (ㄴ) 요약자도 대가관계의 부존재나 효력의 상실을 이유로 자신이 기본관계에 기하여 낙약자에게 부담하는 채무의 이행을 거부할 수 없다(대판 2003.12.11, 2003다49771).

③ 채무자와 인수인의 계약으로 체결되는 병존적 채무인수는 채권자로 하여금 인수인에 대하여 새로운 권리를 취득하게 하는 것으로 제3자를 위한 계약의 하나로 볼 수 있고, 이와 비교하여 이행인수는 채무자와 인수인 사이의 계약으로 인수인이 변제 등에 의하여 채무를 소멸케 하여 채무자의 책임을 면하게 할 것을 약정하는 것으로 인수인이 채무자에 대한 관계에서 채무자를 면책케 하는 채무를 부담하게 될 뿐 채권자로 하여금 직접 인수인에 대한 채권을 취득케 하는 것이 아니므로 결국 제3자를 위한 계약과 이행인수의 판별 기준은 계약 당사자에게 제3자 또는 채권자가 계약당사자 일방 또는 인수인에 대하여 직접 채권을 취득케 할 의사가 있는지 여부에 달려 있다 할 것이다(대판 1997.10.24, 97다28698).

④ 제3자를 위한 계약에 있어서 수익의 의사표시를 한 수익자는 낙약자에게 직접 그 이행을 청구할 수 있을 뿐만 아니라 요약자가 계약을 해제한 경우에는 낙약자에게 자기가 입은 손해의 배상을 청구할 수 있는 것이므로, 수익자가 완성된 목적물의 하자로 인하여 손해를 입었다면 수급인은 그 손해를 배상할 의무가 있다. 그러나 제3자를 위한 계약의 당사자가 아닌 수익자는 계약의 해제권이나 해제를 원인으로 한 원상회복청구권이 있다고 볼 수 없다(대판 1994.8.12, 92다41559).

⑤ 제3자를 위한 계약이 성립하기 위하여는 일반적으로 그 계약의 당사자가 아닌 제3자로 하여금 직접 권리를 취득하게 하는 조항이 있어야 할 것이지만, 계약의 당사자가 제3자에 대하여 가진 채권에 관하여 그 채무를 면제하는 계약도 제3자를 위한 계약에 준하는 것으로서 유효하다(대판 2004.9.3, 2002다37405).

28

제3자를 위한 계약에 관한 다음 설명 중 가장 옳지 않은 것은? (다툼이 있는 경우 판례에 의함)

▶ 2020년 법원사무관 승진

① 수익의 의사표시에 의하여 제3자의 권리가 생긴 후에는 당사자(요약자 및 낙약자)는 이를 변경 또는 소멸시키지 못한다.

② 제3자를 위한 계약에 있어서 수익의 의사표시를 한 수익자는 낙약자에게 직접 그 이행을 청구할 수 있으나, 요약자가 계약을 해제한 경우에 낙약자에게 자기가 입은 손해의 배상을 청구할 수는 없다.

③ 주택분양보증은 사업계획승인을 얻은 자가 분양계약상의 주택공급의무를 이행할 수 없게 되는 경우 공제조합 등이 수분양자가 이미 납부한 계약금 및 중도금의 환급 또는 주택의 분양에 대하여 이행책임을 부담하기로 하는 조건부 제3자를 위한 계약이다.

④ 낙약자는 요약자와 수익자 사이의 법률관계에 기한 항변으로 수익자에게 대항하지 못하고, 요약자도 대가관계의 부존재나 효력의 상실을 이유로 자신이 기본관계에 기하여 낙약자에게 부담하는 채무의 이행을 거부할 수 없다.

해설

① 제541조 【제3자의 권리의 확정】 제539조의 규정(제3자의 권리는 그 제3자가 채무자에게 대하여 계약의 이익을 받을 의사를 표시한 때에 생긴다)에 의하여 제3자의 권리가 생긴 후에는 당사자는 이를 변경 또는 소멸시키지 못한다.

② 제3자를 위한 계약에 있어서 수익의 의사표시를 한 수익자는 낙약자에게 직접 그 이행을 청구할 수 있을 뿐만 아니라 요약자가 계약을 해제한 경우에는 낙약자에게 자기가 입은 손해의 배상을 청구할 수 있는 것이므로, 수익자가 완성된 목적물의 하자로 인하여 손해를 입었다면 수급인은 그 손해를 배상할 의무가 있다. 그러나 제3자를 위한 계약의 당사자가 아닌 수익자는 계약의 해제권이나 해제를 원인으로 한 원상회복청구권이 있다고 볼 수 없다(대판 1994.8.12. 92다41559).

③ 주택분양보증은 구 주택건설촉진법 제33조의 사업계획승인을 얻은 자가 분양계약상의 주택공급의무를 이행할 수 없게 되는 경우 주택사업공제조합이 수분양자가 이미 납부한 계약금 및 중도금의 환급 또는 주택의 분양에 대하여 이행책임을 부담하기로 하는 조건부 제3자를 위한 계약인데, 제3자 지위에 있는 수분양자는 수익의 의사표시에 의하여 권리를 취득함과 동시에 의무를 부담할 수 있고, 제3자를 위한 계약의 수익의 의사표시는 명시적으로뿐만 아니라 묵시적으로도 할 수 있다(대판 2006.5.25. 2003다45267).

④ 제3자를 위한 계약의 체결 원인이 된 요약자와 제3자(수익자) 사이의 법률관계(이른바 대가관계)의 효력은 제3자를 위한 계약 자체는 물론 그에 기한 요약자와 낙약자 사이의 법률관계(이른바 기본관계)의 성립이나 효력에 영향을 미치지 아니하므로, ⅰ) 낙약자는 요약자와 수익자 사이의 법률관계에 기한 항변으로 수익자에게 대항하지 못하고, ⅱ) 요약자도 대가관계의 부존재나 효력의 상실을 이유로 자신이 기본관계에 기하여 낙약자에게 부담하는 채무의 이행을 거부할 수 없다(대판 2003.12.11. 2003다49771).

29 제3자를 위한 계약에 관한 다음 설명 중 가장 옳지 않은 것은? ▸ 2023년 법무사

① 어떤 계약이 제3자를 위한 계약에 해당하는지 여부는 당사자의 의사가 그 계약에 의하여 제3자에게 직접 권리를 취득하게 하려는 것인지에 관한 의사 해석의 문제로서, 이는 계약 체결의 목적, 계약에 있어서의 당사자의 행위의 성질, 계약으로 인하여 당사자 사이 또는 당사자와 제3자 사이에 생기는 이해득실, 거래 관행, 제3자를 위한 계약 제도가 갖는 사회적 기능 등 제반 사정을 종합하여 계약 당사자의 합리적 의사를 해석함으로써 판별할 수 있다.

② 제3자를 위한 계약이 성립하기 위하여는 일반적으로 그 계약의 당사자가 아닌 제3자로 하여금 직접 권리를 취득하게 하는 조항이 있어야 할 것이지만, 계약의 당사자가 제3자에 대하여 가진 채권에 관하여 그 채무를 면제하는 계약도 제3자를 위한 계약에 준하는 것으로서 유효하다.

③ 낙약자는 요약자와 수익자 사이의 법률관계에 기한 항변으로 수익자에게 대항하지 못하고, 요약자도 요약자와 제3자(수익자) 사이의 법률관계의 부존재나 효력의 상실을 이유로 자신이 낙약자 사이의 법률관계에 기하여 낙약자에게 부담하는 채무의 이행을 거부할 수 없다.

④ 채무자와 인수인의 계약으로 체결되는 병존적 채무인수는 채권자로 하여금 인수인에 대하여 새로운 권리를 취득하게 하는 것으로 제3자를 위한 계약에 해당한다.

⑤ 제3자를 위한 계약에 있어서 수익의 의사표시를 한 수익자는 낙약자에게 직접 그 이행을 청구할 수 있으나, 요약자가 낙약자와의 계약을 해제한 경우에는 수익자는 낙약자에게 자기가 입은 손해의 배상을 청구할 수는 없다.

> **해설** ①,④ 대판 1997.10.24, 97다28698
> ② 대판 2004.9.3, 2002다37405
> ③ 대판 2003.12.11, 2003다49771
> ⑤ 제3자를 위한 계약에 있어서 수익의 의사표시를 한 **수익자는 낙약자에게 직접 그 이행을 청구할 수 있을 뿐만 아니라 요약자가 계약을 해제한 경우에는 낙약자에게 자기가 입은 손해의 배상을 청구할 수 있다**(대판 1994.8.12, 92다41559). → ※ [참고] : 제3자를 위한 계약의 당사자가 아닌 수익자는 계약의 해제권이나 해제를 원인으로 한 원상회복청구권이 있다고 볼 수 없다.

30

채권자 겸 요약자를 甲으로, 채무자 겸 낙약자를 乙로, 제3자 겸 수익자를 丙으로 하는 제3자를 위한 계약에 관한 다음 설명 중 옳지 않은 것을 모두 고른 것은? ▸ 2023년 법원행시

> ㄱ. 제3자를 위한 계약에 있어서 乙의 丙에 대한 급부의 내용에는 제한이 없어 乙이 丙에 대하여 가지는 청구권을 행사하지 않도록 하는 것도 급부에 해당하고, 이 경우 丙은 乙의 청구에 대해 청구권불행사의 합의가 있었다는 항변권을 행사할 수 있다.
>
> ㄴ. 제3자를 위한 계약에 있어서 수익의 의사표시를 한 丙은, 乙에게 직접 그 이행을 청구할 수는 있지만, 甲이 계약을 해제한 경우에는 비록 완성된 목적물의 하자로 인하여 손해를 입었다 하더라도 乙에게 그 손해배상을 청구할 수는 없다.
>
> ㄷ. 제3자를 위한 계약을 한 경우 乙은 상당한 기간을 정하여 계약의 이익의 향수 여부의 확답을 丙에게 최고할 수 있고, 乙이 그 기간 내에 확답을 받지 못한 때에는 丙이 수익을 거절한 것으로 본다.
>
> ㄹ. 丙이 민법 제539조 제2항에 따라 수익의 의사표시를 함으로써 丙에게 권리가 확정적으로 귀속된 경우에는, 甲과 乙의 합의에 의하여 丙의 권리를 변경·소멸시킬 수 있음을 미리 유보하였거나, 丙의 동의가 있는 경우가 아니면 계약의 당사자인 甲과 乙은 丙의 권리를 변경·소멸시키지 못한다.

① ㄱ   ② ㄱ, ㄷ   ③ ㄴ

④ ㄴ, ㄹ   ⑤ ㄹ

해설 ㄱ. 제3자를 위한 계약에 있어서 낙약자의 제3자에 대한 <u>급부의 내용에는 제한이 없어 낙약자가 제3자에 대하여 가지는 청구권을 행사하지 않도록 하는 것도 급부에 해당하고</u>, 이 경우 제3자는 낙약자의 청구에 대해 **청구권불행사의 합의(부제소특약)가 있었다는 항변권을 행사할 수 있다**(대판 2006.1.12, 2004다46922).

ㄴ. 제3자를 위한 계약에 있어서 수익의 의사표시를 한 **수익자는** 낙약자에게 직접 그 이행을 청구할 수 있을 뿐만 아니라 **요약자가 계약을 해제한 경우에는 낙약자에게 자기가 입은 손해의 배상을 청구할 수 있는** 것이므로, 수익자가 완성된 목적물의 하자로 인하여 손해를 입었다면 수급인은 그 손해를 배상할 의무가 있다. <u>그러나 제3자를 위한 계약의 당사자가 아닌 수익자는 계약의 해제권이나 해제를 원인으로 한 원상회복청구권이 있다고 볼 수 없다</u>(대판 1994.8.12, 92다41559).

ㄷ. 제540조

ㄹ. 제3자를 위한 계약에서, 제3자가 민법 제539조 제2항에 따라 수익의 의사표시를 함으로써 제3자에게 권리가 확정적으로 귀속된 경우에는, 요약자와 낙약자의 합의에 의하여 제3자의 권리를 변경·소멸시킬 수 있음을 미리 유보하였거나 제3자의 동의가 있는 경우가 아니면 계약의 당사자인 요약자와 낙약자는 제3자의 권리를 변경·소멸시키지 못하고(민법 제541조), 만일 계약의 당사자가 제3자의 권리를 임의로 변경·소멸시키는 행위를 한 경우 이는 제3자에 대하여 효력이 없다(대판 2022.1.14, 2021다271183).

31 제3자를 위한 계약에 관한 다음 설명 중 가장 옳지 않은 것은?　▶ 2024년 법원행시

① 매도인 甲과 매수인 乙이 토지거래허가구역 내 토지의 지분에 관한 매매계약을 체결하면서 매매대금을 丙에게 지급하기로 하는 제3자를 위한 계약을 체결하고 그 후 매수인 乙이 그 매매대금을 丙에게 지급하였는데, 위 매매계약이 확정적으로 무효가 된 경우, 특별한 사정이 없는 한 乙은 丙에게 매매대금 상당액의 부당이득반환을 구할 수 없다.

② 제3자를 위한 계약에서 낙약자는 요약자와 수익자 사이의 법률관계에 기한 항변으로 수익자에게 대항하지 못하지만, 요약자는 대가관계의 부존재나 효력의 상실을 이유로 자신이 기본관계에 기하여 낙약자에게 부담하는 채무의 이행을 거부할 수 있다.

③ 제3자를 위한 계약에서도 낙약자와 요약자 사이의 법률관계(기본관계)에 기초하여 수익자가 요약자와 원인관계(대가관계)를 맺음으로써 해제 전에 새로운 이해관계를 갖고 그에 따라 등기, 인도 등을 마쳐 권리를 취득하였다면, 수익자는 민법 제548조 제1항 단서에서 말하는 계약해제의 소급효가 제한되는 제3자에 해당한다.

④ 채무자와 인수인의 합의에 따른 중첩적 채무인수는 일종의 제3자를 위한 계약이므로, 중첩적 채무인수 계약이 유효하게 존속하는 한 채권자는 인수인에게 채무 이행을 청구하거나 그 밖에 채권자로서 권리를 행사하는 방법으로 수익의 의사표시를 함으로써 인수인에 대한 채권을 갖는다.

⑤ 제3자를 위한 계약에서 수익의 의사표시를 한 수익자는 낙약자에게 직접 그 이행을 청구할 수 있을 뿐만 아니라 요약자가 계약을 해제한 경우에는 낙약자에게 자기가 입은 손해의 배상을 청구할 수 있다.

해설 ① 대판 2010.8.19, 2010다31860
② 제3자를 위한 계약의 체결 원인이 된 요약자와 제3자(수익자) 사이의 법률관계(이른바 대가관계)의 효력은 제3자를 위한 계약 자체는 물론 그에 기한 요약자와 낙약자 사이의 법률관계(이른바 기본관계)의 성립이나 효력에 영향을 미치지 아니하므로 **낙약자는 요약자와 수익자 사이의 법률관계에 기한 항변으로 수익자에게 대항하지 못하고, 요약자도 대가관계의 부존재나 효력의 상실을 이유로 자신이 기본관계에 기하여 낙약자에게 부담하는 채무의 이행을 거부할 수 없다**(대판 2003.12.11, 2003다49771).
③ 대판 2021.8.19, 2018다244976
④ 대판 2013.9.13, 2011다56033
⑤ 제3자를 위한 계약이 해제된 경우 수익자의 손해배상청구권의 유무 – 제3자를 위한 계약에 있어서 수익의 의사표시를 한 수익자는 낙약자에게 직접 그 이행을 청구할 수 있을 뿐 아니라 요약자가 계약을 해제한 경우에는 낙약자에게 자기가 입은 손해의 배상을 청구할 수 있는 것이므로, 수익자가 완성된 목적물의 하자로 인하여 손해를 입었다면 수급인은 그 손해를 배상할 의무가 있다(대판 1994.8.12, 92다41559).

03 절 계약의 해지·해제

01 계약해제에 관한 다음 설명 중 옳지 않은 것은? (다툼이 있는 경우 판례에 의함)

① 이행거절의 의사표시가 적법하게 철회된 경우 상대방으로서는 자기 채무의 이행을 제공하고 상당한 기간을 정하여 이행을 최고한 후가 아니면 채무불이행을 이유로 계약을 해제할 수 없다.

② 부동산 매도인이 중도금의 수령을 거절하였을 뿐만 아니라 계약을 이행하지 아니할 의사를 명백히 표시한 경우 매수인은 소유권이전등기의무의 이행기일까지 기다릴 필요 없이 매매계약을 해제할 수 있다.

③ 채무불이행을 이유로 계약을 해제하려면, 당해 채무가 계약의 목적 달성에 있어 필요불가결하고 이를 이행하지 아니하면 계약의 목적이 달성되지 아니하여 채권자가 그 계약을 체결하지 아니하였을 것이라고 여겨질 정도의 주된 채무이어야 하고, 그렇지 아니한 부수적 채무의 불이행에 불과한 경우에는 계약을 해제할 수 없다.

④ 매도인의 매매계약상의 소유권이전등기의무가 이행불능이 되어 이를 이유로 매매계약을 해제함에 있어서는 상대방의 잔대금지급의무가 매도인의 소유권이전등기의무와 동시이행관계에 있다고 하더라도 그 이행의 제공을 필요로 하는 것이 아니다.

⑤ 계약해제를 위한 채권자의 이행최고가 본래 이행하여야 할 채무액을 초과하는 경우에는 그 최고는 언제나 부적법하고 이러한 최고에 터 잡은 계약의 해제는 그 효력이 없다.

해설 ① 쌍무계약에 있어서 계약당사자의 일방은 상대방이 채무를 이행하지 아니할 의사를 명백히 표시한 경우에는 최고나 자기 채무의 이행제공 없이 그 계약을 적법하게 해제할 수 있으나, 그 이행거절의 의사표시가 적법하게 철회된 경우 상대방으로서는 자기 채무의 이행을 제공하고 상당한 기간을 정하여 이행을 최고한 후가 아니면 채무불이행을 이유로 계약을 해제할 수 없다(대판 2003.2.26, 2000다40995).

② 쌍무계약에 있어서 계약당사자의 일방은 상대방이 채무를 이행하지 아니할 의사를 미리 표시한 경우에는 최고없이 그 계약을 해제할 수 있는 것이고 이 경우 위 당사자 일방은 자기의 채무의 이행의 제공없이 적법하게 그 계약을 해제할 수 있는 것이다(대판 1980.3.25, 80다66). (예컨대) 부동산 매도인이 중도금의 수령을 거절하였을 뿐만 아니라 계약을 이행하지 아니할 의사를 명백히 표시한 경우, 매수인은 신의성실의 원칙상 소유권이전등기의무 이행기일까지 기다릴 필요 없이 이를 이유로 매매계약을 해제할 수 있다(대판 1993.6.25, 93다11821).
→ 부동산 매도인이 중도금의 수령을 거절하였을 뿐만 아니라 계약을 이행하지 아니할 의사를 명백히 표시한 경우에도 상당한 기간을 정하여 이행을 최고한 후가 아니면 계약을 해제할 수 없다.(×)

③ 민법 제544조에 의하여 채무불이행을 이유로 계약을 해제하려면, 당해 채무가 계약의 목적 달성에 있어 필요불가결하고 이를 이행하지 아니하면 계약의 목적이 달성되지 아니하여 채권자가 그 계약을 체결하지 아니하였을 것이라고 여겨질 정도의 주된 채무이어야 하고, 그렇지 아니한 부수적 채무를 불이행한 데에 지나지 아니한 경우에는 계약을 해제할 수 없다(대판 2001.11.13, 2001다20394·20400).

④ 매도인의 매매계약상의 소유권이전등기의무가 이행불능이 되어 이를 이유로 매매계약을 해제함에 있어서는, 상대방의 잔대금지급의무가 매도인의 소유권이전등기의무와 동시이행관계에 있다고 하더라도 그 이행의 제공을 필요로 하는 것이 아니다(대판 2003.1.24, 2000다22850).

⑤ 과다최고는 그 과다한 정도가 현저하고 채무자가 본래의 채무를 급부하여도 채권자가 수령하지 않을 것이 예상되는 때에는 최고가 부적법하므로 해제권이 발생하지 않고, 따라서 그에 기한 해제는 무효이다. 반면 과다최고인 경우에도 그 진의가 본래의 급부범위에서 이행을 청구한 것이라면, 본래의 급부범위 내에서 최고로서 유효하다(대판 1995.9.5, 95다19898). 채권자의 이행최고가 본래 이행하여야 할 채무액을 초과하는 금액의 이행을 요구하는 내용일 때에는, 그 과다한 정도가 현저하고 채권자가 청구한 금액을 제공하지 않으면 그것을 수령하지 않을 것이라는 의사가 분명한 경우에는 그 최고는 부적법하고, 이러한 최고에 터잡은 계약 해제는 그 효력이 없다(대판 1995.9.5, 95다19898).

02 **계약의 해제에 관한 설명 중 가장 옳지 않은 것은?** (다툼이 있는 경우 판례에 의함)

① 이행지체를 이유로 계약을 해제함에 있어 그 전제요건인 이행최고는 미리 일정한 기간을 명시하여 최고하여야 하는 것이 아니고, 최고한 때로부터 상당한 기간이 경과하면 해제권이 발생하는 것이며, 일정한 기간을 정하여 채무이행을 최고함과 동시에 그 기간 내에 이행이 없을 때에는 계약을 해제하겠다는 의사를 표시한 경우에는 그 기간의 경과로 그 계약은 해제된 것으로 볼 수 있다.

② 정기행위에 있어서는 이행지체가 있으면 곧바로 해제권이 발생하고 보통의 계약에서와 달리 최고는 요구되지 않는다.

③ 계약이 해제되면 그 계약의 이행으로 변동이 생겼던 물권은 당연히 그 계약이 없었던 원상태로 복귀한다.

④ 부동산 매매계약이 해제된 경우 매도인의 매매대금 반환의무와 매수인의 소유권이전등기 말소등기절차 이행의무가 동시이행의 관계에 있는지 여부와는 관계없이 매도인이 반환하여야 할 매매대금에 대하여는 그 받은 날로부터 민법이 정한 법정이율인 연 5푼의 비율에 의한 법정이자를 부가하여 지급하여야 한다.

⑤ 당사자의 일방 또는 쌍방이 수인인 경우에 그 중의 1인에 관하여 해제권이 소멸하였다고 하여 다른 당사자에 관하여도 소멸하는 것은 아니다.

해설 ① [1] 이행지체를 이유로 계약을 해제함에 있어서 그 전제요건인 이행최고는 미리 일정기간을 명시하여 최고하여야 하는 것이 아니고, 최고한 때로부터 상당한 기간이 경과하면 해제권이 발생한다.
[2] 일정한 기간을 정하여 채무이행을 최고함과 동시에 그 기간 내에 이행이 없을 때에는 계약을 해제하겠다는 의사를 표시한 경우에는 그 기간의 경과로 그 계약은 해제된 것으로 보아야 한다(대판 1979.9.25, 79다1135 · 1136).

정답 01 ⑤ 02 ⑤

② 제545조 【정기행위와 해제】 계약의 성질 또는 당사자의 의사표시에 의하여 일정한 시일 또는 일정한 기간 내에 이행하지 아니하면 계약의 목적을 달성할 수 없을 경우에 당사자 일방이 그 시기에 이행하지 아니한 때에는 상대방은 전조의 최고를 하지 아니하고 계약을 해제할 수 있다.

③ 민법 제548조 제1항 본문에 의하면 계약이 해제되면 각 당사자는 상대방을 계약이 없었던 것과 같은 상태에 복귀케할 의무를 부담한다는 뜻을 규정하고 있는 바 계약에 따른 채무의 이행으로 이미 등기나 인도를 하고 있는 경우에 그 원인행위인 채권계약이 해제됨으로써 원상회복 된다고 할 때 그 이론 구성에 관하여 소위 채권적 효과설과 물권적 효과설이 대립되어 있으나 우리의 법제가 물권행위의 독자성과 무인성을 인정하고 있지않는 점과 민법 548조 1항 단서가 거래안정을 위한 특별규정이란 점을 생각할때 계약이 해제되면 그 계약의 이행으로 변동이 생겼던 물권은 당연히 그 계약이 없었던 원상태로 복귀한다 할 것이다(대판 1977.5.24. 75다1394).

④ 법정해제권 행사의 경우 당사자 일방이 그 수령한 금전을 반환함에 있어 그 받은 때로부터 법정이자를 부가함을 요하는 것은 민법 제548조 제2항이 규정하는 바로서, 이는 원상회복의 범위에 속하는 것이며 일종의 부당이득반환의 성질을 가지는 것이고 반환의무의 이행지체로 인한 것이 아니므로, 부동산 매매계약이 해제된 경우 매도인의 매매대금 반환의무와 매수인의 소유권이전등기말소등기 절차이행의무가 동시이행의 관계에 있는지 여부와는 관계없이 매도인이 반환하여야 할 매매대금에 대하여는 그 받은 날로부터 민법 소정의 법정이율인 연 5푼의 비율에 의한 법정이자를 부가하여 지급하여야 하고, 이와 같은 법리는 약정된 해제권을 행사하는 경우라 하여 달라지는 것은 아니다(대판 2000.6.9. 2000다9123).

⑤ 제547조 【해지, 해제권의 불가분성】
① 당사자의 일방 또는 쌍방이 수인인 경우에는 계약의 해지나 해제는 그 전원으로부터 또는 전원에 대하여 하여야 한다.
② 전항의 경우에 해지나 해제의 권리가 당사자 1인에 대하여 소멸한 때에는 다른 당사자에 대하여도 소멸한다.

03 계약의 해지, 해제에 관한 설명 중 가장 옳지 않은 것은? (다툼이 있는 경우 판례에 의함)

▶ 2014년 법무사

① 계약이 합의에 의하여 해제 또는 해지된 경우에는 원칙적으로 상대방에게 채무불이행으로 인한 손해배상을 청구할 수 없다.

② 민법은 이행지체로 인한 해제에 있어서 채무자의 유책사유에 의한 것이어야 함을 규정하고 있지 않으나, 이행불능에 의한 해제에 있어서는 이를 명문으로 정하고 있다.

③ 하나의 계약에 관하여 당사자 일방이 수인인 경우에 계약의 해제는 전원으로부터 또는 전원에 대하여 하여야 하고, 한편 해제의 권리가 당사자 1인에 대하여 소멸한 때에 다른 당사자에 대하여는 소멸하지 않는다.

④ 매매목적물이 가압류되었다는 사유만으로는 매도인의 계약 위반을 이유로 매매계약을 해제할 수 없다.

⑤ 채권자지체에 의하여 해제권이 발생하는지에 대하여는 견해의 대립이 있다.

해설 ① 계약이 합의해제된 경우에는 그 해제 시에 당사자 일방이 상대방에게 손해배상을 하기로 특약하거나 손해배상청구를 유보하는 의사표시를 하는 등 다른 사정이 없는 한 채무불이행으로 인한 손해배상을 청구할 수 없다(대판 1989.4.25, 86다카1147).

② 제544조 【이행지체와 해제】 당사자 일방이 그 채무를 이행하지 아니하는 때에는 상대방은 상당한 기간을 정하여 그 이행을 최고하고 그 기간내에 이행하지 아니한 때에는 계약을 해제할 수 있다.
제546조 【이행불능과 해제】 채무자의 책임있는 사유로 이행이 불능하게 된 때에는 채권자는 계약을 해제할 수 있다.

③ 제547조 【해지, 해제권의 불가분성】
① 당사자의 일방 또는 쌍방이 수인인 경우에는 계약의 해지나 해제는 그 전원으로부터 또는 전원에 대하여 하여야 한다.
② 전항의 경우에 해지나 해제의 권리가 당사자 1인에 대하여 소멸한 때에는 다른 당사자에 대하여도 소멸한다.

④ 매수인은 매매목적물에 대하여 가압류집행이 되었다고 하여 매매에 따른 소유권이전등기가 불가능한 것도 아니므로, 이러한 경우 매수인으로서는 신의칙 등에 의해 대금지급채무의 이행을 거절할 수 있음은 별론으로 하고, 매매목적물이 가압류되었다는 사유만으로 매도인의 계약 위반을 이유로 매매계약을 해제할 수는 없다(대판 1999.6.11, 99다11045).

⑤ 채권자지체의 법적 성격을 채무불이행책임으로 파악하는 입장에서는 채권자의 고의·과실, 위법성을 요건으로 하고, 그 효과로서 채무자에게 손해배상청구권과 계약해제권을 인정하나, 법정책임으로 파악하는 입장에서는 채권자의 귀책사유를 요건으로 하지 않고, 그 효과로서도 제401조 내지 제403조만 인정하고 손해배상청구권이나 계약해제권을 인정하지 않는다.

04 계약의 해제에 관한 다음 설명 중 가장 옳지 않은 것은? (다툼이 있는 경우 판례에 의함)
▶ 2015년 법무사

① 계약의 성립 후에 당사자 쌍방의 계약실현 의사의 결여 또는 포기로 인하여 쌍방 모두 이행의 제공이나 최고에 이름이 없이 장기간 이를 방치하였다면, 그 계약은 당사자 쌍방이 계약을 실현하지 아니할 의사가 일치함으로써 묵시적으로 합의해제되었다.

② 공동상속인들은 이미 이루어진 상속재산 분할협의의 전부 또는 일부를 전원의 합의에 의하여 해제한 다음 다시 새로운 분할협의를 할 수 있다.

③ 계약이 해제된 경우 계약해제 이전에 해제로 인하여 소멸되는 채권을 양수한 자는 계약해제의 효과에 반하여 자신의 권리를 주장할 수 없음은 물론이고, 나아가 특별한 사정이 없는 한 채무자로부터 이행받은 급부를 원상회복하여야 할 의무가 있다.

④ 매매계약의 일방 당사자가 사망하였고 그에게 여러 명의 상속인이 있는 경우에 그 상속인들이 위 계약을 해제하려면, 상대방과 사이에 다른 내용의 특약이 있다는 등의 특별한 사정이 없는 한, 상속인들 전원이 해제의 의사표시를 하여야 한다.

⑤ 계약의 해제로 인한 원상회복청구권에 대하여 해제자가 해제의 원인이 된 채무불이행에 관하여 '원인'의 일부를 제공한 경우에는 신의칙 또는 공평의 원칙에 기하여 일반적으로 손해배상에 있어서의 과실상계에 준하여 권리의 내용이 제한될 수 있다.

정답 03 ③   04 ⑤

해설 ① 계약의 성립 후에 당사자 쌍방의 계약실현 의사의 결여 또는 포기로 인하여 쌍방 모두 이행의 제공이나 최고에 이름이 없이 장기간 이를 방치하였다면, 그 계약은 당사자 쌍방이 계약을 실현하지 아니할 의사가 일치함으로써 묵시적으로 합의해제되었다.

② 상속재산 분할협의는 공동상속인들 사이에 이루어지는 일종의 계약으로서, 공동상속인들은 이미 이루어진 상속재산 분할협의의 전부 또는 일부를 전원의 합의에 의하여 해제한 다음 다시 새로운 분할협의를 할 수 있고, 상속재산 분할협의가 합의해제되면 그 협의에 따른 이행으로 변동이 생겼던 물권은 당연히 그 분할협의가 없었던 원상태로 복귀하지만, 민법 제548조 제1항 단서의 규정상 이러한 합의해제를 가지고서는, 그 해제 전의 분할협의로부터 생긴 법률효과를 기초로 하여 새로운 이해관계를 가지게 되고 등기·인도 등으로 완전한 권리를 취득한 제3자의 권리를 해하지 못한다(대판 2004.7.8, 2002다73203).

③ 계약해제의 경우 제3자로 보호되기 위한 요건으로 채권자체의 양수인 등은 보호되지 않는다. 따라서 계약이 해제된 경우 계약해제 이전에 해제로 인하여 소멸되는 채권을 양수한 자는 계약해제의 효과에 반하여 자신의 권리를 주장할 수 없다. 따라서 특별한 사정이 없는 한 채무자로부터 이행받은 급부를 원상회복하여야 할 의무가 있는 것이다(대판 2003.1.24, 2000다22850).

④ 계약해제의 불가분성을 말한다(제547조). 따라서 매매계약의 일방 당사자가 사망하였고 그에게 여러 명의 상속인이 있는 경우에 그 상속인들이 위 계약을 해제하려면, 상대방과 사이에 다른 내용의 특약이 있다는 등의 특별한 사정이 없는 한, 상속인들 전원이 해제의 의사표시를 하여야 한다(대판 2013.11.28, 2013다22812).

⑤ 계약의 해제로 인한 원상회복청구권에 대하여 해제자가 해제의 원인이 된 채무불이행에 관하여 '원인'의 일부를 제공한 경우에는 신의칙 또는 공평의 원칙에 기하여 일반적으로 손해배상에 있어서의 과실상계에 준하여 권리의 내용이 제한될 수 없다(대판 2014.3.13, 2013다34143).

05 해제 또는 해지에 관한 다음 설명 중 가장 옳지 않은 것은? (다툼이 있는 경우 판례에 의함)

▶ 2016년 법무사

① 여러 사람이 공동임대인으로서 임차인과 하나의 임대차계약을 체결한 경우, 공동임대인 전원의 해지의 의사표시에 따라 임대차계약 전부를 해지하여야 한다.

② 매매계약이 합의해제됨으로써 매수인에게 이전되었던 소유권은 당연히 매도인에게 복귀하는 것이므로 합의해제에 따른 매도인의 원상회복 청구권은 소유권에 기한 물권적 청구권이라 할 것이고, 따라서 이는 소멸시효의 대상이 아니라고 할 것이다.

③ 채무불이행을 이유로 계약을 해제하려면, 당해 채무가 계약의 목적 달성에 있어 필요불가결하고 이를 이행하지 아니하면 계약의 목적이 달성되지 아니하여 채권자가 그 계약을 체결하지 아니하였을 것이라고 여겨질 정도의 주된 채무이어야 한다.

④ 국토이용관리법상 토지거래허가구역 내에 있는 토지에 관하여 소유권 등 권리를 이전 또는 설정하는 내용의 거래계약은 관할 시장·군수 등의 허가를 받기까지는 유동적 무효의 상태에 있다고 볼 것이므로, 그러한 거래계약의 당사자로서는 허가받기 전의 상태에서 상대방의 거래계약상 채무불이행을 이유로 거래계약을 해제할 수 없다.

⑤ 매도인이 미리 이행하지 아니할 의사를 명백히 표시한 경우라도 매수인은 소유권이전등기의무 이행기일에 잔대금의 이행제공을 하여야 매매계약을 해제할 수 있다.

해설 ① 민법 제547조 제1항은 "당사자의 일방 또는 쌍방이 수인인 경우에는 계약의 해지나 해제는 그 전원으로부터 또는 전원에 대하여 하여야 한다."라고 규정하고 있으므로, 여러 사람이 공동임대인으로서 임차인과 하나의 임대차계약을 체결한 경우에는 민법 제547조 제1항의 적용을 배제하는 특약이 있다는 등의 특별한 사정이 없는 한 공동임대인 전원의 해지의 의사표시에 따라 임대차계약 전부를 해지하여야 한다. 이러한 법리는 임대차계약의 체결 당시부터 공동임대인이었던 경우뿐만 아니라 임대차목적물 중 일부가 양도되어 그에 관한 임대인의 지위가 승계됨으로써 공동임대인으로 되는 경우에도 마찬가지로 적용된다(대판 2015.10.29, 2012다5537).

② 매매계약이 합의해제된 경우에도 매수인에게 이전되었던 소유권은 당연히 매도인에게 복귀하는 것이므로 합의해제에 따른 매도인의 원상회복 청구권은 소유권에 기한 물권적 청구권이라 할 것이고, 따라서 이는 소멸시효의 대상이 아니라고 할 것이다(대판 1982.7.27, 80다2968).

③ 채무불이행을 이유로 계약을 해제하려면, 당해 채무가 계약의 목적 달성에 있어 필요불가결하고 이를 이행하지 아니하면 계약의 목적이 달성되지 아니하여 채권자가 그 계약을 체결하지 아니하였을 것이라고 여겨질 정도의 주된 채무이어야 한다(대판 2005.11.25, 2005다53705).

④ 국토이용관리법상 토지거래허가구역 내에 있는 토지에 관하여 소유권 등 권리를 이전 또는 설정하는 내용의 거래계약은 관할 시장·군수 또는 구청장의 허가를 받아야만 효력이 발생하고 허가를 받기 전에는 물권적 효력은 물론 채권적 효력도 발생하지 아니하여 무효라고 보아야 할 것이므로, 따라서 허가받을 것을 전제로 하는 거래계약은 허가를 받을 때까지는 법률상 미완성의 법률행위로서 소유권 등 권리의 이전 또는 설정에 관한 거래의 효력이 전혀 발생하지 않으나 일단 허가를 받으면 그 계약은 소급하여 유효한 계약이 되고, 이와 달리 불허가가 된 때에 무효로 확정되므로 허가를 받기까지는 유동적 무효의 상태에 있다고 볼 것인 바, 허가를 받을 것을 전제로 한 거래계약은 허가받기 전의 상태에서는 거래계약의 채권적 효력도 전혀 발생하지 않으므로 권리의 이전 또는 설정에 관한 어떠한 내용의 이행청구도 할 수 없고, 그러한 거래계약의 당사자로서는 허가받기 전의 상태에서 상대방의 거래계약상 채무불이행을 이유로 거래계약을 해제하거나 그로 인한 손해배상을 청구할 수 없다(대판 1997.7.25, 97다4357).

⑤ 채무불이행에 의한 계약해제에 있어서 미리 이행하지 아니할 의사를 표시한 경우로서, 이른바 '이행거절'로 인한 계약해제의 경우, 최고 및 동시이행관계에 있는 자기 채무의 이행제공을 요하지 아니하여(대판 1992.9.14, 92다9463 참조), 이행지체시의 계약해제와 비교할 때 계약해제의 요건이 매우 완화되어 있으므로, 명시적으로 이행거절의사를 표명하는 경우 이외에 계약 당시나 계약 후의 여러 사정을 종합하여 묵시적 이행거절의사를 인정함에 있어서는 이행거절의사가 명백하고 종국적으로 표시되어야 할 것이다(대판 2006.11.9, 2004다22971). 지문의 경우 최고 및 동시이행관계에 있는 자기 채무의 이행제공을 요하지 아니하며, 즉시 해제할 수 있다.

06 해제에 관한 다음 설명 중 가장 옳지 않은 것은? (다툼이 있는 경우 판례에 의함)

▸ 2013년 법원행시

① 甲이 乙과의 매매계약에 따라 부동산에 관한 이전등기를 마쳐주었고, 乙의 채권자인 丙이 위 부동산을 가압류하였다면 甲이 그 후 위 매매계약을 해제하였다 하더라도 丙에 대하여 계약해제의 소급효를 주장할 수 없다.

② 甲으로부터 주택을 매수한 乙이 소유권이전등기를 마치지 아니하였지만 적법한 임대권한이 있는 경우, 주택을 인도받아 丙에게 임대하고 丙이 주택임대차보호법상의 대항요건을 갖추었다면 그 후 위 매매계약이 해제되었다 하더라도 丙은 甲에 대하여 자신의 임차권으로 대항할 수 있다.

③ 甲이 乙에게 토지를 매도하였다가 대금지급을 받지 못하여 그 매매계약을 해제한 경우에 있어서 그 토지 위에 신축된 건물의 매수인인 丙은 위 계약해제로 권리를 침해당하지 않을 제3자에 해당하지 아니한다.

④ 부동산매매계약이 해제된 경우 매도인의 매매대금 반환의무와 매수인의 소유권이전등기 말소등기절차 이행의무가 동시이행의 관계에 있는지 여부에 관계없이 매도인이 반환하여야 할 매매대금에 대하여는 그 받은 날로부터 법정이자를 가산하여 지급하여야 한다.

⑤ 채무불이행을 이유로 계약해제와 아울러 손해배상을 구하는 경우에는 그 계약이 이행되리라고 믿고 채권자가 지출한 비용 즉 신뢰이익의 배상을 구하는 것이 원칙이다.

해설 ① 민법 제548조 제1항 단서에서 말하는 제3자란 일반적으로 그 해제된 계약으로부터 생긴 법률효과를 기초로 하여 해제 전에 새로운 이해관계를 가졌을 뿐 아니라 등기, 인도 등으로 완전한 권리를 취득한 자를 말하는 것인데, 해제된 매매계약에 의하여 채무자의 책임재산이 된 부동산을 가압류 집행한 가압류채권자도 원칙상 위 조항 단서에서 말하는 제3자에 포함된다(대판 2005.1.14, 2003다33004).

② 주택임대차보호법이 적용되는 임대차로서는 반드시 임차인과 주택의 소유자인 임대인 사이에 임대차계약이 체결된 경우에 한정된다고 할 수는 없고, 주택의 소유자는 아니지만 주택에 관하여 적법하게 임대차계약을 체결할 수 있는 권한(적법한 임대권한)을 가진 임대인과 임대차계약이 체결된 경우도 포함된다. 따라서 매매계약의 이행으로 매매목적물을 인도받은 매수인은 그 물건을 사용·수익할 수 있는 지위에서 그 물건을 타인에게 적법하게 임대할 수 있으며, 이러한 지위에 있는 매수인으로부터 매매계약이 해제되기 전에 매매목적물인 주택을 임차하여 주택의 인도와 주민등록을 마침으로써 주택임대차보호법 제3조 제1항에 의한 대항요건을 갖춘 임차인은 민법 제548조 제1항 단서에 따라 계약해제로 인하여 권리를 침해받지 않는 제3자에 해당하므로 임대인의 임대권원의 바탕이 되는 계약의 해제에도 불구하고 자신의 임차권을 새로운 소유자에게 대항할 수 있다(대판 2008.4.10, 2007다38908·38915).

③ 계약당사자의 일방이 계약을 해제하여도 제3자의 권리를 침해할 수 없지만, 여기에서 그 제3자는 계약의 목적물에 관하여 권리를 취득하고 또 이를 가지고 계약당사자에게 대항할 수 있는 자를 말하므로, 토지를 매도하였다가 대금지급을 받지 못하여 그 매매계약을 해제한 경우에 있어 그 토지 위에 신축된 건물의 매수인은 위 계약해제로 권리를 침해당하지 않을 제3자에 해당하지 아니한다(대판 1991.5.28, 90다카16761).

④ 대판 2000.6.9, 2000다9123 등

⑤ 채무불이행을 이유로 계약해제와 아울러 손해배상을 청구하는 경우에 그 계약이행으로 인하여 채권자가 얻을 이익, 즉 이행이익의 배상을 구하는 것이 원칙이지만, 그에 갈음하여 그

계약이 이행되리라고 믿고 채권자가 지출한 비용 즉 신뢰이익의 배상을 구할 수도 있다(대판 2002.6.11, 2002다2539).

07 계약의 해제에 관한 다음 설명 중 가장 옳지 않은 것은? (다툼이 있는 경우 판례에 의함)

▶ 2015년 법원행시

① 미등기 무허가건물에 관한 매매계약이 해제되기 전에 매수인으로부터 해당 무허가건물을 다시 매수하고 무허가건물관리대장에 소유자로 등재되었다고 하더라도 건물에 관하여 완전한 권리를 취득한 것으로 볼 수 없으므로 민법 제548조 제1항 단서에서 규정하는 제3자에 해당한다고 할수 없다.

② 계약 해제 시 반환할 금전에 가산할 이자에 관하여 당사자 사이에 약정이 있다 하더라도 그 약정이율이 법정이율보다 낮은 때에는 법정이율에 의한 지연손해금을 청구할 수 있다.

③ 부수적 채무의 불이행을 원인으로 한 계약의 해제는 그 불이행으로 인하여 채권자가 계약의 목적을 달성할 수 없는 경우 또는 특별한 약정이 있는 경우에만 허용된다.

④ 상속재산의 분할협의가 합의해제되더라도 그 해제 전의 분할협의로부터 생긴 법률효과를 기초로 하여 새로운 이해관계를 가지게 되고 등기·인도 등으로 완전한 권리를 취득한 제3자의 권리는 해하지 못한다.

⑤ 매매계약이 해제되어 소급적으로 효력을 잃은 결과 매매당사자에게 당해 계약에 기한 급부가 없었던 것과 동일한 재산상태를 회복시키기 위한 원상회복의무의 이행으로서 이미 지급한 매매대금 기타의 급부의 반환을 구하는 경우에도 과실상계가 적용된다.

해설 ① 제3자는 대항력을 구비하여야 하는데, 무허가건물관리대장에 소유자로 등재되었다고 하더라도 등기가 된 것과 구별하여야 하므로, 민법 제548조 제1항 단서에서 규정하는 제3자에 해당한다고 할 수 없다(대판 2014.2.13, 2011다64782).

② 계약해제 시 반환할 금전에 가산할 이자에 관하여 당사자 사이에 약정이 있는 경우에는 특별한 사정이 없는 한 이행지체로 인한 지연손해금도 그 약정이율에 의하기로 하였다고 보는 것이 당사자의 의사에 부합한다. 다만 그 약정이율이 법정이율보다 낮은 경우에는 약정이율에 의하지 아니하고 법정이율에 의한 지연손해금을 청구할 수 있다고 봄이 타당하다(대판 2013.4.26, 2011다50509).

③ 본래 계약해제는 주된 채무의 불이행의 경우에 적용되는 것이다. 따라서 부수적 채무의 불이행을 원인으로 한 계약의 해제는 그 불이행으로 인하여 채권자가 계약의 목적을 달성할 수 없는 경우 또는 특별한 약정이 있는 경우에만 허용된다(대판 2001.11.13, 2001다20394).

④ 상속재산 분할협의가 합의해제되면 그 협의에 따른 이행으로 변동이 생겼던 물권은 당연히 그 분할협의가 없었던 원상태로 복귀하지만, 민법 제548조 제1항 단서의 규정상 이러한 합의해제를 가지고서는, 그 해제 전의 분할협의로부터 생긴 법률효과를 기초로 하여 새로운 이해관계를 가지게 되고 등기·인도 등으로 완전한 권리를 취득한 제3자의 권리를 해하지 못한다(대판 2004.7.8, 2002다73203).

정답 ▶ 06 ⑤ 07 ⑤

⑤ 무효나 취소 또는 해제 등에는 과실상계가 적용되지 않는다. 따라서 매매계약이 해제되어 소급적으로 효력을 잃은 결과 매매당사자에게 당해 계약에 기한 급부가 없었던 것과 동일한 재산상태를 회복시키기 위한 원상회복의무의 이행으로서 이미 지급한 매매대금 기타의 급부의 반환을 구하는 경우에도 과실상계가 적용되어서는 아니 된다는 것이 판례이다(대판 2014.3.13, 2013다34143).

08 계약의 해제에 관한 다음 설명 중 가장 옳지 않은 것은? (다툼이 있는 경우 판례에 의함)

▶ 2017년 법무사

① 민법 제548조 제2항은 계약해제로 인한 원상회복의무의 이행으로서 반환하는 금전에는 그 받은 날로부터 이자를 가산하여야 한다고 규정하고 있는바, 위 이자의 반환은 반환의무의 이행지체로 인한 손해배상의 성질을 가지는 것이지, 일반적인 부당이득반환의 성질을 갖는 것이 아니다.

② 매수인이 중도금 지급채무를 불이행하여 매도인이 그 이행을 최고한 경우, 그 최고가 약정한 금액보다 현저하게 과다하고 청구한 금액을 제공하지 않으면 그것을 수령하지 않을 것이라는 매도인의 의사가 분명하다면 위와 같은 최고에 터잡은 매도인의 계약해제는 효력이 없다.

③ 부수적 채무의 불이행을 원인으로 계약을 해제할 수 있는 것은 그 불이행으로 인하여 채권자가 계약의 목적을 달성할 수 없는 경우 또는 특별한 약정이 있는 경우에 한정된다.

④ 부동산매매계약에 있어서 매수인이 잔대금 지급기일까지 그 대금을 지급하지 못하면 그 계약이 자동적으로 해제된다는 취지의 약정이 있더라도 특별한 사정이 없는 한 매도인이 이행의 제공을 하여 매수인으로 하여금 이행지체에 빠지게 하였을 때에 비로소 자동적으로 매매계약이 해제된다고 보아야 한다.

⑤ 계약해제시 원칙적으로 손해배상의 범위는 이행이익의 배상이지만, 그에 갈음하여 신뢰이익의 배상을 청구할 수도 있다. 이 경우에 신뢰이익의 배상은 통상손해와 특별손해로 구별되며, 과잉배상금지 원칙에 비추어 이행이익의 범위를 초과할 수 없다.

해설 ① 법정해제권 행사의 경우 당사자 일방이 그 수령한 금전을 반환함에 있어 그 받은 때로부터 법정이자를 부가함을 요하는 것은 민법 제548조 제2항이 규정하는 바로서, 이는 원상회복의 범위에 속하는 것이며 일종의 부당이득반환의 성질을 가지는 것이고 반환의무의 이행지체로 인한 것이 아니므로, 부동산 매매계약이 해제된 경우 매도인의 매매대금 반환의무와 매수인의 소유권이전등기말소등기 절차이행의무가 동시이행의 관계에 있는지 여부와는 관계없이 매도인이 반환하여야 할 매매대금에 대하여는 그 받은 날로부터 민법 소정의 법정이율인 연 5푼의 비율에 의한 법정이자를 부가하여 지급하여야 하고, 이와 같은 법리는 약정된 해제권을 행사하는 경우라 하여 달라지는 것은 아니다(대판 2000.6.9, 2000다9123).

② 채권자의 이행최고가 본래 이행하여야 할 채무액을 초과하는 금액의 이행을 요구하는 내용일 때에는, 그 과다한 정도가 현저하고 채권자가 청구한 금액을 제공하지 않으면 그것을 수령하지 않을 것이라는 의사가 분명한 경우에는 그 최고는 부적법하고, 이러한 최고에 터잡은 계약 해제는 그 효력이 없다(대판 1995.9.5, 95다19898).

③ 계약본래의 목적은 이미 달성되었고 부수적 채무의 이행만이 지체 중에 있는 경우에는 그 불이행으로 인하여 채권자가 계약을 달성할 수 없는 경우 또는 특별한 약정이 있는 경우를 제외하고는 원칙적으로 계약 전체의 해제를 허용할 수 없다고 해석함이 상당하다(대판 1968.11.5, 68다1808).

④ 부동산매매계약에 있어서 매수인이 잔대금 지급기일까지 그 대금을 지급하지 못하면 그 계약이 자동적으로 해제된다는 취지의 약정이 있더라도 특별한 사정이 없는 한 매수인의 잔대금 지급의무와 매도인의 소유권이전등기의무는 동시이행의 관계에 있으므로, 매도인이 잔대금 지급기일에 소유권이전등기에 필요한 서류를 준비하여 매수인에게 알리는 등 이행의 제공을 하여 매수인으로 하여금 이행지체에 빠지게 하였을 때에 비로소 자동적으로 매매계약이 해제된다고 보아야 하고, 매수인이 그 약정 기한을 도과하였더라도 이행지체에 빠진 것이 아니라면 대금 미지급으로 계약이 자동해제된 것으로 볼 수 없다(대판 1998.6.12, 98다505).

⑤ 채무불이행을 이유로 계약해제와 아울러 손해배상을 청구하는 경우 그 계약이행으로 인하여 채권자가 얻을 이익 즉 이행이익의 배상을 구하는 것이 원칙이고, 다만 일정한 경우에는 그 계약이 이행되리라고 믿고 채권자가 지출한 비용 즉 신뢰이익의 배상도 구할 수 있는 것이지만, 중복배상 및 과잉배상 금지원칙에 비추어 그 신뢰이익은 이행이익에 갈음하여서만 구할 수 있고, 그 범위도 이행이익을 초과할 수 없다(대판 2007.1.25, 2004다51825).

09 **계약의 해제에 관한 다음 설명 중 가장 옳지 않은 것은?** (다툼이 있는 경우 판례에 의함)

▶ 2018년 법무사

① 계약이 합의해제된 경우에는 그 해제시에 당사자 일방이 상대방에게 손해배상을 하기로 특약하거나 손해배상청구를 유보하는 의사표시를 하는 등 다른 사정이 없는 한 채무불이행으로 인한 손해배상을 청구할 수 없다.

② 이행지체를 이유로 계약을 해제함에 있어서 그 전제요건인 이행의 최고는 반드시 미리 일정기간을 명시하여 최고하여야 하는 것은 아니며 최고한 때로부터 상당한 기간이 경과하면 해제권이 발생한다.

③ 계약상 채무자가 계약을 이행하지 아니할 의사를 명백히 표시한 경우라도 채권자는 신의성실의 원칙상 이행기 전에 이행의 최고 없이 채무자의 이행거절을 이유로 계약을 해제할 수는 없다.

④ 매매계약에 있어서 매수인이 중도금을 약정한 일자에 지급하지 아니하면 그 계약을 무효로 한다는 특약이 있는 경우, 매수인이 약정한 대로 중도금을 지급하지 아니하면 그 불이행 자체로서 계약은 그 일자에 자동적으로 해제된 것으로 본다.

⑤ 매수인이 잔대금 지급기일까지 그 대금을 지급하지 못하면 그 계약이 자동적으로 해제된다는 취지의 약정이 있더라도, 매도인이 잔대금 지급기일에 소유권이전등기의무에 관한 이행의 제공을 하여, 매수인으로 하여금 이행지체에 빠지게 하였을 때 비로소 자동적으로 계약이 해제된다고 보아야 한다.

정답   08 ①   09 ③

해설 ① 계약이 합의해제된 경우에는 그 해제 시에 당사자 일방이 상대방에게 손해배상을 하기로 특약하거나 손해배상청구를 유보하는 의사표시를 하는 등 다른 사정이 없는 한 채무불이행으로 인한 손해배상을 청구할 수 없다(대판 1989.4.25, 86다카1147·1148).

② 이행지체를 이유로 계약을 해제함에 있어서 그 전제요건인 이행의 최고는 반드시 미리 일정 기간을 명시하여 최고하여야 하는 것은 아니며 최고한 때로부터 상당한 기간이 경과하면 해제권이 발생한다고 할 것이고, 매도인이 매수인에게 중도금을 지급하지 아니하였으니 매매계약을 해제하겠다는 통고를 한 때에는 이로써 중도금 지급의 최고가 있었다고 보아야 하며, 그로부터 상당한 기간이 경과하도록 매수인이 중도금을 지급하지 아니하였다면 매도인은 매매계약을 해제할 수 있다(대판 1994.11.25, 94다35930).

③ 채무자가 채무를 이행하지 아니할 의사를 명백히 표시한 경우에 채권자는 신의성실의 원칙상 이행기 전이라도 이행의 최고 없이 채무자의 이행거절을 이유로 계약을 해제하거나 채무자를 상대로 손해배상을 청구할 수 있고, 채무자가 채무를 이행하지 아니할 의사를 명백히 표시하였는지 여부는 채무 이행에 관한 당사자의 행동과 계약 전후의 구체적인 사정 등을 종합적으로 살펴서 판단하여야 한다(대판 2007.9.20, 2005다63337).

④ 매매계약에 있어서 매수인이 중도금을 약정한 일자에 지급하지 아니하면 그 계약을 무효로 한다고 하는 특약이 있는 경우 매수인이 약정한대로 중도금을 지급하지 아니하면(해제의 의사표시를 요하지 않고) 그 불이행 자체로써 계약은 그 일자에 자동적으로 해제된 것이라고 보아야 한다(대판 1991.8.13, 91다13717).

⑤ 부동산 매매계약에 있어서 매수인이 잔대금지급기일까지 그 대금을 지급하지 못하면 그 계약이 자동적으로 해제된다는 취지의 약정이 있더라도 특별한 사정이 없는 한 매수인의 잔대금지급의무와 매도인의 소유권이전등기의무는 동시이행의 관계에 있으므로 매도인이 잔대금지급기일에 소유권이전등기에 필요한 서류를 준비하여 매수인에게 알리는 등 이행의 제공을 하여 매수인으로 하여금 이행지체에 빠지게 하였을 때에 비로소 자동적으로 매매계약이 해제된다고 보아야 하고 매수인이 그 약정기한을 도과하였더라도 이행지체에 빠진 것이 아니라면 대금 미지급으로 계약이 자동해제된다고는 볼 수 없다(대판 1992.10.27, 91다32022).

10 **해제의 효과에 관한 다음 설명 중 가장 옳지 않은 것은?** ▸ 2018년 법원행시

① 甲이 乙과의 사이에 A토지를 매매하는 계약을 체결한 후 乙에 대한 매매잔대금채권을 丙에게 양도한 경우, 위 매매계약이 해제되면 丙은 선의라도 乙에 대하여 위 양수금을 청구할 수 없다.

② 丙이 甲과 乙 사이의 B토지 매매계약에 기한 甲의 소유권 이전등기청구권을 가압류한 경우, 그 후 乙이 甲의 대금지급의무 불이행을 이유로 위 매매계약을 해제하였다면 丙은 가압류권자로서 보호받지 못한다.

③ 丙이 甲과 乙 사이의 C건물 매매계약에 기한 甲의 소유권 이전등기청구권을 압류한 경우, 乙이 소유권이전등기청구권에 대한 압류명령에 위반하여 甲에게 소유권이전등기를 경료한 후 甲이 대금지급의무를 이행하지 않아 위 매매계약을 해제하였다면 乙은 丙에 대하여 불법행위책임을 진다.

④ 甲이 乙에게 매매를 원인으로 D주택의 소유권이전등기를 마쳐주었으나, 매매계약이 적법하게 해제되고 乙 명의의 소유권이전등기가 말소된 경우에도 위 매매계약이 해제되기 전에 乙로부터 위 주택을 임차하여 인도와 주민등록을 마친 丙의 권리를 해하지 못한다.

⑤ 甲이 乙에게 매매를 원인으로 E토지의 소유권이전등기를 마쳐준 후 乙의 채권자 丙이 E토지를 가압류한 경우, 甲과 乙간의 위 매매계약이 해제되더라도 丙은 가압류권자로서 보호받는다.

해설 ① 민법 제548조 제1항 단서에서 규정하고 있는 제3자란 일반적으로 계약이 해제되는 경우 그 해제된 계약으로부터 생긴 법률효과를 기초로 하여 해제 전에 새로운 이해관계를 가졌을 뿐 아니라 등기·인도 등으로 완전한 권리를 취득한 자를 말하고, 계약상의 채권을 양수한 자는 여기서 말하는 제3자에 해당하지 않는다고 할 것인바, 계약이 해제된 경우 계약해제 이전에 해제로 인하여 소멸되는 채권을 양수한 자는 계약해제의 효과에 반하여 자신의 권리를 주장할 수 없음은 물론이고, 나아가 특단의 사정이 없는 한 채무자로부터 이행받은 급부를 원상회복하여야 할 의무가 있다(대판 2003.1.24, 2000다22850).

② 민법 제548조 제1항 단서에서 말하는 제3자란 일반적으로 그 해제된 계약으로부터 생긴 법률효과를 기초로 하여 해제 전에 새로운 이해관계를 가졌을 뿐 아니라 등기, 인도 등으로 완전한 권리를 취득한 자를 말하므로 계약상의 채권을 양수한 자나 그 채권 자체를 압류 또는 전부한 채권자는 여기서 말하는 제3자에 해당하지 아니한다(대판 2000.4.11,99다51685). 매수인과 매매예약을 체결한 후 그에 기한 소유권이전청구권 보전을 위한 가등기를 마친 사람도 위 조항 단서에서 말하는 제3자에 포함된다(대판 2014.12.11, 2013다14569)는 판례와 혼동하지 말아야 한다.

③ 제3채무자가 소유권이전등기청구권에 대한 압류명령에 위반하여 채무자에게 소유권이전등기를 경료한 후 채무자의 대금지급의무의 불이행을 이유로 매매계약을 해제한 경우, 해제의 소급효로 인하여 채무자의 제3채무자에 대한 소유권이전등기청구권이 소급적으로 소멸함에 따라 이에 터잡은 압류명령의 효력도 실효되는 이상 압류채권자는 처음부터 아무런 권리를 갖지 아니한 것과 마찬가지 상태가 되므로 제3채무자가 압류명령에 위반되는 행위를 한 후에 매매계약이 해제되었다 하여도 불법행위는 성립하지 아니한다(대판 2000.4.11, 99다51685).

④ 임대인의 임대권원이 되는 계약이 해제되기 전에 임대인으로부터 주택을 임차 받아 주택의 인도와 주민등록을 마침으로써 위 법 소정의 대항요건을 갖춘 임차인은 등기된 임차권자와 마찬가지로 민법 제548조 제1항 단서 소정의 '제3자'에 해당된다고 봄이 상당하고, 그렇다면 위 계약해제 당시 이미 주택임대차보호법 소정의 대항요건을 갖춘 임차인은 임대인의 임대권원의 바탕이 되는 계약의 해제에도 불구하고 자신의 임차권을 새로운 소유자에게 대항할 수 있다(대판 1996.8.20, 96다1765).

⑤ 민법 제548조 제1항 단서에서 말하는 제3자란 일반적으로 해제된 계약으로부터 생긴 법률효과를 기초로 하여 별개의 새로운 권리를 취득한 자를 말하는 것인바, 해제된 계약에 의하여 채무자의 책임재산이 된 계약의 목적물을 가압류한 가압류채권자는 그 가압류에 의하여 당해 목적물에 대하여 잠정적으로 그 권리행사만을 제한하는 것이나 종국적으로는 이를 환가하여 그 대금으로 피보전채권의 만족을 얻을 수 있는 권리를 취득하는 것이므로, 그 권리를 보전하기 위하여서는 위 조항 단서에서 말하는 제3자에는 위 가압류채권자도 포함된다고 보아야 한다(대판 2000.1.14, 99다40937).

정답 10 ③

11 해제에 관한 다음 설명 중 가장 옳지 않은 것은? (다툼이 있는 경우 판례에 의함)

▶ 2017년 법원사무관 승진

① 당사자 일방이 계약을 해제한 때에는 각 당사자는 그 상대방에 대하여 원상회복의 의무가 있는바, 반환할 금전에는 그 받은 날로부터 이자를 가하여야 한다.

② 매도인과 매수인 사이에 토지 매매계약을 체결하면서 매매대금의 지급 방법 및 매매 토지에 관한 기존의 임대차관계 승계 등에 관해 특약을 했음에도 매수인이 매도인의 계속된 특약 사항의 이행 촉구에도 불구하고 그 특약의 존재를 부정하면서 이를 이행하지 아니하였다면 매수인은 위 특약 사항을 이행하지 아니할 의사를 분명하게 표시하였다고 할 것이므로 매도인은 자기의 채무의 이행제공이 없더라도 매매계약을 해제할 수 있다.

③ 계약의 성질 또는 당사자의 의사표시에 의하여 일정한 시일 또는 일정한 기간 내에 이행하지 아니하면 계약의 목적을 달성할 수 없을 경우에 당사자 일방이 그 시기에 이행하지 아니한 때에는 상대방은 최고를 하지 아니하고 계약을 해제할 수 있다.

④ 당사자의 일방 또는 쌍방이 수인인 경우에는 계약의 해지나 해제는 그 중 1인으로부터 또는 1인에 대하여 하더라도 절대적 효력이 있으므로 해지나 해제의 효력이 발생한다.

해설 ① 제548조 【해제의 효과, 원상회복의무】
① 당사자 일방이 계약을 해제한 때에는 각 당사자는 그 상대방에 대하여 원상회복의 의무가 있다. 그러나 제3자의 권리를 해하지 못한다.
② 전항의 경우에 반환할 금전에는 그 받은 날로부터 이자를 가하여야 한다.

② 매도인과 매수인 사이에 토지 매매계약을 체결하면서 매매대금의 지급 방법 및 매매 토지에 관한 기존의 임대차관계 승계 등에 관해 특약을 했음에도 매수인이 매도인의 계속된 특약 사항의 이행 촉구에도 불구하고 그 특약의 존재를 부정하면서 이를 이행하지 아니하였다면 매수인은 위 특약 사항을 이행하지 아니할 의사를 분명하게 표시하였다고 할 것이므로 매도인은 자기의 채무의 이행제공이 없더라도 매매계약을 해제할 수 있다(대판 1997.11.28, 97다30257).

③ 제545조 → 계약당사자의 일방이 그 채무를 이행하지 아니하는 때에는 채무자가 미리 이행하지 아니할 의사를 표시한 경우 또는 계약의 성질 또는 당사자의 의사표시에 의하여 일정한 시일 또는 일정한 기간 내에 이행하지 아니하면 계약의 목적을 달성할 수 없을 경우 외에는 상대방은 상당한 기간을 정하여 그 이행을 최고하고 그 기간 내에 이행하지 아니할 때에 계약을 해제할 수 있다(대판 1971.2.23, 70다1342).

④ 민법 제547조 제1항은 '당사자의 일방 또는 쌍방이 수인인 경우에는 계약의 해지나 해제는 그 전원으로부터 또는 전원에 대하여 하여야 한다'고 규정하고 있다. 따라서 매매계약의 일방 당사자가 사망하였고 그에게 여러 명의 상속인이 있는 경우에 그 상속인들이 위 계약을 해제하려면, 상대방과 사이에 다른 내용의 특약이 있다는 등의 특별한 사정이 없는 한, 상속인들 전원이 해제의 의사표시를 하여야 한다(대판 2013.11.28, 2013다22812).

12 해제, 해지에 관한 다음 설명 중 옳지 않은 것은 모두 몇 개 인가? (다툼이 있는 경우 판례에 의함) ▶ 2018년 9급(법원서기보)

> 가. 쌍무계약에 있어서 계약당사자 일방은 상대방이 채무를 이행하지 아니할 의사를 명백히 표시한 경우에는 최고나 자기 채무의 이행제공 없이 그 계약을 적법하게 해제할 수 있으나, 그 이행거절의 의사표시가 적법하게 철회된 경우 상대방으로서는 자기 채무의 이행을 제공하고 상당한 기간을 정하여 이행을 최고한 후가 아니면 채무불이행을 이유로 계약을 해제할 수 없다.
>
> 나. 위임계약의 당사자 일방은 부득이한 사유 없이 상대방의 불리한 시기에 계약을 해지할 수 없다.
>
> 다. 민법 제548조 제1항은 "당사자 일방이 계약을 해제한 때에는 각 당사자는 그 상대방에 대하여 원상회복의 의무가 있다. 그러나 제3자의 권리를 해하지 못한다."라고 규정하고 있다. 계약이 해제된 경우 계약해제 이전에 해제로 인하여 소멸되는 채권을 양수한 제3자는 민법 제548조 제1항 단서의 '제3자'에 해당하지 않는다.
>
> 라. 채권 일부에 대하여 대위변제가 있는 때에는 대위자는 그 변제한 가액에 비례하여 채권자와 함께 그 권리를 행사하나, 채무불이행을 원인으로 하는 계약의 해지 또는 해제는 채권자만 할 수 있다.
>
> 마. 증여계약 후에 증여자의 재산상태가 현저히 변경되고 그 이행으로 인하여 생계에 중대한 영향을 미칠 경우에는 증여자는 증여를 해제할 수 있다.
>
> 바. 타인의 권리를 매매의 목적으로 한 경우 그 권리를 취득하여 매수인에게 이전하여야 할 매도인의 의무가 매도인의 귀책사유로 인하여 이행불능이 되었다면, 매수인이 매도인의 담보책임에 관한 민법 제570조 단서의 규정에 의해 손해배상을 청구할 수 없다 하더라도 채무불이행 일반의 규정(민법 제546조, 제390조)에 좇아서 계약을 해제하고 손해배상을 청구할 수 있다.
>
> 사. 민법 제668조 본문은 "도급인이 완성된 목적물의 하자로 인하여 계약의 목적을 달성할 수 없는 때에는 계약을 해제할 수 있다."라고 규정하고 있다. 위 조항에 따른 계약 해제는 목적물을 인도받은 날(목적물의 인도를 요하지 않는 경우에는 일을 종료한 날)로부터 3년 내에 하여야 하는 것이 원칙이다.

① 1개 ② 2개
③ 3개 ④ 4개

해설 가. 쌍방의 채무가 동시이행관계에 있는 쌍무계약에 있어서 당사자의 일방이 미리 그 채무를 이행하지 아니할 의사를 표시한 때에는 상대방은 이행의 최고를 하지 아니하고 바로 그 계약을 해제할 수 있으나 그 이행거절의 의사표시가 적법히 철회된 경우 상대방으로서는 자기채무의 이행을 제공하고서 상당한 기간을 정하여 이행을 최고한 후가 아니면 채무불이행을 이유로 계약을 해제할 수 없다(대판 1989.3.14, 88다1516·1523).

정답 11 ④ 12 ②

나. 위임계약은 각 당사자가 언제든지 해지할 수 있다. 다만 당사자 일방이 부득이한 사유 없이
　상대방의 불리한 시기에 계약을 해지한 때에는 그 손해를 배상하여야 한다(제689조). 즉 위임
　계약의 당사자 일방은 부득이한 사유 없이 상대방의 불리한 시기에라도 계약을 해지할 수 있
　는 것이고, 다만 손해배상을 해야 하는 문제만 남을 뿐이다(대판 2015.12.23, 2012다71411).

다. 민법 제548조 제1항 단서에서 규정하고 있는 제3자란 일반적으로 계약이 해제되는 경우 그
　해제된 계약으로부터 생긴 법률효과를 기초로 하여 해제 전에 새로운 이해관계를 가졌을 뿐
　아니라 등기·인도 등으로 완전한 권리를 취득한 자를 말하고, 계약상의 채권을 양수한 자는
　여기서 말하는 제3자에 해당하지 않는다고 할 것인바, 계약이 해제된 경우 계약해제 이전에
　해제로 인하여 소멸되는 채권을 양수한 자는 계약해제의 효과에 반하여 자신의 권리를 주장
　할 수 없음은 물론이고, 나아가 특단의 사정이 없는 한 채무자로부터 이행받은 급부를 원상
　회복하여야 할 의무가 있다(대판 2003.1.24, 2000다22850).

라. 제483조【일부의 대위】
　① 채권의 일부에 대하여 대위변제가 있는 때에는 대위자는 그 변제한 가액에 비례하여 채권
　　자와 함께 그 권리를 행사한다.
　② 전항의 경우에 채무불이행을 원인으로 하는 계약의 해지 또는 해제는 채권자만이 할 수
　　있고 채권자는 대위자에게 그 변제한 가액과 이자를 상환하여야 한다.

마. 제557조【증여자의 재산상태변경과 증여의 해제】증여계약 후에 증여자의 재산상태가 현저
　히 변경되고 그 이행으로 인하여 생계에 중대한 영향을 미칠 경우에는 증여자는 증여를 해제
　할 수 있다.

바. 타인의 권리를 매매의 목적으로 한 경우에 있어서 그 권리를 취득하여 매수인에게 이전하여
　야 할 매도인의 의무가 매도인의 귀책사유로 인하여 이행불능이 되었다면 매수인이 매도인
　의 담보책임에 관한 민법 제570조 단서의 규정에 의해 손해배상을 청구할 수 없다 하더라도
　채무불이행 일반의 규정(민법 제546조, 제390조)에 좇아서 계약을 해제하고 손해배상을
　청구할 수 있다(대판 1993.11.23, 93다37328).

사. 제670조【담보책임의 존속기간】
　① 전3조의 규정에 의한 하자의 보수, 손해배상의 청구 및 계약의 해제는 목적물의 인도를
　　받은 날로부터 1년 내에 하여야 한다.
　② 목적물의 인도를 요하지 아니하는 경우에는 전항의 기간은 일의 종료한 날로부터 기산한다.

13 계약의 해제 및 해지에 관한 다음 설명 중 가장 옳지 않은 것은? (다툼이 있는 경우 판례에 따르고 전원합의체 판결의 경우 다수의견에 의함. 이하 같음)　▶ 2020년 법무사

① 계약을 합의해제한 경우에도 민법상 해제의 효과에 따른 제3자 보호규정이 적용된다.
② 계약을 합의해지한 경우에 별도의 약정이 없는 한 합의해지로 인하여 반환해야 할 금
　전에 법정이자를 가산해야 하는 것은 아니다.
③ 부동산매매계약에서 매수인이 잔금 지급기일까지 잔금을 지급하지 못하면 계약이 자동
　적으로 해제된다는 약정을 한 경우 잔금 지급기일이 도과하였는데 매수인이 잔금을 지
　급하지 않았다면 계약은 자동적으로 해제된다.

④ 甲이 乙에게 매매를 원인으로 주택의 소유권이전등기를 마쳐주었으나, 매매계약이 적법하게 해제되고 乙 명의의 소유권이전등기가 말소된 경우에도 위 매매계약이 해제되기 전에 乙로부터 주택을 임차하여 주택임대차보호법 소정의 대항요건을 갖춘 丙의 권리를 해하지 못하므로 丙은 자신의 임차권으로 甲에게 대항할 수 있다.

⑤ 甲이 乙에 대한 매매대금채권을 丙에게 양도한 후 매매계약이 해제되었다면 丙이 선의라도 乙에 대하여 양도받은 매매대금을 청구할 수 없다.

해설 ① 계약의 합의해제에 있어서도 민법 제548조의 계약해제의 경우와 같이 이로써 제3자의 권리를 해할 수 없다(대판 2005.6.9, 2005다6341).

② 합의해지 또는 해지계약이라 함은 해지권의 유무에 불구하고 계약 당사자 쌍방이 합의에 의하여 계속적 계약의 효력을 해지시점 이후부터 장래를 향하여 소멸하게 하는 것을 내용으로 하는 새로운 계약으로서, 그 효력은 그 합의의 내용에 의하여 결정되고 여기에는 해제, 해지에 관한 민법 제548조 제2항의 규정은 적용되지 아니하므로, 당사자 사이에 약정이 없는 이상 합의해지로 인하여 반환할 금전에 그 받은 날로부터의 이자를 가하여야 할 의무가 있는 것은 아니다(대판 2003.1.24, 2000다5336·5343).

③ 부동산 매매계약에 있어서 매수인이 잔대금 지급기일까지 그 대금을 지급하지 못하면 그 계약이 자동적으로 해제된다는 취지의 약정이 있더라도 매도인이 이행의 제공을 하여 매수인을 이행지체에 빠뜨리지 않는 한 그 약정기일의 도과 사실만으로는 매매계약이 자동 해제된 것으로 볼 수 없으나, 매수인이 수회에 걸친 채무불이행에 대하여 책임을 느끼고 잔금 지급기일의 연기를 요청하면서 새로운 약정기일까지는 반드시 계약을 이행할 것을 확약하고 불이행시에는 매매계약이 자동적으로 해제되는 것을 감수하겠다는 내용의 약정을 한 특별한 사정이 있다면, 매수인이 잔금 지급기일까지 잔금을 지급하지 아니함으로써 그 매매계약은 자동적으로 실효된다(대판 1996.3.8, 95다55467).

④ 민법 제548조 제1항 단서의 규정에 따라 계약해제로 인하여 권리를 침해받지 않는 제3자라 함은 계약목적물에 관하여 권리를 취득한 자 중 계약당사자에게 권리취득에 관한 대항요건을 구비한 자를 말한다 할 것인바, 임대목적물이 주택임대차보호법 소정의 주택인 경우 같은 법 제3조 제1항이 임대주택의 인도와 주민등록이라는 대항요건을 갖춘 자에게 등기된 임차권과 같은 대항력을 부여하고 있는 점에 비추어 보면, 소유권을 취득하였다가 계약해제로 인하여 소유권을 상실하게 된 임대인으로부터 그 계약이 해제되기 전에 주택을 임차받아 주택의 인도와 주민등록을 마침으로써 같은 법 소정의 대항요건을 갖춘 임차인은 등기된 임차권자와 마찬가지로 민법 제548조 제1항 단서 소정의 제3자에 해당된다고 봄이 상당하고, 그렇다면 그 계약해제 당시 이미 주택임대차보호법 소정의 대항요건을 갖춘 임차인은 임대인의 임대권원의 바탕이 되는 계약의 해제에도 불구하고 자신의 임차권을 새로운 소유자에게 대항할 수 있다(대판 1996.8.20, 96다17653).

⑤ 민법 제548조 제1항 단서에서 규정하고 있는 제3자란 일반적으로 계약이 해제되는 경우 그 해제된 계약으로부터 생긴 법률효과를 기초로 하여 해제 전에 새로운 이해관계를 가졌을 뿐 아니라 등기·인도 등으로 완전한 권리를 취득한 자를 말하고, 계약상의 채권을 양수한 자는 여기서 말하는 제3자에 해당하지 않는다고 할 것인바, 계약이 해제된 경우 계약해제 이전에 해제로 인하여 소멸되는 채권을 양수한 자는 계약해제의 효과에 반하여 자신의 권리를 주장할 수 없음은 물론이고, 나아가 특단의 사정이 없는 한 채무자로부터 이행받은 급부를 원상회복하여야 할 의무가 있다(대판 2003.1.24, 2000다22850).

정답 13 ③

14

다음 설명 중 가장 옳지 않은 것은? (다툼이 있는 경우 판례에 의하고, 전원합의체 판결의 경우 다수의견에 의함)   ▶ 2020년 9급(법원서기보)

① 계약의 해제와 해제조건의 성취는 서로 법적 성격이 다르기는 하지만 그 효과는 같다.

② 계약의 합의해제의 효과는 합의된 내용에 따라 결정되고, 원칙적으로 해제에 관한 민법 제543조 이하의 규정은 적용되지 않는다.

③ 계약의 합의해제의 경우에도 제3자 보호에 관한 민법 제548조 제1항 단서의 규정은 적용된다.

④ 채무불이행을 이유로 계약을 해제하려면, 채무불이행은 주된 채무에 관한 것이어야 하고, 부수적 채무의 불이행은 원칙적으로 해제권을 발생시키지 않는다.

해설 ① 유효하게 성립하고 있는 계약의 효력을 당사자의 일방적 표시에 의하여 소멸시키는 것을 계약의 해제라고 한다. 반면 해제조건이란 조건의 성취로 계약이 당연히 실효되는 것을 말한다. 즉, 해제조건부 계약에 있어서는 채무불이행이라는 해제조건이 성취되면 당사자가 해제의 의사표시를 하지 않아도 조건의 성취라는 사실만 있으면 계약은 당연히 효력을 잃게 된다. 다시 말해 해제의 경우에는 일방의 의사표시로 소급효가 인정됨에 비해 해제조건의 경우에는 조건의 성취로 장래를 향해서 계약의 효력이 소멸될 뿐 소급효는 없다.

② 합의해제는 계약이므로 단독행위인 해제에 관한 민법규정이 적용되지 않는다. 즉 합의해제의 효력은 그 합의 내용에 의하여 결정되고 이에는 해제에 관한 민법 제543조 이하의 규정은 적용되지 아니한다(대판 1979.10.30. 79다1455). 그 결과 ⅰ) 해제계약에 따른 법률관계는 원칙적으로 해제계약의 내용에 따르게 된다. 따라서 합의해제 시 손해배상에 관한 약정 등이 없는 한 채무불이행으로 인한 손해배상청구를 할 수 없고(대판 1989.4.25. 86다카1147), ⅱ) 합의해제로 인하여 반환할 금전에 그 받은 날로부터 이자를 반드시 가산하여야 하는 것도 아니다(대판 1996.7.30. 95다16011).

③ 계약의 합의해제에 있어서도 민법 제548조의 계약해제의 경우와 같이 이로써 제3자의 권리를 해할 수 없다(대판 2005.6.9. 2005다6341).

④ 민법 제544조에 의하여 채무불이행을 이유로 계약을 해제하려면, 당해 채무가 계약의 목적 달성에 있어 필요불가결하고 이를 이행하지 아니하면 계약의 목적이 달성되지 아니하여 채권자가 그 계약을 체결하지 아니하였을 것이라고 여겨질 정도의 주된 채무이어야 하고, 그렇지 아니한 부수적 채무를 불이행한 데에 지나지 아니한 경우에는 계약을 해제할 수 없다(대판 2001.11.13. 2001다20394).

15 **계약의 해제에 관한 다음 설명 중 가장 옳지 않은 것은?** (다툼이 있는 경우 판례에 의함)

▶ 2019년 법원사무관 승진

① 매수인이 잔대금의 지급준비가 되어 있지 않아 소유권이전등기서류를 수령할 준비를 하지 않은 경우에는 매도인으로서도 그에 상응한 이행의 준비를 하면 충분하다.

② 계약상 채무자가 계약을 이행하지 않을 의사를 명백히 표시한 경우에 채권자는 신의성실의 원칙상 이행기 전이라도 이행의 최고 없이 채무자의 이행거절을 이유로 계약을 해제하거나 채무자를 상대로 손해배상을 청구할 수 있다.

③ 공사도급계약이 해제된 경우에 해제될 당시 공사가 상당한 정도로 진척되어 이를 원상회복하는 것이 중대한 사회적·경제적 손실을 초래하고 완성된 부분이 도급인에게 이익이 되는 경우에 도급계약은 미완성 부분에 대하여만 실효되고 수급인은 해제한 상태 그대로 그 공사물을 도급인에게 인도하며, 도급인은 특별한 사정이 없는 한 인도받은 공사물의 완성도나 기성고 등을 참작하여 이에 상응하는 보수를 지급하여야 하는 권리의무관계가 성립한다.

④ 매수인이 매매계약에 따라 취득한 부동산에 가압류등기가 마쳐진 이후 그 매매계약이 해제된 경우, 임시처분인 가압류의 특성상 위 가압류채권자는 가압류로써 매도인에게 대항할 수 없다.

해설 ① 쌍무계약에서 일방 당사자의 자기 채무에 관한 이행의 제공을 엄격하게 요구하면 오히려 불성실한 상대 당사자에게 구실을 주는 것이 될 수도 있으므로 일방 당사자가 하여야 할 제공의 정도는 그 시기와 구체적인 상황에 따라 신의성실의 원칙에 어긋나지 않게 합리적으로 정하여야 하고, 따라서 매수인이 잔대금의 지급 준비가 되어 있지 아니하여 소유권이전등기서류를 수령할 준비를 안 한 경우에는 매도인으로서도 그에 상응한 이행의 준비를 하면 족하다(대판 2012.11.29, 2012다65867).

② 채무자가 채무를 이행하지 아니할 의사를 명백히 표시한 경우에 채권자는 신의성실의 원칙상 이행기 전이라도 이행의 최고 없이 채무자의 이행거절을 이유로 계약을 해제하거나 채무자를 상대로 손해배상을 청구할 수 있고, 채무자가 채무를 이행하지 아니할 의사를 명백히 표시하였는지 여부는 채무 이행에 관한 당사자의 행동과 계약 전후의 구체적인 사정 등을 종합적으로 살펴서 판단하여야 한다(대판 2007.9.20, 2005다63337).

③ 건축공사가 상당한 정도로 진척되어 원상회복이 중대한 사회적, 경제적 손실을 초래하게 되고 완성된 부분이 도급인에게 이익이 되는 경우에는, 도급인이 도급계약을 해제하는 경우에도 계약은 미완성부분에 대하여서만 실효되고 수급인은 해제한 때의 상태 그대로 건물을 도급인에게 인도하고 도급인은 완성부분에 상당한 보수를 지급하여야 한다. (다만) 건물의 완성부분이 도급인에게 이익이 되지 아니하고 원상회복이 중대한 사회적, 경제적 손실을 초래하지 않는 경우에는 계약해제의 소급효를 인정할 수 있다(대판 2017.12.28, 2014다83890).

④ 민법 제548조 제1항 단서에서 말하는 제3자란 일반적으로 해제된 계약으로부터 생긴 법률효과를 기초로 하여 별개의 새로운 권리를 취득한 자를 말하는 것인바, 해제된 계약에 의하여 채무자의 책임재산이 된 계약의 목적물을 가압류한 가압류채권자는 그 가압류에 의하여

당해 목적물에 대하여 잠정적으로 그 권리행사만을 제한하는 것이나 종국적으로는 이를 환가하여 그 대금으로 피보전채권의 만족을 얻을 수 있는 권리를 취득하는 것이므로, 그 권리를 보전하기 위하여서는 위 조항 단서에서 말하는 제3자에는 위 가압류채권자도 포함된다고 보아야 한다(대판 2000.1.14, 99다40937).

16 계약의 해제, 해지에 관한 다음 설명 중 옳은 것을 모두 고른 것은? (다툼이 있는 경우 판례에 의하고, 전원합의체 판결의 경우 다수의견에 의함) ▸ 2019년 법원행시

ㄱ. 경제상황 등의 변동으로 당사자에게 손해가 생기더라도 합리적인 사람의 입장에서 사정변경을 예견할 수 있었다면 사정변경을 이유로 계약을 해제할 수 없다.

ㄴ. 타인의 권리의 매매의 경우에 매도인이 그 권리를 취득하여 매수인에게 이전할 수 없는 때에는 매수인은 계약을 해제할 수 있는데(민법 제570조), 위 규정에 따라 매매계약이 해제되는 경우에도 일반적인 해제와 마찬가지로 매도인은 매수인에게 매매대금과 그 받은 날부터의 이자를 반환할 의무를 부담하고, 매수인 역시 특별한 사정이 없는 한 매도인에게 목적물과 그 사용이익을 반환할 의무를 부담한다.

ㄷ. 채무불이행을 이유로 계약을 해제하거나 해지하고 손해배상을 청구하는 경우, 채권자가 계약의 이행으로 얻을 수 있는 이익이 인정되지 않는 경우라면 그 대신에 계약이 이행되리라고 믿고 지출한 비용의 배상을 청구할 수 있다.

ㄹ. 계약 상대방의 채무불이행을 이유로 한 계약의 해지 또는 해제는 손해배상의 청구에 영향을 미치지 아니하지만, 다른 특별한 사정이 없는 한 상대방에게 고의 또는 과실이 없을 때에는 배상책임을 지지 아니한다.

ㅁ. 계약해제의 효과로서 원상회복의무를 규정한 민법 제548조 제1항 본문은 부당이득반환에 관한 특별 규정의 성격을 가지는 것이므로, 그 이익 반환의 범위는 이익의 현존 여부나 선의, 악의에 불문하고 특단의 사유가 없는 한 받은 이익의 전부이다.

① ㄱ, ㄴ, ㄷ
② ㄱ, ㄴ, ㄹ
③ ㄱ, ㄴ, ㄷ, ㅁ
④ ㄱ, ㄴ, ㄹ, ㅁ
⑤ ㄱ, ㄴ, ㄷ, ㄹ, ㅁ

해설 ㄱ. 계약 성립의 기초가 된 사정이 현저히 변경되고 당사자가 계약의 성립 당시 이를 예견할 수 없었으며, 그로 인하여 계약을 그대로 유지하는 것이 당사자의 이해에 중대한 불균형을 초래하거나 계약을 체결한 목적을 달성할 수 없는 경우에는 계약준수 원칙의 예외로서 사정변경을 이유로 계약을 해제하거나 해지할 수 있다. 여기에서 말하는 사정이란 당사자들에게 계약 성립의 기초가 된 사정을 가리키고, 당사자들이 계약의 기초로 삼지 않은 사정이나 어느 일방당사자가 변경에 따른 불이익이나 위험을 떠안기로 한 사정은 포함되지 않는다. 경제상황 등의 변동으로 당사자에게 손해가 생기더라도 합리적인 사람의 입장에서 사정변경을 예견할 수 있었다면 사정변경을 이유로 계약을 해제할 수 없다. 특히 계속적 계약에서는 계약의 체결 시와 이행 시 사이에 간극이 크기 때문에 당사자들이 예상할 수 없었던 사정변경이 발생할 가능성이 높지만, 이러한 경우에도 위 계약을 해지하려면 경제적 상황의 변화로

당사자에게 불이익이 발생했다는 것만으로는 부족하고 위에서 본 요건을 충족하여야 한다(대판 2017.6.8, 2016다249557).

ㄴ. 타인의 권리의 매매의 경우에 매도인이 그 권리를 취득하여 매수인에게 이전할 수 없는 때에는 매수인은 계약을 해제할 수 있다(민법 제570조). 이러한 해제의 효과에 관하여 특별한 규정은 없지만 일반적인 해제와 달리 해석할 이유가 없다. 따라서 위 규정에 따라 매매계약이 해제되는 경우에, 매도인은 매수인에게 매매대금과 그 받은 날로부터의 이자를 반환할 의무를 부담하고, 매수인 역시 특별한 사정이 없는 한 매도인에게 목적물을 반환할 의무는 물론이고 목적물을 사용하였으면 그 사용이익을 반환할 의무도 부담한다(대판 2017.5.31, 2016다240).

ㄷ. 채무불이행을 이유로 계약을 해제하거나 해지하고 손해배상을 청구하는 경우, 채권자가 계약의 이행으로 얻을 수 있는 이익이 인정되지 않는 경우라면, 채권자에게 배상해야 할 손해가 발생하였다고 볼 수 없으므로, 당연히 지출비용의 배상을 청구할 수 없다(대판 2017.2.15, 2015다235766).

ㄹ. 계약 상대방의 채무불이행을 이유로 한 계약의 해지 또는 해제는 손해배상의 청구에 영향을 미치지 아니하지만(민법 제551조), 다른 특별한 사정이 없는 한 그 손해배상책임 역시 채무불이행으로 인한 손해배상책임과 다를 것이 없으므로, 상대방에게 고의 또는 과실이 없을 때에는 배상책임을 지지 아니한다(민법 제390조). 이는 상대방의 채무불이행과 상관없이 일정한 사유가 발생하면 계약을 해지 또는 해제할 수 있도록 하는 약정해지·해제권을 유보한 경우에도 마찬가지이고 그것이 자기책임의 원칙에 부합한다(대판 2016.4.15, 2015다59115).

ㅁ. 계약 해제의 효과로서 원상회복의무를 규정하는 민법 제548조 제1항 본문은 부당이득에 관한 특별규정의 성격을 가지는 것으로서, 그 이익 반환의 범위는 이익의 현존 여부나 상대방의 선의·악의를 불문하고 특단의 사유가 없는 한 받은 이익의 전부이다(대판 2014.3.13, 2013다34143).

17 다음 설명 중 가장 옳지 않은 것은? ▶ 2021년 법무사

① 매수인이 매도인과 사이의 매매계약에 의한 잔대금지급기일에 잔대금을 지급하지 못한 것은 물론 그 지급의 연기를 수차 요청하였다면 그 채무를 이행하지 아니할 의사를 명백히 한 것으로 볼 수 있다.

② 채무불이행에 의한 계약해제에 있어 미리 이행하지 아니할 의사를 표시한 경우로서 이른바 '이행거절'로 인한 계약해제의 경우에는 상대방의 최고 및 동시이행관계에 있는 자기 채무의 이행제공을 요하지 아니하여 이행지체시의 계약해제와 비교할 때 계약해제의 요건이 완화되어 있는 바, 명시적으로 이행거절의사를 표명하는 경우 외에 계약 당시나 계약 후의 여러 사정을 종합하여 묵시적 이행거절의사를 인정하기 위하여는 그 거절의사가 정황상 분명하게 인정되어야 한다.

③ 계약의 합의해제는 명시적으로뿐만 아니라 당사자 쌍방의 묵시적인 합의에 의하여도 할 수 있으나, 묵시적인 합의해제를 한 것으로 인정되려면 계약이 체결되어 그 일부가 이행된 상태에서 당사자 쌍방이 장기간에 걸쳐 나머지 의무를 이행하지 아니함으로써 이를 방치한 것만으로는 부족하고, 당사자 쌍방에게 계약을 실현할 의사가 없거나 계약을 포기할 의사가 있다고 볼 수 있을 정도에 이르러야 한다. 이 경우에 당사자 쌍방이 계약을 실현할 의사가 없거나 포기할 의사가 있었는지 여부는 계약이 체결된 후의 여러 가지 사정을 종합적으로 고려하여 판단하여야 한다.

④ 계약의 합의해제 또는 해제계약은 해제권의 유무를 불문하고 계약당사자 쌍방이 합의에 의하여 기존의 계약의 효력을 소멸시켜 당초부터 계약이 체결되지 않았던 것과 같은 상태로 복귀시킬 것을 내용으로 하는 새로운 계약으로서, 계약이 합의해제되기 위하여는 계약의 성립과 마찬가지로 계약의 청약과 승낙이라는 서로 대립하는 의사표시가 합치될 것을 요건으로 하는 바, 이와 같은 합의가 성립하기 위하여는 쌍방당사자의 표시행위에 나타난 의사의 내용이 객관적으로 일치하여야 한다.

⑤ 쌍무계약에서 서로 대가관계에 있는 당사자 쌍방의 의무는 원칙적으로 동시이행의 관계에 있고, 나아가 하나의 계약으로 둘 이상의 민법상의 전형계약을 포괄하는 내용의 계약을 체결한 경우에 당사자 일방의 여러 의무가 포괄하여 상대방의 여러 의무와 대가관계에 있다고 인정되면, 이러한 당사자 일방의 여러 의무와 상대방의 여러 의무는 동시이행의 관계에 있다.

해설 ① 매수인이 매도인과 사이의 매매계약에 의한 잔대금지급기일에 잔대금을 지급하지 못하여 그 지급의 연기를 수차 요청하였다는 것만으로는 그 채무를 이행하지 아니할 의사를 명백히 한 것으로는 볼 수 없다(대판 2020.7.23. 2019다277911).

② 채무불이행에 의한 계약해제에서 미리 이행하지 아니할 의사를 표시한 경우로서 이른바 '이행거절'로 인한 계약해제의 경우에는 상대방의 최고 및 동시이행관계에 있는 자기 채무의 이행제공을 요하지 아니하여 이행지체 시의 계약해제와 비교할 때 계약해제의 요건이 완화되어 있는바, 명시적으로 이행거절의사를 표명하는 경우 외에 계약 당시나 계약 후의 여러 사정을 종합하여 묵시적 이행거절의사를 인정하기 위하여는 그 거절의사가 정황상 분명하게 인정되어야 한다(대판 2011.2.10. 2010다77385).

③ 계약의 합의해제는 명시적으로뿐만 아니라 당사자 쌍방의 묵시적인 합의에 의하여도 할 수 있으나, 묵시적인 합의해제를 한 것으로 인정되려면 계약이 체결되어 그 일부가 이행된 상태에서 당사자 쌍방이 장기간에 걸쳐 나머지 의무를 이행하지 아니함으로써 이를 방치한 것만으로는 부족하고, 당사자 쌍방에게 계약을 실현할 의사가 없거나 계약을 포기할 의사가 있다고 볼 수 있을 정도에 이르러야 한다. 이 경우에 <u>당사자 쌍방이 계약을 실현할 의사가 없거나 포기할 의사가 있었는지 여부는 계약이 체결된 후의 여러 가지 사정을 종합적으로 고려하여 판단하여야 한다</u>(대판 2011.2.10. 2010다77385).

④ 계약의 합의해제 또는 해제계약이라 함은 해제권의 유무를 불구하고 계약당사자 쌍방이 합의에 의하여 기존의 계약의 효력을 소멸시켜 당초부터 계약이 체결되지 않았던 것과 같은 상태로 복귀시킬 것을 내용으로 하는 새로운 계약으로서, 계약이 합의해제되기 위하여는 일반적으로 계약이 성립하는 경우와 마찬가지로 계약의 청약과 승낙이라는 서로 대립하는 의

사표시가 합치될 것을 그 요건으로 하는바, 이와 같은 합의가 성립하기 위하여는 쌍방 당사자의 표시행위에 나타난 의사의 내용이 객관적으로 일치하여야 되는 것이다(대판 1994.9.13. 94다17093).

⑤ 쌍무계약에서 서로 대가관계에 있는 당사자 쌍방의 의무는 원칙적으로 동시이행의 관계에 있고, 나아가 하나의 계약으로 둘 이상의 민법상의 전형계약을 포괄하는 내용의 계약을 체결한 경우에 당사자 일방의 여러 의무가 포괄하여 상대방의 여러 의무와 대가관계에 있다고 인정되면, 이러한 당사자 일방의 여러 의무와 상대방의 여러 의무는 동시이행의 관계에 있다(대판 2011.2.10. 2010다77385).

18 다음 설명 중 옳지 않은 것은 모두 몇 개인가? ▸2021년 법원행시

가. 매수인이 선이행의무 있는 중도금을 지급하지 않았다 하더라도 계약이 해제되지 않은 상태에서 잔대금 지급일이 도래하여 그때까지 중도금과 잔대금이 지급되지 아니하고 잔대금과 동시이행관계에 있는 매도인의 소유권이전등기 소요서류가 제공된 바 없이 그 기일이 도과하였다면, 다른 특별한 사정이 없는 한, 매수인의 중도금 및 잔대금의 지급과 매도인의 소유권이전등기 소요서류의 제공은 동시이행관계에 있다 할 것이어서 그때부터는 매수인은 중도금을 지급하지 아니한 데 대한 이행지체의 책임을 지지 아니한다.

나. 채무자가 채무의 이행기가 도래되지 아니하였다고 믿을 만한 상당한 근거가 있어 이를 이유로 그 이행을 거절하였다면, 후에 법원의 판결에 의하여 채무의 이행기가 도래한 것으로 최종 판명되었다고 하더라도 그것만으로는 채무자가 자기 채무를 이행하지 아니할 의사를 명백히 표시한 경우에 해당한다고 할 수 없다.

다. 부동산 매매계약의 경우 매도인이 매수인을 이행지체에 빠뜨리기 위하여 해야 할 이행제공의 정도는 소유권이전등기에 필요한 서류 등을 준비하여 두되 이 서류 등을 현실적으로 제공할 필요까지는 없다 하더라도 매수인에게 그 뜻을 통지하고 잔금 지급과 아울러 이를 수령하여 갈 것을 최고함을 요한다.

라. 쌍무계약에 있어서 계약당사자의 일방은 상대방이 채무를 이행하지 아니할 의사를 명백히 표시한 경우에는 최고나 자기 채무의 이행제공 없이 그 계약을 적법하게 해제할 수 있으나, 그 이행거절의 의사표시가 적법하게 철회된 경우 상대방으로서는 자기 채무의 이행을 제공하고 상당한 기간을 정하여 이행을 최고한 후가 아니면 채무불이행을 이유로 계약을 해제할 수 없다.

정답 ▸ 18 ①

마. 일반적으로 동시이행의 관계가 인정되는 경우에는 그러한 항변권을 행사하는 자의
상대방이 그 동시이행의 의무를 이행하기 위하여 과다한 비용이 소요되거나 또는 그
의무의 이행이 실제적으로 어려운 반면 그 의무의 이행으로 인하여 항변권자가 얻는
이득은 별달리 크지 아니하여 동시이행의 항변권의 행사가 주로 자기 채무의 이행만
을 회피하기 위한 수단이라고 보여지는 경우에는 그 항변권의 행사는 권리남용으로
서 배척되어야 한다.

① 없음   ② 1개   ③ 2개
④ 3개   ⑤ 4개

해설 가. 매수인이 선이행의무 있는 중도금을 지급하지 않았다 하더라도 계약이 해제되지 않은 상태에
서 잔대금 지급일이 도래하여 그때까지 중도금과 잔대금이 지급되지 아니하고 잔대금과 동시
이행관계에 있는 매도인의 소유권이전등기 소요서류가 제공된 바 없이 그 기일이 도과하였다
면, 다른 특별한 사정이 없는 한, 매수인의 중도금 및 잔대금의 지급과 매도인의 소유권이전등
기 소요서류의 제공은 동시이행관계에 있다 할 것이어서 그때부터는 매수인은 중도금을 지급
하지 아니한 데 대한 이행지체의 책임을 지지 아니한다(대판 2002.3.29, 2000다577).

나. 쌍무계약에 있어서 당사자의 일방이 미리 자기 채무를 이행하지 아니할 의사를 표명한 때에는
상대방은 이행의 최고나 자기 채무의 이행의 제공이 없이 계약을 해제할 수 있으나, 이러한 의
사의 표명 여부는 계약의 이행에 관한 당사자의 행동과 계약 전후의 구체적 사정 등을 종합적으
로 살펴서 판단하여야 하므로, 채무자가 채무의 이행기가 도래되지 아니하였다고 믿을 만한 상
당한 근거가 있어 이를 이유로 그 이행을 거절하였다면, 후에 법원의 판결에 의하여 채무의 이
행기가 도래한 것으로 최종 판명되었다고 하더라도 그것만으로는 채무자가 자기 채무를 이행하
지 아니할 의사를 명백히 표시한 경우에 해당한다고 할 수 없다(대판 1996.7.30, 96다17738).

다. 부동산 매매계약의 경우 매도인이 매수인을 이행지체에 빠뜨리기 위하여 해야 할 이행제공
의 정도는 소유권이전등기에 필요한 서류 등을 준비하여 두되 이 서류 등을 현실적으로 제공
할 필요까지는 없다 하더라도 매수인에게 그 뜻을 통지하고 잔금 지급과 아울러 이를 수령하
여 갈 것을 최고함을 요한다(대판 1992.9.22, 91다25703).

라. 쌍무계약에 있어서 계약당사자의 일방은 상대방이 채무를 이행하지 아니할 의사를 명백히
표시한 경우에는 최고나 자기 채무의 이행제공 없이 그 계약을 적법하게 해제할 수 있으나,
그 이행거절의 의사표시가 적법하게 철회된 경우 상대방으로서는 자기 채무의 이행을 제공
하고 상당한 기간을 정하여 이행을 최고한 후가 아니면 채무불이행을 이유로 계약을 해제할
수 없다(대판 2003.2.26, 2000다40995).

마. 일반적으로 동시이행의 관계가 인정되는 경우에는 그러한 항변권을 행사하는 자의 상대방이
그 동시이행의 의무를 이행하기 위하여 과다한 비용이 소요되거나 또는 그 의무의 이행이 실제
적으로 어려운 반면 그 의무의 이행으로 인하여 항변권자가 얻는 이득은 별달리 크지 아니하여
동시이행의 항변권의 행사가 주로 자기 채무의 이행만을 회피하기 위한 수단이라고 보여지는
경우에는 그 항변권의 행사는 권리남용으로서 배척되어야 한다(대판 1992.4.28, 91다29972).

19 계약의 해제에 관한 다음 설명 중 옳지 않은 것은 모두 몇 개인가? ▶ 2020년 법원행시

ㄱ. 甲이 乙과 사이에 X 토지를 乙에게 매도하는 계약을 체결하고 계약금과 중도금만 지급받은 상태에서 乙에게 소유권이전등기를 먼저 해 주었으나, 乙이 잔대금을 지급하지 않아 甲이 위 매매계약을 적법하게 해제하였다. 이후 X 토지에 대한 원상회복 등기가 마쳐지기 전 丙 앞으로 X 토지에 관한 근저당권설정등기가 이루어진 경우, 甲은 丙이 근저당권설정 당시 甲의 해제권행사 사실을 알았더라도 丙에 대하여 근저당권설정등기의 말소를 청구할 수 없다.

ㄴ. 매매계약의 일방 당사자가 사망하였고, 그에게 여러 명의 상속인이 있는 경우, 그 상속인들이 위 계약을 해제하려면, 특별한 사정이 없는 한 상속인들 전원이 해제의 의사표시를 하여야 한다.

ㄷ. 미등기 무허가건물에 관한 매매계약이 해제되기 전에 매수인으로부터 무허가건물을 다시 매수하고 무허가건물관리대장에 소유자로 등재된 자는 민법 제548조 제1항 단서에서 말하는 제3자에 해당하지 않는다.

ㄹ. 계약상의 채권을 양수한 자나 그 채권 자체를 압류 또는 전부한 채권자는 민법 제548조 제1항 단서에서 말하는 제3자에 해당하지 않는다.

ㅁ. 甲이 그 소유건물을 乙에게 매각하는 계약을 체결하고, 乙은 그 건물의 일부를 丙에게 분양하는 계약을 체결하였는데, 丙은 분양대금의 일부를 乙의 지시에 따라 甲에게 송금하였다. 乙이 甲에게 매매대금을 지급하지 못하여 丙이 건물을 분양받지 못하자 丙이 乙과의 분양계약을 해제한 경우, 丙은 직접 甲을 상대로 분양대금의 반환을 구할 수는 없다.

ㅂ. 매매계약의 당사자 사이에 계약해제로 인한 원상회복의무로서 반환할 매매대금에 가산할 이자를 약정하였고 그 약정이율이 법정이율보다 낮은 경우, 위 매매대금 반환의무의 이행지체로 인한 지연손해금에 관하여도 위 약정이율이 적용되어야 한다.

---

① 1개 　　　　　② 2개 　　　　　③ 3개
④ 4개 　　　　　⑤ 5개

해설 ㄱ. 계약해제 시 계약은 소급하여 소멸하게 되어 해약당사자는 각 원상회복의 의무를 부담하게 되나 이 경우 계약해제로 인한 원상회복등기 등이 이루어지기 이전에 해약당사자와 양립되지 아니하는 법률관계를 가지게 되었고 계약해제 사실을 몰랐던 제3자에 대하여는 계약해제를 주장할 수 없고, 이 경우 제3자가 악의라는 사실의 주장·입증책임은 계약해제를 주장하는 자에게 있다(대판 2005.6.9, 2005다6341).

ㄴ. 계약해제의 불가분성을 말한다(제547조). 따라서 매매계약의 일방 당사자가 사망하였고 그에게 여러 명의 상속인이 있는 경우에 그 상속인들이 위 계약을 해제하려면, 상대방과 사이에 다른 내용의 특약이 있다는 등의 특별한 사정이 없는 한, 상속인들 전원이 해제의 의사표시를 하여야 한다(대판 2013.11.28, 2013다22812).

정답 ▶ 19 ②

ㄷ. 민법 제548조 제1항 단서에서 규정하는 제3자라 함은 해제된 계약으로부터 생긴 법률적 효과를 기초로 하여 새로운 이해관계를 가졌을 뿐 아니라 등기·인도 등으로 완전한 권리를 취득한 사람을 지칭하는 것이다. 그런데 미등기 무허가건물의 매수인은 소유권이전등기를 마치지 않는 한 건물의 소유권을 취득할 수 없고, 소유권에 준하는 관습상의 물권이 있다고도 할 수 없으며, 현행법상 사실상의 소유권이라고 하는 포괄적인 권리 또는 법률상의 지위를 인정하기도 어렵다. 또한, 무허가건물관리대장은 무허가건물에 관한 관리의 편의를 위하여 작성된 것일 뿐 그에 관한 권리관계를 공시할 목적으로 작성된 것이 아니므로 무허가건물관리대장에 소유자로 등재되었다는 사실만으로는 무허가건물에 관한 소유권 기타의 권리를 취득하는 효력이 없다. 따라서 미등기 무허가건물에 관한 매매계약이 해제되기 전에 매수인으로부터 해당 무허가건물을 다시 매수하고 무허가건물관리대장에 소유자로 등재되었다고 하더라도 건물에 관하여 완전한 권리를 취득한 것으로 볼 수 없으므로 민법 제548조 제1항 단서에서 규정하는 제3자에 해당한다고 할 수 없다(대판 2014.2.13, 2011다64782).

ㄹ. 민법 제548조 제1항 단서에서 말하는 제3자란 일반적으로 그 해제된 계약으로부터 생긴 법률효과를 기초로 하여 해제 전에 새로운 이해관계를 가졌을 뿐 아니라 등기, 인도 등으로 완전한 권리를 취득한 자를 말하므로 계약상의 채권을 양수한 자나 그 채권 자체를 압류 또는 전부한 채권자는 여기서 말하는 제3자에 해당하지 아니한다(대판 2000.4.11, 99다51685).

ㅁ. 계약의 일방 당사자가 상대방의 지시 등으로 상대방과 또 다른 계약관계를 맺고 있는 제3자에게 직접 급부한 경우(이른바 삼각관계에서의 급부가 이루어진 경우), 그 급부로써 급부를 한 당사자의 상대방에 대한 급부가 이루어질 뿐 아니라 그 상대방의 제3자에 대한 급부도 이루어지는 것이므로 계약의 일방 당사자는 제3자를 상대로 법률상 원인 없이 급부를 수령하였다는 이유로 부당이득반환청구를 할 수 없다. 이러한 경우에 계약의 일방 당사자가 상대방에 대하여 급부를 한 원인관계인 법률관계에 무효 등의 흠이 있거나 그 계약이 해제되었다는 이유로 제3자를 상대로 직접 부당이득반환청구를 할 수 있다고 보면 자기 책임하에 체결된 계약에 따른 위험부담을 제3자에게 전가하는 것이 되어 계약법의 원리에 반하는 결과를 초래할 뿐만 아니라 수익자인 제3자가 상대방에 대하여 가지는 항변권 등을 침해하게 되어 부당하기 때문이다. 이와 같이 삼각관계에서의 급부가 이루어진 경우에, 제3자가 급부를 수령함에 있어 계약의 일방 당사자가 상대방에 대하여 급부를 한 원인관계인 법률관계에 무효 등의 흠이 있었다는 사실을 알고 있었다 할지라도 계약의 일방 당사자는 제3자를 상대로 법률상 원인 없이 급부를 수령하였다는 이유로 부당이득반환청구를 할 수 없다(대판 2018.7.12, 2018다204992).

ㅂ. 계약해제 시 반환할 금전에 가산할 이자에 관하여 당사자 사이에 약정이 있는 경우에는 특별한 사정이 없는 한 이행지체로 인한 지연손해금도 그 약정이율에 의하기로 하였다고 보는 것이 당사자의 의사에 부합한다. 다만 그 약정이율이 법정이율보다 낮은 경우에는 약정이율에 의하지 아니하고 법정이율에 의한 지연손해금을 청구할 수 있다고 봄이 타당하다(대판 2013.4.26, 2011다50509).

20 아래의 보기에서 민법 제548조 제1항 단서에 따라 계약의 해제로부터 보호받는 자를 모두 고른 것은?

▶ 2021년 법원행시

┤ 보기 ├

○ 토지 매매계약이 해제되기 전에 매매목적물인 토지 위에 매수인이 신축한 건물을 매수하고 건물에 대한 소유권이전등기를 마친 甲

○ 미등기 무허가건물에 관한 매매계약이 해제되기 전에 매수인으로부터 무허가건물을 다시 매수하고 무허가건물관리대장에 소유자로 등재된 乙

○ 매매계약이 해제되기 전에 매도인으로부터 매매대금채권을 양수받아 채권양도의 대항요건을 갖춘 丙

○ 토지 매매계약에 기하여 매수인 앞으로 소유권이전등기가 되자 매수인에 대한 금전채권을 보전하기 위하여 토지에 대한 가압류결정을 받아 가압류등기를 마친 丁

○ 주택을 분양받아 소유권이전등기를 마친 수분양자로부터 분양계약의 해제 이전에 주택을 임차하여 주택의 인도와 전입신고를 한 戊

① 丁   ② 甲, 戊   ③ 乙, 丁
④ 丁, 戊   ⑤ 丙, 丁, 戊

해설 ① 계약당사자의 일방이 계약을 해제하여도 제3자의 권리를 침해할 수 없지만, 여기에서 그 제3자는 계약의 목적물에 관하여 권리를 취득하고 또 이를 가지고 계약당사자에게 대항할 수 있는 자를 말하므로, 토지를 매도하였다가 대금지급을 받지 못하여 그 매매계약을 해제한 경우에 있어 그 토지 위에 신축된 건물의 매수인은 위 계약해제로 권리를 침해당하지 않을 제3자에 해당하지 아니한다(대판 1991.5.28, 90다카16761). 따라서 甲은 제3자에 해당하지 않는다.

② 무허가건물관리대장에 소유자로 등재되었다는 사실만으로는 무허가건물에 관한 소유권 기타의 권리를 취득하는 효력이 없다. 따라서 미등기 무허가건물에 관한 매매계약이 해제되기 전에 매수인으로부터 해당 무허가건물을 다시 매수하고 무허가건물관리대장에 소유자로 등재되었다고 하더라도 건물에 관하여 완전한 권리를 취득한 것으로 볼 수 없으므로 민법 제548조제1항 단서에서 규정하는 제3자에 해당한다고 할 수 없다(대판 2014.2.13, 2011다64782). 따라서 乙은 제3자에 해당하지 않는다.

③ 민법 제548조 제1항 단서에서 규정하고 있는 제3자란 일반적으로 계약이 해제되는 경우 그 해제된 계약으로부터 생긴 법률효과를 기초로 하여 해제 전에 새로운 이해관계를 가졌을 뿐 아니라 등기·인도 등으로 완전한 권리를 취득한 자를 말하고, 계약상의 채권을 양수한 자는 여기서 말하는 제3자에 해당하지 않는다(대판 2003.1.24, 2000다22850). 따라서 丙은 제3자에 해당하지 않는다.

④ 민법 제548조 제1항 단서에서 말하는 제3자란 일반적으로 해제된 계약으로부터 생긴 법률효과를 기초로 하여 별개의 새로운 권리를 취득한 자를 말하는 것인바, 해제된 계약에 의하여 채무자의 책임재산이 된 계약의 목적물을 가압류한 가압류채권자는 그 가압류에 의하여 당해 목적물에 대하여 잠정적으로 그 권리행사만을 제한하는 것이나 종국적으로는 이를 환가하여 그 대금으로 피보전채권의 만족을 얻을 수 있는 권리를 취득하는 것이므로, 그 권리를 보전하

정답 ▶ **20** ④

기 위하여서는 위 조항 단서에서 말하는 제3자에는 위 가압류채권자도 포함된다고 보아야
한다(대판 2000.1.14. 99다40937). 따라서 丁은 제3자에 해당한다.

⑤ 소유권을 취득하였다가 계약해제로 인하여 소유권을 상실하게 된 임대인으로부터 그 계약이
해제되기 전에 주택을 임차받아 주택의 인도와 주민등록을 마침으로써 주택임대차보호법 제
3조 제1항에 의한 대항요건을 갖춘 임차인은 민법 제548조 제1항 단서의 규정에 따라 계약
해제로 인하여 권리를 침해받지 않는 제3자에 해당하므로, 임대인의 임대권원의 바탕이 되는
계약의 해제에도 불구하고 자신의 임차권을 새로운 소유자에게 대항할 수 있고, 이 경우 계약
해제로 소유권을 회복한 제3자는 주택임대차보호법 제3조 제2항(현행법 제3조 제4항)에 따라
임대인의 지위를 승계한다(대판 2003.8.22. 2003다12717). 따라서 戊는 제3자에 해당한다.

21 계약의 해제에 관한 다음 설명 중 가장 옳지 않은 것은? ▶ 2022년 법원사무관 승진

① 계약해제 시 반환할 금전에 가산할 이자에 관하여 당사자 사이에 약정이 있는 경우에
는 특별한 사정이 없는 한 이행지체로 인한 지연손해금도 그 약정이율에 의하기로 하
였다고 보는 것이 당사자의 의사에 부합한다. 다만 그 약정이율이 법정이율보다 낮은
경우에는 약정이율에 의하지 아니하고 법정이율에 의한 지연손해금을 청구할 수 있다
고 봄이 타당하다.

② 채권자의 이행최고가 본래 이행하여야 할 채무액을 초과하는 경우에도 본래 급부하여
야 할 수량과의 차이가 비교적 적거나 채권자가 급부의 수량을 잘못 알고 과다한 최고
를 한 것으로서 과다하게 최고한 진의가 본래의 급부를 청구하는 취지라면, 그 최고는
본래 급부하여야 할 수량의 범위 내에서 유효하다고 할 것이다.

③ 부동산 매도인이 중도금의 수령을 거절하였을 뿐만 아니라 계약을 이행하지 아니할 의
사를 명백히 표시한 경우에는 이행의 최고 없이도 매매계약을 해제할 수 있으나, 이행
기는 도래하여야 한다.

④ 소정의 기간 내에 이행이 없으면 계약은 당연히 해제된 것으로 한다는 뜻을 포함하고
있는 이행청구는 그 이행청구와 동시에 그 기간 내에 이행이 없는 것을 정지조건으로
하여 미리 해제의 의사를 표시한 것으로 볼 수 있다.

해설 ① 계약해제 시 반환할 금전에 가산할 이자에 관하여 당사자 사이에 약정이 있는 경우에는 특별
한 사정이 없는 한 이행지체로 인한 지연손해금도 그 약정이율에 의하기로 하였다고 보는
것이 당사자의 의사에 부합한다. 다만 그 약정이율이 법정이율보다 낮은 경우에는 약정이율
에 의하지 아니하고 법정이율에 의한 지연손해금을 청구할 수 있다고 봄이 타당하다(대판
2013.4.26. 2011다50509).

② 채권자의 이행최고가 본래 이행하여야 할 채무액을 초과하는 경우에도 본래 급부하여야 할
수량과의 차이가 비교적 적거나 채권자가 급부의 수량을 잘못 알고 과다한 최고를 한 것으로
서 과다하게 최고한 진의가 본래의 급부를 청구하는 취지라면, 그 최고는 본래 급부하여야
할 수량의 범위 내에서 유효하다고 할 것이나, 과다한 정도가 현저하고 채권자가 청구한 금액
을 제공하지 않으면 그것을 수령하지 않을 것이라는 의사가 분명한 경우에는 그 최고는 부적
법하고, 이러한 최고에 터잡은 계약해제는 그 효력이 없다(대판 1994.5.10. 93다47615).

③ 쌍무계약에 있어서 계약당사자의 일방은 상대방이 채무를 이행하지 아니할 의사를 미리 표시한 경우에는 최고 없이 그 계약을 해제할 수 있는 것이고 이 경우 위 당사자 일방은 자기의 채무의 이행의 제공 없이 적법하게 그 계약을 해제할 수 있는 것이다(대판 1980.3.25, 80다66). (예컨대) 부동산 매도인이 중도금의 수령을 거절하였을 뿐만 아니라 계약을 이행하지 아니할 의사를 명백히 표시한 경우, 매수인은 신의성실의 원칙상 소유권이전등기의무 이행기일까지 기다릴 필요 없이 이를 이유로 매매계약을 해제할 수 있다(대판 1993.6.25, 93다11821).

④ 소정의 기간 내에 이행이 없으면 계약은 당연히 해제된 것으로 한다는 뜻을 포함하고 있는 이행청구는 이행청구와 동시에 그 기간 내에 이행이 없는 것을 정지조건으로 하여 미리 해제의 의사를 표시한 것으로 볼 수 있다(대판 1992.12.22, 92다28549).

22 계약해제에 관한 다음 설명 중 가장 옳지 않은 것은? ▶ 2022년 9급(법원서기보)

① 제3자를 위한 계약에서 낙약자와 요약자 사이의 법률관계(기본관계)에 기초하여 수익자가 요약자와 원인관계(대가관계)를 맺음으로써 해제 전에 새로운 이해관계를 갖고 그에 따라 등기, 인도 등을 마쳐 권리를 취득하였더라도, 수익자는 민법 제548조 제1항 단서에서 말하는 계약해제의 소급효가 제한되는 제3자에 해당하지 않는다고 봄이 타당하다.

② 제3채무자가 소유권이전등기청구권에 대한 압류명령에 위반하여 채무자에게 소유권이전등기를 경료한 후 채무자의 대금지급의무의 불이행을 이유로 매매계약을 해제한 경우, 해제의 소급효로 인하여 채무자의 제3채무자에 대한 소유권이전등기청구권이 소급적으로 소멸함에 따라 이에 터잡은 압류명령의 효력도 실효되는 이상 압류채권자는 처음부터 아무런 권리를 갖지 아니한 것과 마찬가지 상태가 되므로 제3채무자가 압류명령에 위반되는 행위를 한 후에 매매계약이 해제되었다 하여도 불법행위는 성립하지 아니한다.

③ 매매계약이 해제된 후에도 매도인이 별다른 이의 없이 일부변제를 수령한 경우 특별한 사정이 없는 한 당사자 사이에 해제된 계약을 부활시키는 약정이 있었다고 해석함이 상당하고, 이러한 경우 매도인으로서는 새로운 이행의 최고 없이 바로 해제권을 행사할 수 없다.

④ 이행지체를 이유로 계약을 해제함에 있어서 그 전제요건인 이행의 최고는 반드시 미리 일정기간을 명시하여 최고하여야 하는 것은 아니며 최고한 때로부터 상당한 기간이 경과하면 해제권이 발생한다.

해설 ① 제3자를 위한 계약에서도 낙약자와 요약자 사이의 법률관계(기본관계)에 기초하여 수익자가 요약자와 원인관계(대가관계)를 맺음으로써 해제 전에 새로운 이해관계를 갖고 그에 따라 등기, 인도 등을 마쳐 권리를 취득하였다면, 수익자는 민법 제548조 제1항 단서에서 말하는 계약해제의 소급효가 제한되는 제3자에 해당한다고 봄이 타당하다(대판 2021.8.19, 2018다244976).

정답 ▶ 21 ③ 22 ①

② 제3채무자가 소유권이전등기청구권에 대한 압류명령에 위반하여 채무자에게 소유권이전등기를 경료한 후 채무자의 대금지급의무의 불이행을 이유로 매매계약을 해제한 경우, 해제의 소급효로 인하여 채무자의 제3채무자에 대한 소유권이전등기청구권이 소급적으로 소멸함에 따라 이에 터 잡은 압류명령의 효력도 실효되는 이상 압류채권자는 처음부터 아무런 권리를 갖지 아니한 것과 마찬가지 상태가 되므로 제3채무자가 압류명령에 위반되는 행위를 한 후에 매매계약이 해제되었다 하여도 불법행위는 성립하지 아니한다(대판 2000.4.11, 99다51685).

③ 계약이 해제된 후에 계약당사자의 일방이 이의 없이 그 계약목적물을 받거나 대금에 대한 약정이자나 일부변제를 수령한 경우, 당사자 간에 해제된 계약을 부활시키는 (묵시적인) 약정이 있는 것으로 봄이 상당하고, 이러한 경우 매도인으로서는 새로운 이행의 최고 없이 바로 해제권을 행사할 수 없다(대판 1980.7.8, 80다1077; 대판 1992.10.27, 91다483).

④ 채무의 이행지체를 이유로 하는 계약해제에 있어서 그 전제요건인 이행최고는 반드시 미리 일정한 기간을 명시하여 최고하여야 하는 것은 아니고, 최고한 때로부터 상당한 기간이 경과하면 해제권이 발생한다고 볼 것이다(대결 1990.3.27, 89다카14110).

23 다음 설명 중 옳지 않은 것은 모두 몇 개인가?

▶ 2022년 법원행시

ㄱ. 채권자의 이행최고가 본래 이행하여야 할 채무액을 초과하는 경우에도 본래 급부하여야 할 수량과의 차이가 비교적 적거나 채권자가 급부의 수량을 잘못 알고 과다한 최고를 한 것으로서 과다하게 최고한 진의가 본래의 급부를 청구하는 취지라면, 그 최고는 본래 급부하여야 할 수량의 범위 내에서 유효하다고 할 것이나, 그 과다한 정도가 현저하고 채권자가 청구한 금액을 제공하지 않으면 그것을 수령하지 않을 것이라는 의사가 분명한 경우에는 그 최고는 부적법하고 이러한 최고에 터 잡은 계약의 해제는 그 효력이 없다.

ㄴ. 쌍무계약에서 쌍방의 채무가 동시이행관계에 있는 경우 일방의 채무의 이행기가 도래하더라도 상대방 채무의 이행제공이 있을 때까지는 그 채무를 이행하지 않아도 이행지체의 책임을 지지 않는 것이며, 이와 같은 효과는 이행지체의 책임이 없다고 주장하는 자가 반드시 동시이행의 항변권을 행사하여야만 발생하는 것은 아니다. 따라서 동시이행관계에 있는 쌍무계약상 자기채무의 이행을 제공하는 경우 그 채무를 이행함에 있어 상대방의 행위를 필요로 할 때에는 언제든지 현실로 이행을 할 수 있는 준비를 완료하고 그 뜻을 상대방에게 통지하여 그 수령을 최고하여야만 상대방으로 하여금 이행지체에 빠지게 할 수 있다.

ㄷ. 매도인이 위약 시에는 계약금의 배액을 배상하고 매수인이 위약 시에는 지급한 계약금을 매도인이 취득하고 계약은 자동적으로 해제된다는 조항은 위약 당사자가 상대방에 대하여 계약금을 포기하거나 그 배액을 배상하여 계약을 해제할 수 있다는 해제권 유보조항이라 할 것이고 최고나 통지 없이 해제할 수 있다는 특약이라고 볼 수 없다.

ㄹ. 동업계약과 같은 조합계약에 있어서는 조합의 해산청구를 하거나 조합으로부터 탈퇴를 하거나 또는 다른 조합원을 제명할 수 있을 뿐이지 일반계약에 있어서처럼 조합계약을 해제 또는 해지하고 상대방에게 그로 인한 원상회복의 의무를 부담지울 수는 없다.

ㅁ. 민법 제547조 제1항은 "당사자의 일방 또는 쌍방이 수인인 경우에는 계약의 해지나 해제는 그 전원으로부터 또는 전원에 대하여 하여야 한다."라고 규정하고 있으므로, 여러 사람이 공동임대인으로서 임차인과 하나의 임대차계약을 체결한 경우에는 민법 제547조 제1항의 적용을 배제하는 특약이 있다는 등의 특별한 사정이 없는 한 공동임대인 전원의 해지의 의사표시에 따라 임대차계약 전부를 해지하여야 한다. 이러한 법리는 임대차계약의 체결 당시부터 공동임대인이었던 경우뿐만 아니라 임대차목적물 중 일부가 양도되어 그에 관한 임대인의 지위가 승계됨으로써 공동임대인으로 되는 경우에도 마찬가지로 적용된다.

① 없음   ② 1개   ③ 2개
④ 3개   ⑤ 4개

해설 ㄱ. 대판 1995.9.5, 95다19898
　　　ㄴ. 대판 2001.7.10, 2001다3764
　　　ㄷ. 대판 1982.4.27, 80다851
　　　ㄹ. 대판 1994.5.13, 94다7157
　　　ㅁ. 대판 2015.10.29, 2012다5537

24 계약의 해제에 관한 다음 설명 중 가장 옳지 않은 것은?　　　▶ 2022년 법무사

① 계약이 합의에 따라 해제되거나 해지된 경우에는 상대방에게 손해배상을 하기로 특약하거나 손해배상청구를 유보하는 의사표시를 하는 등 다른 사정이 없는 한 채무불이행으로 인한 손해배상을 청구할 수 없다.

② 계약의 해제는 제3자의 권리를 해하지 못하는데, 여기에서 제3자란 일반적으로 계약이 해제되는 경우 그 해제된 계약으로부터 생긴 법률효과를 기초로 하여 해제 전에 새로운 이해관계를 가지게 된 자로서, 계약상 채권을 양수한 자와 등기·인도 등으로 완전한 권리를 취득한 자를 말한다.

③ 매도인의 매매계약상의 소유권이전등기의무가 이행불능이 되어 이를 이유로 매매계약을 해제함에 있어서는 상대방의 잔대금지급의무가 매도인의 소유권이전등기의무와 동시이행관계에 있다고 하더라도 그 이행의 제공을 필요로 하는 것이 아니다.

④ 일방 당사자의 계약위반을 이유로 한 상대방의 계약해제 의사표시에 의하여 계약이 해제되었음에도 상대방이 계약이 존속함을 전제로 계약상 의무의 이행을 구하는 경우 계약을 위반한 당사자도 당해 계약이 상대방의 해제로 소멸되었음을 들어 그 이행을 거절할 수 있다.

⑤ 매수인이 계약의 이행에 착수하기 전에는 매도인이 계약금의 배액을 상환하고 계약을 해제할 수 있으나, 이 때 계약 해제 통고로서 바로 해제 효과가 발생하는 것이 아니라 매도인이 수령한 계약금의 배액을 매수인에게 상환하거나 적어도 그 이행제공을 하지 않으면 계약을 해제할 수 없다.

해설 ① 계약이 합의해제된 경우에는 그 해제 시에 당사자 일방이 상대방에게 손해배상을 하기로 특약하거나 손해배상청구를 유보하는 의사표시를 하는 등 다른 사정이 없는 한 채무불이행으로 인한 손해배상을 청구할 수 없다(대판 1989.4.25, 86다카1147).

② 민법 제548조 제1항 단서에서 규정하고 있는 제3자란 일반적으로 계약이 해제되는 경우 그 해제된 계약으로부터 생긴 법률효과를 기초로 하여 해제 전에 새로운 이해관계를 가졌을 뿐 아니라 등기·인도 등으로 완전한 권리를 취득한 자를 말하고, 계약상의 채권을 양수한 자는 여기서 말하는 제3자에 해당하지 않는다(대판 2003.1.24, 2000다22850).

③ 매도인의 매매계약상의 소유권이전등기의무가 이행불능이 되어 이를 이유로 매매계약을 해제함에 있어서는, 상대방의 잔대금지급의무가 매도인의 소유권이전등기의무와 동시이행관계에 있다고 하더라도 그 이행의 제공을 필요로 하는 것이 아니다(대판 2003.1.24, 2000다22850).

④ 계약의 해제권은 일종의 형성권으로서 당사자의 일방에 의한 계약해제의 의사표시가 있으면 그 효과로서 새로운 법률관계가 발생하고 각 당사자는 그에 구속되는 것이므로, 일방 당사자의 계약위반을 이유로 한 상대방의 계약해제 의사표시에 의하여 계약이 해제되었음에도 상대방이 계약이 존속함을 전제로 계약상 의무의 이행을 구하는 경우 계약을 위반한 당사자도 당해 계약이 상대방의 해제로 소멸되었음을 들어 그 이행을 거절할 수 있다(대판 2001.6.29, 2001다21441·21458).

⑤ 매수인이 계약의 이행에 착수하기 전에는 매도인이 계약금의 배액을 상환하고 계약을 해제할 수 있으나, 이 해제는 통고로써 즉시 효력을 발생하고 나중에 계약금 배액의 상환의무만 지는 것이 아니라 매도인이 수령한 계약금의 배액을 매수인에게 상환하거나 적어도 그 이행제공을 하지 않으면 계약을 해제할 수 없다(대판 1992.7.28, 91다33612).

25 해제에 관한 다음 설명 중 가장 옳지 않은 것은? ▸ 2023년 법원사무관 승진

① 채무자의 책임 있는 사유로 이행이 불능하게 된 때에는 채권자는 최고 없이 계약을 해제할 수 있다.

② 부동산매매계약의 매도인이 매매계약을 해제하기 위해서는 매수인이 이행기일에 잔대금을 지급하지 아니하였다는 사실만으로는 부족하고, 매도인이 소유권이전등기신청에 필요한 일체의 서류를 수리할 수 있을 정도로 준비하여 그 뜻을 상대방에게 통지하고 수령을 최고하여야 한다.

③ 민법 제548조 제1항 단서는 계약해제의 경우 '제3자'의 권리를 해하지 못한다고 규정하는데, 계약상의 채권을 양수한 자나 그 채권 자체를 압류 또는 전부한 채권자도 위 '제3자'에 해당한다.

④ 계약해제에 따른 원상회복을 할 경우, 금전은 받은 날로부터 반환할 때까지의 이자를 가산하여 반환해야 한다.

해설 ① 제546조【이행불능과 해제】채무자의 책임 있는 사유로 이행이 불능하게 된 때에는 채권자는 계약을 해제할 수 있다. → 이행불능의 경우에는 최고가 필요 없다. 또한 채무자의 명백한 이행거절이나 정기행위의 경우에도 최고는 필요 없다.

② 쌍무계약인 부동산매매계약에 있어서는 특별한 사정이 없는 한 매수인의 잔대금지급의무와 매도인의 소유권이전등기서류 교부의무는 동시이행관계에 있다 할 것이고, 이러한 경우에 매도인이 매수인에게 지체의 책임을 지워 매매계약을 해제하려면 매수인이 이행기일에 잔대금을 지급하지 아니한 사실만으로는 부족하고, 매도인이 소유권이전등기신청에 필요한 일체의 서류를 수리할 수 있을 정도로 준비하여 그 뜻을 상대방에게 통지하여 수령을 최고함으로써 이를 제공하여야 하는 것이 원칙이고, 또 상당한 기간을 정하여 상대방의 잔대금채무이행을 최고한 후 매수인이 이에 응하지 아니한 사실이 있어야 하는 것이며, 매도인이 제공하여야 할 소유권이전등기신청에 필요한 일체의 서류라 함은 등기권리증, 위임장 및 부동산매도용 인감증명서 등 등기신청행위에 필요한 모든 구비서류를 말한다(대판 1992.7.14, 92다5713).

③ 민법 제548조 제1항 단서에서 말하는 제3자란 일반적으로 그 해제된 계약으로부터 생긴 법률효과를 기초로 하여 해제 전에 새로운 이해관계를 가졌을 뿐 아니라 등기, 인도 등으로 완전한 권리를 취득한 자를 말하므로 **계약상의 채권을 양수한 자나** 그 채권 자체를 **압류 또는 전부한 채권자**는 여기서 말하는 **제3자에 해당하지 아니한다**(대판 2000.4.11, 99다51685).

④ 법정해제권 행사의 경우 당사자 일방이 그 수령한 금전을 반환함에 있어 그 받은 때로부터 법정이자를 부가함을 요하는 것은 민법 제548조 제2항이 규정하는 바로서, 이는 원상회복의 범위에 속하는 것이며 일종의 부당이득반환의 성질을 가지는 것이고 반환의무의 이행지체로 인한 것이 아니므로, 부동산 매매계약이 해제된 경우 매도인의 매매대금 반환의무와 매수인의 소유권이전등기말소등기 절차이행의무가 동시이행의 관계에 있는지 여부와는 관계없이 매도인이 반환하여야 할 매매대금에 대하여는 그 받은 날로부터 민법 소정의 법정이율인 연 5푼의 비율에 의한 법정이자를 부가하여 지급하여야 하고, 이와 같은 법리는 약정된 해제권을 행사하는 경우라 하여 달라지는 것은 아니다(대판 2000.6.9, 2000다9123).

정답 25 ③

26

甲과 乙이 상호 간에 체결했던 계약을 해제하는 경우에 관한 다음 설명 중 가장 옳은 것은?

▶ 2023년 법원행시

① 甲과 乙간의 계약이 합의에 따라 해제되거나 해지된 경우에는 특별한 사정이 없는 한 채무불이행으로 인한 손해배상을 청구할 수 없으므로, 甲이 乙에게 손해배상을 하기로 특약하거나 손해배상청구를 유보하는 의사표시가 있더라도 그러한 특약이나 의사에 따라 손해배상을 할 수는 없다.

② 甲이 소제기로써 계약해제권을 행사한 후 그 뒤 그 소송을 취하하였다면 소취하의 소급효에 의하여 처음부터 소가 제기되지 아니한 셈이므로 해제권도 처음부터 행사하지 않았던 것으로 본다.

③ 甲이 계약을 해제하여도 제3자의 권리를 침해할 수 없으므로, 토지를 매도하였다가 대금지급을 받지 못하여 그 매매계약을 해제한 경우에 있어 그 토지 위에 신축된 건물의 매수인은 위 계약해제로 권리를 침해당하지 않을 제3자에 해당한다.

④ 상가 분양회사인 甲이 수분양자인 乙에게 특정영업을 정하여 분양하였다면 지정업종에 대한 경업금지의무는 수분양자들에게만 적용되는 것이 아니라 甲에게도 적용되어 甲 역시 상가활성화를 저해하지 않는 범위 내에서만 다른 수분양자들의 업종변경을 승인할 의무가 있을 뿐 그 개점을 자유롭게 승인할 수 있는 것으로 해석할 수는 없다.

⑤ 계약해제의 효과로서의 원상회복의무를 규정한 민법 제548조 제1항 본문은 부당이득에 관한 특별 규정의 성격을 가진 것이라 할 것이어서, 그 이익 반환의 범위는 수익자의 부당이득 반환범위를 규정한 민법 제748조의 규정에 의한다.

해설 ① 계약이 합의에 따라 해제되거나 해지된 경우에는 특별한 사정이 없는 한 채무불이행으로 인한 손해배상을 청구할 수 없으나, 상대방에게 손해배상을 하기로 특약하거나 손해배상 청구를 유보하는 의사표시가 있으면 그러한 **특약이나 의사에 따라 손해배상을 하여야 한다**(대판 2021.3.25. 2020다285048).

② <u>소제기로써 계약해제권을 행사한 후 그 뒤 그 소송을 취하하였다 하여도</u> 해제권은 형성권이므로 그 행사(주 - 해제권 행사)의 효력에는 아무런 영향을 미치지 아니한다(대판 1982.5.11. 80다916).

③ 계약당사자의 일방이 계약을 해제하여도 제3자의 권리를 침해할 수 없지만, <u>여기에서 그 제3자는 계약의 목적물에 관하여 권리를 취득하고 또 이를 가지고 계약당사자에게 대항할 수 있는 자를 말하므로</u>, <u>토지를 매도하였다가</u> 대금지급을 받지 못하여 <u>그 매매계약을 해제한 경우에 있어</u> <u>그 토지 위에 신축된 건물의 매수인은 위 계약해제로 권리를 침해당하지 않을 제3자에 해당하지 아니한다</u>(대판 1991.5.28. 90다카16761).

④ 상가 분양회사가 수분양자에게 특정영업을 정하여 분양한 이유는 수분양자에게 그 업종을 독점적으로 운영하도록 보장함으로써 이를 통하여 분양을 활성화하기 위한 것이고, 수분양자들 역시 지정품목이 보장된다는 전제 아래 분양회사와 계약을 체결한 것이므로, 지정업종에 대한 경업금지의무는 수분양자들에게만 적용되는 것이 아니라 분양회사에게도 적용되어 분양회사 역시 상가활성화를 저해하지 않는 범위 내에서만 다른 수분양자들의 업종변경을 승인할 의무가 있을 뿐 그 개점을 자유롭게 승인할 수 있는 것으로 해석할 수는 없다(대판 2005.7.14. 2004다67011). → ※ [참고] : 지정업종 및 품목을 위반하여 영업하는 수분양자

가 없도록 하여 기존의 수분양자의 기득권을 보호해 주어야 할 분양회사의 <u>경업금지의무는</u> 상가 분양계약의 목적달성에 있어 필요불가결하고 이를 이행하지 아니하면 분양계약의 목적이 달성되지 아니하여 수분양자들이 분양계약을 체결하지 아니하였을 것이라고 여겨질 정도의 <u>주된 채무</u>라 할 것이고, 이러한 경업금지의무는 수분양자들이 관리단을 구성하여 스스로 집합건물의 관리를 행하게 될 때까지 지속되고, <u>소유권이전등기의무를 이행함으로써 소멸되는 것은 아니</u>라고 보았다.

⑤ 원상회복의무의 성질은 부당이득으로서의 반환의무이지만, 이에 관해서는 부당이득의 반환범위에 관한 제748조가 적용되는 것이 아니라 제548조가 그 특칙으로 적용된다. 즉 계약 해제의 효과로서 <u>원상회복의무</u>를 규정하는 민법 <u>제548조 제1항 본문</u>은 <u>부당이득에 관한 특별규정의 성격</u>을 가지는 것으로서, 그 <u>이익 반환의 범위</u>는 <u>이익의 현존 여부나 청구인의 선의·악의를 불문</u>하고 특단의 사유가 없는 한 <u>받은 이익의 전부</u>이다(대판 2014.3.13. 2013다34143).

27

채무불이행으로 인한 해제에 관한 다음 설명 중 가장 옳지 않은 것은? ▶ 2024년 법원행시

① 채무불이행을 이유로 매매계약을 해제하려면, 당해 채무가 매매계약의 목적 달성에 있어 필요불가결하고 이를 이행하지 아니하면 매매계약의 목적이 달성되지 아니하여 매도인이 매매계약을 체결하지 아니하였을 것이라고 여겨질 정도의 주된 채무이어야 하고 그렇지 아니한 부수적 채무를 불이행한 데에 지나지 아니한 경우에는 매매계약 전부를 해제할 수 없다.

② 쌍무계약에 있어서 계약당사자의 일방은 상대방이 채무를 이행하지 아니할 의사를 명백히 표시한 경우에는 최고나 자기 채무의 이행제공 없이 그 계약을 적법하게 해제할 수 있으나, 그 이행거절의 의사표시가 적법하게 철회된 경우 상대방으로서는 자기 채무의 이행을 제공하고 상당한 기간을 정하여 이행을 최고한 후가 아니면 채무불이행을 이유로 계약을 해제할 수 없다.

③ 근저당권설정등기가 되어 있는 부동산을 매매하는 경우 매수인이 근저당권의 피담보채무를 인수하여 그 채무금상당을 매매잔대금에서 공제하기로 하는 특약을 하는 등 특별한 사정이 없는 한 매도인의 근저당권말소 및 소유권이전등기의무와 매수인의 잔대금지급의무는 동시이행의 관계에 있는 것이므로, 매도인이 매수인에게 지체책임을 지워 매매계약을 해제하려면 스스로 소유권이전등기 및 근저당권말소 등기신청에 필요한 일체의 서류를 수리할 수 있을 정도로 준비하여 그 뜻을 상대방에게 통지하여 수령을 최고함으로써 이를 제공하여야 할 것이지 근저당권설정등기를 말소해주기로 별도의 약정을 하지 아니하였다고 하여 매도인에게 그와 같은 의무가 없다고 할 수 없다.

④ 부동산매매계약에 있어서 매수인이 잔대금지급기일까지 그 대금을 지급하지 못하면 그 계약이 자동적으로 해제된다는 취지의 약정이 있더라도 특별한 사정이 없는 한 매수인의 잔대금지급의무와 매도인의 소유권이전등기의무는 동시이행관계에 있으므로 매도인이 잔대금지급기일에 소유권이전등기에 필요한 서류를 준비하여 매수인에게 알리는 등 이행의 제공을 하여 매수인으로 하여금 이행지체에 빠지게 하였을 때에 비로소 자동적으로 매매계약이 해제된다고 보아야 하고 매수인이 그 약정기한을 도과하더라도 이행지체에 빠진 것이 아니라면 대금미지급으로 매매계약이 자동해제된다고 볼 수 없다.

⑤ 민법 제548조 제2항은 계약해제로 인한 원상회복의무의 이행으로서 반환하는 금전에는 그 받은 날로부터 이자를 가산하여야 한다고 하고 있는데, 부동산 매매계약이 해제된 경우 매도인의 매매대금 반환의무와 매수인의 소유권이전등기 말소등기절차 이행의무가 동시이행의 관계에 있다면, 소유권이전등기 말소의무를 이행할 때까지 매매대금의 반환을 거절할 수 있으므로 매도인이 반환하여야 할 매매대금에 대하여 위 법정이자를 부가하여 지급할 필요가 없다.

> **해설** ① 대결 1997.4.7, 97마575
> ② 대판 2003.2.26, 2000다40995
> ③ 근저당권설정등기가 되어 있는 부동산을 매매하는 경우 매수인이 근저당권의 피담보채무를 인수하여 그 채무금상당을 매매잔대금에서 공제하기로 하는 특약을 하는 등 특별한 사정이 없는 한 매도인의 근저당권말소 및 소유권이전등기의무와 매수인의 잔대금지급의무는 동시이행의 관계에 있는 것이므로, 매도인이 매수인에게 지체책임을 지워 매매계약을 해제하려면 스스로 소유권이전등기 및 근저당권말소등기신청에 필요한 일체의 서류를 수리할 수 있을 정도로 준비하여 그 뜻을 상대방에게 통지하여 수령을 최고함으로써 이를 제공하여야 할 것이지 근저당권설정등기를 말소해 주기로 별도의 약정을 하지 아니하였다고 하여 매도인에게 그와 같은 의무가 없다고 할 수 없고, 이러한 이치는 매수인이 근저당권이 설정된 사실을 알고 매매계약을 체결하였다고 하더라도 마찬가지이다(대판 1991.11.26, 91다23103).
> ④ 대판 1992.10.27, 91다32022
> ⑤ 법정해제권 행사의 경우 당사자 일방이 그 수령한 금전을 반환함에 있어 그 받은 때로부터 법정이자를 부가함을 요하는 것은 민법 제548조 제2항이 규정하는 바로서, 이는 원상회복의 범위에 속하는 것이며 일종의 부당이득반환의 성질을 가지는 것이고 반환의무의 이행지체로 인한 것이 아니므로, 부동산 매매계약이 해제된 경우 매도인의 매매대금 반환의무와 매수인의 소유권이전등기말소등기 절차이행의무가 동시이행의 관계에 있는지 여부와는 관계없이 매도인이 반환하여야 할 매매대금에 대하여는 그 받은 날로부터 민법 소정의 법정이율인 연 5푼의 비율에 의한 법정이자를 부가하여 지급하여야 하고, 이와 같은 법리는 약정된 해제권을 행사하는 경우라 하여 달라지는 것은 아니다(대판 2000.6.9, 2000다9123).

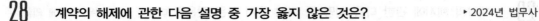

28 계약의 해제에 관한 다음 설명 중 가장 옳지 않은 것은? ▶ 2024년 법무사

① 매매계약의 일방 당사자가 사망하였고 그에게 여러 명의 상속인이 있는 경우에 그 상속인들이 위 계약을 해제하려면, 상대방과 사이에 다른 내용의 특약이 있다는 등의 특별한 사정이 없는 한 상속인들 전원이 해제의 의사표시를 하여야 한다.

② 매매계약이 해제된 후에도 매도인이 별다른 이의 없이 일부 변제를 수령한 경우 특별한 사정이 없는 한 당사자 사이에 해제된 계약을 부활시키는 약정이 있었다고 해석함이 상당하고, 이러한 경우 매도인으로서는 새로운 이행의 최고 없이 바로 해제권을 행사할 수 없다.

③ 민법 제548조 제1항 단서에서 규정하는 해제의 효과에도 보호받는 제3자는 일반적으로 그 해제된 계약으로부터 생긴 법률효과를 기초로 하여 해제 전에 새로운 이해관계를 가졌을 뿐 아니라 등기·인도 등으로 완전한 권리를 취득한 자를 의미하므로, 계약이 해제되기 이전에 계약상의 채권을 양수하여 이를 피보전권리로 하여 처분금지가처분결정을 받은 경우 그 채권자는 민법 제548조 제1항 단서 소정의 해제의 소급효가 미치지 아니하는 '제3자'에 해당한다.

④ 계약 해제의 효과로서 원상회복의무를 규정하는 민법 제548조 제1항 본문은 부당이득에 관한 특별규정의 성격을 가지는 것으로서, 그 이익 반환의 범위는 이익의 현존 여부나 청구인의 선의·악의를 불문하고 특단의 사유가 없는 한 받은 이익의 전부이다.

⑤ 계약의 해제로 인한 원상회복청구권에 대하여 해제자가 해제의 원인이 된 채무불이행에 관하여 '원인'의 일부를 제공하였다는 등의 사유를 내세워 신의칙 또는 공평의 원칙에 기하여 일반적으로 손해배상에 있어서의 과실상계에 준하여 권리의 내용이 제한될 수 있다고 하는 것은 허용되지 않는다.

해설 ① 계약해제의 불가분성을 말한다(제547조). 따라서 매매계약의 일방 당사자가 사망하였고 그에게 여러 명의 상속인이 있는 경우에 그 상속인들이 위 계약을 해제하려면, 상대방과 사이에 다른 내용의 특약이 있다는 등의 특별한 사정이 없는 한, 상속인들 전원이 해제의 의사표시를 하여야 한다(대판 2013.11.28, 2013다22812).

② 계약이 해제된 후에 계약당사자의 일방이 이의 없이 그 계약목적물을 받거나 대금에 대한 약정이자나 일부변제를 수령한 경우, 당사자 간에 해제된 계약을 부활시키는 (묵시적인) 약정이 있는 것으로 봄이 상당하고, 이러한 경우 매도인으로서는 새로운 이행의 최고 없이 바로 해제권을 행사할 수 없다(대판 1980.7.8, 80다1077; 대판 1992.10.27, 91다483).

③ 계약이 해제되기 이전에 계약상의 채권을 양수하여 이를 피보전권리로 하여 처분금지가처분결정을 받은 경우, 그 권리는 채권에 불과하고 대세적 효력을 갖는 완전한 권리가 아니라는 이유로 그 채권자는 민법 제548조 제1항 단서 소정의 해제의 소급효가 미치지 아니하는 '제3자'에 해당하지 아니한다(대판 2000.8.22, 2000다23433).

④,⑤ 대판 2014.3.13, 2013다34143

정답 28 ③

29 계약의 해지에 관한 다음 설명 중 가장 옳지 않은 것은? (다툼이 있는 경우 판례에 의함)

▸ 2020년 법원사무관 승진

① 해지의 의사표시는 철회할 수 있다.

② 기간의 정함이 없는 이른바 계속적 보증계약에 있어서는 보증인의 주채무자에 대한 신뢰가 깨지는 등 보증인으로서 보증계약을 해지할 만한 상당한 이유가 있는 경우 특단의 사정이 있는 경우를 제외하고 보증인은 일방적으로 이를 해지할 수 있다.

③ 당사자 일방이 계약을 해지한 때에는 계약은 장래에 대하여 그 효력을 잃는다.

④ 회사의 임원이나 직원의 지위에 있기 때문에 회사의 요구로 부득이 회사와 제3자 사이의 계속적 거래로 인한 회사의 채무에 대하여 보증인이 된 자가 그 후 회사로부터 퇴사하여 임원이나 직원의 지위를 떠난 때에는 보증계약성립 당시의 사정에 현저한 변경이 생긴 경우에 해당하므로 사정변경을 이유로 보증계약을 해지할 수 있다.

해설

① 제543조 【해지, 해제권】
① 계약 또는 법률의 규정에 의하여 당사자의 일방이나 쌍방이 해지 또는 해제의 권리가 있는 때에는 그 해지 또는 해제는 상대방에 대한 의사표시로 한다.
② 전항의 의사표시는 철회하지 못한다.

② 기간의 정함이 없는 이른바 계속적 보증계약에 있어서는 보증인의 주채무자에 대한 신뢰가 깨지는 등 보증인으로서 보증계약을 해지할 만한 상당한 이유가 있는 경우에 보증인으로 하여금 그 보증계약을 그대로 유지·존속케 한다는 것은 사회통념상 바람직하지 못하므로 그 계약해지로 인하여 상대방인 채권자에게 신의칙상 묵과할 수 없는 손해를 입게 하는 등 특단의 사정이 있는 경우를 제외하고 보증인은 일방적으로 이를 해지할 수 있다고 할 것이고, 이 경우 보증인은 해지 이후에 발생한 채무에 대해서는 보증책임을 부담하지 않는다(대판 2002.2.26, 2000다48265).

③ 제550조 【해지의 효과】 당사자 일방이 계약을 해지한 때에는 계약은 장래에 대하여 그 효력을 잃는다.

④ 회사의 임원이나 직원의 지위에 있기 때문에 회사의 요구로 부득이 회사와 제3자 사이의 계속적 거래로 인한 회사의 채무에 대하여 보증인이 된 자가 그 후 회사로부터 퇴사하여 임원이나 직원의 지위를 떠난 때에는 보증계약성립 당시의 사정에 현저한 변경이 생긴 경우에 해당하여 사정변경을 이유로 보증계약을 해지할 수 있다(대판 2002.2.26, 2000다48265 등).

30 민법상 '제3자'에 관련된 설명 중 옳지 않은 것은? (다툼이 있는 경우 판례에 의함)

① 제3자를 위한 계약이 성립하기 위해서는 제3자에게 직접 권리를 취득하게 하는 약정이 있어야 하지만, 계약의 당사자가 제3자에 대하여 가진 채권에 관하여 그 채무를 면제하는 계약도 제3자를 위한 계약에 준하는 것으로서 유효하다.

② 미성년자 甲이 자신 소유의 토지를 법정대리인의 동의 없이 乙에게 매도하고 乙이 丙에게 위 토지를 순차매도한 후, 甲이 乙과의 위 매매계약을 취소하였다면, 丙이 선의였다고 하더라도 甲은 위 토지에 관한 소유권을 회복한다.

③ 민법 제126조 소정의 '권한을 넘은 표현대리'에 관한 규정에서 제3자라 함은 당해 표현대리행위의 직접상대방이 된 자를 지칭한다.

④ 채권자 甲이 채무자 乙의 제3채무자 丙에 대한 매매계약상의 매매대금채권을 압류·전부하였다면, 그 후 丙이 위 매매계약을 적법하게 해제하였다 하더라도 甲은 丙에 대하여 전부금의 지급을 청구할 수 있다.

⑤ 지명채권의 양도통지가 확정일자 없는 증서에 의하여 이루어짐으로써 제3자에 대한 대항력을 갖추지 못하였으나 그 후 그 증서에 확정일자를 얻었다면, 그 일자 이후에는 제3자에 대한 대항력을 취득한다.

해설 ① 제3자를 위한 계약이 성립하기 위하여는 일반적으로 그 계약의 당사자가 아닌 제3자로 하여금 직접 권리를 취득하게 하는 조항이 있어야 할 것이지만, 계약의 당사자가 제3자에 대하여 가진 채권에 관하여 그 채무를 면제하는 계약도 제3자를 위한 계약에 준하는 것으로서 유효하다(대판 2004.9.3, 2002다37405).

② 무능력을 원인으로 하는 취소는 선의의 제3자에 대하여 주장할 수 있다(절대적 취소). 또한 판례는 물권행위의 유인성의 입장으로서, 甲이 乙과의 매매계약을 취소하면 乙은 소급하여 무권리자가 되고, 乙로부터의 승계취득자 丙은 무권리자로부터 권리를 취득한 자에 해당하여 소급하여 그 소유권을 상실한다. 이에 따르면 甲은 당연히 소유권을 회복하게 된다.

③ 표현대리에 관한 민법 제126조의 규정에서 제3자라 함은 당해 표현대리행위의 직접 상대방이 된 자만을 지칭하는 것이고, 약속어음의 보증은 발행인을 위하여 그 어음금채무를 담보할 목적으로 하는 보증인의 단독행위이므로 그 행위의 구체적, 실질적인 상대방은 어음의 제3취득자가 아니라 발행인이라 할 것이어서 약속어음의 보증부분이 위조된 경우, 동 약속어음을 배서, 양도받는 제3취득자는 위 보증행위가 민법 제126조 소정의 표현대리행위로서 보증인에게 그 효력이 미친다고 주장할 수 있는 제3자에 해당하지 않는다(대판 2002.12.10, 2001다58443).

④ 민법 제548조 제1항 단서에서 말하는 제3자란 일반적으로 그 해제된 계약으로부터 생긴 법률효과를 기초로 하여 해제 전에 새로운 이해관계를 가졌을 뿐 아니라 등기, 인도 등으로 완전한 권리를 취득한 자를 말하므로 계약상의 채권을 양수한 자나 그 채권 자체를 압류 또는 전부한 채권자는 여기서 말하는 제3자에 해당하지 아니한다(대판 2000.4.11, 99다51685).

⑤ 지명채권의 양도통지가 확정일자 없는 증서에 의하여 이루어짐으로써 제3자에 대한 대항력을 갖추지 못하였으나 그 후 그 증서에 확정일자를 얻은 경우에는 그 일자 이후에는 제3자에 대한 대항력을 취득한다(대판 1988.4.12, 87다카2429).

정답 29 ① 30 ④

심화문제 │ 확인 · 보충 · 심화문제

01 **이행지체에 관한 설명 중 옳은 것은?** (다툼이 있는 경우에는 판례에 의함)

① 정지조건부 기한이익 상실의 특약이 있는 경우, 특별한 사정이 없는 한 그 특약에서 정한 기한이익 상실사유가 발생하였더라도 채권자의 이행청구가 없으면 채무자는 지체책임을 지지 않는다.

② 확정기한이 있는 금전채권에 대하여 가압류결정이 내려진 경우, 채무자는 기한이 도래하더라도 지체책임을 지지 않는다.

③ 불법행위로 인한 손해배상의무는 기한의 정함이 없는 채무로서 채무자는 피해자의 이행청구를 받은 때로부터 지체책임이 있다.

④ 채무자는 확정된 지연손해금채무에 대하여 채권자의 이행청구를 받은 때로부터 지체책임을 부담하게 된다.

⑤ 토지거래허가를 전제로 하는 매매계약의 경우, 허가가 있기 전이라도 매도인이 소유권이전등기 소요서류의 이행제공을 하였다면 매수인은 계약내용에 따른 대금지급의무를 부담하므로 매수인이 그 의무를 이행하지 아니한 때에는 매도인은 계약을 해제할 수 있다.

해설 ① 채권자의 별도의 의사표시가 없더라도 바로 이행기가 도래한 것과 같은 효과를 발생케 하는 이른바 정지조건부 기한이익 상실의 특약을 하였을 경우에는, 그 특약에 정한 기한의 이익 상실사유가 발생함과 동시에 기한의 이익을 상실케 하는 채권자의 의사표시가 없더라도 이행기 도래의 효과가 발생하고, 채무자는 특별한 사정이 없는 한 그 때부터 이행지체의 상태에 놓이게 된다(대판 1999.7.9, 99다15184).

② 채권의 가압류는 제3채무자에 대하여 채무자에게 지급하는 것을 금지하는 데 그칠 뿐 채무 그 자체를 면하게 하는 것이 아니고, 가압류가 있다 하여도 그 채권의 이행기가 도래한 때에는 제3채무자는 그 지체책임을 면할 수 없다고 보아야 할 것이다(대판 1994.12.13, 93다951).

③ 불법행위에 의한 손해배상채무는 그 채무의 성립과 동시에 지체책임을 진다. 즉, 최고 없이 불법행위시부터 지체책임을 진다는 것이 판례의 입장이다(대판 1975.5.27, 74다1393).

④ 금전채무의 지연손해금채무는 금전채무의 이행지체로 인한 손해배상채무로서 이행기의 정함이 없는 채무에 해당하므로, 채무자는 확정된 지연손해금채무에 대하여는 채권자로부터 이행청구를 받은 때로부터 지체책임을 부담하게 된다(대판 2004.7.9, 2004다11582).

⑤ 허가를 받을 것을 전제로 한 거래계약은 허가받기 전의 상태에서는 거래계약의 채권적 효력도 전혀 발생하지 않으므로 권리의 이전 또는 설정에 관한 어떠한 내용의 이행청구도 할 수 없고, 그러한 거래계약의 당사자로서는 허가받기 전의 상태에서 상대방의 거래계약상 채무불이행을 이유로 거래계약을 해제하거나 그로 인한 손해배상을 청구할 수 없다(대판 1997.7.25, 97다4357).

02 **이행불능에 관한 다음의 설명 중 옳지 않은 것은?** (다툼이 있는 경우 판례에 의함)

① 쌍무계약의 당사자 일방의 채무가 당사자 쌍방의 책임 없는 사유로 이행할 수 없게 된 때에는 채무자는 상대방의 이행을 청구하지 못한다.

② 쌍무계약의 당사자 일방의 채무가 채권자의 책임 있는 사유로 이행할 수 없게 된 때에는 채무자는 상대방의 이행을 청구할 수 있다.

③ 채권자의 수령지체 중에 당사자 쌍방의 책임 없는 사유로 이행할 수 없게 된 때에도 채무자는 상대방의 이행을 청구할 수 있다.

④ 쌍무계약에서 당사자 쌍방의 귀책사유 없이 채무가 이행불능된 경우 채무자는 급부의무를 면함과 더불어 반대급부도 청구하지 못하므로, 쌍방 급부가 없었던 경우에는 계약관계는 소멸하고 이미 이행한 급부는 법률상 원인 없는 급부가 되어 부당이득의 법리에 따라 반환청구할 수 있다.

⑤ 부동산의 이중양도에 관해 판례는 제2매수인이 중도금을 지급한 때에 매도인의 제1매수인에 대한 소유권이전채무가 이행불능이 된 것으로 본다.

해설 ①, ④ 제537조【채무자위험부담주의】쌍무계약의 당사자 일방의 채무가 당사자 쌍방의 책임 없는 사유로 이행할 수 없게 된 때에는 채무자는 상대방의 이행을 청구하지 못한다.

쌍무계약의 경우 채무자의 급부의무가 귀책사유 없이 소멸하는 경우라면 채무자위험부담의 법리에 따라 채권자의 반대급부도 소멸하므로, 채권자는 이미 이행한 계약금과 중도금을 부당이득으로 반환청구할 수 있다.

② , ③ 제538조 제1항【채권자귀책사유로 인한 이행불능】쌍무계약의 당사자 일방의 채무가 채권자의 책임 있는 사유로 이행할 수 없게 된 때에는 채무자는 상대방의 이행을 청구할 수 있다. 채권자의 수령지체 중에 당사자 쌍방의 책임 없는 사유로 이행할 수 없게 된 때에도 같다.

⑤ 이중매매(또는 이중양도)의 경우 매도인이 제2매수인과 매매계약을 체결하였다는 사실만으로 또는 제2매수인으로부터 중도금을 지급받은 것만으로 이행불능이라고 할 수는 없고, 제2매수인 앞으로 소유권이전등기를 해 준 시점에 비로소 다른 매수인에 대해 이행불능이 발생한다는 것이 판례의 입장이다(대판 1973.12.26, 73다1516 ; 대판 1996.7.26, 96다14161 등).

03 동시이행의 항변권에 관한 설명 중 판례의 입장과 다른 것은?

① 기존의 원인채권과 어음·수표채권이 병존하는 경우에 원인채무의 이행과 어음·수표의 반환은 동시이행의 관계에 있으므로, 설령 채무자가 채권자로부터 어음·수표를 반환받지 않았음을 이유로 동시이행의 항변권을 행사하지 않았더라도 원인채무의 이행기가 도과한 사실만으로는 원칙적으로 그 채무에 대한 이행지체의 책임을 지지 않는다.

② 동시이행의 관계에 있는 쌍방의 채무 중 어느 한 채무가 이행불능이 됨으로 인하여 발생한 손해배상채무도 여전히 다른 채무와 동시이행의 관계에 있다.

③ 쌍무계약의 당사자 일방이 먼저 한 번 현실의 제공을 하여 상대방을 수령지체에 빠지게 하였더라도, 그 이행의 제공이 계속되지 않는 경우에는 과거에 이행의 제공이 있었다는 사실만으로 상대방이 가지는 동시이행의 항변권이 소멸하는 것은 아니다.

④ 임차인이 임대차계약 종료 이후에도 동시이행의 항변권을 행사하여 임차건물을 계속 점유하기는 하였으나 이를 본래의 임대차계약상의 목적에 따라 사용·수익하지 아니하여 실질적인 이득을 얻지 못한 경우에는, 그로 인하여 임대인에게 손해가 발생하였다 하더라도 임차인의 부당이득반환의무는 성립되지 않는다.

⑤ 토지 임차인이 지상 건물에 관하여 매수청구권을 행사한 경우, 임차인이 임대인에게 매수청구권이 행사된 건물에 대한 명도와 소유권이전등기를 마쳐주지 아니하였다면 임대인에게 그 매매 대금에 대한 지연손해금을 청구할 수 없다.

해설 ① 채무자가 어음의 반환이 없음을 이유로 원인채무의 변제를 거절할 수 있는 것은 채무자로 하여금 무조건적인 원인채무의 이행으로 인한 이중지급의 위험을 면하게 하려는 데에 그 목적이 있는 것이지, 기존의 원인채권에 터잡은 이행청구권과 상대방의 어음 반환청구권이 제536조에 정하는 쌍무계약상의 채권채무관계나 그와 유사한 대가관계가 있어서 그러는 것은 아니므로, 원인채무 이행의무와 어음 반환의무가 동시이행의 관계에 있다 하더라도 이는 어음의 반환과 상환으로 하지 아니하면 지급을 할 필요가 없으므로 이를 거절할 수 있다는 것을 의미하는 것에 지나지 아니하는 것이며, 따라서 채무자가 어음의 반환이 없음을 이유로 원인채무의 변제를 거절할 수 있는 권능을 가진다고 하여 채권자가 어음의 반환을 제공하지 아니하면 채무자에게 적법한 이행의 최고를 할 수 없다고 할 수는 없고, 채무자는 원인채무의 이행기를 도과하면 원칙적으로 이행지체의 책임을 진다(대판 1999.7.9, 98다47542·47559).

② 동시이행의 관계에 있는 쌍방의 채무 중 어느 한 채무가 이행불능이 됨으로 인하여 발생한 손해배상채무도 여전히 다른 채무와 동시이행의 관계에 있다(대판 2000.2.25, 97다30066).

③ 쌍무계약의 당사자 일방이 먼저 한 번 현실의 제공을 하고 상대방을 수령지체에 빠지게 하였다고 하더라도 그 이행의 제공이 계속되지 않는 경우는 과거에 이행의 제공이 있었다는 사실만으로 상대방이 가지는 동시이행의 항변권이 소멸하는 것은 아니므로, 일시적으로 당사자 일방의 의무의 이행 제공이 있었으나 곧 그 이행의 제공이 중지되어 더 이상 그 제공이 계속되지 아니하는 기간 동안에는 상대방의 의무가 이행지체 상태에 빠졌다고 할 수는 없다고 할 것이고, 따라서 그 이행의 제공이 중지된 이후에 상대방의 의무가 이행지체되었음을 전제로 하는 손해배상청구도 할 수 없는 것이다(대판 1995.3.14, 94다26646).

④ 법률상의 원인 없이 이득하였음을 이유로 한 부당이득의 반환에 있어서 이득이라 함은 실질적인 이익을 가리키는 것이므로 법률상 원인 없이 건물을 점유하고 있다 하여도 이를 사용

수익하지 않았다면 이익을 얻은 것이라고 볼 수 없는 것인 바, 임차인이 임대차계약 종료 이후에도 동시이행의 항변권을 행사하는 방법으로 목적물의 반환을 거부하기 위하여 임차건물 부분을 계속 점유하기는 하였으나 이를 본래의 임대차계약상의 목적에 따라 사용 수익하지 아니하여 실질적인 이득을 얻은 바 없는 경우에는 그로 인하여 임대인에게 손해가 발생하였다 하더라도 임차인의 부당이득반환의무는 성립되지 않는다(대판 1992.4.14, 91다45202).

⑤ 토지 임차인의 매수청구권 행사로 지상 건물에 대하여 시가에 의한 매매 유사의 법률관계가 성립된 경우에는 임차인의 건물명도 및 그 소유권이전등기의무와 토지 임대인의 건물대금지급의무는 서로 대가관계에 있는 채무가 되므로, 임차인이 임대인에게 매수청구권이 행사된 건물들에 대한 명도와 소유권이전등기를 마쳐주지 아니하였다면 임대인에게 그 매매대금에 대한 지연손해금을 구할 수 없다(대판 1998.5.8, 98다2389).

04 동시이행관계에 관한 기술 중 옳지 않은 것은? (다툼이 있는 경우에는 판례에 의함)

① 토지의 매도인이 매수인을 상대로 대금지급청구소송을 제기하자 매수인이 매도인으로부터 위 토지의 소유권을 이전받을 때까지 대금을 지급할 수 없다는 취지의 적법한 항변을 하였다면, 법원은 상환이행의 판결을 한다.

② 동시이행의 항변권을 쌍무계약 이외의 경우에 확장하기 위해서는 양 채무가 동일한 법률요건으로부터 생겨서 공평의 관점에서 보아 견련적으로 이행시킴이 마땅한 경우여야 한다.

③ 건물매매계약에서 매수인의 잔대금지급의무와 매도인의 소유권이전의무는 원칙적으로 동시이행관계에 있고, 이는 특별한 사정이 없는 한 미등기건물의 경우에도 마찬가지이다.

④ 부동산매매계약이 당사자 일방의 채무불이행으로 해제된 경우 매도인의 매매대금반환의무와 매수인의 소유권이전등기말소의무는 동시이행관계에 있으므로, 매도인이 반환하여야 할 매매대금에 민법 소정의 법정이율에 의한 법정이자는 가산되지 않는다.

⑤ 임대차관계의 종료로 발생하는 임차인의 목적물반환의무와 임대인의 연체차임 기타 손해배상금을 공제하고 남은 보증금반환의무는 동시이행관계에 있다.

해설 ① 동시이행의 항변권은 이를 행사해야만 청구저지효의 효력이 발생한다(=행사효과). 따라서 항변권자의 원용이 없으면, 법원은 항변권의 존재를 고려하지 않으므로 원고승소판결을 하게 되고(대판 1990.11.27, 90다카25222), 동시이행의 항변권을 행사하였다면 법원은 상환이행 판결을 한다.

② 원래 쌍무계약에서 인정되는 동시이행의 항변권을 비쌍무계약에 확장함에 있어서는 양 채무가 동일한 법률요건으로부터 생겨서 공평의 관점에서 보아 견련적으로 이행시킴이 마땅한 경우라야 한다(대판 2000.10.27, 2000다36118).

③ 건물매매계약은 쌍무계약으로서 매수인의 잔대금지급의무와 매도인의 소유권이전등기의무는 서로 동시이행관계에 있다 할 것이고, 특별한 사정이 없는 한 이러한 법리는 매매 목적물이 미등기건물이라고 하여 달라지는 것은 아니다(대판 1981.7.7, 80다2388).

정답 ▶ 03 ① 04 ④

④ 법정해제권 행사의 경우 당사자 일방이 그 수령한 금전을 반환함에 있어 그 받은 때로부터 법정이자를 부가함을 요하는 것은 민법 제548조 제2항이 규정하는 바로서, 이는 원상회복의 범위에 속하는 것이며 일종의 부당이득반환의 성질을 가지는 것이고 반환의무의 이행지체로 인한 것이 아니므로, 부동산 매매계약이 해제된 경우 매도인의 매매대금 반환의무와 매수인의 소유권이전등기말소등기 절차이행의무가 동시이행의 관계에 있는지 여부와는 관계없이 매도인이 반환하여야 할 매매대금에 대하여는 그 받은 날로부터 민법 소정의 법정이율인 연 5푼의 비율에 의한 법정이자를 부가하여 지급하여야 하고, 이와 같은 법리는 약정된 해제권을 행사하는 경우라 하여 달라지는 것은 아니다(대판 2000.6.9. 2000다9123).

⑤ 임대차계약의 종료에 의한 임차인의 임차목적물 반환의무와 연체차임 등 명도 시까지 생긴 임차인의 모든 채무를 공제한 임대인의 보증금반환의무는 동시이행의 관계에 있다(대판 1977.9.28. 77다1241).

05 판례의 태도에 비추어 동시이행의 항변권에 관한 설명 중 옳지 않은 것은?

① 근저당권의 실행을 위한 경매가 무효로 되어 근저당권자가 채무자를 대위하여 매각 받은 자를 상대로 소유권이전등기 말소등기청구권을 행사하는 경우, 매각 받은 자의 소유권이전등기 말소등기절차 이행의무와 근저당권자의 배당금 반환의무는 서로 이행의 상대방을 달리하므로 동시이행의 관계에 있지 아니하다.

② 甲은 乙에게, 乙은 丙에게 A건물을 순차 매도하고, 甲, 乙, 丙은 중간생략등기의 합의를 하였는데 그 후 甲과 乙 사이에 매매대금을 인상하는 약정이 체결된 경우, 甲은 乙로부터 인상된 매매대금이 지급되지 않았음을 이유로 丙 명의로의 소유권이전등기의무의 이행을 거절할 수 있다.

③ 매수인이 선이행의무 있는 중도금을 지급하지 않았다 하더라도 계약이 해제되지 않은 상태에서 잔대금 지급기일이 도래하여 그때까지 중도금과 잔대금이 지급되지 아니하고 잔대금과 동시이행관계에 있는 매도인의 소유권이전등기 소요서류가 제공된 바 없이 그 기일이 도과하였다면, 특별한 사정이 없는 한 매수인의 중도금 및 잔대금의 지급과 매도인의 소유권이전등기 소요서류의 제공은 동시이행관계에 있으므로 잔대금 지급기일 이후부터는 매수인은 중도금을 지급하지 아니한 데 대한 이행지체의 책임을 지지 아니한다.

④ 제3채무자의 압류채무자에 대한 자동채권이 수동채권인 피압류채권과 동시이행의 관계에 있는 경우에는, 비록 압류명령이 제3채무자에게 송달되어 압류의 효력이 생긴 후에 비로소 자동채권이 발생하였다고 하더라도, 동시이행의 항변권을 주장할 수 있는 제3채무자로서는 그 채권에 의한 상계로써 압류채권자에게 대항할 수 있는데, 이때 자동채권이 발생한 기초가 되는 원인은 수동채권이 압류되기 전에 이미 성립하여 존재하고 있어야 한다.

⑤ 쌍무계약에서 쌍방의 채무가 동시이행관계에 있는 경우 일방의 채무의 이행기가 도래하더라도 상대방 채무의 이행제공이 있을 때까지는 그 채무를 이행하지 않아도 이행지체의 책임을 지지 않는 것인데, 이와 같은 효과는 이행지체의 책임이 없다고 주장하는 자가 동시이행의 항변권을 행사하여야 발생하는 것이다.

해설 ① 근저당권 실행을 위한 경매가 무효로 되어 채권자(=근저당권자)가 채무자를 대위하여 낙찰자에 대한 소유권이전등기 말소청구권을 행사하는 경우, 낙찰자가 부담하는 소유권이전등기 말소의무는 채무자에 대한 것인 반면, 낙찰자의 배당금 반환청구권은 실제 배당금을 수령한 채권자(=근저당권자)에 대한 채권인바, 채권자(=근저당권자)가 낙찰자에 대하여 부담하는 배당금 반환채무와 낙찰자가 채무자에 대하여 부담하는 소유권이전등기 말소의무는 서로 이행의 상대방을 달리하는 것으로서, 채권자(=근저당권자)의 배당금 반환채무가 동시이행의 항변권이 부착된 채 채무자로부터 승계된 채무도 아니므로, 위 두 채무는 동시에 이행되어야 할 관계에 있지 아니하다(대판 2006.9.22, 2006다24049).

② 최초 매도인과 중간 매수인, 중간 매수인과 최종 매수인 사이에 순차로 매매계약이 체결되고 이들 간에 중간생략등기의 합의가 있은 후에 최초 매도인과 중간 매수인 간에 매매대금을 인상하는 약정이 체결된 경우, 최초 매도인은 인상된 매매대금이 지급되지 않았음을 이유로 최종 매수인 명의로의 소유권이전등기의무의 이행을 거절할 수 있다(대판 2005.4.29, 2003다66431).

③ 매수인이 선이행하여야 할 중도금 지급을 하지 아니한 채 잔대금지급일을 경과한 경우에는 매수인의 중도금 및 이에 대한 지급일 다음 날부터 잔대금지급일까지의 지연손해금과 잔대금의 지급채무는 매도인의 소유권이전등기의무와 특별한 사정이 없는 한 동시이행관계에 있다(대판 1991.3.27, 90다19930).

④ 제3채무자의 압류채무자에 대한 자동채권이 수동채권인 피압류채권과 동시이행의 관계에 있는 경우에는, 비록 압류명령이 제3채무자에게 송달되어 압류의 효력이 생긴 후에 비로소 자동채권이 발생하였다고 하더라도 동시이행의 항변권을 주장할 수 있는 제3채무자로서는 그 채권에 의한 상계로써 압류채권자에게 대항할 수 있는 것으로서, 이 경우 자동채권이 발생한 기초가 되는 원인은 수동채권이 압류되기 전에 이미 성립하여 존재하고 있었던 것이므로 그 자동채권은 민법 제498조에 규정된 '지급을 금지하는 명령을 받은 제3채무자가 그 후에 취득한 채권'에 해당하지 않는다(대판 2005.11.10, 2004다37676).

⑤ 쌍무계약에서 쌍방의 채무가 동시이행관계에 있는 경우 일방의 채무의 이행기가 도래하더라도 상대방 채무의 이행제공이 있을 때까지는 그 채무를 이행하지 않아도 이행지체의 책임을 지지 않는 것이고, 이와 같은 효과는 이행지체의 책임이 없다고 주장하는 자가 반드시 동시이행의 항변권을 행사하여야만 발생하는 것은 아니다(대판 1998.3.13, 97다54604).

정답 05 ⑤

06 다음 중 법률의 규정이나 판례에 의하여 동시이행관계가 인정되는 것(○)과 인정되지 않는 것(×)을 올바르게 조합한 것은? (다툼이 있는 경우 판례에 의함) ▸ 2016년 사법시험

> ㄱ. 공사도급계약에서 수급인의 의무불이행으로 도급인에게 하자확대손해가 발생한 경우, 수급인의 손해배상채무와 도급인의 보수지급채무
>
> ㄴ. 매매계약이 착오를 이유로 취소됨으로 인하여 부담하게 되는 매도인의 매매대금반환의무와 매수인의 소유권이전등기 말소의무
>
> ㄷ. 임대인의 임차보증금반환의무와 임차인의 주택임대차보호법 제3조의3에 의한 임차권등기 말소의무
>
> ㄹ. 부동산교환계약에서 목적 부동산에 설정된 담보권의 피담보채무를 인수하기로 약정한 경우, 일방이 상대방의 채무인수의무 불이행으로 그 채무를 대신 변제하였다면 그로 인한 상대방의 손해배상채무와 일방의 소유권이전등기의무
>
> ㅁ. 임차보증금반환채권 전부가 양도된 경우 임차보증금반환채권의 양수인에 대한 임대인의 양수금지급의무와 임차인의 임대인에 대한 임차목적물반환의무
>
> ㅂ. 매도인이 매수인으로부터 중도금을 지급받아 원매도인에게 매매잔대금을 지급하지 아니하고서는 토지의 소유권이전등기 소요서류를 갖추어 매수인에게 제공하기 어려운 특별한 사정이 있었고, 매수인도 그러한 사정을 알고 매매계약을 체결하였는데, 매수인이 중도금지급기일에 중도금지급의무를 이행하지 않고 있던 중 계약이 해제되지 않은 상태에서 잔대금지급기일이 도래한 경우에, 매수인의 중도금지급의무와 매도인의 소유권이전등기 소요서류의 제공의무

① ㄱ (○), ㄴ (○), ㄷ (○), ㄹ (○), ㅁ (○), ㅂ (×)
② ㄱ (×), ㄴ (○), ㄷ (○), ㄹ (○), ㅁ (×), ㅂ (○)
③ ㄱ (○), ㄴ (○), ㄷ (×), ㄹ (○), ㅁ (○), ㅂ (○)
④ ㄱ (○), ㄴ (×), ㄷ (×), ㄹ (×), ㅁ (×), ㅂ (○)
⑤ ㄱ (○), ㄴ (○), ㄷ (×), ㄹ (○), ㅁ (○), ㅂ (×)

해설 ㄱ. 동시이행항변권 제도의 취지로 볼 때 비록 당사자가 부담하는 각 채무가 쌍무계약관계에서 고유의 대가관계가 있는 채무가 아니라고 하더라도 구체적인 계약관계에서 각 당사자가 부담하는 채무에 관한 약정내용에 따라 그것이 대가적 의미가 있어 이행상의 견련관계를 인정하여야 할 사정이 있는 경우에는 동시이행의 항변권이 인정되어야 하는 점에 비추어 보면, 수급인이 도급계약에 따른 의무를 제대로 이행하지 못함으로 말미암아 도급인에게 손해가 발생한 경우 그와 같은 하자확대손해로 인한 수급인의 손해배상채무와 도급인의 보수지급채무 역시 동시이행관계에 있는 것으로 보아야 한다(대판 2007.8.23, 2007다26455).

ㄴ. 대판 2001.7.10, 2001다3764 등

ㄷ. 주택임대차보호법 제3조의3 규정에 의한 임차권등기는 이미 임대차계약이 종료하였음에도 임대인이 그 보증금을 반환하지 않는 상태에서 경료되게 되므로, 이미 사실상 이행지체에 빠진 임대인의 임대차보증금의 반환의무와 그에 대응하는 임차인의 권리를 보전하기 위하여 새로이 경료하는 임차권등기에 대한 임차인의 말소의무를 동시이행관계에 있는 것으로 해석

할 것은 아니고, 특히 위 임차권등기는 임차인으로 하여금 기왕의 대항력이나 우선변제권을 유지하도록 해 주는 담보적 기능만을 주목적으로 하는 점 등에 비추어 볼 때, 임대인의 임대차보증금의 반환의무가 임차인의 임차권등기 말소의무보다 먼저 이행되어야 할 의무이다(대판 2005.6.9, 2005다4529).

ㄹ. 부동산교환계약에 있어서 목적 부동산에 설정된 담보권의 피담보채무를 인수하기로 하는 약정이 행하여진 경우 그 일방이 상대방의 채무인수의무 불이행으로 말미암아 그 채무를 대신 변제하였다면 그로 인한 손해배상채무는 채무인수의무의 변형으로서 일방의 소유권이전등기의무와 상대방의 그 손해배상채무는 대가적 의미가 있어 이행상 견련관계에 있다고 할 것이고, 따라서 양자는 동시이행의 관계에 있다고 해석함이 공평의 관념 및 신의칙에 합당하다 (대판 2014.4.30, 2010다11323).

ㅁ. 대판 1977.9.28, 77다1241 등

ㅂ. 매도인이 매수인으로부터 중도금을 지급받아 원매도인에게 매매잔대금을 지급하지 아니하고서는 토지의 소유권이전등기서류를 갖추어 매수인에게 제공하기 어려운 특별한 사정이 있었고, 매수인도 그러한 사정을 알고 매매계약을 체결하였던 경우, 매도인의 소유권이전등기절차 서류의 제공의무는 매수인의 중도금 지급이 선행되었을 때에 매수인의 잔대금의 지급과 동시에 이를 이행하기로 약정한 것이라고 할 것이므로, 매수인의 중도금 지급의무는 당초 계약상의 잔금지급기일을 도과하였다고 하여도 매도인의 소유권이전등기서류의 제공과 동시이행의 관계에 있다고 할 수 없다(대판 1997.4.11, 96다31109).

07 동시이행의 항변권에 관한 설명 중 옳지 않은 것을 모두 고른 것은? (다툼이 있는 경우 판례에 의함) ▸ 2015년 사법시험

ㄱ. 동시이행관계에 있는 쌍무계약상 자기채무의 이행을 제공하는 경우 그 채무를 이행함에 있어 상대방의 행위를 필요로 할 때에는 특별한 사정이 없는 한 현실로 이행을 할 수 있는 준비를 완료하고 그 뜻을 상대방에게 통지하여 그 수령을 최고하여야 상대방으로 하여금 이행지체에 빠지게 할 수 있다.

ㄴ. 기존의 원인채권과 어음채권이 병존하는 경우 채권자가 원인채권만을 행사하여 대여금의 상환을 구하고 있다면, 채무자는 원칙적으로 어음과 상환으로 지급하겠다고 하는 항변으로 채권자에게 대항할 수 없다.

ㄷ. 근저당권 실행을 위한 경매가 무효로 되어 채권자(근저당권자)가 채무자를 대위하여 낙찰자에 대한 소유권이전등기 말소청구권을 행사하는 경우, 위 채권자가 낙찰자에 대하여 부담하는 배당금 반환채무와 낙찰자가 채무자에 대하여 부담하는 소유권이전등기 말소의무는 서로 동시이행관계에 있다.

정답 **06** ⑤ **07** ③

ㄹ. 부동산에 관한 매매계약을 체결한 후 매수인 앞으로 소유권이전등기를 마치기 전에 매수인으로부터 그 부동산을 다시 매수한 제3자의 처분금지가처분신청으로 매매 목적 부동산에 관하여 가처분등기가 이루어진 상태에서 매도인과 매수인 사이의 매매계약이 해제된 경우, 가처분등기의 말소와 매도인의 대금반환의무는 동시이행의 관계에 있다.

ㅁ. 당사자 사이에 구분소유적 공유관계가 해소되는 경우 일방의 지분에 근저당권설정등기가 경료되었다면 쌍방의 지분소유권이전등기의무와 아울러 그러한 근저당권설정등기의 말소의무 또한 동시이행의 관계에 있다.

ㅂ. 甲과 乙이 부동산 매매계약을 체결하였는데 甲의 채권자 丙이 甲의 乙에 대한 매매대금채권에 대해 법원으로부터 압류 및 추심명령을 받았다고 하더라도 이는 甲, 乙 사이의 동시이행관계에 영향을 미치지 않는다.

① ㄱ, ㄴ, ㄷ ② ㄱ, ㄷ, ㅂ ③ ㄴ, ㄷ, ㄹ
④ ㄴ, ㄹ, ㅂ ⑤ ㄱ, ㄴ, ㄹ, ㅁ

해설 ㄱ. 동시이행관계에 있는 쌍무계약상 자기채무의 이행을 제공하는 경우 그 채무를 이행함에 있어 상대방의 행위를 필요로 할 때에는 특별한 사정이 없는 한 현실로 이행을 할 수 있는 준비를 완료하고 그 뜻을 상대방에게 통지하여 그 수령을 최고하여야 상대방으로 하여금 이행지체에 빠지게 할 수 있다(대판 2008.4.24, 2008다3053).

ㄴ. 어음의 반환과 원인채무의 이행은 서로 동시이행의 관계이므로 채무자는 원칙적으로 어음과 상환으로 지급하겠다고 하는 항변으로 채권자에게 대항할 수 있다. 다만, 어음상 권리가 시효완성으로 소멸한 경우에는 그러하지 아니하다(대판 1999.7.9, 98다47542 ; 대판 2010.7.29, 2009다69692 등).

ㄷ. 근저당권 실행을 위한 경매가 무효로 되어 채권자(근저당권자)가 채무자를 대위하여 낙찰자에 대한 소유권이전등기 말소청구권을 행사하는 경우, 위 채권자가 낙찰자에 대하여 부담하는 배당금 반환채무와 낙찰자가 채무자에 대하여 부담하는 소유권이전등기 말소의무는 서로 상대방이 달라 동시이행관계에 있지 않다(대판 2006.9.22, 2006다24049).

ㄹ. 부동산에 관한 매매계약을 체결한 후 매수인 앞으로 소유권이전등기를 마치기 전에 매수인으로부터 그 부동산을 다시 매수한 제3자의 처분금지가처분신청으로 매매목적부동산에 관하여 가처분등기가 이루어진 상태에서 매도인과 매수인 사이의 매매계약이 해제된 경우, 가처분등기의 말소와 매도인의 대금반환의무는 동시이행의 관계에 있지 않다(대판 2009.7.9, 2009다18526).

ㅁ. 구분소유적 공유관계가 해소되는 경우 공유지분권자 상호간의 지분이전등기의무는 그 이행상 견련관계에 있다고 봄이 공평의 관념 및 신의칙에 부합하고, 또한 각 공유지분권자는 특별한 사정이 없는 한 제한이나 부담이 없는 완전한 지분소유권이전등기의무를 지므로, 그 구분소유권 공유관계를 표상하는 공유지분에 근저당권설정등기 또는 압류, 가압류등기가 경료되어 있는 경우에는 그 공유지분권자로서는 그러한 각 등기도 말소하여 완전한 지분소유권이전등기를 해 주어야 한다. 따라서 구분소유적 공유관계가 해소되는 경우 쌍방의 지분소유권이전등기의무와 아울러 그러한 근저당권설정등기 등의 말소의무 또한 동시이행의 관계

864 PART 03 채권각론

에 있다. 그리고 구분소유적 공유관계에서 어느 일방이 그 명의신탁을 해지하고 지분소유권 이전등기를 구함에 대하여 상대방이 자기에 대한 지분소유권이전등기 절차의 이행이 동시에 이행되어야 한다고 항변하는 경우, 그 동시이행의 항변에는 특별한 사정이 없는 한 명의신탁 해지의 의사표시가 포함되어 있다고 보아야 한다(대판 2008.6.26, 2004다32992).

ㅂ. 금전채권에 대한 압류 및 추심명령이 있는 경우, 이는 강제집행절차에서 추심채권자에게 채무자의 제3채무자에 대한 채권을 추심할 권능만을 부여하는 것이므로, 이로 인하여 채무자가 제3채무자에 대하여 가지는 채권이 추심채권자에게 이전되거나 귀속되는 것은 아니므로, 추심채무자로서는 제3채무자에 대하여 피압류채권에 기하여 그 동시이행을 구하는 항변권을 상실하지 않는다(대판 2001.3.9, 2000다73490).

08 甲과 乙은 甲소유의 토지를 乙에게 매도하되, 매매대금은 乙이 丙에게 지급하기로 약정하였다. 이에 관한 설명 중 옳지 않은 것은?

① 丙이 乙에 대하여 수익의 의사표시를 한 후 乙이 대금채무 이행을 지체하는 경우에, 丙은 乙에 대하여 이행지체로 인한 손해배상청구권을 가지나, 이행지체를 이유로 계약을 해제할 수는 없다.

② 甲과 乙이 합의에 의하여 丙의 권리를 변경 또는 소멸시킬 수 있음을 미리 유보하였더라도, 丙이 수익의 의사표시를 한 후에는 丙의 권리를 변경 또는 소멸시키지 못한다.

③ 乙이 丙에게 상당한 기간을 두고 이익의 향수 여부에 대한 확답을 최고하였음에도 불구하고 丙으로부터 그 기간 내에 확답을 받지 못한 때에는 수익을 거절한 것으로 본다.

④ 丙이 수익의 의사표시를 한 후라도 甲은 원칙적으로 乙을 상대로 丙에게 이행할 것을 청구할 수 있다.

⑤ 乙의 丙에 대한 대금지급의무와 甲의 乙에 대한 소유권이전 의무는 원칙적으로 동시이행의 관계에 있다.

해설 ① 제3자를 위한 계약에 있어서 수익의 의사표시를 한 수익자는 낙약자에게 직접 그 이행을 청구할 수 있을 뿐만 아니라 요약자가 계약을 해제한 경우에는 낙약자에게 자기가 입은 손해의 배상을 청구할 수 있는 것이므로, 수익자가 완성된 목적물의 하자로 인하여 손해를 입었다면 수급인은 그 손해를 배상할 의무가 있다. 그러나 제3자를 위한 계약의 당사자가 아닌 수익자는 계약의 해제권이나 해제를 원인으로 한 원상회복청구권이 있다고 볼 수 없다(대판 1994.8.12, 92다41559).

② 제3자를 위한 계약에 있어서, 제3자가 민법 제539조 제2항에 따라 수익의 의사표시를 함으로써 제3자에게 권리가 확정적으로 귀속된 경우에는, 요약자와 낙약자의 합의에 의하여 제3자의 권리를 변경·소멸시킬 수 있음을 미리 유보하였거나, 제3자의 동의가 있는 경우가 아니면 계약의 당사자인 요약자와 낙약자는 제3자의 권리를 변경·소멸시키지 못하고, 만일

계약의 당사자가 제3자의 권리를 임의로 변경·소멸시키는 행위를 한 경우 이는 제3자에 대하여 효력이 없다(대판 2002.1.25, 2001다30285).

③ 제540조【채무자의 제3자에 대한 최고권】전조(제3자를 위한 계약)의 경우에 채무자는 상당한 기간을 정하여 계약의 이익의 향수여부의 확답을 제3자에게 최고할 수 있다. 채무자가 그 기간 내에 확답을 받지 못한 때에는 제3자가 계약의 이익을 받을 것을 거절한 것으로 본다.

④ 요약자는 수익자의 급부청구권과 별도로 낙약자를 상대로 수익자에게 채무를 이행할 것을 청구할 수 있다는 것이 일반적이다.

⑤ 제542조【채무자의 항변권】채무자는 제539조의 계약에 기한 항변으로 그 계약의 이익을 받을 제3자에게 대항할 수 있다.

즉 낙약자는 제3자를 위한 계약의 기본관계(낙약자와 요약자의 관계)상의 항변으로 수익자에게 대항할 수 있다. 따라서 낙약자는 기본계약으로부터 기인하는 의사표시의 하자, 무효, 취소, 해제·해지 등에 기한 항변으로 그 계약의 이익을 받을 제3자에게 대항할 수 있고, 매매계약 상의 동시이행의 항변권으로 수익자의 대금지급청구를 거절할 수 있다.

09 제3자를 위한 계약에 관한 설명 중 옳지 않은 것을 모두 고른 것은? (다툼이 있는 경우 판례에 의함) ▸ 2016년 사법시험

ㄱ. 부동산매수인이 매매목적물에 관한 임대차보증금반환채무를 인수하는 한편 그 채무 액을 매매대금에서 공제하기로 약정한 경우, 그 인수는 특별한 사정이 없는 한 이행 인수에 해당한다.

ㄴ. 채무자와 인수인의 계약으로 체결되는 병존적 채무인수는 제3자를 위한 계약에 해당 하지 않는다.

ㄷ. 매도인 甲과 매수인 乙이 토지거래허가구역 내 토지에 관한 매매계약을 체결하면서 매매대금을 丙에게 지급하기로 하는 제3자를 위한 계약을 체결하고 그 후 매수인 乙이 그 매매대금을 丙에게 지급하였는데, 토지거래허가를 받지 않아 유동적 무효였 던 위 매매계약이 확정적으로 무효가 된 경우, 乙은 丙을 상대로 매매대금 상당액의 부당이득반환을 구할 수 있다.

ㄹ. 제3자를 위한 계약의 체결 원인이 된 요약자와 제3자(수익자) 사이의 법률관계의 효 력은 제3자를 위한 계약 자체는 물론 그에 기한 요약자와 낙약자 사이의 법률관계의 성립이나 효력에 영향을 미치지 않는다.

ㅁ. 제3자를 위한 계약에 있어서 낙약자의 채무불이행으로 인하여 계약이 해제된 경우에 는 수익자는 낙약자에 대하여 계약의 해제로 인한 원상회복을 청구할 수 있다.

① ㄱ, ㄴ, ㄷ   ② ㄱ, ㄷ, ㅁ

③ ㄴ, ㄷ, ㄹ   ④ ㄴ, ㄷ, ㅁ

⑤ ㄷ, ㄹ, ㅁ

ㄱ. 부동산의 매수인이 매매목적물에 관한 임대차보증금 반환채무 등을 인수하는 한편 그 채무액을 매매대금에서 공제하기로 약정한 경우, 그 인수는 특별한 사정이 없는 이상 매도인을 면책시키는 면책적 채무인수가 아니라 이행인수로 보아야 하고, 면책적 채무인수로 보기 위해서는 이에 대한 채권자 즉 임차인의 승낙이 있어야 한다(대판 2015.5.29, 2012다84370).

ㄴ. 채무자와 인수인의 계약으로 체결되는 병존적 채무인수는 채권자로 하여금 인수인에 대하여 새로운 권리를 취득하게 하는 것으로 제3자를 위한 계약의 하나로 볼 수 있다(대판 1997.10.24, 97다28698).

ㄷ. 제3자를 위한 계약관계에서 낙약자가 이미 제3자에게 급부한 것이 있더라도 낙약자는 계약해제 등에 기한 원상회복 또는 부당이득을 원인으로 제3자를 상대로 그 반환을 구할 수 없다(대판 2010.8.19, 2010다31860).

ㄹ. 대판 2003.12.11, 2003다49771

ㅁ. 수익의 의사표시를 한 수익자는 손해배상청구권이 있으나, 계약해제에 따른 원상회복청구권이 있다고 볼 수 없다(대판 1994.8.12, 92다41559). 왜냐하면 제3자는 계약의 당사자가 아니기 때문이다.

10 甲은 자신의 모교인 학교법인 丙에게 증여할 목적으로 건축업자 乙과 체육관 신축을 위한 도급계약을 체결하면서, 丙을 수익자로 하는 제3자 수익약정을 부가하였다. 다음 설명 중 옳은 것을 모두 고른 것은? (다툼이 있는 경우에는 판례에 의함) ▸ 2014년 변호사

> ㄱ. 乙의 노력과 재료로 체육관이 신축된 경우, 甲과 乙 사이에 위 체육관의 소유권 귀속에 관하여 특별한 약정이 없다면, 일단 甲이 체육관의 소유권을 원시취득한다.
>
> ㄴ. 완성된 체육관에 하자가 있는 경우, 乙이 甲에게 부담하는 담보책임은 무과실책임으로서 과실상계에 관한 민법규정은 준용될 수 없기 때문에, 설령 甲에게 하자의 발생에 대한 과실이 있더라도 이를 고려할 수 없다.
>
> ㄷ. 甲이 약정기일 내에 체육관이 완성되지 아니하여 도급계약을 해제하는 경우, 丙의 동의를 받을 필요가 없다.
>
> ㄹ. 丙이 수익의 의사표시를 한 후에는, 乙의 채무불이행으로 인하여 丙이 입은 손해가 있다면 丙은 乙에 대하여 그 배상을 청구할 수 있고, 丙이 완성된 목적물의 하자로 인하여 손해를 입은 경우에도 乙에 대하여 그 배상을 청구할 수 있다.

① ㄱ ② ㄴ ③ ㄴ, ㄷ
④ ㄷ, ㄹ ⑤ ㄱ, ㄷ, ㄹ

ㄱ. 도급에서 신축건물의 소유권귀속문제이다. 위와 같은 경우, 甲과 乙 사이에 위 체육관의 소유권 귀속에 관하여 특별한 약정이 없다면, 재료공급자인 乙이 체육관의 소유권을 원시취득한다(대판(전합) 2003.12.18, 98다43601).

09 ④ 10 ④

ㄴ. 완성된 체육관에 하자가 있는 경우, 乙이 甲에게 부담하는 담보책임은 무과실책임으로서 과실상계에 관한 민법규정은 준용될 수 없다 하더라도 甲에게 하자의 발생에 대한 과실이 있다면 이를 고려할 수 있다(대판 1980.11.11, 80다923).

ㄷ. 제3자를 위한 계약에서 낙약자의 귀책사유로 인한 채무불이행이 있을 때에는 요약자는 제3자의 동의 없이 계약당사자로서 계약을 해제할 수 있다(대판 1970.2.24, 69다1410·1411). 따라서 甲이 약정기일 내에 체육관이 완성되지 아니하여 도급계약을 해제하는 경우, 丙의 동의를 받을 필요가 없다.

ㄹ. 제3자를 위한 계약에 있어서 수익의 의사표시를 한 수익자는 낙약자에게 직접 그 이행을 청구할 수 있을 뿐만 아니라 요약자가 계약을 해제한 경우에는 낙약자에게 자기가 입은 손해의 배상을 청구할 수 있다(대판 1994.8.12, 92다41559). 그러므로 丙이 수익의 의사표시를 한 후에는, 乙의 채무불이행으로 인하여 丙이 입은 손해가 있다면 丙은 乙에 대하여 그 배상을 청구할 수 있고, 丙이 완성된 목적물의 하자로 인하여 손해를 입은 경우에도 乙에 대하여 그 배상을 청구할 수 있다.

11 甲은 甲 소유인 X 토지를 乙에게 매도하는 매매계약을 체결하고, 계약금과 중도금을 지급받은 뒤 X 토지에 대한 소유권이전등기를 乙 명의로 경료해주었다. 그 후 乙이 잔금을 지급하기 전에 甲과 乙이 합의하여 위 매매계약을 해제하고자 할 경우, 다음 설명 중 옳지 않은 것은? (각 지문은 독립적이고, 다툼이 있는 경우 판례에 의함) ▸2015년 변호사

① 甲이 해제권의 발생 여부에 관계없이 위 매매계약의 효력을 소멸시켜 당초부터 계약이 체결되지 않았던 것과 같은 상태로 복귀시킬 것을 내용으로 하는 새로운 청약을 하고 乙이 이에 승낙하면 위 매매계약은 해제된다.

② 甲과 乙이 위 매매계약을 해제하기로 합의한 경우, 특별한 약정이 없다면 甲이 乙에게 반환하여야 할 금전에 대하여는 乙로부터 지급받은 다음 날부터 이자를 가산하여 지급하여야 한다.

③ 甲과 乙이 위 매매계약을 해제하기로 합의하기 전에 乙로부터 X 토지를 매수한 丙은 자신의 명의로 소유권이전등기가 경료되었다면 보호될 수 있다.

④ 甲이 乙에게 위 매매계약의 해제에 따른 원상회복 및 손해배상에 관한 조건을 제시한 경우, 그 조건에 대한 합의까지 이루어져야 합의해제가 성립된다.

⑤ 甲이 잔금지급 기일의 경과 후 계약해제를 주장하면서 이미 지급받은 계약금과 중도금의 반환으로 이를 공탁하고 乙이 아무런 이의 없이 그 공탁금을 수령한 경우에는 특단의 사정이 없는 한 합의해제된 것으로 본다.

해설 ① 합의해제는 해제계약이다. 따라서 청약과 승낙으로 위 매매계약은 해제된다(대판 2011.2.10, 2010다77385).

② 합의해제의 경우 대금에 대한 이자나 손해배상청구에 관한 법정해제의 규정은 적용되지 않는다. 따라서 ②의 경우, 甲이 乙에게 반환하여야 할 금전에 대하여는 乙로부터 지급받은 다음 날부터 이자를 가산하여 지급하여야 한다는 것은 부당하다(대판 1996.7.30, 95다16011).

③ 합의해제는 법정해제에 관한 규정이 적용되지 않지만 제3자보호규정은 적용된다. 따라서 甲과 乙이 위 매매계약을 해제하기로 합의하기 전에 乙로부터 X 토지를 매수한 丙은 자신의 명의로 소유권이전등기가 경료되었다면 보호될 수 있다(대판 2005.4.13, 2003다45700).

④ 이 문제는 계약의 성립과 관련된 문제이다. 즉 계약이 성립되기 위하여는 청약에서 제시한 내용이 승낙에 의하여 받아들여져야 한다(대판 2003.4.11, 2001다53059). 따라서 甲이 乙에게 위 매매계약의 해제에 따른 원상회복 및 손해배상에 관한 조건을 제시한 경우, 그 조건에 대한 합의까지 이루어져야 합의해제가 성립된다.

⑤ 조건부 공탁에 대하여 이의 없이 수령한 경우, 공탁내용대로 효력이 생긴다(대판 1987.4.14, 85다카2313). 따라서 甲이 잔금지급 기일의 경과 후 계약해제를 주장하면서 이미 지급받은 계약금과 중도금의 반환으로 이를 공탁하고 乙이 아무런 이의 없이 그 공탁금을 수령한 경우에는 특단의 사정이 없는 한 합의해제된 것으로 본다.

12 甲은 乙로부터 1억원을 차용하였다. 그 후 甲은 丙에게 甲 소유인 X 토지를 1억원에 매도하고, 〈보기〉에 나타난 각 법률관계에 따라 丙은 매매대금을 매매계약의 당사자가 아닌 乙에게 직접 지급하였다. 그 후 甲과 丙 사이의 X 토지 매매계약이 적법하게 해제되었다. 〈보기〉에서 옳은 것을 모두 고른 것은? (다툼이 있는 경우에는 판례에 의하고, 각 지문은 모두 독립적이다) ▸ 2014년 변호사

┌─── 보기 ───┐

ㄱ. 甲이 丙에게 매매대금을 乙에게 지급하라고 지시하고 丙이 이에 따랐다. 이 경우 매매계약의 해제 후에, 丙은 지급했던 매매대금을 乙로부터 반환받을 수 있다.

ㄴ. X 토지 매매계약을 제3자를 위한 계약의 형태로 체결하고 乙을 매매대금의 수익자로 정하였다. 이 경우 매매계약의 해제 후에, 丙은 지급했던 매매대금을 乙로부터 반환받을 수 있다.

ㄷ. X 토지 매매계약에 기한 대금채권을 甲이 乙에게 양도하고 丙에게 이를 통지하였다. 이 경우 매매계약의 해제 후에, 丙은 지급했던 매매대금을 乙로부터 반환받을 수 있다.

① ㄱ   ② ㄴ   ③ ㄷ
④ ㄱ, ㄴ   ⑤ ㄴ, ㄷ

해설 ㄱ. ㄴ. 甲이 丙에게 매매대금을 乙에게 지급하라고 지시하고 丙이 이에 따른 경우와 제3자를 위한 계약으로 지급한 경우, 판례는 모두 다 매매대금 상당액의 반환을 청구할 수 없다고 한다(대판 2010.8.19, 2010다31860). 따라서 丙은 지급했던 매매대금을 乙로부터 반환받을 수 없다.

ㄷ. 그러나 위와 달리 채권자체를 채권양도계약에 의하여 양도받은 자는 계약해제에서 보호되는 제3자가 아니기 때문에 반환을 청구할 수 있게 된다(대판 2003.1.24, 2000다22850). 즉 민법 제548조 제1항 단서에서 규정하고 있는 제3자란 일반적으로 계약이 해제되는 경우 그

해제된 계약으로부터 생긴 법률효과를 기초로 하여 해제 전에 새로운 이해관계를 가졌을 뿐 아니라 등기·인도 등으로 완전한 권리를 취득한 자를 말하고, 계약상의 채권을 양수한 자는 여기서 말하는 제3자에 해당하지 않는다고 할 것인 바, 계약이 해제된 경우 계약해제 이전에 해제로 인하여 소멸되는 채권을 양수한 자는 계약해제의 효과에 반하여 자신의 권리를 주장할 수 없음은 물론이고, 나아가 특단의 사정이 없는 한 채무자로부터 이행 받은 급부를 원상회복하여야 할 의무가 있다(대판 2003.1.24, 2000다22850).

13 甲과 乙은 2013.9.20. 甲 소유의 토지에 대하여 매매대금을 5억원으로 하는 매매계약을 체결하면서, 乙이 계약 당일 계약금 5,000만원을 甲에게 지급하였고, 중도금 2억원은 2013.10.20. 지급하고, 잔금 2억 5,000만원은 2013.11.20. 甲의 소유권이전과 상환하여 지급하기로 하였다. 다음 설명 중 옳은 것을 모두 고른 것은? (다툼이 있는 경우 판례에 의함) ▸2014년 변호사

> ㄱ. 甲이 乙에 대하여 중도금의 지급을 최고하였으나 乙이 이를 이행하지 않아 甲이 중도금의 지급을 구하는 소송을 제기하였다면, 특별한 사정이 없는 한 乙은 계약금 5,000만원을 포기하더라도 위 매매계약을 해제할 수 없다.
>
> ㄴ. 乙이 2013.10.20.을 경과하여 중도금의 이행을 지체하고 있는 중에, 甲 역시 소유권이전등기서류를 乙에게 이행제공 하지 않고, 2013.11.20.을 경과하였다면, 乙은 2013.11.21.부터는 중도금에 대한 지체책임을 지지 않는다.
>
> ㄷ. 乙 명의로 소유권이전등기가 이루어지기 전에 乙로부터 위 토지를 매수한 丙의 乙을 대위한 신청으로 위 토지에 대하여 처분금지가처분등기가 된 상태에서 甲과 乙 사이의 매매계약이 적법하게 해제된 경우, 위 가처분등기의 말소와 매도인의 대금반환의무는 동시이행관계에 있다.
>
> ㄹ. 특별한 사정으로 甲이 乙에게 토지의 소유권이전등기를 먼저 해 주었으나, 乙의 잔대금지급채무불이행으로 인하여 甲이 2013.12.5. 위 매매계약을 적법하게 해제한 경우, 위 토지에 대한 원상회복의 등기가 되기 전인 2013.12.10. 丁 앞으로 그 토지에 관한 근저당권설정등기가 이루어졌다면, 甲은 丁이 근저당권 설정 당시 甲의 해제권 행사 사실을 알았더라도 丁에 대하여 근저당권설정등기의 말소를 청구할 수 없다.

① ㄴ　　　　　　② ㄱ, ㄹ　　　　　　③ ㄴ, ㄷ
④ ㄴ, ㄹ　　　　　　⑤ ㄴ, ㄷ, ㄹ

해설 ㄱ. 제565조 해약금에서는 이행에 착수하기 전에 계약금을 지급한 자는 계약금을 포기하고 해약이 가능하다. 여기서 중도금지급을 구하는 소제기는 이행의 착수로 보지 않는 것이 판례이기 때문에 특별한 사정이 없는 한 乙은 계약금 5,000만원을 포기하고 위 매매계약을 해제할 수 있다(제565조).

ㄴ. 선이행의무 있는 자가 이행을 지체하고 있던 중 후이행의무자의 이행기가 도래한다면 그 후부터는 동시이행관계에 있기 때문에 乙은 2013.11.21.부터는 중도금에 대한 지체책임을 지지 않는다(대판 1970.9.29, 70다1464).

ㄷ. 乙 명의로 소유권이전등기가 이루어지기 전에 乙로부터 위 토지를 매수한 丙의 乙을 대위한 신청으로 위 토지에 대하여 처분금지가처분등기가 된 상태에서 甲과 乙 사이의 매매계약이 적법하게 해제된 경우, 위 가처분등기의 말소와 매도인의 대금반환의무는 반환하는 당사자가 다르기 때문에 동시이행관계에 있지 않다(대판 2009.7.9. 2009다18526).

ㄹ. 계약의 해제는 제3자의 권리를 해하지 못한다(제548조 제1항). 이 경우 제3자는 대항력을 구비하여야 하는데, 그 시점과 관련하여 계약해제 후 말소등기 전의 제3자는 선의이어야 한다. 그런데 위 사안은 甲이 2013.12.5. 위 매매계약을 적법하게 해제한 경우, 위 토지에 대한 원상회복의 등기(말소등기)가 되기 전인 2013.12.10. 丁 앞으로 그 토지에 관한 근저당권설정등기가 이루어졌다면, 丁이 선의이어야 보호된다. 따라서 근저당권 설정 당시 甲의 해제권 행사 사실을 알았다면 丁에 대하여 근저당권설정등기의 말소를 청구할 수 있는 것이다(대판 1985.4.9. 84다카130).

14 甲과 乙은 이행기를 정하여 甲 소유의 X 건물에 대한 매매계약을 체결하였으나, 乙의 잔대금채무에 대한 이행지체를 이유로 甲이 위 매매계약을 해제하려고 한다. 이에 관한 설명 중 옳은 것은? (각 지문은 독립적이며, 다툼이 있는 경우 판례에 의함) ▶ 2016년 변호사

① 甲이 상당한 기간을 정하여 乙에게 잔대금의 지급을 최고하고 그 기간 내에 乙이 이행하지 않는 경우에 계약을 해제할 수 있지만, 특별한 사정이 없는 한 甲이 기간을 정하지 않고 최고하더라도 상당한 기간이 경과한 때에는 甲의 해제권이 인정된다.

② 위 매매계약에서 다른 약정 없이 "乙이 잔대금을 지급하지 아니한 상태로 지급기일을 경과하면 매매계약 자체가 자동적으로 해제된다."는 취지의 약정이 있는 경우에는 甲이 자신의 채무에 대한 이행제공을 통하여 乙을 이행지체에 빠뜨리지 않더라도 잔대금 지급기일의 경과만으로 위 매매계약은 자동 해제된 것으로 볼 수 있다.

③ 甲은 계약해제 전에 그 해제와 양립되지 아니하는 법률관계를 가진 丙에 대해서는 계약의 해제에 따른 법률효과를 주장할 수 없으나, 丙이 그 계약의 해제 전에 해제 가능성이 있다는 것을 알았거나 알 수 있었던 경우에는 해제의 효과를 주장할 수 있다.

④ 위 매매계약의 해제 전에 乙이 X 건물을 사용함으로써 이익을 얻은 경우, 甲이 매매계약의 해제 후 乙에 대한 원상회복을 청구할 때 乙이 취득한 사용이익의 반환을 함께 청구할 수는 없다.

⑤ 甲이 채무불이행을 이유로 매매계약을 해제하고 손해배상을 청구하는 경우에는 그 매매계약의 이행으로 인하여 甲이 얻을 이익, 즉 이행이익의 배상을 청구하는 것이 원칙이나, 신뢰이익이 이행이익보다 큰 경우 신뢰이익의 배상을 구할 수 있다.

해설 ① 이행지체를 이유로 계약을 해제함에 있어서는 그 전제요건이 이행의 최고는 반드시 미리 일정기간을 명시하여 최고하여야 하는 것은 아니기 때문에 甲이 기간을 정하지 않고 최고하더라도 상당한 기간이 경과한 때에는 甲의 해제권이 인정된다(대판 1994.11.25. 94다35930).

② 이처럼 동시이행의 관계에 있는 쌍무계약에 있어서 상대방의 채무불이행을 이유로 계약을 해제하려고 하는 자는 동시이행관계에 있는 자기 채무의 이행을 제공하여야 하기 때문에 다

정답 13 ① 14 ①

른 약정 없이 '乙이 잔대금을 지급하지 아니한 상태로 지급기일을 경과하면 매매계약 자체가 자동적으로 해제된다.'는 취지의 약정이 있는 경우라도 甲이 자신의 채무에 대한 이행제공을 통하여 乙을 이행지체에 빠뜨리지 않았다면 잔대금 지급기일의 경과만으로 위 매매계약은 자동 해제된 것으로 볼 수 없다(대판 2008.4.24, 2008다3053).

③ 계약해제로 제3자의 권리를 침해하지 못한다. 여기서 제3자는 甲이 계약해제 전에 그 해제와 양립되지 아니하는 법률관계를 가진 제3자(선악불문)와 해제 후 말소등기 전 선의의 제3자를 말하기 때문에, "丙이 그 계약의 해제 전에 해제 가능성이 있다는 것을 알았거나 알 수 있었던 경우"라고 하여 보호받지 못하는 것은 아니다(대판 1985.4.9, 84다카130).

④ 계약해제의 효과로써 원상회복에는 대금 + 이자와 목적물 + 사용이익이 동시이행의 관계에 있다(대판 1991.8.9, 91다13267).

⑤ 甲이 채무불이행을 이유로 매매계약을 해제하고 손해배상을 청구하는 경우에는 그 매매계약의 이행으로 인하여 甲이 얻을 이익, 즉 이행이익의 배상을 청구하는 것이 원칙이나, 신뢰이익이 이행이익보다 큰 경우 신뢰이익의 배상을 구할 수 있는 것이 아니라, 신뢰이익은 과잉배상금지의 원칙에 비추어 이행이익의 범위를 초과할 수 없기 때문에 이행이익범위에서 청구하여야 한다(대판 2002.6.11, 2002다2539).

01 절 증여

> **기본문제** | 기본문제의 구성

01 **증여에 관한 다음 설명 중 가장 옳지 않은 것은?** (다툼이 있는 경우 판례에 의함)

① 증여계약이 성립한 당시 서면이 작성되지 않은 경우라도 그 후 위 계약이 존속하는 동안 서면을 작성한 때에는 당사자가 임의로 이를 해제할 수 없다.

② 증여의 서면에는 증여계약 당사자 간에 있어서 증여자가 자기의 재산을 상대방에게 준다는 증여의사가 문서를 통하여 확실히 알 수 있는 정도로 서면에 나타나 있으면 충분하다.

③ 비록 그 서면 자체는 매매계약서로 되어 있어 매매를 가장하여 증여의 증서를 작성한 것이라고 하더라도 증여에 이른 경위를 아울러 고려할 때 그 서면이 바로 증여의사를 표시한 서면이라고 인정된다면, 이는 민법 제555조에서 말하는 서면에 해당한다.

④ 서면에 의하지 아니한 부동산 증여의 경우, 목적부동산을 인도받지 않아도 소유권이전등기가 경료된 이상 증여자는 계약을 해제할 수 없고, 수증자는 확정적으로 그 소유권을 취득한다.

⑤ 증여의 이행 후 수증자가 증여자에 대하여 범죄행위를 하거나 부양의무가 있음에도 이행하지 않는 등 망은행위를 하면 증여자는 증여를 해제할 수 있고 수증자는 증여받은 물건을 반환하여야 한다.

> **해설** ① 민법 제555조 소정의 증여의 의사가 표시된 서면의 작성시기에 대하여는 법률상 아무런 제한이 없으므로 증여계약이 성립한 당시에는 서면이 작성되지 않았더라도 그 후 계약이 존속하는 동안 서면을 작성한 때에는 그때부터는 서면에 의한 증여로서 당사자가 임의로 이를 해제할 수 없게 된다(대판 1989.5.9, 88다카2271).
>
> ② 민법 제555조가 서면에 의하지 아니한 증여는 해제할 수 있다고 한 것은 증여자가 경솔하게 증여하는 것을 방지함과 동시에 증여자의 의사를 명확하게 하여 후일에 분쟁이 생기는 것을 피하려는데 있으므로, 증여의 서면에는 당사자 간에 있어서 증여자가 자기의 재산을 상대방에게 주는 증여의사가 문서를 통하여 확실히 알 수 있는 정도로 서면에 나타나 있으면 충분하다(대판 1988.9.27, 86다카2634).

> **정답** **01** ⑤

③ 비록 서면 자체는 매매계약서, 매도증서로 되어 있어 매매를 가장하여 증여의 증서를 작성한 것이라고 하더라도 증여에 이른 경위를 아울러 고려할 때 그 서면이 바로 증여의사를 표시한 서면이라고 인정되면 이는 민법 제555조에서 말하는 서면에 해당한다(대판 1991.9.10, 91다6160).

④ 물권변동에 관하여 형식주의를 취하고 있는 우리 민법의 해석으로서는, 부동산의 증여에 있어서는 그에 대한 <u>소유권이전등기절차를 마침으로써 그 이행이 종료되어 수증자는 그로써 확정적으로 그 소유권을 취득하는 법리이므로</u>, 목적 부동산을 인도하기 전에는 아직 증여가 이행되지 않은 것이라는 소론 논지는 그 독자적 견해에 불과하여 채용할 수 없다(대판 1981.10.13, 81다649).

⑤ 제558조【해제와 이행완료부분】전3조(서면에 의하지 않은 증여, 망은행위, 사정변경으로 인한 증여의 특별해제)의 규정에 의한 계약의 해제는 이미 이행한 부분에 대하여는 영향을 미치지 아니한다.

02 증여에 관한 다음 설명 중 가장 옳지 않은 것은? ▶ 2014년 법무사

① 증여계약 후에 증여자의 재산상태가 현저히 변경되고 그 이행으로 인하여 생계에 중대한 영향을 미칠 경우에는 증여자는 증여를 해제할 수 있다.

② 증여자는 증여의 목적인 물건 또는 권리의 하자나 흠결을 알고 수증자에게 고지하지 아니한 때에는 그 하자나 흠결에 대하여 책임을 진다.

③ 정기의 급여를 목적으로 한 증여는 수증자의 사망으로 인하여 효력을 잃는다. 다만 증여자가 사망한 경우에는 그렇지 아니하다.

④ 수증자가 증여자 또는 그 배우자나 직계혈족에 대한 범죄행위가 있거나 증여자에 대하여 부양의무 있는 경우에 이를 이행하지 아니하는 때에는 증여자는 그 증여를 해제할 수 있다.

⑤ 상대부담 있는 증여에 대하여는 쌍무계약에 관한 규정을 적용하고, 증여자의 사망으로 인하여 효력이 생길 증여에는 유증에 관한 규정을 준용한다.

해설 ① 증여계약 후에 증여자의 재산상태가 현저히 변경되고 그 이행으로 인하여 생계에 중대한 영향을 미칠 경우에는 증여자는 증여를 해제할 수 있다(제557조).

② 증여자는 증여의 목적인 물건 또는 권리의 하자나 흠결에 대하여 책임을 지지 아니한다. 그러나 증여자가 그 하자나 흠결을 알고 수증자에게 고지하지 아니한 때에는 그러하지 아니하다(제559조 제1항).

③ 정기의 급여를 목적으로 한 증여는 증여자 또는 수증자의 사망으로 인하여 그 효력을 잃는다(제560조).

④ 수증자가 증여자에 대하여 다음 각 호의 사유가 있는 때에는 증여자는 그 증여를 해제할 수 있다(제556조 제1항).
1. 증여자 또는 그 배우자나 직계혈족에 대한 범죄행위가 있는 때
2. 증여자에 대하여 부양의무 있는 경우에 이를 이행하지 아니하는 때

⑤ 상대부담 있는 증여에 대하여는 본절의 규정 외에 쌍무계약에 관한 규정을 적용한다(제561조). 증여자의 사망으로 인하여 효력이 생길 증여에는 유증에 관한 규정을 준용한다(제562조).

03 민법상 증여에 관한 다음 설명 중 가장 옳은 것은? (다툼이 있는 경우 통설·판례에 의함)

▶ 2017년 법무사

① 증여계약이 성립한 당시에는 서면이 작성되지 않았더라도 그 후 계약이 존속하는 동안 서면을 작성한 때에는 처음부터 서면에 의한 증여로서 효력이 있다.

② 정기의 급여를 목적으로 한 증여는 증여자 또는 수증자의 사망으로 인하여 그 효력을 잃는다.

③ 망은행위로 인한 증여계약의 해제 사유로서 민법 제556조 제1항 제2호(증여자에 대하여 부양의무 있는 경우에 이를 이행하지 아니하는 때)에 규정하고 있는 '부양의무'라 함은 민법 제974조 직계혈족 및 그 배우자 또는 생계를 같이 하는 친족 간의 부양의무뿐만 아니라 친족 간이 아닌 당사자 사이의 약정에 의한 부양의무도 포함된다.

④ 사인증여에 관하여는 유증에 관한 규정이 준용되므로, 포괄적 사인증여를 받은 자는 포괄적 유증을 받은 자와 마찬가지로 상속인과 동일한 권리의무가 있다.

⑤ 서면에 의하지 않은 증여의 경우에 각 당사자는 이를 해제할 수 있으나 이미 이행된 경우에는 그러하지 않은바, 서면에 의하지 않은 부동산 증여의 경우 아직 소유권이전등기를 마치지 않았으나 그 부동산을 인도하였다면 증여자는 계약을 해제할 수 없다.

해설 ① 민법 제555조 소정의 증여의 의사가 표시된 서면의 작성시기에 대하여는 법률상 아무런 제한이 없으므로 증여계약이 성립한 당시에는 서면이 작성되지 않았더라도 그 후 계약이 존속하는 동안 서면을 작성한 때에는 그때부터는 서면에 의한 증여로서 당사자가 임의로 이를 해제할 수 없게 된다(대판 1989.5.9, 88다카2271).

② 제560조 【정기증여와 사망으로 인한 실효】 정기의 급여를 목적으로 한 증여는 증여자 또는 수증자의 사망으로 인하여 그 효력을 잃는다.

③ 제556조상 수증자가 증여자에 대하여 부양의무 있는 경우에 이를 이행하지 아니하는 때에는 증여자가 그 증여를 해제할 수 있다고 하는데, 여기서 말하는 '부양의무'라 함은 민법 제974조에 규정되어 있는 직계혈족 및 그 배우자 또는 생계를 같이 하는 친족 간의 부양의무를 가리키는 것으로서, 친족 간이 아닌 당사자 사이의 약정에 의한 부양의무는 이에 해당하지 아니한다고 봄이 판례이다(대판 1996.1.26, 95다43358).

④ 민법 제562조가 사인증여에 관하여 유증에 관한 규정을 준용하도록 규정하고 있으나, 포괄적 사인증여는 낙성·불요식의 증여계약의 일종이고, 포괄적 유증은 엄격한 방식을 요하는 단독행위이며, 방식을 위배한 포괄적 유증은 대부분 포괄적 사인증여로 보여질 것인바, 포괄적 사인증여에 민법 제1078조가 준용된다면 양자의 효과는 같게 되므로, 결과적으로 포괄적 유증에 엄격한 방식을 요하는 요식행위로 규정한 조항들은 무의미하게 된다. 따라서 민법 제1078조가 포괄적 사인증여에 준용된다고 하는 것은 사인증여의 성질에 반하므로 준용되지 아니한다고 해석함이 상당하다(대판 1996.4.12, 94다37714).

⑤ 제555조【서면에 의하지 아니한 증여와 해제】증여의 의사가 서면으로 표시되지 아니한 경우에는 각 당사자는 이를 해제할 수 있다.
제558조【해제와 이행완료부분】전3조(서면에 의하지 않은 증여, 망은행위, 사정변경으로 인한 증여의 특별해제)의 규정에 의한 계약의 해제는 이미 이행한 부분에 대하여는 영향을 미치지 아니한다.

판례는 부동산 증여에 있어 이행이 되었다 함은 그 부동산의 인도만으로써는 부족하고 그에 대한 소유권이전등기절차까지 마친 것을 의미하고(대판 1976.2.10, 75다2295), 물권변동에 관하여 형식주의를 취하고 있는 우리 민법의 해석으로서, 부동산의 증여에 있어서는 그에 대한 소유권이전등기절차를 마침으로써 그 이행이 종료되어 수증자는 그로써 확정적으로 그 소유권을 취득하는 법리이므로, 목적 부동산을 인도하기 전에는 아직 증여가 이행되지 않은 것이라는 소론 논지는 그 독자적 견해에 불과하여 채용할 수 없다. 따라서 부동산의 증여에 있어서 그 소유권이전등기절차를 마치면 수증자는 소유권을 확정적으로 취득하는 것이므로 아직 그 인도를 마치지 아니하였다 하더라도 증여자는 이를 해제할 수 없다고 한다(대판 1981.10.13, 81다649).

04 증여에 관한 다음 설명 중 가장 옳지 않은 것은? (다툼이 있는 경우 판례에 의함)

▸ 2017년 법원행시

① 상속인 甲, 乙 사이에서 甲이 乙에게 일정 재산을 분배하여 주고 나머지 재산에 대한 일체의 상속권은 포기하기로 하는 내용의 조정이 성립된 후 잔여 재산에 속하는 토지를 丙에게 증여한 경우, 丙이 참가하지 아니한 위의 조정절차에서 甲의 증여의 의사표시는 丙에게 서면으로 표시된 것으로 볼 수 없다.

② 유증의 방식에 의하지 아니한 사인증여는 효력이 없다.

③ 甲이 乙에게 토지를 증여하겠다고 한 후 소유권이전등기에 필요한 서류를 법무사 사무실에 임치한 후 증여계약을 해제하면, 증여계약은 해제되어 소급적으로 효력을 상실한다.

④ 甲이 乙에게 토지를 증여하고 소유권이전등기를 경료해준 후 증여계약을 해제해도, 증여계약이나 그에 의한 소유권이전등기의 효력에 아무런 영향을 받지 아니한다.

⑤ 증여자와 수증자의 관계가 피상속인과 상속인의 관계에 있다 하여 이를 특별한 사정이 없는 한 유증 내지는 사인증여의 의미로 보아야 한다고 할 수는 없다.

해설 ① 서면에 의한 증여란 증여계약 당사자 간에 있어서 증여자가 자기의 재산을 상대방에게 준다는 증여의사가 문서를 통하여 확실히 알 수 있는 정도로 서면에 나타난 증여를 말하는 것으로서, 비록 서면의 문언 자체는 증여계약서로 되어 있지 않더라도 그 서면의 작성에 이르게 된 경위를 아울러 고려할 때 그 서면이 바로 증여의사를 표시한 서면이라고 인정되면 이를 민법 제555조에서 말하는 서면에 해당한다고 보아야 할 것이나, 위 증여의 의사표시는 수증자에 대하여 서면으로 표시되어야 한다. (따라서) 甲, 乙, 丙 사이에서 甲이 乙과 그 태생 자녀들에게 일정 재산을 분배하여 주고 나머지 재산에 대한 일체의 상속권은 포기하기로 하는 내용의 조정이 성립된 후 잔여 재산에 속하는 토지를 丙과의 사이에서 출생한 丁에게 증여한 경우, 丁이 참가하지 아니한 위의 조정절차에서 甲의 증여의 의사표시가 丁에게 서면으로 표시된 것으로 볼 수 없다(대판 1998.9.25, 98다22543).

② 민법 제562조는 사인증여에 관하여는 유증에 관한 규정을 준용하도록 규정하고 있지만, 유증의 방식에 관한 민법 제1065조 내지 제1072조는 그것이 단독행위임을 전제로 하는 것이어서 계약인 사인증여에는 적용되지 아니한다(대판 1996.4.12, 94다37714).

③, ④ 판례는 ⅰ) 부동산 증여에 있어 이행이 되었다 함은 그 부동산의 인도만으로써는 부족하고 그에 대한 소유권이전등기절차까지 마친 것을 의미하고(대판 1976.2.10, 75다2295), 물권변동에 관하여 형식주의를 취하고 있는 우리 민법의 해석으로서는, 부동산의 증여에 있어서는 그에 대한 소유권이전등기절차를 마침으로써 그 이행이 종료되어 수증자는 그로써 확정적으로 그 소유권을 취득하는 법리이므로, 목적 부동산을 인도하기 전에는 아직 증여가 이행되지 않은 것이라는 소론 논지는 그 독자적 견해에 불과하여 채용할 수 없다. 따라서 부동산의 증여에 있어서 그 소유권이전등기절차를 마치면 수증자는 소유권을 확정적으로 취득하는 것이므로 아직 그 인도를 마치지 아니하였다 하더라도 증여자는 이를 해제할 수 없다고 한다(대판 1981.10.13, 81다649). 그러나 ⅱ) 증여의 의사로 원고가 피고에게 소유권이전등기에 필요한 서류를 작성케 하여 사법서사 사무원에게 임치한 사실만으로서는 서면에 의한 증여 또는 증여계약의 이행완료라고는 볼 수 없다고 하였다(대판 1970.8.31, 70다1320 참조).

⑤ 증여자와 수증자의 관계가 피상속인과 상속인의 관계에 있다하여 이를 특별한 사정이 없는 한 유증 내지는 사인증여의 의미로 보아야 한다고 할 수는 없다(대판 1991.8.13, 90다6729).

05 증여의 해제에 관한 다음 설명 중 가장 옳지 않은 것은? (다툼이 있는 경우 판례에 의함)

▶ 2019년 법원주사보

① 증여의 의사가 서면으로 표시되지 아니한 경우에는 각 당사자는 이를 해제할 수 있다.
② 증여계약 후에 증여자의 재산상태가 현저히 변경되고 그 이행으로 인하여 생계에 중대한 영향을 미칠 경우에는 증여자는 증여를 해제할 수 있다.
③ 민법 제555조에서 말하는 서면에 의하지 않은 증여의 해제권은 형성권으로서 10년의 제척기간이 적용된다.
④ 망은행위로 인한 해제권은 해제원인 있음을 안 날로부터 6월을 경과하거나 증여자가 수증자에 대하여 용서의 의사를 표시한 때에는 소멸한다.

해설

① 제555조 【서면에 의하지 아니한 증여와 해제】 증여의 의사가 서면으로 표시되지 아니한 경우에는 각 당사자는 이를 해제할 수 있다.

② 제557조 【증여자의 재산상태변경과 증여의 해제】 증여계약 후에 증여자의 재산상태가 현저히 변경되고 그 이행으로 인하여 생계에 중대한 영향을 미칠 경우에는 증여자는 증여를 해제할 수 있다.

③ 민법 제555조에서 말하는 증여계약의 해제는 민법 제543조 이하에서 규정한 본래 의미의 해제와는 달리 형성권의 제척기간의 적용을 받지 않는 특수한 철회로서, 10년이 경과한 후에 이루어졌다 하더라도 원칙적으로 적법하다(대판 2009.9.24, 2009다37831).

정답 04 ② 05 ③

④ 제556조【수증자의 행위와 증여의 해제】

① 수증자가 증여자에 대하여 다음 각 호의 사유가 있는 때에는 증여자는 그 증여를 해제할 수 있다.

1. 증여자 또는 그 배우자나 직계혈족에 대한 범죄행위가 있는 때
2. 증여자에 대하여 부양의무 있는 경우에 이를 이행하지 아니하는 때

② 전항의 해제권은 해제원인 있음을 안 날로부터 6월을 경과하거나 증여자가 수증자에 대하여 용서의 의사를 표시한 때에는 소멸한다.

06 다음 설명 중 옳지 않은 것은 모두 몇 개인가?   ▶ 2021년 법원행시

가. 서면에 의하지 아니한 증여의 경우에도 그 이행을 완료한 경우에는 해제로서 수증자에게 대항할 수 없다 할 것인바, 토지에 대한 증여는 증여자의 의사에 기하여 그 소유권이전등기에 필요한 서류가 제공되고 수증자 명의로 소유권이전등기가 경료됨으로써 이행이 완료되는 것이므로, 증여자가 그러한 이행 후 증여계약을 해제하였다고 하더라도 증여계약이나 그에 의한 소유권이전등기의 효력에 영향을 미치지 아니한다 할 것이지만, 이와는 달리 증여자의 의사에 기하지 아니한 원인무효의 등기가 경료된 경우에는 증여계약의 적법한 이행이 있다고 볼 수 없으므로 서면에 의하지 아니한 증여자의 증여계약의 해제에 대해 수증자가 실체관계에 부합한다는 주장으로 대항할 수 없다.

나. 민법 제555조에서 서면에 의한 증여에 한하여 증여자의 해제권을 제한하고 있는 입법취지는 증여자가 경솔하게 증여하는 것을 방지함과 동시에 증여자의 의사를 명확히 하여 후일에 분쟁이 생기는 것을 피하려는 데 있다 할 것인바, 비록 서면의 문언 자체는 증여계약서로 되어 있지 않더라도 그 서면의 작성에 이르게 된 경위를 아울러 고려할 때 그 서면이 바로 증여의사를 표시한 서면이라고 인정되면 위 서면에 해당하고, 나아가 증여 당시가 아닌 그 이후에 작성된 서면에 대해서도 마찬가지로 볼 수 있다 할 것이나, 이러한 서면에 의한 증여란 증여계약 당사자 사이에 있어서 증여자가 자기의 재산을 상대방에게 준다는 취지의 증여의사가 문서를 통하여 확실히 알 수 있는 정도로 서면에 나타난 것을 말하는 것으로, 수증자에 대하여 서면으로 표시되어야 하는 것은 아니다.

다. 공동상속인이 아닌 제3자에 대한 증여는 원칙적으로 상속개시 전의 1년간에 행한 것에 한하여 유류분반환청구를 할 수 있고, 다만 당사자 쌍방이 증여 당시에 유류분권리자에 손해를 가할 것을 알고 증여를 한 때에는 상속개시 1년 전에 한 것에 대하여도 유류분반환청구가 허용된다. 증여 당시 법정상속분의 2분의 1을 유류분으로 갖는 직계비속들이 공동상속인으로서 유류분권리자가 되리라고 예상할 수 있는 경우에, 제3자에 대한 증여가 유류분권리자에게 손해를 가할 것을 알고 행해진 것이라고 보기 위해서는, 당사자 쌍방이 증여 당시 증여재산의 가액이 증여하고 남은 재산의 가액을 초과한다는 점을 알았던 사정뿐만 아니라, 장래 상속개시일에 이르기까지 피상속인의 재산이 증가하지 않으리라는 점까지 예견하고 증여를 행한 사정이 인정되어야 하고, 이러한 당사자 쌍방의 가해의 인식은 증여 당시를 기준으로 판단하여야 한다.

라. 민법 제555조는 "증여의 의사가 서면으로 표시되지 아니한 경우에는 각 당사자는 이를 해제할 수 있다."고 규정하고 있는데, 이때의 해제는 일종의 특수한 철회일 뿐 민법 제543조 이하에서 규정한 본래 의미의 해제와는 다르다고 할 것이어서 형성권의 제척기간의 적용을 받지 않는다.

마. 민법 제562조가 사인증여에 관하여 유증에 관한 규정을 준용하도록 규정하고 있으므로, 포괄적 유증을 받은 자는 상속인과 동일한 권리의무가 있다고 규정하고 있는 민법 제1078조는 포괄적 사인증여에도 준용되고, 따라서 포괄적 사인증여에도 상속과 같은 효과가 발생한다.

① 없음   ② 1개   ③ 2개
④ 3개   ⑤ 4개

해설 가. 서면에 의하지 아니한 증여의 경우에도 그 이행을 완료한 경우에는 해제로서 수증자에게 대항할 수 없다 할 것인바, 토지에 대한 증여는 증여자의 의사에 기하여 그 소유권이전등기에 필요한 서류가 제공되고 수증자 명의로 소유권이전등기가 경료됨으로써 이행이 완료되는 것이므로, 증여자가 그러한 이행 후 증여계약을 해제하였다고 하더라도 증여계약이나 그에 의한 소유권이전등기의 효력에 영향을 미치지 아니한다 할 것이지만, 이와는 달리 증여자의 의사에 기하지 아니한 원인무효의 등기가 경료된 경우에는 증여계약의 적법한 이행이 있다고 볼 수 없으므로 서면에 의하지 아니한 증여자의 증여계약의 해제에 대해 수증자가 실체관계에 부합한다는 주장으로 대항할 수 없다(대판 2009.9.24, 2009다37831).

나. 민법 제555조에서 서면에 의한 증여에 한하여 증여자의 해제권을 제한하고 있는 입법취지는 증여자가 경솔하게 증여하는 것을 방지함과 동시에 증여자의 의사를 명확히 하여 후일에 분쟁이 생기는 것을 피하려는 데 있다 할 것인바, 비록 서면의 문언 자체는 증여계약서로 되어 있지 않더라도 그 서면의 작성에 이르게 된 경위를 아울러 고려할 때 그 서면이 바로 증여의사를 표시한 서면이라고 인정되면 위 서면에 해당하고, 나아가 증여 당시가 아닌 그 이후에 작성된 서면에 대해서도 마찬가지로 볼 수 있다 할 것이나, 이러한 서면에 의한 증여란 증여계약 당사자 사이에 있어서 증여자가 자기의 재산을 상대방에게 준다는 취지의 증여의사가

정답   **06 ③**

문서를 통하여 확실히 알 수 있는 정도로 서면에 나타난 것을 말하는 것으로, 이는 수증자에 대하여 서면으로 표시되어야 한다.(대판 2009.9.24, 2009다37831).

다. 공동상속인이 아닌 제3자에 대한 증여는 원칙적으로 상속개시 전의 1년간에 행한 것에 한하여 유류분반환청구를 할 수 있고, 다만 당사자 쌍방이 증여 당시에 유류분권리자에 손해를 가할 것을 알고 증여를 한 때에는 상속개시 1년 전에 한 것에 대하여도 유류분반환청구가 허용된다. 증여 당시 법정상속분의 2분의 1을 유류분으로 갖는 직계비속들이 공동상속인으로서 유류분권리자가 되리라고 예상할 수 있는 경우에, 제3자에 대한 증여가 유류분권리자에게 손해를 가할 것을 알고 행해진 것이라고 보기 위해서는, 당사자 쌍방이 증여 당시 증여재산의 가액이 증여하고 남은 재산의 가액을 초과한다는 점을 알았던 사정뿐만 아니라, 장래 상속개시일에 이르기까지 피상속인의 재산이 증가하지 않으리라는 점까지 예견하고 증여를 행한 사정이 인정되어야 하고, 이러한 당사자 쌍방의 가해의 인식은 증여 당시를 기준으로 판단하여야 한다(대판 2012.5.24, 2010다50809).

라. 민법 제555조에서 말하는 증여계약의 해제는 민법 제543조 이하에서 규정한 본래 의미의 해제와는 달리 형성권의 제척기간의 적용을 받지 않는 특수한 철회로서, 10년이 경과한 후에 이루어졌다 하더라도 원칙적으로 적법하다(대판 2009.9.24, 2009다37831).

마. 민법 제562조가 사인증여에 관하여 유증에 관한 규정을 준용하도록 규정하고 있다고 하여, 이를 근거로 포괄적 유증을 받은 자는 상속인과 동일한 권리 의무가 있다고 규정하고 있는 민법 제1078조가 포괄적 사인증여에도 준용된다고 해석하면 포괄적 사인증여에도 상속과 같은 효과가 발생하게 된다. 그러나 포괄적 사인증여는 낙성·불요식의 증여계약의 일종이고, 포괄적 유증은 엄격한 방식을 요하는 단독행위이며, 방식을 위배한 포괄적 유증은 대부분 포괄적 사인 증여로 보여질 것인바, 포괄적 사인증여에 민법 제1078조가 준용된다면 양자의 효과는 동일하게 되므로, 결과적으로 포괄적 유증에 엄격한 방식을 요하는 요식 행위로 규정한 조항들은 무의미하게 된다. 따라서 민법 제1078조가 포괄적 사인 증여에 준용된다고 하는 것은 사인증여의 성질에 반하므로 준용되지 아니한다고 해석함이 상당하다(대판 1996.4.12, 94다37714·37721).

07 증여에 관한 다음 설명 중 가장 옳지 않은 것은? ▶ 2022년 법원행시

① 증여자의 의사에 기하지 아니한 원인무효의 등기가 경료된 경우에는 증여계약의 적법한 이행이 있다고 볼 수 없으므로 서면에 의하지 아니한 증여자의 증여계약의 해제에 대해 수증자가 실체관계에 부합한다는 주장으로 대항할 수 없다.

② 甲이 乙에게 10년 동안 매달 100만원을 무상으로 주기로 약속했는데 100만원씩 지급받는 도중에 乙이 사망한 경우 乙의 상속인은 甲에 대하여 계약의 이행을 청구할 수 있다.

③ 상대부담 있는 증여에 대하여는 쌍무계약에 관한 규정이 준용되어 부담의무 있는 상대방이 자신의 의무를 이행하지 아니할 때에는 비록 증여계약이 이미 이행되어 있다 하더라도 증여자는 계약을 해제할 수 있고, 그 경우 이행한 부분에 대하여 원상회복으로서 그 반환을 요구할 수 있다.

④ 미성년자가 사인증여를 함에는 원칙적으로 법정대리인의 동의를 얻어야 하지만 미성년자라도 만 17세에 달한 자가 유증을 할 때에는 법정대리인의 동의가 필요 없다.

⑤ 증여를 받는 의사가 서면에 표시되지 아니하였음을 이유로 하여 당사자가 증여계약을
해제할 수는 없다.

해설 ① 서면에 의하지 아니한 증여의 경우에도 그 이행을 완료한 경우에는 해제로서 수증자에게 대
항할 수 없다 할 것인바, 토지에 대한 증여는 증여자의 의사에 기하여 그 소유권이전등기에
필요한 서류가 제공되고 수증자 명의로 소유권이전등기가 경료됨으로써 이행이 완료되는 것
이므로, 증여자가 그러한 이행 후 증여계약을 해제하였다고 하더라도 증여계약이나 그에 의
한 소유권이전등기의 효력에 영향을 미치지 아니한다 할 것이지만, 이와는 달리 증여자의 의
사에 기하지 아니한 원인무효의 등기가 경료된 경우에는 증여계약의 적법한 이행이 있다고
볼 수 없으므로 서면에 의하지 아니한 증여자의 증여계약의 해제에 대해 수증자가 실체관계
에 부합한다는 주장으로 대항할 수 없다(대판 2009.9.24. 2009다37831).

② 정기적으로 무상으로 재산을 주는 것을 목적으로 한 정기증여는 증여자 또는 수증자의 사망
으로 인하여 그 효력을 잃고, 상속되지 않는다(제560조).

③ 상대 부담 있는 증여에 대하여는 민법 제561조에 의하여 쌍무계약에 관한 규정이 준용되어
부담의무 있는 상대방이 자신의 의무를 이행하지 아니할 때에는, 비록 증여계약이 이미 이행
되어 있다 하더라도 증여자는 계약을 해제할 수 있고, 그 경우 민법 제555조와 제558조는
적용되지 아니한다(대판 1997.7.8. 97다2177).

④ 미성년자가 법률행위를 함에는 법정대리인의 동의를 얻어야 한다. 그러나 권리만을 얻거나
의무만을 면하는 행위는 그러하지 아니하다(제5조 제1항). 그러나 미성년자라도 만 17세에 달
한 뒤에는 법정대리인의 동의 없이 유언을 할 수 있으며 법정대리인의 동의가 없음을 이유로
취소할 수 없다(제1061조, 제1062조).

⑤ 민법 제555조가 서면에 의하지 아니한 증여는 해제할 수 있다고 한 것은 증여자가 경솔하게
증여하는 것을 방지함과 동시에 증여자의 의사를 명확하게 하여 후일에 분쟁이 생기는 것을
피하려는데 있으므로, 증여의 서면에는 당사자 간에 있어서 증여자가 자기의 재산을 상대방에
게 주는 증여의사가 문서를 통하여 확실히 알 수 있는 정도로 서면에 나타나 있으면 충분하다
(대판 1988.9.27. 86다카2634). 따라서 증여의사가 서면으로 표시된 이상 증여를 받는 의사가
서면으로 표시되지 않았더라도 당사자는 제555조의 기해 증여계약을 해제할 수 없다.

정답 **07 ②**

08 다음 설명 중 옳은 것(○)과 옳지 않은 것(×)을 올바르게 조합한 것은? ▸2023년 법원행시

ㄱ. 증여자는 증여의 목적인 물건 또는 권리의 하자나 흠결에 대하여 책임을 지지 아니한다. 그러나 증여자가 그 하자나 흠결을 알고 수증자에게 고지하지 아니한 때에는 그러하지 아니하다.

ㄴ. 채권자가 채무자의 어떤 금원지급행위가 사해행위에 해당된다고 하여 그 취소를 청구하면서 다만 그 금원지급행위의 법률적 평가와 관련하여 증여 또는 변제로 달리 주장하는 것은 그 사해행위취소권을 이유 있게 하는 공격방법에 관한 주장을 달리하는 것일 뿐이지 소송물 또는 청구 자체를 달리하는 것으로 볼 수 없다.

ㄷ. 유류분반환청구의 목적인 증여나 유증이 병존하고 있는 경우에는 유류분권리자는 먼저 유증을 받은 자를 상대로 유류분침해액의 반환을 구하여야 하고, 그 이후에도 여전히 유류분침해액이 남아 있는 경우에 한하여 증여를 받은 자에 대하여 그 부족분을 청구할 수 있다.

ㄹ. 증여자에 대하여 부양의무 있는 수증자가 증여자에 대한 부양의무를 이행하지 않으면 증여자는 그 증여를 해제할 수 있지만 이러한 해제권은 해제원인 있음을 안 날로부터 6월을 경과하거나 증여자가 수증자에 대하여 용서의 의사를 표시한 때에는 소멸한다.

ㅁ. 민법 제556조 제1항 제2호에 규정되어 있는 '부양의무'라 함은 민법 제974조에 규정되어 있는 직계혈족 및 그 배우자 또는 생계를 같이하는 친족 간의 부양의무를 가리키는 것이지만, 위와 같은 친족 간이 아닌 당사자 사이의 약정에 의한 부양의무 불이행을 원인으로 한 증여 해제의 경우에도 이미 이행한 부분에 대하여는 영향을 미치지 않는다.

① ㄱ(○), ㄴ(×), ㄷ(○), ㄹ(○), ㅁ(×)
② ㄱ(×), ㄴ(○), ㄷ(×), ㄹ(○), ㅁ(×)
③ ㄱ(○), ㄴ(×), ㄷ(×), ㄹ(×), ㅁ(○)
④ ㄱ(○), ㄴ(○), ㄷ(○), ㄹ(○), ㅁ(×)
⑤ ㄱ(×), ㄴ(×), ㄷ(○), ㄹ(×), ㅁ(○)

해설 ㄱ. 제559조 제1항

ㄴ. 대판 2005.3.25, 2004다10985·10992

ㄷ. 대판 2001.11.30, 2001다6947
제1116조 【반환의 순서】 증여에 대하여는 유증을 반환받은 후가 아니면 이것을 청구할 수 없다.

ㄹ. 제556조 제1항 제2호와 제2항

ㅁ. ① 제556조 제1항 제2호에 규정되어 있는 '**부양의무**'라 함은 민법 제974조에 규정되어 있는 직계혈족 및 그 배우자 또는 생계를 같이 하는 친족 간의 부양의무를 가리키는 것으로서, **친족 간이 아닌 당사자 사이의 약정에 의한 부양의무는 이에 해당하지 아니한다**(대판 1996.1.26, 95다43358). ② 상대 부담 있는 증여에 대하여는 민법 제561조에 의하여 쌍무계약에 관한

규정이 준용되어 부담의무 있는 상대방이 자신의 의무를 이행하지 아니할 때에는, 비록 증여계약이 이미 이행되어 있다 하더라도 증여자는 계약을 해제할 수 있고, 그 경우 민법 제555조와 제558조는 적용되지 아니한다(대판 1997.7.8, 97다2177).

09 증여에 관한 다음 설명 중 가장 옳지 않은 것은? ▸2024년 법무사

① 상대부담 있는 증여에 대하여는 증여자는 그 전체 부분에 대해 매도인과 같은 담보의 책임이 있다.

② 증여의 의사가 서면으로 표시되지 아니한 경우에는 각 당사자는 이를 해제할 수 있으나, 이미 이행한 부분에 대하여는 영향을 미치지 아니한다.

③ 증여계약이 서면에 의하지 아니하였음을 이유로 한 해제에 대하여는 10년의 제척기간이 적용되지 아니한다.

④ 정기의 급여를 목적으로 한 증여는 증여자 또는 수증자의 사망으로 인하여 그 효력을 잃는다.

⑤ 민법 제104조가 규정하는 현저히 공정을 잃은 법률행위라 함은 자기의 급부에 비하여 현저하게 균형을 잃은 반대급부를 하게 하여 부당한 재산적 이익을 얻는 행위를 의미하는 것이므로, 증여계약과 같이 아무런 대가관계 없이 당사자 일방이 상대방에게 일방적인 급부를 하는 법률행위는 그 공정성 여부를 논의할 수 있는 성질의 법률행위가 아니다.

해설 ① 제559조 제2항 참조 → 증여자는 증여의 목적인 물건 또는 권리의 하자나 흠결에 대하여 책임을 지지 아니한다. 그러나 증여자가 그 하자나 흠결을 알고 수증자에게 고지하지 아니한 때에는 그러하지 아니하고, 상대부담 있는 증여에 대하여는 증여자는 그 '부담의 한도'에서 매도인과 같은 담보의 책임이 있다.

② 제555조와 제558조 참조

③ 민법 제555조에서 말하는 증여계약의 해제는 민법 제543조 이하에서 규정한 본래 의미의 해제와는 달리 형성권의 제척기간의 적용을 받지 않는 특수한 철회로서, 10년이 경과한 후에 이루어졌다 하더라도 원칙적으로 적법하다(대판 2009.9.24, 2009다37831).

④ 정기의 급여를 목적으로 한 증여는 증여자 또는 수증자의 사망으로 인하여 그 효력을 잃는다 (제560조). 따라서 상속인에게 정기증여의 권리의무는 승계되지 않는다.

⑤ 대판 2000.2.11, 99다56833

정답 08 ④ 09 ①

10 유증과 사인증여에 관한 다음 설명 중 가장 옳지 않은 것은? ▶ 2024년 법원행시

① 유증은 유언으로 수증자에게 일정한 재산을 무상으로 주기로 하는 행위로서 상대방 없는 단독행위이다. 사인증여는 증여자가 생전에 무상으로 재산의 수여를 약속하고 증여자의 사망으로 약속의 효력이 발생하는 증여계약의 일종으로 수증자와의 의사의 합치가 있어야 하는 점에서 단독행위인 유증과 구별된다.

② 망인이 단독행위로서 유증을 하였으나 유언의 요건을 갖추지 못하여 효력이 없는 경우 이를 '사인증여'로서 효력을 인정하려면 증여자와 수증자 사이에 청약과 승낙에 의한 의사합치가 이루어져야 하는데, 유언자인 망인이 자신의 상속인인 여러 명의 자녀들에게 재산을 분배하는 내용의 유언을 하였으나 민법상 요건을 갖추지 못하여 유언의 효력이 부정되는 경우 유언을 하는 자리에 동석하였던 일부 자녀와 사이에서만 '청약과 '승낙'이 있다고 보아 사인증여로서의 효력을 인정한다면, 자신의 재산을 배우자와 자녀들에게 모두 배분하고자 하는 망인의 의사에 부합하지 않고 그 자리에 참석하지 않았던 나머지 상속인들과의 형평에도 맞지 않는 결과가 초래된다. 따라서 이러한 경우 유언자인 망인과 일부 상속인 사이에서만 사인증여로서의 효력을 인정하여야 할 특별한 사정이 없는 이상 그와 같은 효력을 인정하는 판단에는 신중을 기해야 한다.

③ 유류분반환청구의 목적인 증여나 유증이 병존하고 있는 경우에는 유류분권리자는 먼저 유증을 받은 자를 상대로 유류분침해액의 반환을 구하여야 하고, 그 이후에도 여전히 유류분침해액이 남아 있는 경우에 한하여 증여를 받은 자에 대하여 그 부족분을 청구할 수 있는 것이며, 사인증여의 경우에는 유증의 규정이 준용될 뿐만 아니라 그 실제적 기능도 유증과 달리 볼 필요가 없으므로 유증과 같이 보아야 할 것이다.

④ 민법 제562조는 사인증여에는 유증에 관한 규정을 준용한다고 정하고 있고, 민법 제1108조 제1항은 유증자는 유증의 효력이 발생하기 전에 언제든지 유언 또는 생전행위로써 유증 전부나 일부를 철회할 수 있다고 정하고 있다. 사인증여는 증여자의 사망으로 인하여 효력이 발생하는 무상행위로 실제적 기능이 유증과 다르지 않으므로, 증여자의 사망 후 재산 처분에 관하여 유증과 같이 증여자의 최종적인 의사를 존중할 필요가 있다. 또한 증여자가 사망하지 않아 사인증여의 효력이 발생하기 전임에도 사인증여가 계약이라는 이유만으로 법적 성질상 철회가 인정되지 않는다고 볼 것은 아니다. 이러한 사정을 고려하면 특별한 사정이 없는 한 유증의 철회에 관한 민법 제1108조 제1항은 사인증여에 준용된다고 해석함이 타당하다.

⑤ 민법 제562조는 사인증여에 관하여는 유증에 관한 규정을 준용하도록 규정하고 있으므로, 유증의 방식에 관한 민법 제1065조 내지 제1072조는 사인증여에 적용된다.

> **해설** ① 유증은 유언으로 수증자에게 일정한 재산을 무상으로 주기로 하는 행위로서 상대방 없는 단독행위이다. 사인증여는 증여자가 생전에 무상으로 재산의 수여를 약속하고 증여자의 사망으로 약속의 효력이 발생하는 증여계약의 일종으로 수증자와의 의사의 합치가 있어야 하는 점에서 단독행위인 유증과 구별된다(대판 2023.9.27, 2022다302237).

② 망인이 단독행위로서 유증을 하였으나 유언의 요건을 갖추지 못하여 효력이 없는 경우 이를 '사인증여'로서 효력을 인정하려면 증여자와 수증자 사이에 청약과 승낙에 의한 의사합치가 이루어져야 하는데, 유언자인 망인이 자신의 상속인인 여러 명의 자녀들에게 재산을 분배하는 내용의 유언을 하였으나 민법상 요건을 갖추지 못하여 유언의 효력이 부정되는 경우 유언을 하는 자리에 동석하였던 일부 자녀와 사이에서만 '청약과 '승낙'이 있다고 보아 사인증여로서의 효력을 인정한다면, 자신의 재산을 배우자와 자녀들에게 모두 배분하고자 하는 망인의 의사에 부합하지 않고 그 자리에 참석하지 않았던 나머지 상속인들과의 형평에도 맞지 않는 결과가 초래된다. 따라서 이러한 경우 유언자인 망인과 일부 상속인 사이에서만 사인증여로서의 효력을 인정하여야 할 특별한 사정이 없는 이상 그와 같은 효력을 인정하는 판단에는 신중을 기해야 한다(대판 2023.9.27, 2022다302237).

③ 유류분반환청구의 목적인 증여나 유증이 병존하고 있는 경우에는 유류분권리자는 먼저 유증을 받은 자를 상대로 유류분침해액의 반환을 구하여야 하고, 그 이후에도 여전히 유류분침해액이 남아 있는 경우에 한하여 증여를 받은 자에 대하여 그 부족분을 청구할 수 있는 것이며, 사인증여의 경우에는 유증의 규정이 준용될 뿐만 아니라 그 실제적 기능도 유증과 달리 볼 필요가 없으므로 유증과 같이 보아야 할 것이다(대판 2001.11.30, 2001다6947).

④ 민법 제562조는 사인증여에는 유증에 관한 규정을 준용한다고 정하고 있고, 민법 제1108조 제1항은 유증자는 유증의 효력이 발생하기 전에 언제든지 유언 또는 생전행위로써 유증 전부나 일부를 철회할 수 있다고 정하고 있다. 사인증여는 증여자의 사망으로 인하여 효력이 발생하는 무상행위로 실제적 기능이 유증과 다르지 않으므로, 증여자의 사망 후 재산 처분에 관하여 유증과 같이 증여자의 최종적인 의사를 존중할 필요가 있다. 또한 증여자가 사망하지 않아 사인증여의 효력이 발생하기 전임에도 사인증여가 계약이라는 이유만으로 법적 성질상 철회가 인정되지 않는다고 볼 것은 아니다. 이러한 사정을 고려하면 특별한 사정이 없는 한 **유증의 철회에 관한 민법 제1108조 제1항은 사인증여에 준용된다고 해석함이 타당하다**(대판 2022.7.28, 2017다245330).

⑤ 민법 제562조는 사인증여에 관하여는 유증에 관한 규정을 준용하도록 규정하고 있지만, **유증의 방식에 관한 민법 제1065조 내지 제1072조는 그것이 단독행위임을 전제로 하는 것이어서 계약인 사인증여에는 적용되지 아니한다**(대판 1996.4.12, 94다37714).

정답 ▶ 10 ⑤

심화문제 │ 확인 · 보충 · 심화문제

01 증여에 관한 설명 중 옳은 것을 모두 고른 것은? (다툼이 있는 경우에는 판례에 의함)

▶ 2012년 사법시험

> ㄱ. 서면에 의하지 아니한 부동산 증여의 경우, 이를 인도하였더라도 아직 소유권이전등기를 마치지 아니하였으면 증여자는 계약을 해제할 수 있다.
> ㄴ. 증여계약이 성립한 당시에 서면이 작성되지 않았더라도, 그 후 위 계약이 존속하는 동안 서면을 작성한 경우에는 그때부터 서면에 의한 증여로서의 효력이 있으므로, 당사자가 임의로 그 계약을 해제할 수 없다.
> ㄷ. 사인증여에 관하여는 유증에 관한 규정이 준용되므로, 포괄적 사인증여를 받은 자는 포괄적 유증을 받은 자와 마찬가지로 상속인과 동일한 권리의무가 있다.
> ㄹ. 당사자 사이의 약정에 따라 부양의무를 부담하는 증여계약에서 수증자의 부양의무불이행을 원인으로 하는 증여자의 해제권은 해제원인이 있음을 안 날로부터 6월을 경과한 때 소멸한다.
> ㅁ. 정기의 급여를 목적으로 한 증여계약에서 증여자가 사망한 경우, 특별한 사정이 없는 한, 증여자의 상속인이 증여계약상의 권리·의무를 승계한다.

① ㄱ, ㄴ   ② ㄴ, ㄹ   ③ ㄱ, ㄴ, ㅁ
④ ㄷ, ㅁ   ⑤ ㄱ, ㄷ, ㄹ

해설 ㄱ. 물권변동에 관하여 형식주의를 채택하고 있는 현행 민법의 해석으로서는 부동산 증여에 있어서 이행이 되었다고 함은 그 부동산의 인도만으로써는 부족하고 이에 대한 소유권이전등기절차까지 마친 것을 의미한다(대판 1977.12.27, 77다834 ; 대판 2005.5.12, 2004다63484 등).
ㄴ. 민법 제555조 소정의 증여의 의사가 표시된 서면의 작성시기에 관하여는 법률상 아무런 제한이 없기 때문에 타당하다(대판 1992.9.14, 92다4192).
ㄷ. 민법 제562조가 사인증여에 관하여 유증에 관한 규정을 준용하도록 규정하고 있으나, 포괄적 사인증여는 낙성·불요식의 증여계약의 일종이고, 포괄적 유증은 엄격한 방식을 요하는 단독행위이며, 방식을 위배한 포괄적 유증은 대부분 포괄적 사인증여로 보여질 것인 바, 포괄적 사인증여에 민법 제1078조가 준용된다면 양자의 효과는 같게 되므로, 결과적으로 포괄적 유증에 엄격한 방식을 요하는 요식행위로 규정한 조항들은 무의미하게 된다. 따라서 민법 제1078조가 포괄적 사인증여에 준용된다고 하는 것은 사인증여의 성질에 반하므로 준용되지 아니한다고 해석함이 상당하다(대판 1996.4.12, 94다37714).
ㄹ. 제556조상 수증자가 증여자에 대하여 부양의무 있는 경우에 이를 이행하지 아니하는 때에는 증여자가 그 증여를 해제할 수 있다고 하며, 이 해제권은 해제원인 있음을 안 날로부터 6월을 경과하거나 증여자가 수증자에 대하여 용서의 의사를 표시한 때에는 소멸한다(제556조 제2항). 여기서 말하는 '부양의무'라 함은 민법 제974조에 규정되어 있는 직계혈족 및 그 배우자 또는 생계를 같이 하는 친족간의 부양의무를 가리키는 것으로서, 친족간이 아닌 당사자 사이의 약정에 의한 부양의무는 이에 해당하지 아니한다고 봄이 판례이다(대판 1996.1.26, 95다43358).
ㅁ. 정기의 급여를 목적으로 한 증여는 증여자 또는 수증자의 사망으로 인하여 그 효력을 잃는다고 하기 때문에(제560조 참조). 그 상속인에게 정기증여의 권리의무는 승계되지 않는다.

정답 01 ①

02 절 매매

기본문제 | 기본문제의 구성

제1관 총칙

01 **매매예약에 관한 다음 설명 중 옳지 않은 것은?** (다툼이 있는 경우 판례에 의함)

① 매매의 일방예약은 상대방이 매매를 완결할 의사를 표시하는 때에 비로소 매매의 효력이 생긴다.

② 매매의 일방예약에서 매매완결의 의사표시의 기간을 정하지 아니한 때에는 예약자는 상당한 기간을 정하여 매매완결여부의 확답을 상대방에게 최고할 수 있다.

③ 매매예약의 완결권은 당사자 사이에 그 행사기간의 약정이 없는 때에는 그 예약이 성립한 때로부터 10년 내에 이를 행사하여야 한다.

④ 매매예약완결권을 가진 자가 예약목적물인 부동산을 인도받아 사용하는 경우에는 예약완결권의 행사기간이 진행되지 아니한다.

⑤ 수인의 채권자가 각기 그 채권을 담보하기 위하여 채무자와 채무자 소유의 부동산에 관하여 수인의 채권자를 공동매수인으로 하는 1개의 매매예약을 체결하고 그에 따라 수인의 채권자 공동명의로 그 부동산에 가등기를 마친 경우, 채권자 각자의 지분별로 별개의 독립적인 매매예약완결권을 가지는 관계라면 채권자 중 1인은 단독으로 지분에 관하여 매매예약완결권을 행사할 수 있고, 이에 따라 단독으로 이 사건 지분에 관하여 가등기에 기한 본등기절차의 이행을 구할 수 있다.

해설 ①, ② | 제564조 【매매의 일방예약】
① 매매의 일방예약은 상대방이 매매를 완결할 의사를 표시하는 때에 매매의 효력이 생긴다.
② 전항의 의사표시의 기간을 정하지 아니한 때에는 예약자는 상당한 기간을 정하여 매매완결여부의 확답을 상대방에게 최고할 수 있다.

③, ④ [1] 매매의 일방예약에서 예약자의 상대방이 매매예약 완결의 의사표시를 하여 매매의 효력을 생기게 하는 권리, 즉 매매예약의 완결권은 일종의 형성권으로서 당사자 사이에 그 행사기간을 약정한 때에는 그 기간 내에, 그러한 약정이 없는 때에는 그 예약이 성립한 때로부터 10년 내에 이를 행사하여야 하고, 그 기간을 지난 때에는 예약완결권은 제척기간의 경과로 인하여 소멸한다.
[2] 제척기간에 있어서는 소멸시효와 같이 기간의 중단이 있을 수 없으므로, 그 기간을 지난 때에는 예약목적물인 부동산을 인도받은 경우라도 예약완결권은 제척기간의 경과로 인하여 소멸한다 (대판 2003.1.10, 2000다26425).

정답 ▶ 01 ④

⑤ 수인의 채권자가 각기 그 채권을 담보하기 위하여 채무자와 채무자 소유의 부동산에 관하여 수인의 채권자를 공동매수인으로 하는 1개의 매매예약을 체결하고 그에 따라 수인의 채권자 공동명의로 그 부동산에 가등기를 마친 경우, 종래 판례는 두 가지의 입장이 존재하였다. ⅰ) 첫째는 매매예약은 특별한 사정이 없으면 일방예약으로 추정되므로(제564조) 복수의 채권자는 예약완결권을 가지고, 예약완결권의 귀속형태는 준공동소유이며, 예약완결권 행사는 처분행위로서 예약완결권자 1인의 의사표시만으로는 행사할 수 없다는 입장이다(대판 1984.6.12, 83다카2282). 이에 대해서는 복수의 채권자 중 1인이 예약완결권 행사에 반대하는 경우라면 다른 채권자를 구제하는 수단이 없어 문제라는 비판이 제기되었다(김용진, 수인의 공동명의로 된 담보가등기에 기한 본등기청구권의 행사, 판례월보 제186호). ⅱ) 두 번째는 예약완결권을 준공동소유하는 경우가 아니라 수인의 등기청구권자가 편의상 공동명의로 매매예약에 기한 가등기를 한 경우에는 복수의 채권자 중 1인은 자신의 지분에 관하여 단독으로 가등기에 기한 본등기를 청구할 수 있다는 입장이었다(대판 2002.7.9, 2001다43922・43939). ⅲ) 이러한 종래 판례의 입장이 혼선을 야기하였고 이에 대해 최근 전원합의체 판결을 통해서 그 입장을 정리하였다.

▶ 복수채권자 명의로 소유권이전등기청구권보전의 가등기가 경료된 경우 매매예약완결권의 준공유관계

[1] 종래 판례의 태도

① 1인 채무자에 대한 복수채권자의 채권을 담보하기 위하여 그 복수채권자와 채무자가 채무자 소유의 부동산에 관하여 복수채권자를 공동권리자로 하는 매매예약을 체결하고 그에 따른 소유권이전등기청구권보전의 가등기를 한 경우 복수채권자는 매매예약 완결권을 준공유하는 관계에 있다. 수인의 가등기채권자가 1인 채무자에 대한 매매예약 완결권을 행사하는 경우 즉 채무자에 대한 매매예약 완결의 의사표시 및 이에 따른 목적물의 소유권이전의 본등기를 구하는 소의 제기는 매매예약 완결권의 처분행위라 할 것이고 복수채권자의 전부 아닌 일부로써도 할 수 있는 보존행위가 아니므로, 매매예약 완결의 의사표시 자체는 채무자에 대하여 복수채권자 전원이 행사하여야 하며 채권자가 채무자에 대하여 예약이 완결된 매매 목적물의 소유권이전의 본등기를 구하는 소는 필요적 공동소송으로서 매매예약완결권을 준공유하고 있던 복수채권자 전원이 제기하여야 할 것이다. (따라서) 가등기에 기한 본등기 명의인은 가등기명의인과 일치하여야 하므로 수인의 가등기권리자중 그 일부 사람이 일부 지분만에 대하여 본등기할 수 없다고 할 것이므로 가등기 권리자중 그 지분 내지 예약완결권의 포기를 하는 등 특별한 사정이 없는 한 가등기권리자중 일부 사람이 일부 지분만에 관하여는 본등기할 수 없다고 해석된다(대판 1984.6.12, 83다카2282).

② 공유자가 다른 공유자의 동의 없이 공유물을 처분할 수는 없으나 그 지분은 단독으로 처분할 수 있으므로, 복수의 권리자가 소유권이전청구권을 보존하기 위하여 가등기를 마쳐 둔 경우 특별한 사정이 없는 한 그 권리자 중 한 사람은 자신의 지분에 관하여 단독으로 그 가등기에 기한 본등기를 청구할 수 있고, 이는 명의신탁해지에 따라 발생한 소유권이전청구권을 보존하기 위하여 복수의 권리자 명의로 가등기를 마쳐 둔 경우에도 마찬가지이며, 이 때 그 가등기 원인을 매매예약으로 하였다는 이유만으로 가등기 권리자 전원이 동시에 본등기절차의 이행을 청구하여야 한다고 볼 수 없다(대판 2002.7.9, 2001다43922・43939).

[2] 대판(전) 2012.2.16, 2010다82530

① 수인의 채권자가 각기 그 채권을 담보하기 위하여 채무자와 채무자 소유의 부동산에 관하여 수인의 채권자를 공동매수인으로 하는 1개의 매매예약을 체결하고 그에 따라 수인의 채권자 공동명의로 그 부동산에 가등기를 마친 경우, 수인의 채권자가 공동으로 매매

예약완결권을 가지는 관계인지 아니면 채권자 각자의 지분별로 별개의 독립적인 매매예약완결권을 가지는 관계인지는 매매예약의 내용에 따라야 하고, 매매예약에서 그러한 내용을 명시적으로 정하지 않은 경우에는 수인의 채권자가 공동으로 매매예약을 체결하게 된 동기 및 경위, 그 매매예약에 의하여 달성하려는 담보의 목적, 담보 관련 권리를 공동 행사하려는 의사의 유무, 채권자별 구체적인 지분권의 표시 여부 및 그 지분권 비율과 피담보채권 비율의 일치 여부, 가등기담보권 설정의 관행 등을 종합적으로 고려하여 판단하여야 한다.

② 이와 달리 1인의 채무자에 대한 수인의 채권자의 채권을 담보하기 위하여 그 수인의 채권자와 채무자가 채무자 소유의 부동산에 관하여 수인의 채권자를 권리자로 하는 1개의 매매예약을 체결하고 그에 따른 가등기를 마친 경우에, 매매예약의 내용이나 매매예약완결권 행사와 관련한 당사자의 의사와 관계없이 언제나 수인의 채권자가 공동으로 매매예약완결권을 가진다고 보고, 매매예약완결의 의사표시도 수인의 채권자 전원이 공동으로 행사하여야 한다는 취지의 대판 1984.6.12, 83다카2282 판결, 대판 1985.5.28, 84다카2188 판결, 대판 1985.10.8, 85다카604 판결, 대판 1987.5.26, 85다카2203 판결 등은 이 판결의 견해와 저촉되는 한도에서 변경하기로 한다.

③ 원심은, 원고가 2005.3.11. 피고에게 1억원을 대여하면서 이를 담보하기 위하여 피고에 대한 다른 채권자들인 소외 1, 소외 2, 소외 3, 소외 4, 소외 5와 공동명의로 피고와 이 사건 부동산 중 피고 소유의 1,617분의 1,607 지분(이하 '이 사건 담보목적물'이라고 한다)에 관하여 매매예약을 체결한 사실, 이에 따라 이 사건 담보목적물에 관하여 원고는 2,498,265분의 241,050 지분(이하 '이 사건 지분'이라 한다), 소외 1은 2,498,265분의 1,205,250 지분, 소외 2는 2,498,265분의 795,465 지분, 소외 3은 2,498,265분의 120,525 지분, 소외 4는 2,498,265분의 72,315 지분, 소외 5는 2,498,265분의 48,210 지분 (위 각 지분은 원고 등 6인 각자의 채권액의 비율에 따라 산정되었다)으로 특정하여 이 사건 가등기를 마친 사실을 인정한 다음, 원고를 포함한 6인의 채권자가 각자의 지분별로 별개의 독립적인 매매예약완결권을 갖는 것으로 보아, 채권자 중 1인인 원고는 단독으로 이 사건 담보목적물 중 이 사건 지분에 관하여 매매예약완결권을 행사할 수 있고, 이에 따라 단독으로 이 사건 지분에 관하여 가등기에 기한 본등기절차의 이행을 구할 수 있다고 판단하였다.

앞서 본 법리에 비추어 보면 원심의 이러한 판단은 정당하고, 거기에 상고이유에서 주장하는 바와 같이 매매예약완결권의 행사와 필수적 공동소송에 관한 법리를 오해한 위법은 없다.

02 **매매예약의 완결권에 관한 설명 중 옳은 것은?** (다툼이 있는 경우 판례에 의함) ▶ 2015년 변호사

① 매매예약의 완결권은 형성권으로서 10년의 제척기간에 걸리며, 그 행사기간을 당사자가 계약으로 정할 수는 없다.

② 당사자가 제척기간의 기산점을 특별히 약정한 경우에는 그 제척기간은 약정한 때부터 10년의 기간이 경과하면 만료된다.

③ 제척기간이 경과하더라도 상대방이 예약목적물을 인도받은 경우에는 예약완결권은 소멸되지 않는다.

정답 ▶ 02 ⑤

④ 예약완결권자에게 상대방이 최고했음에도 불구하고 예약완결권자가 확답을 하지 않았을 때에는 예약완결권은 행사된 것으로 본다.

⑤ 공동명의로 담보가등기를 마친 수인의 채권자가 각자의 지분별로 별개의 독립적인 매매예약완결권을 가지는 경우, 채권자 중 1인은 단독으로 자신의 지분에 관하여 가등기담보 등에 관한 법률이 정한 청산절차를 이행한 후 소유권이전의 본등기절차이행청구를 할 수 있다.

> **해설** ① 매매예약의 완결권은 형성권으로서 10년의 제척기간에 걸리지만, 그 행사기간은 당사자가 계약으로 정할 수 있다(제564조).
> ② 당사자가 제척기간의 기산점을 특별히 약정한 경우에도 그 제척기간은 약정한 때부터 10년의 기간이 경과하면 만료되는 것이 아니라 계약체결 시부터이다(대판 1995.11.10, 94다22682).
> ③ 제척기간이 경과하였다면 상대방이 예약목적물을 인도받은 경우에도 소멸시효와는 달리 예약완결권은 소멸된다(대판 1992.7.28, 91다44766).
> ④ 예약완결권자에게 상대방이 최고했음에도 불구하고 예약완결권자가 확답을 하지 않았을 때에는 예약완결권은 행사된 것으로 보는 것이 아니라 예약은 효력을 잃는다(제564조 제3항).
> ⑤ 공동명의로 담보가등기를 마친 수인의 채권자가 각자의 지분별로 별개의 독립적인 매매예약완결권을 가지는 경우, 채권자 중 1인은 단독으로 자신의 지분에 관하여 가등기담보 등에 관한 법률이 정한 청산절차를 이행한 후 소유권이전의 본등기절차이행청구를 할 수 있다(대판(전합) 2012.2.16, 2010다82530).

03 매매의 예약 또는 매매예약완결권에 관한 다음 설명 중 가장 옳지 않은 것은? (다툼이 있는 경우 판례에 의함) ▸ 2017년 법원사무관 승진

① 매매예약완결권 행사의 기간을 정하지 않은 때에는 예약자는 상당한 기간을 정하여 매매완결 여부의 확답을 상대방에게 최고할 수 있고, 예약자가 그 기간 내에 확답을 받지 못한 때에는 예약은 그 효력을 잃는다.

② 공동명의로 담보가등기를 마친 수인의 채권자가 각자의 지분별로 별개의 독립적인 매매예약완결권을 가지는 경우라도 가등기담보 등에 관한 법률이 정한 청산절차는 채권자 전부에 의하여 공동으로 이행되어야 하므로, 채권자 중 1인이 단독으로 자신의 지분에 관하여만 가등기담보 등에 관한 법률이 정한 청산절차를 이행한 후 소유권이전의 본등기절차이행을 구할 수는 없다.

③ 매매의 일방예약에서 예약자의 상대방이 매매완결의 의사를 표시하여 매매의 효력을 생기게 하는 권리(이른바 예약완결권)는 일종의 형성권으로서 당사자 사이에 그 행사기간을 약정한 때에는 그 기간 내에, 그러한 약정이 없는 때에는 예약이 성립한 때부터 10년 내에 이를 행사하여야 하고, 위 기간을 도과한 때에는 상대방이 예약목적물인 부동산을 인도받은 경우라도 예약완결권은 제척기간의 경과로 인하여 소멸한다.

④ 매매예약완결권의 제척기간이 도과하였는지 여부는 직권조사사항으로서 이에 대한 당사자의 주장이 없더라도 법원이 당연히 직권으로 조사하여 재판에 고려하여야 한다.

해설 ① ┌───┐

제564조 【매매의 일방예약】
① 매매의 일방예약은 상대방이 매매를 완결할 의사를 표시하는 때에 매매의 효력이 생긴다.
② 전항의 의사표시의 기간을 정하지 아니한 때에는 예약자는 상당한 기간을 정하여 매매완결여부의 확답을 상대방에게 최고할 수 있다.
③ 예약자가 전항의 기간 내에 확답을 받지 못한 때에는 예약은 그 효력을 잃는다.

② 수인의 채권자가 각기 채권을 담보하기 위하여 채무자와 채무자 소유의 부동산에 관하여 수인의 채권자를 공동매수인으로 하는 1개의 매매예약을 체결하고 그에 따라 수인의 채권자 공동명의로 그 부동산에 가등기를 마친 경우, 수인의 채권자가 공동으로 매매예약완결권을 가지는 관계인지 아니면 채권자 각자의 지분별로 별개의 독립적인 매매예약완결권을 가지는 관계인지는 매매예약의 내용에 따라야 하고, 매매예약에서 그러한 내용을 명시적으로 정하지 않은 경우에는 수인의 채권자가 공동으로 매매예약을 체결하게 된 동기 및 경위, 매매예약에 의하여 달성하려는 담보의 목적, 담보 관련 권리를 공동 행사하려는 의사의 유무, 채권자별 구체적인 지분권의 표시 여부 및 지분권 비율과 피담보채권 비율의 일치 여부, 가등기담보권 설정의 관행 등을 종합적으로 고려하여 판단하여야 한다(대판(전합) 2012.2.16, 2010다82530).

③ 매매의 일방예약에서 예약자의 상대방이 매매예약완결의 의사표시를 하여 매매의 효력을 생기게 하는 권리, 즉 매매예약의 완결권은 일종의 형성권으로서 당사자 사이에 그 행사기간을 약정한 때에는 그 기간 내에, 그러한 약정이 없는 때에는 그 예약이 성립한 때로부터 10년 내에 이를 행사하여야 하고 그 기간이 지난 때에는 예약완결권은 제척기간의 경과로 인하여 소멸한다(대판 2000.10.13, 99다18725).

④ 매매예약완결권의 제척기간이 도과하였는지 여부는 소위 직권조사 사항으로서 이에 대한 당사자의 주장이 없더라도 법원이 당연히 직권으로 조사하여 재판에 고려하여야 하므로, 상고법원은 매매예약완결권이 제척기간 도과로 인하여 소멸되었다는 주장이 적법한 상고이유서 제출기간 경과 후에 주장되었다 할지라도 이를 판단하여야 한다(대판 2000.10.13, 99다18725).

04 매매예약완결권에 관한 다음 설명 중 가장 옳지 않은 것은? ▶ 2020년 법원행시

① 매매예약의 완결권은 일종의 형성권으로서 당사자 사이에 그 행사기간을 약정한 때에는 그 기간 내에, 그러한 약정이 없는 때에는 그 예약이 성립한 때로부터 10년 내에 이를 행사하여야 한다.

② 상대방이 예약목적 부동산을 인도받아 계속 점유하고 있는 동안에는 예약완결권의 제척기간은 진행하지 않는다.

③ 예약완결권의 행사기간을 정하지 아니한 경우 예약완결권자에게 상당한 기간을 정하여 확답을 최고하였음에도 불구하고 확답을 받지 못한 때에는 예약은 효력을 잃는다.

정답 ▷ 03 ② 04 ②

④ 수인의 채권자가 각기 채권을 담보하기 위하여 채무자와 채무자 소유의 부동산에 관하여 수인의 채권자를 공동매수인으로 하는 1개의 매매예약을 체결하고 그에 따라 수인의 채권자 공동명의로 그 부동산에 가등기를 마친 경우, 수인의 채권자가 공동으로 매매예약완결권을 가지는 관계인지 아니면 채권자 각자의 지분별로 별개의 독립적인 매매예약완결권을 가지는 관계인지는 매매예약의 내용에 따라야 하고, 매매예약에서 그러한 내용을 명시적으로 정하지 않은 경우에는 매매예약을 체결하게 된 경위, 매매예약에 의하여 달성하려는 담보의 목적, 담보 관련 권리를 공동 행사하려는 의사의 유무, 채권자별 구체적인 지분권의 표시 여부 등을 종합적으로 고려하여 판단하여야 한다.

⑤ 甲이 乙에게 돈을 대여하면서 담보 목적으로 乙 소유의 부동산에 관하여 乙의 다른 채권자들과 공동명의로 매매예약을 체결하고 각자의 채권액 비율에 따라 지분을 특정하여 가등기를 마친 경우라면 甲이 단독으로 담보목적물 중 자신의 지분에 관하여 매매예약완결권을 행사할 수 있고, 이에 따라 단독으로 자신의 지분에 관하여 가등기에 기한 본등기절차의 이행을 구할 수 있다.

해설 ① 매매의 일방예약에서 예약자의 상대방이 매매예약 완결의 의사표시를 하여 매매의 효력을 생기게 하는 권리, 즉 매매예약의 완결권은 일종의 형성권으로서 당사자 사이에 그 행사기간을 약정한 때에는 그 기간 내에, 그러한 약정이 없는 때에는 그 예약이 성립한 때로부터 10년 내에 이를 행사하여야 하고, 그 기간을 지난 때에는 예약완결권은 제척기간의 경과로 인하여 소멸한다(대판 2003.1.10, 2000다26425 등).

② 제척기간에 있어서는 소멸시효와 같이 기간의 중단이 있을 수 없다. 따라서 매매예약완결권을 가진 자가 예약목적물인 부동산을 인도받아 사용하는 경우라도 예약완결권의 행사기간이 진행된다(대판 2003.1.10, 2000다26425).

③ 예약완결권자에게 상대방이 최고했음에도 불구하고 예약완결권자가 확답을 하지 않았을 때에는 예약완결권은 행사된 것으로 보는 것이 아니라 예약은 효력을 잃는다(제564조 제3항).

④, ⑤ 수인의 채권자가 각기 채권을 담보하기 위하여 채무자와 채무자 소유의 부동산에 관하여 수인의 채권자를 공동매수인으로 하는 1개의 매매예약을 체결하고 그에 따라 수인의 채권자 공동명의로 그 부동산에 가등기를 마친 경우, 수인의 채권자가 공동으로 매매예약완결권을 가지는 관계인지 아니면 채권자 각자의 지분별로 별개의 독립적인 매매예약완결권을 가지는 관계인지는 매매예약의 내용에 따라야 하고, 매매예약에서 그러한 내용을 명시적으로 정하지 않은 경우에는 수인의 채권자가 공동으로 매매예약을 체결하게 된 동기 및 경위, 매매예약에 의하여 달성하려는 담보의 목적, 담보 관련 권리를 공동 행사하려는 의사의 유무, 채권자별 구체적인 지분권의 표시 여부 및 지분권 비율과 피담보채권 비율의 일치 여부, 가등기담보권 설정의 관행 등을 종합적으로 고려하여 판단하여야 한다(대판(전) 2012.2.16, 2010다82530). 사안은 채권자별 구체적인 지분권의 표시 여부 및 지분권 비율과 피담보채권 비율의 일치하는 경우로서 채권자가 각자의 지분별로 별개의 독립적인 매매예약완결권을 갖는 것으로 보아, 채권자 중 1인인 원고는 단독으로 이 사건 담보목적물 중 이 사건 지분에 관하여 매매예약완결권을 행사할 수 있고, 이에 따라 단독으로 이 사건 지분에 관하여 가등기에 기한 본등기절차의 이행을 구할 수 있다고 하였다.

05 매매예약의 완결권에 관한 다음 설명 중 가장 옳지 않은 것은? ▶ 2024년 법원행시

① 매매예약 완결권의 제척기간 진행의 기산점은 특별한 사정이 없는 한 원칙적으로 권리가 발생한 때이나, 당사자 사이에 매매예약 완결권을 행사할 수 있는 시기를 특별히 약정한 경우에는 그 약정에 따라 권리를 행사할 수 있는 때로부터 10년이 되는 날까지로 연장된다.

② 매매예약이 성립한 이후 상대방의 매매예약 완결의 의사표시 전에 목적물이 멸실 기타의 사유로 이전할 수 없게 되어 예약완결권의 행사가 이행불능이 된 경우에는 예약완결권을 행사할 수 없고, 이행불능 이후에 상대방이 매매예약 완결의 의사표시를 하여도 매매의 효력이 생기지 아니한다.

③ 매매의 일방예약에서 예약자의 상대방이 매매예약 완결의 의사표시를 하여 매매의 효력을 생기게 하는 권리, 즉 매매예약의 완결권은 일종의 형성권으로서 당사자 사이에 그 행사기간을 약정한 때에는 그 기간 내에, 그러한 약정이 없는 때에는 그 예약이 성립한 때로부터 10년 내에 이를 행사하여야 하고, 그 기간을 지난 때에는 제척기간의 경과로 인하여 소멸한다.

④ 채무자가 유일한 재산인 그 소유의 부동산에 관한 매매예약에 따른 예약완결권이 제척기간 경과가 임박하여 소멸할 예정인 상태에서 제척기간을 연장하기 위하여 새로 매매예약을 하는 행위는 채무자가 부담하지 않아도 될 채무를 새롭게 부담하게 되는 결과가 되므로 채권자취소권의 대상인 사해행위가 될 수 있다.

⑤ 공동명의로 담보가등기를 마친 수인의 채권자가 각자의 지분별로 별개의 독립적인 매매예약 완결권을 가지는 경우, 채권자 중 1인은 단독으로 자신의 지분에 관하여 가등기담보 등에 관한 법률이 정한 청산절차를 이행한 후 소유권이전의 본등기절차 이행청구를 할 수 있다.

해설 ① 제척기간은 권리자로 하여금 당해 권리를 신속하게 행사하도록 함으로써 법률관계를 조속히 확정시키려는 데 그 제도의 취지가 있는 것으로서, 소멸시효가 일정한 기간의 경과와 권리의 불행사라는 사정에 의하여 권리 소멸의 효과를 가져오는 것과는 달리 그 기간의 경과 자체만으로 곧 권리 소멸의 효과를 가져오게 하는 것이므로 그 기간 진행의 기산점은 특별한 사정이 없는 한 원칙적으로 권리가 발생한 때이고, 당사자 사이에 매매예약 완결권을 행사할 수 있는 시기를 특별히 약정한 경우에도 그 제척기간은 당초 권리의 발생일로부터 10년간의 기간이 경과되면 만료되는 것이지 그 기간을 넘어서 그 약정에 따라 권리를 행사할 수 있는 때로부터 10년이 되는 날까지로 연장된다고 볼 수 없다(대판 1995.11.10, 94다22682).

② 매매예약이 성립한 이후 상대방의 매매예약 완결의 의사표시 전에 목적물이 멸실 기타의 사유로 이전할 수 없게 되어 예약 완결권의 행사가 이행불능이 된 경우에는 예약 완결권을 행사할 수 없고, 이행불능 이후에 상대방이 매매예약 완결의 의사표시를 하여도 매매의 효력이 생기지 아니한다(대판 2015.8.27, 2013다28247).

③ 대판 1995.11.10, 94다22682

정답 **05** ①

④ 채무자가 유일한 재산인 그 소유의 부동산에 관한 매매예약에 따른 예약완결권이 제척기간 경과가 임박하여 소멸할 예정인 상태에서 제척기간을 연장하기 위하여 새로 매매예약을 하는 행위는 채무자가 부담하지 않아도 될 채무를 새롭게 부담하게 되는 결과가 되므로 채권자 취소권의 대상인 사해행위가 될 수 있다(대판 2018.11.29, 2017다247190).

⑤ 공동명의로 담보가등기를 마친 수인의 채권자가 각자의 지분별로 별개의 독립적인 매매예약 완결권을 가지는 경우, 채권자 중 1인은 단독으로 자신의 지분에 관하여 가등기담보 등에 관한 법률이 정한 청산절차를 이행한 후 소유권이전의 본등기절차 이행청구를 할 수 있다(대판(전합) 2012.2.16, 2010다82530).

06 계약금에 관한 다음 설명 중 옳지 않은 것은? (다툼이 있는 경우 판례에 의함)

① 거래에 있어서 주고받은 계약금의 성질이 어떤 것인지 분명하지 않은 경우, 민법은 이를 해약금으로 추정한다.

② 국토의 계획 및 이용에 관한 법률상의 허가구역 내 토지에 관한 거래계약으로서 토지거래허가를 받지 않아 유동적 무효의 상태에 있는 매매계약은 관할 관청의 불허가처분이 있을 때뿐만 아니라 양쪽 당사자가 허가신청협력의무의 이행거절의사를 명백히 표시하거나 허가신청을 하지 아니하기로 의사표시를 명백히 한 때에도 확정적 무효가 되어 매수인은 그 매매계약에 기하여 임의로 지급한 계약금을 부당이득으로 반환을 구할 수 있다.

③ 매매계약의 당사자 일방이 계약금을 상대방에게 교부하였을 때에는 당사자 사이에 다른 약정이 없는 한 매매계약 쌍방 당사자중 어느 일방이라도 이행에 착수하였다면 그 당사자나 상대방이 계약금의 배액상환 또는 포기로서 해제권을 행사할 수 없다 할 것이고, 여기에서 이행에 착수한다는 것은 객관적으로 외부에서 인식할 수 있는 정도로 채무의 이행행위의 일부를 하거나 또는 이행을 하기 위하여 필요한 전제행위를 하는 경우를 말하는 것으로서 단순히 이행의 준비를 하는 것만으로는 부족하지만, 반드시 계약내용에 들어맞는 이행제공의 정도에까지 이르러야 하는 것이다.

④ 매매계약을 체결함에 있어서 계약금이 수수된 경우, 이를 위약금으로 하기로 하는 특약이 없는 이상 계약이 당사자 일방의 귀책사유로 인하여 해제되었다 하더라도 계약금이 위약금으로서 상대방에게 당연히 귀속되는 것은 아니다.

⑤ 계약금이 해약금으로서의 성질과 손해배상 예정으로서의 성질을 겸하고 있는 경우라면 해약금에 기한 해제권 주장시에도 손해배상 예정액의 감액이 가능하다.

해설

① 제565조 제1항 【해약금】 매매의 당사자 일방이 계약 당시에 금전 기타 물건을 계약금, 보증금 등의 명목으로 상대방에게 교부한 때에는 당사자 간에 다른 약정이 없는 한 당사자의 일방이 이행에 착수할 때까지 교부자는 이를 포기하고 수령자는 그 배액을 상환하여 매매계약을 해제할 수 있다.

② 국토의 계획 및 이용에 관한 법률상의 허가구역 내 토지에 관한 거래계약으로서 토지거래허가를 받지 않아 유동적 무효의 상태에 있는 매매계약은 관할 관청의 불허가처분이 있을 때뿐만 아니라 양쪽 당사자가 허가신청협력의무의 이행거절의사를 명백히 표시하거나 허가신청

을 하지 아니하기로 의사표시를 명백히 한 때에도 확정적 무효가 되어 매수인은 그 매매계약에 기하여 임의로 지급한 계약금을 부당이득으로 반환을 구할 수 있다(대판 2008.3.13, 2007다76603).

③ [1] 민법 제565조 제1항에서 말하는 당사자의 일방이라는 것은 매매 쌍방 중 어느 일방을 지칭하는 것이고, 상대방이라 국한하여 해석할 것이 아니므로, 비록 상대방인 매도인이 매매계약의 이행에는 전혀 착수한 바가 없다 하더라도 매수인이 중도금을 지급하여 이미 이행에 착수한 이상 매수인은 민법 제565조에 의하여 계약금을 포기하고 매매계약을 해제할 수 없다(대판 2000.2.11, 99다62074).

[2] 매수인은 민법 제565조 제1항에 따라 본인 또는 매도인이 이행에 착수할 때까지는 계약금을 포기하고 계약을 해제할 수 있는바, 여기에서 이행에 착수한다는 것은 객관적으로 외부에서 인식할 수 있는 정도로 채무의 이행행위의 일부를 하거나 또는 이행을 하기 위하여 필요한 전제행위를 하는 경우를 말하는 것으로서 단순히 이행의 준비를 하는 것만으로는 부족하고, 그렇다고 반드시 계약내용에 들어맞는 이행제공의 정도에까지 이르러야 하는 것은 아니지만, 매도인이 매수인에 대하여 매매계약의 이행을 최고하고 매매잔대금의 지급을 구하는 소송을 제기한 것만으로는 이행에 착수하였다고 볼 수 없다(대판 2008.10.23, 2007다72274・72281).

④ 유상계약을 체결함에 있어서 계약금이 수수된 경우 계약금은 해약금의 성질을 가지고 있어서, 이를 위약금으로 하기로 하는 특약이 없는 이상 계약이 당사자 일방의 귀책사유로 인하여 해제되었다 하더라도 상대방은 계약불이행으로 입은 실제 손해만을 배상받을 수 있을 뿐 계약금이 위약금으로서 상대방에게 당연히 귀속되는 것은 아니다(대판 2010.4.29, 2007다24930).

⑤ "대금불입 불이행시 계약은 자동 무효가 되고 이미 불입된 금액은 일체 반환하지 않는다."고 되어 있는 매매계약에 기하여 계약금이 지급된 경우, 그 계약금은 해약금으로서의 성질과 손해배상 예정으로서의 성질을 겸하고 있는데, 그 계약금이 해약금으로서의 성질과 손해배상 예정으로서의 성질을 겸하고 있더라도 해약금에 기한 해제권 주장시에는 계약불이행에 따른 손해배상이 논의될 여지가 없어 손해배상 예정액의 감액이 불가능하다고 본 원심판결을 파기한다(대판 1996.10.25, 95다33726).

07 계약금에 관한 다음 설명 중 가장 옳지 않은 것은? (다툼이 있는 경우 판례에 의함)

▶ 2017년 법무사

① 매매당사자 사이에 수수된 계약금에 대하여 매수인이 위약하였을 때에는 이를 무효로 하고 매도인이 위약하였을 때에는 그 배액을 상환할 뜻의 약정이 있는 경우에는 특별한 사정이 없는 한 그 계약금은 민법 제398조 제1항 소정의 손해배상액의 예정의 성질을 가질 뿐 아니라 민법 제565조 소정의 해약금의 성질도 가진 것으로 볼 것이다.

② 매매당사자 간에 계약금을 수수하고 계약해제권을 유보한 경우에 매도인이 계약금의 배액을 상환하고 계약을 해제하려면 계약해제 의사표시 이외에 계약금 배액의 이행의 제공이 있으면 족하고 상대방이 이를 수령하지 아니한다 하여 이를 공탁하여야 유효한 것은 아니다.

③ 매수인이 약정한 계약금의 일부만을 지급한 경우 계약금을 전부 지급하기 전까지는 매도인은 지급받은 계약금의 배액을 상환하고 매매계약을 해제할 수 있다.

④ 민법 제565조 제1항은 '매매의 당사자 일방이 계약당시에 금전 기타 물건을 계약금, 보증금 등의 명목으로 상대방에게 교부한 때에는 당사자 간에 다른 약정이 없는 한 당사자의 일방이 이행에 착수할 때까지 교부자는 이를 포기하고 수령자는 그 배액을 상환하여 매매계약을 해제할 수 있다'고 규정하고 있다. 그러나 계약금계약은 금전 기타 유가물의 교부를 요건으로 하므로 단지 계약금을 지급하기로 약정만 한 단계에서는 아직 계약금으로서의 효력, 즉 위 민법 규정에 의해 계약해제를 할 수 있는 권리는 발생하지 않는다.

⑤ 민법 제565조 제1항 '매매의 당사자 일방이 계약당시에 금전 기타 물건을 계약금, 보증금 등의 명목으로 상대방에게 교부한 때에는 당사자 간에 다른 약정이 없는 한 당사자의 일방이 이행에 착수할 때까지 교부자는 이를 포기하고 수령자는 그 배액을 상환하여 매매계약을 해제할 수 있다'에서 말하는 당사자의 일방이라는 것은 매매 쌍방 중 어느 일방을 지칭하는 것이고, 상대방이라 국한하여 해석할 것이 아니다.

해설 ① 판례는 "매매당사자 사이에 수수된 계약금에 대하여 매수인이 위약하였을 때에는 이를 무효로 하고 매도인이 위약하였을 때에는 그 배액을 상환할 뜻의 약정이 있는 경우에는 특별한 사정이 없는 한 그 계약금은 민법 제398조 제1항 소정의 손해배상액의 예정의 성질을 가질 뿐만 아니라 민법 제565조 소정의 해약금의 성질도 가진 것으로 볼 것"이라고 하여 병존긍정설의 입장을 취하고 있다(대판 1992.5.12, 91다2151).

② 매매당사자 간에 계약금을 수수하고 계약해제권을 유보한 경우에 매도인이 계약금의 배액을 상환하고 계약을 해제하려면 계약해제 의사표시 이외에 계약금 배액의 이행의 제공이 있으면 족하고 상대방이 이를 수령하지 아니한다 하여 이를 공탁하여야 유효한 것은 아니다(대판 1992.5.12, 91다2151).

③ 매도인이 '계약금 일부만 지급된 경우 지급받은 금원의 배액을 상환하고 매매계약을 해제할 수 있다'고 주장한 사안에서, '실제 교부받은 계약금'의 배액만을 상환하여 매매계약을 해제할 수 있다면 이는 당사자가 일정한 금액을 계약금으로 정한 의사에 반하게 될 뿐 아니라, 교부받은 금원이 소액일 경우에는 사실상 계약을 자유로이 해제할 수 있어 계약의 구속력이 약화되는 결과가 되어 부당하기 때문에, 계약금 일부만 지급된 경우 수령자가 매매계약을 해제할 수 있다고 하더라도 해약금의 기준이 되는 금원은 '실제 교부받은 계약금'이 아니라 '약정 계약금'이라고 봄이 타당하므로, 매도인이 계약금의 일부로서 지급받은 금원의 배액을 상환하는 것으로는 매매계약을 해제할 수 없다(대판 2015.4.23, 2014다231378).

④ 계약이 일단 성립한 후에는 당사자의 일방이 이를 마음대로 해제할 수 없는 것이 원칙이고, 다만 주된 계약과 더불어 계약금계약을 한 경우에는 민법 제565조 제1항의 규정에 따라 임의 해제를 할 수 있기는 하나, 계약금계약은 금전 기타 유가물의 교부를 요건으로 하므로 단지 계약금을 지급하기로 약정만 한 단계에서는 아직 계약금으로서의 효력, 즉 위 민법 규정에 의해 계약해제를 할 수 있는 권리는 발생하지 않는다고 할 것이다. 따라서 당사자가 계약금의 일부만을 먼저 지급하고 잔액은 나중에 지급하기로 약정하거나 계약금 전부를 나중에 지급하기로 약정한 경우, 교부자가 계약금의 잔금이나 전부를 약정대로 지급하지 않으면 상대방은 계약금 지급의무의 이행을 청구하거나 채무불이행을 이유로 계약금약정을 해제

할 수 있고, 나아가 위 약정이 없었더라면 주계약을 체결하지 않았을 것이라는 사정이 인정 된다면 주계약도 해제할 수도 있을 것이나, 교부자가 계약금의 잔금 또는 전부를 지급하지 아니하는 한 계약금계약은 성립하지 아니하므로 당사자가 임의로 주계약을 해제할 수는 없 다 할 것이다(대판 2008.3.13, 2007다73611).

⑤ 민법 제565조 제1항에서 말하는 당사자의 일방이라는 것은 매매 쌍방 중 어느 일방을 지칭 하는 것이고, 상대방이라 국한하여 해석할 것이 아니므로, 비록 상대방인 매도인이 매매계약 의 이행에는 전혀 착수한 바가 없다 하더라도 매수인이 중도금을 지급하여 이미 이행에 착수 한 이상 매수인은 민법 제565조에 의하여 계약금을 포기하고 매매계약을 해제할 수 없다 (대판 2000.2.11, 99다62074).

08 매매계약의 계약금에 관한 다음 설명 중 가장 옳지 않은 것은? (다툼이 있는 경우 판례에 의하고, 전원합의체 판결의 경우 다수의견에 의함) ▸2019년 9급(법원서기보)

① 계약금계약은 금전 기타 유가물의 교부를 요건으로 하므로, 단지 계약금을 지급하기로 약정만 한 단계에서는 아직 계약금의 효력으로 계약을 해제할 수 있는 권리는 발생하 지 않는다.

② 매매 당사자 간에 계약금을 수수하고 계약해제권을 유보한 경우에 매도인이 계약금의 배액을 상환하고 계약을 해제하려면 계약해제 의사표시 이외에 계약금 배액의 이행의 제공이 있어야 하며, 상대방이 이를 수령하지 않는 경우에는 이를 공탁하여야 계약을 해제할 수 있다.

③ 계약금의 일부만이 지급된 경우 해약금의 기준이 되는 금원은 실제 교부받은 계약금이 아니라 약정 계약금이므로, 매도인이 약정한 계약금의 일부만을 지급받은 경우 지급받 은 금원의 배액을 상환하는 것으로는 매매계약을 해제할 수 없다.

④ 매수인은 본인 또는 매도인이 이행에 착수할 때까지는 계약금을 포기하고 계약을 해제 할 수 있는바, 이행에 착수한다는 것은 객관적으로 외부에서 인식할 수 있는 정도로 채무의 이행행위의 일부를 하거나 또는 이행을 하기 위하여 필요한 전제행위를 하는 경우를 말하는 것이다.

해설 ① 계약이 일단 성립한 후에는 당사자의 일방이 이를 마음대로 해제할 수 없는 것이 원칙이고, 다만 주된 계약과 더불어 계약금계약을 한 경우에는 민법 제565조 제1항의 규정에 따라 임 의 해제를 할 수 있기는 하나, 계약금계약은 금전 기타 유가물의 교부를 요건으로 하므로 단지 계약금을 지급하기로 약정만 한 단계에서는 아직 계약금으로서의 효력, 즉 위 민법 규 정에 의해 계약해제를 할 수 있는 권리는 발생하지 않는다고 할 것이다. 따라서 당사자가 계약금의 일부만을 먼저 지급하고 잔액은 나중에 지급하기로 약정하거나 계약금 전부를 나 중에 지급하기로 약정한 경우, 교부자가 계약금의 잔금이나 전부를 약정대로 지급하지 않으 면 상대방은 계약금 지급의무의 이행을 청구하거나 채무불이행을 이유로 계약금약정을 해제 할 수 있고, 나아가 위 약정이 없었더라면 주계약을 체결하지 않았을 것이라는 사정이 인정된다면 주계약도 해제할 수도 있을 것이나, 교부자가 계약금의 잔금 또는 전부를 지급하지 아니하는 한 계약금계약은 성립하지 아니하므로 당사자가 임의로 주계약을 해제할 수는 없다 할 것이다(대판 2008.3.13, 2007다73611).

② 매매당사자 간에 계약금을 수수하고 계약해제권을 유보한 경우에 매도인이 계약금의 배액을 상환하고 계약을 해제하려면 계약해제 의사표시 이외에 계약금 배액의 이행의 제공이 있으면 족하고 상대방이 이를 수령하지 아니한다 하여 이를 공탁하여야 유효한 것은 아니다(대판 1992.5.12, 91다2151).

③ 매도인이 '계약금 일부만 지급된 경우 지급받은 금원의 배액을 상환하고 매매계약을 해제할 수 있다'고 주장한 사안에서, '실제 교부받은 계약금'의 배액만을 상환하여 매매계약을 해제할 수 있다면 이는 당사자가 일정한 금액을 계약금으로 정한 의사에 반하게 될 뿐 아니라, 교부받은 금원이 소액일 경우에는 사실상 계약을 자유로이 해제할 수 있어 계약의 구속력이 약화되는 결과가 되어 부당하기 때문에, 계약금 일부만 지급된 경우 수령자가 매매계약을 해제할 수 있다고 하더라도 해약금의 기준이 되는 금원은 '실제 교부받은 계약금'이 아니라 '약정 계약금'이라고 봄이 타당하므로, 매도인이 계약금의 일부로서 지급받은 금원의 배액을 상환하는 것으로는 매매계약을 해제할 수 없다(대판 2015.4.23, 2014다231378).

④ 매수인은 민법 제565조 제1항에 따라 본인 또는 매도인이 이행에 착수할 때까지는 계약금을 포기하고 계약을 해제할 수 있는바, 여기에서 이행에 착수한다는 것은 객관적으로 외부에서 인식할 수 있는 정도로 채무의 이행행위의 일부를 하거나 또는 이행을 하기 위하여 필요한 전제행위를 하는 경우를 말하는 것으로서 단순히 이행의 준비를 하는 것만으로는 부족하고, 그렇다고 반드시 계약내용에 들어맞는 이행제공의 정도에까지 이르러야 하는 것은 아니지만, 매도인이 매수인에 대하여 매매계약의 이행을 최고하고 매매잔대금의 지급을 구하는 소송을 제기한 것만으로는 이행에 착수하였다고 볼 수 없다(대판 2008.10.23, 2007다72274·72281).

09 **계약금에 관한 다음 설명 중 가장 옳지 않은 것은?** ▶ 2020년 법무사

① 매매계약 체결 당시 계약금을 약정하였지만 아직 계약금의 교부는 없었다면 계약의 당사자는 민법 제565조 해약금 규정을 근거로 주계약을 해제할 수 없다.

② 매매계약 체결시 수수된 계약금에 대하여 매수인이 위약하였을 때에는 계약금을 매도인이 취득하고, 매도인이 위약하였을 때에는 매수인에게 계약금의 배액을 변상한다는 특약을 한 경우 계약금은 더 이상 해약금으로서 기능할 수 없으므로 매도인이 이행에 착수하기 전이라 하더라도 매수인은 계약금을 포기하고 임의로 계약을 해제할 수 없다.

③ 매매계약을 체결함에 있어서 계약금이 수수된 경우 계약금은 해약금의 성질을 가지고 있어서 이를 위약금으로 하기로 하는 특약이 없는 이상 계약이 당사자 일방의 귀책사유로 인하여 해제되었다 하더라도 상대방은 계약불이행으로 입은 실제 손해만을 배상받을 수 있을 뿐 계약금이 위약금으로서 상대방에게 당연히 귀속되는 것은 아니다.

④ 매도인이 해약금에 기한 해제의 의사표시를 하면서 일정한 기한까지 해약금을 수령하라고 최고하고 그 기한을 넘기면 공탁하겠다고 통지한 후, 중도금 납부기일이 도래하기 전에 매수인이 중도금을 지급하였더라도 매도인의 계약해제권 행사에 영향을 미칠 수 없다.

⑤ 매매계약 체결시 수수된 계약금에 대하여 매수인이 위약하였을 때에는 계약금을 매도인이 취득하고, 매도인이 위약하였을 때에는 매수인에게 계약금의 배액을 변상한다는 특약을 한 경우 이 약정이 손해배상액의 예정인지 위약벌의 성격인지 불분명할 때에는 손해배상액의 예정으로 추정된다.

해설 ① 계약이 일단 성립한 후에는 당사자의 일방이 이를 마음대로 해제할 수 없는 것이 원칙이고, 다만 주된 계약과 더불어 계약금계약을 한 경우에는 민법 제565조 제1항의 규정에 따라 임의 해제를 할 수 있기는 하나, 계약금계약은 금전 기타 유가물의 교부를 요건으로 하므로 단지 계약금을 지급하기로 약정만 한 단계에서는 아직 계약금으로서의 효력, 즉 위 민법 규정에 의해 계약해제를 할 수 있는 권리는 발생하지 않는다고 할 것이다. 따라서 당사자가 계약금의 일부만을 먼저 지급하고 잔액은 나중에 지급하기로 약정하거나 계약금 전부를 나중에 지급하기로 약정한 경우, 교부자가 계약금의 잔금이나 전부를 약정대로 지급하지 않으면 상대방은 계약금 지급의무의 이행을 청구하거나 채무불이행을 이유로 계약금약정을 해제할 수 있고, 나아가 위 약정이 없었더라면 주계약을 체결하지 않았을 것이라는 사정이 인정된다면 주계약도 해제할 수도 있을 것이나, 교부자가 계약금의 잔금 또는 전부를 지급하지 아니하는 한 계약금계약은 성립하지 아니하므로 당사자가 임의로 주계약을 해제할 수는 없다 할 것이다 (대판 2008.3.13. 2007다73611).

② 매매계약금에 대하여 매수인이 위약하였을 때에는 이를 무효로 하고 매도인이 위약하였을 때에는 그 배액을 상환할 뜻의 약정이 있는 경우 그 계약금의 성질 – 매매당사자 사이에 수수된 계약금에 대하여 매수인이 위약하였을 때에는 이를 무효로 하고 매도인이 위약하였을 때에는 그 배액을 상환할 뜻의 약정이 있는 경우에는 특별한 사정이 없는 한 그 계약금은 민법 제398조 제1항 소정의 손해배상액의 예정의 성질을 가질 뿐 아니라 민법 제565조 소정의 해약금의 성질도 가진 것으로 볼 것이다(대판 1992.5.12. 91다2151).

③ 유상계약을 체결함에 있어서 계약금이 수수된 경우 계약금은 해약금의 성질을 가지고 있어서, 이를 위약금으로 하기로 하는 특약이 없는 이상 계약이 당사자 일방의 귀책사유로 인하여 해제되었다 하더라도 상대방은 계약불이행으로 입은 실제 손해만을 배상받을 수 있을 뿐 계약금이 위약금으로서 상대방에게 당연히 귀속되는 것은 아니다(대판 1996.6.14. 95다54693).

④ 매도인이 민법 제565조에 의하여 계약을 해제한다는 의사표시를 하고 일정한 기한까지 해약금의 수령을 최고하며 기한을 넘기면 공탁하겠다고 통지를 한 이상 중도금 지급기일은 매도인을 위하여서도 기한의 이익이 있다고 보는 것이 옳고, 따라서 이 경우에는 매수인이 이행기 전에 이행에 착수할 수 없는 특별한 사정이 있는 경우에 해당하여 매수인은 매도인의 의사에 반하여 이행할 수 없다고 보는 것이 옳으며, 매수인이 이행기 전에, 더욱이 매도인이 정한 해약금 수령기한 이전에 일방적으로 이행에 착수하였다고 하여도 매도인의 계약해제권 행사에 영향을 미칠 수 없다(대판 1993.1.19. 92다31323).

⑤ 위약금의 약정은 손해배상액의 예정으로 추정한다(제398조 제4항). 매매계약을 체결함에 있어 당사자 사이에 계약금을 수수하면서 매도인이 위 계약을 위반할 때에는 매수인에게 계약금의 배액을 지급하고 매수인이 이를 위반할 때에는 계약금의 반환청구권을 상실하기로 약정하였다면 이는 위 매매계약에 따른 채무불이행에 대한 위약금의 약정을 한 것으로 보아야 할 것이고 이러한 약정은 특단의 사정이 없는 한 손해배상액 예정의 성질을 지닌다(대판 1989.12.12. 89다카10811).

정답 09 ②

10 매매계약에 관한 아래 〈사례〉에 대한 다음 〈설명〉 중 옳지 않은 것을 모두 고른 것은? (다툼이 있는 경우 판례에 의하고, 전원합의체 판결의 경우 다수의견에 의함) ▸ 2019년 법원행시

┤ 사례 ├

甲은 2019.3.1. 그 소유 X토지(당시 이미 甲의 채권자 A의 가압류가 되어 있었음)를 乙에게 1억원에 매도하는 매매계약을 체결하면서, 계약금은 1천만원으로 하면서 그중 3백만원만 당일 지급받았고, 7백만원은 같은 해 3.3. 지급받기로 하였다. 그리고 중도금 4천만원은 같은 해 5.1.에 지급받으면서 X토지의 등기를 乙에게 이전하기로 하였고, 잔금 5천만원은 같은 해 8.1.에 지급받으면서 그 전까지 A의 가압류를 해제하기로 하였다. (아래 각 설명은 상호 독립적임)

〈설명〉

ㄱ. 甲은 2019.3.2. 丙으로부터 X토지에 대하여 1억 5천만원의 매도제의를 받자 위 토지를 丙에게 팔기로 하고, 같은 날 乙에게 6백만원을 지급하면서 X토지의 매매계약에 대한 해제의 의사표시를 하였다. 甲과 乙 사이의 매매계약은 적법하게 해제되었다.

ㄴ. 甲은 乙로부터 약정기일에 계약금의 일부 7백만원과 중도금 4천만원을 각 지급받았으나, 甲은 乙에게 그 등기를 이전하지 않았다. 甲은 2019.6.1. 丙에게 X토지를 1억 5천만원에 매도하는 계약을 체결하고, 같은 해 7.1. 丙에게 X토지의 소유권이전등기를 마쳐주었다. X토지의 시가는 2019.6.1.에는 1억 7천만원, 2019.7.1.에는 1억 6천만원, 2019.8.1.에는 1억 9천만원에 이르고 있으나, 甲은 2019.7.1. 전후로 X토지의 시가상승에 대해서 알 수 있는 사정이 없었다. 2019.8.1. 현재 乙이 甲에게 구할 수 있는 전보배상액은 1억 7천만원이다.

ㄷ. 乙은 약정기일에 계약금의 일부 7백만원을 甲에게 지급하였다. 이후 X토지의 시가상승 조짐이 보이자 甲은 乙에게 매매대금의 증액을 요청하였고, 乙은 甲이 매매계약을 해제할 것을 염려하여 2019.4.1. 甲에게 중도금 4천만원을 계좌이체의 방법으로 지급하였다. 다음날 甲은 지급받은 계약금의 배액인 2천만원을 乙에게 지급하면서 X토지의 매매계약에 대한 해제의 의사표시를 하였다. 甲과 乙 사이의 매매계약은 해제되지 않는다.

ㄹ. 甲의 또 다른 채권자 B는 甲의 乙에 대한 잔금채권 5천만원을 2019.6.1. 가압류하였고, 이에 기해 같은 해 6.15. 압류 및 추심명령이 확정되었다. 甲이 약정기일에 중도금을 지급받고 乙에게 소유권을 이전하기는 하였으나, A의 가압류를 말소하지 못해 A가 X토지에 대해 2019.7.1. 강제경매를 신청하자 乙은 강제경매의 집행채권액을 2019.7.15. 공탁하였다. 2019.8.1. B가 乙에 대하여 추심금을 청구하는 경우, 乙은 甲에게 가지는 구상금채권으로 상계를 주장할 수 없다.

① ㄱ, ㄴ, ㄷ, ㄹ   ② ㄱ, ㄹ
③ ㄱ, ㄴ   ④ ㄴ, ㄹ
⑤ ㄱ, ㄴ, ㄹ

해설 ㄱ. 매도인이 '계약금 일부만 지급된 경우 지급받은 금원의 배액을 상환하고 매매계약을 해제할 수 있다'고 주장한 사안에서, '실제 교부받은 계약금'의 배액만을 상환하여 매매계약을 해제할 수 있다면 이는 당사자가 일정한 금액을 계약금으로 정한 의사에 반하게 될 뿐 아니라, 교부받은 금원이 소액일 경우에는 사실상 계약을 자유로이 해제할 수 있어 계약의 구속력이 약화되는 결과가 되어 부당하기 때문에, 계약금 일부만 지급된 경우 수령자가 매매계약을 해제할 수 있다고 하더라도 해약금의 기준이 되는 금원은 '실제 교부받은 계약금'이 아니라 '약정 계약금'이라고 봄이 타당하므로, 매도인이 계약금의 일부로서 지급받은 금원의 배액을 상환하는 것으로는 매매계약을 해제할 수 없다(대판 2015.4.23. 2014다231378).

ㄴ. 매도인의 매매목적물에 관한 소유권이전등기 의무가 이행불능이 됨으로 말미암아 매수인이 입는 손해액은 원칙적으로 그 이행불능이 될 당시의 목적물의 시가 상당액이고, 그 이후 목적물의 가격이 등귀하였다 하여도 그로 인한 손해는 특별한 사정으로 인한 것이어서 매도인이 이행불능 당시 그와 같은 특수한 사정을 알았거나 알 수 있었을 때에 한하여 그 등귀한 가격에 의한 손해배상을 청구할 수 있다 함은 대법원의 확립된 판례이다(대판 1996.6.14. 94다61359 등). 또한 부동산을 이중매매하고 매도인이 그 중 1인에게 먼저 소유권이전등기를 해 준 경우에는 특별한 사정이 없는 한 다른 1인에 대한 소유권이전등기의무는 이행불능으로 된다(대판 1965.7.27. 65다947 등).

ㄷ. 민법 제565조가 해제권 행사의 시기를 당사자의 일방이 이행에 착수할 때까지로 제한한 것은 당사자의 일방이 이미 이행에 착수한 때에는 그 당사자는 그에 필요한 비용을 지출하였을 것이고, 또 그 당사자는 계약이 이행될 것으로 기대하고 있는데 만일 이러한 단계에서 상대방으로부터 계약이 해제된다면 예측하지 못한 손해를 입게 될 우려가 있으므로 이를 방지하고자 함에 있고, 이행기의 약정이 있는 경우라 하더라도 당사자가 채무의 이행 전에는 착수하지 아니하기로 하는 특약을 하는 등 특별한 사정이 없는 한 이행기 전에 이행에 착수할 수 있다(대판 2006.2.10. 2004다11599). → 매매계약의 체결 이후 시가 상승이 예상되자 매도인이 구두로 구체적인 금액의 제시 없이 매매대금의 증액요청을 하였고, 매수인은 이에 대하여 확답하지 않은 상태에서 중도금을 이행기 전에 제공하였는데, 그 이후 매도인이 계약금의 배액을 공탁하여 해제권을 행사한 사안에서, 시가 상승만으로 매매계약의 기초적 사실관계가 변경되었다고 볼 수 없어 '매도인을 당초의 계약에 구속시키는 것이 특히 불공평하다'거나 '매수인에게 계약내용 변경요청의 상당성이 인정된다'고 할 수 없고, 이행기 전의 이행의 착수가 허용되어서는 안 될 만한 불가피한 사정이 있는 것도 아니므로 매도인은 위의 해제권을 행사할 수 없다고 한 원심의 판단을 수긍한 사례이다.

ㄹ. 제3채무자의 압류채무자에 대한 자동채권이 수동채권인 피압류채권과 동시이행의 관계에 있는 경우에는, 비록 압류명령이 제3채무자에게 송달되어 압류의 효력이 생긴 후에 비로소 자동채권이 발생하였다고 하더라도 동시이행의 항변권을 주장할 수 있는 제3채무자로서는 그 채권에 의한 상계로써 압류채권자에게 대항할 수 있는 것으로서, 이 경우 자동채권이 발생한 기초가 되는 원인은 수동채권이 압류되기 전에 이미 성립하여 존재하고 있었던 것이므로 그 자동채권은 민법 제498조에 규정된 '지급을 금지하는 명령을 받은 제3채무자가 그 후에 취득한 채권'에 해당하지 않는다(대판 2005.11.10. 2004다37676). → 부동산 매수인의 매매 잔대금 지급의무와 매도인의 가압류등기말소의무가 동시이행관계에 있었는데, 위 가압류에 기한 강제경매절차가 진행되자 매수인이 그 채권액을 변제공탁한 경우, 매도인은 매수인에 대해 대위변제로 인한 구상채무를 부담하게 되고 이 구상채무는 가압류등기말소의무의

변형으로서 종전의 매수인의 잔대금 지급의무와 동시이행의 관계를 유지하므로, 매수인 (제3채무자)의 위 구상금채권이 가압류 이후에 발생한 것이더라도 그 기초가 되는 원인은 가압류 이전에 성립하고 있었으므로, 매수인은 매매잔대금채무를 구상금채권과 상계할 수 있다(대판 2001.3.27, 2000다43819).

11 매매에 관한 다음 설명 중 가장 옳지 않은 것은? (다툼이 있는 경우 판례에 의함) ▶ 2015년 법무사

① 계약금이 수수된 후 매도인이 매매계약의 이행에는 전혀 착수한 바가 없다 하더라도 매수인이 중도금을 지급하였다면 매수인은 계약금을 포기하고 매매계약을 해제할 수 없다.

② 유상계약을 체결함에 있어서 계약금이 수수된 경우 계약금은 해약금의 성질을 가지고 있어서, 이를 위약금으로 하기로 하는 특약이 없는 이상 계약이 당사자 일방의 귀책사유로 인하여 해제되었다 하더라도 상대방은 계약불이행으로 입은 실제 손해만을 배상받을 수 있을 뿐 계약금이 위약금으로서 상대방에게 당연히 귀속되는 것은 아니다.

③ 부동산 매매계약에 있어서 매수인이 잔대금 지급기일까지 그 대금을 지급하지 못하면 그 계약이 자동적으로 해제된다는 취지의 약정이 있더라도 매도인이 이행의 제공을 하여 매수인을 이행지체에 빠뜨리지 않는 한 그 약정기일의 도과사실만으로는 매매계약이 자동해제된 것으로 볼 수 없다.

④ 매매예약의 완결권은 일종의 형성권으로서 당사자 사이에 그 행사기간을 약정한 때에는 그 기간 내에, 그러한 약정이 없는 때에는 그 예약이 성립한 때로부터 10년 내에 이를 행사하여야 하고, 그 기간을 지난 때에는 예약 완결권은 제척기간의 경과로 인하여 소멸한다.

⑤ 매매의 당사자는 이행기의 약정이 있는 경우 특별한 사정이 없는 한 이행기 전에 이행에 착수할 수 없다.

해설 ① 제565조 해약금은 당사자 일방이 이행에 착수하기 전까지 계약을 해제할 수 있는 것인데, 여기서 당사자 일방은 매도인이나 매수인 누구든 가능한 것이다. 따라서 계약금이 수수된 후 매도인이 매매계약의 이행에는 전혀 착수한 바가 없다 하더라도 매수인이 중도금을 지급하였다면 매수인은 계약금을 포기하고 매매계약을 해제할 수 없는 것이다(대판 1970.4.28, 70다105).

② 유상계약을 체결함에 있어서 계약금이 수수된 경우 계약금은 해약금의 성질을 가지고 있어서, 이를 위약금으로 하기로 하는 특약이 없는 경우, 손해배상예정의 성질을 갖지 못한다. 따라서 계약이 당사자 일방의 귀책사유로 인하여 해제되었다 하더라도 상대방은 계약불이행으로 입은 실제 손해만을 배상받을 수 있을 뿐 계약금이 위약금으로서 상대방에게 당연히 귀속되는 것은 아니다(대판 1996.6.14, 95다54693).

③ 부동산 매매계약에 있어서 매수인이 잔대금 지급기일까지 그 대금을 지급하지 못하면 그 계약이 자동적으로 해제된다는 취지의 약정이 있더라도 매도인이 이행의 제공을 하여 매수인을 이행지체에 빠뜨리지 않는 한 그 약정기일의 도과사실만으로는 매매계약이 자동해제된 것으로 볼 수는 없다(대판 1998.7.24, 98다13877).

④ 매매예약의 완결권은 일종의 형성권으로서 당사자 사이에 그 행사기간을 약정한 때에는 그
기간 내에, 그러한 약정이 없는 때에는 그 예약이 성립한 때로부터 10년 내에 이를 행사하여
야 하고, 그 기간을 지난 때에는 예약 완결권은 제척기간의 경과로 인하여 소멸한다
(대판 1992.7.28, 91다44766).

⑤ 매매의 당사자는 이행기의 약정이 있는 경우라 하더라도 당사자가 채무의 이행기 전에는 착
수하지 아니하기로 하는 특약을 하는 등의 특별한 사정이 없는 한 이행기 전에 이행에 착수
할 수 있다(대판 2006.2.10, 2004다11599).

제2관 매매의 효력

12 **매매에 관한 설명 중 가장 옳지 않은 것은?** (다툼이 있는 경우 판례에 의함) ▶ 2014년 법무사

① 민법은 매매계약에서 계약금을 교부한 자는 이를 포기하고 계약을 해제할 수 있다
고 정하고 있는데, 계약금 교부자도 이행에 착수하면 해약금에 의한 계약 해제는
할 수 없다.

② 부동산매매에 있어 목적 부동산을 제3자가 점유하고 있어 인도받지 아니한 매수인이
명도소송 제기의 방편으로 미리 소유권이전등기를 경료받았다면 아직 매매대금을 완급
하지 않았다고 하더라도 부동산으로부터 발생하는 과실은 매수인에게 귀속된다.

③ 민법은 해약금에 의한 해제의 경우에 손해배상청구권은 발생하지 않는다고 규정하고 있다.

④ 매매계약이 있은 후에도 인도하지 아니한 목적물로부터 생긴 과실은 매도인에게 속하
고, 매수인은 목적물의 인도를 받은 날로부터 대금의 이자를 지급하여야 한다.

⑤ 부동산 매도인이 매매대금을 다 지급받지 않은 상태에서 매수인에게 소유권이전등기를
마쳐주었으나 부동산을 계속 점유하고 있더라도 매매대금채권을 피담보채권으로 유치
권을 주장할 수 없다.

해설 ① 판례는 민법 제565조 제1항에서 말하는 당사자의 일방이라는 것은 매매 쌍방 중 어느 일방
을 지칭하는 것이고, 상대방이라 국한하여 해석할 것이 아니므로, 비록 상대방인 매도인이
매매계약의 이행에는 전혀 착수한 바가 없다 하더라도 매수인이 중도금을 지급하여 이미 이
행에 착수한 이상 매수인은 민법 제565조에 의하여 계약금을 포기하고 매매계약을 해제할
수 없다고 한다(대판 2000.2.11, 99다62074).

② 부동산매매에 있어 목적부동산을 제3자가 점유하고 있어 인도받지 아니한 매수인이 명도소
송제기의 방편으로 미리 소유권이전등기를 경료받았다고 하여도 아직 매매대금을 완급하지
않은 이상 부동산으로부터 발생하는 과실은 매수인이 아니라 매도인에게 귀속되어야 한다
(대판 1992.4.28, 91다32527).

③ 제565조 【해약금】
① 매매의 당사자 일방이 계약당시에 금전 기타 물건을 계약금, 보증금등의 명목으로 상대방에게 교부한 때에는 당사자 간에 다른 약정이 없는 한 당사자의 일방이 이행에 착수할 때까지 교부자는 이를 포기하고 수령자는 그 배액을 상환하여 매매계약을 해제할 수 있다.
② 제551조(해지, 해제와 손해배상)의 규정은 전항의 경우에 이를 적용하지 아니한다.

④ 매매계약있은 후에도 인도하지 아니한 목적물로부터 생긴 과실은 매도인에게 속한다. 매수인은 목적물의 인도를 받은 날로부터 대금의 이자를 지급하여야 한다(제587조 제1항 제1문).

⑤ 부동산 매도인이 매매대금을 다 지급받지 아니한 상태에서 매수인에게 소유권이전등기를 마쳐주어 목적물의 소유권을 매수인에게 이전한 경우에는, 매도인의 목적물인도의무에 관하여 동시이행의 항변권 외에 물권적 권리인 유치권까지 인정할 것은 아니다. 왜냐하면 법률행위로 인한 부동산물권변동의 요건으로 등기를 요구함으로써 물권관계의 명확화 및 거래의 안전·원활을 꾀하는 우리 민법의 기본정신에 비추어 볼 때, 만일 이를 인정한다면 매도인은 등기에 의하여 매수인에게 소유권을 이전하였음에도 매수인 또는 그의 처분에 기하여 소유권을 취득한 제3자에 대하여 소유권에 속하는 대세적인 점유의 권능을 여전히 보유하게 되는 결과가 되어 부당하기 때문이다. 또한 매도인으로서는 자신이 원래 가지는 동시이행의 항변권을 행사하지 아니하고 자신의 소유권이전의무를 선이행함으로써 매수인에게 소유권을 넘겨 준 것이므로 그에 필연적으로 부수하는 위험은 스스로 감수하여야 한다. 따라서 매도인이 부동산을 점유하고 있고 소유권을 이전받은 매수인에게서 매매대금 일부를 지급받지 못하고 있다고 하여 매매대금채권을 피담보채권으로 매수인이나 그에게서 부동산 소유권을 취득한 제3자를 상대로 유치권을 주장할 수 없다(대결 2012.1.12, 2011마2380).

13 매매에 관한 다음 설명 중 가장 옳지 않은 것은? (다툼이 있는 경우 판례에 의함) ▸ 2015년 법무사

① 국토의 계획 및 이용에 관한 법률에 정한 토지거래계약에 관한 허가구역으로 지정된 구역 안의 토지에 관하여 매매계약이 체결된 후 계약금만 수수한 상태에서 당사자가 토지거래허가신청을 하고 이에 따라 관할관청으로부터 그 허가를 받은 이상 이는 이행의 착수가 있었다고 볼 수 있어서 매도인은 민법 제565조에 의하여 계약금의 배액을 상환하여 매매계약을 해제할 수 없다.

② 3자간 등기명의신탁에 의한 등기가 유효기간 경과로 무효가 된 경우, 목적 부동산을 인도받아 점유하고 있는 명의신탁자의 매도인에 대한 소유권이전등기청구권은 소멸시효가 진행되지 않는다.

③ 매수인에게 민법 제574조에 따른 대금감액청구권이 있고 감액될 부분이 아직 확정되지 않고 있다면 매수인은 대금의 일부에 관한 매도인의 지급청구에도 불구하고 대금전부에 관하여 지급의무의 이행을 거절할 수 있다.

④ 민법 제581조, 제580조에 기한 매도인의 하자담보책임은 법이 특별히 인정한 무과실책임으로서 여기에 민법 제396조의 과실상계 규정이 준용될 수는 없다 하더라도, 하자발생 및 그 확대에 가공한 매수인의 잘못을 참작하여 손해배상의 범위를 정함이 상당하다.

⑤ 부동산을 매수한 자가 그 소유권이전등기를 하지 아니한 채 이를 다시 제3자에게 매도한 경우에는 그것을 민법 제569조에서 말하는 '타인의 권리 매매'라고 할 수 없다.

해설 ① 국토의 계획 및 이용에 관한 법률에 정한 토지거래계약에 관한 허가구역으로 지정된 구역 안의 토지에 관하여 매매계약이 체결된 후 계약금만 수수한 상태에서 당사자가 토지거래허가신청을 하고 이에 따라 관할관청으로부터 그 허가를 받았다 하더라도 이는 이행의 착수가 있었다고 보지 않는다. 따라서 매도인은 민법 제565조에 의하여 계약금의 배액을 상환하여 매매계약을 해제할 수 있다(대판 2009.4.23, 2008다62427).

② 3자간 등기명의신탁에 의한 등기가 유효기간 경과로 무효가 된 경우, 목적 부동산을 인도받아 점유하고 있는 명의신탁자의 매도인에 대한 소유권이전등기청구권은 소멸시효가 진행되지 않는다(대판 2013.12.12, 2013다26647).

③ 매수인에게 민법 제574조에 따른 대금감액청구권이 있고 감액될 부분이 아직 확정되지 않고 있다면 매수인은 대금의 일부에 관한 매도인의 지급청구에도 불구하고 대금전부에 관하여 지급의무의 이행을 거절할 수 있다(대판 1992.12.22, 92다30580).

④ 민법 제581조, 제580조에 기한 매도인의 하자담보책임은 법이 특별히 인정한 무과실책임으로서 여기에 민법 제396조의 과실상계 규정이 준용될 수는 없다 하더라도, 담보책임이 민법의 지도이념인 공평의 원칙에 입각한 것인 이상 하자발생 및 그 확대에 가공한 매수인의 잘못을 참작하여 손해배상의 범위를 정함이 상당하다(대판 1995.6.30, 94다23920).

⑤ 부동산을 매수한 자가 그 소유권이전등기를 하지 아니한 채 이를 다시 제3자에게 매도한 경우에는 그것을 민법 제569조에서 말하는 '타인의 권리 매매'라고 할 수 없다(대판 1996.4.12, 95다55245 ; 대판 1993.9.10, 93다20283 등).

14 **매매에 관한 다음 설명 중 가장 옳지 않은 것은?** ▶ 2022년 법무사

① 이행기의 약정이 있는 경우라 하더라도 당사자가 채무의 이행기 전에는 착수하지 아니하기로 하는 특약을 하는 등 특별한 사정이 없는 한 이행기 전에 이행에 착수할 수 있다.

② 유상계약을 체결함에 있어서 계약금 등 금원이 수수되었다고 하더라도 이를 위약금으로 하기로 하는 특약이 있는 경우에 한하여 민법 제398조 제4항에 의하여 손해배상액의 예정으로서의 성질을 가진 것으로 볼 수 있을 뿐이고, 그와 같은 특약이 없는 경우에는 그 계약금 등을 손해배상액의 예정으로 볼 수 없다.

③ 매수인은 민법 제565조 제1항에 따라 본인 또는 매도인이 이행에 착수할 때까지는 계약금을 포기하고 계약을 해제할 수 있는바, 매도인이 매수인에 대하여 매매계약의 이행을 최고하고 매매잔대금의 지급을 구하는 소송을 제기하였다면 이행에 착수하였다고 볼 수 있다.

④ 매매계약 있은 후에도 인도하지 아니한 목적물로부터 생긴 과실은 매도인에게 속한다. 매수인은 목적물의 인도를 받은 날로부터 대금의 이자를 지급하여야 한다. 그러나 대금의 지급에 대하여 기한이 있는 때에는 그러하지 아니하다.

⑤ 매매의 목적물을 종류로 지정한 경우에도 그 후 특정된 목적물에 하자가 있는 때에는 매수인은 계약의 해제 또는 손해배상의 청구를 하지 아니하고 하자 없는 물건을 청구할 수도 있다.

정답 13 ① 14 ③

해설
① 대판 2006.2.10, 2004다11599
② 대판 1996.6.14, 95다11429
③ 매수인은 민법 제565조 제1항에 따라 본인 또는 매도인이 이행에 착수할 때까지는 계약금을 포기하고 계약을 해제할 수 있는바, 여기에서 이행에 착수한다는 것은 객관적으로 외부에서 인식할 수 있는 정도로 채무의 이행행위의 일부를 하거나 또는 이행을 하기 위하여 필요한 전제행위를 하는 경우를 말하는 것으로서 단순히 이행의 준비를 하는 것만으로는 부족하고, 그렇다고 반드시 계약내용에 들어맞는 이행제공의 정도에까지 이르러야 하는 것은 아니지만, 매도인이 매수인에 대하여 매매계약의 이행을 최고하고 매매잔대금의 지급을 구하는 소송을 제기한 것만으로는 이행에 착수하였다고 볼 수 없다(대판 2008.10.23, 2007다72274·72281).
④ 제587조
⑤ 제581조

15 매매계약에 관한 다음 설명 중 가장 옳지 않은 것은? ▶ 2022년 법원사무관 승진

① 민법 제587조에 의하면 매매계약 있은 후에도 인도하지 아니한 목적물로부터 생긴 과실은 매도인에게 속하므로, 매수인이 대금을 완제하였더라도 매매목적물이 매수인에게 인도되지 아니하였다면 목적물로부터 생긴 과실은 여전히 매도인에게 귀속된다.
② 가압류등기가 있는 부동산의 매매계약에 있어서 매도인의 소유권이전등기 의무와 아울러 가압류등기의 말소의무도 매수인의 대금지급의무와 동시이행 관계에 있다.
③ 매매계약 당시 매수인이 중도금 일부의 지급에 갈음하여 매도인에게 제3자에 대한 대여금채권을 양도하기로 약정하고, 그 자리에 제3자도 참석한 경우 매수인은 매매계약과 함께 채무의 일부 이행에 착수하였으므로, 매도인은 민법 제565조 제1항에서 정한 해제권을 행사할 수 없다.
④ 소속 공무원의 과실이 관여되어 허위로 마쳐진 소유권이전등기를 믿고 부동산을 취득함으로써 손해를 입었다면 국가도 피해자에 대하여 불법행위에 기한 손해배상책임을 부담한다고 할 것이고 피해자가 반드시 그 부동산의 양도인을 상대로 매도인의 담보책임에 기한 손해배상청구를 먼저 혹은 동시에 하여야 하는 것은 아니다.

해설
① 민법 제587조에 의하면, 매매계약 있은 후에도 인도하지 아니한 목적물로부터 생긴 과실은 매도인에게 속하고, 매수인은 목적물의 인도를 받은 날로부터 대금의 이자를 지급하여야 한다고 규정하고 있는바, 이는 매매당사자 사이의 형평을 꾀하기 위하여 매매목적물이 인도되지 아니하더라도 매수인이 대금을 완제한 때에는 그 시점 이후의 과실은 매수인에게 귀속되지만, 매매목적물이 인도되지 아니하고 또한 매수인이 대금을 완제하지 아니한 때에는 매도인의 이행지체가 있더라도 과실은 매도인에게 귀속되는 것이므로 매수인은 인도의무의 지체로 인한 손해배상금의 지급을 구할 수 없다(대판 2004.4.23, 2004다8210).
② 부동산의 매매계약이 체결된 경우에는 매도인의 소유권이전등기의무, 인도의무와 매수인의 잔대금지급의무는 동시이행의 관계에 있는 것이 원칙이고, 이 경우 매도인은 특별한 사정이 없는 한 제한이나 부담이 없는 완전한 소유권이전등기의무를 지는 것이므로 매매목적 부동산에 가압류등기 등이 되어 있는 경우에는 매도인은 이와 같은 등기도 말소하여 완전한 소유

권이전등기를 해 주어야 하는 것이고, 따라서 가압류등기 등이 있는 부동산의 매매계약에 있어서는 매도인의 소유권이전등기 의무와 아울러 가압류등기의 말소의무도 매수인의 대금지급의무와 동시이행 관계에 있다고 할 것이다(대판 2000.11.28, 2000다8533).

③ 매매계약 당시 매수인이 중도금 일부의 지급에 갈음하여 매도인에게 제3자에 대한 대여금채권을 양도하기로 약정하고 그 자리에 제3자가 참석한 경우에도 이행의 착수에 해당한다(대판 2006.11.24, 2005다39594).

④ 소속 공무원의 과실이 관여되어 허위로 마쳐진 소유권이전등기를 믿고 부동산을 취득함으로써 손해를 입었다면 국가도 피해자에 대하여 불법행위에 기한 손해배상책임을 부담한다고 할 것이고 피해자가 반드시 그 부동산의 양도인을 상대로 매도인의 담보책임에 기한 손해배상청구를 먼저 혹은 동시에 하여야 하는 것은 아니다(대판 2000.9.5, 99다40302).

16 다음 설명 중 가장 옳지 않은 것은? ▶ 2021년 법원행시

① 계약을 체결하는 행위자가 타인의 이름으로 법률행위를 한 경우에 행위자 또는 명의인 가운데 누구를 계약의 당사자로 볼 것인가에 관하여는, 우선 행위자와 상대방의 의사가 일치한 경우에는 그 일치한 의사대로 행위자 또는 명의인을 계약의 당사자로 확정해야 하고, 행위자와 상대방의 의사가 일치하지 않는 경우에는 그 계약의 성질·내용·목적·체결 경위 등 그 계약 체결 전후의 구체적인 제반 사정을 토대로 상대방이 합리적인 사람이라면 행위자와 명의자 중 누구를 계약 당사자로 이해할 것인가에 의하여 당사자를 결정하여야 한다. 그러므로 일방 당사자가 대리인을 통하여 계약을 체결하는 경우에 있어서 계약의 상대방이 대리인을 통하여 본인과 사이에 계약을 체결하려는 데 의사가 일치하였다면 대리인의 대리권 존부 문제와는 무관하게 상대방과 본인이 그 계약의 당사자이다.

② 근저당권은 채권담보를 위한 것이므로 원칙적으로 채권자와 근저당권자는 동일인이 되어야 하지만, 제3자를 근저당권 명의인으로 하는 근저당권을 설정하는 경우 그 점에 대하여 채권자와 채무자 및 제3자 사이에 합의가 있고, 채권양도, 제3자를 위한 계약, 불가분적 채권관계의 형성 등 방법으로 채권이 그 제3자에게 실질적으로 귀속되었다고 볼 수 있는 특별한 사정이 있는 경우에는 제3자 명의의 근저당권설정등기도 유효하다고 보아야 할 것이다.

③ 계약의 한쪽 당사자가 상대방의 지시 등으로 급부과정을 단축하여 상대방과 또 다른 계약관계를 맺고 있는 제3자에게 직접 급부를 하는 경우(이른바 삼각관계에서 급부가 이루어진 경우), 그 급부로써 급부를 한 계약당사자가 상대방에게 급부를 한 것일 뿐만 아니라 그 상대방이 제3자에게 급부를 한 것이다. 따라서 계약의 한쪽 당사자는 제3자를 상대로 법률상 원인 없이 급부를 수령하였다는 이유로 부당이득반환청구를 할 수 없다.

정답 ▶ 15 ① 16 ④

④ 어떤 사람이 타인을 통하여 부동산을 매수하면서 매수인 명의 및 소유권이전등기 명의를 타인 명의로 하기로 한 경우에, 매수인 및 등기 명의의 신탁관계는 그들 사이의 내부적인 관계에 불과하므로, 상대방이 명의신탁자를 매매당사자로 이해하였다고 하더라도 대외적으로는 계약명의자인 타인을 매매당사자로 보아야 한다.

⑤ 제3자를 위한 계약의 체결 원인이 된 요약자와 제3자(수익자) 사이의 법률관계(이른바 대가관계)의 효력은 제3자를 위한 계약 자체는 물론 그에 기한 요약자와 낙약자 사이의 법률관계(이른바 기본관계)의 성립이나 효력에 영향을 미치지 아니하므로 낙약자는 요약자와 수익자 사이의 법률관계에 기한 항변으로 수익자에게 대항하지 못하고, 요약자도 대가관계의 부존재나 효력의 상실을 이유로 자신이 기본관계에 기하여 낙약자에게 부담하는 채무의 이행을 거부할 수 없다.

해설 ① 계약을 체결하는 행위자가 타인의 이름으로 법률행위를 한 경우에 행위자 또는 명의인 가운데 누구를 계약의 당사자로 볼 것인가에 관하여는, 우선 행위자와 상대방의 의사가 일치한 경우에는 그 일치한 의사대로 행위자 또는 명의인을 계약의 당사자로 확정해야 하고, 행위자와 상대방의 의사가 일치하지 않는 경우에는 그 계약의 성질·내용·목적·체결 경위 등 그 계약 체결 전후의 구체적인 제반 사정을 토대로 상대방이 합리적인 사람이라면 행위자와 명의자 중 누구를 계약 당사자로 이해할 것인가에 의하여 당사자를 결정하여야 한다. 일방 당사자가 대리인을 통하여 계약을 체결하는 경우에 있어서 계약의 상대방이 대리인을 통하여 본인과 사이에 계약을 체결하려는 데 의사가 일치하였다면 대리인의 대리권 존부 문제와는 무관하게 상대방과 본인이 그 계약의 당사자이다(대판 2003.12.12, 2003다44059).

② 근저당권은 채권담보를 위한 것이므로 원칙적으로 채권자와 근저당권자는 동일인이 되어야 하고, 다만 제3자를 근저당권 명의인으로 하는 근저당권을 설정하는 경우 그 점에 관하여 채권자와 채무자 및 제3자 사이에 합의가 있고, 채권양도, 제3자를 위한 계약, 불가분적 채권관계의 형성 등 방법으로 채권이 그 제3자에게 실질적으로 귀속되었다고 볼 수 있는 특별한 사정이 있는 경우에 한하여 제3자 명의의 근저당권설정등기도 유효하다(대판 2007.1.11, 2006다50055).

③ 계약의 일방 당사자가 상대방의 지시 등으로 상대방과 또 다른 계약관계를 맺고 있는 제3자에게 직접 급부한 경우(이른바 삼각관계에서의 급부가 이루어진 경우), 그 급부로써 급부를 한 당사자의 상대방에 대한 급부가 이루어질 뿐 아니라 그 상대방의 제3자에 대한 급부도 이루어지는 것이므로 계약의 일방 당사자는 제3자를 상대로 법률상 원인 없이 급부를 수령하였다는 이유로 부당이득반환청구를 할 수 없다(대판 2018.7.12, 2018다204992).

④ 어떤 사람이 타인을 통하여 부동산을 매수하면서 매수인 명의 및 소유권이전등기 명의를 타인 명의로 하기로 한 경우에, 매수인 및 등기 명의의 신탁관계는 그들 사이의 내부적인 관계에 불과하므로, 상대방이 명의신탁자를 매매당사자로 이해하였다는 등의 특별한 사정이 없는 한 대외적으로는 계약명의자인 타인을 매매당사자로 보아야 하며, 설령 상대방이 명의신탁관계를 알고 있었더라도 상대방이 계약명의자인 타인이 아니라 명의신탁자에게 계약에 따른 법률효과를 직접 귀속시킬 의도로 계약을 체결하였다는 등의 특별한 사정이 인정되지 아니하는 한 마찬가지이다(대판 2016.7.22, 2016다207928). 따라서 지문과 같이 상대방이 명의신탁자를 매매당사자로 이해하였다면 계약명의자인 명의수탁자가 아니라 명의신탁자를 계약당사자로 보아야 한다(규범적 해석).

⑤ 제3자를 위한 계약의 체결 원인이 된 요약자와 제3자(수익자) 사이의 법률관계(이른바 대가관계)의 효력은 제3자를 위한 계약 자체는 물론 그에 기한 요약자와 낙약자 사이의 법률관계(이른바 기본관계)의 성립이나 효력에 영향을 미치지 아니하므로, 낙약자는 요약자와 수익자 사이의 법률관계에 기한 항변으로 수익자에게 대항하지 못하고, 요약자도 대가관계의 부존재나 효력의 상실을 이유로 자신이 기본관계에 기하여 낙약자에게 부담하는 채무의 이행을 거부할 수 없다(대판 2003.12.11, 2003다49771).

17 매도인의 담보책임에 관한 다음 설명 중 가장 옳지 않은 것은? (다툼이 있는 경우 판례에 의함)
▶ 2017년 법무사

① 매매의 목적이 된 재산권 전부가 타인에게 속하고 매도인이 이를 취득하여 매수인에게 이전할 수 없는 경우, 선의의 매수인은 매도인의 귀책사유를 불문하고 손해배상을 청구할 수 있다.

② 건물 및 그 대지가 목적물인 매매계약이 이행된 후 건물의 일부가 경계를 침범하여 이웃 토지 위에 건립되어 있는 사실이 밝혀져 매수인이 그 건물의 일부를 철거해야 했다면, 민법 제572조가 유추적용되어 매수인은 권리의 일부가 타인에 속한 경우에 관한 담보책임을 매도인에게 물을 수 있다.

③ 건축을 목적으로 매매된 토지에 대하여 건축허가를 받을 수 없어 건축이 불가능한 경우 이는 매매목적물의 하자가 아닌 권리의 하자로 보아야 하고, 이러한 하자의 존부는 매매목적물인 토지에 대한 소유권이전 시점을 기준으로 판단하여야 한다.

④ 목적물이 일정한 면적(수량)을 가지고 있다는 데 주안을 두고 대금도 면적을 기준으로 하여 정하여지는 아파트분양계약은 이른바 수량을 지정한 매매에 해당한다.

⑤ 가등기의 목적이 된 부동산을 매수한 사람이 그 뒤 가등기에 기한 본등기가 경료됨으로서 그 부동산의 소유권을 상실하게 된 때에는 저당권 또는 전세권의 행사로 인하여 매수인이 소유권을 상실한 경우에 관한 민법 제576조의 규정이 준용된다.

해설 ① 매도인이 그 권리를 취득하여 매수인에게 이전할 수 없는 때에는 매수인은 계약을 해제할 수 있다. 그러나 매수인이 계약당시 그 권리가 매도인에게 속하지 아니함을 안 때에는 손해배상을 청구하지 못한다(제570조). 나아가 담보책임은 매도인의 과실 여부를 묻지 않는 무과실책임이다.

② 매매계약에서 건물과 그 대지가 계약의 목적물인데 건물의 일부가 경계를 침범하여 이웃 토지 위에 건립되어 있는 경우에 매도인이 그 경계 침범의 건물부분에 관한 대지부분을 취득하여 매수인에게 이전하지 못하는 때에는 매수인은 매도인에 대하여 민법 제572조를 유추적용하여 담보책임을 물을 수 있다. 그리고 그 경우에 이웃 토지의 소유자가 소유권에 기하여 그와 같은 방해상태의 배제를 구하는 소(건물일부의 철거청구의 소)를 제기하여 승소의 확정판결을 받았으면, 다른 특별한 사정이 없는 한 매도인은 그 대지부분을 취득하여 매수인에게 이전할 수 없게 되었다고 봄이 상당하다(대판 2009.7.23, 2009다33570).

정답 17 ③

③ 매매의 목적물이 거래통념상 기대되는 객관적 성질·성능을 결여하거나, 당사자가 예정 또는 보증한 성질을 결여한 경우에 매도인은 매수인에 대하여 그 하자로 인한 담보책임을 부담한다 할 것이고, 한편 건축을 목적으로 매매된 토지에 대하여 건축허가를 받을 수 없어 건축이 불가능한 경우, 위와 같은 법률적 제한 내지 장애 역시 매매목적물의 하자에 해당한다 할 것이나, 다만 위와 같은 하자의 존부는 매매계약 성립시를 기준으로 판단하여야 할 것이다(대판 2000.1.18, 98다18506).

④ 목적물이 일정한 면적(수량)을 가지고 있다는 데 주안을 두고 대금도 면적을 기준으로 하여 정하여지는 아파트분양계약은 이른바 수량을 지정한 매매라 할 것이다(대판 2002.11.8, 99다58136).

⑤ 가등기의 목적이 된 부동산을 매수한 사람이 그 뒤 가등기에 기한 본등기가 경료됨으로써 그 부동산의 소유권을 상실하게 된 때에는 매매의 목적 부동산에 설정된 저당권 또는 전세권의 행사로 인하여 매수인이 취득한 소유권을 상실한 경우와 유사하므로, 이와 같은 경우 민법 제576조의 규정이 준용된다고 보아 같은 조 소정의 담보책임을 진다고 보는 것이 상당하고 민법 제570조에 의한 담보책임을 진다고 할 수 없다(대판 1992.10.17, 92다21784).

18 매도인의 담보책임에 관한 다음 설명 중 가장 옳지 않은 것은? (다툼이 있는 경우 판례에 의함)

▶ 2017년 법원행시

① 매매계약에서 건물과 그 대지가 계약의 목적물인데 건물의 일부가 경계를 침범하여 이웃 토지 위에 건립되어 있는 경우에 매도인이 그 경계 침범의 건물부분에 관한 대지부분을 취득하여 매수인에게 이전하지 못하는 때에는 매수인은 권리의 일부가 타인에게 속한 경우에 관한 담보책임을 매도인에게 물을 수 있다.

② 일반적으로 담보권실행을 위한 임의경매에 있어 경매법원이 경매목적인 토지의 등기부상 면적을 표시하는 것은 단지 토지를 특정하여 표시하기 위한 방법에 지나지 아니한 것이라고 볼 수 있으나, 그 최저경매가격을 결정함에 있어 감정인이 단위면적당 가액에 공부상의 면적을 곱하여 산정한 가격을 기준으로 삼았다면 이는 민법 제574조 소정의 '수량을 지정한 매매'라고 할 수 있다.

③ 저당권이 설정된 부동산을 매수한 자가 매도인과 이행인수의 특약을 하고 그 저당권으로 담보된 채무를 공제한 금액을 매매대금으로 정했다면, 그 후 그 저당권이 실행되어 매수인이 취득한 소유권을 잃었다고 하더라도 매도인에게 담보책임을 물을 수 없다.

④ 가압류 목적이 된 부동산을 매수한 사람이 그 후 가압류에 기한 강제집행으로 부동산 소유권을 상실한 경우, 매매의 목적 부동산에 설정된 저당권 또는 전세권의 행사로 인하여 매수인이 취득한 소유권을 상실한 경우에 관한 담보책임 규정이 준용된다고 보아, 매수인은 매매계약을 해제할 수 있고 손해배상을 청구할 수도 있다.

⑤ 매매의 목적이 된 권리의 일부가 타인에게 속함으로 인하여 매도인이 그 권리를 취득하여 매수인에게 이전할 수 없게 된 때에는 선의의 매수인은 매도인에게 담보책임을 물어 이로 인한 손해배상을 청구할 수 있는바, 이 경우에 매도인이 매수인에 대하여 배상하여야 할 손해액은 원칙적으로 매도인이 매매의 목적이 된 권리의 일부를 취득하여 매수인에게 이전할 수 없게 된 때의 이행불능이 된 권리의 시가, 즉 이행이익 상당액이라고 할 것이다.

해설 ① 매매계약에서 건물과 그 대지가 계약의 목적물인데 건물의 일부가 경계를 침범하여 이웃 토지 위에 건립되어 있는 경우에 매도인이 그 경계 침범의 건물부분에 관한 대지부분을 취득하여 매수인에게 이전하지 못하는 때에는 매수인은 매도인에 대하여 민법 제572조를 유추적용하여 담보책임을 물을 수 있다. 그리고 그 경우에 이웃 토지의 소유자가 소유권에 기하여 그와 같은 방해상태의 배제를 구하는 소(건물일부의 철거청구의 소)를 제기하여 승소의 확정판결을 받았으면, 다른 특별한 사정이 없는 한 매도인은 그 대지부분을 취득하여 매수인에게 이전할 수 없게 되었다고 봄이 상당하다(대판 2009.7.23, 2009다33570).
② 민법 제574조에서 규정하는 '수량을 지정한 매매'라 함은 당사자가 매매의 목적인 특정물이 일정한 수량을 가지고 있다는 데 주안을 두고 대금도 그 수량을 기준으로 하여 정한 경우를 말하는 것이므로, 토지의 매매에 있어 목적물을 등기부상의 면적에 따라 특정한 경우라도 당사자가 그 지정된 구획을 전체로서 평가하였고 면적에 의한 계산이 하나의 표준에 지나지 아니하여 그것이 당사자들 사이에 대상토지를 특정하고 그 대금을 결정하기 위한 방편이었다고 보일 때에는 이를 가리켜 수량을 지정한 매매라 할 수 없다. (따라서) 일반적으로 담보권 실행을 위한 임의경매에 있어 경매법원이 경매목적인 토지의 등기부상 면적을 표시하는 것은 단지 토지를 특정하여 표시하기 위한 방법에 지나지 아니한 것이고, 그 최저경매가격을 결정함에 있어 감정인이 단위면적당 가액에 공부상의 면적을 곱하여 산정한 가격을 기준으로 삼았다 하여도 이는 당해 토지 전체의 가격을 결정하기 위한 방편에 불과하다 할 것이어서, 특별한 사정이 없는 한 이를 민법 제574조 소정의 '수량을 지정한 매매'라고 할 수 없다(대판 2003.1.24, 2002다65189).
③ 매매의 목적이 된 부동산에 설정된 저당권의 행사로 인하여 매수인이 취득한 소유권을 잃은 때에는 매수인은 민법 제576조 제1항의 규정에 의하여 매매계약을 해제할 수 있지만, 매수인이 매매목적물에 관한 근저당권의 피담보채무를 인수하는 것으로 매매대금의 지급에 갈음하기로 약정한 경우에는 특별한 사정이 없는 한, 매수인으로서는 매도인에 대하여 민법 제576조 제1항의 담보책임을 면제하여 주었거나 이를 포기한 것으로 봄이 상당하므로, 매수인이 매매목적물에 관한 근저당권의 피담보채무 중 일부만을 인수한 경우 매도인으로서는 자신이 부담하는 피담보채무를 모두 이행한 이상 매수인이 인수한 부분을 이행하지 않음으로써 근저당권이 실행되어 매수인이 취득한 소유권을 잃게 되더라도 민법 제576조 소정의 담보책임을 부담하게 되는 것은 아니다(대판 2002.9.4, 2002다11151).
④ 가압류 목적이 된 부동산을 매수한 사람이 그 후 가압류에 기한 강제집행으로 부동산 소유권을 상실하게 되었다면 이는 매매의 목적 부동산에 설정된 저당권 또는 전세권의 행사로 인하여 매수인이 취득한 소유권을 상실한 경우와 유사하므로, 이와 같은 경우 매도인의 담보책임에 관한 민법 제576조의 규정이 준용된다고 보아 매수인은 같은 조 제1항에 따라 매매계약을 해제할 수 있고, 같은 조 제3항에 따라 손해배상을 청구할 수 있다고 보아야 한다(대판 2011.5.13, 2011다1941).

정답 18 ②

⑤ 매매의 목적이 된 권리의 일부가 타인에게 속함으로 인하여 매도인이 그 권리를 취득하여 매수인에게 이전할 수 없게 된 때에는 선의의 매수인은 매도인에게 담보책임을 물어 이로 인한 손해배상을 청구할 수 있는바, 이 경우에 매도인이 매수인에 대하여 배상하여야 할 손해액은 원칙적으로 매도인이 매매의 목적이 된 권리의 일부를 취득하여 매수인에게 이전할 수 없게 된 때의 이행불능이 된 권리의 시가, 즉 이행이익 상당액이라고 할 것이다(대판 1993.1.19, 92다37727).

19 타인의 권리의 매매에 관한 다음 설명 중 가장 옳지 않은 것은? (다툼이 있는 경우 판례에 의함)

▸ 2017년 법원행시

① 매매위임장을 제시하고 매매계약서에 대리관계의 표시없이 그 자신의 이름을 기재하였다고 해서 그것만으로 그 자신이 매도인으로서 타인물을 매매한 것이라고 볼 수는 없다.
② 경매로 낙찰받은 부동산에 관하여 매각대금의 납부 전에 체결한 매매계약에서 매수인이 그 매각대금의 납입을 대신하기로 약정하였으나 이를 이행하지 않아 위 부동산이 재경매됨으로써 매도인의 채무가 이행불능이 된 경우, 그 이행불능에 대한 귀책사유는 매수인에게 있다.
③ 명의신탁한 부동산을 명의신탁자가 매도하는 경우에 이를 민법 제569조 소정의 타인의 권리의 매매라고 할 수 없다.
④ 부동산을 매수한 자가 그 소유권이전등기를 하지 아니한 채 이를 다시 제3자에게 매도한 경우에는 그것을 민법 제569조에서 말하는 '타인의 권리 매매'라고 할 수 없다.
⑤ 낙찰받은 부동산을 매각대금의 납부 전에 매도한 경우 그 매매계약은 민법 제569조에서 정한 타인의 권리의 매매에 해당하지 않는다.

해설 ① 매매위임장을 제시하고 매매계약을 체결하는 자는 특단의 사정이 없는 한 소유자를 대리하여 매매행위하는 것이라고 보아야 하고, 매매계약서에 대리관계의 표시 없이 그 자신의 이름을 기재하였다고 해서 그것만으로 그 자신이 매도인으로서 타인물을 매매한 것이라고 볼 수는 없다(대판 1982.5.25, 81다1349).

②, ⑤ 원고와 피고 사이에 2000.11.20. 체결된 매매계약은 원고가 대전지방법원 99타경13843호 부동산임의경매절차에서 낙찰받은 토지들을 그 대금납부 전에 피고에게 매도하기로 한 것으로서 민법 제569조에 정해진 타인의 권리의 매매에 해당한다. (나아가) 민법 제538조 제1항은 쌍무계약의 위험부담에 관한 채무자주의 원칙의 예외로서 "쌍무계약의 당사자 일방의 채무가 채권자의 책임 있는 사유로 이행할 수 없게 된 때에는 채무자는 상대방의 이행을 청구할 수 있다."고 규정하고 있는바, 여기에서 '채권자의 책임 있는 사유'라고 함은 채권자의 어떤 작위나 부작위가 채무자의 이행의 실현을 방해하고 그 작위나 부작위는 채권자가 이를 피할 수 있었다는 점에서 신의칙상 비난받을 수 있는 경우를 의미한다 할 것인데, 원심판결 이유에 의하더라도 원고와 피고는 이 사건 매매계약을 체결하면서 이 사건 토지의 소유권을 취득하여 피고에게 이전하여야 한다는 원고의 채무이행을 위해 필수적으로 요구되는 낙찰대금 납입은 그 이전등기청구권자인 피고가 대신하기로 약정하였음에도, 피고는 위 약정을 위반하여 그 납입의무를 이행하지 아니하였고, 그로 인하여 위 토지가 재경매되어 원고가 자신의 채무를 이행할 수 없게 되었다는 것인바, 위와 같은 사정을 앞서 본 법리에 비추어 보면,

원고의 채무가 이행불능된 책임은 원고가 아니라 피고에게 있다고 하지 않을 수 없다(대판 2008.8.11, 2008다25824).

③ 명의신탁한 부동산을 명의신탁자가 매도하는 경우에 명의신탁자는 그 부동산을 사실상 처분할 수 있을 뿐 아니라 법률상으로도 처분할 수 있는 권원에 의하여 매도한 것이므로 이를 민법 제569조 소정의 타인의 권리의 매매라고 할 수 없다(대판 1996.8.20, 96다18656).

④ 부동산을 매수한 자가 그 소유권이전등기를 하지 아니한 채 이를 다시 제3자에게 매도한 경우에는 그것을 민법 제569조에서 말하는 '타인의 권리 매매'라고 할 수 없다(대판 1996.4.12, 95다55245; 대판 1993.9.10, 93다20283 등).

20 매매에 관한 다음 설명 중 가장 옳지 않은 것은? (다툼이 있는 경우 판례에 의함)

▶ 2017년 9급(법원서기보)

① 부동산매매계약에 있어서 실제면적이 계약면적에 미달하는 경우 그 부분의 원시적 불능을 이유로 민법 제535조 계약체결상의 과실에 따른 책임의 이행을 구할 수 있다.

② 매매목적물의 인도 전이라도 매수인이 매매대금을 완납한 때에는 그 이후의 과실수취권은 매수인에게 귀속된다.

③ 매매의 목적이 된 권리의 일부가 타인에게 속하게 되어 매도인이 그 권리를 취득하여 매수인에게 이전할 수 없게 된 경우 매도인이 매수인에 대하여 배상하여야 할 손해액은 원칙적으로 매도인이 매매의 목적이 된 권리의 일부를 취득하여 매수인에게 이전할 수 없게 된 때의 이행불능이 된 권리의 시가(이행이익 상당액)이다.

④ 매매당사자가 부동산의 면적에 관심을 별로 두지 않는 경우이거나 객관적인 수치에 상관하지 않고 외관상 확인되는 경계 또는 표지에 따라 매수하는 경우에는 수량을 지정한 매매라고 할 수 없다.

해설 ① 부동산매매계약에 있어서 실제면적이 계약면적에 미달하는 경우에는 그 매매가 수량지정매매에 해당할 때에 한하여 민법 제574조, 제572조에 의한 대금감액청구권을 행사함은 별론으로 하고, 그 매매계약이 그 미달 부분만큼 일부 무효임을 들어 이와 별도로 일반 부당이득반환청구를 하거나 그 부분의 원시적 불능을 이유로 민법 제535조가 규정하는 계약체결상의 과실에 따른 책임의 이행을 구할 수 없다(대판 2002.4.9, 99다47396).

② 특별한 사정이 없는 한 매매계약이 있은 후에도 인도하지 아니한 목적물로부터 생긴 과실은 매도인에게 속하나, 매매목적물의 인도 전이라도 매수인이 매매대금을 완납한 때에는 그 이후의 과실수취권은 매수인에게 귀속된다(대판 1993.11.9, 93다28928).

③ 매매의 목적이 된 권리의 일부가 타인에게 속함으로 인하여 매도인이 그 권리를 취득하여 매수인에게 이전할 수 없게 된 때에는 선의의 매수인은 매도인에게 담보책임을 물어 이로 인한 손해배상을 청구할 수 있는바, 이 경우에 매도인이 매수인에 대하여 배상하여야 할 손해액은 원칙적으로 매도인이 매매의 목적이 된 권리의 일부를 취득하여 매수인에게 이전할 수 없게 된 때의 이행불능이 된 권리의 시가, 즉 이행이익 상당액이라고 할 것이다(대판 1993.1.19, 92다37727).

정답 19 ⑤ 20 ①

④ 민법 제574조에서 규정하는 '수량을 지정한 매매'라 함은 당사자가 매매의 목적인 특정물이 일정한 수량을 가지고 있다는 데 주안을 두고 대금도 그 수량을 기준으로 하여 정한 경우를 말하는 것이므로, 토지의 매매에 있어 목적물을 등기부상의 면적에 따라 특정한 경우라도 당사자가 그 지정된 구획을 전체로서 평가하였고 면적에 의한 계산이 하나의 표준에 지나지 아니하여 그것이 당사자들 사이에 대상토지를 특정하고 그 대금을 결정하기 위한 방편이었다고 보일 때에는 이를 가리켜 수량을 지정한 매매라 할 수 없다(대판 2003.1.24, 2002다65189).

21 매도인의 담보책임에 관한 다음 설명 중 가장 옳지 않은 것은? (다툼이 있는 경우 판례에 의하고, 전원합의체 판결의 경우 다수의견에 의함) ▶ 2019년 9급(법원서기보)

① 매매계약 내용의 중요 부분에 착오가 있는 경우 매수인은 매도인의 하자담보책임이 성립하는지와 상관없이 착오를 이유로 그 매매계약을 취소할 수 있다.

② 민법 제571조 제1항은 "매도인이 계약 당시에 매매의 목적이 된 권리가 자기에게 속하지 아니함을 알지 못한 경우에 그 권리를 취득하여 매수인에게 이전할 수 없는 때에는 매도인은 손해를 배상하고 계약을 해제할 수 있다."라고 규정하고 있다. 위 조항은 선의의 매도인이 매매의 목적인 권리의 전부를 이전할 수 없는 경우에 적용될 뿐 매매의 목적인 권리의 일부를 이전할 수 없는 경우에는 적용되지 않는다.

③ 매매의 목적물에 하자가 있음을 이유로 한 매도인에 대한 하자담보에 기한 손해배상청구권에 대하여는 민법 제582조("전2조에 의한 권리는 매수인이 그 사실을 안 날로부터 6월내에 행사하여야 한다.")의 제척기간이 적용된다. 이는 법률관계의 조속한 안정을 도모하고자 하는 데에 취지가 있으므로, 위와 같은 손해배상청구권에 대하여는 별도로 소멸시효 규정이 적용되지는 않는다.

④ 타인 권리 매매에서 매도인의 의무가 그의 귀책사유로 이행불능 되었다면, 매수인이 계약당시 그 권리가 매도인에게 속하지 아니함을 안 경우로써 매도인의 담보책임에 관한 민법 제570조 단서의 규정에 의해 손해배상을 청구할 수 없다 하더라도, 채무불이행에 관한 일반 규정에 따라 계약을 해제하고 손해배상을 청구할 수 있다.

해설 ① 민법 제109조 제1항에 의하면 법률행위 내용의 중요 부분에 착오가 있는 경우 착오에 중대한 과실이 없는 표의자는 법률행위를 취소할 수 있고, 민법 제580조 제1항, 제575조 제1항에 의하면 매매의 목적물에 하자가 있는 경우 하자가 있는 사실을 과실 없이 알지 못한 매수인은 매도인에 대하여 하자담보책임을 물어 계약을 해제하거나 손해배상을 청구할 수 있다. 착오로 인한 취소 제도와 매도인의 하자담보책임 제도는 취지가 서로 다르고, 요건과 효과도 구별된다. 따라서 매매계약 내용의 중요 부분에 착오가 있는 경우 매수인은 매도인의 하자담보책임이 성립하는지와 상관없이 착오를 이유로 매매계약을 취소할 수 있다(대판 2018.9.13, 2015다78703).
② 민법 제571조 제1항은 선의의 매도인이 매매의 목적인 권리의 「전부」를 이전할 수 없는 경우에 적용될 뿐 매매의 목적인 권리의 일부를 이전할 수 없는 경우에는 적용될 수 없고, 마찬가지로 수 개의 권리를 일괄하여 매매의 목적으로 정하였으나 그 중 일부의 권리를 이전할 수 없는 경우에도 위 조항은 적용될 수 없다(대판 2004.12.9, 2002다33557).

③ 매도인에 대한 하자담보에 기한 손해배상청구권에 대하여는 민법 제582조의 제척기간이 적
용되고, 이는 법률관계의 조속한 안정을 도모하고자 하는 데에 취지가 있다. 그런데 하자담보
에 기한 매수인의 손해배상청구권은 권리의 내용·성질 및 취지에 비추어 민법 제162조 제1
항의 채권 소멸시효의 규정이 적용되고, 민법 제582조의 제척기간 규정으로 인하여 소멸시
효 규정의 적용이 배제된다고 볼 수 없으며, 이때 다른 특별한 사정이 없는 한 무엇보다도
매수인이 매매 목적물을 인도받은 때부터 소멸시효가 진행한다고 해석함이 타당하다(대판
2011.10.13, 2011다10266).

④ 타인의 권리를 매매의 목적으로 한 경우에 있어서 그 권리를 취득하여 매수인에게 이전하여
야 할 매도인의 의무가 매도인의 귀책사유로 인하여 이행불능이 되었다면 매수인이 매도인의
담보책임에 관한 민법 제570조 단서의 규정에 의해 손해배상을 청구할 수 없다 하더라도 채
무불이행 일반의 규정(민법 제546조, 제390조)에 좇아서 계약을 해제하고 손해배상을 청구할
수 있다(대판 1993.11.23, 93다37328).

22 매도인의 담보책임에 관한 다음 설명 중 가장 옳지 않은 것은? (다툼이 있는 경우 판례에 따르고 전원합의체 판결의 경우 다수의견에 의함) ▶ 2019년 법무사

① 매매계약당시 그 토지의 소유권이 매도인에 속하지 아니함을 알고 있던 매수인은 매도
인에 대하여 그 이행불능을 원인으로 손해배상을 청구할 수 없고, 다만 그 이행불능이
매도인의 귀책사유로 인하여 이루어진 것인 때에 한하여 그 손해배상을 청구할 수 있다.

② 타인의 권리매매에 있어 매도인의 목적물을 매수인에게 이전할 수 없게 된 것이 오직
매수인의 귀책사유에 기인한 경우에는 매도인은 하자담보책임을 지지 않는다.

③ 목적물이 일정한 면적을 가지고 있다는 데 주안을 두고 대금도 면적을 기준으로 하여
정하여지는 '아파트 분양계약은 수량을 지정한 매매이며, 공유대지면적을 지정한 아파
트 분양계약에서 공유대지면적을 부족하게 이전해 준 경우에는 민법 제574조에 의한
대금감액청구권이 인정된다.

④ 가압류 목적이 된 부동산을 매수한 사람이 그 후 가압류에 기한 강제집행으로 부동산
소유권을 상실하게 된 경우, 매도인의 담보책임에 관한 민법 제570조가 준용되어 악의
의 매수인은 매매계약을 해제할 수 있으나, 담보책임으로서 손해배상을 구할 수는 없다.

⑤ 매수인이 강제경매절차를 통하여 대금을 납부하고 부동산을 매수하였으나 위 강제집행
권원이 된 약속어음공정증서가 위조된 것이어서 무효라는 이유로 결국 경매부동산에
대한 소유권을 취득하지 못하게 된 경우라도, 매수인은 경매대금을 배당받은 경매채권
자에게 민법 제578조 제2항에 의한 경매에서의 담보책임을 물을 수는 없다.

해설 ① 타인의 권리를 매매의 목적으로 한 경우에 있어서 그 권리를 취득하여 매수인에게 이전하여
야 할 매도인의 의무가 매도인의 귀책사유로 인하여 이행불능이 되었다면 매수인이 매도인의
담보책임에 관한 민법 제570조 단서의 규정에 의해 손해배상을 청구할 수 없다 하더라도,

정답 21 ③   22 ④

채무불이행 일반의 규정(민법 제546조, 제390조)에 쫓아서 계약을 해제하고 손해배상을 청구할 수 있다(대판 1993.11.23, 93다37328).

② 타인의 권리매매에 있어 목적물을 매수인에게 이전할 수 없게 된 것이 오직 매수인의 귀책사유에 의한 때에는 매도인은 민법 제570조의 담보책임을 지지 않는다(대판 1979.6.26, 79다564).

③ 목적물이 일정한 면적(수량)을 가지고 있다는 데 주안을 두고 대금도 면적을 기준으로 하여 정하여지는 아파트분양계약은 이른바 수량을 지정한 매매라 할 것이다(대판 2002.11.8, 99다58136 → 아파트 분양시 공유대지면적을 지정한 아파트 분양계약을 수량지정매매로 보아 공유대지면적을 부족하게 이전해 준 경우 민법 제574조에 의한 대금감액청구권을 인정한 사례).

④ 가압류 목적이 된 부동산을 매수한 사람이 그 후 가압류에 기한 강제집행으로 부동산 소유권을 상실하게 되었다면 이는 매매의 목적 부동산에 설정된 저당권 또는 전세권의 행사로 인하여 매수인이 취득한 소유권을 상실한 경우와 유사하므로, 이와 같은 경우 매도인의 담보책임에 관한 민법 제576조의 규정이 준용된다고 보아 매수인은 같은 조 제1항에 따라 매매계약을 해제할 수 있고, 같은 조 제3항에 따라 손해배상을 청구할 수 있다고 보아야 한다(대판 2011.5.13, 2011다1941).

⑤ 경락인이 강제경매절차를 통하여 부동산을 경락받아 대금을 납부하고 그 앞으로 소유권이전등기까지 마쳤으나, 그 후 위 강제집행의 채무명의가 된 약속어음공정증서가 위조된 것이어서 무효라는 이유로 그 소유권이전등기의 말소를 명하는 판결이 확정됨으로써 경매 부동산에 대한 소유권을 취득하지 못하게 된 경우 경락인은 경매 채권자에게 경매 대금 중 그가 배당받은 금액에 대하여 일반 부당이득의 법리에 따라 반환을 청구할 수 있을 뿐, 민법 제578조 제2항에 의한 담보책임을 물을 수는 없다(대판 1991.10.11, 91다21640).

23 매도인의 담보책임에 관한 다음 설명 중 가장 옳지 않은 것은? (다툼이 있는 경우 판례에 의함)

▶ 2019년 법원주사보

① 담보책임은 매도인의 귀책사유를 요건으로 하지 않는 무과실책임인 것이 원칙이다.

② 매매의 목적이 된 권리가 타인에게 속한 경우에 매도인이 그 권리를 취득하여 매수인에게 이전할 수 없는 때에는 매수인은 최고 없이, 선의·악의를 불문하고 계약을 해제할 수 있다.

③ 채권의 매도인이 채무자의 자력을 담보한 때에는 매매계약 당시의 자력을 담보한 것으로 추정한다.

④ 매도인의 담보책임에 관한 규정은 강행규정이므로 당사자는 담보책임을 배제·감경·가중하는 특약을 할 수 없다.

해설 ① 매도인의 담보책임은 기본적으로 매도인의 귀책사유를 요건으로 하지 않는 법이 특별히 인정한 무과실책임이다.

② 제570조 참조. 매수인은 최고를 할 필요 없이, 선의·악의를 불문하고 계약을 해제할 수 있다.

③ 제579조 제1항. 변제기에 도달하지 아니한 채권의 매도인이 채무자의 자력을 담보한 때에는 변제기의 자력을 담보한 것으로 추정(제579조 제2항)하는 것과 주의해야 한다.

④ 담보책임규정은 강행규정이 아니므로, 이를 배제하거나 경감·가중하는 특약은 유효하다. 다만 매도인이 알고 고지하지 아니한 사실 및 제3자에게 권리를 설정 또는 양도한 경우에는 신의칙상 그 면책특약은 효력을 상실한다(제584조).

24 매도인의 하자담보책임에 관한 다음 설명 중 가장 옳지 않은 것은? (다툼이 있는 경우 판례에 의하고, 전원합의체 판결의 경우 다수의견에 의함) ▸ 2019년 법원행시

① 계약 당시 매매의 목적이 된 권리가 자기에게 속하지 않음을 알지 못한 매도인이 그 권리를 취득하여 매수인에게 이전할 수 없는 때에 매도인이 그 손해를 배상하고 계약을 해제할 수 있도록 규정한 민법 제571조 제1항은 매매의 목적이 된 권리 전부를 이전할 수 없게 된 경우뿐만 아니라 매매의 목적인 권리 일부를 이전할 수 없는 경우에도 마찬가지로 적용될 수 있다.

② 매매계약에서 건물과 그 대지가 계약의 목적물인데 건물의 일부가 경계를 침범하여 이웃 토지 위에 건립되어 있는 경우에 매도인이 그 경계 침범의 건물부분에 관한 대지부분을 취득하여 매수인에게 이전하지 못하는 때에는 매수인은 매도인에 대하여 민법 제572조를 유추적용하여 담보책임을 물을 수 있다.

③ 매매계약을 체결함에 있어 토지의 면적을 기초로 하여 평수에 따라 대금을 산정하였는데 토지의 일부가 매매계약 당시에 이미 도로의 부지로 편입되어 있었고, 매수인이 그와 같은 사실을 알지 못하고 매매계약을 체결한 경우 매수인은 민법 제574조에 따라 매도인에 대하여 토지 중 도로의 부지로 편입된 부분의 비율로 대금의 감액을 청구할 수 있다.

④ 가압류 목적이 된 부동산을 매수한 사람이 가압류에 기한 강제집행으로 부동산 소유권을 상실하게 되었다면 이는 매매목적부동산에 설정된 저당권 또는 전세권의 행사에 따른 매도인의 담보책임에 관한 민법 제576조의 규정을 준용하여 매수인이 매매계약을 해제할 수 있고, 손해배상을 청구할 수 있다.

⑤ 매매목적물의 하자로 인하여 확대손해가 발생하였다는 이유로 매도인에게 그 확대손해에 대한 배상책임을 지우기 위해서는 채무의 내용으로 된 하자 없는 목적물을 인도하지 못한 의무위반 사실 외에 그러한 의무위반에 대하여 매도인에게 귀책사유가 인정될 수 있어야만 한다.

해설 ① 민법 제571조 제1항은 선의의 매도인이 매매의 목적인 권리의 「전부」를 이전할 수 없는 경우에 적용될 뿐 매매의 목적인 권리의 일부를 이전할 수 없는 경우에는 적용될 수 없고, 마찬가지로 수 개의 권리를 일괄하여 매매의 목적으로 정하였으나 그 중 일부의 권리를 이전할 수 없는 경우에도 위 조항은 적용될 수 없다(대판 2004.12.9, 2002다33557).

② 매매계약에서 건물과 그 대지가 계약의 목적물인데 건물의 일부가 경계를 침범하여 이웃 토지 위에 건립되어 있는 경우에 매도인이 그 경계 침범의 건물부분에 관한 대지부분을 취득하여 매수인에게 이전하지 못하는 때에는 매수인은 매도인에 대하여 민법 제572조를 유추적용하여 담보책임을 물을 수 있다. 그리고 그 경우에 이웃 토지의 소유자가 소유권에 기하여 그

와 같은 방해상태의 배제를 구하는 소(건물일부의 철거청구의 소)를 제기하여 승소의 확정판결을 받았으면, 다른 특별한 사정이 없는 한 매도인은 그 대지부분을 취득하여 매수인에게 이전할 수 없게 되었다고 봄이 상당하다(대판 2009.7.23, 2009다33570).

③ 매매계약을 체결함에 있어 토지의 면적을 기초로 하여 평수에 따라 대금을 산정하였는데 토지의 일부가 매매계약 당시에 이미 도로의 부지로 편입되어 있었고, 매수인이 그와 같은 사실을 알지 못하고 매매계약을 체결한 경우 매수인은 민법 제574조에 따라 매도인에 대하여 토지 중 도로의 부지로 편입된 부분의 비율로 대금의 감액을 청구할 수 있다(대판 1992.12.22, 92다30580).

④ 가압류 목적이 된 부동산을 매수한 사람이 그 후 가압류에 기한 강제집행으로 부동산 소유권을 상실하게 되었다면 이는 매매의 목적 부동산에 설정된 저당권 또는 전세권의 행사로 인하여 매수인이 취득한 소유권을 상실한 경우와 유사하므로, 이와 같은 경우 매도인의 담보책임에 관한 민법 제576조의 규정이 준용된다고 보아 매수인은 같은 조 제1항에 따라 매매계약을 해제할 수 있고, 같은 조 제3항에 따라 손해배상을 청구할 수 있다고 보아야 한다(대판 2011.5.13, 2011다1941).

⑤ 매도인이 매수인에게 공급한 부품이 통상의 품질이나 성능을 갖추고 있는 경우, 나아가 내한성이라는 특수한 품질이나 성능을 갖추고 있지 못하여 하자가 있다고 인정할 수 있기 위하여는, 매수인이 매도인에게 완제품이 사용될 환경을 설명하면서 그 환경에 충분히 견딜 수 있는 내한성 있는 부품의 공급을 요구한 데 대하여, 매도인이 부품이 그러한 품질과 성능을 갖춘 제품이라는 점을 명시적으로나 묵시적으로 보증하고 공급하였다는 사실이 인정되어야만 할 것이고, 특히 매매목적물의 하자로 인하여 확대손해 내지 2차 손해가 발생하였다는 이유로 매도인에게 그 확대손해에 대한 배상책임을 지우기 위하여는 채무의 내용으로 된 하자 없는 목적물을 인도하지 못한 의무위반사실 외에 그러한 의무위반에 대하여 매도인에게 귀책사유가 인정될 수 있어야만 한다(대판 1997.5.7, 96다39455).

25 다음 설명 중 옳은 것은 모두 몇 개인가? ▶ 2021년 법원행시

> 가. 일반적으로 매매거래에서 매수인은 목적물을 염가로 구입할 것을 희망하고 매도인은 목적물을 고가로 처분하기를 희망하는 이해상반의 지위에 있으며, 각자가 자신의 지식과 경험을 이용하여 최대한으로 자신의 이익을 도모할 것으로 예상되기 때문에, 당사자 일방이 알고 있는 정보를 상대방에게 사실대로 고지하여야 할 신의칙상 의무가 인정된다고 볼만한 특별한 사정이 없는 한, 매수인이 목적물의 시가를 묵비하여 매도인에게 고지하지 아니하거나 혹은 시가보다 낮은 가액을 시가라고 고지하였다 하더라도, 상대방의 의사결정에 불법적인 간섭을 하였다고 볼 수 없으므로 불법행위가 성립한다고 볼 수 없다.
>
> 나. 민법 제574조에서 규정하는 '수량을 지정한 매매'라 함은 당사자가 매매의 목적인 특정물이 일정한 수량을 가지고 있다는 데 주안을 두고 대금도 그 수량을 기준으로 하여 정한 경우를 말하는 것이므로, 토지의 매매에 있어서 목적물을 공부상의 평수에 따라 특정하고 단위면적당 가액을 결정하여 단위면적당 가액에 공부상의 면적을 곱하는 방법으로 매매대금을 결정한 경우가 바로 '수량을 지정한 매매'에 해당한다.

다. 매매계약은 매도인이 재산권을 이전하는 것과 매수인이 대금을 지급하는 것에 관하여 쌍방 당사자가 합의함으로써 성립하므로 매매계약 체결 당시에 반드시 매매목적물과 대금, 매매계약의 당사자인 매도인과 매수인이 구체적으로 특정되어 있어야만 매매계약이 성립할 수 있다.

라. 토지의 매수인이 아직 소유권이전등기를 경료받지 아니하였다 하여도 매매계약의 이행으로 그 토지를 인도받은 때에는 매매계약의 효력으로서 이를 점유·사용할 권리가 생기게 된 것으로 보아야 하고, 또 매수인으로부터 위 토지를 다시 매수한 자는 위와 같은 토지의 점유·사용권을 취득한 것으로 봄이 상당하므로 매도인은 매수인으로부터 다시 위 토지를 매수한 자에 대하여 토지 소유권에 기한 물권적 청구권을 행사할 수 없다.

마. 매매의 목적물에 하자가 있는 경우 매도인의 하자담보책임과 채무불이행책임은 별개의 권원에 의하여 경합적으로 인정된다. 이 경우 특별한 사정이 없는 한 하자를 보수하기 위한 비용은 매도인의 하자담보책임과 채무불이행책임에서 말하는 손해에 해당한다. 따라서 매매 목적물인 토지에 폐기물이 매립되어 있고 매수인이 폐기물을 처리하기 위해 비용이 발생한다면 매수인은 그 비용을 민법 제390조에 따라 채무불이행으로 인한 손해배상으로 청구할 수도 있고, 민법 제580조 제1항에 따라 하자담보책임으로 인한 손해배상으로 청구할 수도 있다.

① 없음 ② 1개 ③ 2개
④ 3개 ⑤ 4개

해설 가. 일반적으로 매매거래에서 매수인은 목적물을 염가로 구입할 것을 희망하고 매도인은 목적물을 고가로 처분하기를 희망하는 이해상반의 지위에 있으며, 각자가 자신의 지식과 경험을 이용하여 최대한으로 자신의 이익을 도모할 것으로 예상되기 때문에, 당사자 일방이 알고 있는 정보를 상대방에게 사실대로 고지하여야 할 신의칙상 의무가 인정된다고 볼만한 특별한 사정이 없는 한, 매수인이 목적물의 시가를 묵비하여 매도인에게 고지하지 아니하거나 혹은 시가보다 낮은 가액을 시가라고 고지하였다 하더라도, 상대방의 의사결정에 불법적인 간섭을 하였다고 볼 수 없으므로 불법행위가 성립한다고 볼 수 없다(대판 2014.4.10, 2012다54997).

나. 민법 제574조에서 규정하는 '수량을 지정한 매매'라 함은 당사자가 매매의 목적인 '특정물'이 일정한 수량을 가지고 있다는 데 주안을 두고 대금도 그 수량을 기준으로 하여 정한 경우를 말하는 것이다. 따라서 토지의 매매에 있어서 목적물을 공부상의 평수에 따라 특정하고 단위면적당 가액을 결정하여 단위면적당 가액에 공부상의 면적을 곱하는 방법으로 매매대금을 결정하였다고 하더라도 이러한 사정만으로 곧바로 그 토지의 매매를 '수량을 지정한 매매'라고 할 수는 없는 것이고, 만일 당사자가 그 지정된 구획을 전체로서 평가하였고 평수에 의한 계산이 하나의 표준에 지나지 아니하여 그것이 당사자들 사이에 대상 토지를 특정하고 대금을 결정하기 위한 방편이었다고 보일 때에는 '수량을 지정한 매매'가 아니라고 할 것이다(대판 2001.4.10, 2001다12256).

다. 매매계약은 매도인이 재산권을 이전하는 것과 매수인이 대금을 지급하는 것에 관하여 쌍방 당사자가 합의함으로써 성립하므로, ⅰ) 매매계약 체결 당시에 반드시 매매목적물과 대금을 구체적으로 특정할 필요는 없지만(장래 구체적으로 특정할 수 있는 기준과 방법이 정해져 있으면 충분), ⅱ) 적어도 매매계약의 당사자인 매도인과 매수인이 누구인지는 구체적으로 특정되어 있어야만 매매계약이 성립할 수 있다(대판 2021.1.14, 2018다223054).

라. 토지의 매수인이 아직 소유권이전등기를 경료받지 아니하였다 하여도 매매계약의 이행으로 그 토지를 인도받은 때에는 매매계약의 효력으로서 이를 점유·사용할 권리가 생기게 된 것으로 보아야 하고, 또 매수인으로부터 위 토지를 다시 매수한 자는 위와 같은 토지의 점유·사용권을 취득한 것으로 봄이 상당하므로 매도인은 매수인으로부터 다시 위 토지를 매수한 자에 대하여 토지 소유권에 기한 물권적 청구권을 행사할 수 없다(대판 1998.6.26, 97다42823).

마. 매매의 목적물에 하자가 있는 경우 매도인의 하자담보책임과 채무불이행책임은 별개의 권원에 의하여 경합적으로 인정된다. 이 경우 특별한 사정이 없는 한 하자를 보수하기 위한 비용은 매도인의 하자담보책임과 채무불이행책임에서 말하는 손해에 해당한다. 따라서 매매 목적물인 토지에 폐기물이 매립되어 있고 매수인이 폐기물을 처리하기 위해 비용이 발생한다면 매수인은 그 비용을 민법 제390조에 따라 채무불이행으로 인한 손해배상으로 청구할 수도 있고, 민법 제580조 제1항에 따라 하자담보책임으로 인한 손해배상으로 청구할 수도 있다(대판 2021.4.8, 2017다202050).

26 매도인의 담보책임에 관한 다음 설명 중 가장 옳지 않은 것은? ▸ 2022년 9급(법원서기보)

① 매매목적물의 하자로 인하여 확대손해 내지 2차 손해가 발생하였다는 이유로 매도인에게 그 확대손해에 대한 배상책임을 지우기 위하여는 채무의 내용으로 된 하자 없는 목적물을 인도하지 못한 의무위반사실 외에 그러한 의무위반에 대하여 매도인에게 귀책사유가 인정될 수 있어야만 한다.

② 선순위 근저당권의 존재로 후순위 임차권이 소멸하는 것으로 알고 부동산을 낙찰받았으나, 그 후 채무자가 후순위 임차권의 대항력을 존속시킬 목적으로 선순위 근저당권의 피담보채무를 모두 변제하고 그 근저당권을 소멸시키고도 이 점에 대하여 낙찰자에게 아무런 고지도 하지 않아 낙찰자가 대항력 있는 임차권이 존속하게 된다는 사정을 알지 못한 채 대금지급기일에 낙찰대금을 지급하였다면, 채무자는 민법 제578조 제3항의 규정에 의하여 낙찰자가 입게 된 손해를 배상할 책임이 있다.

③ 부동산매매계약에 있어서 실제면적이 계약면적에 미달하는 경우에는 그 매매가 수량지정매매에 해당할 때에 한하여 민법 제574조, 제572조에 의한 대금감액청구권을 행사함은 별론으로 하고, 그 매매계약이 그 미달 부분만큼 일부 무효임을 들어 이와 별도로 일반 부당이득반환청구를 하거나 그 부분의 원시적 불능을 이유로 민법 제535조가 규정하는 계약체결상의 과실에 따른 책임의 이행을 구할 수 없다.

④ 변제기에 도달하지 아니한 채권의 매도인이 채무자의 자력을 담보한 때에는 매매계약 당시의 자력을 담보한 것으로 추정한다.

해설 ① 매매목적물의 하자로 인하여 확대손해 내지 2차 손해가 발생하였다는 이유로 매도인에게 그 확대손해에 대한 배상책임을 지우기 위하여는 채무의 내용으로 된 하자 없는 목적물을 인도하지 못한 의무위반사실 외에 그러한 의무위반에 대하여 매도인에게 귀책사유가 인정될 수 있어야만 한다(대판 1997.5.7, 96다39455).

② 선순위 근저당권의 존재로 후순위 임차권이 소멸하는 것으로 알고 부동산을 낙찰받았으나, 그 후 채무자가 후순위 임차권의 대항력을 존속시킬 목적으로 선순위 근저당권의 피담보채무를 모두 변제하고 그 근저당권을 소멸시키고도 이 점에 대하여 낙찰자에게 아무런 고지도 하지 않아 낙찰자가 대항력 있는 임차권이 존속하게 된다는 사정을 알지 못한 채 대금지급기일에 낙찰대금을 지급하였다면, 채무자는 민법 제578조 제3항의 규정에 의하여 낙찰자가 입게 된 손해를 배상할 책임이 있다(대판 2003.4.25, 2002다70075).

③ 부동산매매계약에 있어서 실제면적이 계약면적에 미달하는 경우에는 그 매매가 수량지정매매에 해당할 때에 한하여 민법 제574조, 제572조에 의한 대금감액청구권을 행사함은 별론으로 하고, 그 매매계약이 그 미달 부분만큼 일부 무효임을 들어 이와 별도로 일반 부당이득반환청구를 하거나 그 부분의 원시적 불능을 이유로 민법 제535조가 규정하는 계약체결상의 과실에 따른 책임의 이행을 구할 수 없다(대판 2002.4.9, 99다47396).

④ 제579조 【채권매매와 매도인의 담보책임】
① 채권의 매도인이 채무자의 자력을 담보한 때에는 매매계약 당시의 자력을 담보한 것으로 추정한다.
② 변제기에 도달하지 아니한 채권의 매도인이 채무자의 자력을 담보한 때에는 변제기의 자력을 담보한 것으로 추정한다.

27 매도인의 담보책임에 관한 다음 설명 중 가장 옳지 않은 것은? ▸2022년 법무사

① 타인의 권리를 매매의 목적으로 한 경우에 있어서 그 권리를 취득하여 매수인에게 이전하여야 할 매도인의 의무가 매도인의 귀책사유로 인하여 이행불능이 되었다면 매수인이 매도인의 담보책임에 관한 민법 제570조 단서의 규정에 의해 손해배상을 청구할 수 없더라도 채무불이행 일반의 규정에 좇아서 계약을 해제하고 손해배상을 청구할 수 있다.

② 매매의 목적물이 지상권, 지역권, 전세권, 질권 또는 유치권의 목적이 된 경우에 매수인이 이를 알지 못한 때에는 이로 인하여 계약의 목적을 달성할 수 없는 경우에 한하여 매수인은 계약을 해제할 수 있고, 그렇지 않은 경우에는 손해배상만을 청구할 수 있는데, 그와 같은 권리는 매수인이 그 사실을 안 날로부터 1년 또는 매매계약이 있었던 날로부터 3년 내에 행사하여야 한다.

③ 성토작업을 기화로 다량의 폐기물을 은밀히 매립한 토지의 매도인이 정상적인 토지임을 전제로 협의취득절차를 통하여 공공사업시행자에게 이를 매도함으로써 매수인에게 토지의 폐기물처리비용 상당의 손해를 입게 한 경우, 채무불이행책임과 하자담보책임이 경합적으로 인정된다.

④ 매매의 목적이 된 권리의 일부가 타인에게 속함으로 인하여 매도인이 그 권리를 취득하여 매수인에게 이전할 수 없게 된 때에는 선의의 매수인은 매도인에게 담보책임을 물어 이로 인한 손해배상을 청구할 수 있는바, 이 경우에 매도인이 매수인에 대하여 배상하여야 할 손해액은 원칙적으로 매도인이 매매의 목적이 된 권리의 일부를 취득하여 매수인에게 이전할 수 없게 된 때의 이행불능이 된 권리의 시가, 즉 이행이익 상당액이다.

⑤ 매매의 목적이 된 권리의 전부가 타인에게 속하는 경우 매도인이 그 권리를 취득하여 매수인에게 이전할 수 없는 때에는 매수인은 매도인의 귀책사유를 불문하고 계약을 해제할 수 있고, 선의의 매수인은 해제와 동시에 손해배상도 청구할 수 있다.

해설 ① 대판 1993.11.23, 93다37328
② 제575조 → 매수인이 그 사실을 안 날로부터 1년 내에 행사하여야 하고, 매매계약이 있었던 날로부터 3년 내에 행사해야 하는 제한은 없다.
③ 대판 2004.7.22, 2002다51586; 대판 2021.4.8, 2017다202050
④ 대판 1993.1.19, 92다37727
⑤ 제569조, 제570조

28 甲은 乙에게 부동산을 매도하기로 하여 매매계약을 체결한 후 매매대금의 지급기일 전에 매매대금을 지급받지 않은 상태에서 부동산을 인도하고 그 소유권이전등기를 먼저 마쳐주었다. 甲과 乙의 법률관계에 관한 다음 설명 중 가장 옳은 것은? (甲, 乙 간에 채무의 이행기 전에는 이행에 착수하지 않기로 하는 특약을 하는 등 특별한 사정은 없음) ▸ 2023년 법원행시

① 乙이 매매대금의 지급기일이 경과하도록 매매대금을 지급하지 않는 경우 甲은 최고를 하지 않아도 乙의 이행지체를 이유로 매매계약을 해제할 수 있다.

② 민법 제587조에 따라 매수인은 목적물의 인도를 받은 날부터 대금의 이자를 지급하여야 하므로, 매매대금의 지급기일 전이라도 乙이 지급해야 하는 매매대금에는 이자가 가산된다.

③ 乙이 매매대금 지급기일까지 매매대금을 지급하지 아니할 경우 그 미지급액에 대하여 연 25%의 지연손해금을 가산하여 지급하기로 약정하였다고 하더라도, 그 약정에 의한 지연손해금이 부당히 과다하다고 인정되는 경우에는 법원은 이를 적당히 감액할 수 있다.

④ 甲과 乙이 매매계약을 합의해제한 경우, 합의해제에 따른 甲의 원상회복청구권인 부동산 인도 및 등기말소청구권은 채권적 청구권으로서 10년의 소멸시효가 적용된다.

⑤ 乙이 매매계약 당시 계약금을 지급하였다면 乙은 계약금을 포기하고 매매계약을 해제할 수 있다.

해설 ① 제544조 【이행지체와 해제】 당사자 일방이 그 채무를 이행하지 아니하는 때에는 상대방은 상당한 기간을 정하여 그 이행을 최고하고 그 기간 내에 이행하지 아니한 때에는 계약을 해제할 수 있다. 그러나 채무자가 미리 이행하지 아니할 의사를 표시한 경우에는 최고를 요하

지 아니한다. → 甲은 최고를 하지 않으면 乙의 이행지체를 이유로 매매계약을 해제할 수 없다.

② 민법 제587조는 매수인은 매매목적물을 인도받은 때부터 매매대금에 대하여 이자를 지급하여야 한다고 규정하면서 대금의 지급에 관하여 기한이 있는 때에는 그러하지 아니하다고 규정하고 있으므로, 대금의 지급기한이 있는 때에는 대금을 전부 지급하지 아니한 채 매매목적물을 인도받았다 하더라도 그 기한까지는 미지급대금에 대한 이자를 지급할 의무가 없는 것이라 할 것이다(대판 1995.12.26, 95다33962).

③ 금전채무에 관하여 이행지체에 대비한 지연손해금 비율을 따로 약정한 경우에 이는 일종의 손해배상액의 예정으로서 민법 제398조 제2항에 의한 감액의 대상이 된다(대판 2017.7.18, 2017다206922).

④ 매매계약이 합의해제된 경우에도 매수인에게 이전되었던 소유권은 당연히 매도인에게 복귀하는 것이므로 합의해제에 따른 매도인의 원상회복 청구권은 소유권에 기한 물권적 청구권이라 할 것이고, 따라서 이는 소멸시효의 대상이 아니라고 할 것이다(대판 1982.7.27, 80다2968).

⑤ 당사자의 일방이 이행에 착수한 후에는 해제할 수 없다(제565조 제1항). 이행기의 약정이 있는 경우라 하더라도 당사자가 채무의 이행기 전에는 착수하지 아니하기로 하는 특약을 하는 등 특별한 사정이 없는 한 이행기 전에 이행에 착수할 수 있다(대판 1993.1.19, 92다31323; 대판 2006.2.10, 2004다11599). → 甲은 부동산을 인도하고 그 소유권이전등기를 먼저 마쳐주어 이행에 착수하였고, 甲과 乙 간에 채무의 이행기 전에는 이행에 착수하지 않기로 하는 특약을 하는 등 특별한 사정은 없으므로 乙은 계약금을 포기하고 매매계약을 해제할 수 없다.

29 매매에 관한 다음 설명 중 가장 옳지 않은 것은? ▶ 2023년 법무사

① 자동차관리법령의 문언·내용과 체계 등에 비추어 보면, 자동차 양수인이 양도인으로부터 자동차를 인도받고서도 등록명의의 이전을 하지 않는 경우 양도인은 자동차관리법 제12조 제4항에 따라 양수인을 상대로 소유권이전등록의 인수절차 이행을 구할 수 있다.

② 상가집합건물의 구분점포에 대한 매매는 특별한 사정이 없다면 원칙적으로 실제 이용현황과 관계없이 집합건축물 대장 등 공부에 따라 구조, 위치, 면적이 확정된 구분점포를 매매의 대상으로 삼았다고 보아야 할 것이다.

③ 선시공·후분양의 방식으로 분양되는 아파트 등의 경우에는 완공된 아파트 등 그 자체가 분양계약의 목적물로 된다고 봄이 상당하고, 완공된 아파트 등의 현황과 달리 분양광고 등에만 표현되어 있는 아파트 등의 외형·재질 등에 관한 사항은 특별한 사정이 없는 한 이를 분양계약의 내용으로 하기로 하는 묵시적 합의가 있었다고 보기는 어렵다.

④ 부동산매도인이 매매대금을 다 지급받지 아니한 상태에서 매수인에게 소유권이전등기를 경료하여 목적물의 소유권을 매수인에게 이전한 경우에는, 매도인의 목적물인도의무에 관하여 위와 같은 동시이행의 항변권과 물권적 권리인 유치권이 인정된다.

정답   28 ③   29 ④

⑤ 계약 체결 후에 채무의 이행이 불가능하게 된 경우에는 채권자가 이행을 청구하지 못하고 채무불이행을 이유로 손해배상을 청구하거나 계약을 해제할 수 있다. 그러나 계약 당시에 이미 채무의 이행이 불가능했다면 특별한 사정이 없는 한 채권자가 이행을 구하는 것은 허용되지 않고, 민법 제535조에서 정한 계약체결상의 과실책임을 추궁하는 등으로 권리를 구제받을 수밖에 없다.

해설 ① 대판 2020.12.10, 2020다9244 → ※ [참고]: 그러나 자동차가 전전 양도된 경우 중간생략등록의 합의가 없는 한 양도인은 전전 양수인에 대하여 직접 양수인 명의로 소유권이전등록의 인수절차 이행을 구할 수 없다.

② 집합건물의 소유 및 관리에 관한 법률 제1조의2는 <u>1동의 상가건물이 일정한 요건을 갖추어 이용상 구분된 구분점포를 소유권의 목적으로 할 수 있도록 하고 있는데</u>, 구분점포의 번호, 종류, 구조, 위치, 면적은 <u>특별한 사정이 없는 한 건축물대장의 등록 및 그에 근거한 등기에 의해 특정된다</u>. 따라서 **구분점포의 매매당사자가** 집합건축물대장 등에 의하여 구조, 위치, 면적이 특정된 구분점포를 매매할 의사가 아니라고 인정되는 등 **특별한 사정이 없다면**, **점포로서 실제 이용현황과 관계없이 집합건축물대장 등 공부에 의해 구조, 위치, 면적에 의하여 확정된 구분점포를 매매의 대상으로 하는 것으로 보아야 하고, 매매당사자가** 매매계약 당시 구분점포의 실제 이용현황이 집합건축물대장 등 공부와 상이한 것을 모르는 상태에서 점포로서 <u>이용현황대로 위치 및 면적을 매매목적물의 그것으로 알고 매매하였다고 해서</u> 매매당사자들이 건축물대장 등 공부상 위치와 면적을 떠나 이용현황대로 매매목적물을 특정하여 매매한 것이라고 볼 수 없고, 이러한 법리는 교환계약의 목적물 특정에 있어서도 마찬가지로 적용된다(대판 2012.5.24, 2012다105).

③ 대판 2014.11.13, 2012다29601

④ <u>부동산 매도인이 매매대금을 다 지급받지 아니한 상태에서 매수인에게 소유권이전등기를 마쳐주어 목적물의 소유권을 매수인에게 이전한 경우에는, 매도인의 목적물인도의무에 관하여 동시이행의 항변권 외에 물권적 권리인 유치권까지 인정할 것은 아니다.</u> 왜냐하면 법률행위로 인한 부동산물권변동의 요건으로 등기를 요구함으로써 물권관계의 명확화 및 거래의 안전·원활을 꾀하는 우리 민법의 기본정신에 비추어 볼 때, 만일 이를 인정한다면 매도인은 등기에 의하여 매수인에게 소유권을 이전하였음에도 매수인 또는 그의 처분에 기하여 소유권을 취득한 제3자에 대하여 소유권에 속하는 대세적인 점유의 권능을 여전히 보유하게 되는 결과가 되어 부당하기 때문이다. 또한 매도인으로서는 자신이 원래 가지는 동시이행의 항변권을 행사하지 아니하고 자신의 소유권이전의무를 <u>선이행함으로써</u> 매수인에게 소유권을 넘겨준 것이므로 그에 <u>필연적으로 부수하는 위험은 스스로 감수하여야 한다.</u> 따라서 매도인이 부동산을 점유하고 있고 소유권을 이전받은 매수인에게서 매매대금 일부를 지급받지 못하고 있다고 하여 **매매대금채권을 피담보채권으로 매수인이나 그에게서 부동산 소유권을 취득한 제3자를 상대로 유치권을 주장할 수 없다**(대결 2012.1.12, 2011마2380).

⑤ 대판 2017.8.29, 2016다212524

30 민법 제565조(해약금)에 관한 다음 설명 중 가장 옳지 않은 것은? ▶ 2024년 법원행시

① 유상계약을 체결함에 있어서 계약금이 수수된 경우 계약금은 당사자 일방이 이행에 착수할 때까지 매수인은 이를 포기할 수 있고 매도인은 그 배액을 상환하여 계약을 해제할수 있는 해약금의 성질과 채무불이행에 따른 손해배상액의 예정의 성질을 당연히 가진다.

② 매수인이 중도금 및 잔금 중 일부를 적법하게 변제공탁한 경우 매도인의 계약금 배액상환을 원인으로 한 해제의 의사표시는 이미 상대방이 이행에 착수한 이후에 이루어진 것으로서 그 효력이 없다.

③ 매매계약에서 계약금의 일부만 지급된 경우, 수령자가 매매계약을 해제할 수 있다고하더라도 해약금의 기준이 되는 금원은 '실제 교부받은 계약금'이 아니라 '약정 계약금'이라고 봄이 타당하다.

④ 당사자가 민법 제565조의 해약권을 배제하기로 하는 약정을 하였다면 더 이상 그 해제권을 행사할 수 없다.

⑤ 매매계약의 체결 이후 시가 상승이 예상되자 매도인이 구두로 구체적인 금액의 제시없이 매매대금의 증액요청을 하였고, 매수인은 이에 대하여 확답하지 않은 상태에서중도금을 이행기 전에 제공한 경우, 이행기의 약정이 있는 경우라 하더라도 당사자가채무의 이행기 전에는 착수하지 아니하기로 하는 특약을 하는 등 특별한 사정이 없는한 이행기 전에 이행에 착수할 수 있으므로, 그 이후 매도인은 위와 같은 사정만으로계약금의 배액을 공탁하여 해제권을 행사할 수 없다.

해설 ① 유상계약을 체결함에 있어서 계약금 등 금원이 수수되었다고 하더라도 이를 위약금으로 하기로 하는 특약이 있는 경우에 한하여 민법 제398조 제4항에 의하여 손해배상액의 예정으로서의 성질을 가진 것으로 볼 수 있을 뿐이고, 그와 같은 특약이 없는 경우에는 그 계약금등을 손해배상액의 예정으로 볼 수 없다(대판 1996.6.14, 95다11429).

② 매수인이 중도금 및 잔금 중 일부를 적법하게 변제공탁한 경우 매도인의 계약금 배액상환을원인으로 한 해제의 의사표시는 이미 상대방이 이행에 착수한 이후에 이루어진 것으로서 그효력이 없다(대판 1991.10.11, 91다25369).

③ 매도인이 '계약금 일부만 지급된 경우 지급받은 금원의 배액을 상환하고 매매계약을 해제할수 있다'고 주장한 사안에서, '실제 교부받은 계약금'의 배액만을 상환하여 매매계약을 해제할수 있다면 이는 당사자가 일정한 금액을 계약금으로 정한 의사에 반하게 될 뿐 아니라, 교부받은 금원이 소액일 경우에는 사실상 계약을 자유로이 해제할 수 있어 계약의 구속력이 약화되는 결과가 되어 부당하기 때문에, 계약금 일부만 지급된 경우 수령자가 매매계약을 해제할수 있다고 하더라도 해약금의 기준이 되는 금원은 '실제 교부받은 계약금'이 아니라 '약정 계약금'이라고 봄이 타당하므로, 매도인이 계약금의 일부로서 지급받은 금원의 배액을 상환하는 것으로는 매매계약을 해제할 수 없다(대판 2015.4.23, 2014다231378).

④ 민법 <u>제565조의 해약권은 당사자 간에 다른 약정이 없는 경우에 한하여 인정되는 것이고, 만일</u> **당사자가 위 조항의 해약권을 배제하기로 하는 약정을 하였다면 더 이상 그 해제권을 행사할수 없다**(대판 2009.4.23, 2008다50615).

정답 30 ①

⑤ 민법 제565조가 해제권 행사의 시기를 당사자의 일방이 이행에 착수할 때까지로 제한한 것은 당사자의 일방이 이미 이행에 착수한 때에는 그 당사자는 그에 필요한 비용을 지출하였을 것이고, 또 그 당사자는 계약이 이행될 것으로 기대하고 있는데 만일 이러한 단계에서 상대방으로부터 계약이 해제된다면 예측하지 못한 손해를 입게 될 우려가 있으므로 이를 방지하고자 함에 있고, 이행기의 약정이 있는 경우라 하더라도 당사자가 채무의 이행기 전에는 착수하지 아니하기로 하는 특약을 하는 등 특별한 사정이 없는 한 이행기 전에 이행에 착수할 수 있다(대판 2006.2.10. 2004다11599). → 매매계약의 체결 이후 시가 상승이 예상되자 매도인이 구두로 구체적인 금액의 제시 없이 매매대금의 증액요청을 하였고, 매수인은 이에 대하여 확답하지 않은 상태에서 중도금을 이행기 전에 제공하였는데, 그 이후 매도인이 계약금의 배액을 공탁하여 해제권을 행사한 사안에서, 시가 상승만으로 매매계약의 기초적 사실관계가 변경되었다고 볼 수 없고, 이행기 전의 이행의 착수가 허용되어서는 안 될 만한 불가피한 사정이 있는 것도 아니므로 매도인은 위의 해제권을 행사할 수 없다고 한 원심의 판단을 수긍한 사례이다.

31 매매에 관한 다음 설명 중 가장 옳지 않은 것은? ▸2024년 법무사

① 민법 제564조가 정하고 있는 매매예약에서 예약자의 상대방이 매매예약 완결의 의사표시를 하여 매매의 효력을 생기게 하는 권리, 즉 매매예약의 완결권은 일종의 형성권으로서 당사자 사이에 행사기간을 약정한 때에는 그 기간 내에, 약정이 없는 때에는 예약이 성립한 때부터 10년 내에 이를 행사하여야 하고, 그 기간이 지난 때에는 예약완결권은 제척기간의 경과로 소멸한다.

② 상대방인 매도인이 매매계약의 이행에는 전혀 착수한 바가 없는 경우에는 매수인이 중도금을 지급하여 이미 이행에 착수하였더라도 상대방인 매도인으로서는 필요한 비용을 지출하는 등 예측하지 못한 손해를 입게 될 우려가 없다고 할 것이므로, 매수인은 민법 제565조에 의하여 계약금을 포기하고 매매계약을 해제할 수 있다.

③ 매매예약이 성립한 이후 상대방의 매매예약 완결의 의사표시 전에 목적물이 멸실 기타의 사유로 이전할 수 없게 되어 예약 완결권의 행사가 이행불능이 된 경우에는 예약 완결권을 행사할 수 없고, 이행불능 이후에 상대방이 매매예약 완결의 의사표시를 하여도 매매의 효력이 생기지 아니한다.

④ 매매계약에서 계약금의 일부만 지급된 경우 수령자가 매매계약을 해제할 수 있다고 하더라도 해약금의 기준이 되는 금원은 '실제 교부받은 계약금'이 아니라 '약정 계약금'이라고 봄이 타당하므로, 매도인이 계약금의 일부로서 지급받은 금원의 배액을 상환하는 것으로는 매매계약을 해제할 수 없다.

⑤ 민법 제565조가 해제권 행사의 시기를 당사자의 일방이 이행에 착수할 때까지로 제한한 것은 당사자의 일방이 이미 이행에 착수한 때에는 그 당사자는 그에 필요한 비용을 지출하였을 것이고, 또 그 당사자는 계약이 이행될 것으로 기대하고 있는데 만일 이러한 단계에서 상대방으로부터 계약이 해제된다면 예측하지 못한 손해를 입게 될 우려가 있으므로 이를 방지하고자 함에 있고, 이행기의 약정이 있는 경우라 하더라도 당사자가 채무의 이행기 전에는 착수하지 아니하기로 하는 특약을 하는 등 특별한 사정이 없는 한 이행기 전에 이행에 착수할 수 있다.

해설 ① 대판 2003.1.10, 2000다26425 등
② 민법 제565조 제1항에서 말하는 당사자의 일방이라는 것은 매매 쌍방 중 어느 일방을 지칭하는 것이고, 상대방이라 국한하여 해석할 것이 아니므로, 비록 상대방인 매도인이 매매계약의 이행에는 전혀 착수한 바가 없다 하더라도 매수인이 중도금을 지급하여 이미 이행에 착수한 이상 매수인은 민법 제565조에 의하여 계약금을 포기하고 매매계약을 해제할 수 없다(대판 2000.2.11, 99다62074).
③ 매매예약이 성립한 이후 상대방의 매매예약 완결의 의사표시 전에 목적물이 멸실 기타의 사유로 이전할 수 없게 되어 예약 완결권의 행사가 이행불능이 된 경우에는 예약 완결권을 행사할 수 없고, 이행불능 이후에 상대방이 매매예약 완결의 의사표시를 하여도 매매의 효력이 생기지 아니한다. 그리고 채무의 이행이 불능이라는 것은 단순히 절대적·물리적으로 불능인 경우가 아니라 사회생활의 경험법칙 또는 거래상의 관념에 비추어 볼 때 채권자가 채무자의 이행의 실현을 기대할 수 없는 경우를 말한다(대판 2015.8.27, 2013다28247).
④ 대판 2015.4.23, 2014다231378
⑤ 대판 2006.2.10, 2004다11599

32 매도인의 담보책임에 관한 다음 설명 중 가장 옳지 않은 것은?　　▶ 2024년 법원행시

① 타인의 권리를 매매의 목적으로 한 경우에 있어서 그 권리를 취득하여 매수인에게 이전하여야 할 매도인의 의무가 매도인의 귀책사유로 인하여 이행불능이 되었다면 매수인이 매도인의 담보책임에 관한 민법 제570조 단서의 규정에 의해 손해배상을 청구할 수 없다 하더라도 채무불이행 일반의 규정(민법 제546조, 제390조)에 좇아서 계약을 해제하고 손해배상을 청구할 수 있다고 할 것이다.

② 민법 제571조 제1항은 "매도인이 계약 당시에 매매의 목적이 된 권리가 자기에게 속하지 아니함을 알지 못한 경우에 그 권리를 취득하여 매수인에게 이전할 수 없는 때에는 매도인은 손해를 배상하고 계약을 해제할 수 있다."고 규정하고 있는바, 위 조항은 선의의 매도인이 수 개의 권리를 일괄하여 매매의 목적으로 정하였으나 그중 일부의 권리를 이전할 수 없는 경우에는 적용될 수 없다.

③ 부동산매매계약에 있어서 실제면적이 계약면적에 미달하는 경우에는 그 매매가 수량지정매매에 해당할 때에 한하여 민법 제574조, 제572조에 의한 대금감액청구권을 행사함은 별론으로 하고, 그 매매계약이 그 미달 부분만큼 일부 무효임을 들어 이와 별도로 일반 부당이득반환청구를 하거나 그 부분의 원시적 불능을 이유로 민법 제535조가 규정하는 계약체결상의 과실에 따른 책임의 이행을 구할 수는 없다.

④ 경락인이 강제경매절차를 통하여 부동산을 경락받아 대금을 완납하고 그 앞으로 소유권이전등기까지 마쳤으나, 그 후 강제경매절차의 기초가 된 채무자 명의의 소유권이전등기가 원인무효의 등기이어서 경매 부동산에 대한 소유권을 취득하지 못하게 된 경우, 이와 같은 강제경매는 무효라고 할 것이므로 민법 제578조 제1항, 제2항에 따른 경매의 채무자나 채권자의 담보책임은 인정될 여지가 없다.

정답 ▷ 31 ② 32 ⑤

⑤ 변제기에 도달한 채권의 매도인이 채무자의 자력을 담보한 때에는 매매계약 당시의 자력뿐만 아니라 그 이후 매수인이 실제로 변제받을 때까지의 자력을 담보한 것으로 보는 것이 신의칙에 부합하는 해석이다.

해설 ① 대판 1993.11.23, 93다37328

② 민법 제571조 제1항은 선의의 매도인이 매매의 목적인 권리의 <u>전부를 이전할 수 없는 경우</u>에 적용될 뿐 매매의 목적인 권리의 <u>일부를 이전할 수 없는 경우에는 적용될 수 없고, 마찬가지로 수 개의 권리를 일괄하여 매매의 목적으로 정하였으나 그중 일부의 권리를 이전할 수 없는 경우에도 위 조항은 적용될 수 없다</u>(대판 2004.12.9, 2002다33557).

③ 대판 2002.4.9, 99다47396

④ 경락인이 강제경매절차를 통하여 부동산을 경락받아 대금을 완납하고 그 앞으로 소유권이전등기까지 마쳤으나, 그 후 강제경매절차의 기초가 된 채무자 명의의 소유권이전등기가 원인무효의 등기이어서 경매 부동산에 대한 소유권을 취득하지 못하게 된 경우, 이와 같은 <u>강제경매는 무효</u>라고 할 것이므로 <u>경락인은 경매 채권자에게 경매대금 중 그가 배당받은 금액에 대하여 일반 부당이득의 법리에 따라 반환을 청구할 수 있고, 민법 제578조 제1항, 제2항에 따른 경매의 채무자나 채권자의 담보책임은 인정될 여지가 없다</u>(대판 2004.6.24, 2003다59259).

⑤ 민법은 변제기에 도달한 채권의 매도인이 채무자의 자력을 담보한 때에는 매매계약 당시의 자력을 담보한 것으로 추정하고(민법 제579조 제1항), 변제기에 도달하지 아니한 채권의 매도인이 채무자의 자력을 담보한 때에는 변제기의 자력을 담보한 것으로 추정한다(동조 제2항)고 규정하고 있다. 따라서 <u>장래의 자력을 담보하기로 하는 약정과 같은 특별한 사정이 없는 한 실제로 변제받을 때까지의 자력을 담보한 것으로 볼 수 없다</u>(견해 대립은 있음).

제3관 환매

33 **환매에 관한 다음 설명 중 옳지 않은 것은?** (다툼이 있는 경우 판례에 의함)

① 환매기간은 부동산은 5년, 동산은 3년을 넘지 못하며, 약정기간이 이를 넘는 때에는 부동산은 5년, 동산은 3년으로 단축한다.

② 환매기간을 정한 경우 그 기간이 경과한 때에는 다시 이를 연장할 수 있다.

③ 당사자가 환매기간을 정하지 아니한 때에는 그 기간은 부동산은 5년, 동산은 3년으로 한다.

④ 매매의 목적물이 부동산인 경우에 매매등기와 동시에 환매권의 보류를 등기한 때에는 제3자에 대하여 그 효력이 있다.

⑤ 매도인이 매매계약과 동시에 환매할 권리를 보류한 때에는 그 영수한 대금 및 매수인이 부담한 매매비용을 반환하고 그 목적물을 환매할 수 있는데, 그 환매기간 내에 대금과 매매비용을 매수인에게 제공하지 아니하면 환매할 권리를 잃는다.

해설 ①, ②, ③

> 제591조 【환매기간】
> ① 환매기간은 부동산은 5년, 동산은 3년을 넘지 못한다. 약정기간이 이를 넘는 때에는 부동산은 5년, 동산은 3년으로 단축한다.
> ② 환매기간을 정한 때에는 다시 이를 연장하지 못한다.
> ③ 환매기간을 정하지 아니한 때에는 그 기간은 부동산은 5년, 동산은 3년으로 한다.

④
> 제592조 【환매등기】 매매의 목적물이 부동산인 경우에 매매등기와 동시에 환매권의 보류를 등기한 때에는 제3자에 대하여 그 효력이 있다.

⑤
> 제590조 제1항 【환매의 의의】 매도인이 매매계약과 동시에 환매할 권리를 보류한 때에는 그 영수한 대금 및 매수인이 부담한 매매비용을 반환하고 그 목적물을 환매할 수 있다.
> 제594조 제1항 【환매의 실행】 매도인은 기간 내에 대금과 매매비용을 매수인에게 제공하지 아니하면 환매할 권리를 잃는다.

34 환매에 관한 다음 설명 중 가장 옳지 않은 것은?   ▶ 2014년 법무사

① 매도인이 매매계약과 동시에 환매할 권리를 보류한 때에는 그 영수한 대금 및 매수인이 부담한 매매비용을 반환하고 그 목적물을 환매할 수 있는데, 목적물의 과실과 대금의 이자는 특별한 약정이 없으면 이를 상계한 것으로 본다.

② 환매기간은 부동산은 5년, 동산은 3년을 넘지 못하는데, 환매기간을 정한 때에는 이를 다시 연장할 수 있다.

③ 공유자의 1인이 환매할 권리를 보류하고 그 지분을 매도한 후 그 목적물의 분할이나 경매가 있는 때에는 매도인은 매수인이 받은 또는 받을 부분이나 대금에 대하여 환매권을 행사할 수 있다.

④ 매도인은 기간내에 대금과 매매비용을 매수인에게 제공하지 아니하면 환매할 권리를 잃는다.

⑤ 매도인의 채권자가 매도인을 대위하여 환매하고자 하는 때에는 매수인은 법원이 선정한 감정인의 평가액에서 매도인이 반환할 금액을 공제한 잔액으로 매도인의 채무를 변제하고 잉여액이 있으면 이를 매도인에게 지급하여 환매권을 소멸시킬 수 있다.

해설 ①
> 제590조 【환매의 의의】
> ① 매도인이 매매계약과 동시에 환매할 권리를 보류한 때에는 그 영수한 대금 및 매수인이 부담한 매매비용을 반환하고 그 목적물을 환매할 수 있다.
> ② 전항의 환매대금에 관하여 특별한 약정이 있으면 그 약정에 의한다.
> ③ 전2항의 경우에 목적물의 과실과 대금의 이자는 특별한 약정이 없으면 이를 상계한 것으로 본다.

정답 33 ② 34 ②

② 제591조【환매기간】
① 환매기간은 부동산은 5년, 동산은 3년을 넘지 못한다. 약정기간이 이를 넘는 때에는 부동산은 5년, 동산은 3년으로 단축한다.
② 환매기간을 정한 때에는 다시 이를 연장하지 못한다.
③ 환매기간을 정하지 아니한 때에는 그 기간은 부동산은 5년, 동산은 3년으로 한다.

③ 제595조【공유지분의 환매】 공유자의 1인이 환매할 권리를 보류하고 그 지분을 매도한 후 그 목적물의 분할이나 경매가 있는 때에는 매도인은 매수인이 받은 또는 받을 부분이나 대금에 대하여 환매권을 행사할 수 있다. 그러나 매도인에게 통지하지 아니한 매수인은 그 분할이나 경매로써 매도인에게 대항하지 못한다.

④ 제594조【환매의 실행】
① 매도인은 기간내에 대금과 매매비용을 매수인에게 제공하지 아니하면 환매할 권리를 잃는다.
② 매수인이나 전득자가 목적물에 대하여 비용을 지출한 때에는 매도인은 제203조의 규정에 의하여 이를 상환하여야 한다. 그러나 유익비에 대하여는 법원은 매도인의 청구에 의하여 상당한 상환기간을 허여할 수 있다.

⑤ 제593조【환매권의 대위행사와 매수인의 권리】 매도인의 채권자가 매도인을 대위하여 환매하고자 하는 때에는 매수인은 법원이 선정한 감정인의 평가액에서 매도인이 반환할 금액을 공제한 잔액으로 매도인의 채무를 변제하고 잉여액이 있으면 이를 매도인에게 지급하여 환매권을 소멸시킬 수 있다.

심화문제 | 확인 · 보충 · 심화문제

01 **매매의 예약에 관한 설명 중 옳지 않은 것은?** (다툼이 있는 경우에는 판례에 의함)

① 매매의 일방예약은 당사자 일방이 매매를 완결할 의사를 표시한 때에 매매의 효력이 생기는 것이므로, 적어도 예약이 성립하려면 그 예약에 터 잡아 맺어질 본계약의 요소가 되는 매매목적물, 이전방법, 매매가액 및 지급방법 등의 내용이 확정되어 있거나 확정할 수 있어야 한다.

② 부동산에 관한 매매예약이 체결된 경우, 예약권리자가 목적부동산을 인도받은 경우에도 매매예약완결권은 제척기간의 경과로 소멸한다.

③ 매매예약완결권의 행사기간을 정하지 아니한 때에는 예약의무자는 예약완결권자에게 상당한 기간을 정하여 행사 여부의 확답을 최고할 수 있고, 확답을 받지 못하면 예약은 효력을 상실한다.

④ 복수채권자의 채권을 담보하기 위하여 그 복수채권자 전원을 공동매수인으로 하여 채무자 소유의 부동산에 관한 매매계약을 체결하고 이에 따른 가등기를 경료한 경우, 매매예약의 내용이나 매매예약완결권 행사와 관련한 당사자의 의사와 관계없이 그 복수채권자 중의 1인은 단독으로 매매예약완결권을 소송상 행사할 수 없고, 반드시 복수채권자 전원이 공동으로 행사하여야 한다.

⑤ 매매예약완결권의 제척기간이 도과하였는지 여부는 소위 직권조사 사항으로서, 이에 대한 당사자의 주장이 없더라도 법원이 당연히 직권으로 조사하여 재판에 고려하여야 한다.

해설 ① 매매의 예약은 당사자의 일방이 매매를 완결할 의사를 표시한 때에 매매의 효력이 생기는 것이므로 적어도 일방예약이 성립하려면 그 예약에 터잡아 맺어질 본계약의 요소가 되는 매매목적물, 이전방법, 매매가액 및 지급방법 등의 내용이 확정되어 있거나 확정할 수 있어야 한다(대판 1993.5.27. 93다4908 · 4915 · 4922).

② 제척기간에 있어서는 소멸시효와 같이 기간의 중단이 있을 수 없으므로, 그 기간을 지난 때에는 예약목적물인 부동산을 인도받은 경우라도 예약완결권은 제척기간의 경과로 인하여 소멸한다(대판 2003.1.10. 2000다26425 ; 대판 1995.11.10. 94다22682 · 22699 등).

③ 제564조 【매매의 일방예약】
① 매매의 일방예약은 상대방이 매매를 완결할 의사를 표시하는 때에 매매의 효력이 생긴다.
② 전항의 의사표시의 기간을 정하지 아니한 때에는 예약자는 상당한 기간을 정하여 매매완결여부의 확답을 상대방에게 최고할 수 있다.
③ 예약자가 전항의 기간 내에 확답을 받지 못한 때에는 예약은 그 효력을 잃는다.

④ 대판(전) 2012.2.16. 2010다82530

정답 01 ④

[1] 수인의 채권자가 각기 그 채권을 담보하기 위하여 채무자와 채무자 소유의 부동산에 관하여 수인의 채권자를 공동매수인으로 하는 1개의 매매예약을 체결하고 그에 따라 수인의 채권자 공동명의로 그 부동산에 가등기를 마친 경우, 수인의 채권자가 공동으로 매매예약완결권을 가지는 관계인지 아니면 채권자 각자의 지분별로 별개의 독립적인 매매예약완결권을 가지는 관계인지는 매매예약의 내용에 따라야 하고, 매매예약에서 그러한 내용을 명시적으로 정하지 않은 경우에는 수인의 채권자가 공동으로 매매예약을 체결하게 된 동기 및 경위, 그 매매예약에 의하여 달성하려는 담보의 목적, 담보 관련 권리를 공동 행사하려는 의사의 유무, 채권자별 구체적인 지분권의 표시 여부 및 그 지분권 비율과 피담보채권 비율의 일치 여부, 가등기담보권 설정의 관행 등을 종합적으로 고려하여 판단하여야 한다.

[2] 이와 달리 1인의 채무자에 대한 수인의 채권자의 채권을 담보하기 위하여 그 수인의 채권자와 채무자가 채무자 소유의 부동산에 관하여 수인의 채권자를 권리자로 하는 1개의 매매예약을 체결하고 그에 따른 가등기를 마친 경우에, 매매예약의 내용이나 매매예약완결권 행사와 관련한 당사자의 의사와 관계없이 언제나 수인의 채권자가 공동으로 매매예약완결권을 가진다고 보고, 매매예약완결의 의사표시도 수인의 채권자 전원이 공동으로 행사하여야 한다는 취지의 대판 1984.6.12, 83다카2282 판결, 대판 1985.5.28, 84다카2188 판결, 대판 1985.10.8, 85다카604 판결, 대판 1987.5.26, 85다카2203 판결 등은 이 판결의 견해와 저촉되는 한도에서 변경하기로 한다.

[3] 원심은, 원고가 2005.3.11, 피고에게 1억원을 대여하면서 이를 담보하기 위하여 피고에 대한 다른 채권자들인 소외 1, 소외 2, 소외 3, 소외 4, 소외 5와 공동명의로 피고와 이 사건 부동산 중 피고 소유의 1,617분의 1,607 지분(이하 '이 사건 담보목적물'이라고 한다)에 관하여 매매예약을 체결한 사실, 이에 따라 이 사건 담보목적물에 관하여 원고는 2,498,265분의 241,050 지분(이하 '이 사건 지분'이라 한다), 소외 1은 2,498,265분의 1,205,250 지분, 소외 2는 2,498,265분의 795,465 지분, 소외 3은 2,498,265분의 120,525 지분, 소외 4는 2,498,265분의 72,315 지분, 소외 5는 2,498,265분의 48,210 지분 (위 각 지분은 원고 등 6인 각자의 채권액의 비율에 따라 산정되었다)으로 특정하여 이 사건 가등기를 마친 사실을 인정한 다음, 원고를 포함한 6인의 채권자가 각자의 지분별로 별개의 독립적인 매매예약완결권을 갖는 것으로 보아, 채권자 중 1인인 원고는 단독으로 이 사건 담보목적물 중 이 사건 지분에 관하여 매매예약완결권을 행사할 수 있고, 이에 따라 단독으로 이 사건 지분에 관하여 가등기에 기한 본등기절차의 이행을 구할 수 있다고 판단하였다.

⑤ 매매예약완결권은 형성권이므로 그 행사 기간은 소멸시효기간이 아닌 제척기간이다. 그리고 제척기간의 도과 여부는 당사자의 주장과 관계없이 법원이 직권으로 조사하여 고려하여야 한다(대판 1996.9.20, 96다25371).

02 매도인의 담보책임에 관한 설명 중 옳은 것(○)과 옳지 않은 것(×)을 바르게 표시한 것은?
(다툼이 있는 경우에는 판례에 의함)

> ⊙ 부동산 매수인이 일정한 면적이 있는 것으로 믿고 매도인도 그 면적이 있는 것을 명시적 또는 묵시적으로 표시하였으며, 나아가 당사자들이 면적을 가장 중요한 가격결정 요소로 파악하고 그 객관적인 수치를 기준으로 가격을 정한 경우 그 매매는 '수량을 지정한 매매'에 해당한다.
> ⓛ 타인의 권리를 매매의 목적으로 한 경우 그 권리를 취득하여 매수인에게 이전하여야 할 매도인의 의무가 매도인의 귀책사유로 인하여 이행불능이 되었다면, 매수인이 계약 당시 그 권리가 매도인에게 속하지 아니함을 안 사정 등으로 인하여 담보책임에 관한 민법 제570조 단서의 규정에 의하여 매도인에게 손해배상을 청구할 수는 없다고 하더라도, 채무불이행의 일반 규정에 의하여 매도인에게 계약을 해제하고 손해배상을 청구할 수는 있다.
> ⓒ 가등기의 목적이 된 부동산을 매수한 사람이 그 뒤 가등기에 기한 본등기가 경료됨으로써, 그 부동산의 소유권을 상실하게 된 때에는 결과적으로 타인의 권리를 매매한 것과 같은 효과를 가지므로 매도인은 민법 제570조에 의한 담보책임을 진다.
> ⓔ 매매목적물의 하자로 인하여 확대손해가 발생한 경우 매도인에게 그 확대손해에 대한 배상책임을 지우기 위하여는 채무의 내용으로 된 하자 없는 목적물을 인도하지 못한 의무위반사실 외에 그러한 의무위반에 대하여 매도인에게 귀책사유가 있어야 한다.
> ⓜ 매매의 목적이 된 권리의 일부가 타인에게 속함으로 인하여 매도인이 그 권리를 취득하여 매수인에게 이전할 수 없게 된 경우, 매도인이 선의의 매수인에게 배상하여야 할 손해액은 원칙적으로 이행이익 상당액이 아니라 그 부분의 매수를 위하여 매수인이 출연한 금액이다.

① ⊙ (×), ⓛ (×), ⓒ (×), ⓔ (○), ⓜ (○)
② ⊙ (×), ⓛ (×), ⓒ (×), ⓔ (○), ⓜ (×)
③ ⊙ (○), ⓛ (○), ⓒ (○), ⓔ (×), ⓜ (○)
④ ⊙ (○), ⓛ (×), ⓒ (○), ⓔ (○), ⓜ (×)
⑤ ⊙ (○), ⓛ (○), ⓒ (×), ⓔ (○), ⓜ (×)

해설 ⊙ 민법 제574조에서 규정하는 '수량을 지정한 매매'라 함은 당사자가 매매의 목적인 '특정물'이 일정한 수량을 가지고 있다는 데 주안을 두고 대금도 그 수량을 기준으로 하여 정한 경우를 말하는 것이다. (⇔) 부동산 매매계약에 있어서 매수인이 일정한 면적이 있는 것으로 믿고 매도인도 그 면적이 있는 것을 명시적 또는 묵시적으로 표시하며, 나아가 계약당사자가 면적을 가격을 정하는 여러 요소 중 가장 중요한 요소로 파악하고, 그 객관적 수치를 기준으로 가격을 정하는 경우이어야 한다(대판 2001.4.10, 2001다12256).

정답 ▶ 02 ⑤

ⓛ 타인의 권리를 매매의 목적으로 한 경우에 있어서 그 권리를 취득하여 매수인에게 이전하여야 할 매도인의 의무가 매도인의 귀책사유로 인하여 이행불능이 되었다면 매수인이 매도인의 담보책임에 관한 민법 제570조 단서의 규정에 의해 손해배상을 청구할 수 없다 하더라도, 채무불이행 일반의 규정(민법 제546조, 제390조)에 쫓아서 계약을 해제하고 손해배상을 청구할 수 있다(대판 1993.11.23, 93다37328).

ⓒ 가등기의 목적이 된 부동산을 매수한 사람이 그 뒤 가등기에 기한 본등기가 경료됨으로써 그 부동산의 소유권을 상실하게 된 때에는 매매의 목적 부동산에 설정된 저당권 또는 전세권의 행사로 인하여 매수인이 취득한 소유권을 상실한 경우와 유사하므로, 이와 같은 경우 민법 제576조의 규정이 준용된다고 보아 같은 조 소정의 담보책임을 진다고 보는 것이 상당하고 민법 제570조에 의한 담보책임을 진다고 할 수 없다(대판 1992.10.17, 92다21784).

ⓔ 매도인이 매수인에게 공급한 부품이 통상의 품질이나 성능을 갖추고 있는 경우, 나아가 내한성이라는 특수한 품질이나 성능을 갖추고 있지 못하여 하자가 있다고 인정할 수 있기 위하여는, 매수인이 매도인에게 완제품이 사용될 환경을 설명하면서 그 환경에 충분히 견딜 수 있는 내한성 있는 부품의 공급을 요구한 데 대하여, 매도인이 부품이 그러한 품질과 성능을 갖춘 제품이라는 점을 명시적으로나 묵시적으로 보증하고 공급하였다는 사실이 인정되어야만 할 것이고, 특히 매매목적물의 하자로 인하여 확대손해 내지 2차 손해가 발생하였다는 이유로 매도인에게 그 확대손해에 대한 배상책임을 지우기 위하여는 채무의 내용으로 된 하자 없는 목적물을 인도하지 못한 의무위반사실 외에 그러한 의무위반에 대하여 매도인에게 귀책사유가 인정될 수 있어야만 한다(대판 1997.5.7, 96다39455).

ⓜ 매매의 목적이 된 권리의 일부가 타인에게 속함으로 인하여 매도인이 그 권리를 취득하여 매수인에게 이전할 수 없게 된 때에는 선의의 매수인은 매도인에게 담보책임을 물어 이로 인한 손해배상을 청구할 수 있는바, 이 경우에 매도인이 매수인에 대하여 배상하여야 할 손해액은 원칙적으로 매도인이 매매의 목적이 된 권리의 일부를 취득하여 매수인에게 이전할 수 없게 된 때의 이행불능이 된 권리의 시가, 즉 이행이익 상당액이라고 할 것이다(대판 1993.1.19, 92다37727).

03 담보책임에 관한 설명 중 옳은 것(○)과 옳지 않은 것(×)을 올바르게 조합한 것은? (다툼이 있는 경우 판례에 의함) ▶ 2016년 사법시험

ㄱ. 하자담보에 기한 매수인의 손해배상청구권은 권리의 내용·성질 및 취지에 비추어 10년의 채권 소멸시효의 규정이 적용되고, 민법 제582조의 제척기간 규정으로 인하여 소멸시효 규정의 적용이 배제된다고 할 수 없다.

ㄴ. 하자담보에 기한 매수인의 손해배상청구권은 다른 특별한 사정이 없는 한 매수인이 매매목적물을 인도받은 때부터 소멸시효가 진행한다.

ㄷ. 제조업자나 수입업자로부터 제품을 구매하여 이를 판매한 자가 그 매수인에 대하여 부담하는 민법 제580조 제1항의 하자담보책임에는 특별한 사정이 없는 한 제조업자에 대한 제조물책임에서의 증명책임 완화의 법리가 유추적용된다.

ㄹ. 민법 제580조, 제581조에 기한 매도인의 하자담보책임은 「민법」이 특별히 인정한 무과실책임으로서 여기에도 민법 제396조의 과실상계 규정이 준용될 수 있다.

ㅁ. 부동산을 매수하고 소유권이전등기까지 넘겨받았지만 진정한 소유자가 제기한 등기 말소청구소송에서 매도인과 매수인 앞으로 마쳐진 각 소유권이전등기의 말소를 명한 판결이 확정됨으로써 매도인의 소유권이전의무가 이행불능된 경우, 매수인은 매도인에 대하여 민법 제570조에 기한 담보책임을 물을 수 있다.

ㅂ. 매매의 목적인 재산권의 일부가 타인에게 속하고 매도인이 이를 취득하여 매수인에게 이전할 수 없는 경우, 선의의 매수인이 민법 제572조에 기하여 매도인에게 청구할 수 있는 손해액은 매도인이 매매의 목적이 된 권리의 일부를 취득하여 매수인에게 이전할 수 없게 된 때의 이행불능이 된 권리의 시가, 즉 이행이익 상당액만큼이다.

① ㄱ (×), ㄴ (○), ㄷ (○), ㄹ (×), ㅁ (○), ㅂ (×)
② ㄱ (○), ㄴ (×), ㄷ (×), ㄹ (○), ㅁ (×), ㅂ (×)
③ ㄱ (○), ㄴ (○), ㄷ (○), ㄹ (×), ㅁ (○), ㅂ (○)
④ ㄱ (×), ㄴ (×), ㄷ (×), ㄹ (×), ㅁ (×), ㅂ (○)
⑤ ㄱ (○), ㄴ (○), ㄷ (×), ㄹ (×), ㅁ (○), ㅂ (○)

해설 ㄱ. ㄴ. 매도인에 대한 하자담보에 기한 손해배상청구권에 대하여는 민법 제582조의 제척기간이 적용되고, 이는 법률관계의 조속한 안정을 도모하고자 하는 데에 취지가 있다. 그런데 하자담보에 기한 매수인의 손해배상청구권은 권리의 내용·성질 및 취지에 비추어 민법 제162조 제1항의 채권 소멸시효의 규정이 적용되고, 민법 제582조의 제척기간 규정으로 인하여 소멸시효 규정의 적용이 배제된다고 볼 수 없으며, 이때 다른 특별한 사정이 없는 한 무엇보다도 매수인이 매매 목적물을 인도받은 때부터 소멸시효가 진행한다고 해석함이 타당하다(대판 2011.10.13, 2011다10266).

ㄷ. 제조업자 등으로부터 제품을 구매하여 이를 판매한 자가 매수인에 대하여 부담하는 민법 제580조 제1항의 하자담보책임에 무과실책임의 제조물책임에서의 증명책임 완화 법리가 유추적용되지 않는다(대판 2011.10.27, 2010다72045).

ㄹ. 민법 제581조, 제580조에 기한 매도인의 하자담보책임은 법이 특별히 인정한 무과실책임으로서 여기에 민법 제396조의 과실상계 규정이 준용될 수는 없다 하더라도, 담보책임이 민법의 지도이념인 공평의 원칙에 입각한 것인 이상 하자발생 및 그 확대에 가공한 매수인의 잘못을 참작하여 손해배상의 범위를 정함이 상당하다(대판 1995.6.30, 94다23920).

ㅁ. 대판 1993.4.9, 92다25946

ㅂ. 매매의 목적이 된 권리의 일부가 타인에게 속함으로 인하여 매도인이 그 권리를 취득하여 매수인에게 이전할 수 없게 된 때에는 선의의 매수인은 매도인에게 담보책임을 물어 이로 인한 손해배상을 청구할 수 있는바, 이 경우에 매도인이 매수인에 대하여 배상하여야 할 손해액은 원칙적으로 매도인이 매매의 목적이 된 권리의 일부를 취득하여 매수인에게 이전할 수 없게 된 때의 이행불능이 된 권리의 시가, 즉 이행이익 상당액이라고 할 것이어서, 불법등기에 대한 불법행위책임을 물어 손해배상청구를 할 경우의 손해의 범위와 같이 볼 수 없다(대판 1993.1.19, 92다37727).

정답 03 ⑤

04

甲은 乙과 자기 명의의 X 부동산에 대한 매매계약을 체결하였다. 이에 관한 설명 중 옳지 않은 것은? (다툼이 있는 경우 판례에 의함) ▶ 2015년 사법시험

① 乙과 계약을 체결한 이후 甲에게 X 부동산에 대한 소유권이 없다고 밝혀지더라도 甲과 乙의 매매계약의 효력에는 영향을 미치지 않는다.

② 甲과 乙 사이의 X 부동산에 대한 매매계약이 乙의 착오로 체결되어 乙에게 취소권이 인정되는 경우, 乙이 사망하여 그를 단독상속한 丙은 乙의 착오를 이유로 甲과의 계약을 취소할 수 있다.

③ X 부동산의 실제면적이 계약면적에 미달하는 경우, 甲과 乙 사이의 매매계약이 수량지정매매에 해당한다면 乙은 甲을 상대로 민법 제574조, 제572조에 의한 대금감액청구권을 행사할 수 있고, 수량지정매매에 해당하지 않는다면 그 미달 부분에 한하여 원시적 불능을 이유로 민법 제535조에 따른 손해배상책임을 물을 수 있다.

④ 乙은 甲과 매매계약을 체결한 후 X 부동산의 소유권이전등기를 마치기 이전에 이를 다시 丙에게 전매하면서 소유권이전등기에 관하여는 甲으로부터 직접 丙에게 마쳐주기로 甲, 丙과 합의하였다. 그 후 乙은 甲과 매매대금을 증액하기로 합의하였으나 甲에게 그 증액된 대금을 지급하지 못하는 경우, 甲은 이를 이유로 丙에 대한 소유권이전등기를 거절할 수 있다.

⑤ 乙이 丙에게 甲에 대한 소유권이전등기청구권을 양도하고 이를 甲에게 통지한 경우, 甲이 그 양도에 동의하거나 이를 승낙하는 등 특별한 사정이 없는 한 丙은 甲에게 X 부동산에 대한 소유권이전등기를 청구할 수 없다.

해설 ① 특정한 매매의 목적물이 타인의 소유에 속하는 경우라 하더라도, 그 매매계약이 원시적 이행 불능에 속하는 내용을 목적으로 하는 당연무효의 계약이라고 볼 수 없다(대판 1993.9.10. 93다20283).

② 제140조 취소권자에 포괄승계인이 포함된다는 내용이다.

③ 부동산의 실제면적이 계약면적에 미달하는 경우, 甲과 乙 사이의 매매계약이 수량지정매매에 해당한다면 乙은 甲을 상대로 민법 제574조, 제572조에 의한 담보책임으로서 대금감액청구권을 행사할 수 있고, 수량지정매매에 해당하지 않는다면 그 미달 부분에 한하여 원시적 불능을 이유로 민법 제535조에 따른 손해배상책임을 물을 수 있는 것이 아니라 담보책임이 불성립한다(대판 2002.4.9. 99다47396).

④ 최초 매도인과 중간 매수인, 중간 매수인과 최종 매수인 사이에 순차로 매매계약이 체결되고 이들 간에 중간생략등기의 합의가 있은 후에 최초 매도인과 중간 매수인 간에 매매대금을 인상하는 약정이 체결된 경우, 최초 매도인은 인상된 매매대금이 지급되지 않았음을 이유로 최종 매수인 명의로의 소유권이전등기의무의 이행을 거절할 수 있다(대판 2005.4.29. 2003다66431).

⑤ 매매에 기한 부동산에 대한 이전등기청구권은 채권적 청구권이지만 그 양도성이 제한되어 매도인의 동의가 없는 한 단순한 매도인에 대한 양도통지만으로는 매도인에게 대항할 수 없다(대판 1995.8.22. 79다847).

정답 04 ③

03 절 교환

04 절 소비대차

01 **소비대차에 관한 다음 설명 중 옳지 않은 것은?** (다툼이 있는 경우 판례에 의함)

① 소비대차는 당사자 일방이 금전 기타 대체물의 소유권을 상대방에게 이전할 것을 약정하고 상대방은 차용한 것과 같은 종류, 품질 및 수량으로 반환할 것을 약정함으로써 그 효력이 생긴다.

② 무이자소비대차의 당사자는 목적물의 인도 전이라도 상대방에게 손해가 생긴 때에는 계약을 해제할 수 없다.

③ 목적물의 반환시기의 약정이 없는 경우, 차주는 소비대차에 이자약정이 있든 없든 언제든지 반환할 수 있다.

④ 대물반환의 예약에 있어서 그 재산의 가액이 차용액과 이에 붙인 이자의 합산액을 넘는지 여부는 예약 당시를 기준으로 하여 판단한다.

⑤ 대주가 교부한 목적물에 하자가 있는 경우 대주가 차주에 대하여 부담하는 담보책임의 발생요건은 무이자소비대차와 이자부소비대차 간에 차이가 있다.

해설

① 제598조【소비대차의 의의】 소비대차는 당사자 일방이 금전 기타 대체물의 소유권을 상대방에게 이전할 것을 약정하고 상대방은 그와 같은 종류, 품질 및 수량으로 반환할 것을 약정함으로써 그 효력이 생긴다.

② 제601조【무이자소비대차와 해제권】 이자 없는 소비대차의 당사자는 목적물의 인도 전에는 언제든지 계약을 해제할 수 있다. 그러나 상대방에게 생긴 손해가 있는 때에는 이를 배상하여야 한다.

③ 제603조 제2항【반환시기】 반환시기의 약정이 없는 때에는 대주는 상당한 기간을 정하여 반환을 최고하여야 한다. 그러나 차주는 언제든지 반환할 수 있다.

④ 목적물의 가액이 차용액과 그 이자의 합산액을 넘는지 여부는 예약 당시를 기준으로 하여야 하며, 소유권이전 당시를 기준으로 할 것이 아니다(대판 1996.4.26. 95다34781).

⑤ 제602조【대주의 담보책임】
① 이자 있는 소비대차의 목적물에 하자가 있는 경우에는 제580조 내지 제582조(=매도인의 담보책임)의 규정을 준용한다.
② 이자 없는 소비대차의 경우에는 차주는 하자 있는 물건의 가액으로 반환할 수 있다. 그러나 대주가 그 하자를 알고 차주에게 고지하지 아니한 때에는 전항(=매도인의 담보책임)과 같다.

정답 **01** ②

02 **소비대차에 관한 다음 설명 중 가장 옳지 않은 것은?** (다툼이 있는 경우 판례에 의함)

▸ 2015년 법무사

① 차주는 약정시기에 차용물과 같은 종류, 품질 및 수량의 물건을 반환하여야 하나, 반환 시기의 약정이 없는 때에는 차주는 언제든지 반환할 수 있다.

② 차용물의 반환에 관하여 차주가 차용물에 갈음하여 다른 재산권을 이전할 것을 예약한 경우 에는 그 재산의 이전 당시의 가액이 차용액 및 이에 붙인 이자의 합산액을 넘지 못한다.

③ 준소비대차계약의 당사자는 기초가 되는 기존 채무의 당사자이어야 한다.

④ 준소비대차에 있어서 신채무와 기존채무의 소멸은 서로 조건을 이루어 기존채무가 부 존재하거나 무효인 경우에는 신채무는 성립하지 않고 신채무가 무효이거나 취소된 때 에는 기존채무는 소멸하지 않았던 것이 되고, 기존채무와 신채무의 동일성이란 기존채 무에 동반한 담보권, 항변권 등이 당사자의 의사나 그 계약의 성질에 반하지 않는 한 신채무에도 그대로 존속한다는 의미이다.

⑤ 이자 없는 소비대차의 당사자는 목적물의 인도전에는 언제든지 계약을 해제할 수 있으나 상대방에게 손해가 있는 때에는 이를 배상하여야 한다.

해설 ① 차주는 약정시기에 차용물과 같은 종류, 품질 및 수량의 물건을 반환하여야 하나, 반환시기의 약정이 없는 때에는 차주는 언제든지 반환할 수 있다(제603조).

② 차용물의 반환에 관하여 차주가 차용물에 갈음하여 다른 재산권을 이전할 것을 예약한 경우 에는 '그 재산의 이전 당시의 가액'이 아닌 '예약당시의 가액'이어야 한다(제607조).

③ 경개와 달리 준소비대차계약의 당사자는 동일하여야 한다(대판 2002.12.6, 2001다2846).

④ 경개와 준소비대차의 차이점은 동일성 여부에 있다. 구채무의 소멸과 신채무의 성립간에 인 과관계가 있는 것은 차이가 없다. 따라서 신채무와 기존채무의 소멸은 서로 조건을 이루어 기존채무가 부존재하거나 무효인 경우에는 신채무는 성립하지 않고 신채무가 무효이거나 취 소된 때에는 기존채무는 소멸하지 않았던 것이 되는 것이다. 그리고 준소비대차는 동일성이 있기 때문에 기존채무에 동반한 담보권, 항변권 등이 당사자의 의사나 그 계약의 성질에 반 하지 않는 한 신채무에도 그대로 존속한다는 의미이다(대판 1989.6.27, 89다카2957).

⑤ 이자 없는 소비대차의 당사자는 목적물의 인도전에는 언제든지 계약을 해제할 수 있으나 상 대방에게 손해가 있는 때에는 이를 배상하여야 한다(제601조).

03 **소비대차 및 준소비대차에 관한 다음 설명 중 가장 옳지 않은 것은?** (다툼이 있는 경우 판례에 의함)

▸ 2016년 법무사

① 소비대차는 당사자 일방이 금전 기타 대체물의 소유권을 상대방에게 이전할 것을 약정 하고 상대방은 그와 같은 종류, 품질 및 수량으로 반환할 것을 약정함으로써 그 효력이 생기는 바, 일단 소비대차의 효력이 발생한 이후에는 대주가 목적물을 차주에게 인도 하기 전에 당사자 일방이 파산선고를 받았다는 이유만으로 그 소비대차가 효력을 잃지 는 않는다.

② 민법상 소비대차는 이른바 낙성계약이므로, 차주가 현실로 금전 등을 수수하거나 현실의 수수가 있은 것과 같은 경제적 이익을 취득하여야만 소비대차가 성립하는 것은 아니다.

③ 당사자 쌍방이 소비대차에 의하지 아니하고 금전 기타의 대체물을 지급할 의무가 있는 경우에 당사자가 그 목적물을 소비대차의 목적으로 할 것을 약정한 때에는 소비대차의 효력이 생긴다.

④ 금전 소비대차계약과 함께 이자의 약정을 하는 경우, 그 이자 약정이 대주가 그의 우월한 지위를 이용하여 부당한 이득을 얻고 차주에게는 과도한 반대급부 또는 기타의 부당한 부담을 지우는 것이어서 선량한 풍속 기타 사회질서에 위반한 사항을 내용으로 하는 법률행위로서 무효라고 보기 위해서는, 양쪽 당사자 사이의 경제력의 차이로 인하여 그 이율이 당시의 경제적·사회적 여건에 비추어 사회통념상 허용되는 한도를 초과하여 현저하게 고율로 정하여졌다는 사정이 인정되어야 한다.

⑤ 이자있는 소비대차는 차주가 목적물의 인도를 받은 때로부터 이자를 계산하여야 하며 차주가 그 책임 있는 사유로 수령을 지체할 때에는 대주가 이행을 제공한 때로부터 이자를 계산하여야 한다.

해설
① 제598조【소비대차의 의의】소비대차는 당사자 일방이 금전 기타 대체물의 소유권을 상대방에게 이전할 것을 약정하고 상대방은 그와 같은 종류, 품질 및 수량으로 반환할 것을 약정함으로써 그 효력이 생긴다.
제599조【파산과 소비대차의 실효】대주가 목적물을 차주에게 인도하기 전에 당사자 일방이 파산선고를 받은 때에는 소비대차는 그 효력을 잃는다.

② 민법상 소비대차는 이른바 낙성계약이므로, 차주가 현실로 금전 등을 수수하거나 현실의 수수가 있은 것과 같은 경제적 이익을 취득하여야만 소비대차가 성립하는 것은 아니다(대판 1991.4.9, 90다14652).

③ 제605조【준소비대차】당사자 쌍방이 소비대차에 의하지 아니하고 금전 기타의 대체물을 지급할 의무가 있는 경우에 당사자가 그 목적물을 소비대차의 목적으로 할 것을 약정한 때에는 소비대차의 효력이 생긴다.

④ 금전 소비대차계약과 함께 이자의 약정을 하는 경우, 그 이자 약정이 대주가 그의 우월한 지위를 이용하여 부당한 이득을 얻고 차주에게는 과도한 반대급부 또는 기타의 부당한 부담을 지우는 것이어서 선량한 풍속 기타 사회질서에 위반한 사항을 내용으로 하는 법률행위로서 무효라고 보기 위해서는, 양쪽 당사자 사이의 경제력의 차이로 인하여 그 이율이 당시의 경제적·사회적 여건에 비추어 사회통념상 허용되는 한도를 초과하여 현저하게 고율로 정하여졌다는 사정이 인정되어야 한다(대판 2009.6.11, 2009다12399).

⑤ 제600조【이자계산의 시기】이자있는 소비대차는 차주가 목적물의 인도를 받은 때로부터 이자를 계산하여야 하며 차주가 그 책임 있는 사유로 수령을 지체할 때에는 대주가 이행을 제공한 때로부터 이자를 계산하여야 한다.

04 준소비대차에 관한 다음 설명 중 옳지 않은 것은? (다툼이 있는 경우 판례에 의함)

① 준소비대차계약의 당사자는 반드시 기초가 되는 기존 채무의 당사자이어야 한다.

② 기존채권·채무의 당사자가 그 목적물을 소비대차의 목적으로 할 것을 약정한 경우, 그 약정을 경개로 볼 것인가 또는 준소비대차로 볼 것인가에 대해 당사자의 의사가 명백하지 않다면 특별한 사정이 없는 한 준소비대차로 보아야 한다.

③ 현실적인 자금의 수수 없이 형식적으로만 신규대출을 하여 기존채무를 변제하는 이른바 대환이 있는 경우라면 특별한 사정이 없는 한 기존채무에 대한 보증책임은 소멸한다.

④ 준소비대차는 기존채무가 유효하여야 하므로, 기존채무가 무효이거나 부존재하면 준소비대차는 성립하지 않는다.

⑤ 소멸시효는 준소비대차에 따른 신채무를 기초로 결정된다.

해설 ① 준소비대차는 소비대차에 의하지 아니하고 금전 기타의 대체물을 지급할 의무가 있는 경우에 당사자가 그 목적물을 소비대차의 목적물로 할 것을 약정함으로써 당사자 사이에 소비대차의 효력이 생기는 것을 말하는 것으로서 기존 채무의 당사자가 그 채무의 목적물을 소비대차의 목적물로 한다는 합의를 할 것을 요건으로 하므로 준소비대차계약의 당사자는 기초가 되는 기존 채무의 당사자이어야 한다(대판 2002.12.6, 2001다2846).

② 기존채권, 채무의 당사자가 그 목적물을 소비대차의 목적으로 할 것을 약정한 경우 그 약정을 경개로 볼 것인가 또는 준소비대차로 볼 것인가는 일차적으로 당사자의 의사에 의하여 결정되고, 만약 당사자의 의사가 명백하지 않을 때에는 특별한 사정이 없는 한 동일성을 상실함으로써 채권자가 담보를 잃고 채무자가 항변권을 잃게 되는 것과 같이 스스로 불이익을 초래하는 의사를 표시하였다고는 볼 수 없으므로 일반적으로 준소비대차로 보아야 하지만, 신채무의 성질이 소비대차가 아니거나 기존채무와 동일성이 없는 경우에는 준소비대차로 볼 수 없다(대판 2003.9.26, 2002다31803·31810).

③ 현실적인 자금의 수수 없이 형식적으로만 신규대출을 하여 기존채무를 변제하는 이른바 대환은 특별한 사정이 없는 한 형식적으로는 별도의 대출에 해당하나 실질적으로는 기존채무의 변제기의 연장에 불과하므로 그 법률적 성질은 기존채무가 여전히 동일성을 유지한 채 존속하는 준소비대차로 보아야 하며, 이 경우 채권자와 보증인 사이에 보증인의 보증책임을 면제하기로 약정을 한 경우 등 특별한 사정이 있는 경우를 제외하고는 기존채무에 대한 보증책임이 존속된다(대판 2003.8.19, 2003다11516).

④ 기존채무가 무효이거나 부존재하면 준소비대차는 성립하지 않는다(대판 1962.1.18, 4294민상493).

⑤ 민법 제164조 제3호 소정의 단기소멸시효의 적용을 받는 노임채권(=시효 1년)이라도 채권자인 원고와 채무자인 피고 회사 사이에 위 노임채권에 관하여 준소비대차의 약정이 있었다면 동 준소비대차계약은 상인인 피고회사가 영업을 위하여 한 상행위로 추정함이 상당하고, 이에 의하여 새로이 발생한 채권은 상사채권으로서 5년의 상사시효의 적용을 받게 된다(대판 1981.12.22, 80다1363).

05 소비대차 및 준소비대차에 관한 다음 설명 중 가장 옳지 않은 것은? (다툼이 있는 경우 판례에 의함)

▶ 2017년 법원사무관 승진

① 소비대차는 당사자 일방이 금전 기타 대체물의 소유권을 상대방에게 이전할 것을 약정하고 상대방은 그와 같은 종류, 품질 및 수량으로 반환할 것을 약정함으로써 그 효력이 생기는바, 일단 소비대차의 효력이 발생한 이후에는 대주가 목적물을 차주에게 인도하기 전에 당사자 일방이 파산선고를 받았다 하더라도 그러한 이유만으로 그 소비대차가 효력을 잃는 것은 아니다.

② 민법상 소비대차는 이른바 낙성계약이므로 차주가 현실로 금전 등을 수수하거나 현실의 수수가 있은 것과 같은 경제적 이익을 취득하여야만 소비대차가 성립하는 것은 아니다.

③ 당사자 쌍방이 소비대차에 의하지 아니하고 금전 기타의 대체물을 지급할 의무가 있는 경우에 당사자가 그 목적물을 소비대차의 목적으로 할 것을 약정한 때에는 소비대차의 효력이 생긴다.

④ 이자 있는 소비대차는 차주가 목적물의 인도를 받은 때로부터 이자를 계산하여야 하며 차주가 그 책임 있는 사유로 수령을 지체할 때에는 대주가 이행을 제공한 때로부터 이자를 계산하여야 한다.

해설 ① 제598조【소비대차의 의의】소비대차는 당사자 일방이 금전 기타 대체물의 소유권을 상대방에게 이전할 것을 약정하고 상대방은 그와 같은 종류, 품질 및 수량으로 반환할 것을 약정함으로써 그 효력이 생긴다.
제599조【파산과 소비대차의 실효】대주가 목적물을 차주에게 인도하기 전에 당사자 일방이 파산선고를 받은 때에는 소비대차는 그 효력을 잃는다.

② 민법상 소비대차는 당사자 일방이 금전 기타 대체물의 소유권을 상대방에게 이전할 것을 약정하고 상대방은 그와 같은 종류, 품질 및 수량으로 반환할 것을 약정함으로써 그 효력이 생기는 이른바 낙성계약이므로, 차주가 현실로 금전 등을 수수하거나 현실의 수수가 있은 것과 같은 경제적 이익을 취득하여야만 소비대차가 성립하는 것은 아니다(대판 1991.4.9, 90다14652).

③ 제605조【준소비대차】당사자 쌍방이 소비대차에 의하지 아니하고 금전 기타의 대체물을 지급할 의무가 있는 경우에 당사자가 그 목적물을 소비대차의 목적으로 할 것을 약정한 때에는 소비대차의 효력이 생긴다.

준소비대차는 당사자 쌍방이 소비대차에 의하지 아니하고 금전 기타의 대체물을 지급할 의무가 있는 경우에 당사자가 그 목적물을 소비대차의 목적으로 할 것을 약정한 때에 성립하는 것으로서, 기존채무를 소멸케 하고 신채무를 성립시키는 계약인 점에 있어서는 경개와 동일하지만 경개에 있어서는 기존채무와 신채무 사이에 동일성이 없는 반면, 준소비대차에 있어서는 원칙적으로 동일성이 인정된다는 점에 차이가 있고, 기존채권, 채무의 당사자가 그 목적물을 소비대차의 목적으로 할 것을 약정한 경우 그 약정을 경개로 볼 것인가 또는 준소비대차로 볼 것인가는 일차적으로 당사자의 의사에 의하여 결정되고, 만약 당사자의 의

정답 04 ③ 05 ①

사가 명백하지 않을 때에는 특별한 사정이 없는 한 동일성을 상실함으로써 채권자가 담보를 잃고 채무자가 항변권을 잃게 되는 것과 같이 스스로 불이익을 초래하는 의사를 표시하였다고는 볼 수 없으므로 일반적으로 준소비대차로 보아야 하지만, 신채무의 성질이 소비대차가 아니거나 기존채무와 동일성이 없는 경우에는 준소비대차로 볼 수 없다(대판 2003.9.26, 2002다31803).

④ 제600조【이자계산의 시기】이자있는 소비대차는 차주가 목적물의 인도를 받은 때로부터 이자를 계산하여야 하며 차주가 그 책임 있는 사유로 수령을 지체할 때에는 대주가 이행을 제공한 때로부터 이자를 계산하여야 한다.

06 소비대차 또는 준소비대차에 관한 다음 설명 중 가장 옳지 않은 것은? ▸ 2021년 법원행시

① 준소비대차계약의 당사자는 기초가 되는 기존 채무의 당사자이어야 한다.

② 현실적인 자금의 수수 없이 형식적으로만 신규 대출을 하여 기존 채무를 변제하는 이른바 대환은 특별한 사정이 없는 한 기존 채무가 여전히 동일성을 유지한 채 존속하는 준소비대차로 보아야 하고, 이러한 경우 채권자와 보증인 사이에 사전에 신규 대출 형식에 의한 대환을 하는 경우 보증책임을 면하기로 약정하는 등의 특별한 사정이 없는 한 기존 채무에 대한 보증책임이 존속된다.

③ 민법상 소비대차는 당사자 일방이 금전 기타 대체물의 소유권을 상대방에게 이전할 것을 약정하고 상대방은 그와 같은 종류, 품질 및 수량으로 반환할 것을 약정함으로써 그 효력이 생기는 이른바 낙성계약이고, 차주가 현실로 금전 등을 수수하거나 현실의 수수가 있은 것과 같은 경제적 이익을 취득하여야만 소비대차가 성립하는 것은 아니다.

④ 기존 채권·채무의 당사자가 목적물을 소비대차의 목적으로 할 것을 약정한 경우 약정을 경개로 볼 것인가 준소비대차로 볼 것인가는 일차적으로 당사자의 의사에 따라 결정되지만 만약 당사자의 의사가 명백하지 않을 때에는 특별한 사정이 없는 한 기존채무와 신채무 사이에 동일성이 없다고 보아 경개로 보아야 한다.

⑤ 기존채무에 대하여 채권가압류가 마쳐진 후 채무자와 제3채무자 사이에 준소비대차 약정이 체결된 경우, 준소비대차 약정은 가압류된 채권을 소멸하게 하는 것으로서 채권가압류의 효력에 반하므로, 가압류의 처분제한의 효력에 따라 채무자와 제3채무자는 준소비대차의 성립을 가압류채권자에게 주장할 수 없고, 다만 채무자와 제3채무자 사이에서는 준소비대차가 유효하다.

해설 ① 준소비대차는 소비대차에 의하지 아니하고 금전 기타의 대체물을 지급할 의무가 있는 경우에 당사자가 그 목적물을 소비대차의 목적물로 할 것을 약정함으로써 당사자 사이에 소비대차의 효력이 생기는 것을 말하는 것으로서 기존 채무의 당사자가 그 채무의 목적물을 소비대차의 목적물로 한다는 합의를 할 것을 요건으로 하므로 준소비대차계약의 당사자는 기초가 되는 기존 채무의 당사자이어야 한다(대판 2002.12.6, 2001다2846).

② 현실적인 자금의 수수 없이 형식적으로만 신규대출을 하여 기존채무를 변제하는 이른바 대환은 특별한 사정이 없는 한 형식적으로는 별도의 대출에 해당하나 실질적으로는 기존채무

의 변제기의 연장에 불과하므로 그 법률적 성질은 기존채무가 여전히 동일성을 유지한 채 존속하는 준소비대차로 보아야 하며, 이 경우 채권자와 보증인 사이에 보증인의 보증책임을 면제하기로 약정을 한 경우 등 특별한 사정이 있는 경우를 제외하고는 기존채무에 대한 보증책임이 존속된다(대판 2003.8.19, 2003다11516).

③ 민법상 소비대차는 이른바 낙성계약이므로, 차주가 현실로 금전 등을 수수하거나 현실의 수수가 있은 것과 같은 경제적 이익을 취득하여야만 소비대차가 성립하는 것은 아니다(대판 1991.4.9, 90다14652).

④ 기존채권, 채무의 당사자가 그 목적물을 소비대차의 목적으로 할 것을 약정한 경우 그 약정을 경개로 볼 것인가 또는 준소비대차로 볼 것인가는 일차적으로 당사자의 의사에 의하여 결정되고, 만약 당사자의 의사가 명백하지 않을 때에는 특별한 사정이 없는 한 동일성을 상실함으로써 채권자가 담보를 잃고 채무자가 항변권을 잃게 되는 것과 같이 스스로 불이익을 초래하는 의사를 표시하였다고는 볼 수 없으므로 일반적으로 준소비대차로 보아야 한다(대판 2003.9.26, 2002다31803・31810).

⑤ 기존채무에 대하여 채권가압류가 마쳐진 후 채무자와 제3채무자 사이에 준소비대차 약정이 체결된 경우, 준소비대차 약정은 가압류된 채권을 소멸하게 하는 것으로서 채권가압류의 효력에 반하므로, 가압류의 처분제한의 효력에 따라 채무자와 제3채무자는 준소비대차의 성립을 가압류채권자에게 주장할 수 없고, 다만 채무자와 제3채무자 사이에서는 준소비대차가 유효하다(대판 2007.1.11, 2005다47175).

07 소비대차에 관한 다음 설명 중 가장 옳지 않은 것은? ▶ 2022년 9급(법원서기보)

① 대주가 목적물을 차주에게 인도하기 전에 당사자 일방이 파산선고를 받은 때에는 소비대차는 그 효력을 잃는다.

② 금전소비대차계약이 성립된 이후에 차주의 신용불안이나 재산상태의 현저한 변경이 생겨 장차 대주의 대여금반환청구권 행사가 위태롭게 되는 등 사정변경이 생기고 이로 인하여 당초의 계약내용에 따른 대여의무를 이행케 하는 것이 공평과 신의칙에 반하게 되는 경우에 대주는 대여의무의 이행을 거절할 수 있다고 보아야 한다.

③ 준소비대차는 기존 채무의 당사자가 그 채무의 목적물을 소비대차의 목적물로 한다는 합의를 할 것을 요건으로 하므로 준소비대차계약의 당사자는 기초가 되는 기존 채무의 당사자이어야 한다.

④ 기존채권채무의 당사자가 그 목적물을 소비대차의 목적으로 할 것을 약정한 경우 그 약정을 경개로 볼 것인가 또는 준소비대차로 볼 것인가는 일차적으로 당사자의 의사에 의하여 결정되고 만약 당사자의 의사가 명백하지 않을 때에는 의사해석의 문제이나, 일반적으로는 경개로 보아야 한다.

정답 06 ④ 07 ④

해설 ① 제599조【파산과 소비대차의 실효】 대주가 목적물을 차주에게 인도하기 전에 당사자 일방이 파산선고를 받은 때에는 소비대차는 그 효력을 잃는다.

→ 해지권이 발생하는 것이 아니라, 계약 자체가 실효된다는 점을 주의한다.

② 민법 제2조, 제536조 제2항, 제599조와 같은 규정의 내용과 그 입법 취지에 비추어 보면, 금전소비대차계약이 성립된 이후에 차주의 신용불안이나 재산상태의 현저한 변경이 생겨 장차 대주의 대여금반환청구권 행사가 위태롭게 되는 등 사정변경이 생기고 이로 인하여 당초의 계약내용에 따른 대여의무를 이행케 하는 것이 공평과 신의칙에 반하게 되는 경우에 대주는 대여의무의 이행을 거절할 수 있다고 보아야 한다(대판 2021.10.28, 2017다224302).

③ 준소비대차는 소비대차에 의하지 아니하고 금전 기타의 대체물을 지급할 의무가 있는 경우에 당사자가 그 목적물을 소비대차의 목적물로 할 것을 약정함으로써 당사자 사이에 소비대차의 효력이 생기는 것을 말하는 것으로서 기존 채무의 당사자가 그 채무의 목적물을 소비대차의 목적물로 한다는 합의를 할 것을 요건으로 하므로 준소비대차계약의 당사자는 기초가 되는 기존 채무의 당사자이어야 한다(대판 2002.12.6, 2001다2846).

④ 기존채권, 채무의 당사자가 그 목적물을 소비대차의 목적으로 할 것을 약정한 경우 그 약정을 경개로 볼 것인가 또는 준소비대차로 볼 것인가는 일차적으로 당사자의 의사에 의하여 결정되고, 만약 당사자의 의사가 명백하지 않을 때에는 특별한 사정이 없는 한 동일성을 상실함으로써 채권자가 담보를 잃고 채무자가 항변권을 잃게 되는 것과 같이 스스로 불이익을 초래하는 의사를 표시하였다고는 볼 수 없으므로 일반적으로 준소비대차로 보아야 한다(대판 2003.9.26, 2002다31803·31810).

08 준소비대차에 관한 다음 설명 중 가장 옳지 않은 것은? ▸ 2024년 법원사무관 승진

① 준소비대차는 기존채무를 소멸하게 하고 신채무를 성립시키는 계약인 점에 있어서는 경개와 동일하지만 경개에 있어서는 기존채무와 신채무 사이에 동일성이 없는 반면, 준소비대차에 있어서는 원칙적으로 동일성이 인정되어 기존채무에 동반한 담보권, 항변권 등이 당사자의 의사나 그 계약의 성질에 반하지 않는 한 신채무에도 그대로 존속한다.

② 준소비대차는 당사자 쌍방이 소비대차에 의하지 아니하고 금전 기타의 대체물을 지급할 의무가 있는 경우에 당사자가 그 목적물을 소비대차의 목적으로 할 것을 약정한 때에 성립하는 것이므로, 기존채무가 소비대차인 경우에는 성립하지 아니한다.

③ 현실적인 자금의 수수 없이 형식적으로만 신규 대출을 하여 기존 채무를 변제하는 이른바 대환은 특별한 사정이 없는 한 형식적으로는 별도의 대출에 해당하나 실질적으로는 기존 채무의 변제기 연장에 불과하므로, 그 법률적 성질은 기존 채무가 여전히 동일성을 유지한 채 존속하는 준소비대차로 보아야 한다.

④ 준소비대차계약의 당사자는 기초가 되는 기존채무의 당사자이어야 한다.

해설 ① 대판 2003.9.26, 2002다31803; 대판 1989.6.27, 89다카2957

②, ③ 민법 제605조 소정의 준소비대차는 구채무가 소비대차일 경우에도 성립한다(대판 1994.5.13, 94다8440). 마찬가지로 대환의 경우는 준소비대차에 해당한다(대판 1998.2.27, 97다16077, 대판 2003.9.26, 2002다31803 등).

④ 대판 2002.12.6, 2001다2846

09 **소비대차, 준소비대차에 관한 다음 설명 중 가장 옳지 않은 것은?** ▶ 2024년 법무사

① 준소비대차계약이 성립하려면 당사자 사이에 금전 기타의 대체물의 급부를 목적으로 하는 기존 채무가 존재하여야 하고, 기존 채무가 존재하지 않거나 또는 존재하고 있더라도 그것이 무효가 된 때에는 준소비대차계약은 효력이 없으며, 준소비대차계약의 채무자가 기존 채무의 부존재를 주장하는 이상 채권자로서는 기존 채무의 존재를 증명할 책임이 있다.

② 민법상 소비대차는 이른바 낙성계약이므로, 차주가 현실로 금전 등을 수수하거나 현실의 수수가 있은 것과 같은 경제적 이익을 취득하여야만 소비대차가 성립하는 것은 아니고, 반대로 당사자 일방이 상대방에게 현실로 금전 기타 대체물의 소유권을 이전하였다고 하더라도 상대방이 같은 종류, 품질 및 수량으로 반환할 것을 약정한 경우가 아니라면 이들 사이의 법률행위를 소비대차라 할 수 없다.

③ 반환시기에 관하여 약정이 없는 소비대차에 있어서 반환의 최고는 소장의 송달로도 할 수 있다.

④ 당사자 사이에 부동산에 관한 대물반환의 예약 내지는 양도담보의 약정을 맺은 경우, 채무자는 채권자에게 그 피담보채무를 변제함으로써 약정에 따른 소유권이전등기절차 이행의무 자체를 소멸시킬 수 있고, 나아가 채권자 앞으로 소유권이전등기가 경료된 후에는 채권자로부터 청산금 채권을 변제받을 때까지 채권자 앞으로 경료된 소유권이전등기의 말소를 청구할 수는 있으나, 한편 채무자는 채권자에게 소유권이전등기절차 이행의무를 부담하므로 채무자의 그 부동산에 관한 근저당권설정등기 말소청구가 허용될 수는 없다.

⑤ 금전소비대차계약이 성립된 이후에 차주의 신용불안이나 재산상태의 현저한 변경이 생겨 장차 대주의 대여금반환청구권 행사가 위태롭게 되는 등 사정변경이 생기고 이로 인하여 당초의 계약내용에 따른 대여의무를 이행케 하는 것이 공평과 신의칙에 반하게 되는 경우에 대주는 대여의무의 이행을 거절할 수 있다고 보아야 한다.

해설 ① 준소비대차계약이 성립하려면 당사자 사이에 금전 기타의 대체물의 급부를 목적으로 하는 기존 채무가 존재하여야 하고, 기존 채무가 존재하지 않거나 또는 존재하고 있더라도 그것이 무효가 된 때에는 준소비대차계약은 효력이 없다. 준소비대차계약의 채무자가 기존 채무의 부존재를 주장하는 이상 채권자로서는 기존 채무의 존재를 증명할 책임이 있다(대판 2024.4.25, 2022다254024).

② 민법상 소비대차는 당사자 일방이 금전 기타 대체물의 소유권을 상대방에게 이전할 것을 약정하고 상대방은 그와 같은 종류, 품질 및 수량으로 반환할 것을 약정함으로써 효력이 생기는 이른바 낙성계약이므로, 차주가 현실로 금전 등을 수수하거나 현실의 수수가 있은 것과 같은 경제적 이익을 취득하여야만 소비대차가 성립하는 것은 아니다. 반대로 당사자 일방이 상대방에게 현실로 금전 기타 대체물의 소유권을 이전하였다고 하더라도 상대방이 같은 종류, 품질 및 수량으로 반환할 것을 약정한 경우가 아니라면 이들 사이의 법률행위를 소비대

차라 할 수 없다(대판 2018.12.27, 2015다73098).

③ 반환시기에 관하여 약정이 없는 소비대차에 있어서 반환의 최고는 소장의 송달로서도 이를 할 수 있다(대판 1969.1.28, 68다2313).

④ 당사자 사이에 부동산에 관한 대물반환의 예약 내지는 양도담보의 약정을 맺은 경우, 채무자는 채권자에게 그 피담보채무를 변제함으로써 약정에 따른 소유권이전등기절차 이행의무 자체를 소멸시킬 수도 있고, 나아가 채권자 앞으로 소유권이전등기가 경료된 후에는 채권자로부터 청산금 채권을 변제받을 때까지 채권자 앞으로 경료된 소유권이전등기의 말소를 청구할 수 있으므로(가등기담보 등에 관한 법률 제11조), 채무자가 채권자에게 소유권이전등기절차 이행의무를 부담한다는 이유만으로 채무자의 그 부동산에 관한 근저당권설정등기 말소청구가 허용될 수 없다고 단정할 수는 없다(대판 1996.5.10, 94다35565).

⑤ 금전소비대차계약이 성립된 이후에 차주의 신용불안이나 재산상태의 현저한 변경이 생겨 장차 대주의 대여금반환청구권 행사가 위태롭게 되는 등 사정변경이 생기고 이로 인하여 당초의 계약내용에 따른 대여의무를 이행케 하는 것이 공평과 신의칙에 반하게 되는 경우에 대주는 대여의무의 이행을 거절할 수 있다고 보아야 한다(대판 2021.10.28, 2017다224302).

05 절 사용대차

01 사용대차에 관한 다음 설명 중 가장 옳지 않은 것은? (다툼이 있는 경우 판례에 의함)

① 사용대차계약에 있어 사용차주에게 자신의 사용·수익을 위하여 소유자인 사용대주가 목적물을 처분하는 것까지 금지시킬 권능이 있다고 할 수는 없다.

② 민법 제614조는 사용차주가 사망한 경우 사용대주는 계약을 해지할 수 있다고 규정하고 있으므로, 건물의 소유를 목적으로 하는 토지 사용대차에 있어서 사용차주 본인이 사망하면 사용대주는 사용차주의 사망사실을 사유로 들어 곧바로 사용대차계약을 해지할 수 있다.

③ 집합건물의 구분소유자들이 공용 부분 중 일부에 대하여 제3자에게 무상사용권을 부여한 경우 이는 민법상 사용대차의 성질을 갖는 것으로 보아야 한다.

④ 사용대차에 있어서 그 존속기간을 정하지 아니한 경우에 현실로 사용수익이 종료하지 아니한 경우라도 사용·수익에 충분한 기간이 경과한 때에는 사용대주는 언제든지 계약을 해지하고 그 차용물의 반환을 청구할 수 있고, 이때 사용수익에 충분한 기간이 경과하였는지의 여부는 공평의 입장에서 사용대주에게 해지권을 인정하는 것이 타당한가의 여부에 의하여 판단하여야 한다.

⑤ 계약 또는 목적물의 성질에 위반한 사용·수익으로 인하여 생긴 손해배상의 청구와 사용차주가 지출한 비용의 상환청구는 사용대주가 물건의 반환을 받은 날로부터 6월내에 하여야 한다.

해설 ① 사용대차계약에 따라 사용차주는 목적물을 사용·수익할 권리를 취득하고 이를 위하여 사용대주에게 목적물의 인도를 구할 권리를 가진다고 할 것이지만, 나아가 사용차주에게 자신의 사용·수익을 위하여 소유자인 사용대주가 목적물을 처분하는 것까지 금지시킬 권능이 있다고 할 수는 없다(대판 2007.1.26, 2006다60526).

② 일반으로 건물의 소유를 목적으로 하는 토지 사용대차에 있어서는, 당해 토지의 사용수익의 필요는 당해 지상건물의 사용수익의 필요가 있는 한 그대로 존속하는 것이고, 이는 특별한 사정이 없는 한 차주 본인이 사망하더라도 당연히 상실되는 것이 아니어서 그로 인하여 곧바로 계약의 목적을 달성하게 되는 것은 아니라고 봄이 통상의 의사해석에도 합치되므로, 이러한 경우에는 민법 제614조의 규정에 불구하고 대주가 차주의 사망사실을 사유로 들어 사용대차계약을 해지할 수는 없다(대판 1993.11.26, 93다36806).

③ 집합건물의 구분소유자들이 공용 부분 중 일부에 대하여 제3자에게 무상사용권을 부여한 경우, 이는 민법상 사용대차의 성질을 갖는 것으로 보아야 한다(대판 1999.5.11, 98다61746).

④ 제613조 제2항 【차용물의 반환시기】 시기의 약정이 없는 경우에는 차주는 계약 또는 목적물의 성질에 의한 사용, 수익이 종료한 때에 반환하여야 한다. 그러나 사용, 수익에 족한 기간이 경과한 때에는 대주는 언제든지 계약을 해지할 수 있다.

정답 01 ②

민법 제613조 제2항 소정의 사용수익에 충분한 기간이 경과하였는지의 여부는 사용대차계약 당시의 사정, 차주의 사용기간 및 이용상황, 대주가 반환을 필요로 하는 사정 등을 종합적으로 고려하여 공평의 입장에서 대주에게 해지권을 인정하는 것이 타당한가의 여부에 의하여 판단하여야 한다(대판 1993.11.26, 93다36806).

⑤ 제617조【손해배상, 비용상환청구의 기간】계약 또는 목적물의 성질에 위반한 사용, 수익으로 인하여 생긴 손해배상의 청구와 차주가 지출한 비용의 상환청구는 대주가 물건의 반환을 받은 날로부터 6월내에 하여야 한다.

02 다음 설명 중 가장 옳지 않은 것은? (다툼이 있는 경우 판례에 의함) ▸ 2018년 법무사

① 증여자는 원칙적으로 증여의 목적인 물건 또는 권리의 하자나 흠결에 대하여 책임을 지지 않는다.

② 민법 제614조는 "차주가 사망하거나 파산선고를 받은 때에는 대주는 계약을 해지할 수 있다."라고 규정하고 있다. 그러나 일반적으로 건물 소유를 목적으로 하는 토지 사용대차의 경우, 당해 토지를 사용수익할 필요는 그 지상 건물을 사용수익할 필요가 있는 한 그대로 존속하고 이는 특별한 사정이 없는 한 차주 본인이 사망하더라도 당연히 상실되는 것이 아니어서, 그로 인하여 곧바로 계약의 목적을 달성하게 되는 것은 아니라고 봄이 통상의 의사해석에도 합치된다. 이러한 경우에는 민법 제614조 규정에도 불구하고 대주가 차주의 사망사실만을 이유로 사용대차계약을 해지할 수는 없다.

③ 부동산교환계약에 있어 목적 부동산에 설정된 담보권의 피담보채무를 인수하기로 하는 약정이 행하여진 경우, 그 일방(A)이 상대방(B)의 채무인수의무 불이행으로 말미암아 그 채무를 대신 변제하였다면, 그로 인한 B의 손해배상채무와 A의 소유권이전등기의무는 동시이행관계에 있다.

④ 기존 채권·채무의 당사자가 목적물을 소비대차 목적으로 할 것을 약정한 경우, 약정을 경개로 볼 것인가 준소비대차로 볼 것인가는 일차적으로 당사자의 의사에 따라 결정된다. 만약 당사자의 의사가 명백하지 않을 때에는 의사해석 문제이나, 특별한 사정이 없는 한 준소비대차로 보아야 한다.

⑤ 상대부담 있는 증여에 대하여는 민법 제561조에 의하여 쌍무계약에 관한 규정이 준용되어 부담의무 있는 상대방이 자신의 의무를 이행하지 아니할 때에는 증여자는 그 계약을 해제할 수 있으나, 이 경우에도 민법 제558조가 적용되므로 이미 이행된 부분에 대하여는 영향을 미치지 않는다.

해설 ① 제559조

② 일반으로 건물의 소유를 목적으로 하는 토지 사용대차에 있어서는, 당해 토지의 사용수익의 필요는 당해 지상건물의 사용수익의 필요가 있는 한 그대로 존속하는 것이고, 이는 특별한 사정이 없는 한 차주 본인이 사망하더라도 당연히 상실되는 것이 아니어서 그로 인하여 곧바로 계약의 목적을 달성하게 되는 것은 아니라고 봄이 통상의 의사해석에도 합치되므로, 이러

한 경우에는 민법 제614조의 규정에 불구하고 대주가 차주의 사망사실을 사유로 들어 사용대차계약을 해지할 수는 없다(대판 1993.11.26, 93다36806).

③ 부동산교환계약에 있어서 목적 부동산에 설정된 담보권의 피담보채무를 인수하기로 하는 약정이 행하여진 경우 그 일방이 상대방의 채무인수의무 불이행으로 말미암아 그 채무를 대신 변제하였다면 그로 인한 손해배상채무는 채무인수의무의 변형으로서 일방의 소유권이전등기의무와 상대방의 그 손해배상채무는 대가적 의미가 있어 이행상 견련관계에 있다고 할 것이고, 따라서 양자는 동시이행의 관계에 있다고 해석함이 공평의 관념 및 신의칙에 합당하다(대판 2014.4.30, 2010다11323 등).

④ 경개나 준소비대차는 모두 기존채무를 소멸하게 하고 신채무를 성립시키는 계약인 점에 있어서는 동일하지만 경개의 경우에는 기존채무와 신채무 사이에 동일성이 없는 반면, 준소비대차의 경우에는 원칙적으로 동일성이 인정된다는 점에 차이가 있다. 기존 채권·채무의 당사자가 목적물을 소비대차의 목적으로 할 것을 약정한 경우 약정을 경개로 볼 것인가 준소비대차로 볼 것인가는 일차적으로 당사자의 의사에 따라 결정되고 만약 당사자의 의사가 명백하지 않을 때에는 의사해석의 문제이나, 특별한 사정이 없는 한 동일성을 상실함으로써 채권자가 담보를 잃고 채무자가 항변권을 잃게 되는 것과 같이 스스로 불이익을 초래하는 의사를 표시하였다고는 볼 수 없으므로 일반적으로 준소비대차로 보아야 한다(대판 2016.6.9, 2014다64752).

⑤ 상대부담 있는 증여에 대하여는 민법 제561조에 의하여 쌍무계약에 관한 규정이 준용되어 부담의무 있는 상대방이 자신의 의무를 이행하지 아니할 때에는 비록 증여계약이 이미 이행되어 있다 하더라도 증여자는 계약을 해제할 수 있고, 그 경우 민법 제555조와 제558조는 적용되지 아니한다(대판 1997.7.8, 97다2177).

정답   02 ⑤

06 절 임대차

01 임대차에 관한 다음 설명 중 옳지 않은 것은?

① 임대인이 임차인의 의사에 반하여 보존행위를 하는 경우에 임차인이 이로 인하여 임차의 목적을 달성할 수 없는 때에는 계약을 해지할 수 있다.

② 임차인이 유익비를 지출한 경우에는 임대인은 임대차 종료 시에 그 가액의 증가가 현존한 때에 한하여 임차인의 지출한 금액이나 그 증가액을 상환하여야 한다.

③ 부동산임차인은 당사자 간에 반대 약정이 없으면 임대인에 대하여 그 임대차등기절차에 협력할 것을 청구할 수 있다.

④ 건물의 소유를 목적으로 한 토지임대차에 있어서 이를 등기하지 아니한 경우 임차인이 그 지상건물을 등기한 것만으로는 제3자에 대하여 임대차의 효력이 생기지 않는다.

⑤ 임대인의 행위가 임대물의 보존에 필요한 행위라면 임차인은 그것이 자신의 의사에 반할 경우라도 거절하지 못한다.

해설 ① 제625조【임차인의 의사에 반하는 보존행위와 해지권】임대인이 임차인의 의사에 반하여 보존행위를 하는 경우에 임차인이 이로 인하여 임차의 목적을 달성할 수 없는 때에는 계약을 해지할 수 있다.

② 제626조 제2항【임차인의 상환청구권】임차인이 유익비를 지출한 경우에는 임대인은 임대차 종료시에 그 가액의 증가가 현존한 때에 한하여 임차인의 지출한 금액이나 그 증가액을 상환하여야 한다. 이 경우에 법원은 임대인의 청구에 의하여 상당한 상환기간을 허여할 수 있다.

③ 제621조 제1항【임대차의 등기】부동산임차인은 당사자 간에 반대 약정이 없으면 임대인에 대하여 그 임대차등기절차에 협력할 것을 청구할 수 있다.

④ 제622조 제1항【건물등기 있는 차지권의 대항력】건물의 소유를 목적으로 한 토지임대차는 이를 등기하지 아니한 경우에도 임차인이 그 지상건물을 등기한 때에는 제3자에 대하여 임대차의 효력이 생긴다.

⑤ 제624조【임대인의 보존행위, 인용의무】임대인이 임대물의 보존에 필요한 행위를 하는 때에는 임차인은 이를 거절하지 못한다.

02 **임대차에 관한 다음 설명 중 옳지 않은 것은?** (다툼이 있는 경우 통설에 의함)

① 임차물의 일부가 임차인의 과실 없이 멸실 기타 사유로 인하여 사용, 수익할 수 없는 경우 그 잔존부분만으로 임차의 목적을 달성할 수 없는 때에는 임차인은 계약을 해지할 수 있다.

② 임차물에 대하여 권리를 주장하는 자가 있는 때에는 임차인은 지체없이 임대인에게 이를 통지하여야 한다. 그러나 임대인이 이미 이를 안 때에는 그러하지 아니하다.

③ 건물 기타 공작물의 임대차의 경우 임차인의 차임연체액이 2기의 차임액에 달하는 때에는 임대인은 계약을 해지할 수 있다.

④ 경제사정의 변동으로 인하여 약정한 차임이 상당하지 아니하게 된 때에는 당사자는 장래에 대한 차임의 증감을 청구할 수 있다.

⑤ 임차인이 임차물의 보존에 관한 필요비를 지출한 때에는 임대인은 임대차종료시에 그 가액의 증가가 현존한 때에 한하여 임차인의 지출한 금액이나 그 증가액을 상환하여야 한다.

해설 ① 제627조【일부멸실 등과 감액청구, 해지권】
① 임차물의 일부가 임차인의 과실 없이 멸실 기타 사유로 인하여 사용, 수익할 수 없는 때에는 임차인은 그 부분의 비율에 의한 차임의 감액을 청구할 수 있다.
② 전항의 경우에 그 잔존부분으로 임차의 목적을 달성할 수 없는 때에는 임차인은 계약을 해지할 수 있다.

② 제634조【임차인의 통지의무】임차물의 수리를 요하거나 임차물에 대하여 권리를 주장하는 자가 있는 때에는 임차인은 지체 없이 임대인에게 이를 통지하여야 한다. 그러나 임대인이 이미 이를 안 때에는 그러하지 아니하다.

③ 제640조【차임연체와 해지】건물 기타 공작물의 임대차에는 임차인의 차임연체액이 2기의 차임액에 달하는 때에는 임대인은 계약을 해지할 수 있다.

④ 제628조【차임증감청구권】임대물에 대한 공과부담의 증감 기타 경제사정의 변동으로 인하여 약정한 차임이 상당하지 아니하게 된 때에는 당사자는 장래에 대한 차임의 증감을 청구할 수 있다.

⑤ 제626조【임차인의 상환청구권】
① 임차인이 임차물의 보존에 관한 필요비를 지출한 때에는 임대인에 대하여 그 상환을 청구할 수 있다.
② 임차인이 유익비를 지출한 경우에는 임대인은 임대차 종료시에 그 가액의 증가가 현존한 때에 한하여 임차인의 지출한 금액이나 그 증가액을 상환하여야 한다. 이 경우에 법원은 임대인의 청구에 의하여 상당한 상환기간을 허여할 수 있다.

즉 필요비는 임대인의 사용·수익하게 할 의무의 내용으로서 마땅히 임대인이 부담하여야 한다. 따라서 임차인이 필요비를 지출한 경우에는 유익비와 달리 지출 후 '즉시' 상환청구를 할 수 있고, 이익의 현존 여부를 문제삼지 않는다.

정답 01 ④　02 ⑤

03 임대차에 관한 다음 설명 중 옳지 않은 것은?

① 임차물의 일부가 임차인의 과실 없이 멸실한 때에는 임차인은 그 부분의 비율에 의한 차임의 감액을 청구할 수 있다.

② 임대차기간의 약정이 없는 때에는 당사자는 언제든지 계약해지의 통고를 할 수 있다.

③ 임차권은 채권이므로 임차인은 유익비, 필요비 등 비용상환청구권에 대하여 유치권을 행사할 수는 없다.

④ 건물 기타 공작물의 임대차계약의 해지사유인 차임연체는 연속해서 2기의 차임을 연체하는 것은 물론 연속해서 연체하지 않더라도 연체차임이 2기분에 이를 때도 포함한다.

⑤ 임대차기간의 약정이 있는 경우에도 당사자 일방 또는 쌍방이 그 기간 내에 해지할 권리를 보류한 때에는 그 해지할 권리를 가진 당사자는 언제든지 계약해지의 통고를 할 수 있다.

해설 ① 제627조 제1항【일부멸실 등과 감액청구, 해지권】임차물의 일부가 임차인의 과실 없이 멸실 기타 사유로 인하여 사용, 수익할 수 없는 때에는 임차인은 그 부분의 비율에 의한 차임의 감액을 청구할 수 있다.

② 제635조 제1항【기간의 약정 없는 임대차의 해지통고】임대차 기간의 약정이 없는 때에는 당사자는 언제든지 계약해지의 통고를 할 수 있다.

③ 임차인은 비용상환청구권에 관하여 유치권을 취득한다(제320조). 다만, 유익비의 상환에 관하여 법원으로부터 상당한 기간을 허여 받은 경우에는 유치권은 성립하지 않는다.

④ 제640조【차임연체와 해지】건물 기타 공작물의 임대차에는 임차인의 차임연체액이 2기의 차임액에 달하는 때에는 임대인은 계약을 해지할 수 있다.
→ 여기의 2기는 연속할 필요가 없으며 연체한 차임의 합산액이 2기분에 달하면 된다.

⑤ 제635조【기간의 약정 없는 임대차의 해지통고】
① 임대차 기간의 약정이 없는 때에는 당사자는 언제든지 계약해지의 통고를 할 수 있다.
② 상대방이 전항의 통고를 받은 날로부터 다음 각호의 기간이 경과하면 해지의 효력이 생긴다.
  1. 토지, 건물 기타 공작물에 대하여는 임대인이 해지를 통고한 경우에는 6월, 임차인이 해지를 통고한 경우에는 1월
  2. 동산에 대하여는 5일
제636조【기간의 약정 있는 임대차의 해지통고】임대차기간의 약정이 있는 경우에도 당사자 일방 또는 쌍방이 그 기간 내에 해지할 권리를 보류한 때에는 전조의 규정을 준용한다.

04 임차권의 양도와 전대에 관한 다음 설명 중 타당하지 않은 것은? (다툼이 있는 경우 판례에 의함)

① 임차인은 임대인의 동의 없이 그 권리를 양도하거나 임차물을 전대하지 못한다.

② 임차인이 임대인의 동의를 얻어 임차물을 전대한 때에는 전차인은 직접 임대인에 대하여 의무를 부담한다.

③ 임차인이 임대인의 동의를 얻어 임차물을 전대한 경우에는 임대인과 임차인의 합의로 계약을 종료한 때에도 전차인의 권리는 소멸하지 아니한다.

④ 임대인의 동의를 받지 아니하고 임차권을 양도한 경우, 임차인과 양수인 사이의 임차권 양도계약은 무효이고 이로써 임대인에게 대항할 수 없다.

⑤ 임차인이 임대인의 동의없이 제3자에게 무단전대한 경우에도 임차인의 당해 행위가 임대인에 대한 배신적 행위라고 인정되지 않으면 임대차를 해지할 수 없다.

> **해설**
>
> ① 제629조 제1항【임차권의 양도, 전대의 제한】임차인은 임대인의 동의 없이 그 권리를 양도하거나 임차물을 전대하지 못한다.
>
> ② 제630조 제1항【전대의 효과】임차인이 임대인의 동의를 얻어 임차물을 전대한 때에는 전차인은 직접 임대인에 대하여 의무를 부담한다. 이 경우에 전차인은 전대인에 대한 차임의 지급으로써 임대인에게 대항하지 못한다.
>
> ③ 제631조【전차인의 권리의 확정】임차인이 임대인의 동의를 얻어 임차물을 전대한 경우에는 임대인과 임차인의 합의로 계약을 종료한 때에도 전차인의 권리는 소멸하지 아니한다.
>
> ④ 임대인의 동의를 받지 아니하고 임차권을 양도한 계약도 이로써 임대인에게 대항할 수 없을 뿐 임차인과 양수인 사이에는 유효한 것이고 이 경우 임차인은 양수인을 위하여 임대인의 동의를 받아 줄 의무가 있다(대판 1986.2.25, 85다카1812).
>
> ⑤ 임차인이 비록 임대인으로부터 별도의 승낙을 얻지 아니하고 제3자에게 임차물을 사용·수익하도록 한 경우에 있어서도, 임차인의 당해 행위가 임대인에 대한 배신적 행위라고 할 수 없는 특별한 사정이 인정되는 경우에는, 임대인은 자신의 동의 없이 전대차가 이루어졌다는 것만을 이유로 임대차계약을 해지할 수 없으며, 전차인은 그 전대차나 그에 따른 사용·수익을 임대인에게 주장할 수 있다 할 것이다(대판 2007.11.29, 2005다64255).

05 임대차에 관한 다음 설명 중 가장 옳지 않은 것은? (다툼이 있는 경우 판례에 의함)

▶ 2014년 법무사

① 임대차계약 종료 전에는 연체차임이 공제 등 별도의 의사표시 없이 임대차보증금에서 당연히 공제되는 것이 아니다.

② 임대차계약이 종료되었다 하더라도 목적물이 임대인에게 명도되지 않았다면 임차인은 보증금이 있음을 이유로 연체차임의 지급을 거절할 수 없다.

③ 임차인의 차임연체액이 2기의 차임액에 달한다는 이유로 임대인이 임대차계약을 해지하는 경우, 그 사유를 전차인에게 통지하여야만 해지로써 전차인에게 대항할 수 있다.

④ 건물의 소유를 목적으로 한 토지임대차계약의 기간이 만료함에 따라 지상 건물소유자가 임대인에 대하여 행사하는 민법 제643조 소정의 매수청구권은 매수청구의 대상이 되는 건물에 근저당권이 설정되어 있는 경우에도 인정된다.

⑤ 임차인이 임대차계약관계가 소멸된 이후에도 임차목적물을 계속 점유하기는 하였으나 이를 본래의 임대차계약상의 목적에 따라 사용·수익하지 아니하여 실질적인 이득을 얻은 바 없는 경우에는 그로 인하여 임대인에게 손해가 발생하였다 하더라도 임차인의 부당이득반환의무는 성립되지 않는다.

정답   03 ③   04 ④   05 ③

해설 ① 임대차보증금이 임대인에게 교부되어 있더라도 임대인은 임대차관계가 계속되고 있는 동안에는 임대차보증금에서 연체차임을 충당할 것인지를 자유로이 선택할 수 있으므로, 임대차계약 종료 전에는 연체차임이 공제 등 별도의 의사표시 없이 임대차보증금에서 당연히 공제되는 것은 아니다(대판 2013.2.28. 2011다49608 · 49615).

② 임대차보증금은 임대차계약이 종료된 후 임차인이 목적물을 명도할 때까지 발생하는 차임 및 기타 임차인의 채무를 담보하기 위하여 교부되는 것이므로 특별한 사정이 없는 한 임대차계약이 종료되었다 하더라도 목적물이 명도되지 않았다면 임차인은 보증금이 있음을 이유로 연체차임의 지급을 거절할 수 없다(대판 1999.7.27. 99다24881).

③ 제638조(임대차계약이 해지의 통고로 인하여 종료된 경우에 그 임대물이 적법하게 전대되었을 때에는 임대인은 전차인에 대하여 그 사유를 통지하지 아니하면 해지로써 전차인에게 대항하지 못한다) → 민법 제640조에 터 잡아 임차인의 차임연체액이 2기의 차임액에 달함에 따라 임대인이 임대차계약을 해지하는 경우에는 전차인에 대하여 그 사유를 통지하지 않더라도 해지로써 전차인에게 대항할 수 있고, 해지의 의사표시가 임차인에게 도달하는 즉시 임대차관계는 해지로 종료된다(대판 2012.10.11. 2012다55860).

④ 건물의 소유를 목적으로 한 토지임대차계약의 기간이 만료함에 따라 지상 건물소유자가 임대인에 대하여 행사하는 민법 제643조 소정의 매수청구권은 매수청구의 대상이 되는 건물에 근저당권이 설정되어 있는 경우에도 인정된다(대판 2008.5.29. 2007다4356).

⑤ 법률상의 원인 없이 이득하였음을 이유로 한 부당이득의 반환에 있어 이득이라 함은 실질적인 이익을 의미하므로, 임차인이 임대차계약관계가 소멸된 이후에도 임차목적물을 계속 점유하기는 하였으나 이를 본래의 임대차계약상의 목적에 따라 사용 · 수익하지 아니하여 실질적인 이득을 얻은 바 없는 경우에는 그로 인하여 임대인에게 손해가 발생하였다 하더라도 임차인의 부당이득반환의무는 성립되지 않는다(대판 1998.5.29. 98다6497).

06 임대차에 관한 다음 설명 중 가장 옳지 않은 것은? (다툼이 있는 경우 판례에 의함)

▸ 2015년 법무사

① 임차인이 임대인의 승낙하에 임차권을 양도하고 신 임차인에게 임차목적물을 명도한 경우, 구 임차인의 임대인에 대한 명도의무의 이행이 완료되었다고 보아야 한다.

② 건물의 소유를 목적으로 한 토지임대차는 이를 등기하지 아니한 경우에도 임차인이 그 지상건물을 등기한 때에는 제3자에 대하여 임대차의 효력이 생긴다.

③ 임대차계약에 있어서 목적물의 사용 · 수익이 부분적으로 지장이 있는 상태인 경우에는 그 지장의 한도 내에서 차임의 지급을 거절할 수 있을 뿐 그 전부의 지급을 거절할 수는 없다.

④ 토지, 건물 기타 공작물에 대한 임대차기간의 약정이 없는 때에는 당사자는 언제든지 계약해지의 통고를 할 수 있고, 임대인이 해지를 통고한 경우에는 임차인이 그 통고를 받은 날로부터 1월이 경과하면 해지의 효력이 생긴다.

⑤ 임대차계약의 당사자 사이에 '임차인은 임대인의 동의 없이는 임차권을 양도 또는 담보제공 하지 못한다.'는 약정을 하였다면, 그 약정의 취지는 임차권의 양도를 금지한 것으로 볼 것이지 임대차계약에 기한 임대보증금반환채권의 양도를 금지하는 것으로 볼 수는 없다.

해설 ① 임차인이 임대인의 승낙하에 임차권을 양도하고 신 임차인에게 임차목적물을 명도한 경우, 구 임차인의 임대인에 대한 명도의무의 이행이 완료되었다고 보아야 한다(대판 1998.7.14, 96다17202).
② 건물의 소유를 목적으로 한 토지임대차는 이를 등기하지 아니한 경우에도 임차인이 그 지상 건물을 등기한 때에는 제3자에 대하여 임대차의 효력이 생긴다(제622조).
③ 임대차계약에 있어서 목적물의 사용·수익이 부분적으로 지장이 있는 상태인 경우에는 그 지장의 한도 내에서 차임의 지급을 거절할 수 있을 뿐 그 전부의 지급을 거절할 수는 없다 (대판 1989.6.13, 88다카13332).
④ 토지, 건물 기타 공작물에 대한 임대차기간의 약정이 없는 때에는 당사자는 언제든지 계약해 지의 통고를 할 수 있고, 임대인이 해지를 통고한 경우에는 임차인이 그 통고를 받은 날로부 터 '6월'이 경과하면 해지의 효력이 생긴다(제635조 제2항 1호).
⑤ 임대차계약의 당사자 사이에 "임차인은 임대인의 동의 없이는 임차권을 양도 또는 담보제 공 하지 못한다."는 약정을 하였다면, 그 약정의 취지는 임차권의 양도를 금지한 것으로 볼 것이지 임대차계약에 기한 임대보증금반환채권의 양도를 금지하는 것으로 볼 수는 없다 (대판 2001.6.12, 2001다2624).

07 민법상 임대차에 관한 다음 설명 중 가장 옳지 않은 것은? (다툼이 있는 경우 판례에 의함)
▸ 2016년 법무사

① 건물의 소유를 목적으로 한 토지임대차계약의 기간이 만료됨에 따라 지상 건물소유자 가 임대인에 대하여 행사하는 매수청구권은 매수청구의 대상이 되는 건물에 근저당권 이 설정되어 있는 경우에도 인정된다.
② 임차인의 비용상환청구권, 지상물매수청구권에 관한 민법의 규정은 강행규정이다.
③ 건물의 소유를 목적으로 하는 토지임차인이 그 지상건물을 등기하기 전에 제3자가 그 토지에 관하여 물권취득의 등기를 한 때에는 임차인이 그 지상건물을 등기하더라도 그 제3자에 대하여 임대차의 효력이 생기지 아니한다.
④ 甲이 대지와 건물의 소유자였던 乙로부터 대지와 건물을 임차하였는데 그 후 甲이 그 건물을 강제경매절차에서 경락받아 그 대지에 관한 위 임차권은 등기하지 아니한 채 그 건물에 관하여 甲 명의의 소유권이전등기를 경료하였다면, 甲은 대지에 관하여 소 유권이전등기를 경료받은 제3자에 대하여 그 대지에 관한 임차권으로 대항할 수 없다.
⑤ 건물에 대한 저당권이 실행되어 경락인이 건물의 소유권을 취득한 때에는 특별한 다른 사정이 없는 한 그에 수반하여 그 건물의 소유를 목적으로 한 토지의 임차권도 그 건물 의 소유권과 함께 경락인에게 이전된다.

해설 ① 건물의 소유를 목적으로 한 토지임대차계약의 기간이 만료함에 따라 지상 건물소유자가 임 대인에 대하여 행사하는 민법 제643조 소정의 매수청구권은 매수청구의 대상이 되는 건물에 근저당권이 설정되어 있는 경우에도 인정된다. 이 경우에 그 건물의 매수가격은 건물 자체의 가격 외에 건물의 위치, 주변 토지의 여러 사정 등을 종합적으로 고려하여 매수청구권 행사

정답 ▶ 06 ④ 07 ②

당시 건물이 현존하는 대로의 상태에서 평가된 시가 상당액을 의미하고, 여기에서 근저당권의 채권최고액이나 피담보채무액을 공제한 금액을 매수가격으로 정할 것은 아니다. 다만, 매수청구권을 행사한 지상 건물소유자가 위와 같은 근저당권을 말소하지 않는 경우 토지소유자는 민법 제588조에 의하여 위 근저당권의 말소등기가 될 때까지 그 채권최고액에 상당한 대금의 지급을 거절할 수 있다(대판 2008.5.29, 2007다4356).

② 비용상환청구권에 관한 규정은 임의규정이므로 특약으로 배제할 수 있다(대판 1981.11.24, 80다320 · 321). 그러나 토지 임대인과 임차인 사이에 임대차기간 만료시에 임차인이 지상 건물을 양도하거나 이를 철거하기로 하는 약정은 특별한 사정이 없는 한, 민법 제643조 소정의 임차인의 지상물매수청구권을 배제하기로 하는 약정으로서 임차인에게 불리한 것이므로 민법 제652조의 규정에 의하여 무효라고 보아야 하는 강행규정이다(대판 1998.5.8, 98다2389).

③ 민법 제622조 제1항은 '건물의 소유를 목적으로 하는 토지임대차는 이를 등기하지 아니한 경우에도 임차인이 그 지상건물을 등기한 때에는 제3자에 대하여 임대차의 효력이 생긴다.'고 규정하고 있는 바, 이는 건물을 소유하는 토지임차인의 보호를 위하여 건물의 등기로써 토지임대차 등기에 갈음하는 효력을 부여하는 것일 뿐이므로 임차인이 그 지상건물을 등기하기 전에 제3자가 그 토지에 관하여 물권취득의 등기를 한 때에는 임차인이 그 지상건물을 등기하더라도 그 제3자에 대하여 임대차의 효력이 생기지 아니한다(대판 2003.2.28, 2000다65802).

④ 甲이 대지와 건물의 소유자였던 乙로부터 이를 임차하였는데 그 후 甲이 그 건물을 강제경매 절차에서 경락받아 그 대지에 관한 위 임차권은 등기하지 아니한 채 그 건물에 관하여 甲 명의의 소유권이전등기를 경료하였다면, 甲과 乙 사이에 체결된 대지에 관한 임대차계약은 건물의 소유를 목적으로 한 토지임대차계약이 아님이 명백하므로, 그 대지에 관한 甲의 임차권은 민법 제622조에 따른 대항력을 갖추지 못하였다고 할 것이다(대판 1994.11.22, 94다5458).

⑤ 건물의 소유를 목적으로 하여 토지를 임차한 사람이 그 토지 위에 소유하는 건물에 저당권을 설정한 때에는 민법 제358조 본문에 따라서 저당권의 효력이 건물뿐만 아니라 건물의 소유를 목적으로 한 토지의 임차권에도 미친다고 보아야 할 것이므로, 건물에 대한 저당권이 실행되어 경락인이 건물의 소유권을 취득한 때에는 특별한 다른 사정이 없는 한 건물의 소유를 목적으로 한 토지의 임차권도 건물의 소유권과 함께 경락인에게 이전된다(대판 1993.4.13, 92다24950).

08 임대차와 관련된 설명 중 옳지 않은 것은? (다툼이 있는 경우 판례에 의함) ▶ 2016년 변호사

① 토지에 대한 임대차계약 종료 시 임대인이 임차인을 상대로 지상물(건물) 철거 및 그 부지의 인도를 청구한 데 대하여 임차인이 지상물매수청구권을 행사하여 그 청구권이 인정되는 경우, 임대인의 위 청구에는 건물매수대금 지급과 동시에 건물인도를 구하는 청구가 포함되어 있다고 볼 수 없다.

② 임대차보증금반환채권에 대한 압류 및 추심명령이 있더라도, 임대인은 임차인에 대하여 가지는 동시이행 항변권을 상실하지 않는다.

③ 원고가 소유권에 기한 목적물 반환청구만을 하고 있음이 명백한 경우, 법원이 원고에게 점유권에 기한 반환청구도 구하고 있는지 여부를 석명할 의무가 있는 것은 아니다.

④ 임대할 권한이 없는 자로부터 타인 소유의 건물을 임차하여 점유·사용하고 이로 말미암아 그 건물소유자에게 손해를 입힌 임차인은 비록 그가 선의의 점유자라 하더라도 그 점유·사용으로 인한 이득을 반환할 의무가 있다.

⑤ 부속된 물건이 오로지 임차인의 특수목적에 사용하기 위하여 부속된 것일 때에는 민법 제646조가 규정하는 부속물매수청구의 대상이 되는 부속물에 해당하지 않는다.

해설 ① 토지에 대한 임대차계약 종료 시 임대인이 임차인을 상대로 지상물(건물) 철거 및 그 부지의 인도를 청구한 데 대하여 임차인이 지상물매수청구권을 행사하여 그 청구권이 인정되는 경우, 임대인의 위 청구에는 건물매수대금 지급과 동시에 건물인도를 구하는 청구가 포함되어 있다고 볼 수 없다(대판(전합) 1995.7.11, 94다34265).

② 추심명령이 있더라도, 채권의 귀속주체는 여전히 집행채무자이므로 집행채권자의 권리를 해하지 않는 범위 내에서는 피압류채권에 관해 채권자로서의 권리를 갖는다. 판례도 추심명령은 강제집행절차에서 추심채권자에게 채무자의 제3채무자에 대한 채권을 추심할 권능만을 부여하는 것이므로, 이로 인하여 채무자가 제3채무자에 대하여 가지는 채권이 추심채권자에게 이전되거나 귀속되는 것은 아니어서, 추심채무자로서는 제3채무자에 대하여 피압류채권에 기하여 그 동시이행을 구하는 항변권을 상실하지 않는다고 하였다(대판 2001.3.9, 2000다73490).

③ 소유권에 기하여 미등기 무허가건물의 반환을 구하는 청구취지 속에는 점유권에 기한 반환청구권을 행사한다는 취지가 당연히 포함되어 있다고 볼 수는 없고, 소유권에 기한 반환청구만을 하고 있음이 명백한 이상 법원에 점유권에 기한 반환청구도 구하는지의 여부를 석명할 의무가 있는 것은 아니다(대판 1996.6.14, 94다53006).

④ 선의 점유자는 과실을 취득할 수 있다(제201조). 여기서 과실에는 사용이익이 포함되기 때문에 임대할 권한이 없는 자로부터 타인 소유의 건물을 임차하여 점유・사용하고 이로 말미암아 그 건물소유자에게 손해를 입힌 임차인은 그가 선의의 점유자라면 그 점유・사용으로 인한 이득을 반환할 의무가 없는 것이다(대판 1987.9.22, 86다카1996 등).

⑤ 부속된 물건이 오로지 임차인의 특수목적에 사용하기 위하여 부속된 것일 때에는 민법 제646조가 규정하는 부속물매수청구의 대상이 되는 부속물에 해당하지 않는다(대판 1977.6.7, 77다50).

09 **임차인의 비용상환청구권과 부속물매수청구권에 관한 다음 설명 중 가장 잘못된 것은?**

① 임차인이 필요비와 유익비를 지출한 때에는 임대차가 종료하여야 그 상환을 청구할 수 있다.

② 필요비 및 유익비의 상환청구권은 임대인이 목적물을 반환받은 날로부터 6개월 이내에 행사하여야 한다.

③ 유익비는 그 가액의 증가가 현존한 때에 한하여 임차인의 지출한 금액이나 그 증가액을 상환받을 수 있다.

④ 건물 기타 공작물의 임차인이 그 사용의 편익을 위하여 임대인의 동의를 얻어 이에 부속한 물건뿐만 아니라 임대인으로부터 매수한 부속물에 대해서도 임대차의 종료시에 임대인에 대하여 그 부속물의 매수를 청구할 수 있다.

⑤ 임차인의 부속물매수청구권에 관한 규정은 강행규정으로 이에 위반한 약정으로 임차인에게 불리한 것은 효력이 없다.

해설 ①, ③

> 제626조 【임차인의 상환청구권】
> ① 임차인이 임차물의 보존에 관한 필요비를 지출한 때에는 임대인에 대하여 그 상환을 청구할 수 있다.
> ② 임차인이 유익비를 지출한 경우에는 임대인은 임대차 종료시에 그 가액의 증가가 현존한 때에 한하여 임차인의 지출한 금액이나 그 증가액을 상환하여야 한다. 이 경우에 법원은 임대인의 청구에 의하여 상당한 상환기간을 허여할 수 있다.

즉 임차인이 필요비를 지출한 경우에는 유익비와 달리 지출 후 즉시 상환청구를 할 수 있다. 반면에 임차인이 유익비를 지출한 경우에는 임대인은 임대차 종료시에 그 가액의 증가가 현존한 때에 한하여 유익비상환을 청구할 수 있다.

② 비용상환청구는 임차인이 임대인에게 목적물을 반환한 후 6개월 내에 행사하여야 한다(제654조, 제617조). 즉 6개월의 제척기간이 걸린다.

> 제646조 【임차인의 부속물매수청구권】
> ① 건물 기타 공작물의 임차인이 그 사용의 편익을 위하여 임대인의 동의를 얻어 이에 부속한 물건이 있는 때에는 임대차의 종료 시에 임대인에 대하여 그 부속물의 매수를 청구할 수 있다.
> ② 임대인으로부터 매수한 부속물에 대하여도 전항과 같다.

> 제652조 【강행규정】 제627조, 제628조, 제631조, 제635조, 제638조, 제640조, 제641조, 제643조 내지 제647조의 규정에 위반하는 약정으로 임차인이나 전차인에게 불리한 것은 그 효력이 없다.

10 임차인의 지상물매수청구권에 관한 다음 설명 중 가장 옳지 않은 것은? (다툼이 있는 경우 판례에 의함) ▶ 2015년 법무사

① 건물의 소유를 목적으로 하는 토지임대차에 있어서 임차인 소유의 건물이 임대인이 임대한 토지 외에 임차인 또는 제3자 소유의 토지 위에 걸쳐서 건립되어 있는 경우에는, 임차지 상에 서 있는 건물 부분 중 구분소유의 객체가 될 수 있는 부분에 한하여 임차인에게 매수청구가 허용된다.

② 임차인이 자신의 특수한 용도나 사업을 위하여 설치한 물건이나 시설도 지상물매수청구의 대상에 해당된다.

③ 공작물의 소유 등을 목적으로 하는 토지임대차에 있어서 임차인의 채무불이행을 이유로 계약이 해지된 경우에는 지상물매수청구가 허용되지 않는다.

④ 지상물매수청구권은 그 행사에 특정의 방식을 요하지 않는 것으로서 재판상으로 뿐만 아니라 재판 외에서도 행사할 수 있고, 그 행사의 시기에 대하여도 제한이 없다.

⑤ 지상 건물이 객관적으로 경제적 가치가 있는지 여부나 임대인에게 소용이 있는지 여부는 지상물매수청구권 행사의 요건이 아니다.

해설 ① 건물의 소유를 목적으로 하는 토지임대차에 있어서 임차인 소유의 건물이 임대인이 임대한 토지 외에 임차인 또는 제3자 소유의 토지 위에 걸쳐서 건립되어 있는 경우에는, 임차지 상에 서 있는 건물 부분 중 구분소유의 객체가 될 수 있는 부분에 한하여 임차인에게 매수청구가 허용된다(대판(전합) 1996.3.21, 93다42634).

② 임차인이 자신의 특수한 용도나 사업을 위하여 설치한 물건이나 시설물은 지상물매수청구의 대상에서 제외된다(대판 2002.11.13, 2002다46003).

③ 매수청구권의 중대한 제한이다. 즉 공작물의 소유 등을 목적으로 하는 토지임대차에 있어서 임차인의 채무불이행을 이유로 계약이 해지된 경우에는 지상물매수청구가 허용되지 않는다(대판 1990.1.23, 88다카7245).

④ 지상물매수청구권은 그 행사에 특정의 방식을 요하지 않는 것으로서 건물이 철거되기 전 재판상으로 뿐만 아니라 재판 외에서도 행사할 수 있고, 그 행사의 시기에 대하여도 제한이 없다. 따라서 제1심에서 행사하였다가 철회한 후 항소심에서 다시 행사할 수도 있다(대판 1995.12.26, 95다42195).

⑤ 지상 건물이 객관적으로 경제적 가치가 있는지 여부나 임대인에게 소용이 있는지 여부는 지상물매수청구권 행사의 요건이 아니다(대판 2013.11.28, 2013다48364).

11 건물의 소유를 목적으로 하는 토지임차인의 지상물매수청구권에 관한 설명 중 옳지 않은 것은? (다툼이 있는 경우 판례에 의함) ▸ 2015년 사법시험

① 건물이 토지의 임대목적에 반하여 축조되고 임대인이 예상할 수 없을 정도의 고가의 것이라는 특별한 사정이 없는 한, 비록 행정관청의 허가를 받은 적법한 건물이 아니더라도 토지임차인의 지상물매수청구권의 대상이 될 수 있다.

② 임차인 소유의 건물이 임차토지 외에 임차인 또는 제3자 소유의 토지 위에 걸쳐서 건립되어 있는 경우, 임차지 상에 있는 건물 부분 중 구분소유의 객체가 될 수 있는 부분에 한하여 임차인에게 매수청구가 허용된다.

③ 근저당권이 설정된 임차인 소유의 건물에 대하여 지상물매수청구권이 인정되는 경우, 건물의 매수가격은 당사자 간의 합의가 없다면 매수청구권 행사 당시 건물의 시가 상당액에서 근저당권의 피담보채무액을 공제한 금액이다.

④ 토지임차인이 임대차 기간 중 자기 소유의 지상 건물에 관하여 보존등기를 하였다면, 임대차 종료 후 임대인이 토지소유권을 제3자에게 이전한 경우 그 제3자는 지상물매수청구의 상대방이 될 수 있다.

⑤ 임차인이 토지 위에 건립된 건물을 타인에게 양도하여 건물의 소유권이 이전되었다면, 특별한 사정이 없는 한 그 임차인은 지상물매수청구권을 행사할 수 없다.

해설 ① 비록 행정관청의 허가를 받은 적법한 건물이 아니더라도 토지 임차인의 지상물매수청구권의 대상이 될 수 있다(대판 2013.11.28, 2013다48364 등).

② 임차인 소유의 건물이 임차토지 외에 임차인 또는 제3자 소유의 토지 위에 걸쳐서 건립되어 있는 경우, 임차지 상에 있는 건물 부분 중 구분소유의 객체가 될 수 있는 부분에 한하여 임차인에게 매수청구가 허용된다(대판(전합) 1996.3.21, 93다42634).

정답 ▸ 10 ② 11 ③

③ 근저당권이 설정된 임차인 소유의 건물에 대하여 지상물매수청구권이 인정되는 경우, 건물의 매수가격은 매수청구권 행사 당시 건물의 시가 상당액 자체이지, 여기에서 근저당권의 피담보채무액을 공제한 금액이 아니다(대판 2008.5.29, 2007다4356).

④ 토지임차인이 임대차 기간 중 자기 소유의 지상 건물에 관하여 보존등기를 하였다면, 임대차 종료 후 임대인이 토지소유권을 제3자에게 이전한 경우 그 제3자는 지상물매수청구의 상대 방이 될 수 있다(대판 1993.7.27, 93다6386 등).

⑤ 임차인이 토지 위에 건립된 건물을 타인에게 양도하여 건물의 소유권이 이전되었다면, 특별 한 사정이 없는 한 그 임차인은 지상물매수청구권을 행사할 수 없고 양수인이 행사하여야 한다(대판 2013.11.28, 2013다48364).

12 토지임대차 종료에 따른 임차인의 지상물매수청구권에 관한 다음 설명 중 가장 옳지 않은 것은? (다툼이 있는 경우 판례에 의함)   ▶ 2017년 법무사

① 건물의 소유를 목적으로 한 토지임대차에 있어서 임차인의 건물매수청구권은 매수청구 의 대상이 되는 건물에 근저당권이 설정되어 있는 경우에도 인정되고, 그 매수가격을 정할 때 근저당권의 채권최고액이나 피담보채무액은 공제되어야 한다.

② 지상물매수청구권이 행사되면 임대인과 임차인 사이에서는 임차지상의 건물에 대하여 매수청구권 행사 당시의 건물시가를 대금으로 하는 매매계약이 체결된 것과 같은 효과 가 발생하는 것이지, 임대인이 기존 건물의 철거비용을 포함하여 임차인이 임차지상의 건물을 신축하기 위하여 지출한 모든 비용을 보상할 의무를 부담하게 되는 것은 아니다.

③ 건물의 소유를 목적으로 한 토지임대차에 있어서 임차인이 그 지상건물에 대하여 매수 청구권을 행사한 후에도 건물의 점유·사용을 통하여 그 부지를 계속하여 점유·사용 하는 경우 부당이득으로서 부지의 임료 상당액을 반환하여야 한다.

④ 건물의 소유를 목적으로 하는 토지 임차인의 건물매수청구권 행사의 상대방은 원칙적 으로 임차권 소멸 당시의 토지소유자인 임대인이고, 임대인이 임차권 소멸 당시에 이 미 토지소유권을 상실한 경우에는 그에게 지상건물의 매수청구권을 행사할 수는 없으 며, 이는 임대인이 임대차계약의 종료 전에 토지를 임의로 처분하였다 하여 달라지는 것은 아니다.

⑤ 토지임대차 종료 시 임대인의 건물철거와 그 대지인도 청구에는 건물매수대금 지급과 동시에 건물인도를 구하는 청구가 포함되어 있다고 볼 수 없다.

해설 ① 건물의 소유를 목적으로 한 토지임대차계약의 기간이 만료함에 따라 지상 건물소유자가 임 대인에 대하여 행사하는 민법 제643조 소정의 매수청구권은 매수청구의 대상이 되는 건물에 근저당권이 설정되어 있는 경우에도 인정된다. 이 경우에 그 건물의 매수가격은 건물 자체의 가격 외에 건물의 위치, 주변 토지의 여러 사정 등을 종합적으로 고려하여 매수청구권 행사 당시 건물이 현존하는 대로의 상태에서 평가된 시가 상당액을 의미하고, 여기에서 근저당권 의 채권최고액이나 피담보채무액을 공제한 금액을 매수가격으로 정할 것은 아니다. 다만, 매 수청구권을 행사한 지상 건물소유자가 위와 같은 근저당권을 말소하지 않는 경우 토지소유 자는 민법 제588조에 의하여 위 근저당권의 말소등기가 될 때까지 그 채권최고액에 상당한 대금의 지급을 거절할 수 있다(대판 2008.5.29, 2007다4356).

② 민법 제643조 소정의 지상물매수청구권이 행사되면 임대인과 임차인 사이에서는 임차지상의 건물에 대하여 매수청구권 행사 당시의 건물시가를 대금으로 하는 매매계약이 체결된 것과 같은 효과가 발생하는 것이지, 임대인이 기존 건물의 철거비용을 포함하여 임차인이 임차지상의 건물을 신축하기 위하여 지출한 모든 비용을 보상할 의무를 부담하게 되는 것은 아니다(대판 2002.11.13, 2002다46003).

③ 건물 기타 공작물의 소유를 목적으로 한 대지임대차에 있어서 임차인이 그 지상건물 등에 대하여 민법 제643조 소정의 매수청구권을 행사한 후에 그 임대인인 대지의 소유자로부터 매수대금을 지급받을 때까지 그 지상건물 등의 인도를 거부할 수 있다고 하여도, 지상건물 등의 점유·사용을 통하여 그 부지를 계속하여 점유·사용하는 한 그로 인한 부당이득으로서 부지의 임료 상당액은 이를 반환할 의무가 있다(대판 2001.6.1, 99다60535).

④ 건물의 소유를 목적으로 하는 토지 임차인의 건물매수청구권 행사의 상대방은 원칙적으로 임차권 소멸 당시의 토지소유자인 임대인이고, 임대인이 임차권 소멸 당시에 이미 토지소유권을 상실한 경우에는 그에게 지상건물의 매수청구권을 행사할 수는 없으며, 이는 임대인이 임대차계약의 종료 전에 토지를 임의로 처분하였다 하여 달라지는 것은 아니다(대판 1994.7.29, 93다59717).

⑤ 토지에 대한 임대차계약 종료 시 임대인이 임차인을 상대로 지상물(건물) 철거 및 그 부지의 인도를 청구한 데 대하여 임차인이 지상물매수청구권을 행사하여 그 청구권이 인정되는 경우, 임대인의 위 청구에는 건물매수대금 지급과 동시에 건물인도를 구하는 청구가 포함되어 있다고 볼 수 없다(대판(전합) 1995.7.11, 94다34265).

---

13 임대차에 관한 다음 설명 중 가장 옳지 않은 것은? (다툼이 있는 경우 판례에 의함)

▶ 2017년 법원행시

① 주택임대차의 임대인 지위가 양수인에게 승계된 경우 이미 발생한 연체차임채권은 따로 채권양도의 요건을 갖추지 않는 한 승계되지 않고, 따라서 양수인이 연체차임채권을 양수받지 않은 이상 승계 이후의 연체차임액이 2기 이상의 차임액에 달하여야만 비로소 임대차계약을 해지할 수 있다.

② 임대차보증금은 임대차계약이 종료된 후 임차인이 목적물을 명도할 때까지 발생하는 차임 및 기타 임차인의 채무를 담보하기 위하여 교부되는 것이므로 특별한 사정이 없는 한 임대차계약이 종료되었다 하더라도 목적물이 명도되지 않았다면 임차인은 보증금이 있음을 이유로 연체차임의 지급을 거절할 수 없다.

③ 주택임대차보호법이 적용되는 임대차는 반드시 임차인과 주택 소유자인 임대인 사이에 임대차계약이 체결된 경우에 한정되는 것은 아니고, 주택 소유자는 아니더라도 주택에 관하여 적법하게 임대차계약을 체결할 수 있는 권한을 가진 임대인과 임대차계약이 체결된 경우도 포함된다.

④ 민법 제639조 제1항의 묵시의 갱신은 임차인의 신뢰를 보호하기 위하여 인정되는 것이고, 이 경우 같은 조 제2항에 의하여 제3자가 제공한 담보는 소멸한다고 규정한 것은 담보를 제공한 자의 예상하지 못한 불이익을 방지하기 위한 것이라 할 것이므로, 민법 제639조 제2항은 당사자들의 합의에 따른 임대차 기간연장의 경우에도 적용된다.

⑤ 토지임차인의 지상물매수청구권은 기간의 정함이 없는 임대차에 있어서 임대인에 의한 해지통고에 의하여 그 임차권이 소멸된 경우에도 마찬가지로 인정된다.

해설 ① (상가건물)임대인 지위가 양수인에게 승계된 경우 이미 발생한 연체차임채권은 따로 채권양도의 요건을 갖추지 않는 한 승계되지 않고, 따라서 양수인이 연체차임채권을 양수받지 않은 이상 승계 이후의 연체차임액이 3기 이상의 차임액에 달하여야만 비로소 임대차계약을 해지할 수 있다(대판 2008.10.9, 2008다3022 참조).

② 임대차보증금은 임대차계약이 종료된 후 임차인이 목적물을 명도할 때까지 발생하는 차임 및 기타 임차인의 채무를 담보하기 위하여 교부되는 것이므로 특별한 사정이 없는 한 임대차계약이 종료되었다 하더라도 목적물이 명도되지 않았다면 임차인은 보증금이 있음을 이유로 연체차임의 지급을 거절할 수 없다(대판 1999.7.27, 99다24881).

③ 주택임대차보호법이 적용되는 임대차로서는 반드시 임차인과 주택의 소유자인 임대인 사이에 임대차계약이 체결된 경우에 한정된다고 할 수는 없고, 주택의 소유자는 아니지만 주택에 관하여 적법하게 임대차계약을 체결할 수 있는 권한(적법한 임대권한)을 가진 임대인과 임대차계약이 체결된 경우도 포함된다(대판 2008.4.10, 2007다38908·38915).

④ 민법 제639조 제1항의 묵시의 갱신은 임차인의 신뢰를 보호하기 위하여 인정되는 것이고, 이 경우 같은 조 제2항에 의하여 제3자가 제공한 담보는 소멸한다고 규정한 것은 담보를 제공한 자의 예상하지 못한 불이익을 방지하기 위한 것이라 할 것이므로, 민법 제639조 제2항은 당사자들의 합의에 따른 임대차 기간연장의 경우에는 적용되지 않는다(대판 2005.4.14, 2004다63293).

⑤ 토지임차인의 지상물매수청구권은 기간의 정함이 없는 임대차에 있어서 임대인에 의한 해지통고에 의하여 그 임차권이 소멸된 경우에도 마찬가지로 인정된다(대판(전합) 1995.7.11, 94다34265).

14 임대차 목적물의 화재에 관한 다음 설명 중 가장 옳지 않은 것은? ▶ 2018년 법원행시

① 임대차 목적물이 화재 등으로 인하여 소멸됨으로써 임차인의 목적물 반환의무가 이행불능이 된 경우에, 그 화재 등의 구체적인 발생 원인이 밝혀지지 아니한 때에도, 임차인은 이행불능이 자기가 책임질 수 없는 사유로 인한 것이라는 증명을 다하지 못하면 목적물 반환의무의 이행불능으로 인한 손해를 배상할 책임을 진다.

② 임대차 종료 당시 반환된 임차건물이 화재로 인하여 훼손되었음을 이유로 손해배상을 구하는 경우에, 그 화재 등의 구체적인 발생 원인이 밝혀지지 아니한 때에도, 임차인은 자기가 책임질 수 없는 사유로 인한 것이라는 증명을 다하지 못하면 그로 인한 손해를 배상할 책임을 진다.

③ 임대차계약 존속 중에 발생한 화재가 임대인이 지배·관리하는 영역에 존재하는 하자로 인하여 발생한 것으로 추단된다면, 특별한 사정이 없는 한 임대인은 그 화재로 인한 목적물 반환의무의 이행불능 등에 관한 손해배상책임을 임차인에게 물을 수 없다.

④ 임차인이 임대인 소유 건물의 일부를 임차하여 사용·수익하던 중 임차건물 부분에서 화재가 발생하여 임차건물 부분이 아닌 건물 부분까지 불에 타 그로 인해 임대인에게 재산상 손해가 발생한 경우에, 화재 발생과 관련된 임차인의 계약상 의무 위반이 있었음이 증명되고, 그러한 의무 위반과 임차 외 건물 부분의 손해 사이에 상당인과관계가 있으며, 임차 외 건물 부분의 손해가 그러한 의무 위반에 따른 통상의 손해에 해당한다고 볼 수 있는 경우라면, 임차인은 임차 외 건물 부분의 손해에 대해서도 임대인에게 손해배상책임을 부담한다.

⑤ 건물의 규모와 구조로 볼 때 그 건물 중 임차건물 부분과 그 밖의 부분이 상호 유지·존립함에 있어서 구조상 불가분의 일체를 이루는 관계에 있다면, 임차인은 임차건물의 보존에 관하여 선량한 관리자의 주의의무를 다하였음을 증명하지 못하는 이상, 임차건물 부분의 유지·존립과 불가분의 일체 관계에 있는 임차 외 건물 부분이 소훼되어 임대인이 입게 된 손해도 채무불이행으로 인한 손해로 배상할 의무가 있다.

해설 ①, ②, ③ 임대차 목적물이 화재 등으로 인하여 소멸됨으로써 임차인의 목적물 반환의무가 이행불능이 된 경우에, 임차인은 이행불능이 자기가 책임질 수 없는 사유로 인한 것이라는 증명을 다하지 못하면 목적물 반환의무의 이행불능으로 인한 손해를 배상할 책임을 지며, 화재 등의 구체적인 발생 원인이 밝혀지지 아니한 때에도 마찬가지이다. 또한 이러한 법리는 임대차 종료 당시 임대차 목적물 반환의무가 이행불능 상태는 아니지만 반환된 임차 건물이 화재로 인하여 훼손되었음을 이유로 손해배상을 구하는 경우에도 동일하게 적용된다. 한편 임대인은 목적물을 임차인에게 인도하고 임대차계약 존속 중에 그 사용, 수익에 필요한 상태를 유지하게 할 의무를 부담하므로(민법 제623조), 임대차계약 존속 중에 발생한 화재가 임대인이 지배·관리하는 영역에 존재하는 하자로 인하여 발생한 것으로 추단된다면, 그 하자를 보수·제거하는 것은 임대차 목적물을 사용·수익하기에 필요한 상태로 유지하여야 하는 임대인의 의무에 속하며, 임차인이 하자를 미리 알았거나 알 수 있었다는 등의 특별한 사정이 없는 한, 임대인은 화재로 인한 목적물 반환의무의 이행불능 등에 관한 손해배상책임을 임차인에게 물을 수 없다(대판(전합) 2017.5.18, 2012다86895, 2012다86901).

④ 임차인이 임대인 소유 건물의 일부를 임차하여 사용·수익하던 중 임차 건물 부분에서 화재가 발생하여 임차 건물 부분이 아닌 건물 부분(이하 '임차 외 건물 부분'이라 한다)까지 불에 타 그로 인해 임대인에게 재산상 손해가 발생한 경우에, 임차인이 보존·관리의무를 위반하여 화재가 발생한 원인을 제공하는 등 화재 발생과 관련된 임차인의 계약상 의무 위반이 있었음이 증명되고, 그러한 의무 위반과 임차 외 건물 부분의 손해 사이에 상당인과관계가 있으며, 임차 외 건물 부분의 손해가 그러한 의무 위반에 따른 통상의 손해에 해당하거나, 임차인이 그 사정을 알았거나 알 수 있었을 특별한 사정으로 인한 손해에 해당한다고 볼 수 있는 경우라면, 임차인은 임차 외 건물 부분의 손해에 대해서도 민법 제390조, 제393조에 따라 임대인에게 손해배상책임을 부담하게 된다(대판(전합) 2017.5.18, 2012다86895·2012다86901).

정답 14 ⑤

⑤ 종래 대법원은 임차인이 임대인 소유 건물의 일부를 임차하여 사용·수익하던 중 임차 건물 부분에서 화재가 발생하여 임차 외 건물 부분까지 불에 타 그로 인해 임대인에게 재산상 손해가 발생한 경우에, 건물의 규모와 구조로 볼 때 건물 중 임차 건물 부분과 그 밖의 부분이 상호 유지·존립함에 있어서 구조상 불가분의 일체를 이루는 관계에 있다면, 임차인은 임차 건물의 보존에 관하여 선량한 관리자의 주의의무를 다하였음을 증명하지 못하는 이상 임차 건물 부분에 한하지 아니하고 건물의 유지·존립과 불가분의 일체 관계에 있는 임차 외 건물 부분이 소훼되어 임대인이 입게 된 손해도 채무불이행으로 인한 손해로 배상할 의무가 있다고 판단하여 왔다. 그러나 임차 외 건물 부분이 구조상 불가분의 일체를 이루는 관계에 있는 부분이라 하더라도, 그 부분에 발생한 손해에 대하여 임대인이 임차인을 상대로 채무불이행을 원인으로 하는 배상을 구하려면, 임차인이 보존·관리의무를 위반하여 화재가 발생한 원인을 제공하는 등 화재 발생과 관련된 임차인의 계약상 의무 위반이 있었고, 그러한 의무 위반과 임차 외 건물 부분의 손해 사이에 상당인과관계가 있으며, 임차 외 건물 부분의 손해가 의무 위반에 따라 민법 제393조에 의하여 배상하여야 할 손해의 범위 내에 있다는 점에 대하여 임대인이 주장·증명하여야 한다. 이와 달리 위와 같은 임대인의 주장·증명이 없는 경우에도 임차인이 임차 건물의 보존에 관하여 선량한 관리자의 주의의무를 다하였음을 증명하지 못하는 이상 임차 외 건물 부분에 대해서까지 채무불이행에 따른 손해배상책임을 지게 된다고 판단한 종래의 대법원판결들은 이 판결의 견해에 배치되는 범위 내에서 이를 모두 변경하기로 한다(대판(전합) 2017.5.18, 2012다86895·2012다86901).

15 **임대차에 관한 다음 설명 중 가장 옳지 않은 것은?** (다툼이 있는 경우 판례에 의하고, 전원합의체 판결의 경우 다수의견에 의함)
▶ 2019년 9급(법원서기보)

① 임대인은 임대차계약이 존속 중이라도 임대차보증금반환채무에 관한 기한의 이익을 포기하고 임차인의 임대차보증금반환채권을 수동채권으로 하여 상계할 수 있다.

② 상가건물 임대차보호법 제3조는 '대항력 등'이라는 표제로 제1항에서 대항력의 요건을 정하고, 제2항에서 "임차건물의 양수인(그 밖에 임대할 권리를 승계한 자를 포함한다)은 임대인의 지위를 승계한 것으로 본다."라고 정하고 있다. 위 조항에 따라 임차건물 양수인이 임대인 지위를 승계하더라도, 임차건물 소유권이 이전되기 전에 이미 발생한 연체차임이나 관리비 등은 별도의 채권양도절차가 없는 한 원칙적으로 양수인에게 이전되지 않는다. 따라서 임차건물 양수인이 건물 소유권을 취득한 후 임대차관계가 종료되어 임차인에게 임대차보증금을 반환해야 하는 경우에도 임대인 지위를 승계하기 전까지 발생한 연체차임이나 관리비 등은 특별한 사정이 없는 한 임대차보증금에서 공제되지 않는다.

③ 임차인이 임대인 소유 건물 일부를 임차하여 사용·수익하던 중 임차 건물 부분에서 원인 불명의 화재가 발생하여 임차 건물 부분이 아닌 건물 부분(이하 '임차 외 건물부분'이라고 한다)까지 불에 타 그로 인해 임대인에게 재산상 손해가 발생한 경우, 임대인이 임차 외 건물 부분에 발생한 손해에 대하여 임차인을 상대로 채무불이행을 원인으로 하는 손해배상을 구하려면, 임차인이 보존·관리의무를 위반하여 화재가 발생한 원인을 제공하는 등 화재발생과 관련된 임차인의 계약상 의무 위반이 있었다는 등의 사정을 임대인이 주장·증명하여야 한다.

④ 임차인이 임대인에게 임차보증금 일부만을 지급하고 주택임대차보호법 제3조 제1항에서 정한 대항요건과 임대차계약서에 확정일자를 갖춘 다음 나머지 보증금을 나중에 지급하였다고 하더라도, 특별한 사정이 없는 한 대항요건과 확정일자를 갖춘 때를 기준으로 임차보증금 전액에 대해서 후순위권리자나 그 밖의 채권자보다 우선하여 변제를 받을 권리를 갖는다.

해설 ① 부동산 임대차에서 수수된 임대차보증금은 차임채무, 목적물의 멸실·훼손 등으로 인한 손해배상채무 등 임대차에 따른 임차인의 모든 채무를 담보하는 것이고, 특별한 사정이 없는 한, 임대인의 임대차보증금반환채무는 장래에 실현되거나 도래할 것이 확실한 임대차계약의 종료시점에 이행기에 도달한다. 그리고 임대인으로서는 임대차보증금 없이도 부동산 임대차계약을 유지할 수 있으므로, 임대차계약이 존속 중이라도 임대차보증금반환채무에 관한 기한의 이익을 포기하고 임차인의 임대차보증금반환채권을 수동채권으로 하여 상계할 수 있고, 임대차 존속 중에 그와 같은 상계의 의사표시를 한 경우에는 임대차보증금반환채무에 관한 기한의 이익을 포기한 것으로 볼 수 있다(대판 2017.3.15, 2015다252501).

② 상가건물 임대차보호법 제3조는 '대항력 등'이라는 표제로 제1항에서 대항력의 요건을 정하고, 제2항에서 "임차건물의 양수인(그 밖에 임대할 권리를 승계한 자를 포함한다)은 임대인의 지위를 승계한 것으로 본다."라고 정하고 있다. 위 조항에 따라 임차건물의 양수인이 임대인의 지위를 승계하면, 양수인은 임차인에게 임대보증금반환의무를 부담하고 임차인은 양수인에게 차임지급의무를 부담한다. 그러나 임차건물의 소유권이 이전되기 전에 이미 발생한 연체차임이나 관리비 등은 별도의 채권양도절차가 없는 한 원칙적으로 양수인에게 이전되지 않고 임대인만이 임차인에게 청구할 수 있다. 차임이나 관리비 등은 임차건물을 사용한 대가로서 임차인에게 임차건물을 사용하도록 할 당시의 소유자 등 처분권한 있는 자에게 귀속된다고 볼 수 있기 때문이다. 반면 임대차계약에서 임대차보증금은 임대차계약 종료 후 목적물을 임대인에게 명도할 때까지 발생하는, 임대차에 따른 임차인의 모든 채무를 담보한다. 따라서 이러한 채무는 임대차관계 종료 후 목적물이 반환될 때에 특별한 사정이 없는 한 별도의 의사표시 없이 보증금에서 당연히 공제된다. 임차건물의 양수인이 건물 소유권을 취득한 후 임대차관계가 종료되어 임차인에게 임대차보증금을 반환해야 하는 경우에 임대인의 지위를 승계하기 전까지 발생한 연체차임이나 관리비 등이 있으면 이는 특별한 사정이 없는 한 임대차보증금에서 당연히 공제된다. 일반적으로 임차건물의 양도 시에 연체차임이나 관리비 등이 남아있더라도 나중에 임대차관계가 종료되는 경우 임대차보증금에서 이를 공제하겠다는 것이 당사자들의 의사나 거래관념에 부합하기 때문이다(대판 2017.3.22, 2016다218874).

③ 임차인이 임대인 소유 건물의 일부를 임차하여 사용·수익하던 중 임차 건물 부분에서 화재가 발생하여 임차 건물 부분이 아닌 건물 부분(이하 '임차 외 건물 부분'이라 한다)까지 불에 타그로 인해 임대인에게 재산상 손해가 발생한 경우에, 임차인이 보존·관리의무를 위반하여 화재가 발생한 원인을 제공하는 등 화재 발생과 관련된 임차인의 계약상 의무 위반이 있었음이 증명되고, 그러한 의무 위반과 임차 외 건물 부분의 손해 사이에 상당인과관계가 있으며, 임차 외 건물 부분의 손해가 그러한 의무 위반에 따른 통상의 손해에 해당하거나, 임차인이 그 사정을 알았거나 알 수 있었을 특별한 사정으로 인한 손해에 해당한다고 볼 수 있는 경우라면, 임차인은 임차 외 건물 부분의 손해에 대해서도 민법 제390조, 제393조에 따라 임대인에게 손해배상책임을 부담하게 된다(대판(전합) 2017.5.18, 2012다86895).

정답 15 ②

④ 주택임대차보호법은 임차인에게 우선변제권이 인정되기 위하여 대항요건과 임대차계약증서 상의 확정일자를 갖추는 것 외에 '계약 당시 임차보증금이 전액 지급되어 있을 것을 요구하지 는 않는다.' 따라서 임차인이 임대인에게 임차보증금의 일부만을 지급하고 주택임대차보호법 제3조 제1항에서 정한 대항요건과 임대차계약증서상의 확정일자를 갖춘 다음 나머지 보증금 을 나중에 지급하였다고 하더라도 특별한 사정이 없는 한 '대항요건과 확정일자를 갖춘 때를 기준'으로 임차보증금 전액에 대해서 후순위권리자나 그 밖의 채권자보다 우선하여 변제를 받을 권리를 갖는다고 보아야 한다(대판 2017.8.29. 2017다212194).

16 임대차에 관한 다음 설명 중 가장 옳지 않은 것은? (다툼이 있는 경우 판례에 의하고, 전원합의체 판결의 경우 다수의견에 의함) ▶ 2020년 9급(법원서기보)

① 임차인의 임차목적물 반환의무는 임대차계약의 종료에 의하여 발생하나, 임대인의 권 리금 회수 방해로 인한 손해배상의무는 상가건물 임대차보호법에서 정한 권리금 회수 기회 보호의무 위반을 원인으로 하고 있으므로 양 채무는 동일한 법률요건이 아닌 별 개의 원인에 기하여 발생한 것일 뿐 아니라 공평의 관점에서 보더라도 그 사이에 이행 상 견련관계를 인정하기 어려워 동시이행관계에 있다고 할 수 없다.

② 기존 임차인과 새로운 임차인 및 임대인 사이에 임대차계약상의 지위 양도 등 권리의무의 포괄적 양도에 관한 계약이 확정일자 있는 증서에 의하여 체결되거나, 임대차보증금 반환 채권의 양도에 대한 통지·승낙이 확정일자 있는 증서에 의하여 이루어지는 등의 절차를 거치지 아니하는 한, 기존의 임대차계약에 따른 임대차보증금 반환채권에 대하여 채권가 압류명령 등을 받은 채권자 등 임대차보증금 반환채권에 관하여 양수인의 지위와 양립할 수 없는 법률상의 지위를 취득한 제3자에 대하여는 임대차계약상의 지위 양도 등 권리의 무의 포괄적 양도에 포함된 임대차보증금 반환채권의 양도로써 대항할 수 없다.

③ 채권자가 채무자 소유의 주택에 관하여 채무자와 임대차계약을 체결하고 전입신고를 마친 다음 그곳에 거주하였더라도, 임대차계약의 주된 목적이 주택을 사용·수익하려 는 것이 아니라 소액임차인으로 보호받아 선순위 담보권자에 우선하여 채권을 회수하 려는 것에 주된 목적이 있었던 경우에는, 그러한 임차인을 주택임대차보호법상 소액임 차인으로 보호할 수 없다. 반면, 실제 임대차계약의 주된 목적이 주택을 사용·수익하 려는 것이라면 처음 임대차계약을 체결할 당시에는 보증금액이 많아 주택임대차보호법 상 소액임차인에 해당하지 않았지만 그 후 새로운 임대차계약에 의하여 보증금을 감액 하여 소액임차인에 해당하게 되었다면 특별한 사정이 없는 한 그러한 임차인은 같은 법상 소액임차인으로 보호받을 수 있다.

④ 임대차계약이 임차인의 채무불이행으로 인하여 해지되었다고 하더라도 임차인의 민법 제646조에 의한 부속물매수청구권에는 영향이 없다. 또한 대항력 없는 임대차에서 임 차목적물의 소유권이전이 이루어진 경우, 매매계약 체결 이전에 임차인이 전 소유자와

의 관계에서 임차목적물을 수선하여 발생한 유익비는 이미 그로 인한 가치증가가 매매대금 결정에 반영되었을 것이므로 특별한 사정이 없는 한 전 소유자에게 비용상환청구를 하여야 할 것이지 신소유자가 이를 상환할 의무는 없다.

해설 ① 임차인의 임차목적물 반환의무는 임대차계약의 종료에 의하여 발생하나, 임대인의 권리금 회수 방해로 인한 손해배상의무는 상가건물 임대차보호법에서 정한 권리금 회수기회 보호의무 위반을 원인으로 하고 있으므로 양 채무는 동일한 법률요건이 아닌 별개의 원인에 기하여 발생한 것일 뿐 아니라 공평의 관점에서 보더라도 그 사이에 이행상 견련관계를 인정하기 어렵다(대판 2019.7.10, 2018다242727).

② 임대차보증금 반환채권을 양도하는 경우에 확정일자 있는 증서로 이를 채무자에게 통지하거나 채무자가 확정일자 있는 증서로 이를 승낙하지 아니한 이상 그 양도로써 채무자 이외의 제3자에게 대항할 수 없으며(민법 제450조 참조), 이러한 법리는 임대차계약상의 지위를 양도하는 등 임대차계약상의 권리의무를 포괄적으로 양도하는 경우에 그 권리의무의 내용을 이루고 있는 임대차보증금 반환채권의 양도 부분에 관하여도 마찬가지로 적용된다. 따라서 위 경우에 기존 임차인과 새로운 임차인 및 임대인 사이에 임대차계약상의 지위 양도 등 그 권리의무의 포괄적 양도에 관한 계약이 확정일자 있는 증서에 의하여 체결되거나, 임대차보증금 반환채권의 양도에 대한 통지·승낙이 확정일자 있는 증서에 의하여 이루어지는 등의 절차를 거치지 아니하는 한, 기존의 임대차계약에 따른 임대차보증금 반환채권에 대하여 채권가압류명령, 채권압류 및 추심명령 등(이하 '채권가압류명령 등'이라 한다)을 받은 채권자 등 그 임대차보증금 반환채권에 관하여 양수인의 지위와 양립할 수 없는 법률상의 지위를 취득한 제3자에 대하여는 임대차계약상의 지위 양도 등 그 권리의무의 포괄적 양도에 포함된 임대차보증금 반환채권의 양도로써 대항할 수 없다고 보아야 한다(대판 2017.1.25, 2014다52933).

③ ⅰ) 주택임대차보호법의 입법목적과 제도의 취지 등을 고려할 때, 채권자가 채무자 소유의 주택에 관하여 채무자와 임대차계약을 체결하고 전입신고를 마친 다음 그곳에 거주하였다고 하더라도 실제 임대차계약의 주된 목적이 주택을 사용수익하려는 것에 있는 것이 아니고, 실제적으로는 소액임차인으로 보호받아 선순위담보권자에 우선하여 채권을 회수하려는 것에 주된 목적이 있었던 경우에는 그러한 임차인을 주택임대차보호법상 소액임차인으로 보호할 수 없다(대판 2001.2.8, 2001다14733). 반면, ⅱ) 실제 임대차계약의 주된 목적이 주택을 사용·수익하려는 것인 이상, 처음 임대차계약을 체결할 당시에는 보증금액이 많아 주택임대차보호법상 소액임차인에 해당하지 않았지만 그 후 새로운 임대차계약에 의하여 정당하게 보증금을 감액하여 소액임차인에 해당하게 되었다면, 그 임대차계약이 통정허위표시에 의한 계약이어서 무효라는 등의 특별한 사정이 없는 한 그러한 임차인은 같은 법상 소액임차인으로 보호받을 수 있다(대판 2008.5.15, 2007다23203).

④ ⅰ) 판례는 제643조의 지상물매수청구권과 마찬가지로 임차인의 채무불이행으로 인하여 해지된 경우에는 임차인의 부속물매수청구권을 인정하지 않는다(대판 1990.1.23, 88다카7245·7252). 또한 ⅱ) 대항력 없는 임대차에서 임차목적물의 소유권이전이 이루어진 경우, 매매계약 체결 이전에 임차인이 임차목적물을 수선하여 발생한 유익비는 그로 인한 가치증가가 매매대금결정에 반영되었다고 할 것이므로, 특별한 사정이 없는 한 전 소유자와의 관계에서 지출한 유익비는 전 소유자에게 비용상환청구를 하여야 할 것이지 신 소유자가 이를 상환할 의무는 없다(대판 2006.5.11, 2005다52719). 점유자인 임차인이 비용을 지출한 후 임대인의 지위를 승계하지 않은 자로 소유자가 교체된 경우 임차인의 신 소유자에 대한 유익비상환청구

권은 인정될 수 없다는 것이다. 마찬가지로 판례는 민법 제203조 제2항에 의한 점유자의 회복자에 대한 유익비상환청구권은 점유자가 계약관계 등 적법하게 점유할 권리를 가지지 않아 소유자의 소유물반환청구에 응하여야 할 의무가 있는 경우에 성립되는 것으로서, 이 경우 점유자는 그 비용을 지출할 당시의 소유자가 누구이었는지 관계없이 점유회복 당시의 소유자즉 회복자에 대하여 비용상환청구권을 행사할 수 있는 것이나, 점유자가 유익비를 지출할 당시 계약관계 등 적법한 점유의 권원을 가진 경우에 그 지출비용의 상환에 관하여는 그 계약관계를 규율하는 법조항이나 법리 등이 적용되는 것이어서, 점유자는 그 계약관계 등의 상대방에 대하여 해당 법조항이나 법리에 따른 비용상환청구권을 행사할 수 있을 뿐 계약관계 등의 상대방이 아닌 점유회복 당시의 소유자에 대하여 민법 제203조 제2항에 따른 지출비용의 상환을 구할 수는 없다(대판 2003.7.25, 2001다64752)고 하여 이 점을 명확히 하였다.

17 주택임대차보호법 및 상가건물 임대차보호법이 적용되지 않는 민법상 임대차에 관한 다음 설명 중 가장 옳지 않은 것은? (다툼이 있는 경우 판례에 의함) ▶ 2018년 9급(법원서기보)

① 건물 소유를 목적으로 하는 토지임차인이 그 지상건물을 등기하기 전에 제3자가 그 토지에 관하여 물권 취득의 등기를 한 때에는, 임차인이 그 지상건물을 등기하더라도 그 제3자에 대하여는 임대차의 효력을 주장할 수 없다.

② 민법 제643조가 정하는 건물 소유를 목적으로 하는 토지 임대차에서 임차인이 가지는 지상물매수청구권과 관련하여, 종전 토지 임차인으로부터 그 소유인 미등기 무허가건물을 매수하여 점유하고 있는 토지 임차인도 특별한 사정이 없는 한 임대인에 대하여 지상물매수청구권을 행사할 수 있다.

③ 임차인이 파산선고를 받은 경우 임대차기간의 약정이 있는 때에도 임대인은 임대차의 해지통고를 할 수 있고, 임차인에게 계약해지로 인한 손해배상도 청구할 수 있다.

④ 임차인이 임대차계약에 의하여 건물을 적법하게 점유하고 있으면서 비용을 지출한 경우 임대인에 대하여 민법 제626조 제2항에 의한 임대차계약상 유익비상환청구를 할 수 있을 뿐, 낙찰에 의하여 소유권을 취득한 자에 대하여 이와는 별도로 민법 제203조 제2항에 의한 유익비상환청구를 할 수는 없다.

해설 ① 민법 제622조 제1항은 '건물의 소유를 목적으로 하는 토지임대차는 이를 등기하지 아니한 경우에도 임차인이 그 지상건물을 등기한 때에는 제3자에 대하여 임대차의 효력이 생긴다.'고 규정하고 있는바, 이는 건물을 소유하는 토지임차인의 보호를 위하여 건물의 등기로써 토지임대차 등기에 갈음하는 효력을 부여하는 것일 뿐이므로 임차인이 그 지상건물을 등기하기 전에 제3자가 그 토지에 관하여 물권취득의 등기를 한 때에는 임차인이 그 지상건물을 등기하더라도 그 제3자에 대하여 임대차의 효력이 생기지 아니한다(대판 2003.2.28, 2000다65802 · 65819).

② 민법 제643조가 정하는 건물 소유를 목적으로 하는 토지 임대차에서 임차인이 가지는 지상물매수청구권은 건물의 소유를 목적으로 하는 토지 임대차계약이 종료되었음에도 그 지상건물이 현존하는 경우에 임대차계약을 성실하게 지켜온 임차인이 임대인에게 상당한 가액으로 그 지상 건물의 매수를 청구할 수 있는 권리로서 국민경제적 관점에서 지상 건물의 잔존가치를 보존하고, 토지소유자의 배타적 소유권 행사로 인하여 희생당하기 쉬운 임차인을 보호하기 위한 제도이므로, 특별한 사정이 없는 한 행정관청의 허가를 받은 적법한 건물이 아

니더라도 임차인의 지상물매수청구권의 대상이 될 수 있다. 그리고 건물을 매수하여 점유하고 있는 사람은 소유자로서의 등기명의가 없다 하더라도 그 권리의 범위 내에서는 그 점유 중인 건물에 대하여 법률상 또는 사실상의 처분권을 가지고 있다. 위와 같은 지상물매수청구청구권 제도의 목적, 미등기 매수인의 법적 지위 등에 비추어 볼 때, 종전 임차인으로부터 미등기 무허가건물을 매수하여 점유하고 있는 임차인은 특별한 사정이 없는 한 비록 소유자로서의 등기명의가 없어 소유권을 취득하지 못하였다 하더라도 임대인에 대하여 지상물매수청구권을 행사할 수 있는 지위에 있다(대판 2013.11.28, 2013다48364·48371).

③ 제637조【임차인의 파산과 해지통고】
① 임차인이 파산선고를 받은 경우에는 임대차기간의 약정이 있는 때에도 임대인 또는 파산관재인은 제635조의 규정에 의하여 계약해지의 통고를 할 수 있다.
② 전항의 경우에 각 당사자는 상대방에 대하여 계약해지로 인하여 생긴 손해의 배상을 청구하지 못한다.

④ 민법 제203조 제2항에 의한 점유자의 회복자에 대한 유익비상환청구권은 점유자가 계약관계 등 적법하게 점유할 권리를 가지지 않아 소유자의 소유물반환청구에 응하여야 할 의무가 있는 경우에 성립되는 것으로서, 이 경우 점유자는 그 비용을 지출할 당시의 소유자가 누구이었는지 관계없이 점유회복 당시의 소유자 즉 회복자에 대하여 비용상환청구권을 행사할 수 있는 것이나, 점유자가 유익비를 지출할 당시 계약관계 등 적법한 점유의 권원을 가진 경우에 그 지출비용의 상환에 관하여는 그 계약관계를 규율하는 법조항이나 법리 등이 적용되는 것이어서, 점유자는 그 계약관계 등의 상대방에 대하여 해당 법조항이나 법리에 따른 비용상환청구권을 행사할 수 있을 뿐 계약관계 등의 상대방이 아닌 점유회복 당시의 소유자에 대하여 민법 제203조 제2항에 따른 지출비용의 상환을 구할 수는 없다(대판 2003.7.25, 2001다64752).

18 임대차에 관한 다음 설명 중 가장 옳은 것은? (다툼이 있는 경우 판례에 의함)
▶ 2017년 법원사무관 승진

① 재외국민이 임대차계약을 체결하였는데 동거가족인 외국인이 국내거소신고를 하였을 뿐이라면, 주택임대차보호법 제3조 제1항에 의한 대항력 취득의 요건인 주민등록에 해당한다고 볼 수 없다.

② 임대차계약 종료 전에는 연체차임이 공제 등 별도의 의사표시 없이 임대차보증금에서 당연히 공제되는 것은 아니다.

③ 주택임대차보호법이 적용되는 임대차는 임차인과 주택 소유자인 임대인 사이에 임대차계약이 체결된 경우에 한정되고, 비록 임대인이 주택에 관하여 적법하게 임대차계약을 체결할 수 있는 권한을 가졌다고 하더라도 주택 소유자가 아니라면, 이러한 임대인과 체결한 임대차계약에는 주택임대차보호법이 적용되지 않는다.

④ 보증금이 수수된 부동산 임대차계약에서 차임채권이 양도되었다면, 임차인은 임대차계약이 종료되어 목적물을 반환할 때까지 연체한 차임 상당액을 보증금에서 공제할 것을 주장할 수 없다.

정답 17 ③ 18 ②

해설 ① 외국인 또는 외국국적동포가 (구)출입국관리법(2010.5.14. 법률 제10282호로 개정되기 전의 것)이나 구 재외동포의 출입국과 법적 지위에 관한 법률(2008.3.14. 법률 제8896호로 개정되기 전의 것)에 따라서 한 외국인등록이나 체류지변경신고 또는 국내거소신고나 거소이전신고에 대하여는, 주택임대차보호법 제3조 제1항에서 주택임대차의 대항력 취득 요건으로 규정하고 있는 주민등록과 동일한 법적 효과가 인정된다. 이는 외국인등록이나 국내거소신고 등이 주민등록과 비교하여 공시기능이 미약하다고 하여 달리 볼 수 없다. 또한 동거가족인 외국인이 국내거소신고를 한 경우에도 마찬가지이다(대판 2016.10.13, 2014다218030).

② 임대인에게 임대차보증금이 교부되어 있더라도 임대인은 임대차관계가 계속되고 있는 동안에는 임대차보증금에서 연체차임을 충당할 것인지를 자유로이 선택할 수 있다. 따라서 임대차계약 종료 전에는 공제 등 별도의 의사표시 없이 연체차임이 임대차보증금에서 당연히 공제되는 것은 아니고, 임차인도 임대차보증금의 존재를 이유로 차임의 지급을 거절할 수 없다(대판 2016.11.25, 2016다211309).

③ 주택임대차보호법이 적용되는 임대차는 반드시 임차인과 주택 소유자인 임대인 사이에 임대차계약이 체결된 경우에 한정되는 것은 아니고, 주택 소유자는 아니더라도 주택에 관하여 적법하게 임대차계약을 체결할 수 있는 권한을 가진 임대인과 임대차계약이 체결된 경우도 포함된다(대판 2012.7.26, 2012다45689).

④ 부동산 임대차에서 수수된 보증금은 차임채무, 목적물의 멸실·훼손 등으로 인한 손해배상채무 등 임대차에 따른 임차인의 모든 채무를 담보하는 것으로서 피담보채무 상당액은 임대차관계의 종료 후 목적물이 반환될 때에 특별한 사정이 없는 한 별도의 의사표시 없이 보증금에서 당연히 공제되므로, 보증금이 수수된 임대차계약에서 차임채권이 양도되었다고 하더라도, 임차인은 임대차계약이 종료되어 목적물을 반환할 때까지 연체한 차임 상당액을 보증금에서 공제할 것을 주장할 수 있다(대판 2015.3.26, 2013다77225).

19 다음 설명 중 가장 옳지 않은 것은? ▶ 2021년 법무사

① 등기된 임차권에는 용익권적 권능 외에 임차보증금반환채권에 대한 담보권적 권능이 있고, 임대차기간이 종료되면 용익권적 권능은 임차권등기의 말소등기 없이도 곧바로 소멸하나 담보권적 권능은 곧바로 소멸하지 않는다고 할 것이어서, 임차권자는 임대차기간이 종료한 후에도 임차보증금을 반환받기까지는 임대인이나 그 승계인에 대하여 임차권등기의 말소를 거부할 수 있다고 할 것이고, 따라서 임차권등기가 원인 없이 말소된 때에는 그 방해를 배제하기 위한 청구를 할 수 있다.

② 임대차계약에 있어서 목적물을 사용·수익하게 할 임대인의 의무와 임차인의 차임지급의무는 상호 대응관계에 있으므로 임대인이 목적물을 사용·수익하게 할 의무를 불이행하여 임차인이 목적물을 전혀 사용할 수 없을 경우에는 임차인은 차임 전부의 지급을 거절할 수 있으나, 목적물의 사용·수익이 부분적으로 지장이 있는 상태인 경우에는 그 지장의 한도 내에서 차임의 지급을 거절할 수 있을 뿐 그 전부의 지급을 거절할 수는 없다.

③ 임대차계약이 중도에 해지되어 종료하면 임차인은 목적물을 원상으로 회복하여 반환하여야 하는 것이나, 임대인의 귀책사유로 임대차계약이 해지되었다면 임차인은 원상회복의무를 부담하지 않는다.

④ 임대차계약의 종료에 의하여 발생된 임차인의 임차목적물 반환의무와 임대인의 연체차임 등을 공제한 나머지 임대차보증금의 반환의무는 동시이행관계에 있으므로, 임대인이 나머지 임대차보증금의 반환의무를 이행하거나 적법한 이행제공을 하여 임차인의 동시이행항변권을 상실시키지 아니한 이상, 임차인이 임차목적물반환의무를 이행하지 아니하고 임차목적물을 계속 점유하고 있다고 하더라도, 임차인은 임대인에 대하여 임차목적물반환의무의 이행지체로 인한 손해배상책임을 지지 아니한다.

⑤ 임대차는 당사자 일방이 상대방에게 목적물을 사용·수익하게 할 것을 약정하고 상대방이 이에 대하여 차임을 지급할 것을 약정함으로써 성립하는 것으로서 임대인이 그 목적물에 대한 소유권 기타 이를 임대할 권한이 있을 것을 성립요건으로 하고 있지 아니하므로, 임대차계약이 성립된 후 그 존속기간 중에 임대인이 임대차 목적물에 대한 소유권을 상실한 사실 그 자체만으로 바로 임대차에 직접적인 영향을 미친다고 볼 수는 없지만, 임대인이 임대차 목적물의 소유권을 제3자에게 양도하고 그 소유권을 취득한 제3자가 임차인에게 그 임대차 목적물의 인도를 요구하여 이를 인도하였다면 임대인이 임차인에게 임대차 목적물을 사용·수익케 할 의무는 이행불능이 되었다고 할 것이고, 이러한 이행불능이 일시적이라고 볼 만한 특별한 사정이 없다면 임대차는 당사자의 해지 의사표시를 기다릴 필요 없이 당연히 종료되었다고 볼 것이지, 임대인의 채무가 손해배상 채무로 변환된 상태로 채권·채무관계가 존속한다고 볼 수 없다.

해설 ① 등기된 임차권에는 용익권적 권능 외에 임차보증금반환채권에 대한 담보권적 권능이 있고, 임대차기간이 종료되면 용익권적 권능은 임차권등기의 말소등기 없이도 곧바로 소멸하나 담보권적 권능은 곧바로 소멸하지 않는다고 할 것이어서, 임차권자는 임대차기간이 종료한 후에도 임차보증금을 반환받기까지는 임대인이나 그 승계인에 대하여 임차권등기의 말소를 거부할 수 있다고 할 것이고, 따라서 임차권등기가 원인 없이 말소된 때에는 그 방해를 배제하기 위한 청구를 할 수 있다(대판 2002.2.26, 99다67079).

② 임대차계약에 있어서 목적물을 사용·수익케 할 임대인의 의무와 임차인의 차임지급의무는 상호 대응관계에 있으므로 임대인이 목적물에 대한 수선의무를 불이행하여 임차인이 목적물을 전혀 사용할 수 없을 경우에는 임차인은 차임전부의 지급을 거절할 수 있으나, 수선의무 불이행으로 인하여 부분적으로 지장이 있는 상태에서 그 사용수익이 가능할 경우에는 그 지장이 있는 한도 내에서만 차임의 지급을 거절할 수 있을 뿐 그 전부의 지급을 거절할 수는 없다(대판 1997.4.25, 96다44778·44785).

③ 임대차계약이 중도에 해지되어 종료하면 임차인은 목적물을 원상으로 회복하여 반환하여야 하는 것이고, 임대인의 귀책사유로 임대차계약이 해지되었다고 하더라도 임차인은 그로 인한 손해배상을 청구할 수 있음은 별론으로 하고 원상회복의무를 부담하지 않는다고 할 수는 없다(대판 2002.12.6, 2002다42278).

④ 임대차계약의 종료에 의하여 발생된 임차인의 임차목적물 반환의무와 임대인의 연체차임 등을 공제한 나머지 임대차보증금의 반환의무는 동시이행관계에 있으므로, 임대인이 나머지 임대차보증금의 반환의무를 이행하거나 적법한 이행제공을 하여 임차인의 동시이행항변권을 상실시키지 아니한 이상, 임차인이 임차목적물반환의무를 이행하지 아니하고 임차목적물을

정답 ▶ **19** ③

계속 점유하고 있다고 하더라도, 임차인은 임대인에 대하여 임차목적물반환의무의 이행지체로 인한 손해배상책임을 지지 아니한다(대판 2006.10.13, 2006다39720).

⑤ 임대차는 당사자 일방이 상대방에게 목적물을 사용·수익하게 할 것을 약정하고 상대방이 이에 대하여 차임을 지급할 것을 약정함으로써 성립하는 것으로서 임대인이 그 목적물에 대한 소유권 기타 이를 임대할 권한이 있을 것을 성립요건으로 하고 있지 아니하므로, 임대차계약이 성립된 후 그 존속기간 중에 임대인이 임대차 목적물에 대한 소유권을 상실한 사실 그 자체만으로 바로 임대차에 직접적인 영향을 미친다고 볼 수는 없지만, 임대인이 임대차 목적물의 소유권을 제3자에게 양도하고 그 소유권을 취득한 제3자가 임차인에게 그 임대차 목적물의 인도를 요구하여 이를 인도하였다면 임대인이 임차인에게 임대차 목적물을 사용·수익케 할 의무는 이행불능이 되었다고 할 것이고, 이러한 이행불능이 일시적이라고 볼 만한 특별한 사정이 없다면 임대차는 당사자의 해지 의사표시를 기다릴 필요 없이 당연히 종료되었다고 볼 것이지, 임대인의 채무가 손해배상 채무로 변환된 상태로 채권·채무관계가 존속한다고 볼 수 없다(대판 1996.3.8, 95다15087).

20 임대차계약에 관한 다음 설명 중 가장 옳지 않은 것은? ▶ 2022년 법무사

① 임대차계약에 있어 임대차보증금은 임대차계약 종료 후 목적물을 임대인에게 인도할 때까지 발생하는, 임대차에 따른 임차인의 모든 채무를 담보하는 것으로서, 그 피담보 채무 상당액은 임대차관계의 종료 후 목적물이 반환될 때에, 특별한 사정이 없는 한, 별도의 의사표시 없이 보증금에서 당연히 공제된다.

② 건물 소유를 목적으로 하는 토지임대차계약을 체결한 임차인이 그 지상건물을 등기하기 전에 제3자가 그 토지에 관하여 물권취득의 등기를 한 때에는 임차인이 그 지상건물을 등기하더라도 그 제3자에 대하여 임대차의 효력이 생기지 않는다.

③ 임대차계약 종료 후에도 임차인이 동시이행의 항변권을 행사하여 임차목적물을 계속 점유하여 온 것이라면 임차인의 그 건물에 대한 점유는 불법점유라고 할 수 없으므로, 임차인이 임차목적물을 계속 점유하였다고 하여 바로 불법점유로 인한 손해배상책임이 발생하는 것은 아니다.

④ 임차인이 임대차계약종료 이후에도 동시이행의 항변권을 행사하는 방법으로 목적물의 반환을 거부하기 위하여 임차건물부분을 계속 점유하기는 하였으나 이를 본래의 임대차계약상의 목적에 따라 사용·수익하지 아니하여 실질적인 이득을 얻은 바 없는 경우에는 그로 인하여 임대인에게 손해가 발생하였다 하더라도 임차인의 부당이득반환의무는 성립되지 않는다.

⑤ 임차인이 임대인의 동의를 얻어 임차물을 전대한 경우 임차인과 전차인 사이에는 별개의 새로운 전대차계약이 성립하며, 임대인과 전차인 사이에는 직접적인 법률관계가 형성되지 않으므로 전차인은 임대인에 대하여 직접 의무를 부담하지 않는다.

해설 ① 대판 2005.9.28, 2005다8323·8330
② 대판 2003.2.28, 2000다65802·65819
③ 대판 1998.7.10, 98다15545

④ 임차인이 임대차계약 종료 이후에도 동시이행의 항변권을 행사하는 방법으로 목적물의 반환을 거부하기 위하여 임차건물부분을 계속 점유하기는 하였으나 이를 본래의 임대차계약상의 목적에 따라 사용 수익하지 아니하여 실질적인 이득을 얻은 바 없는 경우에는 그로 인하여 임대인에게 손해가 발생하였다 하더라도 임차인의 부당이득반환의무는 성립되지 않는다(대판 1992.4.14, 91다45202 · 45219).

⑤ 임차인이 임대인의 동의를 얻어 임차물을 전대한 경우, 임대인과 임차인 사이의 종전 임대차 계약은 계속 유지되고(민법 제630조 제2항), 임차인과 전차인 사이에는 별개의 새로운 전대차 계약이 성립한다. 한편 임대인과 전차인 사이에는 직접적인 법률관계가 형성되지 않지만, 임대인의 보호를 위하여 전차인이 임대인에 대하여 직접 의무를 부담한다(민법 제630조 제1항). 이 경우 전차인은 전대차계약으로 전대인에 대하여 부담하는 의무 이상으로 임대인에게 의무를 지지 않고 동시에 임대차계약으로 임차인이 임대인에 대하여 부담하는 의무 이상으로 임대인에게 의무를 지지 않는다(대판 2018.7.11, 2018다200518).

21 다음 설명 중 가장 옳지 않은 것은? ▸ 2023년 법무사

① 채권자와 채무자 모두가 기한의 이익을 갖는 이자부 금전소비 대차계약 등에 있어서, 채무자가 변제기로 인한 기한의 이익을 포기하고 변제기 전에 변제하는 경우 변제기까지의 약정이자 등 채권자의 손해를 배상하여야 하고, 이러한 약정이자 등 손해액을 함께 제공하지 않으면 채무의 내용에 따른 변제제공이라고 볼 수 없으므로, 채권자는 수령을 거절할 수 있다.

② 공동상속인들 사이에 협의가 이루어지지 않는 경우에는 제사주재자의 지위를 인정할 수 없는 특별한 사정이 있지 않는 한 피상속인의 직계비속 중 남녀, 적서를 불문하고 최근친의 연장자가 제사주재자로 우선한다.

③ 유언증서가 성립한 후에 멸실되거나 분실되었다는 사유만으로 유언이 실효되는 것은 아니고 이해관계인은 유언증서의 내용을 증명하여 유언의 유효를 주장할 수 있다. 이는 녹음에 의한 유언이 성립한 후에 녹음테이프나 녹음파일 등이 멸실 또는 분실된 경우에도 마찬가지이다.

④ 지상권의 존속기간 만료 후 지체 없이 지상권갱신청구권을 행사하지 아니하여 지상권 갱신청구권이 소멸한 경우에는, 지상권자의 적법한 갱신청구권의 행사와 지상권설정자의 갱신거절을 요건으로 하는 지상물매수청구권은 발생하지 않는다.

⑤ 임대차계약에서 임대차기간을 영구로 설정한 것은 채권인 임차권의 성질로 보아 허용되지 않고, 사용 · 수익 권능을 영구적으로 포기함으로써 처분 권능만이 남는 새로운 유형의 소유권을 창출하는 것이어서 무효이다.

해설 ① 대판 2023.4.13, 2021다305338

② 대판(전합) 2023.5.11, 2018다248626 → 제사주재자는 우선적으로 망인의 공동상속인들 사이의 협의에 의해 정하되, 협의가 이루어지지 않는 경우에는 제사주재자의 지위를 유지할 수 없는 특별한 사정이 있지 않는 한 망인의 장남(장남이 이미 사망한 경우에는 장손자)이 제사

주재자가 되고, 공동상속인들 중 아들이 없는 경우에는 망인의 장녀가 제사주재자가 된다고 본 대법원 2008.11.20. 선고 2007다27670 전원합의체 판결은 더 이상 조리에 부합하지 아니한다는 이유로 폐기하였다.
③ 대판 2023.6.1. 2023다217534; 대판 1996.9.20. 96다21119
④ 대판 2023.4.27. 2022다306642
⑤ 민법 제619조에서 처분능력, 권한 없는 자의 단기임대차의 경우에만 임대차기간의 최장기를 제한하는 규정만 있을 뿐, 민법상 임대차기간이 영구인 임대차계약의 체결을 불허하는 규정은 없다. 소유자가 소유권의 핵심적 권능에 속하는 사용·수익의 권능을 대세적으로 포기하는 것은 특별한 사정이 없는 한 허용되지 않으나, 특정인에 대한 관계에서 채권적으로 사용·수익권을 포기하는 것까지 금지되는 것은 아니다. 따라서 임대차기간이 영구인 임대차계약을 인정할 실제의 필요성도 있고, 이러한 임대차계약을 인정한다고 하더라도 사정변경에 의한 차임증감청구권이나 계약 해지 등으로 당사자들의 이해관계를 조정할 수 있는 방법이 있을 뿐만 아니라, 임차인에 대한 관계에서만 사용·수익권이 제한되는 외에 임대인의 소유권을 전면적으로 제한하는 것도 아닌 점 등에 비추어 보면, 당사자들이 자유로운 의사에 따라 임대차기간을 영구로 정한 약정은 이를 무효로 볼 만한 특별한 사정이 없는 한 계약자유의 원칙에 의하여 허용된다고 보아야 한다(대판 2023.6.1. 2023다209045). → ※ [참고] : 임차인으로서는 언제라도 그 권리를 포기할 수 있고, 임대차계약은 임차인에게 기간의 정함이 없는 임대차가 된다.

22 지상물매수청구권 및 부속물매수청구권에 관한 다음 설명 중 가장 옳지 않은 것은?

▶ 2023년 법무사

① 국가로부터 국유 토지의 관리를 위탁받은 甲 주식회사와 사용수익계약을 체결하여 그 토지 위에 건물을 건축한 乙 주식회사가 계약기간 만료 후 甲 회사를 상대로 지상물매수청구권을 행사한 경우에, 甲 회사는 국유 토지의 관리를 위탁받아 乙 회사와 사용수익계약을 체결한 자일뿐 토지소유자가 아니므로 지상물매수청구권의 상대방이 될 수 없다고 보아야 한다.
② 건물 기타 공작물의 임차인이 적법하게 전대한 경우에 전차인이 그 사용의 편익을 위하여 임대인의 동의를 얻어 임차인으로부터 매수한 부속물이 있는 때에는 전대차의 종료 시에 임대인에 대하여 그 부속물의 매수를 청구할 수 있다.
③ 임야 상태의 토지를 임차하여 대지로 조성한 후 건물을 건축하여 음식점을 경영할 목적으로 임대차계약을 체결한 경우, 비록 임대차계약서에서는 필요비 및 유익비의 상환청구권은 그 비용의 용도를 묻지 않고 이를 전부 포기하는 것으로 기재되었다고 하더라도 대지조성비는 그 상환청구권 포기의 대상으로 삼지 아니한 취지로 약정한 것이라고 해석하는 것이 합리적이다.
④ 건물의 소유를 목적으로 한 토지의 임대차에 있어서 임차인의 차임연체로 임대차계약이 해지되었을 때에는 임차인에게 그 지상건물에 관한 매수청구권이 발생하지 아니한다.
⑤ 기간의 정함이 없는 건물의 소유를 목적으로 하는 토지임대차에 있어서 임대인에 의한 해지통고에 의하여 그 임차권이 소멸한 경우에도 토지 임차인이 지상물매수청구권을 행사하기 위해서는 계약갱신 청구가 선행되어야 한다.

해설 ① 건물의 소유를 목적으로 하는 토지 임차인의 지상물매수청구권 행사의 상대방은 원칙적으로 임차권 소멸 당시의 토지 소유자인 임대인이다. 토지 소유자가 아닌 제3자가 토지를 임대한 경우에 임대인은 특별한 사정이 없는 한 지상물매수청구권의 상대방이 될 수 없다(대판 2022.4.14, 2020다254228).
② 제647조 제1항
③ <u>임대차계약서는 처분문서로서 특별한 사정이 없는 한 그 문언에 따라 의사표시의 내용을 해석하여야 한다고 하더라도, 그 계약 체결의 경위와 목적, 임대차기간, 임대보증금 및 임료의 액수 등의 여러 사정에 비추어 볼 때 당사자의 의사가 계약서의 문언과는 달리 명시적·묵시적으로 일정한 범위 내의 비용에 대하여만 유익비 상환청구권을 포기하기로 약정한 취지라고 해석하는 것이 합리적이라고 인정되는 경우에는 당사자의 의사에 따라 그 약정의 적용 범위를 제한할 수 있다</u>(대판 1998.10.20, 98다31462) → 임야 상태의 토지를 임차하여 대지로 조성한 후 건물을 건축하여 음식점을 경영할 목적으로 임대차계약을 체결한 경우, 비록 **임대차계약서에서는 필요비 및 유익비의 상환청구권은 그 비용의 용도를 묻지 않고 이를 전부 포기하는 것으로 기재되었다고 하더라도** 계약 당사자의 의사는 임대차 목적 토지를 대지로 조성한 후 이를 임차 목적에 따라 사용할 수 있는 상태에서 새로이 투입한 비용만에 한정하여 임차인이 그 **상환청구권을 포기한 것이고, 대지조성비는 그 상환청구권 포기의 대상으로 삼지 아니한 취지로 약정한 것이라고 해석하는 것이 합리적**이라고 본 사례이다.
④ 대판 1994.2.22, 93다44104; 대판 1990.1.23, 88다카7245
⑤ 건물의 소유를 목적으로 하는 토지 임대차에 있어서, 토지 임차인의 **지상물매수청구권은** 기간의 정함이 없는 임대차에 있어서 **임대인에 의한 해지통고에 의하여** 그 임차권이 소멸한 경우에도, 임차인의 계약갱신 청구의 유무에 불구하고 인정된다(대판 1995.12.26, 95다42195).

23 임대차에 관한 다음 설명 중 가장 옳지 않은 것은? ▶ 2023년 법무사

① 상가건물 임대차보호법이 적용되는 상가건물에 해당하는지는 공부상 표시가 아닌 건물의 현황·용도 등에 비추어 영업용으로 사용하느냐에 따라 실질적으로 판단하여야 하고, 단순히 상품의 보관·제조·가공 등 사실행위만이 이루어지는 공장·창고 등은 영업용으로 사용하는 경우라고 할 수 없다.

② 건물 내구연한 등에 따른 철거·재건축의 필요성이 객관적으로 인정되지 않거나 그 계획·단계가 구체화되지 않았음에도 임대인이 신규 임차인이 되려는 사람에게 짧은 임대 가능기간만 확정적으로 제시·고수하는 경우 또는 임대인이 신규 임차인이 되려는 사람에게 고지한 내용과 모순되는 정황이 드러나는 등의 특별한 사정이 없는 한, 임대인이 신규 임차인이 되려는 사람과 임대차계약 체결을 위한 협의 과정에서 철거·재건축 계획 및 그 시점을 고지하였다는 사정만으로는 상가건물 임대차보호법 제10조의4 제1항 제4호에서 정한 '권리금 회수 방해행위'에 해당한다고 볼 수 없다.

③ 차임지급채무는 그 지급에 확정된 기일이 있는 경우에는 그 지급기일 다음 날부터 지체책임이 발생하고 보증금에서 공제되었을 때 비로소 그 채무 및 그에 따른 지체책임이 소멸되는 것이므로, 연체차임에 대한 지연손해금의 발생종기는 다른 특별한 사정이 없는 한 목적물이 반환되는 때가 아니라 임대차계약의 해지 시라고 할 것이다.

④ 임차인이 임대인의 동의를 받지 않고 제3자에게 임차권을 양도하거나 전대하는 등의 방법으로 임차물을 사용·수익하게 하더라도, 임대인이 이를 이유로 임대차계약을 해지 하거나 그 밖의 다른 사유로 임대차계약이 적법하게 종료되지 않는 한 임대인은 임차인에 대하여 여전히 차임청구권을 가지므로, 임대차계약이 존속하는 한도 내에서는 제3자에게 불법점유를 이유로 한 차임상당 손해배상청구나 부당이득반환청구를 할 수 없다 할 것이다.

⑤ 상가건물의 임대차에 이해관계가 있는 자는 관할 세무서장에게 해당 상가건물의 확정일자 부여일, 차임 및 보증금등 정보의 제공을 요청할 수 있고, 이 경우 요청을 받은 관할 세무서장은 정당한 사유 없이 이를 거부할 수 없다.

해설 ① 상가건물 임대차보호법이 적용되는 상가건물에 해당하는지는 공부상 표시가 아닌 건물의 현황·용도 등에 비추어 영업용으로 사용하느냐에 따라 실질적으로 판단하여야 하고, 단순히 상품의 보관·제조·가공 등 사실행위만이 이루어지는 공장·창고 등은 영업용으로 사용하는 경우라고 할 수 없으나, 그곳에서 그러한 사실행위와 더불어 영리를 목적으로 하는 활동이 함께 이루어진다면 상가건물 임대차보호법 적용대상인 상가건물에 해당한다(대판 2011.7.28, 2009다40967).

② 대판 2022.8.31, 2022다233607

③ 부동산 임대차에 있어서 수수된 보증금은 차임채무, 목적물의 멸실·훼손 등으로 인한 손해배상채무 등 임대차에 따른 임차인의 모든 채무를 담보하는 것으로서 그 피담보채무 상당액은 임대차관계의 종료 후 목적물이 반환될 때에 특별한 사정이 없는 한 별도의 의사표시 없이 보증금에서 당연히 공제되는데(대판 1999.12.7, 99다50729 등 참조), 보증금에 의하여 담보되는 채권에는 연체차임 및 그에 대한 지연손해금도 포함된다고 할 것이다. 한편 차임지급채무는 그 지급에 확정된 기일이 있는 경우에는 그 지급기일 다음 날부터 지체책임이 발생하고 보증금에서 공제되었을 때 비로소 그 채무 및 그에 따른 지체책임이 소멸되는 것이므로, 연체차임에 대한 지연손해금의 발생종기는 다른 특별한 사정이 없는 한 임대차계약의 해지 시가 아니라 목적물이 반환되는 때라고 할 것이다(대판 2014.2.27, 2009다39233).

④ 대판 2008.2.28, 2006다10323

⑤ 상가임대차보호법 제4조 제3항

24 임대차에 관한 다음 설명 중 옳은 것을 모두 고른 것은?

> ㄱ. 임대인의 임차목적물의 사용・수익상태 유지의무는 임대인 자신에게 귀책사유가 있어 하자가 발생한 경우는 물론, 자신에게 귀책사유가 없이 하자가 발생한 경우에도 면해지지 아니한다. 그러나 임대인이 그와 같은 하자 발생 사실을 몰랐다거나 반대로 임차인이 이를 알거나 알 수 있었다면 면할 수 있다.
>
> ㄴ. 상속에 따라 임차건물의 소유권을 취득하여 임대인 지위를 공동으로 승계한 공동임대인들의 임차보증금 반환채무는 성질상 연대채무에 해당한다.
>
> ㄷ. 통상의 임대차관계에 있어서 임대인의 임차인에 대한 의무는 특별한 사정이 없는 한 단순히 임차인에게 임대목적물을 제공하여 임차인으로 하여금 이를 사용・수익하게 함에 그치는 것이 아니라, 더 나아가 임차인의 안전을 배려하여 주거나 도난을 방지하는 등의 보호의무까지 부담한다고 보는 것이 신의칙에 부합한다.
>
> ㄹ. 건물자체의 수선 내지 증・개축부분은 특별한 사정이 없는 한 건물자체의 구성부분을 이루고 독립된 물건이라고 보이지 않으므로 임차인의 부속물 매수청구권의 대상이 될 수 없다.
>
> ㅁ. 甲이 토지를 취득할 당시에는 乙과 丙 사이에 그 토지에 대한 임대차계약이 존재하지 않고 있었다고 하더라도, 그 이전에 乙이 丙과의 사이에 건물의 소유를 목적으로 하는 임대차계약을 체결하였다가 그 계약이 종료되어 乙이 丙에 대하여 그 건물에 관한 매수청구권을 행사할 수 있었을 때에는, 乙은 그 토지의 취득자인 甲에 대하여도 매수청구권을 행사할 수 있다.

① ㄱ, ㄴ   ② ㄴ, ㄷ   ③ ㄷ, ㄹ

④ ㄹ, ㅁ   ⑤ ㄷ, ㅁ

해설 ㄱ. 임대인의 **임차목적물의 사용・수익상태 유지의무**는 임대인 자신에게 귀책사유가 있어 하자가 발생한 경우는 물론, 자신에게 귀책사유가 없이 하자가 발생한 경우에도 면해지지 아니한다. 또한 임대인이 그와 같은 하자 발생 사실을 몰랐다거나 반대로 임차인이 이를 알거나 알 수 있었다고 하더라도 마찬가지이다(대판 2021.4.29, 2021다202309).

ㄴ. 상속에 따라 임차건물의 소유권을 취득한 자도 상가건물 임대차보호법 제3조에서 말하는 임차건물의 양수인에 해당한다. **임대인 지위를 공동으로 승계한 공동임대인들의 임차보증금 반환채무**는 성질상 **불가분채무**에 해당한다(대판 2021.1.28, 2015다59801).

※ [동지판례] : 건물의 공유자가 공동으로 건물을 임대하고 임차보증금을 수령한 경우 특별한 사정이 없는 한 그 임대는 각자 공유지분을 임대한 것이 아니라 임대목적물을 다수의 당사자로서 공동으로 임대한 것이고 **임차보증금 반환채무**는 성질상 **불가분채무**에 해당한다(대판 2017.5.30, 2017다205073).

ㄷ. ① 통상의 임대차관계에 있어서 임대인의 임차인에 대한 의무는 특별한 사정이 없는 한 단순히 임차인에게 임대목적물을 제공하여 임차인으로 하여금 이를 사용・수익하게 함에 그치는 것이고, 더 나아가 **임차인의 안전을 배려하여 주거나 도난을 방지하는** 등의 보호의무까지 부

담한다고 볼 수 없다(대판 1999.7.9. 99다10004). ② 반면 숙박계약의 경우에는 고객에게 위험이 없는 안전하고 편안한 객실 및 관련 시설을 제공함으로써 고객의 안전을 배려하여야 할 보호의무가 있다(대판 1997.10.10. 96다47302).

ㄹ. 대판 1983.2.22. 80다589

ㅁ. 임차인의 지상물매수청구권은 국민경제적 관점에서 지상 건물의 잔존 가치를 보존하고 토지 소유자의 배타적 소유권 행사로부터 임차인을 보호하기 위한 것으로서, 원칙적으로 임차권 소멸 당시에 토지 소유권을 가진 임대인을 상대로 행사할 수 있다. 임대인이 제3자에게 토지를 양도하는 등으로 토지 소유권이 이전된 경우에는 임대인의 지위가 승계되거나 임차인이 토지 소유자에게 임차권을 대항할 수 있다면 새로운 토지 소유자를 상대로 지상물매수청구권을 행사할 수 있다(대판 2017.4.26. 2014다72449, 2014다72456).

25 다음 설명 중 옳지 않은 것을 모두 고른 것은?

▶ 2023년 법무사

ㄱ. 준소비대차는 소비대차에 의하지 아니하고 금전 기타의 대체물을 지급할 의무가 있는 경우에 당사자가 그 목적물을 소비대차의 목적물로 할 것을 약정함으로써 당사자 사이에 소비대차의 효력이 생기는 것을 말하는 것이므로, 준소비대차계약의 당사자는 반드시 기초가 되는 기존 채무의 당사자일 필요는 없다.

ㄴ. 임대차종료로 인한 임차인의 원상회복의무에는 임차인이 사용하고 있던 부동산의 점유를 임대인에게 이전하는 것은 물론 임대인이 임대 당시의 부동산 용도에 맞게 다시 사용할 수 있도록 협력할 의무도 포함한다고 할 것이므로, 임대인 또는 그 승낙을 받은 제3자가 임차건물 부분에서 다시 영업허가를 받는 데에 방해되지 않도록 임차인은 임차건물 부분에서의 영업허가에 관하여 폐업신고절차를 이행할 의무가 있다.

ㄷ. 임차인이 임차물을 전대하여 그 임대차 기간 및 전대차 기간이 모두 만료된 경우에는 그 전대차가 임대인의 동의를 얻은 여부와 상관없이 임대인으로서는 전차인에 대하여 소유권에 기한 반환청구권에 터 잡아 목적물을 자신에게 직접 반환해 줄 것을 요구할 수 있고, 전차인으로서도 목적물을 임대인에게 직접 명도함으로써 임차인(전대인)에 대한 목적물 명도의무를 면한다.

ㄹ. 제작물공급계약의 당사자들이 보수의 지급시기에 관하여 "수급인이 공급한 목적물을 도급인이 검사하여 합격하면, 도급인은 수급인에게 그 보수를 지급한다"는 내용으로 한 약정은 법률행위의 효력 발생을 장래의 불확실한 사실의 성부에 의존하게 하는 법률행위의 부관인 조건이며 그중에서도 순수수의조건에 해당한다.

ㅁ. 공사도급계약에서 선급금을 지급한 후 계약이 해제 또는 해지되는 등의 사유로 수급인이 도중에 선급금을 반환하여야 할 사유가 발생하였다면, 특별한 사정이 없는 한 별도의 상계 의사표시 없이도 그때까지의 기성고에 해당하는 공사대금 중 미지급액은 선급금으로 충당되고 도급인은 나머지 공사대금이 있는 경우 그 금액에 한하여 지급할 의무를 부담하게 된다.

① ㄱ, ㄴ   ② ㄱ, ㄷ   ③ ㄱ, ㄹ
④ ㄱ, ㄴ, ㄹ   ⑤ ㄴ, ㄷ, ㅁ

해설 ㄱ. 준소비대차는 소비대차에 의하지 아니하고 금전 기타의 대체물을 지급할 의무가 있는 경우에 당사자가 그 목적물을 소비대차의 목적물로 할 것을 약정함으로써 당사자 사이에 소비대차의 효력이 생기는 것을 말하는 것으로서 기존 채무의 당사자가 그 채무의 목적물을 소비대차의 목적물로 한다는 합의를 할 것을 요건으로 하므로 준소비대차계약의 당사자는 기초가 되는 기존 채무의 당사자이어야 한다(대판 2002.12.6, 2001다2846).

      ㄴ. 대판 2008.10.9, 2008다34903

      ㄷ. 대판 1995.12.12, 95다23996

      ㄹ. 제작물공급계약의 당사자들이 보수의 지급시기에 관하여 "수급인이 공급한 목적물을 도급인이 검사하여 합격하면, 도급인은 수급인에게 그 보수를 지급한다"는 내용으로 한 약정은 도급인의 수급인에 대한 보수지급의무와 동시이행관계에 있는 수급인의 목적물 인도의무를 확인한 것에 불과하므로, 법률행위의 효력 발생을 장래의 불확실한 사실의 성부에 의존하게 하는 법률행위의 부관인 조건에 해당하지 아니할 뿐만 아니라, 조건에 해당한다 하더라도 검사에의 합격 여부는 도급인의 일방적인 의사에만 의존하지 않고 그 목적물이 계약내용대로 제작된 것인지 여부에 따라 객관적으로 결정되므로 순수수의조건에 해당하지 않는다(대판 2006.10.13, 2004다21862).

      ㅁ. 대판 2021.7.8, 2016다267067

26 임대차에 관한 다음 설명 중 가장 옳지 않은 것은?   ▶ 2024년 법원행시

① 임대인의 임차목적물의 사용·수익상태 유지의무는 임대인 자신에게 귀책사유가 있어 하자가 발생한 경우는 물론, 자신에게 귀책사유가 없이 하자가 발생한 경우에도 면해지지 아니한다. 또한 임대인이 그와 같은 하자 발생 사실을 몰랐다거나 반대로 임차인이 이를 알거나 알 수 있었다고 하더라도 마찬가지이다.

② 임차인이 임대인 소유 건물의 일부를 임차하여 사용·수익하던 중 임차 건물 부분에서 화재가 발생하여 임차 건물 부분이 아닌 건물 부분(이하 '임차 외 건물 부분'이라 한다)까지 불에 타 그로 인해 임대인에게 재산상 손해가 발생한 경우에, 임차 외 건물 부분이 구조상 불가분의 일체를 이루는 관계에 있는 부분이라 하더라도, 그 부분에 발생한 손해에 대하여 임대인이 임차인을 상대로 채무불이행을 원인으로 하는 배상을 구하려면, 임차인이 보존·관리의무를 위반하여 화재가 발생한 원인을 제공하는 등 화재 발생과 관련된 임차인의 계약상 의무 위반이 있었고, 그러한 의무 위반과 임차 외 건물 부분의 손해 사이에 상당인과관계가 있으며, 임차 외 건물 부분의 손해가 의무 위반에 따라 민법 제393조에 의하여 배상하여야 할 손해의 범위 내에 있다는 점에 대하여 임대인이 주장·증명하여야 한다.

③ 임대차계약에서 임대인은 목적물을 계약존속 중 사용·수익에 필요한 상태를 유지하게 할 의무를 부담하고, 이러한 의무와 관련한 임차물의 보존을 위한 비용도 임대인이 부담해야 하므로 임차인이 필요비를 지출하면 임대인은 이를 상환할 의무가 있다고 할 것이나 특별한 사정이 없는 한 그 이행기는 임대차 종료로 목적물을 반환할 때이므로, 임차인은 지출한 필요비 금액의 한도에서 차임의 지급을 거절할 수 없다.

④ 임대차 목적물이 화재 등으로 인하여 소멸됨으로써 임차인의 목적물 반환의무가 이행불능이 된 경우에, 임차인은 이행불능이 자기가 책임질 수 없는 사유로 인한 것이라는 증명을 다하지 못하면 그 화재 등의 구체적인 발생 원인이 밝혀지지 아니한 때에도 목적물 반환의무의 이행불능으로 인한 손해를 배상할 책임을 진다.

⑤ 건물의 임차인이 임대차관계 종료시에는 건물을 원상으로 복구하여 임대인에게 명도하기로 약정한 것은 건물에 지출한 각종 유익비 또는 필요비의 상환청구권을 미리 포기하기로 한 취지의 특약이라고 볼 수 있다.

해설 ① 임대인은 임차인이 목적물을 사용·수익할 수 있도록 목적물을 임차인에게 인도하여야 한다(민법 제623조 전단). 임차인이 계약에 의하여 정하여진 목적에 따라 사용·수익하는 데 하자가 있는 목적물인 경우 임대인은 하자를 제거한 다음 임차인에게 하자 없는 목적물을 인도할 의무가 있다. 임대인이 임차인에게 그와 같은 하자를 제거하지 아니하고 목적물을 인도하였다면 사후에라도 위 하자를 제거하여 임차인이 목적물을 사용·수익하는 데 아무런 장해가 없도록 해야만 한다. 임대인의 임차목적물의 사용·수익상태 유지의무는 임대인 자신에게 귀책사유가 있어 하자가 발생한 경우는 물론, 자신에게 귀책사유가 없이 하자가 발생한 경우에도 면해지지 아니한다. 또한 임대인이 그와 같은 하자 발생 사실을 몰랐다거나 반대로 임차인이 이를 알거나 알 수 있었다고 하더라도 마찬가지이다(대판 2021.4.29, 2021다202309).

② [다수의견] 임차인이 임대인 소유 건물의 일부를 임차하여 사용·수익하던 중 임차 건물 부분에서 화재가 발생하여 임차 건물 부분이 아닌 건물 부분(이하 '임차 외 건물 부분'이라 한다)까지 불에 타 그로 인해 임대인에게 재산상 손해가 발생한 경우에, 임차인이 보존·관리의무를 위반하여 화재가 발생한 원인을 제공하는 등 화재 발생과 관련된 임차인의 계약상 의무 위반이 있었음이 증명되고, 그러한 의무 위반과 임차 외 건물 부분의 손해 사이에 상당인과관계가 있으며, 임차 외 건물 부분의 손해가 그러한 의무 위반에 따른 통상의 손해에 해당하거나, 임차인이 그 사정을 알았거나 알 수 있었을 특별한 사정으로 인한 손해에 해당한다고 볼 수 있는 경우라면, 임차인은 임차 외 건물 부분의 손해에 대해서도 민법 제390조, 제393조에 따라 임대인에게 손해배상책임을 부담하게 된다. 종래 대법원은 임차인이 임대인 소유 건물의 일부를 임차하여 사용·수익하던 중 임차 건물 부분에서 화재가 발생하여 임차 외 건물 부분까지 불에 타 그로 인해 임대인에게 재산상 손해가 발생한 경우에, 건물의 규모와 구조로 볼 때 건물 중 임차 건물 부분과 그 밖의 부분이 상호 유지·존립함에 있어서 구조상 불가분의 일체를 이루는 관계에 있다면, 임차인은 임차 건물의 보존에 관하여 선량한 관리자의 주의의무를 다하였음을 증명하지 못하는 이상 임차 건물 부분에 한하지 아니하고 건물의 유지·존립과 불가분의 일체 관계에 있는 임차 외 건물 부분이 소훼되어 임대인이 입게 된 손해도 채무불이행으로 인한 손해로 배상할 의무가 있다고 판단하여 왔다. 그러나 임차 외 건물 부분이 구조상 불가분의 일체를 이루는 관계에 있는 부분이라 하더라도, 그 부분에 발

생한 손해에 대하여 임대인이 임차인을 상대로 채무불이행을 원인으로 하는 배상을 구하려면, 임차인이 보존·관리의무를 위반하여 화재가 발생한 원인을 제공하는 등 화재 발생과 관련된 임차인의 계약상 의무 위반이 있었고, 그러한 의무 위반과 임차 외 건물 부분의 손해 사이에 상당인과관계가 있으며, 임차 외 건물 부분의 손해가 의무 위반에 따라 민법 제393조에 의하여 배상하여야 할 손해의 범위 내에 있다는 점에 대하여 임대인이 주장·증명하여야 한다. 이와 달리 위와 같은 임대인의 주장·증명이 없는 경우에도 임차인이 임차 건물의 보존에 관하여 선량한 관리자의 주의의무를 다하였음을 증명하지 못하는 이상 임차 외 건물 부분에 대해서까지 채무불이행에 따른 손해배상책임을 지게 된다고 판단한 종래의 대법원판결들은 이 판결의 견해에 배치되는 범위 내에서 이를 모두 변경하기로 한다(대판(전합) 2017.5.18, 2012다86895).

③ 임대차는 타인의 물건을 빌려 사용·수익하고 그 대가로 차임을 지급하기로 하는 계약이다(민법 제618조). 임대차계약에서 임대인은 목적물을 계약존속 중 사용·수익에 필요한 상태를 유지하게 할 의무를 부담한다(민법 제623조). 임대인이 목적물을 사용·수익하게 할 의무는 임차인의 차임지급의무와 서로 대응하는 관계에 있으므로, 임대인이 이러한 의무를 불이행하여 목적물의 사용·수익에 지장이 있으면 임차인은 지장이 있는 한도에서 차임의 지급을 거절할 수 있다. 임차인이 임차물의 보존에 관한 필요비를 지출한 때에는 임대인에게 상환을 청구할 수 있다(민법 제626조 제1항). 여기에서 '필요비'란 임차인이 임차물의 보존을 위하여 지출한 비용을 말한다. 임대차계약에서 임대인은 목적물을 계약존속 중 사용·수익에 필요한 상태를 유지하게 할 의무를 부담하고, 이러한 의무와 관련한 임차물의 보존을 위한 비용도 임대인이 부담해야 하므로, 임차인이 필요비를 지출하면, 임대인은 이를 상환할 의무가 있다. **임대인의 필요비상환의무는 특별한 사정이 없는 한 임차인의 차임지급의무와 서로 대응하는 관계에 있으므로, 임차인은 지출한 필요비 금액의 한도에서 차임의 지급을 거절할 수 있다**(대판 2019.11.14, 2016다227694).

④ 임대차 목적물이 화재 등으로 인하여 소멸됨으로써 임차인의 목적물 반환의무가 이행불능이 된 경우에, 임차인은 이행불능이 자기가 책임질 수 없는 사유로 인한 것이라는 증명을 다하지 못하면 목적물 반환의무의 이행불능으로 인한 손해를 배상할 책임을 지고, 그 화재 등의 구체적인 발생 원인이 밝혀지지 아니한 때에도 마찬가지이다. 이러한 법리는 임대차 종료 당시 임대차 목적물 반환의무가 이행불능 상태는 아니지만 반환된 임차 건물이 화재로 인하여 훼손되었음을 이유로 손해배상을 구하는 경우에도 동일하게 적용된다(대판 2023.11.2, 2023다244895).

⑤ 건물의 임차인이 임대차관계 종료시에는 건물을 원상으로 복구하여 임대인에게 명도하기로 약정한 것은 건물에 지출한 각종 유익비 또는 필요비의 상환청구권을 미리 포기하기로 한 취지의 특약이라고 볼 수 있어 임차인은 유치권을 주장을 할 수 없다(대판 1975.4.22, 73다2010).

27 다음 설명 중 가장 옳지 않은 것은?

▸2024년 법원사무관 승진

① 민법 제548조 제1항 단서의 규정에 따라 계약해제로 인하여 권리를 침해받지 않는 제 3자라 함은 계약목적물에 관하여 권리를 취득한 자 중 계약당사자에게 권리취득에 관한 대항요건을 구비한 자를 말한다 할 것인바, 임대목적물이 주택임대차보호법 소정의 주택인 경우 같은 법 제3조 제1항이 임대주택의 인도와 주민등록이라는 대항요건을 갖춘 자에게 등기된 임차권과 같은 대항력을 부여하고 있는 점에 비추어 보면, 소유권을 취득하였다가 계약해제로 인하여 소유권을 상실하게 된 임대인으로부터 그 계약이 해제되기 전에 주택을 임차받아 주택의 인도와 주민등록을 마침으로써 같은 법 소정의 대항요건을 갖춘 임차인은 등기된 임차권자와 마찬가지로 민법 제548조 제1항 단서 소정의 제3자에 해당된다고 봄이 상당하고, 그렇다면 그 계약해제 당시 이미 주택임대차보호법 소정의 대항요건을 갖춘 임차인은 임대인의 임대권원의 바탕이 되는 계약의 해제에도 불구하고 자신의 임차권을 새로운 소유자에게 대항할 수 있다.

② 매매계약 당시 매수인이 중도금 일부의 지급에 갈음하여 매도인에게 제3자에 대한 대여금채권을 양도하기로 약정하고, 그 자리에 제3자도 참석한 경우, 매수인은 매매계약과 함께 채무의 일부 이행에 착수하였으므로, 매도인은 민법 제565조 제1항에서 정한 해제권을 행사할 수 없다.

③ 임차권의 대항 등을 받는 새로운 소유자라고 할지라도 임차인과의 계약에 기하여 그들 사이의 법률관계를 그들의 의사에 좇아 자유롭게 형성할 수 있는 것이다. 따라서 새로운 소유자와 임차인이 동일한 목적물에 관하여 종전 임대차계약의 효력을 소멸시키려는 의사로 그와는 별개의 임대차계약을 새로이 체결하여 그들 사이의 법률관계가 이 새로운 계약에 의하여 규율되는 것으로 정할 수 있다. 그리고 그 경우에는 종전의 임대차계약은 그와 같은 합의의 결과로 그 효력을 상실하게 되므로, 다른 특별한 사정이 없는 한 이제 종전의 임대차계약을 기초로 발생하였던 대항력 또는 우선변제권 등도 종전 임대차계약과 함께 소멸하여 이를 새로운 소유자 등에게 주장할 수 없다.

④ 임대인이 민법 제628조에 의하여 장래에 대한 차임의 증액을 청구하였을 때에 당사자 사이에 협의가 성립되지 아니하여 법원이 차임을 결정해주는 경우, 특별한 사정이 없는 한 증액된 차임에 대하여는 법원 결정 시를 이행기로 보아야 한다.

해설 ① 대판 1996.8.20, 96다1765
② 대판 2006.11.24, 2005다39594
③ 대판 2013.12.12, 2013다211919
④ 임대인이 민법 제628조에 의하여 장래에 대한 차임의 증액을 청구하였을 때에 당사자 사이에 협의가 성립되지 아니하여 법원이 결정해 주는 차임은 증액청구의 의사표시를 한 때에 소급하여 그 효력이 생기는 것이므로, 특별한 사정이 없는 한 증액된 차임에 대하여는 법원 결정 시가 아니라 증액청구의 의사표시가 상대방에게 도달한 때를 이행기로 보아야 한다(대판 2018.3.15, 2015다239508·239515).

28 **임차인의 매수청구권에 관한 다음 설명 중 가장 옳지 않은 것은?** (다툼이 있는 경우 판례에 따르고 전원합의체 판결의 경우 다수의견에 의함. 이하 같음) ▸ 2024년 법무사

① 건물매수청구권의 대상이 되는 건물은 그것이 토지의 임대 목적에 반하여 축조되고 임대인이 예상할 수 없을 정도의 고가의 것이라는 등의 특별한 사정이 없는 한, 비록 행정관청의 허가를 받은 적법한 건물이 아니더라도 임차인의 건물매수청구권의 대상이 될 수 있다.

② 건물매수청구권 행사로 인하여 토지 소유자가 임차인에게 지급하여야 할 건물의 시가를 산정함에 있어서 그 건물에서 임차인이 영업을 하면서 얻고 있었던 수익까지 고려하여야 할 것은 아니다.

③ 건물임차인의 채무불이행으로 인하여 임대차가 해지된 경우 건물임차인은 민법 제646조에 의한 부속물매수청구권이 없으나, 민법 제643조에 의한 건물매수청구권은 국민경제적 관점에서 건물의 잔존가치를 보호하고 토지소유자의 배타적 소유권 행사로 인하여 희생당하기 쉬운 임차인을 보호하기 위한 제도이므로, 토지임차인의 채무불이행을 이유로 임대차계약이 해지되는 경우라면 토지임차인으로서는 토지임대인에 대하여 지상건물의 매수를 청구할 수 있다.

④ 일시사용을 위한 임대차인 것이 명백한 경우에는 부속물매수청구권의 규정이 적용되지 않는다.

⑤ 건물 자체의 수선 내지 증·개축부분이 건물자체의 구성부분을 이루고 독립된 물건이라고 보이지 않는 경우 임차인의 부속물 매수청구권의 대상이 될 수 없다.

해설 ① 지상물매수청구권은 임대차계약 종료 시에 경제적 가치가 잔존하고 있는 건물은 그것이 토지의 임대목적에 반하여 축조되고 임대인이 예상할 수 없을 정도의 고가의 것이라는 등의 특별한 사정이 없는 한, 비록 행정관청의 허가를 받은 적법한 건물이 아니더라도 그 대상이 된다(대판 1997.12.23. 97다37753). 따라서 甲과 乙 사이의 토지임대차계약이 기간만료로 종료되는 경우, 甲이 乙에 대하여 지상물매수청구권을 행사하기 위해서는 토지 위에 신축된 건물이 행정관청의 허가를 받은 적법한 건물이 아니어도 무관하다.

② 건물매수청구권 행사로 인하여 토지 소유자가 임차인에게 지급하여야 할 건물의 시가를 산정함에 있어서 그 건물에서 임차인이 영업을 하면서 얻고 있었던 수익까지 고려하여야 할 것은 아니다(대판 1997.12.23. 97다37753).

③ 토지 임대차에 있어서 <u>토지 임차인의 차임 연체 등 채무불이행을 이유로</u> 그 임대차계약이 해지되는 경우, 토지 임차인으로서는 토지 임대인에 대하여 <u>그 지상 건물의 매수를 청구할 수는 없다</u>(대판 1996.2.27. 95다29345).

④ 제653조 참조 → 일시사용을 위한 임대차인 것이 명백한 경우에는 제646조의 부속물매수청구권의 규정이 적용되지 않는다.

⑤ 대판 1983.2.22. 80다589 → 기존 건물과 분리되어 독립한 물건으로 볼 수 없는 증·개축부분이나 또는 임대인의 소유에 속하기로 한 부속물은 부속물매수청구권의 대상이 될 수 없고, 다만 비용상환청구권의 대상이 될 수 있을 뿐이다.

정답 27 ④ 28 ③

29 민법상 각종 대차계약에 관한 다음 설명 중 가장 옳지 않은 것은? ▸ 2023년 법원행시

① 현실적인 자금의 수수 없이 형식적으로만 신규 대출을 하여 기존 채무를 변제하는 이른바 대환은 특별한 사정이 없는 한 형식적으로는 별도의 대출에 해당하나 실질적으로는 기존 채무의 변제기 연장에 불과하므로, 그 법률적 성질은 기존 채무가 여전히 동일성을 유지한 채 존속하는 준소비대차로 보아야 한다.

② 주택임대차보호법에 의하여 우선변제청구권이 인정되는 소액임차인이 경락기일까지 적법한 배당요구를 하지 아니하여 그를 배당에서 제외하는 것으로 배당표가 작성·확정되고 그 확정된 배당표에 따라 배당이 실시되었다면, 그가 적법한 배당요구를 한 경우에 배당받을 수 있었던 금액 상당의 금원이 후순위채권자에게 배당되었다고 하여 이를 법률상 원인이 없는 것이라고 할 수 없다.

③ 대지에 관한 저당권의 실행으로 경매가 진행된 경우에도 그 지상 건물의 소액임차인은 대지의 환가대금 중에서 소액보증금을 우선변제받을 수 있다고 할 것이지만, 대지에 관한 저당권 설정 당시에 이미 그 지상 건물이 존재하는 경우가 아니라 저당권 설정 후에 비로소 건물이 신축된 경우라면 소액임차인은 대지의 환가대금에 대하여 우선변제를 받을 수 없다고 보아야 할 것이다.

④ 일반으로 건물의 소유를 목적으로 하는 토지 사용대차에 있어서는, 당해 토지의 사용수익의 필요는 당해 지상건물의 사용수익의 필요가 있는 한 그대로 존속하는 것이고, 이는 특별한 사정이 없는 한 차주 본인이 사망하더라도 당연히 상실되는 것이 아니어서 그로 인하여 곧바로 계약의 목적을 달성하게 되는 것은 아니라고 봄이 통상의 의사해석에도 합치되므로, 이러한 경우에는 민법 제614조의 규정에 불구하고 대주가 차주의 사망사실을 사유로 들어 사용대차계약을 해지할 수는 없다.

⑤ 임대차종료로 인한 임차인 甲의 원상회복의무에는 甲이 사용하고 있던 부동산의 점유를 임대인 乙에게 이전하는 것은 물론 乙이 임대 당시의 부동산 용도에 맞게 다시 사용할 수 있도록 협력할 의무도 포함한다. 그렇지만 乙 또는 그 승낙을 받은 제3자가 임차건물 부분에서 다시 영업허가를 받는 데 방해가 되지 않도록 甲이 임차건물 부분에서의 영업허가에 대하여 폐업신고절차를 이행할 의무까지 부담한다고 보기는 어렵다.

> **해설** ① 대판 2003.8.19. 2003다11516
> ② 대판 2002.1.22. 2001다70702 → 왜냐하면 주택임대차보호법에 의하여 우선변제청구권이 인정되는 소액임차인의 소액보증금반환채권은 현행법상 민사소송법 제605조 제1항에서 규정하는 배당요구가 필요한 배당요구채권에 해당하고, 배당요구가 필요한 배당요구채권자는 경락기일까지 배당요구를 한 경우에 한하여 비로소 배당을 받을 수 있으며, 적법한 배당요구를 하지 아니한 경우에는 비록 실체법상 우선변제청구권이 있다 하더라도 경락대금으로부터 배당을 받을 수는 없을 것이기 때문이다.
> ③ 대판 1999.7.23. 99다25532 → 왜냐하면 저당권 설정 후에 비로소 건물이 신축된 경우에까지 공시방법이 불완전한 소액임차인에게 우선변제권을 인정한다면 저당권자가 예측할 수 없는 손해를 입게 되는 범위가 지나치게 확대되어 부당하기 때문이다.

④ 대판 1993.11.26, 93다36806

⑤ 임대차종료로 인한 임차인의 원상회복의무에는 임차인이 사용하고 있던 부동산의 점유를 임대인에게 이전하는 것은 물론 임대인이 임대 당시의 부동산 용도에 맞게 다시 사용할 수 있도록 협력할 의무도 포함한다. 따라서 임대인 또는 그 승낙을 받은 제3자가 임차건물 부분에서 다시 영업허가를 받는 데 방해가 되지 않도록 **임차인은 임차건물 부분에서의 영업허가에 대하여 폐업신고절차를 이행할 의무가 있다**(대판 2008.10.9, 2008다34903).

30 **임대차에 관한 다음 설명 중 가장 옳지 않은 것은?** ▶ 2024년 법무사

① 임대차기간을 2019.3.10.부터 2021.3.9.까지로 정한 주택임대차보호법 적용 사안에서, 임차인의 갱신요구 통지가 2021.1.5. 임대인에게 도달하였고, 그 후 임차인의 갱신된 임대차계약에 대한 해지 취지가 기재된 통지서가 2021.1.29. 임대인에게 도달하였다면, 그로부터 3개월이 지난 2021.4.29. 갱신된 임대차계약의 해지 효력이 발생하였다고 보아야 한다.

② 주택임대차보호법 제3조의3에서 정한 임차권등기명령에 따른 임차권등기에는 민법 제168조 제2호에서 정하는 소멸시효 중단사유인 압류 또는 가압류, 가처분에 준하는 효력이 있다고 볼 수 없다.

③ 주택임대차보호법 제6조의3 제1항 제8호에서 정한 "임대인(임대인의 직계존속·직계비속을 포함한다)이 목적 주택에 실제 거주하려는 경우"에 해당한다는 점에 대한 증명책임은 임대인에게 있고, '실제 거주하려는 의사'의 존재는 임대인이 단순히 그러한 의사를 표명하였다는 사정이 있다고 하여 곧바로 인정될 수는 없다.

④ 주택임대차보호법 제3조 제3항에서 말하는 '직원'은, 해당 법인이 주식회사라면 그 법인에서 근무하는 사람 중 법인등기사항증명서에 대표이사 또는 사내이사로 등기된 사람을 제외한 사람을 의미한다고 보아야 한다. 다만 위와 같은 범위의 임원을 제외한 직원이 법인이 임차한 해당 주택을 인도받아 주민등록을 마치고 그곳에서 거주하고 있다고 하더라도 업무관련성, 임대료의 액수, 지리적 근접성 등 제반 사정을 고려하여 위 조항에서 정한 대항력을 갖추었는지 여부를 판단하여야 한다.

⑤ 임대인의 필요비상환의무는 특별한 사정이 없는 한 임차인의 차임지급의무와 서로 대응하는 관계에 있으므로, 임차인은 지출한 필요비 금액의 한도에서 차임의 지급을 거절할 수 있다.

해설 ① 주택임대차보호법 제6조의3 제1항은 "임대인은 임차인이 제6조 제1항 전단의 기간 이내에 계약갱신을 요구할 경우 정당한 사유 없이 거절하지 못한다."라고 하여 임차인의 계약갱신요구권을 규정하고, 같은 조 제4항은 "제1항에 따라 갱신되는 임대차의 해지에 관하여는 제6조의2를 준용한다."라고 규정한다. 한편 주택임대차보호법 제6조의2 제1항은 "제6조 제1항에 따라 계약이 갱신된 경우 같은 조 제2항에도 불구하고 임차인은 언제든지 임대인에게 계약

해지를 통지할 수 있다."라고 규정하고, 제2항은 "제1항에 따른 해지는 임대인이 그 통지를 받은 날부터 3개월이 지나면 그 효력이 발생한다."라고 규정한다. 이러한 주택임대차보호법 규정을 종합하여 보면, 임차인이 주택임대차보호법 제6조의3 제1항에 따라 임대차계약의 갱신을 요구하면 임대인에게 갱신거절 사유가 존재하지 않는 한 임대인에게 갱신요구가 도달한 때 갱신의 효력이 발생한다. 갱신요구에 따라 임대차계약에 갱신의 효력이 발생한 경우 임차인은 제6조의2 제1항에 따라 언제든지 계약의 해지통지를 할 수 있고, 해지통지 후 3개월이 지나면 그 효력이 발생하며, 이는 계약해지의 통지가 갱신된 임대차계약 기간이 개시되기 전에 임대인에게 도달하였더라도 마찬가지이다(대판 2024.2.11. 2023다258672).

② 주택임대차보호법 제3조의3에서 정한 임차권등기명령에 따른 임차권등기는 특정 목적물에 대한 구체적 집행행위나 보전처분의 실행을 내용으로 하는 압류 또는 가압류, 가처분과 달리 어디까지나 주택임차인이 주택임대차보호법에 따른 대항력이나 우선변제권을 취득하거나 이미 취득한 대항력이나 우선변제권을 유지하도록 해 주는 담보적 기능을 주목적으로 한다. 비록 주택임대차보호법이 임차권등기명령의 신청에 대한 재판절차와 임차권등기명령의 집행 등에 관하여 민사집행법상 가압류에 관한 절차규정을 일부 준용하고 있지만 이는 일방 당사자의 신청에 따라 법원이 심리·결정한 다음 그 등기를 촉탁하는 일련의 절차가 서로 비슷한 데서 비롯된 것일 뿐 이를 이유로 임차권등기명령에 따른 임차권등기가 본래의 담보적 기능을 넘어서 채무자의 일반재산에 대한 강제집행을 보전하기 위한 처분의 성질을 가진다고 볼 수는 없다. 그렇다면 임차권등기명령에 따른 임차권등기에는 민법 제168조 제2호에서 정하는 소멸시효 중단사유인 압류 또는 가압류, 가처분에 준하는 효력이 있다고 볼 수 없다(대판 2019.5.16. 2017다226629).

③ 임대인(임대인의 직계존속·직계비속을 포함한다. 이하 같다)이 목적 주택에 실제 거주하려는 경우에 해당한다는 점에 대한 증명책임은 임대인에게 있다. '실제 거주하려는 의사'의 존재는 임대인이 단순히 그러한 의사를 표명하였다는 사정이 있다고 하여 곧바로 인정될 수는 없지만, 임대인의 내심에 있는 장래에 대한 계획이라는 위 거절사유의 특성을 고려할 때 임대인의 의사가 가공된 것이 아니라 진정하다는 것을 통상적으로 수긍할 수 있을 정도의 사정이 인정된다면 그러한 의사의 존재를 추인할 수 있을 것이다(대판 2023.12.7. 2022다279795).

④ 주택임대차보호법 제3조 제3항에 따라 법인인 임차인이 주택임대차보호법이 정한 임차인에 해당된다고 보려면, 임차인인 법인의 '직원'인 사람이 법인이 임차한 주택을 인도받고 주민등록을 마쳐야 한다. 여기에서 말하는 '직원'은, 해당 법인이 주식회사라면 그 법인에서 근무하는 사람 중 법인등기사항증명서에 대표이사 또는 사내이사로 등기된 사람을 제외한 사람을 의미한다고 보아야 한다. 다만 위와 같은 범위의 임원을 제외한 직원이 법인이 임차한 해당 주택을 인도받아 주민등록을 마치고 그곳에서 거주하고 있다면 이로써 위 조항에서 정한 대항력을 갖추었다고 보아야 하고, 그 밖에 업무관련성, 임대료의 액수, 지리적 근접성 등 다른 사정을 고려하여 그 요건을 갖추었는지를 판단할 것은 아니다(대판 2023.12.14. 2023다226866).

⑤ 임대차계약에서 임대인은 목적물을 계약존속 중 사용·수익에 필요한 상태를 유지하게 할 의무를 부담하고, 이러한 의무와 관련한 임차물의 보존을 위한 비용도 임대인이 부담해야 하므로, 임차인이 필요비를 지출하면, 임대인은 이를 상환할 의무가 있다. 임대인의 필요비상환의무는 특별한 사정이 없는 한 임차인의 차임지급의무와 서로 대응하는 관계에 있으므로, 임차인은 지출한 필요비 금액의 한도에서 차임의 지급을 거절할 수 있다(대판 2019.11.14. 2016다227694).

31 주택임대차보호법에 관한 다음 판례의 설명 중 틀린 것은?

① 다가구용 단독주택에 임차인이 그 일부를 임차하여 전입신고를 하는 경우 대항력을 갖추기 위해서는 지번뿐만 아니라 호수까지 기재하여야 한다.

② 주택의 임차인이 제3자에 대한 대항력을 갖춘 후 임차주택의 소유권이 양도되는 경우 임차인이 이의를 제기하지 않는 한, 위 주택의 양수인이 임대인의 지위를 승계하게 되고, 임대차보증금반환채무도 부동산의 소유권과 결합하여 일체로서 양수인에게 이전하므로 양도인의 임대차보증금반환채무는 소멸한다.

③ 법인이 주택을 임차하면서 그 소속직원 명의로 주민등록을 하고 확정일자를 구비하였다고 하더라도 주택임대차보호법상의 우선변제권을 주장할 수 없다.

④ 주택임차인이 주택의 인도와 주민등록을 마친 당일 또는 그 이전에 임대차계약서상의 확정일자를 갖춘 경우, 우선변제권은 주택의 인도와 주민등록을 마친 다음날을 기준으로 발생한다.

⑤ 주택임대차보호법상 대항력을 행사하기 위해서는 주택의 인도 및 주민등록이 계속 존속하고 있어야 한다.

해설 ① 이른바 다가구용 단독주택의 경우 건축법이나 주택건설촉진법상 이를 공동주택으로 볼 근거가 없어 단독주택으로 보는 이상 주민등록법시행령 제5조 제5항에 따라 임차인이 위 건물의 일부나 전부를 임차하고, 전입신고를 하는 경우 지번만 기재하는 것으로 충분하고, 나아가 위 건물 거주자의 편의상 구분하여 놓은 호수까지 기재할 의무나 필요가 있다고 할 수 없고, 등기부의 갑구란의 각 지분 표시 뒤에 각 그 호수가 기재되어 있으나 이는 법령상의 근거가 없이 소유자들의 편의를 위하여 등기공무원이 임의적으로 기재하는 것에 불과하며, 임차인이 실제로 위 건물의 어느 부분을 임차하여 거주하고 있는지 여부의 조사는 단독주택의 경우와 마찬가지로 위 건물에 담보권 등을 설정하려는 이해관계인의 책임 하에 이루어져야 할 것이므로 임차인이 전입신고로 지번을 정확히 기재하여 전입신고를 한 이상 일반 사회통념상 그 주민등록으로 위 건물에 임차인이 주소 또는 거소를 가진 자로 등록되어 있는지를 인식할 수 있어 임대차의 공시방법으로 유효하다고 할 것이고 설사 위 임차인이 위 건물의 소유자나 거주자 등이 부르는 대로 지층 1호를 1층 1호로 잘못 알고 이에 따라 전입신고를 '연립-101'로 하였다고 하더라도 달리 볼 것은 아니다(대판 1997.11.14, 97다29530).

② 주택임대차보호법상의 대항력을 갖춘 후 임대부동산의 소유권이 이전되어 그 양수인이 임대인의 지위를 승계하는 경우에는 임대차보증금반환채무도 부동산의 소유권과 결합하여 일체로서 이전하는 것이며 이에 따라 양도인의 보증금반환채무는 소멸한다(대판 1987.3.10, 86다카1114).

③ 주택 임차인이 주택임대차보호법 제3조의2 제1항 소정의 우선변제권을 주장하기 위하여는 같은 법 제3조 제1항 소정의 대항요건과 임대차계약증서상의 확정일자를 갖추어야 하고, 그 대항요건은 주택의 인도와 주민등록을 마친 때에 구비된다 할 것인 바, 같은 법 제1조는 "이 법은 주거용 건물의 임대차에 관하여 민법에 대한 특례를 규정함으로써 국민의 주거생활의 안정을 보장함을 목적으로 한다."라고 규정하고 있어 위 법이 자연인인 서민들의 주거생활의 안정을 보호하려는 취지에서 제정된 것이지 법인을 그 보호 대상으로 삼고 있다고는 할 수 없는 점, 법인은 애당초 같은 법 제3조 제1항 소정의 대항요건의 하나인 주민등록을 구비할

수 없는 점 등에 비추어 보면, 법인의 직원이 주민등록을 마쳤다 하여 이를 법인의 주민등록으로 볼 수는 없으므로, 법인이 임차 주택을 인도받고 임대차계약증서상의 확정일자를 구비하였다 하더라도 우선변제권을 주장할 수는 없다(대판 1997.7.11, 96다7236).

→ 주택임대차보호법은 원칙적으로 임차인이 법인인 경우에도 적용된다.(×)

④ 주택임대차보호법 제3조 제1항은, 임대차는 그 등기가 없는 경우에도 임차인이 주택의 인도와 주민등록을 마친 때에는 그 익일부터 제3자에 대하여 효력이 생긴다고 규정하고 있고, 같은 법 제3조의2 제1항은, 같은 법 제3조 제1항의 대항요건과 임대차계약증서상의 확정일자를 갖춘 임차인은 경매 등에 의한 환가대금에서 후순위권리자 기타 채권자보다 우선하여 보증금을 변제받을 권리가 있다고 규정하고 있는바, 주택의 임차인이 주택의 인도와 주민등록을 마친 당일 또는 그 이전에 임대차계약증서상에 확정일자를 갖춘 경우 같은 법 제3조의2 제1항에 의한 우선변제권은 같은 법 제3조 제1항에 의한 대항력과 마찬가지로 주택의 인도와 주민등록을 마친 다음날을 기준으로 발생한다(대판 1998.9.8, 98다26002).

⑤ 주택임대차보호법 제3조 제1항에서 주택임차인에게 주택의 인도와 주민등록을 요건으로 명시하여 등기된 물권에 버금가는 강력한 대항력을 부여하고 있는 취지에 비추어볼 때 달리 공시방법이 없는 주택임대차에서는 주택의 인도 및 주민등록이라는 대항요건은 그 대항력 취득시에만 구비하면 족한 것이 아니고, 그 대항력을 유지하기 위하여서도 계속 존속하고 있어야 한다. (따라서) 주택의 임차인이 그 주택의 소재지로 전입신고를 마치고 그 주택에 입주함으로써 일단 임차권의 대항력을 취득한 후 어떤 이유에서든지 그 가족과 함께 일시적이나마 다른 곳으로 주민등록을 이전하였다면, 이는 전체적으로나 종국적으로 주민등록의 이탈이라고 볼 수 있으므로, 그 대항력은 그 전출 당시 이미 대항요건의 상실로 소멸되는 것이고, 그 후 그 임차인이 얼마 있지 않아 다시 원래의 주소지로 주민등록을 재전입하였다 하더라도, 이로써 소멸되었던 대항력이 당초에 소급하여 회복되는 것이 아니라 그 재전입한 때부터 그와는 동일성이 없는 새로운 대항력이 재차 발생하는 것이다(대판 1998.1.23, 97다43468).

32 주택임대차보호법상의 임대차에 관한 다음 설명 중 옳지 않은 것은? (다툼이 있는 경우 판례에 의함)

① 주택임차권이 등기되지 않았더라도 임차인이 주택을 인도받고 주민등록을 마친 때에는 그 다음 날부터 제3자에 대하여 대항할 수 있다.

② 임대차계약이 법정갱신된 경우에 그 새로운 임대차의 존속기간은 2년으로 본다.

③ 주택임차권이 묵시적으로 갱신된 경우에 임차인은 언제든지 임대인에 대하여 계약해지의 통지를 할 수 있다.

④ 주택임대차보호법 제2조 소정의 주거용 건물에 해당하는지 여부는 임대차목적물의 공부상의 표시만을 기준으로 할 것이 아니라, 그 실지용도에 따라서 정하여야 한다.

⑤ 임차인이 사망한 때에 사망 당시 상속인이 그 주택에서 가정공동생활을 하고 있지 아니한 경우에는 그 주택에서 가정공동생활을 하던 사실상의 혼인 관계에 있는 자와 4촌 이내의 친족이 공동으로 임차인의 권리와 의무를 승계한다.

해설 ① 주택임대차보호법 제3조 제1항 【대항력 등】임대차는 그 등기가 없는 경우에도 임차인이 주택의 인도와 주민등록을 마친 때에는 그 다음 날부터 제3자에 대하여 효력이 생긴다. 이 경우 전입신고를 한 때에 주민등록이 된 것으로 본다.

→ 주택임차권의 대항력은 주택의 인도 및 주민등록을 마친 당일부터 발생한다.(×)

② 주택임대차보호법 제6조 【계약의 갱신】
① 임대인이 임대차기간이 끝나기 6개월 전부터 2개월 전까지의 기간에 임차인에게 갱신거절의 통지를 하지 아니하거나 계약조건을 변경하지 아니하면 갱신하지 아니한다는 뜻의 통지를 하지 아니한 경우에는 그 기간이 끝난 때에 전 임대차와 동일한 조건으로 다시 임대차한 것으로 본다. 임차인이 임대차기간이 끝나기 2개월 전까지 통지하지 아니한 경우에도 또한 같다.
② 제1항의 경우 임대차의 존속기간은 2년으로 본다.

③ 주택임대차보호법 제6조의2 제1항 【묵시적 갱신의 경우 계약의 해지】 제6조 제1항에 따라 계약이 갱신된 경우 같은 조 제2항에도 불구하고 임차인은 언제든지 임대인에게 계약해지를 통지할 수 있다.

④ 주택임대차보호법 제2조 소정의 주거용 건물에 해당하는지 여부는 임대차목적물의 공부상의 표시만을 기준으로 할 것이 아니라 그 실지 용도에 따라서 정하여야 하고 또 건물의 일부가 임대차의 목적이 되어 주거용과 비주거용으로 겸용되는 경우에는 구체적인 경우에 따라 그 임대차의 목적, 전체 건물과 임대차목적물의 구조와 형태 및 임차인의 임대차목적물의 이용관계 그리고 임차인이 그 곳에서 일상생활을 영위하는지 여부 등을 아울러 고려하여 합목적적으로 결정하여야 한다(대판 1996.6.14, 96다7595).

⑤ 주택임대차보호법 제9조 제2항 【주택 임차권의 승계】 임차인이 사망한 때에 사망 당시 상속인이 그 주택에서 가정공동생활을 하고 있지 아니한 경우에는 그 주택에서 가정공동생활을 하던 사실상의 혼인 관계에 있는 자와 2촌 이내의 친족이 공동으로 임차인의 권리와 의무를 승계한다.

33 주택임대차보호법상의 임대차에 관한 다음 설명 중 옳지 않은 것은? (다툼이 있는 경우 판례에 의함)

① 임차주택의 일부가 주거 외의 목적으로 사용되는 경우에도 주택임대차보호법이 적용된다.
② 미등기 또는 무허가 건물도 주택임대차보호법의 적용대상이 된다.
③ 주택임차인이 전입신고를 한 때에는 주민등록이 된 것으로 본다.
④ 주택임차인이 그 주택의 소재지로 전입신고를 마치고 입주함으로써 임차권의 대항력을 취득한 후 일시적이나마 다른 곳으로 주민등록을 이전하였더라도 대항력이 소멸하는 것은 아니므로, 임차인이 일단 임차권의 대항력을 취득한 후 어떤 이유에서든지 그 가족과 함께 일시적이나마 다른 곳으로 주민등록을 이전하였더라도 그 대항력은 소멸하지 않는다.
⑤ 주택임대차보호법상의 대항요건과 임대차계약증서상의 확정일자를 갖춘 주택임차인은 민사집행법에 의한 경매시 임차주택의 환가대금에서 후순위권리자 보다 보증금의 우선변제권을 갖는다.

정답 ▶ 32 ⑤ 33 ④

해설 ① 주택임대차보호법 제2조 【적용 범위】 이 법은 주거용 건물(이하 "주택"이라 한다)의 전부 또는 일부의 임대차에 관하여 적용한다. 그 임차주택의 일부가 주거 외의 목적으로 사용되는 경우에도 또한 같다.

② 주택임대차보호법은 주거용 건물의 임대차에 관하여 민법에 대한 특례를 규정함으로써 국민 주거생활의 안정을 보장함을 목적으로 하고 있으므로(제1조), 합리적 이유나 근거 없이 그 적용대상을 축소하거나 제한하는 것은 허용되지 않는다고 할 것인 바, 주택임대차보호법 제2조가 주거용 건물의 전부 또는 일부의 임대차에 관하여 적용된다고 규정하고 있을 뿐 임차주택이 관할관청의 허가를 받은 건물인지 등기를 마친 건물인지 아닌지를 구별하고 있지 아니하며, 건물 등기부상 '건물내역'을 제한하고 있지도 않으므로, 점포 및 사무실로 사용되던 건물에 근저당권이 설정된 후 그 건물이 주거용 건물로 용도 변경되어 이를 임차한 소액임차인도 특별한 사정이 없는 한 주택임대차보호법 제8조에 의하여 보증금 중 일정액을 근저당권자보다 우선하여 변제받을 권리가 있다(대판 2009.8.20, 2009다26879).

③ 주택임대차보호법 제3조 제1항 【대항력 등】 임대차는 그 등기가 없는 경우에도 임차인이 주택의 인도와 주민등록을 마친 때에는 그 다음 날부터 제3자에 대하여 효력이 생긴다. 이 경우 전입신고를 한 때에 주민등록이 된 것으로 본다.

④ 주택임대차보호법 제3조 제1항에서 주택임차인에게 주택의 인도와 주민등록을 요건으로 명시하여 등기된 물권에 버금가는 강력한 대항력을 부여하고 있는 취지에 비추어볼 때 달리 공시방법이 없는 주택임대차에서는 주택의 인도 및 주민등록이라는 대항요건은 그 대항력 취득시에만 구비하면 족한 것이 아니고, 그 대항력을 유지하기 위하여서도 계속 존속하고 있어야 한다. (따라서) 주택의 임차인이 그 주택의 소재지로 전입신고를 마치고 그 주택에 입주함으로써 일단 임차권의 대항력을 취득한 후 어떤 이유에서든지 그 가족과 함께 일시적이나마 다른 곳으로 주민등록을 이전하였다면, 이는 전체적으로나 종국적으로 주민등록의 이탈이라고 볼 수 있으므로, 그 대항력은 그 전출 당시 이미 대항요건의 상실로 소멸되는 것이고, 그 후 그 임차인이 얼마 있지 않아 다시 원래의 주소지로 주민등록을 재전입하였다 하더라도, 이로써 소멸되었던 대항력이 당초에 소급하여 회복되는 것이 아니라 그 재전입한 때부터 그와는 동일성이 없는 새로운 대항력이 재차 발생하는 것이다(대판 1998.1.23, 97다43468).

⑤ 주택임대차보호법 제3조의2 제2항 【보증금의 회수】 제3조 제1항 또는 제2항의 대항요건과 임대차계약증서(제3조 제2항의 경우에는 법인과 임대인 사이의 임대차계약증서를 말한다)상의 확정일자를 갖춘 임차인은 '민사집행법'에 따른 경매 또는 '국세징수법'에 따른 공매를 할 때에 임차주택(대지를 포함한다)의 환가대금에서 후순위권리자나 그 밖의 채권자보다 우선하여 보증금을 변제받을 권리가 있다.

34 주택임대차보호법상의 임대차에 관한 다음 설명 중 옳은 것은? (다툼이 있는 경우 판례에 의함)

① 임차인이 주택의 명의신탁자와 사이에 임대차계약을 체결한 경우, 비록 그 명의신탁자에게 적법하게 임대차계약을 체결할 수 있는 권한이 있었다고 하더라도, 임차인은 등기부상 주택의 소유자인 명의수탁자에 대한 관계에서 적법한 임대차임을 주장할 수 없고, 명의수탁자는 임차인에 대하여 소유자임을 내세워 그 주택의 명도를 구할 수 있다(단 명의신탁계약이 유효함을 전제로 한다).

② 임대차계약 당사자가 임대차보증금의 현실적인 수수없이 기존채권을 임대차보증금으로 전환하여 임대차계약을 체결한 경우, 특별한 사정이 없는 한 그 임대차계약은 통정허위표시로 무효가 되므로 임차인이 주택임대차보호법 제3조 제1항에서 정한 요건을 갖춘 경우에도 대항력을 취득하지 못한다.

③ 주택임대차보호법 제3조 제1항에 정한 대항요건은 임차인이 당해 주택에 거주하면서 이를 직접 점유하는 경우뿐만 아니라 타인의 점유를 매개로 하여 이를 간접점유하는 경우에도 인정될 수 있다.

④ 주택임대차보호법상의 대항력과 우선변제권의 두 권리를 겸유하고 있는 임차인이 우선변제권을 선택하여 임차주택에 대한 경매절차에서 보증금에 대한 배당요구를 하여 보증금 전액을 배당받을 수 있는 경우에는, 경락인이 낙찰대금을 납부하여 임차주택에 대한 소유권을 취득한 이후의 부동산의 사용·수익은 경락인에 대한 관계에서 부당이득이 성립한다.

⑤ 甲이 전입신고를 임차주택의 소재지 지번인 '545의 5'로 올바르게 하였으나 담당공무원이 착오로 주민등록표상에 '545의 2'로 기재한 경우, 주택임대차보호법상 임차권의 대항요건인 '주민등록을 마친 때'에 해당하지 않는다.

해설 ① 주택임대차보호법이 적용되는 임대차는 반드시 임차인과 주택의 소유자인 임대인 사이에 임대차계약이 체결된 경우에 한정된다고 할 수는 없고, 주택의 소유자는 아니지만 주택에 관하여 적법하게 임대차계약을 체결할 수 있는 권한(적법한 임대권한)을 가진 명의신탁자 사이에 임대차계약이 체결된 경우도 포함된다(대판 1999.4.23. 98다49753).

② 주택임차인이 대항력을 갖는지 여부는, 주택임대차보호법 제3조 제1항에서 정한 요건, 즉 임대차계약의 성립, 주택의 인도, 주민등록의 요건을 갖추었는지 여부에 의하여 결정되는 것이므로, 당해 임대차계약이 통정허위표시에 의한 계약이어서 무효라는 등의 특별한 사정이 있는 경우는 별론으로 하고 임대차계약 당사자가 기존 채권을 임대차보증금으로 전환하여 임대차계약을 체결하였다는 사정만으로 임차인이 같은 법 제3조 제1항 소정의 대항력을 갖지 못한다고 볼 수는 없다(대판 2002.1.8. 2001다47535).
→ 임대차계약의 당사자가 기존채권을 임대차보증금으로 전환한 경우 임차인은 원칙적으로 대항력을 갖지 못한다.(×)

③ 주택임대차보호법 제3조 제1항에 정한 대항요건은 임차인이 당해 주택에 거주하면서 이를 직접 점유하는 경우뿐만 아니라 타인의 점유를 매개로 하여 이를 간접점유하는 경우에도 인정될 수 있다(대판 2007.11.29. 2005다64255).

정답 **34 ③**

→ 임차주택을 간접점유하는 임차인이 주민등록을 마쳤다 하더라도 임차주택의 직접점유자가 주민등록을 마치지 않았다면, 임차인은 대항력을 취득할 수 없다.(○)

④ 주택임대차보호법 제3조의5의 입법 취지와 규정 내용에 비추어 보면, 주택임대차보호법상의 대항력과 우선변제권의 두 권리를 겸유하고 있는 임차인이 우선변제권을 선택하여 임차주택에 대하여 진행되고 있는 경매절차에서 보증금에 대한 배당요구를 하여 보증금 전액을 배당받을 수 있는 경우에는, 특별한 사정이 없는 한 임차인이 그 배당금을 지급받을 수 있는 때, 즉 임차인에 대한 배당표가 확정될 때까지는 임차권이 소멸하지 않는다고 해석함이 상당하다 할 것이므로, 경락인이 낙찰대금을 납부하여 임차주택에 대한 소유권을 취득한 이후에 임차인이 임차주택을 계속 점유하여 사용·수익하였다고 하더라도 임차인에 대한 배당표가 확정될 때까지의 사용·수익은 소멸하지 아니한 임차권에 기한 것이어서 경락인에 대한 관계에서 부당이득이 성립되지 아니한다(대판 2004.8.30, 2003다23885).

⑤ 임차인이 전입신고를 올바르게 하였다면 이로써 그 임대차의 대항력이 생기는 것이므로 설사 담당공무원의 착오로 주민등록표상에 신거주지 지번이 다소 틀리게 기재되었다 하여 그 대항력에 소장을 끼칠 수는 없다(대판 1991.8.13, 91다18118).

→ 임차인이 전입신고를 올바르게 하더라도 담당공무원의 착오로 주민등록표상에 신거주지 지번이 다소 틀리게 기재되었다면 거래안전의 보호를 위하여 그 임대차는 대항력을 취득할 수 없다.(×)

35 주택임대차에 관한 다음 설명 중 옳지 않은 것은? (다툼이 있는 경우 판례에 의함)

① 보증금이 일정액 이하인 이른바 소액임차인이 그 주택에 대한 경매신청의 등기 전에 대항요건을 갖춘 경우 보증금 중 일정액을 다른 담보물권자보다 우선하여 변제받을 권리가 있다.

② 주택임차인이 그 지위를 강화하고자 별도로 전세권설정등기를 마친 경우에는 나중에 주택임대차보호법 제3조 제1항의 대항요건을 상실하더라도 이미 취득한 주택임대차보호법상의 대항력 및 우선변제권을 상실하지 않는다.

③ 주택임대차보호법 제3조 제1항에서 주택의 인도와 더불어 대항력의 요건으로 규정하고 있는 주민등록은 거래의 안전을 위하여 임차권의 존재를 제3자가 명백히 인식할 수 있게 하는 공시방법으로 마련된 것이라고 보아야 하므로, 주민등록이 어떤 임대차를 공시하는 효력이 있는지 여부는 일반사회통념상 그 주민등록으로 당해 임대차 건물에 임차인이 주소 또는 거소를 가진 자로 등록되어 있다고 인식할 수 있는지 여부에 따라 결정하여야 한다.

④ 주택임대차보호법이 적용되는 임대차로서는 반드시 임차인과 주택의 소유자인 임대인 사이에 임대차계약이 체결된 경우에 한정된다고 할 수는 없고, 주택의 소유자는 아니지만 주택에 관하여 적법하게 임대차계약을 체결할 수 있는 권한(적법한 임대권한)을 가진 임대인과 임대차계약이 체결된 경우도 포함된다.

⑤ 주택의 임차인이 제3자에 대한 대항력을 갖춘 후 임차주택의 소유권이 양도되어 그 양수인이 임대인의 지위를 승계하는 경우에는 양도인의 임대인으로서의 지위나 보증금반환채무는 소멸하는 것이고, 대항력을 갖춘 임차인이 양수인이 된 경우라고 하여 달리 볼 이유가 없으므로 대항력을 갖춘 임차인이 당해 주택을 양수한 때에도 임대인의 보증금반환채무는 소멸한다.

해설 ① 주택임대차보호법 제8조 제1항 【보증금 중 일정액의 보호】임차인은 보증금 중 일정액을 다른 담보물권자보다 우선하여 변제받을 권리가 있다. 이 경우 임차인은 주택에 대한 경매신청의 등기 전에 제3조 제1항의 요건을 갖추어야 한다.

② [1] 전세권은 전세금을 지급하고 타인의 부동산을 점유하여 그 부동산의 용도에 좇아 사용·수익하며 그 부동산 전부에 대하여 후순위권리자 기타 채권자보다 전세금의 우선변제를 받을 권리를 내용으로 하는 물권이지만, 임대차는 당사자 일방이 상대방에게 목적물을 사용·수익하게 할 것을 약정하고 상대방이 이에 대하여 차임을 지급할 것을 약정함으로써 그 효력이 발생하는 채권계약으로서, 주택임차인이 주택임대차보호법 제3조 제1항의 대항요건을 갖추거나 민법 제621조의 규정에 의한 주택임대차등기를 마치더라도 채권계약이라는 기본적인 성질에 변함이 없다.
[2] 주택임차인이 그 지위를 강화하고자 별도로 전세권설정등기를 마치더라도 주택임대차보호법상 주택임차인으로서의 우선변제를 받을 수 있는 권리와 전세권자로서 우선변제를 받을 수 있는 권리는 근거 규정 및 성립요건을 달리하는 별개의 것이라는 점, 주택임대차보호법 제3조의3 제1항에서 규정한 임차권등기명령에 의한 임차권등기와 동법 제3조의4 제2항에서 규정한 주택임대차등기는 공통적으로 주택임대차보호법상의 대항요건인 '주민등록일자', '점유개시일자' 및 '확정일자'를 등기사항으로 기재하여 이를 공시하지만 전세권설정등기에는 이러한 대항요건을 공시하는 기능이 없는 점, 주택임대차보호법 제3조의4 제1항에서 임차권등기명령에 의한 임차권등기의 효력에 관한 동법 제3조의3 제5항의 규정은 민법 제621조에 의한 주택임대차등기의 효력에 관하여 이를 준용한다고 규정하고 있을 뿐 주택임대차보호법 제3조의3 제5항의 규정을 전세권설정등기의 효력에 관하여 준용할 법적 근거가 없는 점 등을 종합하면, 주택임차인이 그 지위를 강화하고자 별도로 전세권설정등기를 마쳤더라도 주택임차인이 주택임대차보호법 제3조 제1항의 대항요건을 상실하면 이미 취득한 주택임대차보호법상의 대항력 및 우선변제권을 상실한다(대판 2007.6.28, 2004다69741).

③ 주택임대차보호법 제3조 제1항에서 주택의 인도와 더불어 대항력의 요건으로 규정하고 있는 주민등록은 거래의 안전을 위하여 임차권의 존재를 제3자가 명백히 인식할 수 있게 하는 공시방법으로 마련된 것이라고 보아야 하므로, 주민등록이 어떤 임대차를 공시하는 효력이 있는지 여부는 일반사회통념상 그 주민등록으로 당해 임대차 건물에 임차인이 주소 또는 거소를 가진 자로 등록되어 있다고 인식할 수 있는지 여부에 따라 결정하여야 한다(대판 2009.1.30, 2006다17850).

④ 주택임대차보호법이 적용되는 임대차로서는 반드시 임차인과 주택의 소유자인 임대인 사이에 임대차계약이 체결된 경우에 한정된다고 할 수는 없고, 주택의 소유자는 아니지만 주택에 관하여 적법하게 임대차계약을 체결할 수 있는 권한(적법한 임대권한)을 가진 임대인과 임대차계약이 체결된 경우도 포함된다(대판 2008.4.10, 2007다38908·38915).

정답 35 ②

⑤ 주택의 임차인이 제3자에 대한 대항력을 갖춘 후 임차주택의 소유권이 양도되어 그 양수인이 임대인의 지위를 승계하는 경우에는 임대차보증금의 반환채무도 부동산의 소유권과 결합하여 일체로서 이전하는 것이므로 양도인의 임대인으로서의 지위나 보증금반환채무는 소멸되는 것이고, 대항력을 갖춘 임차인이 양수인이 될 경우라고 하여 달리 볼 이유가 없으므로 대항력을 갖춘 임차인이 당해 주택을 양수한 때에도 임대인의 보증금반환채무는 소멸하고 양수인인 임차인이 임대인의 자신에 대한 보증금반환채무를 인수하게 되어, 결국 임차인의 보증금반환채권은 혼동으로 인하여 소멸하게 된다(대판 1996.11.22, 96다38216).

36 주택임대차에 관한 다음 설명 중 가장 옳지 않은 것은? (다툼이 있는 경우 판례에 의함)

▶ 2015년 법원행시

① 주택임대차보호법 제3조의3에 의한 임차권등기가 경료되어 있을 경우, 임대인의 임대차보증금 반환의무는 임차인의 임차권등기 말소의무보다 먼저 이행되어야 한다.

② 채권양수인이 주택임대차보호법상의 우선변제권을 행사할 수 있는 주택임차인으로부터 임차보증금반환채권을 양수하였더라도 임차권과 분리된 임차보증금반환채권만을 양수하였다면, 그 채권양수인은 위 법상의 우선변제권을 행사할 수 있는 임차인에 해당한다고 볼 수 없고, 채권양수인이 금융기관이라고 하더라도 예외가 되지 않는다.

③ 실제 임대차계약의 주된 목적이 주택을 사용·수익하려는 것인 이상, 처음 임대차계약을 체결할 당시에는 보증금액이 많아 주택임대차보호법상 소액임차인에 해당하지 않았지만 그 후 새로운 임대차계약에 의하여 보증금을 감액하여 소액임차인에 해당하게 되었다면, 그 임대차계약이 통정허위표시에 의한 계약이어서 무효라는 등의 특별한 사정이 없는 한 그러한 임차인은 같은 법상 소액임차인으로 보호받을 수 있다.

④ 동일 지번에 이른바 다가구용 단독주택 1동이 건립되어 있는 경우, 임차인이 그 주택의 일부를 임차하고 전입신고를 할 때 지번만 바르게 기재하고 호수를 잘못 기재하였더라도 유효한 공시방법을 갖춘 것이다.

⑤ 주택임차인이 임차주택에 대하여 보증금반환청구소송의 확정판결 기타 이에 준하는 집행권원에 기하여 경매를 신청하는 경우, 임차목적물을 반환할 필요는 없으나 임차주택을 양수인에게 인도하지 아니하면 환가대금에서 보증금을 수령할 수 없다.

해설 ① 주택임대차보호법 제3조의3에 의한 임차권등기가 경료되어 있을 경우, 임대인의 임대차보증금 반환의무는 임차인의 임차권등기 말소의무보다 먼저 이행되어야 한다(대판 2005.6.9, 2005다4529).

② 채권양수인이 주택임대차보호법상의 우선변제권을 행사할 수 있는 주택임차인으로부터 임차보증금반환채권을 양수하였더라도 임차권과 분리된 임차보증금반환채권만을 양수하였다면, 그 채권양수인은 위 법상의 우선변제권을 행사할 수 있는 임차인에 해당한다고 볼 수 없다(대판 2010.5.27, 2010다10276). 그러나 채권양수인이 금융기관인 경우 예외를 허용한다(주택임대차보호법 제3조의2 제7항). 즉 금융기관이 우선변제권을 취득한 임차인의 보증금반환채권을 계약으로 양수한 경우에는 양수한 금액의 범위에서 우선변제권을 승계한다.

③ 현재 보증금을 기준으로 소액임차인으로 보호해 준다(대판 2008.5.15, 2007다23203).

④ 다세대와 다가구를 구별하라는 문제이다. 즉 동일 지번에 이른바 다가구용 단독주택 1동이 건립되어 있는 경우는 다세대 공동주택과는 달리, 임차인이 그 주택의 일부를 임차하고 전입신고를 할 때 지번만 바르게 기재하고 호수를 잘못 기재하였더라도 유효한 공시방법을 갖춘 것이다(대판 1997.11.14, 97다29530).

⑤ 주택임차인이 임차주택에 대하여 보증금반환청구소송의 확정판결 기타 이에 준하는 집행권원에 기하여 경매를 신청하는 경우, 임차목적물을 반환할 필요는 없으나 임차주택을 양수인에게 인도하지 아니하면 환가대금에서 보증금을 수령할 수 없다(주택임대차보호법 제3조의2 제1항과 제3항).

37 주택임대차보호법에 관한 설명 중 옳지 않은 것은? (다툼이 있는 경우 판례에 의함)

▸2015년 변호사

① 주택임대차보호법은 임대주택의 소유자가 아니더라도 그 주택에 관하여 적법하게 임대차계약을 체결할 수 있는 권한을 가진 임대인과 체결한 임대차계약에 적용된다.

② 임차인이 임차주택에 대하여 보증금반환 청구소송의 확정판결이나 그 밖에 이에 준하는 집행권원에 따라서 경매를 신청하는 경우에는 반대의무의 이행이나 이행의 제공을 집행개시의 요건으로 하지 아니한다.

③ 임차인이 임대차계약을 체결한 주된 목적이 주택을 사용·수익하려는 것에 있는 것이 아니고, 소액임차인으로 보호받아 선순위 담보권자에 우선하여 채권을 회수하려는 것에 있는 경우에는 주택임대차보호법상 소액임차인으로 보호받을 수 없다.

④ 임대인의 임대차보증금 반환의무와 임차인의 임차권등기 말소의무는 동시이행관계에 있다.

⑤ 임차인이 임차주택을 직접 점유하여 거주하지 않고 그곳에 주민등록을 하지 아니하였더라도, 임차인이 임대인의 승낙을 받아 적법하게 임차주택을 전대하고 그 전차인이 주택을 인도받아 자신의 주민등록을 마쳤다면 임차인은 적법한 대항요건을 갖추었다고 주장할 수 있다.

해설 ① 주택임대차보호법은 임대주택의 소유자가 아니더라도 그 주택에 관하여 적법하게 임대차계약을 체결할 수 있는 권한을 가진 임대인과 체결한 임대차계약에 적용된다(대판 2014.2.27, 2012다93794).

② 임차인이 임차주택에 대하여 보증금반환 청구소송의 확정판결이나 그 밖에 이에 준하는 집행권원에 따라서 경매를 신청하는 경우에는 반대의무의 이행이나 이행의 제공을 집행개시의 요건으로 하지 아니한다(주택임대차보호법 제3조의2).

③ 임차인이 임대차계약을 체결한 주된 목적이 주택을 사용·수익하려는 것에 있는 것이 아니고, 소액임차인으로 보호받아 선순위 담보권자에 우선하여 채권을 회수하려는 것에 있는 경우에는 주택임대차보호법상 소액임차인으로 보호받을 수 없다(대판 2013.12.12, 2013다62223).

정답 36 ② 37 ④

④ 임대인의 임대차보증금 반환의무와 임차인의 임차권등기 말소의무는 동시이행관계에 있지 않고 임대차보증금을 선이행하여야 한다(대판 2005.6.9, 2005다4529).

⑤ 주택임차인의 대항력에서 주택의 인도 중 간접점유문제이다. 즉 임차인이 임차주택을 직접 점유하여 거주하지 않고 그곳에 주민등록을 하지 아니하였더라도, 임차인이 임대인의 승낙을 받아 적법하게 임차주택을 전대하고 그 전차인이 주택을 인도받아 자신의 주민등록을 마쳤다면 임차인은 적법한 대항요건을 갖추었다고 주장할 수 있다(대판 1994.6.24, 94다3155).

38 주택임대차보호법에 관한 설명 중 옳지 않은 것은? (다툼이 있는 경우에는 판례에 의함)

▶ 2014년 사법시험

① 임차주택이 임대차기간 만료 전에 경매되는 경우 대항력을 갖춘 임차인의 배당요구는 특별한 사정이 없는 한 임대차계약 해지의 의사표시로 볼 수 있다.

② 임차권자가 대항력을 갖춘 후 그 주택에 관하여 제3자의 근저당권등기가 마쳐지고 그 후 임차권자가 다시 전세권등기까지 한 경우 임의경매에 의하여 소유권자가 변동되더라도 임차권의 대항력은 존속한다.

③ 주택의 임차인이 대항력을 구비한 후 임차주택의 소유권이 제3자에게 이전된 경우에 주택 양수인이 임차인에게 임대차보증금을 반환하면 양수인은 양도인에게 부당이득반환청구를 할 수 있다.

④ 대항력을 갖춘 임차인이 임차주택을 양수하여 임대인의 지위를 승계하는 경우 임대인의 보증금반환채무는 소멸하고 양수인인 임차인이 임대인의 임차인에 대한 보증금반환채무를 인수하게 되어, 결국 임차인의 보증금반환채권은 혼동으로 인하여 소멸함이 원칙이다.

⑤ 주택임차인이 상속인 없이 사망하면 그 주택에서 가정공동생활을 하던 사실상의 배우자가 사망한 임차인의 권리와 의무를 승계한다.

해설 ① 임대차의 목적물인 주택이 경매되는 경우에 대항력을 갖춘 임차인이 임대차기간이 종료되지 아니하였음에도 경매법원에 배당요구를 하는 것은, 스스로 더 이상 임대차관계의 존속을 원하지 아니함을 명백히 표명하는 것이어서 다른 특별한 사정이 없는 한 이를 임대차해지의 의사표시로 볼 수 있다. 특히 임대인에게 배당요구 사실의 통지를 하면 결국 임차인의 해지 의사가 경매법원을 통하여 임대인에게 전달되어 그 때 해지통지가 임대인에게 도달된 것으로 볼 것이다(대판 1996.7.12, 94다37646).

② 주택임차인으로서의 우선변제를 받을 수 있는 권리와 전세권자로서 우선변제를 받을 수 있는 권리는 근거규정 및 성립요건을 달리하는 별개의 것이므로, 주택임대차보호법상 대항력을 갖춘 임차인이 임차주택에 관하여 전세권설정등기를 경료하였다거나 전세권자로서 배당절차에 참가하여 전세금의 일부에 대하여 우선변제를 받은 사유만으로는 변제받지 못한 나머지 보증금에 기한 대항력 행사에 어떤 장애가 있다고 볼 수 없다(대판 1993.12.24, 93다39676).

③ 주택의 임차인이 제3자에 대한 대항력을 구비한 후 임차 주택의 소유권이 양도된 경우에는, 그 양수인이 임대인의 지위를 승계하게 되고, 임차보증금 반환채무도 주택의 소유권과 결합하여 일체로서 이전하며, 이에 따라 양도인의 위 채무는 소멸한다 할 것이므로, 주택 양수인이 임차인에게 임대차보증금을 반환하였다 하더라도, 이는 자신의 채무를 변제한 것에 불과

할 뿐, 양도인의 채무를 대위변제한 것이라거나, 양도인이 위 금액 상당의 반환채무를 면함으로써 법률상 원인 없이 이익을 얻고 양수인이 그로 인하여 위 금액 상당의 손해를 입었다고 할 수 없다(대판 1996.2.27, 95다35616 등).

④ 주택의 임차인이 제3자에 대한 대항력을 갖춘 후 임차주택의 소유권이 양도되어 그 양수인이 임대인의 지위를 승계하는 경우에는, 임대차보증금의 반환채무도 부동산의 소유권과 결합하여 일체로서 이전하는 것이므로 양도인의 임대인으로서의 지위나 보증금반환채무는 소멸하는 것이고, 대항력을 갖춘 임차인이 양수인이 된 경우라고 하여 달리 볼 이유가 없으므로 대항력을 갖춘 임차인이 당해 주택을 양수한 때에도 임대인의 보증금반환채무는 소멸하고 양수인인 임차인이 임대인의 자신에 대한 보증금반환채무를 인수하게 되어, 결국 임차인의 보증금반환채권은 혼동으로 인하여 소멸하게 된다(대판 1996.11.22, 96다38216).

⑤ 주택임대차보호법 제9조 참조

39 주택임대차에 관한 다음 설명 중 가장 옳지 않은 것은? (다툼이 있는 경우 판례에 따르고 전원합의체 판결의 경우 다수의견에 의함) ▸ 2019년 법무사

① 甲은 임의경매절차에서 최고가매수신고인의 지위에 있던 乙과 주택임대차계약을 체결한 후 주택을 인도받아 전입신고를 마치고 임대차계약서에 확정일자를 받았는데, 다음 날 乙은 매각대금을 완납하고 丙 주식회사에 근저당권설정등기를 마쳐주었다. 이 경우 甲은 주택임대차보호법 제3조의2 제2항에서 정한 우선변제권을 취득하였다고 볼 수 없다.

② 아파트 수분양자가 분양자로부터 열쇠를 교부받아 임차인을 입주케 하고 임차인이 주택임대차보호법상의 대항력을 갖춘 경우, 다른 사정으로 분양계약이 해제되어 임대인인 수분양자가 주택의 소유권을 취득하지 못하였다고 하더라도 임차인은 아파트 소유자인 분양자에 대하여 임차권으로 대항할 수 있다.

③ 甲이 丙 회사 소유 임대아파트의 임차인 乙로부터 아파트를 임차하여 전입신고를 마치고 거주하던 중, 乙이 丙 회사로부터 위 아파트를 분양받아 자기 명의로 소유권이전등기를 경료하고 근저당권을 설정하였는데, 그 후 위 근저당권이 실행되어 그 경매절차에서 丁이 위 아파트를 매수하여 그 매각대금을 완납하였다. 이 경우 甲은 乙 명의의 소유권이전등기가 경료되는 즉시 임차권의 대항력을 취득하였으므로, 위 임차권으로써 丁에게 대항할 수 있다.

④ 주택임대차보호법상 대항력을 갖춘 임차인의 임대차보증금반환채권이 가압류된 상태에서 임대주택이 양도되면 양수인은 채권가압류의 제3채무자의 지위도 승계하고, 가압류권자 또한 임대주택의 양도인이 아니라 양수인에 대하여만 위 가압류의 효력을 주장할 수 있다.

⑤ 甲은 미등기 다세대주택의 소액임차인으로서 대항요건과 확정일자를 갖추었는데, 그 후 위 미등기 다세대주택의 대지에 대하여 그 명의로 근저당권설정등기를 마친 乙이 위 근저당권을 실행하여 임의경매절차가 진행되었다. 이 경우 甲은 위 대지의 환가대금에 대하여 저당권자에 우선하여 변제받을 수 없다.

정답 ▸ 38 ③ 39 ⑤

해설 ① 주택임대차보호법이 적용되는 임대차가 임차인과 주택의 소유자인 임대인 사이에 임대차계약이 체결된 경우로 한정되는 것은 아니나, 적어도 그 주택에 관하여 적법하게 임대차계약을 체결할 수 있는 권한을 가진 임대인이 임대차계약을 체결할 것이 요구된다(대판 2014.2.27, 2012다93794 → 甲이 임의경매절차에서 최고가매수신고인의 지위에 있던 乙과 주택임대차계약을 체결한 후 주택을 인도받아 전입신고를 마치고 임대차계약서에 확정일자를 받았는데, 다음날 乙이 매각대금을 완납하고 丙 주식회사에 근저당권설정등기를 마쳐준 사안에서, 乙이 최고가매수신고인이라는 것 외에는 임대차계약 당시 적법한 임대권한이 있었음을 인정할 자료가 없는데도, 甲이 아직 매각대금을 납부하지도 아니한 최고가매수신고인에 불과한 乙로부터 주택을 인도받아 전입신고 및 확정일자를 갖추었다는 것만으로 주택임대차보호법 제3조의2 제2항에서 정한 우선변제권을 취득하였다고 본 원심판결에 법리오해 등의 위법이 있다고 한 사례).

② 매매계약의 이행으로 매매목적물을 인도받은 매수인은 그 물건을 사용·수익할 수 있는 지위에서 그 물건을 타인에게 적법하게 임대할 수 있으며, 이러한 지위에 있는 매수인으로부터 매매계약이 해제되기 전에 매매목적물인 주택을 임차 받아 주택의 인도와 주민등록을 마침으로써 주택임대차보호법 제3조 제1항에 의한 대항요건을 갖춘 임차인은 민법 제548조 제1항 단서의 규정에 따라 계약해제로 인하여 권리를 침해받지 않는 제3자에 해당하므로 임대인의 임대권원의 바탕이 되는 계약의 해제에도 불구하고 자신의 임차권을 새로운 소유자에게 대항할 수 있다(대판 2008.4.10, 2007다38908)

③ 주택임대차보호법 제3조 제1항에서 주택의 인도와 더불어 대항력의 요건으로 규정하고 있는 주민등록은 거래의 안전을 위하여 임차권의 존재를 제3자가 명백히 인식할 수 있게 하는 공시방법으로 마련된 것으로서, 주민등록이 어떤 임대차를 공시하는 효력이 있는가의 여부는 그 주민등록으로 제3자가 임차권의 존재를 인식할 수 있는가에 따라 결정된다고 할 것이므로, 주민등록이 대항력의 요건을 충족시킬 수 있는 공시방법이 되려면 단순히 형식적으로 주민등록이 되어 있다는 것만으로는 부족하고, 주민등록에 의하여 표상되는 점유관계가 임차권을 매개로 하는 점유임을 제3자가 인식할 수 있는 정도는 되어야 한다(대판 2001.1.30, 2000다58026·58033 → 甲이 丙 회사 소유 임대아파트의 임차인인 乙로부터 아파트를 임차하여 전입신고를 마치고 거주하던 중, 乙이 丙 회사로부터 위 아파트를 분양받아 자기 명의로 소유권이전등기를 경료한 후 근저당권을 설정한 사안에서, 비록 임대인인 乙이 甲과 위 임대차계약을 체결한 이후에, 그리고 甲이 위 전입신고를 한 이후에 위 아파트에 대한 소유권을 취득하였다고 하더라도, 주민등록상 전입신고를 한 날로부터 소유자 아닌 甲이 거주하는 것으로 나타나 있어서 제3자들이 보기에 甲의 주민등록이 소유권 아닌 임차권을 매개로 하는 점유라는 것을 인식할 수 있었으므로 위 주민등록은 甲이 전입신고를 마친 날로부터 임대차를 공시하는 기능을 수행하고 있었다고 할 것이고, 따라서 甲은 乙 명의의 소유권이전등기가 경료되는 「즉시」 임차권의 대항력을 취득하였다고 본 사례).

④ 주택임대차보호법 제3조 제3항은 같은 조 제1항이 정한 대항요건을 갖춘 임대차의 목적이 된 임대주택(이하 '임대주택'은 주택임대차보호법의 적용대상인 임대주택을 가리킨다)의 양수인은 임대인의 지위를 승계한 것으로 본다고 규정하고 있는바, 이는 법률상의 당연승계 규정으로 보아야 하므로, 임대주택이 양도된 경우에 양수인은 주택의 소유권과 결합하여 임대인의 임대차 계약상의 권리·의무 일체를 그대로 승계하며, 그 결과 양수인이 임대차보증금반환채무를 면책적으로 인수하고, 양도인은 임대차관계에서 탈퇴하여 임차인에 대한 임대차보증금반환채무를 면하게 된다. 나아가 임차인에 대하여 임대차보증금반환채무를 부담하는 임대인임을 당연한 전제로 하여 임대차보증금반환채무의 지급금지를 명령받은 제3채무자의 지위

는 임대인의 지위와 분리될 수 있는 것이 아니므로, 임대주택의 양도로 임대인의 지위가 일체로 양수인에게 이전된다면 채권가압류의 제3채무자의 지위도 임대인의 지위와 함께 이전된다고 볼 수밖에 없다. (따라서) 임차인의 임대차보증금반환채권이 가압류된 상태에서 임대주택이 양도되면 양수인이 채권가압류의 제3채무자의 지위도 승계하고, 가압류권자 또한 임대주택의 양도인이 아니라 양수인에 대하여만 위 가압류의 효력을 주장할 수 있다고 보아야한다(대판(전합) 2013.1.17. 2011다49523).

⑤ 대항요건 및 확정일자를 갖춘 임차인과 소액임차인은 임차주택과 그 대지가 함께 경매될 경우뿐만 아니라 임차주택과 별도로 그 대지만이 경매될 경우에도 그 대지의 환가대금에 대하여 우선변제권을 행사할 수 있고, 대항요건 및 확정일자를 갖춘 임차인과 소액임차인에게 우선변제권을 인정한 주택임대차보호법 제3조의2 및 제8조가 미등기 주택을 달리 취급하는 특별한 규정을 두고 있지 아니하므로, 대항요건 및 확정일자를 갖춘 임차인과 소액임차인의 임차주택 대지에 대한 우선변제권에 관한 법리는 임차주택이 미등기인 경우에도 그대로 적용된다(대판(전합) 2007.6.21. 2004다26133).

40

주택임대차보호법상 임차인의 대항력에 관한 다음 설명 중 가장 옳지 않은 것은? (다툼이 있는 경우 판례에 의하고, 전원합의체 판결의 경우 다수의견에 의함) ▶ 2019년 법원행시

① 주택임차인이 임대인의 승낙을 받아 적법하게 임차주택을 전대하고 그 전차인이 주택을 인도받아 자신의 주민등록을 마친 경우에 임차인이 주택임대차보호법에 정한 대항력을 취득함은 물론, 임차인이 임대인으로부터 별도의 승낙을 얻지 아니하고 제3자에게 임차물을 사용·수익하도록 한 경우에도, 임차인의 당해 행위가 임대인에 대한 배신적 행위라고 할 수 없는 특별한 사정이 인정되는 경우에는, 임대인은 자신의 동의 없이 전대차가 이루어졌다는 것만을 이유로 임대차계약을 해지할 수 없고, 전차인은 그 전대차나 그에 따른 사용·수익을 임대인에게 주장할 수 있다.

② 전차인이 전입신고를 마치고 거주하던 중 임차인이 임대주택을 분양받아 자기 명의로 소유권이전등기를 마치고 같은 날 근저당권설정등기까지 마친 경우, 주민등록상 전차인이 전입신고를 한 날부터 소유자 아닌 자가 거주하는 것으로 되어 있어 제3자가 임차권의 존재를 인식할 수 있으므로, 전차인은 임차인이 소유권이전등기를 마친 즉시 대항력을 취득하고 위 근저당권에 기한 경매절차에서 위 주택을 매수한 매수인에게 대항할 수 있다.

③ 건축 중인 주택에 대한 소유권보존등기가 되기 전에 그 일부를 임차하여 주민등록을 마친 임차인의 주민등록상의 주소기재가 그 당시의 주택의 현황과 일치한다고 하더라도 그 후 사정변경으로 등기부 등의 주택의 표시가 달라졌다면 특별한 사정이 없는 한 그 주민등록은 제3자에 대한 관계에서 유효한 임대차의 공시방법이 될 수 없지만, 경매절차에서의 이해관계인 등이 잘못된 임차인의 주민등록상의 주소가 건축물관리대장 및 등기부상의 주소를 지칭하는 것을 알고 있었던 경우에는 예외적으로 유효한 공시방법이 될 수 있다.

④ 주민등록이 직권말소된 후 주민등록법 소정의 이의절차에 따라 그 말소된 주민등록이 회복되거나 재등록이 이루어져 주택임차인에게 주민등록을 유지할 의사가 있었다는 것이 명백히 드러난 경우에는 소급하여 그 대항력이 유지되나, 다만 그 직권말소가 관련 규정 소정의 이의절차에 의하여 회복된 것이 아닌 경우에는 직권말소 후 재등록이 이루어지기 전에 주민등록이 없는 것으로 믿고 임차주택에 관하여 새로운 이해관계를 맺은 선의의 제3자에 대하여는 임차인이 대항력을 주장할 수 없다.

⑤ 주택임대차보호법 제3조 제1항의 대항요건을 갖춘 임차인의 임대차보증금반환채권이 가압류된 상태에서 임대주택이 양도되면 양수인이 채권가압류의 제3채무자의 지위도 승계하고, 가압류권자도 임대주택의 양도인이 아니라 양수인에 대하여만 위 가압류의 효력을 주장할 수 있다.

해설 ① 임차인이 비록 임대인으로부터 별도의 승낙을 얻지 아니하고 제3자에게 임차물을 사용·수익하도록 한 경우에 있어서도, 임차인의 당해 행위가 임대인에 대한 배신적 행위라고 할 수 없는 특별한 사정이 인정되는 경우에는, 임대인은 자신의 동의 없이 전대차가 이루어졌다는 것만을 이유로 임대차계약을 해지할 수 없으며, 전차인은 그 전대차나 그에 따른 사용·수익을 임대인에게 주장할 수 있다 할 것이다(대판 2007.11.29, 2005다64255).

② 주택임대차보호법 제3조 제1항에서 주택의 인도와 더불어 대항력의 요건으로 규정하고 있는 주민등록은 거래의 안전을 위하여 임차권의 존재를 제3자가 명백히 인식할 수 있게 하는 공시방법으로 마련된 것으로서, 주민등록이 어떤 임대차를 공시하는 효력이 있는가의 여부는 그 주민등록으로 제3자가 임차권의 존재를 인식할 수 있는가에 따라 결정된다고 할 것이므로, 주민등록이 대항력의 요건을 충족시킬 수 있는 공시방법이 되려면 단순히 형식적으로 주민등록이 되어 있다는 것만으로는 부족하고, 주민등록에 의하여 표상되는 점유관계가 임차권을 매개로 하는 점유임을 제3자가 인식할 수 있는 정도는 되어야 한다(대판 2001.1.30, 2000다58026). → 甲이 丙 회사 소유 임대아파트의 임차인인 乙로부터 아파트를 임차하여 전입신고를 마치고 거주하던 중, 乙이 丙 회사로부터 위 아파트를 분양받아 자기 명의로 소유권이전등기를 경료한 후 근저당권을 설정한 사안에서, 비록 임대인인 乙이 甲과 위 임대차계약을 체결한 이후에, 그리고 甲이 위 전입신고를 한 이후에 위 아파트에 대한 소유권을 취득하였다고 하더라도, 주민등록상 전입신고를 한 날로부터 소유자 아닌 甲이 거주하는 것으로 나타나 있어서 제3자들이 보기에 甲의 주민등록이 소유권 아닌 임차권을 매개로 하는 점유라는 것을 인식할 수 있었으므로 위 주민등록은 甲이 전입신고를 마친 날로부터 임대차를 공시하는 기능을 수행하고 있었다고 할 것이고, 따라서 甲은 乙 명의의 소유권이전등기가 경료되는 즉시 임차권의 대항력을 취득하였다고 본 사례이다.

③ 건축 중인 주택에 대한 소유권보존등기가 경료되기 전에 그 일부를 임차하여 주민등록을 마친 임차인의 주민등록상의 주소 기재가 그 당시의 주택의 현황과 일치한다고 하더라도, 그 후 사정변경으로 등기부 등의 주택의 표시가 달라졌다면 특별한 사정이 없는 한 달라진 주택의 표시를 전제로 등기부상 이해관계를 가지게 된 제3자로서는 당초의 주민등록에 의하여 당해 주택에 임차인이 주소 또는 거소를 가진 자로 등록되어 있다고 인식하기 어렵다고 할 것이므로, 그 주민등록은 그 제3자에 대한 관계에서 유효한 임대차의 공시방법이 될 수 없다고 할 것이며, 이러한 이치는 입찰절차에서의 이해관계인 등이 잘못된 임차인의 주민등록상의 주소가 건축물관리대장 및 등기부상의 주소를 지칭하는 것을 알고 있었다고 하더라도 마찬가지이다(대판 2003.5.16, 2003다10940).

④ 주민등록이 직권말소 후 주민등록법 소정의 이의절차에 따라 그 말소된 주민등록이 회복되거나 동법시행령 제29조에 의하여 재등록이 이루어짐으로써 주택임차인에게 주민등록을 유지할 의사가 있었다는 것이 명백히 드러난 경우에는 소급하여 그 대항력이 유지된다고 할 것이고, 다만, 그 직권말소가 주민등록법 소정의 이의절차에 의하여 회복된 것이 아닌 경우에는 직권말소 후 재등록이 이루어지기 이전에 주민등록이 없는 것으로 믿고 임차주택에 관하여 새로운 이해관계를 맺은 선의의 제3자에 대하여는 임차인은 대항력의 유지를 주장할 수 없다고 봄이 상당하다(대판 2002.10.11. 2002다20957).

⑤ 주택임대차보호법 제3조 제3항은 같은 조 제1항이 정한 대항요건을 갖춘 임대차의 목적이 된 임대주택(이하 '임대주택'은 주택임대차보호법의 적용대상인 임대주택을 가리킨다)의 양수인은 임대인의 지위를 승계한 것으로 본다고 규정하고 있는바, 이는 법률상의 당연승계 규정으로 보아야 하므로, 임대주택이 양도된 경우에 양수인은 주택의 소유권과 결합하여 임대인의 임대차 계약상의 권리·의무 일체를 그대로 승계하며, 그 결과 양수인이 임대차보증금반환채무를 면책적으로 인수하고, 양도인은 임대차관계에서 탈퇴하여 임차인에 대한 임대차보증금반환채무를 면하게 된다. 나아가 임차인에 대하여 임대차보증금반환채무를 부담하는 임대인임을 당연한 전제로 하여 임대차보증금반환채무의 지급금지를 명령받은 제3채무자의 지위는 임대인의 지위와 분리될 수 있는 것이 아니므로, 임대주택의 양도로 임대인의 지위가 일체로 양수인에게 이전된다면 채권가압류의 제3채무자의 지위도 임대인의 지위와 함께 이전된다고 볼 수밖에 없다. 따라서 임차인의 임대차보증금반환채권이 가압류된 상태에서 임대주택이 양도되면 양수인이 채권가압류의 제3채무자의 지위도 승계하고, 가압류권자 또한 임대주택의 양도인이 아니라 양수인에 대하여만 위 가압류의 효력을 주장할 수 있다고 보아야 한다(대판(전) 2013.1.17. 2011다49523).

41 주택임대차보호법에 관한 다음 설명 중 가장 옳지 않은 것은? (다툼이 있는 경우 판례에 의함)

▶ 2020년 법원사무관 승진

① 주택임대차보호법이 정한 대항요건을 갖춘 임대차의 목적이 된 임대주택이 양도된 경우에 그 양수인은 주택의 소유권과 결합하여 임대인의 임대차 계약상의 권리·의무 일체를 그대로 승계한다. 그 결과 양수인이 임대차보증금반환채무를 면책적으로 인수하고, 양도인은 임대차관계에서 탈퇴하여 임차인에 대한 임대차보증금반환채무를 면하게 된다.

② 주택임대차보호법에 따른 대항요건 및 확정일자를 갖춘 임차인과 소액임차인은 임차주택과 그 대지가 함께 경매되는 경우에는 그 대지의 환가대금에 대하여 우선변제권을 행사할 수 있으나, 임차주택과 별도로 그 대지만 경매되는 경우에 그 대지의 환가대금에 대하여는 우선변제권을 행사할 수 없다.

③ 재외국민의 국내거소신고는 주택임대차보호법 제3조 제1항에서 주택임대차의 대항요건으로 정하는 주민등록과 같은 법적 효과가 인정되어야 하고, 이 경우 거소이전신고를 한 때에 전입신고가 된 것으로 보아야 한다.

④ 채권자가 채무자 소유의 주택에 관하여 채무자와 임대차계약을 체결하고 전입신고를 마친 다음 그곳에 거주하였다고 하더라도 임대차계약의 주된 목적이 주택을 주거용으로 사용·수익하려는 것에 있지 아니하고, 실제적으로는 소액임차인으로 보호받아 선순위 담보권자에 우선하여 소액보증금 상당의 채권을 회수하려는 것에 있었던 경우에는, 그러한 임차인을 주택임대차보호법의 소액임차인으로 보호할 수 없다.

해설 ① 주택임대차보호법 제3조 제4항은 같은 조 제1항이 정한 대항요건을 갖춘 임대차의 목적이 된 임대주택의 양수인은 임대인의 지위를 승계한 것으로 본다고 규정하고 있는바, 이는 법률상의 당연승계 규정으로 보아야 하므로, 임대주택이 양도된 경우에 양수인은 주택의 소유권과 결합하여 임대인의 임대차 계약상의 권리·의무 일체를 그대로 승계하며, 그 결과 양수인이 임대차보증금반환채무를 면책적으로 인수하고, 양도인은 임대차관계에서 탈퇴하여 임차인에 대한 임대차보증금반환채무를 면하게 된다(대판(전) 2013.1.17, 2011다49523).
② 대항요건 및 확정일자를 갖춘 임차인과 소액임차인은 임차주택과 그 대지가 함께 경매될 경우뿐만 아니라 임차주택과 별도로 그 대지만이 경매될 경우에도 그 대지의 환가대금에 대하여 우선변제권을 행사할 수 있고, 이와 같은 우선변제권은 이른바 법정담보물권의 성격을 갖는 것으로서 임대차 성립시의 임차 목적물인 임차주택 및 대지의 가액을 기초로 임차인을 보호하고자 인정되는 것이므로, 임대차 성립 당시 임대인의 소유였던 대지가 타인에게 양도되어 임차주택과 대지의 소유자가 서로 달라지게 된 경우에도 마찬가지이다(대판(전) 2007.6.21, 2004다26133).
③ 재외국민의 국내거소신고는 주택임대차법 제3조 제1항에서 주택임대차의 대항요건으로 정하는 주민등록과 같은 법적 효과가 인정되어야 하고, 이 경우 거소이전신고를 한 때에 전입신고가 된 것으로 보아야 한다(대판 2019.4.11, 2015다254507).
④ 주택임대차보호법의 입법목적과 제도의 취지 등을 고려할 때, 채권자가 채무자 소유의 주택에 관하여 채무자와 임대차계약을 체결하고 전입신고를 마친 다음 그곳에 거주하였다고 하더라도 실제 임대차계약의 주된 목적이 주택을 사용수익하려는 것에 있는 것이 아니고, 실제적으로는 소액임차인으로 보호받아 선순위담보권자에 우선하여 채권을 회수하려는 것에 주된 목적이 있었던 경우에는 그러한 임차인을 주택임대차보호법상 소액임차인으로 보호할 수 없다(대판 2001.5.8, 2001다14733).

42 아래의 사례에 관한 다음 설명 중 옳은 것을 모두 고른 것은? ▸ 2020년 법원행시

[사실관계]
○ 甲은 그 소유인 X주택에 전입신고를 마치고 거주하다가 1993.10.23. 乙에게 주택을 매도하면서 같은 날 乙로부터 이 주택을 임차보증금 1억원으로 정하여 임차하였고 임대차계약서에 확정일자를 받았다. 위 매매에 따른 乙 명의의 소유권이전등기는 1994.3.9.에 마쳐졌다.
○ 한편 이 사건 아파트에 관하여 1993.12.16. A 명의의 1번 근저당권설정등기가, 1994.3.12. B 명의의 2번 근저당권설정등기가 순차로 마쳐졌다.
○ 1996.10.19. 2번 근저당권자 B의 경매신청에 의하여 이 사건 아파트에 관하여 임의경매절차가 진행되었고, 경매절차에서 丙이 이를 매수하고 대금을 완납하였다.

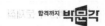

ㄱ. 주민등록이 대항력의 요건을 충족시킬 수 있는 공시방법이 되려면 단순히 형식적으로 주민등록이 되어 있다는 것만으로는 부족하고, 주민등록에 의하여 표상되는 점유관계가 임차권을 매개로 하는 점유임을 제3자가 인식할 수 있는 정도는 되어야 한다.

ㄴ. 제3자로서는 X주택에 관하여 乙 명의의 소유권이전등기가 마쳐지기 이전에는 甲의 주민등록이 임차권을 매개로 하는 점유라는 것을 인식하기 어려웠다 할 것이므로, 甲의 주민등록은 1994.3.9. 이전에는 주택임대차의 대항력 인정의 요건이 되는 적법한 공시방법으로서의 효력이 없다.

ㄷ. 甲의 임대차가 비록 2번 근저당권자인 B에게는 대항할 수 있는 임차권이라 하더라도 소멸되는 1번 근저당권보다 뒤에 대항력을 갖추었기 때문에 매각에 의해 1번 근저당권과 함께 소멸한다.

ㄹ. 甲이 경매절차에서 주택임대차보호법상 우선변제권 있는 임차인임을 이유로 적법하게 배당요구하였다면 A, 甲, B의 순서로 배당받는다.

ㅁ. 만일 甲이 위 경매절차에서 배당요구하지 않았다면 甲은 丙에 대하여 임대차보증금의 반환을 청구할 수 있다.

① ㄱ, ㄴ
② ㄱ, ㄴ, ㄹ
③ ㄱ, ㄷ, ㄹ
④ ㄱ, ㄴ, ㄷ, ㄹ
⑤ ㄱ, ㄴ, ㄷ, ㄹ, ㅁ

해설 ㄱ. ㄴ. 대항력 취득요건으로서의 주택의 인도는 현실인도뿐만 아니라, 간이인도, 반환청구권의 양도 및 점유개정도 포함하는데, 다만 판례는 점유개정의 경우 주민등록의 공시와 관련하여 대항요건의 효력발생시기에 일정한 제한을 가하고 있다. 즉 주민등록이 어떤 임대차를 공시하는 효력이 있는가의 여부는 그 주민등록으로 제3자가 임차권의 존재를 인식할 수 있는가에 따라 결정된다고 할 것이므로, 주민등록이 대항력의 요건을 충족시킬 수 있는 공시방법이 되려면 단순히 형식적으로 주민등록이 되어 있다는 것만으로는 부족하고, 주민등록에 의하여 표상되는 점유관계가 임차권을 매개로 하는 점유임을 제3자가 인식할 수 있는 정도는 되어야 한다. 따라서 甲이 1988.8.30. 당해 주택에 관하여 자기 명의로 소유권이전등기를 경료하고 같은 해 10.1. 그 주민등록 전입신고까지 마친 후 이에 거주하다가 1993.10.23. 乙과의 사이에 그 주택을 乙에게 매도함과 동시에 그로부터 이를 다시 임차하되 매매잔금 지급기일인 1993.12.23.부터는 주택의 거주관계를 바꾸어 甲이 임차인의 자격으로 이에 거주하는 것으로 하기로 약정하고 계속하여 거주해 왔으나, 위 매매에 따른 乙 명의의 소유권이전등기는 1994.3.9.에야 비로소 경료된 경우, 제3자로서는 그 주택에 관하여 甲으로부터 乙 앞으로 소유권이전등기가 경료되기 전에는 甲의 주민등록이 소유권 아닌 임차권을 매개로 하는 점유라는 것을 인식하기 어려웠다 할 것이므로, 甲의 주민등록은 그 주택에 관하여 乙 명의의 소유권이전등기가 경료된 1994.3.9. 이전에는 주택임대차의 대항력 인정의 요건이 되는 적법한 공시방법으로서의 효력이 없고, 그 이후에야 비로소 甲과 乙 사이의 임대차를 공시하는 유효한 공시방법이 된다(대판 1999.4.23. 98다32939). 이 경우 甲은 乙 명의의 소유권이전등기 익일부터 대항력을 취득한다(대판 2000.2.11. 99다59306).

ㄷ. ㄹ. ㅁ. 후순위저당권의 실행으로 목적부동산이 경락된 경우에는 민사소송법 제728조, 제608조 제2항의 규정에 의하여 선순위저당권까지도 당연히 소멸하는 것이므로, 이 경우 비록

후순위저당권자에게는 대항할 수 있는 임차권이라 하더라도 소멸된 선순위저당권보다 뒤에 등기되었거나 대항력을 갖춘 임차권은 함께 소멸하는 것이고, 따라서 그 경락인은 주택임대차보호법 제3조에서 말하는 임차주택의 양수인 중에 포함된다고 할 수 없을 것이므로 경락인에 대하여 그 임차권의 효력을 주장할 수 없다(대판 1999.4.23, 98다32939). 따라서 甲의 임대차가 비록 2번 근저당권자인 B에게는 대항할 수 있는 임차권이라 하더라도 소멸되는 1번 근저당권보다 뒤에 대항력을 갖추었기 때문에 매각에 의해 1번 근저당권과 함께 소멸하고, 甲이 경매절차에서 주택임대차보호법상 우선변제권 있는 임차인임을 이유로 적법하게 배당요구하였다면 A, 甲, B의 순서로 배당받는다. 그러나 만일 甲이 위 경매절차에서 배당요구하지 않았다면 甲은 배당받을 수 없으며 丙에 대하여 법정승계를 주장하면서 임대차보증금의 반환을 청구할 수 없다.

43 주택임대차에 관한 다음 설명 중 가장 옳지 않은 것은? ▸ 2022년 법무사

① 주택의 소유자는 아니지만 주택에 관하여 적법하게 임대차계약을 체결할 수 있는 권한을 가진 명의신탁자와 임대차계약이 체결된 경우, 임차인은 등기기록상 주택의 소유자인 명의수탁자에 대한 관계에서도 적법한 임대차임을 주장할 수 있다.

② 주택임대차보호법에 의하면 임대인이 임대차가 끝나기 6개월 전부터 2개월 전까지의 기간에 임차인에게 갱신거절의 통지를 하지 않거나 계약조건을 변경하지 않으면 갱신하지 않겠다는 뜻의 통지를 하지 않은 경우에는, 그 기간이 끝난 때에 전(前) 임대차와 동일한 조건으로 다시 임차한 것으로 본다. 이때 임차인은 임대인에 대하여 언제든지 계약해지를 통지할 수 있고, 임대인이 그 통지를 받은 날로부터 2개월이 지나면 효력이 발생한다.

③ 임대인은 임차인이 임대차기간이 끝나기 6개월 전부터 2개월 전까지의 기간 이내에 계약갱신을 요구하면 정당한 사유 없이 거절하지 못하는데, 임차인은 이 계약갱신요구권을 1회에 한하여 행사할 수 있다.

④ 임대인이 목적 주택에서의 실거주를 이유로 임차인의 계약갱신요구를 거절하였음에도 그 계약갱신요구가 거절되지 아니하였더라면 갱신되었을 기간이 만료되기 전에 정당한 사유 없이 제3자에게 목적 주택을 임대한 경우 임대인은 갱신거절로 인하여 임차인이 입은 손해를 배상하여야 한다.

⑤ 주택임대차보호법 제3조 제1항에 의한 대항력 취득의 요건인 주민등록은 임차인 본인뿐 아니라 배우자나 자녀 등 가족의 주민등록도 포함되고, 이는 재외국민이 임차인인 경우에도 마찬가지로 적용되므로, 재외국민이 임대차계약을 체결하고 동거가족인 외국인 또는 외국국적동포가 외국인등록이나 국내거소신고 등을 한 경우에도 대항력을 취득한다.

해설 ① 주택임대차보호법이 적용되는 임대차는 반드시 임차인과 주택의 소유자인 임대인 사이에 임대차계약이 체결된 경우에 한정된다고 할 수는 없고, 주택의 소유자는 아니지만 주택에 관하여 적법하게 임대차계약을 체결할 수 있는 권한(적법한 임대권한)을 가진 명의신탁자 사이에

임대차계약이 체결된 경우도 포함된다고 할 것이고, 이 경우 임차인은 등기부상 주택의 소유
자인 명의수탁자에 대한 관계에서도 적법한 임대차임을 주장할 수 있는 반면 명의수탁자는
임차인에 대하여 그 소유자임을 내세워 명도를 구할 수 없다(대판 1999.4.23. 98다49753).
② 주택임대차보호법 제6조와 제6조의2 → 임대인이 그 통지를 받은 날로부터 3개월이 지나면
효력이 발생한다.
③ 주택임대차보호법 제6조의3 제1항과 제2항
④ 주택임대차보호법 제6조의3 제1항 8호와 제5항
⑤ 대판 2016.10.13. 2014다218030·218047

44 확정일자를 갖춘 임차인의 우선변제권에 관한 다음 설명 중 가장 옳지 않은 것은?

▶ 2020년 법원행시

① 임대차계약서에 아파트의 명칭과 동·호수의 기재를 누락하였더라도 여기에 확정일자
를 받으면 주택임대차보호법상 확정일자의 요건을 갖춘 것으로 본다.
② 주택임대차보호법 제8조 제1항의 소액 임차인의 지위를 겸하지 않는 대항요건과 확정
일자를 갖춘 임차인이 수인인 경우 그들 상호 간에는 대항요건과 확정일자를 최종적으
로 갖춘 순서대로 우선변제받을 순위를 정하게 된다.
③ 주택임대차보호법상의 대항요건을 미리 갖추었다고 하더라도 확정일자를 부여받은 날
짜가 가압류일자보다 늦은 경우에는 가압류채권과 임차보증금채권은 각 채권액에 비례
하여 평등하게 배당되어야 한다.
④ 임대차계약을 체결한 직후 확정일자를 부여받고 그로부터 며칠이 지나 주택에 입주하
고 전입신고를 한 경우에 우선변제적 효력은 인도와 주민등록을 마친 다음 날을 기준
으로 발생한다.
⑤ 주택임대차보호법상 대항력과 우선변제권을 모두 가지고 있는 임차인이 보증금반환청
구소송의 확정판결 등 집행권원을 얻어 임차주택에 대하여 강제경매를 신청한 경우에
도 주택임대차보호법상의 우선변제권을 인정받기 위하여는 배당요구의 종기까지 배당
요구를 하여야 한다.

해설 ① 확정일자의 요건을 규정한 것은 임대인과 임차인 사이의 담합으로 임차보증금의 액수를 사
후에 변경하는 것을 방지하고자 하는 취지일 뿐, 대항요건으로 규정된 주민등록과 같이 당해
임대차의 존재 사실을 제3자에게 공시하고자 하는 것은 아니므로, 확정일자를 받은 임대차계
약서가 당사자 사이에 체결된 당해 임대차계약에 관한 것으로서 진정하게 작성된 이상, 위와
같이 임대차계약서에 임대차 목적물을 표시하면서 아파트의 명칭과 그 전유 부분의 동·호
수의 기재를 누락하였다는 사유만으로 주택임대차보호법 제3조의2 제2항에 규정된 확정일
자의 요건을 갖추지 못하였다고 볼 수는 없다(대판 1999.6.11. 99다7992).
② 주택임대차보호법 제3조의2 제2항은 대항요건(주택인도와 주민등록전입신고)과 임대차계약증서
상의 확정일자를 갖춘 주택임차인에게 부동산 담보권에 유사한 권리를 인정한다는 취지로서,

이에 따라 대항요건과 확정일자를 갖춘 임차인들 상호 간에는 대항요건과 확정일자를 최종적으로 갖춘 순서대로 우선변제받을 순위를 정하게 된다(대판 2007.11.15, 2007다45562).

③ 주택임대차보호법 제3조의2 제1항은 대항요건(주택인도와 주민등록전입신고)과 임대차계약증서상의 확정일자를 갖춘 주택임차인은 후순위권리자 기타 일반채권자보다 우선하여 보증금을 변제받을 권리가 있음을 규정하고 있는바, 이는 임대차계약증서에 확정일자를 갖춘 경우에는 부동산 담보권에 유사한 권리를 인정한다는 취지이므로, 부동산 담보권자보다 선순위의 가압류채권자가 있는 경우에 그 담보권자가 선순위의 가압류채권자와 채권액에 비례한 평등배당을 받을 수 있는 것과 마찬가지로 위 규정에 의하여 우선변제권을 갖게 되는 임차보증금 채권자도 선순위의 가압류채권자와는 평등배당의 관계에 있게 된다. 그리고 가압류채권자가 주택임차인보다 선순위인지 여부는, 주택임대차보호법 제3조의2의 법문상 임차인이 확정일자 부여에 의하여 비로소 우선변제권을 가지는 것으로 규정하고 있음에 비추어, 임대차계약 증서상의 확정일자 부여일을 기준으로 삼는 것으로 해석함이 타당하므로, 대항요건을 미리 갖추었다고 하더라도 확정일자를 부여받은 날짜가 가압류일자보다 늦은 경우에는 가압류채권자가 선순위라고 볼 수밖에 없다. 따라서 이 경우라면 가압류채권과 임차보증금채권은 각 채권액에 비례하여 평등하게 배당되어야 한다(대판 1992.10.13, 92다30597).

④ 주택임대차보호법 제3조 제1항은, 임대차는 그 등기가 없는 경우에도 임차인이 주택의 인도와 주민등록을 마친 때에는 그 익일부터 제3자에 대하여 효력이 생긴다고 규정하고 있고, 같은 법 제3조의2 제1항은, 같은 법 제3조 제1항의 대항요건과 임대차계약증서상의 확정일자를 갖춘 임차인은 경매 등에 의한 환가대금에서 후순위권리자 기타 채권자보다 우선하여 보증금을 변제받을 권리가 있다고 규정하고 있는바, 주택의 임차인이 주택의 인도와 주민등록을 마친 당일 또는 그 이전에 임대차계약증서상에 확정일자를 갖춘 경우 같은 법 제3조의2 제1항에 의한 우선변제권은 같은 법 제3조 제1항에 의한 대항력과 마찬가지로 주택의 인도와 주민등록을 마친 다음날을 기준으로 발생한다(대판 1998.9.8, 98다26002).

⑤ 주택임대차보호법상의 대항력과 우선변제권을 모두 가지고 있는 임차인이 보증금을 반환받기 위하여 보증금반환청구 소송의 확정판결 등 집행권원을 얻어 임차주택에 대하여 스스로 강제경매를 신청하였다면 특별한 사정이 없는 한 대항력과 우선변제권 중 우선변제권을 선택하여 행사한 것으로 보아야 하고, 이 경우 우선변제권을 인정받기 위하여 배당요구의 종기까지 별도로 배당요구를 하여야 하는 것은 아니다(대판 2013.11.14, 2013다27831).

45 주택임대차보호법상 소액보증금의 우선변제권에 관한 다음 설명 중 가장 옳은 것은?

▸ 2021년 법원행시

① 채무자가 채무초과상태에서 채무자 소유의 유일한 주택에 대하여 주택임대차보호법 소정의 임차권을 설정해 준 행위는 채무초과상태에서의 담보제공행위로서 채무자의 총재산의 감소를 초래하는 행위에 해당하여 사해행위취소의 대상이 될 수 있다.

② 소액임차인으로 보호받아 선순위 담보권자에 우선하여 채권을 회수하려는 것에 임대차계약의 주된 목적이 있었던 경우라고 하더라도 실제로 채무자와 임대차계약을 체결하고 전입신고를 마친 다음 그곳에 거주하였다면 주택임대차보호법상 소액임차인으로서 보증금을 우선변제받을 수 있다.

③ 대지에 관한 저당권 설정 후 지상에 건물이 신축된 경우 저당권의 실행으로 경매가 진행된 경우에는 그 지상 건물의 소액임차인은 대지의 환가대금 중에서 소액보증금을 우선변제받을 수 있다.

④ 소유권등기가 되지 아니한 미등기주택에 관하여는 토지나 건물의 등기기록으로써 그 주택의 유무나 임차인의 유무 등 대지의 부담사항을 파악하는 것이 불가능하므로 미등기주택의 임차인이 대지의 환가대금에 대하여 우선변제권을 행사하기 위해서는 임대차 후에라도 소유권보존등기가 거쳐져 경매신청의 등기가 되는 경우라야 한다.

⑤ 처음 임대차계약을 체결할 당시를 기준으로 보증금액이 많아 주택임대차보호법상 소액임차인에 해당하지 않았다면 그 후 새로운 임대차계약에 의하여 보증금을 감액하여 소액임차인에 해당하게 되었다고 하더라도 소액임차인으로 보호받을 수는 없다.

해설 ① 주택임대차보호법 제8조의 소액보증금 최우선변제권은 임차목적 주택에 대하여 저당권에 의하여 담보된 채권, 조세 등에 우선하여 변제받을 수 있는 일종의 법정담보물권을 부여한 것이므로, 채무자가 채무초과상태에서 채무자 소유의 유일한 주택에 대하여 위 법조 소정의 임차권을 설정해 준 행위는 채무초과상태에서의 담보제공행위로서 채무자의 총재산의 감소를 초래하는 행위가 되는 것이고, 따라서 그 임차권설정행위는 사해행위취소의 대상이 된다고 할 것이다(대판 2005.5.13, 2003다50771).

② 주택임대차보호법의 입법목적과 제도의 취지 등을 고려할 때, 채권자가 채무자 소유의 주택에 관하여 채무자와 임대차계약을 체결하고 전입신고를 마친 다음 그곳에 거주하였다고 하더라도 실제 임대차계약의 주된 목적이 주택을 사용수익하려는 것에 있는 것이 아니고, 실제적으로는 소액임차인으로 보호받아 선순위담보권자에 우선하여 채권을 회수하려는 것에 주된 목적이 있었던 경우에는 그러한 임차인을 주택임대차보호법상 소액임차인으로 보호할 수 없다(대판 2001.5.8, 2001다14733).

③ 대지에 관한 저당권의 실행으로 경매가 진행된 경우에도 그 지상건물의 소액임차인은 대지의 환가대금 중에서 소액보증금을 우선변제받을 수 있다고 할 것이나, 이와 같은 법리는 대지에 관한 저당권 설정 당시에 이미 그 지상 건물이 존재하는 경우에만 적용될 수 있는 것이고, 저당권 설정 후에 비로소 건물이 신축된 경우에까지 공시방법이 불완전한 소액임차인에게 우선변제권을 인정한다면 저당권자가 예측할 수 없는 손해를 입게 되는 범위가 지나치게 확대되어 부당하므로, 이러한 경우에는 소액임차인은 대지의 환가대금에 대하여 우선변제를 받을 수 없다고 보아야 한다(대판 1999.7.23, 99다25532).

④ 소액임차인의 우선변제권에 관한 같은 법 제8조 제1항이 그 후문에서 '이 경우 임차인은 주택에 대한 경매신청의 등기 전에' 대항요건을 갖추어야 한다고 규정하고 있으나, 이는 소액보증금을 배당받을 목적으로 배당절차에 임박하여 가장 임차인을 급조하는 등의 폐단을 방지하기 위하여 소액임차인의 대항요건의 구비시기를 제한하는 취지이지, 반드시 임차주택과 대지를 함께 경매하여 임차주택 자체에 경매신청의 등기가 되어야 한다거나 임차주택에 경매신청의 등기가 가능한 경우로 제한하는 취지는 아니라 할 것이다. 대지에 대한 경매신청의 등기 전에 위 대항요건을 갖추도록 하면 입법 취지를 충분히 달성할 수 있으므로, 위 규정이 미등기 주택의 경우에 소액임차인의 대지에 관한 우선변제권을 배제하는 규정에 해당한다고 볼 수 없다(대판(전) 2007.6.21, 2004다26133).

정답 ▶ 45 ①

⑤ 처음 임대차계약을 체결할 당시에는 보증금액이 많아 주택임대차보호법상 소액임차인에 해당하지 않았지만 그 후 새로운 임대차계약에 의하여 정당하게 보증금을 감액하여 소액임차인에 해당하게 되었다면, 그 임대차계약이 통정허위표시에 의한 계약이어서 무효라는 등의 특별한 사정이 없는 한 그러한 임차인은 같은 법상 소액임차인으로 보호받을 수 있다(대판 2008.5.15, 2007다23203).

46 주택임대차보호법에 관한 다음 설명 중 가장 옳지 않은 것은? ▸2023년 법원사무관 승진

① 대항요건 및 확정일자를 갖춘 임차인과 소액임차인의 임차주택 대지에 대한 우선변제권에 관한 법리는 임차주택이 미등기인 경우에는 적용되지 않는다.

② 주택임대차보호법은 주거용 건물의 전부 또는 일부의 임대차는 물론 임차주택의 일부가 주거 외의 목적으로 사용되는 경우에도 적용된다.

③ 주택임대차보호법상 우선변제권을 가진 임차인으로부터 임차권과 분리하여 임차보증금반환채권만을 양수한 채권양수인은 주택임대차보호법상의 우선변제권을 행사할 수 있는 임차인에 해당한다고 볼 수 없다.

④ 주택임대차에 있어서 주택의 인도 및 주민등록이라는 대항요건은 그 대항력 취득 시에만 구비하면 족한 것이 아니고 그 대항력을 유지하기 위하여서도 계속 존속하고 있어야 한다.

해설 ① 대항요건 및 확정일자를 갖춘 임차인과 소액임차인은 임차주택과 그 대지가 함께 경매될 경우뿐만 아니라 임차주택과 별도로 그 대지만이 경매될 경우에도 그 대지의 환가대금에 대하여 우선변제권을 행사할 수 있고, 대항요건 및 확정일자를 갖춘 임차인과 소액임차인에게 우선변제권을 인정한 주택임대차보호법 제3조의2 및 제8조가 미등기 주택을 달리 취급하는 특별한 규정을 두고 있지 아니하므로, 대항요건 및 확정일자를 갖춘 임차인과 소액임차인의 임차주택 대지에 대한 우선변제권에 관한 법리는 임차주택이 미등기인 경우에도 그대로 적용된다(대판(전합) 2007.6.21, 2004다26133).

② 주택임대차보호법 제2조 【적용 범위】 이 법은 주거용 건물의 전부 또는 일부의 임대차에 관하여 적용한다. 그 임차주택의 일부가 주거 외의 목적으로 사용되는 경우에도 또한 같다.

③ 주택임대차보호법의 입법목적과 주택임차인의 임차보증금반환채권에 우선변제권을 인정한 제도의 취지, 주택임대차보호법상 관련 규정의 문언 내용 등에 비추어 볼 때, 비록 채권양수인이 우선변제권을 행사할 수 있는 주택임차인으로부터 임차보증금반환채권을 양수하였다고 하더라도 <u>임차권과 분리된 임차보증금반환채권만을 양수한 이상 그 채권양수인이 주택임대차보호법상의 우선변제권을 행사할 수 있는 임차인에 해당한다고 볼 수 없다.</u> 따라서 위 <u>채권양수인은</u> 임차주택에 대한 경매절차에서 <u>주택임대차보호법상의 임차보증금 우선변제권자의 지위에서 배당요구를 할 수 없고,</u> 이는 채권양수인이 주택임차인으로부터 다른 채권에 대한 담보 목적으로 임차보증금반환채권을 양수한 경우에도 마찬가지이다. <u>다만,</u> 이와 같은 경우에도 <u>채권양수인이 일반 금전채권자로서의 요건을 갖추어 배당요구를 할 수 있음은 물론이다</u>(대판 2010.5.27, 2010다10276).

④ 주택임대차보호법 제3조 제1항에서 주택임차인에게 주택의 인도와 주민등록을 요건으로 명시하여 등기된 물권에 버금가는 강력한 대항력을 부여하고 있는 취지에 비추어볼 때 달리 공시방법이 없는 주택임대차에서는 **주택의 인도 및 주민등록이라는 대항요건은 그 대항력 취득 시에만 구비하면 족한 것이 아니고, 그 대항력을 유지하기 위하여서도 계속 존속하고 있어야 한다**(대판 1998.1.23, 97다43468).

47 상가건물임대차보호법상의 상가건물임대차에 관한 다음 설명 중 가장 옳지 않은 것은?
(다툼이 있는 경우 판례에 의함)
▶ 2015년 법무사

① 상가건물의 일부분을 임차한 사업자가 사업자등록 시 임차 부분을 표시한 도면을 첨부하지는 않았다 하더라도, 상가건물의 특정 층 전부를 임차한 후 이를 제3자가 명백히 인식할 수 있을 정도로 사업자등록사항에 표시한 경우에는 그 사업자등록을 유효한 임대차의 공시방법으로 볼 수 있다.

② 임차인이 상가건물임대차보호법상의 대항력 또는 우선변제권 등을 취득한 후에 목적물의 소유권이 제3자에게 양도된 다음 새로운 소유자와 임차인이 종전 임대차계약의 효력을 소멸시키려는 의사로 별개의 임대차계약을 새로이 체결한 경우, 특별한 사정이 없는 한 임차인은 종전 임대차계약을 기초로 발생하였던 대항력 또는 우선변제권 등을 새로운 소유자 등에게 주장할 수 없다.

③ 상가건물 임대차보호법 제14조 제1항에 따라 우선변제를 받을 임차인 및 보증금 중 일정액의 범위와 기준은 임대건물가액(임대인 소유의 대지가액 포함)의 3분의 1 범위에서 대통령령으로 정한다.

④ 상가건물에 근저당권설정등기가 마쳐지기 전에 최초로 임대차계약을 체결하여 사업자등록을 마치고 확정일자를 받아 계속 갱신해 온 임차인이, 위 건물에 관한 임의경매절차에서 근저당권설정등기 후에 다시 임대차계약을 체결하여 확정일자를 받은 최후 임대차계약서에 기한 배당요구를 하였다가 배당요구 종기 후에 최초 임대차계약서에 기한 확정일자를 주장하는 것은 특별한 사정이 없는 한 허용되지 않는다.

⑤ 상가건물임대차보호법의 적용을 받는 상가건물의 임대인도 임차인의 차임연체액이 2기의 차임액에 이르는 때에는 임대차계약을 해지할 수 있다는 것이 판례이나 이제 법률이 개정되어 임차인의 차임연체액이 3기의 차임액에 달하는 때에는 임대인은 계약을 해지할 수 있다.

해설 ① 일반 사회통념상 그 사업자등록이 도면 없이도 제3자가 해당 임차인이 임차한 부분을 구분하여 인식할 수 있을 정도로 특정이 되어 있다고 볼 수 있는 경우에는 그 사업자등록을 제3자에 대한 관계에서 유효한 임대차의 공시방법으로 볼 수 있다(대판 2011.11.24, 2010다56678).

② 어떠한 목적물에 관하여 임차인이 상가건물임대차보호법상의 대항력 또는 우선변제권 등을 취득한 후에 그 목적물의 소유권이 제3자에게 양도되면 임차인은 그 새로운 소유자에 대하여 자신의 임차권으로 대항할 수 있고, 새로운 소유자는 종전 소유자의 임대인으로서의 지위를 승계한다. 그러나 임차권의 대항 등을 받는 새로운 소유자라고 할지라도 임차인과의 계약에 기하여 그들 사이의 법률관계를 그들의 의사에 좇아 자유롭게 형성할 수 있다는 것이다 (대판 2013.12.12, 2013다211919).

③ 상가건물 임대차보호법 제14조 제1항에 따라 우선변제를 받을 임차인 및 보증금 중 일정액의 범위와 기준은 임대건물가액(임대인 소유의 대지가액 포함)의 3분의 1 이 아닌 2분의 1범위에서 대통령령으로 정한다(제14조 제3항).

④ 상가건물에 근저당권설정등기가 마쳐지기 전에 최초로 임대차계약을 체결하여 사업자등록을 마치고 확정일자를 받아 계속 갱신해 온 임차인이, 위 건물에 관한 임의경매절차에서 근저당권설정등기 후에 다시 임대차계약을 체결하여 확정일자를 받은 최후 임대차계약서에 기한 배당요구를 하였다가 배당요구 종기 후에 최초 임대차계약서에 기한 확정일자를 주장하는 것은 특별한 사정이 없는 한 허용되지 않는다(대판 2014.4.30, 2013다58057).

⑤ 상가건물임대차보호법의 적용을 받는 상가건물의 임대인도 임차인의 차임연체액이 2기의 차임액에 이르는 때에는 임대차계약을 해지할 수 있다는 것이 판례이나, 이제 법률이 개정되어 임차인의 차임연체액이 3기의 차임액에 달하는 때에는 임대인은 계약을 해지할 수 있다 (상임법 제10조의8).

48 상가건물 임대차보호법(이하'상가임대차법'이라 함)에 관한 다음 설명 중 가장 옳지 않은 것은? (다툼이 있는 경우 판례에 의함) ▶2019년 법원주사보

① 상가임대차법이 적용되는 상가건물에 해당하는지는 공부상 표시가 아닌 건물의 현황·용도 등에 비추어 영업용으로 사용하느냐에 따라 실질적으로 판단하여야 한다.

② 상가건물을 임차하고 사업자등록을 마친 사업자가 임차 건물을 전대하여 당해 사업을 개시하지 않은 경우, 그 사업자등록은 상가임대차법이 상가임대차의 공시방법으로 요구하는 적법한 사업자등록이라고 볼 수 없다.

③ 상가건물임차인은 계약갱신요구권이 인정되는데, 상가건물임대인은 임차인이 임대차기간이 만료되기 6개월 전부터 1개월 전까지 사이에 계약갱신을 요구할 경우 정당한 사유 없이 이를 거절하지 못한다.

④ 상가임대차법은 임차인이 신규임차인이 되려는 자로부터 권리금을 회수할 수 있는 기회를 보장하고 있지는 않다.

해설 ① 상가건물 임대차보호법이 적용되는 상가건물에 해당하는지는 공부상 표시가 아닌 건물의 현황·용도 등에 비추어 영업용으로 사용하느냐에 따라 실질적으로 판단하여야 하고, 단순히 상품의 보관·제조·가공 등 사실행위만이 이루어지는 공장·창고 등은 영업용으로 사용하는 경우라고 할 수 없으나, 그곳에서 그러한 사실행위와 더불어 영리를 목적으로 하는 활동이 함께 이루어진다면 상가건물 임대차보호법 적용대상인 상가건물에 해당한다(대판 2011.7.28, 2009다40967).

② 상가건물을 임차하고 사업자등록을 마친 사업자가 임차 건물의 전대차 등으로 당해 사업을 개시하지 않거나 사실상 폐업한 경우에는 그 사업자등록은 부가가치세법 및 상가건물 임대차보호법이 상가임대차의 공시방법으로 요구하는 적법한 사업자등록이라고 볼 수 없고, 이 경우 임차인이 상가건물 임대차보호법상의 대항력 및 우선변제권을 유지하기 위해서는 건물을 직접 점유하면서 사업을 운영하는 전차인이 그 명의로 사업자등록을 하여야 한다(대판 2006.1.13, 2005다64002).

③ > 상가건물 임대차보호법 제10조 제1항【계약갱신 요구 등】임대인은 임차인이 임대차기간이 만료되기 6개월 전부터 1개월 전까지 사이에 계약갱신을 요구할 경우 정당한 사유 없이 거절하지 못한다. 다만, 다음 각 호의 어느 하나의 경우에는 그러하지 아니하다.

④ 상가건물 임대차보호법 제10조의4 제1항에서는 "임대인은 임대차기간이 끝나기 6개월 전부터 임대차 종료 시까지 다음 각 호의 어느 하나에 해당하는 행위를 함으로써 권리금 계약에 따라 임차인이 주선한 신규임차인이 되려는 자로부터 권리금을 지급받는 것을 방해하여서는 아니 된다."고 규정함으로써 임차인이 신규임차인이 되려는 자로부터 권리금을 회수할 수 있는 기회를 보장하고 있다.

49 상가건물 임대차보호법에 관한 다음 설명 중 가장 옳지 않은 것은? (다툼이 있는 경우 판례에 의하고, 전원합의체 판결의 경우 다수의견에 의함) ▸ 2019년 법원행시

① 임차건물의 양수인이 임대인의 지위를 승계하면 양수인은 임차인에게 임대보증금반환의무를 부담하고 임차인은 양수인에게 차임지급의무를 부담하므로, 임차건물의 소유권이 이전되기 전에 이미 발생한 연체차임이나 관리비 등도 별도의 채권양도절차 없이도 양수인에게 이전되어 양수인이 임차인에게 청구할 수 있다.

② 임차인이 임대차기간이 만료되기 6개월 전부터 1개월 전까지 사이에 계약갱신을 요구할 경우, 임대인은 동법에 규정된 정당한 사유 없이 거절하지 못하며, 임차인의 계약갱신 요구권은 최초의 임대차기간을 포함한 전체 임대차기간이 10년을 초과하지 아니하는 범위에서만 행사할 수 있다.

③ 임차인의 차임연체액이 3기의 차임액에 달하는 때에는 임대인은 임대차계약을 해지할 수 있다. 이에 위반된 약정으로서 임차인에게 불리한 것은 효력이 없다.

④ 임대인은 임대차기간이 끝나기 6개월 전부터 임대차 종료시까지 권리금 계약에 따라 임차인이 주선한 신규임차인이 되려는 자로부터 권리금을 지급받는 것을 동법에 규정된 정당한 사유 없이 방해해서는 안 되며, 임대인이 이를 위반하여 임차인에게 손해를 발생하게 한 때에는 그 손해를 배상할 책임이 있다. 이 경우 그 손해배상액은 신규임차인이 임차인에게 지급하기로 한 권리금과 임대차 종료 당시의 권리금 중 낮은 금액을 넘지 못한다.

⑤ 상가건물의 일부분을 임차한 경우 그 사업자등록이 제3자에 대한 관계에서 유효한 임대차의 공시방법이 되기 위해서는 특별한 사정이 없는 한 그 사업자등록신청시 임차부분을 표시한 도면을 첨부하여야 하나, 임차부분을 표시한 도면을 첨부하지 않았더라도

정답 48 ④ 49 ①

일반 사회통념상 그 사업자등록이 도면 없이도 제3자가 해당 임차인이 임차한 부분을 구분하여 인식할 수 있을 정도로 특정이 되어 있는 경우 그 사업자등록은 제3자에 대한 관계에서 유효한 임대차의 공시방법으로 볼 수 있다.

해설 ① 임차건물의 양수인이 임대인의 지위를 승계하면, 양수인은 임차인에게 임대보증금반환의무를 부담하고 임차인은 양수인에게 차임지급의무를 부담한다. 그러나 임차건물의 소유권이 이전되기 전에 이미 발생한 연체차임이나 관리비 등은 별도의 채권양도절차가 없는 한 원칙적으로 양수인에게 이전되지 않고 임대인만이 임차인에게 청구할 수 있다. 차임이나 관리비 등은 임차건물을 사용한 대가로서 임차인에게 임차건물을 사용하도록 할 당시의 소유자 등 처분권한 있는 자에게 귀속된다고 볼 수 있기 때문이다. 그러나 임대차계약에서 임대차보증금은 임대차계약 종료 후 목적물을 임대인에게 명도할 때까지 발생하는, 임대차에 따른 임차인의 모든 채무를 담보한다. 따라서 이러한 채무는 임대관계 종료 후 목적물이 반환될 때에 특별한 사정이 없는 한 별도의 의사표시 없이 보증금에서 당연히 공제된다. 임차건물의 양수인이 건물 소유권을 취득한 후 임대차관계가 종료되어 임차인에게 임대차보증금을 반환해야 하는 경우에 임대인의 지위를 승계하기 전까지 발생한 연체차임이나 관리비 등이 있으면 이는 특별한 사정이 없는 한 임대차보증금에서 당연히 공제된다. 일반적으로 임차건물의 양도 시에 연체차임이나 관리비 등이 남아있더라도 나중에 임대차관계가 종료되는 경우 임대차보증금에서 이를 공제하겠다는 것이 당사자들의 의사나 거래관념에 부합하기 때문이다(대판 2017.3.22, 2016다218874).

② 상가건물 임대차보호법 제10조【계약갱신 요구 등】
① 임대인은 임차인이 임대차기간이 만료되기 6개월 전부터 1개월 전까지 사이에 계약갱신을 요구할 경우 정당한 사유 없이 거절하지 못한다.
② 임차인의 계약갱신요구권은 최초의 임대차기간을 포함한 전체 임대차기간이 10년을 초과하지 아니하는 범위에서만 행사할 수 있다(2018.10.16. 개정).

③ 상가건물 임대차보호법 제10조의8【차임연체와 해지】임차인의 차임연체액이 3기의 차임액에 달하는 때에는 임대인은 계약을 해지할 수 있다.
상가건물 임대차보호법 제15조【강행규정】이 법의 규정에 위반된 약정으로서 임차인에게 불리한 것은 효력이 없다.

④ 상가건물 임대차보호법 제10조의4【권리금 회수기회 보호 등】
① 임대인은 임대차기간이 끝나기 6개월 전부터 임대차 종료 시까지 다음 각 호의 어느 하나에 해당하는 행위를 함으로써 권리금 계약에 따라 임차인이 주선한 신규임차인이 되려는 자로부터 권리금을 지급받는 것을 방해하여서는 아니 된다. 다만, 제10조 제1항 각 호의 어느 하나에 해당하는 사유가 있는 경우에는 그러하지 아니하다(2018.10.16. 개정).
③ 임대인이 제1항을 위반하여 임차인에게 손해를 발생하게 한 때에는 그 손해를 배상할 책임이 있다. 이 경우 그 손해배상액은 신규임차인이 임차인에게 지급하기로 한 권리금과 임대차 종료 당시의 권리금 중 낮은 금액을 넘지 못한다.

⑤ 상가건물 임대차보호법 제4조와 그 시행령 제3조 등에 의하면, 사업자가 상가건물의 일부분을 임차하는 경우에는 사업자등록신청서에 해당 부분의 도면을 첨부하여야 하고, 이해관계인은 임대차의 목적이 건물의 일부분인 경우 그 부분 도면의 열람 또는 제공을 요청할 수 있도록 하고 있으므로, 건물의 일부분을 임차한 경우 그 사업자등록이 제3자에 대한 관계에서 유효한 임대차의 공시방법이 되기 위해서는 특별한 사정이 없는 한 사업자등록신청시 그 임차 부분을 표시한 도면을 첨부하여야 할 것이다. 다만 사업자등록이 상가건물 임대차에 있어서 공시방법

으로 마련된 취지에 비추어 볼 때, 상가건물의 일부분을 임차한 사업자가 사업자등록시 임차 부분을 표시한 도면을 첨부하지는 않았지만, 예컨대 상가건물의 특정 층 전부 또는 명확하게 구분되어 있는 특정 호실 전부를 임차한 후 이를 제3자가 명백히 인식할 수 있을 정도로 사업자등록사항에 표시한 경우, 또는 그 현황이나 위치, 용도 등의 기재로 말미암아 도면이 첨부된 경우에 준할 정도로 임차 부분이 명백히 구분됨으로써 당해 사업자의 임차 부분이 어디인지를 객관적으로 명백히 인식할 수 있을 정도로 표시한 경우와 같이 일반 사회통념상 그 사업자등록이 도면 없이도 제3자가 해당 임차인이 임차한 부분을 구분하여 인식할 수 있을 정도로 특정이 되어 있다고 볼 수 있는 경우에는 그 사업자등록을 제3자에 대한 관계에서 유효한 임대차의 공시방법으로 볼 수 있다고 할 것이다(대판 2011.11.24, 2010다56678).

50 상가건물임대차보호법에 관한 다음 설명 중 옳지 않은 것을 모두 고른 것은?

▸ 2022년 법원행시

ㄱ. 상가건물임대차보호법이 적용되는 상가건물 임대차는 사업자등록 대상이 되는 건물로서 임대차 목적물인 건물을 영리를 목적으로 하는 영업용으로 사용하는 임대차를 가리킨다.

ㄴ. 상품의 보관·제조·가공 등 사실행위만이 이루어지는 공장·창고 등은 영업용으로 사용하는 경우라고 할 수 없다.

ㄷ. 상가건물을 임차하고 사업자등록을 마친 사업자가 폐업신고를 하였다가 다시 같은 상호 및 등록번호로 사업자등록을 하였다면 상가건물임대차보호법상의 대항력 및 우선변제권이 그대로 존속한다.

ㄹ. 상가건물임대차보호법 제3조 제1항에서 건물의 인도와 더불어 대항력의 요건으로 규정하고 있는 사업자등록은 거래의 안전을 위하여 임차권의 존재를 제3자가 명백히 인식할 수 있게 하는 공시방법으로서 마련된 것이므로, 사업자등록이 어떤 임대차를 공시하는 효력이 있는지 여부는 일반 사회통념상 그 사업자등록으로 당해 임대차건물에 사업장을 임차한 사업자가 존재하고 있다고 인식할 수 있는지 여부에 따라 판단하여야 한다.

ㅁ. 상가건물의 임차인이 2기의 차임액에 해당하는 금액에 이르도록 차임을 연체한 경우에는 임대인은 임차인의 계약갱신요구를 거절할 수 있다.

ㅂ. 임차인의 계약갱신요구권은 최초의 임대차기간을 포함한 전체 임대차기간이 5년을 초과하지 아니하는 범위에서만 행사할 수 있다.

① ㄱ, ㄷ   ② ㄴ, ㄷ, ㄹ   ③ ㅁ, ㅂ
④ ㄷ, ㄹ, ㅂ   ⑤ ㄷ, ㅁ, ㅂ

정답   **50 ⑤**

해설 ㄱ. ㄴ. 상가건물 임대차보호법이 적용되는 상가건물 임대차는 사업자등록 대상이 되는 건물로서 임대차 목적물인 건물을 영리를 목적으로 하는 영업용으로 사용하는 임대차를 가리킨다. 상가건물 임대차보호법이 적용되는 상가건물에 해당하는지는 공부상 표시가 아닌 건물의 현황·용도 등에 비추어 영업용으로 사용하느냐에 따라 실질적으로 판단하여야 하고, 단순히 상품의 보관·제조·가공 등 사실행위만이 이루어지는 공장·창고 등은 영업용으로 사용하는 경우라고 할 수 없다. 다만 그곳에서 그러한 사실행위와 더불어 영리를 목적으로 하는 활동이 함께 이루어진다면 상가건물 임대차보호법 적용대상인 상가건물에 해당한다(대판 2011.7.28. 2009다40967).

ㄷ. 사업자등록은 대항력 또는 우선변제권의 취득요건일 뿐만 아니라 존속요건이기도 하므로, 배당요구의 종기까지 존속하고 있어야 하는 것이며, 상가건물을 임차하고 사업자등록을 마친 사업자가 폐업한 경우에는 그 사업자등록은 상가건물 임대차보호법이 상가임차의 공시방법으로 요구하는 적법한 사업자등록이라고 볼 수 없으므로, 그 사업자가 폐업신고를 하였다가 다시 같은 상호 및 등록번호로 사업자등록을 하였다고 하더라도 상가건물 임대차보호법상의 대항력 및 우선변제권이 그대로 존속한다고 할 수 없다(대판 2006.10.13. 2006다56299).

ㄹ. 대판 2008.9.25. 2008다56678

ㅁ. 임차인이 3기의 차임액에 해당하는 금액에 이르도록 차임을 연체한 사실이 있는 경우 임대인은 임차인의 계약갱신 요구를 거절할 수 있다(상가건물 임대차보호법 제10조 제1항 1호).

ㅂ. 임차인의 계약갱신요구권은 최초의 임대차기간을 포함한 전체 임대차기간이 10년을 초과하지 아니하는 범위에서만 행사할 수 있다(상가건물 임대차보호법 제10조 제2항).

51 상가건물 임대차보호법의 적용 대상이 되는 임대차에 관한 다음 설명 중 가장 옳지 않은 것은?
▶ 2024년 법원행시

① 임대인이 임대차기간이 만료되기 6월 전부터 1월 전까지 사이에 임차인에게 갱신 거절의 통지 또는 조건 변경의 통지를 하지 않은 경우, 그 기간이 만료된 때에 전 임대차와 동일한 조건으로 다시 임대차한 것으로 보고, 이때 임대차의 존속기간은 종전 임대차와 동일한 기간으로 본다.

② 임차인이 임대차기간이 만료되기 6월 전부터 1월 전까지 사이에 계약갱신을 요구할 경우, 임대인은 정당한 사유 없이 이를 거절하지 못하는데, 임차인의 갱신요구권은 최초의 임대차기간을 포함한 전체 임대차기간이 10년을 넘지 않는 범위에서만 행사될 수 있다.

③ 임차인의 차임연체액이 3기의 차임액에 달해야 임대인은 계약을 해지할 수 있다.

④ 임대차는 그 등기가 없더라도 임차인이 건물을 인도받고 사업자등록을 신청하면 그 다음 날부터 제3자에 대하여 효력이 생긴다.

⑤ 대항요건을 갖추고 확정일자를 받은 임차인은 경매에서 임대인 소유의 대지를 포함한 임차건물의 환가대금에서 후순위권리자나 그 밖의 채권자에 우선하여 보증금을 변제받을 권리를 가진다.

해설 ① 상가건물 임대차보호법 제10조 제4항(계약갱신 요구 등) − 임대인이 제1항의 기간(→ 임대차 기간이 만료되기 6개월 전부터 1개월 전까지 사이) 이내에 임차인에게 갱신 거절의 통지 또는 조건 변경의 통지를 하지 아니한 경우에는 그 기간이 만료된 때에 전 임대차와 동일한 조건으로 다시 임대차한 것으로 본다. 이 경우에 **임대차의 존속기간은 1년으로 본다**.
② 상가건물 임대차보호법 제10조 제1항과 제2항
③ 상가건물 임대차보호법 제10조의8
④ 상가건물 임대차보호법 제3조 제1항
⑤ 상가건물 임대차보호법 제5조 제2항

정답 51 ①

심화문제 │ 확인 · 보충 · 심화문제

01 甲과 乙은 甲이 자신의 소유인 토지를 乙에게 임대하되, 乙이 토지상에 건물을 신축하여 음식점 영업을 하고 임대차 기간이 만료되면 乙이 그 건물을 철거하여 토지를 甲에게 반환하기로 약정하였다. 乙이 그 약정에 따라 건물을 신축하여 음식점을 운영하였고 임대차기간이 만료된 이후에도 乙이 건물을 철거하지 않고 토지도 반환하지 아니하자, 甲이 乙을 상대로 위 건물의 철거 및 위 토지의 인도를 구하는 소송을 제기하였다. 그 소송계속 중 乙이 위 건물에 자물쇠를 채우고 퇴거한 이래 음식점 영업을 하지 않고 있다. 이 사례에 관한 설명 중 옳지 않은 것은? (다툼이 있는 경우에는 판례에 의함)

① 乙이 위 건물에서 퇴거하여 실제로 건물을 사용·수익하지 아니하여 실질적인 이득을 얻은 바가 없으므로 甲은 乙에 대하여 차임 상당의 부당이득반환을 청구할 수 없다.

② 특별한 사정이 없는 한, 임대차기간이 만료되면 乙이 지상건물을 철거하기로 하는 甲과 乙 사이의 약정은 乙에게 불리한 것으로서 효력이 없다.

③ 乙이 甲에 대하여 임대차기간이 만료된 후 위 건물에 관한 매수청구권을 행사하면, 甲이 이를 매수할 의사가 없다 하더라도 지상건물에 관하여 매매에 준하는 법률관계가 성립한다.

④ 乙이 甲에 대하여 임대차기간이 만료된 후 위 건물에 관한 매수청구권을 행사하지 아니한 채 甲이 제기한 위 건물의 철거 및 토지인도소송에서 甲이 승소하고 그 승소판결이 확정된 경우에도, 그 확정판결에 의하여 건물철거가 집행되지 아니한 이상 乙은 건물매수청구권을 행사할 수 있다.

⑤ 위 사례와는 달리 임대차가 乙의 차임연체로 인한 甲의 해지로 인하여 종료되었다고 가정한다면, 乙은 甲에 대하여 건물의 매수청구권을 행사할 수 없다.

해설 ① 건물 기타 공작물의 소유를 목적으로 한 대지임대차에 있어서 임차인이 그 지상건물 등에 대하여 민법 제643조 소정의 매수청구권을 행사한 후에 그 임대인인 대지의 소유자로부터 매수대금을 지급받을 때까지 그 지상건물 등의 인도를 거부할 수 있다고 하여도, 지상건물 등의 점유·사용을 통하여 그 부지를 계속하여 점유·사용하는 한 그로 인한 부당이득으로서 부지의 임료 상당액은 이를 반환할 의무가 있다(대판 2001.6.1, 99다60535).

② 토지 임대인과 임차인 사이에 임대차기간 만료시에 임차인이 지상 건물을 양도하거나 이를 철거하기로 하는 약정은 특별한 사정이 없는 한, 민법 제643조 소정의 임차인의 지상물매수청구권을 배제하기로 하는 약정으로서 임차인에게 불리한 것이므로 민법 제652조의 규정에 의하여 무효라고 보아야 한다(대판 1998.5.8, 98다2389).

③ 민법 제643조의 규정에 의한 토지임차인의 매수청구권행사로 지상건물에 대하여 시가에 의한 매매유사의 법률관계가 성립된 경우에 토지임차인의 건물명도 및 그 소유권이전등기의무와 토지임대인의 건물대금지급의무는 서로 대가관계에 있는 채무이므로 토지임차인은 토지임대인의 건물명도청구에 대하여 대금지급과의 동시이행을 주장할 수 있다(대판 1991.4.9, 91다3260).

④ 건물의 소유를 목적으로 하는 토지 임대차에 있어서, 임대차가 종료함에 따라 토지의 임차인이 임대인에 대하여 건물매수청구권을 행사할 수 있음에도 불구하고 이를 행사하지 아니한 채, 토지의 임대인이 임차인에 대하여 제기한 토지인도 및 건물철거청구 소송에서 패소하여 그 패소판결이 확정되었다고 하더라도, 그 확정판결에 의하여 건물철거가 집행되지 아니한 이상 토지의 임차인으로서는 건물매수청구권을 행사하여 별소로써 임대인에 대하여 건물매매대금의 지급을 구할 수 있다(대판 1995.12.26, 95다42195).

임대인이 제기한 건물철거청구소송에서 임차인이 패소판결을 받고 그것이 확정된 경우에도 임차인의 건물매수청구권 행사가 허용되는가가 판결의 기판력과 관련하여 문제되는데, 이에 대하여 판례는 건물매수청구권을 전소송의 사실심변론종결 전에 행사할 수 있었다고 하더라도 전소판결의 기판력에 의하여 시적 범위에서 주장이 차단되지 않는다고 본다.

⑤ 토지 임대차에 있어서 토지 임차인의 차임 연체 등 채무불이행을 이유로 그 임대차계약이 해지되는 경우, 토지 임차인으로서는 토지 임대인에 대하여 그 지상 건물의 매수를 청구할 수는 없다(대판 1996.2.27, 95다29345).

02 甲은 건물의 소유를 목적으로 乙 소유의 토지에 대한 임대차계약을 乙과 체결하였는데, 그 후 甲은 건물을 완성한 다음 이를 丙에게 임대하였다. 다음 설명 중 옳은 것을 모두 고른 것은? (다툼이 있는 경우에는 판례에 의함) ▶ 2014년 변호사

> ㄱ. 丙이 甲의 동의를 얻어 기존의 출입문을 제거하고 유리출입문과 섀시를 부속물로서 설치한 경우, 甲과 丙 사이의 건물임대차계약이 丙의 차임지급채무불이행으로 인하여 해지되었다면, 丙의 甲에 대한 부속물매수청구는 허용되지 않는다.
> ㄴ. 甲과 丙 사이에 일정 기간 이상 임대차를 존속시키기로 하는 임차권보장약정에 따라 丙이 甲에게 권리금을 지급하였으나, 甲의 사정으로 임대차계약이 중도 해지되어 丙이 당초 보장된 기간 동안 위 건물을 이용하지 못하였더라도, 甲은 丙에 대하여 권리금반환의무를 부담하지 않는다.
> ㄷ. 甲과 乙 사이의 토지임대차계약이 기간만료로 종료되는 경우, 甲의 乙에 대한 지상물매수청구의 대상은 계약종료 당시 경제적 가치가 현존하고 임대인의 동의를 얻어 신축한 건물이어야 한다.
> ㄹ. 甲과 乙 사이의 토지임대차계약이 기간만료로 종료되는 경우, 甲이 乙에 대하여 지상물매수청구권을 행사하기 위해서는 토지 위에 신축된 건물이 행정관청의 허가를 받은 적법한 건물이 아니어도 무관하다.

① ㄱ, ㄷ   ② ㄱ, ㄹ
③ ㄴ, ㄷ   ④ ㄴ, ㄹ
⑤ ㄱ, ㄴ, ㄹ

정답 ▶ 01 ①   02 ②

해설 ㄱ. 임대차계약이 임차인의 채무불이행으로 인하여 해지된 경우에는 임차인은 민법 제646조에 의한 부속물매수청구권이 없다(대판 1990.1.23, 88다카7245). 따라서 丙이 甲의 동의를 얻어 기존의 출입문을 제거하고 유리출입문과 새시를 부속물로서 설치한 경우, 甲과 丙 사이의 건물임대차계약이 丙의 차임지급채무불이행으로 인하여 해지되었다면, 丙의 甲에 대한 부속물매수청구는 허용되지 않는다.

ㄴ. 원칙적으로 권리금은 임대인이 임차인에게 반환의무를 부담하지 않으나, 임대차계약이 중도 해지 되는 등 당초 보장된 기간 동안 이용이 불가능한 특별한 사정이 있을 때에는 임대인은 임차인에게 그 권리금의 반환의무를 진다. 이 경우 임대인이 반환의무를 부담하는 권리금의 범위는, 지급된 권리금을 경과기간과 잔존기간에 대응하는 것으로 나누어, 임대인은 임차인으로부터 수령한 권리금 중 임대차계약이 종료될 때까지의 기간에 대응하는 부분을 공제한 잔존기간에 대응하는 부분만을 반환할 의무를 부담한다(대판 2002.7.26, 2002다25013). 따라서 甲과 丙 사이에 일정 기간 이상 임대차를 존속시키기로 하는 임차권보장약정에 따라 丙이 甲에게 권리금을 지급하였으나, 甲의 사정으로 임대차계약이 중도 해지되어 丙이 당초 보장된 기간 동안 위 건물을 이용하지 못하였더라도, 甲은 丙에 대하여 권리금반환의무를 부담하지 않는다는 것은 부당하다.

ㄷ. 임차인의 지상물매수청구권은 건물 기타 공작물의 소유 등을 목적으로 한 토지임대차의 기간이 만료되었음에도 그 지상시설 등이 현존하고, 또한 임대인이 계약의 갱신에 불응하는 경우에 임차인이 임대인에게 상당한 가액으로 그 지상시설의 매수를 청구할 수 있는 권리라는 점에서 보면, 위 매수청구권의 대상이 되는 건물은 그것이 토지의 임대목적에 반하여 축조되고, 임대인이 예상할 수 없을 정도의 고가의 것이라는 특별한 사정이 없는 한 임대차기간 중에 축조되었다고 하더라도 그 만료시에 그 가치가 잔존하고 있으면 그 범위에 포함되는 것이고, 반드시 임대차계약 당시의 기존건물이거나 임대인의 동의를 얻어 신축한 것에 한정된다고는 할 수 없다(대법 1993.11.12, 93다34589). 따라서 甲과 乙 사이의 토지임대차계약이 기간만료로 종료되는 경우, 甲의 乙에 대한 지상물매수청구의 대상은 계약종료 당시 경제적 가치가 현존하고 임대인의 동의를 얻어 신축한 건물이어야 한다는 것은 부당하다.

ㄹ. 지상물매수청구권은 임대차계약 종료시에 경제적 가치가 잔존하고 있는 건물은 그것이 토지의 임대목적에 반하여 축조되고 임대인이 예상할 수 없을 정도의 고가의 것이라는 등의 특별한 사정이 없는 한, 비록 행정관청의 허가를 받은 적법한 건물이 아니더라도 그 대상이 된다(대판 1997.12.23, 97다37753). 따라서 甲과 乙 사이의 토지임대차계약이 기간만료로 종료되는 경우, 甲이 乙에 대하여 지상물매수청구권을 행사하기 위해서는 토지 위에 신축된 건물이 행정관청의 허가를 받은 적법한 건물이 아니어도 무관하다.

07 절 도급

PART 03

기본문제 │ 기본문제의 구성

01 도급 등에 관한 다음 설명 중 옳지 않은 것은? (다툼이 있는 경우 판례에 의함)

① 도급계약의 수급인이 자기의 노력과 재료를 들여 건물을 완성하더라도 도급인과 수급인 사이에 완성된 건물의 소유권을 도급인에게 귀속시키기로 합의한 경우에는 그 건물의 소유권은 도급인에게 원시적으로 귀속된다.

② 건축업자가 타인의 대지를 매수하여 그 위에 자기의 노력과 재료를 들여 건물을 건축하면서 대지매매대금의 담보목적으로 건축허가명의를 대지매도인으로 한 경우 완성된 건물의 소유권은 일단 건축업자가 원시취득한다.

③ 신축건물의 도급인이 민법 제666조가 정한 수급인의 저당권설정청구권의 행사에 따라 공사대금채무의 담보로 그 건물에 저당권을 설정하는 행위는 특별한 사정이 없는 한 사해행위에 해당한다.

④ 도급인의 수급인에 대한 하자의 보수에 갈음한 손해배상청구권과 수급인의 보수지급청구권은 동시이행관계에 있다.

⑤ 수급인은 도급인이 파산선고를 받은 때에는 계약을 해제할 수는 있으나, 계약해제로 인한 손해의 배상을 청구할 수는 없다.

> **해설** ① 일반적으로 자기의 노력과 재료를 들여 건물을 건축한 사람은 그 건물의 소유권을 원시취득하는 것이고, 다만 도급계약에 있어서는 수급인이 자기의 노력과 재료를 들여 건물을 완성하더라도 도급인과 수급인 사이에 도급인 명의로 건축허가를 받아 소유권보존등기를 하기로 하는 등 완성된 건물의 소유권을 도급인에게 귀속시키기로 합의한 것으로 보여질 경우에는 그 건물의 소유권은 도급인에게 원시적으로 귀속된다(대판 1992.3.27, 91다34790).
> ② [1] 건축업자가 타인의 대지를 매수하여 그 대금을 지급하지 아니한 채 그 위에 자기의 노력과 재료를 들여 건물을 건축하면서 건축허가 명의를 대지소유자로 한 경우에는, 부동산등기법 제131조의 규정에 의하여 특별한 사정이 없는 한 건축허가명의인 앞으로 소유권보존등기를 할 수밖에 없는 점에 비추어 볼 때, 그 목적이 대지대금 채무를 담보하기 위한 경우가 일반적이라 할 것이고, 이 경우 완성된 건물의 소유권은 일단 이를 건축한 채무자가 원시적으로 취득한 후 채권자 명의로 소유권보존등기를 마침으로써 담보 목적의 범위 내에서 위 채권자에게 그 소유권이 이전된다고 보아야 한다.
> [2] 건축주의 사정으로 건축공사가 중단되었던 미완성의 건물을 인도받아 나머지 공사를 마치고 완공한 경우, 그 건물이 공사가 중단된 시점에서 이미 사회통념상 독립한 건물이라고 볼 수 있는 형태와 구조를 갖추고 있었다면 원래의 건축주가 그 건물의 소유권을 원시취득하고, 최소한의 기둥과 지붕 그리고 주벽이 이루어지면 독립한 부동산으로서의 건물의 요건을 갖춘 것이라고 보아야 한다(대판 2002.4.26, 2000다16350).

정답 01 ③

③ 수급인의 저당권설정청구권을 규정하는 민법 제666조는 부동산공사에서 그 목적물이 보통 수급인의 자재와 노력으로 완성되는 점을 감안하여 그 목적물의 소유권이 원시적으로 도급 인에게 귀속되는 경우 수급인에게 목적물에 대한 저당권설정청구권을 부여함으로써 수급인 이 사실상 목적물로부터 공사대금을 우선적으로 변제받을 수 있도록 하는 데 그 취지가 있 고, 이러한 수급인의 지위가 목적물에 대하여 유치권을 행사하는 지위보다 더 강화되는 것은 아니어서 도급인의 일반 채권자들에게 부당하게 불리해지는 것도 아닌 점 등에 비추어, 신축 건물의 도급인이 민법 제666조가 정한 수급인의 저당권설정청구권의 행사에 따라 공사대금 채무의 담보로 그 건물에 저당권을 설정하는 행위는 특별한 사정이 없는 한 사해행위에 해당 하지 아니한다(대판 2008.3.27, 2007다78616 · 78623).

④ 제667조 제3항 【수급인의 담보책임】 전항의 경우에는 제536조(=동시이행의 항변권)조의 규정 을 준용한다.

수급인의 하자보수의무 및 손해배상의무는 도급인의 보수지급의무와 동시이행의 관계에 있다(대판 1991.12.10, 91다33056).

⑤ 제674조 【도급인의 파산과 해제권】
① 도급인이 파산선고를 받은 때에는 수급인 또는 파산관재인은 계약을 해제할 수 있다. 이 경우에는 수급인은 일의 완성된 부분에 대한 보수 및 보수에 포함되지 아니한 비용에 대 하여 파산재단의 배당에 가입할 수 있다.
② 전항의 경우에는 각 당사자는 상대방에 대하여 계약해제로 인한 손해의 배상을 청구하지 못한다.

02 도급에 있어서 수급인의 담보책임에 대한 다음 설명 중 틀린 것은? (다툼이 있는 경우 판례에 의함)
▶ 2011년 법원행시

① 민법상 수급인의 하자담보책임에 관한 기간은 제척기간으로서 재판상 또는 재판 외의 권리행사기간이며 재판상 청구를 위한 출소기간이 아니다.

② 수급인의 하자담보책임에 관한 민법 제667조는 법이 특별히 인정한 무과실책임이므로 손해배상의 범위를 정함에 있어 도급인의 과실은 참작되지 않는다.

③ 도급계약에 있어서 완성된 목적물에 하자가 있는 때에는 도급인은 수급인에 대하여 하 자의 보수를 청구할 수 있고, 그 하자의 보수에 갈음하여 또는 보수와 함께 손해배상을 청구할 수 있는바, 이들 청구권은 특별한 사정이 없는 한 수급인의 보수지급청구권과 동시이행의 관계에 있다.

④ 도급인이 하자의 보수에 갈음하여 손해배상을 청구하는 경우에는, 수급인이 그 손해배 상청구에 관하여 채무이행을 제공할 때까지 그 손해배상의 액에 상응하는 보수의 액에 관하여만 자기의 채무이행을 거절할 수 있을 뿐, 그 나머지 액의 보수에 관하여는 지급 을 거절할 수 없다.

⑤ 기성고에 따라 공사대금을 분할하여 지급하기로 약정한 경우라도 특별한 사정이 없는 한 하자보수의무와 동시이행관계에 있는 공사대금지급채무는 당해 하자가 발생한 부분 의 기성공사대금에 한정되는 것은 아니다.

해설 ① 대판 2000.6.9, 2000다15371

② 수급인의 하자담보책임에 관한 민법 제667조는 법이 특별히 인정한 무과실책임으로서 여기에 민법 제396조의 과실상계 규정이 준용될 수는 없다 하더라도 담보책임이 민법의 지도이념인 공평의 원칙에 입각한 것인 이상 하자 발생 및 그 확대에 가공한 도급인의 잘못을 참작하여 손해배상의 범위를 정함이 상당하다(대판 1999.7.13, 99다12888).

③ 도급인의 하자보수청구권 또는 손해배상청구권은 수급인의 보수지급청구권과 동시이행관계에 있다(대판 1996.7.12, 96다7250·7267).

④ 도급인이 하자의 보수에 갈음하여 손해배상을 청구하는 경우에는, 수급인이 그 손해배상청구에 관하여 채무이행을 제공할 때까지 그 손해배상의 액에 상응하는 보수의 액에 관하여만 자기의 채무이행을 거절할 수 있을 뿐, 그 나머지 액의 보수에 관하여는 지급을 거절할 수 없다(대판 1991.12.10, 91다33056).

⑤ 기성고에 따라 공사대금을 분할하여 지급하기로 약정한 경우라도 특별한 사정이 없는 한 하자보수의무와 동시이행관계에 있는 공사대금지급채무는 당해 하자가 발생한 부분의 기성공사대금에 한정되는 것은 아니라고 할 것이다. 왜냐하면, 이와 달리 본다면 도급인이 하자발생 사실을 모른 채 하자가 발생한 부분에 해당하는 기성공사의 대금을 지급하고 난 후 뒤늦게 하자를 발견한 경우에는 동시이행의 항변권을 행사하지 못하게 되어 공평에 반하기 때문이다(대판 2001.9.18, 2001다9304).

03 **도급에 관한 설명 중 가장 옳지 않은 것은?** (다툼이 있는 경우 판례에 의함) ▶ 2014년 법무사

① 제작물공급계약에서 제작 공급하여야 할 물건이 대체물인 경우에는 매매에 관한 규정이 적용되지만, 부대체물인 경우에는 도급의 성질을 띠게 된다.

② 도급인의 보수 지급과 수급인의 목적물 인도의무는 동시이행의 관계에 있다.

③ 채무자가 자기의 비용과 노력으로 신축하는 건물의 건축허가 명의를 채무담보를 위하여 채권자 명의로 하였다면, 완성된 건물의 소유권은 채권자가 원시적으로 취득한다.

④ 완성된 목적물의 하자가 중요하지 아니하면서 동시에 보수에 과다한 비용을 요할 때에는 도급인은 하자의 보수나 하자의 보수에 갈음하는 손해배상을 청구할 수는 없고, 하자로 인하여 입은 손해의 배상만을 청구할 수 있다.

⑤ 건물이 완성된 경우에는 도급인은 중대한 하자가 있다고 하더라도 계약을 해제할 수 없다.

해설 ① 당사자의 일방이 상대방의 주문에 따라 자기 소유의 재료를 사용하여 만든 물건을 공급하기로 하고 상대방이 대가를 지급하기로 약정하는 이른바 제작물공급계약은 그 제작의 측면에서는 도급의 성질이 있고 공급의 측면에서는 매매의 성질이 있어 대체로 매매와 도급의 성질을 함께 가지고 있으므로, 그 적용 법률은 계약에 의하여 제작 공급하여야 할 물건이 대체물인 경우에는 매매에 관한 규정이 적용되지만, 물건이 특정의 주문자의 수요를 만족시키기 위한 부대체물인 경우에는 당해 물건의 공급과 함께 그 제작이 계약의 주목적이 되어 도급의 성질을 띠게 된다(대판 2006.10.13, 2004다21862).

정답 02 ② 03 ③

② 보수는 그 완성된 목적물의 인도와 동시에 지급하여야 한다. 그러나 목적물의 인도를 요하지 아니하는 경우에는 그 일을 완성한 후 지체없이 지급하여야 한다(제665조 제1항).

③ 채무의 담보를 위하여 채무자가 자기 비용과 노력으로 신축하는 건물의 건축허가 명의를 채권자 명의로 하였다면 이는 완성될 건물을 담보로 제공하기로 하는 합의로서 법률행위에 의한 담보물권의 설정에 다름 아니므로, 완성된 건물의 소유권은 일단 이를 건축한 채무자가 원시적으로 취득한 후 채권자 명의로 소유권보존등기를 마침으로써 담보목적의 범위 내에서 채권자에게 그 소유권이 이전된다(대판 1997.5.30, 97다8601).

④ 완성된 목적물 또는 완성전의 성취된 부분에 하자가 있는 때에는 도급인은 수급인에 대하여 상당한 기간을 정하여 그 하자의 보수를 청구할 수 있다. 그러나 하자가 중요하지 아니한 경우에 그 보수에 과다한 비용을 요할 때에는 그러하지 아니하다(제667조 제1항). 도급계약에 있어서 완성된 목적물에 하자가 있을 경우에 도급인은 수급인에게 그 하자의 보수나 하자의 보수에 갈음한 손해배상을 청구할 수 있으나, 다만 하자가 중요하지 아니하면서 동시에 보수에 과다한 비용을 요할 때에는 하자의 보수나 하자의 보수에 갈음하는 손해배상을 청구할 수는 없고 하자로 인하여 입은 손해의 배상만을 청구할 수 있다(대판 1998.3.13, 97다54376).

⑤ 도급인이 완성된 목적물의 하자로 인하여 계약의 목적을 달성할 수 없는 때에는 계약을 해제할 수 있다. 그러나 건물 기타 토지의 공작물에 대하여는 그러하지 아니하다(제668조).

04 도급에 관한 다음 설명 중 가장 옳지 않은 것은? (다툼이 있는 경우 판례에 의함)

▸ 2017년 법무사

① 도급인의 수급인에 대한 하자의 보수, 손해배상의 청구 및 계약의 해제는 목적물의 인도를 받은 날로부터 1년 내에 하여야 한다.

② 공사도급계약에 따라 주고받는 선급금은 일반적으로 구체적인 기성고와 관련하여 지급되는 것이 아니라 전체 공사와 관련하여 지급되는 공사대금의 일부이다.

③ 도급인이 선급금을 지급한 후 도급계약이 해제되거나 해지된 경우에는 특별한 사정이 없는 한 별도의 상계 의사표시 없이 그때까지 기성고에 해당하는 공사대금 중 미지급액은 당연히 선급금으로 충당되고 공사대금이 남아 있으면 도급인은 그 금액에 한하여 지급의무가 있다.

④ 수급인이 완공기한 내에 공사를 완성하지 못한 채 완공기한을 넘겨 도급계약이 해제된 경우에 있어서 그 지체상금 발생의 시기는 완공기한 다음날이고, 종기는 수급인이 공사를 중단하거나 기타 해제사유가 있어 도급인이 실제로 해제·해지한 때이다.

⑤ 수급인이 일을 완성하기 전에는 도급인은 손해를 배상하고 계약을 해제할 수 있다.

해설 ① 제670조 제1항【담보책임의 존속기간】전3조의 규정(=수급인의 담보책임)에 의한 하자의 보수, 손해배상의 청구 및 계약의 해제는 목적물의 인도를 받은 날로부터 1년 내에 하여야 한다.

②, ③ 공사도급계약에 있어서 수수되는 이른바 선급금은 구체적인 기성고와 관련하여 지급된 공사대금이 아니라 전체 공사와 관련하여 지급된 공사대금이고, 이러한 점에 비추어 선급금

을 지급한 후 계약이 해제 또는 해지되는 등의 사유로 수급인이 도중에 선급금을 반환하여야 할 사유가 발생하였다면 특별한 사정이 없는 한 별도의 상계 의사표시 없이도 그때까지의 기성고에 해당하는 공사대금 중 미지급액은 선급금으로 충당되고 도급인은 나머지 공사대금 이 있는 경우 그 금액에 한하여 지급할 의무를 부담하게 되나, 이때 선급금의 충당 대상이 되는 기성공사대금의 내역을 어떻게 정할 것인지는 도급계약 당사자의 약정에 따라야 한다. 그리고 그와 같이 정산하고 남은 선급금을 공사의 수급인이 도급인에게 반환하여야 할 채무 는 선급금 그 자체와는 성질을 달리하는 것이다(대판 2010.7.8, 2010다9597).

④ 수급인이 완공기한 내에 공사를 완성하지 못한 채 완공기한을 넘겨 도급계약이 해제된 경 우에 있어서 그 지체상금 발생의 시기는 완공기한 다음날이고, 종기는 수급인이 공사를 중단 하거나 기타 해제사유가 있어 도급인이 이를 해제할 수 있었을 때를 기준으로 하여 도급인이 다른 업자에게 의뢰하여 같은 건물을 완공할 수 있었던 시점이다(대판 2001.1.30, 2000다56112). 즉, 수급인이 완공기한 내에 공사를 완성하지 못한 채 공사를 중단하고 계약 이 해제된 결과 완공이 지연된 경우에 있어서 지체상금은 약정 준공일 다음날부터 발생하되, 그 종기는 수급인이 공사를 중단하거나 기타 해제사유가 있어 도급인이 공사도급계약을 해 제할 수 있었을 때(실제로 해제한 때가 아니다)부터 도급인이 다른 업자에게 맡겨서 공사를 완성할 수 있었던 시점까지이고, 수급인이 책임질 수 없는 사유로 인하여 공사가 지연된 경 우에는 그 기간만큼 공제되어야 한다(대판 2010.1.28, 2009다41137・41144).

⑤ 제673조【완성전의 도급인의 해제권】수급인이 일을 완성하기 전에는 도급인은 손해를 배 상하고 계약을 해제할 수 있다.

05 도급에 관한 다음 설명 중 가장 옳지 않은 것은? ▸2018년 법원행시

① 수급인이 완공기한 내에 공사를 완성하지 못한 채 완공기한을 넘겨 도급계약이 해제된 경우, 그 지체상금 발생의 시기는 완공기한 다음날이고, 종기는 수급인이 공사를 중단 하거나 기타 해제사유가 있어 도급인이 이를 해제할 수 있었을 때를 기준으로 하여 도 급인이 다른 업자에게 의뢰하여 같은 건물을 완공할 수 있었던 시점이다.

② 민법 제673조에서 도급인으로 하여금 자유로운 해제권을 행사할 수 있도록 하는 대신 수급인이 입은 손해를 배상하도록 규정하고 있는데, 위 규정에 의하여 도급계약을 해 제하는 경우에도 특별한 사정이 없는 한 도급인은 수급인에 대한 손해배상에 있어서 과실상계나 손해배상예정액의 감액을 주장할 수 있다.

③ 도급인이 계약상 의무를 부담하는 공사 기성부분에 대한 공사대금 지급의무를 지체하 고 있고, 수급인이 공사를 완공하더라도 도급인이 공사대금의 지급채무를 이행하기 곤 란한 현저한 사유가 있는 경우에는 수급인은 그러한 사유가 해소될 때까지 자신의 공 사 완공의무를 거절할 수 있다.

④ 민법 제673조에 의하여 도급계약이 해제된 경우에도, 그 해제로 인하여 수급인이 그 일의 완성을 위하여 들이지 않게 된 자신의 노력을 타에 사용하여 얻은 소득은 당연히 손해액을 산정함에 있어서 공제되어야 한다.

정답 ▸ 04 ④ 05 ②

⑤ 공사수급인의 연대보증인이 부담하는 지체상금 지급의무는 이른바 손해배상액의 예정으로서, 지체상금액이 과다한지 여부는 주채무자인 공사수급인을 기준으로 판단하여야 할 것이지 연대보증인을 중심으로 판단할 것은 아니다.

해설 ① 수급인이 완공기한 내에 공사를 완성하지 못한 채 완공기한을 넘겨 도급계약이 해제된 경우에 있어서 그 지체상금 발생의 시기(始期)는 완공기한 다음날이고, 종기는 수급인이 공사를 중단하거나 기타 해제사유가 있어 도급인이 이를 해제할 수 있었을 때(현실로 도급계약을 해제한 때가 아니다)를 기준으로 하여 도급인이 다른 업자에게 의뢰하여 같은 건물을 완공할 수 있었던 시점이다(대판 2000.12.8, 2000다19410).

② 민법 제673조에서 도급인으로 하여금 자유로운 해제권을 행사할 수 있도록 하는 대신 수급인이 입은 손해를 배상하도록 규정하고 있는 것은 도급인의 일방적인 의사에 기한 도급계약 해제를 인정하는 대신, 도급인의 일방적인 계약해제로 인하여 수급인이 입게 될 손해, 즉 수급인이 이미 지출한 비용과 일을 완성하였더라면 얻었을 이익을 합한 금액을 전부 배상하게 하는 것이라 할 것이므로, 위 규정에 의하여 도급계약을 해제한 이상은 특별한 사정이 없는 한 도급인은 수급인에 대한 손해배상에 있어서 과실상계나 손해배상예정액 감액을 주장할 수는 없다(대판 2002.5.10, 2000다37296·37302).

③ 일반적으로 건축공사도급계약에서 공사대금의 지급의무와 공사의 완공의무가 반드시 동시이행관계에 있는 것은 아니지만, 도급인이 계약상 의무를 부담하는 공사 기성부분에 대한 공사대금 지급의무를 지체하고 있고, 수급인이 공사를 완공하더라도 도급인이 공사대금의 지급채무를 이행하기 곤란한 현저한 사유가 있는 경우에는 수급인은 그러한 사유가 해소될 때까지 자신의 공사 완공의무를 거절할 수 있다(대판 2005.11.25, 2003다60136).

④ 채무불이행이나 불법행위 등이 채권자 또는 피해자에게 손해를 생기게 하는 동시에 이익을 가져다 준 경우에는 공평의 관념상 그 이익은 당사자의 주장을 기다리지 아니하고 손해를 산정함에 있어서 공제되어야만 하는 것이므로, 민법 제673조에 의하여 도급계약이 해제된 경우에도, 그 해제로 인하여 수급인이 그 일의 완성을 위하여 들이지 않게 된 자신의 노력을 타에 사용하여 소득을 얻었거나 또는 얻을 수 있었음에도 불구하고, 태만이나 과실로 인하여 얻지 못한 소득 및 일의 완성을 위하여 준비하여 둔 재료를 사용하지 아니하게 되어 타에 사용 또는 처분하여 얻을 수 있는 대가 상당액은 당연히 손해액을 산정함에 있어서 공제되어야 한다(대판 2002.5.10, 2000다37296·37302).

⑤ 공사수급인의 연대보증인이 부담하는 지체상금 지급의무는 주채무자인 공사수급인이 지급하여야 할 지체상금의 범위에 부종하는 것이므로, 이른바 손해배상액의 예정으로서 지체상금액이 과다한지 여부는 주채무자인 공사수급인을 기준으로 판단하여야 할 것이지 연대보증인을 중심으로 판단할 것은 아니라고 한 사례(대판 2005.8.19, 2002다59764).

06 도급에 관한 다음 설명 중 가장 옳은 것은? (다툼이 있는 경우 판례에 의하고, 전원합의체 판결의 경우 다수의견에 의함) ▶ 2020년 9급(법원서기보)

① 수급인이 일을 완성하기 전에 도급인은 민법 제673조에 의하여 수급인이 입은 손해를 배상하고 계약을 해제할 수 있는데, 이 경우 특별한 사정이 없는 한 수급인에게 과실이 있는 경우 도급인은 과실상계를 주장할 수 있다.

② 수급인이 공사를 완성하지 못한 채 공사도급계약이 해제되어 기성고에 따른 공사비를 정산하여야 할 경우에 그 공사비는 다른 특별한 사정이 없는 한 당사자 사이에 약정된 총공사비를 기준으로 하여 그 금액 중 수급인이 공사를 중단할 당시의 기성고 비율에 의한 금액이다.

③ 도급계약에 있어 지체상금의 약정을 한 경우, 도급인이 수급인에 대하여 약정한 선급금의 지급을 지체하였다고 하더라도 선급금 지급을 지체한 기간만큼 수급인이 지급하여야 하는 지체상금의 발생기간에서 공제되어야 하는 것은 아니다.

④ 도급인과 수급인 사이에 도급인이 수급인에게 지급하여야 할 공사대금의 범위 내에서 수급인의 근로자에 대한 노임이나 수급인의 거래처에 대한 공사에 필요한 물품대금을 직접 지급하기로 약정한 경우에도, 도급인은 그 노임이나 물품대금을 직접 지급하기 전이라면 노무가 제공되거나 물품이 납품되었다고 하여 수급인에게 공사대금의 지급을 거부할 수는 없다.

해설 ① 민법 제673조에서 도급인으로 하여금 자유로운 해제권을 행사할 수 있도록 하는 대신 수급인이 입은 손해를 배상하도록 규정하고 있는 것은 도급인의 일방적인 의사에 기한 도급계약 해제를 인정하는 대신, 도급인의 일방적인 계약해제로 인하여 수급인이 입게 될 손해, 즉 수급인이 이미 지출한 비용과 일을 완성하였더라면 얻었을 이익을 합한 금액을 전부 배상하게 하는 것이라 할 것이므로, 위 규정에 의하여 도급계약을 해제한 이상은 특별한 사정이 없는 한 도급인은 수급인에 대한 손해배상에 있어서 과실상계나 손해배상예정액 감액을 주장할 수는 없다(대판 2002.5.10, 2000다37296·37302).

② 건축공사도급계약에 있어서 공사가 완성되지 못한 상태에서 당사자 중 일방이 상대방의 채무불이행을 이유로 계약을 해제한 경우에 공사가 상당한 정도로 진척되어 그 원상회복이 중대한 사회적, 경제적 손실을 초래하게 되고 완성된 부분이 도급인에게 이익이 되는 때에는 도급계약은 미완성부분에 대해서만 실효되고 수급인은 해제된 상태 그대로 그 건물을 도급인에게 인도하고 도급인은 인도받은 건물에 대한 보수를 지급하여야 할 의무가 있고, 이와 같은 경우 도급인이 지급하여야 할 미완성건물에 대한 보수는 특별한 사정이 없는 한 당사자 사이에 약정한 총공사비를 기준으로 하여 그 금액에서 수급인이 공사를 중단할 당시의 공사 기성고 비율에 의한 금액이 된다(대판 1993.11.23, 93다25080).

③ 수급인이 납품기한 내에 납품을 완료하지 못하면 지연된 일수에 비례하여 계약금액에 일정 비율을 적용하여 산정한 지체상금을 도급인에게 지급하기로 약정한 경우, 수급인이 책임질 수 없는 사유로 의무 이행이 지연되었다면 해당 기간만큼은 지체상금의 발생기간에서 공제되어야 한다. 그리고 도급계약의 보수 일부를 선급하기로 하는 특약이 있는 경우, 수급인은

그 제공이 있을 때까지 일의 착수를 거절할 수 있고 이로 말미암아 일의 완성이 지연되더라도 채무불이행책임을 지지 않으므로, 도급인이 수급인에 대하여 약정한 선급금의 지급을 지체하였다는 사정은 일의 완성이 지연된 데 대하여 수급인이 책임질 수 없는 사유에 해당한다. 따라서 도급인이 선급금 지급을 지체한 기간만큼은 수급인이 지급하여야 하는 지체상금의 발생기간에서 공제되어야 한다(대판 2016.12.15, 2014다14429).

④ 도급인과 수급인 사이에 도급인이 수급인에게 지급하여야 할 공사대금의 범위 내에서 수급인의 근로자에 대한 노임이나 수급인의 거래처에 대한 공사에 필요한 물품대금을 직접 지급하기로 약정한 경우, 도급인은 그 노임이나 물품대금을 직접 지급하기 전이라 하더라도 노무가 제공되거나 물품이 납품된 이상 도급인은 수급인에게 공사대금의 지급을 거부할 수 있고, 이러한 사유가 수급인의 도급인에 대한 공사대금채권이 압류되기 전에 발생한 것이라면 도급인은 압류채권자에게도 대항할 수 있다(대판 2012.3.29, 2011다109821).

07 도급계약에 관한 다음 설명 중 가장 옳지 않은 것은? (다툼이 있는 경우 판례에 의함)

▶ 2019년 법원사무관 승진

① 도급계약에서 보수는 완성된 목적물의 인도와 동시에 지급하여야 한다. 그러나 목적물의 인도를 요하지 아니하는 경우에는 그 일을 완성한 후 지체 없이 지급하여야 한다.

② 선급금을 지급한 후 계약이 해제 또는 해지되는 등의 사유로 수급인이 도중에 선급금을 반환하여야 할 사유가 발생하였다면, 특별한 사정이 없는 한 별도의 상계 의사표시 없이도 그때까지의 기성고에 해당하는 공사대금 중 미지급액은 선급금으로 충당되고 도급인은 나머지 공사대금이 있는 경우 그 금액에 한하여 지급할 의무를 부담하게 된다.

③ 도급인이 하도급대금을 직접 지급하는 사유가 발생하기 전에 선급금이 기성공사대금에 충당되어 도급대금채무가 모두 소멸한 경우에는 도급인은 더 이상 하수급인에 대한 하도급대금 지급의무를 부담하지 않게 된다.

④ 일반적으로 수급인이 완공기한 내에 공사를 완성하지 못한 채 공사를 중단하고 계약이 해제된 결과 완공이 지연된 경우에 있어서 지체상금은 약정 준공일 다음 날부터 발생하되 그 종기는 실제 해제·해지한 때이다.

해설 ① 제665조 제1항

②·③ 공사도급계약에서 수수되는 이른바 선급금은 자금 사정이 좋지 않은 수급인에게 자재 확보·노임 지급 등에 어려움이 없이 공사를 원활하게 진행할 수 있도록 하기 위하여 도급인이 장차 지급할 공사대금을 수급인에게 미리 지급하여 주는 것으로서, 구체적인 기성고와 관련하여 지급된 공사대금이 아니라 전체 공사와 관련하여 지급된 공사대금이고, 이러한 점에 비추어 선급금을 지급한 후 계약이 해제 또는 해지되는 등의 사유로 수급인이 도중에 선급금을 반환하여야 할 사유가 발생하였다면, 특별한 사정이 없는 한 별도의 상계 의사표시 없이도 그때까지의 기성고에 해당하는 공사대금 중 미지급액은 선급금으로 충당되고 도급인은 나머지 공사대금이 있는 경우 그 금액에 한하여 지급할 의무를 부담하게 된다. 이때 선급금의 충당 대상이 되는 기성공사대금의 내역을 어떻게 정할 것인지는 도급계약 당사자의 약정에 따라야 하고, 도급인이 하수급인에게 하도급대금을 직접 지급하는 사유가 발생한 경우에 이

에 해당하는 금원을 선급금 충당의 대상이 되는 기성공사대금의 내역에서 제외하기로 하는 예외적 정산약정을 한 때에는 도급인은 미정산 선급금이 기성공사대금에 충당되었음을 이유로 하수급인에게 부담하는 하도급대금 지급의무를 면할 수 없다. 그러나 이러한 정산약정 역시 특별한 사정이 없는 한 도급인에게 도급대금채무를 넘는 새로운 부담을 지우지 않는 범위 내에서 하수급인을 수급인에 우선하여 보호하려는 약정이라고 보아야 하므로, 도급인이 하도급대금을 직접 지급하는 사유가 발생하기 전에 선급금이 기성공사대금에 충당되어 도급대금 채무가 모두 소멸한 경우에는 도급인은 더 이상 하수급인에 대한 하도급대금 지급의무를 부담하지 않게 된다(대판 2014.1.23. 2013다214437).

④ 수급인이 완공기한 내에 공사를 완성하지 못한 채 완공기한을 넘겨 도급계약이 해제된 경우에 있어서 그 지체상금 발생의 시기는 완공기한 다음날이고, 종기는 수급인이 공사를 중단하거나 기타 해제사유가 있어 도급인이 이를 해제할 수 있었을 때를 기준으로 하여 도급인이 다른 업자에게 의뢰하여 같은 건물을 완공할 수 있었던 시점이다(대판 2001.1.30. 2000다56112). 즉, 수급인이 완공기한 내에 공사를 완성하지 못한 채 공사를 중단하고 계약이 해제된 결과 완공이 지연된 경우에 있어서 지체상금은 약정 준공일 다음날부터 발생하되, 그 종기는 수급인이 공사를 중단하거나 기타 해제사유가 있어 도급인이 공사도급계약을 해제할 수 있었을 때(실제로 해제한 때가 아니다)부터 도급인이 다른 업자에게 맡겨서 공사를 완성할 수 있었던 시점까지이고, 수급인이 책임질 수 없는 사유로 인하여 공사가 지연된 경우에는 그 기간만큼 공제되어야 한다(대판 2010.1.28. 2009다41137·41144).

---

08 다음 설명 중 가장 옳지 않은 것은? (다툼이 있는 경우 판례에 따르고 전원합의체 판결의 경우 다수의견에 의함) ▶ 2019년 법무사

① 도급인은 완성된 목적물의 하자로 인하여 계약의 목적을 달성할 수 없는 때에는 계약을 해제할 수 있다. 그러나 건물 기타 토지의 공작물에 대하여는 그러하지 아니하다.

② 도급인과 수급인 사이에는 일반적으로 지휘·감독의 관계가 없으므로, 도급인은 수급인이나 그의 피용자의 불법행위에 대하여 사용자로서의 배상책임이 없지만, 노무도급의 경우에는 비록 도급인이라도 사용자로서의 배상책임이 있다.

③ 지체상금에 관한 약정은 수급인이 그와 같은 일의 완성을 지체한 데 대한 손해배상액의 예정이므로, 법원은 제반 사정을 참작하여 약정에 따라 산정된 지체상금액이 일반 사회인이 납득할 수 있는 범위를 넘어 부당하게 과다하다고 인정하는 때에는 이를 적당히 감액할 수 있다.

④ 위약금이 위약벌로 해석되기 위해서는 특별한 사정이 주장·입증되어야 하는데, 당사자 사이의 도급계약서에 계약보증금과는 별도로 지체상금에 관한 규정이 마련되어 있는 경우, 계약보증금은 위약벌로서의 성격을 갖는다고 보는 것이 당사자의 의사에 부합한다.

⑤ 건축도급계약에서 미완성부분이 있는 경우 공사가 상당한 정도로 진척되어 그 원상회복이 중대한 사회적, 경제적 손실을 초래하고 완성된 부분이 도급인에게 이익이 되는 경우, 수급인의 채무불이행을 이유로 도급인이 그 도급계약을 해제한 때에는 그 미완성 부분에 대해서만 도급계약이 실효된다고 보아야 한다. 따라서 이 경우의 수급인은 해제한 때의 상태 그대로 건물을 도급인에게 인도하고 도급인은 그 건물의 완성도 등을 참작하여 상당한 보수를 지급하여야 한다.

해설 ① 제668조

② 일반적으로 도급인과 수급인 사이에는 지휘·감독의 관계가 없으므로 도급인은 수급인이나 수급인의 피용자의 불법행위에 대하여 사용자로서의 배상책임이 없는 것이지만, 도급인이 수급인에 대하여 특정한 행위를 지휘하거나 특정한 사업을 도급시키는 경우와 같은 이른바 노무도급의 경우에는 비록 도급인이라고 하더라도 사용자로서의 배상책임이 있다(대판 2005.11.10, 2004다37676).

③ 건물을 신축하기로 하는 도급계약은 그 건물의 준공이라는 일의 완성을 목적으로 하는 계약으로서 그 지체상금에 관한 약정은 수급인이 그와 같은 일의 완성을 지체한 데 대한 손해배상액의 예정이므로, 수급인이 약정된 기간 내에 그 일을 완성하여 도급인에게 인도하지 않으면 특별한 사정이 있는 경우를 제외하고는 지체상금을 지급할 의무가 있고, 약정에 따라 산정한 지체상금액이 부당하게 과다하다고 인정되는 경우에 법원은 민법 제398조 제2항에 의하여 이를 적당히 감액할 수 있으며, 손해배상액의 예정이 부당하게 과다한지의 여부는 계약당사자의 지위, 계약의 목적과 내용, 손해배상액을 예정한 동기, 실제의 손해와 그 예정액의 대비, 그 당시의 거래관행 및 경제상태 등 제반 사정을 참작하여 일반사회인이 납득할 수 있는 범위를 넘는지의 여부에 따라 결정하여야 한다(대판 1996.5.14, 95다24975).

④ 도급계약서 및 그 계약내용에 편입된 약관에 수급인의 귀책사유로 인하여 계약이 해제된 경우에는 계약보증금이 도급인에게 귀속한다는 조항이 있을 때 이 계약보증금이 손해배상액의 예정인지 위약벌인지는 도급계약서 및 위 약관 등을 종합하여 구체적 사건에서 개별적으로 결정할 의사해석의 문제이고, 위약금은 민법 제398조 제4항에 의하여 손해배상액의 예정으로 추정되므로 위약금이 위약벌로 해석되기 위하여는 특별한 사정이 주장·입증되어야 하는바, 당사자 사이의 도급계약서에 계약보증금 외에 지체상금도 규정되어 있다는 점만을 이유로 하여 계약보증금을 위약벌로 보기는 어렵다(대판 2000.12.8, 2000다35771).

⑤ 건축공사도급계약에 있어서 건물이 아직 완공되지 않았지만 건축공사가 상당한 정도로 진척되어 원상회복이 중대한 사회적, 경제적 손실을 초래하게 되고 완성된 부분이 도급인에게 이익이 되는 경우에는, 도급인이 도급계약을 해제하는 경우에도 계약은 미완성부분에 대하여서만 실효되고 수급인은 해제한 때의 상태 그대로 건물을 도급인에게 인도하고 도급인은 완성부분에 상당한 보수를 지급하여야 한다. (다만) 건물의 완성부분이 도급인에게 이익이 되지 아니하고 원상회복이 중대한 사회적, 경제적 손실을 초래하지 않는 경우에는 계약해제의 소급효를 인정할 수 있다(대판 2017.12.28, 2014다83890).

09 도급에 관한 다음 설명 중 가장 옳은 것은?   ▶ 2021년 법원서기보

① 도급계약에서 일의 완성 여부에 관한 주장·증명책임은 일의 결과에 대한 보수지급의
무를 부담하는 도급인이 부담한다.

② 수급인이 공사를 완성하지 못하여 완공기한을 넘겨 도급계약이 해제된 경우, 그 지체
상금 발생의 시기는 완공기한 일부터이고, 종기는 수급인이 공사를 중단하거나 기타
해제사유가 있어 도급인이 이를 해제할 수 있었을 때를 기준으로 하여 도급인이 다른
업자에게 의뢰하여 같은 건물을 완공할 수 있었던 시점이다.

③ 공사도급계약상 도급인의 지체상금채권과 수급인의 공사대금채권은 특별한 사정이 없
는 한 동시이행의 관계에 있다고 할 수 없다.

④ 완성된 건물의 경우에도 그 하자로 인하여 계약의 목적을 달성할 수 없는 때에는 계약
을 해제할 수 있다.

해설 ① 도급계약에 있어 일의 완성에 관한 주장·입증책임은 일의 결과에 대한 보수의 지급을 구하
는 수급인에게 있으므로, 도급인이 도급계약상의 공사 중 미시공 부분이 있다고 주장한 바가
없다고 하더라도 그 공사의 완성에 따른 보수금의 지급을 구하는 수급인으로서는 공사의 완
성에 관한 주장·입증을 하여야 한다(대판 1994.11.22. 94다26684·26691).

② 수급인이 완공기한 내에 공사를 완성하지 못한 채 공사를 중단하고 계약이 해제된 결과 완공
이 지연된 경우에 있어서 지체상금 발생의 시기는 완공기한(약정 준공일) 다음날이고, 그 종기
는 수급인이 공사를 중단하거나 기타 해제사유가 있어 도급인이 공사도급계약을 해제할 수
있었을 때(실제로 해제한 때가 아니다)부터 도급인이 다른 업자에게 맡겨서 공사를 완성할 수
있었던 시점까지이고, 수급인이 책임질 수 없는 사유로 인하여 공사가 지연된 경우에는 그
기간만큼 공제되어야 한다.

③ 공사도급계약상 도급인의 지체상금채권과 수급인의 공사대금채권은 특별한 사정이 없는 한
동시이행의 관계에 있다고 할 수 없다(대판 2015.8.27, 2013다81224·81231).

④ 완성된 목적물이 건물 기타 공작물인 경우에는, 그 하자로 인해 계약의 목적을 달성할 수
없는 때에도 해제할 수 없다(제668조 단서).

10 도급에 관한 다음 설명 중 가장 옳지 않은 것은?   ▶ 2020년 법원행시

① 도급계약에 있어서는 수급인이 자기의 노력과 재료를 들여 건물을 완성하더라도 도급
인과 수급인 사이에 도급인 명의로 건축허가를 받아 소유권보존등기를 하기로 하는 등
완성된 건물의 소유권을 도급인에게 귀속시키기로 합의한 것으로 보여질 경우에는 그
건물의 소유권은 도급인에게 원시적으로 귀속된다. 이와 마찬가지로 채무의 담보를 위
하여 채무자가 자기 비용과 노력으로 신축하는 건물의 건축허가 명의를 채권자 명의로
하였다면 채권자 명의로 소유권보존등기를 마치기 이전이라도 완성된 건물의 소유권은
채권자가 원시적으로 취득한다.

정답   **09** ③   **10** ①

② 기성고에 따라 공사대금을 분할하여 지급하기로 약정한 경우라도 특별한 사정이 없는한 하자보수의무와 동시이행관계에 있는 공사대금지급채무는 당해 하자가 발생한 부분의 기성공사대금에 한정되지 않는다.

③ 수급인의 담보책임에 기한 하자보수에 갈음하는 손해배상청구권에 대하여는 민법 제670조 또는 제671조의 제척기간이 적용된다. 그런데 이러한 도급인의 손해배상청구권에 대하여는 권리의 내용·성질 및 취지에 비추어 민법 제162조 제1항의 채권 소멸시효의 규정 또는 도급계약이 상행위에 해당하는 경우에는 상법 제64조의 상사시효의 규정이 적용되고, 민법 제670조 또는 제671조의 제척기간 규정으로 인하여 위 각 소멸시효 규정의 적용이 배제된다고 볼 수 없다.

④ 공사도급계약서 또는 그 계약내용에 편입된 약관에 수급인이 하자담보책임 기간 중 도급인으로부터 하자보수요구를 받고 이에 불응한 경우 하자보수보증금은 도급인에게 귀속한다는 조항이 있을 때 이 하자보수보증금은 특별한 사정이 없는 한 손해배상액의 예정이다. 다만 도급인은 수급인의 하자보수의무 불이행을 이유로 하자보수보증금의 몰취 외에 그 실손해액을 입증하여 수급인으로부터 그 초과액 상당의 손해배상을 받을 수도 있는 특수한 손해배상액의 예정이다.

⑤ 건축공사도급계약이 중도해제된 경우 도급인이 지급하여야 할 보수는 특별한 사정이 없는 한 당사자 사이에 약정한 총공사비에 기성고 비율을 적용한 금액이지 수급인이 실제로 지출한 비용을 기준으로 할 것은 아니다. 기성고 비율은 공사대금 지급의무가 발생한 시점, 즉 수급인이 공사를 중단 할 당시를 기준으로 이미 완성된 부분에 들어간 공사비에다 미시공 부분을 완성하는 데 들어갈 공사비를 합친 전체 공사비 가운데 완성된 부분에 들어간 비용이 차지하는 비율을 산정하여 확정하여야 한다.

해설 ① 일반적으로 자기의 노력과 재료를 들여 건물을 건축한 사람은 그 건물의 소유권을 원시취득하는 것이고, 다만 도급계약에 있어서는 수급인이 자기의 노력과 재료를 들여 건물을 완성하더라도 도급인과 수급인 사이에 도급인 명의로 건축허가를 받아 소유권보존등기를 하기로 하는 등 완성된 건물의 소유권을 도급인에게 귀속시키기로 합의한 것으로 보여질 경우에는 그 건물의 소유권은 도급인에게 원시적으로 귀속된다(대판 1992.3.27, 91다34790).
자신의 노력과 비용으로 건물을 신축하면서 채권담보를 위하여 건축허가를 채권자 명의로 받은 경우 누가 신축건물의 소유권을 원시취득하는지가 문제되는데, 이에 대하여 판례는 단지 채무의 담보를 위하여 채무자가 자기비용과 노력으로 신축하는 건물의 건축허가명의를 채권자 명의로 하였다면 이는 완성될 건물을 담보로 제공키로 하는 합의로서 법률행위에 의한 담보물권의 설정에 다름 아니므로, 완성된 건물의 소유권은 일단 이를 건축한 채무자가 원시적으로 취득한 후 채권자 명의로 소유권보존등기를 마침으로써 담보목적의 범위 내에서 위 채권자에게 그 소유권이 이전된다고 보아야 할 것이며, 이와 달리 위 채권자가 완성될 건물의 소유권을 원시적으로 취득한다고 볼 것이 아니라고 하였다(대판 1990.4.24, 89다카18884).
② 기성고에 따라 공사대금을 분할하여 지급하기로 약정한 경우라도 특별한 사정이 없는 한 하자보수의무와 동시이행관계에 있는 공사대금지급채무는 당해 하자가 발생한 부분의 기성공사대금에 한정되는 것은 아니라고 할 것이다. 왜냐하면, 이와 달리 본다면 도급인이 하자발생 사실을 모른 채 하자가 발생한 부분에 해당하는 기성공사의 대금을 지급하고 난 후 뒤늦게 하자를 발견한 경우에는 동시이행의 항변권을 행사하지 못하게 되어 공평에 반하기 때문이다(대판 2001.9.18, 2001다9304).

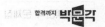

③ 수급인의 담보책임에 기한 하자보수에 갈음하는 손해배상청구권에 대하여는 민법 제670조 또는 제671조의 제척기간이 적용되고, 이는 법률관계의 조속한 안정을 도모하고자 하는 데에 취지가 있다. 그런데 이러한 도급인의 손해배상청구권에 대하여는 권리의 내용·성질 및 취지에 비추어 민법 제162조 제1항의 채권 소멸시효의 규정 또는 도급계약이 상행위에 해당하는 경우에는 상법 제64조의 상사시효의 규정이 적용되고, 민법 제670조 또는 제671조의 제척기간 규정으로 인하여 위 각 소멸시효 규정의 적용이 배제된다고 볼 수 없다(대판 2012.11.15, 2011다56491).

④ 공사도급계약서 또는 그 계약내용에 편입된 약관에 수급인이 하자담보책임 기간 중 도급인으로부터 하자보수요구를 받고 이에 불응한 경우 하자보수보증금은 도급인에게 귀속한다는 조항이 있을 때 이 하자보수보증금은 특별한 사정이 없는 한 손해배상액의 예정으로 볼 것이고, 다만 하자보수보증금의 특성상 실손해가 하자보수보증금을 초과하는 경우에는 그 초과액의 손해배상을 구할 수 있다는 명시 규정이 없다고 하더라도 도급인은 수급인의 하자보수의무 불이행을 이유로 하자보수보증금의 몰취 외에 그 실손해액을 입증하여 수급인으로부터 그 초과액 상당의 손해배상을 받을 수도 있는 특수한 손해배상액의 예정으로 봄이 상당하다(대판 2002.7.12, 2000다17810).

⑤ 건축공사도급계약에 있어서 공사가 완성되지 못한 상태에서 당사자 중 일방이 상대방의 채무불이행을 이유로 계약을 해제한 경우에 공사가 상당한 정도로 진척되어 그 원상회복이 중대한 사회적, 경제적 손실을 초래하게 되고 완성된 부분이 도급인에게 이익이 되는 때에는 도급계약은 미완성부분에 대해서만 실효되고 수급인은 해제된 상태 그대로 그 건물을 도급인에게 인도하고 도급인은 인도받은 건물에 대한 보수를 지급하여야 할 의무가 있고, 이와 같은 경우 도급인이 지급하여야 할 미완성건물에 대한 보수는 특별한 사정이 없는 한 당사자 사이에 약정한 총공사비를 기준으로 하여 그 금액에서 수급인이 공사를 중단할 당시의 공사기성고 비율에 의한 금액(총공사비에 기성고 비율을 적용한 금액)이 되는 것이지, 수급인이 실제로 지출한 비용을 기준으로 할 것은 아니다. 이때의 기성고 비율은 공사대금 지급의무가 발생한 시점, 즉 수급인이 공사를 중단할 당시를 기준으로 이미 완성된 부분에 들어간 공사비에다 미시공 부분을 완성하는 데 들어갈 공사비를 합친 전체 공사비 가운데 완성된 부분에 들어간 비용이 차지하는 비율을 산정하여 확정하여야 한다. 다만 당사자 사이에 기성고 비율 산정에 관하여 특약이 있는 등 특별한 사정이 인정되는 경우라면 그와 달리 산정할 수 있다(대판 1993.11.23, 93다25080; 대판(전) 2019.12.19, 2016다24284).

11 도급에 관한 다음 설명 중 가장 옳지 않은 것은? ▶ 2021년 법원행시

① 건축주의 사정으로 건축공사가 중단되었던 미완성의 건물을 인도받아 나머지 공사를 마치고 완공한 경우, 그 건물이 공사가 중단된 시점에서 이미 사회통념상 독립한 건물이라고 볼 수 있는 형태와 구조를 갖추고 있었다면 원래의 건축주가 그 건물의 소유권을 원시취득한다.

② 甲이 자기 소유의 토지에 건물을 신축하는 공사를 乙에게 도급하면서 건축허가와 소유권보존등기를 甲 명의로 하기로 약정하고, 乙이 자기의 재료와 비용을 들여 건물을 신축하여 완공한 경우 甲이 신축건물의 소유권을 취득한다.

정답 11 ③

③ 건축공사도급계약이 수급인의 채무불이행을 이유로 해제될 당시 공사가 상당한 정도로 진척되어 이를 원상회복하는 것이 중대한 사회적·경제적 손실을 초래하고 완성된 부분이 도급인에게 이익이 된다면, 해당 도급계약은 미완성 부분에 대하여만 실효되어 수급인은 해제한 상태 그대로 건물을 도급인에게 인도하고 도급인은 인도받은 건물에 대하여 수급인이 실제로 지출한 비용을 보수로 지급하여야 하는 권리의무관계가 성립한다.

④ 도급인이 목적물에 대한 하자의 보수에 갈음하여 손해배상을 청구하는 경우 도급인은 수급인이 그 손해배상청구에 관하여 채무이행을 제공할 때까지 그 손해배상액에 상응하는 보수액에 관하여만 자기의 채무이행을 거절할 수 있을 뿐, 그 나머지 액의 보수에 관하여는 지급을 거절할 수 없다.

⑤ 도급인이 수급인에 대하여 특정한 행위를 지휘하거나 특정한 사업을 도급시키는 경우와 같은 이른바 노무도급의 경우에는 비록 도급인이라고 하더라도 사용자책임의 요건으로서 사용관계가 인정된다.

해설 ① 건축주의 사정으로 건축공사가 중단되었던 미완성의 건물을 인도받아 나머지 공사를 마치고 완공한 경우, 그 건물이 공사가 중단된 시점에서 이미 사회통념상 독립한 건물이라고 볼 수 있는 형태와 구조를 갖추고 있었다면 원래의 건축주가 그 건물의 소유권을 원시취득하고, 최소한의 기둥과 지붕 그리고 주벽이 이루어지면 독립한 부동산으로서의 건물의 요건을 갖춘 것이라고 보아야 한다(대판 2002.4.26, 2000다16350).

② 일반적으로 자기의 노력과 재료를 들여 건물을 건축한 사람은 그 건물의 소유권을 원시취득하는 것이고, 다만 도급계약에 있어서는 수급인이 자기의 노력과 재료를 들여 건물을 완성하더라도 도급인과 수급인 사이에 도급인 명의로 건축허가를 받아 소유권보존등기를 하기로 하는 등 완성된 건물의 소유권을 도급인에게 귀속시키기로 합의한 것으로 보여질 경우에는 그 건물의 소유권은 도급인에게 원시적으로 귀속된다(대판 1992.3.27, 91다34790).

③ 건축공사도급계약에 있어서 공사가 완성되지 못한 상태에서 당사자 중 일방이 상대방의 채무불이행을 이유로 계약을 해제한 경우에 공사가 상당한 정도로 진척되어 그 원상회복이 중대한 사회적, 경제적 손실을 초래하게 되고 완성된 부분이 도급인에게 이익이 되는 때에는 도급계약은 미완성부분에 대해서만 실효되고 수급인은 해제된 상태 그대로 그 건물을 도급인에게 인도하고 도급인은 인도받은 건물에 대한 보수를 지급하여야 할 의무가 있고, 이와 같은 경우 도급인이 지급하여야 할 미완성건물에 대한 보수는 특별한 사정이 없는 한 당사자 사이에 약정한 총공사비를 기준으로 하여 그 금액에서 수급인이 공사를 중단할 당시의 공사기성고 비율에 의한 금액(총공사비에 기성고 비율을 적용한 금액)이 되는 것이지, 수급인이 실제로 지출한 비용을 기준으로 할 것은 아니다(대판 1993.11.23, 93다25080; 대판(전) 2019.12.19, 2016다24284).

④ 완성된 목적물에 하자가 있어 도급인이 하자의 보수에 갈음하여 손해배상을 청구한 경우에, 도급인은 수급인이 그 손해배상청구에 관하여 채무이행을 제공할 때까지 그 손해배상액에 상응하는 보수액에 관하여만 자기의 채무이행을 거절할 수 있을 뿐이고 그 나머지 보수액은 지급을 거절할 수 없다(대판 1996.6.11, 95다12798).

⑤ 도급인이 수급인에 대하여 특정한 행위를 지휘하거나 특정한 사업을 도급시키는 경우와 같은 이른바 노무도급의 경우에 있어서는 도급인이라고 하더라도 민법 제756조가 규정하고 있는 사용자책임의 요건으로서의 사용관계가 인정된다(대판 1998.6.26, 97다58170).

12 도급에 관한 다음 설명 중 가장 옳지 않은 것은? ▸2022년 법원사무관 승진

① 도급인이 완성된 목적물의 하자로 인하여 계약의 목적을 달성할 수 없는 때에는 계약을 해제할 수 있다.

② 민법 제667조 내지 제671조에 규정된 수급인의 하자담보책임기간은 재판상 또는 재판 외의 권리행사기간인 제척기간이므로, 그 기간의 도과로 하자담보추급권은 당연히 소멸한다.

③ 건축공사도급계약이 중도해제된 경우 도급인이 지급하여야 할 보수는 수급인이 실제로 지출한 비용을 기준으로 한다.

④ 지체상금에 관한 약정은 손해배상액의 예정으로서 지체상금이 부당히 과다한 경우에는 민법 제398조 제2항에 의하여 법원이 이를 적당히 감액할 수 있다.

해설

① 제668조 【동전-도급인의 해제권】 도급인이 완성된 목적물의 하자로 인하여 계약의 목적을 달성할 수 없는 때에는 계약을 해제할 수 있다. 그러나 건물 기타 토지의 공작물에 대하여는 그러하지 아니하다.

② 민법상 수급인의 하자담보책임에 관한 기간은 제척기간으로서 재판상 또는 재판외의 권리행사기간이며 재판상 청구를 위한 출소기간이 아니며(대판 2004.1.27, 2001다24891), 그 기간의 도과로 하자담보추급권은 당연히 소멸한다.

③ 건축공사도급계약에 있어서 공사가 완성되지 못한 상태에서 당사자 중 일방이 상대방의 채무불이행을 이유로 계약을 해제한 경우에 공사가 상당한 정도로 진척되어 그 원상회복이 중대한 사회적, 경제적 손실을 초래하게 되고 완성된 부분이 도급인에게 이익이 되는 때에는 도급계약은 미완성부분에 대해서만 실효되고 수급인은 해제된 상태 그대로 그 건물을 도급인에게 인도하고 도급인은 인도받은 건물에 대한 보수를 지급하여야 할 의무가 있고, 이와 같은 경우 도급인이 지급하여야 할 미완성건물에 대한 보수는 특별한 사정이 없는 한 당사자 사이에 약정한 총공사비를 기준으로 하여 그 금액에서 수급인이 공사를 중단할 당시의 공사기성고 비율에 의한 금액(총공사비에 기성고 비율을 적용한 금액)이 되는 것이지, 수급인이 실제로 지출한 비용을 기준으로 할 것은 아니다(대판 1993.11.23, 93다25080; 대판(전) 2019.12.19, 2016다24284).

④ 지체상금약정은 수급인이 공사완성의 기한 내에 공사를 완성하지 못한 경우에 완공의 지체로 인한 손해배상책임에 관하여 손해배상액을 예정하였다고 해석할 것이고, 지체상금을 계약 총액에서 지체상금률을 곱하여 산출하기로 정한 경우, 민법 제398조 제2항에 의하면, 손해배상액의 예정액이 부당히 과다한 경우에는 법원은 적당히 감액할 수 있다고 규정되어 있고 여기의 손해배상의 예정액이란 문언상 그 예정한 손해배상액의 총액을 의미한다고 해석되므로, 손해배상의 예정에 해당하는 지체상금의 과다 여부는 지체상금 총액을 기준으로 하여 판단하여야 한다(대판 2002.12.24, 2000다54536 등).

정답 12 ③

13 도급에 관한 다음 설명 중 가장 옳지 않은 것은? ▸ 2022년 9급(법원서기보)

① 도급인이 선급금을 지급한 후 도급계약이 해제되거나 해지된 경우, 별도의 상계 의사표시 없이 그때까지 기성고에 해당하는 공사대금 중 미지급액은 당연히 선급금으로 충당된다.

② 건축공사도급계약이 수급인의 채무불이행을 이유로 해제되었는데, 해제 당시 공사가 상당한 정도로 진척되어 이를 원상회복하는 것이 중대한 사회적·경제적 손실을 초래하고 완성된 부분이 도급인에게 이익이 되는 경우, 수급인은 해제한 상태 그대로 그 건물을 도급인에게 인도하고, 도급인은 인도받은 미완성 건물에 대한 보수를 지급하여야 한다.

③ 민간공사 도급계약에 있어 수급인의 보증인은 특별한 사정이 없다면 선급금 반환의무에 대하여도 보증책임을 진다.

④ 수급인이 완공기한 내에 공사를 완성하지 못한 채 공사를 중단하고 계약이 해제된 결과 완공이 지연된 경우, 지체상금발생의 종기는 계약이 실제로 해제·해지된 때를 기준으로 도급인이 다른 업자에게 의뢰하여 같은 건물을 완공할 수 있었던 시점까지이다.

해설 ① 공사도급계약에서 수수되는 이른바 선급금은 자금 사정이 좋지 않은 수급인에게 자재 확보·노임 지급 등에 어려움이 없이 공사를 원활하게 진행할 수 있도록 하기 위하여 도급인이 장차 지급할 공사대금을 수급인에게 미리 지급하여 주는 것으로서, 구체적인 기성고와 관련하여 지급된 공사대금이 아니라 전체 공사와 관련하여 지급된 공사대금이고, 이러한 점에 비추어 선급금을 지급한 후 계약이 해제 또는 해지되는 등의 사유로 수급인이 도중에 선급금을 반환하여야 할 사유가 발생하였다면, 특별한 사정이 없는 한 별도의 상계 의사표시 없이도 그때까지의 기성고에 해당하는 공사대금 중 미지급액은 선급금으로 충당되고, 도급인은 나머지 공사대금이 있는 경우 그 금액에 한하여 지급할 의무를 부담하게 된다(대판 2014.1.23, 2013다214437).

② 건축공사도급계약에 있어서 공사가 완성되지 못한 상태에서 당사자 중 일방이 상대방의 채무불이행을 이유로 계약을 해제한 경우에 공사가 상당한 정도로 진척되어 그 원상회복이 중대한 사회적, 경제적 손실을 초래하게 되고 완성된 부분이 도급인에게 이익이 되는 때에는 도급계약은 미완성부분에 대해서만 실효되고 수급인은 해제된 상태 그대로 그 건물을 도급인에게 인도하고 도급인은 인도받은 건물에 대한 보수를 지급하여야 할 의무가 있고, 이와 같은 경우 도급인이 지급하여야 할 미완성건물에 대한 보수는 특별한 사정이 없는 한 당사자 사이에 약정한 총공사비를 기준으로 하여 그 금액에서 수급인이 공사를 중단할 당시의 공사기성고 비율에 의한 금액(총공사비에 기성고 비율을 적용한 금액)이 되는 것이지, 수급인이 실제로 지출한 비용을 기준으로 할 것은 아니다(대판 1993.11.23, 93다25080; 대판(전) 2019.12.19, 2016다24284).

③ 선급금 반환의무는 수급인의 채무불이행에 따른 계약해제로 인하여 발생하는 원상회복의무의 일종이고, 보증인은 특별한 사정이 없는 한 채무자가 채무불이행으로 인하여 부담하여야 할 손해배상채무와 원상회복의무에 관하여도 보증책임을 지므로, 민간공사 도급계약에서 수급인의 보증인은 특별한 사정이 없다면 선급금 반환의무에 대하여도 보증책임을 진다(대판 2012.5.24, 2011다109586).

④ 수급인이 완공기한 내에 공사를 완성하지 못한 채 공사를 중단하고 계약이 해제된 결과 완공이 지연된 경우에 있어서 지체상금 발생의 시기는 완공기한(약정 준공일) 다음날이고, 그 종기는 수급인이 공사를 중단하거나 기타 해제사유가 있어 도급인이 공사도급계약을 해제할 수 있었을 때(실제로 해제한 때가 아니다)부터 도급인이 다른 업자에게 맡겨서 공사를 완성할 수 있었던 시점까지이고, 수급인이 책임질 수 없는 사유로 인하여 공사가 지연된 경우에는 그 기간만큼 공제되어야 한다(대판 2010.1.28, 2009다41137·41144 등).

14 도급에 관한 다음 설명 중 옳은 것을 모두 고른 것은? ▸2022년 법무사

> 가. 도급계약에서 수급인이 자기의 노력과 재료를 들여 건물을 완성하더라도 도급인과 수급인 사이에 도급인 명의로 건축허가를 받아 소유권보존등기를 하기로 하는 등 완성된 건물의 소유권을 도급인에게 귀속시키기로 합의한 것으로 보여질 경우에는 그 건물의 소유권은 도급인에게 원시적으로 귀속된다.
> 나. 민법 제673조에 따라 수급인이 일을 완성하기 전에는 도급인은 손해를 배상하고 계약을 해제할 수 있고 특별한 사정이 없는 한 도급인은 이러한 해제로 인한 손해배상에 대하여 과실상계나 손해배상예정액 감액을 주장할 수 있다.
> 다. 도급계약에서 목적물의 주요구조부분이 약정된 대로 시공되어 사회통념상 일반적으로 요구되는 성능을 갖추었고 당초 예정된 최후의 공정까지 마쳤다면 일이 완성되었다고 보아야 하고, 목적물이 완성되었다면 목적물의 하자는 하자담보책임에 관한 민법 규정에 따라 처리하도록 하는 것이 당사자의 의사와 법률의 취지에 부합하는 해석이다.
> 라. 완성된 목적물 또는 완성전의 성취된 부분에 하자가 있는 때에는 도급인은 수급인에 대하여 상당한 기간을 정하여 그 하자의 보수를 청구할 수 있고, 하자보수에 갈음하여 또는 보수와 함께 손해배상을 청구할 수 있다.
> 마. 수급인이 도급인에 대하여 가지는 공사대금채권은 상사채권이므로 특별한 사정이 없는 한 5년의 소멸시효가 적용된다.

① 가, 나, 라   ② 가, 다, 마   ③ 나, 라, 마
④ 가, 다, 라   ⑤ 나, 다, 마

해설 가. 대판 1992.3.27. 91다34790
　　　나. 민법 제673조에서 도급인으로 하여금 자유로운 해제권을 행사할 수 있도록 하는 대신 수급인이 입은 손해를 배상하도록 규정하고 있는 것은 <u>도급인의 일방적인 의사에 기한 도급계약 해제를 인정하는 대신</u>, 도급인의 일방적인 계약해제로 인하여 <u>수급인이 입게 될 손해</u>, 즉 수급인이 이미 지출한 비용과 일을 완성하였더라면 얻었을 이익을 합한 금액을 전부 배상하게 <u>하는 것이라 할 것이므로</u>, 위 규정에 의하여 도급계약을 해제한 이상은 특별한 사정이 없는 한 <u>도급인은 수급인에 대한 손해배상에 있어서 과실상계나 손해배상예정액 감액을 주장할 수는 없다</u>(대판 2002.5.10. 2000다37296・37302).
　　　다. 대판 2019.9.10. 2017다272486・272493
　　　라. 제667조
　　　마. <u>도급받은 공사의 공사대금채권은 민법 제163조 제3호에 따라 3년의 단기소멸시효가 적용되고, 그 공사에 부수되는</u> 채권도 마찬가지이다(대판 2016.10.27. 2014다211978).

15 도급에 관한 다음 설명 중 가장 옳지 않은 것은? ▶ 2024년 법원행시

① 도급계약에 있어 일의 완성에 관한 주장·입증책임은 일의 결과에 대한 보수의 지급을 구하는 수급인에게 있으므로, 도급인이 도급계약상의 공사 중 미시공 부분이 있다고 주장한 바가 없다고 하더라도 그 공사의 완성에 따른 보수금의 지급을 구하는 수급인으로서는 공사의 완성에 관한 주장·입증을 하여야 한다.

② 일반적으로 자기의 노력과 재료를 들여 건물을 건축한 사람은 그 건물의 소유권을 원시취득하는 것이고, 다만 도급계약에 있어서는 수급인이 자기의 노력과 재료를 들여 건물을 완성하더라도 도급인과 수급인 사이에 도급인명의로 건축허가를 받아 소유권보존등기를 하기로 하는 등 완성된 건물의 소유권을 도급인에게 귀속시키기로 합의한 것으로 보여질 경우에는 그 건물의 소유권은 도급인에게 원시적으로 귀속된다.

③ 도급계약에 있어서 완성된 목적물에 하자가 있는 때에는 도급인은 수급인에 대하여 하자의 보수를 청구할 수 있고, 그 하자의 보수에 갈음하여 또는 보수와 함께 손해배상을 청구할 수 있는바, 이와 같이 도급인이 하자보수나 손해배상청구권을 보유하고 이를 행사하는 한에 있어서는 도급인의 공사대금 지급채무는 이행지체에 빠지지 아니하고, 도급인이 하자보수나 손해배상 채권을 자동채권으로 하고 수급인의 공사잔대금 채권을 수동채권으로 하여 상계의 의사표시를 한 다음날 비로소 지체에 빠진다.

④ 당사자의 일방이 상대방의 주문에 따라 자기 소유의 재료를 사용하여 만든 물건을 공급하기로 하고 상대방이 대가를 지급하기로 약정하는 이른바 제작물공급계약은 그 제작의 측면에서는 도급의 성질이 있고 공급의 측면에서는 매매의 성질이 있어 대체로 매매와 도급의 성질을 함께 가지고 있으므로, 그 적용 법률은 계약에 의하여 제작 공급하여야 할 물건이 대체물인 경우에는 매매에 관한 규정이 적용되지만, 물건이 특정의 주문자의 수요를 만족시키기 위한 부대체물인 경우에는 당해 물건의 공급과 함께 그 제작이 계약의 주 목적이 되어 도급의 성질을 띠게 된다.

⑤ 수급인이 공사를 완공하지 못한 채 공사도급계약이 해제되어 기성고에 따른 공사비를 정산하여야 할 경우, 기성고 비율은 공사대금 지급의무가 발생한 시점, 즉 수급인이 공사를 중단할 당시를 기준으로 도급계약에 따른 전체 공사비 가운데 완성된 부분에 들어간 비용이 차지하는 비율을 산정하여 확정하여야 한다.

해설 ① 도급계약에 있어 일의 완성에 관한 주장·입증책임의 주체 – 도급계약에 있어 일의 완성에 관한 주장·입증책임은 일의 결과에 대한 보수의 지급을 구하는 수급인에게 있으므로, 도급인이 도급계약상의 공사 중 미시공 부분이 있다고 주장한 바가 없다고 하더라도 그 공사의 완성에 따른 보수금의 지급을 구하는 수급인으로서는 공사의 완성에 관한 주장·입증을 하여야 한다(대판 1994.11.22, 94다26684).

② 대판 1990.4.24, 89다카18884

③ 도급계약에 있어서 완성된 목적물에 하자가 있는 때에는 도급인은 수급인에 대하여 하자의 보수를 청구할 수 있고 그 하자의 보수에 갈음하여 또는 보수와 함께 손해배상을 청구할 수 있는바, 이들 청구권은 특별한 사정이 없는 한 수급인의 공사대금 채권과 <u>동시이행관계</u>에 있

는 것이므로, 이와 같이 <u>도급인이 하자보수나 손해배상청구권을 보유하고 이를 행사하는 한에</u> <u>있어서는 도급인의 공사대금 지급채무는 이행지체에 빠지지 아니하고,</u> <u>도급인이 하자보수나</u> <u>손해배상 채권을 자동채권으로 하고 수급인의 공사잔대금 채권을 수동채권으로 하여 상계의</u> <u>의사표시를 한 다음날 비로소 지체에 빠진다</u>(대판 1996.7.12, 96다7250).

④ 당사자의 일방이 상대방의 주문에 따라 자기 소유의 재료를 사용하여 만든 물건을 공급하기로 하고 상대방이 대가를 지급하기로 약정하는 이른바 제작물공급계약은 그 제작의 측면에서는 도급의 성질이 있고 공급의 측면에서는 매매의 성질이 있어 대체로 매매와 도급의 성질을 함께 가지고 있으므로, 그 적용 법률은 계약에 의하여 제작 공급하여야 할 물건이 대체물인 경우에는 매매에 관한 규정이 적용되지만, 물건이 특정의 주문자의 수요를 만족시키기 위한 부대체물인 경우에는 당해 물건의 공급과 함께 그 제작이 계약의 주목적이 되어 도급의 성질을 띠게 된다(대판 2010.11.25, 2010다56685).

⑤ 수급인이 공사를 완공하지 못한 채 공사도급계약이 해제되어 기성고에 따른 공사비를 정산하여야 할 경우, 기성 부분과 미시공 부분에 실제로 소요되거나 소요될 공사비를 기초로 산출한 기성고 비율을 약정 공사비에 적용하여 그 공사비를 산정하여야 하고, <u>기성고 비율은 이미</u> <u>완성된 부분에 소요된 공사비에다가 미시공 부분을 완성하는 데 소요될 공사비를 합친 전체</u> <u>공사비 가운데 이미 완성된 부분에 소요된 공사비가 차지하는 비율</u>이라고 할 것이고, 만약 공사도급계약에서 설계 및 사양의 변경이 있는 때에는 그 설계 및 사양의 변경에 따라 공사대금이 변경되는 것으로 특약하고, 변경된 설계 및 사양에 따라 공사가 진행되다가 중단되었다면 설계 및 사양의 변경에 따라 변경된 공사대금에 기성고 비율을 적용하는 방법으로 기성고에 따른 공사비를 산정하여야 한다(대판 2023.10.12, 2020다210860 등).

16 도급에 대한 다음 설명 중 가장 옳지 않은 것은? ▶ 2024년 법무사

① 완성된 목적물 또는 완성 전의 성취된 부분에 하자가 있는 때에는 도급인은 수급인에 대하여 상당한 기간을 정하여 그 하자의 보수를 청구할 수 있다. 그러나 하자가 중요하지 아니한 경우에 그 보수에 과다한 비용을 요할 때에는 그러하지 아니하다.

② 신축건물의 수급인으로부터 공사대금채권을 양수받은 자의 저당권설정청구에 의하여 신축건물의 도급인이 그 건물에 저당권을 설정하는 행위는 다른 특별한 사정이 없는 한 사해행위에 해당하지 아니한다.

③ 제작물공급계약은 그 제작의 측면에서는 도급의 성질이 있고 공급의 측면에서는 매매의 성질이 있어 대체로 매매와 도급의 성질을 함께 가지고 있으므로, 그 적용 법률은 계약에 의하여 제작 공급하여야 할 물건이 대체물인 경우에는 매매에 관한 규정이 적용되지만, 부대체물인 경우에는 도급의 성질을 띠게 된다.

④ 수급인의 담보책임에 관한 민법 제667조는 법이 특별히 인정한 무과실책임으로서 민법 제396조의 과실상계 규정이 준용될 수는 없다 하더라도 담보책임이 민법의 지도이념인 공평의 원칙에 입각한 것인 이상 하자발생 및 그 확대에 가공한 도급인의 잘못을 참작하여 손해배상의 범위를 정함이 상당하다.

정답 15 ⑤ 16 ⑤

⑤ 민법 제666조에 따른 수급인의 목적부동산에 대한 저당권설정청구권은 10년간 행사하지 않으면 소멸시효가 완성된다.

해설 ① 제667조 참조
② 대판 2018.11.29, 2015다19827
③ 대판 2006.10.13, 2004다21862
④ 대판 2004.8.20, 2001다70337
⑤ <u>도급받은 공사의 공사대금채권은 민법 제163조 제3호에 따라 3년의 단기소멸시효가 적용되고, 그 공사에 부수되는 채권도 마찬가지라고 할 것인데,</u> 민법 제666조에 따른 수급인의 목적부동산에 대한 저당권설정청구권은 공사대금채권을 담보하기 위하여 저당권설정등기절차의 이행을 구하는 채권적 청구권으로서 공사에 부수되는 채권에 해당하므로 <u>그 소멸시효기간 역시 3년이라고 보아야 한다</u>(대판 2016.10.27, 2014다211978).

심화문제 | 확인 · 보충 · 심화문제

01 甲은 乙로부터 건물신축공사를 도급받아 X 건물을 완공하였다. 이에 관한 설명 중 옳은 것을 모두 고른 것은? (각 지문은 독립적이며, 다툼이 있는 경우 판례에 의함) ▶ 2016년 변호사

> ㄱ. 甲 자신이 직접 X 건물을 완공해야 하는 것은 아니므로, 특별한 사정이 없는 한, 이행대행자 丙을 사용하였더라도 乙에 대한 채무불이행은 아니다.
>
> ㄴ. 甲이 전적으로 자신의 재료와 노력으로 X 건물을 신축한 경우에는 甲과 乙 사이에 乙 명의로 건축허가를 받아 소유권보존등기를 하기로 하는 등 X 건물의 소유권을 乙에게 귀속시키기로 하는 합의가 있었더라도 그 소유권은 甲에게 있다.
>
> ㄷ. 乙이 민법 제666조에서 정한 甲의 저당권설정청구권의 행사에 따라 공사대금채무의 담보로 X 건물에 저당권을 설정하는 행위는 특별한 사정이 없는 한 사해행위에 해당하지 않는다.
>
> ㄹ. 乙이 甲의 공사에 대하여 그 공정을 조정하고 시공의 정도가 설계도대로 시행되고 있는지를 점검하는 정도의 감리적 감독은 乙이 甲의 불법행위에 대하여 사용자책임을 지기 위하여 필요한 요건인 '구체적이고 직접적인 지시 · 감독'에 포함되지 않는다.

① ㄱ, ㄴ
② ㄴ, ㄷ
③ ㄱ, ㄷ, ㄹ
④ ㄴ, ㄷ, ㄹ
⑤ ㄱ, ㄴ, ㄷ, ㄹ

해설 ㄱ. 도급은 일의 완성에 초점을 두기 때문에 甲 자신이 직접 X 건물을 완공해야 하는 것은 아니므로, 특별한 사정이 없는 한, 이행대행자 丙을 사용하였더라도 乙에 대한 채무불이행은 아니다(대판 2002.4.12, 2001다82545).

ㄴ. 건물도급에서 건물소유권귀속과 관련하여 특약이 있는 경우에는 그 특약에 따른다. 따라서 甲과 乙 사이에 乙 명의로 건축허가를 받아 소유권보존등기를 하기로 하는 등 X 건물의 소유권을 乙에게 귀속시키기로 하는 합의가 있었다면 그 소유권은 甲이 아닌 乙에게 있다(대판(전합) 2003.12.18, 98다43601).

ㄷ. 일반채권자에게 저당권을 설정하는 것은 사해행위가 되나, 선순위권자에게 설정하는 것은 사해행위가 아니다. 따라서 乙이 민법 제666조에서 정한 甲의 저당권설정청구권의 행사에 따라 공사대금채무의 담보로 X 건물에 저당권을 설정하는 행위는 특별한 사정이 없는 한 사해행위에 해당하지 않는다(대판 2008.3.27, 2007다78616).

ㄹ. 판례는 사용자책임에서 감독과 감리를 구별한다. 즉 乙이 甲의 불법행위에 대하여 사용자책임을 지기 위하여 필요한 요건인 '구체적이고 직접적인 지시 · 감독'에 감리는 포함되지 않는다고 한다(대판 1988.6.14, 88다카102).

정답 ▶ **01** ③

07-2 절 여행계약

기본문제 | 기본문제의 구성

01 다음의 전형계약 중 여행계약의 개정 법률의 설명으로 옳지 않은 것은?

① 여행계약은 당사자 한쪽이 상대방에게 운송, 숙박, 관광 또는 그 밖의 여행 관련 용역을 결합하여 제공하기로 약정하고 상대방이 그 대금을 지급하기로 약정함으로써 효력이 생긴다.

② 여행계약은 서면 등의 특별한 방식을 요하지 않는 불요식 계약이다.

③ 여행자는 여행을 시작하기 전에는 언제든지 계약을 해제할 수 있다. 다만, 여행자는 상대방에게 발생한 손해를 배상하여야 한다.

④ 부득이한 사유가 있는 경우에는 각 당사자는 계약을 해지할 수 있다. 다만, 그 사유가 당사자 한쪽의 과실로 인하여 생긴 경우에는 상대방에게 손해를 배상하여야 한다. 이 경우 계약이 해지된 경우에도 여행주최자는 여행자를 귀환운송할 의무가 있다.

⑤ 위 ④ 해지로 인하여 발생하는 추가비용은 그 해지 사유가 어느 당사자의 사정에 속하는 경우에는 그 당사자가 부담하고, 누구의 사정에도 속하지 아니하는 경우에는 위험부담의 원리에 따라 채무자가 부담한다.

해설

① 제674조의2 【여행계약의 의의】 여행계약은 당사자 한쪽이 상대방에게 운송, 숙박, 관광 또는 그 밖의 여행 관련 용역을 결합하여 제공하기로 약정하고 상대방이 그 대금을 지급하기로 약정함으로써 효력이 생긴다.

② 제674조의2 참조

③ 제674조의3 【여행 개시 전의 계약해제】 여행자는 여행을 시작하기 전에는 언제든지 계약을 해제할 수 있다. 다만, 여행자는 상대방에게 발생한 손해를 배상하여야 한다.

④ 제674조의4 【부득이한 사유로 인한 계약해지】

① 부득이한 사유가 있는 경우에는 각 당사자는 계약을 해지할 수 있다. 다만, 그 사유가 당사자 한쪽의 과실로 인하여 생긴 경우에는 상대방에게 손해를 배상하여야 한다.

② 제1항에 따라 계약이 해지된 경우에도 계약상 귀환운송(歸還運送) 의무가 있는 여행주최자는 여행자를 귀환운송할 의무가 있다.

③ 제1항의 해지로 인하여 발생하는 추가 비용은 그 해지 사유가 어느 당사자의 사정에 속하는 경우에는 그 당사자가 부담하고, 누구의 사정에도 속하지 아니하는 경우에는 각 당사자가 절반씩 부담한다.

⑤ 각 당사자가 절반씩 부담한다(제674조의4 제3항). 즉 제1항의 해지로 인하여 발생하는 추가 비용은 그 해지 사유가 어느 당사자의 사정에 속하는 경우에는 그 당사자가 부담하고, 누구의 사정에도 속하지 아니하는 경우에는 각 당사자가 절반씩 부담한다.

02 **여행계약에 관한 다음 설명 중 가장 옳지 않은 것은?** ▸ 2016년 법무사

① 여행에 하자가 있는 경우에는 여행자는 원칙적으로 여행용역을 제공하는 여행주최자에게 하자의 시정 또는 대금의 감액을 청구할 수 있다.

② 여행자는 여행을 시작하기 전에는 언제든지 계약을 해제할 수 있다. 다만 여행자는 상대방에게 발생한 손해를 배상하여야 한다.

③ 부득이한 사유가 있는 경우에는 각 당사자는 계약을 해지할 수 있는데, 그 해지 사유가 누구의 사정에도 속하지 아니하는 경우 위 해지로 인하여 발생하는 추가비용은 여행주최자가 부담한다.

④ 여행자는 약정한 시기에 대금을 지급하여야 하며, 그 시기의 약정이 없으면 관습에 따르고, 관습이 없으면 여행의 종료 후 지체 없이 지급하여야 한다.

⑤ 여행자는 여행에 중대한 하자가 있는 경우에 그 시정이 이루어지지 아니하거나 계약의 내용에 따른 이행을 기대할 수 없는 경우에는 계약을 해지할 수 있다.

해설

① 제674조의6 【여행주최자의 담보책임】 여행에 하자가 있는 경우에는 여행자는 여행주최자에게 하자의 시정 또는 대금의 감액을 청구할 수 있다. 다만, 그 시정에 지나치게 많은 비용이 들거나 그 밖에 시정을 합리적으로 기대할 수 없는 경우에는 시정을 청구할 수 없다.

② 제674조의3 【여행개시 전의 계약해제】 여행자는 여행을 시작하기 전에는 언제든지 계약을 해제할 수 있다. 다만, 여행자는 상대방에게 발생한 손해를 배상하여야 한다.

③ 제674조의4 【부득이한 사유로 인한 계약해지】
① 부득이한 사유가 있는 경우에는 각 당사자는 계약을 해지할 수 있다. 다만, 그 사유가 당사자 한쪽의 과실로 인하여 생긴 경우에는 상대방에게 손해를 배상하여야 한다.
② 제1항에 따라 계약이 해지된 경우에도 계약상 귀환운송 의무가 있는 여행주최자는 여행자를 귀환운송할 의무가 있다.
③ 제1항의 해지로 인하여 발생하는 추가 비용은 그 해지 사유가 어느 당사자의 사정에 속하는 경우에는 그 당사자가 부담하고, 누구의 사정에도 속하지 아니하는 경우에는 각 당사자가 절반씩 부담한다.

④ 제674조의5 【대금의 지급시기】 여행자는 약정한 시기에 대금을 지급하여야 하며, 그 시기의 약정이 없으면 관습에 따르고, 관습이 없으면 여행의 종료 후 지체 없이 지급하여야 한다.

⑤ 제674조의7 제1항 【여행주최자의 담보책임과 여행자의 해지권】 여행자는 여행에 중대한 하자가 있는 경우에 그 시정이 이루어지지 아니하거나 계약의 내용에 따른 이행을 기대할 수 없는 경우에는 계약을 해지할 수 있다.

정답 ▸ 01 ⑤ 02 ③

03 여행계약에 관한 다음 설명 중 가장 옳지 않은 것은? (다툼이 있는 경우 판례에 의함)

▸ 2020년 법원사무관 승진

① 여행계약은 당사자 한쪽이 상대방에게 운송, 숙박, 관광 또는 그 밖의 여행 관련 용역을 결합하여 제공하기로 약정하고 상대방이 그 대금을 지급하기로 약정함으로써 효력이 생긴다.

② 여행업자(여행주최자)는 여행을 시작하기 전에는 언제든지 계약을 해제할 수 있다. 다만, 여행업자(여행주최자)는 여행자에게 발생한 손해를 배상하여야 한다.

③ 여행업자는 여행자에 대하여 그 계약 내용의 실시에 관하여 조우할지 모르는 위험을 미리 제거할 수단을 강구하거나 또는 여행자에게 그 뜻을 고지하여 여행자 스스로 그 위험을 수용할지 여부에 관하여 선택의 기회를 주는 등의 합리적 조치를 취할 신의칙상의 주의의무를 진다.

④ 여행에 하자가 있는 경우에는 여행자는 여행주최자에게 하자의 시정 또는 대금의 감액을 청구할 수 있다. 다만, 그 시정에 지나치게 많은 비용이 들거나 그 밖에 시정을 합리적으로 기대할 수 없는 경우에는 시정을 청구할 수 없다.

해설

① 제674조의2【여행계약의 의의】여행계약은 당사자 한쪽이 상대방에게 운송, 숙박, 관광 또는 그 밖의 여행 관련 용역을 결합하여 제공하기로 약정하고 상대방이 그 대금을 지급하기로 약정함으로써 효력이 생긴다.

② 제674조의3【여행개시 전의 계약해제】여행자는 여행을 시작하기 전에는 언제든지 계약을 해제할 수 있다. 다만, 여행자는 상대방에게 발생한 손해를 배상하여야 한다.

③ 여행업자는 통상 여행 일반은 물론 목적지의 자연적·사회적 조건에 관하여 전문적 지식을 가진 자로서 우월적 지위에서 행선지나 여행시설의 이용 등에 관한 계약 내용을 일방적으로 결정하는 반면 여행자는 그 안전성을 신뢰하고 여행업자가 제시하는 조건에 따라 여행계약을 체결하게 되는 점을 감안할 때, 여행업자는 기획여행계약의 상대방인 여행자에 대하여 기획여행계약상의 부수의무로서, 여행자의 생명·신체·재산 등의 안전을 확보하기 위하여, 여행목적지·여행일정·여행행정·여행서비스기관의 선택 등에 관하여 미리 충분히 조사·검토하여 전문업자로서의 합리적인 판단을 하고, 또한 그 계약 내용의 실시에 관하여 조우할지 모르는 위험을 미리 제거할 수단을 강구하거나 또는 여행자에게 그 뜻을 고지하여 여행자 스스로 그 위험을 수용할지 여부에 관하여 선택의 기회를 주는 등의 합리적 조치를 취할 신의칙상의 주의의무를 진다(대판 1998.11.24, 98다25061).

④ 제674조의6【여행주최자의 담보책임】여행에 하자가 있는 경우에는 여행자는 여행주최자에게 하자의 시정 또는 대금의 감액을 청구할 수 있다. 다만, 그 시정에 지나치게 많은 비용이 들거나 그 밖에 시정을 합리적으로 기대할 수 없는 경우에는 시정을 청구할 수 없다.

04 여행계약에 관한 다음 설명 중 가장 옳지 않은 것은?　　　　▶ 2021년 법원서기보

① 여행자는 여행을 시작하기 전에는 언제든지 계약을 해제할 수 있으나, 상대방에게 발생한 손해를 배상하여야 한다.

② 부득이한 사유가 있는 경우에는 각 당사자는 계약을 해지할 수 있으나, 그 사유가 당사자 한쪽의 과실로 인하여 생긴 경우에는 상대방에게 손해를 배상하여야 한다.

③ 여행자는 약정한 시기에 대금을 지급하여야 하나, 그 시기의 약정이 없으면 여행 시작 전에 지급하여야 한다.

④ 여행에 하자가 있는 경우에는 여행자는 여행주최자에게 하자의 시정 또는 대금의 감액을 청구할 수 있으나, 그 시정에 지나치게 많은 비용이 들거나 그 밖에 시정을 합리적으로 기대할 수 없는 경우에는 시정을 청구할 수 없다.

해설　① 제674조의3

② 제674조의4 제1항

③ 제674조의5【대금의 지급시기】여행자는 약정한 시기에 대금을 지급하여야 하며, 그 시기의 약정이 없으면 관습에 따르고, 관습이 없으면 여행의 종료 후 지체 없이 지급하여야 한다.

④ 제674조의6 제1항

05 여행계약에 관한 다음 설명 중 가장 옳지 않은 것은?　　　　▶ 2022년 법원행시

① 기획여행업자는 여행자의 생명·신체·재산 등의 안전을 확보하기 위하여 여행목적지·여행일정·여행행정·여행서비스기관의 선택 등에 관하여 미리 충분히 조사·검토하여 여행계약 내용의 실시 도중에 여행자가 부딪칠지 모르는 위험을 미리 제거할 수단을 강구하거나, 여행자에게 그 뜻을 고지함으로써 여행자 스스로 그 위험을 수용할지 여부에 관하여 선택할 기회를 주는 등의 합리적 조치를 취할 신의칙상의 안전배려의무를 부담하며, 기획여행업자가 사용한 여행약관에서 그 여행업자의 여행자에 대한 책임의 내용 및 범위 등에 관하여 규정하고 있다면 이는 위와 같은 안전배려의무를 구체적으로 명시한 것으로 보아야 한다.

② 여행자가 해외 여행계약에 따라 여행하는 도중 여행업자의 고의 또는 과실로 상해를 입은 경우 그 계약상 여행업자의 여행자에 대한 국내로의 귀환운송의무가 예정되어 있고, 여행자가 입은 상해의 내용과 정도, 치료행위의 필요성과 치료기간은 물론 해외의 의료 기술수준이나 의료제도, 치료과정에서 발생할 수 있는 언어적 장애 및 의료비용의 문제 등에 비추어 현지에서 당초 예정한 여행기간 내에 치료를 완료하기 어렵거나, 계속적, 전문적 치료가 요구되어 사회통념상 여행자가 국내로 귀환할 필요성이 있었다고 인정된다면, 이로 인하여 발생하는 귀환운송비 등 추가적인 비용은 여행업자의 고의 또는 과실로 인하여 발생한 통상손해의 범위에 포함되고, 이 손해가 특별한 사정으로 인한 손해라고 하더라도 예견가능성이 있었다고 보아야 한다.

정답　　03 ②　04 ③　05 ④

③ 여행자는 여행을 시작하기 전에는 언제든지 계약을 해제할 수 있지만, 상대방에게 발생한 손해를 배상하여야 한다.

④ 여행자는 여행에 중대한 하자가 있는 경우에 그 시정이 이루어지지 아니하거나 계약의 내용에 따른 이행을 기대할 수 없는 경우에는 계약을 해지할 수 있고, 계약이 해지된 경우 여행주최자는 대금청구권을 상실하며, 여행자는 실행된 여행으로 얻은 이익에 대한 상환의무를 부담하지 않는다.

⑤ 민법 제674조의6 및 제674조의7에서 정한 각 여행주최자의 담보책임에 따른 여행자의 권리는 여행기간 중에도 행사할 수 있고, 계약에서 정한 여행 종료일부터 6개월 내에 행사하여야 한다.

> **해설** ① 대판 2011.5.26, 2011다1330; 대판 2017.12.13, 2016다6293
> ② 대판 2019.4.3, 2018다286550
> ③ 제674조의3
>
> > ④ 제674조의7 【여행주최자의 담보책임과 여행자의 해지권】
> > ① 여행자는 여행에 중대한 하자가 있는 경우에 그 시정이 이루어지지 아니하거나 계약의 내용에 따른 이행을 기대할 수 없는 경우에는 계약을 해지할 수 있다.
> > ② 계약이 해지된 경우에는 여행주최자는 대금청구권을 상실한다. 다만, 여행자가 실행된 여행으로 이익을 얻은 경우에는 그 이익을 여행주최자에게 상환하여야 한다.
>
> ⑤ 제674조의8

06 여행계약에 관한 다음 설명 중 가장 옳지 않은 것은?　▸ 2024년 법무사

① 여행자는 여행을 시작하기 전에는 언제든지 계약을 해제할 수 있다. 다만, 여행자는 상대방에게 발생한 손해를 배상하여야 한다.

② 여행자가 해외 여행계약에 따라 여행하는 도중 여행업자의 고의 또는 과실로 상해를 입은 경우 계약상 여행업자의 여행자에 대한 국내로의 귀환운송의무가 예정되어 있고, 현지에서 당초 예정한 여행기간 내에 치료를 완료하기 어렵거나, 계속적 · 전문적 치료가 요구되어 사회통념상 여행자가 국내로 귀환할 필요성이 있었다고 인정된다면, 이로 인하여 발생하는 귀환운송비 등 추가적인 비용은 여행업자의 고의 또는 과실로 인하여 발생한 통상손해의 범위에 포함된다.

③ 민법 제674조의6(여행주최자의 담보책임)과 민법 제674조의7(여행주최자의 담보책임과 여행자의 해지권)에 따른 권리는 여행 기간 중에도 행사할 수 있으며, 계약에서 정한 여행 종료일부터 1년 내에 행사하여야 한다.

④ 기획여행업자는 통상 여행 일반은 물론 목적지의 자연적·사회적 조건에 관하여 전문적 지식을 가진 자로서 우월적 지위에서 행선지나 여행시설 이용 등에 관한 계약 내용을 일방적으로 결정하는 반면, 여행자는 안전성을 신뢰하고 기획여행업자가 제시하는 조건에 따라 여행계약을 체결하는 것이 일반적이므로, 기획여행업자는 여행자에게 여행계약 내용의 실시 도중에 여행자가 부딪칠지 모르는 위험을 고지함으로써 여행자 스스로 위험을 수용할지에 관하여 선택할 기회를 주는 등 합리적 조치를 취할 신의칙상 안전배려의무를 부담한다.

⑤ 부득이한 사유가 있는 경우에는 각 당사자는 여행계약을 해지할 수 있고, 그 해지로 인하여 발생하는 추가 비용은 그 해지 사유가 어느 당사자의 사정에 속하는 경우에는 그 당사자가 부담하고, 누구의 사정에도 속하지 아니하는 경우에는 각 당사자가 절반씩 부담한다.

> **해설** ① 제674조의3
> ② 여행자가 해외 여행계약에 따라 여행하는 도중 여행업자의 고의 또는 과실로 상해를 입은 경우 계속적, 전문적 치료가 요구되어 사회통념상 여행자가 국내로 귀환할 필요성이 있었다고 인정된다면, 이로 인하여 발생하는 귀환운송비 등 추가적인 비용은 여행업자의 고의 또는 과실로 인하여 발생한 통상손해의 범위에 포함되고, 이 손해가 특별한 사정으로 인한 손해라고 하더라도 예견가능성이 있었다고 보아야 한다(대판 2019.4.3, 2018다286550).
> ③ 제674조의8 → 제674조의6과 제674조의7에 따른 권리는 여행 기간 중에도 행사할 수 있으며, 계약에서 정한 여행 종료일부터 6개월 내에 행사하여야 한다.
> ④ 기획여행업자는 통상 여행 일반은 물론 목적지의 자연적·사회적 조건에 관하여 전문적 지식을 가진 자로서 우월적 지위에서 행선지나 여행시설의 이용 등에 관한 계약 내용을 일방적으로 결정하는 반면, 여행자는 그 안전성을 신뢰하고 기획여행업자가 제시하는 조건에 따라 여행계약을 체결하는 것이 일반적이다. 이러한 점을 감안할 때 기획여행업자가 여행자와 여행계약을 체결할 경우에는 다음과 같은 내용의 안전배려의무를 부담한다고 봄이 타당하다. 기획여행업자는 여행자의 생명·신체·재산 등의 안전을 확보하기 위하여 여행목적지·여행일정·여행행정·여행서비스기관의 선택 등에 관하여 미리 충분히 조사·검토하여 전문업자로서의 합리적인 판단을 하여야 한다. 그에 따라 기획여행업자는 여행을 시작하기 전 또는 그 이후라도 여행자가 부딪칠지 모르는 위험을 예견할 수 있을 경우에는 여행자에게 그 뜻을 알려 여행자 스스로 그 위험을 수용할지를 선택할 기회를 주어야 하고, 그 여행계약 내용의 실시 도중에 그러한 위험 발생의 우려가 있을 때는 미리 그 위험을 제거할 수단을 마련하는 등의 합리적 조치를 하여야 한다(대판 2017.12.13, 2016다6293).
> ⑤ 제674조의4

08 절 위임

기본문제 | 기본문제의 구성

01 민법상 위임계약에 관한 다음 설명 중 옳지 않은 것은?

① 민법상 위임계약에 있어서 수임인은 특별한 약정이 없으면 위임인에 대하여 보수를 청구하지 못한다.

② 수임인은 자기재산과 동일한 주의로써 위임사무를 처리하여야 한다.

③ 위임사무의 처리에 비용을 요하는 때에는 위임인은 수임인의 청구에 의하여 이를 미리 지급하여야 한다.

④ 위임계약은 각 당사자가 언제든지 해지할 수 있으나, 당사자 일방이 부득이한 사유 없이 상대방의 불리한 시기에 계약을 해지한 때에는 그 손해를 배상하여야 한다.

⑤ 위임종료의 경우에 급박한 사정이 있는 때에는 수임인, 그 상속인이나 법정대리인은 위임인, 그 상속인이나 법정대리인이 위임사무를 처리할 수 있을 때까지 그 사무의 처리를 계속하여야 한다.

해설

① 제686조 제1항 【수임인의 보수청구권】 수임인은 특별한 약정이 없으면 위임인에 대하여 보수를 청구하지 못한다.

② 제681조 【수임인의 선관의무】 수임인은 위임의 본지에 따라 선량한 관리자의 주의로써 위임사무를 처리하여야 한다.

③ 제687조 【수임인의 비용선급청구권】 위임사무의 처리에 비용을 요하는 때에는 위임인은 수임인의 청구에 의하여 이를 선급하여야 한다.

④ 제689조 【위임의 상호해지의 자유】
① 위임계약은 각 당사자가 언제든지 해지할 수 있다.
② 당사자 일방이 부득이한 사유 없이 상대방의 불리한 시기에 계약을 해지한 때에는 그 손해를 배상하여야 한다.

⑤ 제691조 【위임종료시의 긴급처리】 위임종료의 경우에 급박한 사정이 있는 때에는 수임인, 그 상속인이나 법정대리인은 위임인, 그 상속인이나 법정대리인이 위임사무를 처리할 수 있을 때까지 그 사무의 처리를 계속하여야 한다. 이 경우에는 위임의 존속과 동일한 효력이 있다.

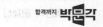

02 위임에 관한 다음 설명 중 가장 옳지 않은 것은? (다툼이 있는 경우 판례에 의함)

▶ 2016년 법무사

① 민법상의 위임계약은 그것이 유상계약이든 무상계약이든 당사자 쌍방의 특별한 대인적 신뢰관계를 기초로 하는 위임계약의 본질상 각 당사자는 언제든지 이를 해지할 수 있고 그로 말미암아 상대방이 손해를 입는 일이 있어도 그것을 배상할 의무를 부담하지 않는 것이 원칙이다.

② 상대방이 불리한 시기에 해지한 때에는 그 해지가 부득이한 사유에 의한 것이 아닌 한 그로 인한 손해를 배상하여야 하고, 그 배상의 범위는 위임이 해지되었다는 사실로부터 생기는 손해이다.

③ 위임계약의 일방 당사자가 타방 당사자의 채무불이행을 이유로 위임계약을 해지한다는 의사표시를 하였으나 실제로는 채무불이행을 이유로 한 계약 해지의 요건을 갖추지 못한 경우라도, 특별한 사정이 없는 한 위 의사표시에는 임의해지로서의 효력이 인정된다.

④ 수임인이 위임받은 사무를 처리하던 중 사무처리를 완료하지 못한 상태에서 위임계약을 해지함으로써 위임인이 그 사무처리의 완료에 따른 성과를 이전받거나 이익을 얻지 못하게 되었다 하더라도, 별도로 특약을 하는 등 특별한 사정이 없는 한 수임인이 사무처리를 완료하기 전에 위임계약을 해지한 것만으로 위임인에게 불리한 시기에 해지한 것이라고 볼 수는 없다.

⑤ 민법 제684조 제1항은 "수임인은 위임사무의 처리로 인하여 받은 금전 기타의 물건 및 그 수취한 과실을 위임인에게 인도하여야 한다."라고 규정하고 있는바, 위 조항에서 말하는 '위임사무의 처리로 인하여 받은 금전 기타 물건'에는 수임인이 위임사무의 처리와 관련하여 취득한 금전 기타 물건으로서 이를 수임인에게 그대로 보유하게 하는 것이 위임의 신임관계를 해한다고 사회통념상 생각할 수 있는 것도 포함된다.

> **해설** ①, ② 민법상의 위임계약은 그것이 유상계약이든 무상계약이든 당사자 쌍방의 특별한 대인적 신뢰관계를 기초로 하는 위임계약의 본질상 각 당사자는 언제든지 이를 해지할 수 있고 그로 말미암아 상대방이 손해를 입는 일이 있어도 그것을 배상할 의무를 부담하지 않는 것이 원칙이며, 다만 상대방이 불리한 시기에 해지한 때에는 그 해지가 부득이 한 사유에 의한 것이 아닌 한 그로 인한 손해를 배상하여야 하나 그 배상범위는 위임이 해지되었다는 사실로부터 생기는 손해가 아니라 적당한 시기에 해지되었더라면 입지 아니하였을 손해에 한한다고 볼 것이다(대판 1991.4.9, 90다18968).
>
> ③ 위임계약의 각 당사자는 민법 제689조 제1항에 따라 특별한 이유 없이도 <u>언제든지 위임계약을 해지할 수 있다. 따라서 위임계약의 일방 당사자가 타방 당사자의 채무불이행을 이유로 위임계약을 해지한다는 의사표시를 하였으나 실제로는 채무불이행을 이유로 한 계약 해지의 요건을 갖추지 못한 경우라도,</u> 특별한 사정이 없는 한 의사표시에는 민법 제689조 제1항에 따른 임의해지로서의 효력이 인정된다(대판 2015.12.23, 2012다71411).

정답 01 ② 02 ②

④ 수임인이 위임받은 사무를 처리하던 중 사무처리를 완료하지 못한 상태에서 위임계약을 해지함으로써 위임인이 사무처리의 완료에 따른 성과를 이전받거나 이익을 얻지 못하게 되더라도, 별도로 특약을 하는 등 특별한 사정이 없는 한 위임계약에서는 시기를 불문하고 사무처리 완료 전에 계약이 해지되면 당연히 위임인이 사무처리의 완료에 따른 성과를 이전받거나 이익을 얻지 못하는 것으로 계약 당시에 예정되어 있으므로, 수임인이 사무처리를 완료하기 전에 위임계약을 해지한 것만으로 위임인에게 불리한 시기에 해지한 것이라고 볼 수는 없다(대판 2015.12.23. 2012다71411).

⑤ 민법 제684조 제1항은 "수임인은 위임사무의 처리로 인하여 받은 금전 기타의 물건 및 그 수취한 과실을 위임인에게 인도하여야 한다."고 규정하고 있는데, 위임계약이 위임인과 수임인의 신임관계를 기초로 하는 것이라는 점 및 수임인은 위임의 본지에 따라 선량한 관리자의 주의로써 위임사무를 처리하여야 하는 것이라는 점 등을 감안하여 볼 때, 위 조항에서 말하는 '위임사무의 처리로 인하여 받은 금전 기타 물건'에는 수임인이 위임사무의 처리와 관련하여 취득한 금전 기타 물건으로서 이를 수임인에게 그대로 보유하게 하는 것이 위임의 신임관계를 해한다고 사회통념상 생각할 수 있는 것도 포함된다(대판 2010.5.27. 2010다4561).

03 민법상 위임에 관한 다음 설명 중 가장 옳지 않은 것은? (다툼이 있는 경우 판례에 의함)

▶ 2017년 법무사

① 부동산 매수인의 의뢰로 부동산 거래관계에 관여하고 그에 따른 등기신청서류의 작성과 등기신청을 대리한 법무사는 그 등기신청과 관련된 한도 내에서는 등기부를 열람하여 등기의 목적과 관련된 권리관계를 확인하고, 이를 의뢰인에게 설명·조언할 의무가 있고, 형식적으로 소유권이전등기신청에 관한 서류를 작성하여 제출한 것만으로는 수임인으로서의 의무를 다하였다고 할 수 없다.

② 무상위임의 경우 수임인은 위임의 본지에 따라 자신의 재산과 동일한 주의로 위임사무를 처리하여야 한다.

③ 등기권리자와 등기의무자 쌍방으로부터 등기절차의 위임을 받고 그 절차에 필요한 서류를 교부받은 법무사는 절차가 끝나기 전에 등기의무자로부터 등기신청을 보류해 달라는 요청이 있었다 해도 등기권리자에 대한 관계에 있어서는 그 사람의 동의가 있는 등 특별한 사정이 없는 한 그 요청을 거부하거나 최소한 그 사실을 위임인인 등기권리자에게 알려주어야 할 위임계약상의 의무가 있다.

④ 위임계약의 각 당사자는 언제든지 위임계약을 해지할 수 있으므로, 일방 당사자가 타방 당사자의 채무불이행을 이유로 위임계약을 해지한다는 의사표시를 하였으나 실제로는 채무불이행을 이유로 한 계약 해지의 요건을 갖추지 못한 경우라도 특별한 사정이 없는 한 그 의사표시는 임의해지로서의 효력이 인정된다.

⑤ 수임인이 위임사무의 처리에 관하여 필요비를 지출한 때에는 위임인에 대하여 지출한 날 이후의 이자를 청구할 수 있다.

해설 ① 법무사가 의뢰인으로부터 등기신청서류의 작성과 등기신청의 대리 등을 수임하였을 때에는 위임의 본지에 따라 선량한 관리자의 주의로써 위임사무를 처리하여야 하는바, 일반인들이 법무사에게 등기신청의 대리 등을 의뢰하는 이유는 통상 법무사의 등기에 관한 전문적이고 기술적인 지식의 도움으로 복잡한 등기신청절차를 적정하게 처리하기 위한 것이라 할 것이므로, 부동산 매수인의 의뢰로 매매계약 및 대금 지급에 참여하는 등 부동산 거래관계에 관여하고 그에 따른 등기신청서류의 작성과 등기신청을 대리한 법무사는 그 등기신청과 관련된 한도 내에서는 등기부를 열람하여 등기의 목적과 관련된 권리관계를 확인하고, 이를 의뢰인에게 설명하고 필요한 조언 등을 할 의무가 있고, 형식적으로 소유권이전등기신청에 관한 서류를 작성하여 제출한 것만으로는 법무사가 수임인으로서의 의무를 다하였다고 할 수 없다(대판 2008.3.27, 2007다76313).

② 제681조 【수임인의 선관의무】 수임인은 위임의 본지에 따라 선량한 관리자의 주의로써 위임사무를 처리하여야 한다.

③ 다음과 같은 판례를 참조하면 된다. 등기권리자와 등기의무자 쌍방으로부터 등기절차의 위촉을 받고 그 절차에 필요한 서류를 교부받은 사법서사는 절차가 끝나기 전에 등기의무자로부터 등기신청을 보류해 달라는 요청이 있었다 하여도 등기권리자에 대한 관계에 있어서는 그 사람의 동의가 있는 등 특별한 사정이 없는 한 그 요청을 거부해야 할 위임계약상의 의무가 있는 것이므로 등기의무자와 사법서사와의 간의 위임계약은 계약의 성질상 민법 제689조 제1항의 규정에 관계없이 등기권리자의 동의 등 특별한 사정이 없는 한 해제할 수 없다(대판 1987.6.23, 85다카2239).

④ 위임계약의 각 당사자는 민법 제689조 제1항에 따라 특별한 이유 없이도 언제든지 위임계약을 해지할 수 있다. 따라서 위임계약의 일방 당사자가 타방 당사자의 채무불이행을 이유로 위임계약을 해지한다는 의사표시를 하였으나 실제로는 채무불이행을 이유로 한 계약 해지의 요건을 갖추지 못한 경우라도, 특별한 사정이 없는 한 의사표시에는 민법 제689조 제1항에 따른 임의해지로서의 효력이 인정된다(대판 2015.12.23, 2012다71411).

⑤ 제688조 제1항 【수임인의 비용상환청구권 등】 수임인이 위임사무의 처리에 관하여 필요비를 지출한 때에는 위임인에 대하여 지출한 날 이후의 이자를 청구할 수 있다.

04 **다음 설명 중 가장 옳지 않은 것은?**   ▶ 2021년 법무사

① 수임인은 위임인의 승낙이나 부득이한 사유 없이 제3자로 하여금 자기에 갈음하여 위임사무를 처리하게 하지 못한다.

② 위임계약의 각 당사자는 민법 제689조 제1항에 의하여 특별한 이유 없이도 언제든지 위임계약을 해지할 수 있다.

③ 위임계약의 일방 당사자가 타방 당사자의 채무불이행을 이유로 위임계약을 해지한다는 의사표시를 하였으나 실제로는 채무불이행을 이유로 한 계약 해지의 요건을 갖추지 못한 경우에는, 특별한 사정이 없는 한 위 의사표시에는 민법 제689조 제1항에 기한 임의해지로서의 효력도 인정되지 아니한다.

정답 ▶ 03 ② 04 ③

④ 수임인이 위임받은 사무를 처리하던 중 사무처리를 완료하지 못한 상태에서 위임계약을 해지함으로써 위임인이 그 사무처리의 완료에 따른 성과를 이전받거나 이익을 얻지 못하게 되었다 하더라도, 별도로 특약을 하는 등 특별한 사정이 없는 한 위임계약에서는 시기 여하를 불문하고 사무처리 완료 이전에 계약이 해지되면 당연히 위임인이 그 사무처리의 완료에 따른 성과를 이전받거나 이익을 얻지 못하는 것으로 계약 당시에 예정되어 있으므로, 수임인이 사무처리를 완료하기 전에 위임계약을 해지한 것만으로 위임인에게 불리한 시기에 해지한 것이라고 볼 수는 없다.

⑤ 민법상의 위임계약은 유상계약이든 무상계약이든 당사자 쌍방의 특별한 대인적 신뢰관계를 기초로 하는 위임계약의 본질상 각 당사자는 언제든지 해지할 수 있고 그로 말미암아 상대방이 손해를 입는 일이 있어도 그것을 배상할 의무를 부담하지 않는 것이 원칙이며, 다만 상대방이 불리한 시기에 해지한 때에는 해지가 부득이한 사유에 의한 것이 아닌 한 그로 인한 손해를 배상하여야 하나, 배상의 범위는 위임이 해지되었다는 사실로부터 생기는 손해가 아니라 적당한 시기에 해지되었더라면 입지 아니하였을 손해에 한한다.

해설

① 제682조 제1항【복임권의 제한】 수임인은 위임인의 승낙이나 부득이한 사유 없이 제3자로 하여금 자기에 갈음하여 위임사무를 처리하게 하지 못한다.

②,③ 위임계약의 각 당사자는 민법 제689조 제1항에 따라 특별한 이유 없이도 언제든지 위임 계약을 해지할 수 있다. 따라서 위임계약의 일방 당사자가 타방 당사자의 채무불이행을 이유로 위임계약을 해지한다는 의사표시를 하였으나 실제로는 채무불이행을 이유로 한 계약 해지의 요건을 갖추지 못한 경우라도, 특별한 사정이 없는 한 의사표시에는 민법 제689조 제1항에 따른 임의해지로서의 효력이 인정된다(대판 2015.12.23, 2012다71411).

④ 수임인이 위임받은 사무를 처리하던 중 사무처리를 완료하지 못한 상태에서 위임계약을 해지함으로써 위임인이 사무처리의 완료에 따른 성과를 이전받거나 이익을 얻지 못하게 되더라도, 별도로 특약을 하는 등 특별한 사정이 없는 한 위임계약에서는 시기를 불문하고 사무처리 완료 전에 계약이 해지되면 당연히 위임인이 사무처리의 완료에 따른 성과를 이전받거나 이익을 얻지 못하는 것으로 계약 당시에 예정되어 있으므로, 수임인이 사무처리를 완료하기 전에 위임계약을 해지한 것만으로 위임인에게 불리한 시기에 해지한 것이라고 볼 수는 없다(대판 2015.12.23, 2012다71411).

⑤ 민법상의 위임계약은 유상계약이든 무상계약이든 당사자 쌍방의 특별한 대인적 신뢰관계를 기초로 하는 위임계약의 본질상 각 당사자는 언제든지 해지할 수 있고 그로 말미암아 상대방이 손해를 입는 일이 있어도 그것을 배상할 의무를 부담하지 않는 것이 원칙이며, 다만 상대방이 불리한 시기에 해지한 때에는 해지가 부득이한 사유에 의한 것이 아닌 한 그로 인한 손해를 배상하여야 하나, 배상의 범위는 위임이 해지되었다는 사실로부터 생기는 손해가 아니라 적당한 시기에 해지되었더라면 입지 아니하였을 손해에 한한다(대판 2015.12.23, 2012다71411).

05 위임계약에 관한 다음 설명 중 옳은 것은 모두 몇 개인가? ▶ 2022년 법원행시

ㄱ. 위임계약은 각 당사자가 언제든지 해지할 수 있다. 따라서 위임계약의 일방 당사자가 타방 당사자의 채무불이행을 이유로 위임계약을 해지한다는 의사표시를 하였으나 실제로는 채무불이행을 이유로 한 계약 해지의 요건을 갖추지 못한 경우라도, 특별한 사정이 없는 한 의사표시에는 민법 제689조 제1항에 따른 임의해지로서의 효력이 인정된다.

ㄴ. 민법상 위임계약은 유상계약이든 무상계약이든 당사자 쌍방의 특별한 대인적 신뢰관계를 기초로 하는 위임계약의 본질상 각 당사자는 언제든지 해지할 수 있고 그로 말미암아 상대방이 손해를 입는 일이 있어도 그것을 배상할 의무를 부담하지 않는 것이 원칙이다.

ㄷ. 다만 상대방이 불리한 시기에 해지한 때에는 해지가 부득이한 사유에 의한 것이 아닌 한 위임이 해지됨으로써 생기는 손해를 배상하여야 한다.

ㄹ. 수임인이 위임받은 사무를 처리하던 중 사무처리를 완료하지 못한 상태에서 위임계약을 해지함으로써 위임인이 사무처리의 완료에 따른 성과를 이전받거나 이익을 얻지 못하게 되었다면, 위임인에게 불리한 시기에 해지한 것이라고 볼 수 있다.

ㅁ. 당사자가 위임계약을 체결하면서 민법 제689조 제1항, 제2항에 규정된 바와 다른 내용으로 해지사유 및 절차, 손해배상책임 등을 정하였더라도, 이러한 약정에 의해 위 규정의 적용을 배제할 수는 없다.

① 1개   ② 2개   ③ 3개
④ 4개   ⑤ 5개

해설 ㄱ. ㄴ. ㄷ. 위임계약의 각 당사자는 민법 제689조 제1항에 따라 특별한 이유 없이도 언제든지 위임계약을 해지할 수 있다. 따라서 위임계약의 일방 당사자가 타방 당사자의 채무불이행을 이유로 위임계약을 해지한다는 의사표시를 하였으나 실제로는 채무불이행을 이유로 한 계약 해지의 요건을 갖추지 못한 경우라도, 특별한 사정이 없는 한 의사표시에는 민법 제689조 제1항에 따른 임의해지로서의 효력이 인정된다. 민법상의 위임계약은 유상계약이든 무상계약이든 당사자 쌍방의 특별한 대인적 신뢰관계를 기초로 하는 위임계약의 본질상 각 당사자는 언제든지 해지할 수 있고 그로 말미암아 상대방이 손해를 입는 일이 있어도 그것을 배상할 의무를 부담하지 않는 것이 원칙이며, 다만 상대방이 불리한 시기에 해지한 때에는 해지가 부득이한 사유에 의한 것이 아닌 한 그로 인한 손해를 배상하여야 하나, 배상의 범위는 위임이 해지되었다는 사실로부터 생기는 손해가 아니라 적당한 시기에 해지되었더라면 입지 아니하였을 손해에 한한다(대판 2015.12.23, 2012다71411). → 위임이 해지됨으로써 생기는 손해를 배상하여야 하는 것이 아니다.

ㄹ. 수임인이 위임받은 사무를 처리하던 중 사무처리를 완료하지 못한 상태에서 위임계약을 해지함으로써 위임인이 사무처리의 완료에 따른 성과를 이전받거나 이익을 얻지 못하게 되더라도, 별도로 특약을 하는 등 특별한 사정이 없는 한 위임계약에서는 시기를 불문하고 사무처리 완료 전에 계약이 해지되면 당연히 위임인이 사무처리의 완료에 따른 성과를 이전받거

정답 05 ②

나 이익을 얻지 못하는 것으로 계약 당시에 예정되어 있으므로, 수임인이 사무처리를 완료하기 전에 위임계약을 해지한 것만으로 위임인에게 불리한 시기에 해지한 것이라고 볼 수는 없다(대판 2015.12.23, 2012다71411).

ㅁ. 민법 제689조 제1항·제2항은 임의규정에 불과하므로 당사자의 약정에 의하여 위 규정의 적용을 배제하거나 그 내용을 달리 정할 수 있다. 그리고 당사자가 위임계약의 해지사유 및 절차, 손해배상책임 등에 관하여 민법 제689조 제1항, 제2항과 다른 내용으로 약정을 체결한 경우, 이러한 약정은 당사자에게 효력을 미치면서 당사자 간의 법률관계를 명확히 함과 동시에 거래의 안전과 이에 대한 각자의 신뢰를 보호하기 위한 취지라고 볼 수 있으므로, 이를 단순히 주의적인 성격의 것이라고 쉽게 단정해서는 아니 된다. 따라서 당사자가 위임계약을 체결하면서 민법 제689조 제1항·제2항에 규정된 바와 다른 내용으로 해지사유 및 절차, 손해배상책임 등을 정하였다면, 민법 제689조 제1항, 제2항이 이러한 약정과는 별개 독립적으로 적용된다고 볼 만한 특별한 사정이 없는 한, 위 약정에서 정한 해지사유 및 절차에 의하지 않고는 계약을 해지할 수 없고, 손해배상책임에 관한 당사자 간 법률관계도 위 약정이 정한 바에 의하여 규율된다고 봄이 타당하다(대판 2019.5.30, 2017다53265).

06 다음 설명 중 옳지 않은 것은 모두 몇 개인가? ▶ 2021년 법원행시

가. 민법 제675조에 정하는 현상광고라 함은, 광고자가 어느 행위를 한 자에게 일정한 보수를 지급할 의사를 표시하고 이에 응한 자가 그 광고에 정한 행위를 완료함으로써 그 효력이 생기는 것으로서, 그 광고에 정한 행위의 완료에 조건이나 기한을 붙일 수 있다. 경찰이 탈옥수 甲을 수배하면서 '제보로 검거되었을 때에 신고인 또는 제보자에게 현상금을 지급한다.'는 내용의 현상광고를 한 경우, 현상광고의 지정행위는 甲의 거처 또는 소재를 경찰에 신고 내지 제보하는 것이고 甲이 '검거되었을 때'는 지정행위의 완료에 조건을 붙인 것인데, 제보자가 甲의 소재를 발견하고 경찰에 이를 신고함으로써 현상광고의 지정행위는 완료되었고, 그에 따라 경찰관 등이 출동하여 甲이 있던 호프집 안에서 그를 검문하고 나아가 차량에 태워 파출소에까지 데려간 이상 그에 대한 검거는 이루어진 것이므로, 현상광고상의 지정행위 완료에 붙인 조건도 성취되었다.

나. 공사도급계약에 있어서 당사자 사이에 특약이 있거나 일의 성질상 수급인 자신이 하지 않으면 채무의 본지에 따른 이행이 될 수 없다는 등의 특별한 사정이 없는 한 반드시 수급인 자신이 직접 일을 완성하여야 하는 것은 아니고, 이행보조자 또는 이행대행자를 사용하더라도 공사도급계약에서 정한 대로 공사를 이행하는 한 계약을 불이행하였다고 볼 수 없다.

다. 유상계약을 체결함에 있어서 계약금이 수수된 경우 계약금은 해약금의 성질을 가지고 있어서, 이를 위약금으로 하기로 하는 특약이 없는 이상 계약이 당사자 일방의 귀책사유로 인하여 해제되었다 하더라도 상대방은 계약불이행으로 입은 실제 손해만을 배상받을 수 있을 뿐 계약금이 위약금으로서 상대방에게 당연히 귀속되는 것은 아니다.

라. 아파트 분양광고의 내용 중 구체적인 거래조건, 즉 아파트의 외형·재질·구조 등에 관한 것으로서 사회통념에 비추어 수분양자가 분양자에게 계약의 내용으로서 이행을 청구할 수 있다고 보이는 사항에 관한 것은 수분양자가 이를 신뢰하고 분양계약을 체결하는 것이고 분양자도 이를 알고 있었다고 보아야 할 것이므로, 분양계약을 할 때에 달리 이의를 유보하였다는 등의 특별한 사정이 없는 한 이러한 사항은 분양자와 수분양자 사이의 묵시적 합의에 의하여 분양계약의 내용으로 된다고 할 것이지만, 이러한 사항이 아닌 아파트 분양광고의 내용은 일반적으로 청약의 유인으로서의 성질을 가지는 데 불과하므로 이를 이행하지 아니하였다고 하여 분양자에게 계약불이행의 책임을 물을 수는 없다.

마. 변호사에게 계쟁 사건의 처리를 위임함에 있어서 그 보수 지급 및 수액에 관하여 명시적인 약정을 아니하였다 하여도, 무보수로 한다는 등 특별한 사정이 없는 한 응분의 보수를 지급할 묵시의 약정이 있는 것으로 봄이 상당하다.

① 없음 ② 1개 ③ 2개
④ 3개 ⑤ 4개

해설 가. 현상광고에 정한 행위의 완료에 기한이나 정지조건을 붙일 수 있다는 입장이다(대판 2000.8.22, 2000다3675). 예컨대, 경찰이 탈옥수를 수배하면서 "제보로 검거되었을 때에 신고인 또는 제보자에게 현상금을 지급한다"는 내용의 현상광고를 한 경우, 현상광고의 지정행위는 탈옥수의 거처 또는 소재를 경찰에 신고 내지 제보하는 것이고, 탈옥수가 '검거되었을 때'는 지정행위의 완료에 조건을 붙인 것인데, 제보자가 탈옥수의 소재를 발견하고 경찰에 이를 신고함으로써 현상광고의 지정행위는 완료되었고, 그에 따라 경찰관 등이 출동하여 탈옥수가 있던 호프집 안에서 그를 검문하고 나아가 차량에 태워 파출소에까지 데려간 이상 그에 대한 검거는 이루어진 것이므로, 현상광고상의 지정행위 완료에 붙인 조건도 성취되었다고 하였다.

나. 공사도급계약에 있어서 당사자 사이에 특약이 있거나 일의 성질상 수급인 자신이 하지 않으면 채무의 본지에 따른 이행이 될 수 없다는 등의 특별한 사정이 없는 한 반드시 수급인 자신이 직접 일을 완성하여야 하는 것은 아니고, 이행보조자 또는 이행대행자를 사용하더라도 공사도급계약에서 정한 대로 공사를 이행하는 한 계약을 불이행하였다고 볼 수 없다(대판 2002.4.12, 2001다82545·82552).

다. 유상계약을 체결함에 있어서 계약금이 수수된 경우 계약금은 해약금의 성질을 가지고 있어서, 이를 위약금으로 하기로 하는 특약이 없는 이상 계약이 당사자 일방의 귀책사유로 인하여 해제되었다 하더라도 상대방은 계약불이행으로 입은 실제 손해만을 배상받을 수 있을 뿐, 계약금이 위약금으로서 상대방에게 당연히 귀속되는 것은 아니다(대판 2010.4.29, 2007다24930).

라. 아파트 분양광고의 내용 중 구체적인 거래조건, 즉 아파트의 외형·재질·구조 등에 관한 것으로서 사회통념에 비추어 수분양자가 분양자에게 계약의 내용으로서 이행을 청구할 수 있다고 보이는 사항에 관한 것은 수분양자가 이를 신뢰하고 분양계약을 체결하는 것이고 분양자도 이를 알고 있었다고 보아야 할 것이므로, 분양계약을 할 때에 달리 이의를 유보하였다는 등의 특별한 사정이 없는 한 이러한 사항은 분양자와 수분양자 사이의 묵시적 합의에

정답 06 ①

의하여 분양계약의 내용으로 된다고 할 것이지만, 이러한 사항이 아닌 아파트 분양광고의 내용은 일반적으로 청약의 유인으로서의 성질을 가지는 데 불과하므로 이를 이행하지 아니하였다고 하여 분양자에게 계약불이행의 책임을 물을 수는 없다(대판 2019.4.23, 2015다 28968・28975・28982・28999).

마. 변호사에게 계쟁사건의 처리를 위임함에 있어서 보수지급 및 수액에 관하여 명시적인 약정을 아니하였다 하여도, 무보수로 한다는 등 특별한 사정이 없는 한 응분의 보수를 지급할 묵시의 약정이 있는 것으로 봄이 상당하다(대판 1993.11.12, 93다36882).

07 위임에 관한 다음 설명 중 가장 옳지 않은 것은? ▶ 2023년 법무사

① 민법 제684조 제2항은 "수임인이 위임인을 위하여 자기의 명의로 취득한 권리는 위임인에게 이전하여야 한다."라고 규정하고 있는데, 이때 그 이전 시기는 당사자 간에 특약이 있거나 위임의 본뜻에 반하는 경우 등과 같은 특별한 사정이 없는 한 위임계약이 종료된 때이다. 따라서 위임사무로 수임인 명의로 취득한 권리에 관한 위임인의 이전청구권의 소멸시효는 위임계약이 종료된 때부터 진행한다.

② 위임계약에서 보수액에 관하여 약정한 경우에 수임인은 원칙적으로 약정보수액을 전부청구할 수 있는 것이 원칙이지만, 위임업무 처리의 경과와 난이도, 투입한 노력의 정도 등 제반 사정을 고려할 때 약정보수액이 부당하게 과다하여 신의성실의 원칙이나 형평의 원칙에 반한다고 볼만한 특별한 사정이 있는 때에는 예외적으로 상당하다고 인정되는 범위 내의 보수액만을 청구할 수 있다.

③ 소송위임계약으로 성공보수를 약정하였을 경우 심급대리의 원칙에 따라 수임한 소송사무가 종료하는 시기인 해당 심급의 판결을 송달받은 때로부터 그 소멸시효기간이 진행되나, 당사자 사이에 보수금의 지급시기에 관한 특약이 있다면 그에 따라 보수채권을 행사할 수 있는 때로부터 소멸시효가 진행한다.

④ 위임계약의 각 당사자는 민법 제689조 제1항에 따라 특별한 이유 없이도 언제든지 위임계약을 해지할 수 있다. 그러나 위임계약의 일방 당사자가 타방 당사자의 채무불이행을 이유로 위임계약을 해지한다는 의사표시를 하였으나 실제로는 채무불이행을 이유로 한 계약 해지의 요건을 갖추지 못한 경우에는, 특별한 사정이 없는 한 그와 같은 의사표시에 민법 제689조 제1항에 따른 임의해지로서의 효력을 인정할 수는 없다.

⑤ 민법상 위임계약의 당사자는 언제든지 계약을 해지할 수 있고 그로 말미암아 상대방이 손해를 입는 일이 있어도 그것을 배상할 의무를 부담하지 않는 것이 원칙이다. 다만 상대방이 불리한 시기에 해지한 때에는 해지가 부득이한 사유에 의한 것이 아닌 한 그로 인한 손해를 배상하여야 하나, 배상의 범위는 위임이 해지되었다는 사실로부터 생기는 손해가 아니라 적당한 시기에 해지되었더라면 입지 아니하였을 손해에 한한다.

해설 ① 대판 2022.9.7, 2022다217117
② 대판 2012.4.12, 2011다107900

③ 대판 2023.2.2, 2022다276307

④ 위임계약의 각 당사자는 민법 제689조 제1항에 따라 특별한 이유 없이도 언제든지 위임계약을 해지할 수 있다. 따라서 위임계약의 일방 당사자가 타방 당사자의 **채무불이행을 이유로 위임계약을 해지한다는 의사표시를 하였으나 실제로는 채무불이행을 이유로 한 계약 해지의 요건을 갖추지 못한 경우라도**, 특별한 사정이 없는 한 의사표시에는 민법 제689조 제1항에 따른 **임의해지로서의 효력**이 인정된다(대판 2015.12.23, 2012다71411).

⑤ 대판 2015.12.23, 2012다71411

08 위임에 관한 다음 설명 중 가장 옳지 않은 것은? ▶ 2024년 법원사무관 승진

① 수임인이 위임의 본지에 좇은 업무처리를 하지 아니한 까닭에 만약 수임인이 위임의 본지에 좇은 업무처리를 하였더라면 지출하지 아니하여도 될 비용을 위임인이 지출한 경우에, 수임인의 채무불이행으로 인하여 위임인이 입게 된 손해액은 그 지출한 비용이다.

② 수임인은 위임사무의 처리로 인하여 받은 금전 기타의 물건 및 그 수취한 과실이 있을 경우에는 이를 위임인에게 인도하여야 하는데, 이때 인도 시기는 당사자 간에 특약이 있거나 위임의 본뜻에 반하는 경우 등과 같은 특별한 사정이 있지 않는 한 위임계약이 종료한 때이므로, 수임인이 반환할 금전의 범위도 위임종료 시를 기준으로 정해진다.

③ 위임사무로 수임인 명의로 취득한 권리에 관한 위임인의 이전청구권의 소멸시효는 특별한 사정이 없는 한 수임인이 그 명의로 권리를 취득한 때부터 진행한다.

④ 위임계약의 각 당사자는 특별한 이유 없이도 언제든지 위임계약을 해지할 수 있으므로, 위임계약의 일방 당사자가 타방 당사자의 채무불이행을 이유로 위임계약을 해지한다는 의사표시를 하였으나 실제로는 채무불이행을 이유로 한 계약 해지의 요건을 갖추지 못한 경우라도, 특별한 사정이 없는 한 그 의사표시에는 임의해지로서의 효력이 인정된다.

해설 ① 위임계약에 있어서 수임인이 위임의 본지에 좇은 업무처리를 하지 아니한 까닭에 만약 수임인이 위임의 본지에 좇은 업무처리를 하였더라면 지출하지 아니하여도 될 비용을 위임인이 지출한 경우에, 수임인의 채무불이행으로 인하여 위임인이 입게 된 손해액은 그 지출한 비용이다(대판 1996.12.10, 96다36289).

② 민법 제684조 제1항에 의하면 수임인은 위임사무의 처리로 인하여 받은 금전 기타의 물건 및 그 수취한 과실이 있을 경우에는 이를 위임인에게 인도하여야 한다고 규정하고 있는바, 이때 인도 시기는 당사자 간에 특약이 있거나 위임의 본뜻에 반하는 경우 등과 같은 특별한 사정이 있지 않는 한 위임계약이 종료한 때이므로, 수임인이 반환할 금전의 범위도 위임종료 시를 기준으로 정해진다(대판 2007.2.8, 2004다64432).

정답 ▶ 07 ④ 08 ③

③ 민법 제684조 제2항은 "수임인이 위임인을 위하여 자기의 명의로 취득한 권리는 위임인에게 이전하여야 한다."라고 규정하고 있는데, 이때 그 **이전 시기는** 당사자 간에 특약이 있거나 위임의 본뜻에 반하는 경우 등과 같은 특별한 사정이 없는 한 **위임계약이 종료된 때이다. 따라서** 위임사무로 수임인 명의로 취득한 권리에 관한 **위임인의 이전청구권의 소멸시효는 위임계약이 종료된 때부터 진행하게 된다**(대판 2022.9.7. 2022다217117).

④ 대판 2015.12.23. 2012다71411

09 절 임치

01 다음 중 주의의무의 정도가 가장 가벼운 것은?

① 수임인의 위임사무처리의무
② 임차인의 임차목적물보존의무
③ 유치권자의 유치물에 대한 점유시 주의의무
④ 상속인의 상속재산관리의무
⑤ 영업상 무상으로 물건을 수치한 상인의 임치물보관의무

> **해설**
>
> ① 제681조【수임인의 선관의무】수임인은 위임의 본지에 따라 선량한 관리자의 주의로써 위임사무를 처리하여야 한다.
>
> ② 임차인은 임대차종료 시 임차물 자체를 반환하여야 하는 특정물인도채무를 지므로, 선량한 관리자의 주의로 임차물을 보존할 의무를 부담한다(제374조). 판례 또한 마찬가지의 입장이다. 임차인은 임차건물의 보존에 관하여 선량한 관리자의 주의의무를 다하여야 하고, 임차인의 임차물반환채무가 이행불능이 된 경우, 임차인이 그 이행불능으로 인한 손해배상책임을 면하려면 그 이행불능이 임차인의 귀책사유로 말미암은 것이 아님을 입증할 책임이 있다 (대판 2006.1.13, 2005다51013·51020).
>
> ③ 제324조 제1항【유치권자의 선관의무】유치권자는 선량한 관리자의 주의로 유치물을 점유하여야 한다.
>
> ④ 제1022조【상속재산의 관리】상속인은 그 고유재산에 대하는 것과 동일한 주의로 상속재산을 관리하여야 한다. 그러나 단순승인 또는 포기한 때에는 그러하지 아니하다.
>
> ⑤ 상법 제62조【임치를 받은 상인의 책임】상인이 그 영업범위 내에서 물건의 임치를 받은 경우에는 보수를 받지 아니한 때에도 선량한 관리자의 주의를 하여야 한다.

02 예금계약에 관한 다음 설명 중 가장 옳지 않은 것은? ▶ 2021년 법무사

① 예금계약은 예금자가 예금의 의사를 표시하면서 금융기관에 돈을 제공하고 금융기관이 그 의사에 따라 돈을 받아 확인하면 그로써 성립하며, 금융기관의 직원이 그 돈을 금융기관에 입금하지 아니하고 이를 횡령하였다고 하더라도 예금계약의 성립 여부에 아무런 영향이 없다.

② '계좌이체가 되는 경우에는 예금원장에 입금의 기록이 된 때에 예금이 된다'고 예금거래기본약관에 정하여져 있더라도 송금의뢰인과 수취인 사이에 계좌이체의 원인인 법률관계가 존재하지 아니함에도 착오로 수취인의 예금계좌에 이체를 하였다면 수취인이 수취은행에 대하여 이체된 금액 상당의 예금채권을 취득하는 것은 아니다.

정답 **01** ④ **02** ②

③ 송금의뢰인과 수취인 사이에 계좌이체의 원인인 법률관계가 존재하지 아니함에도 착오로 수취인의 예금계좌에 이체를 한 위와 같은 경우에는 수취인이 법률상 원인 없이 예금채권을 취득하는 이익을 얻은 것이므로 송금의뢰인은 수취인에 대하여 부당이득반환청구권을 가지게 된다.

④ 甲이 배우자인 乙을 대리하여 금융기관과 乙의 실명확인 절차를 거쳐 乙 명의의 예금계약을 체결한 경우에 명의자인 乙이 아닌 실제로 자금을 출연한 甲을 예금계약의 당사자라고 보기 위해서는, 甲과 금융기관과의 사이에 예금명의자인 乙의 예금반환청구권을 배제하고 출연자인 甲과 예금계약을 체결하여 甲에게 예금반환청구권을 귀속시키겠다는 명확한 의사의 합치가 있는 극히 예외적인 경우여야 한다.

⑤ 은행에 공동명의로 예금을 하고 은행에 대하여 그 권리를 함께 행사하기로 한 경우에 만일 동업자금을 공동명의로 예금한 경우라면 채권의 준합유관계에 있지만, 공동명의 예금채권자들 각자가 분담하여 출연한 돈을 동업 이외의 특정 목적을 위하여 공동명의로 예치해 둠으로써 그 목적이 달성되기 전에는 공동명의 예금채권자가 단독으로 예금을 인출할 수 없도록 방지·감시하고자 하는 등의 목적으로 공동명의로 예금을 개설한 경우라면 하나의 예금채권이 분량적으로 분할되어 각 공동명의 예금채권자들에게 귀속된다.

해설 ① 예금계약은 예금자가 예금의 의사를 표시하면서 금융기관에 돈을 제공하고 금융기관이 그 의사에 따라 그 돈을 받아 확인을 하면 그로써 성립하며, 금융기관의 직원이 그 받은 돈을 금융기관에 입금하지 아니하고 이를 횡령하였다고 하더라도 예금계약의 성립에는 아무런 소장이 없다(대판 1996.1.26, 95다26919).

②, ③ 현금으로 계좌송금 또는 계좌이체가 된 경우에는 예금원장에 입금의 기록이 된 때에 예금이 된다고 예금거래기본약관에 정하여져 있을 뿐이고, 수취인과 은행 사이의 예금계약의 성립 여부를 송금의뢰인과 수취인 사이에 계좌이체의 원인인 법률관계가 존재하는지 여부에 의하여 좌우되도록 한다고 별도로 약정하였다는 등의 특별한 사정이 없는 경우에는, 송금의뢰인이 수취인의 예금구좌에 계좌이체를 한 때에는, 송금의뢰인과 수취인 사이에 계좌이체의 원인인 법률관계가 존재하는지 여부에 관계없이 수취인과 수취은행 사이에는 계좌이체금액 상당의 예금계약이 성립하고, 수취인이 수취은행에 대하여 위 금액 상당의 예금채권을 취득한다. 이때, 송금의뢰인과 수취인 사이에 계좌이체의 원인이 되는 법률관계가 존재하지 않음에도 불구하고, 계좌이체에 의하여 수취인이 계좌이체금액 상당의 예금채권을 취득한 경우에는, 송금의뢰인은 수취인에 대하여 위 금액 상당의 부당이득반환청구권을 가지게 되지만, 수취은행은 이익을 얻은 것이 없으므로 수취은행에 대하여는 부당이득반환청구권을 취득하지 아니한다(대판 2007.11.29, 2007다51239 등).

④ 본인인 예금명의자의 의사에 따라 예금명의자의 실명확인 절차가 이루어지고 예금명의자를 예금주로 하여 예금계약서를 작성하였음에도 불구하고, 예금명의자가 아닌 출연자 등을 예금계약의 당사자라고 볼 수 있으려면, 금융기관과 출연자 등과 사이에서 실명확인 절차를 거쳐 서면으로 이루어진 예금명의자와의 예금계약을 부정하여 예금명의자의 예금반환청구권을 배제하고 출연자 등과 예금계약을 체결하여 출연자 등에게 예금반환청구권을 귀속시키겠다는 명확한 의사의 합치가 있는 극히 예외적인 경우로 제한되어야 한다(대판(전) 2009.3.19, 2008다45828).

⑤ 은행에 공동명의로 예금을 하고 은행에 대하여 그 권리를 함께 행사하기로 한 경우에 만일 ⅰ) 동업자금을 공동명의로 예금한 경우라면 채권의 준합유관계에 있다고 볼 것이나, ⅱ) 공동명의 예금채권자들 각자가 분담하여 출연한 돈을 동업 이외의 특정 목적을 위하여 공동명의로 예치해 둠으로써 그 목적이 달성되기 전에는 공동명의 예금채권자가 단독으로 예금을 인출할 수 없도록 방지·감시하고자 하는 목적으로 공동명의로 예금을 개설한 경우라면, 하나의 예금채권이 분량적으로 분할되어 각 공동명의 예금채권자들에게 공동으로 귀속되고, 각 공동명의 예금채권자들이 예금채권에 대하여 갖는 각자의 지분에 대한 관리처분권은 각자에게 귀속된다(대판 2004.10.14, 2002다55908).

03 예금계약에 관한 다음 설명 중 가장 옳지 않은 것은? ▸2024년 법무사

① 예금계약은 예금자가 예금의 의사를 표시하면서 금융기관에 돈을 제공하고 금융기관이 그 의사에 따라서 그 돈을 받아 확인을 하면 그로써 성립하며, 금융기관의 직원이 그 받은 돈을 금융기관에 입금하지 아니하고 이를 횡령하였다고 하더라도 예금계약의 성립에는 아무런 영향이 없다.

② 예금거래기본약관에 따라 송금의뢰인이 수취인의 예금계좌에 자금이체를 하여 예금원장에 입금의 기록이 된 때에는 특별한 사정이 없는 한 송금의뢰인과 수취인 사이에 자금이체의 원인인 법률관계가 존재하는지에 관계없이 수취인과 수취은행 사이에는 입금액 상당의 예금계약이 성립하고, 수취인은 수취은행에 대하여 입금액 상당의 예금채권을 취득한다.

③ 출금계좌의 예금주가 수취인 앞으로의 계좌이체에 대하여 지급지시를 하거나 수취인의 추심이체에 관하여 출금 동의 등을 한 바가 없는데도, 은행이 그와 같은 지급지시나 출금 동의가 있는 것으로 착오를 일으켜 출금계좌에서 예금을 인출한 다음 이를 수취인의 예금계좌에 입금하여 그 기록이 완료된 때에도 수취인과 수취은행 사이에는 입금액 상당의 예금계약이 성립하고, 수취인은 수취은행에 대하여 입금액 상당의 예금채권을 취득한다.

④ 송금의뢰인이 착오송금임을 이유로 거래은행을 통하여 혹은 수취은행에 직접 송금액의 반환을 요청하고 수취인도 송금의뢰인의 착오송금에 의하여 수취인의 계좌에 금원이 입금된 사실을 인정하고 수취은행에 그 반환을 승낙하고 있는 경우, 수취은행이 수취인에 대한 대출채권 등을 자동채권으로 하여 수취인의 계좌에 착오로 입금된 금원 상당의 예금채권과 상계하는 것은 원칙적으로 가능하다.

⑤ 만기가 정해진 예금계약에 따른 금융기관의 예금 반환채무는 만기가 도래하더라도 임치인이 미리 만기 후 예금 수령방법을 지정한 경우와 같은 특별한 사정이 없는 한 임치인의 적법한 지급 청구가 있어야 비로소 이행할 수 있으므로, 예금계약의 만기가 도래한 것만으로 금융기관인 수치인이 임치인에 대하여 예금 반환 지연으로 인한 지체책임을 부담한다고 볼 수는 없다.

정답 03 ④

해설 ① 대판 1996.1.26, 95다26919

②.③ 예금거래기본약관에 따라 송금의뢰인이 수취인의 예금계좌에 자금이체를 하여 예금원장에 입금의 기록이 된 때에는 특별한 사정이 없는 한 송금의뢰인과 수취인 사이에 자금이체의 원인인 법률관계가 존재하는지에 관계없이 수취인과 수취은행 사이에는 입금액 상당의 예금계약이 성립하고, 수취인은 수취은행에 대하여 입금액 상당의 예금채권을 취득한다. 이와 같은 법리는 출금계좌의 예금주가 수취인 앞으로의 계좌이체에 대하여 지급지시를 하거나 수취인의 추심이체에 관하여 출금 동의 등을 한 바가 없는데도, 은행이 그와 같은 지급지시나 출금 동의가 있는 것으로 착오를 일으켜 출금계좌에서 예금을 인출한 다음 이를 수취인의 예금계좌에 입금하여 그 기록이 완료된 때에도 동일하게 적용된다고 봄이 타당하므로, 수취인은 이러한 은행의 착오에 의한 자금이체의 경우에도 입금액 상당의 예금채권을 취득한다 (대판 2012.10.25. 2010다47117).

④ 송금의뢰인이 착오송금임을 이유로 거래은행을 통하여 혹은 수취은행에 직접 송금액의 반환을 요청하고, 수취인도 송금의뢰인의 착오송금에 의하여 수취인의 계좌에 금원이 입금된 사실을 인정하여 수취은행에 그 반환을 승낙하고 있는 경우, 수취은행이 수취인에 대한 대출채권 등을 자동채권으로 하여 수취인의 계좌에 착오로 입금된 금원 상당의 예금채권과 상계하는 것은 수취은행이 선의인 상태에서 수취인의 예금채권을 담보로 대출을 하여 그 자동채권을 취득한 것이라거나 그 예금채권이 이미 제3자에 의하여 압류되었다는 등의 특별한 사정이 없는 한, 공공성을 지닌 자금이체시스템의 운영자가 그 이용자인 송금의뢰인의 실수를 기화로 그의 희생하에 당초 기대하지 않았던 채권회수의 이익을 취하는 행위로서 상계제도의 목적이나 기능을 일탈하고 법적으로 보호받을 만한 가치가 없으므로, 송금의뢰인에 대한 관계에서 신의칙에 반하거나 상계에 관한 권리를 남용하는 것이다(대판 2022.7.14, 2020다212958).

⑤ 예금계약은 은행 등 법률이 정하는 금융기관을 수치인으로 하는 금전의 소비임치 계약으로서 수치인은 임치물인 금전 등을 보관하고 그 기간 중 이를 소비할 수 있고 임치인의 청구에 따라 동종 동액의 금전을 반환할 것을 약정함으로써 성립하는 것이므로 소비대차에 관한 민법의 규정이 준용되나 사실상 그 계약의 내용은 약관에 따라 정해진다고 보아야 한다. 또한 만기가 정해진 예금계약에 따른 금융기관의 예금 반환채무는 만기가 도래하더라도 임치인이 미리 만기 후 예금 수령방법을 지정한 경우와 같은 특별한 사정이 없는 한 임치인의 적법한 지급 청구가 있어야 비로소 이행할 수 있으므로, 예금계약의 만기가 도래한 것만으로 금융기관인 수치인이 임치인에 대하여 예금 반환 지연으로 인한 지체책임을 부담한다고 볼 수는 없고, 정당한 권한이 있는 임치인의 지급 청구에도 불구하고 수치인이 예금 반환을 지체한 경우에 지체책임을 물을 수 있다고 보아야 한다(대판 2023.6.29, 2023다218353).

10 절 조합

기본문제 │ 기본문제의 구성

01 조합에 관한 다음 설명 중 옳지 않은 것은? (다툼이 있는 경우 판례에 의함)

① 당사자가 손익분배의 비율을 정하지 아니한 때에는 각 조합원의 균분으로 추정된다.

② 탈퇴한 조합원의 지분은 그 출자의 종류여하에 불구하고 금전으로 반환할 수 있다.

③ 동업계약과 같은 조합계약에 있어서는 조합의 해산청구를 하거나 조합으로부터 탈퇴를 하거나 또는 다른 조합원을 제명할 수 있을 뿐이지 일반계약에 있어서처럼 조합계약을 해제하고 상대방에게 그로 인한 원상회복의 의무를 부담지울 수는 없다.

④ 조합에 있어서 조합원의 1인이 사망한 때에는 그 조합관계로부터 당연히 탈퇴하고, 조합계약에서 사망한 조합원의 지위를 그 상속인이 승계하기로 약정한 바 없다면 사망한 조합원의 지위는 상속인에게 승계되지 아니한다.

⑤ 업무집행조합원은 조합의 목적을 달성하는 데 필요한 범위에서 조합을 위하여 모든 행위를 할 대리권이 있는 것으로 추정되지만, 민법 제709조는 임의규정이므로 조합의 업무집행에 관하여 조합원 전원의 동의를 요하도록 하는 등 그 내용을 달리 정할 수 있다.

해설

① 제711조 제1항【손익분배의 비율】당사자가 손익분배의 비율을 정하지 아니한 때에는 각 조합원의 출자가액에 비례하여 이를 정한다.

② 제719조 제2항【탈퇴조합원의 지분의 계산】탈퇴한 조합원의 지분은 그 출자의 종류여하에 불구하고 금전으로 반환할 수 있다.

③ 동업계약과 같은 조합계약에 있어서는 조합의 해산청구를 하거나 조합으로부터 탈퇴를 하거나 또는 다른 조합원을 제명할 수 있을 뿐이지 일반계약에 있어서처럼 조합계약을 해제하고 상대방에게 그로 인한 원상회복의 의무를 부담지울 수는 없다(대판 1994.5.13, 94다7157).

④ 조합에 있어서 조합원의 1인이 사망한 때에는 민법 제717조에 의하여 그 조합관계로부터 당연히 탈퇴하고 특히 조합계약에서 사망한 조합원의 지위를 그 상속인이 승계하기로 약정한 바 없다면 사망한 조합원의 지위는 상속인에게 승계되지 아니한다(대판 1987.6.23,86다카2951).

⑤ 민법 제709조에 의하면 조합계약으로 업무집행자를 정하였거나 또는 선임한 때에는 그 업무집행조합원은 조합의 목적을 달성하는 데 필요한 범위에서 조합을 위하여 모든 행위를 할 대리권이 있는 것으로 추정되지만, 위 규정은 임의규정이라고 할 것이므로 당사자 사이의 약정에 의하여 조합의 업무집행에 관하여 조합원 전원의 동의를 요하도록 하는 등 그 내용을 달리 정할 수 있고, 그와 같은 약정이 있는 경우에는 조합의 업무집행은 조합원 전원의 동의가 있는 때에만 유효하다 할 것이어서, 조합의 구성원이 위와 같은 약정의 존재를 주장·입증하면 조합의 업무집행자가 조합원을 대리할 권한이 있다는 추정은 깨어지고, 업무집행자와

정답 ▶ 01 ①

사이에 법률행위를 한 상대방이 나머지 조합원에게 그 법률행위의 효력을 주장하기 위하여는 그와 같은 약정에 따른 조합원 전원의 동의가 있었다는 점을 주장·입증할 필요가 있다 (대판 2002.1.25, 99다62838).

02 조합에 관한 설명 중 가장 옳지 않은 것은? (다툼이 있는 경우 판례에 의함) ▸ 2014년 법무사

① 조합의 채무자는 그 채무와 조합원에 대한 채권으로 상계하지 못한다.
② 조합의 통상사무는 각 조합원 또는 각 업무집행자가 전행할 수 있으나, 특별사무는 조합원의 과반수로써 결정하고 업무집행자가 수인인 때에는 그 과반수로써 결정한다.
③ 조합재산의 처분·변경은 조합원 전원의 동의가 있어야 한다.
④ 업무집행조합원을 해임하기 위해서는 다른 조합원이 일치하여야 한다.
⑤ 조합원은 파산하면 탈퇴된다.

해설 ① 조합의 채무자는 그 채무와 조합원에 대한 채권으로 상계하지 못한다(제715조).
② 조합의 통상사무는 전항의 규정에 불구하고 각 조합원 또는 각 업무집행자가 전행할 수 있다 (제706조 제3항). 조합의 업무집행은 조합원의 과반수로써 결정한다. 업무집행자 수인인 때에는 그 과반수로써 결정한다(제706조 제2항).
③ 제272조와 제706조의 관계 : 판례는 조합재산의 처분·변경에 관한 행위는 다른 특별한 사정이 없는 한 조합의 특별사무에 해당하며, 따라서 업무집행자가 없는 경우에는 원칙적으로 조합원의 과반수로써 결정하고(대판 1998.3.13, 95다30345), 업무집행조합원이 수인이 있는 경우에는 업무집행조합원의 과반수로써 결정할 것이라고 한다(대판 2000.10.10, 2000다28506). 결국 판례는 업무집행조합원이 정해져 있든 없든 제706조 2항을 제272조의 특별규정으로서 우선 적용하는 입장이다.
④ 업무집행자인 조합원은 정당한 사유없이 사임하지 못하며 다른 조합원의 일치가 아니면 해임하지 못한다(제708조).
⑤ 제716조의 경우 외에 조합원은 다음 각 호의 어느 하나에 해당하는 사유가 있으면 탈퇴된다 (제717조). 1. 사망 2. 파산 3. 성년후견의 개시 4. 제명(除名)

03 조합에 관한 다음 설명 중 가장 옳지 않은 것은? (민법의 규정에 의함) ▸ 2015년 법무사

① 조합은 2인 이상이 상호출자하여 공동사업을 경영할 것을 약정함으로써 그 효력이 생기고, 출자는 금전 기타 재산 또는 노무로 할 수도 있다.
② 당사자가 손익분배의 비율을 정하지 아니한 때에는 균등한 것으로 추정하고, 이익 또는 손실에 대하여 분배의 비율을 정한 때에는 그 비율은 이익과 손실에 공통된 것으로 추정한다.
③ 조합채권자는 그 채권발생 당시에 조합원의 손실부담의 비율을 알지 못한 때에는 각 조합원에게 균분하여 그 권리를 행사할 수 있다.

④ 탈퇴한 조합원과 다른 조합원간의 계산은 탈퇴당시의 조합재산상태에 의하여 하고, 탈퇴한 조합원의 지분은 그 출자의 종류여하에 불구하고 금전으로 반환할 수 있다.
⑤ 조합의 통상사무는 각 조합원 또는 업무집행자가 전행할 수 있으나, 그 사무의 완료 전에 다른 조합원 또는 다른 업무집행자의 이의가 있는 때에는 즉시 중지하여야 한다.

해설 ① 조합은 2인 이상이 상호출자하여 공동사업을 경영할 것을 약정함으로써 그 효력이 생기고, 출자는 금전 기타 재산 또는 노무로 할 수도 있다(제703조).
② 당사자가 손익분배의 비율을 정하지 아니한 때에는 균등한 것으로 추정하는 것이 아니라 각 조합원의 출자가액에 비례하여 이를 정한다(제711조 제1항).
③ 조합채권자는 그 채권발생 당시에 조합원의 손실부담의 비율을 알지 못한 때에는 각 조합원에게 균분하여 그 권리를 행사할 수 있다(제712조).
④ 탈퇴한 조합원과 다른 조합원간의 계산은 탈퇴당시의 조합재산상태에 의하여 하고, 탈퇴한 조합원의 지분은 그 출자의 종류여하에 불구하고 금전으로 반환할 수 있다(제719조).
⑤ 조합의 통상사무는 각 조합원 또는 업무집행자가 전행할 수 있으나, 그 사무의 완료 전에 다른 조합원 또는 다른 업무집행자의 이의가 있는 때에는 즉시 중지하여야 한다(제706조 제2항).

04 민법상 조합에 관한 다음 설명 중 가장 옳지 않은 것은? (다툼이 있는 경우 판례에 의함)
▸ 2018년 법무사

① 업무집행 조합원의 배임행위로 조합이 손해를 입은 경우 그로 인하여 손해를 입은 주체는 조합이다. 그러므로 그로 인하여 조합의 목적을 달성할 수 없게 되었다고 하더라도 조합원으로서는 조합관계를 벗어난 개인 지위에서 그 손해의 배상을 구할 수 없는 것이 원칙이다.
② 2인 조합에서 조합원 1인이 탈퇴하면 조합관계가 종료되고, 특별한 사정이 없는 한 조합원들은 청산 절차를 거쳐 잔여재산을 분배받는다.
③ 조합이 해산하였으나 조합 잔무로서 처리할 일이 없고 잔여재산 분배만이 남아 있을 때에는, 특별한 사정이 없는 한 청산절차를 밟을 필요가 없다.
④ 조합계약으로 업무집행자를 정하지 아니한 경우에는 조합원의 3분의 2 이상의 찬성으로써 이를 선임하고, 업무집행인 조합원은 정당한 사유 없이 사임하지 못하며, 다른 조합원의 일치가 아니면 해임하지 못한다.
⑤ 2인 조합에서 조합원 A가 약정에 따른 출자금을 출자한 후, 당사자 간의 불화대립으로 곧바로 동업관계가 결렬되어 그 후 A가 동업관계에서 전적으로 배제된 채 나머지 조합원에 의하여 당초의 업무가 처리되어 온 경우, A는 부득이한 사유가 있음을 이유로 조합 해산청구를 할 수 있고, 탈퇴로 인한 계산으로서 자기가 출자한 금원의 반환을 구할 수도 있다.

해설 ① 일부 조합원이 동업계약에 따라 동업자금을 출자하였는데 업무집행 조합원이 본연의 임무에 위배되거나 혹은 권한을 넘어선 행위를 자행함으로써 끝내 동업체의 동업 목적을 달성할 수 없게끔 만들고, 조합원이 출자한 동업자금을 모두 허비한 경우에 그로 인하여 손해를 입은 주체는 동업자금을 상실하여 버린 조합, 즉 조합원들로 구성된 동업체라 할 것이고, 이로 인하여 결과적으로 동업자금을 출자한 조합원에게 손해가 발생하였다 하더라도 이는 조합과 무관하게 개인으로서 입은 손해가 아니고, 조합체를 구성하는 조합원의 지위에서 입은 손해에 지나지 아니하는 것이므로, 결국 피해자인 조합원으로서는 조합관계를 벗어난 개인의 지위에서 그 손해의 배상을 구할 수는 없다(대판 1999.6.8, 98다60484).

② 2인 조합에서 조합원 1인이 탈퇴하면 조합관계는 종료되지만 특별한 사정이 없는 한 조합이 해산되지 아니하고, 조합원의 합유에 속하였던 재산은 남은 조합원의 단독소유에 속하게 되어 기존의 공동사업은 청산절차를 거치지 않고 잔존자가 계속 유지할 수 있다(대판 2006.3.9, 2004다49693·49709).

③ 조합의 목적 달성으로 인하여 조합이 해산되었으나 조합의 잔무로서 처리할 일이 없고 다만 잔여재산의 분배만이 남아 있을 때에는 따로 청산절차를 밟을 필요가 없이 각 조합원은 자신의 잔여재산의 분배비율의 범위 내에서 그 분배비율을 초과하여 잔여재산을 보유하고 있는 조합원에 대하여 바로 잔여재산의 분배를 청구할 수 있고, 이 경우의 잔여재산 분배청구권은 조합원 상호간의 내부관계에서 발생하는 것으로서 각 조합원이 분배비율을 초과하여 잔여재산을 보유하고 있는 조합원을 상대로 개별적으로 행사하면 족한 것이지 반드시 조합원들이 공동으로 행사하거나 조합원 전원을 상대로 행사하여야 하는 것은 아니다(대판 2000.4.21, 99다35713).

④ 제706조, 제708조

⑤ 동업자 중 1인이 약정에 따른 출자금을 출자한 후 당사자 간의 불화대립으로 곧바로 동업관계가 결렬되어 그 이후 위 출자의무를 이행한 조합원이 동업관계에서 전적으로 배제된 채 나머지 조합원에 의하여 당초의 업무가 처리되어 온 경우, 부득이한 사유로 인한 해산청구가 가능하며 출자의무를 이행한 조합원은 탈퇴로 인한 계산으로서 자기가 출자한 금원의 반환을 구할 수도 있다(대판 1999.3.12, 98다54458).

05 조합에 관한 다음 설명 중 가장 옳지 않은 것은? ▸ 2018년 법원행시

① 수인이 전매차익의 획득을 목적으로 부동산을 공동으로 매수한 경우, 그것이 공동사업을 위하여 동업체에서 매수한 것이 되려면, 적어도 공동매수인들 사이에서 매수한 토지를 동업체의 재산으로 귀속시키고 공동매수인 전원의 의사에 기하여 전원의 계산으로 처분한 후 이익을 분배하기로 하는 명시적 또는 묵시적 의사의 합치가 있어야만 한다.

② 매수인들이 상호 출자하여 공동사업을 경영할 것을 목적으로 하는 조합이 조합재산으로서 부동산의 소유권을 취득하면서 그 조합체가 합유등기를 하지 아니하고 조합원 1인의 명의로 소유권이전등기를 하였다면 이는 조합체가 그 조합원에게 명의신탁한 것으로 보아야 한다.

③ 공동이행방식의 공동수급체는 기본적으로 민법상의 조합의 성질을 가지는 것이므로, 특별한 사정이 없는 한 공동수급체의 구성원 중 1인은 도급인에 대하여 출자지분의 비율에 따른 급부를 청구할 수 없고, 구성원 중 1인에 대한 채권으로써 그 구성원 개인을 집행채무자로 하여 공동수급체의 도급인에 대한 채권에 대하여 강제집행을 할 수 없다.

④ 공동이행방식의 공동수급체와 도급인 사이에서 공동수급체의 개별 구성원으로 하여금 공사대금채권에 관하여 지분비율에 따라 직접 도급인에 대하여 권리를 취득하게 하는 약정이 이루어진 경우, 일부 구성원이 그 공사대금채권에 관한 자신의 지분비율을 넘어서 공사를 수행하였다면 도급인에 대한 공사대금채권은 실제의 공사비율에 따라 그 구성원에게 귀속한다.

⑤ 2인 조합에서 조합원 1인이 탈퇴하는 경우, 조합의 탈퇴자에 대한 채권은 잔존자에게 귀속되므로 잔존자는 이를 자동채권으로 하여 탈퇴자에 대한 지분 상당의 조합재산 반환채무와 상계할 수 있다.

해설 ① 수인이 부동산을 공동으로 매수한 경우, 매수인들 사이의 법률관계는 공유관계로서 단순한 공동매수인에 불과할 수도 있고, 수인을 조합원으로 하는 동업체에서 매수한 것일 수도 있는데, 부동산의 공동매수인들이 전매차익을 얻으려는 '공동의 목적 달성'을 위하여 상호 협력한 것에 불과하고 이를 넘어 '공동사업을 경영할 목적'이 있었다고 인정되지 않는 경우 이들 사이의 법률관계는 공유관계에 불과할 뿐 민법상 조합관계에 있다고 볼 수 없다. 공동매수의 목적이 전매차익의 획득에 있을 경우 그것이 공동사업을 위하여 동업체에서 매수한 것이 되려면, 적어도 공동매수인들 사이에서 매수한 토지를 공유가 아닌 동업체의 재산으로 귀속시키고 공동매수인 전원의 의사에 기하여 전원의 계산으로 처분한 후 이익을 분배하기로 하는 명시적 또는 묵시적 의사의 합치가 있어야만 하고, 이와 달리 공동매수 후 매수인별로 토지에 관하여 공유에 기한 지분권을 가지고 각자 자유롭게 지분권을 처분하여 대가를 취득할 수 있도록 한 것이라면 이를 동업체에서 매수한 것으로 볼 수는 없다(대판 2012.8.30, 2010다39918).

② [1] 수인이 부동산을 공동으로 매수한 경우, 매수인들 사이의 법률관계는 공유관계로서 단순한 공동매수인에 불과하여 매도인은 매수인 수인에게 그 지분에 대한 소유권이전등기의무를 부담하는 경우도 있을 수 있고, 그 수인을 조합원으로 하는 조합체에서 매수한 것으로서 매도인이 소유권 전부의 이전의무를 그 조합체에 대하여 부담하는 경우도 있을 수 있다.
[2] 매수인들이 상호 출자하여 공동사업을 경영할 것을 목적으로 하는 조합이 조합재산으로서 부동산의 소유권을 취득하였다면 민법 제271조 제1항의 규정에 의하여 당연히 그 조합체의 합유물이 되고, 다만 그 조합체가 합유등기를 하지 아니하고 그 대신 조합원 1인의 명의로 소유권이전등기를 하였다면 이는 조합체가 그 조합원에게 명의신탁한 것으로 보아야 한다(대판 2006.4.13, 2003다25256).

③ 공동이행방식의 공동수급체는 기본적으로 민법상의 조합의 성질을 가지는 것으로서 공동수급체가 공사를 시행함으로써 도급인에 대하여 가지는 채권은 원칙적으로 공동수급체의 구성원에게 합유적으로 귀속하므로, 특별한 사정이 없는 한 그 구성원 중 1인이 단독으로 도급인에 대하여 출자지분의 비율에 따른 급부를 청구할 수 없고, 구성원 중 1인에 대한 채권으로써 그 구성원 개인을 집행채무자로 하여 공동수급체의 도급인에 대한 채권에 대하여 강제집행을 할 수 없다(대판 2012.6.28, 2010두5219).

④ 공동이행방식의 공동수급체와 도급인 사이의 공사도급계약에서 공동수급체의 개별 구성원으로 하여금 공사대금채권에 관하여 지분비율에 따라 직접 도급인에 대하여 권리를 취득하게 하는 약정이 이루어진 경우, 공사도급계약 자체에서 개별 구성원의 실제 공사 수행 여부나

정도를 지분비율에 의한 공사대금채권 취득의 조건으로 약정하거나 일부 구성원의 공사 미이행을 이유로 공동수급체로부터 탈퇴·제명하도록 하여 그 구성원으로서의 자격이 아예 상실되는 것으로 약정하는 등의 특별한 사정이 없는 한, 개별 구성원들은 실제 공사를 누가 어느 정도 수행하였는지에 상관없이 도급인에 대한 관계에서 공사대금채권 중 각자의 지분비율에 해당하는 부분을 취득하고, 공사도급계약의 이행에 있어서의 실질적 기여비율에 따른 공사대금의 최종적 귀속 여부는 도급인과는 무관한 공동수급체 구성원들 내부의 정산문제일 뿐이라고 할 것이다. 따라서 공동이행방식의 공동수급체와 도급인 사이에서 공동수급체의 개별 구성원으로 하여금 공사대금채권에 관하여 지분비율에 따라 직접 도급인에 대하여 권리를 취득하게 하는 약정이 이루어진 경우에 있어서는 일부 구성원만이 실제로 공사를 수행하거나 일부 구성원이 그 공사대금채권에 관한 자신의 지분비율을 넘어서 수행하였다고 하더라도 이를 이유로 도급인에 대한 공사대금채권 자체가 그 실제의 공사비율에 따라 그에게 귀속한다고 할 수는 없다(대판 2013.2.28, 2012다107532).

⑤ [1] 2인 조합에서 조합원 1인이 탈퇴하면 조합관계는 종료되지만 특별한 사정이 없는 한 조합이 해산되지 아니하고, 조합원의 합유에 속하였던 재산은 남은 조합원의 단독소유에 속하게 되어 기존의 공동사업은 청산절차를 거치지 않고 잔존자가 계속 유지할 수 있다.

[2] 2인 조합에서 조합원 1인이 탈퇴하는 경우, 탈퇴자와 잔존자 사이에 탈퇴로 인한 계산을 함에 있어서는 특단의 사정이 없는 한 민법 제719조 제1항, 제2항의 규정에 따라 '탈퇴 당시의 조합재산상태'를 기준으로 평가한 조합재산 중 탈퇴자의 지분에 해당하는 금액을 금전으로 반환하여야 할 것이고, 이러한 계산은 사업의 계속을 전제로 하는 것이므로 조합재산의 가액은 단순한 매매가격이 아닌 '영업권의 가치를 포함하는 영업가격'에 의하여 평가하되, 당해 조합원의 지분비율은 조합청산의 경우에 실제 출자한 자산가액의 비율에 의하는 것과는 달리 '조합내부의 손익분배 비율'을 기준으로 계산하여야 하는 것이 원칙이다.

[3] 2인 조합에서 조합원 1인이 탈퇴하는 경우, 조합의 탈퇴자에 대한 채권은 잔존자에게 귀속되므로 잔존자는 이를 자동채권으로 하여 탈퇴자에 대한 지분 상당의 조합재산 반환채무와 상계할 수 있다고 한 사례(대판 2006.3.9, 2004다49693·49709)

06 조합의 재산관계에 관한 다음 설명 중 가장 옳지 않은 것은? (다툼이 있는 경우 판례에 의하고, 전원합의체 판결의 경우 다수의견에 의함) ▶ 2019년 법원행시

① 채무자의 재산인 조합원 지분을 압류한 채권자는 특별한 사정이 없는 한 채권자대위권에 의하여 채무자의 조합 탈퇴의 의사표시를 대위 행사할 수 있고, 단지 조합원이 조합을 탈퇴하면 조합목적의 수행에 지장을 초래할 것이라는 사정만으로는 이를 불허할 수는 없다.

② 전체로서의 조합재산에 대한 조합원 지분에 대해서는 압류할 수 있으나, 조합재산을 구성하는 개개의 재산에 대한 합유지분에 대해서는 압류 기타 강제집행을 할 수 없다.

③ 조합에 대한 채무자는 그 채무와 조합원에 대한 채권으로 상계할 수 없고, 조합원 중 1인에 대한 채권을 가진 채권자도 위와 같은 채권을 그 조합과의 매매계약에 따른 잔대금채무와 서로 대등액에서 상계할 수는 없다.

④ 조합재산의 처분·변경에 관한 행위는 특별한 사정이 없는 한 조합의 특별사무에 해당하는 업무집행이고, 업무집행조합원이 수인 있는 경우 위와 같은 특별사무에 관한 업무집행은 원칙적으로 업무집행조합원의 과반수로 결정한다.

⑤ 조합원 중 1인의 채권자가 그 조합원 개인을 집행채무자로 하여 조합의 채권에 대하여 강제집행을 하는 경우, 집행채무자가 된 1인의 조합원을 제외한 나머지 조합원 전원의 동의가 있어야만 제3자이의의 소를 제기하여 그 강제집행의 불허를 구할 수 있다.

해설 ① 민법상 조합원은 조합의 존속기간이 정해져 있는 경우 등을 제외하고는 원칙적으로 언제든지 조합에서 탈퇴할 수 있고(민법 제716조 참조), 조합원이 탈퇴하면 그 당시의 조합재산상태에 따라 다른 조합원과 사이에 지분의 계산을 하여 지분환급청구권을 가지게 되는바(민법 제719조 참조), 조합원이 조합을 탈퇴할 권리는 그 성질상 조합계약의 해지권으로서 그의 일반재산을 구성하는 재산권의 일종이라 할 것이고 채권자대위가 허용되지 않는 일신전속적 권리라고는 할 수 없다. 따라서 채무자의 재산인 조합원 지분을 압류한 채권자는, 당해 채무자가 속한 조합에 존속기간이 정하여져 있다거나 기타 채무자 본인의 조합탈퇴가 허용되지 아니하는 것과 같은 특별한 사유가 있지 않은 한, 채권자대위권에 의하여 채무자의 조합 탈퇴의 의사표시를 대위행사할 수 있다 할 것이고, 일반적으로 조합원이 조합을 탈퇴하면 조합목적의 수행에 지장을 초래할 것이라는 사정만으로는 이를 불허할 사유가 되지 아니한다(대결 2007.11.30, 2005마1130).

② 민법 제714조는 "조합원의 지분에 대한 압류는 그 조합원의 장래의 이익배당 및 지분의 반환을 받을 권리에 대하여 효력이 있다."고 규정하여 조합원의 지분에 대한 압류를 허용하고 있으나, 여기에서의 조합원의 지분이란 전체로서의 조합재산에 대한 조합원 지분을 의미하는 것이고, 이와 달리 조합재산을 구성하는 개개의 재산에 대한 합유지분에 대하여는 압류 기타 강제집행의 대상으로 삼을 수 없다 할 것이다(대결 2007.11.30, 2005마1130).

③ 조합에 대한 채무자는 그 채무와 조합원에 대한 채권으로 상계할 수는 없는 것이므로(민법 제715조), 조합으로부터 부동산을 매수하여 잔대금 채무를 지고 있는 자가 조합원 중의 1인에 대하여 개인 채권을 가지고 있다고 하더라도 그 채권과 조합과의 매매계약으로 인한 잔대금 채무를 서로 대등액에서 상계할 수는 없다(대판 1998.3.13, 97다6919).

④ 판례는 조합재산의 처분·변경에 관한 행위는 다른 특별한 사정이 없는 한 조합의 특별사무에 해당하며, 따라서 업무집행자가 없는 경우에는 원칙적으로 조합원의 과반수로써 결정하고(대판 1998.3.13, 95다30345), 업무집행조합원이 수인이 있는 경우에는 업무집행조합원의 과반수로써 결정할 것이라고 한다(대판 2000.10.10, 2000다28506). 결국 판례는 업무집행조합원이 정해져 있든 없든 제706조 제2항을 제272조의 특별규정으로서 우선 적용하는 입장이다.

⑤ 조합의 채권은 조합원 전원에게 합유적으로 귀속하는 것이어서 특별한 사정이 없는 한 조합원 중 1인에 대한 채권으로써 그 조합원 개인을 집행채무자로 하여 조합의 채권에 대하여 강제집행을 할 수 없다(대판 2001.2.23, 2000다68924). 따라서 조합의 채권은 조합원 전원에게 합유적으로 귀속하는 것이어서, 특별한 사정이 없는 한 조합원 중 1인이 임의로 조합의 채무자에 대하여 출자지분의 비율에 따른 급부를 청구할 수 없는 것이므로, 조합원 중 1인의 채권자가 그 조합원 개인을 집행채무자로 하여 조합의 채권에 대하여 강제집행하는 경우, 다른 조합원으로서는 보존행위로서 제3자이의의 소를 제기하여 그 강제집행의 불허를 구할 수 있다(대판 1997.8.26, 97다4401).

정답 06 ⑤

07 **조합에 관한 다음 설명 중 가장 옳지 않은 것은?** ▸ 2021년 법원서기보

① 영리사업을 목적으로 하면서 당사자 중의 일부만이 이익을 분배받고 다른 자는 전혀 이익분배를 받지 않는 경우에는 조합관계라고 할 수 없다.

② 조합원은 다른 조합원 전원의 동의가 있으면 그 지분을 처분할 수 있으나 조합의 목적과 단체성에 비추어 조합원으로서의 자격과 분리하여 그 지분권만을 처분할 수는 없다고 할 것이므로, 조합원이 지분을 양도하면 그로써 조합원의 지위를 상실하게 된다.

③ 2인 조합에서 조합원 1인이 탈퇴하면 조합관계는 종료되지만 특별한 사정이 없는 한 조합이 해산되지 아니하고, 조합원의 합유에 속하였던 재산은 남은 조합원의 단독소유에 속하게 되어 기존의 공동사업은 청산절차를 거치지 않고 잔존자가 계속 유지할 수 있다.

④ 조합의 청산에 관한 민법의 규정은 제3자 보호를 위한 강행규정으로서 당사자가 이와 다른 내용의 특약을 한 경우 그 특약은 효력이 없다.

해설 ① 조합관계가 있다고 하려면 서로 출자하여 공동사업을 경영할 것을 약정하여야 하며, 영리사업을 목적으로 하면서 당사자 중의 일부만이 이익을 분배받고 다른 자는 전혀 이익분배를 받지 않는 경우에는 조합관계라고 할 수 없다(대판 2000.7.7, 98다44666).

② 조합원은 다른 조합원 전원의 동의가 있으면 그 지분을 처분할 수 있으나 조합의 목적과 단체성에 비추어 조합원으로서의 자격과 분리하여 그 지분권만을 처분할 수는 없으므로, 조합원이 지분을 양도하면 그로써 조합원의 지위를 상실하게 되며, 이와 같은 조합원 지위의 변동은 조합지분의 양도양수에 관한 약정으로써 바로 효력이 생긴다(대판 2009.3.12, 2006다28454).

③ 2인 조합에서 조합원 1인이 탈퇴하면 조합관계는 종료되지만 특별한 사정이 없는 한 조합이 해산되지 아니하고, 조합원의 합유에 속하였던 재산은 남은 조합원의 단독소유에 속하게 되어 기존의 공동사업은 청산절차를 거치지 않고 잔존자가 계속 유지할 수 있다(대판 2006.3.9, 2004다49693·49709).

④ 민법의 조합의 해산사유와 청산에 관한 규정은 법인에서와 달리 강행규정이 아니므로 당사자가 민법의 조합의 해산사유와 청산에 관한 규정과 다른 내용의 특약을 한 경우, 그 특약은 유효하다(대판 1985.2.26, 84다카1921).

08 **조합에 관한 다음 설명 중 가장 옳지 않은 것은?** ▸ 2021년 법원행시

① 조합의 사무집행 방법을 규정한 민법 제706조에서 말하는 조합원은 조합원의 출자가액이나 지분이 아닌 조합원의 인원수를 뜻하는데, 이는 강행규정으로 당사자 사이의 약정으로 업무집행자의 선임이나 업무집행방법의 결정을 조합원의 인원수가 아닌 그 출자가액 내지 지분의 비율에 의하도록 정할 수는 없다.

② 조합원은 다른 조합원 전원의 동의가 있으면 그 지분을 처분할 수 있으나, 조합원이 지분을 양도하면 그로써 조합원의 지위를 상실하게 된다. 그리고 이와 같은 조합원 지위의 변동은 조합지분의 양도양수에 관한 약정으로써 바로 효력이 생긴다.

③ 동업계약과 같은 조합계약에서는 조합의 해산청구를 하거나 조합으로부터 탈퇴를 하거나 또는 다른 조합원을 제명할 수 있을 뿐이지 일반계약에 있어서처럼 조합계약을 해제하고 상대방에게 그로 인한 원상회복의 의무를 부담지울 수는 없다.

④ 조합의 채무는 조합원의 채무로서 특별한 사정이 없는 한 조합채권자는 각 조합원에 대하여 지분의 비율에 따라 또는 균일적으로 권리를 행사할 수 있지만, 조합채무가 조합원 전원을 위하여 상행위가 되는 행위로 인하여 부담하게 된 것이라면 조합원들의 연대책임을 인정할 수 있다.

⑤ 조합해산의 경우에 조합원에게 분배할 잔여재산의 범위와 그 가액은 청산절차가 종료된 때에 비로소 확정되는 것이므로 그 가액의 평가는 청산절차 종료 당시를 기준으로 하여야 한다.

해설 ① 민법 제706조에서는 조합원 3분의 2 이상의 찬성으로 조합의 업무집행자를 선임하고 조합원 과반수의 찬성으로 조합의 업무집행방법을 결정하도록 규정하고 있는바, 여기서 말하는 조합원은 조합원의 출자가액이나 지분이 아닌 조합원의 인원수를 뜻한다. 다만, 위와 같은 민법의 규정은 임의규정이므로, 당사자 사이의 약정으로 업무집행자의 선임이나 업무집행방법의 결정을 조합원의 인원수가 아닌 그 출자가액 내지 지분의 비율에 의하도록 하는 등 그 내용을 달리 정할 수 있고, 그와 같은 약정이 있는 경우에는 그 정한 바에 따라 업무집행자를 선임하거나 업무집행방법을 결정하여야만 유효하다(대판 2009.4.23, 2008다4247).

② 조합원은 다른 조합원 전원의 동의가 있으면 그 지분을 처분할 수 있으나 조합의 목적과 단체성에 비추어 조합원으로서의 자격과 분리하여 그 지분권만을 처분할 수는 없으므로, 조합원이 지분을 양도하면 그로써 조합원의 지위를 상실하게 되며, 이와 같은 조합원 지위의 변동은 조합지분의 양도양수에 관한 약정으로써 바로 효력이 생긴다(대판 2009.3.12, 2006다28454).

③ 계약의 해제 · 해지에 관한 규정도 적용할 것이 아니다. 따라서 조합의 해산청구를 하거나 조합으로부터 탈퇴를 하거나 또는 다른 조합원을 제명할 수 있을 뿐이지, 어느 조합원이 출자의무를 이행하지 않는 경우 조합계약을 해제하고 상대방에게 원상회복의무를 부담지울 수 없다(대판 1994.5.13, 94다7157).

④ 조합의 채무는 조합원의 채무로서 특별한 사정이 없는 한 조합채권자는 각 조합원에 대하여 지분의 비율에 따라 또는 균일적으로 변제의 청구를 할 수 있을 뿐이나, 조합채무가 특히 조합원 전원을 위하여 상행위가 되는 행위로 인하여 부담하게 된 것이라면 상법 제57조 제1항을 적용하여 조합원들의 연대책임을 인정함이 상당하다(대판 1998.3.13, 97다6919).

⑤ 조합해산의 경우에 조합원에게 분배할 잔여재산의 범위와 그 가액은 청산절차가 종료된 때에 비로소 확정되는 것이므로 그 가액의 평가는 청산절차 종료 당시를 기준으로 하여야 한다(대판 2007.11.15, 2007다48370).

09 **민법상 조합에 관한 다음 설명 중 가장 옳지 않은 것은?** ▸ 2022년 법원행시

① 민법 제272조에 따르면 합유물을 처분 또는 변경함에는 합유자 전원의 동의가 있어야 하나, 합유물 가운데서도 조합재산의 경우 그 처분·변경에 관한 행위는 조합의 특별사무에 해당하는 업무집행으로서, 이에 대하여는 특별한 사정이 없는 한 민법 제706조 제2항이 민법 제272조에 우선하여 적용되므로, 조합재산의 처분·변경은 업무집행자가 없는 경우에는 조합원의 과반수로 결정하고, 업무집행자가 수인 있는 경우에는 그 업무집행자의 과반수로써 결정하며, 업무집행자가 1인만 있는 경우에는 그 업무집행자가 단독으로 결정한다.

② 원칙적으로 대리행위는 본인을 위한 것임을 표시하여야 직접 본인에 대하여 효력이 생긴다. 민법상 조합의 경우 법인격이 없어 조합 자체가 본인이 될 수 없으므로, 이른바 조합대리에 있어서는 본인에 해당하는 모든 조합원을 위한 것임을 표시하여야 하나, 반드시 조합원 전원의 성명을 제시할 필요는 없고, 상대방이 알 수 있을 정도로 조합을 표시하는 것으로 충분하다.

③ 민법상 조합에서 조합원의 제명은 정당한 사유가 있는 때에 한하여 다른 조합원의 일치로써 이를 결정한다(민법 제718조 제1항). 여기에서 '정당한 사유가 있는 때'란 특정 조합원이 동업계약에서 정한 의무를 이행하지 않거나 조합업무를 집행하면서 부정행위를 한 경우와 같이 특정 조합원에게 명백한 귀책사유가 있는 경우에 한정된다.

④ 조합원이 출자의무를 이행하지 않는 것은 민법 제718조 제1항에서 정한 조합원을 제명할 정당한 사유에 해당한다고 할 것인바, 그와 같은 출자의무의 불이행을 이유로 조합원을 제명함에 있어 출자의무의 이행을 지체하고 있는 당해 조합원에게 다시 상당한 기간을 정하여 출자의무의 이행을 최고하여야 하는 것은 아니다.

⑤ 민법상 조합계약은 2인 이상이 상호 출자하여 공동으로 사업을 경영할 것을 약정하는 계약으로서, 특정한 사업을 공동 경영하는 약정에 한하여 이를 조합계약이라고 할 수 있다(민법 제703조 제1항). 그리고 조합원의 임의 탈퇴는 조합계약에 관한 일종의 해지로서 다른 조합원에 대한 의사표시로써 하여야 하나, 그 의사표시가 반드시 명시적이어야 하는 것은 아니고 묵시적으로도 할 수 있으며, 임의 탈퇴의 의사표시가 있는지 여부는 법률행위 해석의 일반 원칙에 따라 판단하여야 한다. 조합원의 임의 탈퇴가 적법하다면 조합원 사이에 특별한 약정이 없는 한 탈퇴한 조합원의 합유지분은 잔존 조합원에게 귀속된다.

> **해설** ① 민법 제272조에 따르면 합유물을 처분 또는 변경함에는 합유자 전원의 동의가 있어야 하나, 합유물 가운데서도 조합재산의 경우 그 처분·변경에 관한 행위는 조합의 특별사무에 해당하는 업무집행으로서, 이에 대하여는 특별한 사정이 없는 한 <u>민법 제706조 제2항이 민법 제272조에 우선하여 적용</u>되므로, 조합재산의 처분·변경은 업무집행자가 없는 경우에는 조합원의 과반수로 결정하고, 업무집행자가 수인 있는 경우에는 그 업무집행자의 과반수로써 결정하며, 업무집행자가 1인만 있는 경우에는 그 업무집행자가 단독으로 결정한다(대판 2010.4.29, 2007다18911).

② 대판 2009.1.30, 2008다79340

③ 민법상 조합에서 조합원의 제명은 정당한 사유가 있는 때에 한하여 다른 조합원의 일치로써 결정한다(제718조 제1항). 여기에서 '정당한 사유가 있는 때'란 특정 조합원이 동업계약에서 정한 의무를 이행하지 않거나 조합업무를 집행하면서 부정행위를 한 경우와 같이 특정 조합원에게 명백한 귀책사유가 있는 경우는 물론이고, 이에 이르지 않더라도 특정 조합원으로 말미암아 조합원들 사이에 반목·불화로 대립이 발생하고 신뢰관계가 근본적으로 훼손되어 특정 조합원이 계속 조합원의 지위를 유지하도록 한다면 조합의 원만한 공동운영을 기대할 수 없는 경우도 포함한다. 신뢰관계 파탄을 이유로 조합원을 제명한 것에 정당한 사유가 있는지를 판단할 때에는 특정 조합원으로 말미암아 조합의 목적 달성에 방해가 계속되었는지 여부와 그 정도, 제명 이외에 다른 방해제거 수단이 있었는지 여부, 조합계약의 내용, 그 존속기간과 만료 여부, 제명에 이르게 된 경위 등을 종합적으로 고려해야 한다(대판 2021.10.28, 2017다200702).

④ 조합원이 출자의무를 이행하지 않는 것은 민법 제718조 제1항에서 정한 조합원을 제명할 정당한 사유에 해당한다고 할 것인바, 그와 같은 출자의무의 불이행을 이유로 조합원을 제명함에 있어 출자의무의 이행을 지체하고 있는 당해 조합원에게 다시 상당한 기간을 정하여 출자의무의 이행을 최고하여야 하는 것은 아니다(대판 1997.7.25, 96다29816).

⑤ 민법상 조합계약은 2인 이상이 상호 출자하여 공동으로 사업을 경영할 것을 약정하는 계약으로서, 특정한 사업을 공동 경영하는 약정에 한하여 이를 조합계약이라고 할 수 있다(민법 제703조 제1항). 그리고 조합원의 임의 탈퇴는 조합계약에 관한 일종의 해지로서 다른 조합원에 대한 의사표시로써 하여야 하나, 그 의사표시가 반드시 명시적이어야 하는 것은 아니고 묵시적으로도 할 수 있으며, 임의 탈퇴의 의사표시가 있는지 여부는 법률행위 해석의 일반원칙에 따라 판단하여야 한다. 조합원의 임의 탈퇴가 적법하다면 조합원 사이에 특별한 약정이 없는 한 탈퇴한 조합원의 합유지분은 잔존 조합원에게 귀속된다(대판 2017.7.18, 2015다30206·30213).

10 조합에 관한 다음 설명 중 가장 옳지 않은 것은? ▶ 2022년 법무사

① 민법상의 조합계약은 2인 이상이 상호 출자하여 공동으로 사업을 경영할 것을 약정하는 계약으로서 특정한 사업을 공동 경영하는 약정에 한하여 이를 조합계약이라고 할 수 있고, 공동의 목적달성이라는 정도만으로는 조합의 성립요건을 갖추었다고 할 수 없다.

② 동업계약과 같은 조합계약에 있어서는 조합의 해산청구를 하거나 조합으로부터 탈퇴를 하거나 또는 다른 조합원을 제명할 수 있을 뿐이지 일반계약에 있어서처럼 조합계약을 해제하고 상대방에게 그로 인한 원상회복의 의무를 부담지울 수는 없다.

③ 조합계약으로 조합원 중 일부 또는 제3자를 업무집행자로 정하지 않은 경우에는 모든 조합원이 원칙적으로 업무집행권을 가진다.

④ 2인으로 구성된 조합에서 한 사람이 탈퇴하면 조합관계는 종료되고 특별한 사정이 없는 한 조합 역시 해산 및 청산이 된다.

⑤ 조합에서 조합원이 탈퇴하는 경우, 탈퇴자와 잔존자 사이의 탈퇴로 인한 계산은 특별한 사정이 없는 한 민법 제719조 제1항, 제2항에 따라 '탈퇴 당시의 조합재산상태'를 기준으로 평가한 조합재산 중 탈퇴자의 지분에 해당하는 금액을 금전으로 반환하여야 한다.

해설 ① 대판 2005.11.10, 2003다18876
② 대판 1994.5.13, 94다7157
③ 조합계약으로 조합원 중 일부 또는 제3자를 업무집행자로 정하지 않은 경우에는 모든 조합원이 원칙적으로 업무집행권을 가진다(대판 2018.8.30, 2016다46338 · 46345 참고). 만약 조합원 간에 의견이 일치하지 않는 때에는 조합원의 과반수로써 결정한다(제706조 제2항).
④ 조합의 탈퇴란 특정 조합원이 장래에 향하여 조합원으로서의 지위를 벗어나는 것으로서, 이 경우 조합 그 자체는 나머지 조합원에 의해 동일성을 유지하며 존속하는 것이므로 결국 탈퇴는 잔존 조합원이 동업사업을 계속 유지·존속함을 전제로 한다. 2인으로 구성된 조합에서 한 사람이 탈퇴하면 조합관계는 종료되나 특별한 사정이 없는 한 조합은 해산이나 청산이 되지 않고, 다만 조합원의 합유에 속한 조합 재산은 남은 조합원의 단독소유에 속하여 탈퇴 조합원과 남은 조합원 사이에는 탈퇴로 인한 계산을 해야 한다. 탈퇴한 조합원은 탈퇴 당시의 조합재산을 계산한 결과 조합의 재산상태가 적자가 아닌 경우에 지분을 환급받을 수 있다. 따라서 탈퇴 조합원의 지분을 계산할 때 지분을 계산하는 방법에 관해서 별도 약정이 있다는 등 특별한 사정이 없는 한 지분의 환급을 주장하는 사람에게 조합재산의 상태를 증명할 책임이 있다(대판 2021.7.29, 2019다207851).
⑤ 조합에서 조합원이 탈퇴하는 경우, 탈퇴자와 잔존자 사이의 탈퇴로 인한 계산은 특별한 사정이 없는 한 민법 제719조 제1항, 제2항에 따라 '탈퇴 당시의 조합재산상태'를 기준으로 평가한 조합재산 중 탈퇴자의 지분에 해당하는 금액을 금전으로 반환하여야 하고, 조합원의 지분비율은 '조합 내부의 손익분배 비율'을 기준으로 계산하여야 하나, 당사자가 손익분배의 비율을 정하지 아니한 때에는 민법 제711조에 따라 각 조합원의 출자가액에 비례하여 이를 정하여야 한다(대판 2008.9.25, 2008다41529).

11 조합에 관한 다음 설명 중 옳은 것(O)과 옳지 않은 것(X)을 올바르게 조합한 것은?

▶ 2023년 법원행시

ㄱ. 조합원 중 1인의 채권자가 그 조합원 개인을 집행채무자로 하여 조합의 채권에 대하여 강제집행하는 경우, 다른 조합원으로서는 보존행위로서 제3자이의의 소를 제기하여 그 강제집행의 불허를 구할 수 있다.
ㄴ. 민법상 조합에서 조합의 채권자가 조합재산에 대하여 강제집행을 하려면 조합원 전원에 대한 집행권원을 필요로 하고, 조합재산에 대한 강제집행의 보전을 위한 가압류의 경우에도 마찬가지로 조합원 전원에 대한 가압류명령이 있어야 할 것이므로, 조합원 중 1인만을 가압류채무자로 한 가압류명령으로써 조합재산에 가압류집행을 할 수는 없다.

ㄷ. 당사자가 이익 또는 손실에 대하여 분배의 비율을 정할 때에는 각 조합원의 출자가
액에 비례하여 이를 정해야 한다.
ㄹ. 조합계약에 '동업지분은 제3자에게 양도할 수 있다.'는 약정을 두고 있는 것과 같이
조합계약에서 개괄적으로 조합원 지분의 양도를 인정하고 있는 경우 조합원은 다른
조합원 전원의 동의가 없더라도 자신의 지분 전부를 일체로써 제3자에게 양도하거
나 또는 일부를 제3자에게 양도하는 것이 당연히 허용된다.
ㅁ. 민법의 조합의 해산사유와 청산에 관한 규정은 그와 내용을 달리하는 당사자의 특약
을 배제하는 강행규정이므로 당사자가 민법의 조합의 해산사유와 청산에 관한 규정
과 다른 내용의 특약을 한 경우 그 특약은 무효이다.

① ㄱ(O), ㄴ(×), ㄷ(O), ㄹ(O), ㅁ(×)
② ㄱ(O), ㄴ(O), ㄷ(O), ㄹ(O), ㅁ(×)
③ ㄱ(O), ㄴ(O), ㄷ(×), ㄹ(×), ㅁ(×)
④ ㄱ(×), ㄴ(O), ㄷ(×), ㄹ(×), ㅁ(O)
⑤ ㄱ(×), ㄴ(×), ㄷ(O), ㄹ(×), ㅁ(O)

해설 ㄱ. 대판 1997.8.26, 97다4401
ㄴ. 민법상 조합에서 조합의 채권자가 조합재산에 대하여 강제집행을 하려면 조합원 전원에 대한
집행권원을 필요로 하고(즉 조합의 채권자는 조합원 '전원'을 상대로 하여 채권액 전액에 관한 이행의
소를 제기하고, 그 판결에 기하여 '조합재산에 대하여 집행할 수 있다), 조합재산에 대한 강제집행의
보전을 위한 가압류의 경우에도 마찬가지로 조합원 전원에 대한 가압류명령이 있어야 하므로
조합원 중 1인만을 가압류채무자로 한 가압류명령으로써 조합재산에 가압류집행을 할 수는
없다(대판 2015.10.2, 2012다21560).
ㄷ. 제711조 제1항【손익분배의 비율】당사자가 손익분배의 비율을 정하지 아니한 때에는 각
조합원의 출자가액에 비례하여 이를 정한다. → 즉 손익분배의 비율은 각 조합원의 출자가액
에 비례하여 정하지 않아도 되고, 이익 또는 손실에 대하여 분배의 비율을 정한 때에는 그
비율은 이익과 손실에 공통된 것으로 추정한다. 결국 손익분배의 비율을 정하지 아니한 때에
각 조합원의 출자가액에 비례하여 정하게 된다.
ㄹ. 조합계약에 '동업지분은 제3자에게 양도할 수 있다'는 약정을 두고 있는 것과 같이 조합계약
에서 개괄적으로 조합원 지분의 양도를 인정하고 있는 경우 조합원은 다른 조합원 전원의 동의
가 없더라도 자신의 지분 전부를 일체로써 제3자에게 양도할 수 있으나, 그 지분의 일부를 제3
자에게 양도하는 경우까지 당연히 허용되는 것은 아니다. 다른 조합원 전원의 동의가 있는
등 특별한 사정이 있어야만 그 지분의 일부를 제3자에게 유효하게 양도할 수 있다(대판
2006.4.23, 2008다4247). 왜냐하면 민법 제706조에 따라 조합원 수의 다수결로 업무집행자
를 선임하고 업무집행방법을 결정하게 되어 있는 조합에 있어서는 조합원 지분의 일부가 제
3자에게 양도되면 조합원 수가 증가하게 되어 당초의 조합원 수를 전제로 한 조합의 의사결
정구조에 변경이 생기고, 나아가 소수의 조합원이 그 지분을 다수의 제3자들에게 분할·양도
함으로써 의도적으로 그 의사결정구조에 왜곡을 가져올 가능성도 있기 때문이다.

정답 11 ③

ㅁ. 민법의 **조합의 해산사유와 청산에 관한 규정은** 그와 내용을 달리하는 당사자의 특약까지 배제하는 **강행규정이 아니므로** 당사자가 민법의 조합의 해산사유와 청산에 관한 규정과 **다른 내용의 특약을 한 경우**, 그 특약은 **유효하다**(대판 1985.2.26, 84다카1921).

12 다음 중 민법상 조합에 관한 설명으로 가장 옳지 않은 것은? ▸2024년 법무사

① 동업계약과 같은 조합계약에 있어서는 조합의 해산청구를 하거나 조합으로부터 탈퇴를 하거나 또는 다른 조합원을 제명할 수 있을 뿐이지 일반계약에 있어서처럼 조합계약을 해제하고 상대방에게 그로 인한 원상회복의 의무를 부담지울 수는 없는 것이다.

② 일부 조합원이 동업계약에 따라 동업자금을 출자하였는데 업무집행 조합원이 본연의 임무에 위배되거나 혹은 권한을 넘어선 행위를 자행함으로써 끝내 동업체의 동업 목적을 달성할 수 없게끔 만들고, 조합원이 출자한 동업자금을 모두 허비한 경우에 그로 인하여 손해를 입은 주체는 동업자금을 상실하여 버린 조합, 즉 조합원들로 구성된 동업체라 할 것이고, 이로 인하여 결과적으로 동업자금을 출자한 조합원에게 손해가 발생하였다 하더라도 이는 조합과 무관하게 개인으로서 입은 손해가 아니므로, 결국 피해자인 조합원으로서는 조합관계를 벗어난 개인의 지위에서 그 손해의 배상을 구할 수는 없다.

③ 민법 제706조에서는 조합원 3분의 2 이상의 찬성으로 조합의 업무집행자를 선임하고 조합원 과반수의 찬성으로 조합의 업무집행방법을 결정하도록 규정하고 있는바, 여기서 말하는 조합원은 조합원의 인원수가 아닌 조합원의 출자가액이나 지분을 뜻한다.

④ 조합원은 다른 조합원 전원의 동의가 있으면 그 지분을 처분할 수 있으나 조합의 목적과 단체성에 비추어 조합원으로서의 자격과 분리하여 그 지분권만을 처분할 수는 없다고 할 것이므로, 조합원이 지분을 양도하면 그로써 조합원의 지위를 상실하게 되며 이와 같은 조합원 지위의 변동은 조합지분의 양도양수에 관한 약정으로써 바로 효력이 생긴다.

⑤ 조합계약에 '동업지분은 제3자에게 양도할 수 있다'는 약정을 두고 있는 것과 같이 조합계약에서 개괄적으로 조합원 지분의 양도를 인정하고 있는 경우 조합원은 다른 조합원 전원의 동의가 없더라도 자신의 지분 전부를 일체로써 제3자에게 양도할 수 있으나, 그 지분의 일부를 제3자에게 양도하는 경우까지 당연히 허용되는 것은 아니다.

해설 ① 대판 1994.5.13, 94다7157

② 대판 1999.6.8, 98다60484

③ 민법 제706조에서는 조합원 3분의 2 이상의 찬성으로 조합의 업무집행자를 선임하고 조합원 과반수의 찬성으로 조합의 업무집행방법을 결정하도록 규정하고 있는바, 여기서 말하는 조합원은 조합원의 출자가액이나 지분이 아닌 조합원의 인원수를 뜻한다. 다만, 위와 같은 민법의 규정은 임의규정이므로, 당사자 사이의 약정으로 업무집행자의 선임이나 업무집행방법의 결정을 조합원의 인원수가 아닌 그 출자가액 내지 지분의 비율에 의하도록 하는 등 그 내용을 달리 정할 수 있고, 그와 같은 약정이 있는 경우에는 그 정한 바에 따라 업무집행자를 선임하거나 업무집행방법을 결정하여야만 유효하다(대판 2009.4.23, 2008다4247).

④ 조합원은 다른 조합원 전원의 동의가 있으면 그 지분을 처분할 수 있으나 조합의 목적과 단체성에 비추어 조합원으로서의 자격과 분리하여 그 지분권만을 처분할 수는 없으므로, 조합원이 지분을 양도하면 그로써 조합원의 지위를 상실하게 되며, 이와 같은 조합원 지위의 변동은 조합지분의 양도양수에 관한 약정으로써 바로 효력이 생긴다(대판 2009.3.12, 2006다28454).

⑤ 조합계약에 '동업지분은 제3자에게 양도할 수 있다'는 약정을 두고 있는 것과 같이 조합계약에서 개괄적으로 조합원 지분의 양도를 인정하고 있는 경우 조합원은 다른 조합원 전원의 동의가 없더라도 자신의 지분 전부를 일체로써 제3자에게 양도할 수 있으나, 그 지분의 일부를 제3자에게 양도하는 경우까지 당연히 허용되는 것은 아니다(대판 2009.4.23, 2008다4247).

정답 12 ③

심화문제 | 확인 · 보충 · 심화문제

01 민법상 도급 및 조합에 관한 다음 설명 중 가장 옳지 않은 것은? (다툼이 있는 경우 판례에 의함)

▶ 2016년 법무사

① 공사도급계약상 도급인의 지체상금채권과 수급인의 공사대금채권은 특별한 사정이 없는 한 동시이행의 관계에 있다고 할 수 없다.

② 건물신축 도급계약에서 수급인이 공사를 완성하였다고 하더라도, 신축된 건물에 하자가 있고 그 하자 및 손해에 상응하는 금액이 공사잔대금액 이상이어서, 도급인이 수급인에 대한 하자보수청구권 내지 하자보수에 갈음한 손해배상채권 등에 기하여 수급인의 공사잔대금 채권 전부에 대하여 동시이행의 항변을 한 때에는, 공사잔대금 채권의 변제기가 도래하지 아니한 경우와 마찬가지로 수급인은 도급인에 대하여 하자보수의무나 하자보수에 갈음한 손해배상의무 등에 관한 이행의 제공을 하지 아니한 이상 공사잔대금 채권에 기한 유치권을 행사할 수 없다.

③ 수급인의 담보책임에 기한 하자보수에 갈음하는 손해배상청구권에 대하여는 민법 제670조 또는 제671조의 제척기간이 적용되고, 이는 법률관계의 조속한 안정을 도모하고자 하는 데에 그 취지가 있다. 그런데 이러한 도급인의 손해배상청구권에 대하여는 그 권리의 내용·성질 및 취지에 비추어 민법 제162조 제1항의 채권 소멸시효의 규정 또는 그 도급계약이 상행위에 해당하는 경우에는 상법 제64조의 상사시효의 규정이 적용된다고 할 것이고, 민법 제670조 또는 제671조의 제척기간 규정으로 인하여 위 각 소멸시효 규정의 적용이 배제된다고 볼 수 없다.

④ 민법상 조합의 채권은 조합원 전원에게 합유적으로 귀속하는 것이어서 특별한 사정이 없는 한 조합원 중 1인에 대한 채권으로써 그 조합원 개인을 집행채무자로 하여 조합의 채권에 대하여 강제집행을 할 수 없고, 조합 업무를 집행할 권한을 수여받은 업무집행조합원은 조합재산에 관하여 조합원으로부터 임의적 소송신탁을 받아 자기 이름으로 소송을 수행할 수 없다.

⑤ 민법상 조합인 공동수급체가 경쟁입찰에 참가하였다가 다른 경쟁업체가 낙찰자로 선정된 경우, 그 공동수급체의 구성원 중 1인이 그 낙찰자 선정이 무효임을 주장하며 무효확인의 소를 제기하는 것은 그 공동수급체가 경쟁입찰과 관련하여 갖는 법적 지위 내지 법률상 보호받는 이익이 침해될 우려가 있어 그 현상을 유지하기 위하여 하는 소송행위이므로 이는 합유재산의 보존행위에 해당한다.

해설 ① 공사도급계약상 도급인의 지체상금채권과 수급인의 공사대금채권은 특별한 사정이 없는 한 동시이행의 관계에 있다고 할 수 없다(대판 2015.8.27, 2013다81224·81231).

② 수급인의 공사대금채권이 도급인의 하자보수청구권 내지 하자보수에 갈음한 손해배상채권 등과 동시이행의 관계에 있는 점 및 피담보채권의 변제기 도래를 유치권의 성립요건으로 규정한 취지 등에 비추어 보면, 건물신축 도급계약에서 수급인이 공사를 완성하였더라도, 신축된 건물에 하자가 있고 그 하자 및 손해에 상응하는 금액이 공사잔대금액 이상이어서, 도급인이 수급인에 대한 하자보수청구권 내지 하자보수에 갈음한 손해배상채권 등에 기하여 수급인의 공사잔대금 채권 전부에 대하여 동시이행의 항변을 한 때에는, 공사잔대금 채권의 변제기가 도래하지 아니한 경우와 마찬가지로 수급인은 도급인에 대하여 하자보수의무나 하자보수에 갈음한 손해배상의무 등에 관한 이행의 제공을 하지 아니한 이상 공사잔대금 채권에 기한 유치권을 행사할 수 없다고 보아야 한다(대판 2014.1.16, 2013다30653).

③ 수급인의 담보책임에 기한 하자보수에 갈음하는 손해배상청구권에 대하여는 민법 제670조 또는 제671조의 제척기간이 적용되고, 이는 법률관계의 조속한 안정을 도모하고자 하는 데에 취지가 있다. 그런데 이러한 도급인의 손해배상청구권에 대하여는 권리의 내용·성질 및 취지에 비추어 민법 제162조 제1항의 채권 소멸시효의 규정 또는 도급계약이 상행위에 해당하는 경우에는 상법 제64조의 상사시효의 규정이 적용되고, 민법 제670조 또는 제671조의 제척기간 규정으로 인하여 위 각 소멸시효 규정의 적용이 배제된다고 볼 수 없다(대판 2012.11.15, 2011다56491).

④ 민법상 조합의 채권은 조합원 전원에게 합유적으로 귀속하는 것이어서 특별한 사정이 없는 한 조합원 중 1인에 대한 채권으로써 그 조합원 개인을 집행채무자로 하여 조합의 채권에 대하여 강제집행을 할 수 없고, 조합 업무를 집행할 권한을 수여받은 업무집행 조합원은 조합재산에 관하여 조합원으로부터 임의적 소송신탁을 받아 자기 이름으로 소송을 수행할 수 있다(대판 2001.2.23, 2000다68924).

⑤ 합유재산의 보존행위는 합유재산의 멸실·훼손을 방지하고 그 현상을 유지하기 위하여 하는 사실적·법률적 행위로서 이러한 합유재산의 보존행위를 각 합유자 단독으로 할 수 있도록 한 취지는 그 보존행위가 긴급을 요하는 경우가 많고 다른 합유자에게도 이익이 되는 것이 보통이기 때문이다. 민법상 조합인 공동수급체가 경쟁입찰에 참가하였다가 다른 경쟁업체가 낙찰자로 선정된 경우, 그 공동수급체의 구성원 중 1인이 그 낙찰자 선정이 무효임을 주장하며 무효확인의 소를 제기하는 것은 그 공동수급체가 경쟁입찰과 관련하여 갖는 법적 지위 내지 법률상 보호받는 이익이 침해될 우려가 있어 그 현상을 유지하기 위하여 하는 소송행위이므로 이는 합유재산의 보존행위에 해당한다(대판 2013.11.28, 2011다80449).

정답 01 ④

11 절 화해 등

01 화해에 관한 다음 설명 중 가장 옳지 않은 것은? (다툼이 있는 경우 판례에 의함)

▶ 2015년 법원행시

① 화해계약이 사기로 인하여 이루어진 경우에는 화해의 목적인 분쟁에 관한 사항에 착오가 있는 때에도 민법 제110조에 따라 이를 취소할 수 있다.

② 의사의 치료행위 직후 환자가 사망하여 의사가 환자의 유족에게 거액의 손해배상금을 지급하기로 합의하였으나 그 후 환자의 사망이 의사의 치료행위와 전혀 무관한 것으로 밝혀진 경우, 그 의사는 착오를 이유로 화해계약을 취소할 수 있다.

③ 화해계약의 의사표시에 있어 중요 부분에 관한 착오의 존재 및 이것이 당사자의 자격이나 목적인 분쟁 이외의 사항에 관한 것이라는 점은 착오를 이유로 화해계약의 취소를 주장하는 자가 입증하여야 한다.

④ 도로건설공사의 현장책임자가 공사로 인한 양계장의 피해보상을 요구하는 양계업자와 사이에 민사상의 소를 취하하는 대신 환경분쟁조정위원회의 결정에 승복하기로 합의한 경우, 그 합의는 화해계약에 해당한다.

⑤ 교통사고에 가해자의 과실이 경합되어 있는데도 오로지 피해자의 과실로 인하여 발생한 것으로 착각하고 치료비를 포함한 합의금으로 실제 입은 손해액보다 훨씬 적은 금원인 금 7,000,000원만을 받고 일체의 손해배상청구권을 포기하기로 합의한 경우, 피해자측은 착오를 이유로 화해계약을 취소할 수 없다.

해설 ① 원칙적으로 화해계약이 화해의 목적인 분쟁에 관한 사항에 착오가 있는 때에는 취소할 수 없으나, 화해계약이 사기로 인하여 이루어진 경우에는 화해의 목적인 분쟁에 관한 사항에 착오가 있는 때에도 민법 제110조에 따라 이를 취소할 수 있다(대판 2008.9.11, 2008다15278).

② 이러한 경우의 그 근거는 화해의 목적인 분쟁의 대상이 아니라 그 분쟁의 전제가 되는 사항에 착오가 있는 경우이다(위 ⑤도 동지 ; 대판 2001.10.12, 2001다49326).

③ 화해계약을 취소하려는 경우도 제109조의 법리에 따른다는 것이다(통설과 판례).

④ 도로건설공사의 현장책임자가 공사로 인한 양계장의 피해보상을 요구하는 양계업자와 사이에 민사상의 소를 취하하는 대신 환경분쟁조정위원회의 결정에 승복하기로 합의한 경우, 그 합의는 화해계약에 해당한다(대판 2004.6.25, 2003다32797).

⑤ 교통사고에 가해자의 과실이 경합되어 있는데도 오로지 피해자의 과실로 인하여 발생한 것으로 착각하고 치료비를 포함한 합의금으로 실제 입은 손해액보다 훨씬 적은 금원인 금 7백만원을 받고 일체의 손해배상청구권을 포기하기로 합의한 경우, 피해자측은 착오를 이유로 화해계약을 취소할 수 있다(대판 1997.4.11, 95다48414). 이 경우 그 근거는 화해의 목적인 분쟁의 대상이 아니라 그 분쟁의 전제가 되는 사항으로 보기 때문이다.

02 **각종 계약에 관한 다음 설명 중 가장 옳지 않은 것은?** (다툼이 있는 경우 판례에 따르고 전원합
의체 판결의 경우 다수의견에 의함) ▶ 2019년 법무사

① 기존채무에 대하여 채권가압류가 마쳐진 후 채무자와 제3채무자 사이에 준소비대차 약
정이 체결된 경우, 가압류의 처분제한의 효력에 따라 채무자와 제3채무자는 준소비대
차의 성립을 가압류채권자에게 주장할 수 없고, 다만 채무자와 제3채무자 사이에서는
준소비대차가 유효하다.

② 수인의 채권자가 그 채권을 담보하기 위하여 수인의 채권자 전원을 공동매수인으로 하
여 채무자 소유의 부동산에 관하여 매매예약을 체결하고 이에 따라 가등기를 마친 경
우, 그 가등기에 기한 본등기절차의 이행을 구하는 소는 반드시 그 수인의 채권자 전원
이 제기하여야 한다.

③ 화해계약이 사기로 인하여 이루어진 경우에는 화해의 목적인 분쟁에 관한 사항에 착오
가 있더라도 민법 제110조에 따라 이를 취소할 수 있다.

④ 위임계약의 수임인이 위임인에게 가지는 대변제청구권을 보전하기 위하여 채무자인 위
임인의 채권을 대위행사하는 경우에는 채무자의 무자력을 요하지 않는다.

⑤ 민법상 조합계약은 2인 이상이 상호 출자하여 공동으로 사업을 경영할 것을 약정하는
계약이므로, 특정한 사업을 공동경영하는 약정에 한하여 이를 조합계약이라 할 수 있
고, 공동의 목적 달성이라는 정도만으로는 조합의 성립요건을 갖추었다고 할 수 없다.

해설 ① 기존채무에 대하여 채권가압류가 마쳐진 후 채무자와 제3채무자 사이에 준소비대차 약정이
체결된 경우, 준소비대차 약정은 가압류된 채권을 소멸하게 하는 것으로서 채권가압류의 효
력에 반하므로, 가압류의 처분제한의 효력에 따라 채무자와 제3채무자는 준소비대차의 성립
을 가압류채권자에게 주장할 수 없고, 다만 채무자와 제3채무자 사이에서는 준소비대차가
유효하다(대판 2007.1.11, 2005다47175 → 다만 가압류채무자가 가압류에 반하는 처분행
위를 한 경우 그 처분의 유효를 가압류채권자에게 주장할 수 없지만, 이러한 가압류의 처분
제한의 효력은 가압류채권자의 이익보호를 위하여 인정되는 것이므로 가압류채권자는 그 처
분행위의 효력을 긍정할 수도 있다).

② 수인의 채권자가 각기 그 채권을 담보하기 위하여 채무자와 채무자 소유의 부동산에 관하여
수인의 채권자를 공동매수인으로 하는 1개의 매매예약을 체결하고 그에 따라 수인의 채권자
공동명의로 그 부동산에 가등기를 마친 경우, 수인의 채권자가 공동으로 매매예약완결권을 가
지는 관계인지 아니면 채권자 각자의 지분별로 별개의 독립적인 매매예약완결권을 가지는 관
계인지는 매매예약의 내용에 따라야 하고, 매매예약에서 그러한 내용을 명시적으로 정하지 않
은 경우에는 수인의 채권자가 공동으로 매매예약을 체결하게 된 동기 및 경위, 그 매매예약에
의하여 달성하려는 담보의 목적, 담보 관련 권리를 공동 행사하려는 의사의 유무, 채권자별
구체적인 지분권의 표시 여부 및 그 지분권 비율과 피담보채권 비율의 일치 여부, 가등기담보
권 설정의 관행 등을 종합적으로 고려하여 판단하여야 한다. 이와 달리 1인의 채무자에 대한
수인의 채권자의 채권을 담보하기 위하여 그 수인의 채권자와 채무자가 채무자 소유의 부동산
에 관하여 수인의 채권자를 권리자로 하는 1개의 매매예약을 체결하고 그에 따른 가등기를
마친 경우에, 매매예약의 내용이나 매매예약완결권 행사와 관련한 당사자의 의사와 관계없이

정답 01 ⑤ 02 ②

언제나 수인의 채권자가 공동으로 매매예약완결권을 가진다고 보고, 매매예약완결의 의사표시도 수인의 채권자 전원이 공동으로 행사하여야 한다는 취지의 대법원 판결 등은 이 판결의 견해와 저촉되는 한도에서 변경하기로 한다(대판(전합) 2012.2.16, 2010다82530).

③ 원칙적으로 화해계약이 화해의 목적인 분쟁에 관한 사항에 착오가 있는 때에는 취소할 수 없으나, 화해계약이 사기로 인하여 이루어진 경우에는 화해의 목적인 분쟁에 관한 사항에 착오가 있는 때에도 민법 제110조에 따라 이를 취소할 수 있다(대판 2008.9.11, 2008다15278).

④ 수임인이 가지는 민법 제688조 제2항 전단 소정의 대변제청구권은 통상의 금전채권과는 다른 목적을 갖는 것이므로, 수임인이 이 대변제청구권을 보전하기 위하여 채무자인 위임인의 채권을 대위행사하는 경우에는 채무자의 무자력을 요건으로 하지 아니한다(대판 2002.1.25, 2001다52506).

⑤ 민법상의 조합계약은 2인 이상이 상호 출자하여 공동으로 사업을 경영할 것을 약정하는 계약으로서(제703조), 특정한 사업을 공동 경영하는 약정에 한하여 이를 조합계약이라고 할 수 있고, 공동의 목적달성이라는 정도만으로는 조합의 성립요건을 갖추지 못하였다고 할 것이다(대판 2005.11.10, 2003다18876).

03 다음 설명 중 가장 옳지 않은 것은? ▶ 2022년 법원행시

① 화해계약이 성립되면 특별한 사정이 없는 한 그 창설적 효력에 따라 종전의 법률관계를 바탕으로 한 권리의무관계는 소멸하고, 계약당사자 사이에 종전의 법률관계가 어떠하였는지를 묻지 않고 화해계약에 따라 새로운 법률관계가 생긴다.

② 화해계약이 성립하기 위해서는 분쟁이 된 법률관계에 관하여 당사자 쌍방이 서로 양보함으로써 분쟁을 끝내기로 하는 의사의 합치가 있어야 하는데, 화해계약이 성립한 이후에는 그 목적이 된 사항에 관하여 나중에 다시 이행을 구하는 등으로 다툴 수 없는 것이 원칙이므로, 당사자가 한 행위나 의사표시의 해석을 통하여 묵시적으로 그와 같은 의사의 합치가 있었다고 인정하기 위해서는 그 당시의 여러 사정을 종합적으로 참작하여 이를 엄격하게 해석하여야 한다.

③ 당사자들이 분쟁을 인식하지 못한 상태에서 일방 당사자가 이행해야 할 채무액에 관하여 협의하였다거나 일방 당사자의 채무이행에 대해 상대방 당사자가 이의를 제기하지 않았다는 사정만으로는 묵시적 화해계약이 성립하였다고 보기 어렵다.

④ 민법상의 화해계약을 체결한 경우 당사자는 화해 당사자의 자격 또는 분쟁의 전제나 기초가 된 사항으로서 쌍방 당사자가 예정한 것이어서 상호 양보의 내용으로 되지 않는 사항에 착오가 있다는 이유로는 민법 제109조에 따른 취소권을 행사할 수 없다.

⑤ 소취하합의의 의사표시 중 동기에 착오가 있고 당사자 사이에 그 동기를 의사표시의 내용으로 삼은 경우 민법 제109조에 따라 취소할 수 있다.

해설 ①, ②, ③ 화해계약이 성립하기 위해서는 '분쟁이 된 법률관계'에 관하여 당사자 쌍방이 서로 양보함으로써 분쟁을 끝내기로 하는 의사의 합치가 있어야 하는데, 화해계약이 성립한 이후에는 그 목적이 된 사항에 관하여 나중에 다시 이행을 구하는 등으로 다툴 수 없는 것이 원칙이므로, 당사자가 한 행위나 의사표시의 해석을 통하여 묵시적으로 그와 같은 의사의 합치가 있었다고 인정하기 위해서는 그 당시의 여러 사정을 종합적으로 참작하여 이를 엄격하게 해석하여야 한다. 따라서 당사자들이 분쟁을 인식하지 못한 상태에서 일방 당사자가 이행해야 할 채무액에 관하여 협의하였다거나 일방 당사자의 채무이행에 대해 상대방 당사자가 이의를 제기하지 않았다는 사정만으로는 묵시적 화해계약이 성립하였다고 보기 어렵다(대판 2021.9.9, 2016다203933).

④ 민법상의 화해계약을 체결한 경우 당사자는 착오를 이유로 취소하지 못하고 다만 화해 당사자의 자격 또는 화해의 목적인 분쟁 이외의 사항에 착오가 있는 때에 한하여 이를 취소할 수 있으며, 여기서 '화해의 목적인 분쟁 이외의 사항'이라 함은 분쟁의 대상이 아니라 분쟁의 전제 또는 기초가 된 사항으로서, 쌍방 당사자가 예정한 것이어서 상호 양보의 내용으로 되지 않고 다툼이 없는 사실로 양해된 사항을 말한다(대판 1997.4.11, 95다48414).

⑤ 소취하 합의의 의사표시 역시 민법 제109조에 따라 법률행위의 내용의 중요 부분에 착오가 있는 때에는 취소할 수 있을 것이다. 의사표시의 동기에 착오가 있는 경우에는 당사자 사이에 그 동기를 의사표시의 내용으로 삼았을 때에 한하여 의사표시의 내용의 착오가 되어 취소할 수 있는 것이며, 법률행위의 중요 부분의 착오라 함은 표의자가 그러한 착오가 없었더라면 그 의사표시를 하지 않으리라고 생각될 정도로 중요한 것이어야 하고 보통 일반인도 표의자의 처지에 섰더라면 그러한 의사표시를 하지 않았으리라고 생각될 정도로 중요한 것이어야 한다. 이때 착오를 이유로 의사표시를 취소하는 자는 법률행위의 내용에 착오가 있었다는 사실과 함께 착오가 의사표시에 결정적인 영향을 미쳤다는 점, 즉 만일 착오가 없었더라면 의사표시를 하지 않았을 것이라는 점을 증명하여야 한다(대판 2020.10.15, 2020다227523 · 227530).

04 고용에 관한 다음 설명 중 가장 옳지 않은 것은? (다툼이 있는 경우 판례에 의함)

▶ 2019년 법원주사보

① 사용자가 근로자의 임금 지급에 갈음하여 사용자가 제3자에 대하여 가지는 채권을 근로자에게 양도하기로 하는 약정은 전부 무효임이 원칙이다.

② 사용자는 근로계약에 수반되는 신의칙상의 부수적 의무로서 피용자가 노무를 제공하는 과정에서 생명, 신체, 건강을 해치는 일이 없도록 인적 · 물적 환경을 정비하는 등 필요한 조치를 강구하여야 할 보호의무를 부담한다.

③ 보호의무 위반을 이유로 사용자에게 손해배상책임을 인정하기 위하여는 특별한 사정이 없는 한 그 사고가 피용자의 업무와 관련성을 가지고 있을 뿐만 아니라 또한 그 사고가 통상 발생할 수 있다고 하는 것이 예측되거나 예측할 수 있는 경우라야 하고, 그 예측 가능성은 사고가 발생한 때와 장소, 사고가 발생한 경위 기타 여러 사정을 고려하여 판단하여야 한다.

④ 고용의 약정기간이 당사자의 일방 또는 제3자의 종신까지로 된 때에는 각 당사자는 언제든지 계약해지의 통고를 할 수 있고, 이 경우 상대방이 해지의 통지를 받은 날로부터 3월이 경과하면 해지의 효력이 생긴다.

정답 ▶ 03 ④ 04 ④

해설 ① 임금은 법령 또는 단체협약에 특별한 규정이 있는 경우를 제외하고는 통화로 직접 근로자에게 전액을 지급하여야 한다(근로기준법 제43조 제1항). 따라서 사용자가 근로자의 임금 지급에 갈음하여 사용자가 제3자에 대하여 가지는 채권을 근로자에게 양도하기로 하는 약정은 전부 무효임이 원칙이다. 다만 당사자 쌍방이 위와 같은 무효를 알았더라면 임금의 지급에 갈음하는 것이 아니라 지급을 위하여 채권을 양도하는 것을 의욕하였으리라고 인정될 때에는 무효행위 전환의 법리(민법 제138조)에 따라 그 채권양도 약정은 '임금의 지급을 위하여 한 것'으로서 효력을 가질 수 있다(대판 2012.3.29, 2011다101308).

②. ③ 사용자는 근로계약에 수반되는 신의칙상의 부수적 의무로서 피용자가 노무를 제공하는 과정에서 생명, 신체, 건강을 해치는 일이 없도록 인적·물적 환경을 정비하는 등 필요한 조치를 강구하여야 할 보호의무를 부담하고, 이러한 보호의무를 위반함으로써 피용자가 손해를 입은 경우 이를 배상할 책임이 있다. 다만 보호의무위반을 이유로 사용자에게 손해배상책임을 인정하기 위하여는 특별한 사정이 없는 한 그 사고가 피용자의 업무와 관련성을 가지고 있을 뿐 아니라 또한 그 사고가 통상 발생할 수 있다고 하는 것이 예측되거나 예측할 수 있는 경우라야 할 것이고, 그 예측가능성은 사고가 발생한 때와 장소, 가해자의 분별능력, 가해자의 성행, 가해자와 피해자의 관계 기타 여러 사정을 고려하여 판단하여야 한다(대판 2001.7.27, 99다56734). → 야간에 회사 기숙사 내에서 발생한 입사자들 사이의 구타행위에 대하여 회사의 보호의무위반이나 불법행위상의 과실책임을 인정하지 않은 사례이다.

④ 제659조 【3년 이상의 경과와 해지통고권】
① 고용의 약정기간이 3년을 넘거나 당사자의 일방 또는 제3자의 종신까지로 된 때에는 각 당사자는 3년을 경과한 후 언제든지 계약해지의 통고를 할 수 있다.
② 전항의 경우에는 상대방이 해지의 통고를 받은 날로부터 3월이 경과하면 해지의 효력이 생긴다.

01 절 사무관리

기본문제 | 기본문제의 구성

01 사무관리에 관한 다음 설명 중 가장 옳지 않은 것은? (다툼이 있는 경우 판례에 의함)

① 관리자가 사무관리를 함에 있어서 손해를 입었다 하더라도 그에게 과실이 없는 경우에 한하여 본인의 현존이익의 한도에서 그 손해의 보상을 청구할 수 있다.

② 민법상 사무관리에는 보수청구권이나 비용선급청구권이 인정되지 아니한다.

③ 관리자가 관리를 개시한 때에는 지체 없이 본인에게 통지하여야 한다.

④ 관리자가 본인의 의사에 반하여 관리한 때에는 유익비는 물론이고 필요비 역시 현존이익의 한도에서 상환을 청구할 수 있을 뿐이다.

⑤ 관리자가 본인의 의사에 반하여 관리한 경우라 하더라도 과실 없는 이상 그로 인한 손해를 배상할 책임이 없음이 원칙이다.

해설 ① 제740조【관리자의 무과실손해보상청구권】관리자가 사무관리를 함에 있어서 과실 없이 손해를 받은 때에는 본인의 현존이익의 한도에서 그 손해의 보상을 청구할 수 있다.

② 민법은 위임에서와 달리 사무관리자에게 보수청구권이나 비용선급청구권을 인정하고 있지 않다.

③ 제736조【관리자의 통지의무】관리자가 관리를 개시한 때에는 지체 없이 본인에게 통지하여야 한다. 그러나 본인이 이미 이를 안 때에는 그러하지 아니한다.

④ 제739조【관리자의 비용상환청구권】
① 관리자가 본인을 위하여 필요비 또는 유익비를 지출한 때에는 본인에 대하여 그 상환을 청구할 수 있다.
② 관리자가 본인을 위하여 필요 또는 유익한 채무를 부담한 때에는 제688조 제2항의 규정을 준용한다.
③ 관리자가 본인의 의사에 반하여 관리한 때에는 본인의 현존이익의 한도에서 전2항의 규정을 준용한다.

정답 ▶ 01 ⑤

⑤ 제734조【사무관리의 내용】
① 의무없이 타인을 위하여 사무를 관리하는 자는 그 사무의 성질에 좇아 가장 본인에게 이익되는 방법으로 이를 관리하여야 한다.
② 관리자가 본인의 의사를 알거나 알 수 있는 때에는 그 의사에 적합하도록 관리하여야 한다.
③ 관리자가 전2항의 규정에 위반하여 사무를 관리한 경우에는 과실 없는 때에도 이로 인한 손해를 배상할 책임이 있다. 그러나 그 관리행위가 공공의 이익에 적합한 때에는 중대한 과실이 없으면 배상할 책임이 없다.

02 甲은 이웃에 사는 乙의 가족이 여름휴가를 간 사이에 폭풍우로 乙의 가옥이 붕괴될 위험에 놓이자 붕괴방지작업을 하였다. 이와 관련하여 사무관리로서의 법적 판단으로 옳은 것은?

① 판례에 따르면 甲 자신만이 작업의 사실상 이익을 얻으려 한 경우에도 사무관리가 성립한다.
② 甲이 작업 중에 부주의로 부상을 입은 경우에도 그 치료비를 乙에게 청구할 수 있다.
③ 가옥이 붕괴될 위험이 급박하였던 경우에는, 甲이 작업 중에 경과실로 乙의 가구를 훼손하였어도 이에 대한 손해배상은 하지 않아도 된다.
④ 甲은 乙에게 작업과 관련하여 지출한 필요비는 상환청구를 할 수 있으나 유익비는 상환청구할 수 없다.
⑤ 甲은 乙에게 보수청구를 할 수 있다.

해설 ① 사무관리라 함은 의무 없이 타인을 위하여 그의 사무를 처리하는 행위를 말하는 것이므로, 만약 그 사무가 타인의 사무가 아니라거나 또는 사무를 처리한 자에게 타인을 위하여 처리한다는 관리의사가 없는 경우에는 사무관리가 성립될 수 없다(대판 1995.9.15. 94다59943).

② 제740조【관리자의 무과실손해보상청구권】관리자가 사무관리를 함에 있어서 과실 없이 손해를 받은 때에는 본인의 현존이익의 한도에서 그 손해의 보상을 청구할 수 있다.
→ 관리자의 부주의로 인한 손해에 대하여는 본인의 보상책임이 발생하지 않는다.(○)

③ 제735조【긴급사무관리】관리자가 타인의 생명, 신체, 명예 또는 재산에 대한 급박한 위해를 면하게 하기 위하여 그 사무를 관리한 때에는 고의나 중대한 과실이 없으면 이로 인한 손해를 배상할 책임이 없다.

④ 제739조 제1항【관리자의 비용상환청구권】관리자가 본인을 위하여 필요비 또는 유익비를 지출한 때에는 본인에 대하여 그 상환을 청구할 수 있다.

⑤ 민법은 사무관리자에게 보수청구권을 인정하고 있지는 않다.

03 사무관리에 관한 다음 설명 중 가장 옳지 않은 것은? (다툼이 있는 경우 판례에 의함)

▸ 2015년 법원행시

① 타인의 사무가 국가의 사무인 경우, 원칙적으로 사인이 법령상의 근거 없이 국가의 사무를 수행할 수 없다는 점을 고려하면, 사인이 처리한 국가의 사무가 사인이 국가를 대신하여 처리할 수 있는 성질의 것으로서, 사무 처리의 긴급성 등 국가의 사무에 대한 사인의 개입이 정당화되는 경우에 한하여 사무관리가 성립하고, 사인은 그 범위 내에서 국가에 대하여 국가의 사무를 처리하면서 지출된 필요비 내지 유익비의 상환을 청구할 수 있다고 할 것이다.

② 의무 없이 타인의 사무를 처리한 자는 그 타인에 대하여 민법상 사무관리 규정에 따라 비용상환 등을 청구할 수 있으나, 제3자와의 약정에 따라 타인의 사무를 처리한 경우에는 의무 없이 그 타인의 사무를 처리한 것이 아니므로 이는 원칙적으로 그 타인과의 관계에서는 사무관리가 된다고 볼 수 없다.

③ 타인을 위한 사무를 관리한 것으로 인정되는 경우에 필요비 내지 유익비로 청구할 수 있다.

④ 사무관리가 성립하기 위하여는 우선 그 사무가 타인의 사무이고 타인을 위하여 사무를 처리하는 의사, 즉 관리의 사실상의 이익을 타인에게 귀속시키려는 의사가 있어야하며, 나아가 그 사무의 처리가 본인에게 불리하거나 본인의 의사에 반한다는 것이 명백하지 아니할 것을 요하는데, 여기에서 '타인을 위하여 사무를 처리하는 의사'는 관리자 자신의 이익을 위한 의사와 병존할 수 있고, 반드시 외부적으로 표시될 필요가 없으며, 사무를 관리할 당시에 확정되어 있을 필요가 없다.

⑤ 채권자가 자신의 채권을 보전하기 위하여 채무자가 다른 상속인과 공동으로 상속받은 부동산에 관하여 공동상속등기를 대위신청하여 그 등기가 행하여지는 것과 같이 채권자에 의한 채무자 권리의 대위행사의 직접적인 내용이 제3자의 법적 지위를 보전·유지하는 것이 되는 경우에는, 채권자는 자신의 채무자가 아닌 제3자에 대하여는 사무관리에 기하여 그 등기에 소요된 비용의 상환을 청구할 수 없다.

> **해설** ① 타인의 사무가 국가의 사무인 경우(원유유출사고시 방제작업), 원칙적으로 사인이 법령상의 근거 없이 국가의 사무를 수행할 수 없다는 점을 고려하면, 사인이 처리한 국가의 사무가 사인이 국가를 대신하여 처리할 수 있는 성질의 것으로서, 사무 처리의 긴급성 등 국가의 사무에 대한 사인의 개입이 정당화되는 경우에 한하여 사무관리가 성립하고, 사인은 그 범위 내에서 국가에 대하여 국가의 사무를 처리하면서 지출된 필요비 내지 유익비의 상환을 청구할 수 있다고 할 것이다(대판 2014.12.11. 2012다15602).
> ② 사무관리는 법률상, 계약상 의무 없이 타인의 사무를 처리를 하여야 하는데, 이러한 경우에는 원칙적으로 그 타인과의 관계에서는 사무관리가 된다고 볼 수 없기 때문이다(대판 2013.9.26. 2012다43539).
> ③ 타인을 위한 사무를 관리한 것으로 인정되는 경우에 부당이득의 특칙으로 필요비 내지 유익비로 청구할 수 있다(제739조).

정답 02 ③ 03 ⑤

④ '타인을 위하여 사무를 처리하는 의사'는 관리자 자신의 이익을 위한 의사와 병존할 수 있고, 반드시 외부적으로 표시될 필요가 없으며, 사무를 관리할 당시에 확정되어 있을 필요가 없다 (대판 2013.6.27, 2011다17106).

⑤ 채권자가 자신의 채권을 보전하기 위하여 채무자가 다른 상속인과 공동으로 상속받은 부동 산에 관하여 공동상속등기를 대위신청하여 그 등기가 행하여지는 것과 같이 채권자에 의한 채무자 권리의 대위행사의 직접적인 내용이 제3자의 법적 지위를 보전·유지하는 것이 되 는 경우에는, 채권자는 자신의 채무자가 아닌 제3자에 대하여도 다른 특별한 사정이 없는 한 사무관리에 기하여 그 등기에 소요된 비용의 상환을 청구할 수 있다(대판 2013.8.22, 2013다30882).

04 사무관리에 관한 다음 설명 중 가장 옳지 않은 것은? (다툼이 있는 경우 판례에 의함)

▶ 2016년 법무사

① 사무관리가 성립하기 위하여는 타인을 위하여 사무를 처리하는 의사, 즉 관리의 사실 상의 이익을 타인에게 귀속시키려는 의사가 있어야 하는데, 여기에서 '타인을 위하여 사무를 처리하는 의사'는 관리자 자신의 이익을 위한 의사와 병존할 수 있고, 반드시 외부적으로 표시될 필요가 없으며, 사무를 관리할 당시에 확정되어 있을 필요도 없다.

② 제3자와의 약정에 따라 타인의 사무를 처리한 경우에는 의무 없이 타인의 사무를 처리 한 것이 아니므로 원칙적으로 그 타인과의 관계에서는 사무관리가 된다고 볼 수 없다.

③ 관리자가 사무관리를 함에 있어서 과실 없이 손해를 받은 때에는 본인의 현존이익의 한도에서 그 손해의 보상을 청구할 수 있다.

④ 관리자가 타인의 생명, 신체, 명예 또는 재산에 대한 급박한 위해를 면하게 하기 위하여 그 사무를 관리한 때에는 고의가 없는 경우에 한하여 그로 인한 손해를 배상할 책임이 없다.

⑤ 사무관리라 함은 의무 없이 타인을 위하여 그의 사무를 처리하는 행위를 말하는 것이 므로, 만약 그 사무가 타인의 사무가 아니라거나 또는 사무를 처리한 자에게 타인을 위하여 처리한다는 관리의사가 없는 경우에는 사무관리가 성립할 수 없다.

해설 ① 사무관리가 성립하기 위하여는 우선 그 사무가 타인의 사무이고 타인을 위하여 사무를 처리 하는 의사, 즉 관리의 사실상의 이익을 타인에게 귀속시키려는 의사가 있어야 하며, 나아가 그 사무의 처리가 본인에게 불리하거나 본인의 의사에 반한다는 것이 명백하지 아니할 것을 요한다. 여기에서 '타인을 위하여 사무를 처리하는 의사'는 관리자 자신의 이익을 위한 의사 와 병존할 수 있고, 반드시 외부적으로 표시될 필요가 없으며, 사무를 관리할 당시에 확정되 어 있을 필요가 없다(대판 2013.8.22, 2013다30882).

② 의무 없이 타인의 사무를 처리한 자는 그 타인에 대하여 민법상 사무관리 규정에 따라 비용 상환 등을 청구할 수 있으나, 제3자와의 약정에 따라 타인의 사무를 처리한 경우에는 의무 없이 타인의 사무를 처리한 것이 아니므로 이는 원칙적으로 그 타인과의 관계에서는 사무관 리가 된다고 볼 수 없다(대판 2013.9.26, 2012다43539).

③ 제740조【관리자의 무과실손해보상청구권】관리자가 사무관리를 함에 있어서 과실 없이 손 해를 받은 때에는 본인의 현존이익의 한도에서 그 손해의 보상을 청구할 수 있다.

④ 관리자가 타인의 생명, 신체, 명예 또는 재산에 대한 급박한 위해를 면하게 하기 위하여 그 사무를 관리한 때에는 고의나 중대한 과실이 없으면 이로 인한 손해를 배상할 책임이 없다 (제735조 긴급사무관리). 즉 중대한 과실이 없는 경우에도 손해를 배상할 책임이 없다.

⑤ 사무관리라 함은 의무 없이 타인을 위하여 그의 사무를 처리하는 행위를 말하는 것이므로, 만약 그 사무가 타인의 사무가 아니라거나 또는 사무를 처리한 자에게 타인을 위하여 처리한다는 관리의사가 없는 경우에는 사무관리가 성립할 수 없다(대판 1995.9.15, 94다59943).

05 사무관리에 관한 다음 설명 중 가장 옳지 않은 것은? ▶ 2018년 법원행시

① 사무관리가 성립하기 위하여는 타인을 위하여 사무를 처리하는 의사, 즉 관리의 사실상의 이익을 타인에게 귀속시키려는 의사가 있어야 하는데, 여기에서 '타인을 위하여 사무를 처리하는 의사'는 관리자 자신의 이익을 위한 의사와 병존할 수 있고, 반드시 외부적으로 표시될 필요가 없으며, 사무를 관리할 당시에 확정되어 있을 필요도 없다.

② 제3자와의 약정에 따라 타인의 사무를 처리한 경우에는 의무 없이 타인의 사무를 처리한 것이 아니므로 원칙적으로 그 타인과의 관계에서는 사무관리가 된다고 볼 수 없다.

③ 관리자가 사무관리를 함에 있어서 과실 없이 손해를 받은 때에는 본인의 현존이익의 한도에서 그 손해의 보상을 청구할 수 있다.

④ 관리자가 타인의 생명, 신체, 명예 또는 재산에 대한 급박한 위해를 면하게 하기 위하여 그 사무를 관리한 때라 하더라도 과실로 인하여 본인에게 손해가 발생한 때에는 이를 배상하여야 한다.

⑤ 사무관리 제도는 사회생활에서의 상호부조의 이상에 터 잡은 것으로서, 사무관리가 성립하기 위해서는 우선 그 사무가 타인의 사무이고 타인을 위하여 사무를 처리하는 의사, 즉 관리의 사실상의 이익을 타인에게 귀속시키려는 의사가 있어야 함은 물론 그 사무의 처리가 본인에게 불리하거나 본인의 의사에 반한다는 것이 명백하지 않을 것을 요한다.

해설 ①, ⑤ 사무관리가 성립하기 위하여는 우선 그 사무가 타인의 사무이고 타인을 위하여 사무를 처리하는 의사, 즉 관리의 사실상의 이익을 타인에게 귀속시키려는 의사가 있어야 하며, 나아가 그 사무의 처리가 본인에게 불리하거나 본인의 의사에 반한다는 것이 명백하지 아니할 것을 요한다. 여기에서 '타인을 위하여 사무를 처리하는 의사'는 관리자 자신의 이익을 위한 의사와 병존할 수 있고, 반드시 외부적으로 표시될 필요가 없으며, 사무를 관리할 당시에 확정되어 있을 필요가 없다(대판 2013.8.22, 2013다30882).

② 의무 없이 타인의 사무를 처리한 자는 그 타인에 대하여 민법상 사무관리 규정에 따라 비용상환 등을 청구할 수 있으나, 제3자와의 약정에 따라 타인의 사무를 처리한 경우에는 의무 없이 타인의 사무를 처리한 것이 아니므로 이는 원칙적으로 그 타인과의 관계에서는 사무관리가 된다고 볼 수 없다(대판 2013.9.26, 2012다43539).

③ 제740조 참조

> 제740조 【관리자의 무과실손해보상청구권】 관리자가 사무관리를 함에 있어서 과실 없이 손해를 받은 때에는 본인의 현존이익의 한도에서 그 손해의 보상을 청구할 수 있다.

정답 04 ④ 05 ④

④ 고의나 중대한 과실이 있을 경우에만 손해배상책임이 있다(제735조 참조).

> 제735조【긴급사무관리】관리자가 타인의 생명, 신체, 명예 또는 재산에 대한 급박한 위해를 면하게 하기 위하여 그 사무를 관리한 때에는 고의나 중대한 과실이 없으면 이로 인한 손해를 배상할 책임이 없다.

06 사무관리에 관한 다음 설명 중 가장 옳지 않은 것은?　　▶ 2020년 법무사

① 본인의 의사나 이익에 적합하지 아니한 사무관리를 한 경우에는 과실이 없는 때에도 이로 인한 손해를 배상해야 하나 그 관리행위가 공공의 이익에 적합한 때에는 중대한 과실이 없으면 배상할 책임이 없다.

② 사무관리가 성립하기 위하여는 우선 그 사무가 타인의 사무이고 타인을 위하여 사무를 처리하는 의사, 즉 관리의 사실상의 이익을 타인에게 귀속시키려는 의사가 있어야 하며, 나아가 그 사무의 처리가 본인에게 불리하거나 본인의 의사에 반한다는 것이 명백하지 아니할 것을 요한다. 여기에서 타인을 위하여 사무를 처리하는 의사는 관리자 자신의 이익을 위한 의사와 병존할 수 있고, 반드시 외부적으로 표시될 필요가 없으며, 사무를 관리할 당시에 확정되어 있을 필요가 없다.

③ 관리자가 타인의 생명, 신체, 명예 또는 재산에 대한 급박한 위해를 면하게 하기 위하여 그 사무를 관리한 때라 하더라도 경과실로 인하여 본인에게 손해가 발생한 때에는 이를 배상하여야 한다.

④ 의무 없이 타인을 위하여 사무를 관리한 자는 타인에 대하여 민법상 사무관리 규정에 따라 비용상환 등을 청구할 수 있는 외에 사무관리에 의하여 결과적으로 사실상 이익을 얻은 다른 제3자에 대하여 직접 부당이득반환을 청구할 수는 없다.

⑤ 의무 없이 타인의 사무를 처리한 자는 그 타인에 대하여 민법상 사무관리 규정에 따라 비용상환 등을 청구할 수 있으나, 제3자와의 약정에 따라 타인의 사무를 처리한 경우에는 의무 없이 타인의 사무를 처리한 것이 아니므로 이는 원칙적으로 그 타인과의 관계에서는 사무관리가 된다고 볼 수 없다.

해설 ①
> 제734조【사무관리의 내용】① 의무 없이 타인을 위하여 사무를 관리하는 자는 그 사무의 성질에 좇아 가장 본인에게 이익되는 방법으로 이를 관리하여야 한다.
> ② 관리자가 본인의 의사를 알거나 알 수 있는 때에는 그 의사에 적합하도록 관리하여야 한다.
> ③ 관리자가 전2항의 규정에 위반하여 사무를 관리한 경우에는 과실없는 때에도 이로 인한 손해를 배상할 책임이 있다. 그러나 그 관리행위가 공공의 이익에 적합한 때에는 중대한 과실이 없으면 배상할 책임이 없다.

② 사무관리가 성립하기 위하여는 우선 그 사무가 타인의 사무이고 타인을 위하여 사무를 처리하는 의사, 즉 관리의 사실상의 이익을 타인에게 귀속시키려는 의사가 있어야 하며, 나아가 그 사무의 처리가 본인에게 불리하거나 본인의 의사에 반한다는 것이 명백하지 아니할 것을 요한다. 여기에서 '타인을 위하여 사무를 처리하는 의사'는 관리자 자신의 이익을 위한 의사와 병존할 수 있고, 반드시 외부적으로 표시될 필요가 없으며, 사무를 관리할 당시에 확정되어 있을 필요가 없다(대판 2013.8.22, 2013다30882).

③ 고의나 중과실이 없으면 사무관리로 인한 손해를 배상할 책임이 없으므로(민법 제735조), 경과실로 인하여 발생한 손해에 대해서는 배상할 책임이 없다.

> 제735조【긴급사무관리】관리자가 타인의 생명, 신체, 명예 또는 재산에 대한 급박한 위해를 면하게 하기 위하여 그 사무를 관리한 때에는 고의나 중대한 과실이 없으면 이로 인한 손해를 배상할 책임이 없다.

④ 계약상 급부가 계약 상대방뿐 아니라 제3자에게 이익이 된 경우에 급부를 한 계약당사자는 계약 상대방에 대하여 계약상 반대급부를 청구할 수 있는 이외에 제3자에 대하여 직접 부당이득반환청구를 할 수는 없다고 보아야 하고, 이러한 법리는 급부가 사무관리에 의하여 이루어진 경우에도 마찬가지이다. 따라서 의무 없이 타인을 위하여 사무를 관리한 자는 타인에 대하여 민법상 사무관리 규정에 따라 비용상환 등을 청구할 수 있는 외에 사무관리에 의하여 결과적으로 사실상 이익을 얻은 다른 제3자에 대하여 직접 부당이득반환을 청구할 수는 없다(대판 2013.6.27, 2011다17106).

⑤ 의무 없이 타인의 사무를 처리한 자는 그 타인에 대하여 민법상 사무관리 규정에 따라 비용상환 등을 청구할 수 있으나, 제3자와의 약정에 따라 타인의 사무를 처리한 경우에는 의무 없이 타인의 사무를 처리한 것이 아니므로 이는 원칙적으로 그 타인과의 관계에서는 사무관리가 된다고 볼 수 없다(대판 2013.9.26, 2012다43539).

07 사무관리에 관한 다음 설명 중 가장 옳지 않은 것은? (다툼이 있는 경우 판례에 의하고, 전원합의체 판결의 경우 다수의견에 의함)   ▶ 2020년 9급(법원서기보)

① 타인의 사무가 국가의 사무인 경우, 원칙적으로 사인이 처리한 국가의 사무가 사인이 국가를 대신하여 처리할 수 있는 성질의 것이고, 사무 처리의 긴급성 등 국가의 사무에 대한 사인의 개입이 정당화되는 경우에 한하여 사무관리가 성립한다.

② 관리자가 타인의 생명, 신체, 명예 또는 재산에 대한 급박한 위해를 면하게 하기 위하여 그 사무를 관리한 때에는 고의나 중대한 과실이 없으면 이로 인한 손해를 배상할 책임이 없다.

③ 제3자와의 약정에 따라 타인의 사무를 처리한 경우에도 원칙적으로 그 타인과의 관계에서는 사무관리가 성립한다.

④ 사무관리가 성립하기 위하여는 우선 그 사무가 타인의 사무이고, 타인을 위하여 사무를 처리하는 의사가 있어야 하는데, 이러한 의사는 반드시 외부적으로 표시될 필요가 없고, 사무를 관리할 당시에 확정되어 있을 필요가 없다.

해설 ① 타인의 사무가 국가의 사무인 경우(원유유출사고 시 방제작업), 원칙적으로 사인이 법령상의 근거 없이 국가의 사무를 수행할 수 없다는 점을 고려하면, 사인이 처리한 국가의 사무가 사인이 국가를 대신하여 처리할 수 있는 성질의 것으로서, 사무 처리의 긴급성 등 국가의 사무에 대한 사인의 개입이 정당화되는 경우에 한하여 사무관리가 성립하고, 사인은 그 범위 내에서 국가에 대하여 국가의 사무를 처리하면서 지출된 필요비 내지 유익비의 상환을 청구할 수 있다고 할 것이다(대판 2014.12.11, 2012다15602).

정답   06 ③   07 ③

② 제735조 【긴급사무관리】 관리자가 타인의 생명, 신체, 명예 또는 재산에 대한 급박한 위해를 면하게 하기 위하여 그 사무를 관리한 때에는 고의나 중대한 과실이 없으면 이로 인한 손해를 배상할 책임이 없다.

③ 의무 없이 타인의 사무를 처리한 자는 그 타인에 대하여 민법상 사무관리 규정에 따라 비용상환 등을 청구할 수 있으나, 제3자와의 약정에 따라 타인의 사무를 처리한 경우에는 의무 없이 타인의 사무를 처리한 것이 아니므로 이는 원칙적으로 그 타인과의 관계에서는 사무관리가 된다고 볼 수 없다(대판 2013.9.26, 2012다43539).

④ 사무관리가 성립하기 위하여는 우선 그 사무가 타인의 사무이고 타인을 위하여 사무를 처리하는 의사, 즉 관리의 사실상의 이익을 타인에게 귀속시키려는 의사가 있어야 하며, 나아가 그 사무의 처리가 본인에게 불리하거나 본인의 의사에 반한다는 것이 명백하지 아니할 것을 요한다. 여기에서 '타인을 위하여 사무를 처리하는 의사'는 관리자 자신의 이익을 위한 의사와 병존할 수 있고, 반드시 외부적으로 표시될 필요가 없으며, 사무를 관리할 당시에 확정되어 있을 필요가 없다(대판 2013.8.22, 2013다30882).

08 사무관리에 관한 다음 설명 중 가장 옳지 않은 것은? ▸ 2020년 법원행시

① 사무관리가 성립하기 위하여는 우선 그 사무가 타인의 사무이고 타인을 위하여 사무를 처리하는 의사가 있어야 하며, 나아가 그 사무의 처리가 본인에게 불리하거나 본인의 의사에 반한다는 것이 명백하지 아니할 것을 요한다.

② 관리자에게 보수청구권을 인정할 경우 관리자가 자신의 경제적 이익을 위해 타인의 생활관계에 지나치게 개입함으로써 사적 자치의 원칙을 훼손시킬 우려가 있으므로, 유상으로 일하는 관리자의 직업 내지 영업의 범위 내에서 사무관리가 이루어졌더라도 본인에 대하여 보수에 상응하는 금액을 필요비 내지 유익비로 청구할 수 없다.

③ 사무관리가 성립하기 위한 요건으로 '타인을 위하여 사무를 처리하는 의사'는 관리자 자신의 이익을 위한 의사와 병존할 수 있고, 반드시 외부적으로 표시될 필요가 없으며, 사무를 관리할 당시에 확정되어 있을 필요도 없다.

④ 채권자가 자신의 채권을 보전하기 위하여 채무자가 다른 상속인과 공동으로 상속받은 부동산에 관하여 공동상속등기를 대위신청하여 그 등기가 행하여지는 경우 다른 상속인에 대하여도 다른 특별한 사정이 없는 한 사무관리에 기하여 그 등기에 소요된 비용의 상환을 청구할 수 있다.

⑤ 타인의 사무가 국가의 사무인 경우, 원칙적으로 사인이 법령상의 근거 없이 국가의 사무를 수행할 수 없다는 점을 고려하면, 사인이 처리한 국가의 사무가 사인이 국가를 대신하여 처리할 수 있는 성질의 것으로서, 사무 처리의 긴급성 등 국가의 사무에 대한 사인의 개입이 정당화되는 경우에 한하여 사무관리가 성립한다.

해설 ①.③ 사무관리가 성립하기 위하여는 우선 그 사무가 타인의 사무이고 타인을 위하여 사무를 처리하는 의사, 즉 관리의 사실상의 이익을 타인에게 귀속시키려는 의사가 있어야 하며, 나아가 그 사무의 처리가 본인에게 불리하거나 본인의 의사에 반한다는 것이 명백하지 아니할 것을 요한다. 여기에서 '타인을 위하여 사무를 처리하는 의사'는 관리자 자신의 이익을 위한 의사와 병존할 수 있고, 반드시 외부적으로 표시될 필요가 없으며, 사무를 관리할 당시에 확정되어 있을 필요가 없다(대판 2013.8.22, 2013다30882).

② 직업 또는 영업에 의하여 유상으로 타인을 위하여 일하는 사람이 향후 계약이 체결될 것을 예정하여 그 직업 또는 영업의 범위 내에서 타인을 위한 행위를 하였으나 그 후 계약이 체결되지 아니함에 따라 타인을 위한 사무를 관리한 것으로 인정되는 경우, 통상의 보수에 상응하는 금액을 필요비 내지 유익비로 청구할 수 있다고 봄이 타당하다(대판 2010.1.14, 2007다55477).

④ 사무관리가 성립하기 위하여는 우선 그 사무가 타인의 사무이고 타인을 위하여 사무를 처리하는 의사, 즉 관리의 사실상의 이익을 타인에게 귀속시키려는 의사가 있어야 하며, 나아가 그 사무의 처리가 본인에게 불리하거나 본인의 의사에 반한다는 것이 명백하지 아니할 것을 요한다. 여기에서 '타인을 위하여 사무를 처리하는 의사'는 관리자 자신의 이익을 위한 의사와 병존할 수 있고, 반드시 외부적으로 표시될 필요가 없으며, 사무를 관리할 당시에 확정되어 있을 필요가 없다. (따라서) 채권자가 자신의 채권을 보전하기 위하여 채무자가 다른 상속인과 공동으로 상속받은 부동산에 관하여 공동상속등기를 대위신청하여 그 등기가 행하여지는 것과 같이 채권자에 의한 채무자 권리의 대위행사의 직접적인 내용이 제3자의 법적 지위를 보전·유지하는 것이 되는 경우에는, 채권자는 자신의 채무자가 아닌 제3자에 대하여도 다른 특별한 사정이 없는 한 사무관리에 기하여 그 등기에 소요된 비용의 상환을 청구할 수 있다(대판 2013.8.22, 2013다30882).

⑤ 타인의 사무가 국가의 사무인 경우(원유유출사고 시 방제작업), 원칙적으로 사인이 법령상의 근거 없이 국가의 사무를 수행할 수 없다는 점을 고려하면, 사인이 처리한 국가의 사무가 사인이 국가를 대신하여 처리할 수 있는 성질의 것으로서, 사무 처리의 긴급성 등 국가의 사무에 대한 사인의 개입이 정당화되는 경우에 한하여 사무관리가 성립하고, 사인은 그 범위 내에서 국가에 대하여 국가의 사무를 처리하면서 지출된 필요비 내지 유익비의 상환을 청구할 수 있다고 할 것이다(대판 2014.12.11, 2012다15602).

---

09 사무관리에 관한 다음 설명 중 옳은 것을 모두 고른 것은? ▸ 2024년 법원행시

ㄱ. 제3자가 유효하게 채무자가 부담하는 채무를 변제한 경우에 채무자와 계약관계가 있으면 그에 따라 구상권을 취득하고, 그러한 계약관계가 없으면 특별한 사정이 없는 한 민법 제734조 제1항에서 정한 사무관리가 성립하여 민법 제739조에 정한 사무관리비용의 상환청구권에 따라 구상권을 취득한다.

ㄴ. 타인의 사무가 국가의 사무인 경우, 원칙적으로 사인이 법령상 근거 없이 국가의 사무를 수행할 수 없다는 점을 고려하면, 사인이 처리한 국가의 사무가 사인이 국가를 대신하여 처리할 수 있는 성질의 것으로서, 사무 처리의 긴급성 등 국가의 사무에 대한 사인의 개입이 정당화되는 경우에 한하여 사무관리가 성립하고, 사인은 그 범위 내에서 국가에 대하여 국가의 사무를 처리하면서 지출된 필요비 내지 유익비의 상환을 청구할 수 있다.

정답   08 ②   09 ⑤

ㄷ. 의무 없이 타인의 사무를 처리한 자는 그 타인에 대하여 민법상 사무관리 규정에 따라 비용상환 등을 청구할 수 있으나, 제3자와의 약정에 따라 타인의 사무를 처리한 경우에는 의무 없이 그 타인의 사무를 처리한 것이 아니므로 이는 원칙적으로 그 타인과의 관계에서는 사무관리가 된다고 볼 수 없다.

ㄹ. 채권자가 자신의 채권을 보전하기 위하여 채무자가 다른 상속인과 공동으로 상속받은 부동산에 관하여 공동상속등기를 대위신청하여 그 등기가 행하여지는 것과 같이 채권자에 의한 채무자 권리의 대위행사의 직접적인 내용이 제3자의 법적 지위를 보전·유지하는 것이 되는 경우에는, 채권자는 자신의 채무자가 아닌 제3자에 대하여도 다른 특별한 사정이 없는 한 사무관리에 기하여 그 등기에 소요된 비용의 상환을 청구할 수 있다고 할 것이다.

ㅁ. 사무관리자가 본인의 의사에 반하여 관리한 때의 비용상환청구와, 사무관리함에 있어 과실 없이 손해를 받은 때의 손해보상청구는 본인의 현존이익을 그 한도로 한다.

① ㄱ, ㄴ, ㄷ
② ㄴ, ㄷ, ㄹ
③ ㄱ, ㄷ, ㄹ, ㅁ
④ ㄴ, ㄷ, ㄹ, ㅁ
⑤ ㄱ, ㄴ, ㄷ, ㄹ, ㅁ

해설 ㄱ. 채무의 변제는 제3자도 할 수 있다. 그러나 채무의 성질 또는 당사자의 의사표시로 제3자의 변제를 허용하지 아니하는 때에는 그러하지 아니하다(민법 제469조 제1항). 이해관계 없는 제3자는 채무자의 의사에 반하여 변제하지 못한다(같은 조 제2항). 제3자가 유효하게 채무자가 부담하는 채무를 변제한 경우에 채무자와 계약관계가 있으면 그에 따라 구상권을 취득하고, 그러한 계약관계가 없으면 특별한 사정이 없는 한 민법 제734조 제1항에서 정한 사무관리가 성립하여 민법 제739조에 정한 사무관리비용의 상환청구권에 따라 구상권을 취득한다 (대판 2022.3.17. 2021다276539).

ㄴ. 대판 2014.12.11. 2012다15602
ㄷ. 대판 2013.9.26. 2012다43539
ㄹ. 대판 2013.8.22. 2013다30882
ㅁ. 민법 제739조 제3항과 제1항, 제740조

02 절 부당이득

기본문제 | 기본문제의 구성

01 부당이득에 관한 판례의 태도로서 옳지 않은 것은?

① 법률상 원인 없이 제3자에 대한 채권을 취득한 경우, 만약 채권의 이득자가 이미 그 채권을 변제받은 때에는 그 변제받은 금액이 이득이 되어 이를 반환하여야 할 것이나, 아직 그 채권을 현실적으로 추심하지 못한 경우에는 손실자는 채권의 이득자에 대하여 그 채권의 반환을 구하여야 하고 그 채권가액에 해당하는 금전의 반환을 구할 수는 없다.

② 계약의 일방 당사자가 계약 상대방의 지시 등으로 급부과정을 단축하여 계약 상대방과 또 다른 계약관계를 맺고 있는 제3자에게 직접 급부한 경우, 그 급부로써 급부를 한 계약 당사자의 상대방에 대한 급부가 이루어질 뿐 아니라 그 상대방의 제3자에 대한 급부로도 이루어지는 것이므로, 계약의 일방 당사자는 제3자를 상대로 부당이득반환청구를 할 수 없다.

③ 채무자 이외의 자의 소유에 속하는 동산을 경매한 경우 그 동산의 매득금은 채무자의 것이 아니어서 채권자가 이를 배당 받았다고 하더라도 채권은 소멸하지 않고 계속 존속하므로, 배당을 받은 채권자는 이로 인하여 법률상 원인 없는 이득을 얻고 소유자는 경매에 의하여 소유권을 상실하는 손해를 입게 되었다고 할 것이니, 그 동산의 소유자는 배당을 받은 채권자에 대하여 부당이득으로서 배당받은 금원의 반환을 청구할 수 있다.

④ 채무자가 피해자로부터 횡령한 금전을 그대로 채권자에 대한 채무변제에 사용하는 경우, 채권자가 그 변제를 수령함에 있어서 그와 같은 횡령사실을 알았거나 알 수 있었다면 채권자의 금전 취득은 피해자에 대한 관계에 있어서 법률상 원인을 결여한 것으로서 부당이득이 성립한다.

⑤ 법정지상권이 있는 건물의 양수인으로서 장차 법정지상권을 취득할 지위에 있어 대지소유자의 건물철거나 대지인도 청구를 거부할 수 있다 하더라도, 그 대지를 점유·사용함으로 인하여 얻은 이득은 부당이득으로서 대지소유자에게 반환할 의무가 있다.

해설 ① 부당이득이 성립되는 경우 그 부당이득의 반환은 법률상 원인 없이 이득한 것을 반환하여 원상으로 회복하는 것을 말하므로, 법률상 원인 없이 제3자에 대한 채권을 취득한 경우, 만약 채권의 이득자가 이미 그 채권을 변제받은 때에는 그 변제받은 금액이 이득이 되어 이를 반환하여야 할 것이나, 아직 그 채권을 현실적으로 추심하지 못한 경우에는 손실자는 채권의 이득자에 대하여 그 채권의 반환을 구하여야 하고 그 채권가액에 해당하는 금전의 반환을 구할 수는 없으며, 이는 결국 부당이득한 채권의 양도와 그 채권 양도의 통지를 그 채권의 채무자에게 하여 줄 것을 청구하는 형태가 된다(대판 1995.12.5, 95다22061).

정답 01 ④

② 계약의 일방 당사자가 계약 상대방의 지시 등으로 급부과정을 단축하여 계약 상대방과 또 다른 계약관계를 맺고 있는 제3자에게 직접 급부한 경우, 그 급부로써 급부를 한 계약 당사자의 상대방에 대한 급부가 이루어질 뿐 아니라 그 상대방의 제3자에 대한 급부로도 이루어지는 것이므로 계약의 일방 당사자는 제3자를 상대로 법률상 원인 없이 급부를 수령하였다는 이유로 부당이득반환청구를 할 수 없다(대판 2003.12.26, 2001다46730).

③ 채무자 이외의 자의 소유에 속하는 동산을 경매한 경우에도 경매절차에서 그 동산을 경락받아 경락대금을 납부하고 이를 인도받은 경락인은 특별한 사정이 없는 한 소유권을 선의취득한다고 할 것이지만, 그 동산의 매득금은 채무자의 것이 아니어서 채권자가 이를 배당 받았다고 하더라도 채권은 소멸하지 않고 계속 존속한다고 할 것이므로, 배당을 받은 채권자는 이로 인하여 법률상 원인 없는 이득을 얻고 소유자는 경매에 의하여 소유권을 상실하는 손해를 입게 되었다고 할 것이니, 그 동산의 소유자는 배당을 받은 채권자에 대하여 부당이득으로서 배당받은 금원의 반환을 청구할 수 있다(대판 1998.6.12, 98다6800).

④ 부당이득제도는 이득자의 재산상 이득이 법률상 원인을 결여하는 경우에 공평·정의의 이념에 근거하여 이득자에게 그 반환의무를 부담시키는 것인 바, 채무자가 피해자로부터 횡령한 금전을 그대로 채권자에 대한 채무변제에 사용하는 경우 피해자의 손실과 채권자의 이득 사이에 인과관계가 있음이 명백하고, 한편 채무자가 횡령한 금전으로 자신의 채권자에 대한 채무를 변제하는 경우 채권자가 그 변제를 수령함에 있어 악의 또는 중대한 과실이 있는 경우에는 채권자의 금전 취득은 피해자에 대한 관계에 있어서 법률상 원인을 결여한 것으로 봄이 상당하나, 채권자가 그 변제를 수령함에 있어 단순히 과실이 있는 경우에는 그 변제는 유효하고 채권자의 금전 취득이 피해자에 대한 관계에 있어서 법률상 원인을 결여한 것이라고 할 수 없다(대판 2003.6.13, 2003다8862).

⑤ 법정지상권이 있는 건물의 양수인으로서 장차 법정지상권을 취득할 지위에 있어 대지소유자의 건물철거나 대지인도 청구를 거부할 수 있는 지위에 있는 자라고 할지라도, 그 대지의 점거사용으로 얻은 실질적 이득은 이로 인하여 대지소유자에게 손해를 끼치는 한에 있어서는 부당이득으로서 이를 대지소유자에게 반환할 의무가 있다(대판 1995.9.15, 94다61144).

02 **부당이득에 관한 다음 설명 중 가장 옳지 않은 것은?** (다툼이 있는 경우 판례에 의함)

▶ 2014년 법무사

① 의무 없이 타인을 위하여 사무를 관리한 자는 타인에 대하여 민법상 사무관리 규정에 따라 비용상환 등을 청구할 수 있는 외에 사무관리에 의하여 결과적으로 사실상 이익을 얻은 다른 제3자에 대하여 직접 부당이득반환을 청구할 수 있다.

② 민법 제742조 소정의 비채변제에 관한 규정은 변제자가 채무 없음을 알면서도 변제를 한 경우에 적용되는 것이고, 채무 없음을 알지 못한 경우에는 그 과실 유무를 불문하고 적용되지 아니한다.

③ 불법의 원인으로 재산을 급여한 사람은 상대방 수령자가 그 '불법의 원인'에 가공하였다고 하더라도 특별한 사정이 없는 한 상대방의 불법행위를 이유로 그 재산의 급여로 말미암아 발생한 자신의 손해를 배상할 것을 주장할 수 없다.

④ 부당이득반환의무는 이행기한의 정함이 없는 채무이므로 그 채무자는 이행청구를 받은 때에 비로소 지체책임을 진다.

⑤ 현금으로 계좌송금 또는 계좌이체가 된 경우 송금의뢰인과 수취인 사이에 계좌이체의 원인이 되는 법률관계가 존재하지 않는다면 송금의뢰인은 수취인에 대하여 위 금액 상당의 부당이득반환청구권을 가지게 되지만, 수취은행에 대하여는 부당이득반환청구권을 취득하지 아니한다.

해설 ① 계약상 급부가 계약 상대방뿐 아니라 제3자에게 이익이 된 경우에 급부를 한 계약당사자는 계약 상대방에 대하여 계약상 반대급부를 청구할 수 있는 이외에 제3자에 대하여 직접 부당이득반환청구를 할 수는 없다고 보아야 하고, 이러한 법리는 급부가 사무관리에 의하여 이루어진 경우에도 마찬가지이다. 따라서 의무 없이 타인을 위하여 사무를 관리한 자는 타인에 대하여 민법상 사무관리 규정에 따라 비용상환 등을 청구할 수 있는 외에 사무관리에 의하여 결과적으로 사실상 이익을 얻은 다른 제3자에 대하여 직접 부당이득반환을 청구할 수는 없다(대판 2013.6.27, 2011다17106).

② 민법 제742조 소정의 비채변제에 관한 규정은 변제자가 채무 없음을 알면서도 변제를 한 경우에 적용되는 것이고, 채무 없음을 알지 못한 경우에는 그 과실 유무를 불문하고 적용되지 아니한다(대판 1998.11.13, 97다58453).

③ 불법의 원인으로 재산을 급여한 사람은 상대방 수령자가 그 '불법의 원인'에 가공하였다고 하더라도 상대방에게만 불법의 원인이 있거나 그의 불법성이 급여자의 불법성보다 현저히 크다고 평가되는 등으로 제반 사정에 비추어 급여자의 손해배상청구를 인정하지 아니하는 것이 오히려 사회상규에 명백히 반한다고 평가될 수 있는 특별한 사정이 없는 한 상대방의 불법행위를 이유로 그 재산의 급여로 말미암아 발생한 자신의 손해를 배상할 것을 주장할 수 없다고 할 것이다. 그와 같은 경우에 급여자의 위와 같은 손해배상청구를 인용한다면, 이는 급여자는 결국 자신이 행한 급부 자체 또는 그 경제적 동일물을 환수하는 것과 다름없는 결과가 되어, 민법 제746조에서 실정법적으로 구체화된 법이념에 반하게 되는 것이다(대판 2013.8.22, 2013다35412).

④ 부당이득반환의무는 이행기한의 정함이 없는 채무이므로 그 채무자는 이행청구를 받은 때에 비로소 지체책임을 진다(대판 2010.1.28, 2009다24187,24194).

⑤ 송금의뢰인이 수취인의 예금구좌에 계좌이체를 한 때에는, 송금의뢰인과 수취인 사이에 계좌이체의 원인인 법률관계가 존재하는지 여부에 관계없이 수취인과 수취은행 사이에는 계좌이체금액 상당의 예금계약이 성립하고, 수취인이 수취은행에 대하여 위 금액 상당의 예금채권을 취득한다. 이때, 송금의뢰인과 수취인 사이에 계좌이체의 원인이 되는 법률관계가 존재하지 않음에도 불구하고, 계좌이체에 의하여 수취인이 계좌이체금액 상당의 예금채권을 취득한 경우에는, 송금의뢰인은 수취인에 대하여 위 금액 상당의 부당이득반환청구권을 가지게 되지만, 수취은행은 이익을 얻은 것이 없으므로 수취은행에 대하여는 부당이득반환청구권을 취득하지 아니한다(대판 2007.11.29, 2007다51239).

정답 02 ①

03 부당이득에 관한 다음 설명 중 가장 옳지 않은 것은? (다툼이 있는 경우 판례에 의함)

▶ 2015년 법무사

① 채무자가 피해자에게서 횡령한 금전을 자신의 채권자에 대한 채무변제에 사용하는 경우 채권자가 변제를 수령하면서 그 금전이 횡령한 것이라는 사실에 대하여 악의 또는 중대한 과실이 없는 한 채권자의 금전취득은 피해자에 대한 관계에서 법률상 원인이 있는 것으로 보는 것이 타당하다.

② 법률상 원인 없이 타인의 토지를 점유·사용하고 이로 말미암아 그에게 손해를 입힌 선의의 점유자는 그 점유·사용으로 인한 이득을 그 타인에게 반환할 의무가 있다.

③ 임차인이 임대차계약이 종료된 후 임차건물을 계속 점유하였더라도 본래의 계약 목적에 따라 사용·수익하지 않아 이익을 얻은 바 없으면 그로 인한 부당이득반환의무는 성립하지 않으며, 이는 임차인의 사정으로 인하여 임차건물을 사용·수익하지 못한 경우에도 마찬가지이다.

④ 불법원인급여 후 급부를 이행받은 자가 급부의 원인행위와 별도의 약정으로 급부 그 자체 또는 그에 갈음한 대가물의 반환을 특약하는 것은 불법원인급여를 한 자가 그 부당이득의 반환을 청구하는 경우와는 달리 그 반환약정 자체가 사회질서에 반하여 무효가 되지 않는 한 유효하다.

⑤ 압류금지채권이 금융기관에 개설된 채무자의 계좌에 이체되어 그에 대한 압류명령이 취소되었다 하더라도 그 압류명령은 장래에 대하여만 효력을 상실할 뿐 이미 완결된 집행행위에는 영향이 없고, 채권자가 집행행위로 취득한 금전을 채무자에게 부당이득으로 반환하여야 하는 것도 아니다.

해설 ① 채무자가 피해자에게서 횡령한 금전을 자신의 채권자에 대한 채무변제에 사용하는 경우 채권자가 변제를 수령하면서 그 금전이 횡령한 것이라는 사실에 대하여 악의 또는 중대한 과실이 없는 한 채권자의 금전취득은 피해자에 대한 관계에서 법률상 원인이 있는 것으로 보는 것이 타당하다(대판 2012.1.12, 2011다74246).

② 법률상 원인 없이 타인의 토지를 점유·사용하고 이로 말미암아 그에게 손해를 입힌 선의의 점유자는 그 점유·사용으로 인한 이득을 그 타인에게 반환할 의무가 없다. 즉 선의 점유자는 과실을 취득하고 따라서 부당이득반환의무를 부담하지 않는다는 것이다(대판 1987.9.22, 86다카1996).

③ 임차인이 임대차계약이 종료된 후 임차건물을 계속 점유하였더라도 본래의 계약 목적에 따라 사용·수익하지 않아 이익을 얻은 바 없으면 그로 인한 부당이득반환의무는 성립하지 않으며, 이는 임차인의 사정으로 인하여 임차건물을 사용·수익하지 못한 경우에도 마찬가지이다(대판 1998.7.10, 98다8554).

④ 불법원인급여 후 급부를 이행 받은 자가 급부의 원인행위와 별도의 약정으로 급부 그 자체 또는 그에 갈음한 대가물의 반환을 특약하는 것은 불법원인급여를 한 자가 그 부당이득의 반환을 청구하는 경우와는 달리 그 반환약정 자체가 사회질서에 반하여 무효가 되지 않는 한 유효하다(대판 2010.5.27, 2009다12580).

⑤ 공법상 취소(광의의 취소)는 사법상 취소와 구별된다. 따라서 압류금지채권이 금융기관에 개설된 채무자의 계좌에 이체되어 그에 대한 압류명령이 취소되었다 하더라도 그 압류명령

은 장래에 대하여만 효력을 상실할 뿐 이미 완결된 집행행위에는 영향이 없고, 채권자가 집행행위로 취득한 금전을 채무자에게 부당이득으로 반환하여야 하는 것도 아니다(대판 2014.7.10, 2013다25552).

04 부당이득 반환범위에 관한 다음 설명 중 가장 옳지 않은 것은? (다툼이 있는 경우 판례에 의함)
▶ 2016년 법무사

① 수익자가 법률상 원인 없이 이득한 재산을 처분함으로 인하여 원물반환이 불가능한 경우에 반환하여야 할 가액을 산정할 때에는 법률상 원인 없는 이득을 얻기 위하여 지출한 비용을 공제하여야 하므로, 무권리자가 타인 소유의 부동산을 제3자에게 처분하였다가 선의의 제3자 보호규정에 의하여 부동산을 반환하지 못하고 처분의 대가로 수령한 매각대금을 반환하여야 하는 경우, 자신의 처분행위로 인하여 발생한 양도소득세 기타 비용은 반환하여야 할 이득에서 공제할 수 있다.

② 법률상 원인 없이 타인의 재산 또는 노무로 인하여 이익을 얻고 그로 인하여 타인에게 손해를 가한 경우, 그 취득한 것이 금전상의 이득인 때에는 그 금전은 이를 취득한 자가 소비하였는가의 여부를 불문하고 현존하는 것으로 추정된다.

③ 쌍무계약이 취소된 경우, 선의의 매수인에게 선의의 점유자의 과실수취권에 관한 민법 제201조가 적용되어 과실취득권이 인정되는 이상 선의의 매도인에게도 인도하지 아니한 목적물로부터 생긴 과실수취권에 관한 민법 제587조를 유추적용하여 대금의 운용이익 내지 법정이자의 반환을 부정함이 형평에 맞다.

④ 부당이득반환의무자가 악의의 수익자라는 점에 대하여는 이를 주장하는 측에서 입증책임을 진다. 또한 여기서 '악의'라고 함은, 민법 제749조 제2항에서 악의로 의제되는 경우 등은 별론으로 하고, 자신의 이익 보유가 법률상 원인 없는 것임을 인식하는 것을 말하고, 그 이익의 보유를 법률상 원인이 없는 것이 되도록 하는 사정, 즉 부당이득반환의무의 발생요건에 해당하는 사실이 있음을 인식하는 것만으로는 부족하다.

⑤ 채무자의 부동산에 관한 매매계약 등의 유상행위가 사해행위라는 이유로 취소되고 그 원상회복이 이루어짐으로써 수익자에 대하여 부당이득반환채무를 부담하게 된 채무자가 그 부당이득반환채무의 변제를 위하여 수익자와 소비대차계약을 체결하고 강제집행을 승낙하는 취지가 기재된 공정증서를 작성하여 준 경우, 그와 같은 행위로 인해 자신의 책임재산을 그 수익자에게 실질적으로 양도한 것과 다를 바 없는 것으로 볼 수 있는 특별한 사정이 있는 경우에 해당하지 않는 한, 다른 채권자를 해하는 새로운 사해행위가 된다고 볼 수 없다.

해설 ① 무권리자가 타인의 권리를 제3자에게 처분하였으나 선의의 제3자 보호규정에 의하여 원래 권리자가 권리를 상실하는 경우, 권리자는 무권리자를 상대로 제3자에게서 처분의 대가로

정답 ▶ 03 ② 04 ①

수령한 것을 이른바 침해부당이득으로 보아 반환청구할 수 있다. 한편 수익자가 법률상 원인 없이 이득한 재산을 처분함으로 인하여 원물반환이 불가능한 경우에 반환하여야 할 가액을 산정할 때에는 법률상 원인 없는 이득을 얻기 위하여 지출한 비용은 수익자가 반환하여야 할 이득의 범위에서 공제되어야 할 것이나, 타인 소유의 부동산을 처분하여 매각대금을 수령한 경우, 수익자는 그러한 처분행위가 없었다면 부동산 자체를 반환하였어야 할 지위에 있던 사람이므로 자신의 처분행위로 인하여 발생한 양도소득세 기타 비용은 수익자가 이익 취득과 관련하여 지출한 비용에 해당한다고 할 수 없어 이를 반환하여야 할 이득에서 공제할 것은 아니다(대판 2011.6.10, 2010다40239).

② 법률상 원인 없이 타인의 재산 또는 노무로 인하여 이익을 얻고 그로 인하여 타인에게 손해를 가한 경우, 그 취득한 것이 금전상의 이득인 때에는 그 금전은 이를 취득한 자가 소비하였는가의 여부를 불문하고 현존하는 것으로 추정된다(대판 1996.12.10, 96다32881).

③ 쌍무계약이 취소된 경우 선의의 매수인에게 민법 제201조가 적용되어 과실취득권이 인정되는 이상 선의의 매도인에게도 민법 제587조의 유추적용에 의하여 대금의 운용이익 내지 법정이자의 반환을 부정함이 형평에 맞다(대판 1993.5.14, 92다45025).

④ 부당이득반환의무자가 악의의 수익자라는 점에 대하여는 이를 주장하는 측에서 입증책임을 진다. 여기서 '악의'라고 함은, 민법 제749조 제2항에서 악의로 의제되는 경우 등은 별론으로 하고, 자신의 이익 보유가 법률상 원인 없는 것임을 인식하는 것을 말하고, 그 이익의 보유를 법률상 원인이 없는 것이 되도록 하는 사정, 즉 부당이득반환의무의 발생요건에 해당하는 사실이 있음을 인식하는 것만으로는 부족하다. 따라서 계약명의신탁에서 명의수탁자가 수령한 매수자금이 명의신탁약정에 기하여 지급되었다는 사실을 알았다고 하여도 그 명의신탁약정이 부동산 실권리자명의 등기에 관한 법률 제4조 제1항에 의하여 무효임을 알았다는 등의 사정이 부가되지 아니하는 한 명의수탁자가 그 금전의 보유에 관하여 법률상 원인 없음을 알았다고 쉽사리 말할 수 없다(대판 2010.1.28, 2009다24187).

⑤ 채무자의 부동산에 관한 매매계약 등의 유상행위가 사해행위라는 이유로 취소되고 원상회복이 이루어짐으로써 수익자에 대하여 부당이득반환채무를 부담하게 된 채무자가 부당이득반환채무의 변제를 위하여 수익자와 소비대차계약을 체결하고 강제집행을 승낙하는 취지가 기재된 공정증서를 작성하여 준 경우에도, 그와 같은 행위로 책임재산을 수익자에게 실질적으로 양도한 것과 다를 바 없는 것으로 볼 수 있는 특별한 사정이 있는 경우에 해당하지 아니하는 한, 다른 채권자를 해하는 새로운 사해행위가 된다고 볼 수 없다. 이러한 수익자의 채무자에 대한 채권은 당초의 사해행위 이후에 취득한 채권에 불과하므로 수익자는 원상회복된 재산에 대한 강제경매절차에서 배당을 요구할 권리가 없다(대판 2015.10.29, 2012다14975).

05 부당이득에 관한 설명 중 옳은 것은? (다툼이 있는 경우 판례에 의함) ▶ 2013년 사법시험

① 근저당권설정등기가 위법하게 말소된 후 아직 회복등기를 경료하지 못하여 경매절차의 배당기일에 배당받지 못한 근저당권자는, 위 경매절차에서 매각대금을 전액 배당받은 후순위근저당권자에 대하여, 근저당권설정등기가 말소되지 않았더라면 배당받았을 금액을 부당이득으로 반환청구할 수 없다.

② 어떤 물건에 대하여 직접점유자와 간접점유자가 있는 경우, 그 물건에 대한 점유·사용으로 인한 위 점유자들의 부당이득반환의무 중 서로 중첩되는 부분에 관하여는 부진정연대채무의 관계가 성립한다.

③ 집행채권자가 부정한 방법으로 실체의 권리관계와 다른 내용의 확정판결을 취득하여 그 판결에 기하여 강제집행을 한 경우, 집행채무자는 집행채권자에 대하여 위 확정판결에 기한 강제집행으로 취득한 재산을 법률상 원인 없는 이득이라고 하여 반환을 청구할 수 있다.

④ 배당이의의 소의 판결의 효력은 당사자 아닌 배당요구채권자에게도 미치는 것으로, 위 소송에서 승소확정판결에 기하여 배당을 받은 채권자가, 패소확정판결을 받은 자 아닌 다른 배당요구채권자가 배당받을 몫까지 배당받은 결과가 되는 경우, 다른 배당요구채권자는 위 채권자를 상대로 부당이득반환청구를 할 수 없다.

⑤ 일반적으로 부동산을 채권담보의 목적으로 양도한 경우 특별한 사정이 없는 한, 양도담보권자는 사용·수익할 수 있는 정당한 권한이 있는 제3자에 대하여 임료 상당의 부당이득반환청구를 할 수 있다.

해설 ① 등기는 물권의 효력발생요건이고 존속요건은 아니어서 등기가 원인 없이 말소된 경우에는 그 물권의 효력에 아무런 영향이 없고, 그 회복등기가 마쳐지기 전이라도 말소된 등기의 등기명의인은 적법한 권리자로 추정되므로, 확정된 배당표에 의하여 배당을 실시하는 것은 실체법상의 권리를 확정하는 것이 아니기 때문에 위 경매절차에서 실제로 배당받은 자에 대하여 부당이득반환청구로서 그 배당금의 한도 내에서 그 근저당권설정등기가 말소되지 아니하였더라면 배당받았을 금액의 지급을 구할 수 있다(대판 2004.4.9, 2003다32681).

② 어떤 물건에 대하여 직접점유자와 간접점유자가 있는 경우, 그에 대한 점유·사용으로 인한 부당이득의 반환의무는 동일한 경제적 목적을 가진 채무로서 서로 중첩되는 부분에 관하여는 일방의 채무가 변제 등으로 소멸하면 타방의 채무도 소멸하는 이른바 부진정연대채무의 관계에 있다(대판 2012.9.27, 2011다76747).

③ 판결이 확정되면 재심에 의하여 판결이 취소되지 아니한 이상 위 확정판결에 기한 강제집행으로 취득한 채권을 법률상 원인 없는 이득이라고 하여 반환을 구하는 것은 위 확정판결의 기판력에 저촉되어 허용될 수 없다(대판 2001.11.13, 99다32905 등).

④ 배당이의소송은 대립하는 당사자 사이의 배당액을 둘러싼 분쟁을 그들 사이에서 상대적으로 해결하는 것에 지나지 아니하여 그 판결의 효력은 오직 그 소송의 당사자에게만 미칠 뿐이므로, 어느 채권자가 배당이의소송에서의 승소확정판결에 기하여 경정된 배당표에 따라 배당을 받은 경우에 있어서도, 그 배당이 배당이의소송에서 패소확정판결을 받은 자 아닌 다른 배당요구채권자가 배당받을 몫까지도 배당받은 결과로 된다면 그 다른 배당요구채권자는 위 법

리에 의하여 배당이의소송의 승소확정판결에 따라 배당받은 채권자를 상대로 부당이득반환 청구를 할 수 있다(대판 2007.2.9, 2006다39546).

⑤ 일반적으로 부동산을 채권담보의 목적으로 양도한 경우 특별한 사정이 없는 한 목적부동산 에 대한 사용·수익권은 채무자인 양도담보설정자에게 있는 것이므로, 양도담보권자는 사용 ·수익할 수 있는 정당한 권한이 있는 채무자나 채무자로부터 그 사용·수익할 수 있는 권한 을 승계한 자에 대하여는 사용·수익을 하지 못한 것을 이유로 임료 상당의 손해배상이나 부당이득반환청구는 할 수 없다(대판 1988.11.22, 87다카2555).

06 부당이득에 관한 설명 중 옳지 않은 것은? (다툼이 있는 경우 판례에 의함) ▶ 2015년 변호사

① 타인의 소유물을 권원 없이 점유함으로써 얻은 사용이익을 반환하는 경우, 악의의 수 익자는 받은 이익에 이자를 붙여 반환하여야 하며, 위 이자의 이행지체로 인한 지연손 해금도 지급하여야 한다.

② 수익자가 이익을 받은 후 법률상 원인 없음을 안 때에는 그 때부터 악의의 수익자로서 이익반환의 책임이 있다.

③ 비채변제와 관련하여, 지급자가 채무 없음을 알고 있었으나 변제를 강요당하거나 변제 거절로 인한 사실상의 손해를 피하기 위하여 부득이 변제하게 된 경우에는 지급자가 그 반환청구권을 상실하지 않는다.

④ 법률행위의 내용 자체는 반사회질서적인 것이 아니라고 하여도 법률행위 과정에서 표 시되거나 상대방에게 알려진 법률행위의 동기가 반사회질서적인 경우에는 불법원인급 여에 있어서의 불법원인에 해당한다.

⑤ 불법원인급여 후 급부를 이행 받은 자가 급부의 원인행위와 별도의 약정으로 급부 그 자체 또는 그에 갈음한 대가물을 반환하기로 특약하는 것은 무효이다.

해설 ① 제201조 제2항과 제748조 제2항의 악의 점유자 문제이다. 즉 타인의 소유물을 권원 없이 점 유함으로써 얻은 사용이익을 반환하는 경우, 악의의 수익자는 받은 이익에 이자를 붙여 반환 하여야 하며, 위 이자의 이행지체로 인한 지연손해금도 지급하여야 한다(대판 2003.11.14, 2001다61869).

② 수익자가 이익을 받은 후 법률상 원인 없음을 안 때에는 그 때부터 악의의 수익자로서 이익 반환의 책임이 있다(제749조 제1항).

③ 비채변제와 관련하여, 지급자가 채무 없음을 알고 있었으나 변제를 강요당하거나 변제 거절 로 인한 사실상의 손해를 피하기 위하여 부득이 변제하게 된 경우에는 지급자가 그 반환청구 권을 상실하지 않는다(대판 2010.7.15, 2008다39786).

④ 법률행위의 내용 자체는 반사회질서적인 것이 아니라고 하여도 법률행위 과정에서 표시되거 나 상대방에게 알려진 법률행위의 동기가 반사회질서적인 경우에는 불법원인급여에 있어서 의 불법원인에 해당한다(대판 2008.10.9, 2007도2511).

⑤ 불법원인급여 후 급부를 이행 받은 자가 급부의 원인행위와 별도의 약정으로 급부 그 자체 또는 그에 갈음한 대가물을 반환하기로 특약하는 것은 원칙적으로 유효하다(대판 2010.5.27, 2009다12580).

07 **부당이득에 관한 다음 설명 중 가장 옳은 것은?** (다툼이 있는 경우 판례에 의함)

▶ 2017년 법무사

① 부동산 실권리자명의 등기에 관한 법률 시행 후에 '계약명의신탁'이 이루어진 경우, 명의수탁자 甲이 명의신탁자 乙에게 반환하여야 할 부당이득의 대상은 당해 부동산 자체이다.

② 甲회사의 화물차량 운전자가 甲회사 소유의 화물차량을 운전하면서 甲회사의 지정주유소가 아닌 乙이 경영하는 주유소에서 대금을 지급할 의사나 능력이 없음에도 불구하고 상당량의 유류를 공급받아 편취한 다음 甲회사의 화물운송사업에 사용하고 그 유류대금을 변제하지 않은 경우, 乙은 甲회사에 대하여 부당이득 반환을 청구할 수 있다.

③ X 토지를 시효취득한 甲에게로 소유권이전등기가 있기 전에 원소유자 乙이 X 토지에 설정한 근저당권의 피담보채무를 甲이 변제한 경우, 乙에게 변제액 상당의 부당이득반환청구를 할 수 있다.

④ 甲이 乙로부터 횡령한 금전을 그대로 丙에 대한 채무변제에 사용한 경우 丙이 그 변제를 수령함에 있어 악의 또는 중대한 과실이 있는 경우에는 丙의 금전 취득은 乙에 대한 관계에 있어서 법률상 원인을 결여한 것으로 봄이 상당하다.

⑤ 甲과 乙사이에 상계계약이 체결된 경우, 甲의 채권이 불성립되어 乙의 채무면제가 무효가 되었음에도 甲이 乙에 대한 채무를 이행하지 않고 있는 것은 법률상 원인 없이 이득을 얻은 것이 된다.

해설 ① 부동산 실권리자명의 등기에 관한 법률 제4조 제1항, 제2항에 의하면, 명의신탁자와 명의수탁자가 이른바 계약명의신탁약정을 맺고 명의수탁자가 당사자가 되어 명의신탁약정이 있다는 사실을 알지 못하는 소유자와의 사이에 부동산에 관한 매매계약을 체결한 후, 그 매매계약에 따라 당해 부동산의 소유권이전등기를 수탁자 명의로 마친 경우에는 명의신탁자와 명의수탁자 사이의 명의신탁약정의 무효에도 불구하고 그 명의수탁자는 당해 부동산의 완전한 소유권을 취득하게 되고, 다만 명의수탁자는 명의신탁자에 대하여 부당이득반환의무를 부담하게 될 뿐이라 할 것인데, 그 계약명의신탁약정이 부동산 실권리자명의 등기에 관한 법률 시행 후인 경우에는 명의신탁자는 애초부터 당해 부동산의 소유권을 취득할 수 없었으므로, 위 명의신탁약정의 무효로 인하여 명의신탁자가 입은 손해는 당해 부동산 자체가 아니라 명의수탁자에게 제공한 매수자금이라 할 것이고, 따라서 명의수탁자는 당해 부동산 자체가 아니라 명의신탁자로부터 제공받은 매수자금을 부당이득하였다고 할 것이다(대판 2005.1.28, 2002다66922).

② 甲 회사의 화물차량 운전자 A가 甲 회사 소유의 화물차량을 운전하면서 甲 회사의 지정주유소가 아닌 乙이 경영하는 주유소에서 대금을 지급할 의사나 능력이 없음에도 불구하고 상당량의 유류를 공급받아 편취한 다음 甲 회사의 화물운송사업에 사용하고 그 유류대금을 결제하지 않은 경우, 비록 위 유류가 甲 회사의 화물운송사업에 사용됨으로써 甲 회사에게 이익이 되었다 하더라도 乙은 계약당사자가 아닌 甲 회사에 대하여 직접 부당이득 반환을 청구할 수 없다(대판 2010.6.24, 2010다9269). 왜냐하면 계약상 급부가 계약의 상대방뿐만 아니라

정답 06 ⑤ 07 ④

제3자의 이익으로 된 경우에 급부를 한 계약당사자가 계약 상대방에 대하여 계약상의 반대급부를 청구할 수 있는 이외에 그 제3자에 대하여 직접 부당이득반환청구를 할 수 있다고 보면, 자기 책임하에 체결된 계약에 따른 위험부담을 제3자에게 전가시키는 것이 되어 계약법의 기본원리에 반하는 결과를 초래할 뿐만 아니라, 채권자인 계약당사자가 채무자인 계약상대방의 일반채권자에 비하여 우대받는 결과가 되어 일반채권자의 이익을 해치게 되고, 수익자인 제3자가 계약 상대방에 대하여 가지는 항변권 등을 침해하게 되어 부당하므로, 위와 같은 경우 계약상 급부를 한 계약당사자는 이익의 귀속 주체인 제3자에 대하여 직접 부당이득반환을 청구할 수는 없다고 보아야 하기 때문이다.

③ 원소유자가 취득시효의 완성 이후 그 등기가 있기 전에 그 토지를 제3자에게 처분하거나 제한물권의 설정, 토지의 현상 변경 등 소유자로서의 권리를 행사하였다 하여 시효취득자에 대한 관계에서 불법행위가 성립하는 것이 아님은 물론 위 처분행위를 통하여 그 토지의 소유권이나 제한물권 등을 취득한 제3자에 대하여 취득시효의 완성 및 그 권리취득의 소급효를 들어 대항할 수도 없다 할 것이니, 이 경우 시효취득자로서는 원소유자의 적법한 권리행사로 인한 현상의 변경이나 제한물권의 설정 등이 이루어진 그 토지의 사실상 혹은 법률상 현상 그대로의 상태에서 등기에 의하여 그 소유권을 취득하게 된다. 따라서 시효취득자가 원소유자에 의하여 그 토지에 설정된 근저당권의 피담보채무를 변제하는 것은 시효취득자가 용인하여야 할 그 토지상의 부담을 제거하여 완전한 소유권을 확보하기 위한 것으로서 그 자신의 이익을 위한 행위라 할 것이니, 위 변제액 상당에 대하여 원소유자에게 대위변제를 이유로 구상권을 행사하거나 부당이득을 이유로 그 반환청구권을 행사할 수는 없다(대판 2006.5.12, 2005다75910).

④ 부당이득제도는 이득자의 재산상 이득이 법률상 원인을 결여하는 경우에 공평·정의의 이념에 근거하여 이득자에게 그 반환의무를 부담시키는 것인바, 채무자가 피해자로부터 횡령한 금전을 그대로 채권자에 대한 채무변제에 사용하는 경우 피해자의 손실과 채권자의 이득 사이에 인과관계가 있음이 명백하고, 한편 채무자가 횡령한 금전으로 자신의 채권자에 대한 채무를 변제하는 경우 채권자가 그 변제를 수령함에 있어 악의 또는 중대한 과실이 있는 경우에는 채권자의 금전 취득은 피해자에 대한 관계에 있어서 법률상 원인을 결여한 것으로 봄이 상당하나, 채권자가 그 변제를 수령함에 있어 단순히 과실이 있는 경우에는 그 변제는 유효하고 채권자의 금전 취득이 피해자에 대한 관계에 있어서 법률상 원인을 결여한 것이라고 할 수 없다(대판 2003.6.13, 2003다8862).

⑤ 상계계약은 상호의 채무를 면제시키는 것을 내용으로 하는 계약으로서 일방의 채권이 불성립 또는 무효이어서 그 면제가 무효가 되면 타방의 채무면제도 당연히 무효가 되어 그 채권은 여전히 존재하는 것이므로, 단순히 그 채무를 이행하지 않고 있다는 점만으로 법률상 원인 없이 이득을 얻었다 할 수 없는 것이고, 가사 그 채권이 시효로 소멸하게 되었다 하더라도 달리 볼 것은 아니다(대판 2005.4.28, 2005다3113).

08 부당이득에 관한 다음 설명 중 가장 옳지 않은 것은? (다툼이 있는 경우 판례에 의함)

▶ 2017년 법원행시

① 연립주택 신축공사의 수급인이 공사대금의 지급에 갈음하여 이전받기로 한 연립주택의 일부를 소유권이전등기를 경료받지 않은 상태에서 제3자에게 임대한 경우, 소유자인 건축주는 위 제3자에게 소유권에 기한 명도청구나 부당이득반환청구를 할 수 없다.

② 이른바 3자간 등기명의신탁의 경우 부동산 실권리자명의 등기에 관한 법률에서 정한 유예기간 경과에 의하여 그 명의신탁 약정과 그에 의한 등기가 무효로 되더라도 명의신탁자는 매도인에 대하여 매매계약에 기한 소유권이전등기청구권을 보유하고 있어 그 유예기간의 경과로 그 등기 명의를 보유하지 못하는 손해를 입었다고 볼 수 없고, 명의신탁 부동산의 소유권이 매도인에게 복귀한 마당에 명의신탁자가 무효인 등기의 명의인인 명의수탁자를 상대로 그 이전등기를 구할 수도 없으므로, 결국 3자간 등기명의신탁에 있어서 명의신탁자는 명의수탁자를 상대로 부당이득반환을 원인으로 한 소유권이전등기를 구할 수 없다.

③ 甲의 대리인 乙이 토지소유자인 丙에게서 매도에 관한 대리권을 위임받지 않았음에도 대리인이라고 사칭한 丁으로부터 토지를 매수하기로 하는 매매계약을 체결한 후, 甲이 丙 명의 계좌로 매매대금을 송금하였는데, 丙에게서 미리 통장과 도장을 교부받아 소지하고 있던 丁이 위 돈을 송금당일 전액 인출한 경우, 丙이 위 돈을 송금 받아 실질적으로 이익의 귀속자가 되었다고 볼 수 없다.

④ 부당이득반환청구권과 불법행위로 인한 손해배상청구권 중 어느 하나에 관한 소를 제기하여 승소 확정판결을 받았으나 채권의 만족을 얻지 못한 경우, 나머지 청구권에 관한 이행판결을 받기 위하여 이행의 소를 제기할 수 있지만, 손해배상청구의 소를 먼저 제기하여 과실상계 등으로 승소액이 제한된 경우, 제한된 금액에 대한 부당이득반환청구권의 행사는 허용되지 않는다.

⑤ 경매대금을 후순위 근저당채권자가 선순위 저당채권자에 우선하여 배당을 받음으로 인하여 선순위 저당권자가 당연히 받을 수 있는 배당을 받지 못할 경우에는 전자는 후자에 대하여 부당이득반환의 책임이 있다.

해설 ① 연립주택 신축공사의 수급인이 공사대금의 지급에 갈음하여 이전받기로 한 연립주택의 일부를 소유권이전등기를 경료받지 않은 상태에서 제3자에게 임대한 경우, 소유자인 건축주는 위 제3자에게 소유권에 기한 명도청구나 부당이득반환청구를 할 수 없다(대판 2001.12.11, 2001다45355).

② 이른바 3자간 등기명의신탁의 경우 부동산 실권리자명의 등기에 관한 법률에서 정한 유예기간 경과에 의하여 그 명의신탁 약정과 그에 의한 등기가 무효로 되더라도 명의신탁자는 매도인에 대하여 매매계약에 기한 소유권이전등기청구권을 보유하고 있어 그 유예기간의 경과로 그 등기 명의를 보유하지 못하는 손해를 입었다고 볼 수 없다. 또한 명의신탁 부동산의 소유권이 매도인에게 복귀한 마당에 명의신탁자가 무효인 등기의 명의인인 명의수탁자를 상대로

그 이전등기를 구할 수도 없다. 결국 3자간 등기명의신탁에 있어서 명의신탁자는 명의수탁자를 상대로 부당이득반환을 원인으로 한 소유권이전등기를 구할 수 없다(대판 2008.11.27, 2008다55290·55306).

③ 판례는 "甲의 대리인 乙이, 토지의 소유자인 丙에게서 매도에 관한 대리권을 위임받지 않았음에도 대리인이라고 사칭한 丁으로부터 토지를 매수하기로 하는 매매계약을 체결하였고 이에 기하여 甲이 丙 명의의 계좌로 매매대금을 송금하였는데, 丙에게서 미리 통장과 도장을 교부받아 소지하고 있던 丁이 위 돈을 송금당일 전액 인출한 사안에서, 甲이 송금한 돈이 丙의 계좌로 입금되었다고 하더라도, 그로 인하여 丙이 위 돈 상당을 이득하였다고 하기 위해서는 丙이 이를 사실상 지배할 수 있는 상태에까지 이르러 실질적인 이득자가 되었다고 볼 만한 사정이 인정되어야 할 것인데, 甲의 송금 경위 및 丁이 이를 인출한 경위 등에 비추어 볼 때 丙이 위 돈을 송금 받아 실질적으로 이익의 귀속자가 되었다고 보기 어렵다고 하며, 甲의 부당이득반환청구를 인용한 원심판결에는 부당이득에 관한 법리오해의 위법이 있다."고 하였다(대판 2011.9.8, 2010다37325).

④ 부당이득반환청구권과 불법행위로 인한 손해배상청구권은 서로 실체법상 별개의 청구권으로 존재하고 그 각 청구권에 기초하여 이행을 구하는 소는 소송법적으로도 소송물을 달리하므로, 채권자로서는 어느 하나의 청구권에 관한 소를 제기하여 승소 확정판결을 받았다고 하더라도 아직 채권의 만족을 얻지 못한 경우에는 다른 나머지 청구권에 관한 이행판결을 얻기 위하여 그에 관한 이행의 소를 제기할 수 있다. 그리고 채권자가 먼저 부당이득반환청구의 소를 제기하였을 경우 특별한 사정이 없는 한 손해 전부에 대하여 승소판결을 얻을 수 있었을 것임에도 우연히 손해배상청구의 소를 먼저 제기하는 바람에 과실상계 또는 공평의 원칙에 기한 책임제한 등의 법리에 따라 그 승소액이 제한되었다고 하여 그로써 제한된 금액에 대한 부당이득반환청구권의 행사가 허용되지 않는 것도 아니다(대판 2013.9.13, 2013다45457).

⑤ 경매대금에서 선순위 채권자가 우선변제 받아야 할 금액을 후순위 채권자가 교부받은 경우에는 선순위 채권자가 그에 관한 이의를 제기한 여부를 불문하고 그로써 실체적 권리관계가 확정되는 것이 아니므로 후순위 채권자는 그 한도 내에서 선순위 채권자에게 부당이득금 반환의 의무가 있다(대판 1977.2.22, 76다2894).

09 **불법원인급여에 관한 다음 설명 중 가장 옳지 않은 것은?** (다툼이 있는 경우 판례에 따르고 전원합의체 판결의 경우 다수의견에 의함)
▸ 2017년 법원행시

① 윤락행위를 할 사람을 고용하면서 선불금을 지급하여 그 선불금을 빌미로 성매매를 권유하거나 강요한 경우, 그 선불금은 불법원인급여에 해당하여 그 반환을 청구할 수 없다.

② 수산업법 제33조에 의하면 어업권은 임대차의 목적으로 할 수 없으므로, 어업권을 임대한 어업권자는 그 임대차계약에 기해 임차인이 양식어장(어업권)을 점유·사용함으로써 얻은 이익을 부당이득으로 반환을 구할 수 없다.

③ 불법원인급여 후 급부를 이행받은 자가 급부의 원인행위와 별도의 약정으로 급부 그 자체 또는 그에 갈음한 대가물의 반환을 특약하는 것은 그 반환약정 자체가 사회질서에 반하여 무효가 되지 않는 한 유효하다.

④ 선량한 풍속 기타 사회질서에 위반하여 무효인 부분의 이자 약정을 원인으로 차주가 대주에게 임의로 이자를 지급한 경우, 차주는 그 이자의 반환을 청구할 수 있다.

⑤ 도박자금으로 금원을 대여함으로 인하여 발생한 채권을 담보하기 위한 근저당권설정등기가 마쳐진 경우, 등기설정자는 무효인 근저당권설정등기의 말소를 구할 수 있다.

해설 ① 부당이득의 반환청구가 금지되는 사유로 민법 제746조가 규정하는 불법원인이라 함은 그 원인되는 행위가 선량한 풍속 기타 사회질서에 위반하는 경우를 말하는 것인바, 윤락행위 및 그것을 유인·강요하는 행위는 선량한 풍속 기타 사회질서에 위반되므로, 윤락행위를 할 자를 고용·모집하거나 그 직업을 소개·알선한 자가 윤락행위를 할 자를 고용·모집함에 있어 성매매의 유인·강요의 수단으로 이용되는 선불금 등 명목으로 제공한 금품이나 그 밖의 재산상 이익 등은 불법원인급여에 해당하여 그 반환을 청구할 수 없다(대판 2004.9.3, 2004다27488·27495).

② (구)수산업법상 어업권의 임대차를 금지하고 있는 취지 등에 비추어 보면, 위 규정에 위반하는 행위가 무효라고 하더라도 그것이 선량한 풍속 기타 사회질서에 반하는 행위라고 볼 수는 없다. 따라서 어업권의 임대차를 내용으로 하는 임대차계약이 구 수산업법에 위반되어 무효라고 하더라도 그것이 부당이득의 반환이 배제되는 '불법의 원인'에 해당하는 것으로 볼 수는 없으므로, 어업권을 임대한 어업권자로서는 그 임대차계약에 기해 임차인에게 한 급부로 인하여 임차인이 얻은 이익, 즉 임차인이 양식어장(어업권)을 점유·사용함으로써 얻은 이익을 부당이득으로 반환을 구할 수 있다(대판 2010.12.9, 2010다57626).

③ 불법원인급여 후 급부를 이행받은 자가 급부의 원인행위와 별도의 약정으로 급부 그 자체 또는 그에 갈음한 대가물의 반환을 특약하는 것은 불법원인급여를 한 자가 그 부당이득의 반환을 청구하는 경우와는 달리 그 반환약정 자체가 사회질서에 반하여 무효가 되지 않는 한 유효하다. 여기서 반환약정 자체의 무효 여부는 반환약정 그 자체의 목적뿐만 아니라 당초의 불법원인급여가 이루어진 경위, 쌍방당사자의 불법성의 정도, 반환약정의 체결과정 등 민법 제103조 위반 여부를 판단하기 위한 제반 요소를 종합적으로 고려하여 결정하여야 하고, 한편 반환약정이 사회질서에 반하여 무효라는 점은 수익자가 이를 입증하여야 한다(대판 2010.5.27, 2009다12580).

④ 선량한 풍속 기타 사회질서에 위반하여 무효인 부분의 이자 약정을 원인으로 차주가 대주에게 임의로 이자를 지급하는 것은 통상 불법의 원인으로 인한 재산 급여라고 볼 수 있을 것이나, 불법원인급여에 있어서도 그 불법원인이 수익자에게만 있는 경우이거나 수익자의 불법성이 급여자의 그것보다 현저히 커서 급여자의 반환청구를 허용하지 않는 것이 오히려 공평과 신의칙에 반하게 되는 경우에는 급여자의 반환청구가 허용되므로, 대주가 사회통념상 허용되는 한도를 초과하는 이율의 이자를 약정하여 지급받은 것은 그의 우월한 지위를 이용하여 부당한 이득을 얻고 차주에게는 과도한 반대급부 또는 기타의 부당한 부담을 지우는 것으로서 그 불법의 원인이 수익자인 대주에게만 있거나 또는 적어도 대주의 불법성이 차주의 불법성에 비하여 현저히 크다고 할 것이어서 차주는 그 이자의 반환을 청구할 수 있다(대판(전합) 2007.2.15, 2004다50426).

정답 09 ②

⑤ 도박자금으로 금원을 대여함으로 인하여 발생한 채권을 담보하기 위한 근저당권설정등기가 경료되었을 뿐인 경우와 같이 수령자가 그 이익을 향수하려면 경매신청을 하는 등 별도의 조치를 취하여야 하는 경우에는, 그 불법원인급여로 인한 이익이 종국적인 것이 아니므로 등기설정자는 무효인 근저당권설정등기의 말소를 구할 수 있다(대판 1995.8.11, 94다54108).

10 **부당이득에 관한 다음 설명 중 가장 옳지 않은 것은?** (다툼이 있는 경우 판례에 의함)

▶ 2017년 9급(법원서기보)

① 부당이득제도는 이득자의 재산상 이득이 법률상 원인을 결여하는 경우에 공평·정의의 이념에 근거하여 이득자에게 그 반환의무를 부담시키는 것이다.

② 부당이득반환시 수익자가 반환해야 할 이득의 범위는 손실자가 입은 손해의 범위에 한정된다.

③ 채무자가 횡령한 금전으로 자신의 채권자에 대한 채무를 변제하는 경우 채권자가 그 변제를 수령함에 있어 단순히 과실이 있는 경우에는 그 변제는 유효하다.

④ 부당이득한 재산에 수익자의 행위가 개입되어 얻어진 이른바 운용이익의 경우 반환해야 할 이득의 범위에 포함되지 않는다.

해설 ① 부당이득제도는 이득자의 재산상 이득이 법률상 원인을 결여하는 경우에 공평과 정의의 이념에 근거하여 이득자에게 그 반환의무를 부담시키는 것으로서, 특정한 당사자 사이에서 일정한 재산적 가치의 변동이 생기고 그것이 일반적·형식적으로는 정당한 것으로 보이지만 그들 사이의 재산적 가치의 변동이 상대적·실질적인 관점에서 법의 다른 이상인 공평의 이념에 반하는 모순이 생기는 경우 재산적 가치의 취득자에게 가치의 반환을 명함으로써 그와 같은 모순을 해결하려는 제도이다(대판(전합) 2015.6.25, 2014다5531 참조).

② 부당이득반환의 경우 수익자가 반환하여야 할 이득의 범위는 손실자가 입은 손해의 범위에 한정되고, 손실자의 손해는 사회통념상 손실자가 당해 재산으로부터 통상 수익할 수 있을 것으로 예상되는 이익 상당액이다(대판(전합) 2014.7.16, 2011다76402).

③ 부당이득제도는 이득자의 재산상 이득이 법률상 원인을 결여하는 경우에 공평·정의의 이념에 근거하여 이득자에게 그 반환의무를 부담시키는 것인바, 채무자가 피해자로부터 횡령한 금전을 그대로 채권자에 대한 채무변제에 사용하는 경우 피해자의 손실과 채권자의 이득 사이에 인과관계가 있음이 명백하고, 한편 채무자가 횡령한 금전으로 자신의 채권자에 대한 채무를 변제하는 경우 채권자가 그 변제를 수령함에 있어 악의 또는 중대한 과실이 있는 경우에는 채권자의 금전 취득은 피해자에 대한 관계에 있어서 법률상 원인을 결여한 것으로 봄이 상당하나, 채권자가 그 변제를 수령함에 있어 단순히 과실이 있는 경우에는 그 변제는 유효하고 채권자의 금전 취득이 피해자에 대한 관계에 있어서 법률상 원인을 결여한 것이라고 할 수 없다(대판 2003.6.13, 2003다8862).

④ 일반적으로 수익자가 법률상 원인 없이 이득한 재산을 처분함으로 인하여 원물반환이 불가능한 경우에 있어서 반환하여야 할 가액은 특별한 사정이 없는 한 그 처분 당시의 대가이나, 이 경우에 수익자가 그 법률상 원인 없는 이득을 얻기 위하여 지출한 비용은 수익자가 반환하여야 할 이득의 범위에서 공제되어야 하고, 수익자가 자신의 노력 등으로 부당이득한 재산을 이용하여 남긴 이른바 운용이익도 그것이 사회통념상 수익자의 행위가 개입되지 아니하였더라도 부

당이득된 재산으로부터 손실자가 당연히 취득하였으리라고 생각되는 범위 내의 것이 아닌 한 수익자가 반환하여야 할 이득의 범위에서 공제되어야 한다(대판 1995.5.12, 94다25551).

11 **부당이득에 관한 다음 설명 중 가장 옳은 것은?** (다툼이 있는 경우 판례에 의함)

▶ 2018년 9급(법원서기보)

① 여러 사람이 공동으로 법률상 원인 없이 타인의 재산을 사용한 경우 부당이득의 반환 채무는 특별한 사정이 없는 한 불가분적 이득의 반환으로서 불가분채무이고, 불가분채 무는 각 채무자가 채무 전부를 이행할 의무가 있으며, 1인의 채무이행으로 다른 채무 자도 그 의무를 면하게 된다.

② 수익자가 이익을 받은 후 법률상 원인 없음을 안 때에는 그때부터 악의의 수익자로서 이익반환의 책임이 있으므로, 선의의 수익자가 패소한 때에는 패소 판결이 확정된 때 부터 악의의 수익자로 본다.

③ 채무자 아닌 자가 착오로 타인의 채무를 변제한 경우에 채권자가 선의로 증서를 훼멸 하거나 담보를 포기하거나 시효로 인하여 그 채권을 잃은 때에는 변제자는 그 반환을 청구하지 못하고, 채무자에 대하여 구상권도 행사할 수 없다.

④ 매매계약이 무효로 되는 때에 매도인이 악의의 수익자인 경우 특별한 사정이 없는 한 그 매도인은 부당이득으로 반환할 매매대금에 대하여 법정이자를 붙여 반환하여야 하 지만, 매도인의 매매대금 반환의무와 매수인의 소유권이전등기 말소등기절차 이행의무 가 동시이행의 관계에 있는 경우에는 동시이행항변권을 행사하여 매수인의 의무이행 전까지는 이자 채무를 면할 수 있다.

해설 ① 여러 사람이 공동으로 법률상 원인 없이 타인의 재산을 사용한 경우의 부당이득 반환채무는 특별한 사정이 없는 한 불가분적 이득의 반환으로서 불가분채무이고, 불가분채무는 각 채무 자가 채무 전부를 이행할 의무가 있으며, 1인의 채무이행으로 다른 채무자도 그 의무를 면하 게 된다(대판 2001.12.11, 2000다13948).

② 제749조【수익자의 악의인정】
① 수익자가 이익을 받은 후 법률상 원인없음을 안 때에는 그때부터 악의의 수익자로서 이익 반환의 책임이 있다.
② 선의의 수익자가 패소한 때에는 그 소를 제기한 때부터 악의의 수익자로 본다.

③ 제745조【타인의 채무의 변제】
① 채무자아닌 자가 착오로 인하여 타인의 채무를 변제한 경우에 채권자가 선의로 증서를 훼멸하거나 담보를 포기하거나 시효로 인하여 그 채권을 잃은 때에는 변제자는 그 반환을 청구하지 못한다.
② 전항의 경우에 변제자는 채무자에 대하여 구상권을 행사할 수 있다.

정답 10 ④ 11 ①

④ 계약무효의 경우 각 당사자가 상대방에 대하여 부담하는 반환의무는 성질상 부당이득반환의무로서 악의의 수익자는 그 받은 이익에 법정이자를 붙여 반환하여야 하므로(민법 제748조 제2항), 매매계약이 무효로 되는 때에는 매도인이 악의의 수익자인 경우 특별한 사정이 없는 한 매도인은 반환할 매매대금에 대하여 민법이 정한 연 5%의 법정이율에 의한 이자를 붙여 반환하여야 한다. 그리고 위와 같은 법정이자의 지급은 부당이득반환의 성질을 가지는 것이지 반환의무의 이행지체로 인한 손해배상이 아니므로, 매도인의 매매대금 반환의무와 매수인의 소유권이전등기 말소등기절차 이행의무가 동시이행의 관계에 있는지 여부와는 관계가 없다(대판 2017.3.9, 2016다47478).

12 부당이득 반환범위에 관한 다음 설명 중 가장 옳지 않은 것은? ▸ 2018년 법원행시

① 수익자가 법률상 원인 없이 이득한 재산을 처분함으로 인하여 원물반환이 불가능한 경우에 반환하여야 할 가액을 산정할 때에는 법률상 원인 없는 이득을 얻기 위하여 지출한 비용을 공제하여야 하므로, 무권리자가 타인 소유의 부동산을 제3자에게 처분하였다가 선의의 제3자 보호규정에 의하여 부동산을 반환하지 못하고 처분의 대가로 수령한 매각대금을 반환하여야 하는 경우에, 자신의 처분행위로 인하여 발생한 양도소득세 기타 비용은 반환하여야 할 이득에서 공제하여야 한다.

② 법률상 원인 없이 타인의 재산 또는 노무로 인하여 이익을 얻고 그로 인하여 타인에게 손해를 가한 경우, 그 취득한 것이 금전상의 이득인 때에는 그 금전은 이를 취득한 자가 소비하였는가의 여부를 불문하고 현존하는 것으로 추정되고, 그 취득한 것이 성질상 계속적으로 반복하여 거래되는 물품으로서 곧바로 판매되어 환가될 수 있는 금전과 유사한 대체물인 경우에도 마찬가지다.

③ 쌍무계약이 취소된 경우, 선의의 매수인에게 선의의 점유자의 과실수취권에 관한 민법 제201조가 적용되어 과실취득권이 인정되는 이상 선의의 매도인에게도 인도하지 않은 목적물로부터 생긴 과실수취권에 관한 민법 제587조를 유추적용하여 대금의 운용이익 내지 법정이자의 반환을 부정함이 형평에 맞다.

④ 부당이득반환의무자가 악의의 수익자라는 점에 대하여는 이를 주장하는 측에서 입증책임을 진다. 또한 여기서 '악의'라고 함은, 민법 제749조 제2항에서 악의로 의제되는 경우 등은 별론으로 하고, 자신의 이익 보유가 법률상 원인 없는 것임을 인식하는 것을 말하고, 그 이익의 보유를 법률상 원인이 없는 것이 되도록 하는 사정, 즉 부당이득반환의무의 발생요건에 해당하는 사실이 있음을 인식하는 것만으로는 부족하다.

⑤ 채무자의 부동산에 관한 매매계약 등의 유상행위가 사해행위라는 이유로 취소되고 그 원상회복이 이루어짐으로써 수익자에 대하여 부당이득반환채무를 부담하게 된 채무자가 그 부당이득반환채무의 변제를 위하여 수익자와 소비대차계약을 체결하고 강제집행을 승낙하는 취지가 기재된 공정증서를 작성하여 준 경우에도, 그와 같은 행위로 인해 자신의 책임재산을 그 수익자에게 실질적으로 양도한 것과 마찬가지라고 볼 수 있는 특별한 사정이 없는 한, 다른 채권자를 해하는 새로운 사해행위가 된다고 볼 수 없다.

해설 ① 무권리자가 타인의 권리를 제3자에게 처분하였으나 선의의 제3자 보호규정에 의하여 원래 권리자가 권리를 상실하는 경우, 권리자는 무권리자를 상대로 제3자에게서 처분의 대가로 수령한 것을 이른바 침해부당이득으로 보아 반환청구할 수 있다. 한편 수익자가 법률상 원인 없이 이득한 재산을 처분함으로 인하여 원물반환이 불가능한 경우에 반환하여야 할 가액을 산정할 때에는 법률상 원인 없는 이득을 얻기 위하여 지출한 비용은 수익자가 반환하여야 할 이득의 범위에서 공제되어야 할 것이나, 타인 소유의 부동산을 처분하여 매각대금을 수령한 경우, 수익자는 그러한 처분행위가 없었다면 부동산 자체를 반환하였어야 할 지위에 있던 사람이므로 자신의 처분행위로 인하여 발생한 양도소득세 기타 비용은 수익자가 이익 취득과 관련하여 지출한 비용에 해당한다고 할 수 없어 이를 반환하여야 할 이득에서 공제할 것은 아니다(대판 2011.6.10, 2010다40239).

② 법률상 원인 없이 타인의 재산 또는 노무로 이익을 얻고 그로 인하여 타인에게 손해를 가한 경우, 그 취득한 것이 금전상의 이득인 때에는 그 금전은 이를 취득한 자가 소비하였는가의 여부를 불문하고 현존하는 것으로 추정되고, 그 취득한 것이 성질상 계속적으로 반복하여 거래되는 물품으로서 곧바로 판매되어 환가될 수 있는 금전과 유사한 대체물인 경우에도 마찬가지다(대판 2009.5.28, 2007다20440·20457).

③ 쌍무계약이 취소된 경우 선의의 매수인에게 민법 제201조가 적용되어 과실취득권이 인정되는 이상 선의의 매도인에게도 민법 제587조의 유추적용에 의하여 대금의 운용이익 내지 법정이자의 반환을 부정함이 형평에 맞다(대판 1993.5.4, 92다45025).

④ 부당이득반환의무자가 악의의 수익자라는 점에 대하여는 이를 주장하는 측에서 입증책임을 진다. 여기서 '악의'라고 함은, 민법 제749조 제2항에서 악의로 의제되는 경우 등은 별론으로 하고, 자신의 이익 보유가 법률상 원인 없는 것임을 인식하는 것을 말하고, 그 이익의 보유를 법률상 원인이 없는 것이 되도록 하는 사정, 즉 부당이득반환의무의 발생요건에 해당하는 사실이 있음을 인식하는 것만으로는 부족하다. 따라서 계약명의신탁에서 명의수탁자가 수령한 매수자금이 명의신탁약정에 기하여 지급되었다는 사실을 알았다고 하여도 그 명의신탁약정이 부동산 실권리자명의 등기에 관한 법률 제4조 제1항에 의하여 무효임을 알았다는 등의 사정이 부가되지 아니하는 한 명의수탁자가 그 금전의 보유에 관하여 법률상 원인 없음을 알았다고 쉽사리 말할 수 없다(대판 2010.1.28, 2009다24187·24194).

⑤ [1] 채권자가 채무의 변제를 요구하는 것은 그의 당연한 권리행사로서 다른 채권자가 존재한다는 이유로 이것이 방해받아서는 아니 되고, 채무자도 다른 채권자가 있다는 이유로 채무이행을 거절할 수는 없는 것이므로, 채무자가 채권자의 요구에 따라 채권자에 대한 기존채무의 변제를 위하여 소비대차계약을 체결하고 강제집행을 승낙하는 취지가 기재된 공정증서를 작성하여 주어 전체적으로 채무자의 책임재산이 감소하지 않는 경우에는, 그와 같은 행위로 인해 채무자의 책임재산을 특정 채권자에게 실질적으로 양도한 것과 다를 바 없는 것으로 볼 수 있는 특별한 사정이 있는 경우에 해당하지 아니하는 한, 다른 채권자를 해하는 사해행위가 된다고 볼 수 없다.
[2] 채무자의 부동산에 관한 매매계약 등의 유상행위가 사해행위라는 이유로 취소되고 원상회복이 이루어짐으로써 수익자에 대하여 부당이득반환채무를 부담하게 된 채무자가 부당이득반환채무의 변제를 위하여 수익자와 소비대차계약을 체결하고 강제집행을 승낙하는 취지가 기재된 공정증서를 작성하여 준 경우에도, 그와 같은 행위로 책임재산을 수익자에게 실질적으로 양도한 것과 다를 바 없는 것으로 볼 수 있는 특별한 사정이 있는 경우에 해당하지 아니하는

정답 12 ①

한, 다른 채권자를 해하는 새로운 사해행위가 된다고 볼 수 없다. 이러한 수익자의 채무자에 대한 채권은 당초의 사해행위 이후에 취득한 채권에 불과하므로 수익자는 원상회복된 재산에 대한 강제경매절차에서 배당을 요구할 권리가 없다(대판 2015.10.29, 2012다14975).

13 부당이득반환에 관한 다음 설명 중 가장 옳지 않은 것은? ▶ 2018년 법원행시

① 계약의 일방 당사자가 계약 상대방의 지시 등으로 급부과정을 단축하여 계약 상대방과 또 다른 계약관계를 맺고 있는 제3자에게 직접 급부한 경우, 계약의 일방 당사자는 제3자를 상대로 법률상 원인 없이 급부를 수령하였다는 이유로 부당이득반환청구를 할 수 없다.

② 금전채권의 질권자가 자기채권의 범위 내에서 직접청구권을 행사하여 제3채무자가 질 권자에게 금전을 지급함으로써 제3채무자의 질권설정자에 대한 급부가 이루어지고 질 권설정자의 질권자에 대한 급부도 이루어진 경우, 입질채권의 발생원인인 계약관계에 무효 등의 흠이 있어 입질채권이 부존재한다고 하더라도 제3채무자는 특별한 사정이 없는 한 상대방 계약당사자인 질권설정자에 대하여 부당이득반환을 구할 수 있을 뿐이 고 질권자를 상대로 직접 부당이득반환을 구할 수 없다.

③ 불법점유라는 사실이 발생한 바 없었다고 하더라도 부동산소유자에게 임료 상당 이익이 나 기타 소득이 발생할 여지가 없는 특별한 사정이 있는 때에는, 불법점유를 당한 부동 산의 소유자는 불법점유자에 대하여 손해배상이나 부당이득반환을 청구할 수 없다.

④ 당사자 일방이 자신의 의사에 따라 일정한 급부를 한 다음 급부가 법률상 원인 없음을 이유로 반환을 청구하는 이른바 급부부당이득의 경우에는 부당이득반환청구의 상대방 이 이익을 보유할 정당한 권원이 있다는 점을 증명할 책임이 있다.

⑤ 타인의 재산권 등을 침해하여 이익을 얻었음을 이유로 부당이득반환을 구하는 이른바 침해부당이득의 경우에는 부당이득반환청구의 상대방이 이익을 보유할 정당한 권원이 있다는 점을 증명할 책임이 있다.

해설 ① 계약의 일방 당사자가 계약 상대방의 지시 등으로 급부과정을 단축하여 계약 상대방과 또 다른 계약관계를 맺고 있는 제3자에게 직접 급부한 경우, 그 급부로써 급부를 한 계약 당사 자의 상대방에 대한 급부가 이루어질 뿐 아니라 그 상대방의 제3자에 대한 급부로도 이루어 지는 것이므로 계약의 일방 당사자는 제3자를 상대로 법률상 원인 없이 급부를 수령하였다 는 이유로 부당이득반환청구를 할 수 없다(대판 2003.12.26, 2001다46730).

② 금전채권의 질권자가 민법 제353조 제1항, 제2항에 의하여 자기채권의 범위 내에서 직접청 구권을 행사하는 경우 질권자는 질권설정자의 대리인과 같은 지위에서 입질채권을 추심하여 자기채권의 변제에 충당하고 그 한도에서 질권설정자에 의한 변제가 있었던 것으로 보므로, 위 범위 내에서는 제3채무자의 질권자에 대한 금전지급으로써 제3채무자의 질권설정자에 대 한 급부가 이루어질 뿐만 아니라 질권설정자의 질권자에 대한 급부도 이루어진다. 이러한 경 우 입질채권의 발생원인인 계약관계에 무효 등의 흠이 있어 입질채권이 부존재한다고 하더 라도 제3채무자는 특별한 사정이 없는 한 상대방 계약당사자인 질권설정자에 대하여 부당이 득반환을 구할 수 있을 뿐이고 질권자를 상대로 직접 부당이득반환을 구할 수 없다. 이와 달리 제3채무자가 질권자를 상대로 직접 부당이득반환청구를 할 수 있다고 보면 자기 책임

하에 체결된 계약에 따른 위험을 제3자인 질권자에게 전가하는 것이 되어 계약법의 원리에 반하는 결과를 초래할 뿐만 아니라 질권자가 질권설정자에 대하여 가지는 항변권 등을 침해하게 되어 부당하기 때문이다(대판 2015.5.29, 2012다92258).

③ 불법점유를 당한 소유자로서는 불법점유자에 대하여 그로 인한 임료상당의 배상이나 부당이득의 반환을 구할 수 있을 것이나 불법점유라는 사실이 발생한 바 없었다고 하더라도 부동산 소유자에게 임료상당 이익이나 기타 소득이 발생할 여지가 없는 특별한 사정이 있는 때에는 손해배상이나 부당이득반환청구를 할 수 없다(대판 1988.4.25, 87다카1073).

④, ⑤ 민법 제741조는 "법률상 원인 없이 타인의 재산 또는 노무로 인하여 이익을 얻고 이로 인하여 타인에게 손해를 가한 자는 그 이익을 반환하여야 한다."라고 정하고 있다. 당사자 일방이 자신의 의사에 따라 일정한 급부를 한 다음 급부가 법률상 원인 없음을 이유로 반환을 청구하는 이른바 급부부당이득의 경우에는 법률상 원인이 없다는 점에 대한 증명책임은 부당이득반환을 주장하는 사람에게 있다. 이 경우 부당이득의 반환을 구하는 자는 급부행위의 원인이 된 사실의 존재와 함께 그 사유가 무효, 취소, 해제 등으로 소멸되어 법률상 원인이 없게 되었음을 주장·증명하여야 하고, 급부행위의 원인이 될 만한 사유가 처음부터 없었음을 이유로 하는 이른바 착오 송금과 같은 경우에는 착오로 송금하였다는 점 등을 주장·증명하여야 한다. 이는 타인의 재산권 등을 침해하여 이익을 얻었음을 이유로 부당이득반환을 구하는 이른바 침해부당이득의 경우에는 부당이득반환 청구의 상대방이 이익을 보유할 정당한 권원이 있다는 점을 증명할 책임이 있는 것과 구별된다(대판 2018.1.24, 2017다37324).

14 비용상환청구권에 관한 다음 설명 중 가장 옳지 않은 것은? (다툼이 있는 경우 판례에 의하고, 전원합의체 판결의 경우 다수의견에 의함) ▶ 2019년 9급(법원서기보)

① 유효한 도급계약에 기하여 수급인이 도급인으로부터 제3자 소유 물건의 점유를 이전받아 이를 수리한 결과 그 물건의 가치가 증가한 경우, 소유자에 대한 관계에서 민법 제203조에 의한 비용상환청구권을 행사할 수 있는 비용지출자는 수급인이다.

② 채무자가 다른 상속인과 공동으로 부동산을 상속받은 경우에는 채무자의 상속지분에 관하여서만 상속등기를 하는 것이 허용되지 아니하고 공동상속인 전원에 대하여 상속으로 인한 소유권이전등기를 신청하여야 한다. 그리고 채권자가 자신의 채권을 보전하기 위하여 채무자가 다른 상속인과 공동으로 상속받은 부동산에 관하여 위와 같은 공동상속등기를 대위신청하여 그 등기가 행하여지는 것과 같이 채권자에 의한 채무자 권리의 대위행사의 직접적인 내용이 제3자의 법적 지위를 보전·유지하는 것이 되는 경우에는, 채권자는 자신의 채무자가 아닌 제3자에 대하여도 특별한 사정이 없는 한 사무관리에 기하여 그 등기에 소요된 비용의 상환을 청구할 수 있다.

③ 의무 없이 타인을 위하여 사무를 관리한 자는 타인에 대하여 민법상 사무관리 규정에 따라 비용상환 등을 청구할 수 있는 외에, 사무관리에 의하여 결과적으로 사실상 이익을 얻은 다른 제3자에 대하여 직접 부당이득반환을 청구할 수는 없다.

정답 ▶ 13 ④ 14 ①

④ 민법 제367조에 의하면 저당물의 제3취득자가 그 부동산의 보존, 개량을 위하여 필요비 또는 유익비를 지출한 때에는 저당물의 경매대가에서 우선상환을 받을 수 있다. 그리고 위 '제3취득자'에는 저당물에 관한 지상권, 전세권을 취득한 자만이 아니고 소유권을 취득한 자도 포함된다.

해설 ① 유효한 도급계약에 기하여 수급인이 도급인으로부터 제3자 소유 물건의 점유를 이전받아 이를 수리한 결과 그 물건의 가치가 증가한 경우, 도급인이 그 물건을 간접점유하면서 궁극적으로 자신의 계산으로 비용지출과정을 관리한 것이므로, 도급인만이 소유자에 대한 관계에 있어서 민법 제203조에 의한 비용상환청구권을 행사할 수 있는 비용지출자라고 할 것이고, 수급인은 그러한 비용지출자에 해당하지 않는다고 보아야 한다(대판 2002.8.23, 99다66564).

② 사무관리가 성립하기 위하여는 우선 그 사무가 타인의 사무이고 타인을 위하여 사무를 처리하는 의사, 즉 관리의 사실상의 이익을 타인에게 귀속시키려는 의사가 있어야 하며, 나아가 그 사무의 처리가 본인에게 불리하거나 본인의 의사에 반한다는 것이 명백하지 아니할 것을 요한다. 여기에서 '타인을 위하여 사무를 처리하는 의사'는 관리자 자신의 이익을 위한 의사와 병존할 수 있고, 반드시 외부적으로 표시될 필요가 없으며, 사무를 관리할 당시에 확정되어 있을 필요가 없다. (따라서) 채권자가 자신의 채권을 보전하기 위하여 채무자가 다른 상속인과 공동으로 상속받은 부동산에 관하여 공동상속등기를 대위신청하여 그 등기가 행하여지는 것과 같이 채권자에 의한 채무자 권리의 대위행사의 직접적인 내용이 제3자의 법적 지위를 보전·유지하는 것이 되는 경우에는, 채권자는 자신의 채무자가 아닌 제3자에 대하여도 다른 특별한 사정이 없는 한 사무관리에 기하여 그 등기에 소요된 비용의 상환을 청구할 수 있다(대판 2013.8.22, 2013다30882).

③ 계약상 급부가 계약 상대방뿐 아니라 제3자에게 이익이 된 경우에 급부를 한 계약당사자는 계약 상대방에 대하여 계약상 반대급부를 청구할 수 있는 이외에 제3자에 대하여 직접 부당이득반환청구를 할 수는 없다고 보아야 하고, 이러한 법리는 급부가 사무관리에 의하여 이루어진 경우에도 마찬가지이다. 따라서 의무 없이 타인을 위하여 사무를 관리한 자는 타인에 대하여 민법상 사무관리 규정에 따라 비용상환 등을 청구할 수 있는 외에 사무관리에 의하여 결과적으로 사실상 이익을 얻은 다른 제3자에 대하여 직접 부당이득반환을 청구할 수는 없다(대판 2013.6.27, 2011다17106).

④ 민법 제367조가 저당물의 제3취득자가 그 부동산에 관한 필요비 또는 유익비를 지출한 때에는 저당물의 경매대가에서 우선상환을 받을 수 있다고 규정한 취지는 저당권설정자가 아닌 제3취득자가 저당물에 관한 필요비 또는 유익비를 지출하여 저당물의 가치가 유지·증가된 경우, 매각대금 중 그로 인한 부분은 일종의 공익비용과 같이 보아 제3취득자가 경매대가에서 우선상환을 받을 수 있도록 한 것이므로 저당물에 관한 지상권, 전세권을 취득한 자만이 아니고 소유권을 취득한 자도 민법 제367조 소정의 제3취득자에 해당한다(대판 2004.10.15, 2004다36604).

15 부당이득에 관한 다음 설명 중 가장 옳지 않은 것은? (다툼이 있는 경우 판례에 따르고 전원합의체 판결의 경우 다수의견에 의함) ▶ 2019년 법무사

① 민법 제749조 제1항(수익자의 악의인정)에서 규정하는 '악의'란 자신의 이익 보유가 법률상 원인 없는 것임을 인식하는 것을 말하고, 그 이익의 보유를 법률상 원인이 없는 것이 되도록 하는 사정, 즉 부당이득반환의무의 발생요건에 해당하는 사실이 있음을 인식하는 것만으로는 부족하다.

② 배당요구가 필요한 배당요구채권자가 경락기일까지 배당요구하지 아니한 채권을 경락기일 이후에 추가하여 배당요구를 하였으나 그 부분이 배당에서 제외된 경우, 위 채권자는 배당받은 후순위 채권자를 상대로 부당이득반환을 청구할 수 있다.

③ 어떤 물건에 대하여 직접점유자와 간접점유자가 있는 경우, 그 물건에 대한 점유·사용으로 인한 위 점유자들의 부당이득반환의무 중 서로 중첩되는 부분에 관하여는 부진정연대채무의 관계가 성립한다.

④ 유효한 도급계약에 기하여 수급인 甲이 도급인 乙로부터 제3자 丙 소유의 물건을 점유이전 받아 이를 수리한 결과 그 물건의 가치가 증가한 경우, 甲은 丙에 대해 부당이득의 반환을 청구할 수 없다.

⑤ 계약명의신탁에서 명의수탁자가 수령한 매수자금이 명의신탁약정에 기하여 지급되었다는 사실을 알았다고 하여도 그 명의신탁약정이 부동산 실권리자명의 등기에 관한 법률 제4조 제1항에 의하여 무효임을 알았다는 등의 사정이 부가되지 아니하는 한, 명의수탁자가 위 금전의 보유에 관하여 법률상 원인 없음을 알았다고 단정할 수 없다.

해설 ①.⑤ 부당이득반환의무자가 악의의 수익자라는 점에 대하여는 이를 주장하는 측에서 입증책임을 진다. 여기서 '악의'라고 함은, 민법 제749조 제2항에서 악의로 의제되는 경우 등은 별론으로 하고, 자신의 이익 보유가 법률상 원인 없는 것임을 인식하는 것을 말하고, 그 이익의 보유를 법률상 원인이 없는 것이 되도록 하는 사정, 즉 부당이득반환의무의 발생요건에 해당하는 사실이 있음을 인식하는 것만으로는 부족하다. 따라서 계약명의신탁에서 명의수탁자가 수령한 매수자금이 명의신탁약정에 기하여 지급되었다는 사실을 알았다고 하여도 그 명의신탁약정이 부동산 실권리자명의 등기에 관한 법률 제4조 제1항에 의하여 무효임을 알았다는 등의 사정이 부가되지 아니하는 한 명의수탁자가 그 금전의 보유에 관하여 법률상 원인 없음을 알았다고 쉽사리 말할 수 없다(대판 2010.1.28, 2009다24187).

② 민사소송법 제605조 제1항에서 규정하는 배당요구가 필요한 배당요구채권자는, 압류의 효력발생 전에 등기한 가압류채권자, 경락으로 인하여 소멸하는 저당권자 및 전세권자로서 압류의 효력발생 전에 등기한 자 등 당연히 배당을 받을 수 있는 채권자의 경우와는 달리, 경락기일까지 배당요구를 한 경우에 한하여 비로소 배당을 받을 수 있고, 적법한 배당요구를 하지 아니한 경우에는 비록 실체법상 우선변제청구권이 있다 하더라도 경락대금으로부터 배당을 받을 수는 없을 것이므로, 이러한 배당요구채권자가 적법한 배당요구를 하지 아니하여 그를 배당에서 제외하는 것으로 배당표가 작성·확정되고 그 확정된 배당표에 따라 배당이 실시되었다면 그가 적법한 배당요구를 한 경우에 배당받을 수 있었던 금액 상당의 금원이

후순위채권자에게 배당되었다고 하여 이를 법률상 원인이 없는 것이라고 할 수 없다(대판 2002.1.22, 2001다70702).
③ 어떤 물건에 대하여 직접점유자와 간접점유자가 있는 경우, 그에 대한 점유·사용으로 인한 부당이득의 반환의무는 동일한 경제적 목적을 가진 채무로서 서로 중첩되는 부분에 관하여는 일방의 채무가 변제 등으로 소멸하면 타방의 채무도 소멸하는 이른바 부진정연대채무의 관계에 있다(대판 2012.9.27, 2011다76747).
④ 계약상의 급부가 계약의 상대방뿐만 아니라 제3자의 이익으로 된 경우에 급부를 한 계약당사자가 계약 상대방에 대하여 계약상의 반대급부를 청구할 수 있는 이외에 그 제3자에 대하여 직접 부당이득반환청구를 할 수 있다고 보면, 자기 책임하에 체결된 계약에 따른 위험부담을 제3자에게 전가시키는 것이 되어 계약법의 기본원리에 반하는 결과를 초래할 뿐만 아니라, 채권자인 계약당사자가 채무자인 계약 상대방의 일반채권자에 비하여 우대받는 결과가 되어 일반채권자의 이익을 해치게 되고, 수익자인 제3자가 계약 상대방에 대하여 가지는 항변권 등을 침해하게 되어 부당하므로, 위와 같은 경우 계약상의 급부를 한 계약당사자는 이익의 귀속 주체인 제3자에 대하여 직접 부당이득반환을 청구할 수는 없다고 보아야 한다(대판 2002.8.23, 99다66564·66571).

16 부당이득에 관한 다음 설명 중 가장 옳지 않은 것은? (다툼이 있는 경우 판례에 의함)

▶ 2019년 법원사무관 승진

① 부당이득이 성립하기 위한 요건인 이익을 얻은 방법에는 제한이 없으므로, 채무를 면하는 경우와 같이 어떠한 사실의 발생으로 당연히 발생하였을 손실을 보지 않는 것도 이익에 해당한다.
② 甲이 자신과 계약관계에 있는 乙의 지시에 따라 乙과 계약관계에 있는 丙에게 직접 급부를 이행한 경우(이른바 삼각관계에서 급부가 이루어진 경우), 甲은 이후 乙과의 계약관계가 무효이라거나 해제되면 丙을 상대로 직접 부당이득반환청구를 할 수 있다.
③ 부당이득의 수익자가 악의라는 점에 대하여는 이를 주장하는 측에서 증명책임을 지는데, 여기서 '악의'는, 민법 제749조 제2항에서 악의로 의제하는 경우 등은 별론으로 하고, 자신의 이익 보유가 법률상 원인 없는 것임을 인식하는 것을 말하고, 그 이익의 보유를 법률상 원인이 없는 것이 되도록 하는 사정, 즉 부당이득반환의무의 발생요건에 해당하는 사실이 있음을 인식하는 것만으로는 부족하다.
④ 당사자 일방이 자신의 의사에 따라 일정한 급부를 한 다음 급부가 법률상 원인 없음을 이유로 반환을 청구하는 이른바 급부부당이득의 경우에는 법률상 원인이 없다는 점에 대한 증명책임은 부당이득반환을 주장하는 사람에게 있다.

해설 ① 부당이득이 성립하기 위한 요건인 '이익'을 얻은 방법에는 제한이 없다. 따라서 적극적인 재산의 증가뿐만 아니라, 가령 채무를 면하는 경우와 같이 어떠한 사실의 발생으로 당연히 발생하였을 손실을 보지 않는 것도 이익에 해당한다(대판 2019.1.17, 2016두60287).
② 계약의 일방 당사자가 상대방의 지시 등으로 상대방과 또 다른 계약관계를 맺고 있는 제3자에게 직접 급부한 경우(이른바 삼각관계에서의 급부가 이루어진 경우), 그 급부로써 급부를

한 당사자의 상대방에 대한 급부가 이루어질 뿐 아니라 그 상대방의 제3자에 대한 급부도 이루어지는 것이므로 계약의 일방 당사자는 제3자를 상대로 법률상 원인 없이 급부를 수령하였다는 이유로 부당이득반환청구를 할 수 없다. 이러한 경우에 계약의 일방 당사자가 상대방에 대하여 급부를 한 원인관계인 법률관계에 무효 등의 흠이 있거나 그 계약이 해제되었다는 이유로 제3자를 상대로 직접 부당이득반환청구를 할 수 있다고 보면 자기 책임하에 체결된 계약에 따른 위험부담을 제3자에게 전가하는 것이 되어 계약법의 원리에 반하는 결과를 초래할 뿐만 아니라 수익자인 제3자가 상대방에 대하여 가지는 항변권 등을 침해하게 되어 부당하기 때문이다. 이와 같이 삼각관계에서의 급부가 이루어진 경우에, 제3자가 급부를 수령함에 있어 계약의 일방 당사자가 상대방에 대하여 급부를 한 원인관계인 법률관계에 무효 등의 흠이 있었다는 사실을 알고 있었다 할지라도 계약의 일방 당사자는 제3자를 상대로 법률상 원인 없이 급부를 수령하였다는 이유로 부당이득반환청구를 할 수 없다(대판 2018.7.12, 2018다204992).

③ 부당이득반환의무자가 악의의 수익자라는 점에 대하여는 이를 주장하는 측에서 입증책임을 진다. 여기서 '악의'라고 함은, 민법 제749조 제2항에서 악의로 의제되는 경우 등은 별론으로 하고, 자신의 이익 보유가 법률상 원인 없는 것임을 인식하는 것을 말하고, 그 이익의 보유를 법률상 원인이 없는 것이 되도록 하는 사정, 즉 부당이득반환의무의 발생요건에 해당하는 사실이 있음을 인식하는 것만으로는 부족하다. 따라서 계약명의신탁에서 명의수탁자가 수령한 매수자금이 명의신탁약정에 기하여 지급되었다는 사실을 알았다고 하여도 그 명의신탁약정이 부동산 실권리자명의 등기에 관한 법률 제4조 제1항에 의하여 무효임을 알았다는 등의 사정이 부가되지 아니하는 한 명의수탁자가 그 금전의 보유에 관하여 법률상 원인 없음을 알았다고 쉽사리 말할 수 없다(대판 2010.1.28, 2009다24187).

④ 당사자 일방이 자신의 의사에 따라 일정한 급부를 한 다음 급부가 법률상 원인 없음을 이유로 반환을 청구하는 이른바 급부부당이득의 경우에는 법률상 원인이 없다는 점에 대한 증명책임은 부당이득반환을 주장하는 사람에게 있다. 이 경우 부당이득의 반환을 구하는 자는 급부행위의 원인이 된 사실의 존재와 함께 그 사유가 무효, 취소, 해제 등으로 소멸되어 법률상 원인이 없게 되었음을 주장·증명하여야 하고, 급부행위의 원인이 될 만한 사유가 처음부터 없었음을 이유로 하는 이른바 착오 송금과 같은 경우에는 착오로 송금하였다는 점 등을 주장·증명하여야 한다. 이는 타인의 재산권 등을 침해하여 이익을 얻었음을 이유로 부당이득반환을 구하는 이른바 침해부당이득의 경우에는 부당이득반환 청구의 상대방이 이익을 보유할 정당한 권원이 있다는 점을 증명할 책임이 있는 것과 구별된다(대판 2018.1.24, 2017다37324).

정답   16 ②

17 부당이득제도의 예외로서 반환청구가 금지되는 경우에 관한 다음 설명 중 가장 옳지 않은 것은? (다툼이 있는 경우 판례에 의함) ▸ 2019년 법원주사보

① 채무가 없음에도 불구하고 변제한 비채변제의 경우 변제자는 원칙적으로 급부한 것에 대해 부당이득의 반환을 청구할 수 있으나, 민법은 일정한 비채변제의 경우 반환청구를 금지하는 예외를 규정하고 있다.

② 비채변제는 지급자가 채무 없음을 알면서도 임의로 지급한 경우에만 성립하므로, 채무 없음을 알고 있었다 하더라도 변제를 강요당한 경우에는 지급자가 반환청구권을 상실하지 않지만, 변제 거절로 인한 사실상의 손해를 피하기 위하여 부득이 변제하게 된 경우는 변제를 강요당한 경우가 아니므로 지급자는 반환청구를 할 수 없다.

③ 민법 제746조의 불법원인급여를 한 자는 그 원인행위가 법률상 무효라 하여 상대방에게 부당이득반환청구를 할 수 없음은 물론, 소유권에 기한 반환청구도 할 수 없다.

④ 불법원인급여 후 급부를 이행받은 자가 급부의 원인행위와 별도의 약정으로 급부 그 자체 또는 그에 갈음한 대가물의 반환을 특약하는 것은 불법원인급여를 한 자가 그 부당이득의 반환을 청구하는 경우와는 달리 그 반환약정 자체가 사회질서에 반하여 무효가 되지 않는 한 유효하다.

해설 ① 비채변제의 경우에는 채무가 존재하지 않아 법률상의 원인이 없기 때문에 급부자(변제자)는 부당이득으로서 그 반환청구를 할 수 있는 것이 원칙이다(제741조). 다만 민법은 제742조 내지 제745조의 일정한 비채변제의 경우 반환청구를 금지하는 예외를 규정하고 있다.

② 채무 없는 자가 착오로 인하여 변제한 것이 아니라면 비채변제는 지급자가 채무 없음을 알면서도 임의로 지급한 경우에만 성립하고, 채무 없음을 알고 있었다 하더라도 변제를 강제당한 경우나 변제거절로 인한 사실상의 손해를 피하기 위하여 부득이 변제하게 된 경우 등 그 변제가 자기의 자유로운 의사에 반하여 이루어진 것으로 볼 수 있는 사정이 있는 때에는 지급자가 그 반환청구권을 상실하지 않는다(대판 1997.7.25. 97다5541).

③ 민법 제746조는 단지 부당이득제도만을 제한하는 것이 아니라 동법 제103조와 함께 사법의 기본이념으로서, 결국 사회적 타당성이 없는 행위를 한 사람은 스스로 불법한 행위를 주장하여 복구를 그 형식 여하에 불구하고 소구할 수 없다는 이상을 표현한 것이므로, 급여를 한 사람은 그 원인행위가 법률상 무효라 하여 상대방에게 부당이득반환청구를 할 수 없음은 물론 급여한 물건의 소유권은 여전히 자기에게 있다고 하여 소유권에 기한 반환청구도 할 수 없고, 따라서 급여한 물건의 소유권은 급여를 받은 상대방에게 귀속된다(대판(전) 1979.11.13. 79다483).

④ 불법원인급여 후 급부를 이행 받은 자가 급부의 원인행위와 별도의 약정으로 급부 그 자체 또는 그에 갈음한 대가물의 반환을 특약하는 것은 불법원인급여를 한 자가 그 부당이득의 반환을 청구하는 경우와는 달리 그 반환약정 자체가 사회질서에 반하여 무효가 되지 않는 한 유효하다(대판 2010.5.27. 2009다12580).

18 불법원인급여에 관한 다음 설명 중 가장 옳지 않은 것은? (다툼이 있는 경우 판례에 의함)

▶ 2019년 법원사무관 승진

① 도박자금으로 금원을 대여함으로 인하여 발생한 채권을 담보하기 위한 근저당권설정등기가 경료되었을 뿐인 경우와 같이 수령자가 그 이익을 향수하려면 경매신청을 하는 등 별도의 조치를 취하여야 하는 경우에는, 그 불법원인급여로 인한 이익이 종국적인 것이 아니므로 등기설정자는 무효인 근저당권설정등기의 말소를 구할 수 있다.

② 불법의 원인으로 소유권을 이전한 경우에 급여자는 부당이득을 이유로 하여 그 반환을 청구할 수는 없으나, 소유권에 기한 반환청구는 가능하다.

③ 불법원인급여에 있어서도 그 불법원인이 수익자에게만 있는 경우이거나 수익자의 불법성이 급여자의 그것보다 현저히 커서 급여자의 반환청구를 허용하지 않는 것이 오히려 공평과 신의칙에 반하게 되는 경우에는 급여자의 반환청구가 허용된다.

④ 불법의 원인으로 재산을 급여한 사람은 상대방 수령자가 그 '불법의 원인'에 가공하였다고 하더라도 상대방에게만 불법의 원인이 있거나 그의 불법성이 급여자의 불법성보다 현저히 크다고 평가되는 등으로 제반 사정에 비추어 급여자의 손해배상청구를 인정하지 아니하는 것이 오히려 사회상규에 명백히 반한다고 평가될 수 있는 특별한 사정이 없는 한 상대방의 불법행위를 이유로 그 재산의 급여로 말미암아 발생한 자신의 손해를 배상할 것을 주장할 수 없다.

> **해설** ① 도박자금으로 금원을 대여함으로 인하여 발생한 채권을 담보하기 위한 근저당권설정등기가 경료되었을 뿐인 경우와 같이 수령자가 그 이익을 향수하려면 경매신청을 하는 등 별도의 조치를 취하여야 하는 경우에는. 그 불법원인급여로 인한 이익이 종국적인 것이 아니므로 등기설정자는 무효인 근저당권설정등기의 말소를 구할 수 있다(대판 1995.8.11. 94다54108).
>
> ② 민법 제746조는 단지 부당이득제도만을 제한하는 것이 아니라 동법 제103조와 함께 사법의 기본이념으로서, 결국 사회적 타당성이 없는 행위를 한 사람은 스스로 불법한 행위를 주장하여 복구를 그 형식 여하에 불구하고 소구할 수 없다는 이상을 표현한 것이므로, 급여를 한 사람은 그 원인행위가 법률상 무효라 하여 상대방에게 부당이득반환청구를 할 수 없음은 물론 급여한 물건의 소유권은 여전히 자기에게 있다고 하여 소유권에 기한 반환청구도 할 수 없고, 따라서 급여한 물건의 소유권은 급여를 받은 상대방에게 귀속된다(대판(전) 1979.11.13. 79다483).
>
> ③ 선량한 풍속 기타 사회질서에 위반하여 무효인 부분의 이자 약정을 원인으로 차주가 대주에게 임의로 이자를 지급하는 것은 통상 불법의 원인으로 인한 재산 급여라고 볼 수 있을 것이나. 불법원인급여에 있어서도 그 불법원인이 수익자에게만 있는 경우이거나 수익자의 불법성이 급여자의 그것보다 현저히 커서 급여자의 반환청구를 허용하지 않는 것이 오히려 공평과 신의칙에 반하게 되는 경우에는 급여자의 반환청구가 허용되므로, 대주가 사회통념상 허용되는 한도를 초과하는 이율의 이자를 약정하여 지급받은 것은 그의 우월한 지위를 이용하여 부당한 이득을 얻고 차주에게는 과도한 반대급부 또는 기타의 부당한 부담을 지우는 것으로서 그 불법의 원인이 수익자인 대주에게만 있거나 또는 적어도 대주의 불법성이 차주의 불법

성에 비하여 현저히 크다고 할 것이어서 차주는 그 이자의 반환을 청구할 수 있다(대판(전합) 2007.2.15. 2004다50426).

④ 불법의 원인으로 재산을 급여한 사람은 상대방 수령자가 그 '불법의 원인'에 가공하였다고 하더라도 상대방에게만 불법의 원인이 있거나 그의 불법성이 급여자의 불법성보다 현저히 크다고 평가되는 등으로 제반 사정에 비추어 급여자의 손해배상청구를 인정하지 아니하는 것이 오히려 사회상규에 명백히 반한다고 평가될 수 있는 특별한 사정이 없는 한 상대방의 불법행위를 이유로 그 재산의 급여로 말미암아 발생한 자신의 손해를 배상할 것을 주장할 수 없다고 할 것이다. 그와 같은 경우에 급여자의 위와 같은 손해배상청구를 인용한다면, 이는 급여자는 결국 자신이 행한 급부 자체 또는 그 경제적 동일물을 환수하는 것과 다름없는 결과가 되어, 민법 제746조에서 실정법적으로 구체화된 법이념에 반하게 되는 것이다(대판 2013.8.22. 2013다35412).

19 부당이득에 관한 다음 설명 중 가장 옳지 않은 것은? ▸2021년 법원서기보

① 계약상의 급부가 계약 상대방뿐만 아니라 제3자에게도 이익이 되는 경우, 급부를 한 계약 당사자가 그 제3자에 대하여 직접 부당이득반환을 청구할 수 없다.

② 계약해제의 효과인 원상회복의무를 규정한 민법 제548조 제1항 본문은 부당이득에 관한 특칙이므로, 그 이익 반환의 범위는 이익의 현존 여부나 선의·악의를 불문하고 특단의 사유가 없는 한 받은 이익의 전부이다.

③ 임대차계약 종료 후에 임차인이 동시이행의 항변권을 행사하여 임차건물을 계속 점유하여 사용·수익한 경우, 그로 인한 이득을 부당이득이라 할 수 없다.

④ 법률행위가 사기에 의한 것으로서 취소되는 경우, 그 법률행위가 동시에 불법행위를 구성하는 때에는 취소의 효과로 생기는 부당이득반환청구권과 불법행위로 인한 손해배상청구권은 경합하여 병존한다.

해설 ① 계약상의 급부가 계약의 상대방뿐만 아니라 제3자의 이익으로 된 경우에 급부를 한 계약당사자가 계약 상대방에 대하여 계약상의 반대급부를 청구할 수 있는 이외에 그 제3자에 대하여 직접 부당이득반환청구를 할 수는 없다(대판 2002.8.23. 99다66564·66571).

② 계약 해제의 효과로서 원상회복의무를 규정하는 민법 제548조 제1항 본문은 부당이득에 관한 특별규정의 성격을 가지는 것으로서, 그 이익 반환의 범위는 이익의 현존 여부나 상대방의 선의·악의를 불문하고 특단의 사유가 없는 한 받은 이익의 전부이다(대판 2014.3.13. 2013다34143).

③ 임대차 종료 후 임차인의 임차목적물 명도의무와 임대인의 연체임료 기타 손해배상금을 공제하고 남은 임차보증금 반환의무와는 동시이행의 관계에 있으므로, 임차인이 동시이행의 항변권에 기하여 임차목적물을 점유하고 사용·수익한 경우 그 점유는 불법점유라 할 수 없어 그로 인한 손해배상책임은 지지 아니하되, 다만 사용·수익으로 인하여 실질적으로 얻은 이익이 있으면 부당이득으로서 반환하여야 한다(대판 1998.7.10. 98다15545).

④ 법률행위가 사기에 의한 것으로서 취소되는 경우에 그 법률행위가 동시에 불법행위를 구성하는 때에는 취소의 효과로 생기는 부당이득반환청구권과 불법행위로 인한 손해배상청구권

은 경합하여 병존하는 것이므로, 채권자는 어느 것이라도 선택하여 행사할 수 있지만 중첩적으로 행사할 수는 없다(대판 1993.4.27, 92다56087).

20 **부당이득반환청구에 관한 다음 설명 중 가장 옳지 않은 것은?** ▶ 2021년 법무사

① 부동산에 관하여 과반수 공유지분을 가진 자는 공유자 사이에 공유물의 관리방법에 관하여 협의가 미리 없었다 하더라도 공유물의 관리에 관한 사항을 단독으로 결정할 수 있으므로 공유토지에 관하여 과반수지분권을 가진 자가 그 공유토지의 특정된 한 부분을 배타적으로 사용·수익하더라도 다른 공유자와의 관계에서 부당이득이 성립하지 않는다.

② 토지의 매수인이 아직 소유권이전등기를 마치지 않았더라도 매매계약의 이행으로 토지를 인도받은 때에는 매매계약의 효력으로서 이를 점유·사용할 권리가 있으므로, 매도인이 매수인에 대하여 그 점유·사용을 법률상 원인이 없는 이익이라고 하여 부당이득반환청구를 할 수는 없다.

③ 부동산에 대한 취득시효가 완성되면 점유자는 소유명의자에 대하여 취득시효완성을 원인으로 한 소유권이전등기절차의 이행을 청구할 수 있고 소유명의자는 이에 응할 의무가 있으므로 점유자가 그 명의로 소유권이전등기를 경료하지 아니하여 아직 소유권을 취득하지 못하였다고 하더라도 소유명의자는 점유자에 대하여 점유로 인한 부당이득반환청구를 할 수 없다.

④ 법률상 원인 없이 타인의 재산 또는 노무로 인하여 이익을 얻고 그로 인하여 타인에게 손해를 가한 경우, 그 취득한 것이 금전상의 이득인 때에는 그 금전은 이를 취득한 자가 소비하였는가의 여부를 불문하고 현존하는 것으로 추정된다.

⑤ 타인 소유의 토지 위에 권한 없이 건물을 소유하는 자는 그 자체로써 건물 부지가 된 토지를 점유하고 있는 것이므로 특별한 사정이 없는 한 법률상 원인 없이 타인의 재산으로 인하여 토지의 차임에 상당하는 이익을 얻고 이로 인하여 타인에게 동액 상당의 손해를 주고 있는 것이다.

해설 ① 과반수 지분의 공유자는 공유자와 사이에 미리 공유물의 관리방법에 관하여 협의가 없었다 하더라도 공유물의 관리에 관한 사항을 단독으로 결정할 수 있으므로 과반수 지분의 공유자는 그 공유물의 관리방법으로서 그 공유토지의 특정된 한 부분을 배타적으로 사용·수익할 수 있으나, 그로 말미암아 지분은 있되 그 특정 부분의 사용·수익을 전혀 하지 못하여 손해를 입고 있는 소수지분권자에 대하여 그 지분에 상응하는 임료 상당의 부당이득을 하고 있다 할 것이므로 이를 반환할 의무가 있다(대판 2002.5.14, 2002다9738).
② 토지의 매수인이 아직 소유권이전등기를 마치지 않았더라도 매매계약의 이행으로 토지를 인도받은 때에는 매매계약의 효력으로서 이를 점유·사용할 권리가 있으므로, 매도인이 매수인에 대하여 그 점유·사용을 법률상 원인이 없는 이익이라고 하여 부당이득반환청구를 할

수는 없다. 이러한 법리는 대물변제 약정 등에 의하여 매매와 같이 부동산의 소유권을 이전받게 되는 사람이 이미 부동산을 점유·사용하고 있는 경우에도 마찬가지로 적용된다(대판 2016.7.7, 2014다2662).

③ 부동산에 대한 취득시효가 완성되면 점유자는 소유명의자에 대하여 취득시효완성을 원인으로 한 소유권이전등기절차의 이행을 청구할 수 있고 소유명의자는 이에 응할 의무가 있으므로 점유자가 그 명의로 소유권이전등기를 경료하지 아니하여 아직 소유권을 취득하지 못하였다고 하더라도 소유명의자는 점유자에 대하여 점유로 인한 부당이득반환청구를 할 수 없다(대판 1993.5.25, 92다51280).

④ 법률상 원인 없이 타인의 재산 또는 노무로 인하여 이익을 얻고 그로 인하여 타인에게 손해를 가한 경우, 그 취득한 것이 금전상의 이득인 때에는 그 금전은 이를 취득한 자가 소비하였는가의 여부를 불문하고 현존하는 것으로 추정된다(대판 1996.12.10, 96다32881).

⑤ 타인 소유의 토지 위에 권한 없이 건물을 소유하고 있는 자는 그 자체로써 특별한 사정이 없는 한 법률상 원인 없이 타인의 재산으로 인하여 토지의 차임에 상당하는 이익을 얻고 이로 인하여 타인에게 동액 상당의 손해를 주고 있다고 보아야 한다(대판 1998.5.8, 98다2389).

21 甲의 乙에 대한 부당이득반환청구권의 대상이 될 수 있는 것을 모두 고른 것은? (각 지문은 독립적임)
▸ 2020년 법원행시

> ㄱ. 甲이 丙에게 甲 소유의 X 토지를 임대하고, 丙이 甲의 승낙 없이 乙에게 X 토지를 전대하였으나 甲과 丙의 임대차가 존속하는 사안에서, 甲이 乙에게 X 토지에 대한 사용이익을 부당이득반환으로 구하는 경우
>
> ㄴ. 甲 회사의 경리부 직원 丙이 甲 회사의 공금을 횡령하여 자신의 채권자 乙에게 횡령한 돈으로 변제하였고 乙이 변제를 수령하면서 중대한 과실이 있는 사안에서, 甲이 乙을 상대로 乙이 지급받은 변제대금을 부당이득반환으로 구하는 경우
>
> ㄷ. 乙 소유의 토지를 시효취득한 甲이 그 사실을 알지 못하는 乙에 의하여 그 토지에 설정된 丙 명의의 근저당권을 제거하기 위하여 乙의 丙에 대한 피담보채무를 변제하고, 乙을 상대로 丙에 대한 변제액 상당을 부당이득반환으로 구하는 경우
>
> ㄹ. 丙의 채권자 甲이 丙 소유의 X 토지를 가압류한 상태에서 丙이 X 토지를 乙에게 양도하였고, X 토지가 '공익사업을 위한 토지 등의 취득 및 보상에 관한 법률'에 따라 수용되어 乙이 수용보상금전액을 지급받은 사안에서, 甲이 乙을 상대로 乙에게 지급된 수용보상금 중 위 가압류의 피보전채권 상당 금액을 부당이득반환으로 구하는 경우
>
> ㅁ. 甲이 착오로 자신 명의의 丙 은행 예금계좌에 예금된 돈을 丁 명의의 乙 은행 예금계좌로 송금한 후, 甲이 乙은행을 상대로 송금액 상당의 부당이득반환을 청구하는 경우

① ㄱ, ㄴ   ② ㄴ   ③ ㄴ, ㄷ, ㅁ
④ ㄷ, ㄹ   ⑤ ㄱ, ㄹ, ㅁ

해설 ㄱ. 임차인이 임대인의 동의를 받지 않고 제3자에게 임차권을 양도하거나 전대하는 등의 방법으로 임차물을 사용·수익하게 하더라도, 임대인이 이를 이유로 <u>임대차계약을 해지하거나 그 밖의 다른 사유로 임대차계약이 적법하게 종료되지 않는 한</u> 임대인은 임차인에 대하여 <u>여전히 차임 청구권을 가지므로</u>, 임대차계약이 존속하는 한도 내에서는 <u>제3자에게 불법점유를 이유로 한 차임상당 손해배상청구나 부당이득반환청구를 할 수 없다</u>(대판 2008.2.28, 2006다10323).

ㄴ. 부당이득제도는 이득자의 재산상 이득이 법률상 원인을 결여하는 경우에 공평·정의의 이념에 근거하여 이득자에게 그 반환의무를 부담시키는 것인 바, <u>채무자가 피해자로부터 횡령한 금전을 그대로 채권자에 대한 채무변제에 사용하는 경우 피해자의 손실과 채권자의 이득 사이에 인과관계가 있음이 명백하고</u>, 한편 채무자가 횡령한 금전으로 자신의 채권자에 대한 채무를 변제하는 경우 채권자가 그 변제를 수령함에 있어 악의 또는 중대한 과실이 있는 경우에는 채권자의 금전 취득은 피해자에 대한 관계에 있어서 법률상 원인을 결여한 것으로 봄이 상당하나, 채권자가 그 변제를 수령함에 있어 <u>단순히 과실이 있는 경우에는 그 변제는 유효하고</u> 채권자의 금전 취득이 피해자에 대한 관계에 있어서 <u>법률상 원인을 결여한 것이라고 할 수 없다</u>(대판 2003.6.13, 2003다8862).

ㄷ. 타인의 토지를 20년간 소유의 의사로 평온·공연하게 점유한 자는 등기를 함으로써 비로소 그 소유권을 취득하게 되므로 점유자가 원소유자에 대하여 점유로 인한 취득시효기간이 만료되었음을 원인으로 소유권이전등기청구를 하는 등 그 권리행사를 하거나 원소유자가 취득시효완성 사실을 알고 점유자의 권리취득을 방해하려고 하는 등의 특별한 사정이 없는 한 <u>원소유자는 점유자 명의로 소유권이전등기가 마쳐지기까지는 소유자로서 그 토지에 관한 적법한 권리를 행사할 수 있다.</u> 따라서 원소유자가 취득시효의 완성 이후 그 등기가 있기 전에 그 토지를 제3자에게 처분하거나 제한물권의 설정, 토지의 현상 변경 등 소유자로서의 권리를 행사하였다 하여 시효취득자에 대한 관계에서 불법행위가 성립하는 것이 아님은 물론 위 처분행위를 통하여 그 토지의 소유권이나 제한물권 등을 취득한 제3자에 대하여 취득시효의 완성 및 그 권리취득의 소급효를 들어 대항할 수도 없다 할 것이니, 이 경우 시효취득자로서는 원소유자의 적법한 권리행사로 인한 현상의 변경이나 제한물권의 설정 등이 이루어진 그 토지의 사실상 혹은 법률상 현상 그대로의 상태에서 등기에 의하여 그 소유권을 취득하게 된다. 따라서 <u>시효취득자가 원소유자에 의하여 그 토지에 설정된 근저당권의 피담보채무를 변제하는 것은 시효취득자가 용인하여야 할 그 토지상의 부담을 제거하여 완전한 소유권을 확보하기 위한 것으로서 그 자신의 이익을 위한 행위라 할 것이니</u>, 위 변제액 상당에 대하여 원소유자에게 대위변제를 이유로 <u>구상권을 행사하거나 부당이득을 이유로 그 반환청구권을 행사할 수는 없다</u>(대판 2006.5.12, 2005다75910).

ㄹ. '공익사업을 위한 토지 등의 취득 및 보상에 관한 법률' 제45조 제1항에 의하면, 토지 수용의 경우 사업시행자는 수용의 개시일에 토지의 소유권을 취득하고 그 토지에 관한 다른 권리는 소멸하는 것인바, <u>수용되는 토지에 대하여 가압류가 집행되어 있더라도 토지 수용으로 사업시행자가 그 소유권을 원시취득하게 됨에 따라 그 토지 가압류의 효력은 절대적으로 소멸하는 것이고</u>, 이 경우 법률에 특별한 규정이 없는 이상 토지에 대한 가압류가 그 수용보상금채권에 당연히 전이되어 효력이 미치게 된다거나 수용보상금채권에 대하여도 토지 가압류의 처분금지적 효력이 미친다고 볼 수는 없으며, 또 가압류는 담보물권과는 달리 목적물의 교환가치를 지배하는 권리가 아니고, 담보물권의 경우에 인정되는 물상대위의 법리가 여기에 적용된다고 볼 수도 없다. 그러므로 토지에 대하여 가압류가 집행된 후에 제3자가 그 토지의 소유권을 취득함으로써 가압류의 처분금지 효력을 받고 있던 중 그 토지가 공익사업법에 따

라 수용됨으로 인하여 기존 가압류의 효력이 소멸되는 한편 제3취득자인 토지소유자는 위 가압류의 부담에서 벗어나 토지수용보상금을 온전히 지급받게 되었다고 하더라도, 이는 위 법에 따른 토지 수용의 효과일 뿐이지 이를 두고 법률상 원인 없는 부당이득이라고 할 것은 아니다(대판 2009.9.10, 2006다61536·61543).

ㅁ. 송금의뢰인이 수취인의 예금구좌에 계좌이체를 한 때에는, 송금의뢰인과 수취인 사이에 계좌 이체의 원인인 법률관계가 존재하는지 여부에 관계없이 수취인과 수취은행 사이에는 계좌이 체금액 상당의 예금계약이 성립하고, 수취인이 수취은행에 대하여 위 금액 상당의 예금채권 을 취득한다. 이때, 송금의뢰인과 수취인 사이에 계좌이체의 원인이 되는 법률관계가 존재하 지 않음에도 불구하고, 계좌이체에 의하여 수취인이 계좌이체금액 상당의 예금채권을 취득 한 경우에는, 송금의뢰인은 수취인에 대하여 위 금액 상당의 부당이득반환청구권을 가지게 되지만 수취은행은 이익을 얻은 것이 없으므로 수취은행에 대하여는 부당이득반환청구권을 취득하지 아니한다(대판 2007.11.29, 2007다51239).

22 부당이득에 관한 다음 설명 중 가장 옳지 않은 것은? ▸2022년 법원사무관 승진

① 국유재산법에 의한 변상금 부과·징수권은 민사상 부당이득반환청구권과 법적 성질을 달리하므로, 국가는 무단점유자를 상대로 변상금 부과·징수권의 행사와 별도로 국유 재산의 소유자로서 민사상 부당이득반환청구의 소를 제기할 수 있다.

② 계약에 따른 어떤 급부가 그 계약의 상대방 아닌 제3자의 이익으로 된 경우에도 급부를 한 계약당사자는 계약상대방에 대하여 계약상의 반대급부를 청구할 수 있을 뿐이고 그 제3자에 대하여 직접 부당이득을 주장하여 반환을 청구할 수 없다.

③ 제3자를 위한 계약관계에서 낙약자와 요약자 사이의 법률관계(이른바 기본관계)를 이 루는 계약이 해제된 경우 특별한 사정이 없는 한 낙약자가 이미 제3자에게 급부한 것이 있더라도 낙약자는 계약해제에 기한 원상회복 또는 부당이득을 원인으로 제3자를 상대 로 그 반환을 구할 수 없다.

④ 채권자가 먼저 부당이득반환청구의 소를 제기하였을 경우 특별한 사정이 없는 한 손해 전부에 대하여 승소판결을 얻을 수 있었을 것임에도 우연히 손해배상청구의 소를 먼저 제기하는 바람에 과실상계 또는 공평의 원칙에 기한 책임제한 등의 법리에 따라 그 승 소액이 제한된 경우에는 그로써 제한된 금액에 대한 부당이득반환청구권의 행사는 허 용되지 않는다.

해설 ① 구 국유재산법 제51조에 의한 변상금 부과·징수권은 민사상 부당이득반환청구권과 법적 성 질을 달리하므로, 국가는 무단점유자를 상대로 변상금 부과·징수권의 행사와 별도로 국유 재산의 소유자로서 민사상 부당이득반환청구의 소를 제기할 수 있다(대판(전) 2014.7.16, 2011다76402). 나아가 국유재산법 제72조 제1항, 제73조 제2항에 의한 변상금 부과·징수 권이 민사상 부당이득반환청구권과 법적 성질을 달리하는 별개의 권리인 이상 한국자산관리 공사가 변상금 부과·징수권을 행사하였다 하더라도 이로써 민사상 부당이득반환청구권의 소멸시효가 중단된다고 할 수 없다(대판 2014.9.4, 2013다3576).

② 계약에 따른 어떤 급부가 그 계약의 상대방 아닌 제3자의 이익으로 된 경우에도 급부를 한 계약당사자는 계약상대방에 대하여 계약상의 반대급부를 청구할 수 있을 뿐이고 그 제3자에 대하여 직접 부당이득을 주장하여 반환을 청구할 수 없다(대판 2005.4.15. 2004다49976).

③ 제3자를 위한 계약관계에서 낙약자와 요약자 사이의 법률관계(이른바 기본관계)를 이루는 계약이 무효이거나 해제된 경우 그 계약관계의 청산은 계약의 당사자인 낙약자와 요약자 사이에 이루어져야 하므로, 특별한 사정이 없는 한 낙약자가 이미 제3자에게 급부한 것이 있더라도 낙약자는 계약해제 등에 기한 원상회복 또는 부당이득을 원인으로 제3자를 상대로 그 반환을 구할 수 없다(대판 2010.8.19. 2010다31860 · 31877).

④ 부당이득반환청구권과 불법행위로 인한 손해배상청구권은 서로 실체법상 별개의 청구권으로 존재하고 그 각 청구권에 기초하여 이행을 구하는 소는 소송법적으로도 소송물을 달리하므로, 채권자로서는 어느 하나의 청구권에 관한 소를 제기하여 승소 확정판결을 받았다고 하더라도 아직 채권의 만족을 얻지 못한 경우에는 다른 나머지 청구권에 관한 이행판결을 얻기 위하여 그에 관한 이행의 소를 제기할 수 있다. 그리고 채권자가 먼저 부당이득반환청구의 소를 제기하였을 경우 특별한 사정이 없는 한 손해 전부에 대하여 승소판결을 얻을 수 있었을 것임에도 우연히 손해배상청구의 소를 먼저 제기하는 바람에 과실상계 또는 공평의 원칙에 기한 책임제한 등의 법리에 따라 그 승소액이 제한되었다고 하여 그로써 제한된 금액에 대한 부당이득반환청구권의 행사가 허용되지 않는 것도 아니다(대판 2013.9.13. 2013다45457).

23 부당이득에 관한 다음 설명 중 옳은 것은 모두 몇 개인가? ▶ 2022년 법원행시

ㄱ. 계약의 한쪽 당사자가 상대방의 지시 등으로 급부과정을 단축하여 상대방과 또 다른 계약관계를 맺고 있는 제3자에게 직접 급부를 하는 경우(이른바 삼각관계에서 급부가 이루어진 경우), 그 급부로써 급부를 한 계약당사자가 상대방에게 급부를 한 것일 뿐만 아니라 그 상대방이 제3자에게 급부를 한 것이다. 따라서 계약의 한쪽 당사자는 제3자를 상대로 법률상 원인 없이 급부를 수령하였다는 이유로 부당이득반환청구를 할 수 없다.

ㄴ. 금전채권의 질권자가 민법 제353조 제1항, 제2항에 의하여 자기채권의 범위 내에서 직접청구권을 행사하는 경우 질권자는 질권설정자의 대리인과 같은 지위에서 입질채권을 추심하여 자기채권의 변제에 충당하고 그 한도에서 질권설정자에 의한 변제가 있었던 것으로 보므로, 위 범위 내에서는 제3채무자의 질권자에 대한 금전지급으로써 제3채무자의 질권설정자에 대한 급부가 이루어질 뿐만 아니라 질권설정자의 질권자에 대한 급부도 이루어진다. 이러한 경우 입질채권의 발생원인인 계약관계에 무효 등의 흠이 있어 입질채권이 부존재한다고 하더라도 제3채무자는 특별한 사정이 없는 한 상대방 계약당사자인 질권설정자에 대하여 부당이득반환을 구할 수 있을 뿐이고 질권자를 상대로 직접 부당이득반환을 구할 수 없다.

ㄷ. 의무 없이 타인을 위하여 사무를 관리한 자는 타인에 대하여 민법상 사무관리 규정에 따라 비용상환 등을 청구할 수 있을 뿐 아니라 사무관리에 의하여 결과적으로 사실상 이익을 얻은 다른 제3자에 대하여 직접 부당이득반환을 청구할 수 있다.

ㄹ. 공무원이 직무수행 중 불법행위로 타인에게 손해를 입힌 경우에 국가 등이 국가배상책임을 부담하는 외에 공무원 개인도 고의 또는 중과실이 있는 경우에는 불법행위로 인한 손해배상책임을 지고, 공무원에게 경과실이 있을 뿐인 경우에는 공무원 개인은 손해배상책임을 부담하지 아니한다. 이처럼 경과실이 있는 공무원이 피해자에 대하여 손해배상책임을 부담하지 아니함에도 피해자에게 손해를 배상하였다면 그것은 채무자 아닌 사람이 타인의 채무를 변제한 경우에 해당하고, 이는 민법 제469조의 '제3자의 변제' 또는 민법 제744조의 '도의관념에 적합한 비채변제'에 해당하여 피해자는 공무원에 대하여 이를 반환할 의무가 없고, 그에 따라 피해자의 국가에 대한 손해배상청구권이 소멸하여 국가는 자신의 출연 없이 채무를 면하게 되므로, 피해자에게 손해를 직접 배상한 경과실이 있는 공무원은 특별한 사정이 없는 한 국가에 대하여 국가의 피해자에 대한 손해배상책임의 범위 내에서 공무원이 변제한 금액에 관하여 구상권을 취득한다고 봄이 타당하다.

ㅁ. 계약무효의 경우 각 당사자가 상대방에 대하여 부담하는 반환의무는 성질상 부당이득반환의무로서 악의의 수익자는 그 받은 이익에 법정이자를 붙여 반환하여야 하므로(민법 제748조 제2항), 매매계약이 무효로 되는 때에는 매도인이 악의의 수익자인 경우 특별한 사정이 없는 한 매도인은 반환할 매매대금에 대하여 민법이 정한 연 5%의 법정이율에 의한 이자를 붙여 반환하여야 한다. 그리고 위와 같은 법정이자의 지급은 부당이득반환의 성질을 가지는 것이지 반환의무의 이행지체로 인한 손해배상이 아니므로, 매도인의 매매대금 반환의무와 매수인의 소유권이전등기 말소등기절차 이행의무가 동시이행의 관계에 있는지 여부와는 관계가 없다.

① 1개   ② 2개   ③ 3개
④ 4개   ⑤ 5개

해설 ㄱ. 대판 2018.7.12, 2018다204992

ㄴ. 대판 2015.5.29, 2012다92258

ㄷ. 계약상 급부가 계약 상대방뿐 아니라 제3자에게 이익이 된 경우에 급부를 한 계약당사자는 계약 상대방에 대하여 계약상 반대급부를 청구할 수 있는 이외에 제3자에 대하여 직접 부당이득반환청구를 할 수는 없다고 보아야 하고, 이러한 법리는 급부가 사무관리에 의하여 이루어진 경우에도 마찬가지이다(※ 주 – 사무관리의 성립과 부당이득반환청구의 보충성). 따라서 <u>의무 없이 타인을 위하여 사무를 관리한 자는 타인에 대하여 민법상 사무관리 규정에 따라 비용상환 등을 청구할 수 있는 외에 사무관리에 의하여 결과적으로 사실상 이익을 얻은 다른 제3자에 대하여 직접 부당이득반환을 청구할 수는 없다</u>(대판 2013.6.27, 2011다17106).

ㄹ. 대판 2014.8.20, 2012다54478

ㅁ. <u>계약무효의 경우 각 당사자가 상대방에 대하여 부담하는 반환의무는 성질상 부당이득반환의무로서 악의의 수익자는 그 받은 이익에 법정이자를 붙여 반환하여야 하므로</u>(민법 제748조 제2항), 매매계약이 무효로 되는 때에는 매도인이 악의의 수익자인 경우 특별한 사정이 없는

한 매도인은 반환할 매매대금에 대하여 민법이 정한 <u>연 5%의 법정이율에 의한 이자를 붙여 반환하여야 한다. 그리고 위와 같은 법정이자의 지급은 부당이득반환의 성질을 가지는 것이지 반환의무의 이행지체로 인한 손해배상이 아니므로, 매도인의 매매대금 반환의무와 매수인의 소유권이전등기 말소등기절차 이행의무가 동시이행의 관계에 있는지 여부와는 관계가 없다</u>(대판 2017.3.9, 2016다47478).

24 부당이득에 관한 다음 설명 중 가장 옳지 않은 것은? ▶2022년 법무사

① 채무자 아닌 자가 착오로 인하여 타인의 채무를 변제한 경우에 채권자가 선의로 증서를 훼멸하거나 담보를 포기하거나 시효로 인하여 그 채권을 잃은 때에는 변제자는 그 반환을 청구하지 못한다.

② 불법행위로 인한 인신손해에 대한 손해배상청구소송에서 판결이 확정된 후 피해자가 그 판결에서 손해배상액 산정의 기초로 인정된 기대여명보다 일찍 사망한 경우라도 그 판결이 재심의 소 등으로 취소되지 않는 한 그 판결에 기하여 지급받은 손해배상금 중 일부를 법률상 원인 없는 이득이라 하여 반환을 구하는 것은 그 판결의 기판력에 저촉되어 허용될 수 없다.

③ 불법원인급여 후 급부를 이행받은 자가 급부의 원인행위와 별도의 약정으로 급부 그 자체 또는 그에 갈음한 대가물의 반환을 특약하는 것은 불법원인급여를 한 자가 그 부당이득의 반환을 청구하는 경우와는 달리 그 반환약정 자체가 사회질서에 반하여 무효가 되지 않는 한 유효하다.

④ 토지의 매수인이 매매계약의 이행으로 그 토지를 인도받았으나 아직 소유권이전등기를 경료받지 아니하였다면 그 매수인으로부터 위 토지를 다시 매수한 자에 대하여 매도인은 그 점유·사용을 법률상 원인이 없는 이익이라고 하여 부당이득반환청구를 할 수 있다.

⑤ 무권한자의 변제수령을 채권자가 추인한 경우에 채권자는 무권한자에게 부당이득으로서 그 변제받은 것의 반환을 청구할 수 있다.

해설 ① 제745조

② 확정판결이 실체적 권리관계와 다르다 하더라도 그 판결이 재심의 소 등으로 취소되지 않는 한 그 판결의 기판력에 저촉되는 주장을 할 수 없어 그 판결의 집행으로 교부받은 금원을 법률상 원인 없는 이득이라 할 수 없는 것이므로, 불법행위로 인한 인신손해에 대한 손해배상청구소송에서 판결이 확정된 후 피해자가 그 판결에서 손해배상액 산정의 기초로 인정된 기대여명보다 일찍 사망한 경우라도 그 판결이 재심의 소 등으로 취소되지 않는 한 그 판결에 기하여 지급받은 손해배상금 중 일부를 법률상 원인 없는 이득이라 하여 반환을 구하는 것은 그 판결의 기판력에 저촉되어 허용될 수 없다(대판 2009.11.12, 2009다56665).

③ 대판 2010.5.27, 2009다12580

④ 토지의 매수인이 아직 소유권이전등기를 경료받지 아니하였다 하여도 매매계약의 이행으로 그 토지를 인도받은 때에는 매매계약의 효력으로서 이를 점유·사용할 권리가 생기게 된 것

정답 ▶ 24 ④

으로 보아야 하고, 또 매수인으로부터 위 토지를 다시 매수한 자는 위와 같은 토지의 점유사용권을 취득한 것으로 봄이 상당하므로 매도인은 매수인으로부터 다시 위 토지를 매수한 자에 대하여 토지 소유권에 기한 물권적 청구권을 행사하거나 그 점유·사용을 법률상 원인이 없는 이익이라고 하여 부당이득반환청구를 할 수는 없다고 할 것인바, 이러한 법리는 대물변제 약정에 의하여 매매와 같이 부동산의 소유권을 이전받게 되는 자가 이미 당해 부동산을 점유·사용하고 있거나, 그로부터 다시 이를 임차하여 점유·사용하고 있는 경우에도 마찬가지로 적용된다(대판 2001.12.11, 2001다45355).

⑤ 민법 제472조는 불필요한 연쇄적 부당이득반환의 법률관계가 형성되는 것을 피하기 위하여 변제받을 권한 없는 자에 대한 변제의 경우에도 채권자가 이익을 받은 한도에서 효력이 있다고 규정하고 있는데, 여기에서 말하는 '채권자가 이익을 받은' 경우에는 변제의 수령자가 진정한 채권자에게 채무자의 변제로 받은 급부를 전달한 경우는 물론이고, 그렇지 않더라도 무권한자의 변제수령을 채권자가 사후에 추인한 때와 같이 무권한자의 변제수령을 채권자의 이익으로 돌릴 만한 실질적 관련성이 인정되는 경우도 포함된다. 그리고 무권한자의 변제수령을 채권자가 추인한 경우에 채권자는 무권한자에게 부당이득으로서 변제받은 것의 반환을 청구할 수 있다(대판 2012.10.25, 2010다32214).

25 사무관리, 부당이득에 관한 다음 설명 중 가장 옳지 않은 것은? ▸ 2024년 법무사

① 임차인이 임대차계약관계가 소멸한 다음에도 임대차 목적물을 계속 점유하기는 하였지만 이를 본래의 임대차계약상 목적에 따라 사용·수익하지 않아 이익을 얻은 적이 없는 경우에는 그로 말미암아 임대인에게 손해가 발생하였더라도 임차인의 부당이득반환의무는 성립하지 않는다.

② 부당이득제도는 이득자의 재산상 이득이 법률상 원인을 갖지 못한 경우에 공평·정의의 이념에 근거하여 이득자에게 반환의무를 부담시키는 것이므로, 이득자에게 실질적으로 이득이 귀속된 바 없다면 반환의무를 부담시킬 수 없다.

③ 사무관리가 성립하기 위하여는 우선 그 사무가 타인의 사무이고 타인을 위하여 사무를 처리하는 의사, 즉 관리의 사실상의 이익을 타인에게 귀속시키려는 의사가 있어야 하며, 나아가 그 사무의 처리가 본인에게 불리하거나 본인의 의사에 반한다는 것이 명백하지 아니할 것을 요한다. 여기에서 '타인을 위하여 사무를 처리하는 의사'는 관리자 자신의 이익을 위한 의사와 병존할 수 있으나, 외부적으로 표시되어야 하며 사무를 관리할 당시에 확정되어 있어야 한다.

④ 의무 없이 타인의 사무를 처리한 자는 그 타인에 대하여 민법상 사무관리 규정에 따라 비용상환 등을 청구할 수 있으나, 제3자와의 약정에 따라 타인의 사무를 처리한 경우에는 의무 없이 타인의 사무를 처리한 것이 아니므로 이는 원칙적으로 그 타인과의 관계에서는 사무관리가 된다고 볼 수 없다.

⑤ 민법 제742조 소정의 비채변제에 관한 규정은 변제자가 채무 없음을 알면서도 변제를 한 경우에 적용되는 것이고, 채무 없음을 알지 못한 경우에는 그 과실 유무를 불문하고

적용되지 아니하며, 변제자가 채무 없음을 알았다는 점에 대한 입증책임은 반환청구권을 부인하는 측에 있다고 할 것이다.

해설 ① 법률상의 원인 없이 이득하였음을 이유로 한 부당이득의 반환에 있어 이득이라 함은 실질적인 이익을 의미하므로, 임차인이 임대차계약관계가 소멸된 이후에도 임차목적물을 계속 점유하기는 하였으나 이를 본래의 임대차계약상의 목적에 따라 사용·수익하지 아니하여 실질적인 이득을 얻은 바 없는 경우에는 그로 인하여 임대인에게 손해가 발생하였다 하더라도 임차인의 부당이득반환의무는 성립되지 않는다(대판 1992.4.14, 91다45202, 대판 1998.5.29, 98다6497).

② 계약상 채무의 이행으로 당사자가 상대방에게 급부를 행하였는데 계약이 무효이거나 취소되는 등으로 효력을 가지지 못하는 경우에 당사자들은 각기 상대방에 대하여 계약이 없었던 상태의 회복으로 자신이 행한 급부의 반환을 청구할 수 있는데, 이러한 경우의 원상회복의무를 법적으로 뒷받침하는 것이 민법 제741조 이하에서 정하는 부당이득법이 수행하는 핵심적인 기능의 하나이다. 이러한 부당이득제도는 이득자의 재산상 이득이 법률상 원인을 갖지 못한 경우에 공평·정의의 이념에 근거하여 이득자에게 반환의무를 부담시키는 것이므로, 이득자에게 실질적으로 이득이 귀속된 바 없다면 반환의무를 부담시킬 수 없다(대판 2017.6.29, 2017다213838).

③ 사무관리가 성립하기 위하여는 우선 그 사무가 타인의 사무이고 타인을 위하여 사무를 처리하는 의사, 즉 관리의 사실상의 이익을 타인에게 귀속시키려는 의사가 있어야 하며, 나아가 그 사무의 처리가 본인에게 불리하거나 본인의 의사에 반한다는 것이 명백하지 아니할 것을 요한다. 여기에서 '타인을 위하여 사무를 처리하는 의사'는 관리자 자신의 이익을 위한 의사와 병존할 수 있고, 반드시 외부적으로 표시될 필요가 없으며, 사무를 관리할 당시에 확정되어 있을 필요가 없다(대판 2013.8.22, 2013다30882).

④ 의무 없이 타인의 사무를 처리한 자는 그 타인에 대하여 민법상 사무관리 규정에 따라 비용상환 등을 청구할 수 있으나, 제3자와의 약정에 따라 타인의 사무를 처리한 경우에는 의무 없이 타인의 사무를 처리한 것이 아니므로 이는 원칙적으로 그 타인과의 관계에서는 사무관리가 된다고 볼 수 없다(대판 2013.9.26, 2012다43539).

⑤ 민법 제742조 소정의 비채변제에 관한 규정은 변제자가 채무 없음을 알면서도 변제를 한 경우에 적용되는 것이고, 채무 없음을 알지 못한 경우에는 그 과실 유무를 불문하고 적용되지 아니하며, 변제자가 채무 없음을 알았다는 점에 대한 입증책임은 반환청구권을 부인하는 측에 있다고 할 것이다(대판 2008.11.13, 2008다41857, 대판 2012.11.15, 2010다68237).

정답 25 ③

26 부당이득에 관한 다음 설명 중 가장 옳지 않은 것은? ▶ 2023년 법원사무관 승진

① 송금의뢰인과 수취인 사이에 계좌이체의 원인이 되는 법률관계가 존재하지 않음에도 불구하고 계좌이체에 의하여 수취인이 계좌이체금액 상당의 예금채권을 취득한 경우(착오송금의 경우), 송금의뢰인은 수취은행에 대하여 부당이득반환청구권을 취득한다.

② 임차인이 임대차계약 종료 후에도 동시이행항변권의 행사방법으로서 임차건물을 계속 점유하기는 하였으나 이를 본래의 임대차계약상 목적에 따라 사용·수익하지 아니하여 실질적인 이득을 얻은 바 없는 경우에는 임차인의 부당이득반환의무는 성립하지 않는다.

③ 선의의 수익자는 그 받은 이익이 현존한 한도에서 부당이득반환의무를 부담하나, 법률상 원인 없이 취득한 것이 금전상의 이득인 때에는 그 금전은 이를 취득한 자가 소비하였는가의 여부를 불문하고 현존하는 것으로 추정된다.

④ 채무 없음을 알고 이를 변제한 때에는 그 반환을 청구하지 못하고, 채무 없는 자가 착오로 인하여 변제한 경우에 그 변제가 도의관념에 적합한 때에는 그 반환을 청구하지 못한다.

해설 ① 송금의뢰인이 수취인의 예금구좌에 계좌이체를 한 때에는, 송금의뢰인과 수취인 사이에 계좌이체의 원인인 법률관계가 존재하는지 여부에 관계없이 수취인과 수취은행 사이에는 계좌이체금액 상당의 예금계약이 성립하고, 수취인이 수취은행에 대하여 위 금액 상당의 예금채권을 취득한다. 이때, 송금의뢰인과 수취인 사이에 계좌이체의 원인이 되는 법률관계가 존재하지 않음에도 불구하고, 계좌이체에 의하여 수취인이 계좌이체금액 상당의 예금채권을 취득한 경우에는, 송금의뢰인은 수취인에 대하여 위 금액 상당의 부당이득반환청구권을 가지게 되지만, 수취은행은 이익을 얻은 것이 없으므로 수취은행에 대하여는 부당이득반환청구권을 취득하지 아니한다(대판 2007.11.29, 2007다51239 등).
② 대판 1992.4.14, 91다45202
③ 제748조 제1항, 대판 1996.12.10, 96다32881
④ 제742조, 제744조

27 부당이득에 관한 다음 설명 중 가장 옳지 않은 것은? ▶ 2023년 법원행시

① 불법행위로 인한 인신손해에 대한 손해배상청구소송에서 판결이 확정된 후 피해자가 그 판결에서 손해배상액 산정의 기초로 인정된 기대여명보다 일찍 사망했더라도 그 판결에 기하여 지급받은 손해배상금 중 일부를 법률상 원인 없는 이득이라 하여 반환을 구할 수 없다.

② 甲 소유의 토지 위에 권한 없이 건물을 소유하고 있는 乙은 그 자체로써 특별한 사정이 없는 한 법률상 원인 없이 甲의 재산으로 인하여 토지의 차임에 상당하는 이익을 얻고 이로 인하여 甲에게 동액 상당의 손해를 주고 있다고 보아야 한다.

③ 지방자치단체가 타인 소유의 토지를 아무런 권원 없이 도로부지로 점유, 사용하고 있는 경우, 토지의 점유자로서의 지방자치단체의 이득 및 토지 소유자의 손해의 범위는 일반적으로 토지가 도로로 편입된 사정을 고려하지 않고 그 편입될 당시의 현실적 이용상황을 토대로 하여 산정한 임대료에서 개발이익을 공제한 금액상당이라 할 것이다.

④ 타인 소유의 부동산을 처분하여 매각대금을 수령한 경우, 수익자는 그러한 처분행위가 없었다면 부동산 자체를 반환하였어야 할 지위에 있던 사람이므로 자신의 처분행위로 인하여 발생한 양도소득세 기타 비용은 수익자가 이익 취득과 관련하여 지출한 비용에 해당한다고 할 수 없어 이를 반환하여야 할 이득에서 공제할 것은 아니다.

⑤ 환자가 병원에 입원하여 치료를 받는 경우에 있어서, 병원은 진료뿐만 아니라 환자에 대한 숙식의 제공을 비롯하여 간호, 보호 등 입원에 따른 포괄적 채무를 지지만, 입원환자에게 귀중품 등 물건보관에 관한 주의를 촉구하면서 도난 시에는 병원이 책임질 수 없다는 설명을 하였다면 병원의 과실에 의한 손해배상책임은 면제된다.

해설 ① <u>확정판결이 실체적 권리관계와 다르다 하더라도 그 판결이 재심의 소 등으로 취소되지 않는 한 그 판결의 기판력에 저촉되는 주장을 할 수 없어 그 판결의 집행으로 교부받은 금원을 법률상 원인 없는 이득이라 할 수 없는 것</u>이므로, 불법행위로 인한 인신손해에 대한 손해배상청구소송에서 판결이 확정된 후 피해자가 그 판결에서 손해배상액 산정의 기초로 인정된 기대여명보다 일찍 사망한 경우라도 그 판결이 재심의 소 등으로 취소되지 않는 한 그 판결에 기하여 지급받은 손해배상금 중 일부를 법률상 원인 없는 이득이라 하여 반환을 구하는 것은 그 판결의 기판력에 저촉되어 허용될 수 없다(대판 2009.11.12, 2009다56665).

② 대판 1998.5.8, 98다2389

③ 대판 1995.11.24, 95다39946

④ 대판 2011.6.10, 2010다40239

⑤ 병원은 진료뿐만 아니라 병실에의 출입자를 통제·감독하든가 그것이 불가능하다면 최소한 입원환자에게 휴대품을 안전하게 보관할 수 있는 시정장치가 있는 사물함을 제공하는 등으로 <u>입원환자의 휴대품 등의 도난을 방지함에 필요한 적절한 조치를 강구하여 줄 신의칙상의 보호의무가 있다고 할 것이고, 이를 소홀히 하여</u> 입원환자와는 아무런 관련이 없는 자가 입원환자의 병실에 무단출입하여 입원환자의 휴대품 등을 절취하였다면 병원은 <u>그로 인한 손해배상책임을 면하지 못한다.</u> 또한 입원환자에게 귀중품 등 물건보관에 관한 주의를 촉구하면서 <u>도난 시에는 병원이 책임질 수 없다는 설명을 한 것만으로는 병원의 과실에 의한 손해배상책임까지 면제되는 것이라고 할 수 없다</u>(대판 2003.4.11, 2002다63275).

28 부당이득반환청구에서 '법률상 원인 없음'에 관한 다음 설명 중 옳은 것은 모두 몇 개인가?

▶ 2024년 법원행시

ㄱ. 대여금 중 일부를 변제받고도 이를 속이고 대여금 전액에 대하여 소송을 제기하여 승소 확정판결을 받은 후 강제집행에 의하여 위 금원을 수령한 채권자에 대하여, 채무자가 그 일부 변제금 상당액은 법률상 원인 없는 이득으로서 반환되어야 한다고 주장하면서 부당이득반환 청구를 하는 경우, 그 변제주장은 대여금반환청구소송의 확정판결 전의 사유로서 그 판결이 재심의 소 등으로 취소되지 아니하는 한 그 판결의 기판력에 저촉되어 이를 주장할 수 없으므로, 그 확정판결의 강제집행으로 교부받은 금원을 법률상 원인 없는 이득이라고 할 수 없다.

ㄴ. 관련 소송에서 확정판결에 반하는 내용의 판결이 선고되어 확정된 경우, 당초의 확정판결에 기한 이행으로 교부받은 돈은 법률상 원인 없는 이익이 된다.

ㄷ. 계약의 일방당사자가 상대방의 지시 등으로 상대방과 또 다른 계약관계에 있는 제3자에게 직접 급부한 경우, 제3자를 상대로 부당이득반환청구를 할 수 있다.

ㄹ. 당사자 일방이 자신의 의사에 따라 일정한 급부를 한 다음 급부가 법률상 원인 없음을 이유로 반환을 청구하는 이른바 급부부당이득의 경우에는 법률상 원인이 없다는 점에 대한 증명책임은 부당이득반환을 주장하는 사람에게 있다. 이 경우 부당이득의 반환을 구하는 자는 급부행위의 원인이 된 사실의 존재와 함께 그 사유가 무효, 취소, 해제 등으로 소멸되어 법률상 원인이 없게 되었음을 주장·증명하여야 하고, 급부행위의 원인이 될 만한 사유가 처음부터 없었음을 이유로 하는 이른바 착오송금과 같은 경우에는 착오로 송금하였다는 점 등을 주장·증명하여야 한다.

ㅁ. 원고가 비록 피고들의 강박에 의한 하자 있는 의사표시에 기하여 금원을 교부하였다 할지라도 그 의사표시가 소멸되지 않는 한 피고들의 위 금원보유가 법률상 원인이 없다고 볼 수는 없다.

① 1개 ② 2개 ③ 3개
④ 4개 ⑤ 5개

해설 ㄱ. 대여금 중 일부를 변제받고도 이를 속이고 대여금 전액에 대하여 소송을 제기하여 승소 확정판결을 받은 후 강제집행에 의하여 위 금원을 수령한 채권자에 대하여, 채무자가 그 일부 변제금 상당액은 법률상 원인 없는 이득으로서 반환되어야 한다고 주장하면서 부당이득반환 청구를 하는 경우, 그 변제주장은 <u>대여금반환청구 소송의 확정판결 전의 사유로서 그 판결이 재심의 소 등으로 취소되지 아니하는 한 그 판결의 기판력에 저촉되어 이를 주장할 수 없다</u> (대판 1995.6.29, 94다41430).

ㄴ. 확정판결은 재심의 소 등으로 취소되지 아니하는 한 그 소송당사자를 기속하는 것이므로 비록 그 뒤 <u>관련 소송에서 그 확정판결에 반하는 내용의 판결이 선고되어 확정되었다 하더라도 위 확정판결에 기한 이행으로 교부받은 돈은 법률상 원인 없는 이익이 되지 아니한다</u>(대판 2000.5.16, 2000다11850).

ㄷ. 계약의 일방당사자가 상대방의 지시 등으로 상대방과 또 다른 계약관계를 맺고 있는 제3자에게 직접 급부한 경우(이른바 삼각관계에서의 급부가 이루어진 경우), 그 급부로써 급부를 한 당사자의 상대방에 대한 급부가 이루어질 뿐 아니라 그 상대방의 제3자에 대한 급부도 이루어지는 것이므로 **계약의 일방당사자는 제3자를 상대로 법률상 원인 없이 급부를 수령하였다는 이유로 부당이득반환청구를 할 수 없다**(대판 2008.9.11, 2006다46278).

ㄹ. 대판 2018.1.24, 2017다37324

ㅁ. 원고가 비록 피고들의 강박에 의한 하자 있는 의사표시에 기하여 금원을 교부하였다 할지라도 **그 의사표시가 소멸되지 않는 한 피고들의 위 금원보유가 법률상 원인이 없다고 볼 수 없으므로** 피고들은 이를 반환할 의무가 없다(대판 1990.11.13, 90다카17153).

정답 **28 ③**

심화문제 | 확인 · 보충 · 심화문제

01 부당이득에 관한 설명이다. 판례의 입장과 다른 것은?

① 甲은 건물 중 2/4지분에 관하여 소유권이전등기를 경료하여, 乙 · 丙(각 지분 1/4)과 공유하고 있던 중 乙은 다른 공유자의 동의 없이 A와 사이에 위 건물에 관한 공사도급계약을 체결하여 A가 위 공사를 완료한 경우, A는 甲에게 위 도급계약상의 보수를 직접 청구할 수는 없으나, 위 공사로 인하여 증가된 건물의 가치 중 甲의 지분에 상응하는 금액 상당의 부당이득의 반환을 청구할 수 있다.

② 매수인이 매도인의 지시에 따라 매도인과 또 다른 계약관계를 맺고 있는 제3자에게 직접 매매대금을 지급하였는데, 그 후 매도인의 채무불이행을 이유로 매수인이 매도인과 매수인 사이의 매매계약을 해제한 경우, 매수인은 제3자를 상대로 법률상 원인 없이 급부를 수령하였다는 것을 이유로 부당이득반환을 청구할 수 없다.

③ 부동산에 대하여 점유취득시효가 완성되었으나 점유자 명의로 소유권이전등기가 경료되지 아니하여 점유자가 아직 소유권을 취득하지 못하였다고 하더라도 소유명의자는 점유자에 대하여 점유로 인한 부당이득의 반환을 청구할 수 없다.

④ 법률상 원인 없이 타인의 재산으로 인하여 이익을 얻고 그로 인하여 타인에게 손해를 가한 경우, 그 취득한 것이 금전상의 이득인 때에는 그 금전은 이를 취득한 자가 소비하였는지 여부를 불문하고 현존하는 것으로 추정된다.

⑤ 변제자가 자신에게 채무가 없음을 알지 못하고 변제한 경우, 채무 없음을 알지 못한 데에 과실이 있더라도, 수령자에 대해 부당이득반환청구를 할 수 있다.

해설 ① [1] 계약상의 급부가 계약의 상대방뿐만 아니라 제3자의 이익으로 된 경우에 급부를 한 계약당사자가 계약 상대방에 대하여 계약상의 반대급부를 청구할 수 있는 이외에 그 제3자에 대하여 직접 부당이득반환청구를 할 수 있다고 보면, 자기 책임하에 체결된 계약에 따른 위험부담을 제3자에게 전가시키는 것이 되어 계약법의 기본원리에 반하는 결과를 초래할 뿐만 아니라, 채권자인 계약당사자가 채무자인 계약 상대방의 일반채권자에 비하여 우대받는 결과가 되어 일반채권자의 이익을 해치게 되고, 수익자인 제3자가 계약 상대방에 대하여 가지는 항변권 등을 침해하게 되어 부당하므로, 위와 같은 경우 계약상의 급부를 한 계약당사자는 이익의 귀속 주체인 제3자에 대하여 직접 부당이득반환을 청구할 수는 없다고 보아야 한다. [2] 유효한 도급계약에 기하여 수급인이 도급인으로부터 제3자 소유 물건의 점유를 이전받아 이를 수리한 결과 그 물건의 가치가 증가한 경우, 도급인이 그 물건을 간접점유하면서 궁극적으로 자신의 계산으로 비용지출과정을 관리한 것이므로, 도급인만이 소유자에 대한 관계에 있어서 민법 제203조에 의한 비용상환청구권을 행사할 수 있는 비용지출자라고 할 것이고 수급인은 그러한 비용지출자에 해당하지 않는다고 보아야 한다(대판 2002.8.23, 99다66564 · 66571).

② 계약의 일방 당사자가 계약 상대방의 지시 등으로 급부과정을 단축하여 계약 상대방과 또 다른 계약관계를 맺고 있는 제3자에게 직접 급부한 경우, 그 급부로써 급부를 한 계약 당사자의 상대방에 대한 급부가 이루어질 뿐 아니라 그 상대방의 제3자에 대한 급부로도 이루어

지는 것이므로 계약의 일방 당사자는 제3자를 상대로 법률상 원인 없이 급부를 수령하였다는 이유로 부당이득반환청구를 할 수 없다(대판 2003.12.26, 2001다46730).
③ 부동산에 대한 취득시효가 완성되면 점유자는 소유명의자에 대하여 취득시효완성을 원인으로 한 소유권이전등기절차의 이행을 청구할 수 있고 소유명의자는 이에 응할 의무가 있으므로 점유자가 그 명의로 소유권이전등기를 경료하지 아니하여 아직 소유권을 취득하지 못하였다고 하더라도 소유명의자는 점유자에 대하여 점유로 인한 부당이득반환청구를 할 수 없다(대판 1993.5.25, 92다51280).
④ 법률상 원인 없이 타인의 재산 또는 노무로 인하여 이익을 얻고 그로 인하여 타인에게 손해를 가한 경우, 그 취득한 것이 금전상의 이득인 때에는 그 금전은 이를 취득한 자가 소비하였는가의 여부를 불문하고 현존하는 것으로 추정된다(대판 1996.12.10, 96다32881).
⑤ 민법 제742조 소정의 비채변제에 관한 규정은 변제자가 채무 없음을 알면서도 변제를 한 경우에 적용되는 것이고, 채무 없음을 알지 못한 경우에는 그 과실 유무를 불문하고 적용되지 아니한다(대판 1998.11.13, 97다58453).

02 **부당이득에 관한 설명 중 옳은 것을 모두 고른 것은?** (다툼이 있는 경우 판례에 의함)

▶ 2014년 사법시험

ㄱ. 하자 있는 의사표시에 터 잡아 돈을 교부한 경우, 그 의사표시의 취소권이 소멸하였더라도 교부자가 수령자에게 부당이득반환청구권을 행사할 수 있다.
ㄴ. 유효한 도급계약에 기하여 수급인이 도급인으로부터 제3자 소유 물건의 점유를 이전받아 이를 수리한 결과 그 물건의 가치가 증가한 경우, 수급인은 제3자에 대해 부당이득의 반환을 청구할 수 없다.
ㄷ. 甲이 수취인의 예금계좌에 계좌이체를 하였는데, 그 계좌이체의 원인이 되는 법률관계가 존재하지 않는 경우, 甲은 수취은행을 상대로 부당이득의 반환을 청구할 수 있다.
ㄹ. 타인의 토지를 권원 없이 점유하여 나무를 심어 키운 후 이를 처분한 경우, 그 점유자는 특별한 사정이 없는 한 그 토지의 차임 상당액과는 별도로 나무의 처분대금까지 부당이득으로 반환해야 하는 것은 아니다.
ㅁ. 어업권의 임대차를 금지하는 내용의 수산업법 제33조는 강행법규인바, 위 규정을 위반하여 어업권을 임대한 어업권자는 원칙적으로 임차인을 상대로 임대차약정에 기한 차임의 지급을 청구할 수는 없지만, 임차인이 어장을 점유·사용함으로써 얻은 이익은 부당이득으로 반환을 청구할 수 있다.
ㅂ. 부당이득반환청구권과 불법행위로 인한 손해배상청구권 중 어느 하나에 관한 소를 제기하여 승소 확정판결을 받았으나 채권의 만족을 얻지 못한 경우 나머지 청구권에 관한 소를 제기할 수 있으나, 손해배상청구의 소를 먼저 제기하는 바람에 과실상계에 기한 책임 제한에 따라 그 승소액이 제한된 경우 인정받지 못한 부분에 대한 부당이득반환청구권의 행사는 허용되지 않음이 원칙이다.

① ㄱ, ㄴ, ㄹ   ② ㄱ, ㄷ   ③ ㄴ, ㄷ, ㄹ, ㅂ

④ ㄴ, ㄹ, ㅁ   ⑤ ㄴ, ㅁ, ㅂ

해설 ㄱ. 원고가 비록 피고들의 강박에 의한 하자 있는 의사표시에 기하여 금원을 교부하였다 할지라도 그 의사표시가 소멸되지 않는 한 피고들의 위 금원보유가 법률상 원인이 없다고 볼 수 없으므로 피고들은 이를 반환할 의무가 없다(대판 1990.11.13, 90다카17153).

ㄴ. 전용물소권부정을 말한다. 즉 계약상의 급부가 계약의 상대방뿐만 아니라 제3자의 이익으로 된 경우에 급부한 계약당사자가 계약 상대방에 대하여 계약상의 반대급부를 청구할 수 있는 이외에 그 제3자에 대하여 직접 부당이득반환청구를 할 수 있다고 보면, 자기책임하에 체결된 계약에 따른 위험부담을 제3자에게 전가시키는 것이 되어 계약법의 기본원리에 반하는 결과를 초래할 뿐만 아니라, 채권자인 계약당사자가 채무자인 계약 상대방의 일반채권자에 비하여 우대받는 결과가 되어 일반채권자의 이익을 해치게 되고, 수익자인 제3자가 계약 상대방에 대하여 가지는 항변권 등을 침해하게 되어 부당하므로, 이와 같은 경우 계약상의 급부를 한 계약당사자는 이익의 귀속주체인 제3자에 대하여 직접 부당이득반환을 청구할 수는 없다고 보아야 할 것이다(대판 2002.8.23, 99다66564 등).

ㄷ. 송금의뢰인과 수취인 사이에 계좌이체의 원인이 되는 법률관계가 존재하지 않음에도 불구하고, 계좌이체에 의하여 수취인이 계좌이체금액 상당의 예금채권을 취득한 경우에는, 송금의뢰인은 수취인에 대하여 위 금액 상당의 부당이득반환청구권을 가지게 되지만, 수취은행은 이익을 얻은 것이 없으므로 수취은행에 대하여는 부당이득반환청구권을 취득하지 아니한다(대판 2007.11.29, 2007다51239).

ㄹ. 일반적으로 타인의 토지를 법률상 권원 없이 점유·사용함으로 인하여 수익자가 얻는 이득은 특별한 사정이 없는 한 그 토지의 임료 상당액이라 할 것이고, 구체적인 점유·사용의 일환으로 수익자가 토지에 나무를 식재한 후 이를 처분하였다고 하더라도 그 처분대금 중에는 수익자의 노력과 비용이 포함되어 있을 뿐만 아니라, 이를 제외한 나머지 대금 상당액이 임료 상당의 부당이득과 서로 별개의 이득이라고 보기는 어렵다고 할 것이므로, 수익자가 임료 상당액과는 별도로 그 처분대금을 부당이득으로 반환해야 하는 것은 아니다(대판 2006.12.22, 2006다56367).

ㅁ. 구 수산업법상 어업권의 임대차를 금지하고 있는 취지 등에 비추어 보면, 위 규정에 위반하는 행위가 무효라고 하더라도 그것이 선량한 풍속 기타 사회질서에 반하는 행위라고 볼 수는 없다. 따라서 어업권의 임대차를 내용으로 하는 임대차계약이 구 수산업법에 위반되어 무효라고 하더라도 그것이 부당이득의 반환이 배제되는 '불법의 원인'에 해당하는 것으로 볼 수는 없으므로, 어업권을 임대한 어업권자로서는 그 임대차계약에 기해 임차인에게 한 급부로 인하여 임차인이 얻은 이익, 즉 임차인이 양식어장(어업권)을 점유·사용함으로써 얻은 이익을 부당이득으로 반환을 구할 수 있다(대판 2010.12.9, 2010다57626).

ㅂ. 부당이득반환청구권과 불법행위로 인한 손해배상청구권은 서로 실체법상 별개의 청구권으로 존재하고 그 각 청구권에 기초하여 이행을 구하는 소는 소송법적으로도 소송물을 달리하므로, 채권자로서는 어느 하나의 청구권에 관한 소를 제기하여 승소 확정판결을 받았다고 하더라도 아직 채권의 만족을 얻지 못한 경우에는 다른 나머지 청구권에 관한 이행판결을 얻기 위하여 그에 관한 이행의 소를 제기할 수 있다. 그리고 채권자가 먼저 부당이득반환청구의 소를 제기하였을 경우 특별한 사정이 없는 한 손해 전부에 대하여 승소판결을 얻을 수 있었을 것임에도 우연히 손해배상청구의 소를 먼저 제기하는 바람에 과실상계 또는 공평의 원칙에 기한 책임 제한 등의 법리에 따라 그 승소액이 제한되었다고 하여 그로써 제한된 금액에 대한 부당이득반환청구권의 행사가 허용되지 않는 것도 아니다(대판 2013.9.13, 2013다45457).

03 부당이득에 관한 설명 중 옳지 않은 것을 모두 고른 것은? (다툼이 있는 경우 판례에 의함)

▶ 2016년 사법시험

> ㄱ. 수급인이 건물의 공유자 중 1인과 도급계약을 체결하여 이에 관한 수리를 완료한 경우 도급인이 아닌 다른 공유자에 대하여는 직접 부당이득반환청구를 할 수 없다.
>
> ㄴ. 부동산에 대한 취득시효가 완성되었더라도 점유자가 그 명의로 소유권이전등기를 마치지 아니하여 아직 소유권을 취득하지 못하였다면 소유명의자는 점유자에 대하여 점유로 인한 부당이득반환청구를 할 수 있다.
>
> ㄷ. 계약명의신탁에서 명의수탁자가 수령한 매수자금이 명의신탁약정에 기하여 지급되었다는 사실을 알았다고 하여도 그 명의신탁약정이 부동산 실권리자명의 등기에 관한 법률 제4조 제1항에 의하여 무효임을 알았다는 등의 사정이 부가되지 아니하는 한 명의수탁자가 민법 제748조 제2항에 의한 악의의 수익자라고 단정할 수 없다.
>
> ㄹ. 전세권 소멸 후 전세권자가 전세권설정자에게 전세권의 목적물을 인도한 경우, 전세권설정등기의 말소에 필요한 서류를 교부하거나 그 이행의 제공을 하지 않았다 하더라도, 전세권자는 전세권설정자를 상대로 전세금에 대한 이자 상당액을 부당이득으로 청구할 수 있다.
>
> ㅁ. 수용대상토지의 저당권자가 물상대위권의 행사에 나아가지 아니하여 그 토지소유자의 다른 채권자가 그 토지의 수용보상금청구권을 적법하게 압류·추심하여 저당권자가 우선변제권을 상실하였다면, 그 다른 채권자가 추심금으로 자기의 채권에 충당하는 것은 저당권자와의 관계에서 부당이득이라고 할 수 없다.

① ㄱ, ㄴ   ② ㄴ, ㄷ   ③ ㄴ, ㄹ
④ ㄷ, ㄹ   ⑤ ㄱ, ㄷ, ㅁ

해설 ㄱ. 계약상의 급부가 계약의 상대방뿐만 아니라 제3자의 이익으로 된 경우에 급부를 한 계약당사자가 계약 상대방에 대하여 계약상의 반대급부를 청구할 수 있는 이외에 그 제3자에 대하여 직접 부당이득반환청구를 할 수 있다고 보면, 자기 책임하에 체결된 계약에 따른 위험부담을 제3자에게 전가시키는 것이 되어 계약법의 기본원리에 반하는 결과를 초래하게 되기 때문이다(대판 2002.8.23, 99다66564).

ㄴ. 부동산에 대한 취득시효가 완성되면 점유자는 소유명의자에 대하여 취득시효완성을 원인으로 한 소유권이전등기절차의 이행을 청구할 수 있고 소유명의자는 이에 응할 의무가 있으므로 점유자가 그 명의로 소유권이전등기를 경료하지 아니하여 아직 소유권을 취득하지 못하였다고 하더라도 소유명의자는 점유자에 대하여 점유로 인한 부당이득반환청구를 할 수 없다(대판 1993.5.25, 92다51280).

ㄷ. 부당이득반환의무자가 악의의 수익자는 부당이득반환의무의 발생요건에 해당하는 사실이 있음을 인식하는 것만으로는 부족하다. 따라서 계약명의신탁에서 명의수탁자가 수령한 매수자금이 명의신탁약정에 기하여 지급되었다는 사실을 알았다고 하여도 그 명의신탁약정이 부동산 실권리자명의 등기에 관한 법률 제4조 제1항에 의하여 무효임을 알았다는 등의 사정이 부가되지 아니하는 한 명의수탁자가 그 금전의 보유에 관하여 법률상 원인 없음을 알았다고 쉽사리 말할 수 없다(대판 2010.1.28, 2009다24187).

정답 03 ③

ㄹ. 전세권설정자는 전세권이 소멸한 경우 전세권자로부터 그 목적물의 인도 및 전세권설정등기의 말소등기에 필요한 서류의 교부를 받는 동시에 전세금을 반환할 의무가 있을 뿐이므로, 전세권자가 그 목적물을 인도하였다고 하더라도 전세권설정등기의 말소등기에 필요한 서류를 교부하거나 그 이행의 제공을 하지 아니하는 이상, 전세권설정자는 전세금의 반환을 거부할 수 있고, 이 경우 다른 특별한 사정이 없는 한 그가 전세금에 대한 이자 상당액의 이득을 법률상 원인 없이 얻는다고 볼 수 없다(대판 2002.2.5, 2001다62091).

ㅁ. 저당권자가 물상대위권의 행사에 나아가지 아니하여 우선변제권을 상실한 이상, 다른 채권자가 그 보상금 또는 이에 관한 변제공탁금으로부터 이득을 얻었다고 하더라도 저당권자는 이를 부당이득으로서 반환청구할 수 없다(대판 2010.10.28, 2010다46756).

04

甲종중은 정기총회에서 종중 소유의 X 토지를 2억원에 매도하기로 결의한 다음, 乙에게 X 토지를 2억원에 매도하는 계약을 체결하였다. 乙은 甲 종중의 요구에 따라 계약금 2,000만원, 중도금 8,000만원 합계 1억원을 甲 종중의 채권자인 丙에게 지급하였는데, 그 후 위 종중총회의 결의가 총회 소집절차상의 하자로 인하여 무효라는 판결이 선고되어 그 판결이 확정되었다. 다음 설명 중 옳지 않은 것을 모두 고른 것은? (각 지문은 독립적이고, 다툼이 있는 경우 판례에 의함)

▶ 2015년 변호사

ㄱ. 乙이 丙에게 1억원을 지급한 것은 甲 종중이 丙에게 부담하고 있던 채무의 변제로서 유효하다.

ㄴ. 乙은 丙에게 1억원의 반환을 청구할 수 있다.

ㄷ. 乙은 甲 종중에게 1억원의 반환을 청구할 수 있다.

ㄹ. 丙이 乙로부터 1억원을 받을 당시 甲 종중에 대한 채권이 8,000만원에 불과하였다면 甲 종중은 丙에게 2,000만원의 반환을 청구할 수 있다.

① ㄴ   ② ㄷ   ③ ㄱ, ㄷ

④ ㄴ, ㄹ   ⑤ ㄱ, ㄷ, ㄹ

해설 ㄱ. ㄴ. ㄷ. 乙은 丙에게 부당이득으로 반환을 청구할 수 없고, 대신 乙은 甲에게 반환을 청구할 수 있는 것이다. 즉 계약상 급부가 계약 상대방뿐만 아니라 제3자의 이익으로 된 경우에 급부를 한 계약당사자가 계약 상대방에게 계약상 반대급부를 청구할 수 있는 이외에 제3자에 대하여 직접 부당이득반환청구를 할 수 있다고 보면, 자기 책임하에 체결된 계약에 따른 위험부담을 제3자에게 전가시키는 것이 되어 계약법의 기본원리에 반하는 결과를 초래할 뿐만 아니라, 채권자인 계약 당사자가 채무자인 계약 상대방의 일반채권자에 비하여 우대받는 결과가 되어 일반채권자의 이익을 해치게 되고, 수익자인 제3자가 계약 상대방에게 가지는 항변권 등을 침해하게 되어 부당하므로, 위와 같은 경우 계약상 급부를 한 계약 당사자는 이익의 귀속 주체인 제3자에게 직접 부당이득반환을 청구할 수는 없다고 보아야 한다(대판 2003.12.26, 2001다46730 ; 대판 2011.11.10, 2011다48568).

ㄹ. 채무 없음을 알고 변제한 경우에는 협의의 비채변제로서 반환을 청구할 수 없으나, 모르고 변제한 것은 부당이득으로 반환을 청구할 수 있다(제742조 참조).

05 불법원인급여에 관한 설명 중 옳은 것(○)과 옳지 않은 것(×)을 올바르게 조합한 것은?
(다툼이 있는 경우 판례에 의함) ▶ 2016년 변호사

> ㄱ. 도박자금 채무의 담보를 위하여 근저당권설정등기를 마친 경우, 근저당권설정자는 근저당권설정등기의 말소를 청구할 수 있다.
> ㄴ. 불법의 원인으로 소유권을 이전한 경우에 급여자는 부당이득을 이유로 하여 그 반환을 청구할 수는 없으나 특별한 사정이 없는 한 소유권에 기한 반환청구는 가능하다.
> ㄷ. 급여자와 수익자의 불법성을 비교하여 수익자의 불법성이 급여자의 그것에 비하여 현저히 큰 경우에는 급여자는 수익자에 대하여 이익의 반환을 청구할 수 있다.
> ㄹ. 불법원인급여가 성립한 경우, 수익자가 그 불법의 원인에 가공하였다면 특별한 사정이 없는 한 급여자는 수익자의 불법행위를 이유로 그 재산의 급여로 말미암아 발생한 자신의 손해의 배상을 구할 수 있다.

① ㄱ (×), ㄴ (×), ㄷ (○), ㄹ (×)
② ㄱ (×), ㄴ (○), ㄷ (×), ㄹ (○)
③ ㄱ (×), ㄴ (○), ㄷ (○), ㄹ (○)
④ ㄱ (○), ㄴ (×), ㄷ (×), ㄹ (○)
⑤ ㄱ (○), ㄴ (×), ㄷ (○), ㄹ (×)

해설 ㄱ. 불법원인급여에서 급여는 종국적 급여를 말하고 일시적 급여는 포함되지 않는다. 따라서 도박자금 채무의 담보를 위하여 근저당권설정등기를 마친 경우, 근저당권설정자는 근저당권설정등기의 말소를 청구할 수 있는 것이다(대판 1995.8.11, 94다54108).
ㄴ. 불법의 원인으로 소유권을 이전한 경우에 급여자는 부당이득을 이유로 하여 그 반환을 청구할 수 없고 또한 소유권에 기한 반환청구도 역시 불가능하다고 함이 통설과 판례이다(대판(전합) 1979.11.13, 79다483).
ㄷ. 불법성 비교론이다(포주사건). 따라서 급여자와 수익자의 불법성을 비교하여 수익자의 불법성이 급여자의 그것에 비하여 현저히 큰 경우에는 급여자는 수익자에 대하여 이익의 반환을 청구할 수 있다(대판 1999.9.17, 98도2036).
ㄹ. 불법원인급여가 성립한 경우, 수익자가 그 불법의 원인에 가공하였다면 특별한 사정이 없는 한 급여자는 수익자의 불법행위를 이유로 그 재산의 급여로 말미암아 발생한 자신의 손해의 배상을 구할 수 없다(대판 2013.8.22, 2013다35412).

정답 04 ① 05 ⑤

03 절 불법행위

기본문제 | 기본문제의 구성

01 불법행위에 관한 다음 설명 중 옳지 않은 것은? (다툼이 있는 경우 판례에 의함)

① 불법행위로 인한 손해배상의 청구권은 피해자나 그 법정대리인이 그 손해 및 가해자를 안 날로부터 3년간 이를 행사하지 아니하면 시효로 인하여 소멸한다.

② 불법행위로 영업용 물건이 멸실된 경우 이를 대체할 다른 물건을 마련하기 위하여 필요한 합리적인 기간동안 그 물건을 이용하여 영업을 계속하였더라면 얻을 수 있었던 이익은 그에 대한 증명이 가능한 한 통상의 손해로서 그 교환가치와는 별도로 배상하여야 한다.

③ 불법행위 등에 의하여 재산권이 침해된 경우에는 재산권의 침해로 인한 정신적 고통에 대한 위자료는 특별한 사정이 없는 한 인정될 수 없다.

④ 타인의 생명을 해한 자는 피해자의 직계존속, 직계비속 및 배우자에 대하여는 재산상의 손해가 없는 경우에도 손해배상의 책임이 있다.

⑤ 배우자 있는 부녀와 간통행위를 한 상간자는 특별한 사정이 없는 한 그 부녀의 자녀에 대한 관계에서 부모의 혼인관계 파탄을 이유로 위자료 배상책임을 부담하여야 한다.

해설 ① 제766조 제1항【손해배상청구권의 소멸시효】불법행위로 인한 손해배상의 청구권은 피해자나 그 법정대리인이 그 손해 및 가해자를 안 날로부터 3년간 이를 행사하지 아니하면 시효로 인하여 소멸한다.

②, ③ **멸실·훼손 시 사용·수익의 상실에 대한 배상 여부**(대판(전) 2004.3.18, 2001다82507)
[1] 불법행위로 영업용 물건이 멸실된 경우 이를 대체할 다른 물건을 마련하기 위하여 필요한 합리적인 기간 동안 그 물건을 이용하여 영업을 계속하였더라면 얻을 수 있었던 이익, 즉 휴업손해는 그에 대한 증명이 가능한 한 통상의 손해로서 그 교환가치와는 별도로 배상하여야 하고 이는 영업용 물건이 일부손괴된 경우 수리를 위하여 필요한 합리적인 기간 동안의 휴업손해와 마찬가지라고 보아야 할 것이다.
[2] 일반적으로 타인의 불법행위 등에 의하여 재산권이 침해된 경우에는 그 재산적 손해의 배상에 의하여 정신적 고통도 회복된다고 보아야 할 것이므로 재산적 손해의 배상에 의하여 회복할 수 없는 정신적 손해가 발생하였다면 이는 특별한 사정으로 인한 손해로서 가해자가 그러한 사정을 알았거나 알 수 있었을 경우에 한하여 그 손해에 대한 위자료를 청구할 수 있다.

④ 제752조【생명침해로 인한 위자료】타인의 생명을 해한 자는 피해자의 직계존속, 직계비속 및 배우자에 대하여는 재산상의 손해 없는 경우에도 손해배상의 책임이 있다.

⑤ 배우자 있는 부녀와 간통행위를 하고 이로 인하여 그 부녀가 배우자와 별거하거나 이혼하는 등으로 혼인관계를 파탄에 이르게 한 경우 그 부녀와 간통행위를 한 제3자(상간자)는 그 부녀의 배우자에 대하여 불법행위를 구성하고, 따라서 그로 인하여 그 부녀의 배우자가 입은 정신상의 고통을 위자할 의무가 있다고 할 것이나, 이러한 경우라도 간통행위를 한 부녀 자체

가 그 자녀에 대하여 불법행위책임을 부담한다고 할 수는 없고, 또한 간통행위를 한 제3자(상간자) 역시 해의를 가지고 부녀의 그 자녀에 대한 양육이나 보호 내지 교양을 적극적으로 저지하는 등의 특별한 사정이 없는 한 그 자녀에 대한 관계에서 불법행위책임을 부담한다고 할 수는 없다(대판 2005.5.13, 2004다1899).

02 **사용자책임에 관한 다음 설명 중 가장 옳지 않은 것은?** (다툼이 있는 경우 판례에 의함)

▶ 2015년 법무사

① 지입차량의 차주 또는 그가 고용한 운전자의 과실로 타인에게 손해를 가한 경우 지입회사는 사용자책임을 부담한다.
② 사용자가 피용자의 과실에 의한 불법행위로 인한 사용자책임을 부담하는 경우와 마찬가지로 피용자의 고의에 의한 불법행위로 인하여 사용자책임을 부담하는 경우에도 피해자에게 그 손해의 발생과 확대에 기여한 과실이 있다면 사용자책임의 범위를 정함에 있어서 이러한 피해자의 과실을 고려하여 그 책임을 제한할 수 있다.
③ 타인에게 어떤 사업에 관하여 자기의 명의를 사용할 것을 허용한 경우, 명의사용을 허용받은 사람이 그 업무를 수행함에 있어 고의 또는 과실로 다른 사람에게 손해를 끼쳤다면 명의사용을 허용한 사람은 사용자책임을 부담한다.
④ 동업관계에 있는 자들이 공동으로 처리하여야 할 업무를 동업자 중 1인에게 맡겨 그로 하여금 처리하도록 한 경우, 다른 동업자는 그 업무집행자의 업무집행과정에서 발생한 사고에 대하여는 사용자로서 손해배상책임을 부담하지는 않는다.
⑤ 국립대학교 소속 체조코치가 그 신분을 그대로 보유하면서 시체육회로부터 전국체전에 출전할 체조대표선수들에 대한 코치로 선발, 위촉되어 시체육회가 시행한 합동강화훈련을 지도하다가 대표선수로 선발된 같은 대학교 소속학생이 훈련 중 사고를 당한 경우, 위 사고에서 국가는 위 체조코치의 사용자라고 볼 수 없다.

해설 ① 지입차량의 차주 또는 그가 고용한 운전자의 과실로 타인에게 손해를 가한 경우 지입회사는 사용자책임을 부담한다(대판 2000.10.13, 2000다20069).
② 사용자가 피용자의 과실에 의한 불법행위로 인한 사용자책임을 부담하는 경우와 마찬가지로 피용자의 고의에 의한 불법행위로 인하여 사용자책임을 부담하는 경우에도 피해자에게 그 손해의 발생과 확대에 기여한 과실이 있다면 사용자책임의 범위를 정함에 있어서 이러한 피해자의 과실을 고려하여 그 책임을 제한할 수 있다(대판 2006.10.26, 2004다63019).
③ 타인에게 어떤 사업에 관하여 자기의 명의를 사용할 것을 허용한 경우, 명의사용을 허용받은 사람이 그 업무를 수행함에 있어 고의 또는 과실로 다른 사람에게 손해를 끼쳤다면 명의사용을 허용한 사람은 사용자책임을 부담한다(대판 2005.2.25, 2003다36133).
④ 동업관계에 있는 자들이 공동으로 처리하여야 할 업무를 동업자 중 1인에게 맡겨 그로 하여금 처리하도록 한 경우, 다른 동업자는 그 업무집행자의 업무집행과정에서 발생한 사고에 대하여는 사용자로서 손해배상책임을 부담한다(대판 2006.3.10, 2005다65562).

정답 ▶ 01 ⑤ 02 ④

⑤ 국립대학교 소속 체조코치가 시체육회로부터 전국체전에 출전할 체조대표선수들에 대한 코치로 선발·위촉되어 합동강화훈련을 지도하다가 대표선수로 선발된 같은 대학교 학생이 훈련 중 사고를 당한 경우, 대학교 측은 코치의 위 합동강화훈련 중의 지도행위에 대해서는 지휘·감독권이 없으므로 그 사고에서 국가는 위 체조코치의 사용자라고 볼 수 없다(대판 1999.10.12, 98다62671).

03 사용자책임과 구상권 행사에 관한 다음 설명 중 가장 옳지 않은 것은? (다툼이 있는 경우 판례에 의함) ▶ 2017년 법원행시

① 사용자가 피해자에게 손해배상을 한 경우 피용자에 대하여 구상권을 행사할 수 있고, 이러한 구상권은 신의칙에 의하여 제한할 수 있으나, 피용자가 사용자의 부주의를 이용하여 저지른 고의의 불법행위에 대하여는 신의칙상 피용자의 책임제한 주장을 허용할 수 없다.

② 피용자가 고의에 기하여 다른 사람에게 가해행위를 한 경우에도 그 행위가 외형적, 객관적으로 사용자의 사무집행행위와 관련된 것일 때에는 사용자책임이 성립한다.

③ 사용자가 피해자에게 손해배상을 한 경우 피용자에 대하여 구상권을 행사할 수 있고, 이러한 구상권은 신의칙에 의하여 제한할 수 있다. 이는 사용자와 피용자의 공동불법행위로 사용자의 보험자가 피해자에게 손해배상금을 보험금으로 모두 지급한 후 피용자의 보험자에게 직접 구상권을 행사할 경우에도 마찬가지이다.

④ 학교법인의 피용자가 그 업무집행에 관하여 이사회의 결의와 감독청의 허가 없이 타인으로부터 금원을 차용함으로써 타인에게 손해를 가한 경우에는 학교법인은 그 사용자로서 손해배상책임이 있으나, 그 타인이 학교법인의 의무부담행위가 감독관청의 허가 없이 하는 것이라는 사정을 미리 알고 이에 적극 가담한 경우 그 타인은 그러한 학교법인의 행위가 자신에 대하여 불법행위가 됨을 내세워 학교법인에 그로 인한 손해배상책임을 물을 수는 없다.

⑤ 피용자가 자신의 불법행위 성립 후에 피해자에게 손해액 일부를 변제하였다면, 변제금 중 사용자의 과실비율에 상응하는 만큼은 사용자가 배상하여야 할 손해액 일부로 변제된 것으로 보아 사용자의 손해배상책임이 그 범위 내에서는 소멸하게 되고, 이는 피용자가 자신의 불법행위를 은폐하거나 기망 수단으로 피해자에게 돈을 지급한 경우에도 마찬가지이다.

해설 ① [1] 일반적으로 사용자가 피용자의 업무수행과 관련하여 행하여진 불법행위로 인하여 직접 손해를 입었거나 그 피해자인 제3자에게 사용자로서의 손해배상책임을 부담한 결과로 손해를 입게 된 경우에 있어서, 사용자는 그 사업의 성격과 규모, 시설의 현황, 피용자의 업무내용과 근로조건 및 근무태도, 가해행위의 발생원인과 성격, 가해행위의 예방이나 손실의 분산에 관한 사용자의 배려의 정도, 기타 제반 사정에 비추어 손해의 공평한 분담이라는 견지에서 신의칙상 상당하다고 인정되는 한도 내에서만 피용자에 대하여 손해배상을 청구하거나 그 구상권을 행사할 수 있다.

[2] 사용자의 감독이 소홀한 틈을 이용하여 고의로 불법행위를 저지른 피용자가 바로 그 사용자의 부주의를 이유로 자신의 책임의 감액을 주장하는 것은 신의칙상 허용될 수 없고, 사용자와 피용자가 명의대여자와 명의차용자의 관계에 있다고 하더라도 마찬가지이다(대판 2009.11.26, 2009다59350).

② 민법 제756조에 규정된 사용자책임의 요건인 '사무집행에 관하여'라는 뜻은 피용자의 불법행위가 외형상 객관적으로 사용자의 사업활동 내지 사무집행행위 또는 그와 관련된 것이라고 보여질 때에는 행위자의 주관적 사정을 고려함이 없이 이를 사무집행에 관하여 한 행위로 본다는 것이다(대판 2007.4.12, 2006다29839).

③ 일반적으로 사용자가 피용자의 업무수행과 관련하여 행하여진 불법행위로 인하여 직접 손해를 입었거나 피해자인 제3자에게 사용자로서의 손해배상책임을 부담한 결과로 손해를 입게 된 경우에 사용자는 사업의 성격과 규모, 시설의 현황, 피용자의 업무내용과 근로조건 및 근무태도, 가해행위의 발생원인과 성격, 가해행위의 예방이나 손실의 분산에 관한 사용자의 배려의 정도, 기타 제반 사정에 비추어 손해의 공평한 분담이라는 견지에서 신의칙상 상당하다고 인정되는 한도 내에서만 피용자에 대하여 손해배상을 청구하거나 구상권을 행사할 수 있고, 이러한 구상권 제한의 법리는 사용자의 보험자가 피용자에 대하여 구상권을 행사하는 경우에도 다를 바 없다. 그러나 사용자의 보험자가 피해자인 제3자에게 사용자와 피용자의 공동불법행위로 인한 손해배상금을 보험금으로 모두 지급하여 피용자의 보험자가 면책됨으로써 사용자의 보험자가 피용자의 보험자에게 부담하여야 할 부분에 대하여 직접 구상권을 행사하는 경우에는, 그와 같은 구상권의 행사는 상법 제724조 제2항에 의한 피해자의 직접청구권을 대위하는 성격을 갖는 것이어서 피용자의 보험자는 사용자의 보험자에 대하여 구상권 제한의 법리를 주장할 수 없다(대판 2017.4.27, 2016다271226).

④ 학교법인의 피용자가 그 업무집행에 관하여 이사회의 결의와 감독청의 허가 없이 타인으로부터 금원을 차용함으로써 타인에게 손해를 가한 경우에는 학교법인은 그 사용자로서 손해배상책임이 있다 할 것이나, 이 경우 그 타인이 학교법인의 의무부담행위가 감독관청의 허가 없이 하는 것이라는 사정을 미리 알고 이에 적극 가담한 경우 그 타인은 그러한 학교법인의 행위가 자신에 대하여 불법행위가 됨을 내세워 학교법인에 그로 인한 손해배상책임을 물을 수는 없다(대판 1998.12.8, 98다44642).

⑤ 금액이 다른 채무가 서로 부진정연대 관계에 있을 때 다액채무자가 일부 변제를 하는 경우 그 변제로 인하여 먼저 소멸하는 부분은 당사자의 의사와 채무 전액의 지급을 확실히 확보하려는 부진정연대채무 제도의 취지에 비추어 볼 때 다액채무자가 단독으로 채무를 부담하는 부분으로 보아야 한다(대판(전) 2018.3.22, 2012다74236). 종래 과실비율에 상응하는 만큼 소멸한다고 본 판례(대판 2012.6.28, 2010다73765)는 변경되었다.

정답 > 03 ③, ⑤

04 공작물 등의 점유자, 소유자 책임에 관한 다음 설명 중 가장 옳지 않은 것은? (다툼이 있는 경우 판례에 의함)   ▶ 2018년 법무사

① 민법 제758조에 따라 공작물 설치 또는 보존의 하자로 인하여 타인에게 가한 손해를 배상할 책임은 1차적으로 공작물 점유자에게 있다. 공작물 점유자가 손해의 방지에 필요한 주의를 해태하지 아니하였음을 입증함으로써 면책될 때에 2차적으로 공작물 소유자가 손해를 배상할 책임을 지게 된다.

② 공작물 설치·보존상 하자로 인한 사고는 공작물 설치·보존상 하자만 손해발생 원인이 되는 경우만을 말하는 것이 아니다. 공작물의 설치·보존상 하자가 사고의 공동원인 중 하나가 되는 이상 사고로 인한 손해는 공작물의 설치·보존상 하자로 생긴 것이라고 보아야 한다. 그리고 화재가 공작물 설치 또는 보존상 하자가 아닌 다른 원인으로 발생하였거나 화재 발생원인이 밝혀지지 않은 경우에도, 공작물 설치 또는 보존상 하자로 인하여 화재가 확산되어 손해가 발생하였다면 공작물 설치 또는 보존상 하자는 화재사고의 공동원인의 하나가 되었다고 볼 수 있다.

③ 공작물 설치 또는 보존의 하자는 해당 공작물이 그 용도에 따라 갖추어야 할 안전성을 갖추지 못한 상태에 있다는 것을 의미한다. 여기에서 안전성을 갖추지 못한 상태, 즉 타인에게 위해를 끼칠 위험성이 있는 상태라 함은 해당 공작물을 구성하는 물적 시설 그 자체에 물리적·외형적 결함이 있거나 필요한 물적 시설이 갖추어져 있지 않아 이용자에게 위해를 끼칠 위험성이 있는 경우를 뜻할 뿐, 그 공작물을 본래의 목적 등으로 이용하는 과정에서 일정한 한도를 초과하여 제3자에게 사회통념상 일반적으로 참아내야 할 정도를 넘는 피해를 입히는 경우까지 포함하는 것은 아니다.

④ 민법 제758조는 공작물 설치·보존의 하자로 인하여 타인에게 손해를 가한 경우 그 점유자 또는 소유자에게 일반불법행위와 달리 이른바 위험책임의 법리에 따라 책임을 가중시킨 규정일 뿐이고, 그 공작물 시공자가 그 시공상 고의·과실로 인하여 피해자에게 손해를 가한 경우 민법 제750조에 따라 손해배상책임을 부담하는 것을 배제하는 규정은 아니다.

⑤ 2009.5.8. 법률 제9648호로 전부 개정된 실화책임에 관한 법률은 손해배상액 경감에 관한 특례 규정만을 두었을 뿐 손해배상의무 성립을 제한하는 규정을 두고 있지 않다. 그러므로 공작물 설치·보존상 하자에 의하여 직접 발생한 화재로 인한 손해배상책임 뿐만 아니라 그 화재로부터 연소한 부분에 대한 손해배상책임에 관하여도 공작물 설치·보존상 하자와 그 손해 사이에 상당인과관계가 있는 경우에는 민법 제758조 제1항이 적용된다.

> **해설** ① 민법 제758조에 따라 공작물의 설치 또는 보존의 하자로 인하여 타인에게 가한 손해를 배상할 책임은 제1차적으로 공작물을 직접적·구체적으로 지배하면서 사실상 점유관리하는 공작물의 점유자에게 있고, 공작물의 점유자가 손해의 방지에 필요한 주의를 해태하지 아니하였음을 입증함으로써 면책될 때에 제2차적으로 공작물의 소유자가 손해를 배상할 책임을 지게 된다(대판 1993.1.12, 92다23551).

② 공작물의 설치 또는 보존상의 하자로 인한 사고는 공작물의 설치 또는 보존상의 하자만이 손해발생의 원인이 되는 경우만을 말하는 것이 아니고, 공작물의 설치 또는 보존상의 하자가 사고의 공동원인의 하나가 되는 이상 사고로 인한 손해는 공작물의 설치 또는 보존상의 하자에 의하여 발생한 것이라고 보아야 한다. 그리고 화재가 공작물의 설치 또는 보존상의 하자가 아닌 다른 원인으로 발생하였거나 화재의 발생 원인이 밝혀지지 않은 경우에도 공작물의 설치 또는 보존상의 하자로 인하여 화재가 확산되어 손해가 발생하였다면 공작물의 설치 또는 보존상의 하자는 화재사고의 공동원인의 하나가 되었다고 볼 수 있다(대판 2015.2.12, 2013다61602).

③ 철도를 설치하고 보존·관리하는 자는 설치 또는 보존·관리의 하자로 인하여 피해가 발생한 경우 민법 제758조 제1항에 따라 이를 배상할 의무가 있다. 공작물의 설치 또는 보존의 하자는 해당 공작물이 용도에 따라 갖추어야 할 안전성을 갖추지 못한 상태에 있다는 것을 의미한다. 여기에서 안전성을 갖추지 못한 상태, 즉 타인에게 위해를 끼칠 위험성이 있는 상태라 함은 해당 공작물을 구성하는 물적 시설 자체에 물리적·외형적 결함이 있거나 필요한 물적 시설이 갖추어져 있지 않아 이용자에게 위해를 끼칠 위험성이 있는 경우뿐만 아니라, 공작물을 본래의 목적 등으로 이용하는 과정에서 일정한 한도를 초과하여 제3자에게 사회통념상 일반적으로 참아내야 할 정도(이하 '참을 한도'라고 한다)를 넘는 피해를 입히는 경우까지 포함된다. 이 경우 참을 한도를 넘는 피해가 발생하였는지는 구체적으로 피해의 성질과 정도, 피해이익의 공공성, 가해행위의 종류와 태양, 가해행위의 공공성, 가해자의 방지조치 또는 손해 회피의 가능성, 공법상 규제기준의 위반 여부, 토지가 있는 지역의 특성과 용도, 토지이용의 선후 관계 등 모든 사정을 종합적으로 고려하여 판단하여야 한다(대판 2017.2.15, 2015다23321).

④ 민법 제758조는 공작물의 설치·보존의 하자로 인하여 타인에게 손해를 가한 경우 그 점유자 또는 소유자에게 일반 불법행위와 달리 이른바 위험책임의 법리에 따라 책임을 가중시킨 규정일 뿐이고, 그 공작물 시공자가 그 시공상의 고의·과실로 인하여 피해자에게 가한 손해를 민법 제750조에 의하여 직접 책임을 부담하게 되는 것을 배제하는 취지의 규정은 아니다(대판 1996.11.22, 96다39219).

⑤ 2009.5.8. 법률 제9648호로 전부 개정된 실화책임에 관한 법률(이하 '개정 실화책임법'이라고 한다)은 구 실화책임에 관한 법률(2009.5.8. 법률 제9648호로 전부 개정되기 전의 것)과 달리 손해배상액의 경감에 관한 특례 규정만을 두었을 뿐 손해배상의무의 성립을 제한하는 규정을 두고 있지 아니하므로, 공작물의 점유자 또는 소유자가 공작물의 설치·보존상의 하자로 인하여 생긴 화재에 대하여 손해배상책임을 지는지는 다른 법률에 달리 정함이 없는 한 일반 민법의 규정에 의하여 판단하여야 한다. 따라서 공작물의 설치·보존상의 하자에 의하여 직접 발생한 화재로 인한 손해배상책임뿐만 아니라 그 화재로부터 연소한 부분에 대한 손해배상책임에 관하여도 공작물의 설치·보존상의 하자와 손해 사이에 상당인과관계가 있는 경우에는 민법 제758조 제1항이 적용되고, 실화가 중대한 과실로 인한 것이 아닌 한 그 화재로부터 연소한 부분에 대한 손해의 배상의무는 개정 실화책임법 제3조에 의하여 손해배상액의 경감을 받을 수 있다(대판 2013.3.28, 2010다71318).

정답 ▶ 04 ③

05 공동불법행위에 대한 설명 중 가장 옳지 않은 것은? (다툼이 있는 경우 판례에 의함)

▶ 2011년 법원행시

① 공동불법행위의 성립에는 공동불법행위자 상호간에 의사의 공통이나 공동의 인식이 필요하지 아니하고 객관적으로 그들의 각 행위에 관련공동성이 있으면 족하다.

② 교통사고로 인하여 상해를 입은 피해자가 치료를 받던 중 의사의 과실 등으로 인한 의료사고로 증상이 악화되거나 새로운 증상이 생겨 사망에 이르는 등 손해가 확대된 경우, 그와 같은 손해와 교통사고 사이에는 상당인과관계가 있다.

③ 다수의 의사가 의료행위에 관여한 경우 그 중 누구의 과실에 의하여 의료사고가 발생한 것인지 특정할 수 없는 때에는 일련의 의료행위에 관여한 의사들 모두가 공동불법행위책임을 부담한다.

④ 불법행위의 방조자에게 공동불법행위자로서의 책임을 지우기 위하여는 방조행위와 피방조자의 불법행위 사이에 상당인과관계가 있어야만 한다.

⑤ 공동불법행위의 가해자 1인이 다른 가해자에 비하여 불법행위에 가공한 정도가 경미할 경우, 피해자에 대한 관계에서 그 가해자의 책임 범위를 공동불법행위로 인한 손해배상액의 일부로 제한하여 인정할 수 있다.

해설 ① 대판 1998.9.25, 98다9205
② 대판 1998.11.24, 98다32045
③ 대판 2005.9.30, 2004다52576
④ 대판 2007.5.10, 2005다55299
⑤ 공동불법행위로 인한 손해배상책임의 범위는 피해자에 대한 관계에서 가해자들 전원의 행위를 전체적으로 함께 평가하여 정하여야 하고, 그 손해배상액에 대하여는 가해자 각자가 그 금액의 전부에 대한 책임을 부담하는 것이며, 가해자의 1인이 다른 가해자에 비하여 불법행위에 가공한 정도가 경미하다고 하더라도 피해자에 대한 관계에서 그 가해자의 책임범위를 위와 같이 정하여진 손해배상액의 일부로 제한하여 인정할 수 없다(대판 2005.10.13, 2003다24147).

06 불법행위책임에 관한 다음 설명 중 옳지 않은 것은? (다툼이 있는 경우 판례에 의함)

① 피해자에게 과실이 인정되면 배상의무자가 이를 주장하지 않는 경우에도 법원은 직권으로 이를 참작하여야 한다.

② 피해자의 과실뿐만 아니라 그와 신분상 내지 사회생활상 일체를 이루는 관계에 있는 자의 과실도 피해자 측의 과실로 참작되어야 한다.

③ 과실상계에 있어서 과실이란 사회통념상·신의성실의 원칙상·공동생활상 요구되는 약한 부주의까지를 가리키는 것이다.

④ 손해배상청구권에 있어서 태아의 지위와 관련하여, 父가 교통사고로 상해를 입을 당시 태아 상태로서 아직 출생하지 아니하였다면, 그 뒤에 출생하였더라도 父의 부상으로 인하여 입게 될 정신적 고통에 대한 위자료는 청구할 수 없다.

⑤ 인신사고로 인한 손해배상의 경우, 적극적 재산상 청구와 소극적 재산상 청구 그리고 위자료 청구는 하나의 손해배상청구권을 구성하는 공격방어방법에 불과한 것이 아니라 서로 소송물을 달리하는 것이다.

해설 ① 민법상의 과실상계제도는 채권자가 신의칙상 요구되는 주의를 다하지 아니한 경우 공평의 원칙에 따라 손해의 발생에 관한 채권자의 그와 같은 부주의를 참작하게 하려는 것이므로 단순한 부주의라도 그로 말미암아 손해가 발생하거나 확대된 원인을 이루었다면 피해자에게 과실이 있는 것으로 보아 과실상계를 할 수 있고, 피해자에게 과실이 인정되면 법원은 손해 배상의 책임 및 그 금액을 정함에 있어서 이를 참작하여야 하며, 배상의무자가 피해자의 과실에 관하여 주장하지 않는 경우에도 소송자료에 의하여 과실이 인정되는 경우에는 이를 법원이 직권으로 심리·판단하여야 한다(대판 1996.10.25, 96다30113).
→ 불법행위나 채무불이행으로 인한 손해배상 사건에서 피해자에게 손해의 발생이나 확대에 관하여 과실이 있는 경우에 그 과실상계 사유에 관한 사실인정이나 그 비율을 정하는 것은 그것이 형평의 원칙에 비추어 현저히 불합리하다고 인정되지 않는 한 사실심의 전권사항에 속한다.(○)(대판 2002.7.12, 2001다44338).

② 불법행위로 인한 손해배상의 책임 및 그 범위를 정함에 있어 피해자의 과실을 참작하는 이유는 불법행위로 인하여 발생한 손해를 가해자와 피해자 사이에 공평하게 분담시키고자 함에 있으므로, 피해자의 과실에는 피해자 본인의 과실뿐 아니라 그와 신분상 내지 사회생활상 일체를 이루는 관계에 있는 자의 과실도 피해자 측의 과실로서 참작되어야 하고, 어느 경우에 신분상 내지 사회생활상 일체를 이루는 관계라고 할 것인지는 구체적인 사정을 검토하여 피해자 측의 과실로 참작하는 것이 공평의 관념에서 타당한지에 따라 판단하여야 한다(대판 1999.7.23, 98다31868).

③ 불법행위에 있어서 가해자의 과실은 의무위반이라는 강력한 과실인 데 반하여 피해자의 과실을 따지는 과실상계에 있어서의 과실은 전자의 것과는 달리 사회통념상 신의성실의 원칙상, 공동생활상 요구되는 약한 의미의 부주의를 가리키는 것으로 보아야 한다(대판 1999.7.23, 98다31868).

④ 태아도 손해배상청구권에 관하여는 이미 출생한 것으로 보는바, 부가 교통사고로 상해를 입을 당시 태아가 출생하지 아니하였다고 하더라도 그 뒤에 출생한 이상 부의 부상으로 인하여 입게 될 정신적 고통에 대한 위자료를 청구할 수 있다(대판 1993.4.27, 93다4663).

⑤ 생명 또는 신체에 대한 불법행위로 인하여 입게 된 적극적 손해와 소극적 손해 및 정신적 손해는 서로 소송물을 달리하므로 그 손해배상의무의 존부나 범위에 관하여 항쟁함이 상당한 지의 여부는 각 손해마다 따로 판단하여야 한다(대판 2002.9.10, 2002다34581).

정답 05 ⑤ 06 ④

07 **손해배상의 범위에 관한 다음 설명 중 옳지 않은 것은?** (다툼이 있는 경우 판례에 의함)

① 불법행위로 영업용 택시와 같은 수익용 차량이 손상되어 수리가 불가능한 경우에 새차를 구입하여 영업을 개시할 수 있을 때까지의 기간 동안 영업을 하지 못한 휴업손해는 통상손해가 아니라 특별한 사정으로 인한 손해에 해당한다.

② 과실상계는 원칙적으로 채무불이행 내지 불법행위로 인한 손해배상책임에 대하여 인정되는 것이지 채무내용에 따른 본래 급부의 이행을 구하는 경우에 적용될 것은 아니다.

③ 불법행위로 인한 손해배상의무자는 그 손해가 고의 또는 중대한 과실에 의한 것이 아니고 그 배상으로 인하여 배상자의 생계에 중대한 영향을 미치게 될 경우에는 법원에 그 배상액의 경감을 청구할 수 있다.

④ 불법행위가 계속적으로 행하여지는 결과 손해도 역시 계속적으로 발생하는 경우에는 원칙적으로 그 손해는 날마다 새로운 불법행위에 기하여 발생하는 손해로서 그 각 손해를 안 때로부터 각별로 소멸시효가 진행된다.

⑤ 손해 및 가해자를 안 날이라 함은 손해의 발생사실과 가해자를 알아야 할 뿐만 아니라 그 가해행위가 불법행위로써 이를 원인으로 하여 손해배상을 청구할 수 있다는 사실까지 안 때라고 보아야 한다.

해설 ① 불법행위로 영업용 택시와 같은 수익용 차량이 손상되어 수리가 불가능한 경우에 새 차를 구입하여 영업을 개시할 수 있을 때까지의 기간 동안 영업을 하지 못한 휴업손해는 통상손해에 해당한다(대판 2005.10.13, 2003다24147).

② 과실상계는 채무불이행 또는 불법행위로 인한 손해배상책임에 대하여 인정되는 것이므로 본래의 급부를 청구하는 경우에는 적용되지 않는다(대판 2001.2.9, 99다48801).

> 제765조 제1항【배상액의 경감청구】본장의 규정에 의한 배상의무자는 그 손해가 고의 또는 중대한 과실에 의한 것이 아니고 그 배상으로 인하여 배상자의 생계에 중대한 영향을 미치게 될 경우에는 법원에 그 배상액의 경감을 청구할 수 있다.

④, ⑤ 불법행위에 의한 손해배상청구권의 단기소멸시효의 기산점이 되는 민법 제766조 제1항 소정의 '그 손해 및 가해자를 안 날'이라 함은 현실적으로 손해의 발생과 가해자를 알아야 할 뿐만 아니라 그 가해행위가 불법행위로서 이를 이유로 손해배상을 청구할 수 있다는 것을 안 때를 의미하고, 불법행위가 계속적으로 행하여지는 결과 손해도 역시 계속적으로 발생하는 경우에는 특별한 사정이 없는 한 그 손해는 날마다 새로운 불법행위에 기하여 발생하는 손해로서 민법 제766조 제1항을 적용함에 있어서 그 각 손해를 안 때로부터 각별로 소멸시효가 진행된다고 보아야 한다(대판 1999.3.23, 98다30285).

→ 불법행위가 계속적으로 행하여지는 결과 손해도 역시 계속적으로 발생하는 경우에는 원칙적으로 전 손해를 한 개의 손해로 파악하여 손해의 발생이 종료된 때를 소멸시효의 기산점으로 보아야 한다.(×)

08 불법행위에 관한 설명 중 가장 옳지 않은 것은? (다툼이 있는 경우 판례에 의함) ▶ 2014년 법무사

① 타인의 신체, 자유 또는 명예를 해하거나 기타 정신상 고통을 가한 자는 재산 이외의 손해에 대하여도 배상할 책임이 있고, 타인의 생명을 해한 자는 피해자의 직계존속, 직계비속 및 배우자에 대하여는 재산상의 손해없는 경우에도 손해배상의 책임이 있다.

② 수인이 공동하여 타인에게 손해를 가하는 민법 제760조의 공동불법행위에 있어서 주관적으로 행위자 상호간의 공모 또는 공동의 인식을 필요로 하고, 객관적으로 그 공동행위에 관련공동성이 있어야 공동불법행위가 성립한다.

③ 공작물의 설치 또는 보존의 하자로 인하여 타인에게 손해를 가한 때에는 공작물점유자가 손해를 배상할 책임이 있다. 그러나 점유자가 손해의 방지에 필요한 주의를 해태하지 아니한 때에는 그 소유자가 손해를 배상할 책임이 있다.

④ 불법행위가 계속적으로 행하여지는 결과 손해도 역시 계속적으로 발생하는 경우에는 특별한 사정이 없는 한 그 손해는 날마다 새로운 불법행위에 기하여 발생하는 손해로서 민법 제766조 제1항을 적용함에 있어서 그 각 손해를 안 때로부터 각별로 소멸시효가 진행된다고 보아야 한다.

⑤ 동물의 점유자는 그 동물이 타인에게 가한 손해를 배상할 책임이 있으나, 동물의 종류와 성질에 따라 그 보관에 상당한 주의를 해태하지 아니한 때에는 그러하지 아니하다.

해설 ① 타인의 신체, 자유 또는 명예를 해하거나 기타 정신상고통을 가한 자는 재산 이외의 손해에 대하여도 배상할 책임이 있다(제751조 제1항). 타인의 생명을 해한 자는·피해자의 직계존속, 직계비속 및 배우자에 대하여는 재산상의 손해없는 경우에도 손해배상의 책임이 있다(제752조).

② 수인이 공동하여 타인에게 손해를 가하는 민법 제760조의 공동불법행위에 있어서는 행위자 상호간의 <u>공모는 물론 공동의 인식을 필요로 하지 아니하고</u>, 다만 객관적으로 그 공동행위가 관련 공동되어 있으면 족하며 그 관련 공동성 있는 행위에 의하여 손해가 발생함으로써 이의 배상책임을 지는 공동불법행위가 성립한다(대판 2006.1.26, 2005다47014·47021·47038).

③ 공작물의 설치 또는 보존의 하자로 인하여 타인에게 손해를 가한 때에는 공작물점유자가 손해를 배상할 책임이 있다. 그러나 점유자가 손해의 방지에 필요한 주의를 해태하지 아니한 때에는 그 소유자가 손해를 배상할 책임이 있다(제758조 제1항).

④ 불법점유와 같이 계속적인 불법행위의 경우에는 나날이 발생한 새로운 각 손해를 안 날로부터 각각 별개로 소멸시효가 진행한다(대판 1999.3.23, 98다30285 등).

⑤ 동물의 점유자는 그 동물이 타인에게 가한 손해를 배상할 책임이 있다. 그러나 동물의 종류와 성질에 따라 그 보관에 상당한 주의를 해태하지 아니한 때에는 그러하지 아니하다(제759조 제1항).

정답 ▶ 07 ① 08 ②

09 불법행위에 관한 다음 설명 중 가장 옳지 않은 것은? (다툼이 있는 경우 판례에 의함)

▶ 2015년 법무사

① 과실상계에 있어서의 과실은 가해자의 과실과 달리 사회통념이나 신의성실의 원칙에 따라 공동생활에 있어 요구되는 약한 의미의 부주의를 가리키는 것이므로, 그러한 과실 내용 및 비율을 그대로 공동불법행위자로서의 과실내용 및 비율로 삼을 수는 없다.

② 공동불법행위자 중 1인의 손해배상채무가 시효로 소멸한 후 다른 공동불법행위자 1인이 피해자에게 자기의 부담부분을 넘는 손해를 배상한 경우, 손해를 배상한 공동불법행위자는 다른 공동불법행위자에게 구상권을 행사할 수 있다.

③ 부작위로 인한 불법행위가 성립하려면 작위의무가 전제되어야 하지만, 작위의무가 객관적으로 인정되는 이상 의무자가 의무의 존재를 인식하지 못하였더라도 불법행위 성립에는 영향이 없다.

④ 불법행위에 따른 채무자의 손해배상액을 산정할 때에 손해부담의 공평을 기하기 위하여 채무자의 책임을 제한할 필요가 있고, 채무자가 채권자에 대하여 가지는 반대채권으로 상계항변을 하는 경우 책임제한을 한 후의 손해배상액과 상계하여야 한다.

⑤ 수인이 공동의 불법행위로 타인에게 손해를 가한 때에는 연대하여 그 손해를 배상할 책임이 있으나, 공동 아닌 수인의 행위 중 어느 자의 행위가 그 손해를 가한 것인지를 알 수 없는 때에는 균분하여 손해를 배상할 책임이 있다.

해설 ① 과실상계에 있어서의 과실은 가해자의 과실과 달리 사회통념이나 신의성실의 원칙에 따라 공동생활에 있어 요구되는 약한 의미의 부주의를 가리키는 것이므로, 그러한 과실 내용 및 비율을 그대로 공동불법행위자로서의 과실내용 및 비율로 삼을 수는 없다(대판 2005.7.8, 2005다8125).

② 공동불법행위자의 채무는 부진정연대채무이다. 따라서 구상권을 행사하기 위해서는 자기의 부담부분을 넘는 손해를 배상하여야 한다(대판 2006.2.9, 2005다28426).

③ 부작위로 인한 불법행위가 성립하려면 작위의무가 전제되어야 하지만, 작위의무가 객관적으로 인정되는 이상 의무자가 의무의 존재를 인식하지 못하였더라도 불법행위 성립에는 영향이 없다(대판 2012.4.26, 2010다8709).

④ 불법행위 또는 채무불이행에 따른 채무자의 손해배상액을 산정할 때에 손해부담의 공평을 기하기 위하여 채무자의 책임을 제한할 필요가 있고, 채무자가 채권자에 대하여 가지는 반대채권으로 상계항변을 하는 경우에는 책임제한을 한 후의 손해배상액과 상계하여야 한다(대판 2015.3.20, 2012다107662).

⑤ 수인이 공동의 불법행위로 타인에게 손해를 가한 때에는 연대(부진정연대)하여 그 손해를 배상할 책임이 있으나, 공동 아닌 수인의 행위 중 어느 자의 행위가 그 손해를 가한 것인지를 알 수 없는 때에도 연대(부진정연대)하여 손해를 배상할 책임이 있다(제760조).

10 **불법행위책임에 관한 다음 설명 중 가장 옳은 것은?** (다툼이 있는 경우 판례에 의함)

▸ 2017년 법무사

① 공동불법행위자 1인에 대한 이행의 청구는 다른 공동불법행위자에 대하여 시효중단의 효력이 있다.

② 공동불법행위자 중 1인의 손해배상채무가 시효로 소멸한 후에 다른 공동불법행위자 1인이 피해자에게 자기의 부담부분을 넘는 손해를 배상하였을 경우, 그 공동불법행위자는 다른 공동불법행위자에게 구상권을 행사할 수 있다.

③ 손해발생으로 인하여 피해자에게 이득이 생기고 한편 그 손해발생에 피해자의 과실이 경합하는 경우, 그 손해배상액을 산정할 때에는 손익상계를 한 다음 과실상계를 하여야 한다.

④ 공동불법행위자 중 1인에 대하여 구상의무를 부담하는 다른 공동불법행위자가 수인인 경우에는 특별한 사정이 없는 이상 그들의 구상권자에 대한 채무는 각자의 부담부분에 따른 분할채무가 되고, 이는 구상권자인 공동불법행위자 측에 과실이 없는 경우에도 마찬가지이다.

⑤ 타인의 불법행위로 인하여 사망한 자를 매장하기 위하여 묘지를 구입한 경우, 그 묘지구입비는 손해배상의 대상이 되는 장례비에 포함되지 않는다.

해설 ① 제416조 진정연대채무는 이행청구에 절대적 효력이 인정되나, 부진정연대채무에 있어 채무자 1인에 대한 이행의 청구는 다른 채무자에 대하여 그 효력이 미치지 않는다(대판 1997.9.12, 95다42027).

② 공동불법행위자의 다른 공동불법행위자에 대한 구상권은 피해자의 다른 공동불법행위자에 대한 손해배상채권과는 그 발생 원인 및 성질을 달리하는 별개의 권리이고, 연대채무에 있어서 소멸시효의 절대적 효력에 관한 민법 제421조의 규정은 공동불법행위자 상호간의 부진정연대채무에 대하여는 그 적용이 없으므로, 공동불법행위자 중 1인의 손해배상채무가 시효로 소멸한 후에 다른 공동불법행위자 1인이 피해자에게 자기의 부담 부분을 넘는 손해를 배상하였을 경우에도, 그 공동불법행위자는 다른 공동불법행위자에게 구상권을 행사할 수 있다(대판 1997.12.23, 97다42830 등).

③ 불법행위로 인한 손해배상액을 산정함에 있어서는 과실상계를 한 다음에 손익상계를 하여야 한다(대판 1996.1.23, 95다24340).

④ 공동불법행위자 중 1인에 대하여 구상의무를 부담하는 다른 공동불법행위자가 수인인 경우에는 특별한 사정이 없는 이상 그들의 구상권자에 대한 채무는 각자의 부담 부분에 따른 분할채무로 봄이 상당하지만, 구상권자인 공동불법행위자측에 과실이 없는 경우, 즉 내부적인 부담 부분이 전혀 없는 경우에는 이와 달리 그에 대한 수인의 구상의무 사이의 관계를 부진정연대관계로 봄이 상당하다(대판 2005.10.13, 2003다24147).

⑤ 망인의 시신을 묘지에 장사지내는 것은 우리나라 고유의 풍속에 속한다 할 것이고 어느 토지가 일단 묘지로 사용된 이상 특단의 사정이 없는 한 그 토지는 상당한 기간 묘지 이외의 다른 용도로 사용할 수 없어 일반재산으로서의 교환가치를 상실한다 할 것이므로 타인의 불법행위로 인하여 사망한 자를 매장하기 위하여 묘지를 구입한 경우, 그 묘지구입비는 손해배상의 대상이 되는 장례비에 해당된다(대판 1984.12.11, 84다카1125).

정답 09 ⑤ 10 ②

11 불법행위에 관한 다음 설명 중 가장 옳지 않은 것은? (다툼이 있는 경우 판례에 의함)

▶ 2018년 법무사

① 법인의 사회적 명성, 신용을 훼손하는 행위도 불법행위가 될 수 있다.

② 불법행위에 있어 위법행위 시점과 손해발생 시점 사이에 시간적 간격이 있는 경우에 불법행위로 인한 손해배상청구권의 지연손해금은 손해발생 시점을 기산일로 하여 발생한다.

③ 민법 제496조는 "채무가 고의의 불법행위로 인한 것인 때에는 그 채무자는 상계로 채권자에게 대항하지 못한다."라고 정하고 있다. 고의에 의한 행위가 불법행위를 구성함과 동시에 채무불이행을 구성하여 불법행위로 인한 손해배상채권과 채무불이행으로 인한 손해배상채권이 경합하는 경우, 고의의 채무불이행으로 인한 손해배상채권을 수동채권으로 하는 상계를 한 경우에도 채무자가 상계로 채권자에게 대항할 수 없다.

④ 불법행위로 인한 손해배상채무에 대하여는 원칙적으로 별도의 이행 최고가 없더라도 공평의 관념에 비추어 불법행위로 그 채무가 성립함과 동시에 지연손해금이 발생하는 것이 원칙이다.

⑤ 남녀고용평등과 일·가정 양립 지원에 관한 법률(2017.11.28. 법률 제15109호로 개정되기 전의 것) 제14조 제2항은 사업주가 직장 내 성희롱과 관련하여 피해를 입은 근로자 또는 성희롱 피해 발생을 주장하는 근로자(이하 '피해근로자 등'이라 한다)에게 해고나 그 밖의 불리한 조치를 하여서는 안 된다고 규정하고 있을 뿐이다. 따라서 사업주가 피해근로자 등인 A가 아니라 그에게 도움을 준 동료 근로자 B에게 불리한 조치를 한 경우, 그 불리한 조치의 상대방(B)도 아닌 A가 직접 사업주에게 민법 제750조에 따라 불법행위책임을 물을 수는 없다.

> **해설** ① 법인의 목적사업 수행에 영향을 미칠 정도로 법인의 사회적 명성, 신용을 훼손하여 법인의 사회적 평가가 침해된 경우에는 그 법인에 대하여 불법행위를 구성한다(대판 1996.6.28, 96다12696).
>
> ② 불법행위로 인한 손해배상채무의 지연손해금의 기산일은 불법행위 성립일임이 원칙이고, 불법행위에 있어 위법행위 시점과 손해발생 시점 사이에 시간적 간격이 있는 경우에는 손해발생 시점이 기산일이 된다고 할 것이다(대판 2013.6.27, 2012다102940).
>
> ③ 민법 제496조는 "채무가 고의의 불법행위로 인한 것인 때에는 그 채무자는 상계로 채권자에게 대항하지 못한다."라고 정하고 있다. 고의의 불법행위로 인한 손해배상채권에 대하여 상계를 허용한다면 고의로 불법행위를 한 사람까지도 상계권 행사로 현실적으로 손해배상을 지급할 필요가 없게 되어 보복적 불법행위를 유발하게 될 우려가 있다. 또 고의의 불법행위로 인한 피해자가 가해자의 상계권 행사로 현실의 변제를 받을 수 없는 결과가 됨은 사회적 정의관념에 맞지 않는다. 따라서 고의에 의한 불법행위의 발생을 방지함과 아울러 고의의 불법행위로 인한 피해자에게 현실의 변제를 받게 하려는 데 이 규정의 취지가 있다. 이 규정은 고의의 불법행위로 인한 손해배상채권을 수동채권으로 한 상계에 관한 것이고 고의의 채무불이행으로 인한 손해배상채권에는 적용되지 않는다. 다만 고의에 의한 행위가 불법행위를 구성함과 동시에 채무불이행을 구성하여 불법행위로 인한 손해배상채권과 채무불이행으로 인한 손해배상채권이 경합하는 경우에는 이 규정을 유추적용할 필요가 있다. 이러한 경우에

고의의 채무불이행으로 인한 손해배상채권을 수동채권으로 한 상계를 허용하면 이로써 고의의 불법행위로 인한 손해배상채권까지 소멸하게 되어 고의의 불법행위에 의한 손해배상채권은 현실적으로 만족을 받아야 한다는 이 규정의 입법 취지가 몰각될 우려가 있기 때문이다. 따라서 이러한 예외적인 경우에는 민법 제496조를 유추적용하여 고의의 채무불이행으로 인한 손해배상채권을 수동채권으로 하는 상계를 한 경우에도 채무자가 상계로 채권자에게 대항할 수 없다고 보아야 한다(대판 2017.2.15, 2014다19776·19783).

④ 불법행위가 없었더라면 피해자가 그 손해를 입은 법익을 계속해서 온전히 향유할 수 있었다는 점에서 불법행위로 인한 손해배상채무에 대하여는 원칙적으로 별도의 이행 최고가 없더라도 공평의 관념에 비추어 그 채무성립과 동시에 지연손해금이 발생한다고 보아야 한다(대판 2011.1.13, 2010다53419).

⑤ 남녀고용평등과 일·가정 양립 지원에 관한 법률(2017.11.28. 법률 제15109호로 개정되기 전의 것, 이하 '남녀고용평등법'이라 한다) 제14조 제2항은 사업주가 직장 내 성희롱과 관련하여 피해를 입은 근로자 또는 성희롱 피해 발생을 주장하는 근로자(이하 '피해근로자 등'이라 한다)에게 해고나 그 밖의 불리한 조치를 하여서는 안 된다고 규정하고 있을 뿐이다. 따라서 사업주가 피해근로자 등이 아니라 그에게 도움을 준 동료 근로자에게 불리한 조치를 한 경우에 남녀고용평등법 제14조 제2항을 직접 위반하였다고 보기는 어렵다. 그러나 사업주가 피해근로자 등을 가까이에서 도와준 동료 근로자에게 불리한 조치를 한 경우에 그 조치의 내용이 부당하고 그로 말미암아 피해근로자 등에게 정신적 고통을 입혔다면, 피해근로자 등은 불리한 조치의 직접 상대방이 아니더라도 사업주에게 민법 제750조에 따라 불법행위책임을 물을 수 있다. 사업주는 직장 내 성희롱 발생 시 남녀고용평등법령에 따라 신속하고 적절한 근로환경 개선책을 실시하고, 피해근로자 등이 후속 피해를 입지 않도록 적정한 근로여건을 조성하여 근로자의 인격을 존중하고 보호할 의무가 있다. 그런데도 사업주가 피해근로자 등을 도와준 동료 근로자에게 부당한 징계처분 등을 하였다면, 특별한 사정이 없는 한 사업주가 피해근로자 등에 대한 보호의무를 위반한 것으로 볼 수 있다(대판 2017.12.22, 2016다202947).

12 불법행위에 관한 다음 설명 중 가장 옳지 않은 것은? (다툼이 있는 경우 판례에 의함)

▶ 2017년 9급(법원서기보)

① 타인의 토지가 아닌 자신의 토지에 토양오염을 유발시킨 자는 그 토지의 매수인에 대해 채무불이행으로 인한 손해배상책임 및 하자담보책임을 부담할 수는 있으나, 자신과 직접적인 거래관계가 없는 그 토지의 전전 매수인에 대해 불법행위책임을 부담하는 것은 아니다.

② 민법상 공동불법행위는 객관적으로 관련공동성이 있는 수인의 행위로 타인에게 손해를 가하면 성립하고, 행위자 상호간에 공모는 물론 의사의 공통이나 공동의 인식을 필요로 하는 것이 아니다.

③ 채무자가 양도되는 채권의 성립이나 소멸에 영향을 미치는 사정에 관하여 양수인에게 알려야 할 신의칙상 주의의무가 있다고 볼 만한 특별한 사정이 없는 한 채무자가 그러한 사정을 알리지 아니하였다고 하여 불법행위가 성립한다고 볼 수 없다.

정답   11 ⑤   12 ①

④ 제3자가 부부의 일방과 부정행위를 함으로써 혼인의 본질에 해당하는 부부공동생활을 침해하거나 그 유지를 방해하고 그에 대한 배우자로서의 권리를 침해하여 배우자에게 정신적 고통을 가하는 행위는 원칙적으로 불법행위를 구성하며, 이때 부부의 일방과 제3자가 부담하는 불법행위책임은 공동불법행위책임으로서 부진정연대채무관계에 있다.

해설 ① ⅰ) 토지 매도인이 성토작업을 기화로 다량의 폐기물을 은밀히 매립하고 그 위에 토사를 덮은 다음 도시계획사업을 시행하는 공공사업시행자와 사이에서 정상적인 토지임을 전제로 협의취득절차를 진행하여 이를 매도함으로써 매수자로 하여금 그 토지의 폐기물처리비용 상당의 손해를 입게 하였다면 매도인은 이른바 불완전이행으로서 채무불이행으로 인한 손해배상책임을 부담하고, 이는 하자 있는 토지의 매매로 인한 민법 제580조 소정의 하자담보책임과 경합적으로 인정된다(대판 2004.7.22, 2002다51586).

ⅱ) 헌법 제35조 제1항, 구 환경정책기본법, 구 토양환경보전법 및 구 폐기물관리법의 취지와 아울러 토양오염원인자의 피해배상의무 및 오염토양 정화의무, 폐기물 처리의무 등에 관한 관련 규정들과 법리에 비추어 보면, 토지의 소유자라 하더라도 토양오염물질을 토양에 누출·유출하거나 투기·방치함으로써 토양오염을 유발하였음에도 오염토양을 정화하지 않은 상태에서 그 오염토양이 포함된 토지를 거래에 제공함으로써 유통되게 하거나, 토지에 폐기물을 불법으로 매립하였음에도 이를 처리하지 않은 상태에서 그 해당 토지를 거래에 제공하는 등으로 유통되게 하였다면, 다른 특별한 사정이 없는 한 이는 거래의 상대방 및 위 토지를 전전 취득한 현재의 토지소유자에 대한 위법행위로서 불법행위가 성립할 수 있다고 봄이 타당하다. 그리고 위 토지를 매수한 현재의 토지소유자가 오염토양 또는 폐기물이 매립되어 있는 지하까지 그 토지를 개발·사용하게 된 경우 등과 같이 자신의 토지소유권을 완전하게 행사하기 위하여 오염토양 정화비용이나 폐기물 처리비용을 지출하였거나 지출해야만 하는 상황에 이르렀다거나 (구)토양환경보전법에 의하여 관할 행정관청으로부터 조치명령 등을 받음에 따라 마찬가지의 상황에 이르렀다면, 위 위법행위로 인하여 오염토양 정화비용 또는 폐기물 처리비용의 지출이라는 손해의 결과가 현실적으로 발생하였다고 할 것이므로, 토양오염을 유발하거나 폐기물을 매립한 종전 토지소유자는 그 오염토양 정화비용 또는 폐기물 처리비용 상당의 손해에 대하여 불법행위자로서 손해배상책임을 진다. 이와 달리, 자신의 소유 토지에 폐기물 등을 불법으로 매립하였다고 하더라도 그 후 그 토지를 매수하여 소유권을 취득한 자에 대하여 불법행위가 성립하지 않는다는 취지의 대법원 2002.1.11, 99다16460 판결은 이 판결의 견해에 배치되는 범위 내에서 이를 변경하기로 한다(대판(전합) 2016.5.19, 2009다66549).

② 수인이 공동하여 타인에게 손해를 가하는 제760조의 공동불법행위에 있어서는 행위자 상호 간의 공모는 물론 공동의 인식을 필요로 하지 아니하고, 다만 객관적으로 그 공동행위가 관련 공동되어 있으면 족하며 그 관련 공동성 있는 행위에 의하여 손해가 발생함으로써 이의 배상책임을 지는 공동불법행위가 성립한다(대판 2006.1.26, 2005다47014·47021·47038).

③ 채무자가 채권양도에 대하여 이의를 보류하지 아니하는 승낙을 하였더라도 양도인에게 대항할 수 있는 사유로서 양수인에게 대항하지 못할 뿐이고(민법 제451조), 채권의 내용이나 양수인의 권리 확보에 위험을 초래할 만한 사정을 조사, 확인할 책임은 원칙적으로 양수인 자신에게 있으므로, 채무자는 양수인이 대상 채권의 내용이나 원인이 되는 법률관계에 대하여 잘 알고 있음을 전제로 채권양도를 승낙할지를 결정하면 되고 양수인이 채권의 내용 등을 실제

와 다르게 인식하고 있는지까지 확인하여 위험을 경고할 의무는 없다. 따라서 채무자가 양도되는 채권의 성립이나 소멸에 영향을 미치는 사정에 관하여 양수인에게 알려야 할 신의칙상 주의의무가 있다고 볼 만한 특별한 사정이 없는 한 채무자가 그러한 사정을 알리지 아니하였다고 하여 불법행위가 성립한다고 볼 수 없다(대판 2015.12.24, 2014다49241).

④ 부부의 일방이 부정행위를 한 경우에 부부의 일방은 그로 인하여 배우자가 입은 정신적 고통에 대하여 불법행위에 의한 손해배상의무를 진다. 한편 제3자도 타인의 부부공동생활에 개입하여 부부공동생활의 파탄을 초래하는 등 그 혼인의 본질에 해당하는 부부공동생활을 방해하여서는 아니 된다. 제3자가 부부의 일방과 부정행위를 함으로써 혼인의 본질에 해당하는 부부공동생활을 침해하거나 유지를 방해하고 그에 대한 배우자로서의 권리를 침해하여 배우자에게 정신적 고통을 가하는 행위는 원칙적으로 불법행위를 구성한다. 그리고 부부의 일방과 제3자가 부담하는 불법행위책임은 공동불법행위책임으로서 부진정연대채무 관계에 있다(대판 2015.5.29, 2013므2441).

13 불법행위에 관한 다음 설명 중 가장 옳지 않은 것은? ▶ 2020년 법무사

① 약사는 의약품을 조제할 수 있다 하여도 진단행위나 치료행위 등은 할 수 없으므로 의사가 아닌 약사가 환자의 증세에 대하여 문진을 한 후 감기로 진단하고 각종 의약품을 혼합하여 조제하는 등의 행위를 한 일련의 행위는 무면허 의료행위에 해당한다.

② 무면허 의료행위를 하였다면 그 자체만으로도 불법행위책임을 부담한다.

③ 법령에 대한 해석이 복잡, 미묘하여 워낙 어렵고, 이에 대한 학설, 판례조차 귀일되어 있지 않은 등의 특별한 사정이 없는 한 일반적으로 공무원이 관계 법규를 알지 못하거나 필요한 지식을 갖추지 못하고 법규의 해석을 그르쳐 행정처분을 하였다면 그가 법률전문가가 아닌 행정직 공무원이라고 하여 과실이 없다고는 할 수 없다.

④ 일반적으로 도급인과 수급인 사이에는 지휘·감독의 관계가 없으므로 도급인은 수급인이나 수급인의 피용자의 불법행위에 대하여 사용자로서의 배상책임이 없는 것이지만, 도급인이 수급인에 대하여 특정한 행위를 지휘하거나 특정한 사업을 도급시키는 경우와 같은 이른바 노무도급의 경우에는 비록 도급인이라고 하더라도 사용자로서의 배상책임이 있다.

⑤ 합동법무사사무소의 구성원인 법무사들이 등기사무를 처리함에 있어서 내부 방침에 따라 구성원인 법무사 중 1인이 등기신청 대행 업무를 처리하면서 다른 법무사를 서류상 작성명의인으로 기재한 경우, 서류상 작성명의인인 법무사는 합동사무소에 위촉되어 동업관계에 있는 법무사와 공동으로 처리하여야 할 업무를 위임하여 처리하도록 한 셈이므로 그 업무처리에 있어 실제 업무를 처리한 법무사를 지휘·감독하여야 할 사용자 관계에 있다.

정답 13 ②

해설 ① 약사는 의약품을 조제할 수 있다 하여도 진단행위나 치료행위 등은 할 수 없으므로 의사가 아닌 약사가 스스로 또는 그 종업원을 통하여, 환자의 증세에 대하여 문진을 한 후 감기로 진단하고 각종 의약품을 혼합하여 조제하는 등의 행위를 한 일련의 행위는 무면허 의료행위에 해당한다(대판 2002.1.11, 2001다27449).

② 무면허로 의료행위를 한 경우라도 그 자체가 의료상의 주의의무 위반행위는 아니라고 할 것이므로 당해 의료행위에 있어 구체적인 의료상의 주의의무 위반이 인정되지 아니한다면 그것만으로 불법행위책임을 부담하지는 아니한다(대판 2002.1.11, 2001다27449).

③ 법령에 대한 해석이 복잡, 미묘하여 워낙 어렵고, 이에 대한 학설, 판례조차 귀일되어 있지 않은 등의 특별한 사정이 없는 한 일반적으로 공무원이 관계 법규를 알지 못하거나 필요한 지식을 갖추지 못하고 법규의 해석을 그르쳐 행정처분을 하였다면 그가 법률전문가가 아닌 행정직 공무원이라고 하여 과실이 없다고는 할 수 없다(대판 2001.2.9, 98다52988).

④ 일반적으로 도급인과 수급인 사이에는 지휘·감독의 관계가 없으므로 도급인은 수급인이나 수급인의 피용자의 불법행위에 대하여 사용자로서의 배상책임이 없는 것이지만, 도급인이 수급인에 대하여 특정한 행위를 지휘하거나 특정한 사업을 도급시키는 경우와 같은 이른바 노무도급의 경우에는 비록 도급인이라고 하더라도 사용자로서의 배상책임이 있다(대판 2005.11.10, 2004다37676).

⑤ 합동법무사사무소의 구성원인 법무사들이 위촉된 등기사무를 처리함에 있어서 실제로 그 구성원 법무사 중 누가 사무를 처리하든 관계없이 한 달을 열흘 단위로 나누어 구성원 1인의 이름으로 처리하기로 내부방침을 정하고 있었고, 위 방침에 따라 구성원인 법무사 중 1인이 등기신청 대행 업무를 처리하면서 다른 법무사를 서류상 작성명의인으로 기재한 경우, 서류상 작성명의인인 법무사는 합동사무소에 위촉되어 동업관계에 있는 법무사와 공동으로 처리하여야 할 업무를 위임하여 처리하도록 한 셈이므로 그 업무처리에 있어 실제 업무를 처리한 법무사를 지휘·감독하여야 할 사용자관계에 있다고 보아야 한다(대판 1999.4.27, 98다36238).

14 사용자책임에 관한 다음 설명 중 가장 옳지 않은 것은? (다툼이 있는 경우 판례에 의함)

▶ 2018년 9급(법원서기보)

① 민법 제756조의 사용자와 피용자의 관계는 반드시 유효한 고용관계가 있는 경우에 한하는 것이 아니고, 사실상 어떤 사람이 다른 사람을 위하여 그 지휘·감독 아래 그 의사에 따라 사업을 집행하는 관계에 있을 때에도 사용자, 피용자 관계가 있다고 할 수 있다.

② 피용자가 퇴직한 뒤에도 사용자의 실질적인 지휘·감독 아래에 있었다고 볼 수 있는 특별한 사정이 있는 경우라면 그의 행위에 대하여 종전의 사용자에게 사용자책임을 물을 수 있다.

③ 사용자책임이 인정되는 경우 사용자와 피용자는 부진정연대책임을 지는데, 이때 연대채무에 있어서 소멸시효의 절대적 효력에 관한 민법 제421조의 규정은 부진정연대채무에 대하여는 그 적용이 없다.

④ 동업관계에 있는 자들이 공동으로 처리하여야 할 업무를 동업자 중 1인에게 맡겨 처리하도록 한 경우, 다른 동업자는 기본적으로 그 업무집행자의 동업자로서 동등한 지위에 있으므로, 업무집행과정에서 발생한 사고에 대하여는 사용자책임이 성립하지 않는다.

해설 ① 민법 제756조의 사용자와 피용자의 관계는 반드시 유효한 고용관계가 있는 경우에 한하는 것이 아니고, 사실상 어떤 사람이 다른 사람을 위하여 그 지휘·감독 아래 그 의사에 따라 사업을 집행하는 관계에 있을 때에도 그 두 사람 사이에 사용자와 피용자의 관계가 있다 (대판 2017.9.26. 2014다27425).

② 민법 제756조의 사용자책임이 성립하려면 사용자가 불법행위자인 피용자를 실질적으로 지휘·감독하는 관계에 있어야 하므로, 피용자가 퇴직한 뒤에는 퇴직에도 불구하고 사용자의 실질적인 지휘·감독 아래에 있었다고 볼 수 있는 특별한 사정이 없다면 그의 행위에 대하여 원칙적으로 종전의 사용자에게 사용자책임을 물을 수 없다(대판 2001.9.4. 2000다26128).

③ 공동불법행위자의 다른 공동불법행위자에 대한 구상권은 피해자의 다른 공동불법행위자에 대한 손해배상채권과는 그 발생 원인 및 성질을 달리하는 별개의 권리이고, 연대채무에 있어서 소멸시효의 절대적 효력에 관한 민법 제421조의 규정은 공동불법행위자 상호간의 부진정 연대채무에 대하여는 그 적용이 없으므로, 공동불법행위자 중 1인의 손해배상채무가 시효로 소멸한 후에 다른 공동불법행위자 1인이 피해자에게 자기의 부담 부분을 넘는 손해를 배상하였을 경우에도, 그 공동불법행위자는 다른 공동불법행위자에게 구상권을 행사할 수 있다 (대판 1997.12.23. 97다42830).

④ 동업관계에 있는 자들이 공동으로 처리하여야 할 업무를 동업자 중 1인에게 맡겨 그로 하여금 처리하도록 한 경우 다른 동업자는 그 업무집행자의 동업자인 동시에 사용자의 지위에 있다 할 것이므로, 업무집행과정에서 발생한 사고에 대하여 사용자로서 손해배상책임이 있다 (대판 2006.3.10. 2005다65562).

15 손해배상에 관한 다음 설명 중 가장 옳지 않은 것은? (다툼이 있는 경우 판례에 의함)

▶ 2018년 9급(법원서기보)

① 불법행위 등이 채권자 또는 피해자에게 손해를 생기게 하는 동시에 이익을 가져다 준 경우에는 공평의 관념상 그 이익은 당사자의 주장이 없더라도 공제할 수 있고, 손해배상책임의 원인행위와 그로 인하여 피해자가 얻은 새로운 이득 사이에 상당인과관계까지 요하는 것은 아니다.

② 의사가 설명의무를 위반한 채 수술 등을 하여 환자에게 중대한 결과가 발생한 경우에 환자 측에서 자기결정권을 행사할 수 없게 된 데 대한 위자료만이 아니라 그 결과로 인한 모든 손해의 배상을 청구하는 경우에는 그 중대한 결과와 의사의 설명의무 위반 내지 승낙 취득 과정에서의 잘못과 사이에 상당인과관계가 존재하여야 한다.

③ 공동불법행위 책임에서 법원이 피해자의 과실을 들어 과실상계를 할 때에는 피해자의 공동불법행위자 각인에 대한 과실비율이 서로 다르더라도 피해자의 과실을 공동불법행위자 각인에 대한 과실로 개별적으로 평가할 것이 아니고, 그들 전원에 대한 과실로서 전체적으로 평가하여야 한다.

④ 보전처분의 집행 후에 집행채권자가 본안소송에서 패소 확정되었다면 보전처분 집행으로 인하여 채무자가 입은 손해에 대하여는 특별한 반증이 없는 한 집행채권자에게 고의 또는 과실이 있다고 추정된다.

해설 ① 불법행위 등이 채권자 또는 피해자에게 손해를 생기게 하는 동시에 이익을 가져다 준 경우에는 공평의 관념상 그 이익은 당사자의 주장을 기다리지 아니하고 손해를 산정할 때에 공제하여야 하나, 손익상계가 허용되기 위해서는 손해배상책임의 원인이 되는 행위로 인하여 피해자가 새로운 이득을 얻었고 그 이득과 손해배상책임의 원인행위 사이에 상당인과관계가 있어야 한다(대판 2012.11.29, 2010다93790).

② 의사가 설명의무를 위반한 채 수술 등을 하여 환자에게 중대한 결과가 발생한 경우에 환자 측에서 선택의 기회를 잃고 자기결정권을 행사할 수 없게 된 데 대한 위자료만을 청구하는 경우에는 의사의 설명 결여 내지 부족으로 인하여 선택의 기회를 상실하였다는 점만 입증하면 족하고, 설명을 받았더라면 중대한 결과는 생기지 않았을 것이라는 관계까지 입증하여야 하는 것은 아니지만, 그 결과로 인한 모든 손해의 배상을 청구하는 경우에는 그 중대한 결과와 의사의 설명의무 위반 내지 승낙 취득 과정에서의 잘못과 사이에 상당인과관계가 존재하여야 하며, 그때의 의사의 설명의무 위반은 환자의 자기결정권 내지 치료행위에 대한 선택의 기회를 보호하기 위한 점에 비추어 환자의 생명, 신체에 대한 구체적 치료과정에서 요구되는 의사의 주의의무 위반과 동일시할 정도의 것이어야 한다(대판 2014.12.24, 2013다28629).

③ 공동불법행위 책임은 가해자 각 개인의 행위에 대하여 개별적으로 그로 인한 손해를 구하는 것이 아니라 그 가해자들이 공동으로 가한 불법행위에 대하여 그 책임을 추궁하는 것으로, 법원이 피해자의 과실을 들어 과실상계를 함에 있어서는 피해자의 공동불법행위자 각인에 대한 과실비율이 서로 다르더라도 피해자의 과실을 공동불법행위자 각인에 대한 과실로 개별적으로 평가할 것이 아니고 그들 전원에 대한 과실로 전체적으로 평가하여야 한다(대판 2000.9.8, 99다48245)

④ 고의 또는 과실에 의하여 부당한 가압류나 가처분 등 보전처분을 집행한 경우 그 보전처분의 집행은 불법행위를 구성한다 할 것이고, 그 집행 후에 집행채권자가 본안소송에서 패소 확정되었다면 그 보전처분의 집행으로 인하여 채무자가 입은 손해에 대하여는 특별한 반증이 없는 한 집행채권자에게 고의 또는 과실이 있다고 추정되는 것이며, 집행채권자가 아닌 자도 집행채권자의 보전처분 신청이 사실적·법률적 근거가 없는 권리 또는 법률관계에 기인한 것임을 알면서, 혹은 통상인이라면 그 점을 용이하게 알 수 있음에도 불구하고, 집행채권자의 보전처분 신청을 방조하는 행위를 하여 재판제도의 취지와 목적에 비추어 현저하게 상당성을 잃었다고 인정되는 보전처분 신청을 하게 만든 경우에는, 그 자도 공동불법행위자로서의 책임을 면할 수 없다(대판 2002.10.11, 2002다35461).

16 다음 설명 중 가장 옳지 않은 것은? (다툼이 있는 경우 판례에 따르고 전원합의체 판결의 경우 다수
의견에 의함) ▸ 2019년 법무사

① 부작위로 인한 불법행위가 성립하려면 작위의무가 전제되어야 하나, 의무자가 작위의
무의 존재를 인식하지 못하였더라도 불법행위의 성립에는 영향이 없다.

② 토지의 소유자라 하더라도 토양오염물질을 토양에 누출·유출하거나 투기·방치함으
로써 토양오염을 유발하였음에도 오염토양을 정화하지 않은 상태에서 그 오염토양이
포함된 토지를 거래에 제공함으로써 유통되게 하거나, 토지에 폐기물을 불법으로 매립
하였음에도 이를 처리하지 않은 상태에서 그 해당 토지를 거래에 제공하는 등으로 유
통되게 하였다면, 다른 특별한 사정이 없는 한 이는 거래 상대방 및 위 토지를 전전
취득한 현재의 토지소유자에 대한 위법행위로서 불법행위가 성립할 수 있다.

③ 책임능력이 없는 미성년자가 불법행위를 저지른 경우와 달리 미성년자가 책임능력이 있
다고 인정될 경우에는, 설령 그 미성년자의 불법행위로 인해 발생한 손해가 감독의무자
의 의무위반과 상당인과관계가 있더라도 감독의무자는 손해배상의무를 지지 않는다.

④ 택시회사의 운전기사가 택시의 승객을 태우고 운행 중 차 속에서 승객을 상대로 성범
죄를 저지른 경우, 택시회사는 사용자로서 위 운전기사가 한 행위에 대한 손해배상책
임이 있다고 보아야 한다.

⑤ 민법 제751조 제1항은 불법행위로 인한 재산 이외의 손해에 대한 배상책임을 규정하고
있고, 재산 이외의 손해는 정신상 고통만을 의미하는 것이 아니라 그 외에 수량적으로 산
정할 수는 없으나 사회통념상 금전평가가 가능한 무형의 손해도 포함하므로, 법인의 명예
나 신용을 훼손한 자는 그 법인에게 재산 이외의 손해에 대하여도 배상할 책임이 있다.

해설 ① 부작위로 인한 불법행위가 성립하려면 작위의무가 전제되어야 하지만, 작위의무가 객관적으
로 인정되는 이상 의무자가 의무의 존재를 인식하지 못하였더라도 불법행위 성립에는 영향
이 없다(대판 2012.4.26, 2010다8709).

② 토지의 소유자라 하더라도 토양오염물질을 토양에 누출·유출하거나 투기·방치함으로써 토
양오염을 유발하였음에도 오염토양을 정화하지 않은 상태에서 그 오염토양이 포함된 토지를
거래에 제공함으로써 유통되게 하거나, 토지에 폐기물을 불법으로 매립하였음에도 이를 처리
하지 않은 상태에서 그 해당 토지를 거래에 제공하는 등으로 유통되게 하였다면, 다른 특별
한 사정이 없는 한 이는 거래의 상대방 및 위 토지를 전전 취득한 현재의 토지소유자에 대한
위법행위로서 불법행위가 성립할 수 있다고 봄이 타당하다. 그리고 위 토지를 매수한 현재의
토지소유자가 오염토양 또는 폐기물이 매립되어 있는 지하까지 그 토지를 개발·사용하게
된 경우 등과 같이 자신의 토지소유권을 완전하게 행사하기 위하여 오염토양 정화비용이나
폐기물 처리비용을 지출하였거나 지출해야만 하는 상황에 이르렀다거나 구 토양환경보전법
에 의하여 관할 행정관청으로부터 조치명령 등을 받음에 따라 마찬가지의 상황에 이르렀다
면, 위 위법행위로 인하여 오염토양 정화비용 또는 폐기물 처리비용의 지출이라는 손해의 결
과가 현실적으로 발생하였다고 할 것이므로, 토양오염을 유발하거나 폐기물을 매립한 종전
토지소유자는 그 오염토양 정화비용 또는 폐기물 처리비용 상당의 손해에 대하여 불법행위

자로서 손해배상책임을 진다. 이와 달리, 자신의 소유 토지에 폐기물 등을 불법으로 매립하였다고 하더라도 그 후 그 토지를 매수하여 소유권을 취득한 자에 대하여 불법행위가 성립하지 않는다는 취지의 대법원 2002.1.11. 선고 99다16460 판결은 이 판결의 견해에 배치되는 범위 내에서 이를 변경하기로 한다(대판(전합) 2016.5.19, 2009다66549).

③ 미성년자가 책임능력이 있어 그 스스로 불법행위책임을 지는 경우에도 그 손해가 감독의무자의 의무위반과 상당인과관계가 있으면 감독의무자는 제750조 일반 불법행위자로서 손해배상책임이 있다(대판 1994.2.8, 93다13605).

④ 사용자의 배상책임을 규정한 민법 제756조 소정의 "그 사무집행에 관하여"라 함은 사용자의 사업집행 자체 또는 이에 필요한 행위뿐만 아니라 이와 관련된 것이라고 일반적으로 보여지는 행위는 설사 그것이 피용자의 이익을 도모하기 위한 경우라도 이에 포함된다고 보아야 할 것이므로 택시회사의 운전수가 택시의 승객을 태우고 운행 중 차속에서 부녀를 강간한 경우 위 회사는 사용자로서 손해배상책임이 있다(대판 1991.1.11, 90다8954).

⑤ 민법 제751조 제1항은 불법행위로 인한 재산 이외의 손해에 대한 배상책임을 규정하고 있고, 재산 이외의 손해는 정신상 고통만을 의미하는 것이 아니라 그 외에 수량적으로 산정할 수 없으나 사회통념상 금전평가가 가능한 무형의 손해도 포함하므로, 법인의 명예나 신용을 훼손한 자는 그 법인에게 재산 이외의 손해에 대하여도 배상할 책임이 있다. 그런데, 법인의 명예나 신용을 훼손하는 행위에는 법인의 목적사업 수행에 영향을 미칠 정도로 법인의 사회적 평가를 저하하는 일체의 행위가 포함되므로, 이에는 구체적인 사실을 적시하거나 의견을 표명하는 행위 등뿐만이 아니라, 고급 이미지의 의류로서 명성과 신용을 얻고 있는 타인의 의류와 유사한 디자인의 의류를 제조하여 이를 저가로 유통시키는 방법 등으로 타인인 법인의 신용을 훼손하는 행위도 포함된다(대판 2008.10.9, 2006다53146).

17 불법행위에서 가해행위의 위법성에 관한 다음 설명 중 가장 옳지 않은 것은? (다툼이 있는 경우 판례에 의함) ▶ 2019년 법원주사보

① 불법행위 성립요건으로서의 위법성은 문제가 되는 행위마다 개별적·상대적으로 판단해야 할 것이다.

② 제3자의 채권침해가 반드시 언제나 불법행위가 되는 것은 아니고 채권침해의 태양에 따라 그 성립 여부를 구체적으로 검토하여 정하여야 하는바, 독립한 경제주체간의 경쟁적 계약관계에 있어서는 제3자가 채무자와 적극 공모하였다거나 또는 제3자가 기망·협박 등 사회상규에 반하는 수단을 사용하거나 채권자를 해할 의사로 채무자와 계약을 체결하였다는 등의 특별한 사정이 있는 경우에 한하여 제3자의 고의·과실 및 위법성을 인정하여야 한다.

③ 채권자가 집행력 있는 채무명의에 터잡아 강제집행을 개시한 것을 알면서 채무자가 그 강제집행의 목적물을 은닉함으로써 강제집행의 실행을 방해하였다는 점만으로는 채무자의 행위가 집행채권자에 대하여 불법행위를 구성한다고 단정할 수 없다.

④ 확정판결에 기한 강제집행이 불법행위로 되는 것은 당사자의 절차적 기본권이 근본적으로 침해된 상태에서 판결이 선고되었거나 확정판결에 재심사유가 존재하는 등 확정판결의 효력을 존중하는 것이 정의에 반함이 명백하여 이를 묵과할 수 없는 경우로 한정하여야 한다.

해설 ① 불법행위 성립요건으로서의 위법성은 관련 행위 전체를 일체로만 판단하여 결정하여야 하는 것은 아니고, 문제가 되는 행위마다 개별적·상대적으로 판단하여야 할 것이다(대판 2001.2.9, 99다55434).

② 제3자에 의한 채권침해가 불법행위를 구성할 수는 있으나 제3자의 채권침해가 반드시 언제나 불법행위가 되는 것은 아니고 채권침해의 태양에 따라 그 성립 여부를 구체적으로 검토하여 정하여야 하는바, 독립한 경제주체간의 경쟁적 계약관계에 있어서는 단순히 제3자가 채무자와 채권자간의 계약내용을 알면서 채무자와 채권자간에 체결된 계약에 위반되는 내용의 계약을 체결한 것만으로는 제3자의 고의·과실 및 위법성을 인정하기에 부족하고, 제3자가 채무자와 적극 공모하였다거나 또는 제3자가 기망·협박 등 사회상규에 반하는 수단을 사용하거나 채권자를 해할 의사로 채무자와 계약을 체결하였다는 등의 특별한 사정이 있는 경우에 한하여 제3자의 고의·과실 및 위법성을 인정하여야 한다(대판 2001.5.8, 99다38699).

③ 채권자가 집행력 있는 채무명의에 터잡아 강제집행을 개시한 것을 알면서 채무자가 그 강제집행의 목적물을 손괴·은닉하는 등의 방법으로 그 강제집행의 실행을 방해하였다면 그 행위는 그 집행채권자에 대하여 불법행위를 구성하게 되는 것이며 그 이치는 강제집행의 목적물이 금전채권인 경우에도 마찬가지로 적용될 터인바, 금전채권에 대한 집행의 한 방법인 압류·전부명령은 실질적으로 채권자평등주의 원칙의 예외를 이루는 집행방법으로서, 조건부채권이나 기한부채권 등 장래의 채권에 대한 전부명령의 경우 전부명령이 채무자와 제3채무자에게 송달되어 확정되면 전부의 효력이 생기고 조건의 성취나 기한의 도래에 따라 그 채권이 구체화되는 데에 따라 그의 효력 범위가 특정되는 것이기에, 채무초과 상태에 빠진 채무자가 그 전부명령에 의한 강제집행개시 사실을 알고서 그 조건성취나 기한의 도래를 방해하는 행위를 하였다면 그 행위는 전부명령에 의한 채권에 대한 강제집행을 방해한 것이 된다(대판 2002.1.25, 99다53902).

④ 판결이 확정되면 기판력에 의하여 대상이 된 청구권의 존재가 확정되고 그 내용에 따라 집행력이 발생하는 것이므로, 그에 따른 집행이 불법행위를 구성하기 위하여는 소송당사자가 상대방의 권리를 해할 의사로 상대방의 소송 관여를 방해하거나 허위의 주장으로 법원을 기망하는 등 부정한 방법으로 실체의 권리관계와 다른 내용의 확정판결을 취득하여 집행을 하는 것과 같은 특별한 사정이 있어야 하고, 그와 같은 사정이 없이 확정판결의 내용이 단순히 실체적 권리관계에 배치되어 부당하고 또한 확정판결에 기한 집행 채권자가 이를 알고 있었다는 것만으로는 그 집행행위가 불법행위를 구성한다고 할 수 없는 바, 편취된 판결에 기한 강제집행이 불법행위로 되는 경우가 있다고 하더라도 당사자의 법적 안정성을 위해 확정판결에 기판력을 인정한 취지나 확정판결의 효력을 배제하기 위하여는 그 확정판결에 재심사유가 존재하는 경우에 재심의 소에 의하여 그 취소를 구하는 것이 원칙적인 방법인 점에 비추어 볼 때 불법행위의 성립을 쉽게 인정하여서는 아니 되고, 확정판결에 기한 강제집행이 불법행위로 되는 것은 당사자의 절차적 기본권이 근본적으로 침해된 상태에서 판결이 선고되었거나 확정판결에 재심사유가 존재하는 등 확정판결의 효력을 존중하는 것이 정의에 반함이 명백하여 이를 묵과할 수 없는 경우로 한정하여야 한다(대판 2001.11.13, 99다32899).

정답 ▶ 17 ③

18 불법행위에 관한 다음 설명 중 가장 옳지 않은 것은? (다툼이 있는 경우 판례에 의하고, 전원합의체 판결의 경우 다수의견에 의함) ▶ 2020년 9급(법원서기보)

① 자동차의 주요 골격 부위가 파손되는 등의 사유로 중대한 손상이 있는 사고가 발생한 경우에는, 기술적으로 가능한 수리를 마치더라도 특별한 사정이 없는 한 원상회복이 안 되는 수리 불가능한 부분이 남는다고 보는 것이 경험칙에 부합하고, 그로 인한 자동차 가격 하락의 손해는 통상의 손해에 해당한다.

② 불법행위에 기한 손해배상채권에서 민법 제766조 제2항의 소멸시효의 기산점이 되는 '불법행위를 한 날'이란 가해행위가 있었던 날이 아니라 현실적으로 손해의 결과가 발생한 날을 의미하나, 그 손해의 결과발생이 현실적인 것으로 되었다면 그 소멸시효는 피해자가 손해의 결과발생을 알았거나 예상할 수 있는지 여부에 관계없이 가해행위로 인한 손해가 현실적인 것으로 되었다고 볼 수 있는 때부터 진행한다.

③ 제3자의 채권침해 당시 채무자가 가지고 있던 다액의 채무로 인하여 제3자의 채권침해가 없었더라도 채권자가 채무자로부터 일정액 이상으로 채권을 회수할 가능성이 없었다고 인정될 경우에는 위 일정액을 초과하는 손해와 제3자의 채권침해로 인한 불법행위 사이에는 상당인과관계를 인정할 수 없다.

④ 사용자가 피용자의 과실에 의한 불법행위로 인한 사용자책임을 부담하는 경우와 달리, 피용자의 고의에 의한 불법행위로 인하여 사용자책임을 부담하는 경우에는 피해자에게 과실이 있다고 하여 그 책임을 제한할 수 없다.

해설 ① 자동차의 주요 골격 부위가 파손되는 등의 사유로 중대한 손상이 있는 사고가 발생한 경우에는, 기술적으로 가능한 수리를 마치더라도 특별한 사정이 없는 한 원상회복이 안 되는 수리 불가능한 부분이 남는다고 보는 것이 경험칙에 부합하고, 그로 인한 자동차 가격 하락의 손해는 통상의 손해에 해당한다고 보아야 한다(대판 2017.6.29, 2016다245197). → 보험사가 수리비와 영업손실, 견인비, 유출된 연료비를 통상손해로 계산해 배상하려고 하자, 원고가 자동차 가격 하락의 손해 1천 500만원도 통상손해라 하며 청구하였고, 대법원은 위와 같은 이유를 들어 자동차 가격 하락의 손해는 특별손해가 아닌 통상손해에 해당한다는 점을 밝혔다.

② 불법행위에 기한 손해배상채권에 있어서 민법 제766조 제2항에 의한 소멸시효의 기산점이 되는 '불법행위를 한 날'이란 가해행위가 있었던 날이 아니라 현실적으로 손해의 결과가 발생한 날을 의미하지만, 그 손해의 결과발생이 현실적인 것으로 되었다면 그 소멸시효는 피해자가 손해의 결과발생을 알았거나 예상할 수 있는가 여부에 관계없이 가해행위로 인한 손해가 현실적인 것으로 되었다고 볼 수 있는 때로부터 진행한다(대판 2005.5.13, 2004다71881).

③ 제3자에 의한 채권침해가 이루어질 당시 채무자가 가지고 있던 다액의 채무로 인하여 제3자의 채권침해가 없었더라도 채권자가 채무자로부터 일정액 이상으로 채권을 회수할 가능성이 없었다고 인정될 경우에는 위 일정액을 초과하는 손해와 제3자의 채권침해로 인한 불법행위 사이에는 상당인과관계를 인정할 수 없다(대판 2019.5.10, 2017다239311) .

④ 사용자가 피용자의 과실에 의한 불법행위로 인한 사용자책임을 부담하는 경우와 마찬가지로 피용자의 고의에 의한 불법행위로 인하여 사용자책임을 부담하는 경우에도 피해자에게 그 손해의 발생과 확대에 기여한 과실이 있다면 사용자책임의 범위를 정함에 있어서 이러한 피해자의 과실을 고려하여 그 책임을 제한할 수 있다(대판 2002.12.26, 2000다56952).

19 공동불법행위에 관한 다음 설명 중 가장 옳지 않은 것은? (다툼이 있는 경우 판례에 의함)

▶ 2019년 법원주사보

① 다수의 의사가 의료행위에 관여한 경우 그 중 누구의 과실에 의하여 의료사고가 발생한 것인지 분명하게 특정할 수 없는 때에는 일련의 의료행위에 관여한 의사들 모두에 대하여 민법 제760조 제2항에 따라 공동불법행위책임을 물을 수 있다고 봄이 상당하다.

② 차량 등의 3중 충돌사고로 사망한 피해자가 그 중 어느 충돌사고로 사망하였는지 정확히 알 수 없는 경우, 피해자가 입은 손해는 민법 제760조 제2항에서 말하는 가해자 불명의 공동불법행위로 인한 손해에 해당하여 위 충돌사고 관련자들의 각각의 행위와 위 손해 발생 사이의 상당인과관계가 법률상 추정되므로, 그 중 1인이 위 법조항에 따른 공동불법행위자로서의 책임을 면하려면 자기의 행위와 위 손해 발생 사이에 상당인과관계가 존재하지 아니함을 적극적으로 주장·입증하여야 한다.

③ 에이즈 바이러스에 감염된 혈액을 환자가 수혈받은 경우, 수혈에 필요한 수혈액을 채혈·조작·보존·공급하는 업무를 담당한 대한적십자사와 수혈로 인한 에이즈 바이러스 감염 위험 등의 설명의무를 다하지 아니한 의사들은 민법 제760조 제1항의 공동불법행위 책임을 부담한다.

④ 교통사고로 인하여 상해를 입은 피해자가 치료를 받던 중 의사의 과실 등으로 인한 의료사고로 증상이 악화되거나 새로운 증상이 생겨 사망에 이르는 등 손해가 확대된 경우, 특별한 사정이 없는 한 그와 같은 손해와 교통사고 사이에도 상당인과관계가 있다고 보아야 하므로, 교통사고와 의료사고가 각기 독립하여 불법행위의 요건을 갖추고 있으면서 객관적으로 관련되고 공동하여 위법하게 피해자에게 손해를 가한 것으로 인정된다면 공동불법행위가 성립한다.

해설 ① 다수의 의사가 의료행위에 관여한 경우 그 중 누구의 과실에 의하여 의료사고가 발생한 것인지 분명하게 특정할 수 없는 때에는 일련의 의료행위에 관여한 의사들 모두에 대하여 민법 제760조 제2항에 따라 공동불법행위책임을 물을 수 있다고 봄이 상당하다(대판 2005.9.30, 2004다52576).

② 차량 등의 3중 충돌사고로 사망한 피해자가 그 중 어느 충돌사고로 사망하였는지 정확히 알 수 없는 경우, 피해자가 입은 손해는 민법 제760조 제2항에서 말하는 가해자 불명의 공동불법행위로 인한 손해에 해당하여 위 충돌사고 관련자들의 각각의 행위와 위 손해 발생 사이의 상당인과관계가 법률상 추정되므로, 그중 1인이 위 법조항에 따른 공동불법행위자로서의 책임을 면하려면 자기의 행위와 위 손해 발생 사이에 상당인과관계가 존재하지 아니함을 적극적으로 주장·입증하여야 한다고 한 사례(대판 2008.4.10, 2007다76306).

③ 에이즈 바이러스에 감염된 혈액을 환자가 수혈받음으로써 에이즈에 감염될 위험을 배제할 의무 및 그와 같은 결과를 회피할 의무를 다하지 아니하여 감염된 혈액을 수혈받은 환자로 하여금 에이즈 바이러스 감염이라는 치명적인 건강 침해를 입게 한 대한적십자사의 과실 및 위법행위는 신체상해 자체에 대한 것인 데 비하여, 수혈로 인한 에이즈 바이러스 감염 위험 등의 설명의무를 다하지 아니한 의사들의 과실 및 위법행위는 신체상해의 결과 발생 여부를

정답 18 ④ 19 ③

묻지 아니하는 수혈 여부와 수혈 혈액에 대한 환자의 자기결정권이라는 인격권의 침해에 대한 것이므로, 대한적십자사와 의사의 양 행위가 경합하여 단일한 결과를 발생시킨 것이 아니고 각 행위의 결과 발생을 구별할 수 있으니, 이와 같은 경우에는 공동불법행위가 성립한다고 할 수 없다(대판 1998.2.13, 96다7854).

④ 교통사고로 인하여 상해를 입은 피해자가 치료를 받던 중 치료를 하던 의사의 과실로 인한 의료사고로 증상이 악화되거나 새로운 증상이 생겨 손해가 확대된 경우, 의사에게 중대한 과실이 있다는 등의 특별한 사정이 없는 한 확대된 손해와 교통사고 사이에도 상당인과관계가 있고, 이 경우 교통사고와 의료사고가 각기 독립하여 불법행위의 요건을 갖추고 있으면서 객관적으로 관련되고 공동하여 위법하게 피해자에게 손해를 가한 것으로 인정되면 공동불법행위가 성립한다(대판 1998.11.24, 98다32045).

20 불법행위에 관한 다음 설명 중 가장 옳지 않은 것은? (다툼이 있는 경우 판례에 의함)

▶ 2020년 법원사무관 승진

① 미성년자가 책임능력이 있어 그 스스로 불법행위책임을 지는 경우에도 그 손해가 당해 미성년자의 감독의무자의 의무위반과 상당인과관계가 있으면 감독의무자는 일반불법행위자로서 손해배상책임이 있다.

② 명의대여관계의 경우 민법 제756조의 사용자책임의 요건으로서의 사용관계가 있느냐 여부는 실제적으로 지휘·감독을 하였는지 여부를 기준으로 결정하여야 한다.

③ 도급인이 수급인에 대하여 특정한 행위를 지휘하거나 특정한 사업을 도급시키는 경우와 같은 이른바 노무도급의 경우에는 비록 도급인이라고 하더라도 사용자로서의 배상책임이 있다.

④ 피용자와 제3자가 공동불법행위로 피해자에게 손해를 가하여 그 손해배상채무를 부담하는 경우에 피용자와 제3자는 공동불법행위자로서 서로 부진정연대관계에 있고, 사용자가 피용자와 제3자의 책임비율에 의하여 정해진 피용자의 부담부분을 초과하여 피해자에게 손해를 배상한 경우에는 사용자는 제3자에 대하여도 구상권을 행사할 수 있으며, 그 구상의 범위는 제3자의 부담부분에 국한된다.

해설 ① 미성년자가 책임능력이 있어 그 스스로 불법행위책임을 지는 경우에도 그 손해가 감독의무자의 의무위반과 상당인과관계가 있으면 감독의무자는 제750조 일반 불법행위자로서 손해배상책임이 있다(대판 1994.2.8, 93다13605).

② 명의대여관계의 경우 민법 제756조가 규정하고 있는 사용자책임의 요건으로서의 사용관계가 있느냐 여부는 실제적으로 지휘·감독을 하였느냐의 여부에 관계없이 객관적으로 보아 사용자가 그 불법행위자를 지휘·감독해야 할 지위에 있었느냐의 여부를 기준으로 결정하여야 한다(대판 1994.10.25, 94다24176).

③ 도급인이 수급인에 대하여 특정한 행위를 지휘하거나 특정한 사업을 도급시키는 경우와 같은 이른바 노무도급의 경우에 있어서는 도급인이라고 하더라도 민법 제756조가 규정하고 있는 사용자책임의 요건으로서의 사용관계가 인정된다(대판 1998.6.26, 97다58170).

④ 피용자와 제3자가 공동불법행위로 피해자에게 손해를 가하여 그 손해배상채무를 부담하는 경우에 피용자와 제3자는 공동불법행위자로서 서로 부진정연대관계에 있고, 한편 사용자의 손해배상책임은 피용자의 배상책임에 대한 대체적 책임이어서 사용자도 제3자와 부진정연대관계에 있다고 보아야 할 것이므로, 사용자가 피용자와 제3자의 책임비율에 의하여 정해진 피용자의 부담부분을 초과하여 피해자에게 손해를 배상한 경우에는 사용자는 제3자에 대하여도 구상권을 행사할 수 있으며, 그 구상의 범위는 제3자의 부담부분에 국한된다고 보는 것이 타당하다(대판(전) 1992.6.23. 91다33070).

21 불법행위에 관한 다음 설명 중 가장 옳지 않은 것은? ▶ 2021년 법원서기보

① 민법 제758조 제1항의 '공작물의 설치·보존상의 하자'란 공작물이 그 용도에 따라 통상 갖추어야 할 안전성을 갖추지 못한 상태에 있음을 말하고, 그 안전성의 구비 여부는 공작물의 위험성에 비례하여 사회통념상 일반적으로 요구되는 정도로 위험방지조치를 다하였는지 여부를 기준으로 판단하여야 한다.

② 미성년자가 책임능력이 있어 그 스스로 불법행위책임을 지는 경우에도 그 손해가 당해 미성년자의 감독의무자의 의무위반과 상당인과관계가 있으면 감독의무자는 일반불법행위자로서 손해배상책임이 있다.

③ 민법 제760조 제3항은 불법행위의 방조자를 공동행위자로 보아 방조자에게 공동불법행위의 책임을 부담시키고 있는데, 여기서 방조는 부작위에 의한 방조는 포함하지만, 과실에 의한 방조는 포함되지 않는다.

④ 사업주가 직장 내 성희롱 피해근로자를 가까이에서 도와준 동료 근로자에게 불리한 조치를 한 경우에 그 조치의 내용이 부당하고 그로 말미암아 성희롱 피해근로자에게 정신적 고통을 입혔다면, 피해근로자는 불리한 조치의 직접 상대방이 아니더라도 사업주에게 민법 제750조에 따라 불법행위책임을 물을 수 있다.

해설 ① 민법 제758조 제1항의 '공작물의 설치·보존상의 하자'란 공작물이 그 용도에 따라 통상 갖추어야 할 안전성을 갖추지 못한 상태에 있음을 말하고, 위와 같은 안전성의 구비 여부를 판단할 때에는 공작물을 설치·보존하는 자가 그 공작물의 위험성에 비례하여 사회통념상 일반적으로 요구되는 정도로 위험방지조치를 다하였는지 여부를 기준으로 판단하여야 한다(대판 2019.11.28. 2017다14895).

② 미성년자가 책임능력이 있어 그 스스로 불법행위책임을 지는 경우에도 그 손해가 감독의무자의 의무위반과 상당인과관계가 있으면 감독의무자는 제750조 일반 불법행위자로서 손해배상책임이 있다(대판 1994.2.8. 93다13605). 이 경우에 그러한 감독의무위반사실 및 손해 발생과의 상당인과관계의 존재는 이를 주장하는 자가 입증하여야 한다(대판 2003.3.28. 2003다5061).

③ 민법 제760조 제3항은 교사자나 방조자는 공동행위자로 본다고 규정하여 교사자나 방조자에게 공동불법행위자로서 책임을 부담시키고 있는바, 방조라 함은 불법행위를 용이하게 하는 직접, 간접의 모든 행위를 가리키는 것으로서 작위에 의한 경우뿐만 아니라 작위의무 있는

자가 그것을 방지하여야 할 제반 조치를 취하지 아니하는 부작위로 인하여 불법행위자의 실행행위를 용이하게 하는 경우도 포함하는 것이고, 이러한 불법행위의 방조는 형법과 달리 손해의 전보를 목적으로 하여 과실을 원칙적으로 고의와 동일시하는 민법의 해석으로서는 과실에 의한 방조도 가능하다고 할 것이며, 이 경우의 과실의 내용은 불법행위에 도움을 주지 않아야 할 주의의무가 있음을 전제로 하여 이 의무에 위반하는 것을 말하고, 방조자에게 공동불법행위자로서의 책임을 지우기 위하여는 방조행위와 피방조자의 불법행위 사이에 상당인과관계가 있어야 한다(대판 2014.3.27. 2013다91597).

④ 사업주가 피해근로자 등을 가까이에서 도와준 동료 근로자에게 불리한 조치를 한 경우에 그 조치의 내용이 부당하고 그로 말미암아 피해근로자등에게 정신적 고통을 입혔다면, 피해근로자 등은 불리한 조치의 직접 상대방이 아니더라도 사업주에게 민법 제750조에 따라 불법행위책임을 물을 수 있다(대판 2017.12.22. 2016다202947).

22 판례가 채권침해로 인한 불법행위책임에 대해 설시한 내용에 관한 다음 설명 중 가장 옳지 않은 것은?

▸ 2021년 법원행시

① 제3자가 채무자와 적극 공모하였다거나 또는 제3자가 기망·협박 등 사회상규에 반하는 수단을 사용하거나 채권자를 해할 의사로 채무자와 계약을 체결하였다는 등의 특별한 사정이 없다면, 단순히 제3자가 채무자와 채권자 사이의 계약 내용을 알면서 채무자와 채권자 사이에 체결된 계약에 위반되는 내용의 계약을 체결한 것만으로는 제3자의 고의·과실 및 위법성을 인정하기에 부족하다.

② 특허권자가 특허권 침해 여부가 불명확한 제품의 제조자를 상대로 손해 예방을 위한 법적 구제절차는 취하지 아니한 채 사회단체와 언론을 이용하여 불이익을 줄 수도 있음을 암시하고, 그 구매자에 대하여도 위 제품 제조자와의 계약을 해제하고 자신과 다시 계약을 체결할 것을 지속적으로 강요하여 구매자로 하여금 기존계약을 해제하고 기왕 설치되어 있던 제품까지 철거되도록 하였다면 이러한 행위들은 위법한 것으로 그에 대해 불법행위책임이 인정된다.

③ 이미 분양된 아파트에 대하여 이중분양계약에 기한 금융기관의 대출과 근저당권설정행위가 최초 수분양자의 분양계약에 기한 채권을 침해하는 것으로서 불법행위에 해당하기 위해서는 그 금융기관의 임직원이 이중분양행위에 적극 가담하지 않더라도 이중분양사실을 안다는 것만으로도 충분하다.

④ 채무자로 하여금 채권자 甲에게 지급하여야 할 물품대금을 자금사정이 어려운 군소협력업체인 다른 채권자들에게 우선 결제하도록 지시하고 채무자가 이에 따라 그 물품대금을 채권자 甲이 아닌 다른 채권자들에게 지급함으로써 결과적으로 채무자가 채권자 甲에게 물품대금을 지급하지 못하게 된 사안에서, 채무자가 다른 채권자들에게 채무를 변제한 행위가 정당한 법률행위인 이상 이를 요청한 행위는 불법행위가 될 수 없다.

⑤ 채무자의 재산을 은닉하는 방법으로 제3자에 의한 채권침해가 이루어질 당시 채무자가 가지고 있던 다액의 채무로 인하여 제3자의 채권침해가 없었더라도 채권자가 채무자로부터 일정액 이상으로 채권을 회수할 가능성이 없었다고 인정될 경우에는 위 일정액을 초과하는 손해와 제3자의 채권침해로 인한 불법행위 사이에는 상당인과관계를 인정할 수 없다.

해설 ① 제3자에 의한 채권침해가 불법행위를 구성할 수는 있으나 제3자의 채권침해가 반드시 언제나 불법행위가 되는 것은 아니고 채권침해의 태양에 따라 그 성립 여부를 구체적으로 검토하여 정하여야 하는바, 독립한 경제주체 간의 경쟁적 계약관계에 있어서는 단순히 제3자가 채무자와 채권자 간의 계약내용을 알면서 채무자와 채권자 간에 체결된 계약에 위반되는 내용의 계약을 체결한 것만으로는 제3자의 고의・과실 및 위법성을 인정하기에 부족하고, 제3자가 채무자와 적극 공모하였다거나 또는 제3자가 기망・협박 등 사회상규에 반하는 수단을 사용하거나 채권자를 해할 의사로 채무자와 계약을 체결하였다는 등의 특별한 사정이 있는 경우에 한하여 제3자의 고의・과실 및 위법성을 인정하여야 한다(대판 2001.5.8, 99다38699).

② 특허권자가 특허권 침해 여부가 불명확한 제품의 제조자를 상대로 손해 예방을 위하여 그 제품의 제조나 판매를 금지시키는 가처분신청 등의 법적 구제절차는 취하지 아니한 채, 사회단체와 언론을 이용하여 불이익을 줄 수도 있음을 암시하고, 나아가 그 구매자에 대하여도 법률적인 책임을 묻겠다는 취지의 경고와 함께 역시 사회단체와 언론을 통한 불이익을 암시하며, 형사고소에 대한 합의조건으로 위 제품 제조자와의 계약을 해제하고 자신과 다시 계약을 체결할 것을 지속적으로 강요하여 마침내 이에 견디다 못한 구매자로 하여금 기존계약을 해제하고, 기왕 설치되어 있던 제품까지 철거되도록 하였다면 이러한 일련의 행위들은 정당한 권리행사의 범위를 벗어난 것으로서 위법한 행위이고, 특허권자가 회사의 대표이사로서 위와 같은 행위를 하였다면 회사도 특허권자와 연대하여 손해를 배상할 책임이 있다(대판 2001.10.12, 2000다53342).

③ 이미 분양된 아파트에 대하여 이중분양계약에 기한 금융기관의 대출과 근저당권설정행위가 최초 수분양자의 분양계약에 기한 채권을 침해하는 것으로서 불법행위에 해당하기 위해서는 그 금융기관의 임직원이 이중분양사실을 안다는 것만으로는 부족하고, 분양자의 이중분양행위에 적극 가담하여, 이중분양을 요청하거나 유도하여 계약에 이르게 하거나 그와 같이 평가될 수 있는 정도에 이르러야 한다(대판 2009.10.29, 2008다82582).

④ 채무자로 하여금 채권자 甲에게 지급하여야 할 물품대금을 자금사정이 어려운 군소협력업체인 다른 채권자들에게 우선 결제하도록 지시하고 채무자가 이에 따라 그 물품대금을 채권자 甲이 아닌 다른 채권자들에게 지급함으로써 결과적으로 채무자가 채권자 甲에게 물품대금을 지급하지 못하게 된 사안에서, 채무자가 다른 채권자들에게 채무를 변제한 행위가 정당한 법률행위인 이상 이를 요청한 행위 또한 위법성이 없어서 제3자의 채권침해에 의한 불법행위가 될 수 없다(대판 2006.6.15, 2006다13117).

⑤ 채무자의 재산을 은닉하는 방법으로 제3자에 의한 채권침해가 이루어질 당시 채무자가 가지고 있던 다액의 채무로 인하여 제3자의 채권침해가 없었더라도 채권자가 채무자로부터 일정액 이상으로 채권을 회수할 가능성이 없었다고 인정될 경우에는 위 일정액을 초과하는 손해와 제3자의 채권침해로 인한 불법행위 사이에는 상당인과관계를 인정할 수 없다(대판 2019.5.10, 2017다239311).

정답 22 ③

23 제3자의 채권침해로 인한 불법행위책임에 관한 다음 설명 중 가장 옳지 않은 것은?

▶ 2022년 법원행시

① 채무자의 재산을 은닉하는 방법으로 제3자에 의한 채권침해가 이루어질 당시 채무자가 가지고 있던 다액의 채무로 인하여 제3자의 채권침해가 없었더라도 채권자가 채무자로부터 일정액 이상으로 채권을 회수할 가능성이 없었다고 인정될 경우에는 위 일정액을 초과하는 손해와 제3자의 채권침해로 인한 불법행위 사이에는 상당인과관계를 인정할 수 없다.

② 이때의 채권회수 가능성은 사실심 변론종결 시를 기준으로 채무자의 책임재산과 채무자가 부담하는 채무의 액수를 비교하는 방법으로 판단할 수 있다. 사실심 변론종결 당시에 이미 이행기가 도래한 채무는 채권자가 종국적으로 권리를 행사하지 아니할 것으로 볼 만한 특별한 사정이 없는 한 비교대상이 되는 채무자 부담의 채무에 포함된다.

③ 특정 가수의 공연에 반대하기 위해 시민단체 등 공익목적수행을 위한 단체가 그들의 공익목적을 관철하기 위하여 일반 시민들을 상대로 공연관람을 하지 말도록 하거나 입장권판매대행계약을 체결한 A은행 등 공연협력업체에게 공연협력을 하지 말도록 하기 위하여 그들의 주장을 홍보하고 각종 방법에 의한 호소로 설득활동을 벌이는 것은 관람이나 협력 여부의 결정을 상대방의 자유로운 판단에 맡기는 한 허용된다. 그로 인하여 공연기획사 甲의 일반적 영업권 등에 제한을 가져온다고 하더라도 이는 시민단체 등의 정당한 목적수행을 위한 활동으로부터 불가피하게 발생하는 현상으로서 그 자체에 내재하는 위험이라 할 것이다. 그러나 여기서 더 나아가 시민단체 乙이 A은행에게 공연기획사 甲과 이미 체결한 입장권판매대행계약의 즉각적인 불이행을 요구하고 이에 응하지 아니할 경우 A은행의 전(全) 상품에 대한 불매운동을 벌이겠다는 경제적 압박 수단을 고지하여 이로 말미암아 A은행으로 하여금 불매운동으로 인한 경제적 손실을 우려하여 부득이 본의 아니게 甲과 체결한 입장권판매대행계약을 파기케 하는 결과를 가져왔다면 이는 제3자인 乙이 甲과 A은행이 체결한 입장권판매대행계약에 기한 甲의 채권 등을 침해하는 것으로서 위법하다. 그 목적에 공익성이 있다 하여 이러한 행위까지 정당화될 수는 없다.

④ 제3자가 채무자의 책임재산을 감소시키는 행위를 함으로써 채권자로 하여금 채권의 실행과 만족을 불가능 내지 곤란하게 한 경우 채권의 침해에 해당한다고 할 수는 있겠지만, 그 제3자의 행위가 채권자에 대하여 불법행위를 구성한다고 하기 위하여는 단순히 채무자 재산의 감소행위에 관여하였다는 것만으로는 부족하고 제3자가 채무자에 대한 채권자의 존재 및 그 채권의 침해사실을 알면서 채무자와 적극 공모하였다거나 채권행사를 방해할 의도로 사회상규에 반하는 부정한 수단을 사용하였다는 등 채권침해의 고의·과실 및 위법성이 인정되는 경우라야만 한다.

⑤ 강제집행면탈 목적을 가진 채무자가 제3자와 명의신탁약정을 맺고 채무자 소유의 부동산에 관하여 제3자 앞으로 소유권이전등기를 경료한 경우에, 제3자가 채권자에 대한 관계에서 직접 불법행위책임을 지기 위하여는 단지 그가 채무자와의 약정으로 당해 명의수탁등기를 마쳤다는 것만으로는 부족하고, 그 명의신탁으로써 채권자의 채권의 실현을 곤란하게 한다는 점을 알면서 채무자의 강제집행면탈행위에 공모 가담하였다는 등의 사정이 입증되어 그 채권침해에 대한 고의·과실 및 위법성이 인정되어야 한다.

> **해설** ①,② 채무자의 재산을 은닉하는 방법으로 제3자에 의한 채권침해가 이루어질 당시 채무자가 가지고 있던 다액의 채무로 인하여 제3자의 채권침해가 없었더라도 채권자가 채무자로부터 일정액 이상으로 채권을 회수할 가능성이 없었다고 인정될 경우에는 위 일정액을 초과하는 손해와 제3자의 채권침해로 인한 불법행위 사이에는 상당인과관계를 인정할 수 없다. 이때의 채권회수 가능성은 불법행위 시를 기준으로 채무자의 책임재산과 채무자가 부담하는 채무의 액수를 비교하는 방법으로 판단할 수 있고, 불법행위 당시에 이미 이행기가 도래한 채무는 채권자가 종국적으로 권리를 행사하지 아니할 것으로 볼 만한 특별한 사정이 없는 한 비교대상이 되는 채무자 부담의 채무에 포함되며, 더 나아가 비교대상 채무에 해당하기 위하여 불법행위 당시 채무자의 재산에 대한 압류나 가압류가 되어 있을 것을 요하는 것은 아니다(대판 2019.5.10, 2017다239311).
> ③ 대판 2001.7.13, 98다51091
> ④ 대판 2019.5.10, 2017다239311
> ⑤ 대판 2007.9.6, 2005다25021

24 사용자책임에 관한 다음 설명 중 가장 옳은 것은? ▸ 2020년 법원행시

① 타인에게 어떤 사업에 관하여 자기의 명의를 사용할 것을 허용한 자는 명의사용을 허용받은 사람이 업무수행을 함에 있어 고의 또는 과실로 다른 사람에게 손해를 끼쳤다면 민법 제756조에 의하여 그 손해를 배상할 책임이 있지만, 명의를 빌린 자의 피용자의 사무집행에 관한 가해행위에 대하여는 사용자책임을 지지 않는다.

② 피용자의 불법행위에 기한 손해배상채무가 시효로 소멸하면 그것에 의해 사용자책임에 기한 손해배상채무도 소멸한다.

③ 동업관계에 있는 자들이 공동으로 처리해야 할 업무를 동업자 중 1인에게 맡겨 처리하도록 하였더라도 동업자들끼리는 지휘·감독관계에 있지 아니하므로 그 자가 업무집행 과정에서 타인에게 손해를 가했다고 하더라도 다른 동업자가 사용자로서 손해배상책임을 지는 것은 아니다.

④ 도급인이 수급인에 대하여 특정한 행위를 지휘하는 이른바 노무도급의 경우에는 수급인의 불법행위에 대하여 도급인이 사용자로서 배상책임이 있다.

정답 ▸ 23 ② 24 ④

⑤ 근로자파견계약에 따라 파견된 근로자가 사용사업주의 구체적인 지시·감독을 받아 사용사업주의 업무를 행하던 중에 불법행위를 한 경우에는 파견사업주는 원칙적으로 사용자책임을 면한다.

해설 ① 타인에게 어떤 사업에 관하여 자기의 명의를 사용할 것을 허용한 경우, 명의사용을 허용받은 사람이 그 업무를 수행함에 있어 고의 또는 과실로 다른 사람에게 손해를 끼쳤다면 명의사용을 허용한 사람은 사용자책임을 부담한다. 명의대여관계의 경우 민법 제756조가 규정하고 있는 사용자책임의 요건으로서의 사용관계가 있느냐 여부는 실제적으로 지휘·감독을 하였느냐의 여부에 관계없이 객관적·규범적으로 보아 사용자가 그 불법행위자를 지휘·감독해야 할 지위에 있었느냐의 여부를 기준으로 결정하여야 한다. 따라서 명의를 빌린 자의 피용자의 사무집행에 관한 가해행위에 대하여도 명의대여자가 지휘·감독해야 할 의무와 책임을 부담하고 있다면 사용자책임을 인정할 수 있다(대판 2001.8.21, 2001다3658; 대판 2005.2.25, 2003다36133 등).

② 피용자의 불법행위에 기한 손해배상채무와 사용자책임에 기한 손해배상채무는 부진정연대채무의 관계에 있으며, 부진정연대채무의 경우 채권만족사유인 변제, 대물변제, 공탁, 상계의 경우에는 절대적 효력이 인정되지만, 그 외의 사유는 모두 상대적 효력을 갖는다. 따라서 채무자 1인에 대한 재판상 청구 또는 채무자 1인이 행한 채무의 승인 등 소멸시효의 중단사유나 시효이익의 포기는 다른 채무자에게 효력을 미치지 않으므로(대판 2017.9.12, 2017다865), 피용자의 불법행위에 기한 손해배상채무가 시효로 소멸한 경우라 하더라도 그것에 의해 사용자책임에 기한 손해배상채무가 소멸하는 것은 아니다.

③ 동업관계에 있는 자들이 공동으로 처리하여야 할 업무를 동업자 중 1인에게 맡겨 그로 하여금 처리하도록 한 경우 다른 동업자는 그 업무집행자의 동업자인 동시에 사용자의 지위에 있다 할 것이므로, 업무집행과정에서 발생한 사고에 대하여 사용자로서 손해배상책임이 있다(대판 2006.3.10, 2005다65562).

④ 도급인이 수급인에 대하여 특정한 행위를 지휘하거나 특정한 사업을 도급시키는 경우와 같은 이른바 노무도급의 경우에 있어서는 도급인이라고 하더라도 민법 제756조가 규정하고 있는 사용자책임의 요건으로서의 사용관계가 인정된다(대판 1998.6.26, 97다58170).

⑤ 파견근로자보호등에 관한 법률에 의한 근로자 파견은 파견사업주가 근로자를 고용한 후 그 고용관계를 유지하면서 사용사업주와 사이에 체결한 근로자 파견계약에 따라 사용사업주에게 근로자를 파견하여 근로를 제공하게 하는 것으로서, 파견근로자는 사용사업주의 사업장에서 그의 지시·감독을 받아 근로를 제공하기는 하지만 사용사업주와의 사이에는 고용관계가 존재하지 아니하는 반면, 파견사업주는 파견근로자의 근로계약상의 사용자로서 파견근로자에게 임금지급의무를 부담할 뿐만 아니라, 파견근로자가 사용사업자에게 근로를 제공함에 있어서 사용사업자가 행사하는 구체적인 업무상의 지휘·명령권을 제외한 파견근로자에 대한 파견명령권과 징계권 등 근로계약에 기한 모든 권한을 행사할 수 있으므로 파견근로자를 일반적으로 지휘·감독해야 할 지위에 있게 되고, 따라서 파견사업주와 파견근로자 사이에는 민법 제756조의 사용관계가 인정되어 파견사업주는 파견근로자의 파견업무에 관련한 불법행위에 대하여 파견근로자의 사용자로서의 책임을 져야 하지만, 파견근로자가 사용사업주의 구체적인 지시·감독을 받아 사용사업주의 업무를 행하던 중에 불법행위를 한 경우에 파견사업주가 파견근로자의 선발 및 일반적 지휘·감독권의 행사에 있어서 주의를 다하였다고 인정되는 때에는 면책된다고 할 것이다(대판 2003.10.9, 2001다24655).

25 불법행위책임에 관한 다음 설명 중 가장 옳지 않은 것은? ▶ 2022년 9급(법원서기보)

① 공작물의 설치 또는 보존상의 하자로 인한 사고는 공작물의 설치 또는 보존상의 하자만이 손해발생의 원인이 되는 경우만을 말하는 것이 아니고, 공작물의 설치 또는 보존상의 하자가 사고의 공동원인의 하나가 되는 경우에도 그 사고로 인한 손해는 공작물의 설치·보존상의 하자로 생긴 것이라고 보아야 한다.

② 도급인이 수급인에 대하여 특정한 행위를 지휘하거나 특정한 사업을 도급시키는 경우와 같은 이른바 노무도급의 경우, 도급인은 사용자로서의 배상책임이 있다.

③ 건물을 타인에게 임대한 소유자가 건물을 적합하게 유지·관리할 의무를 위반하여 임대목적물에 필요한 안전성을 갖추지 못한 설치·보존상의 하자가 생기고 그 하자로 인하여 임차인에게 손해를 입힌 경우, 건물의 소유자 겸 임대인은 임차인에게 공작물책임과 수선의무 위반에 따른 채무불이행 책임을 진다.

④ 토지소유자가 자신의 토지에 폐기물을 매립한 뒤 이러한 토지를 거래에 제공하여 유통되게 하였다고 하더라도, 자신과 직접적인 거래관계가 없는 토지의 전전 매수인에 대한 관계에서까지 폐기물 처리비용 상당의 손해에 관한 불법행위책임을 부담한다고 볼 수는 없다.

> **해설** ① 공작물의 설치 또는 보존상의 하자로 인한 사고는 공작물의 설치 또는 보존상의 하자만이 손해 발생의 원인이 되는 경우만을 말하는 것이 아니고, 공작물의 설치 또는 보존상의 하자가 사고의 공동원인의 하나가 되는 이상 사고로 인한 손해는 공작물의 설치 또는 보존상의 하자에 의하여 발생한 것이라고 보아야 한다. 그리고 화재가 공작물의 설치 또는 보존상의 하자가 아닌 다른 원인으로 발생하였거나 화재의 발생 원인이 밝혀지지 않은 경우에도 공작물의 설치 또는 보존상의 하자로 인하여 화재가 확산되어 손해가 발생하였다면 공작물의 설치 또는 보존상의 하자는 화재사고의 공동원인의 하나가 되었다고 볼 수 있다(대판 2015.2.12, 2013다61602).
> ② 도급인이 수급인에 대하여 특정한 행위를 지휘하거나 특정한 사업을 도급시키는 경우와 같은 이른바 노무도급의 경우에 있어서는 도급인이라고 하더라도 민법 제756조가 규정하고 있는 사용자책임의 요건으로서의 사용관계가 인정된다(대판 1998.6.26, 97다58170).
> ③ 민법 제623조는 '임대인은 계약존속 중 그 사용, 수익에 필요한 상태를 유지하게 할 의무를 부담한다.'고 정하고 있다. 따라서 건물을 타인에게 임대한 소유자가 건물을 적합하게 유지·관리할 의무를 위반하여 임대목적물에 필요한 안전성을 갖추지 못한 설치·보존상의 하자가 생기고 그 하자로 인하여 임차인에게 손해를 입힌 경우, 건물의 소유자 겸 임대인은 임차인에게 공작물책임과 수선의무 위반에 따른 채무불이행 책임을 진다(대판 2017.8.29, 2017다227103).
> ④ 헌법 제35조 제1항, 구 환경정책기본법, 구 토양환경보전법 및 구 폐기물관리법의 취지와 아울러 토양오염원인자의 피해배상의무 및 오염토양 정화의무, 폐기물 처리의무 등에 관한 관련 규정들과 법리에 비추어 보면, 토지의 소유자라 하더라도 토양오염물질을 토양에 누출·유출하거나 투기·방치함으로써 토양오염을 유발하였음에도 오염토양을 정화하지 않은

상태에서 그 오염토양이 포함된 토지를 거래에 제공함으로써 유통되게 하거나, 토지에 폐기물을 불법으로 매립하였음에도 이를 처리하지 않은 상태에서 그 해당 토지를 거래에 제공하는 등으로 유통되게 하였다면, 다른 특별한 사정이 없는 한 이는 거래의 상대방 및 위 토지를 전전 취득한 현재의 토지소유자에 대한 위법행위로서 불법행위가 성립할 수 있다고 봄이 타당하다. 그리고 위 토지를 매수한 현재의 토지소유자가 오염토양 또는 폐기물이 매립되어 있는 지하까지 그 토지를 개발·사용하게 된 경우 등과 같이 자신의 토지소유권을 완전하게 행사하기 위하여 오염토양 정화비용이나 폐기물 처리비용을 지출하였거나 지출해야만 하는 상황에 이르렀다거나 구 토양환경보전법에 의하여 관할 행정관청으로부터 조치명령 등을 받음에 따라 마찬가지의 상황에 이르렀다면, 위 위법행위로 인하여 오염토양 정화비용 또는 폐기물 처리비용의 지출이라는 손해의 결과가 현실적으로 발생하였다고 할 것이므로, 토양오염을 유발하거나 폐기물을 매립한 종전 토지소유자는 그 오염토양 정화비용 또는 폐기물 처리비용 상당의 손해에 대하여 불법행위자로서 손해배상책임을 진다. 이와 달리, 자신의 소유 토지에 폐기물 등을 불법으로 매립하였다고 하더라도 그 후 그 토지를 매수하여 소유권을 취득한 자에 대하여 불법행위가 성립하지 않는다는 취지의 대법원 2002.1.11. 선고 99다16460 판결은 이 판결의 견해에 배치되는 범위 내에서 이를 변경하기로 한다(대판(전) 2016.5.19. 2009다66549).

26 불법행위에 관한 다음 설명 중 가장 옳지 않은 것은? ▸ 2022년 법원행시

① 불법행위의 성립요건으로서의 과실은 이른바 추상적 과실만이 문제되는 것이고 이러한 과실은 사회평균인으로서의 주의의무를 위반한 경우를 말하는 것이지만 여기서의 '사회 평균인'이라고 하는 것은 추상적인 일반인이 아니라 그때그때의 구체적인 사례에 있어서의 보통인을 말한다.

② 지입회사는 지입차량의 차주의 과실로 타인에게 손해를 가한 경우에는 사용자책임을 부담하지만, 차주가 고용한 운전자의 과실로 타인에게 손해를 가한 경우에는 사용자책임을 부담하지 않는다.

③ 위임의 경우에도 위임인과 수임인 사이에 지휘·감독관계가 있고 수임인의 불법행위가 외형상 객관적으로 위임인의 사무집행에 관련된 경우 위임인은 수임인의 불법행위에 대하여 사용자책임을 진다.

④ 2인 이상의 공동불법행위로 인하여 호의동승한 사람이 피해를 입은 경우 동승자가 입은 손해에 대한 배상액을 산정할 때에는 먼저 호의동승으로 인한 감액 비율을 참작하여 공동불법행위자들이 동승자에 대하여 배상하여야 할 수액을 정하여야 한다.

⑤ 피해자가 공동불법행위자 중의 일부만을 상대로 손해배상을 청구하는 경우 과실상계를 함에 있어 참작하여야 할 쌍방의 과실은 피해자에 대한 공동불법행위자 전원의 과실과 피해자의 공동불법행위자 전원에 대한 과실을 전체적으로 평가하여야 하고, 공동불법행위자 간의 과실의 경중이나 구상권행사의 가능 여부 등은 고려할 여지가 없다.

> **해설** ① 불법행위의 성립요건으로서의 과실은 이른바 추상적 과실만이 문제되는 것이고 이러한 과실은 <u>사회평균인으로서의 주의의무</u>를 위반한 경우를 가리키는 것이지만, 그러나 여기서의 '사

회평균인'이라고 하는 것은 추상적인 일반인을 말하는 것이 아니라 그때그때의 구체적인 사례에 있어서의 보통인을 말하는 것이다(대판 2001.1.19, 2000다12532).

② 지입차량의 차주 또는 그가 고용한 운전자의 과실로 타인에게 손해를 가한 경우에는 지입회사는 명의대여자로서 제3자에 대하여 지입차량이 자기의 사업에 속하는 것을 표시하였을 뿐 아니라, 객관적으로 지입차주를 지휘·감독하는 사용자의 지위에 있다 할 것이므로 이러한 불법행위에 대하여는 그 사용자책임을 부담한다(대판 2000.10.13, 2000다20069).

③ 대판 1998.4.28, 96다25500

④ 2인 이상의 공동불법행위로 인하여 호의동승한 사람이 피해를 입은 경우, 공동불법행위자 상호 간의 내부관계에서는 일정한 부담부분이 있으나 피해자에 대한 관계에서는 부진정연대책임을 지므로, 동승자가 입은 손해에 대한 배상액을 산정할 때에는 먼저 호의동승으로 인한 감액 비율을 참작하여 공동불법행위자들이 동승자에 대하여 배상하여야 할 수액을 정하여야 한다(대판 2014.3.27, 2012다87263).

⑤ 피해자가 공동불법행위자 중의 일부만을 상대로 손해배상을 청구하는 경우에도 과실상계를 함에 있어 참작하여야 할 쌍방의 과실은 피해자에 대한 공동불법행위자 전원의 과실과 피해자의 공동불법행위자 전원에 대한 과실을 전체적으로 평가하여야 하고 공동불법행위자 간의 과실의 경중이나 구상권행사의 가능 여부 등은 고려할 여지가 없다(대판 1991.5.10, 90다14423).

27 **다음 설명 중 가장 옳지 않은 것은?** ▶ 2022년 법무사

① 계약해제의 효과로서 원상회복의무를 규정하는 민법 제548조 제1항 본문은 부당이득에 관한 특별규정의 성격을 가지는 것으로서, 그 이익 반환의 범위는 이익의 현존 여부나 청구인의 선의·악의를 불문하고 특단의 사유가 없는 한 받은 이익의 전부이다.

② 과실상계는 본래 채무불이행 또는 불법행위로 인한 손해배상책임에 대하여 인정되는 것이고, 매매계약이 해제되어 소급적으로 효력을 잃은 결과 매매당사자에게 당해 계약에 기한 급부가 없었던 것과 동일한 재산상태를 회복시키기 위한 원상회복의무의 이행으로서 이미 지급한 매매대금 기타의 급부의 반환을 구하는 경우에는 적용되지 아니한다.

③ 계약의 해제로 인한 원상회복청구권에 대하여 해제자가 해제의 원인이 된 채무불이행에 관하여 '원인'의 일부를 제공하였다는 등의 사유를 내세워 신의칙 또는 공평의 원칙에 기하여 일반적으로 손해배상에 있어서의 과실상계에 준하여 권리의 내용이 제한될 수 있다고 하는 것은 허용되어서는 아니 된다.

④ 사용자가 피용자의 과실에 의한 불법행위로 인한 사용자책임을 부담하는 경우, 피해자에게 그 손해의 발생과 확대에 기여한 과실이 있다 하더라도 사용자책임의 범위를 정함에 있어서 이러한 피해자의 과실을 고려하여 그 책임을 제한할 수는 없다.

⑤ 불법행위로 인하여 건물이 훼손된 경우 그 손해는 수리가 가능하다면 그 수리비, 수리가 불가능하다면 그 교환가치(시가)가 통상의 손해이고, 사용 및 수리가 불가능한 경우 통상 불법행위로 인한 손해배상액의 기준이 되는 건물의 시가에는 건물의 철거비용은 포함되지 않는다.

해설 ① 대판 2014.3.13, 2013다34143

② 과실상계는 본래 채무불이행 또는 불법행위로 인한 손해배상책임에 대하여 인정되는 것이고, 매매계약이 해제되어 소급적으로 효력을 잃은 결과 매매당사자에게 당해 계약에 기한 급부가 없었던 것과 동일한 재산상태를 회복시키기 위한 원상회복의무의 이행으로서 이미 지급한 매매대금 기타의 급부의 반환을 구하는 경우에는 적용되지 아니한다(대판 2014.3.13, 2013다34143).

③ 계약의 해제로 인한 원상회복청구권에 대하여 해제자가 해제의 원인이 된 채무불이행에 관하여 '원인'의 일부를 제공하였다는 등의 사유를 내세워 신의칙 또는 공평의 원칙에 기하여 일반적으로 손해배상에 있어서의 과실상계에 준하여 권리의 내용이 제한될 수 있다고 하는 것은 허용되어서는 아니 된다(대판 2014.3.13, 2013다34143).

④ 사용자가 피용자의 과실에 의한 불법행위로 인한 사용자책임을 부담하는 경우와 마찬가지로 피용자의 고의에 의한 불법행위로 인하여 사용자책임을 부담하는 경우에도 <u>피해자에게 그 손해의 발생과 확대에 기여한 과실이 있다면 사용자책임의 범위를 정함에 있어서 이러한 피해자의 과실을 고려하여 그 책임을 제한할 수 있다</u>(대판 2002.12.26, 2000다56952).

⑤ 불법행위로 인하여 건물이 훼손된 경우 그 손해는 수리가 가능하다면 그 수리비, 수리가 불가능하다면 그 교환가치(시가)가 통상의 손해이고, 사용및 수리가 불가능한 경우 통상 불법행위로 인한 손해배상액의 기준이 되는 건물의 시가에는 건물의 철거비용은 포함되지 않는다(대판 1995.7.28, 94다19129).

28 다음 설명 중 옳은 것(○)과 옳지 않은 것(×)을 올바르게 조합한 것은? ▸ 2023년 법무사

ㄱ. 어떤 토지가 개설경위를 불문하고 일반 공중의 통행에 공용되는 도로, 즉 공로가 되면 그 부지의 소유권 행사는 제약을 받게 되며, 이는 소유자가 수인하여야 하는 재산권의 사회적 제약에 해당한다. 따라서 공로 부지의 소유자가 이를 점유·관리하는 지방자치단체를 상대로 공로로 제공된 도로의 철거, 점유 이전 또는 통행금지를 청구하는 것은 법질서상 원칙적으로 허용될 수 없는 '권리남용'이라고 보아야 한다.

ㄴ. 매수인이 매도인 등의 기망행위로 인하여 부동산을 고가에 매수하게 됨으로써 입게 된 손해는 그 부동산의 매수 당시 시가와 매수가격과의 차액이지만, 그 후 매수인이 그 부동산 중 일부에 대하여 보상금을 수령하였다거나 부동산 시가가 상승하여 매수가격을 상회하게 되었다면 매수인에게 손해가 발생하지 않았다고 볼 수 있다.

ㄷ. 채무불이행으로 인한 손해배상을 규정하고 있는 민법 제394조는 다른 의사표시가 없는 한 금전으로 배상하여야 한다고 규정하고 있는바, 위 법조 소정의 금전이라 함은 우리나라의 통화를 가리키는 것이어서, 채무불이행으로 인한 손해배상을 구하는 채권은 당사자가 외국통화로 지급하기로 약정하였다는 등의 특별한 사정이 없는 한 채권액이 외국통화로 지정된 외화채권이라고 할 수 없다.

ㄹ. 판결이 확정되면 기판력에 의하여 그 대상이 된 청구권의 존재가 확정되고 그 내용
에 따라 집행력이 발생하는 것이므로, 확정판결의 내용이 실체적 권리관계에 배치되
어 부당하고 또한 그 확정판결에 기한 집행채권자가 이를 알고 있었다면 그 집행행
위에 대하여 불법행위가 성립한다고 할 수 있다.

ㅁ. 어떠한 건물 신축이 건축 당시의 건축법 등 관계 법령의 일조방해에 관한 직접적인
단속법규에 위반하지 않는다면 현실적인 일조방해의 정도가 현저하게 커 사회통념
상 수인한도를 넘은 경우라도 위법행위로 평가될 수는 없다.

① ㄱ(○), ㄴ(×), ㄷ(○), ㄹ(×), ㅁ(×)
② ㄱ(○), ㄴ(○), ㄷ(○), ㄹ(×), ㅁ(×)
③ ㄱ(○), ㄴ(×), ㄷ(×), ㄹ(○), ㅁ(○)
④ ㄱ(×), ㄴ(○), ㄷ(×), ㄹ(×), ㅁ(○)
⑤ ㄱ(×), ㄴ(×), ㄷ(○), ㄹ(○), ㅁ(×)

해설 ㄱ. 대판 2021.10.14. 2021다242154

ㄴ. 불법행위로 인한 재산상 손해는 위법한 가해행위로 인하여 발생한 재산상 불이익, 즉 그 위법
행위가 없었더라면 존재하였을 재산상태와 그 위법행위가 가해진 현재의 재산상태의 차이를
말하는 것이며, 그 손해액은 원칙적으로 불법행위 시를 기준으로 산정하여야 한다. 즉 여기에
서 '현재'는 '불법행위 시'를 뜻하는 것이지 '사실심 변론종결 시'를 뜻하는 것은 아니다. (따라
서) 매수인이 매도인의 기망행위로 인하여 부동산을 고가에 매수하게 됨으로써 입게 된 손해
는 부동산의 매수 당시 시가와 매수가격과의 차액이고, 그 후 매수인이 위 부동산 중 일부에
대하여 보상금을 수령하였다거나 부동산 시가가 상승하여 매수가격을 상회하게 되었다고 하
여 매수인에게 손해가 발생하지 않았다고 할 수 없다(대판 2010.4.29. 2009다91828).

ㄷ. 대판 2007.8.23. 2007다26455

ㄹ. 판결이 확정되면 기판력에 의하여 대상이 된 청구권의 존재가 확정되고 그 내용에 따라 집행력
이 발생하는 것이므로, 그에 따른 집행이 불법행위를 구성하기 위하여는 소송당사자가 상대방
의 권리를 해할 의사로 상대방의 소송 관여를 방해하거나 허위의 주장으로 법원을 기망하는
등 부정한 방법으로 실체의 권리관계와 다른 내용의 확정판결을 취득하여 집행을 하는 것과
같은 특별한 사정이 있어야 하고, 그와 같은 사정이 없이 확정판결의 내용이 단순히 실체적
권리관계에 배치되어 부당하고 또한 확정판결에 기한 집행채권자가 이를 알고 있었다는 것만
으로는 그 집행행위가 불법행위를 구성한다고 할 수 없다(대판 2007.5.31. 2006다85662).

ㅁ. 건축법 등 관계 법령에 일조방해에 관한 직접적인 단속법규가 있다면 그 법규에 적합한지
여부가 사법상 위법성을 판단함에 있어서 중요한 판단자료가 될 것이지만, 이러한 공법적 규
제에 의하여 확보하고자 하는 일조는 원래 사법상 보호되는 일조권을 공법적인 면에서도 가
능한 한 보장하려는 것으로서 특별한 사정이 없는 한 일조권 보호를 위한 최소한도의 기준으
로 봄이 상당하고, 구체적인 경우에 있어서는 어떠한 건물 신축이 건축 당시의 공법적 규제에
형식적으로 적합하다고 하더라도 현실적인 일조방해의 정도가 현저하게 커서 사회통념상 수
인한도를 넘은 경우에는 위법행위로 평가될 수 있다(대판 2014.2.27. 2009다40462).

정답 28 ①

29

불법행위에 관한 다음 설명 중 가장 옳지 않은 것은? ▸ 2023년 법무사

① 위법행위가 있었다 하더라도 그로 인한 재산상태와 그 위법행위가 없었더라면 존재하였을 재산상태 사이에 차이가 없다면 다른 특별한 사정이 없는 한 위법행위로 인한 손해가 발생하였다고 할 수 없다.

② 배우자 있는 부녀와 간통행위를 하고, 이로 인하여 그 부녀가 배우자와 별거하거나 이혼하는 등으로 혼인관계를 파탄에 이르게 한 경우 그 부녀와 간통행위를 한 제3자(상간자)는 그 부녀의 자녀에 대한 관계에서 불법행위책임을 부담하므로 그가 입은 정신상의 고통을 위자할 의무가 있다고 할 것이다.

③ 손해배상의무자는 그 손해가 고의 또는 중대한 과실에 의한 것이 아니고 그 배상으로 인하여 배상자의 생계에 중대한 영향을 미치게 될 경우에는 법원에 그 배상액의 경감을 청구할 수 있다.

④ 불법행위로 상해를 입었지만 후유증 등으로 인하여 불법행위 당시에는 전혀 예상할 수 없었던 후발손해가 새로이 발생한 경우와 같이, 사회통념상 후발손해가 판명된 때에 현실적으로 손해가 발생한 것으로 볼 수 있는 경우에는 후발손해 판명 시점에 불법행위로 인한 손해배상채권이 성립하고, 지연손해금 역시 그때부터 발생한다고 봄이 상당하다. 이 경우 후발손해가 판명된 때가 불법행위 시이자 그로부터 장래의 구체적인 소극적·적극적 손해에 대한 중간이자를 공제하는 현가산정의 원칙적인 기준시기가 된다고 보아야 하고, 그보다 앞선 시점이 현가산정의 기준시기나 지연손해금의 기산일이 될 수는 없다.

⑤ 환자가 병원에 입원하여 치료를 받는 경우에 있어서, 병원은 진료뿐만 아니라 환자에 대한 숙식의 제공을 비롯하여 간호, 보호 등 입원에 따른 포괄적 채무를 지므로, 병원은 병실에의 출입자를 통제·감독하든가 그것이 불가능하다면 최소한 입원환자에게 휴대품을 안전하게 보관할 수 있는 시정장치가 있는 사물함을 제공하는 등으로 입원환자의 휴대품 등의 도난을 방지함에 필요한 적절한 조치를 강구하여 줄 신의칙상의 보호의무가 있다고 할 것이다.

해설 ① 대판 2009.9.10. 2009다30762

② 배우자 있는 부녀와 간통행위를 하고, 이로 인하여 그 부녀가 배우자와 별거하거나 이혼하는 등으로 혼인관계를 파탄에 이르게 한 경우 그 부녀와 간통행위를 한 제3자(상간자)는 그 부녀의 배우자에 대하여 불법행위를 구성하고, 따라서 그로 인하여 그 부녀의 배우자가 입은 정신상의 고통을 위자할 의무가 있다고 할 것이나, 이러한 경우라도 간통행위를 한 부녀 자체가 그 자녀에 대하여 불법행위책임을 부담한다고 할 수는 없고, 또한 간통행위를 한 제3자(상간자) 역시 해의를 가지고 부녀의 그 자녀에 대한 양육이나 보호 내지 교양을 적극적으로 저지하는 등의 특별한 사정이 없는 한 그 자녀에 대한 관계에서 불법행위책임을 부담한다고 할 수는 없다 (대판 2005.5.13. 2004다1899).

③ 제765조 제1항

④ 대판 2022.6.16, 2017다289538 → ※ 후유증 등으로 인하여 불법행위 당시에는 전혀 예상할 수 없었던 후발손해가 새로이 발생한 경우 불법행위로 인한 손해배상채권이 성립하는 시점 및 지연손해금이 발생하는 시점 = 후발손해 판명 시점

⑤ 대판 2003.4.11, 2002다63275 → 이를 소홀히 하여 입원환자와는 아무런 관련이 없는 자가 입원환자의 병실에 무단출입하여 입원환자의 휴대품 등을 절취하였다면 병원은 그로 인한 손해배상책임을 면하지 못한다.

30. 불법행위에 관한 다음 설명 중 옳은 것을 모두 고른 것은?

▶ 2023년 법원행시

ㄱ. 민법 제750조는 "고의 또는 과실로 인한 위법행위로 타인에게 손해를 가한 자는 그 손해를 배상할 책임이 있다."라고 정하고 있다. 위법행위는 불법행위의 핵심적인 성립요건으로서, 법률을 위반한 경우에 한정되지 않고 전체 법질서의 관점에서 사회통념상 위법하다고 판단되는 경우도 포함할 수 있는 탄력적인 개념이므로, 불법행위 성립 요건으로서의 위법성은 관련 행위 전체를 일체로 보아 판단하여 결정해야 한다.

ㄴ. 상해의 후유증에 대한 신체감정을 한 전문 감정인의 감정 결과에 의하더라도 피해자의 기대여명의 예측이 불확실한 경우에 법원이 일실수입 손해와 향후 치료비 손해 등을 산정함에 있어서, 피해자가 확실히 생존하고 있으리라고 인정되는 기간 동안의 손해는 일시금의 지급을 명하고 그 이후의 기간은 피해자의 생존을 조건으로 정기금의 지급을 명한 산정방식을 두고 법원의 재량의 범위를 넘어섰다고 할 수는 없다.

ㄷ. 불법행위로 인한 손해배상채무는 손해발생과 동시에 이행기에 있는 것으로, 공평의 관념상 별도의 이행최고가 없더라도 불법행위 당시부터 지연손해금이 발생하는 것이 원칙이고, 불법행위 시점과 손해발생 시점 사이에 시간적 간격이 있는 경우에는 불법행위로 인한 손해배상채권의 지연손해금은 손해발생 시점을 기산일로 하여 발생한다.

ㄹ. 일조권 침해에 있어 객관적인 생활이익으로서 일조이익을 향유하는 '토지의 소유자 등'은 토지소유자, 건물소유자, 지상권자, 전세권자 또는 임차인 등의 거주자를 말하는 것으로서, 학교건물을 일시적으로 이용하는 지위에 있을 뿐인 초등학교 학생들은 생활이익으로서의 일조권을 법적으로 보호받을 수 있는 지위에 있지 않다.

ㅁ. 부진정연대채무에 있어 채무자 1인에 대한 이행의 청구는 타 채무자에 대하여 그 효력이 미치므로, 하천구역으로 편입된 토지의 소유자가 서울특별시장에게 보상금 지급 청구를 하였다면 부진정연대채무관계에 있는 국가에 대하여 시효중단의 효과가 발생한다.

① ㄱ, ㄴ, ㄷ ② ㄴ, ㄷ, ㄹ ③ ㄷ, ㄹ, ㅁ
④ ㄱ, ㄷ, ㄹ ⑤ ㄱ, ㄹ, ㅁ

정답 ▶ 29 ② 30 ②

해설 ㄱ. 민법 제750조는 "고의 또는 과실로 인한 위법행위로 타인에게 손해를 가한 자는 그 손해를 배상할 책임이 있다."라고 정하고 있다. <u>위법행위</u>는 불법행위의 핵심적인 성립요건으로서, <u>법률을 위반한 경우에 한정되지 않고 전체 법질서의 관점에서 사회통념상 위법하다고 판단되는 경우도 포함할 수 있는 탄력적인 개념이다.</u> 불법행위의 성립요건으로서 <u>위법성은 관련 행위 전체를 일체로 보아 판단하여 결정해야만 하는 것은 아니고, 문제가 되는 행위마다 개별적·상대적으로 판단하여야 한다.</u> 소유권을 비롯한 절대권을 침해한 경우뿐만 아니라 법률상 보호할 가치가 있는 이익을 침해하는 경우에도 침해행위의 양태, 피침해이익의 성질과 그 정도에 비추어 그 위법성이 인정되면 불법행위가 성립할 수 있다(대판 2021.6.30, 2019다268061).

ㄴ. 전문 감정인의 감정 결과에 의하더라도 피해자의 기대여명의 예측이 불확실한 경우에는 법원으로서는 일실수입 손해와 향후 치료비 손해 등을 산정함에 있어서 피해자가 확실히 생존하고 있으리라고 인정되는 기간 동안의 손해는 일시금의 지급을 명하고 그 이후의 기간은 피해자의 생존을 조건으로 정기금의 지급을 명할 수밖에 없으므로 그와 같은 산정방식을 두고 법원의 재량의 범위를 넘어섰다고 할 수는 없다(대판 2002.11.26, 2001다72678).

ㄷ. ① 불법행위로 인한 손해배상채무는 <u>손해발생과 동시에 이행기에 있는 것으로</u>, 공평의 관념상 <u>별도의 이행최고가 없더라도 불법행위 당시부터 지연손해금이 발생</u>하는 것이 <u>원칙</u>이고, ② <u>불법행위 시점과 손해발생 시점 사이에 시간적 간격이 있는 경우</u>에는 불법행위로 인한 손해배상채권의 <u>지연손해금은 손해발생 시점을 기산일</u>로 하여 발생한다. 이때 현실적으로 손해가 발생하여 불법행위로 인한 손해배상채권이 성립하게 되는 시점은 사회통념에 비추어 객관적이고 합리적으로 판단하여야 한다(대판 2022.6.16, 2017다289538).

ㄹ. 일조권 침해에 있어 객관적인 생활이익으로서 일조이익을 향유하는 '토지의 소유자 등'은 토지소유자, 건물소유자, 지상권자, 전세권자 또는 임차인 등의 거주자를 말하는 것으로서, <u>당해 토지·건물을 일시적으로 이용하는 것에 불과한 사람은</u> 이러한 <u>일조이익을 향유하는 주체가 될 수 없다.</u> (따라서) 초등학교 학생들은 공공시설인 학교시설을 방학기간이나 휴일을 제외한 개학기간 중, 그것도 학교에 머무르는 시간 동안 일시적으로 이용하는 지위에 있을 뿐이고, 학교를 점유하면서 지속적으로 거주하고 있다고 할 수 없어서 생활이익으로서의 일조권을 법적으로 보호받을 수 있는 지위에 있지 않다(대판 2008.12.24, 2008다41499).

ㅁ. 제416조 진정연대채무는 이행청구에 절대적 효력이 인정되나, <u>부진정연대채무에 있어 채무자 1인에 대한 이행의 청구는 다른 채무자에 대하여 그 효력이 미치지 않으므로,</u> 하천구역으로 편입된 토지의 소유자가 서울특별시장에게 보상금지급 청구를 하였다 하더라도 부진정연대채무관계에 있는 <u>국가에 대하여 시효중단의 효과가 발생한다고 할 수 없다</u>(대판 1997.9.12, 95다42027).

31 민법 제756조의 사용자책임에 관한 다음 설명 중 가장 옳지 않은 것은? ▸2023년 법원행시

① 동업자들이 공동으로 처리하여야 할 업무를 동업자 중 1인에게 맡겨 처리하도록 한 경우 다른 동업자는 그 업무집행자의 동업자이면서 사용자의 지위에 있으므로, 업무집행 과정에서 발생한 사고에 대하여 사용자책임을 부담한다.

② 사용자가 피용자의 고의에 의한 불법행위로 인하여 사용자책임을 부담하는 경우에는 피해자가 손해의 발생과 확대에 기여한 과실을 고려하여 사용자의 책임을 제한하는 것은 허용되지 않는다.

③ 고용관계가 아닌 위임의 경우에도 위임인과 수임인 사이에 지휘·감독관계가 있고 수임인의 불법행위가 외형상 객관적으로 위임인의 사무집행에 관련된 경우 위임인은 수임인의 불법행위에 대하여 사용자책임을 진다.

④ 타인에게 어떤 사업에 관하여 자기의 명의를 사용할 것을 허용한 경우에 명의사용을 허가받은 사람이 업무수행을 하면서 고의 또는 과실로 다른 사람에게 손해를 끼쳤다면 명의사용을 허가한 사람은 사용자책임을 지는 자로서 손해를 배상할 책임이 있다.

⑤ 피용자와 제3자가 공동불법행위로 피해자에게 손해를 가하여 그 손해배상채무를 부담하는 경우에 사용자가 피용자와 제3자의 책임비율에 의하여 정해진 피용자의 부담 부분을 초과하여 피해자에게 손해를 배상한 경우에는 사용자는 제3자에 대하여도 구상권을 행사할 수 있다.

해설 ① 대판 2006.3.10, 2005다65562

② 사용자가 피용자의 과실에 의한 불법행위로 인한 사용자책임을 부담하는 경우와 마찬가지로 **피용자의 고의에 의한 불법행위로 인하여 사용자책임을 부담하는 경우에도** 피해자에게 그 손해의 발생과 확대에 기여한 과실이 있다면 사용자책임의 범위를 정함에 있어서 이러한 **피해자의 과실을 고려하여 그 책임을 제한할 수 있다**(대판 2002.12.26, 2000다56952).

③ 대판 1998.4.28, 96다25500

④ 대판 2001.8.21, 2001다3658, 대판 2005.2.25, 2003다36133 등

⑤ 대판(전) 1992.6.23, 91다33070 → ※ [주의] : 사안의 경우 사용자는 반드시 피해자의 손해 전부를 배상하여야 할 필요는 없으나 피용자의 부담 부분을 초과하여 배상을 하여야 하고, 구상의 범위는 제3자의 부담부분에 국한된다.

32 국가배상책임에 관한 다음 설명 중 옳은 것은 모두 몇 개인가? ▶ 2023년 법원행시

ㄱ. 구 '국가안전과 공공질서의 수호를 위한 대통령긴급조치'(1975.5.13. 대통령긴급조치 제9호)의 발령 및 적용·집행행위는 국가배상법 제2조 제1항에서 말하는 공무원의 고의 또는 과실에 의한 불법행위에 해당하지 않으므로 국가배상책임이 없다.

ㄴ. 어떠한 행정처분이 항고소송에서 취소되는 경우, 그 기판력으로 인하여 담당 공무원의 고의·과실이 추정된다.

ㄷ. 재판에 대하여 불복절차 또는 시정절차가 마련되어 있는 경우, 법관이나 다른 공무원의 귀책사유로 불복에 의한 시정을 구할 수 없었다거나 그와 같은 시정을 구할 수 없었던 부득이한 사정이 없는 한, 그와 같은 시정을 구하지 않은 사람은 원칙적으로 국가배상에 의한 권리구제를 받을 수 없다.

ㄹ. 국가가 구 농지개혁법에 따라 농지를 매수하였으나 분배하지 않아 그 농지가 원소유자의 소유로 환원되었는데도 담당 공무원이 이를 제대로 확인하지 않은 채 제3자에게 처분하여 원소유자에게 손해를 입혔다면, 이는 특별한 사정이 없는 한 국가배상법 제2조 제1항에서 정한 공무원의 고의 또는 과실에 의한 위법행위에 해당한다.

ㅁ. 특별송달우편물에 관하여 우편집배원의 고의 또는 과실에 의하여 손해가 발생한 경우에는 국가배상법에 의한 손해배상을 청구할 수 있다.

① 1개   ② 2개   ③ 3개
④ 4개   ⑤ 5개

해설 ※ 옳은 것은 ㄷ. ㄹ. ㅁ. 3개이다.

ㄱ. 구 국가안전과 공공질서의 수호를 위한 대통령긴급조치(1975.5.13. 대통령긴급조치 제9호)는 위헌·무효임이 명백하고 긴급조치 제9호 발령으로 인한 국민의 기본권 침해는 그에 따른 강제수사와 공소제기, 유죄판결의 선고를 통하여 현실화되었다. 이러한 경우 <u>**긴급조치 제9호의 발령부터 적용·집행에 이르는 일련의 국가작용**은</u>, 전체적으로 보아 공무원이 직무를 집행하면서 객관적 주의의무를 소홀히 하여 그 직무행위가 객관적 정당성을 상실한 것으로서 위법하다고 평가되고, <u>긴급조치 제9호의 적용·집행으로 강제수사를 받거나 유죄판결을 선고받고 복역함으로써 개별 국민이 입은 손해에 대해서는 **국가배상책임이 인정될 수 있다**</u>(대판(전) 2022.8.30. 2018다212610).

ㄴ. <u>어떠한 행정처분이 항고소송에서 취소되었다고 할지라도 그 기판력으로 곧바로 국가배상책임이 인정될 수는 없고</u> '공무원이 직무를 집행하면서 고의 또는 과실로 법령을 위반하여 타인에게 손해를 입힌 때'라고 하는 **국가배상법 제2조 제1항의 요건이 충족되어야 한다**. 보통 일반의 공무원을 표준으로 공무원이 객관적 주의의무를 소홀히 하고 그로 말미암아 객관적 정당성을 잃었다고 볼 수 있으면 국가배상법 제2조가 정한 국가배상책임이 성립할 수 있다(대판 2022.4.28. 2017다233061).

ㄷ. <u>법관의 재판에 법령 규정을 따르지 않은 잘못이 있더라도 이로써 바로 재판상 직무행위가 국가배상법 제2조 제1항에서 말하는 위법한 행위로 되어 국가의 손해배상책임이 발생하는 것은 아니다.</u> <u>법관의 오판으로 인한 국가배상책임이 인정되려면 법관이 위법하거나 부당한 목적을 가지고 재판을 하였다거나 법이 법관의 직무수행상 준수할 것을 요구하고 있는 기준을 현저하게 위반하는 등 법관이 그에게 부여된 권한의 취지에 명백히 어긋나게 이를 행사하였다고 인정할 만한 특별한 사정이 있어야 한다</u>는 것이 판례이다. <u>특히 재판에 대하여 불복절차 또는 시정절차가 마련되어 있는 경우</u>, 법관이나 다른 공무원의 귀책사유로 불복에 의한 시정을 구할 수 없었다거나 그와 같은 시정을 구할 수 없었던 부득이한 사정이 없는 한, <u>그와 같은 시정을 구하지 않은 사람은 원칙적으로 국가배상에 의한 권리구제를 받을 수 없다</u>(대판 2022.3.17. 2019다226975).

ㄹ. 대판 2019.10.31. 2016다243306

ㅁ. 민사소송법에 의한 특별송달우편물의 발송인은 송달사무 처리담당자인 법원사무관 등이고(민사소송법 제175조 제1항), 그 적정하고 확실한 송달에 직접 이해관계를 가지는 소송당사자 등은 스스로 관여할 수 있는 다른 송달수단을 전혀 갖지 못하는 특수성이 있다. 소송관계 서류를 송달하는 <u>우편집배원도 민사소송법 제176조가 정한 송달기관으로서 위 집행관 등과 대등한 주의의무를 가진다고 보아야</u> 하므로 그에 위반하는 경우 피해자는 국가에 대하여 <u>국가배상법에 의한 손해배상을 청구할 수 있다</u>(대판 2008.2.28. 2005다4734).

33 사용자책임 내지 자동차운행자의 책임에 관한 다음 설명 중 가장 옳지 않은 것은?

▶ 2024년 법원행시

① 민법 제756조의 사용관계에 있어서 실질적인 지휘·감독 관계는 실제로 지휘·감독하고 있느냐의 여부에 의하여 결정되는 것이지 객관적으로 지휘·감독을 하여야 할 관계에 있느냐의 여부에 따라 결정되는 것은 아니다.

② 사용자가 피용자의 고의에 의한 불법행위로 인하여 사용자책임을 부담하는 경우에도 피해자에게 그 손해의 발생과 확대에 기여한 과실이 있다면 사용자책임의 범위를 정함에 있어서 이러한 피해자의 과실을 고려하여 그 책임을 제한할 수 있다.

③ 피용자가 권한 없이 사용자를 대리하여 한 법률행위가 상대방에 대한 관계에서 기망에 의한 불법행위에 해당하여 사용자가 손해배상책임을 지는 경우, 사용자가 피용자의 무권대리행위를 추인하였다고 하더라도 이미 성립된 사용자책임이 소멸되는 것은 아니다.

④ 피용자가 제3자와 공동불법행위로 피해자에게 손해를 가하여 사용자가 그로 인한 사용자책임을 부담하게 된 경우, 사용자는 피용자와 제3자의 책임비율에 의하여 정해진 피용자의 부담부분을 초과하여 피해자에게 손해를 배상하였다면 제3자에 대하여 구상권을 행사할 수 있고, 그 구상의 범위는 제3자의 부담부분에 국한된다.

⑤ 자동차손해배상보장법 제3조에서 자동차 사고에 대한 손해배상책임을 지는 자로 규정하는 '자기를 위하여 자동차를 운행하는 자'란 사회통념상 자동차에 대한 운행을 지배하여 그 이익을 향수하는 책임주체의 지위에 있는 자를 말하고, 이러한 운행의 지배는 간접지배 내지는 지배가능성이 있다고 볼 수 있는 경우도 포함한다.

해설 ① 민법 제756조가 규정하고 있는 사용자책임의 요건으로서의 사용관계가 있느냐 여부는 실제적으로 지휘·감독을 하였느냐의 여부에 관계없이 객관적·규범적으로 보아 사용자가 그 불법행위자를 지휘·감독해야 할 지위에 있었느냐의 여부를 기준으로 결정하여야 할 것이다(대판 2005.2.25, 2003다36133).

② 대판 2002.12.26, 2000다56952

③ 피용자가 권한 없이 사용자를 대리하여 한 법률행위가 상대방에 대한 관계에서 기망에 의한 불법행위에 해당하여 사용자가 손해배상책임을 지는 경우에, **사용자가 피용자의 무권대리행위를 추인하였다고 하더라도 그것만으로는 이미 성립된 사용자책임이 소멸되는 것이라고 볼 수 없다**(대판 2009.6.11, 2008다79500).

④ 피용자와 제3자가 공동불법행위로 피해자에게 손해를 가하여 그 손해배상채무를 부담하는 경우에 피용자와 제3자는 공동불법행위자로서 서로 부진정연대관계에 있고, 한편 사용자의 손해배상책임은 피용자의 배상책임에 대한 대체적 책임이어서 사용자도 제3자와 부진정연대관계에 있다고 보아야 할 것이므로, 사용자가 피용자와 제3자의 책임비율에 의하여 정해진 피용자의 부담부분을 초과하여 피해자에게 손해를 배상한 경우에는 사용자는 제3자에 대하여도 구상권을 행사할 수 있으며, 그 구상의 범위는 제3자의 부담부분에 국한된다고 보는 것이 타당하다(대판(전합) 1992.6.23, 91다33070).

정답 ▶ 33 ①

⑤ 자동차손해배상보장법 제3조에서 자동차 사고에 대한 손해배상책임을 지는 자로 규정하고 있는 '자기를 위하여 자동차를 운행하는 자'란 사회통념상 당해 자동차에 대한 운행을 지배하여 그 이익을 향수하는 책임주체로서의 지위에 있다고 할 수 있는 자를 말하고, 이 경우 운행의 지배는 현실적인 지배에 한하지 아니하고 사회통념상 간접지배 내지는 지배가능성이 있다고 볼 수 있는 경우도 포함한다(대판 1998.10.27, 98다36382).

34 진료상 과실로 인한 손해배상책임에 관한 다음 설명 중 가장 옳지 않은 것은?

▶ 2024년 법원사무관 승진

① 진료상 과실로 인한 손해배상책임이 성립하기 위해서는 다른 경우와 마찬가지로 손해가 발생하는 것 외에 주의의무 위반, 주의의무 위반과 손해 사이의 인과관계가 인정되어야 한다.

② 환자 측이 의료행위 당시 임상의학 분야에서 실천되고 있는 의료수준에서 통상의 의료인에게 요구되는 주의의무의 위반 즉 진료상 과실로 평가되는 행위의 존재를 증명하고, 그 과실이 환자 측의 손해를 발생시킬 개연성이 있다는 점을 증명한 경우에는, 진료상 과실과 손해 사이의 인과관계를 추정하여 인과관계 증명책임을 완화하는 것이 타당하다.

③ 손해 발생의 개연성은 자연과학적, 의학적 측면에서 의심이 없을 정도로 증명될 필요는 없으나, 해당 과실과 손해 사이의 인과관계를 인정하는 것이 의학적 원리 등에 부합하지 않거나 해당 과실이 손해를 발생시킬 막연한 가능성이 있는 정도에 그치는 경우에는 증명되었다고 볼 수 없다.

④ 진료상 과실과 손해 사이의 인과관계가 추정되는 경우에도, 의료행위를 한 측에서는 환자 측의 손해가 진료상 과실로 인하여 발생한 것이 아니라는 것을 증명하여 추정을 번복시킬 수 있으나 망인의 사망이 진료상 과실로 인한 것이 아니라 다른 원인으로 인하여 발생한 것이라는 점까지 증명할 필요는 없다.

해설 ①,②,③,④ ⅰ) 진료상 과실로 인한 손해배상책임이 성립하기 위해서는 다른 경우와 마찬가지로 손해가 발생하는 것 외에 주의의무 위반, 주의의무 위반과 손해 사이의 인과관계가 인정되어야 한다. ⅱ) 그러나 의료행위는 고도의 전문적 지식을 필요로 하는 분야로서 환자 측에서 의료진의 과실을 증명하는 것이 쉽지 않고, 현대의학지식 자체의 불완전성 등 때문에 진료상 과실과 환자 측에게 발생한 손해(기존에 없던 건강상 결함 또는 사망의 결과가 발생하거나, 통상적으로 회복가능한 질병 등에서 회복하지 못하게 된 경우 등) 사이의 인과관계는 환자 측뿐만 아니라 의료진 측에서도 알기 어려운 경우가 많다. 이러한 증명의 어려움을 고려하면, 환자 측이 의료행위 당시 임상의학 분야에서 실천되고 있는 의료수준에서 통상의 의료인에게 요구되는 주의의무의 위반 즉 진료상 과실로 평가되는 행위의 존재를 증명하고, 그 과실이 환자 측의 손해를 발생시킬 개연성이 있다는 점을 증명한 경우에는, 진료상 과실과 손해 사이의 인과관계를 추정하여 인과관계 증명책임을 완화하는 것이 타당하다. ⅲ) 여기서 손해 발생의 개연성은 자연과학적, 의학적 측면에서 의심이 없을 정도로 증명될 필요는 없으나, 해당

과실과 손해 사이의 인과관계를 인정하는 것이 의학적 원리 등에 부합하지 않거나 해당 과실이 손해를 발생시킬 막연한 가능성이 있는 정도에 그치는 경우에는 증명되었다고 볼 수 없다. iv) 한편 진료상 과실과 손해 사이의 인과관계가 추정되는 경우에도 의료행위를 한 측에서는 환자 측의 손해가 진료상 과실로 인하여 발생한 것이 아니라는 것을 증명하여 추정을 번복시킬 수 있다. (따라서) 피고 측(의료행위를 한 측)에서 망인의 사망이 진료상 과실로 인하여 발생한 것이 아니라 다른 원인으로 인하여 발생한 것이라는 점을 증명하지 아니하는 이상, 진료상 과실과 사망 사이의 인과관계를 추정할 수 있다(대판 2023.8.31, 2022다219427).

정답 34 ④

심화문제 | 확인 · 보충 · 심화문제

01 사용자책임에 관한 설명 중 옳은 것을 모두 고른 것은? (다툼이 있는 경우에는 판례에 의함)

> ㉠ 타인에게 어떤 사업에 관하여 자기 명의의 사용을 허락한 경우에 명의사용을 허락한 사람은 명의사용을 허락받은 사람이 업무수행을 함에 있어 행한 불법행위에 대하여 그 손해를 배상할 책임이 있다.
>
> ㉡ 피용자의 행위가 사용자의 사무집행행위에 해당하지 않음을 피해자가 알았거나 중대한 과실로 몰랐더라도 원칙적으로 사용자책임을 물을 수 있으나, 과실상계를 하게 된다.
>
> ㉢ 사용자의 면책사유에 관하여는 사용자측에서 입증책임을 진다.
>
> ㉣ 동업관계에 있는 자들이 동업자 중 1인에게 그 업무집행을 위임하여 그로 하여금 처리하도록 한 경우, 그 업무집행 과정에서 발생한 손해에 대해 다른 동업자는 사용자책임을 지지 않는다.

① ㉢
② ㉠, ㉢
③ ㉡, ㉢
④ ㉡, ㉣
⑤ ㉠, ㉢, ㉣

해설 ㉠ 타인에게 어떤 사업에 관하여 자기의 명의를 사용할 것을 허용한 경우에 그 사업이 내부관계에 있어서는 타인의 사업이고 명의자의 고용인이 아니라 하더라도 외부에 대한 관계에 있어서는 그 사업이 명의자의 사업이고, 또 그 타인은 명의자의 종업원임을 표명한 것과 다름이 없으므로 명의사용을 허가받은 사람이 업무수행을 함에 있어 고의 또는 과실로 다른 사람에게 손해를 끼쳤다면 <u>명의사용을 허락한 사람은 민법 제756조에 의하여 그 손해를 배상할 책임이 있다</u>(대판 1994.10.25, 94다24176).

㉡ 피용자의 불법행위가 외관상 사무집행의 범위 내에 속하는 것으로 보이는 경우에 있어서도, 피용자의 행위가 사용자나 사용자에 갈음하여 그 사무를 감독하는 자의 <u>사무집행행위에 해당하지 않음을 피해자 자신이 알았거나 또는 중대한 과실로 알지 못한 경우에는 사용자 혹은 사용자에 갈음하여 그 사무를 감독하는 자에 대하여 사용자책임을 물을 수 없다</u>(대판 1999.10.22, 98다6381).

㉢ 민법 제756조 제1항 및 제2항의 책임에 있어서 사용자나 그에 갈음하여 사무를 감독하는 자는 그 피용자의 선임과 사무감독에 상당한 주의를 하였거나 상당한 주의를 하여도 손해가 있을 경우에는 손해배상의 책임이 없으나, <u>이러한 사정은 사용자 등이 주장 및 입증을 하여야 한다</u>(대판 1998.5.15, 97다58538).

㉣ 동업관계에 있는 자들이 공동으로 처리하여야 할 업무를 동업자 중 1인에게 그 업무집행을 <u>위임하여 그로 하여금 처리하도록 한 경우</u>, 다른 동업자는 그 업무집행자의 동업자인 동시에 사용자의 지위에 있다 할 것이므로, 업무집행 과정에서 발생한 사고에 대하여 <u>사용자로서의 손해배상책임이 있다</u>(대판 1998.4.28, 97다55164).

02 **공동불법행위에 관한 설명 중 옳지 않은 것은?** (다툼이 있는 경우에는 판례에 의함)

① 피용자 甲과 제3자 乙이 공동불법행위로 丙에게 손해를 가하여 그 배상채무를 부담하는 경우, 甲의 사용자 丁이 甲과 乙의 책임비율에 의하여 정해진 甲의 부담부분을 초과하여 丙에게 손해를 배상한 때에는 丁은 乙에 대하여 구상권을 행사할 수 있다.

② 甲, 乙, 丙, 丁은 공동불법행위자인데, 甲, 乙, 丙이 丁에 대하여 구상의무를 부담하는 경우, 丁에게 불법행위에 관한 과실이 없으면 丁에 대한 甲, 乙, 丙의 구상의무는 부진정연대채무이다.

③ 甲, 乙, 丙이 각각 자신이 소유하는 차량을 운전하여 도로를 따라 진행하다가 甲이 도로변에 서 있던 丁을 실수로 보지 못하여 충돌하였고, 그 뒤를 따르던 乙과 丙도 전방을 제대로 보지 못한 채 진행하다가 쓰러져 있던 丁을 충돌하여, 결국 위 사고로 丁이 사망하였는데, 어느 충돌사고로 사망하였는지가 명확하지 않은 때에, 丁의 상속인이 甲을 상대로 손해배상을 청구할 경우, 상속인은 甲의 충돌과 丁의 사망 사이의 인과관계를 증명하지 못한다면 甲으로부터 배상받지 못한다.

④ 공동불법행위자 甲, 乙, 丙 중 乙의 손해배상채무가 시효로 소멸한 후에 丙이 피해자 丁에게 자기의 부담부분을 넘는 손해를 배상하였을 경우에도, 丙은 乙에게 구상권을 행사할 수 있다.

⑤ 공동불법행위자 甲, 乙, 丙 사이에 甲의 乙과 丙에 대한 구상권의 소멸시효는 甲이 공동면책행위를 한 때로부터 기산하고, 그 기간은 10년이다.

해설 ① 피용자와 제3자가 공동불법행위로 피해자에게 손해를 가하여 그 손해배상채무를 부담하는 경우에 피용자와 제3자는 공동불법행위자로서 서로 부진정연대관계에 있고, 한편 사용자의 손해배상책임은 피용자의 배상책임에 대한 대체적 책임이어서 사용자도 제3자와 부진정연대관계에 있다고 보아야 할 것이므로, 사용자가 피용자와 제3자의 책임비율에 의하여 정해진 피용자의 부담부분을 초과하여 피해자에게 손해를 배상한 경우에는 사용자는 제3자에 대하여도 구상권을 행사할 수 있으며, 그 구상의 범위는 제3자의 부담부분에 국한된다고 보는 것이 타당하다(대판(전) 1992.6.23, 91다33070).

② 공동불법행위자 중 1인에 대하여 구상의무를 부담하는 다른 공동불법행위자가 수인인 경우에는 특별한 사정이 없는 이상 그들의 구상권자에 대한 채무는 각자의 부담 부분에 따른 분할채무로 봄이 상당하지만, 구상권자인 공동불법행위자측에 과실이 없는 경우, 즉 내부적인 부담 부분이 전혀 없는 경우에는 이와 달리 그에 대한 수인의 구상의무 사이의 관계를 부진정연대관계로 봄이 상당하다(대판 2005.10.13, 2003다24147).

③ 민법 제760조 제2항은 여러 사람의 행위가 경합하여 손해가 생긴 경우 중 같은 조 제1항에서 말하는 공동의 불법행위로 보기에 부족할 때, 입증책임을 덜어줌으로써 피해자를 보호하려는 입법정책상의 고려에 따라 각각의 행위와 손해 발생 사이의 인과관계를 법률상 추정한 것이므로, 이러한 경우 개별 행위자가 자기의 행위와 손해 발생 사이에 인과관계가 존재하지 아니함을 증명하면 면책되고, 손해의 일부가 자신의 행위에서 비롯된 것이 아님을 증명하면 배상책임이 그 범위로 감축된다(대판 2008.4.10, 2007다76306).

정답 01 ② 02 ③

④ 공동불법행위자의 다른 공동불법행위자에 대한 구상권은 피해자의 다른 공동불법행위자에 대한 손해배상채권과는 그 발생원인 및 성질을 달리하는 별개의 권리이고, 연대채무에 있어서 소멸시효의 절대적 효력에 관한 민법 제421조의 규정은 공동불법행위자 상호간의 부진정 연대채무에 대하여는 그 적용이 없으므로, <u>공동불법행위자 중 1인의 손해배상채무가 시효로 소멸한 후에 다른 공동불법행위자 1인이 피해자에게 자기의 부담 부분을 넘는 손해를 배상하였을 경우에도, 그 공동불법행위자는 다른 공동불법행위자에게 구상권을 행사할 수 있다</u> (대판 1997.12.23. 97다42830).

⑤ 구상권의 소멸시효는 그 구상권이 발생한 시점, 즉 구상권자가 공동면책행위를 한 때로부터 기산하여야 할 것이고, 그 기간도 일반 채권과 같이 10년으로 보아야 한다(대판 1996.3.26. 96다3791).

03 **불법행위를 원인으로 한 손해배상 등에 관한 설명 중 옳은 것을 모두 고른 것은?** (다툼이 있는 경우에는 판례에 의함)

> ㄱ. 불법행위를 원인으로 한 손해배상에 있어서는 채무불이행을 원인으로 한 경우와는 달리, 그 손해가 고의 또는 중대한 과실에 의한 것이 아니고 그 배상으로 인하여 배상자의 생계에 중대한 영향을 미치게 될 경우에는 배상의무자의 청구에 의하여 법원이 배상액을 감경할 수 있다.
> ㄴ. 당사자들 사이에 다른 특약이 있으면 금전배상 이외의 방법으로 손해를 배상할 수 있다.
> ㄷ. 乙과 공동불법행위자인 甲이 丙에게 전액배상을 한 후에 다시 乙이 丙에게 전액배상을 한 경우, 甲이 乙에게 전액배상의 사실을 통지하지 아니한 경우에는 甲의 乙에 대한 구상권은 인정되지 아니한다.
> ㄹ. 불법행위로 인한 손해배상청구소송의 원고가 피고에게 일시금지급을 구하는 청구를 하였더라도, 법원이 정기금지급을 명하는 판결을 선고할 수도 있다.
> ㅁ. 甲, 乙, 丙의 공동불법행위가 인정되는 경우, 이로 인해 사망한 자의 상속인은 자기 고유의 위자료청구권을 행사할 수 있지만, 이와 별도로 사망한 자가 즉사한 경우에는 그 자의 위자료청구권을 상속받아 행사할 수는 없다.

① ㄱ, ㄴ ② ㄱ, ㄴ, ㄹ
③ ㄴ, ㄷ, ㄹ ④ ㄱ, ㄴ, ㄷ, ㄹ
⑤ ㄱ, ㄴ, ㄹ, ㅁ

해설 ㄱ. 제765조 제1항【배상액의 경감청구】본장의 규정에 의한 배상의무자는 그 손해가 고의 또는 중대한 과실에 의한 것이 아니고 그 배상으로 인하여 배상자의 생계에 중대한 영향을 미치게 될 경우에는 법원에 그 배상액의 경감을 청구할 수 있다.

ㄴ. 제763조【준용규정】제393조, 제394조, 제396조, 제399조의 규정은 불법행위로 인한 손해배상에 준용한다.
제394조【손해배상의 방법】다른 의사표시가 없으면 손해는 금전으로 배상한다.

따라서 당사자 사이의 합의로 금전배상 이외의 방법으로 손해를 배상하는 것으로 정할 수 있다.

ㄷ. 출연분담에 관한 주관적인 밀접한 연관관계가 없고 단지 채권만족이라는 목적만을 공통으로 하고 있는 부진정 연대채무에 있어서는 그 변제에 관하여 채무자 상호간에 통지의무 관계를 인정할 수 없고, 변제로 인한 공동면책이 있는 경우에 있어서는 채무자 상호간에 어떤 대내적인 특별관계에서 또는 형평의 관점에서 손해를 분담하는 관계가 있게 되는데 불과하다고 할 것이므로, 부진정 연대채무에 해당하는 공동불법행위로 인한 손해배상채무에 있어서도 채무자 상호간에 구상요건으로서의 통지에 관한 민법의 위 규정을 유추적용할 수는 없다(대판 1998.6.26, 98다5777).

따라서 이중변제의 원칙상 먼저 변제한 공동불법행위자는 그 후에 변제한 공동불법행위자에게 구상권을 행사할 수 있다.

ㄹ. 제751조 제2항 【재산이외의 손해의 배상】 법원은 전항의 손해배상을 정기금채무로 지급할 것을 명할 수 있고 그 이행을 확보하기 위하여 상당한 담보의 제공을 명할 수 있다.

즉, 손해배상지급의 방법으로 법원은 일시금배상이 아닌 정기금배상을 명할 수 있고, 일시금배상을 명하느냐 정기금배상을 명하느냐는 법원의 자유재량에 속한다(대판 1992.1.21, 91다36628).

ㅁ. 피해자가 즉사한 경우, 판례는 민법 제3조와의 관계에서 시간적 간격설로 위자료청구권의 상속성을 인정하고 있다(대판 1971.3.9, 70다3031). 즉, 즉사의 경우에도 재산적 손해배상청구권과 위자료청구권이 피해자 본인에게 발생하고 이것이 상속된다(통설·판례). 따라서 피해자의 상속인인 유족은 사망자의 위자료청구권과 자신의 위자료청구권 등 2개의 위자료청구권을 가지게 된다(대판 1969.4.15, 69다268).

04 甲, 乙, 丙이 공동으로 丁을 폭행하여 상해를 입혔고, 이에 丁은 甲, 乙, 丙을 상대로 손해배상을 청구하고자 한다. 이에 관한 설명 중 옳지 않은 것은? (각 지문은 독립적이며, 다툼이 있는 경우 판례에 의함) ▶ 2016년 변호사

① 가해행위에 대한 甲의 가담 정도가 乙이나 丙에 비하여 경미하더라도 丁에 대한 관계에서 甲의 책임 범위를 손해배상액의 일부로 제한할 수는 없다.

② 丁이 甲의 손해배상채무를 면제해 주었더라도, 乙이 丁에 대한 손해배상채무 전액을 변제하였다면, 乙은 甲에 대하여 구상권을 행사할 수 있다.

③ 丁이 甲을 상대로 손해배상을 청구하더라도 丁의 乙과 丙에 대한 손해배상청구권은 소멸시효가 중단되지 않는다.

④ 폭행으로 인하여 丁에게 손해발생과 함께 이득이 생긴 한편 그 손해발생에 丁의 과실이 경합하여 과실상계를 해야 할 경우에는 산정된 손해액에 먼저 과실상계를 한 후 이득을 공제해야 한다.

⑤ 丁이 甲, 乙, 丙을 공동피고로 하여 손해배상청구소송을 제기한 경우, 법원이 피해자인 丁의 과실을 들어 과실상계를 할 때 丁의 甲, 乙, 丙에 대한 과실비율이 서로 다르다면 이들을 개별적으로 평가하여 손해액을 정해야 한다.

정답 03 ② 04 ⑤

해설 ① 가해자들은 부진정연대채무를 부담하므로, 가해행위에 대한 甲의 가담 정도가 乙이나 丙에 비하여 경미하더라도 丁에 대한 관계에서 甲의 책임 범위를 손해배상액의 일부로 제한할 수는 없는 것이다(대판 2007.6.14, 2005다32999).
② 채무면제는 상대효 밖에 없으므로, 丁이 甲의 손해배상채무를 면제해 주었더라도, 다른 가해자에게 혜택을 주지 못한다(제419조의 연대채무와 차이). 그러므로 乙이 丁에 대한 손해배상채무 전액을 변제하였다면, 乙은 甲에 대하여 구상권을 행사할 수 있는 것이다(대판 2005.7.8, 2005다8125).
③ 부진정연대채무에서 이행청구(제416조)는 연대채무와는 달리 상대효 밖에 없으므로 丁이 甲을 상대로 손해배상을 청구하더라도 丁의 乙과 丙에 대한 손해배상청구권은 소멸시효가 중단되지 않는다(대판 2011.4.14, 2010다91886).
④ 과실상계 후 손익상계를 하여야 한다. 따라서 폭행으로 인하여 丁에게 손해발생과 함께 이득이 생긴 한편 그 손해발생에 丁의 과실이 경합하여 과실상계를 해야 할 경우에는 산정된 손해액에 먼저 과실상계를 한 후 이득을 공제해야 한다(대판 2010.2.25, 2009다87621).
⑤ 공동불법행위에서 피해자의 과실을 공동불법행위자 각인에 대한 과실로 개별적으로 평가할 것이 아니고 그들 전원에 대한 과실로 전체적으로 평가하여야 한다. 따라서 丁의 甲, 乙, 丙에 대한 과실비율이 서로 다르다고 하여 이들을 개별적으로 평가하여 손해액을 정해서는 안 된다(대판 2007.6.14, 2005다32999).

05 甲은 乙이 운전하는 택시를 타고 가고 있었는데, 이 택시가 丙이 운전하는 승용차와 충돌하는 사고가 발생하였다. 이 사고와 관련하여 乙에게 40%, 丙에게 60%의 과실이 인정되었고, 甲의 손해액은 3,000만원이다. 이에 관한 설명 중 옳은 것을 모두 고른 것은? (다툼이 있는 경우 판례에 의함) ▸ 2016년 사법시험

ㄱ. 甲이 乙에게 손해배상을 청구한 경우 丙에 대한 손해배상청구권의 소멸시효는 중단되지 않는다.
ㄴ. 법원이 피해자 甲의 과실을 들어 과실상계를 함에 있어서는 甲의 과실을 공동불법행위자 乙, 丙 전원에 대한 과실로 전체적으로 평가하여야 한다.
ㄷ. 丙이 甲에게 1,800만원을 변제한 경우 丙은 乙에게 720만원을 구상할 수 있다.
ㄹ. 丙이 자신의 甲에 대한 반대채권으로 상계한 경우, 그 상계로 인한 채무소멸의 효력은 소멸한 채무 전액에 관하여 乙에 대하여도 미친다.
ㅁ. 甲이 乙과 丙을 상대로 별개의 소를 제기하여 소송을 진행하는 경우 각 소송에서 과실상계비율과 손해액을 서로 달리 인정할 수 없다.

① ㄱ, ㄷ   ② ㄴ, ㅁ   ③ ㄱ, ㄴ, ㄹ
④ ㄴ, ㄷ, ㄹ   ⑤ ㄷ, ㄹ, ㅁ

해설 ㄱ. ㄹ. 부진정연대채무에서는 변제, 대물변제, 공탁, 상계는 절대적 효력이 있다(대판(전합) 2010.9.16, 2008다97218). 그러나 이행청구는 연대채무와는 달리 상대효 밖에 없다(대판 2011.4.14, 2010다91886).

ㄴ. 대판 2011.7.28, 2010다76368 등

ㄷ. 부진정연대채무에서의 구상권은 공동불법행위자 중 1인이 자기의 부담부분 이상을 변제하여 공동의 면책을 얻었을 경우에는 다른 공동불법행위자에게 그 부담부분의 비율에 따라 구상권을 행사할 수 있는 것이다. 따라서 丙이 甲에게 1,800만원을 변제한 경우에는 자기의 부담부분만을 변제한 경우로서 丙은 乙에게 구상할 수 없다(대판 2006.2.9, 2005다28426).

ㅁ. 피해자가 공동불법행위자들을 모두 피고로 삼아 한꺼번에 손해배상청구의 소를 제기한 경우와 달리 공동불법행위자 별로 별개의 소를 제기하여 소송을 진행하는 경우에는 각 소송에서 제출된 증거가 서로 다르고 이에 따라 교통사고의 경위와 피해자의 손해액산정의 기초가 되는 사실이 달리 인정됨으로 인하여 과실상계비율과 손해액도 서로 달리 인정될 수 있는 것이다(대판 2001.2.9, 2000다60227).

06 불법행위로 인한 손해배상청구권의 소멸시효에 관한 설명 중 옳은 것(○)과 옳지 않은 것(×)을 올바르게 조합한 것은? (다툼이 있는 경우 판례에 의함) ▶ 2015년 사법시험

> ㄱ. 일조방해로 인하여 건물 등의 소유자 내지 실질적 처분권자가 피해자에 대하여 건물 등의 전부 또는 일부에 대한 철거의무를 부담하는 경우, 이러한 철거의무를 계속적으로 이행하지 않는 부작위는 새로운 불법행위가 되고 그 손해는 날마다 새로운 불법행위에 기하여 발생하는 것이므로 피해자가 그 각 손해를 안 때로부터 각 별로 소멸시효가 진행된다.
>
> ㄴ. 민법 제766조 제1항의 '손해 및 가해자를 안 날'이란 피해자나 그 법정대리인이 손해 및 가해자를 인식한 날을 의미하며, 그 인식은 손해발생의 추정이나 의문만으로 충분하다.
>
> ㄷ. 甲은 서류를 위조하여 乙 소유의 X 부동산에 관하여 甲 명의의 소유권이전등기를 한 후 丙에게 매도하여 소유권이전등기를 마쳐주었다. 이후 乙이 丙을 상대로 소유권이전 등기말소청구의 소를 제기하였으나 등기부 취득시효가 완성되었다는 이유로 패소하여 그 판결이 확정되었다면, 乙의 甲에 대한 손해배상청구권의 소멸시효 기산점은 丙의 취득시효 완성시가 아니라 乙의 패소판결 확정시이다.
>
> ㄹ. 불법행위 당시에는 전혀 예견할 수 없었던 새로운 손해가 발생하였다거나 예상 외로 손해가 확대된 경우에는 그러한 사유가 판명된 때로부터 소멸시효기간이 진행된다.
>
> ㅁ. 불법행위의 피해자가 미성년자로 행위능력이 제한된 자인 경우 특별한 사정이 없는 한 그 미성년자가 손해 및 가해자를 알아야 불법행위로 인한 손해배상청구권의 단기소멸시효가 진행된다.
>
> ㅂ. 법인의 대표자가 그 법인에 대하여 불법행위를 한 경우에는 법인은 대표자의 불법행위와 동시에 손해 및 가해자를 알았다고 할 것이므로, 그 날로부터 불법행위로 인한 손해배상청구권의 단기소멸시효가 진행된다.

정답 ▷ **05** ③   **06** ③

① ㄱ(○), ㄴ(○), ㄷ(×), ㄹ(×), ㅁ(○), ㅂ(×)
② ㄱ(○), ㄴ(○), ㄷ(○), ㄹ(×), ㅁ(○), ㅂ(○)
③ ㄱ(○), ㄴ(×), ㄷ(○), ㄹ(○), ㅁ(×), ㅂ(×)
④ ㄱ(○), ㄴ(×), ㄷ(○), ㄹ(×), ㅁ(×), ㅂ(○)
⑤ ㄱ(×), ㄴ(×), ㄷ(×), ㄹ(○), ㅁ(○), ㅂ(○)

해설 ㄱ. 일조방해로 인하여 건물 등의 소유자가 피해자에 대하여 건물 등의 전부 또는 일부에 대한 철거의무를 부담하는 경우(재산상, 정신적 손해가 1회적인 것임에 비하여), 이러한 철거의무를 계속적으로 이행하지 않는 부작위는 새로운 불법행위가 되고 그 손해는 날마다 새로운 불법행위에 기하여 발생하는 것이므로 피해자가 그 각 손해를 안 때로부터 각 별로 소멸시효가 진행된다(대판(전합) 2008.4.17, 2006다35865).

ㄴ. 민법 제766조 제1항의 '손해 및 가해자를 안 날'이란 피해자나 그 법정대리인이 손해 및 가해자를 현실적이고도 구체적으로 인식한 날을 의미하며, 그 인식은 손해발생의 추정이나 의문만으로 충분하지 않다(대판 2011.11.10, 2011다54684등).

ㄷ. 소유권이전등기 말소등기의무의 이행불능으로 인한 전보배상청구권의 소멸시효는 말소등기의무가 이행불능 상태에 돌아간 때로부터 진행된다. 甲이 乙을 강박하여 그에 따른 하자있는 의사표시에 의하여 부동산에 관한 소유권이전등기를 마친 다음 타인에게 매도하여 소유권이전등기를 경료하여 준 경우, 그 소유권이전등기는 소송 기타 방법에 따라 말소 환원 여부가 결정될 특별한 사정이 있으므로 甲의 乙에 대한 소유권이전등기의무는 아직 이행불능이 되었다고 할 수 없으나, 乙이 등기명의인을 상대로 제기한 소유권이전등기 말소청구소송 또는 진정명의회복을 위한 소유권이전등기청구소송이 패소확정되면 그 때에 甲의 목적 부동산에 대한 소유권이전등기 말소등기의무는 이행불능 상태에 이른다고 할 것이고, 위 등기말소청구소송 등에서 등기명의인의 등기부 취득시효가 인용된 결과 乙이 패소하였다고 하더라도 등기부 취득시효 완성 당시에 이행불능 상태에 이른다고 볼 것은 아니다(대판 2005.9.15, 2005다29474 등). 따라서 취득시효가 완성된 때가 아닌 패소판결이 확정된 때부터 불법행위 손해배상채권의 소멸시효가 진행하게 된다.

ㄹ. 후유증 등 불법행위 당시에는 전혀 예견할 수 없었던 새로운 손해가 발생하였다거나 예상 외로 손해가 확대된 경우에는 그러한 사유가 판명된 때로부터 소멸시효기간이 진행된다(대판 2010.4.29, 2009다99105 등).

ㅁ. 피해자 또는 법정대리인이 손해 및 가해자를 인식할 만한 지능이 없는 경우에는 소멸시효는 진행하지 않는다. 따라서 위 사안은 미성년자가 아닌 법정대리인 알아야 3년의 소멸시효가 진행한다(대판 2010.2.11, 2009다79897 등).

ㅂ. 법인의 대표자가 그 법인에 대하여 불법행위를 한 경우에는 법인의 이익을 보호하기 위해서 그 불법행위를 한 법인의 대표자가 아닌 적어도 법인의 이익을 정당하게 보전할 권한을 가진 다른 임원 또는 사원이나 직원 등이 손해배상청구권을 행사할 수 있을 정도로 이를 안 때부터 3년의 소멸시효가 진행한다(대판 2012.7.12, 2012다20475 등).

박문각 법무사

이혁준 민법

1차 | 객관식 문제집 1권

제5판 인쇄 2025. 4. 25. | **제5판 발행** 2025. 4. 30. | **편저자** 이혁준

발행인 박 용 | **발행처** (주)박문각출판 | **등록** 2015년 4월 29일 제2019-0000137호

주소 06654 서울시 서초구 효령로 283 서경 B/D 4층 | **팩스** (02)584-2927

전화 교재 문의 (02)6466-7202

정가 88,000원
ISBN 979-11-7262-739-3(1권)
ISBN 979-11-7262-738-6(세트)

MEMO

MEMO